〈명주보월빙〉연작 3부작 중 제1부작

낙선재본과 박순호본을 교감주석한

교감본

明珠寶月聘

5

교주

최길용
김영숙

學古房

이 저서는 2010년도 정부재원(교육부 인문사회연구역량강화사업비)으로 한국연구재단의 지원을 받아 연구되었음(NRF-2010-327-A00283)

This work was supported by the National Research Foundation of Korea Grant funded by the Korean Government(NRF-2010-327-A00283)

서 문

〈명주보월빙〉은 100권 100책으로 된 거질의 대장편소설로, 105권 105책의 〈윤하정삼문취록〉과 30권 30책의 〈엄씨효문청행록〉을 그 속편으로 거느리고 있어, 이들 두 작품과 함께 《명주보월빙 연작》을 구성하고 있으면서, 연작 전체를 하나의 예술적 총체 곧 하나의 작품으로 묶는 중심작의 기능을 하고 있다. 그런데 이 연작은 그 3부작을 합하면 원문 글자 수가 도합 332만3천여 자(〈보월빙〉1,475,000, 〈삼문취록〉1,455,000, 〈청행록〉393,000)에 이를 만큼 방대하여, 세계문학사에서도 그 유례를 찾아볼 수 없는 대장편서사체인 동시에, 1700년대 말 내지 1800년대 초의 조선조 소설문단의 창작적 역량을 한눈에 보여주는 대작이자, 한국고소설사상 최장편소설로 꼽히고 있다.

양식 면에서, 《명주보월빙 연작》은 중국 송나라를 무대로 하여 윤・하・정 3가문의 인물들이 대를 이어 펼쳐가는 삶을 다룬 〈보월빙〉・〈삼문취록〉과, 윤문과 연혼가인 엄문의 인물들이 펼쳐가는 삶을 다룬 〈청행록〉으로 이루어져, 그 외적양식 면에서는 〈보월빙〉-〈삼문취록〉-〈청행록〉으로 이어지는 3부 연작소설이며, 내적양식 면에서는 윤・하・정・엄문이라는 네 가문의 가문사가 축이 되어 전개되는 가문소설이다.

내용면에서 보면, 이 연작에는 모두 787명(〈보월빙〉275, 〈삼문취록〉399, 〈청행록〉113)에 이르는 엄청난 수의 인물들이 등장하여, 군신・부자・부부・처첩・형제・친구 등 다양한 인간관계에서 벌어지는 수많은 사건들을 펼쳐가면서, 충・효・열・화목・우애・신의 등의 주제를 내세워, 인륜의 수호와 이상적인 인간 공동체의 유지, 발전을 위한 善的 價値들을 권장하고 있다. 아울러 주동인물군의 삶을 통해 고귀한 혈통・입신양명・전지전능한 인간・일부다처・오복향수・이상향의 건설 등과 같은 사대부귀족계급의 현세적 이상을 시현해놓고 있다.

이 책 『교감본 명주보월빙』은 〈명주보월빙〉의 두 이본, 곧 100권100책으로 필사된 '낙선재본'과 36권36책으로 필사된 '박순호본'을 原文內校와 異本對校의 2단계 원문교정 과정을 거쳐 각 텍스트의 필사과정에서 생긴 원문의 오자・탈자・오기・연문・결락들을 교정하고, 여기에 띄어쓰기와 한자병기 및 광범한 주석을 가해 편찬한 것이다.

그 목적은, 첫째로는 필사본 텍스트들이 갖고 있는 태생적 오류, 곧 작품의 창작 또는 전사가 手記로 이루어질 수밖에 없었던 한계 때문에, 마땅한 퇴고나 교정 수단이 없음으로 해서 불가피하게 방치해버린, 잘못 쓰고(誤字), 빠뜨리고(脫字), 거듭 쓴(衍字)글자들과, 또 거듭쓰고(衍文) 빠뜨린(缺落) 문장들, 그리고 문법이나 맞춤법・표준어 규정 같은 어문규범이 없었던 시대에, 글쓰기가 전적으로 필사자의 작문능력에 따라 달라질 수밖에 없음으로 해서 생겨난 무수한 비문들과 오기들, 이러한 것들을 텍스트의 이본대교와, 전후 문장이나 문맥, 필사자의 문투나 글씨체, 그리고 고사・성어・속담・격언・관용구・인용구 등을 비교・대조하여 바로잡음으로써, 정확한 원문을 구축하는 데 있다. 또 이러한 교정과정을 일정한 기호를 사용하여 원문에 병기함으로써, 원문을 원표기 그대로 보존하여 보여주는 한편으로, 독자가 그 교정・교주의 타당성을 판단할 수 있게 하는데 있다. 그 이유는, 이렇게 함으로써 텍스트의 불완전성을 극복할 수 있을 뿐만 아니라, 원문의 표기법을 원문 그대로 재현해 놓음으로써 원본이 갖고 있는 문학적・어학적 가치는 물론 그 밖의 여러 인문・사회학적 가치를 훼손함이 없이 보존하고 전승해 갈 수 있다고 믿기 때문이다.

둘째로는 한 작품의 이본들을 교감・주석하여 竝置시켜 보여줌으로써, 그 교정과 주석의 타당성은 물론, 각 이본이 갖고 있는 표현과 서사의 차이를 한눈에 볼 수 있게 하여, 적층문학적 성격을 갖고 있는 한국 필사본 고소설들에[1] 대한 해석학적 지평을 확장하는 데 있다. 나아가 이 연구의 수행을 통해 '原文校訂'이라는 한・중의 오랜 학문적 전통의 하나인 텍스트 교감학[2]의 유용성을 실증하여, 앞으로의 필사본 고소설들의 정리작업[데이터베이스(data base)구축과 출판]의 한 모델을 수립하는데 있다.

셋째로는 정확한 원문구축과 광범한 주석으로 작품의 可讀性을 높이고 해석적 불완전성을 제거하여, 일반 독자들이나 연구자들이 쉽게 원문 자료에 접근할 수 있게 하는데 있다.

넷째로는 이렇게 정리 구축한 교감본을 현대어본 편찬의 저본(底本)으로 활용하기 위함이다. 현대어본 편찬의 선결과제는 정확한 원문텍스트의 구축과 원문에 대한 정확한 주석이다. 이 책은 처음부터 이 현대어본의 저본 구축을 목표로 편찬된 것이기 때문에 이점 곧 정확한 원문텍스트의 구축과 원문에 대한 정확한 주석에 각별한 정성을 쏟았다.

컴퓨터 문서통계 프로그램이 계산해준 이 책의 파라텍스트(para-text)를 제외한 본문 총글자수는 5,389,773자다. 원문 289만5천자(낙본 145만9천자, 박본143만6천자)를 입력하고, 여기에 15,360곳(낙본2,736곳, 박본12,624곳)의 오자・탈자・오기・연문・결락 등에 대한 원문교정과 31만4천자(낙본16만6천자, 박본14만8천자)의 한자병기, 그리고 15,701개(낙본8,240개, 박본7,461개)의 주석이 더해지고, 또 116만 4천 곳(낙본60만2천 곳, 박본56만2천 곳)의 띄어쓰기가 가해져서 이루어진 결과다. 앞서 언급한 것처럼 이 책은 현대어본 출판까지를 계획하고 편찬한 것이다. 따라서 두 이본 중 선본인 '낙선재본'을 현대어로 옮겨 현재 출판 작업이 진행 중이다. 그 분량도 273만자에 이른다. 전자 교감본은 전문 연구자와 국문학도에게 바치는 학술도서로, 후자 현대어본은 일반 독자들에게 드리는 교

---

1) 여러 이본들을 갖고 있는 한국 필사본 고소설들은 필사자들이 이를 轉寫하는 과정에서 원작의 표현과 서사에 임의적으로 첨삭과 변개를 가한다는 점에서 원작자의 생각에 필사자들의 생각이 보태져서 유통되는 적층문학적 성격을 갖는다.

2) 고증학의 한 분파로, 경전이나 일반서적을 서로 다른 판본 또는 관련 있는 자료와 대조하여 내용이나 문자・문장의 異同을 밝히고 誤記・誤傳 따위를 찾아 바로잡는 학문이다. 중국 前漢 시대의 학자 劉向에 의해 창시되었으며, 청나라 때 가장 성하였다. 우리나라에서도 고려 때 한림원에 종 9품 校勘을 두었고, 조선시대에는 승문원에 종4품 校勘을 두어 경서 및 외교 문서를 조사하고 교정하는 일을 맡아보게 하였다.

양도서로, 전자는 국배판(A4규격) 3600쪽 5책1질로, 후자는 국판(A5규격) 3400쪽 10책1질로 간행될 예정이다.

그러나 필자의 편찬 작업은 이것으로 끝나는 것이 아니다. 필자는 2010년에 〈명주보월빙〉을, 2011년에는 〈윤하정삼문취록〉을, 그리고 2012년에는 〈엄씨효문청행록〉을 각각 한국연구재단의 연구지원 사업 과제에 지원하여 3회 연속 선정되는 결과를 안았다. 그리하여 지금껏 4년 동안을 필자는 두문불출, 주야불철하며 이 《명주보월빙 연작》의 원문입력과 교정, 주석에 골몰하면서 답답하고 지리한 일상을 보내고 있다. 현재 〈삼문취록〉의 교감본과 현대어본 편찬 작업은 초벌 작업만 마쳐, 출판사에 원고를 넘기기 전의 마지막 교정을 남겨두고 있는 상태다. 〈청행록〉은 교감본 편찬 작업 중 지난해 11월부터 일단 작업을 제쳐둔 채로, 지금 이 책 〈보월빙〉의 교감본과 현대어본의 출판을 위한 마지막 교정에 여념이 없다. 그 교감본은 이제 서문을 넘기게 되니 이달, 곧 2014년 2월 10일자로 간행이 될 것이다. 현대어본은 또 하루에 원문 두 권 분량을 목표로 교정작업을 진행하고 있지만, 그 분량이 100권이나 되니 오는 4월 결과물제출 마감시한을 꼬박 채워서야 발간이 될 것 같다. 〈삼문취록〉은 또 내년인 2015년4월이 제출 마감시한이고, 〈청행록〉은 2016년 4월까지 제출해야 한다. 지금까지의 작업결과로 보아 〈삼문취록〉의 분량은 교감본이 292만2천자, 현대어본이 281만자가 되고, 〈청행록〉은 아직 초벌작업도 마치지 못한 상태이지만 어림잡아 그 분량이 교감본 136만6천자(낙선재본 74만6천자, 고려대본62만자), 현대어본이 74만자(낙선재본)가 되어, 이들을 〈보월빙〉과 같은 형태로 출판을 한다면, 〈삼문취록〉은 교감본 5책, 현대어본 10책, 또 〈청행록〉은 교감본 2책, 현대어본 3책이 될 것이다.

이 3부작을 모두 합하면 교감본 12책, 현대어본 23책이 되어, 23책1질의 현대어본을 단순히 책 수로만 비교한다면 우리 현대소설사상 최장편 소설로 평가되는 20책1질로 출판된 박경리 선생의 〈토지〉를 훌쩍 넘어서는 분량이다. 등장인물 수도 〈토지〉 인물사전에는 600여명이 등장하는 것으로 소개되어 있는데 《명주보월빙 연작》에는 이보다 더 많은 인물이 등장한다. 필자가 작성하여 2007년에 〈한・중 고전소설 인명지명대사전〉 편찬사업팀에 제출한, A4용지 224쪽 분량의《명주보월빙 연작》 인명사전 원고에는 앞에서 잠깐 언급한 것처럼 787명의 인물이 등장하여 각각 작가가 부여한 작품 속 삶을 펼쳐가고 있다. 필자는 이 등장인물 사전을 현대어본 마지막 권(24권)으로 독자에게 제공할 계획이다.

"인내는 쓰고 열매는 달다"고 하였던가! 과정은 힘들었지만 결과를 이렇게 큰 출판물로, 또 DB화된 기록물로 세상에 내놓게 되니, 한국문학의 위대함을 한 자락 열어 보인 것 같아 여간 기쁘지 않다. 또 하나 이 책의 성과를 든다면, 이본 대교 작업을 통해 낙선재본 결권 '卷之七十八'을 박순호본 가운데서 찾아 복원하였다는 점이다. 이로써 이제 '낙본'은 그간 낙질 상태에 있던 자료적 불완전성을 해소하고 완전한 텍스트로 거듭나게 되어, 완질본으로서의 새로운 지위와 가치를 부여받게 된 것이다.

아무쪼록 이 책의 출판을 계기로 이 연작이 더 많은 독자들과 연구자, 문화계 인사들의 사랑과 관심을 받게 되고, 영화나 TV드라마 등으로 제작되어 민족의 삶과 문화가 더 널리 전파되어 갈 수 있기를 기대한다. 이 작품들 속에 등장하는 앵혈・개용단・도봉잠・회면단・도술・부적・신몽・천경 등의 다양한 상상력을 장착한 소설적 도구들은 민족을 넘어 세계인들의 사랑과 흥미를 이끌어내기에 충분할 것이다. 또 세계문학사적 대작이자 한국고소설사상 최장편소설로 평가되는 이 작품이 국민들의 더 높은 사랑과 관심을 받을 수 있도록 국가 보물로 지정되는 날이 쉬이 오기를 기대해 마지않는다.

이 책이 결과물제출 마감시한 전에 출판될 수 있게 된 데에는 박순호본 17권부터 36권까지의 원문입력을 해 준 김영숙 박사의 도움이 컸다. 또 어려운 출판 여건 속에서도 인문학의 위기를 걱정하며 이 책의 출판을 흔쾌히 맡아주신 도서출판 학고방의 하운근 대표님과 편집과 출판을 맡아 애써주신 직원 여러분의 후의를 잊을 수가 없다. 도움을 주신 분들께 이 자리를 빌어 깊은 감사를 드린다.

2014년 설날 아침

최 길 용

(전북대학교 겸임교수)

* 일러두기 *

이 책 『교감본 명주보월빙』은 〈명주보월빙〉의 두 이본, 곧 100권100책으로 필사된 '낙선재본'과 36권 36책으로 필사된 '박순호본'의 입력원문을 서사진행순서에 따라 같은 내용을 같은 지면에다 단락단위로 竝置시켜, 이를 각본의 '원문 내 교정'과 '이본 간 상호대조를 통한 교정'의 2단계 원문교정 과정을 거쳐, 각 텍스트의 필사과정에서 생긴 원문의 誤字・脫字・誤記・衍文・缺落・落張・錯寫들을 교정하고, 여기에 띄어쓰기와 한자병기 및 광범한 주석을 가해 편찬한 것이다.

이 때문에 이 책은 불가피하게 원문에 대한 많은 교정과 보완이 가해졌다. 따라서 이 책은 이처럼 원문에 가해진 많은 교정・보완 사항들을 일관성 있게 보여주고, 누구나 이를 원문과 쉽게 구별할 수 있게 하기 위해 다음 부호들을 사용하였다.

( ) : 한자병기를 나타내는 부호. ( )의 앞에 한글을 적고 속에 한자를 적는다.
예) 붕성지통(崩城之痛)

[ ] : 원문의 잘못 쓴 글자를 바로잡거나 빠진 글자를 보충해 넣은 부호. 오자・탈자・결락・낙장・마멸자 등의 교정에서 바로잡거나 빠진 글자를 보충해 넣을 때 사용한다.
예) 번셩ᄒᆞ믄[믈], 번셩○[ᄒᆞ]믈, 번□□[셩ᄒᆞ]믈,

○ : 원문의 필사 과정에서 생긴 탈자를 표시하는 부호. 3어절 이내, 또는 8자 이내의 글자를 실수로 빠트리고 쓴 것을 교정하는 경우로, 빠진 글자 수만큼 '○'를 삽입하고 그 뒤에 '[ ]'를 붙여, '[ ]' 안에 빠진 글자를 보완해 넣어 교정한다.
예) 넉넉ᄒᆞ○○○[미 이시]니

{ } : 중복된 글자나 불필요하게 들어간 말을 표시하는 부호. 衍字나 衍文을 교정하는 경우로, 중복해서 쓴 글자나 불필요한 말의 앞・뒤에 '{' 과 '}'를 삽입하여 연자나 연문을 '{ }'로 묶어 중복된 글자이거나 불필요한 말임을 표시한다.
예) 공이 쳥파의 희연히{희연히} 쇼왈

《‖》 : 원문의 필사 과정에서 두 글자 이상의 단어나 구・절 등을 잘못 쓴 오기를 교정하는 부호. 이 때 '‖'의 앞은 원문이고 뒤는 바로잡은 글자를 나타낸다.
예) 《잠비‖잠미》 를 거ᄉᆞ리고

○…결락○자…○ : 원문에 3어절 이상의 말을 빠뜨리고 쓴 것을 보완하여 교정할 때 사용하는 부호. '○…결락○자…○' 뒤에 '[ ]'를 붙여 보완할 말을 넣고, 빠진 글자 수를 헤아려 결락 뒤의 '○'를

지우고 결락된 글자 수를 밝힌다.

예) ○…결락9자…○[제손의 혼인을 셔돌식]

○…낙장○자…○ : 원문에 본디 낙장이 있거나, 원본의 책장이 손상되어 떨어져 나간 것을 보완할 때 사용하는 부호. '○…낙장○자…○' 뒤에 '[ ]'를 붙여 보완할 말을 넣고, 빠진 글자 수를 헤아려 낙장 뒤의 '○'를 지우고 빠진 글자 수를 밝힌다.

예) ○…결락9자…○[제손의 혼인을 셔돌식]

□ : 원본의 글자가 마멸되거나 汚損으로 인해 판독이 불가능한 글자를 표시하는 부호. 오손된 글자 수만큼 '□'를 삽입하고 그 뒤에 '[ ]'를 붙여, 오손된 글자를 보완해 넣는다.

예) 예) 번□□[셩ᄒᆞ]믈,

▌①《 》▌ : 원문에 필사자가 책장을 잘 못 넘기거나 착오로 쓰던 쪽이나 행을 잘못 인식하여 글의 순서가 뒤바뀐 착사(錯寫; 필사 착오)를 교정하는 부호. 필사착오가 일어난 처음과 끝에 '▌'를 넣어 착오가 일어난 경계를 표시한 후, 순서가 뒤바뀐 부분들을 '《 》'로 묶어 순서에 맞게 옮긴 뒤, 각 부분들 곧 '《 》'의 앞에 원문에 놓여 있던 순서를 밝혀 두어, 교정 전 원문의 순서를 알 수 있게 한다.

예) 원문의 글이 ▌①《 》②《 》③《 》▌의 순서로 쓰여 있는 것이 ②《 》-①《 》-③《 》의 순서로 써야 옳다면, 이를 옳은 순서대로 옮기고, 각 부분들의 앞에는 본래 순서에 해당하는 번호를 붙여 ▌②《 》①《 》③《 》▌으로 교정한다.

목 차

낙선재본과 박순호본의 권차(券次) 대조표

낙선재본		박순본		낙선재본		박순호본	
권차	쪽수	쪽수	권차	권차	쪽수	쪽수	권차
권디 일	1-68	1-41	권지 일 (103쪽)	권디이십일	1-73	40-71	권지 팔 (82〃)
권디 이	1-74	41-80		권디이십이 (75쪽)	1-30	71-82	
권디 삼 (70쪽)	1-46	80-103			30-75	1-19	권지 구 (76〃)
	46-70	1-16	권지 이 (89〃)	권디이십삼	1-75	19-43	
권디 ᄉᆞ	1-75	16-68		권디이십ᄉᆞ	1-75	43-72	
권디 오 (75〃)	1-33	68-89		권디이십오 (75〃)	1-14	72-76	
	33-75	1-22	권지 ᄉᆞᆷ (106〃)		14-75	1-38	권지 십 (106〃)
권디 ᄂᆢᆨ	1-75	23-60		권디이십ᄂᆢᆨ	1-73	38-77	
권디 칠	1-75	60-106		권디이십칠 (72〃)	1-55	77-106	
권디 팔	1-75	1-35	권지 ᄉᆞ (100〃)		55-72	1-7	권지 십일 (65〃)
				권디이십팔	1-75	7-31	
권디 구	1-75	35-64		권디이십구	1-71	31-58	
				권디 삼십 (73〃)	1-20	58-65	
권디 십	1-73	64-98			20-73	1-22	권지 십이 (71〃)
				권디삼십일	1-75	22-52	
권디 십일 (75〃)	1- 5	98-100		권디삼십이 (73〃)	1-46	52-71	
	5-75	1-24	권지 오 (93〃)		46-73	1-12	권지 십삼 (68〃)
권디 십이	1-73	24-51		권디삼십삼	1-71	12-46	
				권디삼십ᄉᆞ (74〃)	1-44	46-68	
권디 십삼	1-73	51-83			44-74	1-13	권지 십ᄉᆞ (60〃)
				권디삼십오	1-75	13-41	
권디 십ᄉᆞ (76〃)	1-27	83-93		권디삼십ᄂᆢᆨ (75〃)	1-46	41-60	
	27-76	1-29	권지 ᄂᆢᆨ (103〃)		46-75	1-15	권지 십오 (122〃)
권디 십오	1-71	29-65		권디삼십칠	1-74	15-54	
권디 십ᄂᆢᆨ	1-71	65-99		권디삼십팔	1-73	54-86	
권디 십칠 (73〃)	1-12	99-103		권디삼십구	1-73	86-115	
	12-73	1-34	권지 칠 (95〃)	권디ᄉᆞ십 (74〃)	1-15	115-122	
권디 십팔	1-69	34-69			15-74	1-43	권지 십육 (152〃)
권디 십구 (70〃)	1-55	69-95		권디ᄉᆞ십일	1-74	43-99	
	55-70	1-7	권지 팔				
권디 이십	1-74	7-40		권디ᄉᆞ십이	1-73	99-152	

낙선재본		박순호본	
권차	쪽수	쪽수	권차
권디ᄉᆞ십삼	1-73	1-51	권지십칠 (152쪽)
권디ᄉᆞ십ᄉᆞ	1-73	51-103	
권디ᄉᆞ십오	1-72	103-152	
권디ᄉᆞ십뉵	1-75	1-49	권지십팔 (157〃)
권디ᄉᆞ십칠	1-75	49-104	
권디ᄉᆞ십팔	1-73	104-157	
권디ᄉᆞ십구	1-73	1-61	권지십구 (184〃)
권디오십	1-73	61-122	
권디오십일 (74쪽)	1-72	122-184	
	72-74	1-2	권지이십 (176〃)
권디오십이	1-74	2-59	
권디오십삼	1-70	59-112	
권디오십ᄉᆞ	1-72	112-176	
권디오십오	1-75	1-67	권지이십일 (207〃)
권디오십뉵	1-73	67-137	
권디오십칠	1-72	137-207	
권디오십팔	1-73	1-64	권지이십이 (196〃)
권디오십구	1-73	64-131	
권디뉵십	1-72	131-196	
권디뉵십일	1-73	1-63	권지이십ᄉᆞᆷ (188〃)
권디뉵십이	1-73	63-124	
권디뉵십삼	1-73	124-188	
권디뉵십ᄉᆞ	1-74	1-64	권지이십ᄉᆞ (189〃)
권디뉵십오	1-73	64-124	
권디뉵십뉵	1-74	124-189	
권디뉵십칠	1-71	1-66	권지이십오 (185〃)
권디뉵십팔	1-69	66-126	
권디뉵십구	1-76	126-175	
권디칠십 (74〃)	1-2	175-185	
	2-74	1-63	권지이십육 (167〃)
권디칠십일	1-71	63-114	
권디칠십이	1-71	114-167	

낙선재1-본		박순호본	
권차	쪽수	쪽수	권차
권디칠십삼	1-71	1-78	권지이십칠 (187〃)
권디칠십ᄉᆞ	1-70	79-140	
권디칠십오	1-70	141-187	
권디칠십뉵	1-72	1-55	권지이십팔 (163〃)
권디칠십칠	1-71	55-108	
권디칠십팔	'박본'복원	108-163	
권디칠십구	1-71	1-40	권지이십구 (128〃)
권디팔십	1-73	40-71	
권디팔십일	1-69	71-114	
권디팔십이 (71〃)	1-19	114-128	
	19-71	1-32	권지삼십 (160〃)
권디팔십삼	1-69	32-78	
권디팔십ᄉᆞ	1-69	78-135	
권디팔십오 (69〃)	1-36	135-160	
	36-69	1-22	권지삼십일 (137〃)
권디팔십뉵	1-71	22-66	
권디팔십칠	1-71	66-105	
권디팔십팔	1-73	105-137	
권디팔십구	1-73	1-50	권지삼십이 (97〃)
권디구십 (71〃)	1-70	50-97	
	70-71	1-2	권지삼십삼 (119〃)
권디구십일	1-69	2-49	
권디구십이	1-70	49-94	
권디구십삼 (75〃)	1-46	94-119	
	46-75	1-19	권지삼십ᄉᆞ (177〃)
권디구십ᄉᆞ	1-76	19-96	
권디구십오	1-75	96-172	
권디구십뉵 (70〃)	1-6	172-177	
	6-70	1-63	권지삼십오 (174〃)
권디구십칠	1-74	63-128	
권디구십팔 (76〃)	1-54	128-174	
	54-76	1-21	권지삼십육 (131〃)
권디구십구	1-71	21-79	
권디일빅	1-68	79-131	

【낙선재본】

【박순호본】

명듀보월빙 권디팔십일

어시의 셩시 일야(日夜) 쐬ᄒᆞ다가, 양시 침소의 오믈 크게 환희ᄒᆞ여 정신 흐리ᄂᆞᆫ 약을 술의 화ᄒᆞ여 납향을 블너 왈,

“네 날노 《동ᄉᆞ동졍∥동ᄉᆞ동ᄉᆡᆼ(同死同生)》ᄒᆞᄂᆞ니 이 술을 여쥬(汝主)의 복시ᄌᆞ(服侍者)1)를 고로고로 먹여 내게 고ᄒᆞ라. 상공이 가 쳐티ᄒᆞ리라.”

ᄒᆞ고, 황금 일졍(一錠)과 가ᄌᆞᆫ 포육(脯肉)을 먹이니, 향이 은금과 쐬오믈 보고 응슈ᄒᆞ여 욕심이 대발ᄒᆞ니, 쥬모의 ᄉᆞᄉᆡᆼ을 념녀치 아니ᄒᆞ고 흔연 응낙ᄒᆞ여 쥬호을 가져 션삼졍으로 도라 가니, 셩시 깃브믈 니긔디 못ᄒᆞ더라.

이괴 맛춤 벽슈졍 근쳐의 갓다가 셜유랑 비ᄌᆞ를 만나 우연이 말ᄒᆞ다가, 태위【1】념난을 핍근(逼近)ᄒᆞ던 줄 듯고 난의 근본을 드러, 어려셔 부모를 일흔 사ᄅᆞᆷ으로 근본을 모른다 ᄒᆞᄂᆞᆫ디라. 이괴 즉시 도라와 ᄎᆞ언을 젼ᄒᆞ니, 셩네 블승분노 왈,

“양시를 업시치 못ᄒᆞ여 일ᄉᆡᆼ 통완(痛惋)ᄒᆞ거ᄂᆞᆯ 벽슈졍 유랑은 엇던 거시완ᄃᆡ, 요ᄉᆡᆨ(妖色)을 길너 귓거시 다 된 뎡ᄉᆡᆼ의게 븟들녓ᄂᆞᆫ고. 내 그 ᄯᅳᆺ을 므러 양시와 ᄒᆞᆫ가디로 죽여 셜분ᄒᆞ리라.”

츈교·이괴 손을 져어 왈,

“쇼블인즉난대뫼(小不忍卽難大謀)2)라 ᄒᆞ니, 쇼져ᄂᆞᆫ ᄲᆞ른 노를 긋치고 원녀를 ᄉᆡᆼ각ᄒᆞ쇼셔.”

셩시 졈두 왈,

“여언이 다 나의게 유익ᄒᆞ니 엇디 좃디 아니리오. 모로미 벽슈졍 미인을 여둥이 ᄌᆞ시 보아 얼골을 안즉 내 셜분(雪憤)ᄒᆞᄂᆞᆫ 날이 머디【2】아니리라.”

냥비(兩婢) 응명ᄒᆞ여 각각 유랑을 보라

---

1)복시ᄌᆞ(服侍者) : 섬기는 사람. 시중드는 사람. 돌보는 사람. *복시(服侍) : 섬기다. 시중들다. 돌보다.

2)소불인즉난ᄃᆡ모(小不忍卽難大謀) : 작은 것을 참지 못하면 큰 꾀를 이룰 수 없다.

간 쳬ᄒᆞ고, 념난을 닉이 살피ᄃᆡ, 난이 금금(錦衾)을 머리가디 ᄡᅳ고 낫출 들미 업ᄉᆞ니, 그 얼골을 보디 못ᄒᆞ더라.

태위 념난의 비상ᄒᆞ믈 본 후, 일념이 방하치 못ᄒᆞ여 근본을 ᄌᆞ시 알고져 ᄒᆞᄂᆞᆫ 고로, 양금오 뎨ᄉᆞ지 년긔 상뎍 ᄒᆞ고 벼슬이 간의태우(諫議大夫)[3]로 동관디의(同官之義) 붕우디졍(朋友之情)을 겸ᄒᆞ여 각별ᄒᆞᆫ디라. 셔로 심회를 은닉디 아니ᄒᆞ더니, 일일은 관부(官府)의셔 만나 죵용이 문 왈,

“소태슈 별회(別號) 청겐 줄 알거니와 ᄌᆞ녀를 몃출 두며 실니ᄒᆞᆫ 일이 업ᄂᆞ냐?”

양태위 츄연 왈,

“소슉(蘇淑)의 명되 괴이ᄒᆞ여 남다른 청덕으로 슬하의 ᄒᆞᆫ낫 ᄌᆞ네 업ᄉᆞ니, 망슉뫼(亡叔母) 슈다 ᄌᆞ【3】녀를 기르디 못ᄒᆞ시고, 소슉이 청강 현녕(縣令) 가실 적 슉뫼 기셰ᄒᆞ시고, 슈월 된 녀ᄋᆞ를 계부 관샤(貫舍)[4]의 보ᄂᆡ다가 도듕 뎍환의 죽으니, 일노 우리 부슉이 쥬야 참통비절ᄒᆞ시ᄂᆞ니라.”

뎡 태위 왈,

“그 뎍환의 죽은 녀ᄋᆞ의 일홈이 므어시뇨?”

양ᄉᆡᆼ이 괴이히 넉여 왈,

“그 ᄣᆡ 아등이 어려 죵ᄆᆡ(從妹) 일홈을 ᄌᆞ시 모로거니와, 형이 엇디 슈상이 믓ᄂᆞ뇨?”

뎡ᄉᆡᆼ이 쇼 왈,

“내 알고져 ᄒᆞ미 아니라, 우연이 드르니 소 청계 녀ᄋᆞ 념난이 부모를 못 ᄎᆞᄌᆞ 일ᄉᆡᆼ 슬허 ᄒᆞᆫ다 ᄒᆞ기로, 텬하의 동셩명(同姓名)이 만흐나 계암이라 ᄒᆞ니, 아디 못ᄒᆞ여 므르미로다.”

양ᄉᆡᆼ이 죵ᄆᆡ(從妹) 념난을 아ᄃᆡ, 죽은 거술 일홈【4】닐너 브졀업셔 모로노라 ᄒᆞ엿더니, 뎡ᄉᆡᆼ의 말을 이상이 넉여 문 왈,

3)간의태우(諫議大夫) : 고려 시대에, 문하부(門下府)에 속하여 임금에게 잘못을 고치도록 간하는 일을 맡아보던 벼슬. 예종 11년(1116)에 사의대부로 고쳤다.
4)관사(貫舍) : 본관지(本貫地) 곧 관향(貫鄕)에 있는 집.

ᄎᆞ셜 양ᄉᆡᆼ이 뎡ᄉᆡᆼ을 만ᄂᆞᄆᆡ 어ᄎᆞ간(語次間)에 슬프믈 ᄯᅴ워 니르ᄃᆡ,

“청계 소공이 ᄌᆞ녀 실니ᄒᆞ미 잇ᄂᆞ뇨”?

양 태위 츄연 왈,

“소슉(蘇淑)의 명되 고이ᄒᆞ여 남의 업ᄉᆞᆫ 청덕으로 슬하에 일괴(一孤)[1] 업ᄉᆞ니, 망슉뫼(亡叔母) 허다 참쳑(慘慼)[2]을 본 후 다만 일녀를 두고, 졍강 현녕(縣令)으로셔 슉뫼 기셰ᄒᆞ고 수월된 일녀를 계부 관ᄉᆞ(貫舍)[3]로 보ᄂᆡ다가 젹한(賊漢)에 죽으니 슉뷔 일야(日夜) 비통ᄒᆞ시ᄂᆞ니라”

뎡ᄉᆡᆼ 왈,

“연즉 그 녀ᄋᆞ의 명이 무어시뇨”

양ᄉᆡᆼ 왈,

“ᄌᆞ시 모로【71】나 어이 믓ᄂᆞ뇨?”

뎡ᄉᆡᆼ이 소 왈,

“내 드르니, 소청계 소교(小嬌) 염난이라 ᄒᆞ고, 부모를 ᄎᆞᆺ지 못ᄒᆞ여 셜워ᄒᆞᆫ다 ᄒᆞ니 혹 동명(同名)인가 무르미로다.”

양ᄉᆡᆼ이 일홈을 아나, 아니 니르미러니 대경 문 왈,

1)일괴(一孤) : 아이 하나.
2)참척(慘慼) : 자손이 부모나 조부모보다 먼저 죽는 일
3)관사(貫舍) : 본관지(本貫地) 곧 관향(貫鄕)에 있는 집.

"과연 씌듯ᄂᆞ니 형언이 올토다. 만일 텬우신됴(天佑神助)○○[ᄒᆞ여] 죵ᄆᆡ 뎍환(賊患)의 면ᄉᆞ(免死)ᄒᆞ여시면 큰 경ᄉᆡ니, 형은 알거든 니르라. 소쳥계 녀ᄋᆞ 념난이 부모 ᄎᆞᄌᆞ랴 ᄒᆞ던 말을 어ᄃᆡ셔 드럿ᄂᆞ뇨?"

뎡ᄉᆡᆼ이 쇼왈,

"원방 사ᄅᆞᆷ의게 무심히 드럿노라. 슈월 후 그 말ᄒᆞ던 사ᄅᆞᆷ이 ᄯᅩ 올 듯ᄒᆞ니 ᄌᆞ시 므르리라."

양 태위 고디듯고, ᄌᆡ삼 당부 왈,

"그 사ᄅᆞᆷ이 오거든 내 집으로 보ᄂᆡ라."

뎡ᄉᆡᆼ이 난의 근본을 알고, 부실노 마ᄌᆞᆯ ᄉᆡᆼ각이 블 니듯○○[ᄒᆞ여] 벽슈졍의 가 유랑다려 왈,

"내 그 녀ᄌᆞ의 문벌을 모로고 ᄒᆞᆫ갓 잉쳡으【5】로 취코져 ᄒᆞ○○[엿으]나, 얼골을 보고 욕을 뵈미 업ᄉᆞ니, 내 힝ᄉᆡ 하혜(下惠)5) 미ᄌᆞ(微子)6)의 붓그럽디 아니토다. 금일 져의 표죵(表從)을 만나 근본을 ᄌᆞ시 아라시니, 오라디 아냐 그 부친이 오리니, 부녜 상봉이 머디 아니코, 내 져의게 무례치 아냐ᄂᆞ니 어미ᄂᆞᆫ 이 ᄯᅳᆺ을 소시다려 닐너, 부형을 ᄎᆞᄌᆞ 간 후 명졍언슌(名正言順)이 취(取)ᄒᆞ리니, 일과 말을 달니 ᄒᆞ리오."

유랑이 난의 부친○[이] ᄎᆞᄌᆞ ○○○[올거시]라 말의 환ᄒᆡᆼᄒᆞ여 답 왈,

5)하혜(下惠) : 유하혜(柳下惠). 중국 춘추시대 노(魯)나라의 현자(賢者). 성은 전(展), 이름은 획(獲), 자는 금(禽) 또는 계(季). 유하(柳下)에서 살았으므로 이것이 호가 되었으며, 문인(門人)들이 혜(惠)라는 시호를 올렸으므로 '유하혜(柳下惠)'로 불렸다. 대도(大盜)로 유명한 도척(盜跖)이 그의 동생이다. 겨울밤에 추위에 떠는 여인을 자기 침상에 눕혀 몸을 녹여주었으나 그의 평소 행동이 단정하였기 때문에, 그의 결백을 의심하는 사람이 없었다고 한다.

6)미ᄌᆞ(微子) : 미자계(微子啓). 중국 은나라 말기의 현인(賢人). 기자(箕子), 비간(比干)과 함께 은말 삼인(三仁; 세 어진 사람)으로 꼽힌다. 이름은 계(啓)이고 은나라 마지막 왕인 주(紂)의 이복형이다. 주를 간(諫)했지만 받아들이지 않자 조상을 제사 지내는 제기들을 갖고 산서성 노성(潞城) 동북쪽에 있던 미(微) 땅으로 갔다. 주나라 무왕이 주(紂)를 정벌하자 항복했는데, 무왕은 그를 미(微) 땅의 제후로 봉했다. 그래서 미자(微子)라고 한다.

"과연ᄒᆞ니 텬우신조(天佑神助)ᄒᆞ여 죵ᄆᆡ(從妹) ᄉᆡᆼ환(生還)ᄒᆞ미 잇신즉 대경(大慶)이니 ᄲᆞᆯ니 니르라"

태위 왈,

"원방 사ᄅᆞᆷ에게 드르미니 ᄯᅩ 오거든 ᄌᆞ시 무르리라"

뎡ᄉᆡᆼ이 당부 왈,

"기인이 오거든 내게로 보ᄂᆡ라"

언필에 각각 흐터지니 뎡ᄉᆡᆼ이 난의 근본을 ᄌᆞ시 알ᄆᆡ 부실노 마ᄌᆞᆯ ᄯᅳᆺ을 두고 유랑ᄃᆞ려 왈,

"내 져에 표종(表從)을 만나 근본을 ᄌᆞ시 아라시니 그 부친이 수히 오리니 어미ᄂᆞᆫ ᄯᅳᆺ을 소씨긔 닐너 젼ᄒᆞ라"

유랑이 난의 부친 ᄎᆞᄌᆞᆯ 말의 깃거 왈,

"소쇼졔 ᄒᆞᆫ갓 긔딜(氣質)ᄲᅳᆫ 아냐, ᄇᆡᆨᄒᆡᆼ(百行)의 미딘(未盡)ᄒᆞ미 업ᄉᆞ며, 단듕ᄒᆞ여 ᄉᆞ녀(士女)의 거동이러니, 원ᄂᆡ 상문규쉬(相門閨秀)랏다. 아디 못게라, 그 부친이 디금 어ᄃᆡ 계시니잇고?"

ᄉᆡᆼ 왈,

"소공이 일삭【6】ᄂᆡ의 녀ᄋᆞ를 ᄎᆞᄌᆞ 올 거시니 ᄯᆡ만 기다리라. 엇디 잔말을 ᄒᆞᄂᆞ뇨?

언파의 나가니, 유랑이 다시 뭇디 못ᄒᆞ고 방듕의 드러가 시말(始末)을 다 니르니, 난이 늣길 ᄲᅳᆫ이라.

ᄉᆡᆼ이 일시 유졍(有情)ᄒᆞ고 셩녀를 잠간 니ᄌᆞ미나, 도봉잠의 빌ᄆᆡ로 은ᄋᆡᄂᆞᆫ 무궁ᄒᆞ여 침소의 드러가니, 셩시 쳔만교ᄐᆡ로 만가디 ᄉᆞᄉᆡᆨ(辭色)을 디어 유희방탕(遊戲放蕩)ᄒᆞ더니, 야심 후 납향이 니르러 양시 시녀 등을 다 요약 먹여 디운[7] 말○[을] ᄒᆞ니, 셩녜 대희ᄒᆞ여 ᄉᆡᆼ다려 니르ᄃᆡ,

"아득히 모로미나 마가 골육을 ᄉᆡᆼ각ᄒᆞ면 비위 거ᄉᆞᆯ녀 견ᄃᆡ디 못ᄒᆞᆯ소이다."

ᄉᆡᆼ이 분산시(分産)의 죽이렷노라 ᄒᆞ니, 셩시 쇼 왈,

"마가 골육을 존당은 반ᄃᆞ시 뎡문 골육으로 아르【7】샤, 션삼졍의 옴기고 친히 분산을 ᄃᆡ후ᄒᆞ시ᄂᆞ니, 양시 셰권이 합문을 딘동ᄒᆞᄂᆞ이다."

ᄉᆡᆼ이 쳥파의 분연ᄒᆞ여, 벽샹의 댱검을 ᄲᆡ혀들고 니러셔며 왈,

"엄젼의 ᄉᆞ죄를 당ᄒᆞ나, 음부를 쾌히 죽이리라."

셩시 니러나 칼ᄒᆞᆯ 앗고, 낫빗ᄎᆞᆯ 화히 ᄒᆞ여 공교로이 니르ᄃᆡ,

"양시 죄상은 만ᄉᆞ무셕(萬死無惜)이나 존당의 ᄉᆞ랑이 디듕(至重)ᄒᆞ시니, 군이 만일 져를 죽이면, 대인 노긔 녈화 ᄀᆞᆺᄐᆞ여 목젼의 군ᄌᆞ를 뭇디를[8] 거시니, 쥬편(主便)ᄒᆞᆯ[9]

"소씨 용ᄉᆡᆨ ᄲᅲᆫ 아니라, ᄇᆡᆨᄒᆡᆼ이 무흠(無欠)ᄒᆞ니 원ᄂᆞᆫ 명문 규쉬《라‖랏다》."

---

7)디우다 : 눕히다. 넘어뜨리다. 늘어뜨리다. 죽이다.
8)뭇디르다 : 무찌르다. 닥치는 대로 남김없이 마구쳐 없애다.
9)쥬편(主便)ᄒᆞ다 : 주편(主便)하다. 자기에게 편하도록 스스로 주장하다.

바를 ᄉᆡᆼ각ᄒᆞ여, 양시를 ᄒᆞᆫ 닙 ᄎᆡ셕(彩席)의 마라 년졍(蓮井)[10]의 너흐미 올흐니라."

ᄉᆡᆼ 왈,

"댱뷔 쳐ᄌᆞ를 암ᄉᆞ(暗死)튼 못ᄒᆞ리니, 그ᄃᆡ ᄀᆞᄅᆞ친 계교로 션삼졍의 나오게 ᄒᆞ여시니, 죽이기를 당ᄒᆞ여 가마니 ᄒᆞ믄 【8】 불가ᄒᆞ다."

셩시 왈,

"뎡도(正道)와 권되(權度) 잇ᄂᆞ니, 군ᄌᆡ 양시 죄를 광명뎡대(光明正大)히 법부의 고ᄒᆞᆯ ᄇᆡ로ᄃᆡ, 양가 안면을 거리껴 됴흔 일ᄀᆞᆺ치 두어시니, 엇디 죽이믈 요란이 ᄒᆞ리오."

ᄉᆡᆼ이 침음 왈,

"그ᄃᆡ 말이 ᄉᆞ곡(邪曲)ᄒᆞ나 엄노를 아ᄃᆡᆨ면코져 ᄒᆞ미니 좇디 아니리오."

셩네 ᄀᆞ장 깃븐 듕, 납향이 말을 ᄎᆞᆷ디 못ᄒᆞ리니, 혹ᄌᆞ 가듕이 날을 의심ᄒᆞ여 블미ᄒᆞᆫ 말을 므를 젹의 누셜키 쉬오니, 져 노쥬를 ○○[흉긔] 죽게 ᄒᆞ리라."

ᄒᆞ고 ᄀᆞ마니 니르ᄃᆡ,

"쳡이 살피니 납향이 쥬모를 ᄭᅬ와 군ᄌᆞ를 원망ᄒᆞ고 마가를 븍두ᄀᆞᆺ치 셤기니, 향을 ᄀᆞᆺ치 죽이쇼셔."

ᄉᆡᆼ이 말마다 긔특이 넉여 슌슌응낙고 션삼졍의 니 【9】 르니, 납향이 {쇼져} 쇼져 유모 시녀 등을 다 약술을 먹여, 일제히 쟝외의 쓰러져 아모 상을 모로니, 향이 시험ᄒᆞ여 모든 동뉴의 ᄲᆞᆷ을 울히고[11] 살흘 쓰드ᄃᆡ 알픈 줄을 모로니, 향이 ᄌᆡᆼ그라오믈 니긔디 못ᄒᆞ여 ᄉᆡᆼ이 와 양시 죽이믈 죄오더니, 이윽고 ᄉᆡᆼ이 드러오ᄆᆡ 졔 시녜 다 인ᄉᆞ를 모로고 움즉이디 못ᄒᆞᄂᆞᆫ디라. ᄉᆡᆼ이 살ᄉᆡᆼ디심(殺生之心)이 급ᄒᆞ여 살피디 못ᄒᆞ고 바로 쇼져 침상의 니르니, 양시 잉ᄐᆡ 만월의 산졈은 업고 여러 번 경혼(驚魂)의 약딜이 놀나고 상ᄒᆞ미 만흔 고로, ᄆᆡ양 허한(虛汗)이 구슬 구ᄋᆞ ᄃᆞᆺᄒᆞ고, 닛브미 심ᄒᆞ여 ᄎᆞ야ᄂᆞᆫ 벼개의 비겨 몽농이 눈을 ᄀᆞᆷ앗더니, 디게 여ᄂᆞᆫ 소ᄅᆡ와 당 들치ᄂᆞᆫ 거동의 【10】 잠

10)년졍(蓮井) : 연못. 연꽃을 심은 못.
11)울히다 : 후리다. 휘둘러서 때리거나 치다.

어시에 양소졔 잉ᄐᆡ 만월에 산졈이 업고, 여러 번 ᄉᆞ경을 당 【72】 ᄒᆞ여 약질이 깁히 ᄑᆡ상(敗傷)ᄒᆞ미 만흔 고로, ᄆᆡ양 념녀ᄒᆞ더니, 귀즁ᄒᆞ고 어엿브기 심ᄒᆞ여 ᄉᆡᆼ남ᄒᆞ기를 ᄇᆞ라니, 능히 눈을 ᄀᆞᆷ으나 잇지 못ᄒᆞ고, 양공은 혹시 와셔 녀ᄋᆞ를 보나 부인은 ᄒᆞᆫ 번도 보지 못ᄒᆞ믈 ᄆᆞ음에 ᄀᆞ장 민울히 녀기며, 연ᄋᆡᄒᆞ여 집에 다려다가 슌산코져ᄒᆞᄃᆡ,

간 눈을 드니, ᄉᆡᆼ이 겻ᄐᆡ 잇ᄂᆞᆫ디라. 그 얼골을 보ᄆᆡ 놀나오미 ᄉᆞ갈 악호를 본 ᄃᆞᆺ, 혼ᄇᆡᆨ이 니톄(離體)ᄒᆞᄃᆡ, ᄆᆞ음을 굿게 잡아 안ᄉᆡᆨ을 블변ᄒᆞ고 쳔연이 니러 안ᄌᆞ니, 찬난긔이(燦爛奇異)ᄒᆞᆫ 광ᄎᆡ 실듕의 황홀ᄒᆞᄃᆡ, 태우의 실셩발광(失性發狂)ᄒᆞ미 현쳐의 슉뇨ᄒᆞᆫ 심덕과 명혜(明慧)ᄒᆞᆫ 셩ᄒᆡᆼ을 아디 못ᄒᆞ고, 요녀의 참언을 고혹(蠱惑)ᄒᆞ여 죽일 의ᄉᆡ 급ᄒᆞ니, 긴 셜화를 아니ᄒᆞ고 방듕을 두로 살펴 ᄒᆞᆫ 필 깁이 셔안 우ᄒᆡ 이시믈 보고, 깁을 ᄉᆞᆺ쳐 여러 조각의 ᄂᆡ여 양시 압ᄒᆡ 나아가, 냥안을 브릅ᄯᅳ고 니르ᄃᆡ,

"음악발뷔(淫惡潑婦) 텬디 간 관영ᄒᆞᆫ 죄를 딧고 안연이 화당고루(華堂高樓)의 명부(命婦)로 ᄌᆞ쳐ᄒᆞᆷ도 괴이ᄒᆞᆯ ᄲᅮᆫ 아니라, 일분 념치 이실딘ᄃᆡ 마가 골육을【11】나치 아냐셔 죽으미 올커ᄂᆞᆯ, 의법히 내 집의셔 분산코져 ᄒᆞ미 쳔만인을 겻근 창녀의셔 더은 인믈이라. 당당이 음부의 머리를 버히고 슈족을 이쳐(離處)ᄒᆞ여 후셰 음부를 징계ᄒᆞᆯ 거시로ᄃᆡ, ᄎᆞ마 못ᄒᆞᄂᆞᆫ 바ᄂᆞᆫ 녕엄의 안면을 거리ᄶᅧ 법부의 고치 못ᄒᆞ고, 고요히 죽여 뎡·양 냥문의 븟그러오믈 삣고, 음부의 시신을 ᄆᆞᆰ은 믈의 ᄶᅴ여 슈신과 ᄒᆞᆫ가디로 늙게 ᄒᆞᄂᆞ니, 날을 한치 말나."

언필의 깁으로 양시 슈족을 단단이 ᄆᆡ기를 시작ᄒᆞᄆᆡ, 큰 힘을 다ᄒᆞ여 살이 읏쳐디믈 그음ᄒᆞᄂᆞᆫ디라. 쇼졔 광부의 욕셜과 광긔를 됴흔 일ᄀᆞᆺ치 ᄎᆞᆷ고 견ᄃᆡ믄, 존당 구고의 양츈혜ᄐᆡᆨ(陽春惠澤)을 져바리디 못ᄒᆞ미오, 친부모 ᄉᆡᆼ휵디은(生慉之恩)과【12】구로디혜(劬勞之惠)를 ᄒᆞᆫ 일도 갑디 못ᄒᆞ고, 셔하디탄(西河之嘆)[12]을 ᄭᅵ쳐 냥가 친당의 블효ᄒᆞ미 ᄌᆞ긔 ᄯᅳᆺ이 아니믈 함잉(含忍)ᄒᆞ고, 스ᄉᆞ로 심회를 널녀 망측누언(罔測陋言)을 믈외(物外)로 더져 풍운의 길시를 기다리더니, 금야의 ᄉᆡᆼ의 핍살(逼殺)코져 ᄒᆞ믈 보고 말

12)셔하디탄(西河之嘆) : 자식을 잃은 탄식. '서하의 탄식'이라는 뜻으로, 공자(孔子)의 제자인 자하(子夏)가 서하(西河)에 있을 때 자식을 잃고 너무 슬픈 나머지 소경이 된 고사에서 온 말.

져의 구괴 ᄯᅩᄒᆞᆫ ᄋᆡ즁ᄒᆞ미 친ᄉᆡᆼ 녀ᄋᆞ로 다르미 업ᄂᆞᆫ ᄌᆞᆯ 알ᄆᆡ, 다만 쥬야로 ᄉᆡᆼ남키만 ᄇᆞ라더라.

이 ᄯᆡ 뎡ᄉᆡᆼ이 셩씨의 요약을 먹은 후 정신이 흐려, 아모리 총명ᄒᆞᄃᆡ 양씨를 죽이고져 ᄒᆞ는 의ᄉᆡ 졈졈 깁허, 야심 후 션삼졍에 나아가 양씨를 보고 분연 왈,

"그ᄃᆡ 인륜에 크게 죄를 짓고 안연이 이에 머므러 스ᄉᆞ로 평안ᄒᆞᆷ도 고이커ᄂᆞᆯ, 일분 념치 잇실진ᄃᆡ 그 혈육을 낫치 아녀셔 죽으미 진실노 올커ᄂᆞᆯ, 의법히 ᄂᆡ집에셔 분산코져 ᄒᆞ니, 쳔만인을 격근 챵【73】물에셔 더은 인물이라. 당당이 음부의 머리를 버히고 슈족을 이○[쳐](離處)ᄒᆞ여 후세 음악 발부를 징계ᄒᆞᆯ거시로ᄃᆡ, ᄎᆞ마 못ᄒᆞᆫ 바ᄂᆞᆫ 녕엄의 안면을 거릿겨 법부에 고치 못ᄒᆞ고, 다만 죽여 뎡·양 냥문의 븟그러오믈 씻고, 음부의 시신을 ᄆᆞᆰ은 물에 ᄶᅴ워 슈신과 ᄒᆞᆫ가지로 늙게 ᄒᆞᄂᆞ니 나의 관인화홍(寬仁和弘)ᄒᆞ믈 알나"

언필에 큰 힘을 다ᄒᆞ여 깁으로 양씨 슈족을 단단히 ᄆᆡ기를 시작ᄒᆞᄆᆡ, 가족이 버셔지고 살이 으쳐지ᄂᆞᆫ지라. 소졔 광부의 무궁ᄒᆞᆫ 욕셜과 광긔를 조흔 일갓치 ᄎᆞᆷ고 견ᄃᆡ믄, 존당 구고의 양츈혜ᄐᆡᆨ(陽春惠澤)을 져ᄇᆞ리지 못ᄒᆞ미오, 친당 ᄉᆡᆼ휵지은(生慉之恩)과 구로지혜(劬勞之惠)를 ᄒᆞᆫ일도 갑ᄉᆞᆸ지 못ᄒᆞ고, 셔하지탄(西河之嘆)[4]을 ᄭᅵ쳐, 낭가 친당에 침침ᄒᆞᆫ 불회 ᄌᆞ긔 ᄯᅳᆺ이 아니므로, 쳘골비분(徹骨悲憤)[5]을 함잉(含忍)ᄒᆞ고, 스ᄉᆞ로 심회를 널녀 망측ᄒᆞᆫ 누얼을 물【74】외(物外)로 더지고, 풍운의 길시를 기ᄃᆞ리더니, 금야에

4)셔하디탄(西河之嘆) : 자식을 잃은 탄식. '서하의 탄식'이라는 뜻으로, 공자(孔子)의 제자인 자하(子夏)가 서하(西河)에 있을 때 자식을 잃고 너무 슬픈 나머지 소경이 된 고사에서 온 말.
5)쳘골비분(徹骨悲憤) ; 뼈에 사무치는 슬픔과 분노.

노 ᄋᆡ걸ᄒᆞ미 효험 업술 줄 아라, 이의 소ᄅᆡ를 ᄆᆡᆼ녈이 ᄒᆞ여 왈,

“쳡슈블민(妾雖不敏)이나 일즉 궁흉대악(窮凶大惡)의 죄를 딧디 아녓ᄂᆞ니, 군이 엇디 허무디ᄉᆞ(虛無之事)를 쥬츌(做出)ᄒᆞ여 뎡실을 함ᄒᆡ코져 ᄒᆞᄂᆞ뇨? 군이 만일 쳡의 죄를 명ᄇᆡᆨ히 ᄒᆞᆫ 후, 부형을 청ᄒᆞ고 엄구긔 살오디 못ᄒᆞᆯ 줄노 고ᄒᆞ여 죽여도 늣디 아니니, 심야의 그윽이 남 모로게 죽이미 그 허믈이 군의게 잇고 쳡신은 무죄ᄒᆞ미라. 군은 모로미 【13】 도라 ᄉᆡᆼ각ᄒᆞ고 패광악사(悖狂惡事)를 마르셤즉 ᄒᆞ니, 쳡의 약녁(弱力)으로 군의 강용을 당치 못ᄒᆞ여 힘힘히 죽으나, 텬디신디(天知神知)ᄒᆞ니 쳡의 무죄ᄒᆞ믈 알 거시오, 군의 패덕이 복녹의 유ᄒᆡᄒᆞᆯ 거시니 타일 후회 이실디라. 이제 참측(慘-)ᄒᆞᆫ[13] 말노 쳡을 의심ᄒᆞ고, 복ᄋᆞ로ᄡᅧ 군의 골육이 아니라 ᄒᆞ니, 쳡이 하쉬(河水)[14] 머러 귀를 씻디 못ᄒᆞ믈 한ᄒᆞᄂᆞ니, ‘오긔(吳起)의 살쳐(殺妻)’[15]를 효측ᄒᆞ여 복ᄋᆞ를 셰상의 나디 못ᄒᆞ게 ᄒᆞ미 골육상잔(骨肉相殘)ᄒᆞᄂᆞᆫ 마ᄃᆡ라. 쳡의 ᄒᆞᆫ 목숨 죽으미 두 인명을 살ᄒᆡᄒᆞ미니, 혼야(昏夜)의 뉘 알냐 ᄒᆞ나, 죄ᄂᆞᆫ 디은 곳의 ᄌᆞ연 도라가ᄂᆞ니 쳡의 원억ᄒᆞᆫ 누얼인들 언마ᄒᆞ여 신ᄇᆡᆨᄒᆞ며, 군의 패광디ᄉᆞᆫ(悖狂之事)들 언마ᄒᆞ여 후회 될동[16] 알 【14】 니오.”

13)참측(慘-)ᄒᆞ다 : 지나칠 정도로 한심하고 더럽다. *측ᄒᆞ다 : 추악하다.

14)하수(河水) : 하수(河水). 황하강의 물. 황하강(黃河江); 중국 서부에서 북부로 흐르는 강. 중국에서 두 번째로 큰 강으로 청해성(青海省)의 아합랍달합택산(雅合拉達合澤山)에서 시작하여 화북평야를 흘러 발해만(渤海灣)으로 들어간다. 황토와 뒤섞인 누런 강물로 이루어져 있다. 중·하류는 중국 문명의 요람지로서 유명하다. 길이는 5,464km

15)오기(吳起)의 살처(殺妻) : 중국 전국 시대(戰國時代)의 병법가 오기가 자신의 충심을 입증하기 위해 아내를 베었던 고사.

16)-ㄹ동 : '-ㄹ지'의 뜻을 나타내는 어미로 무지(無知), 미확인의 경우에 흔히 쓰인다.

ᄉᆡᆼ의 핍살(逼殺)코져 ᄒᆞ믈 보고, 말노 ᄋᆡ걸ᄒᆞ나 효험 업ᄉᆞ믈 ᄭᆡᄃᆞ라, 이에 소리를 ᄆᆡᆼ녈이 ᄒᆞ야 왈,

“쳡슈부릉누딜(妾雖不能陋質)이나 일작 궁흉대악(窮凶大惡)의 죄를 짓지 아녓ᄂᆞ니, 군ᄌᆡ 엇지 허무지ᄉᆞ를 주츌(做出)ᄒᆞ여, 정실을 함ᄒᆡ코져 ᄒᆞ시ᄂᆞ뇨? 군ᄌᆡ 만일 쳡의 죄를 친견(親見), 질정(叱正)ᄒᆞ여 가히 명ᄇᆡᆨᄒᆞᆫ 후, 부형(父兄)을 청ᄒᆞ시고 엄구(嚴舅)긔 고ᄒᆞ여 살호지 못ᄒᆞᆯ 줄노 ○○○[고ᄒᆞ고] 죽여도 늣지 아니니, 심야에 그윽이 남모로게 살(殺)ᄒᆞ시ᄆᆡ, 그 허믈이 군자긔 잇고 쳡신에ᄂᆞᆫ 무죄ᄒᆞᆫ지라. 군ᄌᆞᄂᆞᆫ 모로미 도라[6] ᄉᆡᆼ각ᄒᆞ고 ᄑᆡ광악ᄉᆞ(悖狂惡事)를 마르소셔. 쳡의 약녁(弱力)으로 군ᄌᆞ의 강용을 당치 못ᄒᆞ여 힘힘이 죽으나, 텬지신지(天知神知)ᄒᆞ니 쳡의 무죄ᄒᆞ믈 알거시오, 군ᄌᆞ의 ᄑᆡ덕(悖德)이 복녹(福祿)에 유ᄒᆡᄒᆞ리니, 타일 후회 잇실지라. 이제 참혹ᄒᆞᆫ 말노 쳡 【75】 을 의심ᄒᆞ고 복ᄋᆞ로ᄡᅧ 군ᄌᆞ의 ᄌᆞ식이 아니라 ᄒᆞ시니, 쳡이 하쉬(河水)[7] 머러 귀를 씻지 못ᄒᆞ믈 한ᄒᆞᄂᆞ니, 군ᄌᆡ ‘오기(吳起)의 살쳐(殺妻)’[8]를 효측ᄒᆞ여, 복ᄋᆞ를 셰상에 나지 못ᄒᆞ게 ᄒᆞ미 골육상잔(骨肉相殘) ᄒᆞᄂᆞᆫ 마ᄃᆡ라. 쳡의 ᄒᆞᆫ 목숨을 ᄉᆞᆫ흐ᄆᆡ 두 목숨을 죽이미니 포한심악(暴悍甚惡)ᄒᆞ미 쳔고의 둘 업ᄉᆞᆫ ᄑᆡ되(悖道)라. 무지혼야(無知昏夜)에 뉘 알니 ᄒᆞ나, 죄ᄂᆞᆫ ᄌᆞ연 지은 곳에 도라가ᄂᆞ니, 쳡의 원억ᄒᆞᆫ 누얼인들 언마ᄒᆞ여 신ᄇᆡᆨᄒᆞ며, 군ᄌᆞ의 ᄑᆡ광ᄉᆞᆫ(悖狂事)들 언마ᄒᆞ여 후회 될동[9] 아니 알니잇가?”

6)돌다 : 돌다. 생각을 바꾸다. 방향을 바꾸다.

7)하수(河水) : 하수(河水). 황하강의 물. 황하강(黃河江); 중국 서부에서 북부로 흐르는 강. 중국에서 두 번째로 큰 강으로 청해성(青海省)의 아합랍달합택산(雅合拉達合澤山)에서 시작하여 화북평야를 흘러 발해만(渤海灣)으로 들어간다. 황토와 뒤섞인 누런 강물로 이루어져 있다. 중·하류는 중국 문명의 요람지로서 유명하다. 길이는 5,464km

8)오기(吳起)의 살처(殺妻) : 중국 전국 시대(戰國時代)의 병법가 오기가 자신의 충심을 입증하기 위해 아내를 베었던 고사.

9)-ㄹ동 : '-ㄹ지'의 뜻을 나타내는 어미로 무지(無知), 미확인의 경우에 흔히 쓰인다.

ᄉᆡᆼ이 더옥 대로ᄒᆞ여 입을 트러막고 쇼져의 몸을 단단이 동혀, ᄒᆞᆫ 닙 거젹[17]의 너허 ᄡᆞᄆᆡ니, 쇼졔 졍신과 인ᄉᆞᄂᆞᆫ 이시나 ᄉᆡᆼ인을 공연이 돗긔 ᄡᆞ 시신을 동히니, 쳔금약질(千金弱質)이 엇디 견ᄃᆡ리오. 일셩탄식(一聲歎息)과 두 번 늣기ᄂᆞᆫ 원억이 텬디신명(天地神明)이 ᄒᆞᆫ가디로 참연ᄒᆞᆯ ᄇᆡ라. 양시 엄홀ᄒᆞ여 인ᄉᆞ를 모를 ᄡᆞᆫ 아니라, 닙을 트러 막아시ᄆᆡ 슘이 막혀, 믈의 너치 아냐도 죽으미 반듯ᄒᆞᆯ너라.

납향이 요악 흉녀의 금을 바드ᄆᆡ, 쥬모를 ᄉᆞ디의 너코 앙홰 업술 줄노 아라, 장 ᄉᆞ이로 ᄉᆡᆼ의 거동을 됴흔 일ᄀᆞᆺ치 여어보더니, ᄉᆡᆼ이 양시를 동혀 녑ᄒᆡ ᄭᅵ고 향을 블너 쵹을 잡히고 년졍으로 다르니, 향이 져를 마ᄌᆞ 죽일【15】줄은 모로고 흔연이 쵹을 잡아 셔시니, ᄉᆡᆼ이 그윽이 ᄉᆡᆼ각ᄒᆞᄃᆡ,

“향이 쥬모와 동ᄉᆞ(同事)[18]ᄒᆞ다가 쥬뫼 죽으ᄃᆡ 슬허ᄒᆞᄂᆞᆫ 일이 업ᄉᆞ니 그 심졍이 가살(可殺)이라. 나ᄂᆞᆫ 양시를 죽여 후환을 졔방(制防)ᄒᆞ미나, 향은 악악ᄒᆞᆫ 심ᄉᆡ 텬하의 둘히 업술 거시니 엇디 믈의 밀쳐 죽이리오.”

의ᄉᆡ 이의 밋쳐, 벽샹의 걸닌 댱검을 ᄡᆡ혀 들고, 양시 시신을 가ᄇᆡ야이 녑ᄒᆡ 쪄, 향을 압셰오고 ᄒᆡᆼ뵈 신쇽ᄒᆞ여 년졍의 니르니, ᄯᆡ 츈이월 회간이라. 빙셜이 쳐음으로 녹고 츈풍이 화창ᄒᆞ여 믈결이 ᄌᆞ아져시니[19], 원간 뎡부 년졍이 여러히오. ᄉᆡᆼ이 양시 넛ᄂᆞᆫ 곳은 깁희 ᄇᆡᆨ쳑(百尺)이나 ᄒᆞ여, 슈근(水根)이 밧그로 통ᄒᆞ여 취운산을 년ᄒᆞ엿ᄂᆞᆫ디라. ᄉᆡᆼ이【16】양시를 놉히 드러 믈 ᄀᆞ온ᄃᆡ 더디고 경ᄀᆡᆨ의 흉용(洶湧)ᄒᆞᆫ 믈결의 간 바를 모로니, ᄎᆞ호셕ᄌᆡ(嗟乎惜哉)[20]라. 양시 어름

17)거젹 : 짚을 두툼하게 엮거나, 새끼로 날을 하여 짚으로 쳐서 자리처럼 만든 물건. 허드레로 자리처럼 쓰기도 하며, 한데에 쌓은 물건을 덮기도 한다.
18)동ᄉᆞ(同事) : ①같은 종류의 일을 함. 또는 그 일. ②함께 일을 함.
19)ᄌᆞ아지다 : 잦아지다. 심해지다. 거세지다.

ᄉᆡᆼ이 ᄋᆡᆨ노ᄒᆞ여 ᄃᆞ라드러 입을 트러 막고 소져의 몸을 단단히 동혀, ᄒᆞᆫ 립 초셕(草席)[10]에 너허 ᄡᆞᄆᆡ, 소졔 겨오 인ᄉᆞ난 잇시나 쳔금약질(千金弱質)이 엇지 견ᄃᆡ리오. 일셩탄식(一聲歎息)과 두 번 늣기ᄂᆞᆫ 원억이 텬디신명(天地神明)이 다 ᄒᆞᆫ가지로 참연ᄒᆞᆯ ᄇᆡ라. 양 씨 엄홀ᄒᆞ야 인ᄉᆞ를 모를 ᄲᆞᆫ 아냐, 입을 트러 막【76】아시ᄆᆡ, 숨이 막혀 물에 너치 아냐도 죽으미 반듯ᄒᆞ고 살미 아득ᄒᆞ더라.

납향이 요악ᄒᆞᆫ 셩녀의 금을 ᄇᆞ드ᄆᆡ, 쥬모를 ᄉᆞ디의 넛ᄂᆞᆫ 앙홰 엇술 줄노 아라, 당ᄉᆞ이로 ᄉᆡᆼ의 양씨 ᄆᆡᄂᆞᆫ 양을 조흔 일ᄀᆞᆺ치 녁여 보더니, ᄉᆡᆼ이 양씨를 동혀 엽헤 ᄭᅵ고, 향을 불너 촉을 잡히고 년졍으로 ᄃᆞ를ᄉᆡ, 향이 져를 마ᄌᆞ 죽일 줄은 ᄉᆡᆼ각지 아니코, 흔흔이 촉을 잡아 셔시니, ᄉᆡᆼ이 그윽이 ᄉᆡᆼ각ᄒᆞᄃᆡ, “

“향이 주모와 종[동]ᄉᆞ(同事)[11]ᄒᆞ다가, 주뫼 죽으믈 당ᄒᆞᄃᆡ 슬허ᄒᆞᄂᆞᆫ 일이 업ᄉᆞ니, 그 심졍이 가살(可殺)이라. 나ᄂᆞᆫ 양씨를 죽여 후환을 졔방ᄒᆞ미나, 향은 악악ᄒᆞᆫ 심ᄉᆡ 텬하의 둘히 업술거시니, 엇지 물에 밀쳐 죽이리오. 내 쾌히 버히리라.”

의ᄉᆡ 이에 밋쳐 벽상에 걸닌 장금[검](長劍)을 ᄡᆡ혀 들고, 임의 년졍에 니르ᄆᆡ, ᄎᆞ시 츈이월 회간이라. 빙셜이 쳐음으로 녹고 츈풍이 화창ᄒᆞ여【77】믈결이 ᄌᆞ아져시니[12], 원간 뎡부 년졍이 여러히오, ᄉᆡᆼ이 양 씨 넛ᄂᆞᆫ 곳은 깁희 ᄇᆡᆨ쳑이나 ᄒᆞ여, 물줄기 밧그로 통ᄒᆞ여 취운산 시ᄂᆡ를 년ᄒᆞ엿ᄂᆞᆫ지라. ᄉᆡᆼ이 양 씨를 놉히 들어 믈 ᄀᆞ온ᄃᆡ 더지ᄆᆡ 경ᄀᆡᆨ의 흉용ᄒᆞᆫ 믈결에 간 ᄇᆞ를 모르니, ᄎᆞ호셕ᄌᆡ(嗟乎惜哉)[13]라. 양씨의 너[어]름이 ᄆᆞᆰ고 옥이 틔업ᄉᆞᆫ ᄒᆡᆼᄉᆞ(行使)[14]와 화월(花月)

10)초셕(草席) : 짚이나 왕골, 부들 따위로 엮어 만든 자리
11)동ᄉᆞ(同事) : ①같은 종류의 일을 함. 또는 그 일. ②함께 일을 함.
12)ᄌᆞ아지다 : 잦아지다. 심해지다. 거세지다.
13)ᄎᆞ호셕ᄌᆡ(嗟乎惜哉) : 아! 가엽다.
14)ᄒᆡᆼᄉᆞ(行使) : 행동이나 하는 짓.

이 ᄆᆞᆰ고 옥이 틔 업ᄉᆞᆫ ᄒᆡᆼᄉᆞ(行使)[21]와 화월(花月)이 슈ᄐᆡ(羞態)[22]ᄒᆞᄂᆞᆫ ᄉᆡᆨ광(色光)으로, 초년 명되 험난ᄒᆞ미 셩시 ᄀᆞᆺ튼 뎍국을 만난 연고로, 뎡셰홍 광부(狂夫)의 블명디ᄉᆞ(不明之事) 이의 밋ᄎᆞ니, ᄐᆡ신십삭(胎身十朔)의 복ᄋᆞ(腹兒)를 픔고 년졍(蓮井) 흉용ᄒᆞᆫ 슈듕의 참혹히 ᄲᆞ디니, 만일 하날과 귀신이 보호치 아닌 젼 능히 살기를 어드리오. 아디 못게라 양시 ᄉᆞᄉᆡᆼ이 엇디 된고 ᄎᆞ하를 분ᄒᆡ(分解)ᄒᆞ라.

뎡ᄉᆡᆼ이 양시를 믈의 드리치고, 다시 댱검을 드러 납향을 버혀 왈,

“여쥐(汝主) 내게 죄인이나 네게 쥬뫼라. 일호나 노쥬디의(奴主之義)를 ᄉᆡᆼ각ᄒᆞᆯ딘ᄃᆡ 그 죽으믈 비쳑(悲慽)ᄒᆞ미【17】올커ᄂᆞᆯ, 흔흔ᄒᆞ미 측냥 업ᄉᆞ니, 너를 살오면 후셰 블튱비(不忠婢)를 징계치 못ᄒᆞ리라.”

ᄒᆞ니, 향이 ᄒᆞᆫ 말을 못ᄒᆞ고 검하경혼(劍下驚魂)이 되니, 머리 슈듕의 ᄯᅥ러디고 몸은 년졍 압ᄒᆡ 구러디니, 향이 셩녀의 금을 탐ᄒᆞ여 어딘 쥬모를 ᄀᆡᆼ참(坑塹)의 함닉ᄒᆞ고, 긴 셰월의 금은을 모화 의식의 풍비ᄒᆞ미, 일ᄉᆡᆼ 괴로온 근심이 업술가 흔ᄒᆡᆼᄒᆞ다가, 하날과 귀신이 믜이 녁여 ᄉᆡᆼ의 버힌 ᄇᆡ 된디라. ᄉᆡᆼ이 양시를 믈의 너코 향을 버히니 쾌활ᄒᆞ믈 니긔디 못ᄒᆞ여 ᄒᆞᄃᆡ, 광심(狂心)의도 일분 념녜 엄친(嚴親)이 아르시면 과도ᄒᆞ미 이실가 잠간 블평ᄒᆞ미 이셔, 셩녀의 침소로 가랴 ᄒᆞ다가 ᄒᆡᆼ혀 션삼졍 양시의 긔용즙믈(器用什物)의 마가의 거시 이시며, ᄯᅩ 흉셰 잇ᄂᆞᆫ가【18】보려 도로 션삼졍으로 드러오니라.

셩네 향을 도로 양쇼져 침소로 보ᄂᆡ고, 즉시 쥬찬을 ᄀᆞᆺ초아 곳곳이[에] 암약(瘖藥)을 너허 벽슈졍의 가 셜유랑을 먹이고, 여ᄎᆞ여ᄎᆞ 말노ᄡᅧ 의심 업시 ᄒᆞᆫ 후, 유랑이 인ᄉᆞ를 모로거든 그 미인을 잡아오라 ᄒᆞ니,

20)ᄎᆞ호셕지(嗟乎惜哉) : 아! 가엽다.
21)ᄒᆡᆼᄉᆞ(行使) : 행동이나 하는 짓.
22)슈ᄐᆡ(羞態) : 부끄러워하는 태도.

이 슈ᄐᆡ(羞態)[15]ᄒᆞᄂᆞᆫ ᄉᆡᆨ광(色光)으로, 초년 명되 험난ᄒᆞ미, 셩시 ᄀᆞᆺ튼 젹국을 만난 연고로, 뎡셰홍 광부(狂夫)의 불명ᄑᆡ되(不明悖道) 이에 밋ᄎᆞ니, ᄐᆡ신십삭(胎身十朔)의 복ᄋᆞ(腹兒)를 픔고 년졍(蓮井) 흉용ᄒᆞᆫ 슈즁의 참혹히 ᄲᆞ지니, 만일 하ᄂᆞᆯ과 귀신이 보호치 아니면 능히 살기를 어드리오.

뎡ᄉᆡᆼ이 양 시를 물에 드리치고 다시 장검을 드러 납향을 버혀 왈,

“녀쥐(汝主) ᄂᆡ게 죄인이나 네게ᄂᆞᆫ 쥬인이라 일분이나 노쥬지분(奴主之分)를 ᄉᆡᆼ각ᄒᆞᆯ진ᄃᆡ 그 죽으믈 비쳑(悲慽)ᄒᆞ미 올커ᄂᆞᆯ, 흔흔【78】ᄒᆞ여 즐기미 측냥 업ᄉᆞᆫ 악인이라. 너를 살오면 후셰 블츙비(不忠婢)를 징계치 못ᄒᆞ리로다.”

향이 ᄒᆞᆫ 말을 못ᄒᆞ고 놀난 눈이 뒤박혀 요악○[ᄒᆞᆫ] 상뫼 ᄌᆡ빗치 되엿더니, 경각에 머리 물속에 ᄯᅥ러지고 몸은 년졍 알ᄑᆡ 구러지니, 향이 셩녀의 금을 혹ᄒᆞ여 어진 쥬모를 ᄀᆡᆼ참(坑塹)의 ○[함]익(陷溺)ᄒᆞ고, 긴 셰월의 금은을 모화 의식의 풍비ᄒᆞ미 일ᄉᆡᆼ 괴로온 근심이 업술가 환ᄒᆡᆼᄒᆞ다가, 신기 뮈이 녁여 ᄉᆡᆼ의 칼아ᄅᆡ 버힌 ᄇᆡ 된지라. ᄉᆡᆼ이 져 노주를 쳐치ᄒᆞᄆᆡ 불승 쾌활ᄒᆞᄃᆡ, 광심에도 일분 념네 엄뷔(嚴父) 아르실가 잠간 블평ᄒᆞ미 잇셔, 셩녀의 침소로 가랴 ᄒᆞ다가, ᄒᆡᆼ혀 션삼졍 양씨의 긔용즙믈(器用什物)에 마가의 것이 잇시며 ᄯᅩ 흉셰 잇ᄂᆞᆫ가 보려도 션삼졍으로 드러 오니라.

셩네 향을 양소져 침소로 보ᄂᆡ고 즉시 쥬찬을 ᄀᆞᆺ초아 곳곳이[에]【79】암약을 너허 벽슈졍에 가 설유랑을 먹이고 여ᄎᆞ여ᄎᆞ ᄒᆞ여 의심업시 ᄒᆞᆫ 후, 유랑이 인ᄉᆞ를 모로거든 그 미인을 잡아오라 ᄒᆞ니, 이괴 변용ᄒᆞ여 쥬찬을 가지고 유랑을 보고 ᄀᆞᆯ오ᄃᆡ,

15)슈ᄐᆡ(羞態) : 부끄러워하는 태도.

츈교·이괴 변용ᄒᆞ여 쥬찬을 가져 유랑을 보고, 양쇼져 말솜으로 ᄀᆞᆯ오ᄃᆡ,

"금야의 맛촘 상공이 히월누의셔 연회ᄒᆞ시므로 약간 쥬찬을 장만ᄒᆞ엿더니, 유랑이 본ᄃᆡ 잠이 젹으니 ᄌᆞ리의 나아가디 아냐실 ᄃᆞᆺ ᄒᆞ여, ᄉᆞ오 ᄇᆡ 술과 두어 그릇 안쥬를 보ᄂᆡᄂᆞ니, 유랑은 쳡의 졍을 알나."

유랑이 쳥파의 화류(花柳)의 긔ᄉᆡᆨ(氣色)이 이시니, 져 요비 개용단을 마셔 양쇼져의 시비 얼【19】굴이 되여시믈 엇디 알니오. 본ᄃᆡ 쇼져의 졍을 감격ᄒᆞ던 바로, 흔연이 술을 마시고 졔 비ᄌᆞ 등을 난화 먹이니, 냥요비 ᄌᆡᆼ그라오믈 니긔디 못ᄒᆞ여 져 삼 노쥬의 인ᄉᆞ 모로믈 기다려, 이윽고 유랑이 넙은 ᄌᆡᆨ ᄌᆞ리의 ᄭᅳ러디고, 냥 비ᄌᆡᆨ 것구러져 아모 상을 모러거놀, 냥괴 깃거 소시긔 다라드러 그 덥흔 거술 벗기고 운발을 ᄭᅳ드러 니르현ᄃᆡ, 념난이 뎡ᄉᆡᆼ의게 욕 본 후ᄂᆞᆫ 쥬야 경심통원(驚心痛寃)ᄒᆞ믈 니긔디 못ᄒᆞ고, 디란(芝蘭) 약딜(弱質)이 간장을 술와 음식의 맛술 모로고, 상쳬 낫디 못ᄒᆞ여 괴로이 신음ᄒᆞ더니, 쳔만 긔약디 아닌 변을 당ᄒᆞ여 ᄎᆞ악경ᄒᆡ(嗟愕驚駭)ᄒᆞ믈 니긔디 못ᄒᆞ나, 평ᄉᆡᆼ 힘을 다ᄒᆞ여 그 머리 드ᄂᆞᆫ 손을 쥐여 ᄯᅳ드며 소ᄅᆡ【20】놉혀 왈,

"내 평ᄉᆡᆼ 여등으로 슈원(讐怨)이 업셔 셔로알오미 업거놀, 너희 므솜 연고로 내 머리를 ᄭᅳ드러 니르혀ᄂᆞ뇨?"

냥괴 브답ᄒᆞ고 딘력(盡力)ᄒᆞ여 잡아 가려 ᄒᆞ나, 소시 연연(軟軟)ᄒᆞ미[23] 뉴디(柳枝)ᄀᆞᆺ치 약ᄒᆞᆫ 허리와 난초ᄀᆞᆺ치 《힘닙ᄉᆞᆫ‖힘업ᄉᆞᆫ》 긔딜이로ᄃᆡ, 냥교를 잘 믈니치고 좌우로 막아 슌히 잡혀 갈 거동이 아니라. 하 급ᄒᆞ여 도로 션슈졍으로 와 동뉴 십여 인으로 난을 잡을ᄉᆡ, 소시 셰 급ᄒᆞ믈 보고 밧비 의상을 슈습ᄒᆞᆫ 후, 유랑을 아모리 흔드러 ᄭᆡ와 니르혀나 인ᄉᆞ를 모로ᄂᆞᆫ디라. 창황망극ᄒᆞ여 칼흘 어더 ᄌᆞ문ᄒᆞ려 ᄒᆞᄃᆡ, 유랑이 난의 죽기를 방비ᄒᆞ여 칼과 슈건 붓치를 ᄀᆞᆷ초앗ᄂᆞᆫ 고로 어들 길히 업거놀, 냥괴 동뉴

23)연연(軟軟)ᄒᆞ다 : 무르고 약하다.

"양소졔 금야 상공의 말솜으로 쥬찬을 가져오미라"

ᄒᆞ니, 유랑이 의심치 아니코 먹더니, 아이오. 졍신이 혼미ᄒᆞ여 인ᄉᆞ를 모로거놀, 냥괴 소씨긔 ᄃᆞ라 드러 그 덥흔거술 벗기고 운발을 ᄭᅳ드러 니르현ᄃᆡ, 염난이 뎡ᄉᆡᆼ의게 욕을 당ᄒᆞᆫ 후ᄂᆞᆫ, 쥬야 경분통한(驚奮痛恨)ᄒᆞ믈 니긔지 못ᄒᆞ여, 지란(芝蘭) 약질(弱質)이 근장을 술와 음식의 맛술 모로고, 상쳬 낫지 못ᄒᆞ여 괴로이 신음ᄒᆞ더니, 쳔만 긔약지 아닌 변을 당ᄒᆞ여 불승ᄎᆞ악경ᄒᆡ(不勝嗟愕驚駭)ᄒᆞ나, 평ᄉᆡᆼ 힘을 다ᄒᆞ여 그 머리 쥐엿ᄂᆞᆫ 손을 ᄯᅳ드며, 고셩 왈,

"내 평ᄉᆡᆼ 여등으로 무은무원(無恩無怨)ᄒᆞ여 셔로 알으【80】미 업거놀, 무솜 연고로 내 머리를 ᄭᅳ드러 니르혀ᄂᆞ뇨?."

냥괴 부답ᄒᆞ고 진력ᄒᆞ여 잡아가랴 ᄒᆞ나 소씨 연연(軟軟)[16] 약질이로ᄃᆡ 냥교를 좌우로 믈니쳐, 슌히 잡혀 갈 거동이 아니라. 하 급ᄒᆞ여 도로 션슈졍으로 와, 동뉴 십여 인을 ᄃᆞ리고 난을 잡을ᄉᆡ, 소씨 셰 급ᄒᆞ믈 보고 밧비 의상을 슈습ᄒᆞᆫ 후 유랑을 아모리 흔드러 ᄭᆡ오나, 숨잇ᄂᆞᆫ 시신으로 아모란 줄 모로ᄂᆞᆫ지라. 창황망극ᄒᆞ여 칼을 어더 ᄌᆞ문코져 ᄒᆞ나, 유랑이 난의 죽기를 방비ᄒᆞ려 칼과 슈건 부치를 다 감초앗ᄂᆞᆫ 고로, ᄎᆞᆯ 길히 업더니, 냥괴 동뉴를 모라 와 소씨 슈족과 머리를 ᄭᅳ드러 ᄲᆞᆯ니 ᄃᆞ를ᄉᆡ, 졔녜 난

16)연연(軟軟)ᄒᆞ다 : 무르고 약하다.

십여 인【21】로 소시의 슈족과 머리를 ᄭᅳ드러 쌜니 다ᄅᆞᆯ식, 졔녜 난의 입을 트러막아 소ᄅᆡ를 못ᄒᆞ게 ᄒᆞ고, 춍춍이 ᄭᅳ어가ᄂᆞᆫ 모양이 참참(慘慘)ᄒᆞ여, 견ᄌᆞ로 ᄒᆞ여금 잔잉히24) 녁일 ᄇᆡ로ᄃᆡ, 무인심야(無人深夜)의 만뇌구뎍(萬籟俱寂)25)ᄒᆞ니 뉘 알니 이시리오.

젹은덧26) ᄉᆞ이의 션슈졍의 니르니, 셩녜 바야흐로 금노(金爐)의 블을 픠오고, 너른 쇠를 달호며 드ᄂᆞᆫ 칼흘 번득여, 벽슈졍 미인의 오기를 기다리더니, 졔녜 난을 잡아 졍하(庭下)의 ᄭᅮᆯ니려 ᄒᆞ니, 난이 ᄭᅮ디 아닛ᄂᆞᆫ디라, 셩녜 급히 닐오ᄃᆡ,

"여등이 그 요녀를 뒤 쳥하(廳下)로 잡아오라."

졔녜 응명ᄒᆞ고 후졍하(後庭下)로 잡아 오ᄆᆡ, 셩녜 후창(後窓)을 열치고 친히 그 머리털흘 무쥬릴식27), 간간이 살이 ᄲᅥ러디니 븕은 피 들디어28) 흐【22】르ᄃᆡ, 소시 그 입을 막아시니 ᄒᆞᆫ 말을 못ᄒᆞ고 ᄒᆞᆫ갓 비분홀 ᄯᆞᄅᆞᆷ이라.

셩녜 난을 삭발ᄒᆞᆫ 후 큰 바29)흘 가져 졔녀로 ᄒᆞ여금 뒤 뜰 소나모 가디의 것고로 ᄆᆡ여 ᄃᆞᆯ고, 블의 달ᄒᆞᆫ 쇠를 주어 그 일신을 혜디 말고 두로 디디며30), ᄉᆞ이ᄉᆞ이 텰편으로 어ᄌᆞ러이 두다리라 ᄒᆞ니, 다른 시녀ᄂᆞᆫ ᄎᆞ마 못ᄒᆞᄃᆡ 냥교ᄂᆞᆫ 셩녀의 간악을 응시ᄒᆞ여 난 별믈이라. 양부인으로브터 태우의 유졍ᄌᆞᄂᆞᆫ ᄭᅴ리ᄒᆞ미 졔 뎍인의셔 더ᄒᆞᆫ디라. 소시ᄂᆞᆫ 태우와 운우디졍을 ᄆᆡᆺᄃᆡ 아닌 줄을 알오ᄃᆡ, 그 ᄌᆞ식이 양시나 다르디 아닌 고로

---

24)잔잉ᄒᆞ다 : 자닝하다. 애처롭고 불쌍하여 차마 보기 어렵다

25)만뇌구뎍(萬籟俱寂) : 자연계에서 나는 온갖 소리가 다 잠잠하여 고요함.

26)젹은덧 : 잠깐. 잠깐사이.

27)무쥬리다 : 끊다. 자르다.

28)돌디ᄒᆞ다 : 돌돌 솟아나오다. *돌돌 : 물이 좁은 도랑을 따라 흘러가는 모양.

29)바 : 참바. 삼이나 칡 따위로 세 가닥을 지어 굵다랗게 드린 줄.

30)디디다 : 지지다. 불에 달군 물건을 다른 물체에 대어 약간 태우거나 눋게 하다.

의 임의 입을 트러막아 소ᄅᆡ를 못ᄒᆞ게 ᄒᆞ고, 춍춍이 훌ᄭᅳ어가ᄂᆞᆫ17) 모양이 참참ᄒᆞ여 견자로 ᄒᆞ야금 잔잉히18) 너길지라. 여ᄎᆞ《삼야‖심야(深夜)》에 만뇌구젹(萬籟俱寂)19)ᄒᆞ니【81】 뉘 알 니 잇ᄉᆞ리오.

슌식(瞬息)20) ᄉᆞ이의 션슈졍의 ᄃᆞ다르니, 셩녜 금노(金爐)의 불을 픠오고, 너른 쇠를 달호며 드ᄂᆞᆫ 칼흘 번득여, 벽슈졍 미인의 오기를 기ᄃᆞ리더니, 졔녜 난을 잡아 쳥하의와 ᄭᅮᆯ니려 ᄒᆞ니, 난이 ᄭᅮ지 아니ᄒᆞᄂᆞᆫ지라. 셩녜 급히 니르ᄃᆡ,

"여등이 그 요괴를 뒤 쳥하(廳下)로 잡아오라."

졔녜 응명ᄒᆞ고 후졍하(後庭下)로 잡아가ᄆᆡ, 셩녜 후창을 열치고 ᄂᆡ다라, 친히 그 머리털을 무주릴식21), 간간이 살이 ᄯᅥᆯ어지니 불근 피 돌지어22) 흐르ᄃᆡ, 소씨 그 입을 막아시니 ᄒᆞᆫ 말을 못ᄒᆞ고 ᄒᆞᆫᄀᆞᆺ 비분홀 ᄯᆞᄅᆞᆷ이라.

셩녜 난을 삭발ᄒᆞᆫ 후, 큰 바23)흘 가져 졔녀로 ᄒᆞ야곰 후졍 소나무 가지에 것구로 ᄆᆡ여 ᄃᆞᆯ고, 불의 달ᄒᆞᆫ 쇠를 주어 그 일신을 혜지 말고 두로 지지며24), 간간이 쳘편으로 어ᄌᆞ러이 두다리라 ᄒᆞ니, 다른 시녀ᄂᆞᆫ ᄎᆞ마 못ᄒᆞᄃᆡ, 냥교ᄂᆞᆫ 셩씨의 간악을 응시ᄒᆞ여 ᄂᆞᆫ 별물이【82】라. 양부인으로 더브러 태우의 유졍ᄌᆞᄂᆞᆫ 미워ᄒᆞ미 졔 젹인에셔 더ᄒᆞᆫ지라.

---

17)훌ᄭᅳ어가다 : 사람을 강제로 난폭하게 끌어가다. *훌ᄭᅳ으다 : 후려 끌다. 끌어당기다.

18)잔잉ᄒᆞ다 : 자닝하다. 애처롭고 불쌍하여 차마 보기 어렵다

19)만뇌구뎍(萬籟俱寂) : 자연계에서 나는 온갖 소리가 다 잠잠하여 고요함.

20)순식(瞬息) : 눈을 한 번 깜짝하거나 숨을 한 번 쉴 만한 아주 짧은 동안.

21)무쥬리다 : 끊다. 자르다.

22)돌디ᄒᆞ다 : 돌돌 솟아나오다. *돌돌 : 물이 좁은 도랑을 따라 흘러가는 모양.

23)바 : 참바. 삼이나 칡 따위로 세 가닥을 지어 굵다랗게 드린 줄.

24)지지다 : 불에 달군 물건을 다른 물체에 대어 약간 태우거나 눋게 하다.

일시의 ᄌᆞᆺ블아 업시려 ᄒᆞᄂᆞᆫ 고로, 츈교ᄂᆞᆫ ᄆᆡ를 들고 이교ᄂᆞᆫ 단쇠[31]를 잡아 몬져 소시 ᄇᆞᆯ을 디디고, 그 몸을 두다리더【23】니, ᄉᆡᆼ이 ᄯᅩ 션삼졍의 가 양시 협샤를 다 뒤여 마가 흉셰 잇ᄂᆞᆫ가 뒤디ᄃᆡ, 음비ᄒᆞᆫ 셔찰은 업고 다만 양공의 부인 글월 셔너 장이 이시니, ᄯᆞᆯ을 각골통원(刻骨痛寃)이 넉인 셜화ᄲᅮᆫ이오, 쇼졔 ᄯᅩᄒᆞᆫ 샹셔(上書)[32]를 봉ᄒᆞ여 경ᄃᆡ 우히 언져시니, 짐작의 명일노 모친긔 문후ᄒᆞᆯ 셔ᄉᆡᆨ(書辭)라. 오딕 부모 존후(尊候)[33]를 뭇ᄌᆞᆸ고, ᄌᆞ긔 신뉘(身累) ᄋᆡᆨ경(厄境)의 긔괴ᄒᆞᆫ 탓시믈 일ᄏᆞ라, 일이 되여가믈 보시고 과려치 마르시믈 청ᄒᆞᄃᆡ, 조금도 ᄉᆡᆼ을 원망ᄒᆞ믄 업ᄂᆞᆫ디라.

ᄉᆡᆼ이 다 본 후 ᄉᆞ매의 너코 션슈졍의 가니, 셩녜 바야흐로 소시 죽이믈 결단(決斷)ᄒᆞ여 소남긔 놉히 달고 흉독ᄒᆞᆫ 형벌을 힝ᄒᆞ다가, ᄉᆡᆼ을 보고 놀나 후창을 닷거ᄂᆞᆯ, ᄉᆡᆼ이 뒤ᄯᅳᆯ의 여러【24】시ᄋᆡ 분분이 모혀시믈 괴이히 넉여 문디(問之)ᄒᆞ니, 어시의 셩시 요녜 춘교 등으로 더브러 화형(火刑)으로 옥인을 맛ᄎᆞ려 ᄒᆞ더니, 태위 션삼졍의 가 양시 노쥬를 죽이고 드러와 쉬고져 ᄒᆞ더니, 셩녜 ᄌᆞ긔를 보고 대경실ᄉᆡᆨᄒᆞ여 후창을 다드나, 신ᄉᆡᆨ이 져상ᄒᆞ고 후졍 인뎍이 ᄌᆞ연 번잡ᄒᆞᆫ디라. 태위 경아ᄒᆞ여 문기고(問其故)ᄒᆞ니, 셩녜 대간대악(大奸大惡)이나 살인디ᄉᆞ(殺人之事)를 도모ᄒᆞ미 듕난(重難)ᄒᆞᆫ 고로, 창졸의 ᄭᅮ며 ᄃᆡ답디 못ᄒᆞ고 믁연ᄒᆞ니, 태위 ᄀᆞ장 괴이히 넉이고 ᄯᅩᄒᆞᆫ ᄆᆞ음이 동ᄒᆞ여 친히 몸을 니러나 후창을 열치ᄂᆞᆫ디라. 셩녀 요믈(妖物)이 황황급급(遑遑急急)ᄒᆞ여 급히 닐오ᄃᆡ,

31)단쇠 : 높은 열에 달아서 뜨거워진 쇠.
32)샹셔(上書) : 웃어른에게 글을 올림. 또는 그 글.
33)존후(尊候) : 주로 편지글에서, 남의 건강 상태를 높여 이르는 말.

소씨ᄂᆞᆫ 태우와 운우지졍을 ᄆᆡᆺᄃᆡ 아닌 줄 알으ᄃᆡ, 그 ᄌᆞᄉᆡᆨ이 양씨나 ᄃᆞ르지 아닌 고로, 태위 ᄒᆞᆫ 번 유졍ᄒᆞᆫ즉 ᄆᆞᄎᆞᆷᄂᆡ 긔물을 삼을 줄 알고, 일시의 ᄌᆞᆺᄇᆡ아 업시려 ᄒᆞᄂᆞᆫ 고로, 츈교ᄂᆞᆫ ᄆᆡ를 들고 양교ᄂᆞᆫ 단쇠[25]를 ᄌᆞᆸ아 몬져 소 씨의 ᄇᆞᆯ을 지지고, 그 몸을 두다리더니, 이 ᄣᆡ ᄉᆡᆼ이 ᄯᅩ 션삼졍의 가 양씨 협ᄉᆞ를 다 뒤여 마가 흉셰 잇ᄂᆞᆫ가 어드ᄃᆡ, 음비ᄒᆞᆫ 셔찰은 업고 다만 양공 부인의 글월 셔너 장이 잇시니, 그 ᄯᆞᆯ을 각골통원(刻骨痛寃)이 넉인 셜화ᄲᅮᆫ이오, 소졔 ᄯᅩᄒᆞᆫ 샹셔(上書)[26]를 봉ᄒᆞ여 경ᄃᆡ 우히 언져시니, 짐작에 명일 그 모친긔 문후ᄒᆞᆯ 셔ᄉᆡ라. 오직 부모 존후(尊候)[27]를 뭇ᄌᆞᆸ고, ᄌᆞ긔 《신싊‖신뉘(身累)》 ᄋᆡᆨ경(厄境)의 고이ᄒᆞᆫ 탓시믈 니르고, 일이 되여가믈 보시고 과렴치 마르시믈 청ᄒᆞ여실【83】ᄲᅮᆫ이오, 조금도 ᄉᆡᆼ을 원망ᄒᆞ믄 업ᄉᆞᆫ지라.

ᄉᆡᆼ이 다 본 후 ᄉᆞᄆᆡ에 너코 션슈졍에 가니, 셩녜 ᄇᆡ야흐로 소씨 죽이믈 결단(決斷)ᄒᆞ여 소나무에 놉히 달고 독형을 힝ᄒᆞ다가, ᄉᆡᆼ을 보고 놀나 후창을 닷치거ᄂᆞᆯ, ᄉᆡᆼ이 뒤ᄯᅳᆯ에 여러 시ᄋᆡ 분분이 모혀시믈 고히 넉여 무르니, 셩녜 대간대악(大奸大惡)이나 살인지ᄉᆞ(殺人之事)를 도모ᄒᆞ미 즁난ᄒᆞᆫ 고로, 창졸에 ᄭᅮ며 ᄃᆡ답지 못ᄒᆞ고 믁연ᄒᆞ니, 태위 ᄀᆞ장 의아ᄒᆞᄂᆞᆫ 즁, 심동ᄉᆡᆨ지(心動索之)[28]ᄒᆞ여 몸을 니러 후창을 열치니, 셩녀 요물이 황황급급(遑遑急急)ᄒᆞ여 급히 니르ᄃᆡ,

25)단쇠 : 높은 열에 달아서 뜨거워진 쇠.
26)샹셔(上書) : 웃어른에게 글을 올림. 또는 그 글.
27)존후(尊候) : 주로 편지글에서, 남의 건강 상태를 높여 이르는 말.
28)심동색지(心動索之) : 마음이 움직여 찾거나 살핌.

"맛츰 죄 디은 시녀를 다ᄉᆞ리ᄂᆞ니, 군ᄌᆡ ᄀᆞᆺᄐᆞ여 보아 므엇【25】리오."

태위 브답ᄒᆞ고 후창을 열치고 보니, 이ᄯᆡ 모든 시녜 뎡히 소시를 결박ᄒᆞ여 남긔 달고 ᄎᆞᆨ을 낫ᄀᆞᆺ치 ᄇᆞᆰ혓ᄂᆞᆫᄃᆡ, 철편으로 닉이며34) 단쇠로 디져 아조 맛고져 ᄒᆞ더니, 태우의 문 여ᄂᆞᆫ 소ᄅᆡ를 듯고 졔녜 다 실ᄉᆡᆨᄒᆞ여 일시의 믈너 셔니, 태위 보건ᄃᆡ 놉흔 소남긔 쳥상녹의(靑裳綠衣)ᄒᆞᆫ 녀ᄌᆞ를 것고로 다라시며, 그 아ᄅᆡ 금노의 숫블을 셩히 픠오고 넙은 편심(片心)35)을 무슈히 달화 일변 그 녀ᄌᆞ의 살흘 디디며, ᄯᅩ 식은 쇠를 곳쳐 달화 곳곳이 디디니, 닷ᄂᆞᆫ 곳마다 누린ᄂᆡ ᄌᆞ옥ᄒᆞ고 기름이 줄디어 흐르니, 츈교ᄂᆞᆫ 철편을 드러 간간이 즛두다리니, ᄆᆡ 숫치 디나ᄂᆞᆫ 곳마다 셩혈(腥血)이 님니(淋漓)ᄒᆞ고 피육이 읏쳐디나36), 그 녀ᄌᆡ ᄒᆞᆫ낫 벙어리와【26】목인 ᄀᆞᆺᄐᆞ여 일셩을 개구치 아니코 맛기만 참혹히 ᄒᆞ니, 만일 목셕(木石)과 금쳘(金鐵)이 아닌즉 벅벅이 ᄒᆞᆫ낫 시신이라. 그 경ᄉᆡᆨ의 참참(慘慘)ᄒᆞ미 삼ᄃᆡ구슈(三代仇讐)와 ᄇᆡᆨ년대쳑(百年大隻)37)이라도 ᄎᆞ마 보디 못ᄒᆞᆯ 거시오, ᄉᆡ호(豺虎) 샤갈(蛇蝎)의 심졍이라도 ᄎᆞ마 ᄆᆡ를 드디 못ᄒᆞᆯ 거시로ᄃᆡ, 셩녀 노쥬(奴主)ᄂᆞᆫ 별믈악죵(別物惡種)이라. 태위 견파의 비록 취광상심디인(醉狂喪心之人)으로 아ᄂᆞᆫ 거시 업ᄉᆞᄃᆡ, 오히려 뎡시 여ᄆᆡᆨ(餘脈)이라. 일단 춍명식안(聽明識眼)으로 져 소시 셩녀의 독ᄒᆞᆫ 슈단의 머리털을 다 버혀 삭발ᄒᆞ고, 얼골노브터 만신이 셩ᄒᆞᆫ 곳이 업셔 ᄒᆞᆫ 덩이 육괴(肉塊) 되어시나, 그 션풍염ᄐᆡ(仙風艷態)를 ᄋᆡ모(愛慕)ᄒᆞ여, 듕심의 ᄇᆞᄃᆡ 그 부모를 ᄎᆞᄌᆞ 졀노ᄡᅥ 텬뉸(天倫)이 단원(團圓)38)ᄒᆞᆫ 후, 취ᄒᆞ여【2

34)닉이다 : 이기다. 짓이기다. 함부로 마구 이기다.
35)편심(片心) : 조각. 쇳조각.
36)읏쳐디다 : 으깨어지다. 굳은 물건이나 덩이로 된 물건이 잘게 부스러지다.
37)빅년디쳑(百年大隻) : 백년 곧 일생토록 잊지 못할 원수.
38)단원(團圓) : ①모나지 아니하고 둥글둥글함. ②가정이 원만함. ③이산했던 가족이 서로 만남.

"맛츰 죄 지은 시녀를 다ᄉᆞ리ᄂᆞ니 군ᄌᆡ ᄀᆞᆺᄒᆞ여 보아 무엇ᄒᆞ리잇고?"

태위 부답ᄒᆞ고 눈을 드러 ᄉᆞᆯ피니 ᄎᆞᆨ홰 여쥬(如畫)ᄒᆞᆫᄃᆡ, 소씨를 남게 ᄃᆞᆯ고 졔시녜 쳘편으로 즛두ᄃᆞ리며 단쇠로 지지니, 닷ᄂᆞᆫ 곳마다 누린ᄂᆡ 자옥ᄒᆞ고 셩혈(腥血)이 님니(淋漓)ᄒᆞ며 셜뷔(雪膚)【84】낫낫치 ᄋᆞ쳐져시나29), 그 녀ᄌᆡ ᄒᆞᆫ낫 벙으리30)와 목인 ᄀᆞᆺᄒᆞ여 일셩을 ᄀᆡ구(開口)치 아니코, 악형을 참혹히 ᄇᆞ드니, 만일 쳘셕(鐵石)이 아닌즉 벅벅이 ᄒᆞᆫ낫 시신이라. 그 《셩ᄉᆡᆨ‖경ᄉᆡᆨ(景色)》의 참참(慘慘)ᄒᆞ미 삼ᄃᆡ구슈(三代仇讐)와 ᄇᆡᆨ년대쳑(百年大隻)31)이라도 ᄎᆞ마 보지 못ᄒᆞᆯ 거시오, ᄉᆡ호(豺虎) 샤갈(蛇蝎)의 심졍이라도 ᄎᆞ마 ᄆᆡ를 더으지 못ᄒᆞᆯ 거시로ᄃᆡ, 셩녀 노주ᄂᆞᆫ 별물악종(別物惡種)이라. 태위 견파의 비록 취광상셩지인(醉狂喪性之人)으로 알 거시 업ᄉᆞ나, 오히려 뎡씨 여ᄆᆡᆨ(餘脈)이라. 일단 총명식안(聽明識眼)으로 져 소씨 셩녀의 독ᄒᆞᆫ 슈단에 머리털이 다 버혀 삭발ᄒᆞ고, 만신이 셩ᄒᆞᆫ 곳이 업셔 ᄒᆞᆫ덩이 육괴(肉塊) 되어시나, 그 션풍념ᄐᆡ(仙風艷態)를 ᄋᆡ모(愛慕)ᄒᆞ미 즁심에 가득ᄒᆞ여, 부ᄃᆡ 그 부모를 ᄎᆞ쟈 져로ᄡᅥ 텬륜이 단원(團圓)32)ᄒᆞᆫ 후, 취ᄒᆞ여 ᄇᆡᆨ년동쥬(百年同住)ᄒᆞ믈 ᄆᆡᆼ셰ᄒᆞ여시니, 일념에 잇지 못ᄒᆞᆫ 바 소져 염난을 아지 못ᄒᆞ리오. 연연약질(軟軟弱質)이 독슈의【85】앗가이 맛ᄎᆞᆯ 바를 대경대로(大驚大怒)ᄒᆞ여 쥰급(峻急)ᄒᆞᆫ 셩이 두우(杜宇)33)를 쎄칠ᄃᆞᆺ ᄒᆞᆫ지라. 급히 칼흘 ᄲᆡ혀 들고 ᄂᆞ리ᄃᆞ라, ᄆᆡᆫ 것ᄉᆞᆯ 그르며 신ᄉᆡᆨ을 살피니 불가형언(不可形言)이라. 슈건으로 입을 트러 막아시니, 것ᄎᆞ로 독형의 알픔과 안흐로 호흡을 통치 못ᄒᆞᄂᆞᆫ 즁, 비분이 흉억(胸臆)에

29)으쳐지다 : 으깨어지다. 굳은 물건이나 덩이로 된 물건이 잘게 부스러지다.
30)벙으리 : 벙어리.
31)빅년디쳑(百年大隻) : 백년 곧 일생토록 잊지 못할 원수.
32)단원(團圓) : ①모나지 아니하고 둥글둥글함. ②가정이 원만함. ③이산했던 가족이 서로 만남.
33)두우(杜宇) : 온 세상.

7】 ᄇᆡᆨ년동쥬(百年同住)ᄒᆞ믈 남산송ᄇᆡᆨ슈(南
山松柏壽)[39]로 ᄆᆡᆼ셰ᄒᆞ여시니, 일념의 닛디
못ᄒᆞᆫ 바 소시 염난을 아디 못ᄒᆞ리오. 연연
약딜(軟軟弱質)이 독슈(毒手)의 앗가이 맛ᄎᆞ
믈 대경대로(大驚大怒)ᄒᆞ여 쥰급(峻急)ᄒᆞᆫ 셩
이 두우(杜宇)[40]를 ᄢᅦ칠 ᄃᆞᆺᄒᆞᆫ디라. 급히 칼
ᄒᆞᆯ ᄲᆡ혀 들고 나리다라 ᄆᆡᆫ 거슬 그르며 신
ᄉᆡᆨ(身色)을 살피니, 털을 낫낫치 무주렷ᄂᆞᆫᄃᆡ
살조ᄎᆞ ᄶᅡᆨ가시니, 피 곳곳이 엉긔여 두로
ᄆᆡᆺ쳣고, 고은 낫치 ᄯᅳ기엿고 할쾨여 피 고
랑고랑[41] 흐르ᄂᆞᆫᄃᆡ, 슈건으로 입을 트러 막
아시니 것ᄎᆞ로 독형의 알픔과 안흐로 호흡
을 통치 못ᄒᆞᄂᆞᆫᄃᆡ, 비분이 흉격의 막혀 ᄉᆡᆼ
되(生道) 망연(茫然)ᄒᆞ니, 쇽졀 업시 옥이
바아디고 ᄭᅩᆺ치 ᄯᅥ러디미 쉬온디라. ᄯᅩᄒᆞᆫ 의
상이 살ᄒᆞᆯ 가리오디 못ᄒᆞ고 곳곳이 기름이
【28】 ᄒᆞᆯ너시며, 옥골셜뷔(玉骨雪膚) 웃쳐
디며 블의 디디여 형상이 참블인견(慘不忍
見)이라.

태위 참연비졀(慘然悲絶)ᄒᆞ여 셩녀 노쥬
의 대간대악을 목도ᄒᆞᄆᆡ, 비록 상셩발광디
인(喪性發狂之人)이나 대로대분(大怒大憤)ᄒᆞ
여 힝혀 소시 일분 ᄉᆡᆼ되(生道) 가망(可望)이
이실가 만져보니 져기 온긔 잇ᄂᆞᆫ디라. 그
입의 막은 거술 ᄲᆡ히고 졔녀를 호령ᄒᆞ여 밧
비 션향졍의 가 양부인 시녀를 블너오라 ᄒᆞ
니, 졔녜 혼비ᄇᆡᆨ산ᄒᆞ여 년망이 응셩ᄒᆞ고 션
향각으로 가ᄂᆞᆫ디라. 비록 약을 먹어 졍녕
(精靈)이 업ᄉᆞ나, 샹쾌ᄒᆞᆫ 위인이 그룻되여
셩녀의게 침혹ᄒᆞ미 아니 밋ᄎᆞᆫ 곳이 업ᄉᆞ나,
졔 ᄯᅳᆺ이 간간이 블쾌ᄒᆞᆫ 후ᄂᆞᆫ 텬셩이 엄격ᄒᆞ
고 과급ᄒᆞᆫ 셩이 발치 아니ᄒᆞ리오.

냥괴 소시를 잡【29】아온 후ᄂᆞᆫ 도로 회
면단(回面丹)을 마셔 본형을 ᄂᆡ엿더니, 태위
후창으로 ᄂᆡ다르니 츈교ᄂᆞᆫ 쳘편을 바리고

39)남산송ᄇᆡᆨ슈(南山松柏壽) : 남산에 있는 소나무와 잣나무가 오래도록 푸르름을 잃지 않고 살아오고 있듯이 그처럼 오래 사는 수명(壽命). ≒남산수(南山壽).
40)두우(杜宇) : 온 세상.
41)고랑고랑 : 고랑마다. 줄줄이. *고랑 : 두둑한 땅과 땅 사이에 길고 좁게 들어간 오목한 곳.

막히여 엄ᄉᆡᆨ(掩塞)ᄒᆞᄃᆡ ᄉᆡᆼ되(生道) 망연(茫
然)ᄒᆞ니, 쇽졀업시 쇄옥낙화(碎玉落花)[34]ᄒᆞᆯ
지라.

태위 참연비졀(慘然悲絶)ᄒᆞ여 셩녀 노쥬
의 대간대악을 목도ᄒᆞᄆᆡ, 노분이 츙격ᄒᆞ나,
힝여 소씨 일분 ᄉᆡᆼ되(生道) 혹쟈 가망이 잇
실가 ᄆᆞᆫ져보니, 젹이 온긔 잇ᄂᆞᆫ지라. 입의
막은 거술 ᄲᆡ히고, 졔녀를 호령ᄒᆞ여 밧비
션향졍에 가 양부인 시녀를 블너오라 ᄒᆞ니,
졔녜 혼비ᄇᆡᆨ산(魂飛魄散)ᄒᆞ여 년망이 응셩
ᄒᆞ고 션향각으로 가ᄂᆞᆫ지라. ᄉᆡᆼ이 비록 도봉
즘을 먹어 졍녕지긔(精靈之氣) 다 업【86】
ᄉᆞ나, 졔 ᄯᅳᆺ의 불쾌ᄒᆞᆫ즉 텬셩의 엄격ᄒᆞ고
과급ᄒᆞᆫ 호령을 발ᄒᆞᄂᆞᆫ지라.

냥괴 소씨를 잡아온 후, 도로 회면단(回
面丹)을 마셔 본형을 ᄂᆡ엿더니, 태위를 보
고 츈교ᄂᆞᆫ 쳘편을 ᄇᆞ리고 ᄲᆞᆯ니 피ᄒᆞ나, 이
교ᄂᆞᆫ 화쳘(火鐵)을 노화 ᄇᆞ릴지언졍 밋쳐
피치 못ᄒᆞ고 잇더니, ᄉᆡᆼ이 ○…결락18자…
○[졔녀를 호령ᄒᆞ여 소씨를 대양부인 침뎐
으로 보ᄂᆡ며] {탄} 왈,

34)쇄옥낙화(碎玉落花) : 옥이 부서지고 꽃이 떨어짐.

쏠니 피ᄒᆞ나, 이교는 화쳘(火鐵)을 노화 바릴디언졍 밋쳐 피치 못ᄒᆞ고 잇더니, ᄉᆡᆼ이 슈미곡졀(首尾曲折)을 뭇디 아니ᄒᆞ고, 납향 버힌 칼흘 요하(腰下)의 ᄲᅡ즛다가 분연이 ᄊᆡᆼ혀, 이교의 머리를 얼픗 버혀 젹혈이 님니ᄒᆞᆫ 거ᄉᆞᆯ 셩시의 ᄂᆞᆺ치 더디며, 딘목(瞋目) 즐왈(叱曰),

"명텬(明天)이 됴림(照臨)ᄒᆞ고 신명(神明)이 ᄌᆡ방(在傍)커ᄂᆞᆯ ᄎᆞ마 못ᄒᆞᆯ 블의악ᄉᆞ(不義惡事)를 이ᄃᆡ록 ᄒᆡᆼᄒᆞᄂᆞ뇨? 소계암이 태ᄌᆞ쇼부(太子少傅)로 명초ᄒᆞ시는 은명을 당ᄒᆞ여 오라디 아냐 올디라. 그ᄃᆡ 남의 녀ᄌᆞ를 살(殺)ᄒᆞ고 능히 목숨을 보젼ᄒᆞ랴?"

언필의 셩시의 친신(親信)ᄒᆞᆫ 시녀 슈인을 머리를 버혀 다 셩녀의 ᄂᆞᆺ치 더디【30】ᄆᆡ, 방듕의 젹혈이 가득ᄒᆞ고 셩녜 만면 일신의 피 두로 무더나, 상 압희 셰 머리 구을ᄆᆡ 그 흉참키를 어이 비ᄒᆞ리오. 셩녜 대간대악이나 ᄉᆡᆼᄂᆡ(生來)의 사ᄅᆞᆷ의 머리 이갓치 모화 노키는 듯도 보도 못ᄒᆞᆫ 일이라. 면여토ᄉᆡᆨ(面如土色)ᄒᆞ여 벙어○[리]갓치 말을 못ᄒᆞ니, 졔녜 막블젼뉼(莫不戰慄)ᄒᆞ여 ᄯᅥᆯ기를 마디 아니ᄒᆞ여, 유ᄉᆞ디심(有死之心)ᄒᆞ고 무ᄉᆡᆼ디긔(無生之氣)ᄒᆞ여 아모란 줄 모로는디라.

ᄉᆡᆼ이 졔녀를 호령ᄒᆞ여 대양부인 침뎐으로 보ᄂᆡ여 왈,

"ᄎᆞ인이 젼 태슈 소공의 녀ᄌᆡ니 존슈(尊嫂)긔 죵뎨(從弟)라. 쇼ᄉᆡᆼ이 그 부모 일흔 졍니(情理)를 참연(慘然)ᄒᆞ여 브ᄃᆡ 소공을 ᄎᆞᄌᆞ 부녜 상봉케 ᄒᆞ랴 ᄒᆞ더니, 셩녜 공연이 소시를 참ᄒᆡ(慘害)ᄒᆞ여 디져 죽이려 ᄒᆞ【31】니, 쇼ᄉᆡᆼ이 경ᄒᆡᄎᆞ악(驚駭嗟愕)ᄒᆞ믈 니긔디 못ᄒᆞ고, 슈쉬(嫂嫂) 보시면 놀나실 바를 모로디 아니ᄃᆡ, 디친지졍(至親之情)으로 구호ᄒᆞ시는 도리 타인과 다르실디라, 고로 소시를 존슈긔 보ᄂᆡᄂᆞ이다."

젼어ᄒᆞ고, 또 밧긔 시노 등을 명ᄒᆞ여 츈교를 잡아 ᄃᆡ하의 ᄭᅮᆯ니ᄆᆡ, ᄉᆡᆼ이 마ᄌᆞ 버히고져 ᄒᆞᄃᆡ 소시 곡졀을 므를 곳이 업셔 버히디 아니코 엄히 져주려 형위를 베플ᄉᆡ,

"부ᄃᆡ 소공을 ᄎᆞᄌᆞ 부녜 상봉케ᄒᆞ려 ᄒᆞ엿더니, 셩씨 공연이 소씨를 참ᄒᆡ(慘害)ᄒᆞ여 불의에 죽이려 ᄒᆞ니, 소ᄉᆡᆼ이 불승경악(不勝驚愕)ᄒᆞ여, 수쉬(嫂嫂) 보시면 놀나 실 바를 모로지 아니ᄒᆞᄃᆡ, 지친지졍(至親之情)으로 구호ᄒᆞ시는 도리 타인과 ᄃᆞ를지라. 《공이‖고로》 시녀로 ᄒᆞ야곰 소 씨를 보ᄂᆡᄂᆞ이다."

젼어ᄒᆞ고 또 밧그로 나와 이교를 잡으라 ᄒᆞ니, 시뇌 냥교를 잡아 뎡하에 ᄭᅮᆯ니거ᄂᆞᆯ, ᄉᆡᆼ이 호령ᄒᆞ여 곡졀을 무른ᄃᆡ, 이괴 불승황공ᄒᆞ여 ᄌᆞ초로 ᄒᆡᆼᄒᆞᆫ 바를 베픈 후 두려ᄒᆞᆯ

좌우로 ᄎᆞ를 가져오라 ᄒᆞ니, 셩녜 심정 변ᄒᆞᄂᆞᆫ 요약을 ᄀᆞᆺ초 두어, ᄒᆞᆫ갓 도봉잠42)ᄲᅮᆫ 아니라 현혼단(眩昏丹)43) 익봉잠44) 뉘 가득ᄒᆞ여, 익봉잠은 사ᄅᆞᆷ이 먹으면 십년감슈(十年減壽)ᄒᆞ고, 현혼단(眩昏丹)은 후셜(喉舌)을 넘기ᄆᆡ 어림장이45) ᄀᆞᆺᄐᆞ여 실셩(失性)ᄒᆞᄂᆞᆫ 고로, 셩녜 ᄲᆞᆯ니 몸을 움즉여 장외의 가, 【32】 현혼(眩昏) 익봉○[을] 아오로 ᄎᆞ(茶)의 화(和)ᄒᆞ여46), 암튝(暗祝) 왈,

"뎡ᄉᆡᆼ이 미인 향ᄒᆞᆫ 정을 ᄭᅳᆺ고47) 쳡의게 은ᄋᆡ 온젼케 ᄒᆞ쇼셔."

ᄒᆞ고, 시녀로 ᄉᆡᆼ의게 나오니, ᄉᆡᆼ이 그 ᄉᆞ이 더ᄃᆡ믈 대로ᄒᆞ여, 시녀를 엄히 장칙ᄒᆞ랴 쥬의를 뎡ᄒᆞ고, 목이 갈ᄒᆞ므로 일긔 ᄎᆞ를 다 마시니, 믄득 정신이 어득ᄒᆞ고 긔운이 현난(眩亂)ᄒᆞ여 두골이 ᄲᅩᆯ히ᄂᆞᆫ48) 듯ᄒᆞ니, 능히 인ᄉᆞ를 슈습디 못ᄒᆞᄂᆞᆫ디라. 일신만톄(一身萬體)49)의 골졀(骨節)이 녹ᄂᆞᆫ 듯ᄒᆞ니, 능히 딘뎡치 못ᄒᆞ나 오히려 요약이 장부(臟腑)의 편만(遍滿)치 못ᄒᆞᆫ 고로, 셩녀 통히ᄒᆞ미 업디 아녀, 이 곳의 누을 ᄯᅳᆺ은 업ᄂᆞᆫ 고로, 급히 니러 셔당으로 가며 니르ᄃᆡ,

"내 신긔 곤뇌(困惱)ᄒᆞ여 나가니, 금야ᄂᆞᆫ 편히 쉬고 명됴의 대인긔 고ᄒᆞ고 악【33】인을 쳐티ᄒᆞ리라."

셜파의 밧그로 나가니, 셩녜 바야흐로 놀난 거술 딘졍ᄒᆞ고, 츈교로 ᄒᆞ여금 젼악긔를 블너 삼 비ᄌᆞ의 형톄(形體)를 밧그로 ᄂᆡ여

42)도봉잠 : 사람의 마음을 변심시키는 약. 한국 고소설에서 악류들이 특정인의 마음을 변심시켜 자신들의 뜻대로 조종하기 위해 흔히 쓰는 소설적 도구.
43)현혼단(眩昏丹) : 사람의 마음을 변심시키는 도봉잠류의 요약. 이 장면의 설명을 보면, 독성이 강하여 사람이 한 번 먹으면 실성(失性)하여 어림쟁이가 된다고 한다.
44)익봉잠 : 사람의 마음을 변심시키는 도봉잠류의 요약. 이 장면의 설명을 보면, 독성이 강하여 사람이 한 번 먹으면 십년을 감수(減壽)한다고 한다.
45)어림장이 : 어림쟁이. 일정한 주견이 없는 어리석은 사람을 낮잡아 이르는 말.
46)화(和)ᄒᆞ다 : 무엇을 타거나 섞다.
47)ᄭᅳᆺ다 : 끊다. 그치다.
48)ᄲᅩᆯ히다 : 땅기다. 몹시 단단하고 팽팽하게 되다.
49)일신만톄(一身萬體) : 온 몸.

ᄉᆡ, 좌우를 명ᄒᆞ여 《약을‖ᄎᆞ를》 가져오라【87】 ᄒᆞ니, 셩녜 심정 변ᄒᆞᄂᆞᆫ 요약을 ᄀᆞᆺ초 두어, ᄒᆞᆫᄀᆞᆺ 도봉잠ᄲᅮᆫ 아니라, 현혼단(眩昏丹)35) 익봉잠36) 뉘 ᄀᆞ득ᄒᆞ여, 익봉잠은 감수(減壽) ᄒᆞ고 현혼단(眩昏丹)은 인ᄉᆞ불셩(人事不省) ᄒᆞᄂᆞᆫ 고로, 셩녜 ᄲᆞᆯ니 몸을 움즉여 장외의 가, 현혼(眩昏) 익봉○[을] 아오로 ᄎᆞ의 화(和)ᄒᆞ여37), 암츅(暗祝) 왈,

"뎡ᄉᆡᆼ이 미인 향ᄒᆞᆫ 정을 ᄭᅳᆫ코38) 쳡의게 은ᄋᆡ 온젼케 ᄒᆞ쇼셔."

ᄒᆞ고, 시녀로 ᄉᆡᆼ에게 나오니, ᄉᆡᆼ이 그 ᄉᆞ이 더ᄃᆡ믈 대로ᄒᆞ여 시녀로 엄칙ᄒᆞ고, 목이 갈ᄒᆞ믈 니긔지 못ᄒᆞ여 일긔(一器) ᄎᆞ를 다 마시니, 믄득 정신이 어득ᄒᆞᆫ 긔운이 현난ᄒᆞ여 두골이 ᄡᅳ리ᄂᆞᆫ39) 듯 ᄒᆞ니, 능히 인ᄉᆞ를 슈습디 못ᄒᆞᄂᆞᆫ디라. 일신만톄(一身萬體)40)의 골졀(骨節)이 녹ᄂᆞᆫ 듯 ᄒᆞ니 능히 진뎡치 못ᄒᆞ나, 오히려 정신을 수습ᄒᆞ며 소ᄅᆡ를 가다드머, 노ᄌᆞ를 호령ᄒᆞ여 춘교를 엄형 국문(鞠問)ᄒᆞ믈 ᄌᆡ촉ᄒᆞ니, 이ᄂᆞᆫ 본ᄃᆡ 쳔셩이 강직ᄒᆞ고 긔운이 ᄆᆡᆼ녈ᄒᆞᄆᆡ, 져으기 정신을 찰으미니 엇지 범속ᄒᆞᆫ 용부에게 비【88】기리오. 이러무로 춘교 국문ᄒᆞ기를 더욱 엄이 ᄒᆞ여 계하에 ᄭᅮᆯ니고 고셩 대즐 왈,

"네 아모리 궁흉극악(窮凶極惡)한 무지(無知){ᄒᆞᆫ} 쳔인(賤人)○[인]들, 요녀음부(妖女淫婦)와 호군구당(狐群狗黨)41)으로 협력, 도모ᄒᆞ여, 무죄ᄒᆞᆫ 숙녀를 온 가지로 함ᄒᆡ(陷害)ᄒᆞ여, 듯도 보도 못ᄒᆞᆫ 참형극별[벌](慘刑

35)현혼단(眩昏丹) : 사람의 마음을 변심시키는 도봉잠류의 요약. 이 장면의 설명을 보면, 독성이 강하여 사람이 한 번 먹으면 실성(失性)하여 어림쟁이가 된다고 한다.
36)익봉잠 : 사람의 마음을 변심시키는 도봉잠류의 요약. 이 장면의 설명을 보면, 독성이 강하여 사람이 한 번 먹으면 십년을 감수(減壽)한다고 한다.
37)화(和)ᄒᆞ다 : 무엇을 타거나 섞다.
38)ᄭᅳᆫ다 : 끊다. 그치다.
39)ᄲᅩᆯ히다 : 땅기다. 몹시 단단하고 팽팽하게 되다.
40)일신만톄(一身萬體) : 온 몸.
41)호군구당(狐群狗黨) : 여우의 무리와 개 떼란 말로, 악당의 무리 또는 질서 없는 도적의 무리들을 이르는 말.

보ᄂᆡ고, 각각 디아비와 부모를 금ᄇᆡᆨ을 주어 후장(厚葬)ᄒᆞ라 ᄒᆞ고, 츈교 등 졔녀로 더브러 어ᄌᆞ러온 것과 피를 다 셔르ᄌᆞ라 ᄒᆞ고, 스ᄉᆞ로 심ᄉᆡ(心思) 공구(恐懼)ᄒᆞ여, 익봉잠현혼단을 태우를 먹여시니 반ᄃᆞ시 ᄎᆞᄉᆞᄂᆞᆫ 관겨치 아닐 ᄃᆞᆺᄒᆞᄃᆡ, 의심ᄒᆞ고 두리ᄂᆞᆫ 바ᄂᆞᆫ 젼혀 몰낫더니 벽슈졍 미인이 소공디녀(蘇公之女)로 양평댱 ᄉᆡᆼ딜(甥姪)이오, 양부인 죵뎨(從弟)라. 양부인이 ᄎᆞᄉᆞ를 아라시니, 존당 구고긔 져의 ᄒᆡᆼ악을 고ᄒᆞ여, 모든 시비를 독형으로 져주어, ᄒᆞᆫ갓 소시의 원을 갑흘 ᄲᅳᆫ 아니라, 반【34】ᄃᆞ시 쇼양시의 누명을 신셜ᄒᆞ믈 계교ᄒᆞᆯ가, ᄉᆞᄉᆞ난녜(事事亂慮) ᄇᆡᆨ츌(百出)ᄒᆞ여 촌장(寸腸)을 ᄉᆞᆯ오더니, 명됴의 ᄯᅩᄒᆞᆫ 니디50) 아냐 ᄌᆞ듕디난(自中之亂)이 되엿더라.

이 ᄯᅢ 태위 요약이 ᄒᆞᆫ 번 후셜(喉舌)을 넘은 후, 쳔만 강인(强忍)ᄒᆞ나 골쳬(骨體) 녹ᄂᆞᆫ ᄃᆞᆺ 졍혼(精魂)이 미란(迷亂)ᄒᆞ여, 치튝[듁]헌의 나아 와 밋쳐 의ᄃᆡ도 그르디 못ᄒᆞ고 상요의 몸을 더디ᄆᆡ, 혼혼(昏昏) 아득ᄒᆞ여 만신(萬神)51)이 ᄉᆞ라져 딘(眞)이며 몽(夢)이믈 분간치 못ᄒᆞ고, 혼혼(昏昏)ᄒᆞ여 상요의 바리엿더라.

ᄎᆞ시 션향졍 시녀 츈난 등이 소쇼져을 다려 션향졍의 니르니, 이 ᄯᅢ 대양부인이 심ᄉᆡ 블안ᄒᆞ여 야심토록 취침치 아니코, 가부(家夫)의 블모댱녀(不毛瘴癘)52)를 근심ᄒᆞ고 ᄋᆞ의 홍안박명(紅顔薄命)을 앗기더니, 믄득 션슈졍 시녜【35】니르러 태우의 명을 젼ᄒᆞ고 시비를 브른다 ᄒᆞᄂᆞᆫ디라. 부인이 경아ᄒᆞ여 이의 츈낭 등 삼녀를 보ᄂᆡ엿더니, 이윽고 삼 비ᄌᆡ 쇼년 녀ᄌᆞ의 반ᄉᆡᆼ반ᄉᆞ(半生半死)ᄒᆞᆫ 거ᄉᆞᆯ 업어 드려오니, 부인이 경괴의아(驚怪疑訝)ᄒᆞ여 문기고(問其故)ᄒᆞ니, 졔녜

50)니다 : 닐다. 일어나다.
51)만신(萬神) : 온 정신.
52)블모장려(不毛瘴癘) : 미개한 지방에서 생기는 유행병. *불모지(不毛地); 어떠한 사물이나 현상이 발달되어 있지 않은 곳. 또는 그런 상태를 비유적으로 이르는 말. *장려(瘴癘) : 기후가 덥고 습한 지방에서 생기는 유행성 열병이나 학질.

極罰)을 연연 악질에 베푸러, 긔여히 죽이려 ᄒᆞ니 이 무ᄉᆞᆷ 곡졀니뇨? 《종실‖종시(終始)를》 직고(直告)ᄒᆞ라. 불연즉 소소져의 당ᄒᆞ던 바로 네게 시험ᄒᆞ여 그 통초(痛楚)ᄒᆞᆫ 독ᄒᆞ믈 알게 ᄒᆞ리라."

ᄒᆞ고, 눈을 부릅 ᄯᅳ며 ᄌᆡ삼 국문ᄒᆞᄃᆡ, 츈괴 종시(終是) 《혀릐‖불복(不服)》ᄒᆞᄂᆞᆫ지라. 태위 대로ᄒᆞ여 고셩 국문(鞠問)ᄒᆞᆯ ᄉᆡ, {종시} 독약을 먹은지라, 갈ᄒᆞ믈 니긔지 못ᄒᆞ여 차를 가져오라 ᄒᆞ니, 셩네 ᄯᅩ 독약을 나ᄋᆞ온ᄃᆡ, ᄉᆡᆼ이 음필(飮畢)에 신긔 아득ᄒᆞ여 만념(萬念)이 ᄉᆞ라져, 진(眞)이며 몽(夢이믈 분간치 못ᄒᆞ고 상요(床褥)에 ᄇᆞ리엿더라.

ᄎᆞ시 션향졍 시녀【89】츈난 등이 소 소져를 ᄃᆞ려 양부인에게 니르니, 이 ᄯᅢ 대양부인이 심ᄉᆡ 블안ᄒᆞ여 야심토록 취침치 아니코, 가부(家夫)의 원노정여(遠路征旅)42)를 근심ᄒᆞ고, ᄋᆞ의 홍안박명(紅顔薄命)을 앗기더니, 믄득 션슈졍 시녜 니르러 태우의 명을 젼ᄒᆞ고 시비를 부르거ᄂᆞᆯ, 부인이 경아ᄒᆞ여 이에 츈난 등 삼녀를 보ᄂᆡ엿더니, 이윽고 삼비ᄌᆡ ᄒᆞᆫ 소년 녀ᄌᆞ를 업어 드러오니, 부인○[이] 경문기고(驚問其故) ᄒᆞᆫᄃᆡ, 졔녜 이에 션슈졍 변고와 태우의 젼셜(傳說)을 ᄌᆞ시 고ᄒᆞ니, 부인이 귀로 드르며 눈으로 소씨를 보ᄆᆡ, 경ᄒᆡᄎᆞ악(驚駭嗟愕)ᄒᆞ고 분완통회(憤惋痛懷)ᄒᆞ여, ᄲᅡᆼ안의 ᄆᆞᆰ은 진쥐(珍珠) ᄌᆞ연 ᄉᆞᆺᄂᆞᆫ지라.

42)원노정여(遠路征旅) :먼 길을 군사를 이끌고 싸움터에 나감.

이의 션슈졍 변고와 태우의 젼어를 ᄌᆞ시 고ᄒᆞ고, 이 녀ᄌᆡ 소쇼져 염난이믈 고ᄒᆞ니, 부인이 귀로 졔녀의 젼언을 듯고 눈으로 소시의 일신 상쳐를 보ᄆᆡ 경히ᄎᆞ악(驚駭嗟愕)ᄒᆞ고, 분완통회(憤惋痛懷)ᄒᆞ여 쌍안의 ᄆᆞᆰ은 진쥬(珍珠) ᄌᆞ연 ᄉᆞᆺᄂᆞᆫ디라.

소시를 븟드러 ᄌᆞ긔 협실(夾室)의 드러와 ᄉᆡ 금니(衾裏)[53]를 포셜ᄒᆞ고 편히 누이ᄆᆡ, 삼다(蔘茶)의 회ᄉᆡᆼ단을 화(和)ᄒᆞ여 구듕(口中)의 【36】 드리오고, 약을 상쳐의 바르며 살피니 소시 일신(一身) 면부(面部)의 ᄒᆞᆫ 곳도 셩ᄒᆞᆫ 곳이 업고, ᄒᆞᆫ 덩이 육괴(肉塊) 되여시나, 안모(顔貌)의 셩덕(聖德) 광휘(光輝) 어ᄅᆡ여 ᄇᆡᆨᄐᆡ쳔염(百態千艶)이 ᄀᆞᆺ초 긔이ᄒᆞ여, ᄒᆞᆫ갓 소공의 슈연쇄락(粹然灑落)ᄒᆞᆷ과 그 슉모 양부인 모습을 품슈ᄒᆞ여실 ᄲᅮᆫ 아니라, 비샹(臂上)의 쥬필(朱筆)이 의심 업ᄉᆞᆫ 죵뎨(從弟)라. 부인이 그 슉모 부부의 현심디덕(賢心之德)으로 다만 일녀를 깃쳐 강보(襁褓)의 실니(失離)ᄒᆞ고 ᄉᆞᄉᆡᆼ을 몰낫다가, 이졔 긔괴ᄒᆞᆫ 화란 가온ᄃᆡ 텬뉸을 단원ᄒᆞ미 이시니, 그 신셰 험난 비고(悲苦)ᄒᆞ미 이 ᄀᆞᆺᄐᆞ믈 참연(慘然) ᄌᆞ상(自喪)ᄒᆞ여 그 명ᄌᆡ(命者) 독슈(毒手)의 상ᄒᆞ여, 아관(牙關)[54]이 경ᄀᆡᆨ의 딘(盡)ᄒᆞᆯ 듯ᄒᆞ믈 보ᄆᆡ, 힝혀 쇄옥 【37】 낙화(碎玉落花)ᄒᆞᄂᆞᆫ 탄이 이실가 초조ᄒᆞ미, 아이의[55] ᄉᆞᄉᆡᆼ을 모름만 ᄀᆞᆺ디 못ᄒᆞᆫ디라. 죵야(終夜) 구완[56]ᄒᆞᄆᆡ 효신의 밋쳐 바야흐로 ᄉᆞᆷ을 ᄂᆡ쉬고 눈을 드러 좌우를 보고, 부인과 여러 시녜 가득ᄒᆞ믈 보ᄆᆡ, 능히 ᄌᆞ긔 아모 곳의 잇ᄂᆞᆫ 줄을 모로고, 원간 셩녀의 독슈의 맛게 되엿던 바로, 엇디 이 곳의 잇셔 사ᄅᆞᆷ의 구ᄒᆞ믈 아디 못ᄒᆞ고, 다만 ᄌᆞ긔 명되 ᄉᆞᄉᆞ의 궁박ᄒᆞ여 ᄉᆡᆼ젼의 부모를 모로고 남의게 ᄆᆡ 마ᄌᆞ 죽으미 쳔ᄃᆡ(泉

53)금니(衾裏) : 속 이불.
54)아관(牙關) : 입속 양쪽 구석의 윗잇몸과 아랫잇몸이 맞닿는 부분.
55)아이의 : 아예. 일시적이거나 부분적이 아니라 전적으로. 또는 순전하게.
56)구완 : 구원(救援). 어려움이나 위험에 빠진 사람을 구하여 줌.

소씨를 븟드러 ᄌᆞ긔 협실에 드러와 ᄉᆡ 금니(衾裏)[43]를 포셜ᄒᆞ고 편히 누이ᄆᆡ, 삼다(蔘茶)의 회ᄉᆡᆼ단을 화(和)ᄒᆞ여 구즁에 드리오고, 약을 《쟝쳐‖상쳐》의 ᄇᆞ르며 ᄉᆞᆯ피니, 일신(一身) 면부(面部)의 ᄒᆞᆫ 곳도 셩ᄒᆞᆫᄃᆡ 업고, ᄒᆞᆫ 덩이 【90】 육괴(肉塊) 되어시나, 안모의 셩덕 광휘 어ᄅᆡ여 ᄇᆡᆨᄐᆡ쳔상(百態千相)이 ᄀᆞᆺ초 긔려ᄒᆞ여 ᄒᆞᆫᄀᆞᆺ 소공의 슈연쇄락(粹然灑落) ᄒᆞᆷ과 그 슉모 양부인 묘딜(妙質)을 품슈ᄒᆞ엿실 ᄲᅮᆫ 아니라, 비상(臂上) 쥬필(朱筆)이 의심 업ᄉᆞᆫ 죵뎨(從弟)라. 그 부모의 현심ᄌᆡ덕(賢心才德)으로 다만 일녀를 ᄭᅵ쳐 강보(襁褓)에 실니(失離)ᄒᆞ고 ᄉᆞᄉᆡᆼ을 모로다가, 이졔 긔괴ᄒᆞᆫ 화란 즁 텬뉸을 단원ᄒᆞ미 쉬오니, 그 신셰를 참연(慘然) ᄌᆞ상(自喪)ᄒᆞ여 그 명ᄌᆡ(命者) 독슈(毒手)의 ᄋᆞ관(牙關)[44]이 긴급ᄒᆞ믈 보ᄆᆡ, 힝혀 쇄옥낙화(碎玉落花)ᄒᆞᄂᆞᆫ 탄이 이실가 초조ᄒᆞ미 아이의[45] 그 ᄉᆞᄉᆡᆼ 존망을 모름만 ᄀᆞᆺ지 못ᄒᆞᆫ지라. 종야(終夜) 초젼(焦煎)ᄒᆞ여 지극 구호ᄒᆞᄆᆡ, 효신(曉晨)의 밋쳐 ᄇᆞ야흐로 ᄉᆞᆷ을 ᄂᆡ쉬고, 눈을 드러 좌우를 보고 능히 ᄌᆞ긔 아모 곳의 잇ᄂᆞᆫ 줄을 모로니, 원간 셩녀의 독슈의 맛게 되엿ᄂᆞᆫ 바로, 엇지 졍신 잇셔 사ᄅᆞᆷ의 구ᄒᆞᄂᆞᆫ 바를 알니오. 다만 【91】 ᄌᆞ긔 명되 ᄉᆞᄉᆞ의 궁박ᄒᆞ여, ᄉᆡᆼ젼의 귀쳔간(貴賤間) 부모도 모르고 남의게 ᄆᆡ 마ᄌᆞ 죽으미 쳔ᄃᆡ(泉臺)[46]의 닛기 어려온 셜우미라. ᄒᆡ음업시 옥뉘(玉淚) 방방(滂滂)ᄒᆞ여 오

43)금니(衾裏) : 속 이불.
44)아관(牙關) : 입속 양쪽 구석의 윗잇몸과 아랫잇몸이 맞닿는 부분.
45)아이의 : 아예. 일시적이거나 부분적이 아니라 전적으로. 또는 순전하게.
46)천대(泉臺) : =저승. 사람이 죽은 뒤에 그 혼이 가서 산다고 하는 세상.

臺)의 닛기 어려온 셜우미라. ᄒᆡ음 업시 옥뉘 방방ᄒᆞ여 오열뉴쳬(嗚咽流涕)ᄒᆞ니, 양부인이 그 회ᄉᆡᆼᄒᆞ믈 보고, 년망이 손을 잡고 츄연 위로 왈,

“현뎨(賢弟)ᄂᆞᆫ 【38】 슬프믈 위로ᄒᆞ라. 디난 ᄋᆡᆨ경은 도시 명되 궁박ᄒᆞ미라. 허다 긔괴화란(奇怪禍亂) 가온ᄃᆡ 텬뉸이 단원ᄒᆞ리니 인간낙ᄉᆡ(人間樂事) 이 밧긔 업술디라. 디난 ᄋᆡᆨ회ᄂᆞᆫ 일ᄏᆞ라 므엇 ᄒᆞ리오. 나ᄂᆞᆫ 곳 현뎨의 이죵표형(姨從表兄)[57] 양시니, 양평댱 녀ᄌᆡ오 평븍공 부인이라. 슉뫼 현뎨를 ᄉᆡᆼᄒᆞ신 슈월이 못ᄒᆞ여 귀텬(歸天)ᄒᆞ시고, 소슉뷔 즉시 젼당 녕윤(令尹)을 ᄒᆞ이시니, 현뎨를 쳔니(千里) ᄒᆡ도(海島)의 다리고 가실 길히 업셔, 비복 등을 맛져 부친 관샤(貫舍)[58] 항쥐(杭州)[59]로 보ᄂᆡ시니, 비복 등이 항쥐로 가다가 뎍환을 만나 실니(失離)ᄒᆞ다 ᄒᆞ니, 거의 십여년 츈츄(春秋)라. 반ᄃᆞ시 뎍환(賊患)의 죽으므로 알고 ᄉᆞ라시믄 만무(萬無)ᄒᆞ니, 【39】 우져(愚姐) 등이 ᄆᆡ양 모드면 슉부모의 셩심슈덕(聖心修德)으로 일녀를 보젼치 못ᄒᆞ시믈 쥬야통셕(晝夜痛惜)ᄒᆞ더니, 텬우신됴(天佑神助)ᄒᆞ여 이졔 무ᄉᆞ히 ᄉᆡᆼ존ᄒᆞ믈 보니 엇디 영ᄒᆡᆼ치 아니리오. 이 벅벅이 슉모의 ᄌᆡ텬디령(在天之靈)이 도으시미어니와, 다만 삼 슉슉의 쇼년 호신(豪身)의 걸니미 되어, 셩시의 암특(暗慝)ᄒᆞᆫ 슈단의 옥부방신(玉膚芳身)이 져ᄀᆞᆺ치 듕상ᄒᆞ여 신톄발부(身體髮膚)를 훼상(毁傷)ᄒᆞ여시니, 엇디 경악디 아니리오마ᄂᆞᆫ, 이ᄂᆞᆫ 다 현뎨의 시명(時命)이 브됴(不調)ᄒᆞ미라. 괴란(怪亂) 가온ᄃᆡ 《텬셩∥텬륜(天倫)》이 단회(團會)[60]ᄒᆞ믈 경ᄉᆞ로 알고 어ᄌᆞ러온 타렴(他念)을 두디 말나.”

57)이종표형(姨從表兄) : 이종사촌 형.

58)관사(貫舍) : 본관지(本貫地) 곧 관향(貫鄕)에 있는 집.

59)항쥐(杭州) : 중국 절강성(浙江省) 북부에 있는 도시.

60)단회(團會) : 원만히 모임.

열뉴쳬(嗚咽流涕)ᄒᆞ니, 부인이 그 회ᄉᆡᆼᄒᆞ믈 보고, 연망이 손을 잡고 츄연 위로 왈,

“현뎨(賢弟)ᄂᆞᆫ 슬프믈 억졔ᄒᆞ라. 지난 ᄋᆡᆨ경은 도시 명되 궁ᄒᆞ미니, 허다 긔괴화난(奇怪禍亂) 즁 텬뉸(天倫)이 단원ᄒᆞ리니, 인간낙ᄉᆡ (人間樂事)이 밧긔 업술지라. 다시 닐ᄏᆞ를 ᄇᆡ 잇시리오. 나ᄂᆞᆫ 곳 현뎨의 이종표형(姨從表兄)[47] 양씨니, 양평댱 녀ᄌᆡ오, 평북공 부인이라. 슉뫼 현뎨를 ᄉᆡᆼᄒᆞ신 수월이 못ᄒᆞ여 귀텬(歸天)ᄒᆞ시고, 소슉뷔 즉시 젼당 현령(縣令)을 ᄒᆞ시니, 현뎨로 쳔니 ᄒᆡ도(海島)에 ᄃᆞ리고 가실 길이 업셔 비복 등을 맛겨 부친 관ᄉᆞ(貫舍)[48] 항주(杭州)[49]로 보ᄂᆡ시니, 즁노(中路)에 젹한(賊漢)의 화를 만나 실니(失離)ᄒᆞ다 ᄒᆞᄆᆡ, 거의 십여ᄌᆡ(十餘載)라. 반ᄃᆞ시 젹환(賊患)에 【92】 죽으로 알고 살아시믄 만무(萬無)ᄒᆞ니, 우져(愚姐) 등이 ᄆᆡ양 모드면, 슉부모의 셩심슉덕(聖心淑德)으로 일괴(一姑)를 완젼치 못ᄒᆞ믈 쥬야통셕(晝夜痛惜)ᄒᆞ더니, 텬우신조(天佑神助)ᄒᆞ여 이졔 무ᄉᆞ ᄉᆡᆼ존ᄒᆞ믈 보니, 엇지 영ᄒᆡᆼ치 아니리오. 이 벅벅이 슉모 ᄌᆡ텬지령(在天之靈)이 음즐(陰騭)[50]ᄒᆞ시미니어니와, 다만 삼슉슉 소년 호신의 걸니미 되어, 셩시의 악착ᄒᆞᆫ 슈단에 옥부방신(玉膚芳身)이 져ᄀᆞᆺ치 즁상ᄒᆞ여 신쳬발부(身體髮膚)를 훼상ᄒᆞ엿시니, 엇지 경악지 아니리오마ᄂᆞᆫ, ᄎᆞ역(此亦) 현뎨의 시명(時命)이 부조(不調)ᄒᆞ미라. 괴란(怪亂) 즁 《텬셩∥텬륜(天倫)》이 단회(團會)[51]ᄒᆞ믈 경ᄉᆞ로 알고, 어ᄌᆞ라온 타렴(他念)을 두지 마라. 병회(病懷)를 조셥(調攝)ᄒᆞ고 심ᄉᆞ를 널녀 슉부의 환경ᄒᆞ시믈

47)이종표형(姨從表兄) : 이종사촌 형.

48)관사(貫舍) : 본관지(本貫地) 곧 관향(貫鄕)에 있는 집.

49)항쥐(杭州) : 중국 절강성(浙江省) 북부에 있는 도시.

50)음즐(陰騭) : 하늘이 겉으로 드러나지 않게 사람을 안정시킴.

51)단회(團會) : 원만히 모임.

소시 쳥파의 일희일비(一喜一悲)ᄒᆞ고 반신반의(半信半疑)ᄒᆞ여 냥구(良久)의, 능히【40】병톄를 움즉이디 못ᄒᆞ여, 다만 옥슈로 부인 므릅흘 븟들고 일셩ᄋᆡ호(一聲哀呼)의 톄읍힝뉴(涕泣行流)ᄒᆞ니 누쉬(淚水) 산산(潸潸)ᄒᆞ여[61] 홍험(紅臉)[62]의 년낙ᄒᆞ고 옥셩이 경열(哽咽)[63]ᄒᆞ여 왈,

"죄뎨(罪弟) 염난이 죄악이 심듕ᄒᆞ여 강보디초(襁褓之初)의 ᄌᆞ졍을 여희ᄋᆞᆸ고, ᄯᅩ 엄친을 실니(失離)ᄒᆞ여, ᄉᆡᆼ셰 십여년의 부훈모교(父訓母敎)와 부은ᄌᆞ혜(父恩慈惠)를 밧ᄌᆞᆸ디 못ᄒᆞ고, 쳔누(賤陋)히 댱셩(長成)ᄒᆞ오니, 오히려 유미(幼微)ᄒᆞᆯ 젹은 셰ᄉᆞ를 아디 못ᄒᆞ○[엿]거니와, ᄌᆞ라ᄆᆡ 밋쳐 고금(古今)을 잠간 혜아리건ᄃᆡ, 비금쥬슈(飛禽走獸)라도 어이[64]를 아ᄃᆡ, 념난은 홀노 어버이[65]를 모로ᄂᆞᆫ 죄인이라. 슉야(夙夜) 창텬(蒼天)의 튝슈(祝手)[66]ᄒᆞ여, ᄉᆞ라셔 귀쳔간(貴賤間) 소ᄉᆡᆼ디디(所生之地)를 아온 후, 셕ᄉᆡ(夕死)라도 무한(無恨)[67]일가【41】ᄒᆞ더니, 의외의 탕ᄌᆞ의 욕을 보나 오히려 잔쳔(殘喘)이 디금 투ᄉᆡᆼ(偸生)ᄒᆞ믄, 아모조록 텬뉸을 단원ᄒᆞᆯ가 희망ᄒᆞ더니, 작야의 간인의게 잡히여 허다 참욕과 참측(慘-)[68]ᄒᆞᆫ 형벌노 부모 유톄를 이ᄌᆞᆺ치 훼상ᄒᆞ니, 악졍ᄌᆞ츈(樂正子春)[69]의 죄인이라. 다만 ᄲᆞᆯ니 죽어 참분(慙憤)ᄒᆞ믈 모로고져 ᄒᆞ더니, 져제 엇디 아ᄅᆞ

61)산산(潸潸)ᄒᆞ다 : 눈물 빗물 따위가 줄줄 흐르다.
62)홍험(紅臉) : 붉은 빰. *험은 '검(臉; 빰 검)'의 변음(變音).
63)경열(哽咽) : 목이 멤.
64)어이 : 짐승의 어미. '어버이'를 가리키는 경우도 있다..
65)어버이 : 아버지와 어머니를 아울러 이르는 말.
66)튝슈(祝手) : 두 손바닥을 마주 대고 빎.
67)석사(夕死) 무한(無恨) : 저녁에 죽어도 한이 없음.
68)참측(慘-) : 비참하고 추악함.
69)악졍ᄌᆞ츈(樂正子春) : 중국 노나라의 효자. 성(姓)은 악정(樂正), 이름은 자춘(子春). 증자(曾子)의 제자. 마루를 내려오다 발을 다치자, 부모로부터 온전하게 받은 몸을 순간의 방심으로 상하게 하여 효(孝)를 잃은 것을 반성하며, 여러 달 동안을 문밖을 나오지 않고 근신(謹愼)하였다. 『소학』 <계고(稽古)>편에 나온다.

기다려 부녜 ᄉᆡᆼ면을 반기게 ᄒᆞ라."

소제 쳥파의 일희일비(一喜一悲)ᄒᆞ고 반신반의(半信半疑)ᄒᆞ여, 양구 후 옥슈로 부인 무릅흘 븟들고, 일셩ᄋᆡ호(一聲哀呼)의 쳬읍힝뉴(涕泣行流)○○[ᄒᆞ니]【93】《주취 ‖ 누쉬(淚水)》 산산(潸潸)ᄒᆞ여[52] 홍험(紅臉)[53]의 년낙ᄒᆞ고 옥셩이 경열(哽咽)[54]ᄒᆞ여 왈,

"죄뎨(罪弟) 염난이 젼셰의 죄악이 심즁ᄒᆞ여 강보에 ᄌᆞ졍을 여희고 ᄯᅩ 엄친을 실니ᄒᆞ여 ᄉᆡᆼ셰 십여 년에 부훈모교(父訓母敎)와 부은 ᄌᆞ혜(父恩慈惠)를 갑ᄉᆞᆸ지 못ᄒᆞ고 쳔루히 《ᄉᆡᆼ장 ‖ 셩장》ᄒᆞ니, 오히려 유미ᄒᆞᆯ 젹은 셰ᄉᆞ를 아지 못ᄒᆞ엿거니와, ᄌᆞ라ᄆᆡ 밋쳐 고금을 잠간 혜아리건ᄃᆡ, 텬디지간 만물지즁에 초목곤츙과 만ᄀᆞ지 금쉬(禽獸)라도 다 어이[55]를 알으ᄃᆡ 념난이 홀노 어미[56]를 아지 못ᄒᆞᄂᆞᆫ 죄인이라. 슉야 창텬의 츅슈(祝手)[57]ᄒᆞ여, ᄉᆞ라셔 귀쳔 간 소ᄉᆡᆼ지긔[지](所生之地)를 아온 후, 셕ᄉᆡ(夕死)라도 무한(無恨)[58]일가 ᄒᆞ더니, 의외에 탕ᄌᆞ의 욕을 보나 오히려 완쳔(頑喘)이 지금 투ᄉᆡᆼᄒᆞ믄, 아모조록 텬륜이 단원ᄒᆞ여 ○○○[부모를] 볼가 희망ᄒᆞ미러니, 작야에 간인의 허다 참욕과 악형으로 부모 유쳬(遺體)를 이ᄌᆞᆺ치 훼상ᄒᆞ니, 악졍ᄌᆞ츈(樂正子春)[59]의 죄인이【94】라. 다만 ᄲᆞᆯ니 죽어 참분(慙忿)ᄒᆞ믈 모로고져 ᄒᆞ거ᄂᆞᆯ, 져제 엇지 알으시고 소뎨

52)산산(潸潸)ᄒᆞ다 : 눈물 빗물 따위가 줄줄 흐르다.
53)홍험(紅臉) : 붉은 빰. *험은 '검(臉; 빰 검)'의 변음(變音).
54)경열(哽咽) : 목이 멤.
55)어이 : 짐승의 어미. '어버이'를 가리키는 경우도 있다.
56)어버이 : 아버지와 어머니를 아울러 이르는 말.
57)튝슈(祝手) : 두 손바닥을 마주 대고 빎.
58)석사(夕死) 무한(無恨) : 저녁에 죽어도 한이 없음.
59)악졍ᄌᆞ츈(樂正子春) : 중국 노나라의 효자. 성(姓)은 악정(樂正), 이름은 자춘(子春). 증자(曾子)의 제자. 마루를 내려오다 발을 다치자, 부모로부터 온전하게 받은 몸을 순간의 방심으로 상하게 하여 효(孝)를 잃은 것을 반성하며, 여러 달 동안을 문밖을 나오지 않고 근신(謹愼)하였다. 『소학』 <계고(稽古)>편에 나온다.

시고 쇼뎨의 잔명을 구ᄒᆞ시니잇고? 져져의 현심셩덕이 쇼뎨를 살오고져 ᄒᆞ시나, 디난 녁경(逆境)과 참욕(慘辱)을 ᄉᆡᆼ각ᄒᆞᆫ즉, 심담(心膽)이 붕녈(崩裂)ᄒᆞᆫ디라. 엇디 살 뜻이 이시며 ᄃᆡ인(對人)ᄒᆞᆯ 면목이 이시리잇고? 잔명(殘命)이 완악(頑惡)ᄒᆞ믈 슬허ᄒᆞᆯ ᄯᆞ름이라."

셜파의 오열비읍(嗚咽悲泣)ᄒᆞ믈 마디 아니니, 【42】좌우 시녜 츄연 감창(感愴)치 아니리 업더라. 양부인이 참연(慘然) ᄋᆡ셕(哀惜)ᄒᆞ여 ᄌᆡ삼 위로ᄒᆞ고, 태우의 젼어로 조ᄎᆞ 드른 바를 다 니르[른]ᄃᆡ, 소시 비로소 셩녀 노쥐 ᄌᆞ긔를 혹형ᄒᆞᆯ 적, 태위 친견ᄒᆞ고 구ᄒᆞ여 대양부인 침소로 보ᄂᆡ믈 ᄭᆡᄃᆞ르니, ᄌᆞ긔의 괴이ᄒᆞᆫ 경상과 살을 다 드러ᄂᆡ여, 태위 본 줄을 더옥 븟그리고 슬허 ᄒᆞ며, 태위 이교 등을 버혀 피 흐르ᄂᆞᆫ 머리를 셩녀 압ᄒᆡ 드리쳣더라 말을 드르ᄆᆡ, 연약ᄒᆞᆫ ᄆᆞ음의 흉참히 넉이더라.

양부인 유랑 시비 등이 부인을 권ᄒᆞ여, ᄎᆞᄉᆞ를 존당의 고ᄒᆞ여 악ᄉᆡᆨ 발각ᄒᆞ믈 고ᄒᆞ니, 부인이 탄 왈,

"블가ᄒᆞ다. 악인이 곳비 길면 ᄌᆞ연 드ᄃᆡᄂᆞᆫ 탄이 니【43】러나, 스ᄉᆞ로 정젹(情迹)이 패루ᄒᆞ여 변이 나리니, 내 엇디 간인을 결워 시비 듕의 쳐ᄒᆞ리오. 셩시 비록 악착ᄒᆞ나 도로혀 져희 몸의 대홰(大禍) 머디 아닐 ᄃᆞᆺ ᄒᆞ고, 소시 일시 ᄋᆡᆨ회 비상ᄒᆞ미나 샹텬이 소소ᄒᆞ여 반ᄃᆞ시 현인을 보응ᄒᆞ리니, 오뎨 엇디 풍운의 길시를 만나디 못ᄒᆞᆯ가 근심ᄒᆞ며, 간인이 ᄆᆡ양 무ᄉᆞᄒᆞ리오. 여등은 슈구여병(守口如瓶)[70]ᄒᆞ라. 간졍(奸情)이 발각ᄒᆞ미 벅벅이 오라지 아니리라."

제네 부인의 명달ᄒᆞᆫ 의논을 드르ᄆᆡ, 셕연(釋然)[71] 돈오(頓悟) ᄒᆞ여 ᄇᆡ샤슈명(拜謝受命) ᄒᆞ더라.

70)슈구여병(守口如瓶) : 입을 병마개 막듯이 꼭 막는 다는 뜻으로, 비밀을 잘 지켜서 남이 알지 못하도록 함을 이르는 말
71)셕연(釋然) : 의혹이나 꺼림칙한 마음이 없이 환하다.

의 잔명을 구ᄒᆞ시니잇고? 져져의 현심셩덕이 소뎨를 살고져 ᄒᆞ시나, 지난 ᄋᆡᆨ경(厄境)과 참욕(慘辱)을 ᄉᆡᆼ각ᄒᆞᆫ즉, 심담(心膽)이 붕녈(崩裂)ᄒᆞᆫ지라. 엇지 살 뜻이 이시며 ᄃᆡ인ᄒᆞᆯ 면목이 잇시리오. 다만 명완불ᄉᆞ(命頑不死)[60]ᄒᆞ믈 슬허ᄒᆞᆯ ᄯᆞ름이라"

셜파에 오열비읍(嗚咽悲泣)ᄒᆞ니, 좌우 비ᄌᆞ 막불츄연(莫不惆然)[61]ᄒᆞ고 부인이 참연ᄋᆡ셕(慘然哀惜)ᄒᆞ여 ᄌᆡ삼 위로ᄒᆞ고, 태우의 젼어로 조ᄎᆞ 드른 바를 다 니른ᄃᆡ, 소씨 비로소 셩녀 노쥐 ᄌᆞ긔를 혹형ᄒᆞᆯ 적에, 태위 친견ᄒᆞ고 구ᄒᆞ여 대양부인 침소로 보ᄂᆡ믈 ᄭᆡᄃᆞ르니, ᄌᆞ긔의 괴악ᄒᆞᆫ 경ᄉᆡᆨ을 태위 다 본 줄을 더욱 븟그리고 슬허ᄒᆞ며, 태위 이교 등을 죽여 피 흐르ᄂᆞᆫ 머리를 셩씨의 알ᄑᆡ 드리쳣더라 말을 드르ᄆᆡ, 연약ᄒᆞᆫ 마음의 흉참히 넉이더라.

양부인 유랑 시비 등이 분【95】완ᄒᆞ여, 부인을 권ᄒᆞ여 ᄎᆞᄉᆞ를 존당에 고ᄒᆞ믈 알외니, 부인이 탄 왈,

"블가ᄒᆞ다 제 곳비 길면, ᄌᆞ듕지난(自中之亂)이 이러나 반ᄃᆞ시 스ᄉᆞ로 형젹이 ᄑᆡ루리니, 내 엇지 간인을 결워 시비 듕에 쳐ᄒᆞ리오. 셩씨 비록 악착ᄒᆞ나 도로혀 져희 몸의에 대홰 머지 아닐 ᄃᆞᆺᄒᆞ고, ᄋᆞ뎨{와소뎨} 일시 ᄋᆡᆨ회 비상ᄒᆞ미나, 텬되 소소ᄒᆞ여 반ᄃᆞ시 현인을 보호ᄒᆞᄂᆞᆫ 명응(冥應)[62]이 업지 아니리니, ᄋᆞ뎨{와소뎨} 엇지 풍운의 길시를 만나지 못ᄒᆞᆯ가 근심ᄒᆞ며, 간인이 ᄆᆡ양 무ᄉᆞᄒᆞ리오. 녀등은 여츌일구(如出一口)히 슈구여병(守口如瓶)[63]《ᄒᆞ믈∥ᄒᆞ라》."

니르더라.

60)명완불사(命頑不死) : 목숨이 모질어 죽지 않음.
61)막불추연(莫不惆然) : 슬퍼하지 않는 이가 없음.
62)명응(冥應) : 눈에 보이지 않지만 신령과 부처가 감응하여 이익을 주는 일.
63)슈구여병(守口如瓶) : 입을 병마개 막듯이 꼭 막는 다는 뜻으로, 비밀을 잘 지켜서 남이 알지 못하도록 함을 이르는 말

셩녀의 악ᄉᆡ 어ᄂᆡ ᄯᆡ의 발각ᄒᆞ며, 태위 작야의 흉ᄉᆞ를 몸소 져ᄌᆞ러 ᄇᆡᆨ옥무하(白玉無瑕)ᄒᆞᆫ 슉완현쳐(淑婉賢妻)를 박살ᄒᆞ고, 비록 가살디죄(可殺之罪)나 ᄯᅩ【44】ᄒᆞᆫ 인명(人命)이어ᄂᆞᆯ, 납향 이교 등 ᄉᆞ녀(四女)를 버히니, 엇디 군ᄌᆞ의 ᄒᆡᆼ실이리오. 날이 ᄇᆞᆰ으ᄆᆡ 존당 부뫼 듯고 엇디 쳐티ᄒᆞᆫ고, ᄎᆞ하(此下)를 분셕ᄒᆞ라.

양쇼제 셩덕ᄌᆞ딜(聖德資質)과 ᄉᆡᆨ모ᄌᆡ예(色貌才藝)로 참참ᄒᆞᆫ 누명을 므릅ᄡᅥ 복ᄋᆞ(腹兒)를 분산치 못ᄒᆞ고, 삼오쳥츈(三五青春)의 가부의 박졍무식(薄情無識)ᄒᆞ미 오긔(吳起)[72]의 더은 거조로, 심야의 셩녀현쳐를 참살ᄒᆞ니 엇디 ᄎᆞ마 사ᄅᆞᆷ의 ᄒᆞᆯ ᄇᆡ리오. 하날이 현인의 ᄋᆡᄆᆡᄒᆞ믈 살피샤 어ᄂᆡ 비ᄌᆡ구ᄒᆞ여 ᄂᆡᆫ고?

션시의 월잉이 양쇼져의 위란ᄒᆞᆫ 신셰를 근심ᄒᆞ여, 쥬야 절민ᄒᆞᆫ 념녜 일시도 방하치 못ᄒᆞ나, 태우를 두려 변복ᄒᆞ고 취운산의 왕ᄂᆡᄒᆞ여 쇼져의 소식【45】을 듯보더니, ᄒᆞᆯ난[73] 대양부인 유모(乳母)의 곳의셔 야반(夜半)을 당ᄒᆞ여 잠을 드니, 몽즁(夢中)의 쇼져를 본ᄌᆞᆨ, 태위 쇼져를 구박ᄒᆞ여 동혀 년정의 드리치니, 믄득 흉용ᄒᆞᆫ 믈결을 인ᄒᆞ여 쇼져의 몸이 ᄒᆡ옴업시[74] 취운산 압 ᄂᆡ믈의 흘너 나왓ᄂᆞᆫ디라. 월잉이 쇼져의 시신을 븟드러 통곡ᄒᆞ다가 경각(驚覺)ᄒᆞ니 정신이 황홀ᄒᆞ고 슬픈 회푀 무궁ᄒᆞᆫ디라. 니러 안ᄌᆞ ᄉᆡᆼ각ᄒᆞᄃᆡ 나의 몽ᄉᆡ 블길ᄒᆞ니, 아모커나 시ᄂᆡ 가의 가 볼 거시라 ᄒᆞ고, 화심(火心)을 크게 ᄒᆞ여 잡고 시ᄂᆡ의 니르니, 홀연 년정으로조ᄎᆞ 살 ᄡᅩᄃᆞᆺ 흘너 오ᄂᆞᆫ 거시 잇거ᄂᆞᆯ, ᄌᆞ시 보ᄆᆡ ᄒᆞᆫ 닙 ᄎᆡ화셕(彩畵席)의 므어ᄉᆞᆯ 동힌 거시 잇ᄂᆞᆫ디라.【46】잉이 ᄲᆞᆯ니 드러 가 ᄎᆡ셕 동힌 거ᄉᆞᆯ 닛그러 평ᄃᆡ의 올니

---

72)오긔(吳起) : 중국 전국시대(戰國時代)의 병법가(B.C.440~B.C.381). '오기살처(吳起殺妻)'의 고사로 유명하다.

73)ᄒᆞᆯ난 : 하루는.

74)ᄒᆡ옴업시 : 하염없이. 아무 생각 없이. 어떤 행동이나 심리 상태 따위가 자신의 의지와는 상관없이 계속되는 상태로.

ᄎᆞ셜 월잉이 ᄒᆞᆫ ᄭᅮᆷ을 어드ᄆᆡ, 텬상으로 션녜 무슈히 나려와 소져 양씨를 뫼셔 년졍(蓮亭)에셔 션유(船遊)ᄒᆞ믈 보고, 반가히 나아오다가 놀나 ᄭᆡᄃᆞ르ᄆᆡ 정신이 황홀ᄒᆞ여 두굿기더니, 홀연 년정으로 조ᄎᆞ 살ᄡᅩ ᄃᆞᆺ 흘너오ᄂᆞᆫ 것시 잇거ᄂᆞᆯ, ᄌᆞ시보니【96】ᄒᆞᆫ 닙 ᄎᆡ셕(彩席)의 무어ᄉᆞᆯ 동힌 것시 잇ᄂᆞᆫ지라. 잉이 ᄲᆞᆯ니 드러 가 ᄎᆡ셕을 닛그러 평ᄃᆡ의 올니려 ᄒᆞᆫᄌᆞᆨ, 무거오미 심ᄒᆞᄃᆡ 겨유 움ᄌᆞᆨ여 평ᄃᆡ의 올니ᄆᆡ 갓븐 숨을 진정ᄒᆞ여 동힌 것ᄉᆞᆯ 프러 보니 분명 소제라.

려 ᄒᆞᆫ즉, 무거오미 태산 갓ᄐᆞᆫᄃᆡ 계오 움즉여 평디의 올니ᄆᆡ, 갓븐 숨을 딘뎡ᄒᆞ여 동힌 거술 프러 보니 분명ᄒᆞᆫ 쇼졔라.

몽ᄉᆞ의 마ᄌᆞᄅᆞᆯ ᄭᆡᄃᆞ라 슬프고 분ᄒᆞᄆᆞᆯ 니긔디 못ᄒᆞ니[여] 머리를 ᄶᅡ히 브ᄃᆡ이ᄌᆞ며 실셩통곡ᄒᆞ더니, 홀연 홰블이 빗최며 허다 하리 츄죵이 젼ᄎᆞ후옹(前遮後擁)75)ᄒᆞ여 나아오다가 ᄎᆞ경을 보고, 거샹(車上)의 낙양휘 하리를 명ᄒᆞ여 그 우ᄂᆞᆫ 사ᄅᆞᆷ의 븟드럿ᄂᆞᆫ 거시 엇던 죽엄인고 아라 오라 ᄒᆞ니, 원ᄂᆡ 낙양휘 중문 밧 옥농산 구평댱 부듕의 가 담화ᄒᆞ다가 야심ᄒᆞᄆᆡ 도라오ᄂᆞᆫ 길히라. 월잉이【47】하리 ᄆᆞ르ᄆᆞᆯ 듯고 낙양후의 위의를 보니, 일변 반갑고 깃브미 넘ᄯᅧ 급히 술위 압히 나아가 쇼져의 시신이믈 ᄌᆞ시 고ᄒᆞ고, 실셩통읍(失性慟泣)ᄒᆞᄆᆞᆯ 마디 아니니, 낙양휘 쳥파의 경히ᄎᆞ악(驚駭嗟愕)ᄒᆞᄆᆞᆯ 마디 아냐, 즉시 술위의 나려 잉으로 ᄒᆞ여금 홰블을 잡으라 ᄒᆞ고 하리를 믈니치고 친히 나아가 양시의 시신을 살펴보니, ᄆᆡ76) 동히기를 흉히 ᄒᆞ여 깁으로 입을 트러막아, 긔운을 통치 못ᄒᆞ고 숨을 ᄂᆡ쉬디 못ᄒᆞ여 엄홀(奄忽)ᄒᆞᆫ 거동이오, 아조 죽든 아니ᄒᆞ엿ᄂᆞᆫ디라. 낙양휘 그 입의 트러막은 거술 ᄲᅢ히고, 하리를 명ᄒᆞ여 부듕의 가 양낭 십여인으로 ᄒᆞ여금 편ᄒᆞᆫ 상(床)을 가져오라 ᄒᆞ니,【48】슈유(須臾)의 알패 니르니, 휘 잉으로 ᄒᆞ여금 쇼져의 시신을 븟드러 상의 올녀 시녀로 ᄒᆞ여금 조심ᄒᆞ여 부듕으로 뫼시라 ᄒᆞ니, 딘부 시녀 등이 월잉의 변복ᄒᆞ여시믈 괴이히 녁이고, 양 쇼져의 시신을 보ᄆᆡ 놀나 일시의 밧비 뫼셔 딘부의 니르니, 낙양휘 양시를 상(床)의 누인 ᄎᆡ 두고 쥬부인 침소의 드러오니, 부인이 오히려 취침치 아녓다가 의상을 슈렴ᄒᆞ여 공을 마ᄌᆞᆯᄉᆡ, 휘 양시의 익화를 밧비 젼ᄒᆞ고, 친히 상을 븟드러 더운 방의 누이고 ᄉᆡ도록 구호ᄒᆞᆯᄉᆡ,

75)젼ᄎᆞ후옹(前遮後擁) : 여러 사람이 앞뒤에서 에워싸고 보호하여 나아감.

76)ᄆᆡ : 매끼. 곡식 섬이나 곡식 단 따위를 묶을 때 쓰는 새끼나 끈.

몽ᄉᆞ의 마ᄌᆞᄅᆞᆯ ᄭᆡ닷고 불승비분ᄒᆞ여 머리를 ᄶᅡ히 부ᄃᆡ이ᄌᆞ며 실셩 통곡ᄒᆞ더니, 홀연 홰블이 빗최며 허다 하리 츄종이 젼ᄎᆞ후옹(前遮後擁)64)ᄒᆞ여 나아오다가 ᄎᆞ경을 보고, 거샹ᄌᆞ(居上者) 하리를 명ᄒᆞ여 ᄋᆞ라 오라 ᄒᆞ니, ᄎᆞ시에 ○[낙]양휘 동문 밧 옥농산 구평쟝 부즁에 가 담화ᄒᆞ다가, 야심ᄒᆞᄆᆡ 도라오ᄂᆞᆫ 길히라. 월잉이 하리의 ᄆᆞ르ᄆᆞᆯ 듯고 낙양후의 위의믈 보니, 일변 반갑고 깃부미 넘쳐, 급히 술위 알ᄑᆡ 나아가 소져의 시신이믈 ᄌᆞ시 고ᄒᆞ고, 실셩통읍(失性慟泣)ᄒᆞᄆᆞᆯ 마지 아니니, 낙양휘 쳥파에 경히ᄎᆞ악(驚駭嗟愕)ᄒᆞ여, 즉시 술위에 ᄂᆞ려 잉으【97】로 ᄒᆞ야곰 홰불을 잡으라 ᄒᆞ고, 하리를 믈니치고 친히 나아가 양씨의 시신을 ᄉᆞᆯ펴보니, 동히기를 흉히 ᄒᆞ얏고 깁으로 입을 트러막아 긔운을 통치 못ᄒᆞ고, 숨을 ᄂᆡ지 못ᄒᆞ여 엄홀ᄒᆞᆫ 거동이오, 아조 죽은 시신이라. 그 ᄆᆡᆫ 거술 글너 바리고, 잉 등으로 소져를 븟드러 당(堂)의 올닐 ᄉᆡ, 그 참담ᄒᆞᆫ 경식은 ᄎᆞᆷ아 보지 못ᄒᆞᆯ너라. 계잉 등이 실셩비읍ᄒᆞ여, 몸을 ᄶᅡ히 부ᄃᆡ지며 능히 말을 일우지 못ᄒᆞ니, 낙양휘 ᄯᅩᄒᆞᆫ 그 참통비졀ᄒᆞᄆᆞᆯ ᄎᆞᆷ을 길 업셔 기리 읍탄(泣嘆)ᄒᆞ니, 가즁 상히 다 그 경식을 참담ᄒᆞ여 일변 소져를 구ᄒᆞᆯᄉᆡ, 방 즁에 드러[려] 편히 누이고, 낙양휘 친히 상(床)을 븟드러 더운 방에 누이고 새도록 구호ᄒᆞ니, 쥬부인의 남ᄃᆞᆯ니 어진 마음으로ᄡᅥ, 양씨의 참참(慘慘)ᄒᆞᆫ 경상을 보ᄆᆡ 눈믈이 하수(河水) ᄀᆞᆺᄐᆞ여, 그 손을【98】잡고 머리를 어로만져 탄 왈,

64)젼ᄎᆞ후옹(前遮後擁) : 여러 사람이 앞뒤에서 에워싸고 보호하여 나아감.

쥬부인의 남달니 어딘 ᄆᆞᄋᆞᆷ으로뼈, 양시의 참참(慘慘)ᄒᆞᆫ 경상을 보ᄆᆡ 눈믈이 하슈(河水) ᄀᆞᆺᄐᆞ여, 그 손을 잡고 머리를 【49】 어로만져 탄 왈,

"이 ᄀᆞᆺᄐᆞᆫ 용화긔딜(容華氣質)노 가부의 뜻을 엇디 못ᄒᆞ여, 참참ᄒᆞᆫ 곡경과 망측ᄒᆞᆫ 누얼을 온가디로 당ᄒᆞ여, 하마 슈듕(水中) 귀신이 될 번 ᄒᆞ니 엇디 원통치 아니리오."

낙양휘 탄 왈,

"양시의 닉슈디환(溺水之患)을 짐작건ᄃᆡ 셰흥의 광ᄉᆡ(狂事)라. 명일은 뎡부 소식을 드르려니와, 윤보의 슉연ᄒᆞᆫ 훈ᄌᆞ(訓子) 가온ᄃᆡ 셰흥 ᄀᆞᆺᄐᆞᆫ 패ᄌᆡ(悖子) 이시믄 심상치 아닌 일이라. 윤보의 녜(禮) 듕키로 뼈 셰흥을 안젼의 용납디 말고져 ᄒᆞᄂᆞᆫ 거시니, 져ᄂᆞᆫ 셜샹가상(雪上加霜)ᄒᆞᄂᆞᆫ 죄를 디어 현쳐를 믈의 밀치믈 윤뵈 알면, 엇디 셰흥을 살오고져 ᄒᆞ리오."

쥬부인이 기리 탄식고 날이 ᄇᆞᆰ도록 약믈을 드리워 구호ᄒᆞᄆᆡ, 【50】 쇼졔 졈졈 싱긔 이셔, 어름 ᄀᆞᆺᄐᆞᆫ 슈족의 온긔 니러나고 숨소ᄅᆡ 평상ᄒᆞ더니, 이윽고 눈을 뼈 좌우를 보다가, 낙양후와 쥬부인이 ᄌᆞ긔 ○○[겻히]셔 구호ᄒᆞ믈 보고, ᄀᆞ장 황공블안 ᄒᆞᆫ ᄉᆞᄉᆡᆨ이 이시니, 딘후 부뷔 ᄒᆞᆷ긔 ᄀᆞᆯ오ᄃᆡ,

"현딜부(賢姪婦)의 뇨됴현슉(窈窕賢淑)ᄒᆞ믄 우리 ᄇᆞᆰ히 아ᄂᆞᆫ ᄇᆡ라. 셰흥의 광망무식(狂妄無識)ᄒᆞ미 현딜(賢姪)을 아디 못ᄒᆞ고, 요쳐(妖妻)의 고혹(蠱惑)ᄒᆞ여 인사블셩이 되엿거니와, 그ᄃᆡ 슉ᄌᆞ인혜(淑姿仁惠)ᄒᆞ므로 하날이 살피미 계실딘ᄃᆡ, 허무ᄒᆞᆫ 누얼이[을] ᄌᆞ연 《풍우 ‖ 풍운》 ᄀᆞᆺ치 버술디라. 일시 ᄋᆡᆨ경을 슬허 말고 심ᄉᆞ를 널니 ᄒᆞ여, 분산의 ᄒᆡ로오미 업게 ᄒᆞ라."

인ᄒᆞ여 닉슈 【51】 ᄒᆞᆫ 곡졀을 ᄆᆞ르니, 양시 능히 ᄃᆡᄒᆞᆯ 바를 아디 못ᄒᆞ여, 옥면이 취홍(醉紅)ᄒᆞ여 셩안(星眼)이 가ᄂᆞ라 오ᄅᆡ 말을 못ᄒᆞ다가, 날호여 ᄃᆡ 왈,

"블초 쇼쳡의 ᄇᆡᆨ○[ᄒᆡᆼ]이 무일가취(無一可取)라. ᄌᆞ연 ᄉᆞᄅᆞᆷ이 그릇 넉이고 ᄋᆡᆨ경이 층쳡(層疊)ᄒᆞ여 망극ᄒᆞᆫ 누얼을 ᄆᆞᄅᆞᆸᄡᆞᆸ고,

"이 ᄀᆞᆺᄐᆞᆫ 용화긔질(容華氣質)노 가부의 뜻을 엇지 못ᄒᆞ여, 참참ᄒᆞᆫ 곡경과 망측ᄒᆞᆫ 누얼을 온 가지로 당ᄒᆞ여, 하마 슈즁 귀신이 될 번 ᄒᆞ니 엇지 원통치 아니리오."

휘 탄 왈,

"양씨의 익슈지화(溺水之禍)를 짐작건ᄃᆡ 셰흥 ᄑᆡ되(悖道)라. 명일은 뎡부 소식을 드르려니와, 윤보의 슉연ᄒᆞᆫ 훈ᄌᆞ 즁 셰흥 ᄀᆞᆺᄐᆞᆫ ᄑᆡ악 광망을[은] 뜻ᄒᆞ지 아니 일이라. 윤보의 녜(禮) 즁(重)키로뼈 셰흥을 목전에 용납지 말고져 ᄒᆞ던 거시, 이제ᄂᆞᆫ 셜샹가상지죄(雪上加霜之罪)를 지어 현쳐를 물에 밀치믈 윤뵈 알면, 엇지 셰딜(-姪)을 살호져 ᄒᆞᆯ니 잇시리오."

쥬부인이 기리 탄식고 날이 ᄇᆞᆰ도록 약물을 드리워 구호ᄒᆞᄆᆡ, 소졔 졈졈 싱긔 잇셔 어름 ᄀᆞᆺᄐᆞᆫ 슈족에 온긔 니러나고, 숨 소ᄅᆡ 평상ᄒᆞ여 눈을 뼈 좌우를 보다가, 낙양후와 쥬부인이 ᄌᆞ긔 겻히셔 구호ᄒᆞ시믈 보고 ᄀᆞ장 황공불 【99】 안(惶恐不安)ᄒᆞᆫ ᄉᆞᄉᆡᆨ이 잇시니, 딘후 부뷔 ᄒᆞᆷ긔 ᄀᆞᆯ오ᄃᆡ,

"현딜부(賢姪婦)의 뇨됴현슉(窈窕賢淑) ᄒᆞ믄 우리 ᄇᆞᆰ이 아ᄂᆞᆫ ᄇᆡ라. 셰흥의 광망무식(狂妄無識)ᄒᆞ미 현딜(賢姪)을 아지 못ᄒᆞ고, 요쳐(妖妻)의 고혹(蠱惑)ᄒᆞ여 인ᄉᆞ불셩이 되엿거니와, 그ᄃᆡ 슉ᄌᆞ인품(淑姿人品)을 하ᄂᆞᆯ이 ᄉᆞᆯ피미 잇실진ᄃᆡ, 허무ᄒᆞᆫ 누얼이 ᄌᆞ연 풍운ᄀᆞᆺ치 버술지라. 일시 ᄋᆡᆨ경을 슬허 말고 심ᄉᆞ를 널니ᄒᆞ여 분산에 ᄒᆡ로오미 업게 ᄒᆞ라."

인ᄒᆞ야 익슈ᄒᆞᆫ 곡졀을 무르니 양시 능히 ᄃᆡᄒᆞᆯ 바를 아지 못ᄒᆞ여 옥면이 취홍(醉紅)ᄒᆞ고 셩안(星眼)이 ᄀᆞ나라 양구 후, 날호여 ᄃᆡ왈,

"불초 소쳡의 ᄇᆡᆨᄒᆡᆼ(百行)은 무일가취(無一可取)라. ᄌᆞ연 ᄉᆞᄅᆞᆷ의 그릇 《너이미 ‖ 넉이미》 고이치 아니 ᄇᆡ오. ᄋᆡᆨ경(厄境)이 층

다시 닉슈디환(溺水之患)을 당ᄒᆞ오니, 도시 쇼쳡의 명되라 누를 원ᄒᆞ리잇고?"

낙양후 부뷔 양시 ᄌᆞ긔를 믈의 밀치던 ᄌᆞ를 ᄌᆞ시 니르디 아니믈 보ᄆᆡ, 반ᄃᆞ시 태위믈 아라 굿ᄐᆡ여 다시 믓디 아니코, 오딕 구호ᄒᆞ믈 디셩으로 ᄒᆞ니, 월잉이 비로소 의복을 곳치고 겻ᄐᆡ셔 구호ᄒᆞ니, 쇼졔 잉을 보ᄆᆡ 반가오미 극ᄒᆞ나 존젼(尊前)이라 말을 못【52】ᄒᆞ고, ᄌᆞ긔 몸이 ᄉᆞ라 딘부의 이시믈 괴이히 넉이ᄃᆡ, 곡졀을 믓디 아니ᄒᆞ더라.

ᄎᆞ시 뎡부의셔 태부인이 앗츰마다 양시의 야ᄅᆡ(夜來) 안부를 믓ᄂᆞᆫ디라. 시녀로 션삼졍의 보ᄂᆡ여 야간 안부를 아라 오라 ᄒᆞ니, 시녜 도라와 고ᄒᆞᄃᆡ,

"소져ᄂᆞᆫ 아모리 ᄎᆞᄌᆞ도 가신 곳을 아디 못ᄒᆞ고, 슉딕ᄒᆞ던 시녀 양낭비ᄂᆞᆫ 장 밋ᄐᆡ셔 잠이 깁허, 크게 소ᄅᆡᄒᆞ여 브르ᄃᆡ 움즉이디 아니ᄒᆞ더이다."

태부인이 대경ᄎᆞ악ᄒᆞ여 딘부인을 도라보아 왈,

"이 엇던 말이며 므슨 변이뇨? 현뷔 친히 션삼졍의 가 보고 오라."

딘부인이 ᄯᅩᄒᆞᆫ ᄎᆞ언을 드르ᄆᆡ 놀나고 심신이 ᄎᆞ【53】악(嗟愕)ᄒᆞ여 밧비 션삼졍의 니른즉, 모든 시녜 다 ᄡᅳ러져 아모란 상(狀)이 업시 누엇고, 양시ᄂᆞᆫ 그림ᄌᆞ도 업ᄂᆞᆫ디라. 딘부인이 일시의 시녀 등을 헤쳐 쇼져를 ᄎᆞᄌᆞ 보라 ᄒᆞ고, 밧비 대양시를 브르니, 대양시 바야흐로 소시를 구호ᄒᆞ며, 일변 소시를 본부의 보ᄂᆡ여 쇼져의 ᄉᆞ라난 연고를 고ᄒᆞ고, 부친의 오시기를 기다리더니, 존고의 브르시ᄂᆞᆫ 명을 듯ᄌᆞᆸ고 알픈 거ᄉᆞᆯ 강인ᄒᆞ고, 의복을 슈렴ᄒᆞ여 션삼졍의 니르니, 딘부인이 쇼양시의 업ᄉᆞ믈 니르고 ᄎᆞ탄 왈,

"내 침소의 쇼부를 둘 거시로ᄃᆡ, 태란이 ᄉᆞᄐᆡᄒᆞ믈 인ᄒᆞ여 심듕의 의혹ᄒᆞ여 쥬져ᄒᆞᆯ ᄎᆞ, 화부인이 이의와 구호【54】렷노라 ᄒᆞ시ᄆᆡ 쇼부를 몬져 침소로 옴겻더니, 일야디ᄂᆡ(一夜之內)의 간 곳이 업ᄉᆞ니, 이ᄂᆞᆫ 반ᄃᆞ시 패ᄌᆡ(悖子) 드러와 쇼부를 참혹히 히ᄒᆞ

쳡(層疊)ᄒᆞ여 망극ᄒᆞᆫ 누얼을 므릅쓰고, 다시 익슈지환(溺水之患)을 당ᄒᆞ니, 도시 소쳡의 명되라 누를 원ᄒᆞ리잇고?"

딘후 부뷔 그 말 드러 짐작ᄒᆞᄆᆡ 셰흉의 작ᄉᆡ(作事)믈 아라, 굿ᄒᆞ여 다시 뭇【100】지 아니코 오직 구호ᄒᆞ더니, 월잉이 비로소 옷슬 곳쳐 시호(侍護)ᄒᆞᄆᆡ, 소졔 잉을 보고 반가오미 극ᄒᆞ나 존젼(尊前)이라 말을 못ᄒᆞ고, ᄌᆞ긔 몸이 ᄉᆞ라 이에 와심을 고이히 넉이ᄃᆡ 곡졀을 뭇지 아니ᄒᆞ더라.

ᄎᆞ시 뎡부에셔 태부인이 아ᄎᆞᆷ마다 양부인의 야ᄅᆡ 안부를 뭇ᄂᆞᆫ 고로, 시녀를 션삼졍에 보ᄂᆡ엿더니 도라와 회주 왈,

"소져ᄂᆞᆫ 아모리 ᄎᆞᄌᆞ도 가신 곳을 이 업고, 시침ᄒᆞ던 시녀·양낭·비ᄌᆡ ᄌᆞᆷ이 깁허 움즉이지 아니터이다."

태부인이 대경ᄎᆞ악ᄒᆞ야 딘부인을 도라 보아 왈,

"이 엇진 말고. 현뷔 친히 가 보고 오라."

부인이 ᄯᅩᄒᆞᆫ 경악(驚愕)ᄒᆞ여 밧비 션삼졍에 니른즉, 모든 시녜 다 ᄡᅳ러져 아모란 줄《업시∥모르고》 누엇고, 양씨ᄂᆞᆫ 그림ᄌᆞ도 업ᄂᆞᆫ지라. 부인이 일시의 시녀 등을 허쳐[65] 두로 ᄎᆞᄌᆞ 보라 ᄒᆞ고, 대양씨를 브르니, 양부인이 ᄇᆞ야흐로 소씨【101】를 구호ᄒᆞ여 일변 살아ᄂᆞᆫ 연고를 본부에 고ᄒᆞ고, 부친의 오기를 기다리더니, 존고의 명을 듯고 의복을 슈렴ᄒᆞ여 션삼졍에 니르니, 딘부인이 소양씨의 업ᄉᆞ믈 니르고 ᄎᆞ악 발비(發悲) 왈,

"내 침소의 소부를 둘 거시로ᄃᆡ ᄐᆡ란이 ᄉᆞᄐᆡ(死胎)ᄒᆞ믈 인ᄒᆞ여 심즁에 의혹ᄒᆞ여 쥬져ᄒᆞᆯ ᄎᆞ, 화부인이 이에 구호ᄒᆞ려 《오라∥오렷노라》 ᄒᆞ시미[ᄆᆡ], 소부를 믄져 침소

65)허치다 : 헤치다. 모인 것을 제각기 흩어지게 하다.

여 업시 ᄒᆞ미라. 쇼뷔 만상변고(萬狀變故)를 경녁(經歷)ᄒᆞ여도, 그 몸이 보젼ᄒᆞ여실딘ᄃᆡ ᄆᆞᄉᆞᆫ 근심이 이시리오마ᄂᆞᆫ, 셰홍의 궁극ᄒᆞ미 현부를 히ᄒᆞ미 아니 밋촌 곳이 업ᄉᆞ니, 내 ᄎᆞ마 이 말을 상공긘들 젼ᄒᆞ리오."

대양시 존고의 말ᄉᆞᆷ을 듯ᄌᆞ오며 ᄋᆞ의 간 곳이 업ᄉᆞ믈 보ᄆᆡ, ᄌᆞ긔 화익을 겻글 젹도곤 더 놀납고 ᄎᆞ악ᄒᆞ니, ᄆᆞᄉᆞᆫ 말이 나리오. 옥면화협(玉面花頰)의 쌍뉘(雙淚) 죵횡ᄒᆞ여 왈,

"망측ᄒᆞᆫ 누얼을 므릅ᄡᅳᄆᆡ 죽으미 반듯ᄒᆞ고 살미 어렵거ᄂᆞᆯ, 존당 구고의 양츈혜틱이 미(微)ᄒᆞᆫ 【55】 몸의 져져, 디금가디 보젼ᄒᆞ믈 어덧ᄉᆞᆸ더니, 일야디간(一夜之間)의 그 거쳬 업ᄉᆞ미 심상치 아닌 변괴라. 졔 본ᄃᆡ '불타 죽ᄂᆞᆫ 고집'[77]을 효측(效則)ᄒᆞᆯ 뜻이 이시니, 심야의 무단이 하당ᄒᆞᆯ 니 업ᄉᆞᆯ디라. 벅벅이 ᄉᆞ화(死禍)를 당ᄒᆞ여시리니, 엇디 참통치 아니리잇고?"

딘부인이 장외의 ᄡᅳ러졋ᄂᆞᆫ 시비를 다 니르혀 안치나, 졔 시녜 다 넉슬 일흐니 ᄀᆞᆺᄐᆞ여 비록 잠을 ᄭᆡ여 눈을 ᄯᅳ나, 머리를 바로 가지지 못ᄒᆞᄂᆞᆫ 거동이, 필연 ᄆᆞᄉᆞᆫ 병을 어든 모양이라. 딘부인이 참악ᄒᆞ믈 니긔디 못ᄒᆞ여 좌우로 의렬을 블너, 쇼양시의 업ᄉᆞ믈 니르고 시녀 등의 괴이ᄒᆞᆫ 거동을 니르니, 의렬이 양시의 익회 비상ᄒᆞ여 만상변고를 ᄀᆞᆺ초 【56】 당ᄒᆞ믈 참연ᄒᆞ여, 맛ᄎᆞᆷᄂᆡ 누얼듕 죽디 아닐 줄 혜아려 존고의 경참ᄒᆞᆫ 심ᄉᆞ를 위로ᄒᆞ고, 쳥명뎡대(淸明正大)ᄒᆞᄂᆞᆫ 약을 가져 졔 시녀의 입의 브으ᄆᆡ, 이윽고 쇼

77)불 타 죽는 고집 : 중국 춘추시대 노(魯)나라 백희(伯姬)의 고집을 말함. 백희는 송나라 恭公(공공)에게 시집갔다가 10년 만에 홀로 됐는데, 궁궐에 불이 났을 때 관리가 피하라고 했으나 부인은 한밤에 보모 없이 집을 나설 수 없다고 고집해서 결국 불속에서 타 죽었다. 『열녀전(烈女傳)』 <정순전(貞順傳)>'송공백희(宋恭伯姬)' 조(條)에 기사가 보인다.

로 옴겻더니, 일야지ᄂᆡ(一夜之內)의 간 곳이 업ᄉᆞ니, 이ᄂᆞᆫ 반ᄃᆞ시 픽ᄌᆡ(悖子) 드러와 소부를 참혹히 ○[히]ᄒᆞ여 업시 ᄒᆞ미라. 소뷔 만상변고(萬狀變故)를 비상(非常)《ᄒᆞ야도∥히 격거도》 그 몸이 보젼ᄒᆞ엿실진ᄃᆡ, 무ᄉᆞᆫ 근심이 잇시리오마ᄂᆞᆫ 셰홍의 궁극ᄒᆞ미 현부를 아니 밋촌 곳이 업게 ᄒᆞ니, 내 ᄎᆞ마 이 말을 상공긘들 젼ᄒᆞ리오."

대양 씨 존고의 말ᄉᆞᆷ을 듯ᄌᆞ오니 양씨의 간 곳이 업ᄉᆞ믈 보고, 젼쟈 군ᄌᆞ의 익을 겻글 젹보다 더 놀납고 【102】 챠악ᄒᆞ니, 무ᄉᆞᆫ 말이 나리오. 옥면화협(玉面花頰)의 쌍뉘 죵횡ᄒᆞ여 왈,

"망측ᄒᆞᆫ 누얼을 므릅ᄡᅳᄆᆡ 죽으미 반듯ᄒᆞ고 살미 어렵거ᄂᆞᆯ, 존당 구고의 양츈혜틱이 미(微)ᄒᆞᆫ 몸의 져져, 지금가지 보젼ᄒᆞ믈 어덧ᄉᆞᆸ더니, 일야지간(一夜之間)의 그 거쳐 업ᄉᆞ미 심상치 아닌 변이라. 졔 본ᄃᆡ '불타 죽ᄂᆞᆫ 고집'[66]을 효측ᄒᆞᆯ 뜻이 잇시니, 심야에 무단히 하당ᄒᆞᆯ 일이 업ᄉᆞᆯ지라. 벅벅이 ᄉᆞ화를 당ᄒᆞ엿시리이니, 엇지 참통치 아니리잇고?"

딘부인이 장외의 ᄡᅳ러졋ᄂᆞᆫ 시비를 다 니르혀 안치나, 졔 시녜 다 넉슬 닐흐니 ᄀᆞᆺᄒᆞ여, 좀을 ᄭᆡ여 눈을 ᄯᅳ나 머리를 바로 가지지 못ᄒᆞᄂᆞᆫ 거동이, 필연 무ᄉᆞᆫ 병을 어든 모양이라. 딘부인이 불승ᄎᆞ악(不勝嗟愕)ᄒᆞ여 좌우로 의렬을 불너 소양씨의 업ᄉᆞ믈 니르고, 시녀 등의 고이ᄒᆞᆫ 거동을 보라 ᄒᆞᆫᄃᆡ, 의【103】렬이 양씨의 익회 비상ᄒᆞ여 만상변고를 ᄀᆞᆺ초 당ᄒᆞ믈 참연ᄒᆞ여, ᄆᆞᄎᆞᆷᄂᆡ 누얼즁 죽지 아닐 줄 혜아리ᄆᆡ, ᄂᆞᆺ빗출 화히ᄒᆞ여 존고의 경참ᄒᆞᆫ 심ᄉᆞ를 위로ᄒᆞ고, 쳥명(淸明)ᄒᆞᄂᆞᆫ 약을 가져 졔 시녀의 입의 부으

66)불 타 죽는 고집 : 중국 춘추시대 노(魯)나라 백희(伯姬)의 고집을 말함. 백희는 송나라 恭公(공공)에게 시집갔다가 10년 만에 홀로 됐는데, 궁궐에 불이 났을 때 관리가 피하라고 했으나 부인은 한밤에 보모 없이 집을 나설 수 없다고 고집해서 결국 불속에서 타 죽었다. 『열녀전(烈女傳)』 <정순전(貞順傳)>'송공백희(宋恭伯姬)' 조(條)에 기사가 보인다.

양시의 시녀와 딘부인의 딕희엿던 바 양낭(養娘)[78]의 입으로 조ᄎᆞ, 한 업ᄉᆞᆫ 독ᄒᆞᆫ 믈을 흘니고, 져마다 하셜(下泄)[79]이 급ᄒᆞ여 측간(厠間)으로 가ᄂᆞᆫ디라. 딘부인 고식(姑媳)이 양낭 등이 독약 먹엇던 줄 ᄭᆡᄃᆞ라 일마다 경참ᄒᆞ여 ᄒᆞ더라.

딘부인이 냥 식부다려 왈,

"셰흥이 광패(狂悖)ᄒᆞᆯ디언졍 공교롭고 요샤치 아닌 거시라. 시녀 등을 위엄으로 구쇽ᄒᆞᆯ 법은 잇거니와, 요약을 먹여 졍신을 흐리올 니ᄂᆞᆫ 업ᄉᆞ니, 그 가온ᄃᆡ 별단(別單) 묘ᄆᆡᆨ(妙脈)이 이실딘ᄃᆡ, 양쇼뷔 ᄯᅩᄒᆞᆫ 【57】 ᄉᆞ화를 당ᄒᆞ엿도다."

대양시 ᄯᅩᄒᆞᆫ 소시의 화ᄋᆡᆨ을 고ᄒᆞ여 ᄀᆞᆯ오ᄃᆡ,

"망슉모 소태슈의 일녀를 여ᄎᆞ여ᄎᆞ 도듕의셔 뎍환(賊患)의 죽은가 ᄒᆞ엿더니, ᄀᆡ특이 일명을 보젼ᄒᆞ여 마유인(孺人)[80]의 어더 기른 ᄇᆡ 되엿더니, 마유인이 죽으ᄆᆡ 셜유랑이 거년의 벽슈졍의 두어시ᄃᆡ 그 이시믈 아득히 모로더니, 삼슉슉이 여ᄎᆞ여ᄎᆞ 젼어ᄒᆞ시고, 종뎨를 쳡의 곳의 보ᄂᆡ여 계시나, 셩시의 참혹히 히ᄒᆞ믈 바다 두발(頭髮)을 무쥬리고, 일신을 화쳘(火鐵)노 디져 ᄎᆞ마 보디 못ᄒᆞ게 되여시니, 셩시 그 뎍인을 히ᄒᆞ믄 괴이치 아니ᄒᆞ거니와, 소시조ᄎᆞ 죽이고져 ᄒᆞ니 그 흉심이 엇디 놀랍디 아니리잇고?"

딘부인이 드르ᄆᆡ 말마다 【58】 ᄎᆞ악경히 ᄒᆞ여 왈,

"셩시의 작○[악]이 이디경의 밋ᄎᆞᄆᆡ, ᄒᆞᆫ갓 그 악악(惡惡)ᄒᆞᆫ거ᄉᆞᆯ 칙망ᄒᆞᆯ 거시 아니라, 셰흥의 졔가(齊家) 잘 못ᄒᆞ미니, 내 ᄌᆞ식을 ○[잘]못 나흐ᄆᆡ 남의 ᄌᆞ식을 칙망ᄒᆞ미 블가ᄒᆞ나, 이 일은 아마도 무더 두디 못ᄒᆞ리니, 샹공긔 ᄎᆞᄉᆞ를 고ᄒᆞ고 셰흥과 셩녀

78)양낭(養娘) : 여자 종. 주로 혼인한 여종을 일컫는다.

79)하셜(下泄) : 설사(泄瀉)를 함.

80)유인(孺人) : 조선 시대에, 구품 문무관의 아내에게 주던 외명부(外命婦)의 품계.

ᄆᆡ, 이윽고 소양씨의 시녀와 딘부인 명으로 직희엿던 양낭(養娘)[67] 등이 입으로 조ᄎᆞ 한업ᄉᆞᆫ 독슈(毒手)를 흘니니, 져마다 셜ᄉᆡ(泄瀉) 급ᄒᆞ여 측간(厠間)으로 밧비 가ᄂᆞᆫ지라. 딘부인 고식(姑息)이 양낭 등의 독약 먹엇던 줄 ᄭᆡ다라, 일마다 경참○○○○○[ᄒᆞ여 ᄒᆞ더라].

○○○○[진부인이] 양식부 ᄃᆞ려 왈,

"셰흥이 광픠(狂悖)ᄒᆞᆯ지언졍 공교롭고 요샤치 아닌 거시라. 시녀 등을 위엄으로 구쇽ᄒᆞᆯ 법은 잇거니와, 요약을 먹여 졍신을 흐리올 니ᄂᆞᆫ 업ᄉᆞ니, 그 가온ᄃᆡ 별반(別般)[68] 묘ᄆᆡᆨ이 이실진ᄃᆡ, 양씨 ᄯᅩᄒᆞᆫ ᄉᆞ화를 당ᄒᆞ엿도다"

대양씨 ᄯᅩᄒᆞᆫ 소씨의 화ᄋᆡᆨ을 고하여 왈,

"망 【104】 슉모 소태슈의 일녀를 여ᄎᆞ여ᄎᆞ 도즁에셔 젹환(賊患)의 죽은가 ᄒᆞ엿더니, ᄀᆡ특이 일명을 보젼ᄒᆞ여 마유인(孺人)[69]의 어더 기른 ᄇᆡ 되엿더니, 유인이 죽으ᄆᆡ 셜유랑이 거년에 소져를 별유졍의 두어시ᄃᆡ, 그 잇시믈 아득히 모로더니, 슉슉이 여ᄎᆞ여ᄎᆞ 젼어ᄒᆞ시고, 종뎨를 쳡의 곳에 보ᄂᆡ여 계시나, 셩씨의 참히를 ᄇᆞ다 두발(頭髮)을 무주리고, 일신을 화쳘(火鐵)노 지져 ᄎᆞ마 보지 못ᄒᆞ게 되엿시니, 셩시 그 젹인을 히ᄒᆞ믄 고이치 아니 커니와, 소씨 조ᄎᆞ 죽이고져 ᄒᆞ니 그 흉심이 엇지 놀랍지 아니리잇고?"

딘부인이 드르ᄆᆡ, 말마다 ᄎᆞ악경히 ᄒᆞ여 왈,

"셩씨의 작악이 이 지경의 밋ᄎᆞᄆᆡ, ᄒᆞᆫ갓 그 악악(惡惡)ᄒᆞᆫ 거ᄉᆞᆯ 칙망ᄒᆞᆯ 거시 아니라, 셰흥의 졔가(齊家) 못한 무상ᄒᆞ미니, 내 ᄌᆞ식을 ○[잘]못 ᄂᆞ흐ᄆᆡ 남의 ᄌᆞ식을 칙망ᄒᆞ미 불가ᄒᆞ나, 이 일은 아마도 무더 두지 못

67)양낭(養娘) : 여자 종. 주로 혼인한 여종을 일컫는다.

68)별반(別般) : =별단(別段). 보통과 다름. 따로 별다르게.

69)유인(孺人) : 조선 시대에, 구품 문무관의 아내에게 주던 외명부(外命婦)의 품계.

를 쳐티ᄒᆞ리라."

언파의 태원뎐의 니르러 ᄎᆞᄉᆞ를 고ᄒᆞ니, 태부인이 ᄎᆞ악ᄒᆞ여 누쉬 죵횡ᄒᆞ여 왈,

"우리ᄂᆞᆫ 그 분산(分産)을 념녀ᄒᆞ여 션삼졍으로 옴길 ᄯᅳᆺ을 두나, ᄋᆞᄌᆞᄂᆞᆫ 셰흥을 의심ᄒᆞ여 양쇼부를 아모 ᄃᆡ도 옴기디 못ᄒᆞ게 ᄒᆞᄂᆞᆫ 거ᄉᆞᆯ, 우리 ᄋᆞᄌᆞ다려 니르도 아니코 졔 방으로 보ᄂᆡ엿다가 ᄎᆞ화(此禍)를 보니, 이 참통비원을 엇디 참으리오."

뎐부인이 심회 경【59】악ᄒᆞᄃᆡ, 태부인 슬허 ᄒᆞ시믈 졀민ᄒᆞ여 ᄉᆞ식을 화히 ᄒᆞ고 위로 왈,

"젼ᄌᆞ의 윤·양 등 삼부를 다 실니ᄒᆞᄃᆡ, 오히려 그 위인과 상모를 미더 심회를 관억ᄒᆞ시더니, 져의 팔ᄌᆡ 각각 길ᄒᆞ고 복녹이 완젼ᄒᆞᆫ 고로 삼뷔 다 참화의 보젼ᄒᆞ미 이시나, 쇼양시ᄶᅡ려81) 죽으믈 피치 못ᄒᆞ디 아니리니, 원컨ᄃᆡ 존고ᄂᆞᆫ 믈우(勿憂) 쇼려(掃慮)ᄒᆞ시고 져의 ᄋᆡᆨ회(厄會) 딘ᄒᆞ여 즐거이 도라오믈 기다리쇼셔."

태부인이 톄읍(涕泣) 타루(墮淚) 왈,

"사ᄅᆞᆷ마다 윤·양·경 등의 복은 쉽디 못ᄒᆞ고, 셰흥이 양시를 죽이고져 발분망식(發憤忘食)82)기의 밋쳣다가, 근일의 홀연이 뉘읏ᄂᆞᆫ 쳬ᄒᆞ니 더옥 흉괴ᄒᆞᆫ 의ᄉᆡ런가 ᄒᆞ노라."

뎡언간(停言間)의 뎐부로조ᄎᆞ 시녜 쥬부인의 쇼찰을【60】드리거ᄂᆞᆯ, 뎐부인이 바다 보니 믄득 희뵈(喜報)라. 만분(萬分)83) 영ᄒᆡᆼ(榮幸) ᄒᆞ여 태부인긔 뵈ᄋᆞᆸ고 제부를 다 알게 ᄒᆞ나, 아딕 잠잠ᄒᆞ여 모로ᄂᆞᆫ 쳬ᄒᆞ믈 니르니, 졔뷔 슈명ᄒᆞ고 태부인이 흐르ᄂᆞᆫ 안슈(眼水)를 거두디 못ᄒᆞ여셔, 깃븐 심ᄉᆞ를 니긔디 못ᄒᆞ나 각별 희ᄉᆡᆨ이 업고, 뎐부인이 쥬부인긔 답간을 닥가 아딕 쇼양시를 그 곳

81)-ᄶᅡ려 : -라도. 다른 경우들과 마찬가지임을 나타내는 보조사.

82)발분망식(發憤忘食) : 끼니까지도 잊을 정도로 어떤 일에 열중하여 노력함.

83)만분(萬分) : '십분(十分)'을 과장하여 이르는 말. ≒백분(百分). *십분(十分); 아주 충분히.

ᄒᆞ리【105】니, 상공긔 ᄎᆞᄉᆞ를 고ᄒᆞ고 셰흥과 셩녀를 쳐치ᄒᆞ리라."

언파의 태원젼의 니르러 ᄎᆞᄉᆞ를 존고긔 고ᄒᆞ니, 태부인이 ᄎᆞ악ᄒᆞ여 왈,

"션삼졍으로 옴겨 그 분산(分産)ᄒᆞ게 홀 ᄯᅳᆺ을 두나, 오ᄋᆞᄂᆞᆫ 셰흥을 의심ᄒᆞ여 양소부를 아모 ᄃᆡ도 옴기지 못ᄒᆞ게 ᄒᆞᄂᆞᆫ 거ᄉᆞᆯ, 내 져ᄃᆞ려 니르지 아니코 졔 침소로 보ᄂᆡ엿다가, ᄎᆞ화(此禍)를 보니 이 참통비원을 엇지 ᄒᆞ리오."

뎐부인이 심회 경악ᄒᆞᄃᆡ, 존고의 슬허ᄒᆞ시믈 졀박ᄒᆞ여 ᄉᆞ식을 화히 ᄒᆞ고 위로 왈,

"젼쟈에 윤·양 등 삼부를 다 실니(失離)ᄒᆞᄃᆡ, 오히려 그 위인과 상모를 밋어70) 심회를 관억ᄒᆞ시더니, 져의 팔ᄌᆡ 각각 길ᄒᆞ고 복녹이 완젼ᄒᆞᆫ 연고로, 삼뷔 다 참화의 보젼ᄒᆞ미 잇시나, 소양○[시] ᄶᅡ려71) 죽으므로 혜오지 못홀지라. 원 존고ᄂᆞᆫ 물우소려(勿憂掃慮)ᄒᆞ시고 져의 ᄋᆡᆨ회 진ᄒᆞ여 즐거이 도라오믈 기ᄃᆞ리【106】쇼셔"

태부인이 체읍(涕泣) 왈,

"샤ᄅᆞᆷ마다 윤·양·경 등 ᄀᆞᆺ튼 복은 쉽지 아니코, 셰흥이 양 씨를 죽이고져 발분망식(發憤忘食)72)기에 밋쳣다가 근일의 홀연이 뉘웃ᄂᆞᆫ 쳬ᄒᆞ니, 더욱 흉괴ᄒᆞᆫ 의ᄉᆡ런가 ᄒᆞ노라."

졍언간(停言間)의 뎐부로 조ᄎᆞ 시녜 쥬 부인의 소찰을 드리니, 뎐부인이 ᄇᆞ다 보니 이 믄득 희뵈(喜報)라. 만분(萬分)73) 영ᄒᆡᆼ(榮幸)ᄒᆞ여 태부인긔 뵈ᄋᆞᆸ고 제부를 다 알게 ᄒᆞ나, 아직 즘즘ᄒᆞ여 모로ᄂᆞᆫ 쳬ᄒᆞ믈 니르니, 졔뷔(諸婦) 슈명ᄒᆞ고 태부인이 흐르ᄂᆞᆫ 안슈(眼水)를 거두지 못ᄒᆞ야셔 불승ᄒᆡᆼ희(不勝幸喜)ᄒᆞ니, 태부인으로브터 졔 부인ᄂᆡ 단

70)밋다 : 믿다.

71)-ᄶᅡ려 : -라도. 다른 경우들과 마찬가지임을 나타내는 보조사.

72)발분망식(發憤忘食) : 끼니까지도 잊을 정도로 어떤 일에 열중하여 노력함.

73)만분(萬分) : '십분(十分)'을 과장하여 이르는 말. ≒백분(百分). *십분(十分); 아주 충분히.

의 머므러 극딘구호 ᄒᆞ믈 쳥ᄒᆞᆯ ᄲᅳᆫ이러라.

ᄎᆞ일 셩시ᄂᆞᆫ 심회 황황(遑遑)ᄒᆞ여 신셩(晨省)의도 블참ᄒᆞ고, 금평후ᄂᆞᆫ 필흥을 다리고 드러와 신셩ᄒᆞ나, 작야의 태우의 광거(狂擧)를 아디 못ᄒᆞᄂᆞᆫ 고로, 각별 쇼양시와 태우를 드노화 언두의 올니디 아니ᄒᆞᄂᆞᆫ디라. 딘부인이 쇼양시【61】의 ᄋᆡᆨ화(厄禍)를 젼치 아니믄 태우의 거동을 ᄎᆡ 보려 ᄒᆞ미러니, 날이 느져 됴반(朝飯)이 되도록 태우의 드러 오ᄂᆞᆫ 일이 업ᄉᆞ니, 태부인이 필흥다려 왈,

“유흥은 입번(入番)ᄒᆞ엿거니와, 셰흥은 엇디 디금 드러 오디 아니뇨?”

필흥이 ᄃᆡ 왈,

“쇼손은 야야긔 시침ᄒᆞ고 뫼셔 드러오온 고로 디금 삼형을 보디 못ᄒᆞ엿ᄂᆞ이다.”

태부인이 다시 니르ᄃᆡ,

“네 이졔 나가 셰흥을 블너 오라.”

공ᄌᆞ 슈명ᄒᆞ여 삼형을 ᄎᆞ줄ᄉᆡ, 셔당의 업ᄉᆞ므로 ᄎᆡ듁헌의 니르ᄆᆡ 태위 익봉잠 현혼단○[을] 아오로 먹어, 긔운이 흐리고 정신이 현난(眩亂)ᄒᆞᆯ ᄲᅳᆫ 아니라, 일신골졀(一身骨節)이 아니 알픈 곳이 업ᄉᆞ니, 갓득 슈패(瘦敗)ᄒᆞ엿던 면뫼 더옥 초고(楚苦)ᄒᆞ여, 일야디【62】ᄂᆡ의 형각(形殼)만 걸녀 어린ᄃᆞ시 벼개의 ᄡᅳ러져 통셩(痛聲)이 의의(依依)ᄒᆞ니[84], 공ᄌᆞ 경악ᄒᆞ여 형의 손을 잡고 문왈,

“형댱이 근간 딜환이 ᄌᆞᄌᆞ시고 신관[85]이 쇠약ᄒᆞ여 계시던 거시어니와, 일야디ᄂᆡ(一夜之內)의 므ᄉᆞᆫ 별증(別症)으로 이ᄃᆡ도록 ᄒᆞ시니잇고?”

태위 ᄉᆞ디백ᄒᆡ(四肢百骸) 아니 알픈 ᄃᆡ 업ᄉᆞ믈 니르고, 안광이 더옥 경긔를 일허 거동이 위ᄐᆡ롭기의 니르러시니, 공ᄌᆞ 념녀

84)의의(依依)ᄒᆞ다 : 부드럽고 약하다.
85)신관 : ‘얼굴’의 높임말.

묵ᄒᆞ여 회보를 경셜치 아니려 ᄒᆞᄂᆞᆫ 고로, 각별히 회식이 업고, 진부인이 쥬부인 답간을 닷가 아직 소양씨를 그 곳의 머므러 극진 구호ᄒᆞᆯ ᄲᅳᆫ이러라.

ᄎᆞ일 셩씨ᄂᆞᆫ 심회 황황(遑遑)ᄒᆞ여 신셩(晨省)에도 불참ᄒᆞ고 금후ᄂᆞᆫ 필흥을 ᄃᆞ리고 드러【107】와 신셩ᄒᆞ나, 작야(昨夜) 태우의 광거를 아지 못ᄒᆞᄂᆞᆫ 고로, 각별 소양씨와 태우를 드노화 언두의 올니ᄂᆞᆫ 일이 업ᄂᆞᆫ지라. 딘부인이 셰흥의 광거를 닐ᄏᆞᆺ지 아니코, 태부인이 소양씨의 ᄋᆡᆨ화(厄禍)를 젼치 아니믄, 태우의 거동을 ᄎᆡ 보려 ᄒᆞ미러니, 날이 느져 조반(朝飯)이 되도록 태우의 드러 오ᄂᆞᆫ 일이 업ᄉᆞ니, 태부인이 필흥ᄃᆞ려 왈,

“유흥은 입번(入番)ᄒᆞ엿거니와 셰흥은 엇지 지금 것 드러오지 아닛ᄂᆞ뇨?”

필흥이 ᄃᆡ 왈,

“소손은 야야긔 시침ᄒᆞ고 뫼셔 드러오온 고로, 지금 형을 보지 못ᄒᆞ엿ᄂᆞ이다.”

태부인이 왈,

“네 이졔 나아가 셰흥을 블너 오라.”

공ᄌᆞ 슈명ᄒᆞ야 삼형을 ᄎᆞ줄ᄉᆡ, 셔당에 업ᄉᆞ므로 ᄎᆡ죽헌에 니르ᄆᆡ, 태위 익봉즘과 현혼단○[을] 아오로 먹어, 긔운이 휘어지고[74] 정신이 현난(眩亂)ᄒᆞᆯ ᄲᅳᆫ 아니라 일신골졀(一身骨節)이 아니 알푼 곳이 업ᄉᆞ니, 갓득 슈ᄑᆡ(瘦敗)ᄒᆞ엿던 면【108】뫼 더옥 초고ᄒᆞ여, 일야지ᄂᆡ에 형각만 걸녀 어린ᄃᆞᆺ이 벼개에 ᄡᅳ러져 통셩(痛聲)이 의의(依依)ᄒᆞ니[75], 공ᄌᆞ 경악ᄒᆞ여 형의 손을 잡고 문왈,

“형쟝이 근간 딜환이 ᄌᆞᄌᆞ시고 신관[76]이 쇠약ᄒᆞ여 겨시던 거시어니와 일야지ᄂᆡ(一夜之內)의 무ᄉᆞᆫ 별증(別症)을 어더 겨시관ᄃᆡ 이ᄃᆡ도록 ᄒᆞ시니잇고?”

태위 ᄉᆞ디ᄇᆡᆨᄒᆡ(四肢百骸) 아니 알픈 곳이

74)휘어지다 : 곧은 물체가 어떤 힘을 받아서 구부러지다.
75)의의(依依)ᄒᆞ다 : 부드럽고 약하다.
76)신관 : ‘얼굴’의 높임말.

ᄒᆞ나 조모의 기다리시믈 ᄉᆡᆼ각ᄒᆞ여 형다려 왈,

"왕뫼 형댱을 블너 오라 ᄒᆞ시기 왓더니, 형댱이 이러ᄐᆞᆺᄒᆞ시니 쇼뎨 드러 가 이 쇼유(所由)를 고ᄒᆞ고 의약을 다ᄉᆞ리리이다."

태위 혼혼블셩(昏昏不醒)ᄒᆞ여 능히 ᄃᆡ답디 못ᄒᆞᄂᆞᆫ디라. 공ᄌᆡ 우황(憂惶)ᄒᆞ여 형의 【63】 몸을 븟드러 편히 누이고, 셔동을 명ᄒᆞ여 겻ᄐᆡ 써나디 말나 ᄒᆞ고, 즉시 드러와 삼형의 증셰(症勢) 비경(非輕)ᄒᆞ믈 고○○[ᄒᆞ니] 금평휘 뎡ᄉᆡᆨ 왈,

"셰흥이 병이 이실딘ᄃᆡ 너희 구호ᄒᆞᆯ ᄲᅮᆫ이라. 대ᄉᆞ롭디 아닌 딜양으로ᄡᅧ 놀나시게 ᄒᆞ고 ᄌᆞ위를 혼동ᄒᆞᄂᆞ뇨?"

태부인이 태우의 힝ᄉᆞ를 무상히 넉이나, 그 병이 《비경ᄒᆞ여‖비경ᄐᆞ ᄒᆞ므로》 필흥을 당부ᄒᆞ여 의티(醫治)나 착실이 ᄒᆞ믈 니르고, 양시의 ᄋᆡᆨ화를 젼치 아니ᄒᆞ니 공이 아득히 모로더라.

날이 느ᄌᆞᄆᆡ 양평댱이 밧긔 와시믈 통ᄒᆞ니, 금휘 외루(外樓)의 나와 빈쥐 녜필의 평휘 몬져 말숨을 펴 골ᄋᆞᄃᆡ,

"쇼뎨 형을 오ᄅᆡ 보디 못ᄒᆞ니 비린디ᄆᆡᆼ(鄙吝之盲)[86]을 니긔디 못ᄒᆞᄃᆡ, 텬흥이 츌뎡 【64】 ᄒᆞ고 닌흥이 션산으로 나려 가ᄆᆡ, 편친의 슬하(膝下) 뎍막ᄒᆞ시니, 일시를 여가치 못ᄒᆞ여 귀부의 가디 못ᄒᆞ엿거니와, ○○○○[형은 엇디] 쇼뎨를 ᄎᆞᆺ디 아니ᄒᆞ시더뇨?"

양공이 답 왈,

"쇼뎨 근간 딜양(疾恙)이 ᄌᆞ즌 고로 오ᄅᆡ 형을 상견치 못ᄒᆞ니, 울울ᄒᆞ믈 니긔디 못ᄒᆞᆯ ᄲᅮᆫ 아니라, 챵ᄇᆡᆨ의 츌뎡ᄒᆞ던 날 예ᄇᆡᆨ을 보니 그 얼골이 환탈(換奪)ᄒᆞ여 형용만 남아시니, 놀라온 심ᄉᆞ를 방하(放下)치 못ᄒᆞ여 금일 셔랑을 보고져 별너 왓더니, 예ᄇᆡᆨ이

86)비린디ᄆᆡᆼ(鄙吝之盲) : 서로 보는 것을 인색하게 하기를 소경처럼 하였다는 뜻으로, 오랫동안 서로 보지 못한 아쉬움을 표현한 말.

업ᄉᆞ믈 니르고, 안광이 더욱 경긔를 닐허 거동이 위ᄐᆡ롭기에 니르니, 공ᄌᆡ 념녀ᄒᆞ나 조모의 기ᄃᆞ리시믈 ᄉᆡᆼ각ᄒᆞ여 형ᄃᆞ려 왈,

"대뫼 형쟝을 불너오라 ᄒᆞ시기 왓더니, 형댱이 이러ᄐᆞᆺ 즁통(重痛)ᄒᆞ시니, 소뎨 드러가 이 소유를 고ᄒᆞ고 의약을 닐위혀고져 ᄒᆞᄂᆞ이다."

태위 혼혼블셩(昏昏不醒)ᄒᆞ여 능히 ᄃᆡ답지 못ᄒᆞ거ᄂᆞᆯ, 공ᄌᆡ 우황(憂惶)ᄒᆞ여 형의 몸을 븟드러 편히 누이고, 셔동을 명ᄒᆞ여 써ᄂᆞ지 말나 ᄒᆞ고, ᄂᆡ루(內樓)로 드러와 조모긔 뵈ᄋᆞᆸ고, 형의 증셰(症勢) 비경(非輕)ᄒᆞ믈 고ᄒᆞ니, 금평휘 졍ᄉᆡᆨ 왈,

"셰흥 【109】 이 유병ᄒᆞᆯ진ᄃᆡ 너희 구ᄒᆞᆯᄲᅮᆫ이라. ᄃᆡᄉᆞ롭지 아닌 질양으로ᄡᅧ 《ᄌᆞ의‖ᄌᆞ위》를 혼동ᄒᆞᄂᆞ뇨?"

태부인이 태우의 힝ᄉᆞ를 무상히 넉이나, 그 병이 《비경ᄒᆞ여‖비경ᄐᆞ ᄒᆞ므로》 필흥을 당부ᄒᆞ여 의치(醫治)나 착실이 ᄒᆞ믈 니르고, 양씨의 ᄋᆡᆨ화를 젼치 아니ᄒᆞ니, 휘 아득히 모로더라.

날이 느ᄌᆞᄆᆡ 양 평쟝이 밧게 왓시믈 통ᄒᆞ니, 금휘 외루(外樓)에 나와 빈쥐 례필의 금휘 믄져 말흘 펴 왈,

"소뎨 형을 오ᄅᆡ 보지 못ᄒᆞ니 비린지ᄆᆡᆼ(鄙吝之盲)[77]을 니긔지 못ᄒᆞᄃᆡ, 텬흥이 츌정ᄒᆞ고 닌흥이 션산으로 나려가ᄆᆡ 편친의 슬하(膝下) 젹막ᄒᆞ시니, 일시를 여가치 못ᄒᆞ여 귀부의 가지 못ᄒᆞ엿거니와, 형은 엇지 소뎨를 ᄎᆞᆺ지 아니ᄒᆞ시더뇨?"

양 공이 답왈,

"소뎨 근간 질양이 ᄌᆞ즌 연고로, 오ᄅᆡ 형을 상견치 못ᄒᆞ니 울울ᄒᆞᆯ ᄲᅮᆫ 아니라, 챵ᄇᆡᆨ의 츌뎡ᄒᆞ던 날 여ᄇᆡᆨ을 보니, 그 얼골이 환탈(換奪)ᄒᆞ여 형골(形骨)만 나마시니, 놀【110】나온 심ᄉᆡ 방하(放下)치 못ᄒᆞ여, 금일 셔랑을 보고져 별너 왓더니, 예ᄇᆡᆨ이 어

77)비린디ᄆᆡᆼ(鄙吝之盲) : 서로 보는 것을 인색하게 하기를 소경처럼 하였다는 뜻으로, 오랫동안 서로 보지 못한 아쉬움을 표현한 말.

어ᄃᆡ 잇ᄂᆞ뇨?"

금휘 탄 왈,

"형은 돈ᄋᆞ로뻐 그 ᄆᆞᄋᆞᆷ이 온젼ᄒᆞᆫ가 녁이거니와, 셰ᄋᆡ 상셩실혼(喪性失魂)ᄒᆞ연 디 오린디라, ᄌᆞ연 그 ᄆᆞᄋᆞᆷ의 병이 깁히 든 연【65】괴라. 혹ᄌᆞ 댱슈ᄒᆞ면 죽기를 면ᄒᆞᆯ 거시오, 블연즉 이팔쳥츈(二八青春)의 늣거이 셰샹을 맛출 거시니, 졔 인믈을 ᄉᆡᆼ각ᄒᆞ면 이졔 죽으나 앗갑디 아니ᄒᆞᄃᆡ, 우흐로 편친의 상도(傷悼)ᄒᆞ심과 아ᄅᆡ로 쇼부의 참담ᄒᆞᆫ 졍ᄉᆞ를 ᄉᆡᆼ각ᄒᆞ면, 쇼뎨 ᄯᅩᄒᆞᆫ 부ᄌᆞ디졍(父子之情)이라, ᄉᆞ망디홰 업ᄉᆞᆷ을 바라ᄃᆡ, 그 거동이 아마도 죽기가 쉬오니 셰홍 ᄀᆞᆺ튼 ᄌᆞ식은 아이의 업숨만 ᄀᆞᆺ디 못ᄒᆞ여, 쇼뎨의 심화를 도을 ᄲᅮᆫ이로다."

양공이 태우의 병이 깁흐믈 념녀ᄒᆞ나, 뎡공의 말을 과도히 녁여, 웃고 왈,

"예ᄇᆡᆨ이 본ᄃᆡ 단뎡슈ᄒᆡᆼ(端整修行)ᄒᆞᆫ 션ᄇᆡ는 못되나, 풍뉴영걸(風流英傑)노 긔상이 당당ᄒᆞ고 위인이 샹쾌ᄒᆞ여,【66】챵ᄇᆡᆨ의 뒤흘 ᄯᆞᆯ올 ᄇᆡ니, 실셩외입(失性外入)이 그 일시 익회를 ᄣᅵ이미오[87] 굿ᄐᆞ여 ᄉᆞᄉᆡᆼ의 가디는 아닐 ᄇᆡ니, 형이 엇디 텬눈ᄌᆞᄋᆡ(天倫慈愛)로뻐 이런 말을 ᄒᆞᄂᆞ뇨?"

뎡공이 답 왈,

"ᄉᆞᄉᆡᆼ이 텬명이니 인력으로 밋출 ᄇᆡ 아니라. 셰간의 독ᄌᆞ를 죽여 상명디통(喪明之痛)[88]을 당ᄒᆞᄂᆞ니도 살거든, 단명ᄒᆞ여 죽은들 현마 엇디 ᄒᆞ리오."

양공이 댱녀의 셔간으로뻐 ᄉᆡᆼ뎔녀의 참화를 듯고 이의 와시나, 굿ᄐᆞ여 뎡공다려 ᄉᆞ싀디 아니믄, 아딕 셰밀ᄒᆞᆫ ᄉᆞ긔를 아디 못ᄒᆞ여시므로 소시다히 말을 아니코, 필흥을 도라 보○[아] 태우의 통쳐(痛處)를 뭇고, 뎡공과 이윽이 담화ᄒᆞ다가【67】날호여 치

87)ᄣᅵ이다 : 때우다. 큰 액운을 작은 괴로움으로 면하다.

88)상명디통(喪明之痛) : 눈이 멀 정도로 슬프다는 뜻으로, 아들이 죽은 슬픔을 비유적으로 이르는 말. 옛날 중국의 자하(子夏)가 아들을 잃고 슬피 운 끝에 눈이 멀었다는 데서 유래한다.

ᄃᆡ 잇ᄂᆞ뇨?"

금휘 탄 왈,

"형은 돈ᄋᆞ로뻐 그 마ᄋᆞᆷ이 온젼ᄒᆞ엿는가 녁여 이에 와 보려ᄒᆞ거니와, 셰ᄋᆡ 상셩실혼(喪性失魂)ᄒᆞ연 지 오린지라. ᄌᆞ연 그 마ᄋᆞᆷ의 병이 깁흔 연괴니, 혹쟈 쟝슈ᄒᆞ면 죽기를 면ᄒᆞᆯ 거시오, 불연즉 이팔쳥츈(二八青春)에 늣거이 셰상을 맛출 거시니, 졔 소ᄒᆡᆼ를 ᄉᆡᆼ각ᄒᆞ면 이졔 죽으나 앗갑지 아니ᄃᆡ, 우흐로 편친의 상도(傷悼)ᄒᆞ심과 아ᄅᆡ로 소부의 참담ᄒᆞᆫ 졍ᄉᆞ를 ᄉᆡᆼ각ᄒᆞ면, 이졔 소뎨 ᄯᅩᄒᆞᆫ 부ᄌᆞ지졍(父子之情)으로 ᄉᆞ망지홰(사망지화) 업ᄉᆞᆷ을 ᄇᆞ라ᄃᆡ, 그 거동이 아마도 죽기 쉬오니, 셰홍 ᄀᆞᆺ튼 ᄌᆞ식은 아이의 업숨만 못ᄒᆞ여, 소뎨의 심화를 도을 ᄲᅮᆫ이로다."

양공이 태우의 병이 깁흐믈 념녀ᄒᆞ나 ,뎡공의 말을 과도히 녁여, 소왈,

"여ᄇᆡᆨ이 본ᄃᆡ 단정슈ᄒᆡᆼ(端整修行)ᄒᆞᆫ 션ᄇᆡ는 못되나, 풍류영【111】걸(風流英傑)노 긔상이 당당ᄒᆞ고, 위인이 샹쾌ᄒᆞ여 챵ᄇᆡᆨ의 뒤흘 ᄯᆞ로리니, 실셩외입(失性外入)이 그 일시 익회를 ᄣᅵ오미오[78], 굿ᄒᆞ여 ᄉᆞᄉᆡᆼ의 관겨치 아닐 ᄇᆡ니, 형이 엇지 텬륜ᄌᆞᄋᆡ(天倫慈愛)로뻐 니런 말을 ᄒᆞᄂᆞ뇨?"

뎡공이 답 왈,

"ᄉᆞᄉᆡᆼ이 텬명이니 인력으로 밋출 ᄇᆡ 아니라. 셰간의 독ᄌᆞ를 죽이고 상명지통(喪明之痛)[79]을 당ᄒᆞᄂᆞ니도 살거든, 단명ᄒᆞ여 죽은들 현마 엇지 ᄒᆞ리오."

양공이 댱녀의 셔간으로뻐, ᄉᆡᆼ뎔녀의 참화를 듯고 이에 와시나, 굿ᄒᆞ여 뎡공ᄃᆞ려 니르지 아니믄, 아직 셰밀ᄒᆞᆫ ᄉᆞ긔를 아지 못ᄒᆞ엿시므로, 소씨의 말숨은 아니코 필흥을 도라보아 태우의 통쳐를 뭇고, 뎡공과 이윽이 담화ᄒᆞ다가, 날호여 치죽헌의 니르

78)ᄣᅵ이다 : 때우다. 큰 액운을 작은 괴로움으로 면하다.

79)상명디통(喪明之痛) : 눈이 멀 정도로 슬프다는 뜻으로, 아들이 죽은 슬픔을 비유적으로 이르는 말. 옛날 중국의 자하(子夏)가 아들을 잃고 슬피 운 끝에 눈이 멀었다는 데서 유래한다.

듁헌의 니르러 태우를 볼ᄉᆡ, 태위 상셕의 몸을 바려, 양공의 드러 오믈 보ᄃᆡ 몸을 움즉이디 못ᄒᆞ며, 통셩이 의의ᄒᆞ여 병셰 비경ᄒᆞ니, 양공이 놀나오믈 니긔디 못ᄒᆞ여, 그 손을 잡아 ᄆᆡᆨ후를 살펴 머리를 집허 ᄀᆞᆯ오ᄃᆡ,

"너의 긔운이 남달나 좀 병의 후이디[89] 아니터니, 근간 형용이 슈패ᄒᆞ여 념네 잇더니, 금일 보니 증셰 경치 아닌디라, 티약(治藥)디 아닛ᄂᆞ뇨?"

태위 졍신이 흐리고 인ᄉᆡ 아모란 상(狀)이 업셔, 양공의 소ᄅᆡ를 ᄃᆞᆺ고 ᄌᆞ긔 병을 이ᄀᆞᆺ치 념녀ᄒᆞ믈 보고, 작야의 그 ᄯᆞᆯ을 믈의 너허 죽이미 오히【68】려 참슈(慙羞)ᄒᆞᆫ디라. 머리를 벼개의 더져 냥구무언(良久無言)이라가, 날호여 ᄃᆡ왈,

"쇼ᄉᆡᆼ의 딜양이 이러ᄐᆞᆺ 비경ᄒᆞ와 살기를 바라디 못ᄒᆞ니, 존당의 우려를 무궁히 ᄭᅵᆺ치ᄂᆞ이다."

양공이 크게 념녀ᄒᆞ여 셔동으로 ᄒᆞ여금 뎡공을 쳥ᄒᆞ여 왈,

"쇼뎨 이의 와 녕낭의 딜양을 살피니 병셰 비경ᄒᆞᆫ디라. 형이 본ᄃᆡ 의술이 고명ᄒᆞ거늘 엇디 ᄒᆞᆫ 쳡 약을 ᄡᅧ보디 아니ᄒᆞᄂᆞ뇨? 쳥컨ᄃᆡ 잠간 와 녕낭의 병을 보고 약을 밧비 ᄡᅳ게 ᄒᆞ라."

금평휘 마디 못ᄒᆞ여 ᄎᆡ듁헌으로 나아가더라.

하회 엇더ᄒᆞᆫ고 분셕기말(分析其末)ᄒᆞ라【69】

러 태우를 볼ᄉᆡ, 태위 상셕(床席)에 몸을 ᄇᆞ려, 양공의 드러 오믈 보ᄃᆡ 몸을 움즉이지 못ᄒᆞ며, 통셩이 의의ᄒᆞ여 병셰 비경【112】ᄒᆞ니, 양공이 ᄃᆡ경ᄒᆞ여 그 손을 잡아 ᄆᆡᆨ후를 ᄉᆞᆯ피며, 머리를 집허 왈,

"너의 긔운이 남과 달나 장실(壯實)ᄒᆞ며, 병에 휘어질[80] 품되 아니러니, 근간 형용이 슈ᄑᆡᄒᆞ여 념녀로이 되엿더니, 오날날 이ᄀᆞᆺ치 알ᄂᆞᆫ 거동을 보니 증셰 비경ᄒᆞᆫ지라. 약으로ᄡᅧ 엇지 곳칠 ᄉᆡᆼ각을 아닛ᄂᆞ뇨?"

태위 졍신이 흐리고 인ᄉᆡ 아모란 상이 업셔ᄒᆞᄂᆞᆫ 즁이나, 양공의 소ᄅᆡ를 ᄃᆞᆺ고 ᄌᆞ긔 병을 이ᄀᆞᆺ치 념녀ᄒᆞ믈 보ᄆᆡ, 작야의 그 ᄯᆞᆯ을 물의 너허 죽이미 오히려 참슈(慙羞)ᄒᆞᆫ지라. 머리를 벼ᄀᆡ의 더져 오ᄅᆡ도록 말이 업다가, 날호여 ᄃᆡ왈,

"소ᄉᆡᆼ의 딜양이 이러ᄐᆞᆺ 비경ᄒᆞ와 살기를 ᄇᆞ라지 못ᄒᆞ니, 이친(二親)과 노년 조모긔 불효를 ᄉᆞᆯ허ᄒᆞᄂᆞ이다."

양공이 크게 념녀ᄒᆞ여 셔동으로 ᄒᆞ여금 금후를 쳥ᄒᆞ여 왈,

"소뎨 이에 ○[와] 녕낭의 병을 보ᄆᆡ 증셰 비경ᄒᆞᆫ지【113】라. 형이 짐짓[81] 의술이 고명ᄒᆞ거늘, 엇지 ᄒᆞᆫ 쳡 약을 ᄡᅧ 보지 아니ᄒᆞᄂᆞ뇨? 쳥컨ᄃᆡ 잠간 와 녕낭의 병을 보고 약을 ᄡᅳ게 ᄒᆞ라

89)후이다 : 흔들리다.

80)후이다 : 흔들리다.
81)짐짓 : 과연, 참으로.

명듀보월빙 권디팔십이

화셜 뎡공이 양공의 젼어를 듯고 마디 못ᄒᆞ여 ᄎᆡ듁헌의 니르니, 태위 혼미ᄒᆞᆫ 가온ᄃᆡ 부친의 오신 줄 듯고, 계오 움ᄌᆞᆨ여 상하의 나리나, 안졸 길히 업셔 머리를 벼개의 박고 죽은ᄃᆞ시 업ᄃᆡ엿ᄂᆞᆫ디라. 뎡공이 드러와 ᄎᆞ경(此景)을 보고 미위(眉宇) 슈집(愁集)ᄒᆞ믈 니긔디 못ᄒᆞ여, 그 손을 잡아 딘ᄆᆡᆨᄒᆞᄆᆡ 심디 허약ᄒᆞ미 셕은 나모 갓튼디라. 다시 독약이 복장(腹臟)의 어ᄅᆡ여 심폐 심히 병드럿ᄂᆞᆫ디라. 그 상시 ᄀᆡ운이 댱건(壯健)ᄒᆞ던 바로ᄡᅧ, 오히려 광언망셜(狂言妄說)을 아니ᄒᆞ니 다힝ᄒᆞ나, 범범ᄒᆞᆫ 인믈노 니를딘ᄃᆡ 발셔 광분질쥬(狂奔疾走)【1】ᄒᆞ여실 ᄃᆞᆺᄒᆞ니, 금휘 ᄆᆞᆨ연이 말을 아니ᄒᆞ나 경ᄒᆡ(驚駭)ᄒᆞ미 무궁ᄒᆞ여, 필연을 나와 약명을 ᄡᅧ 필홍을 주어 왈,

"이 약을 디어 여형을 먹이려니와, 발셔 심폐(心肺) 상키를 만히 ᄒᆞ여시니, 병근을 아딕 업시 ᄒᆞᆯ 길히 업ᄉᆞ리로다."

공ᄌᆡ 약명을 밧ᄌᆞ와 군관을 주어 약을 디으라 ᄒᆞ고, 형의 겻ᄐᆡ 이셔 구호ᄒᆞ믈 디셩으로 ᄒᆞᆯ ᄯᆞ름이라. 양공이 평후다려 왈,

"이제 챵ᄇᆡᆨ이 나가고 형이 친히 예ᄇᆡᆨ의 병을 살펴 구호치 아니ᄒᆞ면, 회소디경(回蘇之境)을 보기 어려오니, 쳥컨ᄃᆡ 형은 예ᄇᆡᆨ의 일시 광망ᄒᆞ믈 유심(有心) 치부(置簿)치 말고, 부ᄌᆞ텬뉸디졍(父子天倫之情)으로ᄡᅧ 그 위덜을 등한이 아디 말나."

뎡공이 미우를 찡긔여 왈,

"욕ᄌᆡ(辱子) 무【2】상ᄒᆞ여 졔 몸을 병들게 ᄒᆞ니 뉘 탓슬 삼으리오. 쇼뎨 실노 형의 니름 곳 아니면 졔 병을 보고져 ᄯᅳᆺ이 업ᄉᆞᆫ디라. 텬뉸의 졍이 셰ᄋᆞ의게 다ᄃᆞ라ᄂᆞᆫ ᄭᅳᆺ쳐디미 아니라, 졔 인믈을 혜아리면 죽어도 앗갑디 아니ᄒᆞ니 형은 괴이히 녁이디 말나."

언파(言罷)의 양공을 권ᄒᆞ여 식부(息婦)를

금휘 양공의 젼어를 듯고 마지 못ᄒᆞ여 ᄎᆡ죽헌에 니르니, 태위 혼미ᄒᆞ여 현난ᄒᆞᆫ ᄌᆞᆼ이나 부친의 오시믈 듯고, 겨오 몸을 움ᄌᆞᆨ여 상하에 나리나 안졸 길이 업셔, 머리를 벼ᄀᆡ에 박고 죽은 ᄃᆞ시 업ᄃᆡ엿ᄂᆞᆫ지라. 금휘 ᄎᆞ경(此境)을 보고 미위(眉宇) 슈집(愁集)ᄒᆞ야, 겻ᄒᆡ 나아가 태우의 손을 잡아 진ᄆᆡᆨᄒᆞᄆᆡ, 심ᄀᆡ 허박ᄒᆞ미 셕은 나모 갓고, 독약이 복장(腹臟)의 얽혀 깁히 병드럿ᄂᆞᆫ지라. 그 상시 ᄀᆡ운이 장ᄆᆡᆼ(壯猛)ᄒᆞ던 바로ᄡᅧ 오히려 광언망셜(狂言妄說)을 아니코, 고요히 누어시나 범범ᄒᆞᆫ 인믈노 니를진ᄃᆡ, 발셔 광분질쥬(狂奔疾走)ᄒᆞ여실 듯ᄒᆞ니, 금휘 묵연 무어(無語)ᄒᆞ나, 경ᄒᆡ(驚駭)ᄒᆞ미 무궁ᄒᆞ여, 필연을 나와 약명을 ᄡᅧ 필홍을 주어 왈,

"이 약을 지어【114】 네 형을 먹이려니와 발셔 심폐 상키를 만히 ᄒᆞ엿시니 병근을 아직 업시 ᄒᆞᆯ 길히 업ᄉᆞ리로다."

공ᄌᆡ 슈명ᄒᆞ고 군관을 주어 약을 지으라 ᄒᆞ고, 형의 겻ᄒᆡ 잇셔 구호ᄒᆞ믈 지셩으로 ᄒᆞᆯ ᄯᆞ름이라. 양공이 금후ᄃᆞ려 왈,

"이제 챵ᄇᆡᆨ이 나가고 형이 친히 여ᄇᆡᆨ의 병을 ᄉᆞᆯ피지 아니면 회소지경(回蘇之境)을 보기 어려오니 쳥컨ᄃᆡ 형은 여ᄇᆡᆨ의 일시 광망ᄒᆞ믈 유심치 부치 말고 부ᄌᆞ텬륜지졍(父子天倫之情)으로ᄡᅧ 그 위질을 등한이 아지 말나."

금휘 미우를 찡긔여 왈,

"욕ᄌᆡ(辱子) 무상ᄒᆞ여 졔 몸을 졔 스ᄉᆞ로 병 들게 ᄒᆞ니 뉘 탓슬 ᄉᆞᆷ으리오. 소뎨 실노 형의 니름 곳 아니면, 졔 병을 드리미러 보고져 ᄯᅳᆺ이 업ᄉᆞᆫ지라. 텬륜의 졍이 셰ᄋᆞ에게 다ᄃᆞ러 ᄭᅳᆺ쳐지미 아니라, 졔 인물을 혜아리면 죽어도 앗갑지 아니니, 형은 고이히 녁이지 말나."

언파의 양공을 권ᄒᆞ여 식부를 보【115】

보라 ᄒᆞ고 즉시 나가니, 양공이 태우의 병을 우려ᄒᆞ여 슈히 ᄎᆞ셩(差成)ᄒᆞ믈 당부ᄒᆞ고, 날호여 필흥으로 더브러 션ᄆᆡ졍의 드러오니 대양시 하당영디(下堂迎之)ᄒᆞ니, 필 공ᄌᆞᄂᆞᆫ 형의 병을 일ᄏᆞ라 즉시 나가ᄆᆡ, 양공이 녀ᄋᆞ의 손을 잡고 방듕의 드러가, 밧비 문 왈,

"금됴의 네 셔간을 보니, ᄉᆡᆼ질녜(甥姪女) ᄉᆞ랏다 ᄒᆞ니 영ᄒᆡᆼᄒᆞᆫ디라. 내 평ᄉᆡᆼ 참통비졀(慘痛悲絶)【3】ᄒᆞᄂᆞᆫ ᄇᆡ러니, 텬디신명이 우리 ᄆᆡ져의 심덕과 소형의 쳥ᄒᆡᆼ(淸行)을 살피샤, 념난이 살미 이시니 내 ᄌᆞ식을 일헛다가 ᄎᆞᄌᆞ미라도 이의 더으디 못ᄒᆞ리로다."

쇼제 이의 침병(枕屛)을 밀고 장(帳)을 들고 념난 쇼져의 얼골노뼈 야애 보시게 하고 왈,

"죵뎨 벽슈졍의 이시ᄃᆡ 쇼녜 아득히 아디 못ᄒᆞ엿다가, 작야의 태위 여ᄎᆞ여ᄎᆞ 젼ᄒᆞ고 죵뎨를 보ᄂᆡᄆᆡ, 비로소 슉모의 일녠 줄 ᄭᆡᄃᆞ라, 소슉의 친필노 비샹(臂上)의 ᄡᅳ신 거ᄉᆞᆯ 보고, 챵감(愴感)ᄒᆞᆫ 심회를 니긔디 못ᄒᆞᄂᆞᆫ ᄀᆞ온ᄃᆡ, 그 상쳬 이러ᄐᆞᆺ 참참(慘慘)ᄒᆞ니 능히 보디 못ᄒᆞ리로소이다."

양공이 눈을 드러 딜녀를 보ᄆᆡ 의형미목(儀形眉目)이 ᄆᆡ져(妹姐)와 방블(彷彿)ᄒᆞᆫ 곳이 만흐나, 그 운발(雲髮)이 ᄒᆞ나토 업고, 면뫼(面貌)【4】두로 상ᄒᆞ여 능히 일신을 움즉이디 못ᄒᆞ고, ᄒᆞᆫ갓 슬허ᄒᆞᄂᆞᆫ 눈믈이 방방ᄒᆞ여 옥면화싀(玉面花顋)를 젹시ᄂᆞᆫ디라. 공이 ᄒᆞᆫ 번 보ᄆᆡ 참연비상 ᄒᆞ믈 니긔디 못ᄒᆞ여, 그 옥슈를 잡고 팔흘 어로만져 타루(墮淚) 왈,

"만ᄉᆡ 명얘니 슬허ᄒᆞ미 무익ᄒᆞ거니와, 너의 팔ᄌᆡ(八字)[90] 이ᄃᆡ도록 궁극ᄒᆞᆯ 줄은 실

라 ᄒᆞ고 즉시 나아가니, 양공이 태우의 병을 우려ᄒᆞ야 ᄌᆡ삼 조호(調護)ᄒᆞ여 수히 챠셩(差成)ᄒᆞ믈 당부ᄒᆞ고, 날호여 필흥으로 더브러 션ᄆᆡ졍에 드러오니, 대양씨 하당영지(下堂迎之)ᄒᆞᄆᆡ 공이 필흥을 보ᄂᆡ고 당에 올나 녀ᄋᆞ의 손을 잡고 방즁에 드러 가 밧비 문왈,

"금조의 네 셔간을 보니, 염난이 ᄉᆞᄅᆞᆺ다 ᄒᆞ니 영ᄒᆡᆼᄒᆞᆫ지라. 내 평ᄉᆡᆼ 참통비졀(慘痛悲絶)ᄒᆞᄂᆞᆫ 바로, ᄆᆡ져의 일졈 골육이 보젼치 못ᄒᆞ여, 젹슈(賊手)의 참혹히 ᄆᆞᆺᄎᆞ믈 각골통졀ᄒᆞ더니, 텬디 신명이 우리 ᄆᆡ져의 셩덕과 소형의 셩ᄒᆡᆼ을 ᄇᆞᆰ히 ᄉᆞᆯ피ᄉᆞ 염난을 구호ᄒᆞ미라. 반가오미 ᄌᆞ식을 닐헛다가 ᄎᆞᄌᆞ미라도 이에 더으지 못ᄒᆞ리로다."

양씨 이에 침병(枕屛)을 밀고, 염난 소져의 얼골노뼈 부친이 보시게 ᄒᆞ고, 그 비상의 글ᄌᆞ를 닐ᄏᆞ라 왈,

"종졔 별유졍의 이시ᄃᆡ, 《소뎨‖소녜》 아득히 아지 못ᄒᆞ【116】엿다가, 작야의 태위 여ᄎᆞ여ᄎᆞ 젼어ᄒᆞ고 종뎨를 보ᄂᆡ시ᄆᆡ, 비로소 슉모의 일녠 줄 ᄭᆡᄃᆞ라, 소슉의 친필노 팔우희 ᄡᅳᆫ거ᄉᆞᆯ 보고 《참감‖창감》ᄒᆞᆫ 심회를 니긔지 못ᄒᆞᄂᆞᆫ 즁, 그 상쳬 이러ᄐᆞᆺ 참참(慘慘)ᄒᆞ니, 능히 보지 못ᄒᆞ리로소이다."

공이 눈을 드러 딜녀를 보ᄆᆡ, 의형미목(儀形眉目)이 ᄆᆡ형(妹兄)과 방블(彷彿)ᄒᆞᆫ 곳이 만흐나, 그 운발(雲髮)이 ᄒᆞ나토 업고 면모의 두로 참혹히 상ᄒᆞ여 능히 일신을 움즉이지 못ᄒᆞ고 ᄒᆞᆫᄀᆞᆺ 슬허ᄒᆞᄂᆞᆫ 눈물이 방방ᄒᆞ여 화ᄉᆡ(花顋)를 젹시ᄂᆞᆫ지라. 공이 ᄒᆞᆫ 번 보ᄆᆡ, 참연비상ᄒᆞ믈 니긔지 못ᄒᆞ여 그 옥슈를 잡고 팔흘 어로 만지며, 누쉬여우(淚水如雨)ᄒᆞ야 왈,

"만ᄉᆡ 명얘니 슬허ᄒᆞ미 무익도다. 너의 팔ᄌᆡ(八字)[82] 이ᄃᆡ도록 궁극 고이ᄒᆞᆯ 줄은

90)팔ᄌᆡ(八字) : 사람의 한평생의 운수. 사주팔자에서 유래한 말로, 사람이 태어난 해와 달과 날과 시간을 간지(干支)로 나타내면 여덟 글자가 되는데, 이 속에 일생의 운명이 정해져 있다고 본다.

82)팔ᄌᆡ(八字) : 사람의 한평생의 운수. 사주팔자에서 유래한 말로, 사람이 태어난 해와 달과 날과 시간을 간지(干支)로 나타내면 여덟 글자가 되는데, 이 속에 일생의 운명이 정해져 있다고 본다.

시의외(實是意外)[91]라. 금일 ᄉᆞᆨ딜이 상견ᄒᆞᆯ 줄 알니오."

인ᄒᆞ여 디난 바를 니르며 소공의 샹경ᄒᆞᄆᆡ 머디 아니믈 뎐ᄒᆞ여, ᄉᆞᆨ딜의 무궁ᄒᆞᆫ 정이 부녀의 감치 아니ᄒᆞ더라. 소시 상쳬 ᄌᆞ못 대단ᄒᆞ니 양공이 셩시의 용심을 통완분ᄒᆡ(痛惋憤駭)ᄒᆞ미 비길 곳이 업ᄉᆞ나, 남의 집 부녀를 즐욕디 못ᄒᆞ고 흔극(釁隙)[92]을 일ᄏᆞᆺ디 못ᄒᆞ고, ᄎᆞ녀(次女)를 ᄎᆞᄌᆞ니 부인이 작야 【5】 변고를 고ᄒᆞᄆᆡ, 아모의 ᄒᆞᆫ ᄇᆡᆫ 줄 모로ᄃᆡ 닉슈디환(溺水之患)을 만나 ᄉᆞ경(死境)을 디ᄂᆡ여시나, 시방 딘부의 이시ᄃᆡ 태우의 병이 비경(非輕)ᄒᆞ고 존귀 아디 못ᄒᆞ시ᄂᆞᆫ 일이니, 브졀업시 아른 쳬 마르시믈 쳥ᄒᆞᆫᄃᆡ, 양공이 ᄎᆞ언으로 조ᄎᆞ 태우의 광패실셩(狂悖失性)이 극딘ᄒᆞ여 ᄎᆞ녀를 믈의 밀친 바를 거의 짐작ᄒᆞ나, 화홍관대(和弘寬大)ᄒᆞᆫ 댱뷔라. 녀ᄋᆡ 광부(狂夫)의 ᄒᆡᄒᆞ믈 바다 아조 죽어시면 통도참상(痛悼慘傷)ᄒᆞᆯ ᄇᆡ어니와, 그 슈복이 완젼ᄒᆞ믈 인ᄒᆞ여, 월ᄋᆡᆼ이 건져 ᄂᆡ고 낙양휘 구ᄒᆞ여시믈 ᄒᆡᆼ열ᄒᆞ여, 다만 니르ᄃᆡ,

"풍상변ᄋᆡᆨ(風霜變厄)이 아모 곳의 밋ᄎᆞ나 ᄉᆞᄂᆞᆫ 거시 웃듬이라. 내 엇디 아ᄅᆞᆷ답디 아닌 말을 몬져 아른 쳬 ᄒᆞ리오. 금일 져를 못 보고 가ᄂᆞᆫ 거시 【6】 훌연(欻然)[93]ᄒᆞ나, ᄉᆞ경을 면ᄒᆞ여 딘부의 편히 이시미 만ᄒᆡᆼ이라. 예ᄇᆡᆨ이 일시 상셩외입(喪性外入)ᄒᆞ여 여ᄎᆞ 광패디ᄉᆡ(狂悖之事) 이시나, 맛ᄎᆞᆷᄂᆡ 상활(爽闊)ᄒᆞ고 쾌단(快斷)[94]ᄒᆞᆫ 위인이라. ᄒᆞᆫ 번 ᄭᆡᄃᆞ르미 이실 거시니, 녀ᄋᆞ의 ᄋᆡᆨ운이 딘(盡)키를 기다○[리]려니와, 딜ᄋᆞ를 참혹히 상히오며 예ᄇᆡᆨ이 몬져 나의 딜녜믈 아라 ᄂᆡᆫ 거시 비상ᄒᆞᆫ 일이라. 아모커나 예ᄇᆡᆨ의 유모

91)실시의외(實是意外) : 정말로 뜻밖임.
92)흔극(釁隙) : 틈. 벌어져 사이가 난 자리.
93)훌연(欻然) : 어떤 일이 생각할 겨를도 없이 급히 일어나는 모양.
94)쾌단(快斷) : 시원스레 처단함.

실시여외(實是意外)[83]라. 너를 죽으니로 츼워 ᄒᆞᆫᄀᆞᆺ 슬허ᄒᆞᆯ지언졍, ᄎᆞᆺ기를 ᄉᆡᆼ각지 못ᄒᆞ엿더니, 오ᄂᆞᆯ날 ᄉᆞᆨ딜이 상봉 【117】 ᄒᆞᆯ 줄 엇지 알니오."

인ᄒᆞ여 지난 일을 니르며, 소공의 샹경ᄒᆞ믈 니르며, 비황즁(悲遑中)이나 목숨 ᄉᆞ라나믈 경희ᄒᆞ여, ᄉᆞᆨ딜이 셔로 븟드러 구호ᄒᆞ며 ᄀᆞ장 ᄋᆡ셕ᄒᆞ여, 그 잔잉코 가련ᄒᆞ기 비ᄒᆞᆯ ᄃᆡ 업셔[고], 그 흉인의 작ᄒᆡ 불냥ᄒᆞ미 측냥치 못ᄒᆞᆯ지라. 소져의 신상이 어ᄃᆡ 비ᄒᆞᆯ ᄯᅳᆺ지 업셔, 이 경상(景狀)을 ᄉᆡᆼ각건ᄃᆡ 쾌히 ᄒᆞᆫ 번 죽어 븟그러오믈 씨스미 올흘지라. 비록 녀ᄌᆡ나 마ᄋᆞᆷ인즉 쳘구금신(鐵軀金身)[84]이라. 명나(汨羅)[85]의 글을 더져 굴ᄌᆞ(屈子)[86]의 슬픈 날을 조문ᄒᆞᆯ지라. ᄇᆡᆨ옥무하(白玉無瑕)ᄒᆞ니 뉘 능히 알니오.
○…결락17자…○[ᄎᆞ녀(次女)를 ᄎᆞᄌᆞ니 부인이 작야 변고를 고ᄒᆞᄆᆡ], 여ᄎᆞ 변괴(變怪)이심(已甚)ᄒᆞ여 ᄎᆞ녀를 물에 밀친 바를 거의 짐작ᄒᆞ나, 본ᄃᆡ 화홍관ᄃᆡ(和弘寬大)ᄒᆞᆫ 쟝뷔오, 훤츌[87] 상쾌ᄒᆞᆫ지라. 녀ᄋᆡ 광부의 ᄒᆡᄒᆞ믈 ᄇᆞ다, 아조 죽어시면 통도참상(痛悼慘傷)ᄒᆞᆯ ᄇᆡ어니와, 그 소복(所福)이 완젼ᄒᆞ믈 인ᄒᆞ여, 살 지경에 니르러믈 ᄒᆡᆼ【118】열(幸悅)ᄒᆞ여 다만 니르ᄃᆡ,

"풍상변ᄋᆡᆨ(風霜變厄)이 아모 곳에 밋쳐도 그 ᄉᆞᄂᆞᆫ 거시 웃듬이라. 내 엇지 아ᄅᆞᆷ답지 아닌 일을 몬져 아른 쳬 ᄒᆞ리오. 금일 져를 못 보고 가ᄂᆞᆫ 거시 결연(缺然)ᄒᆞ나, ᄉᆞ경(死

83)실시여외(實是慮外) : 정말로 생각 밖의 일임.
84)쳘구금신(鐵軀金身) : 쇠처럼 단단한 몸.
85)명나(汨羅) : 멱라수(汨羅水). 예전에, 우리나라에서 중국의 '미수이 강'을 이르던 말. 중국 초나라의 굴원이 투신한 강으로 알려져 있다.
86)굴ᄌᆞ(屈子) : 굴원(屈原). 중국 전국 시대 초나라의 정치가·시인(?B.C.343~?B.C.277). 이름은 평(平), 자는 원(原). 초사(楚辭)라고 하는 운문 형식을 처음으로 시작하였다. 모함을 입어 자신의 뜻을 펴지 못하다가 마침내 물에 빠져 죽었다. 작품은 모두 울분이 넘쳐 고대 문학에서는 드물게 서정성을 띠고 있다. 작품에 <이소(離騷)>, <천문(天問)>, <구장(九章)> 따위가 있다
87)훤출 : 훤칠. 훤하고 칠칠한 모양. 깨끗하고 칠칠한 모양.

를 블너 젼후슈미(前後首尾)를 므를 거시라.”

ᄒᆞ고 시비로ᄡᅧ 셜유랑을 브르라 ᄒᆞ니, 시녜 벽슈졍의 가 유랑을 아모리 흔드러 ᄭᆡ와도 인ᄉᆞ를 모로ᄂᆞᆫ디라. 시비 ᄒᆞᆯ 일 업셔 이ᄃᆡ로 고ᄒᆞ니, 대양시 셩녀의 간계 무궁ᄒᆞ여 션삼졍 시녀 등을 약을 먹여시【7】믈 ᄭᆡᄃᆞ라, 윤부인ᄀᆡ ᄎᆞᄉᆞ를 고ᄒᆞ여 구ᄒᆞ믈 쳥ᄒᆞ니, 의렬이 즉시 쥬영·현잉을 명ᄒᆞ여 약을 주어 유랑을 구ᄒᆞ라 보ᄂᆡ니, 양공이 유랑의 인ᄉᆞ 출히믈 기다리디 못ᄒᆞ여, 소시를 거나리고 밧비 도라 갈ᄉᆡ, 금휘 태우의 아름답디 아닌 소ᄒᆡᆼ을 드른즉, 갓득 증염ᄒᆞᄂᆞᆫ ᄀᆞ온ᄃᆡ 반ᄃᆞ시 크게 다ᄉᆞ릴딘ᄃᆡ, 태우의 병듕 신상의 유히ᄒᆞᆯ가 념녀ᄒᆞ여, 친녀·ᄉᆡᆼ딜녀의 ᄋᆡᆨ경을 아득히 모로ᄂᆞᆫ 쳬ᄒᆞ고, 소쇼져를 너른 교ᄌᆞ의 편히 누여 뎡공이 모로게 다려가나, ᄌᆞᄀᆡ ᄎᆞ녀의 신셰 위란ᄒᆞ여 아모리 ᄒᆞᆯ 줄 모로거ᄂᆞᆯ, ᄉᆡᆼ딜녀를 탕ᄌᆞ의 눈 ᄀᆞ온ᄃᆡ 보미 되여시믈 각골통원(刻骨痛寃)ᄒᆞ더라.

금휘 양【8】공의 권ᄒᆞ믈 조ᄎᆞ 태우의 병을 살펴 약을 일위ᄆᆡ, 공의 의슐이 신긔ᄒᆞᆫ 고로, 태위 ᄋᆡᆨ봉잠·현혼단을 먹어 장뷔 《ᄉᆞᆯ‖ᄉᆞᆫ》ᄂᆞᆫ 듯 알턴 증이 져기 나으미 이시ᄃᆡ, 오히려 쾌소ᄒᆞ미 머럿고, 뉵칠일 듕통(重痛)ᄒᆞᄂᆞᆫ ᄀᆞ온ᄃᆡ, 셩시를 닛디 못ᄒᆞ여 셤어(譫語)[95]의 셩시를 ᄌᆞ로 드노흐니, 필공ᄌᆞ 형의 실셩이 졈졈 더으믈 한심ᄒᆞᄃᆡ, 야

95)셤어(譫語) : 헛소리. 잠꼬대.

境)을 면ᄒᆞ여 딘부의 편히 잇시미 만ᄒᆡᆼ이라. 여ᄇᆡᆨ이 일시 상셩외입(喪性外入)ᄒᆞ여 여ᄎᆞ 광퓌지ᄉᆡ(狂悖之事) 이시나, 맛ᄎᆞᆷᄂᆡ 상활(爽闊) 쾌달(快達)ᄒᆞᆫ 위인이라. ᄒᆞᆫ 번 ᄭᆡᄃᆞ르리니 녀ᄋᆞ의 ᄋᆡᆨ운이 진키를 기ᄃᆞ리려니와, 딜ᄋᆞ를 참혹히 상히오며, 여ᄇᆡᆨ이 몬져 우리집 딜네믈 알아ᄂᆡᄂᆞᆫ 거시 비상ᄒᆞᆫ 일이라. 아모커나 여ᄇᆡᆨ의 유모를 불너 젼후슈미(前後首尾)를 무를 거시라.”

ᄒᆞ고 시비로ᄡᅧ 셜유랑을 부르라 ᄒᆞ니, 시녜 션유졍에 니르러 셜유랑을 아모리 흔드러 ᄭᆡ와도 인ᄉᆞ불셩ᄒᆞᆫ 《어린장이‖어림장이[88]》 되여, 눈을 ᄠᅧ 샤름을 보며 아모란 줄 아지 못ᄒᆞᄂᆞᆫ지라. 시녜 ᄒᆞᆯ 일 업셔 이ᄃᆡ로 고ᄒᆞ【119】니, 대양씨 셩씨의 간계 무궁ᄒᆞ여, 션삼졍 《시녀들 곳칠 약 먹여시믈‖시녀 등을 약을 먹여시믈》 ᄭᆡᄃᆞ라, 윤부인ᄀᆡ ᄎᆞᄉᆞ를 고ᄒᆞ여 구ᄒᆞ믈 쳥ᄒᆞ니, 의렬이 즉시 쥬영·현ᄋᆡᆨ[잉]을 명ᄒᆞ여 약을 주어 구ᄒᆞ러 보ᄂᆡ니, 양공이 유랑의 인ᄉᆞ 출히믈 기다리지 못ᄒᆞ여, 소씨를 거ᄂᆞ리고 밧비 도라 갈 ᄉᆡ, 금휘 태우의 퓌광불미지ᄒᆡᆼ(悖狂不美之行)을 드른즉, 갓득 증염ᄒᆞᄂᆞᆫ 즁, 반ᄃᆞ시 크게 다ᄉᆞ릴진ᄃᆡ, 태우의 병즁 신상에 유히ᄒᆞᆯ가 념녀ᄒᆞ여, 친녀·ᄉᆡᆼ딜녀의 ᄋᆡᆨ경을 아득히 모로ᄂᆞᆫ 쳬ᄒᆞ고, 소소져를 너른 거교의 편히 누여 뎡공이 모로게 ᄃᆞ려 가나, ᄌᆞᄀᆡ ᄎᆞ녀의 신셰 위란ᄒᆞ야 아모리 될 줄 모로거ᄂᆞᆯ, ᄉᆡᆼ딜녀를 탕ᄌᆞ의 안즁에 뵈미 되어시니, 형셰 타문의 유의치 못ᄒᆞᆯ 바를 혜아려, 그윽이 불ᄒᆡᆼᄒᆞ나 ᄉᆡᆨ(色)을 나토지 아니터라.

금휘 양공의 권ᄒᆞ믈 조ᄎᆞ 태우의 병을 ᄉᆞᆯ펴 약셕(藥石)을 닐위ᄆᆡ 공의 의슐이 신【120】긔ᄒᆞᆫ 고로, 요약의 즁상ᄒᆞᆫ 증셰 져기 나으ᄃᆡ 오히려 쾌소치 못ᄒᆞ여, 뉵칠일 즁통(重痛)ᄒᆞᄂᆞᆫ 가온ᄃᆡ, 셩씨를 닛지 못ᄒᆞ여 셤어(譫語)[89]에 드노흐니, 필 공ᄌᆞ 형의 실

88)어림장이 : 어림쟁이. 일정한 주견이 없는 어리석은 사람을 낮잡아 이르는 말.
89)셤어(譫語) : 헛소리. 잠꼬대.

야ᄀᆡ 이런 말을 고치 못ᄒᆞ더라.

ᄎᆞ시 셜유랑이 쥬영 등의 구ᄒᆞ믈 닙어 암약 먹엇던 거술 상토하셜(上吐下泄)96)ᄒᆞ여 바리니, 계오 인ᄉᆞ를 출혀 셩시 소쇼져를 훌ᄭᅳ어97) 잡아다가 참혹히 ᄒᆡᄒᆞ믈 비분통ᄒᆡᄒᆞ나, 가듕이 태우의 질환으로 황황ᄒᆞ고, 태부인과 뎐부인이 양시의 ᄋᆡ경을 아른 【9】쳬 아니므로, 유랑이 소시의 참ᄋᆡᆨ을 금후ᄀᆡ 고치 못ᄒᆞ고, 일이 되여 가믈 보려 ᄒᆞ더라.

이러구러 일슌이 되ᄆᆡ 태우의 통셰 져기 나으미 이시나, 실셩은 ᄐᆡ심(太甚)ᄒᆞ고 소시를 셩시 잡아다가 참혹히 ᄒᆡᄒᆞ믈 쳐음은 대로ᄒᆞ여, 셰 시녀의 머리를 버혀 셩시 압ᄒᆡ 드리치고 츈교를 엄티ᄒᆞ려 ᄒᆞ다가, 현혼단과 익봉잠이 ᄒᆞᆫ 번 후셜을 넘은 후ᄂᆞᆫ 소시를 아득히 닛고, 만ᄉᆡ 등한ᄒᆞ여 칠팔일을 듕통ᄒᆞᄂᆞᆫ ᄀᆞ온ᄃᆡ, 셩시 밧근 ᄉᆡᆼ각ᄂᆞᆫ 일이 업다가, 계오 머리 드러 니러나ᄆᆡ 바로 션슈졍의 드러와 셩시를 볼ᄉᆡ, 셩시 대간대악이나 ᄉᆡᆼ의 ᄉᆡ험(猜險)ᄒᆞᆫ 호령의 ᄀᆡ운이 다 주러질 ᄲᅮᆫ 아니라,【10】 소시를 대양시 침소로 보ᄂᆡ여시니, ᄒᆞᆫ ᄉᆞᆺ치 드러나면 악ᄉᆡ 셰셰히 발각ᄒᆞᆯ디라. 져의 신셰 아모리 될 줄 아디 못ᄒᆞ여 초젼번뇌(焦煎煩惱)98)ᄒᆞᄆᆡ, 폐식잠와(廢食潛臥)ᄒᆞ여 병을 칭ᄒᆞ고 존당 신혼셩뎡(晨昏省定)의도 블참ᄒᆞ더니, 태우를 ᄃᆡᄒᆞᄆᆡ 놀나온 ᄃᆞᆺ 분ᄒᆞᆫ ᄃᆞᆺ 능히 ᄆᆞ음을 것잡디 못ᄒᆞᄂᆞᆫ 가온ᄃᆡ, ᄯᅩᄒᆞᆫ 반가오미 무궁ᄒᆞᄆᆡ 눈믈이 비 오 ᄃᆞᆺᄒᆞ여 울기를 마디아니니, 태위 밋친 ᄆᆞ음과 흐린 졍신의 소시를 참혹ᄒᆞ던 바를 다 닛고, 셩시의 천교만ᄐᆡ의 ᄀᆡᄀᆡ묘묘ᄒᆞ믈 흠ᄋᆡᄒᆞ며 그 슬허ᄒᆞ믈 년ᄋᆡᄒᆞ여, 손을 좁고 ᄀᆞᆯ오ᄃᆡ,

"ᄉᆡᆼ이 여러 날 유딜ᄒᆞ여 그ᄃᆡ를 보디 못ᄒᆞ고 병듕의도 닛디 못ᄒᆞ더니, 그ᄃᆡᄂᆞᆫ 어ᄃᆡ

96)상토하셜(上吐下泄) : 위로 토(吐)하고 아래로 설사하여 쏟음.
97)훌ᄭᅳ다 : 후려 끌다. 끌어당기다.
98)초젼번뇌(焦煎煩惱) : 몹시 애를 태우며 괴로워함.

셩이 졈졈 더으믈 한심ᄒᆞᄃᆡ 야야ᄀᆡ 고치 못ᄒᆞ더라.

ᄎᆞ시 셜유랑이 쥬영 등의 구ᄒᆞ믈 힘입어 독약을 토ᄒᆞ야 바리니, 겨유 인ᄉᆞ를 출혀 셩씨 소소져를 훌ᄭᅳ어90) 잡아다가 참ᄒᆡᄒᆞ믈 비분통ᄒᆡᄒᆞᄃᆡ, 가즁이 태우의 질환으로 황황ᄒᆞ고, 태부인과 뎐부인이 양씨의 ᄋᆡ경을 아른 쳬 아니므로, 소씨의 참ᄋᆡᆨ을 금후ᄀᆡ 고치 못ᄒᆞ고 일이 되여가믈 보려 ᄒᆞ더라.

니러구러 일슌이 되ᄆᆡ, 태우의 통쳐ᄂᆞᆫ 져기 나으미 잇시나 실셩은 ᄐᆡ심(太甚)ᄒᆞ고, 셩씨 가 소씨 참ᄒᆡᄒᆞ믈 쳐음은 대로ᄒᆞ야, 삼비ᄌᆞ를 죽이고 츈교를 엄치ᄒᆞ려 ᄒᆞ다가, 요약이 ᄒᆞᆫ 번 후셜을 넘은 후ᄂᆞᆫ, 소씨를 아득【121】히 잇고, 만ᄉᆡ 등한ᄒᆞ여 고통ᄒᆞᄂᆞᆫ 즁에도, 셩씨 밧 ᄉᆡᆼ각ᄂᆞᆫ 일이 업다가 겨유 머리를 들ᄆᆡ, ᄇᆞ로 션슈졍의 드러가 셩씨를 보니, 셩씨 ᄃᆡ간ᄃᆡ악이나 ᄉᆡᆼ의 ᄉᆡ험(猜險)ᄒᆞᆫ 호령의 ᄀᆡ운이 다 주러질 ᄲᅮᆫ 아니라, 소씨를 대양씨 침소로 보ᄂᆡ여시니, ᄒᆞᆫ ᄉᆞᆺ치 드러나면 악ᄉᆡ 셰셰히 발각ᄒᆞᆯ지라. 져의 신셰 아모리 될 줄 아지 못ᄒᆞ여, 초젼곤[번]뇌(焦煎煩惱)91)ᄒᆞᄆᆡ, 폐식ᄌᆞᆷ와(廢食潛臥)ᄒᆞ여 칭병ᄒᆞ고 존당 신혼셩졍(晨昏省定)에도 불참ᄒᆞ더니, 태우를 ᄃᆡᄒᆞᄆᆡ 놀ᄂᆞ온 ᄃᆞᆺ 분ᄒᆞᆫ ᄃᆞᆺ 능히 지향치 못ᄒᆞᄂᆞᆫ 즁, ᄯᅩᄒᆞᆫ 반가오미 무궁ᄒᆞ여 누쉬여우(淚水如雨)ᄒᆞ니, 태위 밋친 마음과 흐린 졍신의 소씨를 참ᄒᆡᄒᆞ던 바를 다 닛고, 셩녀의 천교만ᄐᆡ ᄀᆡᄀᆡ묘묘ᄒᆞ믈 흠ᄋᆡᄒᆞ여 그 슬허ᄒᆞ믈 잔잉ᄒᆞ여 집슈 왈,

"ᄉᆡᆼ이 여러 날 유딜ᄒᆞᆫ 연고로 상견치 못ᄒᆞ고, 병즁에도 못 닛ᄂᆞᆫ 졍이 무궁ᄒᆞ더니, 그ᄃᆡᄂᆞᆫ 어【122】ᄃᆡ를 알란ᄃᆡ92) 형용이 슈쳑

90)훌ᄭᅳ다 : 후려 끌다. 끌어당기다.
91)초젼번뇌(焦煎煩惱) : 몹시 애를 태우며 괴로워함.

를 알콴듸[99] 형용이 【11】 슈쳑(瘦瘠)ᄒᆞ엿ᄂᆞ뇨?"

셩시 태우의 정신이 소시를 능히 ᄉᆡᆼ각디 못ᄒᆞ믈 암희ᄒᆞ여, 그 니즌 바를 일ᄭᆡ오미 무익ᄒᆞ여, 다만 병이 업고 ᄉᆞ친디회 간졀ᄒᆞ믈 일ᄏᆞ라 귀령ᄒᆞ믈 쳥ᄒᆞ니, ᄉᆡᆼ이 그 머리를 집흐며 화싀(花顋)를 졉ᄒᆞ여 왈,

"그듸ᄂᆞᆫ ᄒᆞᆫ갓 ᄉᆞ친디회(思親之懷)ᄲᅳᆫ 아니라, 병듕 혼ᄌᆞ 잇ᄂᆞᆫ 듸 아모도 드리미러 보리 업ᄉᆞ니, ᄌᆞ연 심회 울뎍ᄒᆞ여 못 견딜 일이 만흐니, ᄉᆡᆼ이 슈고로오나 이졔ᄂᆞᆫ 그듸를 위ᄒᆞ여 샤군찰임(事君察任)과 봉친여가(奉親餘暇)의ᄂᆞᆫ 무고히 방을 ᄯᅥ나디 아니ᄒᆞ리라."

인ᄒᆞ여 쳔만은ᄋᆡ(千萬恩愛)와 만죵풍뉴(萬種風流)를 《빌길‖비길》 곳이 업셔, ᄉᆡᆼ이 셩시를 귀듕홈과 셩시의 호통(呼寵)[100] ᄒᆞᄂᆞᆫ 욕심이 샹하(上下)키 어려오듸, 【12】 오히려 셩시 댱부의 통셰(寵勢)를 다 흠흠○[히][101] 낫고려 ᄒᆞᄂᆞᆫ ᄆᆞ음은 태우의 셩시 후듸(厚待)ᄒᆞᄂᆞᆫ 졍이 오히려 덜ᄒᆞ더라.

ᄎᆞ시 뎡녜뷔 션산의 나아가 투장(偸葬)[102]ᄒᆞᆫ 거ᄉᆞᆯ 파ᄂᆡ고, 급히 샹경ᄒᆞ듸 일삭이 디난디라. 부듕의 도리[라]와 존당 부모긔 ᄇᆡ알ᄒᆞ니, 태부인과 뎡공 부부의 반기미 극ᄒᆞ나, 셰홍의 실셩이 날노 더ᄒᆞ믈 인ᄒᆞ여 졀박ᄒᆞᆫ 근심을 니긔디 못ᄒᆞ니, 녜뷔 태우의 실셩을 깁히 우려ᄒᆞᄂᆞᆫ ᄇᆡ로듸, 존당 셩녀를 동치 아니려 됴흔 낫빗ᄎᆞ로 위로 왈,

"셰홍의 샹셩(喪性)이 졀박ᄒᆞ오나 이ᄂᆞᆫ 져의 익회 비상ᄒᆞᆫ 연괴라. 념녀ᄒᆞ여 밋촐 길히 업ᄉᆞ오니, 의티(醫治)나 착실히 ᄒᆞ여 보ᄉᆞ이다." 【13】

태부인이 ᄋᆞ직 이시므로 양시의 익경을 니르디 아니ᄒᆞ더라.

99)알ᄒᆞ다 : 앓다. 병에 걸려 고통을 겪다.
100)호통(呼寵) : 총애를 구함.
101)흠흠ᄒᆞ다 : 만족스럽다. *흠흠히; 욕심껏.
102)투장(偸葬) : 남의 산이나 묏자리에 몰래 자기 집안의 묘를 쓰는 일.

(瘦瘠)ᄒᆞ엿ᄂᆞ뇨?"

셩씨 태우의 졍신이 소씨를 능히 ᄉᆡᆼ각지 못ᄒᆞ믈 암희ᄒᆞ여, 다만 병이 깁고 ᄉᆞ친지회 간졀ᄒᆞ믈 닐ᄏᆞ라 귀령ᄒᆞ믈 쳥ᄒᆞ니, ᄉᆡᆼ이 그 머리를 집흐며 화싀(花顋)를 졉ᄒᆞ여 왈,

"그듸ᄂᆞᆫ ᄒᆞᆫ갓 ᄉᆞ친지회(思親之懷)만 ᄉᆡᆼ각ᄒᆞᆯ ᄲᅮᆫ 아니라, 병즁 혼ᄌᆞ 잇ᄂᆞᆫ 듸 아모도 드리미러 보리 업ᄉᆞ니, ᄌᆞ연ᄒᆞᆫ 심화를 못 견딜 일이 만흔지라. ᄉᆡᆼ이 슈고로오나 이졔ᄂᆞᆫ 그듸를 위ᄒᆞ여 ᄉᆞ군찰임(事君察任)과 봉친여가(奉親餘暇)에ᄂᆞᆫ 무고히 방을 ᄯᅥᄂᆞ지 아니ᄒᆞ리라."

인ᄒᆞ여 쳔단은ᄋᆡ(千端恩愛)와 만죵풍뉴(萬種風流)를 발ᄒᆞ여, 셩씨를 귀즁홈과 셩씨의 《호롱‖호통(呼寵)[93]》 ᄒᆞᄂᆞᆫ 욕심이 상하(上下)키 어려오듸, 셩씨 쟝부의 춍셰를 다 함함○[히][94] 낫고려 ᄒᆞᄂᆞᆫ 마음은 태우의 셩씨 후듸ᄒᆞᄂᆞᆫ 뎡의셔 더으더라.

ᄎᆞ시 뎡녜뷔 ᄐᆡ귀 션산에 나아가 투장(偸葬)[95]ᄒᆞᆫ 거ᄉᆞᆯ 픽ᄂᆡ고, 급급히 샹경 【123】 ᄒᆞ듸 일삭이 넘엇ᄂᆞᆫ지라. 부즁의 도라와 존당 부모긔 ᄇᆡ알ᄒᆞᆫ듸, 태부인과 금후 부부의 반기미 극ᄒᆞ나, 셰홍의 실셩이 날노 더ᄒᆞ믈 닐너, 졀박ᄒᆞᆫ 근심을 니긔지 못ᄒᆞ니, 녜뷔 ᄯᅩᄒᆞᆫ 깁히 우려ᄒᆞᄂᆞᆫ ᄇᆡ나, 존당 셩의를 《용동‖요동》치 아니려 조흔 낫빗ᄎᆞ로 위로ᄒᆞ고 왈,

"셰홍의 샹셩(喪性)이 졀박ᄒᆞ오나, 이 ᄯᅩ 져의 익회 비상ᄒᆞᆫ 연괴라, 념녀ᄒᆞ여 밋촐 길히 업ᄉᆞ오니, 의치(醫治)나 착실히 ᄒᆞ야 보ᄉᆞ이다."

태부인이 금휘 잇시므로 양씨의 익경을 니르지 아니ᄒᆞ더라.

92)알ᄒᆞ다 :앓다. 병에 걸려 고통을 겪다.
93)호통(呼寵) : 총애를 구함.
94)함함ᄒᆞ다 : 소담하고 탐스럽다. *함함히; 탐스럽게.
95)투장(偸葬) : 남의 산이나 묏자리에 몰래 자기 집안의 묘를 쓰는 일.

녜뷔 샤군찰ᄃᆡᆨ(事君察職) 여가의 태우를 ᄃᆡᆨ희여 젼일 ᄇᆡᆨ형ᄀᆞᆺ치 이심(已甚)히[103] 셰흉을 움ᄌᆞᆨ이디 못ᄒᆞ게 ᄒᆞᄆᆡ, 태위 ᄎᆞ형의 용녁은 ᄇᆡᆨ형만 못ᄒᆞᆫ 고로, 더옥 ᄒᆞᆫ ᄢᆡ를 안졉(安接)[104]디 못ᄒᆞ고 형의 잡은 거술 ᄲᅧᆯ쳐 니러나려 ᄒᆞ니, 녜뷔 평ᄉᆡᆼ 용녁을 다ᄒᆞ여 노치 아니니 이러구러 ᄯᅩᄒᆞᆫ 여러 날이라. 가듕 졔 부인이 년ᄒᆞ여 분산(分産)ᄒᆞ여, 의렬은 ᄯᅩᄒᆞᆫ 옥동을 ᄉᆡᆼᄒᆞ니, 경부인은 옥녀를 나흐며, 대양부인은 빵ᄐᆡ의 냥개(兩個) 긔린을 ᄉᆡᆼᄒᆞ니, 태부인과 뎡공 부부의 깃브미 측냥 업ᄉᆞᄃᆡ, 쇼양시 십일 삭이 되도록 분산치 아니믈 공이 더옥 굼【14】거이 넉이ᄃᆡ 뎐부의 간 줄 아디 못ᄒᆞ고, 뎐부인 협실의 잇ᄂᆞᆫ 줄노 아라 일일은 공이 뎐부인 침소의 드러와 양시를 브르니, 아쥬 쇼졔 나ᄌᆞᆨ이 ᄃᆡ 왈,

"양형이 외가의 가션 디 발셔 습슌(拾旬)[105]이 되엿ᄂᆞ이다."

공이 괴이히 넉여 부인을 도라보아 문왈,

"ᄋᆞ뷔 므ᄉᆞᆫ 연고로 뎐부로 갓나니잇고?"

부인이 ᄆᆡ양 공을 ᄃᆡᄒᆞ여 양시의 변을 젼치 못ᄒᆞ믄, 태우의 몸의 듕형이 이실 바를 참연ᄒᆞᆯ ᄲᅮᆫ 아니라, 셩시의 거동을 ᄎᆡᆨ 보고져, 쇼양시의 유무를 언두의 일ᄏᆞᆺ디 아냐, 일양(一樣) 함인(含忍)[106]ᄒᆞᆫ ᄇᆡ러니, 금일 공의 뭇기를 당ᄒᆞᄆᆡ 엇디 은닉ᄒᆞ리오. 이의 츄연 ᄃᆡ 왈,

"쳡이 블명암ᄆᆡ(不明暗昧)ᄒᆞᆫ 연고로 하마 양쇼부를 보젼치 못ᄒᆞᆯ 번【15】ᄒᆞ니, 명공긔 고ᄒᆞ미 참괴(慙愧)토소이다. 져젹 시녀 태란이 ᄉᆞᄐᆡᄒᆞ믈 인ᄒᆞ여, 쳡의 방의 산흌(産慉)이 심히 측ᄒᆞᆯ ᄲᅮᆫ 아니라, 양공 부인의 셔ᄉᆡᆨ 여ᄎᆞ여ᄎᆞᄒᆞ여 녀ᄋᆡ 님산(臨産)ᄒᆞ거든 친히 오렷노라 ᄒᆞ니, 쳡이 마디 못ᄒᆞ여 양시를 션삼경으로 도라 보ᄂᆡᄃᆡ, 시녀 양낭의

103)이심(已甚)히 : 지나칠 정도로 심하게.
104)안졉(安接) : 편안히 마음을 먹고 머물러 삶.
105)습슌(拾旬) : 10일.
106)함인(含忍) : 마음속에 넣어 두고 참음.

녜뷔 ᄉᆞ군찰직(事君察職) 여가에ᄂᆞᆫ 태우를 직희여 젼일 ᄇᆡᆨ형ᄀᆞᆺ치 이심(已甚)히[96] 셰흉을 움ᄌᆞᆨ이지 못ᄒᆞ게 ᄒᆞᄆᆡ, 태위 ᄎᆞ형의 용녁은 ᄇᆡᆨ형만 못ᄒᆞᆫ 고로, 더옥 ᄒᆞᆫ ᄢᆡ를 안졉(安接)[97]지 못ᄒᆞ고 형의 잡은 거술 ᄲᅧᆯ쳐 니러 나려ᄒᆞ니, 녜뷔 진녁ᄒᆞ여 노치 아니니, 이러구러 ᄯᅩᄒᆞᆫ 여러 날이라. 가즁【124】의 윤·양·경 졔 부인이 년ᄒᆞ여 분산(分産)ᄒᆞᆯ 시, 의렬은 ᄯᅩᄒᆞᆫ 옥동을 ᄉᆡᆼᄒᆞ고, 경부인은 옥녀를 나흐며, 대양부인은 빵ᄐᆡ의 냥(兩) 긔린을 ᄉᆡᆼᄒᆞ니, 태부인과 뎡공 부부의 깃브믈 비ᄒᆞᆯ 곳이 업ᄉᆞᄃᆡ, 소양씨 십일 삭이 되도록 분산치 아니믈 공이 궁거이 넉이나, 뎐부의 갓ᄂᆞᆫ 줄 아지 못ᄒᆞ고, 부인 협실의 잇ᄂᆞᆫ 줄노 아라 ᄒᆞ로ᄂᆞᆫ 부인 침소의 드러와 양씨를 브르니, 아쥬 소졔 ᄂᆞᄌᆞᆨ이 ᄃᆡ왈,

"양제(-姐) 외가에 가션 지 발셔 십슌(拾旬)[98]이 되엿ᄂᆞ이다."

공이 괴이히 넉여 부인을 도라보아 문왈,

"ᄋᆞ뷔 므ᄉᆞᆫ 연고로 뎐부로 갓나니잇고?"

부인이 ᄆᆡ양 공을 ᄃᆡᄒᆞ여 양씨의 변고를 젼치 못ᄒᆞ믄, 태우의 몸에 즁댱이 잇실가 혜아리ᄆᆡ ᄌᆞ모지졍으로 참연ᄒᆞᆯ ᄲᅮᆫ 아냐, 셩씨의 거동을 ᄎᆡᆨ 보고져 소양씨의 유무를 언두에 일ᄏᆞᆺ지 아냐, 일【125】양 함잉[99]ᄒᆞᄂᆞᆫ ᄇᆡ러니, 금일 공의 무르믈 당ᄒᆞᄆᆡ 짐짓 은닉지 못ᄒᆞ여 이에 추연 ᄃᆡ 왈,

"쳡이 의ᄉᆡᆨ 암ᄆᆡ(暗昧)ᄒᆞᆫ 연고로 하마 소양씨를 보젼치 못ᄒᆞᆯ 번ᄒᆞ니, 명공긔 니 말을 고ᄒᆞ미 ᄯᅩᄒᆞᆫ 참괴(慙愧)토소이다. 져젹 시녀 ᄐᆡ란이 ᄉᆞᄐᆡᄒᆞ믈 인ᄒᆞ여, 쳡의 방의 산흌(産慉)에 심히 츄ᄒᆞᆯ ᄲᅮᆫ 아니라, 양공 부인의 셔ᄉᆡᆨ 여ᄎᆞ여ᄎᆞ ᄒᆞ므로, 쳡이 ᄇᆞ득이 양씨를 션삼경으로 보ᄂᆡ나, 시녀·양낭 비를 각별이 ᄀᆞᆯ희여 보호케 ᄒᆞ고, 혹쟈 셰흉

96)이심(已甚)히 : 지나칠 정도로 심하게.
97)안졉(安接) : 편안히 마음을 먹고 머물러 삶.
98)습슌(拾旬) : 10일.
99)함잉 : =함인(含忍). 마음속에 넣어 두고 참음.

무리를 각별이 갈회여 양쇼부를 보호케 ᄒᆞ고, 혹ᄌᆞ 셰홍의 작난ᄒᆞ미 잇거든 즉시 고ᄒᆞ라 ᄒᆞ엿더니, 모야(暮夜)의 시녀 등이 다 정신을 바려 인ᄉᆡ 어림장이 되고, 양시ᄂᆞᆫ 간 곳이 업ᄉᆞ니 ᄎᆞ악경히(嗟愕驚駭)ᄒᆞ미 젼ᄌᆞ(前者)의 경시를 일흔 ᄯᅴ의셔 더ᄒᆞ더니, 쥬형(朱兄)의 셔찰을 보ᄆᆡ, 월잉이 졔 쥬인을 믈의셔 여ᄎᆞ여ᄎᆞ 건져 ᄂᆡ고, 거게(哥哥) 구평댱 집의 가 야화【16】ᄒᆞ다가 오ᄂᆞᆫ 길히 그 경상을 보고, 즉시 쇼부를 구ᄒᆞ여 도라 갓ᄂᆞᆫ더라. 쳡이 이 소유를 군후긔 발셔 고코져 ᄒᆞᄃᆡ, 셰ᄋᆡ 유질ᄒᆞ고 아름답디 아닌 셜화를 시작기 슬흔 고로 못ᄒᆞ엿더니, 이졔야 그 변ᄋᆡᆨ(變厄)을 다 고ᄒᆞᄂᆞ이다."

공이 청파의 대경ᄎᆞ악ᄒᆞ여 신ᄉᆡᆨ이 변ᄒᆞ믈 ᄭᆡ둣디 못ᄒᆞᄂᆞᆫ디라. 오ᄅᆡ도록 말을 못ᄒᆞ더니 날호여 ᄀᆞᆯ오ᄃᆡ,

"양쇼부를 졔 침소로 도로 보ᄂᆡᄂᆞᆫ 날은 변이 이실 줄 알므로, ᄌᆞ위 ᄐᆡ란의 ᄉᆞᄐᆡ를 ᄉᆞ의로이[107] 녁이샤 양시를 ᄉᆞ침으로 옴기믈 의논ᄒᆞ시거ᄂᆞᆯ 블가ᄒᆞ믈 고ᄒᆞ엿더니, 부인이 나의 말을 듯디 아니ᄒᆞ고, 굿ᄐᆡ여 양쇼부를 션삼경의 욱여 보ᄂᆡ엿다가 그런 변을 만나게 ᄒᆞ니, 웃듬【17】은 부인의 탓시라. 요ᄒᆡᆼ 월잉이 졔 쥬인을 건져 ᄂᆡ고, 딘형이 구ᄒᆞ여 ᄉᆞ변(死變)을 면ᄒᆞ나 그 상ᄒᆞ미 오ᄌᆞᆨᄒᆞ리오. 범ᄉᆞ의 남유녀강(男柔女强)[108]이 길되(吉兆) 아니라. ᄉᆡᆼ이 용우(庸愚)ᄒᆞ나 부인의 가댱(家長)이어ᄂᆞᆯ, 내 ᄯᅳᆺ을 욱여 ᄌᆞ부로 ᄒᆞ여금 ᄉᆞ화(死禍)를 당케 ᄒᆞ니 그 므어시 유익ᄒᆞ리오. 부인의 블명ᄒᆞ미 딘짓 셰홍의 ᄌᆞ뫼 되염즉 ᄒᆞ도다."

언파의 미위(眉宇) ᄉᆞᆨ연ᄒᆞ고 노긔 참엄(斬嚴)ᄒᆞ여 좌위 블감앙시(不敢仰視)라. 공이 부인으로 더브러 동쥬(同舟) 삼십여 년의 ᄒᆞᆫ 번 노긔를 요동ᄒᆞ미 업셔 샹경여빈(相敬如賓)ᄒᆞ고, 젼일 븍공의 블고이○[취]

107)ᄉᆞ의롭다 : 사위롭다. 꺼림하다. *사위; 미신으로 좋지 아니한 일이 생길까 두려워 어떤 사물이나 언행을 꺼림.

108)남유녀강(男柔女强) : 남자는 무르고 여자는 강함.

의 작난ᄒᆞ미 잇거든 즉시 고ᄒᆞ라 ᄒᆞ엿더니, 모야(暮夜)의 시녀 등이 다 어림장이 되고, 양씨ᄂᆞᆫ 간 곳이 업ᄉᆞ니 불승경악(不勝驚愕)이러니, 《족형(族兄)‖주형(-兄)》의 셔찰을 보ᄆᆡ, 월잉이 졔 쥬인을 여ᄎᆞ여ᄎᆞ 구ᄒᆞ여 ᄂᆡ고, 거게(哥哥) 구평댱 집의 가 야화ᄒᆞ고 도라오다가, ᄎᆞ경을 보고 즉시 소부를 구ᄒᆞ여 도라 갓ᄂᆞᆫ지라. 쳡이 이 소유【126】를 발셔 명공긔 젼코져 ᄒᆞᄃᆡ, 셰ᄋᆡ 유질ᄒᆞ고 불미지셜(不美之說)을 시작ᄒᆞ기를 슬흔 고로 못ᄒᆞ엿더니, 이졔야 그 변ᄋᆡᆨ을 다 고ᄒᆞᄂᆞ이다."

공이 청파의 대경차악ᄒᆞ여 변ᄉᆡᆨᄒᆞ믈 ᄭᆡ둣지 못ᄒᆞ고, 냥구 무언이러니, 날호여 왈,

"양소부를 졔 침소로 도로 보ᄂᆡᄂᆞᆫ 날은 그 변이 잇실 줄 알므로, ᄌᆞ위 ᄐᆡ란의 ᄉᆞᄐᆡ를 ᄉᆞ위뼈이[100] 녁이샤 양씨를 ᄉᆞ침으로 옴기믈 의논ᄒᆞ시거ᄂᆞᆯ 불가ᄒᆞ믈 고ᄒᆞ왓더니, 부인이 나의 말을 듯지 아니ᄒᆞ고 굿ᄒᆞ여 양소부로 ᄒᆞ야곰 그런 변을 만나게 ᄒᆞ니, 웃듬은 부인의 탓시라. 요ᄒᆡᆼ 월잉이 졔 쥬인을 건져ᄂᆡ고, 딘형이 구ᄒᆞ여 ᄉᆞ변(死變)을 면ᄒᆞ나 그 경상이 오ᄌᆞᆨᄒᆞ리오. 범ᄉᆞ의 남유녀강(男柔女强)[101]이 길ᄒᆞᆫ 노릇이 아니라. ᄉᆡᆼ이 용우ᄒᆞ나 부인의 가장(家長)이어ᄂᆞᆯ 내 ᄯᅳᆺ을 욱여 ᄌᆞ부로 ᄒᆞ야곰 ᄉᆞ【127】화(死禍)를 당케 ᄒᆞ니 그 무엇시 유익ᄒᆞ뇨? 부인의 불명코 무식ᄒᆞ미 《진ᄌᆞᆨ‖진짓》 셰ᄋᆞ의 ᄌᆞ모 되염즉 ᄒᆞ도다."

언파의 미위(眉宇) 묵묵ᄒᆞ고 노긔 참엄(斬嚴)ᄒᆞ여 좌위 불감앙시(不敢仰視)라. 공이 부인으로 더브러 동쥬(同舟) 삼십여 년에, ᄒᆞᆫ 번 노긔를 요동ᄒᆞ미 업셔 샹경여빈(相敬如賓)ᄒᆞ고, 젼일 북공의 불고이취지ᄉᆞ

100)ᄉᆞ의뼉다 : 사위롭다. 꺼림하다. *사위; 미신으로 좋지 아니한 일이 생길까 두려워 어떤 사물이나 언행을 꺼림.

101)남유녀강(男柔女强) : 남자는 무르고 여자는 강함.

디ᄉᆞ(不告而娶之事)[109]로 잠간 하당(下堂)ᄒᆞ미 이시나, 이는 븍공을 져허미오 딘졍이 아니러니, 금일은 미온(未穩)ᄒᆞ미 평ᄉᆡᆼ 쳐음이라. 부【18】인이 공의 노긔를 보미, 다남ᄌᆞ(多男子)의 욕(辱)[110]을 ᄭᅵᄃᆞ라 다시 말을 아니ᄒᆞ나, ᄌᆞ긔 양시를 ᄉᆞ침(私寢)으로 보ᄂᆡ믈 잘 못ᄒᆞ여시므로 그윽이 블평ᄒᆞ여 ᄒᆞᆫ갓 뉘웃츨 ᄯᆞᆷ이러라.

(不告而娶之事)[102]로 잠간 하당(下堂)ᄒᆞ미 잇시나, 이는 북공을 《져허미오‖져히미오》 진졍이 아니러니, 금일은 미온(未穩)ᄒᆞ미 평ᄉᆡᆼ 쳐음이라. 부인이 공의 노긔를 보미 다남ᄌᆞ(多男子)의 욕(辱)[103]을 ᄭᅵᄃᆞ라, 다만 말을 아니ᄒᆞ나, ᄌᆞ긔 양씨를 ᄉᆞ침으로 보ᄂᆡ믈 잘못ᄒᆞ여시므로, 그윽이 블편ᄒᆞ여 ᄒᆞᆫ갓 뉘웃츨 ᄯᆞ름이러라.【128】

팔십, 일, 이..

109)블고이취디ᄉᆞ(不告而娶之事) : 부모의 허락을 얻지 않고 장가를 든 일.
110)다남ᄌᆞ(多男子) 욕(辱) : 아들을 많이 두면 그만큼 욕을 많이 듣게 됨.

102)블고이취디ᄉᆞ(不告而娶之事) : 부모의 허락을 얻지 않고 장가를 든 일.
103)다남ᄌᆞ(多男子) 욕(辱) : 아들을 많이 두면 그만큼 욕을 많이 듣게 됨.

공이 날호여 외루의 나와 태우를 엄치(嚴治)ᄒᆞ고, 셩시의 간악을 드러ᄂᆡ여 쾌히 츌거(黜去)코져 ᄒᆞᄃᆡ, 그 죄를 젹발ᄒᆞᆯ 길히 업셔 침음상냥(沈吟商量)[111]ᄒᆞᆯ 즈음의, 요인의 간계 긋칠 줄 모로ᄂᆞᆫ디라. 셩네 양시를 ᄒᆡᄒᆞ고 태우로 ᄒᆞ여금 년졍(蓮井) 믈의 밀쳐 업시 ᄒᆞ연 디 습슌(拾旬)의, 존당 구괴 그 유무를 거드ᄂᆞᆫ 일이 업고, 소시를 참ᄒᆡᄒᆞ여 대양부인 침소로 보ᄂᆡ연 디 오ᄅᆡ나, 가듕이 져의 ᄉᆞ오나오믈○○○○○○○[니르나니 업ᄉᆞ믈] 《두려‖보고》, 간특(姦慝)ᄒᆞᆫ 심쳔(心泉)과 엿튼 혜아리【19】므로ᄡᅧ 괴이(怪異)ᄒᆞ믈 결을치[112] 못ᄒᆞ여, 츈교로 더브러 ᄀᆞ마니 니르ᄃᆡ,

"존당 구괴 양시의 음흉을 의심ᄒᆞ시ᄃᆡ, 친옹의 안면을 거리ᄧᅧ 그 죄를 뎍발치 아니ᄒᆞ고, 거즛 덕 잇ᄂᆞᆫ 체ᄒᆞ고 양시를 ᄌᆞᄋᆡᄒᆞ다가, 일야디간(一夜之間)의 흔젹 업시 죽이믈 오히려 무던이 넉여, ᄎᆞ졸 의ᄉᆞ를 아니ᄒᆞ고, 대양시ᄂᆞᆫ 졔 죵뎨를 그러ᄐᆞᆺ 상ᄒᆡ와 보ᄂᆡ여시ᄃᆡ, ᄉᆞ문규슈(士門閨秀)로ᄡᅧ 시녀·양낭도 밧디 못ᄒᆞᆯ 형벌을 당ᄒᆞ여시ᄆᆡ, 말ᄉᆞᆺ출 ᄂᆡ미 참괴ᄒᆞ고 그 길니인 곳이 쳔비(賤鄙)ᄒᆞ여, 뎡부 비ᄌᆞ의 무휼(撫恤)ᄒᆞᆫ ᄇᆡ 되믈 남 들니디 아니려 잠잠ᄒᆞᆯᄲᅮᆫ 아니라, 뎡군이 쇼양시 ᄀᆞᆺ튼 졀ᄉᆡᆨ슉완(絶色淑婉)도 무고히 보치여 죽이도록 셔들ᄆᆡ, 져【20】양시 다시 뎡가의 혼인ᄒᆞ기를 괴로이 넉여 소시를 타쳐의 혼취코져 ᄒᆞ므로, 뎡군이 소시의 얼골 본 바를 영영이 ᄀᆞᆷ초려 ᄒᆞᄆᆡ, 그ᄀᆞ온ᄃᆡ 나의 허믈이 믈시(勿視)ᄒᆞᆫ ᄇᆡ 되니 이 ᄯᅩ 나의 복이라. 뎡군이 그 ᄭᆡ 소시의 그러ᄐᆞᆺ 상ᄒᆡ오믈 대로ᄒᆞ더니, 익봉잠·현혼

---

111)침음상냥(沈吟商量) : 속으로 깊이 생각함.

112)결을하다 : ①어떤 일을 하다가 생각 따위를 다른 데로 돌릴 수 있는 시간적인 여유를 갖다. ②무슨 일을 위하여 틈을 내다. ③생각이나 감정, 욕구 등을 억누르다. ④기분이나 고난 따위를 참고 견디다.

명쥬보월빙 권지삼십

어시에 뎡공이 날호여 외루(外樓)의 나와 태우를 엄치(嚴治)ᄒᆞ고, 셩씨의 간악을 드러ᄂᆡ여 쾌히 츌거코져 ᄒᆞᄆᆡ[ᄃᆡ], 그 죄를 젹발ᄒᆞᆯ 길히 업셔 침음상냥(沈吟商量)[104]ᄒᆞᆯ 즈음에, 요인의 간계 긋칠 줄을 모로ᄂᆞᆫ지라. 셩씨 양씨를 ᄒᆡᄒᆞ고 태우로 ᄒᆞ야곰 년졍(蓮井) 물에 밀쳐 업시 ᄒᆞ연 지 십슌(十旬)에, 존당 구괴 그 유무를 거드ᄂᆞᆫ 일이 업고, 소씨를 참ᄒᆡᄒᆞ여 ᄃᆡ양부인 침소로 보ᄂᆡᆫ 지 오ᄅᆡ나, 가즁이 져의 샤오나오믈 니르나니 업ᄉᆞ믈 보고, 간독(奸毒)ᄒᆞᆫ 심장과 여튼 혀ᄉᆞᆺ ᄐᆞ로 발븨믈[105] 결을치[106] 못ᄒᆞ여, 츈교로 더브러 ᄀᆞ마니 니르ᄃᆡ,

"존당 구괴 양씨의 음흉을 의심ᄒᆞ시ᄃᆡ, 친옹의 안면을 거릿겨 그 죄를 젹발치 못ᄒᆞ고, 거즛 덕 잇ᄂᆞᆫ 쳬ᄒᆞ고 양씨를 ᄌᆞᄋᆡᄒᆞ다가,【1】 일야지간(一夜之間)에 흔젹 업시 죽이믈 오히려 무던이 넉여, ᄎᆞ졸 의ᄉᆞ를 아니ᄒᆞ고, 대양씨ᄂᆞᆫ 졔 종뎨를 그러ᄐᆞᆺ 상ᄒᆞ여 보ᄂᆡ엿시ᄃᆡ, ᄉᆞ문규슈(士門閨秀)로ᄡᅧ 시녀 양낭도 밧지 아닐 형벌을 당ᄒᆞ엿시ᄆᆡ, 《발‖말》 ᄉᆞᆺ출 ᄂᆡ미 참괴ᄒᆞ고 그 길니인 곳이 쳔미(賤微)ᄒᆞ여, 뎡부 비ᄌᆞ의 무휼(撫恤)ᄒᆞᆫ ᄇᆡ 되믈 남 들니지 아니려 ᄌᆞᆷᄌᆞᆷᄒᆞᆯ ᄲᅮᆫ 아니라, 뎡군이 소양씨 ᄀᆞᆺ튼 졀ᄉᆡᆨ슉완(絶色淑婉)도 무고히 보치여 죽이도록 셔들ᄆᆡ, 져 양씨 개(家) 다시 뎡가의 혼인ᄒᆞ기를 괴로이 넉여 소씨로 타쳐의 혼취코져 ᄒᆞᆯ ᄉᆡ, 기즁 나의 허믈이 믈시(勿視)ᄒᆞᆫ ᄇᆡ 되니 이 ᄯᅩ 나의 복이라. 뎡군이 그 ᄭᆡ 소씨의 상ᄒᆡ오믈 대로ᄒᆞ더니, 익봉줌·현혼단의 효험이

---

104)침음상냥(沈吟商量) : 속으로 깊이 생각함.

105)발뵈다 : 드러내 보이다. 드러내다.

106)결을하다 : ①어떤 일을 하다가 생각 따위를 다른 데로 돌릴 수 있는 시간적인 여유를 갖다. ②무슨 일을 위하여 틈을 내다. ③생각이나 감정, 욕구 등을 억누르다. ④기분이나 고난 따위를 참고 견디다.

신긔ᄒᆞ여, 소시를 영영 닛고 나의게 침혹ᄒᆞ미 황홀디경의 이시니, 다시 두리고 근심ᄒᆞᆯ 일이 업ᄉᆞᆫ디라. 내 ᄯᅩ{ᄒᆞᆫ} ᄒᆞᆫ 장 셔간을 일워 구고로 ᄒᆞ여금 양시를 ᄒᆞᆷ히 넉여 아조 ᄉᆡᆼ각ᄂᆞᆫ ᄯᅳᆺ을 ᄉᆞᆺ게 ᄒᆞ리라. 네 변복 변화ᄒᆞ여 여ᄎᆞ여ᄎᆞ ᄒᆞ미 엇더ᄒᆞ뇨?"

츈괴 ᄒᆞᆫ【21】연 ᄃᆡ왈,

"명ᄃᆡ로 ᄒᆞ리니 어셔 셔간을 ᄆᆡᆫᄃᆞ라 주쇼셔."

셩시 즉시 ᄒᆞᆫ 장 셔간을 ᄆᆡᆫᄃᆞ라 긴긴히 봉ᄒᆞ고, 츈교로 ᄒᆞ여금 개용단을 마셔 남ᄌᆞ의 얼골이 된 후, 인가(人家) 노복 일습(一襲) 의ᄃᆡ(衣帶)를 주어 개착게 ᄒᆞ니, 츈괴 봉셔(封書)를 가디고 밧비 원문(園門)을 ᄂᆡᄃᆞ라 압문의 니르ᄆᆡ, 이날 맛참 뎡녜뷔 관부로셔 도라와 바야흐로 ᄆᆞᆯ을 나리더니, 츈괴 나아와 압히 졀ᄒᆞ거ᄂᆞᆯ, 녜뷔 문왈,

"네 어ᄃᆡ로 조ᄎᆞ 이의 니르럿ᄂᆞ뇨?"

츈괴 왈,

"쇼인은 계쥐 ᄌᆞᄉᆞ 딘노야 ᄃᆡᆨ 노ᄌᆡ라. 쥬인의 셔랑 마상공이 쇼인을 명ᄒᆞ여 취운산 뎡부 ᄐᆡᆨ듕(宅中)을 ᄎᆞᄌᆞ 단【22】녀오라 ᄒᆞ거ᄂᆞᆯ, 이의 니르럿ᄂᆞ이다."

녜뷔 우문 왈,

"마상공이 너를 이리 보ᄂᆡ여 단녀오라 ᄒᆞ믄 므ᄉᆞᆫ 연괴뇨?"

츈괴 거ᄌᆞᆺ 말ᄃᆡ답을 어려이 넉○○○○[이ᄂᆞᆫ 쳬 ᄒᆞ]여 고 왈,

"이 곳의 양평당 ᄃᆡᆨ 시네 잇다 ᄒᆞ샤 브ᄃᆡ 급ᄒᆞᆫ 셔간을 젼ᄒᆞ라 ᄒᆞ여 왓ᄂᆞ이다."

녜뷔 츈교의 말을 드르ᄆᆡ 눈으로 얼골을 보니 샤광지총(師曠之聰)[113]과 니루디명(離婁之明)[114]으로ᄡᅧ 엇디 ᄭᆡᄃᆞᆺ디 못ᄒᆞ리오. 이 조각을 타 양시의 누얼을 신셜ᄒᆞ고 요인

113)샤광지총(師曠之聰) : 사광(師曠)의 총명이란 뜻으로, 중국 춘추(春秋) 때 사광이란 사람이 소리를 잘 분변하여 길흉을 점쳤다는 고사에서 유래한 말.

114)니루디명(離婁之明) : 눈이 매우 밝음을 비유적으로 이르는 말. 중국 황제(黃帝) 때 사람인 이루가 눈이 밝았다는 데서 나온 말이다.

신긔ᄒᆞ여, 소씨를 영영 잇고, 나에게 침혹ᄒᆞ미 황홀ᄒᆞᆫ 지경에 잇시니, 다시 두리고 근심ᄒᆞᆯ 것이 업ᄉᆞᆫ디라. 내 ᄯᅩ ᄒᆞᆫ 장 셔간【2】을 닐워, 구고로 ᄒᆞ야곰 소양씨를 ᄒᆞᆷ히 넉여 아조 ᄉᆡᆼ각ᄂᆞᆫ ᄯᅳᆺ을 ᄉᆞᆺ게 ᄒᆞ리라. 네 변복 변화ᄒᆞ여 여ᄎᆞ여ᄎᆞ ᄒᆞ미 엇더ᄒᆞ뇨?"

츈괴 ᄒᆞᆫ연 ᄃᆡ 왈,

"명ᄃᆡ로 ᄒᆞ리니 어셔 셔간을 ᄆᆡᆫᄃᆞ라○…**결락15자**…○[주쇼셔."

셩시 즉시 ᄒᆞᆫ 장 셔간을 ᄆᆡᆫᄃᆞ라] 긴긴히 봉ᄒᆞ고, 츈교로 ᄒᆞ야곰 ᄀᆡ용단을 마셔 남ᄌᆞ의 얼골이 된 후, 인가(人家) 노복의 모양으로 봉셔(封書)를 가지고 밧비 원문(園門)을 ᄂᆡᄃᆞ라 압문에 니르ᄆᆡ, 이 날 마춤 뎡녜뷔 관부로셔 도라와 ᄇᆞ야흐로 말을 나리더니, 츈괴 나아와 압히 졀ᄒᆞ거ᄂᆞᆯ, 녜뷔 문 왈,

"네 어ᄃᆡ로 조ᄎᆞ 이에 니르럿ᄂᆞ뇨?"

츈괴 ᄃᆡ 왈,

"소인은 계쥐 ᄌᆞᄉᆞ 딘노야 ᄃᆡᆨ 노ᄌᆡ라. 쥬인의 셔랑 마상공이 소인을 명ᄒᆞ여 취운산 뎡부 ᄐᆡᆨ즁을 ᄎᆞᄌᆞ ᄃᆞ녀오라 ᄒᆞ시거ᄂᆞᆯ, 이에 니르럿ᄂᆞ이다."

녜뷔 우문 왈,

"마 상공이 너를 이리 보ᄂᆡ믄 무ᄉᆞᆫ 연괴러뇨?"

츈괴 거ᄌᆞᆺ 쥬져ᄒᆞ다가 고ᄒᆞ야 왈,

"이 곳의 양평【3】당 ᄃᆡᆨ 시네 잇다 ᄒᆞ샤, 부ᄃᆡ 급ᄒᆞᆫ 셔간을 젼ᄒᆞ라 ᄒᆞ시기 왓ᄂᆞ이다."

녜뷔 그 말을 드르며 얼골을 보ᄆᆡ, ᄉᆞ광지총(師曠之聰)[107]과 니루지명(離婁之明)[108]으로ᄡᅧ 엇지 ᄭᆡᄃᆞᆺ지 못ᄒᆞ리오. 이 조각을 타 양씨의 누얼을 신셜ᄒᆞ고 요인의 간

107)샤광지총(師曠之聰) : 사광(師曠)의 총명이란 뜻으로, 중국 춘추(春秋) 때 사광이란 사람이 소리를 잘 분변하여 길흉을 점쳤다는 고사에서 유래한 말.

108)니루디명(離婁之明) : 눈이 매우 밝음을 비유적으로 이르는 말. 중국 황제(黃帝) 때 사람인 이루가 눈이 밝았다는 데서 나온 말이다.

의 간졍을 발각고져 ᄒᆞ므로 짐즛 ᄀᆞᆯ오ᄃᆡ,

"네 그 셔간을 양부 시녀를 보고 줄소냐?"

츈괴 ᄃᆡ 왈,

"마 샹공 분뷔 졍녕ᄒᆞ고 양부 시녀 납향을 주라 ᄒᆞ시니 다르니ᄂᆞᆫ 【23】 못 주리로소이다."

녜뷔 소 왈,

"네 그 셔간을 날을 줄진ᄃᆡ 슈고로오나 납향을 주리라."

츈괴 ᄀᆞ장 난안(難安)이115) 넉여, 낫빗출 낫초아 고개를 숙이고 오리 응치 못ᄒᆞ거ᄂᆞᆯ, 녜뷔 일마다 간악ᄒᆞ믈 통히ᄒᆞᄃᆡ ᄉᆞ식디 아니코, 그 셔간을 달나 ᄒᆞ여 납향을 보고 잘 젼ᄒᆞ마 ᄒᆞ니, 츈괴 징그라오믈 니긔디 못ᄒᆞᄃᆡ, ᄀᆞ장 깃거 아닛ᄂᆞᆫ 거동으로 지삼 머뭇기다가, 날호여 픔 ᄉᆞ이로조ᄎᆞ 일봉 셔간을 ᄂᆡ여 드리며, 왈,

"이 셔간을 납향을 주시며 계쥐 마 샹공 긔셔 온 거시라 ᄒᆞ면, 납향이 아라 젼ᄒᆞ오리니 노야ᄂᆞᆫ 납향을 명ᄒᆞ샤, 딘ᄌᆞᄉᆞ ᄃᆡᆨ의 쇼인이 이 【24】 시믈 젼ᄒᆞ시고, 답간을 ᄲᅧ다가 쇼인을 주라 ᄒᆞ쇼셔."

언파의 졀ᄒᆞ고 피코져 ᄒᆞ거ᄂᆞᆯ, 녜뷔 영니ᄒᆞᆫ 노ᄌᆞ ᄉᆞ오인을 명ᄒᆞ여 그 뒤흘 ᄯᆞ라 가다가 결박ᄒᆞ여 오라 ᄒᆞ고, ᄌᆞ긔ᄂᆞᆫ 그 셔간을 가디고 쳥듁헌의 드러오니, 금평휘 바야흐로 셩시 죄를 뎍발ᄒᆞᆯ 모칙을 엇디 못ᄒᆞ여 민민(憫憫)ᄒᆞ다가, 녜부를 보고 미우를 찡긔고 왈,

"네 태쥐로셔 도라완 디 여러 날이로ᄃᆡ 양시의 변ᄋᆡᆨ(變厄)을 듯디 못ᄒᆞ엿ᄂᆞᆫ다?"

녜뷔 아득히 모로ᄂᆞᆫ ᄇᆡ라. 궤복(跪伏) 쥬왈,

"양슈의 별단 ᄋᆡᆨ회(厄會)ᄂᆞᆫ 듯줍디 못ᄒᆞ엿ᄂᆞ이다."

공이 양시의 닉슈디환(溺水之患)을 니르고 태우의 힝ᄉᆞ를 분완통히(憤惋痛駭) 【25】 ᄒᆞ니, 녜뷔 고왈,

115)난안(難安)이 : 난안(難安)히. 마음 놓기가 어렵게.

경을 발각고져 ᄒᆞ므로, 짐즛 니르ᄃᆡ,

"네 그 셔간을 양부 시녀를 보면 줄소냐?"

ᄃᆡ 왈,

"마샹공 분뷔 졍녕ᄒᆞ샤 양부 시녀 납향을 주라 ᄒᆞ시니, ᄂᆞ르니ᄂᆞᆫ 못 줄소이다."

녜뷔 소 왈,

"네 그 셔간을 나를 주면 수고로오나 납향을 주리라."

츈괴 ᄀᆞ장 난안(難安)이109) 넉이ᄂᆞᆫ 체ᄒᆞ야, 고개를 숙이고 오리 응치 못ᄒᆞ거ᄂᆞᆯ, 녜뷔 그 일마다 간악ᄒᆞ믈 통히ᄒᆞᄃᆡ ᄉᆞ식지 아니코, 그 셔간을 달나ᄒᆞ여 납향을 보고 잘 젼ᄒᆞ마 ᄒᆞ니, 츈괴 징그라오믈 니긔지 못ᄒᆞ나, ᄀᆞ장 깃거 아닛ᄂᆞᆫ 거동으로 지삼 머뭇거리다가, 날호여 픔 ᄉᆞ이로셔 봉셔를 ᄂᆡ여 드리며 왈,

"이 【4】 셔간을 납향을 쥬시며 계쥐 마낭군긔셔 온 거시라 ᄒᆞ면, 납향이 아라 젼ᄒᆞ오리니 노야ᄂᆞᆫ 납향을 명ᄒᆞ샤, 딘ᄌᆞᄉᆞ ᄃᆡᆨ에 소인 잇심을 니로시고, 답간을 ᄲᅧ다가 소인을 주라 ᄒᆞ쇼셔."

언파의 졀ᄒᆞ고 피코져 ᄒᆞ거ᄂᆞᆯ, 녜뷔 녕니ᄒᆞᆫ 노ᄌᆞ ᄉᆞ오 인을 명ᄒᆞ여 그 뒤흘 ᄯᆞ라 가다가 결박ᄒᆞ여 오라 ᄒᆞ고, ᄌᆞ긔ᄂᆞᆫ 그 셔간을 가지고 청죽헌에 드러오니, 금휘 ᄇᆞ야흐로 셩씨 죄를 젹발ᄒᆞᆯ 모칙을 엇지 못ᄒᆞ야 민민(憫憫)ᄒᆞ다가, 녜부를 보고 빈미(嚬眉) 왈,

"네 태쥐로셔 도라완 지 여러 날이로ᄃᆡ, 양씨의 변ᄋᆡᆨ을 듯지 못ᄒᆞ얏ᄂᆞᆫ다?"

녜뷔 아득히 모로ᄂᆞᆫ ᄇᆡ라. 궤복(跪伏) ᄃᆡ 왈,

"양슈의 별단 ᄋᆡᆨ회(厄會)ᄂᆞᆫ 듯줍지 못ᄒᆞ엿ᄂᆞ이다."

공이 양씨의 익슈지환(溺水之患)을 니르고 태우의 힝ᄉᆞ를 분완통히(憤惋痛駭)ᄒᆞ니, 녜뷔 고왈,

109)난안(難安)이 : 난안(難安)히. 마음 놓기가 어렵게.

"셰흥의 광망ᄒᆞᆷ도 통히ᄒᆞ거니와, 셰ᄉᆞ를 경녁디 못ᄒᆞ온 ᄋᆞ히 요ᄉᆞ(妖邪)ᄒᆞᆫ 곳의 ᄉᆡᆼ져, 눈으로 보ᄂᆞᆫ ᄇᆡ 다 요참(妖讒)[116]이라. 현쳐의 슉덕셩ᄒᆡᆼ은 아디 못ᄒᆞ고 도로혀 참혹(慘酷)ᄒᆞᆫ 곳의 의심을두어, 양슈를 업시코져 ᄒᆞ믄, ᄒᆞᆫ갓 제 죄로 니르디 못ᄒᆞ와, 악ᄉᆞ를 비져 ᄂᆡᆫ 요인(妖人)의 탓시라. 쇼ᄌᆡ 앗가 긔괴(奇怪)ᄒᆞᆫ 셔간을 잡고, 가져 온 놈을 결박ᄒᆞ여 오라 ᄒᆞ엿ᄉᆞ오니, 이 마ᄃᆡ의 양슈를 신ᄇᆡᆨ(伸白)ᄒᆞᆯ가 ᄒᆞᄂᆞ이다."

인ᄒᆞ여 ᄉᆞᄆᆡ로셔 일봉 셔간을 ᄂᆡ여 부젼의 드리고, 셔간 가져 왓던 놈의 ᄒᆞ던 말ᄉᆞᆷ을 다 고ᄒᆞ니, 공이 크게 깃거 왈,

"이 조각이 양쇼부를 구ᄒᆞ리로다."

정【26】언간(停言間)의 노ᄌᆡ 츈교를 긴긴이 결박ᄒᆞ여 계하의 ᄭᅮᆯ니ᄃᆡ, 변형변복(變形變服)ᄒᆞ여시《믈‖므로》 뎡공 부ᄌᆞ의 ᄎᆞᆼ명으로도 츈괸 줄 아디 못ᄒᆞ고, 다만 간당의 부린 ᄇᆡᆫ 줄 아라, 공이 므러 ᄀᆞᆯ오ᄃᆡ,

"여등이 져 놈을 어ᄃᆡ 가 잡아 오뇨?"

노ᄌᆞ 등이 ᄃᆡ 왈,

"쇼인 등이 녜부 노야의 명을 밧ᄌᆞ와 가ᄂᆞᆫ ᄃᆡ로 ᄯᆞ라 가온즉, 타쳐로 가디 아냐 젼원문(田園門)으로 드러가ᄋᆞᆸ거ᄂᆞᆯ 잡아왓ᄂᆞ이다."

공이 이의 형위를 베플고 소ᄅᆡ를 엄히 ᄒᆞ여 ᄀᆞᆯ오ᄃᆡ,

"내 발셔 간졍을 ᄇᆞᆰ히 아ᄂᆞᆫ ᄇᆡ라. 네 계쥐 딘ᄌᆞᄉᆞ ᄃᆡᆨ 노ᄌᆡ라 ᄒᆞ여도 고디드를 니업ᄉᆞ니, 형벌의 괴로오믈 면코져 ᄒᆞ거든 너를 가ᄅᆞ쳐 셔간을【27】주어 이 곳의 보ᄂᆡ던 ᄌᆞ를 바로 고ᄒᆞ라."

츈괴 쳔만 의외의 이 ᄀᆞᆺ튼 변을 당ᄒᆞ여 일월이 어둡고 텬디 망망(茫茫)ᄒᆞ나, 심졍이 대간(大奸)이오 위인이 별믈(別物)이라, 이의 ᄉᆞᄉᆡᆨ(辭色)을 십분 강작(强作)ᄒᆞ여, ᄀᆞᆯ오ᄃᆡ,

"쇼인은 계쥐로셔 올나와 귀택을 ᄎᆞᄌᆞ 왓ᄉᆞᆸᄂᆞ니 엇디 딘ᄌᆞᄉᆞᄃᆡᆨ 노ᄌᆡ 아니리잇고? 일

116)요참(妖讒) : 요망한 일을 꾸며 남을 해침.

"셰흥의 광망ᄒᆞᆷ도 통히ᄒᆞᄋᆞᆸ거니와, 셰ᄉᆞ를 경력지 못ᄒᆞ오되, 요샤【5】ᄒᆞᆫ 곳의 ᄉᆡᆼ져 눈으로 보ᄂᆞᆫ ᄇᆡ 다 요참(妖讒)[110]이라. 양수의 숙덕셩ᄒᆡᆼ은 아지 못ᄒᆞ고 도로혀 참혹(慘酷)ᄒᆞᆫ 곳에 의심을 두어, 양슈를 업시코져 ᄒᆞ믄, ᄒᆞᆫ갓 제 죄로 니르지 못ᄒᆞ와, 악ᄉᆞ를 비져ᄂᆡᆫ 요인의 탓시라 ᄒᆞᄃᆡ, 앗가 긔괴ᄒᆞᆫ 셔간을 ᄌᆞᆸ고, 가져 온 놈을 결박ᄒᆞ여 오라 ᄒᆞ엿ᄉᆞ오니, 이 마ᄃᆡ의 양수를 신ᄇᆡᆨᄒᆞᆯ가 ᄒᆞᄂᆞ이다."

인ᄒᆞ여 ᄉᆞᄆᆡ로셔 봉셔를 ᄂᆡ여 부젼에 드리고, 그 놈의 ᄒᆞ던 말을 다 고ᄒᆞ니, 공이 ᄃᆡ희(大喜) 왈,

"이 조각이 양소부를 위ᄒᆞ야 분완(憤惋)ᄒᆞ믈 신셜ᄒᆞ리라."

ᄒᆞ고, 외헌에 니르니 마ᄎᆞᆷ ᄉᆞ오 노ᄌᆡ ᄒᆞᆫ 사ᄅᆞᆷ을 결박ᄒᆞ여 계ᄒᆞ에 ᄭᅮᆯ니거ᄂᆞᆯ, 공이 려셩(厲聲) 왈,

"네 무ᄉᆞᆷ 연고로 편지를 젼ᄒᆞ고 답셔를 찻지 아니코 도망ᄒᆞᄂᆞ뇨?"

츈괴 경황 즁 ᄃᆡ답ᄒᆞᆯ 바를 모로거ᄂᆞᆯ 공이 ᄃᆡ로ᄒᆞ여 노ᄌᆞ로 ᄒᆞ야곰 형구를 가져와 무슈 난타ᄒᆞ고, 혀를 ᄲᆡ【6】혀 즉시 토셜(吐說)케 ᄒᆞ라 ᄒᆞ니, 츈괴 셩씨의 계교로 일이 슌셩ᄒᆞᆯ가 ᄒᆞ엿더니, 의외에 즁형을 당ᄒᆞ더라.

110)요참(妖讒) : 요망한 일을 꾸며 남을 해침.

분이나 의심 되미 잇거든, 쇼인을 이곳의 가도와 두시고 계줘○[의] 사름을 보닉샤 즈스 노야긔와 마상공긔 쇼인의 와시며 아니 와시믈 아라 보쇼셔."

공이 대로ᄒᆞ여 ᄉᆞ예(司隷)[117]를 호령ᄒᆞ여, 일장의 피육(皮肉)이 후란(朽爛)키를 그음ᄒᆞ여 치라 ᄒᆞ니, ᄉᆞ예 청녕ᄒᆞ고 츈교를 형판의 ᄆᆡ고 녕한ᄒᆞᆫ 힘을 다ᄒᆞ여【28】치기를 시작ᄒᆞᄆᆡ, 일장의 피육이 ᄲᅥ러디며 뎍혈이 가득ᄒᆞ니, 츈괴 대간대악(大奸大惡)이나 ᄌᆞ라기를 셩시 버금으로 ᄒᆞ여, 청의하류(青衣下類)의 괴로온 ᄐᆡ장(笞杖)도 디닉여 본 일이 업ᄂᆞᆫ디라. 블의예 듕형을 당ᄒᆞ여 혀를 �디오고 정신을 일흐나, 실ᄉᆞ를 딕초ᄒᆞᆯ 뜻이 업셔, 다함[118] 딘부 노ᄌᆡ로라 ᄒᆞ여 형벌을 바드니, 공이 더옥 분노ᄒᆞ여 하리를 명ᄒᆞ여 쇠를 달화 그 일신을 디디며 실ᄉᆞ(實事)를 고ᄒᆞ도록 져주라 ᄒᆞ니, 츈괴 이의 당ᄒᆞ여ᄂᆞᆫ 살 뜻이 업셔 ᄉᆡᆼ각ᄒᆞᄃᆡ,

"내 딘튱갈녁(盡忠竭力)ᄒᆞ여 쥬인을 돕고, 쇼져로 ᄒᆞ여금 뎍인을 ᄡᅳ리쳐[119] 태우의 은통【29】을 온젼이 밧과져 ᄒᆞ엿더니, 계교ᄂᆞᆫ 사ᄅᆞᆷ이 ᄒᆞ나 일을 일우기ᄂᆞᆫ 하날의 달녀시니, 이제 우리 노쥬를 하날이 돕디 아녀 패망케 ᄒᆞ니, 엇디 슌셜(脣舌)노 발명ᄒᆞ여 밋ᄎᆞ리오. 내 드르니 뎡노야ᄂᆞᆫ 인명을 앗기신다 ᄒᆞ니, ᄎᆞᄉᆞ(此事)를 고ᄒᆞ여도 내 죽기를 면ᄒᆞ리라."

ᄒᆞ여, 소ᄅᆡ를 놉혀 왈,

"젼후 악ᄉᆞ를 셰셰히 딕초ᄒᆞ오리니 치기를 긋치시고 초ᄉᆞ를 바드쇼셔."

공이 명ᄒᆞ여 치기를 긋치라 ᄒᆞ고, 좌우로 태우를 브르라 ᄒᆞ니, 태위 바야흐로 ᄎᆡ듁헌의셔 냥뎨를 ᄯᅮ디져 ᄌᆞ긔 손을 노흐라 ᄒᆞ며, 셩시 침소로 드러 갈 뜻이 급ᄒᆞᄃᆡ, 딕ᄉᆞ와 필(畢)공ᄌᆡ 형의 손을 더옥 단단이 잡고,

츈괴 ᄌᆞ탄 왈,

"이 몸이 비록 셩가 시녀나, ᄌᆞ라기를 셩씨 버금으로 하엿ᄂᆞᆫ지라. 엇지 ᄐᆡ장을 지ᄂᆡ여 보아시리오. 불의에 즁형을 당ᄒᆞ여 혀를 ᄭᆡ지오고 정신을 닐흐나, 실ᄉᆞ를 직소ᄒᆞᆯ 뜻이 《업ᄉᆞ니‖잇시리오》."

공이 ᄃᆡ노ᄒᆞ여 하리로 쇠를 달화 그 일신을 지지며, 실ᄉᆞ(實事)를 고ᄒᆞ도록 저주라ᄒᆞ니, 츈괴 당ᄎᆞ○[시] ᄒᆞ여ᄂᆞᆫ 살 뜻이 업셔 ᄉᆡᆼ각ᄒᆞᄃᆡ,

"셩ᄉᆞ(成事)ᄂᆞᆫ ᄌᆡ텬(在天)이오, 모ᄉᆞ(某事)ᄂᆞᆫ ᄌᆡ인(在人)이라, 내 진츙갈녁(盡忠竭力)ᄒᆞ나 하늘이 돕지 아니시니, 무익ᄒᆞᆫ 슌셜(脣舌)노 발명ᄒᆞᆫ들 미ᄎᆞ리오. 내 드르니, 뎡노야ᄂᆞᆫ 인명을 앗기신다 ᄒᆞ니, ᄎᆞ사를 직고(直告)ᄒᆞ고 죽기를 면ᄒᆞ리라."

ᄒᆞ여 소ᄅᆡ를 놉히ᄒᆞ여 ○[왈],

"ᄎᆞᄉᆞ를 셰셰히 직초ᄒᆞ오리니, 치기를 긋치시고 초ᄉᆞ를 ᄇᆞ드소셔."

공이 명ᄒᆞ여 치기를【7】긋치라 ᄒᆞ고, 좌우로 태우를 부르라 ᄒᆞ니, 태위 바야흐로 ᄎᆡ죽헌에셔 냥뎨를 ᄯᅮ지져 ᄌᆞ긔 손을 노흐라 ᄒᆞ며, 셩씨 침소로 갈 뜻이 급ᄒᆞ거ᄂᆞᆯ, 직ᄉᆞ와 필 공ᄌᆡ 형의 손을 더욱 단단이 쟙고, 우어 왈,

117)ᄉᆞ예(司隷) : 중국 주나라 때 추관(秋官; 조선시대 형조를 달리 이르던 말)에 소속된 관리. 여기서 사예(司隷)는 사대부가에서 형리(刑吏)의 역할을 맡은 노복(奴僕)을 일컫는 말로 쓰이고 있다.
118)다함 : 다만, 그저, 또한.
119)ᄡᅳ리치다 : 쓸어버리다. 뿌리치다.

【30】 우어 왈,

"형댱이 아모리 노호라 ᄒᆞ셔도, ᄎᆞ형댱(次兄丈)이 됴당의 단녀 오실 ᄉᆞ이ᄂᆞᆫ 잘 딕희여시라 ᄒᆞ여 계시니, 결단코 노치 못ᄒᆞ리로소이다."

형뎨 이러ᄐᆞᆺ 닐너 웃기를 마디 아니ᄒᆞ다가, 부명을 드르ᄆᆡ, 공이 태우의 힝ᄉᆞ를 아른 쳬 아니ᄒᆞ여, 영영이 ᄎᆞᆺᄂᆞᆫ 일이 업고, 앏히 가면 믜온 사ᄅᆞᆷ 보ᄃᆞᆺ ᄒᆞᆯ ᄲᅳᆫ이오, 믈너가면 일삭이 가도록 보고져 ᄒᆞᄂᆞᆫ ᄇᆡ 업다가, 금일 홀연이 브르시믈 당ᄒᆞ여 그 실셩디심(失性之心)의도 ᄀᆞ장 경황ᄒᆞ여, 므ᄉᆞᆫ 변이 낫ᄂᆞᆫ가 면ᄉᆡᆨ이 변ᄒᆞ믈 ᄭᆡ닷디 못ᄒᆞ여, ᄲᆞᆯ니 듁헌의 니르러 응명ᄒᆞ니, 공이 굿ᄐᆞ여 오로기를 명치 아니코 ○○○[츈교의] 초ᄉᆞ(招辭)를 ᄌᆡ촉ᄒᆞ니, 【31】 승초(承招) 왈,

"쇼비 츈교ᄂᆞᆫ 여람ᄇᆡᆨ 셩노야 ᄃᆡᆨ 비ᄌᆡ라. 쇼져로 더브러 강보(襁褓)의 졋술 난호고 ᄌᆞ라ᄆᆡ 노쥬(奴主) 두 ᄌᆞ를 칭치 아니코, 향규마역(香閨莫逆)[120]으로, 아쥐 일즉 안고(眼高)ᄒᆞ미 태악(泰岳) ᄀᆞᆺ고, 셰쇽 녀ᄌᆞ의 용용(庸庸)ᄒᆞ믈 우이 넉여, 죵신대ᄉᆞ(終身大事)[121]를 ᄌᆞᄐᆡᆨ(自擇)고져 ᄒᆞ여, 대로(大路)를 향ᄒᆞ여 일좌(一座) 고루(高樓)를 디어, 죵일 누각의셔 디나ᄂᆞᆫ ᄌᆡ상 명ᄉᆞ의 각별ᄒᆞᆫ 옥인걸사(玉人傑士)를 ᄐᆡᆨᄒᆞᄃᆡ, 일인도 맛당ᄒᆞ니 업셔, 외모 풍신이 쇼져 눈의 드ᄂᆞᆫ ᄌᆞ도 그 가졍이 죵용ᄒᆞᆫ 곳을 엇디 못ᄒᆞ엿더니, 모일의 쇼졔 취운산 경치를 구경ᄒᆞ려 산샹의 오를 ᄯᆡ, 공교히 태우 노야를 만나 아쥐 크게 혹ᄒᆞ여 ᄎᆞᆺ던 금녕(金鈴)을 글너 노야긔 더져 뜻을 빗【32】최니, 노애 다만 금녕을 거두어 ᄉᆞ매의 너흘 ᄲᅳᆫ이오, 굿ᄐᆞ여 신믈(信物)을 보ᄂᆡ미 업ᄉᆞᄃᆡ, 쇼졔 무류(無聊)ᄒᆞ[122]믈 아디 못ᄒᆞ고, 부듕의 도라와 부인을 보ᄎᆡ여 태우 노야와 친ᄉᆞ(親事)[123] 일

120)향규마역(香閨莫逆) : 규방 안의 막역한 친구. 여성끼리 서로 허물없이 지내는 친구.

121)죵신대ᄉᆞ(終身大事) : 평생에 관계되는 큰일이라는 뜻으로, '결혼'을 이르는 말.

122)무류(無聊)하다 : 부끄럽고 열없다.

123)친ᄉᆞ(親事) : 혼사(婚事). 혼담(婚談))

"형쟝이 아모리 노호라 ᄒᆞ여도 ᄎᆞ형쟝(次兄丈)이 조당(朝堂)의 다녀올 ᄉᆞ이ᄂᆞᆫ 결단코 못 노흘소이다."

형데 니러ᄐᆞᆺ 니르더니 부명을 드르ᄆᆡ, 그 실셩지심(失性之心)에도 ᄀᆞ장 경황ᄒᆞ여, 무ᄉᆞᆫ 일이 낫ᄂᆞᆫ가 면ᄉᆡᆨ○[이] 여토(如土)ᄒᆞ여, ᄲᆞᆯ니 ᄎᆡ죽헌에 니르러 응명ᄒᆞ니, 공이 굿ᄒᆞ여 오로기를 명치 아니코, 교의 초ᄉᆞ(招辭)를 ᄌᆡ촉ᄒᆞ니, 승초(承招) 왈,

"소녀 츈교ᄂᆞᆫ 여람ᄇᆡᆨ 셩노야 ᄃᆡᆨ 비ᄌᆡ라. 소져로 더브러 강보(襁褓)의 졋술 난호고, ᄌᆞ라ᄆᆡ 노쥬(奴主) 두 ᄌᆞ를 니져 향교[규]마역(香閨莫逆)[111]으로, 아쥐 일즉 안고(眼高)ᄒᆞ미 ᄐᆡ악(泰岳) ᄀᆞᆺ고, 셰속 녀ᄌᆞ의 용용(庸庸)ᄒᆞ믈 우히 넉여, 종신대ᄉᆞ(終身大事)[112]를 ᄌᆞᄐᆡᆨ(自擇)고져 ᄒᆞᆯ ᄉᆡ, 대로(大路)로 향ᄒᆞ여 일좌고루(一座高樓)를 지어, 【8】 종일 누각에셔 지나ᄂᆞᆫ ᄌᆡ상 명ᄉᆞ의 각별ᄒᆞᆫ 옥인걸사(玉人傑士)를 ᄐᆡᆨᄒᆞᄃᆡ, 일인도 맛당ᄒᆞ니 업고, 외모 풍신이 소져 눈의 드ᄂᆞᆫ ᄌᆡ 잇시나 그 가졍이 조용ᄒᆞᆫ 곳을 엇지 못ᄒᆞ엿더니, 모일의 소졔 취운산 경물을 구경ᄒᆞ려 갈 ᄉᆡ, 공교히 태우 노야를 만나니, 아쥐 대혹ᄒᆞ여 ᄎᆞᆺ던 금녕(金鈴)을 글너 노야긔 더져 뜻을 빗최니, 노애 다만 금녕을 거두어 ᄉᆞᄆᆡ에 너흘 ᄲᅳᆫ이오, 굿ᄒᆞ여 신믈(信物)을 보ᄂᆡ미 업ᄉᆞᄃᆡ, 소졔 무류(無聊)ᄒᆞ[113]ᄒᆞ믈 아지 못ᄒᆞ고, 부즁에 도라와 부인을 보ᄎᆡ여 태우 노야와 셩친(成親)ᄒᆞ믈 ᄀᆞᆫ절○○히 쳥]ᄒᆞ니, 부인이 비록 불쾌ᄒᆞ나

111)향규마역(香閨莫逆) : 규방 안의 막역한 친구. 여성끼리 서로 허물없이 지내는 친구.

112)죵신대ᄉᆞ(終身大事) : 평생에 관계되는 큰일이라는 뜻으로, '결혼'을 이르는 말.

113)무류(無聊)하다 : 부끄럽고 열없다.

우믈 간쳥ᄒᆞ니, 부인이 비록 블쾌ᄒᆞ나 마디
못ᄒᆞ여 원을 조ᄎᆞ실ᄉᆡ, 귀비긔 샤혼○[전]
디(賜婚傳旨)를 쳥ᄒᆞᄆᆡ, 낭낭이 셩샹긔 고ᄒᆞ
여 셩디(聖旨)를 어더, 비로소 셩녜(成禮)ᄒᆞ
여 뎡문의 오신 후, 원비(元妃) 양부인 ᄉᆡᆨ광
긔질이 인뉴(人類)의 초월(超越)ᄒᆞ시니, 존
당의 ᄉᆞ랑ᄒᆞ시믄 니ᄅᆞ도 말고, 쥬군(主君)이
언언이 칭찬ᄒᆞ샤, 아쥬다려 양쇼져 힝ᄉᆞ를
열히 ᄒᆞ나흘 빅화도 거의 큰 허믈을 면ᄒᆞ리
라 ᄒᆞ시니, 아쥐 그윽이 앙통(怏痛) 분히(憤
駭)ᄒᆞ【33】여, 간간이 양부인 함히(陷害)
ᄒᆞᄂᆞᆫ 말숨을 젼ᄒᆞ오나, 쥬군이 영영 고디듯
디 아냐 양부인을 쳔고(千古) 셩녀뎔부(聖
女哲婦)로 밀위시니, 다른 모칙이 업셔 쳔
금(千金) 옥보(玉寶)를 흣터 변심ᄒᆞᄂᆞᆫ 약과
변용ᄒᆞᄂᆞᆫ 요약(妖藥)을 광구(廣求)ᄒᆞ여, 묘
쾌라 ᄒᆞᄂᆞᆫ 요승(妖僧)을 만나 약뉴를 만히
어더, 도봉잠을 몬져 쥬군긔 나와 ᄆᆞ음을
변ᄒᆞ여 양부인 향ᄒᆞ신 은의를 버히시고, 샹
원일야(上元日夜)의 쇼비ᄂᆞᆫ 양부인이 되고
젼악긔는 마헌이 되어, 동원(東園) 아릭셔
○○○○[여ᄎᆞ여ᄎᆞ] 음비ᄒᆞᆫ 힝ᄉᆞ를 ○○[ᄒᆞ
ᄆᆡ], 노애(老爺) 친견ᄒᆞ시고 대로ᄒᆞ여 마헌
을 잡고져 ᄒᆞ시니, 젼악긔 쐘니 다라나 ○
○○○○○[도로 환형(換形)ᄒᆞ여] 금낭(錦
囊)을 어더 드리ᄂᆞᆫ 체ᄒᆞ고, 마싱의 셔간은
양쇼져 시녀 납향이[을] 쳐【34】결(締
結)[124]ᄒᆞ여 금은을 주고 아쥬(我主)와 ᄒᆞᆫ
당이 되어, 향이 졔 쥬인을 함히(陷害)키를
못 밋출ᄃᆞ시 ᄒᆞ여, 쇼져 협샤(篋笥)의 흉셔
를 너흐ᄆᆡ, 노애 양부인 협ᄉᆞ를 다 뒤여 그
셔간을 엇고 크게 의심ᄒᆞ여 부인을 살(殺)
코져 ᄒᆞ실 ᄎᆞ, 븍공 노애 구ᄒᆞ샤 죽이디 못
ᄒᆞ시고, 부인이 뎡당으로 드러 가신 후 능
히 죽이디 못ᄒᆞ여 민민ᄒᆞ던 ᄎᆞ의, 아쥐 여
ᄎᆞ여ᄎᆞ 계교를 ᄀᆞᄅᆞ치니, 노애 거즛 뉘웃ᄂᆞᆫ
말숨으로 듕인 듕 베프시다○○○○○○○
[가 발뵈지[125] 못ᄒᆞ고], 뎡당 시녀 태란이

124)쳐결(締結) : 체결(締結). 얽어서 맺음.
125)발뵈다 : 발을 보이다. 드러내다. 착수하다. 하수(下手)하다. 이루다,

마지 못ᄒᆞ여 귀비께 샤혼○[전]지(賜婚傳
旨)를 쳥ᄒᆞᄆᆡ, 낭낭이 그 소원을 셩샹긔 주
쳥ᄒᆞ고, 셩지(聖旨)를 어더 비로소 셩녜(成
禮)ᄒᆞ여 뎡문의 오신 후, 원비(元妃) 양부인
ᄉᆡᆨ광긔질이 초월(超越)ᄒᆞ시니, 존당의 ᄌᆞᄋᆡ
ᄂᆞᆫ 니르도 말고, 쥬군(主君)이 언언이 칭지
ᄒᆞ샤, 아쥬ᄃᆞ려 양씨 힝ᄉᆞ를 열의 ᄒᆞ나
【9】흘 빅화도 큰 허믈을 면ᄒᆞ리라 ᄒᆞ시
니, 아쥐 그윽이 앙통(怏痛) 분히(憤駭)ᄒᆞ여,
간간이 양부인 히ᄒᆞᆯ 뜻을 두오나, 쥬군이
영영 고지 듯지 아냐 양부인을 쳔고(千古)
셩녀쳘부(聖女哲婦)로 밀위시니, ᄃᆞ른 모칙
이 업셔 쳔금 옥보(玉寶)○[를] 흣터 변심
ᄒᆞᄂᆞᆫ 약과 변용ᄒᆞᄂᆞᆫ 요약(妖藥)을 광구(廣
求)ᄒᆞ여, 묘쾌라 ᄒᆞᄂᆞᆫ 요승(妖僧)을 만나 약
뉴를 만히 어더, 도봉줌을 몬져 쥬군긔 나
와 변심케ᄒᆞ니, 양부인 향ᄒᆞ신 은의를 슷코,
샹원일야(上元日夜)의 소비ᄂᆞᆫ 양부인이 되
고 젼악긔는 마현이 되여 여ᄎᆞ여ᄎᆞᄒᆞᄆᆡ, 음
비ᄒᆞᆫ 힝ᄉᆞ를 노애 친견ᄒᆞ시고, 대로ᄒᆞ샤 마
현을 잡고져 ᄒᆞ시니, 젼악긔 쐘니 ᄃᆞ라나
도로 환형(換形)ᄒᆞ야 금낭(錦囊)을 어더 드
리ᄂᆞᆫ 체ᄒᆞ니, 마싱의 셔간은 양소져 시녀
납향을 쳐결(締結)[114]ᄒᆞ여 금을 주고 아쥬
와 일당이 되어, 졔 쥬인을 함히키를 못 밋
출ᄃᆞ시 ᄒᆞ여, 양소져 협ᄉᆞ(篋笥)의 흉셔를
너흐ᄆᆡ, 【10】노애 양부인 협ᄉᆞ를 다 뒤여,
그 셔간을 엇고 크게 의심ᄒᆞ야 부인을 살코
져 ᄒᆞ실 ᄎᆞ, 북공 노애 구ᄒᆞ샤 죽이지 못ᄒᆞ
시고, 부인이 졍당으로 드러 가신 후, 아쥐
쥬군을 ᄃᆡᄒᆞ여 여ᄎᆞ여ᄎᆞ 계교를 ᄀᆞᄅᆞ치니,
노애 거즛 뉘웃ᄂᆞᆫ 말숨으로 즁인 즁 베프시
다가 발뵈지[115] 못ᄒᆞ고, 졍당 시녀 틱란의
ᄉᆞ틱(死胎)ᄒᆞ믈 인ᄒᆞ야, 양소져를 ᄉᆞ침에 옴
기시니, 아쥐 승시(乘時)ᄒᆞ여 술에 암약(瘖
藥)을 타, 납향으로 ᄒᆞ야곰 양부인 유모 시
녀를 다 먹여 혼침케 ᄒᆞ고, 아쥐 노야를 도
도와 죽이라 ᄒᆞ니, 노애 칼노 질너 업시코

114)쳐결(締結) : 체결(締結). 얽어서 맺음.
115)발뵈다 : 발을 보이다. 드러내다. 착수하다. 하수(下手)하다. 이루다,

ᄉᆞᄐᆡ(死胎)ᄒᆞ므로, 뎡당 부인이 ᄉᆞ위ᄒᆞ샤[126] 양쇼져를 ᄉᆞ침의 옴기시니, 아쥐 승시(乘時)ᄒᆞ여 술의 암약(瘖藥)을 타, 납향으로 ᄒᆞ여금 양부인 유모 시녀를 다 먹여 【35】 인ᄉᆞ블셩(人事不省)을 ᄆᆡᆫᄃᆞ라 노코, 아쥐 노야를 ᄃᆡᄒᆞ여 양부인이 션삼경으로 나오시믈 젼ᄒᆞ고, 그 음참(淫僭)ᄒᆞ믈 일ᄏᆞ라 죽이기를 도도니, 노얘 칼노 딜너 업시코져 ᄒᆞ시ᄂᆞᆫ 거술 아쥐 여ᄎᆞ여ᄎᆞ 간ᄒᆞ여, 동혀 믈의 너흐시게 ᄒᆞ고, 납향을 마ᄌᆞ 죽여 아름답디 아닌 일이 후ᄅᆡ의 발각ᄒᆞᄂᆞᆫ 일이 업고져 ᄒᆞ므로, 태우 노야긔 여ᄎᆞ여ᄎᆞ 고ᄒᆞ여 션삼경으로 가신 ᄉᆞ이, 벽슈졍 셜유랑의 어더 기른 쇼낭ᄌᆡ(蘇娘子)라 ᄒᆞ리 ᄌᆞᄉᆡᆨ(姿色)이 셔시(西施)[127] 왕장(王嬙)[128]의 디난디라. 쥬군(主君)이 ᄒᆞᆫ 번 보시고 크게 유의ᄒᆞ시니, 아쥐 또 ᄉᆡ긔ᄒᆞ여 ○○○[희홀ᄉᆡ] 셜유랑의게 암약 너흔 쥬찬을 ○○○○○○[보ᄂᆡ, 쇼비 등이] 양부인 시비의 얼골이 되여 양부인이 보ᄂᆡ【36】시더라 ᄒᆞ니, 유랑의 노쥬 삼인이 ᄒᆞᆫ 번 먹으ᄆᆡ 어림장이 되거ᄂᆞᆯ, 쇼비 등이 일시의 소쇼져를 훌ᄭᅳ어 션슈졍으로 잡아가니, 아쥐 친히 소쇼져의 운발을 무쥬리고, 쇠를 달화 그 몸을 디디고 텰편으로 낭ᄌᆞ히 두다릴 젹, 태우 노얘 양부인 비듀(婢主)를 죽이시고 도라오샤 ᄎᆞ경을 보시고, 쇼비의 ᄋᆞ오와 동뉴 냥인을 참두(斬頭)ᄒᆞ샤, 그 머리를 아쥬의게 드리치고, 소쇼져를 글너 대양부인 침소로 보ᄂᆡ시며 뎐당 태슈 소계암의 녀ᄋᆡ니 양부인과 이죵디간이라 ᄒᆞ시고, 쇼비 등을 다 엄문ᄒᆞ려

126)ᄉᆞ위ᄒᆞ다 : 사위하다. 미신으로 좋지 아니한 일이 생길까 두려워 어떤 사물이나 언행을 꺼리다.

127)셔시(西施) : 중국 춘추 시대 월나라의 미인. 오나라에 패한 월나라 왕 구천이 서시를 부차에게 보내어 부차가 그 용모에 빠져 있는 사이에 오나라를 멸망시켰다.

128)왕장(王嬙) : 왕소군(王昭君). 중국 전한 원제(元帝)의 후궁. 이름은 장(嬙). 자는 소군(昭君). 기원전 33년 흉노와의 화친 정책으로 흉노의 호한야선우(呼韓邪單于)와 정략결혼을 하였으나 자살하였다. 후세의 많은 문학 작품에 애화(哀話)로 윤색되었다

져 ᄒᆞ시ᄂᆞᆫ 거술, 아쥐 간ᄒᆞ여 동혀 물에 너흐게 ᄒᆞ고, 납향을 마ᄌᆞ 업시 ᄒᆞ여 멸구(滅口)코져ᄒᆞ므로, 또 이리이리 ○○[ᄒᆞ라] ᄒᆞ야 션삼경으로 가시게 ᄒᆞ고, 벽슈졍 셜유랑의 어더 기른 소씨 ᄌᆞᄉᆡᆨ이 초츌ᄒᆞᆫ지라. 쥬군이 일견의 크게 유의ᄒᆞ시니, 아쥐 또 ᄉᆡ긔ᄒᆞ샤 셜유랑을 암【11】약(瘖藥)[116] ᄒᆞᆫ 후, 소비 등으로 소소져를 잡아다가, 아쥐 친히 그 운발을 무주리고, 쇠를 달화 그 몸을 지지며 쳘편으로 난타ᄒᆞᆯ 젹에, 태우 노애 양부인 비쥬를 죽이고 도라오샤 ᄎᆞ경을 보고, 소비의 아ᄋᆞ와 동뉴 냥인을 버히샤 그 머리를 아주에게 드리치고, 소씨를 글너 대양씨 침소로 보ᄂᆡ시며 아쥬를 ᄃᆡᄎᆡᆨᄒᆞ시고 소비 등을 엄문ᄒᆞ실 즈음에, 챠를 구ᄒᆞ시니 익봉즘·현혼단을 흠긔 타 나오ᄆᆡ, 쥬군이 ᄒᆞᆫ 번 마신 후 아모란 상을 모로시고, 즉시 외당에 나오셔 날포 즁통(重痛)ᄒᆞ시더니, 져기 나으ᄆᆡ 아쥬를 더욱 ᄋᆡ듕ᄒᆞ시ᄃᆡ, 양부인 《유모‖유무》를 드노치 아니코, 다시 양부인 다히 말ᄉᆞᆷ은 듯지 못ᄒᆞ니, 노쥐 상의ᄒᆞ야 혹쟈(或者) ᄉᆡᆼ존ᄒᆞ미 잇ᄂᆞᆫ가 ○○○○○○[셔로 근심ᄒᆞ여], 《위조셔간‖셔간을 위조》ᄒᆞ여 대노야긔 드려, 양부인 음힝을 ᄇᆰ히 아르시게 ᄒᆞ려 ᄒᆞ엿ᄉᆞᆸ더니, 일이 그릇되여 오【12】날 ᄂᆞᆯ 악ᄉᆡ 발각ᄒᆞ니, 이 밧ᄃᆞ른 작죄(作罪) 업ᄉᆞᆸᄂᆞ이다 ”

116)암약(瘖藥) : 음약(飮藥). 약을 마심. 약을 먹임.

ᄒᆞ실 즈음의 ᄎᆞ를 구ᄒᆞ시니, 익봉잠·현혼단을 흠ᄭᅴ 타 나오니, 쥬군이 ᄒᆞᆫ【37】번 후셜을 넘기신 후 아모란 상을 모로시고, 즉시 외당으로 나오셔 날포 듕통(重痛)ᄒᆞ시더니, 나으신 후 약회(藥效) 신긔ᄒᆞ여, 아쥬를 더 ᄋᆡ듕ᄒᆞ시ᄃᆡ 양부인 유무를 드노치 아니시고, 다시 양부인 말솜을 듯디 못ᄒᆞ오니, 노쥐 셔로 ᄃᆡ하여 혹ᄌᆞ 싱존ᄒᆞ미 잇ᄂᆞᆫ가 셔로 근심ᄒᆞ여, 셔간을 위조ᄒᆞ여 ᄇᆞᄃᆡ 대노야긔 드려 양부인 음힝을 ᄇᆞᆰ히 아르시게 ᄒᆞ랴 ᄒᆞ엿솝더니, 일이 그릇 되여 오날ᄂᆞᆯ 악ᄉᆡ 발각ᄒᆞ니 이 밧 다른 작죄 업솝고, 쇼비 여러히 일당이 되와 쥬인의 디휘를 바다ᄉᆞ오니, 이 밧 다시 알욀 말솜이 업솝ᄂᆞ이다."

금평휘 츈교의 초ᄉᆞ를 군관 최원으로 닑으라【38】ᄒᆞ여 듯기를 다ᄒᆞᄆᆡ, 블승분노(不勝忿怒) ᄒᆞ여 다시 므르ᄃᆡ,

"변심변용(變心變容)ᄒᆞᄂᆞᆫ 약이 이제도 잇ᄂᆞ냐?"

츈괴 쇼져 협ᄉᆞ(篋笥)의 ᄀᆞ득ᄒᆞ여시믈 고ᄒᆞ니, 공이 영니(怜悧)ᄒᆞᆫ 시녀 십여 인을 명ᄒᆞ여, 션슈정의 가 셩시의 협ᄉᆞ를 뒤여 요약을 어더 오라 ᄒᆞ고, 냥안을 길게 ᄣᅧ 태우를 ᄯᅮ러질 ᄃᆞ시 보니, ᄆᆡᆼ녈ᄒᆞᆫ 정광(精光)이 ᄒᆞᆫ 줄 무디게 ᄀᆞᄐᆞ여 사ᄅᆞᆷ의 골졀(骨節)을 《브ᄂᆞᆫ‖보ᄂᆞᆫ》 둣ᄒᆞ니, 좌위 블감앙시(不敢仰視)ᄒᆞ고 한한(寒汗)이 쳠의(沾衣)라. 죄업ᄉᆞᆫ 녜부·ᄃᆡᆨᄉᆞ 등도 경황툑쳑(驚惶踧踖)ᄒᆞ거ᄂᆞᆯ ᄒᆞ믈며 태우의 황황ᄒᆞᆫ 심ᄉᆞ를 어ᄃᆡ 비ᄒᆞ리오. 눈으로 부공의 ᄉᆞᄉᆡᆨ을 보며 귀로 간비의 초ᄉᆞ를 드르나, 익봉잠의 흉독ᄒᆞ미 발셔 장위를 병드린디라.【39】셩시의 유죄 무죄를 ᄎᆡᆨ 아디 못ᄒᆞ여, 그 옥모 ᄋᆡ용을 졀박히 보고져 의ᄉᆡ 나ᄂᆞᆫ디라. 힝혀 부친이 셩시를 그르다 ᄒᆞ여 츌거ᄒᆞᄂᆞᆫ 일이 이실가 ᄒᆞ여 근심ᄒᆞᄂᆞᆫ 거동이라. 공이 그 심폐(心肺)를 ᄇᆞᆰ히 아ᄂᆞᆫ디라 더옥 분완ᄒᆞ믈 측냥치 못ᄒᆞ더라.

졔 시녜 ᄇᆞ디블각(不知不覺)[129]의 션슈경의 돌입ᄒᆞ니, 셩시 맛춤 측간(厠間)의 가고

129)부지불각(不知不覺) : 자신도 모르는 사이.

금휘 청파(聽罷)에 블승분노(不勝忿怒)ᄒᆞ여 우문 왈,

"병[변]심변용(變心變容)ᄒᆞᄂᆞᆫ 약이 이졔도 잇나냐?"

츈괴 소져 협ᄉᆞ(篋笥)의 ᄀᆞ득ᄒᆞ여시믈 고ᄒᆞ니, 공이 영니(怜悧)ᄒᆞᆫ 시녀 십여 인을 명ᄒᆞ여, 션슈경의 가 셩씨의 협ᄉᆞ를 뒤여 요약을 어더 오라 ᄒᆞ고, 냥안을 길게 ᄣᅧ 태우를 보니 ᄆᆡᆼ녈ᄒᆞᆫ 경광이 ᄒᆞᆫ 줄 무지ᄀᆡ ᄀᆞᆺᄒᆞ여 사ᄅᆞᆷ의 골졀(骨節)을 보ᄂᆞᆫ 둣ᄒᆞ니, 무죄쟈도 경황통[툑]쳑(驚惶踧踖)ᄒᆞ거ᄂᆞᆯ, ᄒᆞ믈며 태우의 심사야 오죽ᄒᆞ리오. 눈으로 부친의 ᄉᆞᄉᆡᆨ을 보며 귀로 간비(姦婢)의 초ᄉᆞ(招辭)를 드르나, 오히려 셩씨의 유죄 무죄를 ᄎᆡᆨ아지 못ᄒᆞ여, 그 옥모(玉貌) ᄋᆡ용(愛容)을 졀박히 보고져 ○○[ᄒᆞᄂᆞᆫ] 의ᄉᆡ만 나니, 힝혀 부친이 셩씨를 그르다 ᄒᆞ여 츌거ᄒᆞᄂᆞᆫ 일이 잇실가 근심ᄒᆞᄂᆞᆫ 거동이라. 공이 그 심폐(心肺)를 ᄇᆞᆰ히 ᄉᆞᄆᆞᆺ고 더욱 분완ᄒᆞ믈 측냥【13】치 못ᄒᆞ더라.

졔 시녜 부지불각(不知不覺)[117]의 션슈경의 돌입ᄒᆞ니, 셩씨 맛춤 측간에 가고 업ᄂᆞᆫ

117)부지불각(不知不覺) : 자신도 모르는 사이.

업ᄂᆞᆫ 씌라. 급급히 협ᄉᆞ(篋笥)를 뒤ᄆᆡ, ᄎᆡᄉᆡᆨ(彩色) 궤 ᄀᆞ온ᄃᆡ 여러 환약(丸藥)을 너헛거ᄂᆞᆯ 밧비 가디고 나올 졔 셩시를 만나니, 셩시 여러 시녀 등이 무리 디어 졔 방을 뒤고 나오믈 보니[고], 대경ᄒᆞ여 곡졀을 뭇고져 ᄒᆞᄃᆡ, 일시 ○○○○[의 급히 나]아가니 말을 못ᄒᆞ고, 졔 방의 잇던 시녀 등 다려 연고를 므르니, 졔녜【40】ᄃᆡ왈,

"노야 명이 계시다 ᄒᆞ고, 쇼져의 경ᄃᆡ(鏡臺) 상협(箱篋)을 두로 뒤여 ᄆᆞᄉᆞᆫ 약봉을 가디고 나가ᄃᆡ, 쇼비 등은 못 보게 걸쒸여[130]ᄂᆡ다르니 곡졀을 아디 못ᄒᆞᆯ너이다."

셩시 청파의 대경ᄎᆞ악ᄒᆞ여 요약 너ᄒᆞᆫ 궤를 보니, 황연(荒然)이 븨여 ᄒᆞᆫ 환(丸)도 업ᄂᆞᆫ디라. 셩시 망극창황(罔極惝怳)ᄒᆞ믈 니긔디 못ᄒᆞ여, 벽의 머리를 ᄇᆞᄃᆡ이ᄌᆞ며 가슴을 두다려 ᄋᆡ를 ᄐᆡ오고 슬허 ᄒᆞᄂᆞᆫ 거동이 부모상을 만남 ᄀᆞᆺᄐᆞ니, 시녀 등이 그 심복이 아닌 후ᄂᆞᆫ 그윽이 우이 넉여 구경ᄒᆞ려 ᄒᆞ더라.

졔 시ᄋᆡ 약봉을 가져 외헌(外軒)의 나오ᄆᆡ, 공이 츈교를 주어 딘면(眞面)을 ᄂᆡ라 ᄒᆞ니, 츈괴 외면회단(外面回丹)을 먹으ᄆᆡ 슈염이 거머ᄒᆞ【41】며, 신댱이 쟝대ᄒᆞᆫ 노ᄌᆡ, 경ᄀᆡᆨ의 변ᄒᆞ여 날난 엇게와 가ᄂᆞᆫ 허리의 휜 낫치 쳔만 가디 암흉 공교ᄒᆞ믈 씌엿ᄂᆞᆫ디라. 공이 ᄎᆞ경을 보ᄆᆡ 더옥 분ᄒᆡ통완ᄒᆞ여, 즉시 녕을 나리와 젼악긔를 ᄆᆡ여 드리라 ᄒᆞ고, 잠간 몸을 니러 ᄂᆡ루의 드러와 태부인긔 츈교의 초ᄉᆞ를 고ᄒᆞ고, 탄ᄒᆞ여 ᄀᆞᆯ오ᄃᆡ,

"쇼ᄌᆡ 훈ᄌᆞ를 무상이 ᄒᆞᆫ 연고로, 셰흥의 광망무식(狂妄無識)ᄒᆞ며 패려흉독(悖戾凶毒)ᄒᆞ미, 사ᄅᆞᆷ이 ᄎᆞ마 ᄉᆡᆼ각디 못ᄒᆞᆯ 거죄 만ᄉᆞ온디라. ᄌᆞ식을 엄히 다ᄉᆞ린 후 남의 ᄌᆞ식을 칙망ᄒᆞ오리니, 셩시 비록 간악ᄒᆞ나 셰흥이 만일 텬흥 ᄀᆞᆺᄐᆞ면 엇디 실셩디경(失性地境)의 밋ᄎᆞ리잇가? 웃듬은 셰흥의 무상ᄒᆞᆫ 탓시니, 쇼【42】ᄌᆡ 부ᄌᆞ의 졍이 난안(赧顔)ᄒᆞ오나, 마디 못ᄒᆞ여 패ᄌᆞ(悖子)를 듕티(重治)ᄒᆞ리로소이다."

130)걸쒸여 : 걷잡지 못하게 뛰다.

씌라. 급급히 협ᄉᆞ(篋笥)를 뒤여 약환(藥丸)을 어더 가지고 나올 졔 셩씨를 만ᄂᆞ니, 셩씨 졔 시녀를 보고 대경ᄒᆞ여 곡졀을 뭇고져 ᄒᆞ나, 일시에 급히 나아가니 말을 못ᄒᆞ고, 졔 방의 잇던 시녀 ᄃᆞ려 연고를 무르니 ᄃᆡ 왈,

"노야 명이 계시다 ᄒᆞ고, 협ᄉᆞ를 두로 뒤여 무ᄉᆞᆫ 약봉을 가지고 나가ᄃᆡ 소비 등은 그 곡졀을 모로ᄂᆞ이다."

셩씨 요약이 너ᄒᆞᆫ 궤를 보니 약이 업ᄂᆞᆫ지라. 셩씨 망극(罔極)ᄒᆞ여 머리를 부ᄃᆡ이ᄌᆞ며 ᄀᆞ슴을 두ᄃᆞ려 ᄋᆡ뼈 슬허ᄒᆞᄂᆞᆫ 거동이, 부모상을 맛난 사ᄅᆞᆷ ᄀᆞᆺᄒᆞ니, 시녀 등이 그윽이 웃더라.

졔 시녜 약봉을 가져 외헌의 나오ᄆᆡ, 공이 츈교를 주어 본상(本相)을 ᄂᆡ라 ᄒᆞ니, 츈괴 외면○[회]단(外面回丹)을 마셔 본상이 완연ᄒᆞ거ᄂᆞᆯ, 공이 몸을 이러 ○○○○○○[ᄂᆡ루의 드러와] 태부인긔 뵈ᄋᆞᆸ고【14】츈교의 초ᄉᆞ를 고ᄒᆞ고, 탄 왈,

"쇼ᄌᆡ 훈ᄌᆞ를 무상이 ᄒᆞ온 연고로 셰흥의 광ᄑᆡ흉독(狂悖凶毒)ᄒᆞ미 사ᄅᆞᆷ이 ᄎᆞ마 ᄉᆡᆼ각지 못ᄒᆞᆫ 거죄 만ᄉᆞ온지라. ᄌᆞ식을 엄치ᄒᆞᆫ 후 남의 ᄌᆞ식을 칙망ᄒᆞ오리니, 셩씨 비록 간악ᄒᆞ나 셰흥이 만일 텬흥 ᄀᆞᆺᄒᆞ면 엇지 실셩긔구지경(失性崎嶇地境)의 밋ᄎᆞ리잇고? 웃듬은 셰흥의 무상ᄒᆞᆫ 탓이니 소ᄌᆞ, 부ᄌᆞ의 졍이 난안(赧顔)ᄒᆞ나, 마지 못ᄒᆞ여 ᄑᆡᄌᆞ를 《즁치케 ᄒᆞ엿ᄂᆞ이다‖즁치ᄒᆞ려 ᄒᆞᄂᆞ이다》."

태부인이 탄 왈,

"셰ᄋᆞ의 광망패려 ᄒᆞ믈 ᄉᆡᆼ각ᄒᆞ면 엇디 ᄒᆞᆫ 번 다ᄉᆞ리고져 아니리오마ᄂᆞᆫ, 져의 년긘(年紀)즉 이팔(二八)이오, 본ᄃᆡ 호일방탕(豪逸放蕩)ᄒᆞᆫ ᄋᆞ히 셰ᄉᆞ를 경녁디 못ᄒᆞ고, 요약의 심졍이 상ᄒᆞ여 현쳐를 의심ᄒᆞ미니, 너모 과도히 ᄒᆞ디 말나."

공이 슈명ᄒᆞ고 즉시 외헌의 나와 쳥샹의 좌ᄒᆞ고, 젼악긔와 츈교를 다 결박ᄒᆞ여 졍하(庭下)의 두고, 좌우로 태우를 잡아 나리와 계하의 꿀니고, 소ᄅᆡ를 가다듬아 다ᄉᆞᆺ 가디 허믈과 셰 가디 죄를 니ᄅᆞᆯᄉᆡ, 믁믁(默默)ᄒᆞᆫ 노긔ᄂᆞᆫ 셜풍(雪風)이 은은(殷殷)ᄒᆞ고 ᄆᆡᆼ녈ᄒᆞᆫ 셩음은 사ᄅᆞᆷ의 골졀(骨節)의 ᄉᆞ【43】못거ᄂᆞᆯ, 엄듕ᄒᆞᆫ 위의ᄂᆞᆫ 츄텬(秋天)이 음ᄋᆡ(陰靄)를 디으며 녈일(烈日)이 한샹(寒霜)을 띄여시니, 좌위 막블젼뉼(莫不戰慄)ᄒᆞ여 공구튝쳑(恐懼踧踖)ᄒᆞ믈 니긔디 못ᄒᆞ고, 태위 부친의 슈죄를 드ᄅᆞᄆᆡ ᄌᆞ긔 힝ᄉᆡ 참황슈괴(慙惶羞愧)ᄒᆞ여 능히 말을 못ᄒᆞᄂᆞᆫ디라. 공이 ᄉᆞ예(司隸)를 호령ᄒᆞ여 큰 ᄆᆡ를 드리라 ᄒᆞ고, 산장(散杖)[131] 이십을 잡은 후, 군관 칠팔 인을 분부 왈,

"금일 살인죄슈(殺人罪囚)를 다ᄉᆞ리ᄂᆞᆫ 날이라, 장칙을 시작ᄒᆞ니 일이 나ᄆᆡ 긋치리니, 초상졔구(初喪諸具)를 쥰비ᄒᆞ여 블초지 죽은 후 즉시 념장(殮葬)케 ᄒᆞ라."

언필의 태우를 긴긴이 결박ᄒᆞ고 치기를 시작ᄒᆞᄆᆡ, 다시 분부 왈,

"패ᄌᆞ 일야디간(一夜之間)의 여러 인명을 참혹히 상히오고, 음난(淫亂) 박힝(薄行)이 만고의 무【44】빵ᄒᆞᆫ디라. 여등이 조금도 인졍을 두디 말나."

ᄉᆞ예 등이 비록 태우를 앗기나 공의 명녕을 위월(違越)치 못ᄒᆞ여, 녕한(獰悍)ᄒᆞᆫ 힘을 다ᄒᆞ여 치ᄆᆡ, 블급십여장(不及十餘杖)의 셩혈(腥血)이 님니(淋漓)ᄒᆞ니, 녜부ᄂᆞᆫ 부친을 뫼셔 쳥샹(廳上)의 셔, 져 거동을 보ᄆᆡ 가슴

131)산장(散杖) : 죄인을 신문할 때, 위엄을 보여 협박하기 위해서 많은 형장(刑杖)이나 태장(笞杖)을 눈앞에 벌여 내어놓던 일.

부인이 탄 왈,

"셰ᄋᆞ의 광망ᄑᆡ려ᄒᆞ믈 ᄉᆡᆼ각ᄒᆞ면 엇지 ᄒᆞᆫ 번 ᄃᆞᄉᆞ리고져 아니리오마ᄂᆞᆫ, 져 년소 무식ᄒᆞᆫ ᄋᆞ히 셰ᄉᆞ(世事)를 경력(經歷)지 못ᄒᆞ고 요약의 심졍이 상ᄒᆞ여 현쳐를 의심ᄒᆞ미니, 너모 과도히 ᄒᆞ지 말나."

공이 슈명ᄒᆞ고 즉시 외헌의 나와 쳥샹의 좌ᄒᆞ고, 젼악긔와 츈교를 다 결박ᄒᆞ여 졍하(庭下)의 두고 좌우로 태우를 잡ᄋᆞ 나리와 계하의 꿀니고, 소ᄅᆡ를 가다듬【15】어 ᄃᆞᄉᆞᆺ 가지 허믈을 슈죄ᄒᆞ여 니ᄅᆞᆯᄉᆡ, 묵묵(默默)ᄒᆞᆫ 노긔ᄂᆞᆫ 셜풍(雪風)이 골졀(骨節)을 바ᄋᆞᄂᆞᆫ ᄃᆞᆺ ᄒᆞ더라. 태위 부친의 슈죄ᄒᆞ믈 드ᄅᆞᄆᆡ 참황슈괴(慙惶羞愧)ᄒᆞ여 능히 말을 못ᄒᆞᄂᆞᆫ지라. 공이 ᄉᆞ예(司隸)를 호령ᄒᆞ여 큰 ᄆᆡ를 드리라 ᄒᆞ고, 산장(散杖)[118] 이십을 잡은 후, 군관 칠팔 인을 분부 왈,

"금일 살인죄슈(殺人罪囚)를 ᄃᆞᄉᆞ리ᄂᆞᆫ 날이라, 장칙을 시작ᄒᆞ니 일이 나ᄆᆡ 긋치리니, 초상졔구(初喪諸具)를 쥰비ᄒᆞ여 불초지 죽은 후 즉시 념장(殮葬)케 ᄒᆞ라."

언파에 태우를 긴긴이 결박ᄒᆞ고 치기를 시작ᄒᆞᄆᆡ, 다시 분부 왈,

"ᄑᆡᄌᆞ 일야지간(一夜之間)의 여러 인명을 참살(慘殺)ᄒᆞ고 음난(淫亂) 박힝(薄行)이 만고의 무빵(無雙)ᄒᆞᆫ지라. 여등이 조금도 인졍을 두지 말나."

ᄉᆞ예 등이 비록 태우를 앗기나 공의 명녕을 위월(違越)치 못ᄒᆞ여, 진녁ᄒᆞ여 치ᄆᆡ 불급십여장(不及十餘杖)에 셩혈(腥血)이 님니(淋漓)라. 녜부ᄂᆞᆫ 부친을 뫼셔 ᄎᆞ【16】경(此景)을 보ᄆᆡ, ᄀᆞ솜이 알프믈 면치 못ᄒᆞ고

118)산장(散杖) : 죄인을 신문할 때, 위엄을 보여 협박하기 위해서 많은 형장(刑杖)이나 태장(笞杖)을 눈앞에 벌여 내어놓던 일.

이 알프믈 면치 못ᄒᆞ고, ᄃᆡᄉᆞ와 필홍 공ᄌᆞᄂᆞᆫ 경하의 나려 형의 장벌(杖罰)을 난화 당치 못ᄒᆞ믈 초젼(焦煎)ᄒᆞᄂᆞᆫ디라. 공이 그 피육이 상ᄒᆞ믈 보ᄃᆡ 조금도 요동치 아니ᄒᆞ고, ᄆᆡᄆᆡ히 고찰ᄒᆞ여 ᄒᆞᆫ 조각 텬뉸ᄌᆞᄋᆡ(天倫慈愛)와 부ᄌᆞ의 졍을 뉴련(留憐)치 아닛ᄂᆞᆫ ᄃᆞᆺᄒᆞ니, 뉘 감히 공의 노긔를 간범(干犯)ᄒᆞ리오. 칠십여 장의 밋쳐ᄂᆞᆫ 피육이 ᄋᆞᆺ쳐져 ᄒᆞᆫ 곳도 셩ᄒᆞᆫ 곳이 업고, 피 흘너 옷술 젹시ᄂᆞᆫ디라. 【45】 녜부와 ᄃᆡᄉᆞ 등이 이 경상을 ᄃᆡᄒᆞ여 각각 몸이 알프며 뼤 빨히기를 니긔디 못ᄒᆞ여, 일시의 머리를 두다려 쳬읍ᄋᆡ걸(涕泣哀乞)ᄒᆞ여 형뎨 삼인이 죄를 난화 당ᄒᆞ믈 쳥ᄒᆞᄃᆡ, 공이 드른 체 아니코 ᄌᆡ촉 고찰ᄒᆞ여 긋칠 의ᄉᆡ 업ᄉᆞ니, 녜부 등이 참연통졀ᄒᆞ미 목젼의 죽엄을 노화심 ᄀᆞᆺᄐᆞ여, 죽기를 그음ᄒᆞ고 태우의 겻ᄐᆡ 나아가 각각 몸으로 ᄲᅧ ᄆᆡ를 당ᄒᆞᆯ ᄃᆞᆺ, 한 업ᄉᆞᆫ 안쉬(眼水) 오열ᄒᆞ여 톄읍탄셩(涕泣歎聲)ᄒᆞ미 긔운이 막힐 ᄃᆞᆺᄒᆞᄃᆡ, 공이 분노를 니긔디 못ᄒᆞ여 녜부 등을 즐퇴ᄒᆞ고, 다함 고찰 ᄒᆞ여 ᄆᆡ를 더을ᄉᆡ, 이러구러 팔십여장의 밋쳐 긔허(氣虛) 젹상(積傷)ᄒᆞᆫ 몸이라, 아조 인ᄉᆞ를 바려 얼골이 쳥흑(靑黑)ᄒᆞ고 슈족이 어름 ᄀᆞᆺᄐᆞ여 시각 【46】 이 위ᄐᆡᄒᆞᄃᆡ, 쳐음 마즐 ᄯᅢ로브터 알픈 거술 견ᄃᆡ여 일셩을 브동ᄒᆞ고, 죽은ᄃᆞ시 업ᄃᆡ여 ᄐᆡ연ᄌᆞ약(泰然自若)ᄒᆞ미 남의 몸의 장칙을 당ᄒᆞᆫ ᄃᆞᆺᄒᆞ니, 칠십여 장의 니르러ᄂᆞᆫ 아조 졍신을 슈습디 못ᄒᆞ여 더옥 숨소ᄅᆡ도 업ᄂᆞᆫ디라. 녜부 등은 태위 죽은 줄노 아라 통도(痛悼)ᄒᆞ믈 마디 아니ᄒᆞᄃᆡ, 공이 조금도 샤ᄒᆞᆯ ᄯᅳᆺ이 업더니, 홀연 딘부 협문으로조ᄎᆞ 두어 시녜 압흘 인도ᄒᆞ여, 양쇼졔 무ᄉᆡᆨᄒᆞᆫ 의상과 헛튼 운환으로 ᄒᆡᆼ보(行步)를 나즉이 ᄒᆞ여 나아오ᄆᆡ, 옥용월ᄐᆡ(玉容月態) ᄉᆡ로이 긔이ᄒᆞᆫ디라. 공이 우연이 눈을 드다가 양시를 보고 대경ᄒᆞ여 급히 하리 군관을 믈리치ᄆᆡ, 양시 븟그러오믈 므릅ᄡᅧ 계하의 나아가 【47】 ᄌᆡᄇᆡ 쳥죄, 왈,

"쇼쳡의 ᄒᆡᆼ실이 무상ᄒᆞ와 ᄇᆡᆨᄒᆡᆼ의 ᄒᆞᆫ 곳 일ᄏᆞ람즉 ᄒᆞᆫ 일이 업고, 어하(御下)를 블엄

직ᄉᆞ(直士)와 필공ᄌᆞᄂᆞᆫ 계에 나려 형의 장벌(杖罰)을 난화 당치 못ᄒᆞ믈 초젼(焦煎)ᄒᆞᄂᆞᆫ지라. 공이 그 피육이 상ᄒᆞ믈 보ᄃᆡ 조곰도 요동치 아니코, ᄀᆡᄀᆡ히 고찰ᄒᆞ야 ᄒᆞᆫ 조각 텬륜ᄌᆞᄋᆡ(天倫慈愛)와 부ᄌᆞ지졍(父子之情)을 유련(留憐)치 아님 갓ᄒᆞ니, 뉘 감히 공의 노긔를 간범(干犯)ᄒᆞ리오. 칠십여 장의 밋쳐ᄂᆞᆫ 둔육(臀肉)이 ᄋᆞ쳐져, 일졈 온젼ᄒᆞᆫ 곳이 업고 피 흘너 옷술 젹시ᄂᆞᆫ지라. 일시에 쳬읍ᄋᆡ걸(涕泣哀乞)ᄒᆞ여 죄를 난ᄒᆞ믈 쳥ᄒᆞᄃᆡ, 공이 드른 쳬 아니코 고찰ᄒᆞ여 긋칠 의ᄉᆡ 업ᄉᆞ니, 녜부 등이 참연 통졀ᄒᆞ여 죽기를 그음ᄒᆞ고 태우의 겻히 나아가 몸으로 ᄲᅧ ᄆᆡ를 당ᄒᆞᆯ ᄃᆞᆺ, 쳬읍탄셩(涕泣歎聲)ᄒᆞ미 《뇌진‖긔진(氣盡)》ᄒᆞᆯ ᄃᆞᆺᄒᆞᄃᆡ, 공이 질퇴ᄒᆞ고 다함[119] 고찰ᄒᆞ여 ᄆᆡ를 더을ᄉᆡ, 니러구러 팔십여 【17】 장에 밋쳐ᄂᆞᆫ 긔허(氣虛) 젹상(積傷)ᄒᆞᆫ 몸이라, 아조 인ᄉᆞ를 ᄇᆞ려 얼골이 쳥옥(靑玉) ᄀᆞᆺᄒᆞᄃᆡ 죽은ᄃᆞ시 업ᄃᆡ여 숨 소ᄅᆡ도 업ᄉᆞ니, 녜부 등은 아조 죽은 줄노 아라 통도(痛悼)ᄒᆞ믈 마지 아니나, 공이 조금도 샤ᄒᆞᆯ ᄯᅳᆺ이 업더니, 홀연 딘부 협문으로조ᄎᆞ 두어 시녜 압흘 인도ᄒᆞ여 양소졔 무ᄉᆡᆨᄒᆞᆫ 의상과 헛튼 운환(雲鬟)으로 ᄒᆡᆼ보를 ᄂᆞ즉이 ᄒᆞ여 나아오ᄆᆡ, 옥용월ᄐᆡ(玉容月態) ᄉᆡ로이 긔이ᄒᆞᆫ지라. 공이 우연이 눈을 드러 양씨를 보고 대경ᄒᆞ여 급히 하리 군관을 믈리치ᄆᆡ, 양씨 붓그러오믈 므릅스고 계하의 나아가 ᄌᆡᄇᆡ 쳥죄 쳬읍 왈,

"소쳡의 ᄒᆡᆼ실이 무상ᄒᆞ와 ᄒᆞᆫ 곳 닐ᄏᆞ람즉

119)다함 : 다만, 그저, 또한.

(不嚴)이 ᄒᆞ여 납향 간비 쇼쳡을 히ᄒᆞ미 아니 밋츤 곳이 업ᄉᆞ니, ᄒᆞ믈며 동녈(同列)의 싀ᄋᆡ(猜礙)[132]홈과 가군의 의심(疑心)ᄒᆞ믄 괴이치 아닌 일이라. 쇼쳡이 비록 일명을 보젼치 못ᄒᆞ미 이시나, 대인 셩덕으로뼈 쳡의 팔ᄌᆡ 긔박ᄒᆞ믈 살피샤 가군(家君)의 탓ᄉᆞᆯ 삼디 아니실 ᄃᆞᆺᄒᆞᄋᆞᆸ거ᄂᆞᆯ, 이졔 블초 쇼쳡이 완연 의구히 셰샹의 잇ᄉᆞ오니, 복원 대인은 부ᄋᆡᄌᆞ은(父愛慈恩)ᄒᆞᄂᆞᆫ 덕화를 드리오샤 가군의 목슘을 빌니시고, 쳡의 당돌(唐突)[133] 블민(不敏) ᄒᆞᆫ 죄를 엄히 다ᄉᆞ리쇼셔."

언파의 옥셩이 낭낭ᄒᆞ여 금반(金盤)의 딘쥬(眞珠)를 구을니고, 봉음(鳳音)[134]이 쳐량ᄒᆞ【48】여 화디(花枝)의 잉셩(鶯聲)이 ᄉᆡ로온ᄃᆞᆺ, 팔ᄌᆞ뉴미(八字柳眉)ᄂᆞᆫ 근심을 씌여시ᄆᆡ, 샹운(祥雲)이 더옥 영영(熒熒)ᄒᆞᆫ ᄃᆞᆺ, 효셩빵안(曉星雙眼)의 츄쉬(秋水) 요동ᄒᆞᄆᆡ, ᄆᆞᆰ은 졍ᄎᆡ(精彩) ᄇᆡ승(倍勝)ᄒᆞ거ᄂᆞᆯ, 어엿븐 옥안(玉顔)은 옥벽(玉璧)이 쳥엽(靑葉)의 소ᄉᆞ며, 쇄연ᄒᆞᆫ 광ᄎᆡᄂᆞᆫ 명월이 흑운의 ᄂᆡ왓ᄂᆞᆫᄃᆞᆺ, 조심ᄒᆞᄂᆞᆫ 모양과 두려 ᄒᆞᄂᆞᆫ 거동이 ᄀᆞᆺ초 긔이승졀(奇異勝絶)ᄒᆞ여 눈을 옴기기 앗가와 ᄆᆡ양 보고져 뜻이 잇ᄂᆞᆫ디라. 뎡공의 참엄ᄒᆞᆫ 노긔 이 며나리를 ᄃᆡᄒᆞᄆᆡ 츈풍이 화창(和暢)ᄒᆞ고, 믁믁ᄒᆞ던 미위 양시를 보ᄆᆡ 화열평슌(和悅平順)ᄒᆞ여, 이의 유량으로 하여금 쇼져를 븟드러 올니라 ᄒᆞ고, 위로 왈,

"셰흥의 ᄒᆡᆼᄉᆞ를 졀졀이 ᄉᆡᆼ각ᄒᆞᄆᆡ, 내 비록 부ᄌᆞ의 졍이 난연(難然)ᄒᆞ나, ᄒᆞᆫ 번 쾌히 죽여 분을 브ᄃᆡ 플고,【49】블초 패ᄌᆞ를 징계ᄒᆞ미 맛당ᄒᆞᄃᆡ, 오히려 칼과 노흘 가져 일ᄀᆡᆨ의 맛디 못ᄒᆞ믄, 너의 젼졍(前程)을 념녀ᄒᆞ미러니, 금일 츈교의 초ᄉᆞ로 조ᄎᆞ 젼일 모로던 일을 ᄌᆞ시 드르니, ᄒᆡ연경참(駭然慶懺)ᄒᆞ믈 니긔디 못ᄒᆞ여, 닙ᄀᆡᆨ(立刻)의[135] 져

132)싀ᄋᆡ(猜礙) : 시기하고 해(害)를 가함.
133)당돌(唐突) : ①꺼리거나 어려워하는 마음이 조금도 없이 올차고 다부지다. ②윗사람에게 대하는 것이 버릇이 없고 주제넘다.
134)봉음(鳳音) : 봉황의 소리라는 뜻으로, 아름다운 목소리를 비유적으로 이르는 말.

ᄒᆞᆫ ᄇᆡ 업고, 총비어하(總婢御下)[120]를 블엄(不嚴)이 ᄒᆞ여 납향 간비(姦婢) 소쳡을 히ᄒᆞ미 아니 밋츤 곳이 업ᄉᆞ니, ᄒᆞ믈며 동녈의 싀ᄋᆡ(猜礙)[121]홈과 가군의 의심ᄒᆞ믄 고이치 아닌 일이라. 소쳡이 비록 일명을【18】보젼치 못ᄒᆞ미 잇시나, 대인 셩덕으로뼈 쳡의 팔ᄌᆡ 긔박ᄒᆞ믈 ᄉᆞᆯ피샤 가군의 탓ᄉᆞᆯ ᄉᆞᆷ지 아니실 ᄃᆞᆺ ᄒᆞᄋᆞᆸ거ᄂᆞᆯ, 이졔 불초 소쳡이 완연 여구(如舊)히 셰샹의 잇ᄉᆞ오니, 복원 대인은 부ᄋᆡᄌᆞ은 ᄒᆞ시ᄂᆞᆫ 덕화를 드리오샤, 가군의 목숨을 빌니시고 쳡의 당돌(唐突)[122] 블민(不敏)ᄒᆞᆫ 죄를 엄치 ᄒᆞ쇼셔."

언파의 옥셩이 낭낭 쳐량ᄒᆞ여 팔ᄌᆞ뉴미(八字柳眉)에 슈운(愁雲)이 함집(咸集)ᄒᆞ고, 효셩빵안(曉星雙眼)의 츄쉬(秋水) 요동(搖動)ᄒᆞ며 ᄆᆞᆰ은 졍ᄎᆡ(精彩) ᄇᆡ승(倍勝)ᄒᆞ거ᄂᆞᆯ, 근심ᄒᆞᄂᆞᆫ 모양과 두려ᄒᆞᄂᆞᆫ 거동이 ᄀᆞᆺ초 긔이승졀(奇異勝絶)ᄒᆞ여 눈을 옴기기 앗가온지라. 공의 참엄ᄒᆞᆫ 노긔로 믄득 이 며ᄂᆞ리를 ᄃᆡᄒᆞᄆᆡ, 츈풍이 화창ᄒᆞ고 묵묵ᄒᆞ던 미위(眉宇) 화열평슌(和悅平順)ᄒᆞ여, 이에 유랑으로 하야금 소져를 븟드러 올니라 ᄒᆞ고, 위로 무ᄋᆡ(撫愛) 왈,

"셰흥의 ᄒᆡᆼᄉᆞ를 졀졀이 ᄉᆡᆼ각ᄒᆞᄆᆡ, 비록 부ᄌᆞ지졍이 난연(難然)ᄒᆞ나 ᄒᆞᆫ 번【19】쾌히 죽여 셜분코져 ᄒᆞᄃᆡ, 오히려 칼과 노흘 가져 일각에 ᄆᆞᆺ지 못ᄒᆞ믄 너의 젼졍(前程)을 념녀ᄒᆞ미러니, 금일 츈교의 초ᄉᆞ로 조ᄎᆞ 젼 일을 ᄌᆞ시 드르니 불승ᄒᆡ연경참(不勝駭然慶懺)ᄒᆞ여 닙각(立刻)에[123] 문죄(問罪)코

120)총비어하(總婢御下) : 여종(女從)을 거느리고 아랫사람을 다스림.
121)싀ᄋᆡ(猜礙) : 시기하고 해(害)를 가함.
122)당돌(唐突) : ①꺼리거나 어려워하는 마음이 조금도 없이 올차고 다부지다. ②윗사람에게 대하는 것이 버릇이 없고 주제넘다.
123)닙ᄀᆡᆨ(立刻)의 : 바로. 즉시, 당장에.

를 맛고져 ᄒᆞ더니, 너의 가부 위ᄒᆞᆫ 졍셩을 드르니, 녀ᄌᆞ의 졍이 가련ᄒᆞ미 셰홍 ᄀᆞᆺᄐᆞᆫ 못 ᄡᅳᆯ 거술 가뷔라 ᄒᆞ여, 앙디일ᄉᆡᆼ(仰之一生)ᄒᆞᆯ 거시므로, 너를 온 가디로 죽이려 ᄒᆞ던 원을 갑디 못ᄒᆞ고, 도로혀 져를 구ᄒᆞᄂᆞᆫ 졍이 이시니 엇디 잔잉치 아니리오. 내 너의 말노조ᄎᆞ 패ᄌᆞ를 샤ᄒᆞᄂᆞ니, 너ᄂᆞᆫ ᄆᆞᄋᆞᆷ을 편히 ᄒᆞ여 패광(悖狂)ᄒᆞᆫ 가부(家夫)를 족슈(足數)136)치 말고, 고모(姑母)137) 침소의 가몸을 보호ᄒᆞ여 분산(分産)의 ᄒᆡ로오미 업게 ᄒᆞ라."【50】

소제 체루(涕淚) ᄉᆞ샤(謝辭)ᄒᆞ고 감히 말ᄉᆞᆷ을 ᄃᆡ치 못ᄒᆞ니, 공이 ᄌᆡ삼 위로ᄒᆞ여 안흐로 드러 가라 ᄒᆞ고, 그 신누(身累)를 옥ᄀᆞᆺ치 버ᄉᆞ믈 일ᄏᆞ라 년ᄋᆡᆨᄒᆞᄂᆞᆫ 졍이 강보영ᄋᆞ(襁褓嬰兒) 갓ᄐᆞ니, 양시 각골감은ᄒᆞ여 ᄉᆞ샤ᄒᆞ고 안흐로 드러가ᄆᆡ, 공이 비로소 태우를 샤ᄒᆞ여 치기를 긋치ᄆᆡ, 녜부 등이 ᄆᆡᆫ 거술 글너 치듁헌으로 드러 갈ᄉᆡ, 태위 반ᄉᆡᆼ반ᄉᆞ(半生半死) ᄒᆞ엿ᄂᆞᆫ디라. 공이 젼악긔를 듕형(重刑) 삼ᄎᆞ(三次)ᄒᆞ여 복초(服招)를 바든 후 죽이고져 ᄒᆞᄃᆡ, 평ᄉᆡᆼ 살인을 괴로이 녁이ᄂᆞᆫ 고로 먼니 ᄭᅳ어 ᄂᆡ치고, 츈교ᄂᆞᆫ 그 죄상이 젼악긔와 ᄀᆞᆺ다 ᄒᆞ여 죽이고져 ᄒᆞ엿더니, 악긔를 샤ᄒᆞ므로 다시 일ᄎᆞ 듕형ᄒᆞ여 먼니 ᄂᆡ칠ᄉᆡ, 복초ᄒᆞᆯ ᄶᅥᆨ 듕형 일ᄎᆞᄒᆞ엿더라.

공이 악긔·츈【51】교를 ᄂᆡ치고, 듕헌의 나와 셩시를 브르니, 셩시 져의 젼젼악ᄉᆡ 다 발각ᄒᆞ고, 죽엇던 양시 딘부로조ᄎᆞ 드러와 태우의 위ᄐᆡᄒᆞᆫ 목숨을 구ᄒᆞᄆᆡ, 가ᄉᆞᆷ의 일쳔 녕원(靈猿)138)이 ᄯᅱ노라 오장(五臟)이 ᄌᆡ 되기를 면치 못ᄒᆞ니, ᄒᆞᆫ갓 하날을 원ᄒᆞ며 뎡공을 ᄭᅮ디져 입의 담디 못ᄒᆞᆯ 말을 무슈히 ᄒᆞ더니, 믄득 공의 쇼명(召命)을 드르니 마디 못ᄒᆞ여 듕계의 니르니, 공이 오르기를 명치 아녀 듕계의 셰오고 졍ᄉᆡᆨ 슈죄(數罪) 왈,

135)닙ᄀᆡᆨ(立刻)의 : 바로. 즉시, 당장에.
136) 족슈(足數)ᄒᆞ다 : 꾸짖다. 탓하다.
137)고모(姑母) : 시어머니.
138)녕원(靈猿) : 원숭이. 잔나비.

져 ᄒᆞ더니, 너의 가부 위ᄒᆞᆫ 졍셩을 드르니, 가련ᄒᆞ미 셰홍 ᄀᆞᆺᄒᆞᆫ 못 ᄡᅳᆯ 거술 가뷔라 ᄒᆞ여 앙지일ᄉᆡᆼ(仰之一生) ᄒᆞᆯ 거시므로, 너를 죽이려 ᄒᆞ던 원을 갑지 못ᄒᆞ고, 도로혀 져를 구ᄒᆞ니 엇지 잔잉치 아니리오. 내 너의 말노 조ᄎᆞ ᄑᆡᄌᆞ를 샤ᄒᆞᄂᆞ니, 너ᄂᆞᆫ 마ᄋᆞᆷ을 편히 ᄒᆞ야 ᄑᆡ광(悖狂)ᄒᆞᆫ 가부를 족슈(足數)124)치 말고, 고모(姑母)125) 침소의 가몸을 조보(調保)ᄒᆞ여 분산(分産)의 ᄒᆡ로오미 업게 ᄒᆞ라."

소제 체루(涕淚) ᄉᆞ샤(謝辭) ᄒᆞ고 감히 말ᄉᆞᆷ을 ᄃᆡ치 못ᄒᆞ니, 공이 ᄌᆡ삼 위로ᄒᆞ여 보ᄂᆡ고, 그 신누 버ᄉᆞ믈 다ᄒᆡᆼᄒᆞ여 비로소 태우를 샤ᄒᆞᄆᆡ, 녜부 등이 ᄆᆡᆫ 거술 글너 치죽헌으로 드러 갈ᄉᆡ, 태위 숨잇ᄂᆞᆫ 시신이【20】라, 창황ᄒᆞ믈 마지 아니터라.

공이 시녀로 ᄒᆞ야곰 셩씨를 잡아오라 ᄒᆞ여 계하에 ᄭᅮᆯ니고, 소ᄅᆡ를 가ᄃᆞ듬어 슈죄 왈,

124) 족슈(足數)ᄒᆞ다 : 꾸짖다. 탓하다.
125)고모(姑母) : 시어머니.

"셰홍의 광망패려(狂妄悖戾)ᄒᆞ믄 다시 니를 말이 업거니와, 네 일분 ᄉᆞ문부녀의 쳥한(淸閑)ᄒᆞᆫ 덕이 이실딘ᄃᆡ, 허랑방일(虛浪放逸)ᄒᆞᆫ 가부를 뎡도로 ᄂᆡ조ᄒᆞ여 어【52】디리 돕디 못ᄒᆞᆯ디라도, 츌하리 간음(姦淫) 요사(妖邪)키나 면ᄒᆞ여시면 가ᄂᆡ의 엇디 용납디 못ᄒᆞ리오마ᄂᆞᆫ, 너의 과악은 내 니르디 아녀도 네 스ᄉᆞ로 모로디 아닐 ᄇᆡ라. 패ᄌᆞ의 외입실셩(外入失性)ᄒᆞ미 널노 말ᄆᆡ암아 비로셔시니, 엇디 통ᄒᆡ치 아니리오. 모로미 금일노브터 네 집의 도라가 다시 내 집의 도라올 의ᄉᆞ를 말나."

언파의 교ᄌᆞ를 졍하의 노코 들기를 ᄌᆡ촉ᄒᆞ니, 셩시 대간대악이나 뎡공의 강ᄆᆡᆼ녈일(强猛烈日)ᄒᆞᆫ 긔상과 ᄉᆡᆨᄉᆡᆨ 엄쥰ᄒᆞᆫ 위풍을 어ᄃᆡ 가 간범ᄒᆞ리오. ᄒᆞᆫ갓 일쳔 줄 안쉬(眼水) 옷깃슬 뎍셔, 존당의 하딕고 가믈 쳥ᄒᆞᆫᄃᆡ, 공이 미우를 ᄶᅵᆼ긔여 왈,

"존당의 하딕【53】을 고ᄒᆞᄆᆡ 쾌ᄒᆞᆫ 일이 업ᄉᆞ니 모로미 그져 가라. 셩시 일마다 대참황공(大慙惶恐)ᄒᆞ여 급히 교듕(轎中)의 들ᄆᆡ, 공이 명ᄒᆞ여 셩부로 왓던 시녀·양낭과 션슈졍의 버렷던 긔용즙믈(器用什物)을 다 셔르져 가ᄃᆡ, 다만 혼셔(婚書)[139]를 주디 아녀 당젼(堂前)의셔 소화ᄒᆞ고, 여람ᄇᆡᆨ긔 츈교의 초ᄉᆞ와 젼악긔 초ᄉᆞ를 ᄒᆞᆫ가디로 보ᄂᆡ여 왈,

"돈ᄋᆞ(豚兒)의 무상흉패ᄒᆞ미 사ᄅᆞᆷ의 션악을 아디 못ᄒᆞ고 녕녀{녕녀}를 침혹(沈惑)ᄒᆞᄆᆡ, 간계를 아득히 모로고 광망ᄒᆞᆫ 죄를 디으니, 쳣ᄌᆡᄂᆞᆫ 돈ᄋᆞ의 허믈이라. ᄉᆡᆼ이 몬져 블초ᄌᆞ의 죄를 엄치(嚴治)ᄒᆞ여 ᄂᆡ치고, 녕녀를 귀부로 도라 보ᄂᆡᄂᆞ니, 명공은 녕녀의 일ᄉᆡᆼ이【54】다시 내 집을 앙망(仰望)케 마르쇼셔."

니르기를 맛고, 태원뎐의 드러와 ᄌᆞ경긔 뵈ᄋᆞᆸ고 셩시 츌거(黜去)ᄒᆞᆫ ᄉᆞ단(事端)을 고ᄒᆞ오니, 태부인이 그 간악ᄒᆞ믈 통ᄒᆡᄒᆞ나 본

139)혼셔(婚書) : 혼인할 때에 신랑 집에서 예단과 함께 신부 집에 보내는 편지. 두꺼운 종이를 말아 간지(簡紙) 모양으로 접어서 쓴다.

"네 요약으로 가부를 변심케 ᄒᆞ여 동녈을 ᄒᆡ코져 ᄒᆞ니, 이 무슴 심졍이뇨? 내 엄형ᄒᆞ여 무죄ᄒᆞᆫ 양씨를 음ᄒᆡᄒᆞ랴던 죄를 셜치(雪恥)코져 ᄒᆞ나, 너를 내 집에 용납지 아니리니 ᄀᆞᆺᄒᆞ여 치죄ᄒᆞ리오. 모로미 네 집에 도라 가고 다시 눈에 보이지 말나."

ᄒᆞᄆᆡ, ᄆᆡᆼ녈ᄒᆞᆫ 긔상과 ᄉᆡᆨᄉᆡᆨᄒᆞᆫ 위풍을 어ᄃᆡ가 간범(干犯)ᄒᆞ리오. ᄒᆞᆫ ᄀᆞᆺ 쳔항뉘(千行淚) 옷깃슬 젹셔 존당에 하직고 가믈 쳥ᄒᆞᆫᄃᆡ, 공이 빈미(嚬眉) 왈,

"존당에 하직을 고ᄒᆞᄆᆡ 쾌ᄒᆞᆫ 일이 업ᄂᆞ니 모로미 그져 가라. 셩씨 일마다 대참황공(大慙惶恐)ᄒᆞ야 급히 교즁(轎中)에 들ᄆᆡ, 공이 명ᄒᆞ여 셩부로셔 왓던 시녀·양낭과 션슈졍에 버렷던 긔용즙믈(器用什物)을 다 셔르져 가게 ᄒᆞᄆᆡ, 다만 혼셔(婚書)[126]를 주지 아냐 당젼(堂前)의셔 소화ᄒᆞ고, 여【21】람 ᄇᆡᆨ긔 츈교의 초ᄉᆞ와 젼악긔 초ᄉᆞ를 ᄒᆞᆫ가지로 보ᄂᆡ여 젼어 왈,

"돈ᄋᆞ(豚兒)의 무상흉ᄑᆡᄒᆞ미 사ᄅᆞᆷ의 션악을 아지 못ᄒᆞ고, 녕녀를 침혹(沈惑)ᄒᆞᄆᆡ 간계를 아득히 ᄭᆡᄃᆞᆺ지 못ᄒᆞ여 광망ᄒᆞᆫ 죄를 지으니, 쳣ᄌᆡᄂᆞᆫ 돈ᄋᆞ의 허물이라. ᄉᆡᆼ이 몬져 돈ᄋᆞ의 죄를 엄치(嚴治)ᄒᆞ여 ᄂᆡ치고, 녕녀를 귀부로 보ᄂᆡᄂᆞ니, 명공은 녕녀의 일ᄉᆡᆼ이 다시 내 집에 앙망(仰望)케 마르소셔."

니르기를 맛고, 태원뎐의 드러와 모친긔 뵈ᄋᆞᆸ고, 셩씨 츌거(黜去)ᄒᆞᆫ ᄉᆞ단(事端)을 고ᄒᆞ니, 태부인이 그 간악을 통ᄒᆡᄒᆞ나, 본ᄃᆡ

126)혼셔(婚書) : 혼인할 때에 신랑 집에서 예단과 함께 신부 집에 보내는 편지. 두꺼운 종이를 말아 간지(簡紙) 모양으로 접어서 쓴다.

듸 화홍(和弘)을 쥬ᄒᆞᄂᆞᆫ 고로, 셩시를 아조 영영 ᄂᆡ쳐 혼셔 소화ᄒᆞᆷ을 듯고, 강박히 녁여 ᄀᆞᆯ오듸,

"너의 쳐싀 ᄆᆡ양 관인(寬仁)ᄒᆞ기를 쥬ᄒᆞ여 각박ᄒᆞᆫ 일이 업더니, 엇디 셩시의게 당ᄒᆞ여ᄂᆞᆫ ᄒᆞᆫ 조각 인졍이 업ᄂᆞ뇨?

공이 웃고 듸 왈,

"쇼ᄌᆞ도 각박ᄒᆞ온 줄 아오듸, 셩시 위인이 ᄉᆞ오나온 거슬 바리고 션도의 나아 갈 지 아니오. 그 상뫼 블길ᄒᆞ여 션죵(善終)ᄒᆞᆷ을 밋디 못ᄒᆞᆯ 위인이오니, ᄎᆞ고로 혼셔를 소화ᄒᆞ여 가【55】ᄂᆡ의 다시 용납디 아니려 ᄒᆞ오미로소이다."

부인이 경 왈,

"셩시의 상뫼 독샤(毒邪)ᄒᆞ여 유덕디 못ᄒᆞᆫ 줄은 아랏거니와, 그듸도록 ᄒᆞᆫ 줄은 몰낫더니, 직상디녀(宰相之女)로 작인을 그리 괴이케 ᄒᆞ엿더뇨?"

공이 고 왈,

"후릐의 드르시면 쇼ᄌᆞ의 말ᄉᆞᆷ을 아르시리이다. 셩시 맛ᄎᆞᆷᄂᆡ 개뎍(改籍)ᄒᆞ여 가도 반ᄃᆞ시 변을 딧고 말니니, 결단ᄒᆞ여 그 상모를 도망치 못ᄒᆞ리이다."

부인 왈,

"이러나 져러나 요인을 츌거ᄒᆞ고 양시 신누(身累)를 버ᄉᆞ니 만힝이라. 졔 침소를 슈리ᄒᆞ고 편히 머믈게 ᄒᆞ려니와, 양시 죵뎨 소시를 셩시 그러틋 참혹히 상히오고, 셰흥이 셔로 얼골을 ᄂᆡ【56】이 보미 잇다 ᄒᆞ니 져 소시를 장ᄎᆞ 엇디 ᄒᆞ리오?"

공이 빈미(嚬眉) 듸왈,

"블초ᄌᆞ의 힝식 ᄒᆞᆫ 일도 드럼즉 ᄒᆞᆫ 일이 업ᄉᆞᆫ 연고로, 소시의 일싱을 마ᄌᆞ 어ᄌᆞ러이미 블힝치 아니ᄒᆞ리잇가?"

부인이 소시의 위인을 알고져 ᄒᆞ여 대양시와 셜유랑을 블너 압히 니르믹, 부인이 소시의 위인과 용모를 므른듸, 유랑이 소쇼져의 ᄀᆞ초 아름다오믈 ᄇᆞᆰ히 고ᄒᆞ고, 대양시 그 상체 참혹던 바를 고ᄒᆞ여 일마다 소시의 명되 괴이ᄒᆞᆷ을 일ᄏᆞᄅᆞ니, 공이 개연

화홍(和弘)을 쥬ᄒᆞᄂᆞᆫ 고로, 셩씨를 아조 영영 ᄂᆡ쳐 혼셔 소화ᄒᆞᆷ을 듯고, 강박히 녁여 왈,

"너의 쳐싀 ᄆᆡ양 관인(寬仁)ᄒᆞᆷ을 주ᄒᆞ더니, 엇지 셩씨의게 당ᄒᆞ야○[ᄂᆞᆫ] ᄒᆞᆫ 조각 인졍이 업ᄂᆞ뇨?

공이 웃고 듸 왈,

"소ᄌᆞ도 각박ᄒᆞᆫ 줄 아오듸, 셩씨 위인이 기과칙션치 못ᄒᆞᆯ 거시오, 그 상뫼 블길ᄒᆞ여 션죵(善終)ᄒᆞ【22】믈 밋지 못ᄒᆞᆯ 위인이오니, ᄎᆞ고로 혼셔를 소화ᄒᆞ여 가ᄂᆡ에 용납지 못ᄒᆞ게 ᄒᆞ미로소이다."

부인이 경왈,

"셩씨의 상뫼 간독(奸毒)ᄒᆞ여 회심치 못ᄒᆞᆯ 줄 아랏거니와, 그듸도록 ᄒᆞᆷ을 몰낫더니, 직상지녀(宰相之女)로 작인을 엇지 그리 ᄒᆞ엿던고?"

공 왈,

"후릐에 드르시면 소ᄌᆞ의 말ᄉᆞᆷ을 아르시리이다. 셩씨 ᄆᆞᄎᆞᆷᄂᆡ 졔 집에 고이 잇지 못ᄒᆞ여, 기젹(改籍)ᄒᆞ여 가도 반ᄃᆞ시 변을 짓고 말니니, 결단코 그 상모를 도망튼 못ᄒᆞ리이다."

부인 왈,

"니러나 져러나 요인을 츌거ᄒᆞ고 양씨 신누(身累)를 옥ᄀᆞᆺ치 아ᄉᆞ니[127] 이거시 만힝이라. 졔 침소를 슈리ᄒᆞ고 편히 머믈게 ᄒᆞ려니와, 양씨 종뎨 소씨를 셩씨 그러틋 참히ᄒᆞ고 셰흥이 상면타 ᄒᆞ니, 져 소씨를 장ᄎᆞᆺ 엇지 ᄒᆞ리오?"

공이 빈미 듸 왈,

"블초ᄌᆞ의 힝식 ᄒᆞᆫ 일도 드럼즉 ᄒᆞᆫ 일이 업ᄉᆞᆫ【23】연고로, 소씨의 일싱을 마ᄌᆞ 어ᄌᆞ러이미 블힝치 아니리잇가?"

부인이 소씨의 위인을 알고져 ᄒᆞ여 대양씨와 셜유랑을 블너 알픠 니르믹, 부인이 소씨의 위인과 용모를 무른듸, 유랑이 그 아름다오믈 ᄀᆞ초 고ᄒᆞ고, 대양씨 그 상체

---

127)앗다 : ①벗기다. ②없애다. ③빼앗다. ④가지다. ⑤앞서다.

(慨然) 통히 왈,

“투긔란 거시 곡졀이 잇거놀, 셰홍이 무상ᄒᆞ나 그려도 소시의 근본을 ᄌᆞ시 아디 못ᄒᆞ므로, 방ᄌᆞ히 경【57】을 ᄆᆡ즌 일이 업거놀, 셩시 블의의 잡아다가 참혹히 죽이려 ᄒᆞ던 용심이 엇디 분완치 아니리오. 아디 못게라, 양형이 그 ᄉᆡᆼ덜의 상ᄒᆞ믈 날다려 니르디 아니믄 엇딘 일이뇨?”

대양시 유유무언(儒儒無言)이러라. 공이 양시를 믈너 가라 ᄒᆞ여, 산후 너모 슈히 니러 단니디 말나 ᄒᆞ고, 션삼경을 슈리ᄒᆞ여 쇼양시를 머믈게 ᄒᆞ니, 쇼양시 뎡 태우 한ᄒᆞᄂᆞᆫ ᄆᆞ음이 ᄉᆡᆼ젼의 플닐 길히 업ᄉᆞ나, 그 참참(慘慘)ᄒᆞᆫ 상쳐를 보ᄆᆡ 놀납고 ᄎᆞ악ᄒᆞ미 비ᄒᆞᆯ 곳이 업ᄂᆞᆫ디라. 능히 살기를 긔약디 못ᄒᆞ여 일마다 ᄌᆞ긔 명도의 괴이ᄒᆞ믈 슬허ᄒᆞᆯ ᄲᅮᆫ이라. 원ᄂᆡ 양시 ᄃᆡᆫ부의셔 태우의【58】슈장ᄒᆞ미 위ᄐᆡᄒᆞᆫ ᄃᆡ경의 이시믈 알고, 창황이 셔헌(書軒)을 피치 아녀 청듁헌의 니르믄, 시녀 빵빙 등이 ᄃᆡᆫ부의 니르러 태우의 명ᄆᆡᆨ이 슈유의 이시믈 ᄇᆞᆰ히 고ᄒᆞᆫ 연괴라. 이 날 맛초와 낙양후 부ᄌᆞ와 뎡국공 부ᄌᆞ로 답청(踏靑)[140]○○[ᄒᆞ여] 화시(花時)의 풍경을 유완(遊玩)코져 취운샹[산]의 올나시므로, 태우의 듕장 바드믈 아디 못ᄒᆞ여 말니디 못ᄒᆞ미라. 이ᄯᆡ 태우ᄂᆞᆫ 형뎨와 노복 등의게 붓들녀 ᄎᆡ듁헌의 도라○[와] ᄒᆞᆫ 번 누으ᄆᆡ 날이 어둡도록 혼혼침침(昏昏沈沈)ᄒᆞ여 아모란 줄 모로고, 능히 장쳐의 알프믈 아디 못ᄒᆞ니, 딕ᄉᆞ와 녜부 등이 ᄎᆞ악ᄒᆞ믈 니긔디 못ᄒᆞ여, 온갓 약믈을 년쇽ᄒᆞ여【59】정신을 출히게 ᄒᆞ고, 금창약(金瘡藥)[141]을 바르나 장쳬 본ᄃᆡ 녜ᄉᆞ롭디 아닌 고로 《심히긔약‖심허긔약(心虛氣弱)》ᄒᆞ여 형각(形殼)만 남앗ᄂᆞᆫ 바의, 피육(皮肉)이

140)답청(踏靑) : 봄에 파랗게 난 풀을 밟으며 산책함. 또는 그런 산책.

141)금창약(金瘡藥) : 칼, 창, 화살 따위로 생긴 상처에 바르는 약. 석회를 나무나 풀의 줄기와 잎에 섞어 이겨서 만든다.

참혹던 바를 고ᄒᆞ여 일마다 소씨의 명되 고이ᄒᆞ믈 닐ᄏᆞ르니, 공이 《가련‖개연(慨然)》 통히(痛駭) 왈,

“투긔란 거시 그려도 곡졀이 잇거놀, 셰홍이 무상ᄒᆞ나 소씨의 근본을 ᄌᆞ시 아지 못ᄒᆞ므로, 방ᄌᆞ히 경을 ᄆᆡ즌 일이 업거놀, 셩씨 불의의 잡아다가 참혹히 죽이려ᄒᆞ던 용심이 엇지 통완치 아니리오. 아지 못게라 양형이 그 ᄉᆡᆼ덜의 상ᄒᆞ믈 날ᄃᆞ려 니르지 아니믄 엇진 일인고?”

대양씨 유유무언(儒儒無言)이러라. 공이 션삼경을 슈쇄ᄒᆞ여 소양씨로 편히 잇게 ᄒᆞ니, 소양씨 뎡태우 한ᄒᆞᄂᆞᆫ 마음이 종시 플닐 길히 업ᄉᆞ나,【24】그 참참(慘慘)ᄒᆞᆫ 상쳐를 보ᄆᆡ 놀납고 ᄎᆞ악ᄒᆞ미 비ᄒᆞᆯ 곳이 업ᄂᆞᆫ지라. 능히 살기를 긔약지 못ᄒᆞ여 일마다 ᄌᆞ긔 명도의 고이ᄒᆞ믈 슬허ᄒᆞᆯ ᄲᅮᆫ이라. 원ᄂᆡ 양씨 ᄃᆡᆫ부에셔 태우의 슈장ᄒᆞ미 위ᄐᆡᄒᆞᆫ 지경에 이시믈 알고, 창황이 외헌(外軒)을 피치 아냐 청죽헌에 니ᄅᆞ믄 시녀 빵빙 등의 고급(告急)ᄒᆞᆫ 연괴라. 이 날 마초와 낙양후 부ᄌᆞ와 뎡국공 부ᄌᆞ로 답청(踏靑)[128]○○[ᄒᆞ여] 화시(花時)의 풍경을 유완(遊玩)코져 취운산에 올나시므로, 태우의 슈장ᄒᆞ믈 아지 못ᄒᆞ여 말니지 못ᄒᆞ니[미]라. 이 ᄯᆡ 태위 형뎨와 노복 등에게 붓들녀 ᄎᆡ죽헌에 ᄒᆞᆫ 번 누으ᄆᆡ, 날이 어둡도록 혼혼침침(昏昏沈沈)ᄒᆞ여 아모란 줄을 모로고, 능히 장쳐의 알프믈 ᄭᆡᄃᆞᆺ지 못ᄒᆞ니, 직ᄉᆞ와 녜부 등이 불승챠악ᄒᆞ여 온갓 약물을 년속ᄒᆞ여 정신을 찰히게 ᄒᆞ고, 금창약(金瘡藥)[129]을 발나 장쳬 본ᄃᆡ 녜ᄉᆞ롭지 아닌 고로, 심허긔약(心虛氣弱)ᄒᆞ【25】여 형각(形殼)만 남앗ᄂᆞᆫ 바의, 피육(皮肉)이 후란(朽爛)토록 즁장을 바ᄃᆞᄆᆡ, 엇디 위ᄐᆡ롭지 아니리오. ᄒᆞᆫ 번 상요의 몸을 ᄇᆞ리ᄆᆡ 눈도 써 보지 아니ᄒᆞ니, 녜부 등이 초젼ᄒᆞ믈 마지 아니터니, 밤이 되

128)답청(踏靑) : 봄에 파랗게 난 풀을 밟으며 산책함. 또는 그런 산책.

129)금창약(金瘡藥) : 칼, 창, 화살 따위로 생긴 상처에 바르는 약. 석회를 나무나 풀의 줄기와 잎에 섞어 이겨서 만든다.

후란(朽爛)토록 즁장을 바드ᄆᆡ, 엇디 위ᄐᆡ롭디 아니리오. ᄒᆞᆫ 번 상요의 몸을 바리ᄆᆡ 눈도 ᄡᅧ 보디 아니니, 녜부 등이 초젼ᄒᆞ믈 마디 아니ᄒᆞ더니, 야심ᄒᆞᄆᆡ 촉을 ᄇᆞᆰ힌 후 태위 잠간 졍신을 출혀 좌우를 둘너 보고, 믄득 분연이 손을 드러 벽을 쳐, 왈,

“양가 요믈노 인ᄒᆞ여 내 몸이 엄젼의 장칙을 밧ᄌᆞ와 ᄉᆞᄉᆡᆼ을 뎡치 못ᄒᆞ니, ᄉᆡᆼ각ᄒᆞᆯᄉᆞ록 양가 별믈이 나의 원싊 아니리오. 셩시 어ᄃᆡ로 가고 날을 구치 아니ᄒᆞᄂᆞ뇨?”

녜뷔 ᄎᆞ언을 듯고 ᄒᆡ연(駭然)ᄒᆞ여142) 뎡식【60】칙 왈,

“네 만○[일] 인심이 이실딘ᄃᆡ, 양슈의 ᄋᆡᄆᆡ홈과 셩시의 간교ᄒᆞ믈 {거의 알} 거의 알 거시어늘, 네 허믈을 조금도 뉘웃디 아니ᄒᆞ고 양슈를 원슈로 칭ᄒᆞ믄 엇딘 일이뇨?

덕시 니어 ᄀᆞᆯ오ᄃᆡ,

“형뎡이 츈교의 초ᄉᆞ를 듯디 못ᄒᆞ엿관ᄃᆡ 이 말을 ᄒᆞ시ᄂᆞ뇨?”

태위 머리를 흔드러 왈,

“셩시ᄂᆞᆫ 인ᄉᆞ 단뎡(端整)ᄒᆞᆫ 위인이라. 남이 ᄌᆞ가를 ᄒᆡᄒᆞ면 손을 뭇거 힘힘이 그 ᄒᆡ를 바들 거시오, 남을 ᄒᆡᄒᆞ믄 몽니(夢裏)의도 두디 아니ᄒᆞᆯ 거시니, 엇디 양시를 ᄒᆡᄒᆞ리오. 츈괴 형벌의 알프믈 견ᄃᆡ디 못ᄒᆞ여 허언을 쥬츌(做出)ᄒᆞ여 죄를 졔 듀인의게 밀위나, 실노【61】 셩시ᄂᆞᆫ 무죄ᄒᆞ니, 그 ᄋᆡᄆᆡᄒᆞ믈 텬디귀신(天地鬼神)과 쇼뎨 밧근 알니 업ᄉᆞ리이다.”

녜뷔 슌셜노 개유치 못ᄒᆞᆯ 줄 알고, 다만 약셕(藥石)을 착실이 ᄒᆞ여 슈히 ᄎᆞ경(差境)을 바라나, 태우의 실셩이 이심(已甚)ᄒᆞᆫ ᄃᆡ경의 이셔, 언언이 양시를 졀티(切齒)ᄒᆞ고 셩시를 ᄉᆞ모ᄒᆞ여, 형뎨를 보채여 셩시를 블너 달나 ᄒᆞᄃᆡ, 녜부 등이 굿ᄐᆞ여 셩시를 츌거ᄒᆞ믈 니르디 아니코, 다만 녀ᄌᆡ 외헌의 나오미 비편(非便)타 ᄒᆞ여 막ᄌᆞ르더라.

이러구러 ᄉᆞ오일이 디낫더니, 쇼양시 ᄒᆡ만(解娩)ᄒᆞ여 일개 옥동을 ᄉᆡᆼᄒᆞ니, 뇽미봉안(龍眉鳳眼)의 오악(五嶽)143)이 쥰긔(俊起)ᄒᆞ

142)ᄒᆡ연(駭然)ᄒᆞ다 : 몹시 이상스러워 놀랍다.

여 촉을 ᄇᆞᆰ힌 후, 태위 잠간 정신을 출혀 좌우를 둘너보고, 믄득 분연이 손을 드러 벽을 쳐 왈,

“양가 요물노 인ᄒᆞ여 ᄂᆡ 몸이 엄젼에 장칙을 밧ᄌᆞ와 ᄉᆞᄉᆡᆼ을 졍치 못ᄒᆞ니, ᄉᆡᆼ각ᄒᆞᆯᄉᆞ록 졔 나의 원싊 아니리오. 셩씨ᄂᆞᆫ 어ᄃᆡ로 가고 날을 구치 아니ᄒᆞᄂᆞᆫ고?”

녜뷔 ᄎᆞ언을 듯고 ᄒᆡ연(駭然)ᄒᆞ여130) 경식 칙 왈,

“네 만일 인심일진ᄃᆡ 양슈의 ᄋᆡᄆᆡ홈과 셩씨의 간교ᄒᆞ믈 거의 알거시어늘, 네 조곰도 뉘웃지 아니코 다함 양슈를 원슈로 칭ᄒᆞ믄 엇진 일이뇨?

직ᄉᆡ 니어 왈,

“형장이 츈교의 초ᄉᆞ를 듯지 못ᄒᆞ여겨시관ᄃᆡ 이 말을 ᄒᆞ시ᄂᆞ니잇가?” 【26】

태위 요두(搖頭) 왈,

“셩씨ᄂᆞᆫ 《인ᄌᆞ‖인ᄉᆞ》 단졍(端整)ᄒᆞᆫ 위인이라. 남이 ᄌᆞ가를 ᄒᆡᄒᆞ면 손을 뭇거 힘힘이 그 ᄒᆡ를 ᄇᆞ들 거시오, 남을 ᄒᆡᄒᆞ믄 몽니에도 두지 아니ᄒᆞᆯ 거시니, 엇지 양씨를 ᄒᆡᄒᆞᆯ니 잇시리오. 츈괴 형벌을 견ᄃᆡ디 못ᄒᆞ여 허언을 쥬츌(做出)ᄒᆞ미니, 셩씨의 ᄋᆡᄆᆡᄒᆞ믄 텬지신지(天知神知)ᄒᆞ고, 쇼뎨 밧근 알니 업ᄉᆞ리이다.”

녜뷔 슌셜노 개유치 못ᄒᆞᆯ 줄 알고, 다만 약셕(藥石)을 착실이 ᄒᆞ여 수이 챠셩 키를 ᄇᆞ라나, 태우의 실셩이 심(甚)ᄒᆞ여 언언이 셩씨를 불너달나 ᄒᆞᄃᆡ, 녜부 등이 굿ᄒᆞ여 셩씨 츌거(黜去)ᄒᆞ믈 니르지 아니코, 다만 녀ᄌᆡ 외헌에 나오지 못ᄒᆞ므로 막ᄌᆞ르더라.

ᄉᆞ오 일 후, 양씨 ᄒᆡ만(解娩)ᄒᆞ여 일개 옥동을 ᄉᆡᆼᄒᆞᄆᆡ, 운[용]미봉안(龍眉鳳眼)의 오악(五嶽)131)이 쥰긔(俊起)ᄒᆞ고, 냥협(兩頰)

130)ᄒᆡ연(駭然)ᄒᆞ다 : 몹시 이상스러워 놀랍다.

고, 두렷ᄒᆞᆫ 텬졍(天庭)144)의 냥협(兩頰)이 풍만ᄒᆞ며, 넉ᄉᆞ쥬순(-四朱脣)145)과 놉흔 코히 【62】 완연이 귀격달상(貴格達相)146)으로 영영(英英)ᄒᆞᆫ 미우(眉宇)와 슈려ᄒᆞᆫ 용광(容光)이 ᄒᆡ월(海月)이 써러진 ᄃᆞᆺᄒᆞ니, 존당 구괴 대희과망(大喜過望)ᄒᆞ여 귀듕(貴重) ᄒᆡᆼ열(幸悅)ᄒᆞ미 평ᄉᆡᆼ 쳐음으로 손ᄋᆞ를 어듬 ᄀᆞᆺ고, 양시 젹상ᄒᆞ미 무궁ᄒᆞᄃᆡ 산후 대단ᄒᆞᆫ 딜양(疾恙)이 업셔 ᄀᆡᆼ반을 녜ᄉᆞ로이 나오니, 태부인과 뎡공 부뷔 더옥 깃거 ᄒᆞ나, 태우의 병이 위악(危惡)ᄒᆞ여 쥬야를 블분(不分)ᄒᆞ고, 사ᄅᆞᆷ의 츌입을 아디 못ᄒᆞᄂᆞᆫ 가온ᄃᆡ도 셩시를 ᄉᆡᆼ각ᄒᆞ미 골슈의 박힌 ᄃᆞᆺᄒᆞ니, 다만 입쇽의 가득이 못 닛ᄂᆞᆫ 말이 다 셩시를 일ᄏᆞ라, 츌화당ᄒᆞ믄 아디 못ᄒᆞ고 션슈졍의 이시므로 아라, 취듁헌으로 쳥ᄒᆞ믈 마디 【63】 아니니, 녜부 등이 그 실셩을 우민ᄒᆞ여 쳔방ᄇᆡᆨ약(千方百藥)으로 티료ᄒᆞ나, 감히 이 소유를 고치 못ᄒᆞ고, 단경과 초후의 의슐이 고명ᄒᆞᆫ 고로 ᄌᆞ로 왕ᄂᆡᄒᆞ여 쟝쳐의 약을 아라 ᄡᅳ며, 보긔(補氣)ᄒᆞᆯ 듁음(粥飮)과 유미(有味)ᄒᆞᆫ 찬션으로 구호ᄒᆞᄂᆞᆫ 도리 극딘ᄒᆞᄃᆡ 조금도 효험이 업ᄉᆞ니, 양공이 날마다 와 보고 념녀ᄒᆞ미 친ᄌᆞ의 딜환과 다르미 업고, 화부인은 녀ᄋᆞ의 분산디시의 친히 와 보려 ᄒᆞ엿더니, 뎡부의셔 셩시를 츌거ᄒᆞ고 태위 듕장ᄒᆞ여 가ᄂᆡ 블평ᄒᆞᆯ 바를 ᄉᆡᆼ각ᄒᆞ여, 칭병ᄒᆞ고 녀ᄋᆞ를 와 보디 아니ᄒᆞ나 태우의 광망패려ᄒᆞ믈 통완ᄒᆞ고, 녀ᄋᆞ의 누명을 버슨 후도 【64】 쾌활치 못ᄒᆞ믈 탄돌(歎咄)ᄒᆞ여 슬허 ᄒᆞ믈 마디 아니ᄒᆞ더라.

이 젹의 뎐당 태슈 소한쉬 태ᄌᆞ쇼부로 징소ᄒᆞ시ᄂᆞᆫ 명을 밧ᄌᆞ와 경샤의 니르러, 궐하의 샤은ᄒᆞ고 고틱의 니르ᄆᆡ, 십여년을 슈습

143)오악(五嶽) : 다섯 개의 큰 산을 뜻하는 말. 여기서는 얼굴의 두 눈과 두 콧구멍, 입을 말함.
144)텬졍(天庭) : 관상에서, 두 눈썹의 사이 또는 이마의 복판을 이르는 말.
145)넉ᄉᆞ쥬순(-四朱脣) : 넉 '사'자('四'字) 모양의 붉은 입술.
146)귀격달상(貴格達相) : 귀하고 높은 인물이 될 상(相).

○[이] {긔홰} 풍만ᄒᆞ며, 완이(完而)히 귀격달상(貴格達相)132)이라. 존당 구괴 대희과망(大喜過望)ᄒᆞ여 귀즁(貴重) 【27】 ᄒᆡᆼ열(幸悅)ᄒᆞ고, 양씨 젹상(積傷)ᄒᆞ미 무궁ᄒᆞᄃᆡ, 산후 대단ᄒᆞᆫ 질양(疾恙)이 업셔 ᄀᆡᆼ반을 예ᄉᆞ로이 나오니, 태부인과 뎡공 부뷔 더욱 깃거ᄒᆞ나, 태우의 병이 위악(危惡)ᄒᆞ여 쥬야를 블변(不變)ᄒᆞ고, 사ᄅᆞᆷ의 츌입을 아지 못ᄒᆞᄂᆞᆫ 즁도, 셩씨를 샤모ᄒᆞ미 쳘골(徹骨)ᄒᆞ여, 다만 입속의 ᄀᆞ득이 못 닛ᄂᆞᆫ 말이라. 녜부 등이 우민ᄒᆞ여 쳔방ᄇᆡᆨ초(千方百草)133)로 치료ᄒᆞᄃᆡ, 감히 소유를 고치 못ᄒᆞ고, 단평장과 초후의 의슐이 고명ᄒᆞᆫ 고로 자로 왕ᄂᆡᄒᆞ여 장쳐(杖處)에 약을 아라 ᄡᅳ며, 보긔(補氣)ᄒᆞᆯ 쥭음(粥飮)과 유미(有味)ᄒᆞᆫ 찬션으로 구호ᄒᆞᄂᆞᆫ 도리 극진ᄒᆞᄃᆡ, 조곰도 낫ᄂᆞᆫ 일이 업ᄉᆞ니, 양공이 날마다 와 보고 념녀ᄒᆞ미 친ᄌᆞ의 감치 아니며, 화부인은 녀ᄋᆞ의 분산지시에 친히 와 보려 ᄒᆞ엿더니, 뎡부에셔 셩씨를 츌거ᄒᆞ고 태위 즁장ᄒᆞ여 가ᄂᆡ 블평ᄒᆞᆯ 【28】 줄 알고 칭병 불ᄂᆡ(不來)ᄒᆞ나, 태우의 광픽(狂悖)ᄒᆞ믈 통완ᄒᆞ고 녀ᄋᆞ의 심ᄉᆡ 쾌활치 못ᄒᆞ믈 탄돌(歎咄)ᄒᆞ더라.

이 ᄯᅴ 《졍강‖젼당》 틱슈 소한귀 태ᄌᆞ소부로 징소ᄒᆞ시믈 밧ᄌᆞ와 경ᄉᆞ의 니르러, 예궐 샤은ᄒᆞᆫ 후 고틱에 니르ᄆᆡ, 쟝원이 퇴락ᄒᆞ여 머믈 곳이 업ᄉᆞ니, ᄒᆞᆯ일업셔134) 양

131)오악(五嶽) : 다섯 개의 큰 산을 뜻하는 말. 여기서는 얼굴의 두 눈과 두 콧구멍, 입을 말함.
132)귀격달상(貴格達相) : 귀하고 높은 인물이 될 상(相).
133)쳔방ᄇᆡᆨ초(千方百草) : 천 가지의 처방과 백가지의 약초란 뜻으로, 병을 치료하기 위한 온갖 처방과 의약품을 말함.

ᄒᆞ리 업ᄉᆞᆫ 뷘 집으로 쟝원(牆垣)이 퇴락(頹落)ᄒᆞ여 머믈 곳이 업ᄉᆞ니, ᄒᆞᆯ일업셔[147] 양부의 니르니, 블과 쳐남(妻男)과 쳐딜(妻姪) 등을 반길가 ᄒᆞ미어ᄂᆞᆯ, 긔약디 아닌 염난이 뎍슈(賊手)의 검혼(劍魂)[148]을 면ᄒᆞ여, 마유랑의 휵양(慉養)을 닙고 뎡부 셜유랑의 일이년 극딘히 밧드ᄂᆞᆫ 덕으로ᄡᅧ, 일명이 보젼ᄒᆞ여 양부의 잇다 ᄒᆞᄂᆞᆫ디라. 쇼뷔 반갑고 슬픈 졍을 모양치 못ᄒᆞ여 양공과 누년 써낫던【65】졍을 밋쳐 펴디 못ᄒᆞ고, 바로 양평댱 부듕의 니르러, 부녜 셔로 븟드러 반기ᄂᆞᆫ 졍과 참통ᄒᆞᆫ 심ᄉᆞ를 니ᄅᆞᆯᄉᆡ, 쇼져의 상쳬 잠간 나으나 두발이 ᄒᆞ나토 업셔 승니 ᄀᆞᆺᄐᆞ니, 소공이 대경ᄒᆞ여 연고를 므르니, 양공이 왕ᄉᆞ를 셰셰히 젼ᄒᆞ고, 딜녀의 혼ᄉᆞ를 마디 못ᄒᆞ여 뎡가의 디ᄂᆡ게 되여시믈 니르니, 소공이 셩시의 악착ᄒᆞ믈 통완ᄒᆞ나 ᄯᆞᆯ을 뎍슈(賊手)의 맛ᄎᆞ시므로 아라, 십여년이 되도록 못ᄎᆞᆺ고 슬허ᄒᆞ던 ᄊᆡ로 비ᄒᆞ건ᄃᆡ, 그 목슘을 보젼ᄒᆞ여시미 텬힝인 고로, 만ᄉᆞ를 플쳐[149] 분ᄒᆞ믈 ᄎᆞᆷ고, 인ᄒᆞ여 양부 겻ᄐᆡ 집을 ᄉᆞ 머믈ᄉᆡ, 소공이 양부인 기셰ᄒᆞᆫ 후 즉시 뎐당으로 나려와 십여【66】년을 이시ᄆᆡ, 운남 인믈이 녕한(零罕)[150]ᄒᆞ여 ᄒᆞᆫ낫 쳡도 어든 일이 업고, 당ᄎᆞ시 ᄒᆞ여ᄂᆞᆫ 공의 년긔 회갑(回甲)을 디ᄂᆡ여시므로 녀관(女關)의 ᄯᅳᆺ이 업셔 측실(側室)을 구치 아니ᄒᆞ니, 양공의 ᄉᆞ형뎨 소공을 ᄃᆡᄒᆞ여 니르ᄃᆡ,

"딜녜 아직 형의 감디(甘旨)를 밧드나 타일 셩녜ᄒᆞ여 뎡가로 도라가면, 형의 슬히 더옥 뎍뇨(寂廖)ᄒᆞ여 ᄒᆞᆫ 사ᄅᆞᆷ도 시봉ᄒᆞ리 업ᄉᆞ니, 쳡잉도 구ᄒᆞᆯ 의ᄉᆡ 업거든 밧비 계후(繼後)를 뎡ᄒᆞ라."

소공이 올히 넉여 죵뎨 소연슈의 이ᄌᆞ 소흥을 계후ᄒᆞ니, 흥이 년긔 약관의 셤궁(蟾宮)[151]의 단계(丹桂)[152]를 썩거 농방(龍

147)ᄒᆞᆯ일업다 : 하릴없다. 달리 어떻게 할 도리가 없다.

148)검혼(劍魂) : 칼날에 죽은 혼령.

149)풀치다 : 맺혔던 생각을 돌려 너그럽게 용서하다.

150)녕한(零罕) : 없거나 매우 드묾.

부에 니르니, 불과 쳐남과 쳐딜을 반길가 ᄒᆞ미어ᄂᆞᆯ, 긔약지 아닌 염난이 젹환을 면ᄒᆞ여 마유랑의 휵양(慉養)을 닙고 뎡부 셜유랑의 수년 밧드ᄂᆞᆫ 덕으로ᄡᅧ, 일명이 보젼ᄒᆞ여 양부의 잇다 ᄒᆞᄂᆞᆫ지라. 소뷔 반갑고 슬픈 졍을 모양치 못ᄒᆞ여 ᄇᆡ로 양평장 부즁에 니르러, 부녜 셔로 븟드러 반기ᄂᆞᆫ 졍과 참통ᄒᆞᆫ 심ᄉᆞ를 니ᄅᆞᆯᄉᆡ, 소져의 상쳬 잠간 나으나 두발이 ᄒᆞᆫ나토 업ᄉᆞ니, 소공이 경문기고(驚問其故)[135]ᄒᆞ니, 양공이 왕ᄉᆞ를 셰셰히【29】젼ᄒᆞ고 딜녀의 혼ᄉᆞ를 마지 못ᄒᆞ여 뎡가의 지ᄂᆡ게 되여시믈 니르니, 소공이 셩씨의 악착ᄒᆞ믈 통완ᄒᆞ나, ᄯᆞᆯ을 젹수의 맛ᄎᆞ시므로 아라, 십여 년이 되도록 못ᄎᆞᆺ고 슬허ᄒᆞ던 ᄊᆡ로 비ᄒᆞᆯ진ᄃᆡ, 그 목슘을 보젼ᄒᆞ여시미 텬힝인 고로 분ᄒᆞ믈 참고, 인ᄒᆞ여 양부 겻ᄐᆡ 집을 샤 머믈ᄉᆡ, 소공이 양부인 기셰ᄒᆞᆫ 후 즉시 젼당으로 ᄂᆞ려 와시ᄆᆡ, 운남 인믈이 녕한(零罕)[136]ᄒᆞ여 녀ᄌᆡ라도 낭[냥]졍가려(良正佳麗)[137]ᄒᆞᆫ 위인이 업ᄉᆞᆫ 고로, ᄒᆞᆫ낫 쳡잉(妾媵)도 어든 일이 업고, 당ᄎᆞ시ᄒᆞ여 공의 년긔 회갑(回甲)을 지ᄂᆡ여시므로, 녀관(女關)의 ᄯᅳᆺ이 업셔 《속실∥측실(側室)》을 구치 아니ᄒᆞ니, 양공의 ᄉᆞ형뎨 소공을 ᄃᆡᄒᆞ여 왈,

"딜녜 아직 형의 감지를 밧드나 타일 셩녜ᄒᆞ여 뎡가로 도라 가면, 그ᄃᆡ 슬히 더욱 젹뇨ᄒᆞ여 ᄒᆞᆫ 샤ᄅᆞᆷ도 시봉ᄒᆞ리 업ᄉᆞ니 쳡잉도 구ᄒᆞᆯ 의ᄉᆡ【30】업거든 밧비 계후를 졍ᄒᆞ라."

소공이 올히 넉여 종뎨 소연슈의 이ᄌᆞ 소흥을 계후ᄒᆞ니, 흥이 년긔 약관에 《션궁∥셤궁(蟾宮)[138]》의 계지(桂枝)[139]를 썩거

134)ᄒᆞᆯ일업다 : 하릴없다. 달리 어떻게 할 도리가 없다.

135)경문 기고(驚問其故) : 크게 놀라 그 까닭을 물음.

136)녕한(零罕) : 없거나 매우 드묾.

137)양정가려(良正佳麗) : 착하고 바르며 아름다움.

榜)153)의 비등(飛騰)ᄒᆞ여, 작ᄎᆡ(爵次) 태ᄒᆞᆨᄉᆞ의 니르렷고, 문댱도ᄒᆞᆨ(文章道學)과 ᄃᆡᆨ졀쳥ᄒᆡᆼ(直節淸行)이 ᄉᆞ류【67】의 츄앙ᄒᆞᄂᆞᆫ ᄇᆡ 되고, 쳐 님시 슉뇨ᄒᆞ여 만ᄉᆡ 유한졍뎡(幽閑貞靜)ᄒᆞ니, 소공이 양ᄌᆞ 부부의 츌인(出人)ᄒᆞ믈 만심환열ᄒᆞ여, 즉시 다려와 ᄂᆡ외 가ᄉᆞ를 맛져 봉ᄉᆞ디졀(奉祀之節)과 티가디졍(治家之政)을 다시 념녀치 아니ᄒᆞ니, 소ᄒᆞᆨᄉᆞ 부뷔 양부를 디효로 밧들며 념난 쇼져를 극딘히 우ᄋᆡᄒᆞ여 동포(同胞) 골육동긔(骨肉同氣) ᄀᆞᆺᄐᆞ니, ᄒᆞ믈며 소쇼져의 우공(友恭)ᄒᆞᄂᆞᆫ 정을 어ᄃᆡ 비ᄒᆞ리오. 부친을 ᄎᆞᄌᆞ 텬뉸의 남은 한이 업ᄉᆞ나, 뎡태우의 겁박고져 ᄒᆞ던 바와 셩시의 참악(慘惡)을 ᄉᆡᆼ각ᄒᆞᄆᆡ ᄊᆡᆨᄊᆡᆨ 심장이 놀납기를 니긔디 못ᄒᆞ여, 인뉸셰ᄉᆞ(人倫世事)를 참예ᄒᆞ믈 딘졍으로 원치 아니ᄒᆞ나, 마유인의 은혜를 닛디 못ᄒᆞ【68】고 셜유랑의 극딘히 ᄃᆡ졉ᄒᆞ던 은혜를 ᄉᆡᆼ각ᄒᆞᄆᆡ, 은인으로 칭ᄒᆞ고 마유인의 녕연(靈筵)154)의 삭망(朔望)으로 쥬과를 버려155), 십일년 무휼ᄒᆞ던 은덕을 니즐 《길∥날》히 업더라.

ᄎᆞ시 뎡슉녈이 십 삭이 ᄎᆞᄆᆡ 일개 영ᄌᆞ(英子)를 ᄉᆡᆼᄒᆞ니, 신ᄋᆡ(新兒) 긔골이 비범셕대(非凡碩大)ᄒᆞ여 텬일디표(天日之表)와 농봉긔습(龍鳳氣習)이 이셔, 모비의 츄슈졍신(秋水淨身)과 션풍염ᄐᆡ(仙風艶態)를 젼습(專襲)ᄒᆞ여 쇽셰 신ᄋᆞ와 ᄂᆡ도ᄒᆞ니, 태부인과 조부인의 환ᄒᆡᆼ쾌열(歡幸快悅)ᄒᆞ믄 니르도 말고, 윤공 부부와 통ᄌᆡ 부부의 긧거ᄒᆞ미 희츌망외(喜出望外)라. 합문의 놉흔 화긔(和氣) 츈풍이 화창ᄒᆞᆷ ᄀᆞᆺᄐᆞᄃᆡ, 태부인이 ᄉᆡ로 증손을 볼ᄉᆞ록 일흔 손ᄋᆞ를【69】ᄉᆡᆼ각ᄒᆞ여

---

151)셤궁(蟾宮) : 달. 섬(蟾)은 달 또는 달빛을 말한다.

152)단계(丹桂) ; 붉은 계수나무. 조선시대에 임금이 과거 급제자에게 종이로 만든 계수나무 꽃을 하사하였다.

153)농방(龍榜) : =과방(科榜). 과거에 급제한 사람의 이름을 써서 거리에 붙이던 글.

154)녕연(靈筵) : 죽은 사람의 영궤(靈几)와 그에 딸린 모든 것을 차려 놓는 곳. =궤연(几筵)

155)버리다 : 벌이다. 차리다. 여러 가지 물건을 늘어 놓다. 일을 계획하여 시작하거나 펼쳐 놓다.

농방(龍榜)140)의 비등(飛騰)ᄒᆞ야 작ᄎᆡ(爵次) 태ᄒᆞᆨᄉᆞ의 니르렷고, 문장도ᄒᆡᆼ(文章道行)과 직졀쳥ᄒᆡᆼ(直節淸行)이 ᄉᆞ류의 츄앙ᄒᆞᄂᆞᆫ ᄇᆡ 되엿고, 쳐 님씨 슉뇨(淑窈)ᄒᆞ여 만ᄉᆡ 유한졍졍(幽閑貞靜)ᄒᆞ니, 소공이 양ᄌᆞ부(養子婦)의 츌인(出人)ᄒᆞ믈 만심환열ᄒᆞ여, 즉시 도라와 ᄂᆡ외 가ᄉᆞ를 맛겨 봉ᄉᆞ지졀(奉祀之節)과 치가지졍(治家之政)을 다시 념녀치 아니ᄒᆞ니, 소ᄉᆡᆼ 부뷔 양부(養父)를 지효로 밧들며, 염난 소져를 극진히 ᄉᆞ랑ᄒᆞ여 골육동긔(骨肉同氣) ᄀᆞᆺᄒᆞ니, ᄒᆞ믈며 소소져의 우공(友恭)ᄒᆞᄂᆞᆫ 졍을 어ᄃᆡ 비ᄒᆞ리오. 부친을 ᄎᆞᄌᆞ 텬륜의 남은 한이 업ᄉᆞ나, 뎡태우의 겁박고져 ᄒᆞ던 바와, 셩씨의 참욕을 ᄉᆡᆼ각ᄒᆞᄆᆡ, ᄊᆡᆨᄊᆡᆨ 심장이 놀납기를 니긔지 못ᄒᆞ여 인뉸셰ᄉᆞ(人倫世事)릐 참예【31】키를 진졍으로 원치 아니나, 마유인의 은혜를 닛지 못ᄒᆞ고, 셜유랑의 극진히 ᄃᆡ졉ᄒᆞ던 바를 ᄉᆡᆼ각ᄒᆞ여, ᄊᆡᆨᄊᆡᆨ 다려다가 은인으로 칭ᄒᆞ고, 마유인의 녕위(靈位)를 ᄇᆡ셜(排設)ᄒᆞ고, 삭망으로 쥬과를 버려141) 십일 년 무휼ᄒᆞ던 덕을 표ᄒᆞ더라.

ᄎᆞ시 뎡슉녈이 십 삭이 ᄎᆞᄆᆡ 일ᄀᆡ 녕ᄌᆞ(英子)를 ᄉᆡᆼᄒᆞ니, 신ᄋᆡ(新兒) 골격이 비범셕ᄃᆡ(非凡碩大)ᄒᆞ여 텬일지표(天日之表)와 농봉지질(龍鳳之質)이 잇셔, 모친의 츄슈졍신(秋水淨身)과 션풍념ᄐᆡ(仙風艶態)를 얼프시 가(加)ᄒᆞ여 쇽셰 신ᄋᆞ와 ᄂᆡ도ᄒᆞ니, 태부인과 조부인의 환ᄒᆡᆼ쾌열(歡幸快悅)ᄒᆞ믄 니르도 말고, 윤공 부부와 거개(擧家) 깃거 ᄒᆞ믄 측낭키 어렵더라.

---

138)셤궁(蟾宮) : 달. 섬(蟾)은 달 또는 달빛을 말한다.

139)계지(桂枝) : 계수나무 가지. 조선시대에 임금이 과거 급제자에게 종이로 만든 계수나무 꽃을 하사하였다.

140)농방(龍榜) : =과방(科榜). 과거에 급제한 사람의 이름을 써서 거리에 붙이던 글.

141)버리다 : 벌이다. 차리다. 여러 가지 물건을 늘어 놓다. 일을 계획하여 시작하거나 펼쳐 놓다.

슬허 ᄒᆞ믈 마디 아니ᄒᆞ더라.

숙녈이 산후 무병ᄒᆞ여 삼칠일(三七日) 후 즉시 니러나나, 셰월이 갈ᄉᆞ록 유ᄌᆞ(幼子)의 ᄉᆡᆼ을 아디 못ᄒᆞ여 참연비상(慘然悲傷)ᄒᆞ미 칼흘 삼킨 ᄃᆞᆺᄒᆞᄃᆡ, 존당 심회를 돕디 아니려 밧그로 화열ᄒᆞᆫ 빗출 디어 됴흔 ᄃᆞ시 셰월을 보ᄂᆡ더라.

원슈의 츌뎡ᄒᆞ연 디 삼ᄉᆞ삭이 되ᄆᆡ, 존당·숙당·조부인의 훌연ᄒᆞᆫ 심ᄉᆡ 더옥 비홀 ᄃᆡ 업ᄉᆞᄃᆡ, 니뷔(吏部) 비졀ᄒᆞᆫ 회포를 ᄎᆞᆷ고 승안열친(承顔悅親)을 위쥬ᄒᆞ여, 평ᄉᆡᆼ 단믁침뎡(端默沈靜)ᄒᆞ던 셩픔을 곳쳐, 존당을 뫼셔 셰샹 긔담미어(奇談美語)와 문견(聞見)의 가쇼디ᄉᆞ(可笑之事)와 고금(古今)을 인증(引證)ᄒᆞ여 우으시믈 요구ᄒᆞ고, 간간(懇懇)ᄒᆞ여 면모(面貌)○[의] 화긔 ᄆᆞ로녹아,【70】경운(慶雲)이 남훈(南薰)[156]의 빗나며, 츈양(春陽)이 만믈을 부ᄉᆡᆼ(復生)홈 ᄀᆞᆺᄐᆞ니, 존당 부뫼 어린 ᄃᆞ시 눈을 옴기디 아녀, 그 낫출 볼 적마다 두굿거옴과 아름다오믈 니긔디 못ᄒᆞ더라.【71】

156)남훈(南薰) : 남훈뎐(南薰殿). 순임금이 오현금(五絃琴)으로 남풍시(南風詩)를 타 백성들의 불만을 어루만져주던 전각.

명듀보월빙 권디팔십삼

화셜 윤니부통ᄌᆡ공이 화셩유어로 존당 부모를 위로ᄒᆞ니, 존당 부뫼 어린 ᄃᆞ시 눈을 옴기디 아녀, 그 낫촐 볼 젹마다 두굿거옴과 아ᄅᆞᆷ다오믈 니긔디 못ᄒᆞ거ᄂᆞᆯ, 뎡·딘·남·화 ᄉᆞ부인과 하·댱 이부인으로 더브러 승안화긔(承顔和氣)로 영합친의(迎合親意)를 웃듬ᄒᆞ여, ᄇᆡᆨ만ᄉᆞ(百萬事)의 효순키로 위듀ᄒᆞ니, ᄒᆞ물며 뎡슉녈이 슈두(首頭)로 누ᄃᆡ 봉ᄉᆞ의 정셩을 다ᄒᆞ고, 존당 존고의 감디온닝(甘旨溫冷)을 맛초고, 의복한셔(衣服寒暑)를 혜아려 츌텬ᄒᆞᆫ 셩회(誠孝) 갈ᄉᆞ록 빗나고, 친쳑을 돈목ᄒᆞᄂᆞᆫ 도리며, ᄃᆡ인졉믈(對人接物)의 동일디ᄋᆡ(冬日之愛)[157]와 【1】 츈양화긔(春陽和氣) ᄌᆞ연 인심을 감열(感悅)ᄒᆞ니, 닌니향당(隣里鄕黨)의 칭셩(稱聲)이 ᄌᆞ못 분분ᄒᆞ여 만셩(滿城)을 《픔동‖풍동(風動)[158]》ᄒᆞ니, 인인이 슉녈문이 헛되디 아니믈 일ᄏᆞᆺᄂᆞᆫ디라.

태부인과 뉴부인이 통ᄌᆡ 부부와 뎡·딘 등을 참혹히 조로고 보ᄎᆡ며, 원슈를 온 가디로 히ᄒᆞ여 죽이고져 ᄒᆞ던 바를, ᄆᆡ양 조부인과 구파를 ᄃᆡᄒᆞ여 니르고, 뉘웃ᄂᆞᆫ 탄이 극ᄒᆞ여 ᄣᅢᄣᅢ 눈믈을 나리오니, 조부인이 존고와 뉴부인을 위로(慰勞) 개유(開諭)ᄒᆞ여 무익히 디난 바를 비상(悲傷)치 말기를 청ᄒᆞ더라.

이ᄣᅢ 뎡태위 부젼의 슈장(受杖)ᄒᆞ연 디 슈삭이 되ᄆᆡ, 형뎨 구호ᄒᆞ믈 힘닙어 장쳐ᄂᆞᆫ 져기 나으나, 측듕(厠中) 츌입은 임의로 ᄒᆞᄃᆡ, 실셩은 졈졈 【2】 더을[ᄒᆞᆫ] ᄃᆞᆺᄒᆞ여, 셩시 못 니ᄌᆞ미 날노 더으니, 녜뷔 통완ᄒᆞ믈 니긔디 못ᄒᆞ여, 비로소 셩시 츌거ᄒᆞᆷ과 부모 존당의 분연통히ᄒᆞ시믈 닐너, ᄎᆞ후나 개심

157)동일디ᄋᆡ(冬日之愛) : 겨울 햇살의 다사로움.
158)풍동(風動) : 바람이 무엇을 움직인다는 뜻으로, 백성들이 스스로 좇아서 감화됨을 비유적으로 이르는 말.

슉녈의 츌텬ᄒᆞᆫ 셩회(誠孝) 갈ᄉᆞ록 빗나고 일가친쳑(一家親戚)을 돈목(敦睦)ᄒᆞ{ᄒᆞ}ᄂᆞᆫ 도리며, ᄃᆡ인졉물(對人接物)의 동일지ᄋᆡ(冬日之愛)[142]와 츈양화긔(春陽和氣) ᄌᆞ연이 인심을 감열(感悅)ᄒᆞ니, 닌니(隣里) 친당(親黨)의 칭셩(稱聲)이 ᄌᆞ못 분분(紛紛)ᄒᆞ여 《만션‖만셩(滿城)》을 《픔【32】동‖풍동(風動)[143]》ᄒᆞ니 인인이 슉녈문이 헛되지 아니믈 닐ᄏᆞᆺᄂᆞᆫ지라

태부인과 뉴부인이 총ᄌᆡ 부부와 뎡·딘 등을 참혹히 조르고 보ᄎᆡ며, 원슈를 온가지로 히ᄒᆞ여 죽이고져 ᄒᆞ던 바를 ᄆᆡ양 조부인과 구파를 ᄃᆡᄒᆞ야 니르고, 뉘웃ᄂᆞᆫ 탄이 극ᄒᆞ여 시시로 눈물을 ᄂᆞ리오니, 조부인이 존고와 뉴부인을 위로ᄒᆞ야 무익히 지난 바를 비상치 마르시믈 청ᄒᆞ더라.

ᄎᆞ셜 뎡태위 부젼에 슈장(受杖)ᄒᆞ연 지 슈삭이 되ᄆᆡ, 형뎨 구ᄒᆞ믈 닙어 장체 적이 나아 축즁(厠中) 츌입은 임의로 ᄒᆞᄃᆡ, 실셩은 졈졈 더ᄒᆞᆫ ᄃᆞᆺ ᄒᆞ여, 셩씨 못 니ᄌᆞ미 날노 더으니 녜뷔 통완ᄒᆞ믈 니긔지 못ᄒᆞ여, 비로소 셩씨 츌거ᄒᆞᆷ과 부모 존당의 분연 통히ᄒᆞ시믈 닐너, ᄎᆞ후나 ᄀᆡ심슈ᄒᆡᆼ(改心修行)ᄒᆞ믈

142)동일디ᄋᆡ(冬日之愛) : 겨울 햇살의 다사로움.
143)풍동(風動) : 바람이 무엇을 움직인다는 뜻으로, 백성들이 스스로 좇아서 감화됨을 비유적으로 이르는 말.

슈힝(改心修行)ᄒᆞ믈 당부ᄒᆞᄃᆡ, 태위 형의 말을 치 듯디 못ᄒᆞ여, 밋쳐 ᄂᆡ다를 ᄃᆞᆺᄒᆞ여 눈믈을 머금고, 일신을 브ᄃᆡ이져 ᄀᆞᆯ오ᄃᆡ,

"셩시ᄂᆞᆫ 인ᄌᆞ온슌ᄒᆞᆫ 녀ᄌᆡ라 대인이 ᄌᆞ식의 금슬을 희디으미 여ᄎᆞᄒᆞ샤, 츈교 간비의 무복(誣服)을 고디 드르시고, 양시 요믈의 슈ᄉᆞ(水死)ᄒᆞᆫ 원을 갑고져 ᄒᆞ샤 셩시를 츌거ᄒᆞ시니, 내 엇디 어딘 녀ᄌᆞ의 뇨됴(窈窕)ᄒᆞᆫ 덕을 져바려, 무죄히 츌거ᄒᆞ여 영영이 ᄎᆞᆺ디 아니ᄒᆞ리오. 내 당당이 셩부의 가 옥인을 보고 오리라."

녜뷔 한【3】심ᄒᆞ믈 니긔디 못ᄒᆞ여, 형뎨 일시의 태우를 븟잡아 움즉이디 못ᄒᆞ게 ᄒᆞ니, 태위 셩시를 못 니ᄌᆞ미 심듕(心中) 《은결‖응결(凝結)》ᄒᆞᆫ 병이 되여 쥬야 일ᄏᆞᆺᄂᆞᆫ디라. 딘평댱 등이 긔괴ᄒᆞ믈 니긔디 못ᄒᆞ여 녜부와 의논ᄒᆞ고, 셩시 ᄉᆡᆼ각ᄂᆞᆫ ᄯᅳᆺ을 ᄉᆞᆺ고져 ᄒᆞ여 거즛 셩시를 죽다 부음을 통ᄒᆞ니, 태위 난간을 두다려 실셩통곡(失性痛哭)ᄒᆞ여 《참블인디‖참불인견(慘不忍見)[159]》ᄒᆞ니, 초후와 졔딘이 왓다가 ᄎᆞ경을 보고 히연 실쇼ᄒᆞ믈 니긔디 못ᄒᆞᄃᆡ, 녜부 등은 그 거동이 히연(駭然)ᄒᆞ여 원슈의 님힝(臨行)의 념녀ᄒᆞ던 줄 ᄭᆡᄃᆞ라, 맛ᄎᆞᆷᄂᆡ 심졍이 온젼치 못ᄒᆞ믈 근심ᄒᆞ더니, 셩시의 죽다 ᄒᆞ미 딘짓 일이 아니로ᄃᆡ, 셰샹ᄉᆡ 공교ᄒᆞ니 엇디 우읍디 아니리오.【4】

셩시 구가의 츌화를 만나 친졍의 도라가ᄆᆡ, 셩ᄇᆡᆨ과 셩한님 등은 어딘 군ᄌᆡ라, 난화의 블인(不仁)ᄒᆞ믈 통히ᄒᆞ며, 츈교와 악긔 초ᄉᆞ를 보ᄆᆡ 뎡공의 쳐ᄉᆞ를 조금도 한치 아녀, 셩ᄇᆡᆨ이 일긔(一器) 딤쥬(鴆酒)[160]로 ᄯᆞᆯ을 죽이랴 ᄒᆞ니, 노시 난화를 안고 ᄒᆞᆫ가디

당부ᄒᆞ니, 태위 형의 말을 치 듯지 못ᄒᆞ야셔 【33】밋쳐 ᄂᆡ다를 ᄃᆞᆺᄒᆞ여 눈물을 먹음고 일신을 부ᄃᆡ이져 왈,

"셩씨ᄂᆞᆫ 인ᄌᆞ온슌ᄒᆞ여 졀ᄒᆡᆼ 잇ᄂᆞᆫ 녀ᄌᆡ라. 대인이 이 ᄌᆞ식의 금슬을 희지으시미 여ᄎᆞᄒᆞ샤, 츈교 간비의 무복(誣服)을 고지 드르시고, 양씨 요믈의 슈ᄉᆞᄒᆞᆫ 원슈를을 갑고져 ᄒᆞ여 셩씨를 츌거ᄒᆞ시니, 내 엇지 어진 녀ᄌᆞ의 뇨죠(窈窕)ᄒᆞᆫ 덕을 져ᄇᆞ려, 무죄히 츌거ᄒᆞ여 영영이 ᄎᆞᆺ지 아니ᄒᆞ리오. 내 당당이 셩부의 가 옥인을 보고 오리라."

녜부 등이 한심ᄒᆞ믈 니긔지 못ᄒᆞ여 일시에 태우를 븟드러 가지 못ᄒᆞ게 ᄒᆞ니, 태위 셩씨를 못 니ᄌᆞ미 심즁 《은결‖응결(凝結)》ᄒᆞᆫ 병이 되여 쥬야 닐ᄏᆞᆺᄂᆞᆫ지라. 딘평장 등이 긔괴ᄒᆞ믈 니긔지 못ᄒᆞ여, 녜부와 의논ᄒᆞ고 태우로� 셩씨 ᄉᆡᆼ각ᄂᆞᆫ ᄯᅳᆺ을 ᄉᆞᆺ고져 ᄒᆞ여, 거즛 셩씨 죽다 부음을 통ᄒᆞ니, 태위 난간을 두다려 실셩통곡(失性痛哭)ᄒᆞ여, 과도ᄒᆞ【34】미 ᄶᅥᆺ거지며 뮈여질 ᄃᆞᆺᄒᆞ니, 낙양후와 졔딘이 이에 왓다가 ᄎᆞ경을 보고, 히연(駭然) 실소ᄒᆞ믈 마지 아니ᄃᆡ, 녜부 등은 그 거동이 히연ᄒᆞ여 여지 업ᄉᆞᆫ 실셩(失性)이믈 보ᄆᆡ 우음이 나지 아냐, 원슈 님ᄒᆡᆼ(臨行)의 념녀ᄒᆞ던 줄 ᄭᆡ다라, 맛ᄎᆞᆷᄂᆡ 심졍이 온젼치 못ᄒᆞᆫ 줄 근심ᄒᆞ더니, 셩씨의 죽다ᄒᆞ미 진즛 일이 아니로ᄃᆡ, 셰샹ᄉᆡ 공교ᄒᆞ니 엇지 우읍지 아니리오.

셩씨 구가의 츌화를 바다 친졍에 도라가ᄆᆡ, 셩ᄇᆡᆨ과 셩 한님 등은 어진 군ᄌᆡ라, 난화의 불인ᄒᆞ믈 통히ᄒᆞ며 츈교·악긔 초ᄉᆞ를 보ᄆᆡ, 뎡공의 쳐ᄉᆞ를 조곰도 한치 아냐, 셩ᄇᆡᆨ이 일긔(一器) 독쥬(毒酒)로 난화를 죽이려 ᄒᆞ니, 노부인이 녀ᄋᆞ를 안고 ᄒᆞᆫ가지로 죽으려 ᄒᆞᄆᆡ, 한님 등이 졀박 초조ᄒᆞ여 부친긔 ᄋᆡ걸ᄒᆞ여 누의의 일명을 비러, 후졍 심쳐에 가도앗더니, 난홰 오ᄅᆡ 갓치여시믈 갑【35】갑히 넉여, 쳔금으로 요승 묘화의 욕심을 ᄎᆡ오고 탈신ᄒᆞᆯ 도리를 무르니, 묘홰 승(僧)의 죽엄 ᄒᆞ나흘 어더 진언(眞言)을 념ᄒᆞᄆᆡ, 완연ᄒᆞᆫ 셩씨의 얼골이라. 셩네 ᄃᆡ열ᄒᆞ

159)참불인견(慘不忍見) : 참혹하여 차마 눈뜨고는 볼 수 없음.

160)딤쥬(鴆酒) : 짐독(鴆毒)을 섞은 술. 짐독(鴆毒); 짐새의 깃에 있는 맹렬한 독. 짐새(鴆-); 중국 남방 광둥(廣東)에서 사는, 독이 있는 새로 몸의 길이는 21~25cm이며, 뱀을 잡아먹는데, 온몸에 독이 있어 배설물이나 깃이 잠긴 음식물을 먹으면 즉사한다고 한다.

로 죽으랴 ᄒᆞ니, 셩한님이 졀박(切迫) 초조(焦燥)ᄒᆞ여 부친긔 ᄋᆡ걸ᄒᆞ여, 누의 일명을 비러 후정의 난화를 가도앗더미, 난홰 오ᄅᆡ 갓치여 이시믈 갑갑이 넉여 쳔금을 훗터 요승 묘화의 욕심을 ᄎᆡ오고, 탈신ᄒᆞᆯ 도리를 ᄀᆞᄅᆞ치라 ᄒᆞ니, 묘홰 승(僧)의 죽엄 ᄒᆞ나흘 어더 와 딘언(眞言)을 념ᄒᆞ고 작법(作法)ᄒᆞᄆᆡ 완연ᄒᆞᆫ 셩시의 얼골이라. 셩녜 대【5】열ᄒᆞ여 그 죽엄의 칼ᄒᆞᆯ ᄭᅩᄌᆞ 노코 져는 묘화를 ᄯᆞ라 산ᄉᆞ(山寺)로 도망ᄒᆞ니, 셩ᄇᆡᆨ 부부도 ᄯᆞᆯ의 죽으므로 아라 시신을 념습입관(殮襲入棺)161)ᄒᆞ여 공산(空山)의 뭇고, 노시의 슬허 ᄒᆞ미 날노 더으니, 뉘 도로혀 난화의 요악궁흉 ᄒᆞ미 반야삼경(半夜三更)의 도망ᄒᆞᆯ 줄 알니오.

난홰 묘화를 ᄯᆞ와 산ᄉᆞ의 니르러 다시 뎡가의 드러가기를 원ᄒᆞᆫᄃᆡ, 묘홰 머리를 흔드러 이제ᄂᆞᆫ 뎡가와 인연이 ᄭᅳᆺ쳐시믈 니르니, 셩시 망단(望斷)ᄒᆞ여 눈믈을 흘니고 슬허ᄒᆞ니, 묘홰 ᄌᆡ삼 위로ᄒᆞ고 널니 듯보아 변쥐 졀도ᄉᆞ 조흠의 ᄌᆡ실을 삼으ᄃᆡ, 셩시로ᄡᅧ 위시로 ᄒᆞ고 죵션부모(終鮮父母)162)ᄒᆞ여 산ᄉᆞ(山寺)의셔 길닌 ᄇᆡ라 ᄒᆞ여, 조흠을 속이니 뉘 ᄂᆡ력을 알【6】니오. 조흠이 셩시를 ᄌᆡ취ᄒᆞᄆᆡ 그 ᄉᆡᆨ을 과혹(過惑)ᄒᆞᄃᆡ 셩시 흠의 나히 ᄉᆞ십의 당ᄒᆞ고, 원비 구시 팔ᄌᆞ○[이]녀를 두어 권셰 듕ᄒᆞ니, 조흠은 뎡태우ᄀᆞᆺ치 셩광(成狂)163)치 아냐 ᄉᆡᆨ(色)을 혹(惑)ᄒᆞ나 구시를 듕ᄃᆡᄒᆞ여 형셰 태악 ᄀᆞᆺᄐᆞ여, 가ᄇᆡ야이 히ᄒᆞᆯ 모ᄎᆡᆨ이 업ᄉᆞ니, 셩시의 궁험(窮險) 복박(福薄)ᄒᆞ미 조가의도 죵신치 못ᄒᆞᆯ 명되라. 조흠이 셩시를 ᄎᆔᄒᆞᆫ 슈삼삭만의 급ᄒᆞᆫ 병으로 반일을 고통ᄒᆞ고 헛되이 죽으니, 성녜 엇디 괴로이 신혼곡읍(晨昏哭泣)ᄒᆞ여 청상(靑孀)의 셜워ᄒᆞᄂᆞᆫ 모양을 당ᄒᆞ리오. 조가

161)념습입관(殮襲入棺) : 초상이 났을 때, 시신을 씻긴 뒤 수의를 갈아 입혀 베로 싸 묶고 관(棺) 속에 넣는 상례절차.

162)죵션부모(終鮮父母) : 부모가 죽고 부모의 형제들인 백숙부모(伯叔父母)에 해당하는 친척들이 매우 적거나 없음.

163)셩광(成狂) : 미친 사람이 됨.

여 그 죽엄의 칼ᄒᆞᆯ ᄭᅩᄌᆞ 노코 묘화를 ᄯᆞ라 산ᄉᆞ(山寺)로 도망ᄒᆞ니, 셩ᄇᆡᆨ 부뷔 녀ᄋᆞ의 죽으므로 아라, 시신을 념습닙관(殮襲入棺)144)ᄒᆞ야 공산(公山)에 뭇고, 노씨의 슬허ᄒᆞ미 날노 더으니, 뉘 도로혀 난화의 요악궁흉ᄒᆞ미 어미도 속이고 반야솜경(半夜三更)에 도망ᄒᆞᆫ 줄 알아시리오.

난홰 묘화로 산상에 니르러 다시 뎡가의 드러 가기를 원ᄒᆞᆫᄃᆡ, 묘홰 머리를 흔드러 뎡가의 인연이 ᄭᅳᆺ쳐시믈 니르니, 셩씨 망단(望斷)ᄒᆞ야 눈믈을 흘니고 슬허ᄒᆞ니, 묘홰 ᄌᆡ삼 위로ᄒᆞ고 널니 듯보아, 변쥐 졀도ᄉᆞ 됴흠의 ᄌᆡ실을 삼으ᄃᆡ, 위씨라 ᄒᆞ고 조실부모ᄒᆞ여 산ᄉᆞ에셔 길니다 ᄒᆞ여 됴흠을 속이니, 흠【36】이 엇지 져의 ᄂᆡ렴(內念)을 알니오. 임의 ᄌᆡ취ᄒᆞᄆᆡ 그 ᄉᆡᆨ을 과혹(過惑)ᄒᆞᄃᆡ, 셩녜 흠의 나히 ᄉᆞ십에 당ᄒᆞ고, 원비 구씨 팔ᄌᆞ이녀를 두어 권셰 즁ᄒᆞ니, 그윽이 분앙ᄒᆞ여 히코져 ᄒᆞ나, 흠은 뎡태우 ᄀᆞᆺ지 아냐, ᄉᆡᆨ에 혹ᄒᆞ나 구씨를 즁ᄃᆡᄒᆞ여 형셰 태악(泰岳) ᄀᆞᆺᄒᆞ니, ᄀᆞᄇᆡ야이 히ᄒᆞᆯ 묘ᄎᆡᆨ이 업더니, 셩녀의 궁험(窮險) 복박(福薄)ᄒᆞ미 됴가에도 종신치 못ᄒᆞᆯ 명되라. 흠이 셩씨를 ᄎᆔᄒᆞᆫ 지 수솜 삭만의 급ᄒᆞᆫ 병으로 반일을 고통ᄒᆞ다가 헛되이 죽으니, 성녜 엇지 괴로이 신혼곡읍(晨昏哭泣)ᄒᆞ여 청상의 슬허ᄒᆞᄂᆞᆫ 모양을 다ᄒᆞ리오. 거즛 물에 ᄲᅡ져 죽노라 ᄒᆞ고, ᄀᆞ마니 도망ᄒᆞ여 공교히 츈교를 만ᄂᆞ니, 노쥐 십분 흔희(欣喜)ᄒᆞ야 다 규슈의 모양을 ᄒᆞ고 묘화에게 의지ᄒᆞ엿더니, 황

144)념습입관(殮襲入棺) : 초상이 났을 때, 시신을 씻긴 뒤 수의를 갈아 입혀 베로 싸 묶고 관(棺) 속에 넣는 상례절차.

집 압 강슈의 거즛 섀져 죽노라 ᄒᆞ고, ᄀᆞ마니 도망ᄒᆞ여 공교【7】히 츈교를 만나, 노ᄌᆔ 십분 흔희ᄒᆞ여 다 규슈의 모양을 ᄒᆞ고 묘화 니고의게 의디ᄒᆞ엿더니, 황ᄌᆞ 오왕이 뉵ᄌᆞ 오녀를 두엇더니, 화빈 군ᄌᆔ 십여셰 초츈(初春)164)의 독딜을 어더 급히 죽으니, 오왕 부ᄇᆔ 참통ᄋᆡ상(慘痛哀傷)ᄒᆞ여 병이 되엿ᄂᆞᆫ디라. 묘홰 환슐(幻術)ᄒᆞ여 몸을 흔드러 젹은 ᄉᆡ 되어, 오궁 합장(閤牆)165) 뒤희 ᄀᆞᆷ초여 소ᄅᆡ 질너 왈,

"화빈 군쥬ᄂᆞᆫ 젼셰 업원(業冤)으로 금ᄉᆡᆼ(今生)의 ᄌᆞ식이 되엿다가, 급히 죽어 뎐하와 비의게 블효를 씻쳣거니와, 운슈암의 ᄒᆞᆫ 녀ᄌᆡ 이셔 뎐하 부부긔 인연이 ᄆᆡᆺ쳣ᄂᆞ니, ᄃᆞ려다가 녀식을 삼으라."

왕과 비 놀나 궁녀를 암ᄌᆞ의 보ᄂᆡ여 보라 ᄒᆞ니, 난홰【8】몸을 ᄀᆞ장 유튱(幼沖)ᄒᆞᆫ 형상으로 궁인을 조ᄎᆞ 오궁의 오ᄆᆡ, 이 젹의 계양 태슈 죠젹이 슈년 젼의 부ᄇᆔ 구몰ᄒᆞ고 그 ᄒᆞᆫ ᄯᆞᆯ이 잇더니, 뎍환을 만나 마ᄌᆞ 죽고, 《조현‖죠젹》의 강근디친(强近之親)과 ᄒᆞᆫ낫 동긔 업ᄉᆞ므로 가ᄉᆡ 망ᄒᆞᆫ디라. 셩네 조젹의 집 일을 ᄌᆞ시 아ᄂᆞᆫ 고로, 졔 조젹의 ᄯᆞᆯ이로라 ᄒᆞ고, 뎍환(敵患)을 만나 산ᄉᆞ의 우유(寓留)166)턴 바로 ᄃᆡ답ᄒᆞ니, ᄯᅩ 그 나흘 ᄆᆞ르ᄆᆡ 비록 십오셰나 조시로 십셰로라 ᄒᆞ여 오년을 쥬리니, 오왕 궁 졔인이 샤광디총(師曠之聽)이 업ᄂᆞᆫ디라, 엇디 그 ᄂᆡ력을 알니오. ᄒᆞᆫ갓 슉셩ᄒᆞ믈 일ᄏᆞᆺ고 ᄯᅳᆺ을 결ᄒᆞ여 양녀를 삼으니, 됴뎍이 ᄯᅩ 국셩인 고로 ᄀᆞ장 긧거 후일 군쥬 위호를 어더 주랴 ᄒᆞ니, 엇디 셩ᄇᆡᆨ【9】의 ᄯᆞᆯ인 줄 알니오.

셩시 오궁의 오므로브터 호치(豪侈)ᄒᆞ고 부귀(富貴)ᄒᆞ미 친당(親堂)의 이실 졔도곤 더ᄒᆞ니, 교긔(嬌氣) 양양(揚揚)ᄒᆞ여, ᄀᆞ마니 츈교를 ᄃᆡᄒᆞ여 계ᄀᆈ 묘묘(杳杳)167)ᄒᆞ믈 일

ᄌᆞ(皇子) 오왕이 뉵ᄌᆞ오녀를 두엇더니, 녀ᄋᆞ 화빈 군ᄌᆔ 십여셰에 독질을 어더 죽【37】으니 오왕 부ᄇᆔ 참통ᄋᆡ상(慘痛哀傷)ᄒᆞ여 병이 되엿ᄂᆞᆫ지라. 묘홰 몸을 흔드러 변ᄒᆞ여 젹은 ᄉᆡ되여, 오궁 합장(閤牆)145) 뒤ᄒᆡ 가 소ᄅᆡ 질너 왈,

"화빈 공쥬ᄂᆞᆫ 젼셰 혐극(嫌隙)으로 금ᄉᆡᆼ(今生)에 ᄌᆞ식이 되엿다가, 급히 죽어 뎐하와 모비의 블효를 씻쳣거니와 운슈암의 ᄒᆞᆫ 녀ᄌᆡ 이셔 뎐하 부부긔 인연이 ᄆᆡᆺ쳣ᄂᆞ니 ᄃᆞ려다가 녀식을 삼으라."

ᄒᆞ니, 왕과 비 놀나 좌우로 보ᄃᆡ 공즁으로셔 소ᄅᆡ나니, 고이히 넉여 궁녀를 암ᄌᆞ에 보ᄂᆡ여 엇던 녀ᄌᆡ 잇거든 ᄃᆞ려오라 ᄒᆞ니, 난홰 몸을 더 자르고146) 킈를 젹게 움쳐147), ᄀᆞ장 유츙(幼沖)ᄒᆞᆫ 형상으로 궁인을 조ᄎᆞ 오궁에 오ᄆᆡ, 왕비 그 근본을 뭇ᄂᆞᆫ지라. 이젹에 계양 ᄐᆡ슈 됴젹이 수년 젼에 부쳬 구몰(俱沒)ᄒᆞ고 ᄒᆞᆫ낫 녀ᄋᆡ 잇더니, 젹환을 만나 마ᄌᆞ 죽고, 됴젹의 강근지친(强近之親)과 ᄒᆞᆫ낫 동긔 업ᄉᆞ므로 가ᄉᆡ 망ᄒᆞᆫ지라. 셩네 됴젹의 집 일【38】을 ᄌᆞ시 아ᄂᆞᆫ 고로, 졔 됴젹의 ᄯᆞᆯ이로라 ᄒᆞ고 젹화(賊禍)를 만나 산ᄉᆞ에 뉴우(留寓)148)ᄒᆞ던 바로 ᄃᆡ답ᄒᆞ니, 궁즁 졔인이 ᄉᆞ광지총(師曠之聽)이 업ᄂᆞᆫ지라, 엇지 그 ᄂᆡ력을 알니오. 즉시 ᄯᅳᆺ을 결ᄒᆞ여 양녀를 삼으니, 됴젹이 ᄯᅩ 국셩인 고로 ᄀᆞ장 깃거, 후일 군쥬 위호를 어더 주려ᄒᆞ니, 엇지 셩ᄇᆡᆨ의 ᄯᆞᆯ인 줄 알니오.

셩씨 오궁에 오므로브터 호치(豪侈) 부귀(富貴)ᄒᆞ미 친졍에 잇실 젹보다 더ᄒᆞ니, 교긔(驕氣) 양양(揚揚)ᄒᆞ야, ᄀᆞ마니 츈교를 ᄃᆡᄒᆞ여 계ᄀᆈ 못 닐위믈 닐ᄏᆞ라, 일념의 뎡태

164)초츈(初春) : 이른 봄. 여기서는 '어린 나이'를 뜻하는 말로 쓰임.
165)합장(閤牆) : 건물 출입문과 연결되어 있는 담장.
166)우유(寓留) : 객지에서 머묾.
167)묘묘(杳杳) : 멀어서 아득함.

145)합장(閤牆) : 건물 출입문과 연결되어 있는 담장.
146)자르다 : 단단히 죄어 매다.
147)움치다 : 움츠리다. 몸이나 몸의 일부를 몹시 오그리어 작아지게 하다.
148)뉴우(留寓) : 객지에서 머묾.

ᄏᆞ라, 일념의 뎡태우를 못 니져 뎡가의 나아 갈 모칙(謀策)을 ᄉᆡᆼ각ᄒᆞ더라.

뎡부의셔 셩시의 죽으믈 듯고, 태부인 어딘 ᄆᆞᄋᆞᆷ의 측은ᄒᆞ미 업디 아니ᄒᆞᄃᆡ, 뎡공은 그 죽디 아니코 도망ᄒᆞ믈 보ᄂᆞᆫ ᄃᆞ시 알오ᄃᆡ, 태우의 슬허ᄒᆞ미 병이 되여시므로 셩시를 브르디져 통읍ᄒᆞ믈 마디 아니니, 쟝쳐ᄂᆞᆫ 졈졈나으ᄃᆡ 실셩병(失性病)이 더ᄒᆞ여 능히 딕ᄉᆞ(職事)를 출히디 못ᄒᆞ고, 방 ᄇᆞᆺ긔 머리를 ᄂᆡ왓디 못ᄒᆞ니, 샹이 태우를 툥ᄋᆡ(寵愛)ᄒᆞ시던 ᄇᆡ라, 달포 【10】 유질ᄒᆞ믈 우려ᄒᆞ샤 태의(太醫)[168] 니엇고, 뎡공이 황은을 감튝ᄒᆞ고, 녜부 등이 ᄆᆡ양 태의다려 곳쳐ᄂᆡ디 못ᄒᆞᆯ 병이믈 일ᄏᆞ라, 아이의 딘ᄆᆡᆨᄂᆞᆫ ᄇᆡ 업셔 그져 도라 보ᄂᆡ더니, 태위 ᄒᆞᆯ연 일슌(一旬)이나 니러 단녀 존당 부모긔 신혼셩뎡(晨昏省定)을 참예ᄒᆞ고, 딘·하 냥부의도 왕ᄂᆡᄒᆞᄃᆡ, ᄒᆡᆼ디(行止) ᄀᆞ장 슈상ᄒᆞ여 보기 괴이ᄒᆞᆫ 고로, 녜부 등 졔인이 무심치 아녀 양시 ᄉᆞ라시믈 영영 긔이더니, 일일은 태위 텬장디구(遷葬之具)[169]를 혜아리거ᄂᆞᆯ, 딘평댱이 므르ᄃᆡ,

"현데 누고를 옴겨 므드려 텬장디구를 경영ᄒᆞᄂᆞ뇨?"

태위 참연 ᄃᆡ 왈,

"셩시 무죄히 츌화를 만나 죽으니, 그 시신이나 옴겨 우리 션산의 므드려 ᄒᆞᄂᆞ이【11】다."

딘평댱이 쇼왈,

"이ᄂᆞᆫ 네 임의로 못ᄒᆞᆯ 일이니, 슉부긔 고ᄒᆞ여 허락을 어든 후 범구(凡具)를 출히라."

태위 쳑연 왈,

"대인이 아모리 ᄉᆞ경을 아니 살피신들, 셩시 므ᄉᆞᆫ 죄를 디엇관ᄃᆡ 그 죽은 후 ᄒᆞᆫ 조각 션산 묘하(墓下)조ᄎᆞ 아니 빌니시리잇가?"

168)태의(太醫) : 어의(御醫). 궁궐 내에서, 임금이나 왕족의 병을 치료하던 의원.

169)텬장디구(遷葬之具) : 무덤을 다른 곳으로 옮기는 데 필요한 기구.

우를 못니져 뎡가의 나아갈 묘칙(妙策)을 ᄉᆡᆼ각ᄒᆞ더라.

뎡부에셔 셩씨의 죽으믈 듯고, 태부인 현심의 측은ᄒᆞ미 업지 아니ᄃᆡ, 뎡공은 그 죽지 아녀시믈 보ᄂᆞᆫ ᄃᆞ시 알ᄋᆞᄃᆡ, 태우의 슬허ᄒᆞ미 병이 되여시믈 모로ᄂᆞᆫ 쳬ᄒᆞ고, 셩씨를 부르지져 통읍ᄒᆞ믈 마지 아니니, 장쳐ᄂᆞᆫ 졈졈 나으나 실셩병(失性病)이 더ᄒᆞ여, 능히 직ᄉᆞ를 출【39】히지 못ᄒᆞ고 방 ᄇᆞᆺ긔 머리를 ᄂᆡ왓지 못ᄒᆞ니, 상이 ᄐᆡ우를 즁ᄋᆡ(重愛)ᄒᆞ던 ᄇᆡ라, 달포 유질ᄒᆞ믈 우려ᄒᆞ샤 태의원(太醫院)의 약으로 간병ᄒᆞ라 ᄒᆞ시니, 녜부 등이 태의(太醫)[149]ᄃᆞ려 곳쳐 ᄂᆡ지 못ᄒᆞᆯ 병이믈 닐ᄏᆞ라, 아이의 진ᄆᆡᆨ도 아니코 도라 보ᄂᆡ엿더니, 태위 ᄒᆞᆯ연 일순(一旬)이나 니러 ᄃᆞᆫ여 존당 부모긔 신혼셩졍(晨昏省定)을 참예ᄒᆞ고 딘·하 냥부에도 왕ᄂᆡᄒᆞᄃᆡ, ᄒᆡᆼ지(行止) ᄀᆞ장 슈상ᄒᆞ여 보기에 고이ᄒᆞᆫ 고로, 녜부 등 졔인이 무심치 아녀 ᄉᆞᆯ피ᄒᆞ기를 등한이 아니ᄒᆞ고, 양씨 ᄉᆞ라시믄 영영 긔이더니, 일일은 태위 쳔장지구(遷葬之具)[150]를 혜아리거ᄂᆞᆯ, 딘 평장이 무르ᄃᆡ,

"현데 누를 옴겨 무드려 ᄒᆞᄂᆞ뇨?"

태위 참연 ᄃᆡ 왈,

"셩씨 무죄히 츌화를 만나 죽으니 그 시신이나 옴겨 우리 션산지하(先山之下)에 무드려 ᄒᆞᄂᆞ이다."

평장이 소왈,

"이ᄂᆞᆫ 네 임의로 못ᄒᆞᆯ 일이니, 슉시긔 고ᄒᆞ여【40】허락을 어든 후 범구(凡具)를 출히라."

태위 쳑연 왈,

"대인이 아모리 ᄉᆞ경을 아니 ᄉᆞᆯ피신ᄃᆞᆯ 셩씨 무ᄉᆞᆫ 죄를 지엇관ᄃᆡ 그 죽은 후조ᄎᆞ ᄒᆞᆫ 조각 션산 묘하(墓下)를 아니 빌니시리잇가?"

149)태의(太醫) : 어의(御醫). 궁궐 내에서, 임금이나 왕족의 병을 치료하던 의원.

150)텬장디구(遷葬之具) : 무덤을 다른 곳으로 옮기는 데 필요한 기구.

녜뷔 통히ᄒᆞ여 일장을 ᄭᅮ디져 셩시를 결단ᄒᆞ여 션산의 뭇디 못ᄒᆞ리라 ᄒᆞ니, 태위 낙심(落心) 비열(悲咽)ᄒᆞ여 션슈졍의 드러와 ᄉᆞ벽(四壁)을 두다리며 통곡ᄒᆞ믈 마디 아니ᄒᆞ니, 공이 그 곡셩을 듯고 대로ᄒᆞ여 엄히 다ᄉᆞ리고져 ᄒᆞᄃᆡ, 실셩디인을 칙망ᄒᆞᆯ 거시 업셔 우ᄂᆞᆫ ᄃᆡ로 바려 두엇더니, 태위 인ᄒᆞ여 션슈졍의 눕【12】고 니디 아냐, ᄇᆡᆨ히(百骸)를 고통ᄒᆞ며, 음식을 거ᄉᆞ려 ᄒᆞᆫ 술[170] 믈도 슌히 나리오디 못ᄒᆞ여 도로혀 병을 더치ᄆᆡ[171], 일망의 밋쳐ᄂᆞᆫ ᄀᆞ장 위듕ᄒᆞ여 사ᄅᆞᆷ의 츌입을 아디 못ᄒᆞ고, 혼혼블셩(昏昏不醒)ᄒᆞ여, 셩시 못 닛ᄂᆞᆫ 소ᄅᆡ도 되치디[172] 못ᄒᆞ니, 녜부 등의 우민ᄒᆞ믄 니르도 말고, 태부인 딘부인이 초젼(焦煎) 우려(憂慮)ᄒᆞ여, 그 광망증(狂妄症)이 낫디 못ᄒᆞ고 인ᄒᆞ여 죽을가 참졀(慘絶)ᄒᆞ믈 니긔디 못ᄒᆞ고, 뎡공은 굿ᄐᆞ여 요동치 아니ᄒᆞ더니, 세월이 여류ᄒᆞ여 태위 션슈졍의 이션 디 삼ᄉᆞ삭의 니르러ᄂᆞᆫ, 목 우히 실낫 ᄀᆞᆺᄐᆞᆫ 목슘이 슈유(須臾)의 잇고, 일신이 어름 ᄀᆞᆺᄐᆞ여 바랄 거시 업ᄉᆞᆯ ᄲᅳᆫ 아니라, 아모리【13】블너도 ᄃᆡ답디 아니ᄒᆞ고, 입의 약음(藥飮)을 드리워도 ᄒᆞᆫ 술도 드러 가ᄂᆞᆫ 거시 업셔, 딘ᄒᆞᄂᆞᆫ 거동이 셕목간장(石木肝腸)[173]이라도 ᄃᆡᄒᆞ여 눈믈이 나ᄂᆞᆫ디라. 태부인이 딘부인과 소양시를 다리고 친히 병소의 니르러, ᄉᆡᆼ의 위위(危危)ᄒᆞᆫ 거동을 보고 실셩통읍 왈,

"노뫼 오ᄅᆡ ᄉᆞ라 됴흔 일은 보디 못ᄒᆞ고, 너를 목젼의 죽일딘ᄃᆡ 내 ᄎᆞ마 엇디 견ᄃᆡ리오. 텬디귀신이 날 ᄀᆞᆺᄐᆞᆫ ᄡᅳᆯ ᄃᆡ 업ᄉᆞᆫ 몸은 ᄎᆞᆺ디 아니코, 네 비록 광패혼암(狂悖昏暗)ᄒᆞ나, 이팔쳥츈(二八青春)의 강하(江河)의 ᄌᆡ조를 픔고 쇽졀 업시 맛게 되엿ᄂᆞ뇨?"

170)술 : 수저. 밥 따위의 음식물을 숟가락으로 떠 그 분량을 세는 단위

171)더치다 : 낫거나 나아가던 병세가 다시 더하여지다.

172)되치다 : 되채다. ①혀를 제대로 놀려 또렷하게 말하다 ②남의 말을 가로채거나 되받아 말하다.

173)석목간장(石木肝腸) : 돌이나 나무와 같이 아무런 감정도 없는 마음, 또는 사람을 비유적으로 이르는 말.

녜뷔 통히ᄒᆞ여 일장을 쥰칙(峻責)ᄒᆞ니, 태위 낙심(落心) 비열(悲咽)ᄒᆞ여 셩[션]슈졍에 드러와 ᄉᆞ벽(四壁)을 두ᄃᆞ리며 통곡ᄒᆞ기를 마지 아니○[ᄒᆞ]니, 공이 그 곡셩을 듯고 대로ᄒᆞ여 엄치(嚴治)코져 ᄒᆞᄃᆡ, 실셩지인을 칙망ᄒᆞᆯ 거시 업셔 우ᄂᆞᆫᄃᆡ로 ᄇᆞ려 두엇더니, 태위 인ᄒᆞ여 션슈졍의 눕고 니지 아냐, 셔[ᄉᆡ]로이 일신ᄇᆡᆨ히(一身百骸)를 고통ᄒᆞ며 음식이 거ᄉᆞ려, ᄒᆞᆫ 술[151] 물도 슌히 ᄂᆞ리오지 못ᄒᆞ여, 도로 병을 더치ᄆᆡ[152], 일망에 밋쳐ᄂᆞᆫ ᄀᆞ장 위즁ᄒᆞ여 혼혼블셩(昏昏不醒)ᄒᆞ며, 셩씨 못 닛ᄂᆞᆫ 소ᄅᆡ도 되치지[153] 못ᄒᆞ니, 녜부 등의 우민ᄒᆞ믄 니르도 말고, 태부인·진부인이 초젼(焦煎) 우려(憂慮)ᄒᆞ여 그 광망증(狂妄症)으【41】로 죽을가 참졀(慘絶)ᄒᆞᄃᆡ, 뎡공은 굿ᄒᆞ여 요동치 아니ᄒᆞ더니, 세월이 살 가ᄃᆞᆺ ᄒᆞ여 태위 션슈졍의 잇션지 삼삭의 니르러ᄂᆞᆫ, 목 우히 실낫 ᄀᆞᆺᄒᆞᆫ 목숨이 슈유(須臾)에 잇실 ᄲᅳᆫ아녀, 아모리 불너도 ᄃᆡ답지 아니코, 약음을 드리워도 드러 가ᄂᆞᆫ 거시 업셔, 진ᄒᆞᄂᆞᆫ 거동이 셕목간장(石木肝腸)[154]이라도 눈믈이 나ᄂᆞᆫ지라. 태부인이 진부인과 소양씨를 ᄃᆞ리고 친히 병소에 니르러, ᄉᆡᆼ의 위위ᄒᆞᆫ 거동을 보고 실셩통읍 왈,

"노뫼 오ᄅᆡ ᄉᆞ라 조흔 일은 보지 못ᄒᆞ고 너를 목젼에 죽일딘ᄃᆡ ᄎᆞ마 엇지 견ᄃᆡ리오. 텬지 귀신이 날 ᄀᆞᆺᄒᆞᆫ ᄡᅳᆯ ᄃᆡ 업ᄉᆞᆫ 몸은 ᄎᆞᆺ지 아니코, 네 비록 광망 혼암ᄒᆞ나 이팔쳥츈(二八青春)에 강하(江河)의 ᄌᆡ조를 픔고 쇽졀업시 맛게 ᄒᆞ엿ᄂᆞ뇨?"

151)술 : 수저. 밥 따위의 음식물을 숟가락으로 떠 그 분량을 세는 단위

152)더치다 : 낫거나 나아가던 병세가 다시 더하여지다.

153)되치다 : 되채다. ①혀를 제대로 놀려 또렷하게 말하다 ②남의 말을 가로채거나 되받아 말하다.

154)석목간장(石木肝腸) : 돌이나 나무와 같이 아무런 감정도 없는 마음, 또는 사람을 비유적으로 이르는 말.

언파의 ᄉᆡᆼ의 낫출 다히고 손을 잡아 슬프믈 디향치 못ᄒᆞ니, 이 ᄣᅢ 뎡공이 외헌의셔 빈ᄀᆡᆨ을 졉응ᄒᆞ다가, 날【14】이 반오(半午)의 모친 긔운을 뭇ᄌᆞᆸ고져, ᄃᆡᆨᄉᆞ를 블너 빈ᄀᆡᆨ을 뫼시라 ᄒᆞ고, 태원뎐의 드러 오니 당듕이 황연(荒然)ᄒᆞ여 시녀 등이 태우의 병소의 가 계시믈 고ᄒᆞ니, 공이 경아ᄒᆞ여 션슈경의 니르ᄆᆡ 태부인이 바야흐로 딘ᄒᆞ여 가ᄂᆞᆫ 셰홍을 븟들고 통읍상도(慟泣傷悼)ᄒᆞᄂᆞᆫ디라. 공이 듕심의 ᄋᆞᄌᆞ의 죽게 되여시믈 참연ᄒᆞᆯ ᄲᅳᆫ 아니라, 모부인 슬허ᄒᆞ시믈 황황졀민(遑遑切憫)ᄒᆞ여, 년망이 태부인을 븟드러 나가시믈 청ᄒᆞ여 왈,

"셰ᄋᆡ 일시 병이 듕ᄒᆞ오나 굿ᄐᆞ여 ᄉᆞ병(死病)이 아니오니, ᄌᆞ위 엇디 졔 병의 친님ᄒᆞ샤 셩톄를 닛브게 ᄒᆞ시나니잇가? 원컨ᄃᆡ 그만ᄒᆞ여 뎡침으로 드르쇼셔."

태부인이 오【15】열 톄읍 왈,

"셰ᄋᆡ 광망패려(狂妄悖戾)ᄒᆞ여 ᄒᆡᆼᄉᆡ 삼가디 못ᄒᆞ미 잇거니와, 본셩이 총명상활(聰明爽闊)ᄒᆞ여 스ᄉᆞ로 허믈을 ᄭᆡᄃᆞ라 뎡도의 나아 갈가 ᄒᆞ여 미드미 듕터니, 셩가 원슈 요믈을 만난 후, ᄋᆞ히 실셩이 조금도 낫디 못ᄒᆞ고, 요믈의 죽으믈 통상ᄒᆞ미 더ᄒᆞ여, 음식의 맛술 아디 못ᄒᆞ여, 어ᄌᆞ러이 장위(腸胃)[174]를 술오다가 이졔 ᄉᆞ병(死病)을 어드니 ᄉᆡᆼ되(生道) 망연ᄒᆞᆫ디라. 노뫼 '붕셩(崩城)의 통(痛)'[175]을 ᄎᆞᆷ고 흐르ᄂᆞᆫ 셰월의 됴흔 ᄃᆞ시 보ᄂᆡ믄, 네 여러 ᄌᆞ녀를 두어 ᄒᆞ나토 목젼의 맛ᄂᆞᆫ 일이 업ᄉᆞ니, ᄆᆡ양 손ᄋᆞ의 옥슈신월(玉樹新月)[176] ᄀᆞᆺᄐᆞ믈 두굿겨 시름을 모로더니, 쳔만 ᄉᆡᆼ각 밧긔 셰홍을 참혹히 맛게 되여시니, 이 통졀ᄒᆞᆫ【16】심ᄉᆞ를 어이 ᄎᆞᆷ고 견ᄃᆡ리오."

공이 안ᄉᆡᆨ을 화히 ᄒᆞ고 셩음이 유열ᄒᆞ여

174)장위(腸胃) : 한의학에서, 입에서 항문까지의 소화 기관을 이르는 말. 여기서는 '마음'을 뜻함.
175)붕셩지통(崩城之痛) : 성이 무너질 만큼 큰 슬픔이라는 뜻으로, 남편이 죽은 슬픔을 이르는 말.
176)옥슈신월(玉樹新月) : 옥으로 조각한 나무나 초승에 뜨는 달처럼 빛나고 아름답다는 뜻으로 재주가 뛰어나고 아름다운 사람을 이르는 말.

언파에 ᄉᆡᆼ의 낫출 다히고 손을 잡이[아] 슬프믈 지향치 못ᄒᆞ니, 이 ᄣᅢ 뎡공이 외헌에셔 빈ᄀᆡᆨ을 졉응【42】ᄒᆞ다가, 날이 반오(半午)에 문후코져 드러오니, 당즁이 황연(荒然)ᄒᆞ고 시녀 등의 고ᄒᆞ므로조ᄎᆞ 션슈경에 니르ᄆᆡ, 태부인이 ᄇᆞ야흐로 셰홍을 븟들고 통읍상도(慟泣傷悼)ᄒᆞᄂᆞᆫ지라. 공이 즁심에 참연ᄒᆞᆯ ᄲᅳᆫ 아니라, 모친이 슬허ᄒᆞ시믈 졀민ᄒᆞ여, 년망이 쳥ᄒᆞ여 왈,

"셰ᄋᆡ 일시 병독(病毒)ᄒᆞ나 굿ᄒᆞ여 ᄉᆞ병이 아니오니, ᄌᆞ위 엇지 친님ᄒᆞ샤 셩체를 닛비ᄒᆞ시ᄂᆞ니잇가? 원컨ᄃᆡ 그만ᄒᆞ여 졍뎐으로 가ᄉᆞ이다."

태부인이 오열 쳬읍 왈,

"셰ᄋᆡ 광○[망]ᄑᆡ려(狂妄悖戾)ᄒᆞ미 잇거니와, 본셩이 총명살[상]활(聰明爽闊)ᄒᆞ야 스ᄉᆞ로 허믈을 ᄭᆡ쳐 졍도에 나아 갈가 ᄒᆞ엿더니, 셩가 요물을 만난 후 실셩이 조곰도 낫지 아니코, 요물의 죽으믈 통상ᄒᆞ미 더어, 장위(腸胃)[155]를 술오다가 이졔 ᄉᆞ병(死病)을 어드니 ᄉᆡᆼ되 망연ᄒᆞᆫ지라. 노뫼 붕셩지통(崩城之痛)[156]을 참고 흐르ᄂᆞᆫ 셰월을 조흔 ᄃᆞ시 보ᄂᆡ믄, 네 여러 ᄌᆞ【43】녀를 두어 ᄒᆞ나토 목젼에 참상(慘喪)을 맛ᄂᆞᆫ 일이 업ᄉᆞ니, ᄆᆡ양 손ᄋᆞ 등의 옥슈신월(玉樹新月)[157] ᄀᆞᆺᄒᆞ믈 두굿겨 시름을 모로더니, 쳔만 ᄉᆡᆼ각 밧게 셰홍을 참혹히 맛게 되어시니, 이 통졀ᄒᆞᆫ 심ᄉᆞ를 어이 ᄎᆞᆷ고 견ᄃᆡ리오."

공이 안ᄉᆡᆨ을 화히ᄒᆞ고 셩음이 유열ᄒᆞ여

155)장위(腸胃) : 한의학에서, 입에서 항문까지의 소화 기관을 이르는 말. 여기서는 '마음'을 뜻함.
156)붕셩지통(崩城之痛) : 성이 무너질 만큼 큰 슬픔이라는 뜻으로, 남편이 죽은 슬픔을 이르는 말.
157)옥슈신월(玉樹新月) : 옥으로 조각한 나무나 초승에 뜨는 달처럼 빛나고 아름답다는 뜻으로 재주가 뛰어나고 아름다운 사람을 이르는 말.

위로 왈,

"쇼지 병을 보디 아녓숩더니 금일 보오ᄆᆡ 일시 놀납ᄉᆞ오나, ᄌᆞ위는 졀념소려(絶念消慮)177) ᄒᆞ쇼셔, ᄎᆞ셩(差成)ᄒᆞ믈 보시리니 엇디 셩톄(聖體) 손상ᄒᆞ시믈 ᄉᆡᆼ각디 아니시고 과도히 상히오시ᄂᆞ니잇가? 쇼지 금일노브터 극딘히 구호ᄒᆞ여 회소디경(回蘇地境)을 보시게 ᄒᆞ오려니와, 슈요댱단(壽夭長短)과 화복길흉(禍福吉凶)이 텬슈(天數)의 뎡ᄒᆞᆫ ᄇᆡ오, 버거 상모(相貌)의 달녀시니, 인력으로 밋출 ᄇᆡ 아니라. 셰간의 독ᄌᆞ일손(獨子一孫)도 참혹히 업시 ᄒᆞᄂᆞ니도 능히 셔하디통(西河之痛)178)을 춤고 상명디통(喪明之痛)179)을 견ᄃᆡᄂᆞ니 이시니, 셰ᄋᆡ 혹ᄌᆞ ᄉᆞ디 못ᄒᆞᆫ들 현마 엇디 ᄒᆞ리잇가?"

부【17】인이 톄루비졀(涕淚悲絶)ᄒᆞ여 능히 말을 일우디 못ᄒᆞ고, 다만 태우의 팔흘 어로만져 통읍(慟泣)ᄒᆞ믈 마디 아니ᄒᆞ니, 공이 블승초민(不勝焦悶)ᄒᆞ여 모친을 ᄌᆡ삼 권위(眷慰)180)ᄒᆞ고 태원뎐으로 도라 갈ᄉᆡ 냥안을 길게 써, 녜부를 ᄎᆡᆨ 왈,

"여등이 ᄌᆞ위를 혼동(混動)ᄒᆞ여, 어ᄌᆞ러이 알외여 이러틋 과상ᄒᆞ시믈 닐위니, 엇디 졀민(切悶) 우황(憂惶)치 아니리오."

녜뷔 실노 원민(冤悶)ᄒᆞ나 므ᄉᆞᆷ 말을 ᄒᆞ리오. 오ᄃᆡᆨ 관을 ᄉᆞᆨ여 청죄ᄒᆞᆯ ᄲᅮᆫ이러라. 공이 모친을 ᄇᆡᆨ단 위로 ᄒᆞ여 셰흥을 술와 ᄂᆡ오리니 무익히 슬허 마르시믈 고ᄒᆞᆫᄃᆡ, 부인이 셰흥의 병이 ᄉᆡᆼ되 가망이 업ᄉᆞ믈 보ᄆᆡ, 죽을 ᄎᆞ(次)181)로 아라 참통ᄒᆞ믈 니긔디 못ᄒᆞ니, 공이 ᄋᆞᄌᆞ의 ᄉᆞᄉᆡᆼ 념녀는【18】

177)졀념소려(絶念掃慮) : 염려(念慮)를 끊거나 쓸어 버린다는 뜻으로 염려 말고 안심하라는 말.
178)셔하디통(西河之痛) : 자식을 잃은 슬픔을 이르는 말. 서하의 고통이라는 뜻으로, 공자(孔子)의 제자인 자하(子夏)가 서하(西河)에 있을 때 자식을 잃고 너무 슬픈 나머지 소경이 된 고사에서 유래하였다.
179)상명디통(喪明之痛) : 눈이 멀 정도로 슬프다는 뜻으로, 아들이 죽은 슬픔을 비유적으로 이르는 말. 옛날 중국의 자하(子夏)가 아들을 잃고 슬피 운 끝에 눈이 멀었다는 데서 유래한다
180)권위(眷慰) : 정성을 다해 위로함.
181)ᄎᆞ(次) : 어떠한 일을 하던 기회나 순간.

위로 왈,

"소지 셰ᄋᆞ의 병을 보지 아녓숩더니, 금일 보오ᄆᆡ 일시 놀납ᄉᆞ오나, ᄌᆞ위는 졀념소려(絶念消慮)158) ᄒᆞ쇼셔. ᄎᆞ셩(差成)ᄒᆞ믈 보시리니 엇지 셩쳬(聖體) 손상ᄒᆞ시믈 ᄉᆡᆼ각지 아니시고 과상ᄒᆞ시ᄂᆞ니잇가? 소지 오날노부터 극진 구호ᄒᆞ여 회소지경(回蘇地境)을 보시게 ᄒᆞ오려니와, 수요장단(壽夭長短과 화복길흉(禍福吉凶)이 텬수(天數)의 정ᄒᆞᆫ ᄇᆡ오 버거 상모(相貌)의 ᄯᆞᆯ녀시니, 인력의 밋출 ᄇᆡ 아니라. 셰간에 오히려 셔하지통(西河之痛)159)을 참고 상명지통(喪明之痛)160)을 견ᄃᆡᄂᆞ니 잇ᄉᆞ니, 셰ᄋᆡ 혹쟈 ᄉᆞ지 못 ᄒᆞᆫ【44】들 현마 엇지 ᄒᆞ리잇가?"

태부인이 체루비졀(涕淚悲絶)ᄒᆞ여 능히 말을 닐우지 못ᄒᆞ고, 다만 태우의 팔을 어로 만져 통읍ᄒᆞ믈 마지 아니니, 공이 불승초민(不勝焦悶)ᄒᆞ여 모친을 ᄌᆡ삼 권위(眷慰)161)ᄒᆞ고 태원뎐에 도라 갈ᄉᆡ, 녜부를 ᄎᆡᆨ 왈,

"여등이 ᄌᆞ위를 혼동(混動)ᄒᆞ여 어즈러이 알외여 니러틋 과상ᄒᆞ시믈 닐위니, 엇지 졀민(切悶) 우황치 아니리오."

녜뷔 실노 원민(冤悶)ᄒᆞ나 무ᄉᆞᆷ 말을 ᄒᆞ리오. 오직 관을 숙여 청죄ᄒᆞᆯ ᄲᅮᆫ이니, 휘 모친을 ᄇᆡᆨ단 위로ᄒᆞ여, 셰흥을 술와 ᄂᆡ오리니 무익히 슬허 마르시믈 고ᄒᆞ더라.

158)졀념소려(絶念掃慮) : 염려(念慮)를 끊거나 쓸어 버린다는 뜻으로 염려 말고 안심하라는 말.
159)셔하디통(西河之痛) : 자식을 잃은 슬픔을 이르는 말. 서하의 고통이라는 뜻으로, 공자(孔子)의 제자인 자하(子夏)가 서하(西河)에 있을 때 자식을 잃고 너무 슬픈 나머지 소경이 된 고사에서 유래하였다.
160)상명디통(喪明之痛) : 눈이 멀 정도로 슬프다는 뜻으로, 아들이 죽은 슬픔을 비유적으로 이르는 말. 옛날 중국의 자하(子夏)가 아들을 잃고 슬피 운 끝에 눈이 멀었다는 데서 유래한다
161)권위(眷慰) : 정성을 다해 위로함.

둘ᄌᆡ오, 모친의 초조ᄒᆞ시믈 황황ᄒᆞ여 화ᄒᆞᆫ 안ᄉᆡᆨ으로 위로ᄒᆞ믈 마디 아니터니[라].

ᄎᆞ시 ᄇᆡᆨ공이 츌뎡ᄒᆞᆫ ᄃᆡ 칠팔삭이라. ᄒᆡ국을 평뎡ᄒᆞ고 번왕의 군신을 항복 밧고 년ᄒᆞ여 승쳡ᄒᆞᄆᆡ, 몬져 쳡음(捷音)을 황셩의 쥬ᄒᆞ고, 원슈ᄂᆞᆫ ᄒᆡ국의 잠간 머므러 ᄇᆡᆨ셩을 안무ᄒᆞ고 ᄉᆞ졸을 쉬온다 ᄒᆞᄂᆞᆫ디라.

샹이 뎡원슈의 승젼ᄒᆞ믈 드르시고, 뎡부의 각별 은영을 더으샤, 상방어션(尙方御膳)과 상금어의(尙今御衣)[182]를 버셔 보ᄂᆡ시고, 원슈의 ᄌᆡ덕을 일ᄏᆞᄅᆞ샤 환희ᄒᆞ시니, 뎡공이 즁샤(中使)를 ᄃᆡᄒᆞ여 셩은을 샤례ᄒᆞ고, 원슈의 승쳡ᄒᆞ믈 태부인긔 알외고 슈히 환가ᄒᆞᆯ 바를 칭열(稱悅)ᄒᆞ니, 부인이 깃브믈 니긔【19】디 못ᄒᆞ나, 태우의 병을 우려ᄒᆞ여 심장을 살오기의 밋ᄎᆞ니, 뎡공이 녜부 등을 명ᄒᆞ여 태부인을 뫼셔시라 ᄒᆞ고, 병소의 나아가 그 ᄆᆡᆨ후를 살피고 약셕(藥石)[183]을 시험ᄒᆞᆯᄉᆡ, 태우의 딘ᄒᆞᄂᆞᆫ 거동이 삼ᄃᆡ원슈(三代怨讐)와 ᄇᆡᆨ년ᄃᆡ쳑(百年大隻)[184]이라도 ᄃᆡᄒᆞᆫ즉 참졀비읍(慘絶悲泣)ᄒᆞᆯ디라.

양쇼졔 ᄉᆞ정(事情)을 원치 아니턴 ᄇᆡ나, 그 병셰 만무ᄉᆡᆼ긔(萬無生氣)ᄒᆞ믈 당ᄒᆞ여ᄂᆞᆫ, 심장이 여할(如割)ᄒᆞ여 ᄌᆞ긔 명되(明道) 긔구ᄒᆞ믈 슬허, 몬져 ᄌᆞ문(自刎)ᄒᆞ여 청상(靑孀)의 박복ᄒᆞ믈 당치 《아녀려 ‖ 아니려》 ᄒᆞᆯᄉᆡ, 유ᄌᆞ(乳子)를 나ᄒᆞᆫ ᄃᆡ 뉵삭의 ᄋᆞᄒᆡ 긔상이 날노 슈발(秀拔)ᄒᆞ여 태우의 ᄋᆞ시 적의셔 나으미 이시니, 존당 구괴 현긔 버금으로 ᄉᆞ랑ᄒᆞᄃᆡ, 양시 ᄋᆞᄌᆞ를 믈니쳐【20】그 유모를 맛져, 뜻을 텰셕ᄀᆞᆺ치 뎡ᄒᆞ여 태우의 운명 젼의 ᄌᆞ긔 몬져 명이 딘ᄒᆞ려 ᄒᆞᄂᆞᆫ디라.

뎡공이 ᄋᆞᄌᆞ의 ᄒᆞᆯ 일 업시 되여시믈 참통ᄒᆞᆯ ᄲᅳᆫ 아니라, 셰흥이 죽을딘ᄃᆡ 양시 ᄉᆞ디

182)상금어의(尙今御衣) : 임금이 지금까지 입고 있던 옷.

183)약셕(藥石) : 약과 침이라는 뜻으로, 여러 가지 약을 통틀어 이르는 말. 또는 그것으로 치료하는 일.

184)ᄇᆡᆨ년ᄃᆡ쳑(百年大隻) : 백년 곧 일생토록 잊지 못할 원수.

ᄎᆞ시 북공이 츌졍ᄒᆞᆫ 지 칠팔 삭이라. ᄒᆡ국을 평졍ᄒᆞ며 번왕의 군신을 항복 밧고 년ᄒᆞ여 승쳡ᄒᆞᄆᆡ 몬젼[져] 쳡(捷音)음을 황셩에 주ᄒᆞ고, ᄒᆡ국의 잠간 머므러 ᄇᆡᆨ셩을 안무ᄒᆞ고 ᄉᆞ졸을 쉬온다 ᄒᆞᄂᆞᆫ지라.

상이 뎡원슈【45】의 승젼ᄒᆞ믈 드르시고, 뎡부에 각별ᄒᆞᆫ 은영을 더으샤, 상방 어션(尙方御膳)과 어의(御衣)를 버셔 보ᄂᆡ시고, 원슈의 ᄌᆡ덕을 닐ᄏᆞ르샤 환희ᄒᆞ시니, 휘 즁ᄉᆞ(中使)를 ᄃᆡᄒᆞ여 셩은을 슉ᄉᆞ(肅謝)ᄒᆞ고 원슈의 승쳡ᄒᆞ믈 태부인긔 알외고, 수히 환가ᄒᆞᆯ 바를 칭열(稱悅)ᄒᆞ니, 부인이 깃부믈 니긔지 못ᄒᆞ나, 태우의 병을 우려ᄒᆞ여 심장을 ᄉᆞᆯ오기의 밋ᄎᆞ니, 휘 녜부 등을 명ᄒᆞ여 태부인을 뫼셔시라 ᄒᆞ고, 병소에 나아가 ᄆᆡᆨ후를 ᄉᆞᆯ피고 약셕(藥石)[162]을 시험ᄒᆞᆯᄉᆡ, 태우의 진ᄒᆞᄂᆞᆫ 거동이 ᄉᆞᆷ대원슈(三代怨讐)와 ᄇᆡᆨ년ᄃᆡ쳑(百年大隻)[163]이라도, ᄃᆡᄒᆞᆫ즉 참졀비읍(慘絶悲泣)ᄒᆞᆯ지라.

양소졔 ᄉᆞ정을 원치 아니턴 ᄇᆡ나, 그 병셰 만무ᄉᆡᆼ긔(萬無生氣)ᄒᆞ믈 당ᄒᆞ야ᄂᆞᆫ 심장이 여할ᄒᆞ야, ᄌᆞ긔 명되 긔구ᄒᆞ믈 슬허, 몬져 ᄌᆞ문ᄒᆞ여 청상의 박복ᄒᆞ믈 당치 아니려 ᄒᆞᆯᄉᆡ, 유ᄌᆞ를 나한 지 뉵삭에 ᄋᆞᄒᆡ【46】긔상이 날노 슈발ᄒᆞ여, 태우의 ᄋᆞ시 적과 ᄃᆞ르미 업ᄉᆞ니, 존당 구괴 현긔 버금으로 ᄉᆞ랑ᄒᆞᄃᆡ, 양씨 ᄋᆞᄌᆞ를 믈니쳐 그 유모를 맛기고, 뜻을 쳘셕ᄀᆞᆺ치 졍ᄒᆞ여 태우의 운명 젼에 ᄌᆞ긔 몬져 명을 ᄉᆞᆺᄎᆞ랴 ᄒᆞᄂᆞᆫ지라.

휘 ᄋᆞᄌᆞ의 ᄒᆞᆯ 일 업시 되여시믈 참통ᄒᆞᆯ ᄲᅮᆫ 아니라, 졔 죽을 진ᄃᆡ 양씨 ᄉᆞ지 못ᄒᆞᆯ 줄 혜아리ᄆᆡ, 더욱 슬프믈 니긔지 못ᄒᆞ여, 태우의 팔을 어루만져 쳑연이 냥항누(兩行

162)약셕(藥石) : 약과 침이라는 뜻으로, 여러 가지 약을 통틀어 이르는 말. 또는 그것으로 치료하는 일.

163)ᄇᆡᆨ년ᄃᆡ쳑(百年大隻) : 백년 곧 일생토록 잊지 못할 원수.

아닐 줄 혜아리ᄆᆡ, 더옥 슬프믈 니긔디 못ᄒᆞ여, 태우의 손과 팔흘 어로만져 쳑연이 냥항누(兩行淚)를 금치 못ᄒᆞ니, ᄒᆞ믈며 딘부인○[의] ᄎᆞᆫ할(寸割)ᄒᆞᆫ 심ᄉᆞ를 니르리오. 오열비읍(嗚咽悲泣)ᄒᆞ미 죽엄을 노화심 ᄀᆞᆺᄐᆞ니, 뎡공이 부인을 도라보아 ᄀᆞᆯ오ᄃᆡ,

"져의 작인(作人)인ᄌᆞᆨ 댱원(長遠)ᄒᆞ미 ᄇᆡᆨ년을 긔약ᄒᆞᆯ 거시로ᄃᆡ, 병셰 위악ᄒᆞ미 살기를 긔약디 못ᄒᆞᆯ디라. 그 광패무식ᄒᆞ미 죽어 앗갑디 아니ᄒᆞᄃᆡ, ᄌᆞ졍의 과상ᄒᆞ심과 양《시부 ‖ 식부(息婦)》【21】의 졍니를 ᄉᆡᆼ각ᄒᆞᄆᆡ, 압히 어두오믈 니긔디 못ᄒᆞ리로소이다."

부인이 탄셩 읍왈,

"졔 ᄋᆞ시로브터 침뎡(沈正)치 못ᄒᆞ여시므로 부모의 눈밧긔 난 ᄌᆞ식이 되어, 명공의 가ᄎᆞ(假借)ᄒᆞ[185]시미 업고, 쳡도 증염(憎厭)ᄒᆞᄂᆞᆫ ᄇᆡ러니, 이 ᄣᆡ를 당ᄒᆞ여 져의 위ᄐᆡᄒᆞ믈 보ᄆᆡ 심담이 믜여디ᄂᆞᆫ[186] ᄃᆞᆺᄒᆞ고, ᄌᆞᄋᆡ 못 ᄒᆞᆫ 줄이 더옥 뉘웃ᄎᆞᆫ디라. 만일 구치 못ᄒᆞᆯ던ᄃᆡ 쳡이 미ᄉᆞ디젼(未死之前)의 유한이로소이다."

공이 츄연 왈,

"져를 ᄌᆞᄋᆡ치 아니미 ᄀᆞᆺᄐᆞ여 믜워ᄒᆞ미 아니니 엇디 뉘웃ᄎᆞ리오. 비록 병셰 위독ᄒᆞ나 그 작인이 비상ᄒᆞ니, 헛되이 맛디 아닐 ᄃᆞᆺᄒᆞ니, 부인은 과도히 슬허 말고, 양쇼부의 심ᄉᆞ를 놀ᄂᆡ디 마르쇼셔."

좌우로【22】ᄒᆞ여 ᄀᆡᆼ반(羹飯)[187]을 나오라 ᄒᆞ여 쇼져 알패 노코 먹기를 권ᄒᆞᄃᆡ,

"네 가부의 병이 위악(危惡)ᄒᆞ나 하날이 너의 팔ᄌᆞ를 ᄆᆡ몰케 아니리니, 모로미 심장을 상ᄒᆡ오디 말고 숙식을 폐치 말나."

쇼졔 ᄉᆞ식디념(食食之念)[188]이 돈연(頓然)[189]ᄒᆞᄃᆡ 존구의 권ᄒᆞ시믈 거ᄉᆞ디[190] 못

185)가ᄎᆞ(假借)ᄒᆞ다 : 정하지 않고 잠시만 빌리다.
186)믜다 : 찢다. 찢어지다.
187)ᄀᆡᆼ반(羹飯) : 국과 밥을 아울러 이르는 말.
188)ᄉᆞ식디념(食食之念) : 밥을 먹고 싶은 마음.
189)돈연(頓然) : 조금도 돌아봄이 없음. 소식 따위가 끊어져 감감함.
190)거ᄉᆞ다 : 거스르다.

淚)를 금치 못ᄒᆞ니, 딘부인 ᄎᆞᆫ할ᄒᆞᆫ 심ᄉᆞ를 어ᄃᆡ 비ᄒᆞ리오. 오열비읍(嗚咽悲泣)ᄒᆞ미 죽엄을 노화심 ᄀᆞᆺᄒᆞ니, 휘 부인을 만단 위로 왈,

"져의 작인(作人)인ᄌᆞᆨ 《장원이 죽으미 맛당ᄒᆞᆯ 거시로ᄃᆡ ‖ 쟝원(長遠)ᄒᆞ미 ᄇᆡᆨ년을 긔약ᄒᆞᆯ 거시로ᄃᆡ, 병셰 위악ᄒᆞ미 살기를 긔약디 못ᄒᆞᆯ디라. 그 광패무식ᄒᆞ미 죽어 앗갑디 아니ᄒᆞᄃᆡ》, ᄌᆞ정의 과상ᄒᆞ심과 양○[식]부의 졍니를 ᄉᆡᆼ각ᄒᆞᄆᆡ, 알ᄑᆡ 어두오믈 니긔지 못ᄒᆞ리로○○[소이]다."

부인이 탄셩 쳬읍 왈,

"졔 ᄋᆞ시로브터 침졍(沈正)치 못ᄒᆞ야, 부모의 눈 밧긔 난 ᄌᆞ식이 되엿더니,【47】이 ᄣᆡ를 당ᄒᆞ여 져의 위ᄐᆡᄒᆞ믈 보ᄆᆡ 심담이 뮈ᄂᆞᆫ[164] ᄃᆞᆺᄒᆞ고, ᄌᆞᄋᆡ 못ᄒᆞᆫ 줄이 더욱 뉘웃븐지라. 만일 구치 못ᄒᆞᆯ진ᄃᆡ 쳡이 미ᄉᆞ지젼(未死之前)에 유한되리로소이다."

공이 헛도이 맛지 아닐 줄 닐ᄏᆞᆺ고,

좌우로 ᄀᆡᆼ반(羹飯)[165]을 나오라 ᄒᆞ여, 양소져 알ᄑᆡ 노코 먹기를 간권(懇勸)ᄒᆞᄃᆡ, 소졔 ᄉᆞ식지념(食食之念)[166]이 돈연(頓然)[167]ᄒᆞ나, 강잉ᄒᆞ여 약간 진식ᄒᆞ고 무병ᄒᆞᆫ 몸을 녀념치 마르소셔 ᄒᆞ니, 공이 더욱 년ᄋᆡᄒᆞ여 태우의 병을 ᄉᆞᆯ펴 극진 구호ᄒᆞ나 가감이 업ᄉᆞ니, 졔딘과 하공 부ᄌᆡ ᄌᆞ로 와 보고, 그 ᄉᆞᆯ기를 ᄇᆞ라지 못ᄒᆞ며, 양평장의 초조ᄒᆞᆷ과, 소소부(蘇少傅)ᄂᆞᆫ ᄯᆞᆯ의 젼졍을 위ᄒᆞ여 역시

164)뮈다 : 믜다. 찢다. 찢어지다.
165)ᄀᆡᆼ반(羹飯) : 국과 밥을 아울러 이르는 말.
166)ᄉᆞ식디념(食食之念) : 밥을 먹고 싶은 마음.
167)돈연(頓然) : 조금도 돌아봄이 없음. 소식 따위가 끊어져 감감함.

ᄒᆞ여 강인ᄒᆞ여 약간 딘식ᄒᆞ고, '무병ᄒᆞᆫ 몸을 념녀치 마르쇼셔' 쳥ᄒᆞ니, 공이 더옥 년이ᄒᆞ믈 마디 아니코, 인ᄒᆞ여 병을 살펴 약음을 아라 쓰고, 구호ᄒᆞ미 아니 미ᄎᆞᆫ 곳이 업ᄉᆞᄃᆡ 나으미 업셔, 졔딘과 하공 부ᄌᆞ ᄌᆞ로 와 보고 그 살기를 바라디 못ᄒᆞ고[며] 《양뎡‖양평장》의 초조ᄒᆞ미 심장이 마르고, 소쇼부(蘇少傅)ᄂᆞᆫ ᄯᆞᆯ의 젼졍을 뎡태우의게 바라미 듕턴 바로, 그 병이 위악ᄒᆞ【23】믈 초조우민(焦燥憂悶)ᄒᆞ미 양공이나 다르디 아닐 ᄲᅳᆫ더러, ᄌᆞ긔 팔ᄌᆞᄂᆞᆫ ᄉᆞᄉᆞ(事事)의 궁극(窮極)ᄒᆞ니, 혹ᄌᆞ 일녀의 신셰 화열치 못ᄒᆞ여 동방화쵹(洞房華燭)의 녜를 일워보디 못ᄒᆞᆯ가 번뇌 초ᄉᆞᄒᆞ니, 양공이 소공의 우려를 더옥 우민ᄒᆞ여, 도로혀 태우의 위인이 그만ᄒᆞ여 맛디 아닐 바를 일ᄏᆞ라 소공을 위로ᄒᆞ더라.

일일은 태우의 병이 급ᄒᆞ여 부모 형뎨 심장이 일만 조각의 ᄉᆞᆺ쳐디ᄂᆞᆫ디라. 뎡공이 칠남ᄋᆡ를 나하 온젼이 기르ᄆᆡ 《슬하‖서하》디탄(西河之嘆)을 본 일이 업다가, 블의의 태우의 병이 죽게 되니 참졀ᄒᆞᆫ 경이 태부인을 도라보디 아니면, 출하리 몬져 ᄌᆞ문(自刎)ᄒᆞ여 져런 경상을 보디 말고져 ᄒᆞᄂᆞᆫ디라. 녜부와 딕ᄉᆡ【24】촌장(寸腸)을 ᄉᆞᆺᄂᆞᆫ 듯 부모를 븟드러 나가시믈 쳥ᄒᆞ니, 공이 부인을 권ᄒᆞ여 내여 보ᄂᆡ고, ᄌᆞ긔ᄂᆞᆫ 오후로브터 태우를 픔고 누어, 낫출 다히고 살흘 어로만져 태우와 ᄒᆞᆫ 벼개의 누어, 잠연(潛然)이 눈을 ᄀᆞᆷ고 ᄒᆞᆫ가디로 셰샹을 바리고져 ᄒᆞ니, 이ᄯᅢ 양쇼졔 션삼경의셔 ᄌᆞ문ᄒᆞᆯ 의ᄉᆡ 급ᄒᆞ다가, ᄉᆡᆼ각ᄒᆞᄃᆡ,

"뎡군의 상뫼 남달니 댱원ᄒᆞᆫ 픔격이오, 이팔쳥츈(二八靑春)의 힘힘이191) 조요(早夭)ᄒᆞᆯ 긔상이 아니니, 내 잠간 종시를 다 보려니와, 원간 '디셩(至誠)이면 감텬(感天)이라.' 내 금야의 북두셩신(北斗星辰)과 텬디긔 튝원ᄒᆞ여 뎡군의 명을 빌니라."

의ᄉᆡ 이의 밋ᄎᆞᄆᆡ, 야심ᄒᆞ기를 기다려 원듕 닝경(冷井)의 목욕ᄒᆞ고, 그윽ᄒᆞᆫ 곳의 가

191)힘힘히 : 부질없이. 헛되이.

우민(憂悶)ᄒᆞ미 일반이라. 양공이 소공을 위로ᄒᆞ여 도로혀 졀민ᄒᆞ더라

일일은 태우의 병이 급ᄒᆞ여 부모형뎨 심장이 만단(萬斷)이라. 공이 칠남ᄋᆡ를 나하 온젼이 기르다가 ᄎᆞᆷ경을 당ᄒᆞᄆᆡ, 참졀ᄒᆞᆫ 경니 모친을 위【48】로ᄒᆞᆯ 길 업셔, 출하리 몬져 업셔져 참경을 보지 아니코져 ᄒᆞ니, 녜부 등이 부모를 붓드러 나아가시믈 쳥ᄒᆞ고 초조ᄒᆞ믈 마지 아니니, 공이 부인을 권ᄒᆞ여 ᄂᆡ여 보ᄂᆡ고 ᄌᆞ긔ᄂᆞᆫ 오후로브터 태우를 픔고 누어, 낫출 다히고 술을 어루만져 태우와 ᄒᆞᆫ 벼개에 누어, 죰연이 눈을 감고 ᄒᆞᆫ가지로 셰상을 ᄇᆞ리고져 ᄒᆞ니, 이 ᄯᅢ 양소졔 션삼경에셔 ᄌᆞ문(自刎)ᄒᆞᆯ 의ᄉᆡ 급ᄒᆞ다가, ᄉᆡᆼ각ᄒᆞᄃᆡ,

"뎡군의 상뫼 ᄂᆞᆷ ᄃᆞᆯ니 장원ᄒᆞᆫ[ᄒᆞᆯ] 픔격이 ○[오], 힘힘이168) 조요(早夭)ᄒᆞᆯ 긔상이 아니니, 내 잠간 종시를 보려니와, 원간 '지셩(至誠)이○[면] 감텬(感天)이라.' 내 금야에 텬디긔 츅원ᄒᆞ여 뎡군의 명을 빌니라."

ᄒᆞ고, 밤들기를 기ᄃᆞ려 원즁 닝경(冷井)에 목욕ᄒᆞ고, 그윽ᄒᆞᆫ 곳의 나아가 빈츅(頻

168)힘힘히 : 부질없이. 헛되이.

【25】 태우의 명을 ᄌᆞ긔 ᄃᆡ신ᄒᆞ믈 혈읍간걸(血泣懇乞)ᄒᆞ니, 텬의 감동ᄒᆞᆯ ᄯᅵ라. 이윽이 빌기를 맛고 침소의 도라와, 월ᄋᆡᆼ으로 ᄒᆞ여금 션슈졍의 가 병후를 아라 오라 ᄒᆞ니, 태위 앗춤으로브터 밤이 깁도록 일신이 어름 ᄀᆞᆺᄐᆞ여, 뎡공이 아모리 픔고 누어 더운 몸으로ᄡᅧ 그 찬 살흘 다혀 온긔를 옴기고져 ᄒᆞᄃᆡ 능히 못ᄒᆞ고, 실낫 ᄀᆞᆺᄐᆞᆫ 목슘이 바야흐로 ᄭᅳᆺᄎᆞ락 니으락 ᄒᆞ니, 공이 죵일 ᄐᆞᄂᆞᆫ ᄋᆡ를 믈노 젹시고 고요히 누어 흉금이 막힐 ᄃᆞᆺᄒᆞ니, 이경(二更)[192] 말(末)의 태위 믄득 몸을 두로혀 누으며, ᄒᆞᆫ 소ᄅᆡ를 기리 탄식ᄒᆞ여 쳑연이 냥항누(兩行淚)를 나리오거ᄂᆞᆯ, 공이 낫출 다히고 누엇다가, 그 손을 잡고 므르ᄃᆡ, 【26】

"네 인ᄉᆞ를 출혀 날을 알소냐?"

이리 니르며 쵹을 갓가이 노코 ᄌᆞ긔 얼골을 보라 ᄒᆞ니, 태위 어름 ᄀᆞᆺᄐᆞᆫ 몸의 잠간 온긔 니러나고, 낫 우ᄒᆡ ᄯᆞᆷ이 흐르며, 희미히 눈을 ᄯᅥ 좌우를 보다가, 계오 소ᄅᆡ를 내여 왈,

"심디 허약ᄒᆞ여 눈의 허리(虛魑)[193]이 뵈ᄂᆞᆫ가, 엇디 몸이 이의 누엇ᄂᆞᆫ고?"

녜뷔 집슈 왈,

"네 누은 거시 션슈졍이니 엇디 괴이히 녁이ᄂᆞ뇨?"

태위 츄연 ᄃᆡ 왈,

"션슈졍인 줄은 아ᄃᆡ 쇼데 엇디 ᄉᆡᆼᄂᆡ의 대인 픔의 누어 본 일이 업거ᄂᆞᆯ, 금야ᄂᆞᆫ 대인이 졉안교이(接顔交耳)[194] ᄒᆞ시ᄂᆞᆫ ᄃᆞᆺᄒᆞ니, 엇디 괴이치 아니리오."

인ᄒᆞ여 두 마ᄃᆡ를 ᄂᆞᆺ겨 탄식ᄒᆞ니, 태위 사ᄅᆞᆷ을 몰나보완 디 슈월이라. ᄎᆞ언을 드르ᄆᆡ 좌위 대【27】열ᄒᆞ고, 뎡공이 만심희열(滿心喜悅)ᄒᆞ여 어로만져 왈,

"금야의 너의 말을 드르니 여뷔 실노 텬뉸의 박졍(薄情)ᄒᆞ믈 아ᄂᆞ니, 너를 픔은 지

192)이경(二更) : 하룻밤을 오경(五更)으로 나눈 둘째 부분. 밤 아홉 시부터 열한 시 사이이다.
193)허리(虛魑) : 도깨비. 헛것.
194)졉안교이(接顔交耳) : 얼굴을 대고 귀를 스침.

祝)[169]ᄒᆞ여 태우의 병을 ᄌᆞ긔 ᄃᆡ신ᄒᆞ믈 혈읍간걸(血泣懇乞)ᄒᆞ니, 텬의 감동ᄒᆞᆯ ᄯᅵ라. 이윽이 빌기를 맛고 침소에 도라와, 월ᄋᆡᆼ으로 ᄒᆞ야곰 【49】 션슈졍에 가 병후를 아라 오라 ᄒᆞ니, 태위 아춤으로브터 밤이 깁도록 일신이 어름 ᄀᆞᆺᄒᆞ여, 휘 아모리 픔고 누어 더운 몸으로ᄡᅧ 그 찬 거슬 다혀 온긔를 옴기고져 ᄒᆞᄃᆡ 능히 못ᄒᆞ고, 실낫 ᄀᆞᆺᄐᆞᆫ 목숨이 ᄇᆞ야흐로 ᄭᅳᆺᄎᆞ락 니으락 ᄒᆞ니, 공이 종일 타ᄂᆞᆫ ᄋᆡ를 믈노 젹시고 고요히 누어 흉금이 막힐 ᄃᆞᆺᄒᆞ더니, 이경(二更)[170] 말(末)에 태위 믄득 몸을 두로혀 향벽ᄒᆞ여 누으며 ᄒᆞᆫ 소ᄅᆡ 장탄에, 쳑연이 냥항누(兩行淚)를 나리오거ᄂᆞᆯ, 공이 낫출 다히고 누엇다가, 그 손을 잡고 왈,

"네 인ᄉᆞ를 출혀 날을 알소냐?"

이리 니르며 촉을 갓가히 노코 ᄌᆞ긔 얼골을 보라 ᄒᆞ니, 태위 어름 ᄀᆞᆺᄐᆞᆫ 몸의 잠간 온긔 니러나고, 낫 우ᄒᆡ ᄯᆞᆷ이 흐르며, ᄒᆞ미히 눈을 ᄯᅥ 좌우를 보다가, 겨유 소ᄅᆡ를 ᄂᆡ쳐 니ᄅᆞᄃᆡ,

"심긔 허약ᄒᆞ여 눈에 헛일이 뵈ᄂᆞᆫ가, 엇지 몸이 이에 누엇ᄂᆞᆫ고?"

녜뷔 집수 왈,

"네 누은 곳이 션슈졍【50】이니 엇지 고이히 녁이ᄂᆞ뇨?"

태위 츄연 ᄃᆡ 왈,

"션슈졍인 줄은 아라ᄃᆡ 소뎨 엇지 ᄉᆡᆼᄂᆡ의 대인 픔의 누어 본 일이 업거ᄂᆞᆯ, 금야ᄂᆞᆫ 대인이 졉안교이(接顔交耳)[171] ᄒᆞ시ᄂᆞᆫ ᄃᆞᆺᄒᆞ오니, 엇지 고이치 아니리오."

인ᄒᆞ여 두 마ᄃᆡ를 ᄂᆞᆺ겨 탄식ᄒᆞ니, 태위 사ᄅᆞᆷ을 몰나보완 지 수월이라. ᄎᆞ언을 드르ᄆᆡ 좌위 대열ᄒᆞ고, 뎡공이 만심희열(滿心喜悅)ᄒᆞ여 어로만져 왈,

"금야에 너의 말을 드르니 녀뷔 실노 텬뉸의 박ᄒᆞ믈 아ᄂᆞ니, 너를 픔은 지 곳 네

169)빈축(頻祝) ; 고두빈축(叩頭頻祝). 수없이 머리를 조아려 빎.
170)이경(二更) : 하룻밤을 오경(五更)으로 나눈 둘째 부분. 밤 아홉 시부터 열한 시 사이이다.
171)졉안교이(接顔交耳) : 얼굴을 대고 귀를 스침.

곳 네 아비니 허리(虛魑)이 뵈미 아니니라. 부ᄌᆞ의 혈ᄆᆡᆨ이 구통(俱通)○○[콰져] ᄒᆞ여, 죵일 너를 픔어 더운 긔운으로써 너의 ᄎᆞᆫ 긔운을 밧고지 못홈과 너의 알ᄂᆞᆫ 거ᄉᆞᆯ 밧고디 못ᄒᆞ믈 ᄋᆡ돌나 ᄒᆞ더니, 이졔ᄂᆞᆫ 긔운이 엇더 ᄒᆞ며 부모 형뎨를 아라 볼소냐?"

태위 비로소 부공이 ᄌᆞ긔를 픔고 계시믈 알고 황공감은(惶恐感恩)ᄒᆞ여 슬픈 눈믈이 ᄇᆡᆨ옥용화(白玉容華)를 뎍시니, 공이 어로만져 왈,

"네 ᄆᆞ음이 허약ᄒᆞ여 죽을 ᄃᆞᆺ 시브ᄆᆡ 이러틋 슬허 ᄒᆞᄂᆞ뇨? 엇디 심ᄉᆞ를 요동ᄒᆞ여 무고히 비쳑(悲慽) 【28】 ᄒᆞᄂᆞ뇨?"

태위 누슈를 거두고 ᄃᆡ 왈,

"쇼ᄌᆞ의 블쵸광망(不肖狂妄)ᄒᆞᆫ 죄 머리털흘 ᄲᅢ혀도 쇽(贖)디 못ᄒᆞ올디라. 존당 부모의 무한ᄒᆞᆫ 블효를 찟치ᄋᆞᆸ고, 일신 ᄇᆡᆨ힝의 ᄒᆞᆫ 일도 보암즉 ᄒᆞᆫ 거시 업던 바로, 금야의 더옥 블효를 찟치오니 엇디 슬프미 범연ᄒᆞ리잇가?"

공이 쳔만 념외의 그 뉘웃ᄂᆞᆫ 말을 듯고 더옥 긔특ᄒᆞ여 닐오ᄃᆡ,

"네 졍신이 사ᄅᆞᆷ이 못되여 실셩발광이 극딘ᄒᆞ더니, 금일디언(今日之言)이 의외라. ᄆᆞ슴 일 패악ᄒᆞ고 엇디ᄒᆞ여 불회 되ᄂᆞᆫ 줄 아ᄂᆞ뇨?"

태위 함쳑(含慽) ᄃᆡ왈,

"블쵸지 무상ᄒᆞ와 엄훈을 밧ᄌᆞᆸ디 못ᄒᆞᄋᆞᆸ고, 힝신을 방탕이 ᄒᆞ와 쳐ᄌᆞ의 현우(賢愚)를 아디 못ᄒᆞ고, 광망패도(狂妄悖道)를 슝상【29】ᄒᆞᄆᆡ 존당 부모의 셩녀를 허비ᄒᆞ시게 ○○○[ᄒᆞ오며], 듕병(重病)을 드러 블효를 찟치오니, 이 밧 불회 업ᄉᆞ온디라. ᄉᆞᄉᆞ로 ᄋᆡ듧고 뉘웃브니 몸을 형벌ᄒᆞ여 죄를 쇽고져 ᄒᆞᆫ들 밋ᄎᆞ리잇가?"

공이 듯ᄂᆞᆫ 말마다 긔특ᄒᆞ믈 니긔디 못ᄒᆞ여, 위로 왈,

"개과쳔션은 셩인의 허ᄒᆞ신 ᄇᆡ라. 네 임의 그른 거ᄉᆞᆯ 바리고 뎡도의 나아가 힝실을 삼갈딘ᄃᆡ, 깃브미 이 밧긔 업ᄉᆞᆯ디니 모로미 슬허 말나."

아비라. 부ᄌᆞ의 혈ᄆᆡᆨ○[이] 누통ᄒᆞ여 죵일 너를 픔어 알ᄂᆞᆫ 거ᄉᆞᆯ 밧고지 못ᄒᆞ믈 ᄋᆡ돌나 ᄒᆞ더니, 이졔ᄂᆞᆫ 긔운이 엇더ᄒᆞ며 부모 형뎨를 알어 볼소냐?"

태위 비로소 부공이 ᄌᆞ긔를 픔어 계시믈 알고 황공감은(惶恐感恩)ᄒᆞ여 비뤼(悲淚) 용화(容華)를 젹시니, 공이 어로 만져 왈,

"네 마음이 허약ᄒᆞ여 죽을 ᄃᆞᆺ 시브ᄆᆡ 니러틋 슬허ᄒᆞᄂᆞ냐? 엇지 심ᄉᆞ를 요동ᄒᆞ여 무고히 비 【51】 쳑(悲慽)ᄒᆞᄂᆞ뇨?"

태위 슈루(垂淚) ᄃᆡ 왈,

"소ᄌᆞ의 블쵸광망(不肖狂妄) ᄒᆞᆫ 죄를 혜아리ᄆᆡ, 머리털을 ᄲᅢ혀도 쇽(贖)지 못ᄒᆞ올지라. 존당 부모긔 무한ᄒᆞᆫ 불효를 찟치ᄋᆞᆸ고, 일신 ᄇᆡᆨ힝의 ᄒᆞᆫ 일도 보암즉 ᄒᆞᆫ 거시 업던 바로, 금야에 더욱 불효를 찟치오니 엇지 슬프지 아니리잇가?"

공이 쳔만 념외의 그 뉘웃ᄂᆞᆫ 말을 듯고 더욱 긔특ᄒᆞ여 니ᄅᆞᄃᆡ,

"네 졍신이 사ᄅᆞᆷ이 못 되여 실셩발광이 극진ᄒᆞ더니 금일 말이 의외라. 무슴 일은[이] ᄑᆡ악ᄒᆞ고 엇지ᄒᆞ여 불회 되ᄂᆞᆫ 줄 아ᄂᆞ뇨?"

태위 함쳑(含慽) ᄃᆡ 왈,

"블쵸지 무상ᄒᆞ와 엄훈을 밧드지 못ᄒᆞᄋᆞᆸ고, 힝신○[을] 방탕이 ᄒᆞ와 쳐ᄌᆞ의 현블쵸(賢不肖)를 모로고, ᄑᆡ도(悖道)를 숭상ᄒᆞᄆᆡ 존당 부모긔 셩녀를 허비ᄒᆞ시게 ○○○[ᄒᆞ오며], 즁병을 닐우혀 ○○○○○○○[블효를 찟치]오니, 니 밧 불회 업ᄉᆞ온지라. ᄋᆡ듧고 뉘웃브미 몸을 형벌ᄒᆞ여 속죄(贖罪)코져 ᄒᆞᆫ들 밋ᄉᆞ오리잇가?"

공이 듯ᄂᆞᆫ 말마다 긔특ᄒᆞ여, 위로【52】 왈,

"개과쳔션은 셩인의 허ᄒᆞ신 ᄇᆡ라. 네 임의 그른 거ᄉᆞᆯ ᄇᆞ리고 ○○○[졍도의] 나아가 힝실을 삼갈진ᄃᆡ, 깃브미 니 밧○[긔] 업ᄉᆞᆯ지니 모로미 슬허말나."

인ᄒᆞ여, 젼 허믈을 쾌히 ᄭᆡᄃᆞ라, 태위 긔운이 ᄂᆡ붓디[195] 못ᄒᆞᆯ ᄲᅳᆫ 아니라, 양시의 말을 ᄒᆞ려 ᄒᆞᄆᆡ 참통ᄒᆞ미 몬져 가ᄉᆞᆷ이 알픈 고로, 다만 몽농이 ᄃᆡ 왈,

"금야의 우연이 혼혼침침(昏昏沈沈)ᄒᆞᆫ 거ᄉᆞᆯ ᄭᆡ치ᄆᆡ, 젼일ᄉᆡ 뉘웃ᄎᆞ믈 니긔디 못ᄒᆞ리로소이다."

원ᄂᆡ 태【30】위 혼침(昏沈)[196]ᄒᆞᆫ 가온ᄃᆡ 일몽(一夢)을 어드니, ᄌᆞ긔 몸이 ᄒᆡ옴업시 ᄎᆡ운의 올나, 얼픗 결의 금난뎐의 다ᄃᆞ르니, 쥬궁패궐(珠宮貝闕)의 댱녀(壯麗)ᄒᆞᆷ과 오ᄎᆡ(五彩) 현난(絢爛)ᄒᆞ미 인셰(人世)와 다른디라. 샹뎨 구름 금상(金床)의 뎐좌(殿座)[197]ᄒᆞ시고, 셩신(星辰)과 졔션(諸仙)이 시위ᄒᆞᆫ 바의 태위 드러가 됴회ᄒᆞ오니, 샹뎨 남두셩(南斗星)을 ᄃᆡᄒᆞ여 니르샤ᄃᆡ,

"태챵셩이 인간의 뎍강(謫降)ᄒᆞ여 옥ᄆᆡ션으로 ᄇᆡᆨ년가연을 일우나, 청한구호(青悍九狐)[198]의 작희(作戱)를 인ᄒᆞ여 태창셩이 그릇 되고, 옥ᄆᆡ션이 디금 눈셥을 펴디 못ᄒᆞ니, 네 맛당이 옥ᄆᆡ션의 ᄋᆡᄆᆡᄒᆞ믈 니르고, 구호의 ᄉᆞ오나오믈 알게 ᄒᆞ고, 봉ᄂᆡ산(蓬萊山)[199] 샹(上)의 명신단(明神丹)을 먹여 그 심혼(心魂)이 온젼케 ᄒᆞ라."

남두셩(南斗星)이 슈명ᄒᆞ여 ᄒᆞᆫ 권 ᄎᆡᆨ을 손의 드러 태우【31】압희 노화, ᄀᆞᆯ오ᄃᆡ,

"다른 거ᄉᆞᆫ 보디 말고 이를 보면 거의 알니라."

태위 눈을 드러 살피니, 쳣머리의 ᄡᅳᆫ 거ᄉᆞᆫ ᄌᆞ긔ᄂᆞᆫ 태창셩이오, 양시ᄂᆞᆫ 옥ᄆᆡ션으로 옥화궁의 쇽ᄒᆞᆫ 션ᄋᆡ(仙娥)라. 셔왕모(西王

195)ᄂᆡ붓다 : 내붇다. 불어나다. 힘이나 몸집 따위가 커지다.
196)혼침(昏沈) : 정신이 아주 혼미함.
197)뎐좌(殿座) : 임금 등이 정사를 보거나 조하를 받으려고 정전(正殿)이나 편전(便殿)에 나와 앉던 일. 또는 그 자리.
198)청한구호(青悍九狐) : 푸르고 사납게 생겼으며 꼬리가 아홉 개 달린 여우. *구호(九狐); 구미호(九尾狐).
199)봉ᄂᆡ산(蓬萊山) : 중국 전설에서 나타나는 가상적 영산(靈山)인 삼신산(三神山) 가운데 하나. 동쪽 바다의 가운데에 있으며, 신선이 살고 불로초와 불사약이 있다고 한다.

인ᄒᆞ여 무위(撫慰)ᄒᆞ믈 마지 아니니 태위 몽농이 ᄃᆡ 왈,

"금야에 우연이 혼침(昏沈)[172]ᄒᆞᆫ 거ᄉᆞᆯ ᄭᆡ치ᄆᆡ 젼일ᄉᆡ 뉘웃브믈 니긔지 못ᄒᆞ리로소이다."

원ᄂᆡ 태위 혼침ᄒᆞᆫ 즁 일몽(一夢)을 어드니, ᄌᆞ긔 몸이 ᄒᆡ음읍시 ᄎᆡ운에 올나 얼픗 결에 금난뎐에 ᄃᆞ다르니 주궁ᄑᆡ궐(珠宮貝闕)의 장녀(壯麗)ᄒᆞᆷ과 오ᄎᆡ(五彩) 현난(絢爛)ᄒᆞ미 인셰(人世)와 ᄃᆞ른지라. 옥뎨(玉帝) 구룡(九龍) 금상(金床)에 젼좌(殿座)[173]ᄒᆞ시고, 녈위(列位) 셩신(星辰)이 시위ᄒᆞᆫ 바에 태위 드러가 조회ᄒᆞ니, 옥뎨 남두셩(南斗星)을 ᄃᆡᄒᆞ여 니르샤ᄃᆡ,

"태챵셩이 인간의 적강ᄒᆞ여 옥ᄆᆡ션으로 ᄇᆡᆨ년가연을 닐우나, 청한구호(青悍九狐)[174]의 작희를 인ᄒᆞ여 ᄐᆡ창셩이 그릇 되고, 옥ᄆᆡ션이 지금 눈셥을 펴지 못ᄒᆞ니, 네 맛당히 옥ᄆᆡ션의 ᄋᆡᄆᆡᄒᆞ믈 니르고, 구호의 사오나【53】오믈 알게 ᄒᆞ고, 명심단(明心丹)을 먹여 그 심혼(心魂)이 온젼케 ᄒᆞ라."

남두셩(南斗星)이 슈명ᄒᆞ여 손의 ᄒᆞᆫ 권 ᄎᆡᆨ을 드러 태우 알ᄑᆡ 노화, 왈,

"ᄃᆞ른 거ᄉᆞᆫ 보지 말고 이를 보면 거의 알니라."

태위 눈을 드러 살피니 쳣머리에 ᄡᅳᆫ 거ᄉᆞᆫ ᄌᆞ긔ᄂᆞᆫ ᄐᆡ창셩이오, 양씨ᄂᆞᆫ 옥ᄆᆡ션으로 옥화궁에 쇽ᄒᆞᆫ 션ᄋᆡ(仙娥)라. 셔왕모(西王母)[175] 요지연(瑤池宴)[176]에 옥ᄆᆡ셩이 금봉

172)혼침(昏沈) : 정신이 아주 혼미함.
173)뎐좌(殿座) : 임금 등이 정사를 보거나 조하를 받으려고 정전(正殿)이나 편전(便殿)에 나와 앉던 일. 또는 그 자리.
174)청한구호(青悍九狐) : 푸르고 사납게 생겼으며 꼬리가 아홉 개 달린 여우. *구호(九狐); 구미호(九尾狐).
175)셔왕모(西王母) : 중국 신화에 나오는 신녀(神女)의 이름. 불사약을 가진 선녀라고 하며, 음양설에서는 일몰(日沒)의 여신이라고도 한다.
176)요지연(瑤池宴) : 중국 전설상의 선계(仙界)인 요

母)[200] 요디연(瑤池宴)[201]의 옥미션이 금봉화(金鳳花)[202] 흔 가디를 태창셩의게 더디미, 태창셩이 금봉화를 거두어 스매의 너흔 연고로, 옥뎨 압히셔 희롱흐믈 대로흐샤, 냥인을 다 귀향(歸鄕)[203] 보닉실시 태창셩은 뎡가의 나고, 옥미션은 양가의 나기를 뎡흐고, 월궁션이 발원흐여 소가의 나미 태창셩을 좃추렷노라 흐므로, 옥뎨 그 념치 업스믈 통히흐샤 소가의 닉여, 일즉[204] 어미를 여희고 아비를 일허 쳔비(賤鄙)흔 곳의 머믈게 흐시고, 봉난션이 또 태창셩의【32】게 인연이 듕흐므로 한가의 닉여 상봉케 흐시고, 쳥한구회란 여이 옥화궁을 작난훌 쎠, 태창이 옥미션・월궁션으로 더브러 크게 즛두다려 참혹히 상히와시므로, 구회 발원흐여 셩가의 나, 뎡가의 인연을 잠간 일워 옥미션과 월궁션으로 한을 갑고, 태창을 모진 약을 먹여 누월을 실셩케 흐고, 구호의 죄괘 발각흔 후 셩가의 도라 갓다가, 조흠의 집의 냥삭(兩朔)을 머믈게 흐고, 다시 오궁의 스오년을 의디흐엿다가 문곡셩(文曲星)의게 도라 가, 일시 대변을 일위여 가닉를 잠간 어즈러이게 흐여시디, 문곡셩의 셩명을 긴긴히 덥허 보디 못흐게 흐엿더라.

샹하로 즈시 보미 즈긔 복녹과 양・소【33】・한 등의 팔즈 다 초년의 굿기나 필경이 대길흔디라.

200)셔왕모(西王母) : 중국 신화에 나오는 신녀(神女)의 이름. 불사약을 가진 선녀라고 하며, 음양설에서는 일몰(日沒)의 여신이라고도 한다.

201)요지연(瑤池宴) : 중국 전설상의 선계(仙界)인 요지(瑤池)라는 못에서 열린다는 신선들의 연회.

202)금봉화(金鳳花) : 봉선화(鳳仙花).

203)귀향(歸鄕) : 귀양. 고려・조선 시대에, 죄인을 먼 시골이나 섬으로 보내어 일정한 기간 동안 제한된 곳에서만 살게 하던 형벌. 초기에는 방축향리의 뜻으로 쓰다가 후세에 와서는 도배(徒配), 유배(流配), 정배(定配)의 뜻으로 쓰게 되었다.

204)일즉 : 일찍.

화(金鳳花)[177] ○[흔] 가지를 틱창셩에게 더디미, 틱창셩이 금봉화를 집어 스미에 너흔 연고로, 옥뎨 알픠셔 희롱흐믈 대로흐샤 냥인을 귀향(歸鄕)[178] 보닉실시, 태창셩은 뎡가에 나오고 옥미션은 양가의 나기를 정흐고, 월궁션이 발원흐여 소가에 나미 태창셩을 조추려노라 흐므로, 옥뎨 그 념치 업스믈 통히흐샤, 소가에 닉여 일작[179] 어미를 녀히고 아비를 닐허 쳔비(賤鄙)흔 곳에 머믈게 흐시고, 봉난션이 또 태창셩에게 인연이 즁흐므로 한가에 닉【54】여 상봉케 흐고, 쳥한구회란 여이 옥화궁을 작난훌 쎠에, 태창이 옥미션 월궁션으로 더브러 유정흐믈 보고, 태창셩의 옥모션풍을 흠모흐여, 요졍(妖精)의 지죄 신츌흔지라. 옥뎨 알픠 나아가 금단(金丹)[180]의 약을 지어 지셩으로 밧드러 옥뎨긔 드리니, 옥뎨 감동흐샤 옥화궁 작난흐던 죄를 스흐시니, 승시흐여 구회 남두셩에게 쳥흐여 태창셩을 조추 작교(鵲橋)[181]의 그믈 믹기를 원흐니, 남두셩이 옥뎨긔 알왼디, 갈으샤디, '이졔 태창셩을 인간○[에] 닉보닉여 고락(苦樂)을 격그미 죄를 속(贖)게흐니, 져 여이 또 틱창을 쓰로고져 흐니 원디로 허○[흐]거니와, 틱창을 도와 죄를 짓게 말나.' ○○[이에] 여이 고두스은(叩頭謝恩) 흐고 싸라 나오니, 이러무로 여러 부인이 모히미○[러]라.

○○○○○[남두성이 왈],

"그 디 죄를 속흐미 복녹을[과] 양・○…결락15자…○[소・한 등의 팔즈 다 초년의

지(瑤池)라는 못에서 열린다는 신선들의 연회.

177)금봉화(金鳳花) : 봉선화(鳳仙花).

178)귀향(歸鄕) : 귀양. 고려・조선 시대에, 죄인을 먼 시골이나 섬으로 보내어 일정한 기간 동안 제한된 곳에서만 살게 하던 형벌. 초기에는 방축향리의 뜻으로 쓰다가 후세에 와서는 도배(徒配), 유배(流配), 정배(定配)의 뜻으로 쓰게 되었다.

179)일작 : 일찍.

180)금단(金丹) : =선단(仙丹). 선약(仙藥). 신선이 만든다고 하는 장생불사의 영약.

181)작교(鵲橋) : =오작교(烏鵲橋). 까마귀와 까치가 은하수에 놓는다는 다리. 칠월 칠석날 저녁에, 견우와 직녀를 만나게 하기 위하여 이 다리를 놓는다고 한다.

태위 듕심의 대열ᄒᆞ여 남두셩다려 봉난셩의 근본을 므러 왈,

"쇼ᄉᆡᆼ이 한시를 만난 일이 업ᄉᆞ니 언졔 취ᄒᆞ리오."

남뒤 왈,

"만날 긔약이 머디 아냣다."

ᄒᆞ고 감노슈(甘露水)[205]와 명신단(明神丹)을 먹이고, 텬경(天鏡)을 드러 양시의 참혹히 보ᄎᆡ이던 바와, 셩시의 요악히 모계(謀計)ᄒᆞ던 바를 보게 ᄒᆞ고, 븍두셩(北斗星)이 ᄌᆞ긔 손을 닛그러 뎡부 원듕(園中)을 ᄀᆞᄅᆞ쳐, 양시 고두ᄇᆡᆨ튝(叩頭拜祝)ᄒᆞ여 태우의 목숨을 빌믈 보게 ᄒᆞ니, 태위 감노슈를 마시ᄆᆡ ᄉᆞ디와 골졀 알턴 거시 업고, 졍신이 싁싁ᄒᆞ여 딘셰(塵世) 혼탁(混濁)ᄒᆞᆫ 뜻이 업더라.

샹뎨 니르샤ᄃᆡ,

"태챵셩을 널위믄 옥ᄆᆡ션과 구호의 션악을 ᄌᆞ시 알게 ᄒᆞ미【34】오, 옥ᄆᆡ션의 디셩을 감동ᄒᆞ여 태창셩의 ᄉᆞᆺ쳐딘 명을 닛ᄂᆞ니, 인간 부귀를 극딘히 누리다가 텬궁으로 도라오게 ᄒᆞ리라."

태위 브복 샤은ᄒᆞ고 믈너 나니, 남두셩이 인도ᄒᆞ여 강하(江河)가의 가, 태우를 ᄒᆞᆫ 번 밀치니 침상일몽(枕上一夢)이라. 십분 괴이히 넉이나 양시 살기는 만무ᄒᆞ고, 참혹히 죽이ᄆᆡ 뉘웃ᄎᆞ미 미ᄉᆞ디젼(未死之前)의 풀니디 아닐 유한(遺恨)이라. 장탄ᄒᆞ여 죵야 졉목(接目)디 못ᄒᆞ나, 졍신이 싁싁ᄒᆞ며 ᄇᆡᆨᄒᆡ(百骸) 경쾌ᄒᆞ니, 녜부 등의 환열ᄒᆞ믄 니르도 말고, 딘부인이 태부인을 뫼셔 ᄯᅥ나디 못ᄒᆞ고 ᄒᆞᆫ갓 통읍(慟泣)할 ᄡᅳᆫ이러니, 회소(回蘇)ᄒᆞ믈 드르ᄆᆡ 즐거오미 이 밧긔 업고, 태부인의 환열ᄒᆞ믄 일필난긔(一筆難記)라. 야심(夜深)ᄒᆞᆫ 고로 태부【35】인과 딘부인이 공의 말뉴ᄒᆞ므로 나와 보디 못ᄒᆞ고, 날이 ᄉᆡ믈 기다려 보랴 ᄒᆞ더라.

205)감로수(甘露水) : 깨끗하고 시원하며 맛이 좋은 물을 비유적으로 이르는 말.

굿기나 필경]이 대길ᄒᆞᆯ지라."

태위 즁심에 대열ᄒᆞ여 남두셩 ᄃᆞ려 봉난【55】셩의 근본을 무러 왈,

"《쇼뎨‖쇼ᄉᆡᆼ》○[이] 한씨를 만난 일이 업ᄉᆞ니 언졔 취ᄒᆞ리오."

남뒤 왈,

"만날 긔약이 머지 안엿다."

ᄒᆞ고 감노슈(甘露水)[182]와 명심단(明心丹)을 먹이고, 텬경(天鏡)을 드러 양씨의 참혹히 보ᄎᆡ이던 바와, 셩씨의 요악히 모계(謀計)ᄒᆞ던 바를 보게 ᄒᆞ고, 북두셩(北斗星)이 ᄌᆞ긔 손을 잇그러 뎡부 원즁(園中)을 ᄀᆞ라쳐 양씨의 고두ᄇᆡᆨ츅(叩頭拜祝)ᄒᆞ믈 보게 ᄒᆞ니, 태위 감노슈를 마시ᄆᆡ ᄉᆞ지와 골졀 알픈 거시 ᄂᆞᆺ고, 졍신이 싁싁ᄒᆞ여 진셰(塵世) 혼탁(混濁)ᄒᆞᆫ 뜻이 업더라

옥뎨 닐으샤ᄃᆡ

"태창셩을 널위믄 옥ᄆᆡ션과 구호의 션악을 ᄌᆞ시 알게 ᄒᆞ시미오, 옥ᄆᆡ션의 지셩을 감동ᄒᆞ여 태창셩의 ᄉᆞᆺ쳐진 명을 닛ᄂᆞ니, 인간 부귀를 극지[진]이 누리다가 텬궁으로 도라오게 ᄒᆞ리라."

태위 부복 ○○[샤은]ᄒᆞ고 믈너ᄂᆞ니, 남두셩이 인도ᄒᆞ여 강하(江河)가ᄒᆡ 가 태우를 ᄒᆞᆫ 번 밀치ᄆᆡ, 태위를 놀라 ᄭᆡ치니 침상일몽(枕上一夢)【56】이라. 십분 고이히 넉이나 양씨 살믄 만무ᄒᆞ고, 참혹히 죽이ᄆᆡ 뉘웃ᄎᆞ미 죽기 젼에 풀니지 아닐 유한(遺恨)이라. 기리 탄식고 종야 졉목(接目)지 못ᄒᆞ나, 졍신이 싁싁ᄒᆞ며 ᄇᆡᆨᄒᆡ(百骸) 알프던 거시 나하 ᄉᆞ지 경쾌ᄒᆞ니, 녜부 등의 흔연 깃거ᄒᆞ믄 니르도 말고, 진부인은 태부인을 뫼셔 ○[ᄯᅥ]나지 못ᄒᆞ고 ᄒᆞᆫ갓 통읍(慟泣)할 ᄡᅮᆫ이더니, 회소(回蘇)ᄒᆞ믈 드르ᄆᆡ 즐거오미 이 밧 경ᄉᆡ 업고, 태부인의 환열ᄒᆞ믄 일필난긔(一筆難記)라. 야심(夜深)ᄒᆞᆫ 고로 태부인과 진부인이 공의 말뉴ᄒᆞ믈 인ᄒᆞ여 나와 보지 못ᄒᆞ고, 날이 ᄉᆡ믈 기다리더라.

182)감로수(甘露水) : 깨끗하고 시원하며 맛이 좋은 물을 비유적으로 이르는 말.

ᄎᆞ시 양쇼졔 침셕의 몸을 비겨 월ᄋᆡᆼ의 아라 오믈 기다리더니, 월ᄋᆡᆼ이 태우의 병셰 회츈ᄒᆞ믈 젼ᄒᆞ니 쳔만 ᄒᆡᆼ심ᄒᆞ나, ᄉᆡᆼ젼의 태우로 더브러 상화(相和)ᄒᆞᆯ 뜻은 업더라.

명일 태부인과 딘부인이 션슈졍의 니르러 태우를 볼ᄉᆡ, 누월 위듕턴 증셰 만히 나으믈 ᄒᆡᆼ심ᄒᆞ니, 태위 츄연이 눈믈을 먹음고 오ᄅᆡ 유딜(有疾)ᄒᆞ여 존당 부모긔 셩녀 씻치옴과, 용납디 못ᄒᆞᆯ 블효죄인이 되여시믈 슬허 탄식ᄒᆞ니, 부인이 그 쾌히 ᄭᆡᄃᆞ라 젼일을 뉘웃ᄎᆞ믈 영ᄒᆡᆼᄒᆞ여, 어로만져 위로무ᄋᆡ(慰勞撫愛)ᄒᆞ고, 보긔(補氣)ᄒᆞᆯ 죽음을 착실이 먹어【36】슈히 ᄎᆞ셩(差成)ᄒᆞ믈 당부ᄒᆞ고 뎡당으로 도라오ᄆᆡ, 딘평댱 군죵 형뎨와 뎡국공 부ᄌᆡ며 양시 졔ᄉᆡᆼ이 년일 왕ᄂᆡᄒᆞ여 보고, 일가 친쳑이 태우의 회츈ᄒᆞ믈 만구칭하(滿口稱賀)ᄒᆞ여, 뎡공 부부의 복덕을 하례ᄒᆞ고, 소·양 이공이 깃브믈 형상치 못ᄒᆞ니, 뎡부의셔 우황ᄒᆞ던 념녀 밧괴여 즐거온 영홰 만무일흠(萬無一欠)이라. ᄐᆡᆨ샹의 놉흔 화긔 츈풍 ᄀᆞᆺ더라.

이러구러 십여일이 되ᄆᆡ 태우의 병이 안개 스러디며 구름이 거둠 ᄀᆞᆺᄐᆞ니, 긔뷔 윤튁ᄒᆞ여 젼일의 승ᄒᆞ미 이시니, 고요히 누어 졀졀이 ᄌᆞ긔 광거(狂擧)와 패도(悖道)를 뉘웃쳐, ᄒᆡᆼ실을 닷그며 덕을 슈렴ᄒᆞ여 ᄆᆞ옴을 구디 잡아, 다시 그른 곳의 ᄉᆡᆼ디디 아니키를 결【37】단ᄒᆞᆯ ᄲᅮᆫ이라. ᄌᆞ긔의 실셩발광(失性發狂)이 존당 부모긔 블효 ᄭᅵ치오믈 슬허, 가디록 회과ᄌᆞ칙(悔過自責)ᄒᆞ기로 긔약ᄒᆞ니, 부형이 다시 경계ᄒᆞ여 ᄀᆞᄅᆞ칠 거시 업ᄉᆞᆫ디라. 뎡공 부부의 두굿기며 깃브믄 모양ᄒᆞ여 비ᄒᆞᆯ 곳이 업셔, 쳐음의 단졍(端整) 슈ᄒᆡᆼ(修行)ᄒᆞ던 녜부 ᄀᆞᆺᄐᆞ니는 도로혀 녜ᄉᆞ로와, ᄉᆡ로이 깃브며 두굿길 거시 업ᄉᆞᄃᆡ, 태우의 개과슈ᄒᆡᆼ(改過修行)ᄒᆞ믄 남의 업ᄉᆞᆫ 경ᄉᆞ ᄀᆞᆺᄐᆞ여, ᄉᆞ랑이 졔ᄌᆞ 듕 특별ᄒᆞ미 되엿ᄂᆞᆫ디라.

ᄎᆞ시 양소졔 침셕에 몸을 비겨 월ᄋᆡᆼ의 회보를 기ᄃᆞ리더니, 월ᄋᆡᆼ이 태우의 병셰 회츈ᄒᆞ믈 젼ᄒᆞ니 쳔만 ᄒᆡᆼ심ᄒᆞ나, ᄉᆡᆼ젼의 태우로 더브러 흔연 상화(相和)ᄒᆞᆯ 뜻은 업더라.

명일 태부인과 딘부인이 션슈졍에 니르러 태우를 볼ᄉᆡ, 누월 위즁턴 증셰 만【57】히 나으믈 만심 ᄒᆡᆼ열ᄒᆞ니, 태위 츄연이 함누왈,

"오ᄅᆡ 유질(有疾)ᄒᆞ여 존당 부모긔 셩녀 씻치옴과, 용납지 못ᄒᆞᆯ 불효죄인이라"

ᄒᆞ고 탄식ᄒᆞ니, 부인이 그 쾌히 ᄭᆡᄃᆞ라 젼 닐을 뉘웃치믈 영ᄒᆡᆼᄒᆞ여, 졍당으로 다려오ᄆᆡ 딘평장 군종형뎨와 뎡국공 부ᄌᆡ며 양씨 졔ᄉᆡᆼ이 년일 왕ᄂᆡᄒᆞ야 보고, 일가 친쳑이 태우의 회츈ᄒᆞ믈 만구칭하(滿口稱賀)ᄒᆞ여 뎡공 부부의 복덕을 하례ᄒᆞ니, 우황턴 념녜 밧고여 즐거은 영홰 만무일흠이라.

◎[183] 어시에 소·양 《씨‖이》 공이 태우의 병이 나으믈 깃거ᄒᆞ니, 뎡부에셔 우황ᄒᆞ던 념네 밧고여 즐거온 영홰 만무일흠(萬無一欠)이라. ᄐᆡᆨ상의 놉흔 화긔 츈풍 ᄀᆞᆺ더라.

이러구러 십여 일이 되ᄆᆡ 태우의 병이 안ᄀᆡ스러지며 구름이 거둠 ᄀᆞᆺᄒᆞ니, 긔뷔 윤틱ᄒᆞ여 젼일의 승ᄒᆞ미 잇시니, 고요히 누어 졀졀히 ᄌᆞ긔의 광긔(狂氣)와 픽도(悖道)를 뉘【58】웃쳐 ᄒᆡᆼ실을 닥그며, 덕을 슈렴ᄒᆞ여 마옴을 구지 잡아 다시 그른 곳에 ᄉᆡᆼ지지 아니키를 결단ᄒᆞᆯ ᄲᅮᆫ이라. ᄌᆞ긔의 실셩발광(失性發狂)이 존당 부모긔 불효 ᄭᅵ치믈 슬허, 가지록 회과ᄌᆞ칙(悔過自責)ᄒᆞ기로 긔약ᄒᆞ니, 부형이 다시 경계ᄒᆞ여 가라칠 거시 업순지라. 뎡공 부부의 두굿기며 깃브믄 모양ᄒᆞ여 비ᄒᆞᆯ 곳이 업셔, 쳐음에 단졍(端整) 슈ᄒᆡᆼ(修行)ᄒᆞ던 녜부 ᄀᆞᆺᄒᆞ니는, 도로혀 녜ᄉᆞ로와 ᄉᆡ로이 깃브며 두굿길 거시 업ᄉᆞᄃᆡ, 태우의 ᄀᆡ과슈ᄒᆡᆼ(改過修行)ᄒᆞ믄 남의 업ᄉᆞᆫ 경사 ᄀᆞᆺᄒᆞ여, ᄉᆞ랑이 졔ᄌᆞ 즁 특별ᄒᆞ미 되

183)◎ : 필사자가 선행본의 권 경계를 나타내기 위해 앞 권에 이어 필사하는 권의 시작부분에 첨가해놓은 표점.

딘평댱이 군죵(群從)206) 뉴(類)의 나히 웃듬이로ᄃᆡ, ᄆᆡ양 사ᄅᆞᆷ을 보ᄎᆡ여 희ᄒᆡ(戲諧) ᄒᆞ기를 즐기ᄂᆞᆫ디라. 태우의 병이 ᄎᆞ셩ᄒᆞᆷ을 인ᄒᆞ여, 태우로 ᄒᆞ여금 가쇼디ᄉᆞ(可笑之事)를 힝ᄒᆞ여 긴 날의 우음을 삼고져 ᄒᆞᄂᆞᆫ디라. 슉모긔 쳥ᄒᆞ여 양시의 ᄉᆞ라시믈【38】태우다려 니르디 마르쇼셔 ᄒᆞ고, 녜부 등을 당부ᄒᆞ여 쇼양시의 ᄉᆡᆼ존ᄒᆞᆷ을 니르디 말나 ᄒᆞ니, 뎡공이 ᄯᅩᄒᆞᆫ 양시의 ᄉᆡᆼ존을 니르디 아녓ᄂᆞᆫ디라. 녜부 등이 태우의 슬허 ᄒᆞᆷ을 민망ᄒᆞᄃᆡ 긋ᄐᆞ여 몬져 발셜치 아녀, 부친의 니르시믈 기다리더니, 딘평댱의 죵뎨(從弟) 어ᄉᆞ로 더브러 션슈경의 드러와 태우를 볼ᄉᆡ, ᄉᆡᆼ이 벼개를 의디ᄒᆞ여 사ᄅᆞᆷ의 말 소ᄅᆡᄂᆞᆫ 아라드를 만 ᄒᆞᆫ디라. 평댱이 짐즛 어ᄉᆞ다려 왈,

"현뎨 션삼경 변고를 드럿ᄂᆞ냐?"

어ᄉᆡ ᄃᆡ 왈,

"슉뫼 니르시거ᄂᆞᆯ 듯ᄌᆞ왓거니와 그런 이상ᄒᆞᆫ 일이 업더이다."

평댱 왈,

"쳥츈 녀ᄌᆡ 원억히 죽으ᄆᆡ 원혼이 플니디 아니ᄒᆞ여, 침소를 웅거【39】ᄒᆞ여 형용이 ᄇᆡᆨ쥬(白晝)의 완연ᄒᆞ여, ᄉᆡᆼ인의 눈의 뵈니 참잔(慘殘)ᄒᆞᆫ 일이라. 셰흥이 ᄎᆞ○[마] 못ᄒᆞᆯ 노로ᄉᆞᆯ ᄒᆞ여시니, 포원(抱寃)ᄒᆞᆫ 졍녕(精靈)이 아조 플니디 아닐가 ᄒᆞ노라."

어ᄉᆡ 왈,

"양슈ᄂᆞᆫ 셰흥이 죽여시니 그러ᄒᆞ미 괴이치 아니ᄒᆞ거니와, 월잉은 뉘 죽엿관ᄃᆡ 노쥬의 녕혼이 션삼경을 ᄯᅥ나디 아냐 ᄉᆡᆼ인과 ᄀᆞᆺ치 셧다 ᄒᆞ더니잇가?"

평댱 왈,

"월잉도 셰흥이 죽엿다 ᄒᆞ니, 노쥬의 졍녕(精靈)이 션삼경을 ᄯᅥ나디 아니민가 ᄒᆞ노라."

이러ᄐᆞᆺ 닐너, 양시의 노쥐 분명이 죽어 원혼이 션삼경의 이셔, ᄉᆡᆼ인의 눈의 뵌다 ᄒᆞᄂᆞᆫ디라. 태위 ᄌᆞ시 듯고 경참통졀(驚慘痛

206)군죵(群從) : 여러 사촌 형제들.

엿ᄂᆞᆫ지라.

딘평장이 군죵(群從)184) 뉴(類)의 나히 웃듬이로ᄃᆡ, ᄆᆡ양 샤ᄅᆞᆷ을 보ᄎᆡ여 《희기∥희ᄒᆡ(戲諧)》ᄒᆞ기를 즐기ᄂᆞᆫ지라. 슉모긔 쳥ᄒᆞ여 양씨의 ᄉᆞ라시믈 태우ᄃᆞ려 니르지 마르쇼셔 ᄒᆞ고, 녜부 등을 당부ᄒᆞ여 소양씨의 ᄉᆡᆼ존ᄒᆞᆷ을 니르지 말나 ᄒᆞ니, 뎡공이 ᄯᅩᄒᆞᆫ 양【59】씨의 ᄉᆡᆼ존을 니르지 아녓ᄂᆞᆫ지라. 녜부 등이 태우의 슬허 ᄒᆞᆷ을 민망ᄒᆞ여, 긋ᄐᆞ여 먼져 발셜치 아녀 부친의 니르시믈 기다리더니, 딘평장이 죵뎨(從弟) 어ᄉᆞ로 더브러 션슈경의 드러와 태우를 볼ᄉᆡ, ᄉᆡᆼ이 벼ᄀᆡ를 의지ᄒᆞ여 샤ᄅᆞᆷ의 말 소ᄅᆡᄂᆞᆫ 아라드를 만ᄒᆞᆫ지라. 평장이 짐짓 어ᄉᆞᄃᆞ려 왈,

"현뎨 션슘경 변고를 드럿ᄂᆞ냐?"

어ᄉᆡ ᄃᆡ 왈,

"슉뫼 니르시거ᄂᆞᆯ 듯ᄌᆞ왓거니와 그런 이상ᄒᆞᆫ 일이 업더이다."

평장 왈,

"쳥츈 녀ᄌᆡ 원억히 죽으ᄆᆡ 원혼이 플니지 아니ᄒᆞ여, 침소를 웅거ᄒᆞ여 형용이 ᄇᆡᆨ쥬에 완연ᄒᆞ여 ᄉᆡᆼ인의 눈에 뵈니 참잔ᄒᆞᆫ 일이라. 셰흥이 ᄎᆞ마 못ᄒᆞᆯ 노릇ᄉᆞᆯ ᄒᆞ엿ᄉᆞ니 포원(抱寃)ᄒᆞᆫ 졍녕(精靈)이 아조 플니지 아닐가 ᄒᆞ노라."

어ᄉᆡ 왈,

"양씨ᄂᆞᆫ 셰흥이 죽엿시니 그러ᄒᆞ미 괴이치 아니ᄒᆞ거니와, 월잉은 뉘 죽엿관ᄃᆡ 노【60】쥬의 녕혼이 션삼경을 ᄯᅥᄂᆞ지 아냐 ᄉᆡᆼ인과 ᄀᆞᆺ치 셧다 ᄒᆞ더니잇가?"

평장 왈,

"월잉도 셰흥이 죽엿다 ᄒᆞ니, 노쥬의 졍녕(精靈)이 션삼경을 ᄯᅥᄂᆞ지 아니민가 ᄒᆞ노라."

니러ᄐᆞᆺ 닐너, 양씨의 노쥐 분명이 죽어 원혼이 션삼경에 잇셔, ᄉᆡᆼ인의 눈의 뵌다 ᄒᆞᄂᆞᆫ지라. 태위 쟈시 듯고 경참통졀(驚慘痛

184)군죵(群從) : 여러 사촌 형제들.

切)ᄒᆞ미 ᄉᆡ로오ᄃᆡ, 슬픈 거술 강인ᄒᆞ고 니러【40】안ᄌᆞ, ᄀᆞᆯ오ᄃᆡ,

"형 등이 므ᄉᆞᆷ 말을 그다지 참혹다 ᄒᆞᄂᆞ뇨?"

평댱이 ᄡᅳ리쳐 답 왈,

"셰간ᄉᆡ 괴이ᄒᆞ여 사ᄅᆞᆷ이 ᄒᆞᆫ 번 죽으ᄆᆡ 형뎍(形迹)이 ᄉᆞᆺ쳐져, 쳔츄만ᄃᆡ의 다시 못 어더 보거ᄂᆞᆯ, 금ᄌᆞ ᄒᆞᆫ 곳의ᄂᆞᆫ 녀ᄌᆞ 냥인의 원ᄉᆞᄒᆞᆫ 녕ᄇᆡᆨ(靈魄)이 흣터디디 아녀, 완연이 ᄉᆡᆼ인의 모양이 되여 눈의 뵌다 ᄒᆞ니, 엇디 괴이치 아니리오."

태위 왈,

"어ᄂᆡ 곳의셔 엇던 사ᄅᆞᆷ이 죽어 그러타 ᄒᆞ더니잇고?"

평댱 왈,

"네 드르면 심ᄉᆡ 됴치 아니리니, 므러 므엇 ᄒᆞ리오. 이후 ᄌᆞ연 알니라."

어ᄉᆡ 왈,

"ᄒᆞᆫᄀᆞᆺ 의용(儀容)이 뵐 ᄡᆞᆫ 아니라, 언에 녜ᄉᆞ로와 슈작ᄒᆞ믈 산 사ᄅᆞᆷᄀᆞᆺ치 ᄒᆞᆫ다 ᄒᆞ니, 그런 요망ᄒᆞᆫ 일이 업더라."

태위 왈,

"쇼뎨 그 말을 드러 심【41】ᄉᆡ 비감ᄒᆞᆯ 니 업ᄂᆞ니, 엇디 바로 니ᄅᆞ디 아니ᄒᆞᄂᆞ뇨?"

평댱은 믁연 탄식ᄒᆞ고, 어ᄉᆡ 왈,

"네 긔거(起居)ᄒᆞᆯ가 시브거든 잠간 션삼경의 가 괴이ᄒᆞᆫ 거동을 보라."

태위 슬프미 ᄉᆡ로온디라. 평댱이 가쇼로오믈 니긔디 못ᄒᆞᄃᆡ ᄉᆞᄉᆡᆨ디 아니코, 이후 졔딘과 하ᄉᆞ매 셔로 맛초아 태우를 보면, 양시의 혼이 션삼정의 이시믈 일ᄏᆞ라 션삼경 괴이ᄒᆞᆫ 일을 알고져 믓ᄂᆞᆫ ᄃᆞ시 ᄒᆞᄆᆡ, 슈상ᄒᆞᆫ 빗출 뵈디 아니니, 태위 본ᄃᆡ 소탈ᄒᆞ여 공교로온 일을 의심치 아닛ᄂᆞᆫ디라. 심하의 양시 원혼이 플니디 아니ᄒᆞ여 션삼정의 이시므로 아라 참연 통상ᄒᆞ더니, 임의 병이 쾌소(快蘇)ᄒᆞᄆᆡ 니러 태원뎐의 드러【42】가니, 조모와 부뫼 죽엇던 사ᄅᆞᆷᄀᆞᆺ치 반기믈 결을치207) 못ᄒᆞ고, 형뎨의 환열ᄒᆞ믄 비길

207)결을 : 겨를. 어떤 일을 하다가 생각 따위를 다른 데로 돌릴 수 있는 시간적인 여유. =틈.

切)ᄒᆞ미 ᄉᆡ로오ᄃᆡ, 슬픈 거술 강잉ᄒᆞ고 니러 안쟈, 왈,

"형 등이 ᄎᆞ마 말을 그다지 참혹다 ᄒᆞᄂᆞ뇨?"

평장이 ᄡᅳ리쳐 답 왈,

"셰간ᄉᆡ 괴이ᄒᆞ여 사ᄅᆞᆷ이 ᄒᆞᆫ 번 죽으ᄆᆡ, 형젹이 ᄉᆞᆺ쳐져 쳔츄만ᄃᆡ에 다시 못 어더 보거ᄂᆞᆯ, 금ᄌᆞ ᄒᆞᆫ 곳에ᄂᆞᆫ 녀ᄌᆞ 냥인의 원ᄉᆞᄒᆞᆫ 경ᄇᆡᆨ이 흣터지지 아녀, 완연이 ᄉᆡᆼ인의 모양이 되여 눈의 뵌다 ᄒᆞ니, 엇지 괴이치 아니리오."

태위 왈,

"어ᄂᆡ 곳에셔 엇던 샤ᄅᆞᆷ이 죽여[어] 그럿타 ᄒᆞ더니잇고?"

평장 왈,

"네 드르면 심ᄉᆡ 조치【61】 아니리니 무러 무엇ᄒᆞ리오."

ᄃᆡ 업더라.

이 날 하부인이 귀령ᄒᆞ여, ᄉᆡᆼ(生)·양(養) 부모긔 ᄇᆡ현ᄒᆞ고 제ᄆᆡ로 셔로 반길ᄉᆡ, 평댱과 초휘 당부ᄒᆞ여 셰홍을 ᄒᆞᆫ ᄎᆞ례 속이려 ᄒᆞ믈 니르니, 비록 단졍ᄒᆞ나 긔ᄉᆡᆨ을 보려 ᄒᆞ여, 태우를 향ᄒᆞ여 츄연 탄 왈,

"알턴 갑ᄉᆞᆫ 업단 말이 올흐여. 현뎨ᄂᆞᆫ 그런 듕병이 드러셔도 안개 스러디 ᄃᆞᆺ 쾌소ᄒᆞ엿거니와, ᄉᆞᄌᆞᄂᆞᆫ 블가브ᄉᆡᆼ(不可復生)이라. 양시 노쥐 션삼졍 ᄀᆞ온ᄃᆡ 완연이 이시믈보니, 유명(幽明)이 길이 다르믈 ᄭᆡᄃᆞᆺ디 못ᄒᆞ고, 그 ᄋᆡ원ᄒᆞᆫ 말을 드르니 더옥 참졀ᄒᆞ믈 니긔디 못ᄒᆞ리로다."

태위 ᄆᆡ져의 단엄(端嚴) 침졍(沈正)ᄒᆞ【43】믈 깁히 ᄆᆡᆺᄂᆞᆫ ᄇᆡ라. 일분도 희롱이믈 ᄉᆡᆼ각디 못ᄒᆞ고 통졀ᄒᆞ미 흉억(胸臆)의 가득ᄒᆞᄃᆡ 존당 면젼이라 죵일 뫼셔 슈월 유뎔ᄒᆞ여 슬하의 시봉을 폐ᄒᆞ엿던 하졍(下情)을 펴다가, 혼뎡디시(昏定之時)의 태부인이 ᄉᆡᆼ다려 왈,

"듕병디여(重病之餘)의 몸을 닛브게 ᄒᆞ미 무익ᄒᆞ니 그만ᄒᆞ여 믈너 가라."

태위 슈명ᄒᆞ여 믈너 날ᄉᆡ, 부친긔 시침코져 ᄒᆞᄃᆡ 몸이 갓브미 심ᄒᆞ여, ᄎᆔ듁헌의 가 쉬고져 ᄒᆞ여 밧그로 나가다가, 션삼졍의 원ᄉᆞᄒᆞᆫ 형용을 보고져 ᄒᆞ여, ᄌᆞ긔 뉘웃ᄂᆞᆫ 말을 베플고 싀훤이 통곡고져 ᄒᆞ여, 거름을 두로혀 션삼졍의 니르ᄆᆡ, 이날 양쇼졔 유ᄌᆞ를 존당의 드려 보ᄂᆡ고, 촉하의셔 월잉으로【44】더브러 츄의(秋衣)를 다ᄉᆞ릴ᄉᆡ, 십디셤슈(十指纖手)의 바늘을 잡아 놀니ᄂᆞᆫ 바의 귀신이 돕ᄂᆞᆫ ᄃᆞᆺᄒᆞᆫ디라. 태위 브디블각(不知不覺)의 밧비 드러가ᄆᆡ, 장외의 여러 시녀 등○[이] 이시믈 살피도 아니코 드러가 장(帳)을 들치니, 쇼졔 월잉으로 더브러 침션을 잠착(潛着)ᄒᆞ여 다ᄉᆞ리다가, 태우를 보고 놀나오미 쳥텬의 벽녁이 만신(滿身)을 분쇄ᄒᆞᄂᆞᆫ ᄃᆞᆺᄒᆞᄃᆡ, 블변안ᄉᆡᆨ고 쳔연이 니러 마즐ᄉᆡ, 태위 져 노쥬를 보ᄆᆡ 듯던 말이 다 올흐믈 ᄭᆡᄃᆞ라, 반갑고 슬픈 심ᄉᆡ 여할여삭(如割如削)ᄒᆞ니 년망(連忙)이 드리다라, 셤

○…**결락16자**…○[하부인이 또 평당의 당부를 드럿는지라] 태위[우]○○○○[를 향ᄒᆞ여] 츄연 탄 왈,

"현뎨ᄂᆞᆫ 그런 즁병이 드럿셔도 안기스러지ᄃᆞᆺ 쾌소ᄒᆞ엿거니와, ᄉᆞᄌᆞᄂᆞᆫ 불가부ᄉᆡᆼ(不可復生)이라. 양씨 노쥐 션삼졍 가온ᄃᆡ 완연이 잇시믈 보니, 유명(幽明)이 길이 다르믈 ᄭᆡᄃᆞᆺ지 못ᄒᆞ고, 그 ᄋᆡ원ᄒᆞᆫ 말을 드르니 더욱 참졀ᄒᆞ믈 니긔지 못ᄒᆞ리로다."

ᄒᆞ더라

어시에 태부인이 ᄉᆡᆼ다려 왈,

"즁병지여(重病之餘)에 몸을 밋브게 ᄒᆞ미 무익ᄒᆞ니 편히 쉬라."

태위 슈명ᄒᆞ여 믈너 날ᄉᆡ, 부친긔 시침코져 ᄒᆞᄃᆡ 몸이 갓브미 심ᄒᆞ여, ᄎᆔ쥭헌에 가 쉬고져 ᄒᆞ여 밧그로 나가다가, 션삼졍에 원ᄉᆞᄒᆞᆫ 형용을 보고져 ᄒᆞ여, ᄌᆞ긔 뉘웃ᄂᆞᆫ 말을 베풀고 싀원이 울고져 ᄒᆞ여, 거름을 두로혀 션삼졍의 니르ᄆᆡ, 이 날 양소졔 유ᄌᆞ를 존당의 드려 보ᄂᆡ고 촉하에셔 월잉으로 더브러 츄의(秋衣)를 다ᄉᆞ릴ᄉᆡ, 홀연 태위 부지불각(不知不覺)에 드러【62】오니, 소졔 태우를 보고 놀나오믈 니긔지 못ᄒᆞᄃᆡ, 불변 안ᄉᆡᆨ고 니러 마즐ᄉᆡ, 태위 져 노쥬를 보ᄆᆡ 듯던 말이 다 올흐믈 ᄭᆡᄃᆞ라, 반갑고 슬픈 심ᄉᆡ 여할여삭(如割如削)ᄒᆞ니, 년망(連忙)이 드리다라 셤요(纖腰)를 붓들고 일셩장통(一聲長慟)의 일쳔 줄 안쉬 오월 장슈(五月長水)[185] ᄀᆞᆺᄒᆞ여 왈,

185)오월댱슈(五月長水) : 오월(양력7월)의 장맛비.

요(纖腰)를 븟들고 일셩댱통(一聲長慟)의 일쳔 줄 눈믈이 오월댱슈(五月長水)[208] ᄀᆞᆺᄐᆞ여 왈,

"챵텬이 ᄉᆡᆼ과 ᄌᆞ를 ᄂᆡ시ᄆᆡ 반ᄃᆞ시 ᄇᆡᆨ년금슬(百年琴瑟)을 무흠【45】이 ᄒᆞᆯ 거시어ᄂᆞᆯ, 엇던 조믈이 헌ᄉᆞᄒᆞ여[209] 요인이 ᄉᆞ이를 타작희ᄒᆞᄆᆡ, ᄉᆡᆼ이 눈이 이시ᄃᆡ 망울이 업셔 셩가 요믈의 침혹ᄒᆞ여, 실셩발광(失性發狂)ᄒᆞ고 혼암블명(昏暗不明)ᄒᆞ여 부인의 어름이 ᄆᆞᆰ고 옥이 됴흐믈 아디 못ᄒᆞ고, 무식박ᄒᆡᆼ이 오긔(吳起)의 셰 번 더으미 잇셔, ᄌᆞ를 믈의 너흐ᄆᆡ, 유신(有娠) 십삭(十朔)의 어복(魚腹)을 ᄎᆡ오고 녕ᄇᆡᆨ(靈魄)이 슈신(水神)과 놀게 ᄒᆞ니, ᄉᆡᆼ의 박ᄒᆡᆼ이 텬하의 둘히 업거니와, 이 도시 하날이 사ᄅᆞᆷ을 그릇 ᄆᆡᆫ든 탓시니, 실노 텬의를 아디 못ᄒᆞᆯ ᄇᆡ라. ᄌᆡ(子)[210] 디원극통을 ᄑᆞᆷ고 원ᄉᆞ(寃死)ᄒᆞ엿ᄂᆞᆫ 고로, 녕혼이 흣터디디 아녀 형뎍(形迹)을 이ᄀᆞᆺ치 ᄉᆡᆼ인(生人)의게 뵈게 ᄒᆞ니, 쳥컨ᄃᆡ 슬픈 말을 다 ᄒᆞ고 ᄉᆡᆼ의 그릇ᄒᆞ믈 벌【46】여 음쥬(陰誅)[211]를 뎡히 ᄒᆞ쇼셔."

언파의 참통비졀ᄒᆞ미 가ᄉᆞᆷ이 막힐 ᄃᆞᆺᄒᆞ니, 듕병디여(重病之餘)의 슬프믈 과히 ᄒᆞᄆᆡ, 긔운이 엄엄(奄奄)ᄒᆞ고 슈족이 궐ᄂᆡᆼ(厥冷)ᄒᆞ여[212] 보기의 무셔온디라. 양쇼제 ᄎᆞ경을 보ᄆᆡ 그 실셩이 오히려 낫디 아녀시믈 아라, 이리 구다가 ᄌᆞ긔 노듀(奴主)를 죽이려 ᄒᆞᄂᆞᆫ가 놀납고 흉히ᄒᆞ니, 미위 ᄉᆡᆨᄉᆡᆨᄒᆞ여 몸을 ᄲᆡ히고져 ᄒᆞ나, 셰춘 힘으로 구디 잡앗ᄂᆞᆫ 고로 능히 운신치 못ᄒᆞ여, 이의 뎡ᄉᆡᆨ 왈,

"쳡의 ᄒᆡᆼ신(行身)[213]이 미(微)ᄒᆞ고 위인이 .비루ᄒᆞ나 오히려 죽디 아녓거ᄂᆞᆯ, 군ᄌᆡ 엇디 인귀(人鬼)를 블변ᄒᆞ여 산 사ᄅᆞᆷ을 ᄃᆡ

208)오월장슈(五月長水) : 오월(양력7월)의 장맛비.
209)헌ᄉᆞᄒᆞ다 : 야단스럽다. 시끌벅적하다. 호사스럽다. 수다스레 말하다. 수다 떨다.
210)ᄌᆡ(子) : 자(子). 문어체에서, '그대'를 이르는 말.
211)음쥬(陰誅) : 음계(陰界)의 귀신이 벌(罰)함.
212)궐ᄂᆡᆼ(厥冷)하다 : 체온이 내려가 손발 끝에서부터 차가워지다.
213)행신(行身) : 처신(處身). 세상을 살아가는 데 가져야 할 몸가짐이나 행동.

"챵텬이 ᄉᆡᆼ과 ᄌᆞ를 ᄂᆡ시ᄆᆡ 반ᄃᆞ시 ᄇᆡᆨ년금슬(百年琴瑟)을 무흠○[이] ᄒᆞᆯ 거시어ᄂᆞᆯ, 엇던 조믈이 헌샤ᄒᆞ여[186] 요인이 ᄉᆞ이를 타작희ᄒᆞᄆᆡ, ᄉᆡᆼ이 눈이 이시ᄃᆡ 망울이 업셔 셩가 요물의 침혹ᄒᆞ여, 실셩발광(失性發狂)ᄒᆞ고 혼암블명(昏暗不明)ᄒᆞ여, 부인의 ᄇᆡᆨ옥 ᄀᆞᆺᄐᆞ믈 아지 못ᄒᆞ고, 무식박ᄒᆡᆼ이 오긔(吳起)의 셰 번 더으미 잇셔, ᄌᆞ를 물에 너흐ᄆᆡ, 유신(有娠) 십삭(十朔)에 어복(魚腹)의 ᄎᆡ오고 녕ᄇᆡᆨ(靈魄)이 슈신(水神)과 놀게 ᄒᆞ니, ᄉᆡᆼ의 박ᄒᆡᆼ이 텬하의 둘히 업거니와, 이 도시 하ᄂᆞᆯ이 사ᄅᆞᆷ을 그릇 ᄆᆡᆫ든 탓시니, 실노 텬의를【63】아지 못ᄒᆞᆯ ᄇᆡ라. ᄌᆡ(子)[187] 지원극통(至冤極痛)을 ᄑᆞᆷ고 원ᄉᆞᄒᆞ엿ᄂᆞᆫ 고로 녕혼이 흣터지지 아녀, 형젹을 이ᄀᆞᆺ치 ᄉᆡᆼ인에게 뵈게 ᄒᆞ니, 쳥컨ᄃᆡ 슬픈 말을 다 ᄒᆞ고 ᄉᆡᆼ의 그르믈 벌ᄒᆞ여, 음쥬(陰誅)[188]를 졍히 ᄒᆞ쇼셔."

언파에 참통비졀ᄒᆞ미 가ᄉᆞᆷ에[이] 막힐 ᄃᆞᆺᄒᆞ니, 즁병지여(重病之餘)에 슬프믈 과히 ᄒᆞᄆᆡ, 긔운이 엄엄(奄奄)ᄒᆞ고 슈족이 궐ᄂᆡᆼ厥冷)ᄒᆞ여[189] 보기에 무셔온지라. 양소제 ᄎᆞ경을 보ᄆᆡ 그 실셩이 오히려 낫지 아냐시믈 아라, 이리 구다가 ᄌᆞ긔 노쥬(奴主)를 죽이려 ᄒᆞᄂᆞᆫ가 놀납고 흉히ᄒᆞ니, 미위 ᄉᆡᆨᄉᆡᆨᄒᆞ여 몸을 ᄲᆡ히고져 ᄒᆞ나, 셴 힘으로 구지 잡앗ᄂᆞᆫ 고로 능히 운신치 못ᄒᆞ여, 이에 졍ᄉᆡᆨ 왈,

"쳡의 ᄒᆡᆼ신(行身)[190]이 미(微)ᄒᆞ고 위인이 비루ᄒᆞ나 죽지 아냐거ᄂᆞᆯ, 군ᄌᆡ 엇지 인귀(人鬼)를 블변ᄒᆞ고 산 사ᄅᆞᆷ을 ᄃᆡᄒᆞ여 귀

186)헌ᄉᆞᄒᆞ다 : 야단스럽다. 시끌벅적하다. 호사스럽다. 수다스레 말하다. 수다 떨다.
187)ᄌᆡ(子) : 자(子). 문어체에서, '그대'를 이르는 말.
188)음주(陰誅) : 음계(陰界)의 귀신이 벌(罰)함.
189)궐랭(厥冷)하다 : 체온이 내려가 손발 끝에서부터 차가워지다.
190)행신(行身) : 처신(處身). 세상을 살아가는 데 가져야 할 몸가짐이나 행동.

ᄒᆞ여 귀신으로 ᄎᆡ오시믄 므슴 연괴니잇가?"
싱이 양쇼져의 말【47】을 드르ᄆᆡ, 양시 평싱 ᄌᆞ긔를 괴로와 ᄃᆡᄒᆞ기를 슬희여 ᄒᆞ던 바로, 비록 경녕(精靈)이나 이러ᄒᆞᆫ가, 눈믈이 환난(汍亂)ᄒᆞ여 ᄀᆞᆯ오ᄃᆡ,

"싱이 ᄌᆞ를 져바려 참혹히 살힘ᄒᆞ믄 ᄉᆞ라셔 능히 플 길히 업고, 비한(悲恨)을 구쳔타일(九泉他日)의 플고져 ᄒᆞ나 쉽디 못ᄒᆞ고, 싱의 뉘웃ᄂᆞᆫ 한(恨)이 부모 존당의 념녀를 싱각디 아닐딘ᄃᆡ, 머리를 믜고 쥬류텬하(周遊天下)ᄒᆞ여 명산대쳔(名山大川)의 두로 노라 ᄌᆞ의 ᄂᆡ셰를 닥고, 발원ᄒᆞ여 후셰의 부뷔 되여 동일동시(同日同時)의 합연(溘然)[214] 댱셔(長逝)[215] ᄒᆞ기를 튝원ᄒᆞᆯ 거시로ᄃᆡ, 젼ᄌᆞ의 실셩발광 ᄒᆞ여 존당 부모긔 셩녀를 씻쳐 블회(不孝) 비경(非輕)ᄒᆞ니, 쏘 다시 블효를 두려 임의치 못【48】ᄒᆞ나, ᄎᆞ후 빅 미인과 열 슉녀를 모화도, ᄌᆞ의 유신(有娠) 십삭의 믈의 밀쳐 죽인 한이 심듕의 응결(凝結)ᄒᆞᆫ 병이 되어, 미ᄉᆞ디젼(未死之前)의 플닐 길히 업ᄉᆞ니, 다른 녀ᄌᆞ로 '의가(宜家)의 낙(樂)'[216]을 다시 원치 아니ᄒᆞᄂᆞ이다."

언파의 크게 통곡고져 ᄒᆞ거ᄂᆞᆯ, 양시 안식을 뎡히 ᄒᆞ고, ᄀᆞᆯ오ᄃᆡ,

"군ᄌᆡ 쳡을 분명이 죽은 양으로 아라 말ᄉᆞᆷ이 여ᄎᆞᄒᆞ시나, 쳡은 실노 죽은 일이 업ᄉᆞ니, ᄂᆡᆨ슈디환(溺水之患)을 당ᄒᆞ나 월잉의 건져 닙과 표슉의 구ᄒᆞ신 대덕으로 힘 닙ᄉᆞ와, 일명이 보젼ᄒᆞ엿거ᄂᆞᆯ, 군ᄌᆡ 엇디 쳡의 말을 이ᄃᆡ도록 밋디 아니ᄒᆞ시ᄂᆞ니잇가?"

태위 비로소 냥안(兩眼)을 두려시 쓰고 쇼져를 노흐며, 니르【49】ᄃᆡ,

"ᄌᆞ의 말이 의심 되고 괴이ᄒᆞ다. 월잉이 ᄉᆞ랏ᄂᆞᆫ 거시 아녀, 나의 박덕무식 ᄒᆞ미 월잉을 참혹히 죽엿거ᄂᆞᆯ, ᄌᆞ를 어이 구ᄒᆞᆯ 니

214)합연(溘然)ᄒᆞ다 : 죽음이 뜻하지 않게 갑작스럽다.
215)댱셔(長逝) : 영영 가고 돌아오지 아니한다는 뜻으로, '죽음'을 완곡하게 이르는 말.
216)의가(宜家)의 낙(樂) : 부부 사이의 화목한 즐거움. =의가지락(宜家之樂). =실가지락(室家之樂).

신으로 치오시믄 무슴 연괴니잇가?"
싱이 이 말을 듯고 혜오ᄃᆡ, 양씨 평【64】싱 ᄌᆞ긔를 괴로와 ᄃᆡᄒᆞ기를 슬희여 ᄒᆞ던 바로, 비록 정녕(精靈)이나 니러ᄒᆞᆫ가, 눈물이 환난(汍亂)ᄒᆞ여 왈,

"싱이 ᄌᆞ를 져바리믄 샤라셔 플 길히 업고, 구텬타일(九泉他日)의 한을 플고져 ᄒᆞ나 쉽지 못ᄒᆞ고, 싱의 뉘웃치ᄂᆞᆫ 한이 부모 존당의 념녀를 싱각지 아닐진ᄃᆡ, 머리를 믜고 쥬류텬하(周遊天下)ᄒᆞ여 두로 도라 ᄌᆞ의 ᄂᆡ셰를 닥고, 발원ᄒᆞ여 후셰에 부뷔되여 동일동시(同日同時)에 합연(溘然)[191] 장셔(長逝)[192] ○○[ᄒᆞ기]를 《츅원‖축원》ᄒᆞᆯ 거시로ᄃᆡ, 젼쟈의 실셩발광ᄒᆞ여 존당의 블회(不孝) 비경(非輕)ᄒᆞ니, 또ᄒᆞᆫ 다시 불효를 두려 임의치 못ᄒᆞ나, ᄎᆞ후 빅 미인과 열 슉녀를 모화도, ᄌᆞ의 유신(有娠) 십 삭의 물에 밀쳐 죽인 한이 심즁의 응결(凝結)ᄒᆞᆫ 병이 되어, 미ᄉᆞ지젼(未死之前)에 플닐 길히 업ᄉᆞ니, 다른 녀ᄌᆞ로 의가지낙(宜家之樂)[193]을 원치 아니ᄒᆞᄂᆞ이다."

언파에 ᄃᆡ곡(大哭)고져 ᄒᆞ거ᄂᆞᆯ, 양씨 안식을【65】 경히ᄒᆞ여 왈,

"군ᄌᆡ 쳡을 분명이 죽은 양으로 아라 말ᄉᆞᆷ이 여ᄎᆞᄒᆞ시나, 쳡은 실노 죽은 닐이 업ᄉᆞ니, 익슈지환(溺水之患)을 당ᄒᆞ나 월잉이 건져 닙과 표숙의 구ᄒᆞ신 대덕을 닙ᄉᆞ와 일명이 보젼ᄒᆞ엿거ᄂᆞᆯ, 군ᄌᆡ 엇지 쳡의 말을 밋지 아니ᄒᆞ시ᄂᆞ니잇가?"

태위 비로소 냥안을 두려시 쓰고 소져를 노흐며, 왈,

"ᄌᆞ의 말이 고이ᄒᆞ고 의심되도다. 월잉이 ᄉᆞ랏ᄂᆞᆫ 거시 아녀, 나의 박덕무식ᄒᆞ미 월잉을 참혹히 죽엿거ᄂᆞᆯ ᄌᆞ를 어이 구ᄒᆞᆯ니 잇시

191)합연(溘然)ᄒᆞ다 : 죽음이 뜻하지 않게 갑작스럽다.
192)당셔(長逝) : 영영 가고 돌아오지 아니한다는 뜻으로, '죽음'을 완곡하게 이르는 말.
193)의가지락(宜家之樂) : 부부 사이의 화목한 즐거움. =실가지락(室家之樂).

이시리오."

쇼졔 태우로 더브러 흔연(欣然)이 상화(相和)키를 아니려 구디 결단ᄒᆞ여시나, 텬셩이 공교롭고 간ᄉᆞᄒᆞᆫ 일을 깃거 ᄒᆞ디 아닛ᄂᆞᆫ 고로, ᄌᆞ긔 죽디 아녀시믈 닐너 쾌히 알게 ᄒᆞ려 ᄒᆞ므로, 아미(蛾眉)를 튝합(蹙合)217)ᄒᆞ고 ᄀᆞᆯ오ᄃᆡ,

"월잉이 그 ᄯᅢ 죽은 거시 아니라 엄홀ᄒᆞ엿ᄂᆞᆫ 거술, 집장ᄉᆞ예(執杖司隸) 그릇 죽은 줄노 알고 시신을 ᄡᅳ어 ᄂᆡ쳣더니, ᄀᆞ장 오린 후 ᄉᆡᆼ긔 이시믈 고ᄒᆞ엿ᄂᆞᆫ 고로, 즉시 드려 오미 방ᄌᆞᄒᆞ여, 살와ᄂᆡᄃᆡ 군ᄌᆞ긔 알뇌디 못ᄒᆞ고, ᄒᆡᆼ각(行閣)의 왕ᄂᆡᄒᆞ다가, 쳡의 몸이 년졍(蓮井) 믈【50】을 인ᄒᆞ여 시ᄂᆡ가다 나간 고로, 잉이 쳡을 건져 ᄂᆡ고 낙양후 슉뷔 맛참 구ᄒᆞ여 슉부 ᄐᆡᆨ상의 잇다가 도라 완 디 여러 ᄃᆞᆯ이 되엿ᄂᆞ니, 쳔고의 엇디 죽은 사ᄅᆞᆷ이 형뎍을 완연이 드러ᄂᆡ여 ᄉᆡᆼ인과 슈작ᄒᆞ리잇고? 군ᄌᆞ 쳡의 말을 밋디 아니시거든 이졔 슉부긔 고ᄒᆞ여 보쇼셔."

태위 귀를 기우려 양시 ᄉᆞ랏ᄂᆞᆫ 셜화를 드르미, 긔특고 영ᄒᆡᆼᄒᆞ믈 측냥치 못ᄒᆞᄂᆞᆫ디라. 눈으로 부인의 가엽ᄉᆞᆫ 용화를 쳠망(瞻望)ᄒᆞ며 귀로 그 딘뎍(眞的)ᄒᆞᆫ 말을 드르니, 쳐음은 딘(眞)이며 몽(夢)이믈 ᄭᆡ돗디 못ᄒᆞ더니, ᄌᆡ삼 딘뎍ᄒᆞᆫ 말을 드르미, 긔특고 깃브미 칠년대한(七年大旱)의 졈우(霑雨)218)를 만난 둣, ᄌᆞ긔 상셩실혼(喪性失魂)ᄒᆞ여 공【51】연이 슉뇨현쳐(淑窈賢妻)를 참혹히 맛ᄎᆞ미, 그르믈 뉘웃츤 후ᄂᆞᆫ 쳔ᄉᆞ만념(千思萬念)이 구회촌단(咎悔寸斷)219)ᄒᆞ여, 부인의 빙ᄌᆞ아딜(氷姿雅質)노 옥이 다ᄉᆞᄒᆞ고220) ᄭᅩᆺ치 향긔롭거ᄂᆞᆯ, 잉신십삭(孕身十朔)의 밋쳐 분산도 못ᄒᆞᆫ 거술, 쳔단곡경(千端曲境)으로 핍박ᄒᆞ여, ᄌᆞ긔 골육을 간부의 더러온 골육이라 ᄒᆞ여 슈듕(手中)의 드리치던 일을 ᄉᆡᆼ각ᄒᆞ면, 비록 ᄉᆡᆼ텰ᄀᆞᆺ치 모딜고 토목ᄀᆞᆺ치 ᄉᆞ

217)튝합(蹙合) : 눈살을 찌푸리고 얼굴을 찡그림.
218)졈우(霑雨) : 마른 땅을 적실만큼 많이 내린 비.
219)구회촌단(咎悔寸斷) : 옛 일을 자책하여 뉘우치는 마음이 여러 단면으로 갈라져 떠오름.
220)다ᄉᆞᄒᆞ다 : 따스하다. 조금 다습다.

리오."

소졔 태우로 더브러 샹화(相和)키를 아니려 구지 결단ᄒᆞ여시나, 텬셩이 공교롭고 간ᄉᆞᄒᆞᆫ 일을 아닛ᄂᆞᆫ 고로, ᄌᆞ긔 죽지 아냣시믈 니르며 젼후 지난 일을 말ᄒᆞ니,

○…**결락202자**…○[ᄀᆞᆯ오ᄃᆡ,
"월잉이 그 ᄯᅢ 죽은 거시 아니라 엄홀ᄒᆞ엿ᄂᆞᆫ 거술, 집장ᄉᆞ예(執杖司隸) 그릇 죽은 줄노 알고 시신을 ᄡᅳ어 ᄂᆡ쳣더니, ᄀᆞ장 오린 후 ᄉᆡᆼ긔 이시믈 고ᄒᆞ엿ᄂᆞᆫ 고로, 즉시 드려 오미 방ᄌᆞᄒᆞ여, 살와ᄂᆡᄃᆡ 군ᄌᆞ긔 알뇌디 못ᄒᆞ고, ᄒᆡᆼ각(行閣)의 왕ᄂᆡᄒᆞ다가, 쳡의 몸이 년졍(蓮井) 믈을 인ᄒᆞ여 시ᄂᆡ가다 나간 고로, 잉이 쳡을 건져 ᄂᆡ고 낙양후 슉뷔 맛참 구ᄒᆞ여 슉부 ᄐᆡᆨ상의 잇다가 도라 완 디 여러 ᄃᆞᆯ이 되엿ᄂᆞ니, 쳔고의 엇디 죽은 사ᄅᆞᆷ이 형뎍을 완연이 드러ᄂᆡ여 ᄉᆡᆼ인과 슈작ᄒᆞ리잇고? 군ᄌᆞ 쳡의 말을 밋디 아니시거든 이졔 슉부긔 고ᄒᆞ여 보쇼셔."]

▌194) ③《어시에 태위 양씨의 젼후 지ᄂᆞᆫ 일을 귀를 기우려 드르미, 긔특고 영ᄒᆡᆼᄒᆞ믈 측냥치 못ᄒᆞᄂᆞᆫ지라. 눈으로 부인의 가엽ᄉᆞᆫ 용화를 쳠망(瞻望)ᄒᆞ며 그 진젹(眞的)ᄒᆞᆫ 말을 드르니, 쳐음은 진(眞)이며 몽(夢)이믈 ᄭᆡ돗지 못ᄒᆞ더니, ᄌᆡ삼 진젹ᄒᆞᆫ 말을 드르미 깃부미 이에 측냥업셔, 공연이 슉녀(淑女) 현쳐(賢妻)를 참혹히 맛ᄎᆞ미, 그르믈 뉘웃츤 후ᄂᆞᆫ 쳔ᄉᆞ만념이 구회 쳔단ᄒᆞ여 부인의 빙쟈아질(氷姿雅質)노 옥이 다ᄉᆞᄒᆞ고195) ᄭᅩᆺ치 향긔롭거ᄂᆞᆯ》, ②《잉신십삭(孕身十朔)에 밋쳐 분산도 못ᄒᆞᆫ 거술 쳔단곡경(千端曲境)으로 핍박ᄒᆞ여 슈즁에 드리치던 일을 ᄉᆡᆼ각ᄒᆞ면 비록 ᄉᆡᆼ쳘ᄀᆞᆺ치 모질고 토목ᄀᆞᆺ치 ᄉᆞ오나 오나 임의 젼과를 뉘웃ᄎᆞ미 부인의 참혹히

194)필사순서에 오류가 있다. 원문은 ▌①《태위-찰네》 - ②《잉신십삭-ᄒᆞ더라》 - ③《어시에-향긔롭거ᄂᆞᆯ》▌의 순서로 필사되어 있는데, 이를 서사문맥에 따라 ▌③《어시에-향긔롭거ᄂᆞᆯ》 - ②《잉신십삭-ᄒᆞ더라》 - ①《태위-찰네》▌의 순서로 바로잡았다.
195)다ᄉᆞᄒᆞ다 : 따스하다. 조금 다습다.

오나오나, 임의 젼과(前過)를 뉘웃ᄎᆞᄆᆡ 부인의 참혹히 원ᄉᆞᄒᆞᆫ 바를 ᄋᆡ원통셕(哀怨痛惜)ᄒᆞ미 심담(心膽)이 붕녈(崩裂)ᄒᆞ여 슉식침좌(宿食寢坐)[221]의 오긔(吳起)의 디난 《박힝이 무신ᄒᆞᆫ디라‖박힝이오 무신이라》. 또ᄒᆞᆫ 향인(向人)ᄒᆞ여 니르기도 붓그러오니, 이졔 부인의 완젼여구(完全如舊)ᄒᆞ믈 보니, 인간 낙ᄉᆡ 이 밧긔 업ᄂᆞᆫ디라. 군ᄌᆞ의 단【52】심(丹心)과 댱부의 텰장(鐵腸)이나, 하 흐뭇거이 깃브고 즐거오니, 도로혀 감창ᄒᆞ믈 니긔디 못ᄒᆞ니, 옥슈를 잡고 감뉘(感淚) 여우(如雨)ᄒᆞ여 왈,

"ᄎᆞᄉᆡ(此事) 딘야(眞耶)아, 몽야(夢耶)아, 혹ᄉᆡᆼ의 젼후 실셩과 광거ᄂᆞᆫ 당금ᄎᆞ시(當今此時)의 ᄉᆡᆼ각ᄒᆞᄆᆡ ᄉᆡ로이 심골이 {경이}경한(驚寒)ᄒᆞᆫ디라. ᄉᆡᆼ이 무상ᄒᆞ여 ᄒᆞᆫ 빵 구슬이 션악을 살피디 못ᄒᆞ고, 찰녀(刹女)[222]의 간참(姦讒) 밀셔(密書)를 미든 고로, 부인의 빙옥방신(氷玉芳身)을 허다(許多) 누명(陋名)으로 의심ᄒᆞ여, 무인반야(無人半夜)의 찰녀의 여ᄎᆞ여ᄎᆞ ᄀᆞᄅᆞ치ᄂᆞᆫ 말을 신쳥ᄒᆞ고, 부인이 침소의 도라오믈 젼혀 몰낫다가, 간인의 니르믈 조ᄎᆞ 광심(狂心)을 주리잡디 못ᄒᆞ여, 부인을 년졍(蓮井)의 드리치고, 납향을 버힌【53】후의 션슈졍의 가니, 찰네 또 여ᄎᆞ여ᄎᆞ 소시를 참혹ᄒᆞᆫ 형벌노 히ᄒᆞ려 ᄒᆞ니, 그 명이 슈유(須臾)의 급ᄒᆞᆫ디라. ᄉᆡᆼ의 광심의도 이 거조를 보니 믄득 셩녀의 패악ᄒᆞ믈 분노ᄒᆞ여, 소시를 아ᄉᆞ 션향졍 슈슈긔 보ᄂᆡ고, 이교 등 삼녀를 죽여 머리를 셩녀의 압히 더디고, 다시 듕형으로 츈교를 져주려 ᄒᆞ더니, 목이 갈ᄒᆞ믈 인ᄒᆞ여 ᄎᆞ를 구ᄒᆞ니 요인 노쥐(奴主) 독ᄒᆞᆫ 요약을 ᄎᆞ의 너허 먹이니, ᄉᆡᆼ이 그 ᄎᆞ를 먹으ᄆᆡ 만신빅톄(滿身百體) 져리고 졍신이 미란ᄒᆞ여, 셔당의 나와 ᄒᆞᆫ 번 누으ᄆᆡ 상셩광인(喪性狂人)이 되어, 부모 존당도 오히려 두려오믈 아디

221)슉식침좌(宿食寢坐) : 자고 먹고 눕고 앉고 하는 일.

222)찰녀(刹女) : 나찰녀(羅刹女). 여자 나찰. 사람의 고기를 즐겨 먹으며, 큰 바다 가운데 산다고 한다.

원ᄉᆞᄒᆞᆫ 바를 ᄋᆡ원통셕(哀怨痛惜)ᄒᆞ미 심담 붕녈(心膽崩裂)ᄒᆞ여 슉식침좌(宿食寢坐)[196]의 오긔(吳起)의 지난 박힝(薄行)이 《무신ᄒᆞᆫ지라‖오 무신이라》. 또ᄒᆞᆫ 향인ᄒᆞ여 니르기도 붓그러오니, 이제 부인의 완젼여구(完全如舊)ᄒᆞ믈 보니, 인간 낙【67】ᄉᆡ 이 밧게 업ᄂᆞᆫ지라. 군쟈 단심(丹心)과 장부 쳘장(鐵腸)이나, 하 흐뭇거이 깃브고 즐거오니 도로혀 감창ᄒᆞ도다 ᄒᆞ더라》. ①《태위 이 말을 듯고 놀라며 또ᄒᆞᆫ 깃부믈 니긔지 못ᄒᆞ여 옥슈를 잡고 감뉘(感淚) 여우(如雨)ᄒᆞ여 왈,

"ᄎᆞᄉᆡ(此事) 진여(眞如)아, 몽여(夢如)아, 학【66】ᄉᆡᆼ의 젼후 광긔ᄂᆞᆫ ᄉᆡᆼ각ᄒᆞᄆᆡ ᄉᆡ로이 심골이 경한(驚寒)ᄒᆞᆫ지라. ᄉᆡᆼ이 무상ᄒᆞ여 션악을 술피지 못ᄒᆞ고, 찰녀(刹女)[197]의 간참(姦讒) 밀셔(密書)를 밋은 고로, 부인을 의심ᄒᆞ여 무인야반(無人夜半)에 여ᄎᆞ여ᄎᆞ 가라치ᄂᆞᆫ 말을 신쳥(信聽)ᄒᆞ고, 부인이 침소의 도라오믈 젼혀 몰낫다가, 《가인‖간인(奸人)》의 니르믈 조ᄎᆞ 광심을 쥬리잡지 못ᄒᆞ여 부인을 년경(蓮井)의 드리치고 납향을 버힌 후의 션슈졍에 가니, 찰네》❙ 또 여ᄎᆞ여ᄎᆞ 소씨를 참혹ᄒᆞᆫ 형벌노 히ᄒᆞ려 ᄒᆞ니, 그 명이 슈유에 급ᄒᆞᆫ지라. ᄉᆡᆼ이 광심에도 이 거조를 보니 믄득 셩녀의 픽악ᄒᆞ믈 분노ᄒᆞ여, 소씨를 아ᄉᆞ 션향졍 슈슈긔 보ᄂᆡ고, 《이곳 즌‖이교 등》 삼【68】녀를 죽여 머리를 셩녀의 압픠 더지고, 다시 즁형으로 츈교를 져주려 ᄒᆞ더니, 목이 갈ᄒᆞ믈 인ᄒᆞ여 ᄎᆞ를 구ᄒᆞ니, 요인 노쥐 독ᄒᆞᆫ 요약을 ᄎᆞ의 너허 먹이니, ᄉᆡᆼ이 그 ᄎᆞ를 먹으ᄆᆡ 만신빅히(滿身百骸) 져리고 정신이 미란ᄒᆞ여, 셔당의 나와 ᄒᆞᆫ 번 누으ᄆᆡ 상셩광인(喪性狂人)이 되어, 부모 존당도 오히려 두려오믈 아지 못ᄒᆞ고 아는 거시 다만 셩네라. 기간에 허다 악ᄉᆡ 발각ᄒᆞ여, 요녜 영츌(永

196)슉식침좌(宿食寢坐) : 자고 먹고 눕고 앉고 하는 일.

197)찰녀(刹女) : 나찰녀(羅刹女). 여자 나찰. 사람의 고기를 즐겨 먹으며, 큰 바다 가운데 산다고 한다.

못ᄒᆞ고, 아ᄂᆞᆫ 거시 다만 셩네라. 기간의 허다 악ᄉᆡ 발각【54】ᄒᆞ여, 요녜 영츌(永黜)ᄒᆞ믈 알오ᄃᆡ, ᄉᆡᆼ은 연무듕(煙霧中) 아득ᄒᆞ여, 딘위(眞僞)를 ᄒᆡ셕디 못ᄒᆞ더니, 슈월을 대통(大痛)ᄒᆞ여 명ᄌᆡ됴셕(命在朝夕)이러니, 누일(累日)을 혼곤(昏困)ᄒᆞ여 혼ᄇᆡᆨ이 여ᄎᆞ여ᄎᆞᄒᆞᆫ 곳의 나아가. 여ᄎᆞ여ᄎᆞᄒᆞᆫ 몽ᄉᆞ를 엇고, 신인(神人)의 디괴(指敎) 명ᄇᆡᆨᄒᆞ여, ᄌᆞ의 ᄉᆡᆼ존ᄒᆞ믈 니르나, ᄉᆞᄌᆞ(死者)ᄂᆞᆫ 블가브ᄉᆡᆼ(不可復生)이라. ᄉᆡᆼ이 박ᄒᆡᆼ무상(薄行無狀)ᄒᆞ미 오긔(吳起)의 더은디라. 손으로 현쳐를 박살ᄒᆞ여시니 그 ᄉᆞ라나기ᄂᆞᆫ 만무ᄒᆞᆫ디라. ᄒᆞᆫ갓 뉘웃ᄂᆞᆫ 탄이 심곡의 ᄡᆞ힐디언졍, 감히 향인(向人)ᄒᆞ여 니를 곳이 업ᄉᆞ니, ᄉᆡᆼ젼은 ᄏᆞ니와[223] 미ᄉᆞ디젼(未死之前)의 닛기 어려올가 ᄒᆞ엿더니, 또 딘형 등의 문답이 여ᄎᆞ여ᄎᆞ 부인 노쥬의 현영(現影)[224]ᄒᆞ미 ᄉᆡᆼ인(生人)과 ᄀᆞᆺ다 ᄒᆞ니, ᄉᆡᆼ이【55】실노 부인의 ᄉᆡᆼ존ᄒᆞ믄 만무ᄒᆞ니, 벅벅이 원혼이 흣터디지 아니민가 ᄋᆡ원통상(哀怨痛傷)ᄒᆞ미 시일(是日)노 층가(層加)ᄒᆞ니, 금일은 비록 유명(幽明)이 격(隔)ᄒᆞ나, 녕ᄇᆡᆨ(靈魄)을 ᄃᆡᄒᆞ여 심듕비원(心中悲怨)을 ᄒᆞᆫ 번 위로코져 니르럿더니, 엇디 딘짓 사ᄅᆞᆷ을 만날 줄 알니오. 원컨ᄃᆡ ᄌᆞᄂᆞᆫ 우리 부뷔 ᄌᆡᄉᆡᆼ디인(再生之人)인 줄 ᄉᆡᆼ각ᄒᆞ여, 광부(狂夫)의 젼일 상셩광망(喪性狂妄)ᄒᆞ던 박ᄒᆡᆼ(薄行)을 용샤(容赦)ᄒᆞ여 ᄇᆡᆨ년을 화락ᄒᆞ여 ᄉᆡᆼ즉동쥬(生則同住)[225]ᄒᆞ고 ᄉᆞ즉동혈(死則同穴)[226]ᄒᆞ샤이다."

셜파의 무궁ᄒᆞᆫ 비원(悲怨)과 가득ᄒᆞᆫ 회포를 니긔디 못ᄒᆞ니, 양쇼졔 그 뉘웃ᄂᆞᆫ 말을 드를ᄉᆞ록 그 죽이려 ᄒᆞ던 일과 깁을 ᄉᆞᆺ쳐 동히랴 ᄒᆞ던 일을 ᄉᆡᆼ각ᄒᆞ니, ᄉᆡ틋고[227] 놀나오니, 져의 뉘웃ᄂᆞᆫ 말도 밋ᄂᆞᆫ ᄃᆞᆺ 마ᄂᆞᆫ

223)ᄏᆞ니와 : 커녕.
224)현영(現影) : 형체를 눈앞에 드러냄. 또는 그 형체. =현형(現形).
225)ᄉᆡᆼ즉동쥬(生則同住) : 사는 동안은 언제나 한 곳에서 함께 살아감.
226)ᄉᆞ즉동혈(死則同穴) : 죽어서는 한 무덤에 묻힘.
227)ᄉᆡ틋ᄒᆞ다 : 시틋하다. 마음이 내키지 아니하여 시들하다.

黜)ᄒᆞ믈 알오ᄃᆡ, ᄉᆡᆼ은 연무즁(煙霧中) 아득ᄒᆞ여 진위(眞僞)를 ᄒᆡ셕지 못ᄒᆞ더니, 슈월을 대통(大通)ᄒᆞ여 명ᄌᆡ조셕(命在朝夕)니[이]러니, 누일(累日)을 혼곤(昏困)ᄒᆞ여 혼ᄇᆡᆨ이 여ᄎᆞ여ᄎᆞ ᄒᆞᆫ 곳의 나아가 여ᄎᆞ여ᄎᆞ ᄒᆞᆫ 몽ᄉᆞ를 엇고, 신인(神人)의 지괴(指敎) 명ᄇᆡᆨᄒᆞ여, ᄌᆞ의 ᄉᆡᆼ존ᄒᆞ믈 니르나 ᄉᆞᄌᆞ(死者)ᄂᆞᆫ 블가부ᄉᆡᆼ(不可復生)이라. ᄉᆡᆼ이 박ᄒᆡᆼ무상(薄行無狀)ᄒᆞ미 오긔(吳起)의 더은지라. 손으로 현쳐를【69】박살ᄒᆞ여시니, 그 ᄉᆞ라나기ᄂᆞᆫ 만무ᄒᆞᆫ지라. ᄒᆞᆫᄀᆞᆺ 뉘웃ᄂᆞᆫ 탄이 심곡의 ᄊᆞ힐지언졍 감히 향인(向人)ᄒᆞ여 니를 곳이 업ᄉᆞ니, ᄉᆡᆼ젼은 커니와[198] 미ᄉᆞ지젼(未死之前)의 닛기 어려올가 ᄒᆞ엿더니 또 딘형 등의 문답이 여ᄎᆞ여ᄎᆞ 부인 노쥬의 현영(現影)[199]ᄒᆞ미 ᄉᆡᆼ인(生人)과 갓다 ᄒᆞ니, 벅벅이 원혼이 흣터지지 아니민가 ᄋᆡ원통상(哀怨痛傷)ᄒᆞ미 시일(是日)노 층가(層加)ᄒᆞ니, 금일은 비록 유명(幽明)이 현격(懸隔)ᄒᆞ나 녕ᄇᆡᆨ(靈魄)을 ᄃᆡᄒᆞ여 심즁비원(心中悲怨)을 ᄒᆞᆫ 번 위로코져 니르럿더니, 엇지 진짓 샤ᄅᆞᆷ을 만날 쥴 알니오. 원컨ᄃᆡ ᄌᆞᄂᆞᆫ 우리 부뷔 ᄌᆡᄉᆡᆼ지인(再生之人)인줄 ᄉᆡᆼ각ᄒᆞ여 광부의 젼일 상셩광망(喪性狂妄)ᄒᆞ던 박ᄒᆡᆼ을 용샤ᄒᆞ여, ᄇᆡᆨ년을 화락ᄒᆞ여 ᄉᆡᆼ즉동쥬(生則同住)[200]ᄒᆞ고 ᄉᆞ즉동혈(死則同穴)[201] ᄒᆞ샤이다."

셜파에 무궁ᄒᆞᆫ 비원과 가득ᄒᆞᆫ 회포를 니긔지 못ᄒᆞ니, 양소졔 그 뉘웃ᄂᆞᆫ 말을 드를ᄉᆞ록 그 죽이【70】려 ᄒᆞ던 일과, 깁을 ᄉᆞᆺ쳐 동히랴 ᄒᆞ던 일을 ᄉᆡᆼ각ᄒᆞ니, ᄉᆡ틋고[202] 놀나오니 져의 뉘웃ᄂᆞᆫ 말도 밋ᄂᆞᆫ ᄃᆞᆺ 마ᄂᆞᆫ

198)ᄏᆞ니와 : 커녕.
199)현영(現影) : 형체를 눈앞에 드러냄. 또는 그 형체. =현형(現形).
200)ᄉᆡᆼ즉동쥬(生則同住) : 사는 동안은 언제나 한 곳에서 함께 살아감.
201)ᄉᆞ즉동혈(死則同穴) : 죽어서는 한 무덤에 묻힘.
202)ᄉᆡ틋ᄒᆞ다 : 시틋하다. 마음이 내키지 아니하여 시들하다.

【56】 ᄃᆞᆺᄒᆞ고, 셩혼삼ᄌᆡ(成婚三載)의 이러ᄐᆞᆺ 말 만히 ᄒᆞ미 쳐음이라. 다만 셩안(星眼)이 나즉ᄒᆞ고 옥뫼(玉貌) ᄂᆡᆼ졍ᄒᆞ여 믁연(默然) 블어(不語)ᄒᆞ니, ᄎᆞ고 ᄆᆡ온 거동이 ᄆᆡ홰(梅花) 납셜(臘雪)[228]을 ᄯᅴ워심 ᄀᆞᄐᆞ니, 태위 부인의 ᄂᆡᆼ연ᄆᆡ몰(冷然埋沒)ᄒᆞᆫ 거동을 보ᄆᆡ, 산히 ᄀᆞᄐᆞᆫ 듕졍(重情)을 발뵐 길히 업ᄉᆞ니, 도로혀 희허탄식(唏噓歎息)ᄒᆞ믈 마디 아니ᄒᆞ더니, 냥구(良久)의 우문(又問) 왈,

"부인이 복ᄋᆞ(腹兒)를 능히 분산ᄒᆞ여시며 남녀를 알고져 ᄒᆞᄂᆞ이다."

쇼졔 쳑연 ᄃᆡ 왈,

"쳡의 모ᄌᆡ 《찬쳔 ‖ 잔쳔(殘喘)[229]》이 심어토목(甚於土木)이라. 유ᄋᆡ 무ᄉᆞ히 츌세(出世)ᄒᆞᄆᆡ 남ᄋᆡ(男兒)로소이다."

뎡언간(停言間)의 쇼ᄋᆞ(小兒)의 유뫼 뎡당으로조ᄎᆞ 쇼ᄋᆞ를 다려 니ᄅᆞ니, ᄉᆡᆼ이 년망이 ᄋᆞ히를 바다 슬샹(膝上)의 언고 살피니, 이 문득 ᄉᆡᆼ【57】셰ᄒᆞᆫ ᄇᆡ 범ᄋᆡ 아니라. ᄒᆞᆫ ᄌᆞ옥(玉)으로 무으며 보ᄇᆡ로 장식ᄒᆞ여시니, 경님(瓊林)[230]의 ᄭᅩᆺ가디오, ᄎᆡ가(彩家)의 교옥(皎玉)이라. ᄒᆡᄋᆡ(孩兒) ᄉᆡᆼ디슈월(生之數月)이로ᄃᆡ 톄형(體形)이 셕대(碩大)ᄒᆞ여 범ᄋᆞ의 팔삭이나 된 듯ᄒᆞ고, 잠미봉안(蠶眉鳳眼)이며 월익단슌(月額丹脣)이니 ᄌᆞ가의 동탕쇄락(動蕩灑落)ᄒᆞᆷ과 양쇼져의 한업ᄉᆞᆫ 광염을 오로디 픔슈ᄒᆞ여, 일빵 별 ᄀᆞᄐᆞᆫ 안ᄎᆡ(眼彩)를 둘너 좌우를 살피ᄆᆡ, 의의(儀儀)히[231] 디각(知覺)이 잇ᄂᆞᆫ 듯ᄒᆞ고, 도쥬단슌(桃朱丹脣)[232]은 거의 ᄂᆞᆸ써[233] 말을 ᄒᆞᆯ 듯ᄒᆞ니, 태우의 한 업ᄉᆞᆫ ᄉᆞ랑이 아모 곳으로 조ᄎᆞ 나ᄂᆞᆫ 줄 ᄭᆡᄃᆞᆺ디 못ᄒᆞ여, 희옴업시 졉면교싀(接面交腮)[234]ᄒᆞ고 년ᄋᆡ귀듕(憐愛貴重)ᄒᆞ미

228)납셜(臘雪) : 납일(臘日; 동지 뒤 셋째 未日)에 내리는 눈
229)잔쳔(殘喘) : 잔명(殘命).
230)경님(瓊林) : 옥같이 아름다운 숲.
231)의의(儀儀) : 의용을 갖추어 덕이 있는 모양.
232)도쥬단슌(桃朱丹脣) : 복숭아꽃처럼 붉고 고운 입술.
233)ᄂᆞᆸ써 : 냅다. 몹시 빠르고 세찬 모양.
234)졉면교싀(接面交腮) : 얼굴을 마주대고 뺨을 비빔.

듯 ᄒᆞ고, 셩혼삼ᄌᆡ(成婚三載)에 이러ᄐᆞᆺ 말 만히 ᄒᆞ미 쳐음이라. 다만 셩안이 나작ᄒᆞ고 옥뫼 ᄂᆡᆼ졍ᄒᆞ여 묵연블어(默然不語)ᄒᆞ니, ᄎᆞ고 ᄆᆡ온 거동이 ᄆᆡ홰 납셜(臘雪)[203]을 ᄯᅴ엿ᄂᆞᆫ 듯ᄒᆞ니, 태위 부인의 ᄂᆡᆼ연ᄆᆡ몰(冷然埋沒)ᄒᆞᆫ 거동을 보ᄆᆡ, 산히(山海) ᄀᆞᄐᆞᆫ 즁졍(重情)을 발뵐 길히 업ᄉᆞ니, 도로혀 희허탄식(唏噓歎息) ᄒᆞ믈 마지 아니ᄒᆞ더니, 냥구(良久)에 우문(又問) 왈,

"부인이 복아(腹兒)를 능히 분산ᄒᆞ시며, 남녀를 알고져 ᄒᆞᄂᆞ이다."

소졔 쳑연 ᄃᆡ 왈,

"쳡의 모ᄌᆡ 잔쳔(殘喘)[204]이 심어토목(甚於土木)이라. 유ᄋᆡ 무ᄉᆞ히 츌셰(出世)ᄒᆞᄆᆡ 남ᄋᆡ로소이다."

젼[졍]언간(停言間)에 소ᄋᆞ(小兒)의 유뫼 졍당으로조ᄎᆞ 소ᄋᆞ를 다려 니ᄅᆞ니, ᄉᆡᆼ이 년망이 ᄋᆞ히를 밧아 슬상(膝上)의 언고 살피니, 이 문득 ᄉᆡᆼ셰ᄒᆞᆫ ᄇᆡ 범ᄋᆡ 아니라. ᄒᆞᆫ ᄌᆞ옥으로 무【71】으며 보ᄇᆡ로 장식ᄒᆞ엿시니, 경님(瓊林)[205]의 ᄭᅩᆺ가지오, ᄎᆡ가(彩家)의 교옥(皎玉)이라. ᄒᆡᄋᆡ(孩兒) ᄉᆡᆼ지슈월(生之數月)에 쳬형(體形)이 셕대(碩大)ᄒᆞ여 범ᄋᆞ의 팔삭이나 된 듯ᄒᆞ고, 잠미봉안(蠶眉鳳眼)이며 월익단슌(月額丹脣)이니, ᄌᆞ가의 동탕쇄락(動蕩灑落)ᄒᆞᆷ과 양소져의 한업ᄉᆞᆫ 광념을 오로지 픔슈ᄒᆞ여, 일빵 별 ᄀᆞᄐᆞᆫ 안ᄎᆡ(眼彩)를 둘너 좌우를 살피ᄆᆡ, 《의구히 ‖ 의의(儀儀)히[206]》 지각(知覺)이 잇ᄂᆞᆫ 듯ᄒᆞ고, 조쥬단순(棗朱丹脣)[207]은 거의 ᄂᆞᆸ써[208] 말○[을] ᄒᆞᆯ 듯ᄒᆞ니, 태위 한 업시 년ᄋᆡ귀즁(憐愛貴重)ᄒᆞ미 측냥업셔, 소ᄋᆞ를 회즁(懷中)에 픔고 년ᄋᆡᄒᆞ믈 니긔지 못ᄒᆞ여, 부인을 ᄃᆡᄒᆞ여 위하지졍(慰賀之情)이 부졀여루(不絶如

203)납셜(臘雪) : 납일(臘日; 동지 뒤 셋째 未日)에 내리는 눈
204)잔쳔(殘喘) : 잔명(殘命).
205)경님(瓊林) : 옥같이 아름다운 숲.
206)의의(儀儀) : 의용을 갖추어 덕이 있는 모양.
207)조쥬단슌(棗朱丹脣) : 붉은 대추 볼처럼 붉고 고운 입술.
208)ᄂᆞᆸ써 : 냅다. 몹시 빠르고 세찬 모양.

측냥업는 가온딕, 더옥 젼과(前過)를 싱각ᄒᆞ니 이 ᄀᆞᆺ튼 ᄀᆞ린영ᄌᆞ를 앗가이 맛출 번 ᄒᆞᆫ 줄 싱각【58】ᄒᆞ미 ᄉᆡ로이 놀나오니, ᄉᆞᄉᆞ로 일희일비(一喜一悲)ᄒᆞ여 쇼ᄋᆞ를 회듕(懷中)의 픔고 년ᄋᆡᄒᆞ믈 니긔디 못ᄒᆞ여, 부인을 ᄃᆡᄒᆞ여 위하디셩(慰賀之聲)이 브졀여루(不絶如縷)ᄒᆞ나, 쇼졔 옥안이 ᄆᆡᆨᄆᆡᆨᄒᆞ여[235] 뎡ᄉᆡᆨ손샤(正色遜辭) ᄒᆞᆯ ᄲᅳᆫ이러라.

밤든 후 바야흐로 쇼ᄋᆞ를 유모를 주고 이의 취침ᄒᆞᆯᄉᆡ, 쇼졔 크게 괴로이 넉이나 ᄒᆞᆯ일업셔, 다만 안ᄉᆡᆨ이 ᄂᆡᆼ녈(冷烈)ᄒᆞ니, 태위 비록 튱텬댱긔(衝天壯氣)나 ᄌᆞ개 허믈이 만하 슉녀의 블복(不服)ᄒᆞ믈 만나니, 시러곰 져를 그르다 못ᄒᆞᆯ디니, 듕산하히(重山河海) ᄀᆞᆺ튼 졍을 발뵐 길히 업ᄉᆞ므로 상요(床褥)의 나아가 취침ᄒᆞ니라.

명됴의 존당의 신셩(晨省)ᄒᆞ고 외당의 나아가니, 딘평댱 형뎨 태위 밤【59】의 셜삼졍의 갓던 줄 알고, 쇼왈,

"예ᄇᆡᆨ이 어졔 밤ᄉᆡ도록 셜삼졍의 가 원혼(冤魂)을 만나 밤을 ᄌᆞ고 와시니 반ᄃᆞ시 실셩ᄒᆞ여시리라."

초휘 니르럿더니, 대경 왈,

"연즉 큰 일이 나리로다. 쇼뎨 젼일 드르니 예ᄇᆡᆨ이 잇다감 동풍ᄎᆞ츄(凍風借秋)[236]의 돗갑이를 들니기를 ᄌᆞ로 ᄒᆞᆫ다 ᄒᆞ더니, 극히 놀납도다."

태위 미쇼 왈,

"쇼뎨는 작야의 분명ᄒᆞᆫ ᄉᆡᆼ인(生人)과 동쳐(同處)ᄒᆞ여시니 양시 엇디 디하인(地下人)이리오. 형 등이 쇼뎨를 실셩ᄒᆞ다 ᄒᆞ시나, 쇼뎨는 혜건ᄃᆡ 형 등이 므ᄉᆞᆫ 풍샤졉귀(風邪接鬼)[237]를 들녓ᄂᆞᆫ가 시브이다. 져러틋 허언광셜(虛言狂說)을 실업시 ᄒᆞ니, 엇디 녕험ᄒᆞᆫ 복ᄌᆞ(卜者)의게 문복(問卜)이나 ᄒᆞ여 슈히[238] 프러 먹여 크게 실【60】셩ᄒᆞ믈 면

235)ᄆᆡᆨᄆᆡᆨᄒᆞ다 : 맥맥하다. 생각이 잘 돌지 아니하여 답답하다. 마음이 흔연스럽지 못하고 무덤덤하다.
236)동풍차추(凍風借秋) : 가을 찬바람.
237)풍샤졉귀(風邪接鬼) : 나쁜 바람에 들리거나 귀신에 들림.
238)슈히 : 쉬이. 멀지 아니한 가까운 장래에. 어렵거

縷)ᄒᆞ나, 소졔 옥안이 ᄆᆡᆨᄆᆡᆨᄒᆞ여[209] 졍ᄉᆡᆨ손ᄉᆞ(正色遜辭)ᄒᆞᆯ ᄲᅮᆫ 니러라.

야심 후 바야흐로 소ᄋᆞ로[를] 유모를 쥬고 이에 취침ᄒᆞᆯᄉᆡ, 소졔 크게 괴로이 넉이나 ᄒᆞᆯ일업셔 다만 안ᄉᆡᆨ이 ᄂᆡᆼ녈(冷烈)ᄒᆞ니, 태위 비록 통[튱]텬장긔(衝天壯氣)나 ᄌᆞ긔 허믈이 만하 슉녀【72】의 블복(不服)ᄒᆞ믈 만ᄂᆞ니, 시러금 져를 그르다 못ᄒᆞ리니, 하히(河海) ᄀᆞᆺ튼 졍을 발뵐 길히 업ᄉᆞ므로 상요(床褥)의 나아가 취침ᄒᆞ니라.

명조에 존당의 신셩(晨省)ᄒᆞ고 외당의 나아가니, 딘평장 형뎨 태위 밤에 셜삼졍의 갓던 줄 알고 소왈,

"여ᄇᆡᆨ이 어졔 밤ᄉᆡ도록 셜삼졍의 가 원혼(冤魂)을 만나 밤을 쟈고 와시니 반ᄃᆞ시 실셩ᄒᆞ엿시리라."

초휘 니르럿더니 양경(佯驚) 왈,

"연즉 큰 일이 나리로다. 소뎨 젼일 드르니 여ᄇᆡᆨ이 잇다감 동풍ᄎᆞ츄(凍風借秋)[210]의 돗갑이를 들니기를 ᄌᆞ로 ᄒᆞᆫ다 ᄒᆞ더니, 극히 놀납도다."

태위 미소 왈,

"소뎨는 작야에 분명ᄒᆞᆫ ᄉᆡᆼ인(生人)과 동쳐(同處)ᄒᆞ엿시니, 양씨 엇지 지하인(地下人)이리오. 형 등이 소뎨를 실셩ᄒᆞ다 ᄒᆞ시나, 소뎨는 혜건ᄃᆡ 형 등이 무ᄉᆞᆫ 풍ᄉᆞ졉귀(風邪接鬼)[211]를 들녓ᄂᆞᆫ 지 모로도소이다. 져러틋 허언광셜(虛言狂說)을 실업시【73】ᄒᆞ니, 엇지 녕험ᄒᆞᆫ 복ᄌᆞ에게 문복(問卜)이나 ᄒᆞ여 슈이[212] 플어 먹여 크게 실셩ᄒᆞ믈 면

209)ᄆᆡᆨᄆᆡᆨᄒᆞ다 : 맥맥하다. 생각이 잘 돌지 아니하여 답답하다. 마음이 흔연스럽지 못하고 무덤덤하다.
210)동풍차추(凍風借秋) : 가을 찬바람.
211)풍샤졉귀(風邪接鬼) : 나쁜 바람에 들리거나 귀신에 들림.
212)슈이 : 쉬이. 멀지 아니한 가까운 장래에. 어렵거

케 아니ᄒᆞᄂᆞ뇨?"

딘·하 졔인이 박장대쇼 왈,

"가위(可謂) 긔관(奇觀)이로다. '아창ᄃᆡ가(我唱之歌)를 군이 화(和)ᄒᆞᆫ다'[239] ᄒᆞ니 가히 예ᄇᆡᆨ을 니르미로다. 너도 ᄉᆡᆼ각ᄒᆞ여 보라. 셰샹의 초부목동(樵夫牧童)[240]도 일쳐일쳡(一妻一妾)은 이시니, 아등도 ᄯᅩᄒᆞᆫ 여러 쳐실이 이시나, 예ᄇᆡᆨᄀᆞᆺ치 친쇼인원현인(親小人遠賢人)[241]ᄒᆞ여 아조 인ᄉᆞ블셩(人事不省)이 되어, ᄇᆡᆨ옥무하(白玉無瑕)ᄒᆞᆫ 쳐실을 의심ᄒᆞ미 남은 ᄡᆞ히 업시 ᄒᆞ고, ᄯᅩ 나의 골육으로ᄡᅧ 더러온 골육이라 ᄒᆞ여, 공연이 오긔(吳起)의 살쳐(殺妻)ᄒᆞᄂᆞᆫ 박힝을 ᄌᆞ임ᄒᆞ여, 발검살쳐(拔劍殺妻)[242]ᄒᆞ려다가, 양쉬 맛ᄎᆞᆷᄂᆡ 명이 길고 네 살인ᄒᆞᆯ 쉬(數)[243] 업셔 검하여ᄉᆡᆼ(劍下餘生)[244]이 계오 ᄉᆡᆼ환ᄒᆞ니, 오히려 죡(足)디【61】못ᄒᆞ여, 네 몸이 팔쳑댱부로셔 궤계(詭計)를 공교히 디어 거ᄌᆞᆺ 회과ᄒᆞᄂᆞᆫ 쳬ᄒᆞ고, 양쉬 침소로 나오시믈 인ᄒᆞ여 살(殺)ᄒᆞ려 ᄒᆞ다가, 녕존당○[이] 샹(常)히[245] 고디듯디 아니시니, 예ᄇᆡᆨ이 힝혀 양슈를 죽이디 못ᄒᆞᆯ가 초조ᄒᆞ다가, 하날이 간인의 뜻을 맛치고 양쉬 ᄋᆡᆨ운이 듕ᄒᆞᆫ 연고로 태란이 ᄉᆞᄐᆡ(死胎)ᄒᆞ고, 피ᄒᆞ여 도라오ᄂᆞᆫ 날이 디나디 못ᄒᆞ여셔, 예ᄇᆡᆨ이[의] 독ᄒᆞᆫ 슈단이 슉녀가인으로 ᄒᆞ여금 무죄히 슈즁원귀(水中冤鬼)를 될 번 ᄒᆞ게 ᄒᆞ고, 일야디간의 광언망셜노 ᄒᆞᆫ낫 상셩광인(喪性狂人)이 되어, 셩가의 가 옥인(玉人)을 보려 ᄒᆞ더니, 어나 ᄉᆞ이 션삼졍의 가 단녀 와 져런 쾌ᄒᆞᆫ

나 힘들지 아니하게.

239)내가 부를 노래를 상대방이 부른다는 뜻으로, 내가 할 말을 상대방이 하는 경우를 이르는 말.

240)초부목동(樵夫牧童) : 나무꾼이나 가축을 치는 아이에 이르기까지의 일반 평민남자들을 통틀어서 이르는 말.

241)친쇼인원현인(親小人遠賢人) : 간사한 사람을 가까이 하고 어진 사람을 멀리 함.

242)발검살쳐(拔劍殺妻) : 검을 빼어들고 아내를 살해함.

243)수(數) : 운수. 운명.

244)검하여싱(劍下餘生) : 칼 아래 죽을 위기에서 살아남은 목숨.

245)샹(常)히 : 보통. 늘. 항상.

ᄒᆞ소셔"

딘·하 졔인이 박장ᄃᆡ소 왈,

"가위(可謂) 긔관(奇觀)이로다. 너도 ᄉᆡᆼ각ᄒᆞ여 보라, 셰샹에 초부(樵夫)도 일쳐일쳡(一妻一妾)은 잇시니, 아등도 여러 쳐실이 잇시나 여ᄇᆡᆨᄀᆞᆺ치 원현인친소인(遠賢人親小人)[213]ᄒᆞ여 아조 인ᄉᆞ블셩(人事不省)이 되여 ᄇᆡᆨ옥무하(白玉無瑕)ᄒᆞᆫ 쳐실을 의심ᄒᆞ여 남은 ᄡᆞ히 업고, ᄯᅩ 나의 골육으로ᄡᅧ 더러온 골육이라 ᄒᆞ여, 공연이 오긔(吳起)의 살쳐ᄒᆞᄂᆞᆫ 박힝을 ᄌᆞ임ᄒᆞ여, 발검살쳐(拔劍殺妻)[214] ᄒᆞ려다가, 양쉬 맛ᄎᆞᆷᄂᆡ 명이 길고 네 살인ᄒᆞᆯ 쉬(數)[215] 업셔 검하여ᄉᆡᆼ(劍下餘生)[216]이 겨유 ᄉᆡᆼ환ᄒᆞ니, 오히려 족(足)지 못ᄒᆞ여, 네 몸○[이] 팔쳑장부(八尺丈夫)로셔 괴계(怪計)를 공교히 지어, 거ᄌᆞᆺ 회과ᄒᆞᄂᆞᆫ 쳬ᄒᆞ고, 양쉬 침소로 나오시믈 인ᄒᆞ여 살(殺)ᄒᆞ려 ᄒᆞ다가, 녕존당 샹(常)히[217] 곳이 듯지 아니니, 여ᄇᆡᆨ이 힝혀 양【74】슈를 죽이지 못ᄒᆞᆯ가 초조ᄒᆞ다가, 하ᄂᆞᆯ이 간인의 뜻을 맛치고, 양쉬 ᄋᆡᆨ운이 즁ᄒᆞᆫ 연고로 ᄐᆡ란이 ᄉᆞᄐᆡ(死胎)ᄒᆞ여셔, 도라오ᄂᆞᆫ 날이 지나지 못ᄒᆞ여셔, 예ᄇᆡᆨ의 독ᄒᆞᆫ 슈단이 슉녀가인으로 ᄒᆞ야곰 무죄히 슈즁원귀(水中冤鬼)를 될 번 ᄒᆞ게 ᄒᆞ고, 일야지간에 광언망셜노 ᄒᆞᆫ낫 상셩광인(喪性狂人)이 되어, 셩가의 가 옥인을 보려 ᄒᆞ더니, 어ᄂᆡ ᄉᆞ이 션삼졍에 가 단여 와 져런 쾌ᄒᆞᆫ 말을 ᄒᆞ니, 아모리 긔신(氣神) 조흔들 져 말이 어ᄃᆡ로셔 나ᄂᆞ뇨? ᄋᆡᄃᆞ를ᄉᆞ, 녀ᄌᆞ 된 탓시로다. 우리 마ᄋᆞᆷ ᄀᆞᆺᄒᆞ면 져 놈이 드리다라 신녕(神靈)만 넉여 비ᄉᆞ고어(悲辭苦語)를 베플 적에 두 ᄲᅣᆷ을 나라나게 ᄆᆡ이치고, 일장을 통쾌히 수지잔들 졔 압히 굽으니 무ᄉᆞᆫ 말을 ᄒᆞ리오마

나 힘들지 아니하게.

213)원현인친소인(遠賢人親小人) : 어진 사람을 멀리 하고 간사한 사람을 가까이 함.

214)발검살쳐(拔劍殺妻) : 검을 빼어들고 아내를 살해함.

215)수(數) : 운수. 운명.

216)검하여싱(劍下餘生) : 칼 아래 죽을 위기에서 살아남은 목숨.

217)샹(常)히 : 보통. 늘. 항상.

말을 ᄒᆞ니, 아모리 긔신(氣神)【62】됴흔들 져 말이 어ᄃᆡ로셔 나ᄂᆞ뇨? ᄋᆡ돌올샤 녀ᄌᆞ된 탓시로다. 우리 ᄆᆞ음 ᄀᆞᄐᆞ면 져 놈이 드리다라 신녕(神靈)만 녁여 비샤고어(悲辭苦語)를 베플 젹의, 두 ᄲᅡᆷ을 나라나게 ᄆᆡ이 치고 일장을 통쾌히 ᄭᅮ디존들, 졔 압히 굽으니 므ᄉᆞᆫ 말을 ᄒᆞ리오마ᄂᆞᆫ, 양쉬 본ᄃᆡ 유약ᄒᆞᆫᄃᆡ ᄋᆞ시브터 예빅의 모딘 슈단의 혼을 다 아이여 일언을 못ᄒᆞ고, ᄉᆡ호(豺虎)도곤 모딘 거슬 가뷔라 ᄒᆞ여, 고이 두고 평안이 지여 ᄂᆡ여 보ᄂᆡ니, 엇디 ᄋᆡ돏디 아니리오."

인ᄒᆞ여 딘평댱이 어ᄉᆞ를 븟들고, 작야의 태위 션삼경의 드러가 장후(帳後)의 모든 시녀들 잇ᄂᆞᆫ 것도 치 ᄉᆡᆼ각디 아니ᄒᆞ고, 브디블각의 드리다라 양쇼져를【63】븟들고 신녕(神靈)이라 ᄒᆞ고, 비샤고어로 쳔만 샤죄ᄒᆞ여 븟드러 통곡운졀(慟哭殞絶)ᄒᆞ니, 양쇼졔 딘졍 죽디 아녀시믈 일ᄏᆞᄅᆞᄆᆡ, 태위 밤ᄉᆡ도록 상하(床下)의셔 굴슬(屈膝)ᄒᆞ여, 부인은 쾌히 일빅타둔(一百打臀)[246]을 ᄒᆞ고 죄를 샤ᄒᆞ믈 바라노라 ᄒᆞ고, ᄎᆞ후ᄂᆞᆫ 월녀(越女)[247] 셔시(西施)[248] ᄀᆞᄐᆞᆫ 녀ᄌᆡ 이셔도, 부인을 져바리디 아니ᄒᆞ렷노라 ᄒᆞ고, 빅단(百端) ᄋᆡ걸(哀乞) ᄒᆞ더라 니언(利言)이 니르고 졀도(絶倒)ᄒᆞ기를 마디아니ᄒᆞ니, 태위 비록 협태산초븍히(挾泰山超北海)[249]ᄒᆞᄂᆞᆫ 댱긔(壯氣) 이시나 말이 막히니, 어히업셔 냥구(良久) 후, 미쇼 왈,

"셩인도 ᄒᆞᆫ 번 허믈을 면치 못ᄒᆞ고, 회과칙션(悔過責善)은 셩교의 허ᄒᆞ신 ᄇᆡ라. 쇼뎨 비록 일시 취광디ᄉᆡ(醉狂之事) 이시나 임의

246)일빅타둔(一百打臀) : 볼기를 1백대를 쳐 형벌을 가함.

247)월녀(越女) : ①중국 춘추시대에 월(越)나라의 여자. ②월(越)나라에 미녀가 많다는 데서, '미인'을 일컫는 말로도 쓰임.

248)셔시(西施) : 중국 춘추 시대 월나라의 미인. 오나라에 패한 월나라 왕 구천이 서시를 부차에게 보내어 부차가 그 용모에 빠져 있는 사이에 오나라를 멸망시켰다.

249)협태산초븍히(挾泰山超北海) : '태산을 옆구리에 끼고 북해를 건너뛴다'는 말로 기운이 매우 센 것을 비유적으로 표현한 말.

ᄂᆞᆫ, 양쉬 본ᄃᆡ 유약ᄒᆞ여, ᄋᆞ시브터 예빅의 모진 슈단에 혼을 아이여 일언을 못ᄒᆞ고, 【75】ᄉᆡ호(豺虎)도곤 모진 거슬 가뷔라 ᄒᆞ여 고이 두고 평안이 지여 ᄂᆡ여 보ᄂᆡ니, 엇지 ᄋᆡ돏지 아니리오."

인ᄒᆞ여 딘평댱이 어ᄉᆞ를 븟들고, 어졔 밤에 태위 션삼경의 드러가 장후(帳後) 모든 시녀들 잇ᄂᆞᆫ 것도 치 ᄉᆡᆼ각지 아니ᄒᆞ고, 부지불각에 드리다라 양소져를 븟들고 신령(神靈)이라 ᄒᆞ고, 비ᄉᆞ고어로 쳔만 ᄉᆞ죄ᄒᆞ여 븟드러 통곡운졀(慟哭殞絶)ᄒᆞ니, 양소졔 진졍 죽지 아냐시믈 닐ᄏᆞ라니, 태위 밤ᄉᆡ도록 상하(床下)에셔 굴슬(屈膝)ᄒᆞ여, 부인은 쾌히 일빅타둔(一百打臀)[218]을 ᄇᆞ라노라 ᄒᆞ고, ᄎᆞ후ᄂᆞᆫ 월녀(越女)[219] 셔시(西施)[220] ᄀᆞᄐᆞᆫ 녀ᄌᆡ 잇셔도, 부인을 져ᄇᆞ리지 아니ᄒᆞ렷노라 ᄒᆞ고, 빅단(百端) ᄋᆡ걸(哀乞)ᄒᆞ더라 니언(利言)이 니르고 졀도ᄒᆞ기를 마디 아니ᄒᆞ니, 태위 비록 협태산이초북히(挾泰山而超北海)[221]ᄒᆞᄂᆞᆫ 장긔(壯氣)나 말이 막히니, 어히업셔 냥구(良久) 후, 미소 왈,

"셩인도 ᄒᆞᆫ 번 허물을 면치 못【76】ᄒᆞ고 회과칙션(悔過責善)은 셩교의 허ᄒᆞ신 ᄇᆡ라. 소뎨 비록 일시 취광지ᄉᆡ(醉狂之事) 잇

218)일빅타둔(一百打臀) : 볼기를 1백대를 쳐 형벌을 가함.

219)월녀(越女) : ①중국 춘추시대에 월(越)나라의 여자. ②월(越)나라에 미녀가 많다는 데서, '미인'을 일컫는 말로도 쓰임.

220)셔시(西施) : 중국 춘추 시대 월나라의 미인. 오나라에 패한 월나라 왕 구천이 서시를 부차에게 보내어 부차가 그 용모에 빠져 있는 사이에 오나라를 멸망시켰다.

221)협태산이초북히(挾泰山而超北海) : '태산을 옆구리에 끼고 북해를 건너뛴다' 는 말로 기운이 매우 센 것을 비유적으로 표현한 말.

【64】회션기악(回善棄惡)250)ᄒᆞ여시니, 존당 부뫼 오히려 용셔ᄒᆞ여 계시거ᄂᆞᆯ, 형 등의 어려오믄 셩인의 더ᄒᆞ시미냐? 고어의 왈,

"'군신 부뷔 일톄니, 튱냥녈ᄉᆡ(忠良烈士) 시졀을 그릇 만나ᄃᆡ 님군을 원치 아니ᄒᆞᄂᆞ니라' ○○[ᄒᆞ니], 양시 엇디 쇼텬(所天)을 원ᄒᆞ리오. 쇼뎨ᄂᆞᆫ 당당ᄒᆞᆫ 대댱뷔오, 양시ᄂᆞᆫ 당금 녀ᄉᆡ(女士)라, 군ᄌᆞ슉녜 엇디 셔로 무례ᄒᆞ리오."

셜파의 광슈로 낫출 덥고 기리 누으니, 졔인이 대쇼ᄒᆞ고 ᄭᅮ디져 왈,

"텬하의 긔빅 됴흔 것과 낫가족 둣거온 흉ᄒᆞᆫ 놈은 셰흥이로다. 져 말이 어ᄃᆡ로셔 나ᄂᆞ뇨. 군ᄌᆞ의게 비겨 말이 쾌ᄒᆞ나 대개 븟그러온 양ᄒᆞ여 낫출 덥고 눕ᄂᆞᆫ도다. 그러치 아니면 슈슈(嫂嫂)【65】긔 ᄋᆡ걸ᄒᆞ노라 잠을 못 ᄌᆞ미 분명ᄒᆞ도다."

이러톳 보ᄎᆡ기를 마디 아니ᄒᆞᄃᆡ, 태위 못 드른 쳬ᄒᆞ더라..

ᄎᆞ셕(次夕)의 ᄯᅩ 혼뎡(昏定)의 드러가니, 양시 ᄯᅩᄒᆞᆫ 셩장아ᄐᆡ(盛粧雅態)로 좌의 이시니, ᄉᆡ로온 광염(光艶)이 댱부디심(丈夫之心)을 농쥰(弄蠢)251)ᄒᆞᄂᆞᆫ디라. 태위 비록 회과ᄌᆞ칙(悔過自責)ᄒᆞ여 젼일 허랑상심(虛浪喪心)ᄒᆞ믄 업ᄉᆞ나 맛ᄎᆞᆷᄂᆡ 군ᄌᆞ디위의(君子之威儀) 뎡대(正大)ᄒᆞ믄 블급ᄒᆞᆫ 고로, 일빵봉안(鳳眼)이 ᄌᆞ연 다정ᄒᆞ여, 양쇼져 신샹의 ᄌᆞ로 빗최니, 쇼졔 눈을 낫초아시나 엇디 긔ᄉᆡᆨ을 모로리오. 심하(心下)의 블열ᄒᆞ믈 니긔디 못ᄒᆞ더라.

하부인이 쇼 왈,

"몰낫더니, 현뎨 아니 님공도ᄉᆞ홍도ᄀᆡᆨ(臨邛道士鴻都客)252)의 환혼향(還魂香)253)을

250)회션기악(回善棄惡) : 악을 버리고 선에 돌아옴.
251)농쥰(弄蠢) : 사람의 마음을 제 뜻대로 움직여 꿈틀거리게 함.
252)님공도ᄉᆞ홍도ᄀᆡᆨ(臨邛道士鴻都客) : 중국 당나라 때 시인 백거이(白居易;772-846)의 <장한가(長恨歌)>에 나오는 시구(詩句). '홍도에 객으로 머물고 있는 임공 땅에서 온 도사'라는 뜻. *임공(臨邛); 중국에 있었던 옛 지명. *홍도(鴻都); 중국 한나라 때 도성인 낙양에 있었던 門의 이름. *객(客); 당

시나 임의 회션기악(回善棄惡)222) ᄒᆞ엿시니, 존당이 임의 용셔ᄒᆞ여 계시거ᄂᆞᆯ, 형 등이 어려오믄 셩인이[에] 더ᄒᆞ시미냐? 고어에 왈,

"'군신 부뷔 일톄니, 츙냥녈ᄉᆡ(忠良烈士) 시졀을 그릇 만나ᄃᆡ, 님군을 원치 아니ᄒᆞᄂᆞ니라' ○○[ᄒᆞ니], 양씨 엇지 소텬(所天)을 원망ᄒᆞ리오."

ᄒᆞ고, 셜파에 광슈로 낫찰 덥고 기리 누으니, 졔인이 대소ᄒᆞ고 ᄭᅮ지져 왈,

"텬하의 긔벽 조흔 것과 낫가족 둣거온 흉ᄒᆞᆫ 놈은 셰흥이로다. 져 말이 어ᄃᆡ로셔 나나뇨? 군ᄌᆞ에게 비겨 말이 쾌ᄒᆞ나, ᄃᆡ기 븟그러온 냥ᄒᆞ여 낫출 덥고 눕ᄂᆞᆫ도다. 그러치 아니면 슈슈(嫂嫂)긔 ᄋᆡ걸ᄒᆞ노라 잠을 못쟈미 분명ᄒᆞ도다."

이러톳 보ᄎᆡ기를 마지 아니ᄒᆞ며 조르ᄃᆡ, 태위 못 드른 쳬ᄒᆞ더라."

ᄎᆞ셕(次夕)의 ᄯᅩ 혼졍(昏定)의 드러가니, 양씨 ᄯᅩᄒᆞᆫ 셩장아ᄐᆡ(盛粧雅態)로 이의【77】혼졍(昏定)에 참예ᄒᆞ엿시니,

222)회션기악(回善棄惡) : 악을 버리고 선에 돌아옴.

마셧더냐? 죽엇던 양【66】시 엇디 좌의 잇ᄂᆞ뇨?”

태위 쇼이ᄃᆡ왈(笑而對曰),

“녜브터 ᄎᆞᆺ(楚)나라 귤이 졔국(齊國)의 옴기ᄆᆡ 감ᄌᆡ 되다 ᄒᆞ더니, 허언(虛言)이 아니로소이다. 져졔(姐姐) 본ᄃᆡ 단졍ᄒᆞ여 허언쥬츌(虛言做出)ᄒᆞ믈 듯디 못ᄒᆞ엿더니, 근간은 녜와 다르시니 반ᄃᆞ시 윤부 풍쇽을 달므시민가 ᄒᆞᄂᆞ이다. 쇼뎨와 양시 본ᄃᆡ 타난 바 슈복(壽福)이 하원(遐遠)ᄒᆞ니, 그만 ᄌᆡ앙의 죽도록 ᄒᆞ리잇가? 하, ᄉᆞ의로온 말솜 그만ᄒᆞ쇼셔. 힝혀 슈복의 ᄒᆡ로올가 ᄒᆞᄂᆞ이다.”

셜파의 대쇼ᄒᆞ니 좌위 그 ᄀᆡ습(氣習) 됴흐믈 웃고, 딘부인이 기리 혀ᄎᆞ, ᄀᆞᆯ오ᄃᆡ,

“셰ᄋᆞᄂᆞᆫ 가히 텬하의 무빵ᄒᆞᆫ 인면슈심(人面獸心)이라 ᄒᆞ리로다. 아모리 남진들 셰홍ᄀᆞᆺ치 ᄀᆡᄇᆡᆨ(氣魄) 됴흔【67】ᄌᆡ 어ᄃᆡ 이시리오. 녀ᄌᆡ 가부의게 견과(見過)[254]ᄒᆞᆫ다 ᄒᆞᆫ들 양현부ᄀᆞᆺ치 곡경(曲境) 당ᄒᆞᆫ ᄌᆡ 이시리오. 윤·양·니·경 등 졔 현뷔 다 역경참화를 디ᄂᆡ여시나, ᄯᅩᄒᆞᆫ 가부의 박힝무신(薄行無信)ᄒᆞ여 핍살(逼殺)ᄒᆞ고져 ᄒᆞ믄 업ᄉᆞᆫ디라. 내 일즉 ᄌᆞ딜종족디간(子姪宗族之間)의도 부쳐(夫妻) ᄉᆞ이 혹ᄌᆞ 블화(不和)ᄒᆞᄂᆞ니 이셔 쇼쇼 견과디ᄉᆡ(見過之事) 업디 아냐도, 셰홍ᄀᆞᆺ치 흉패ᄒᆞᆫ 거ᄉᆞᆫ 드르며 보디 아녀시니, ᄉᆡᆼ각ᄒᆞᆯᄉᆞ록 경심ᄎᆞ악(驚心嗟愕)ᄒᆞ믈 니긔랴.”

졔인이 딘부인 말솜을 드를ᄉᆞ록 태우를 더옥 희롱ᄒᆞ믈 마디 아니니, 태위 모교(母敎)를 듯ᄌᆞᆸ고 황공무안(惶恐無顔)ᄒᆞ여 감히 졔인의 희담(戲談)을 슈작(酬酌)디 못ᄒᆞ더라.

금평휘 태우의【68】 개과ᄌᆞᄎᆡᆨ(改過自責)ᄒᆞ믈 크게 두굿겨, ᄎᆞ후 슈신셥힝(修身攝行)ᄒᆞ기를 더옥 경계ᄒᆞ니, 태위 가디록 셥힝ᄒᆞ기를 공부ᄒᆞ더라.

현종 때의 술사(術士) 양통유(楊通幽)를 가리킴.

253)환혼향(還魂香) : 죽은 사람의 혼을 불러온다는 향기.

254)견과(見過) : 자신이 지은 잘못으로 인해 다른 사람으로부터 꾸짖음을 당함.

딘부인이 양씨를 가라쳐 왈,

“져ᄀᆞᆺ치 곡경을 당ᄒᆞᆫ지 어이 잇시리오. 윤·양·니·경 등 졔 현뷔 역경 참화를 지ᄂᆡ엿시나, ᄯᅩᄒᆞᆫ 가부의 박힝무신(薄行無信)ᄒᆞ여 핍살(逼殺)ᄒᆞ고져 ᄒᆞ믄 업ᄉᆞᆫ지라. 내 일즉 ᄌᆞ딜종족지간(子姪宗族之間)에도 부쳐 ᄉᆞ이 혹ᄌᆞ 블화ᄒᆞ여 ᄒᆞᄂᆞ니 잇셔 견과지ᄉᆡ(見過之事)[223] 잇셔도, 셰홍ᄀᆞᆺ치 흉ᄑᆡᄒᆞᆫ 거ᄉᆞᆫ 드르며 보지 아냐시니, ᄉᆡᆼ각ᄒᆞᆯᄉᆞ록 놀랍도다.”

졔인이 딘부인 말솜을 들을ᄉᆞ록 태우를 더욱 긔롱ᄒᆞ니, 태위 모교를 듯ᄌᆞᆸ고 황공ᄒᆞ여 감히 졔인의 희담(戲談)을 슈작(酬酌)지 못ᄒᆞ더라.

금휘 태우의 ᄀᆡ과ᄌᆞᄎᆡᆨ(改過自責)ᄒᆞ믈 크게 두굿겨, ᄎᆞ후 슈신셥힝(修身攝行)ᄒᆞ기를 경계ᄒᆞ니, 태위 가지록 셥힝ᄒᆞ기를 ᄌᆞ힝(自行)ᄒᆞ더라.

---

223)견과지ᄉᆞ(見過之事) : 자신이 지은 잘못으로 인해 다른 사람으로부터 꾸짖음을 당한 일.

금평휘 태우의 ᄋᆞᄌᆞ로뼈 일홈을 유긔라 ᄒᆞ다【69】

명듀보월빙 권디팔십ᄉᆞ

어시의 금평휘 태우의 ᄋᆞᄌᆞ 명을 유긔라 ᄒᆞ다. ᄒᆡᄋᆡ 날노 영형슈발(英形秀拔)ᄒᆞ여 존당의 ᄉᆞ랑이 현긔 등의 나리디 아니ᄒᆞ고, 태우의 은ᄋᆡᄂᆞᆫ ᄉᆞ친(事親) 여가의 일ᄉᆡᆼ 슬하(膝下)의 교무(交撫)ᄒᆞ여 일시를 ᄯᅥ나고져 아니ᄒᆞ니, 일가 듕인(衆人)이 치쇼(嗤笑)의 근본이 되엿더라.

양부의셔 평당 부뷔 필녀의 신셰 어ᄌᆞ러옴과 나죵 셔랑의 병셰 위듕ᄒᆞ여 ᄉᆞᄉᆡᆼ의 이시믈 우려ᄒᆞ다가, 병이 낫고 부뷔 단취ᄒᆞᄆᆞᆯ 깃거ᄒᆞ며, 소공이 ᄯᅩ 어든 ᄉᆞ회나 다르디 아니케, 태우 위병디시(危病之時)의 ᄉᆞᄉᆞ난녜(事事亂慮) ᄇᆡᆨ츌(百出)ᄒᆞ여, ᄌᆞ가의 명되 궁험(窮險)ᄒᆞ여 초년의 여러 【1】 ᄌᆞ녀를 셔하디탄(西河之嘆)[255]을 보고, 듕도의 고분디통(叩盆之痛)[256]을 만나고, 쳔금 교ᄋᆞ(嬌兒)를 강보(襁褓)의 실니ᄒᆞ여 허다 비고(悲苦)를 ᄀᆞᆺ초 격고, 계오 텬눈을 단합ᄒᆞ나 텬연이 괴이ᄒᆞ여 뎡태우의 그믈의 버셔나디 못ᄒᆞ게 되여시니, 그 병이 나은즉 혼인을 일울가 ᄒᆞ더니, 병이 장ᄎᆞ 위악ᄒᆞ여 ᄉᆞᄉᆡᆼ의 명ᄌᆡ경ᄀᆡᆨ(命在頃刻)[257]ᄒᆞᄆᆞᆯ 드를 젹마다, 구곡(九曲)이 ᄎᆞᆫ단(寸斷)ᄒᆞ여 쳔금 일 교ᄋᆞ로 심규(深閨)의 쳥상(靑孀)을 감심ᄒᆞᆯ가 우황졀민(憂惶切悶)ᄒᆞ미 양평당의 디디 아니니, 양공이 도로혀 위로ᄒᆞ여 뎡태우 복녹디상(福祿之相)이 이만 병의 죽디 아닐 줄을 일ᄏᆞ라, 호언으로 관회(寬誨)ᄒᆞ더니, 태위 신딜(身疾)이 쾌ᄎᆞᄒᆞ니, 양·소 이공의 깃브미 측냥 업더라. 양·소 이공이 상의ᄒᆞ여 태우의 【2】 신환(辛患)이 쾌소ᄒᆞ고, 소쇼져 신상이 가복(可復)ᄒᆞ고 무쥬러딘 녹발이 ᄌᆞ

255)셔하디탄(西河之嘆) : 자식을 잃은 탄식. '서하의 탄식'이라는 뜻으로, 공자(孔子)의 제자인 자하(子夏)가 서하(西河)에 있을 때 자식을 잃고 너무 슬픈 나머지 소경이 된 고사에서 온 말.
256)고분디통(叩盆之痛) : 물동이를 두드리는 슬픔이라는 뜻으로, 아내가 죽은 슬픔을 이르는 말.
257)명ᄌᆡ경ᄀᆡᆨ(命在頃刻) : 목숨이 순간 달려 있음.

금평휘 태우 ᄋᆞᄌᆞ의 명을 유긔라 ᄒᆞ니, ᄋᆞ히 날노 영형슈발(英形秀拔)ᄒᆞᄆᆡ, 존당의 ᄉᆞ랑이 현긔 등 【78】 의 나리지 아니ᄒᆞ고, 태우의 병된 ᄌᆞᄋᆡᄂᆞᆫ 조ᄉᆞ(朝事)[224] 봉친(奉親) 여가에ᄂᆞᆫ ᄋᆞᄌᆞ를 슬상(膝上)에 교무(交撫)ᄒᆞ여 일시를 ᄯᅥ나고져 아니ᄒᆞ니 졔인의 치소(嗤笑)의 근본을 삼앗더라.

양부에셔 필녀의 신셰 어지러옴과 나종에 셔랑의 신병이 위즁ᄒᆞ여 ᄉᆞ병에 잇시믈 우려ᄒᆞ더니, 이졔 병이 낫고 부뷔 단취ᄒᆞ고 ○[여]상(如常)ᄒᆞᄆᆞᆯ 깃거ᄒᆞ며, 소공이 ᄯᅩᄒᆞᆫ 어든 샤회나 다르지 아냐, ᄐᆡ우의 병이 ᄉᆞᄉᆡᆼ이[에] 잇실졔ᄂᆞᆫ ᄉᆞᄉᆞ난예(事事亂慮) ᄇᆡᆨ츌(百出)ᄒᆞ여, ᄌᆞ긔 명되 샤샤(事事)의 궁험(窮險)ᄒᆞ여, 초년의 여러 ᄌᆞ녀로 인ᄒᆞ여 셔하지탄(西河之嘆)[225]을 보며, 즁도의 고분지통(叩盆之痛)[226]을 만나○[고], 쳔금 교ᄋᆞ(嬌兒)를 강보(襁褓)에 실니ᄒᆞ고 허다 긔화를 지ᄂᆡ다가, 겨유 텬륜을 단합ᄒᆞ나 인연이 고이ᄒᆞ여 뎡태우 긔믈(奇物)[227]의 버셔나지 못ᄒᆞ게 되야시니, 병이 나으면 장챠 긔약(期約)을 《경젼‖셩젼》코져 ᄒᆞ더니, 태위 병셰 위악(危惡)ᄒᆞ니 ᄉᆞ경(死境)이 슈유(須臾)에 잇시믈 드를 젹마다, 구곡(九曲)이 【79】 ᄎᆞᆫ할(寸割)ᄒᆞ여 우황졀민(憂惶切悶)ᄒᆞ니, 평장이 도로혀 위로ᄒᆞ여 뎡태위 복녹지상(福祿之相)이 이만 병에 죽지 아닐 줄을 닐ᄏᆞ라 호언으로 관회(寬誨)ᄒᆞ더니, 태위 신질이 쾌ᄎᆞᄒᆞ며 소소져 신상이 가복(可復)ᄒᆞ고 무주러진 녹발이 자라기를 기ᄃᆞ려, 냥개 상의ᄒᆞ여 호연을 닐우려 ᄒᆞ더라.

224)조사(朝事) : 국사(國事). 조정(朝政)의 일.
225)셔하디탄(西河之嘆) : 자식을 잃은 탄식. '서하의 탄식'이라는 뜻으로, 공자(孔子)의 제자인 자하(子夏)가 서하(西河)에 있을 때 자식을 잃고 너무 슬픈 나머지 소경이 된 고사에서 온 말.
226)고분디통(叩盆之痛) : 물동이를 두드리는 슬픔이라는 뜻으로, 아내가 죽은 슬픔을 이르는 말.
227)기믈(奇物) : 기이하게 아름다운 것. 아름다운 처나 첩을 이르는 말.

라기를 기다려, 냥개 상의ᄒᆞ여 호연을 일우려 ᄒᆞ더라.

태위 신병(辛病)[258] 슈월의 쾌ᄎᆞ(快差)ᄒᆞ여 옥궐의 됴회ᄒᆞ니, 샹이 그 오ᄅᆡ 유병ᄒᆞ엿던 줄 위로ᄒᆞ시고, 풍광이 슈쳑ᄒᆞ믈 보시ᄆᆡ 그 병이 듕턴 줄 놀나시더라.

태위 젼과(前過)를 뉘웃촌 후ᄂᆞᆫ 풍뉴화ᄉᆞ(風流華奢)를 바려, 온듕뎡대 ᄒᆞᆫ 군ᄌᆞ디도를 힝ᄒᆞ니 만ᄉᆡ 무흠이라. 가듕이 ᄉᆡ로온 화긔(和氣) ○○○[가득ᄒᆞ]나, 일단(一端) 흠ᄉᆡ ○[ᄂᆞᆫ] 그 부부 금슬이라. 태위 양시를 ᄋᆡ모ᄒᆞ미 슈유블니(須臾不離)[259]ᄒᆞᆯ 뜻이 이시나, 쇼져의 ᄂᆡᆼ졍(冷情) ᄆᆡ몰ᄒᆞ믄 일일층가(日日層加)로, ᄉᆞ실(私室)의 모드나 ᄆᆡᆨᄆᆡᆨ히 손을 솟고, 옥모의 혜풍(惠風) 화긔(和氣) 소삭(消索)ᄒᆞ여 상텬녈일(霜天烈日) ᄀᆞᆺ고,【3】상경여빈(相敬如賓)ᄒᆞ니 의연(依然)이 힝노인(行路人) ᄀᆞᆺᄐᆞ니, 태위 심니의 블열ᄒᆞ미 그음업고, 젼일 호승(好勝)이면 일분(一分) 관셔(寬恕)치 아닐 거시로ᄃᆡ, 쳐음브터 ᄌᆞ개(自己) 그릇ᄒᆞ여 슉녀의 블복ᄒᆞ미 되엿ᄂᆞᆫ디라. 장ᄎᆞ 위엄으로 관쇽(關束)ᄒᆞ미 블가ᄒᆞᆫ 줄 아니, 덕으로 감화코져 ᄒᆞ여 감히 다시 격노(激怒)치 못ᄒᆞ고, 비록 ᄉᆞ실의 긔회(機會) ᄌᆞᄌᆞ나 부인의 ᄂᆡᆼ낙(冷落)[260]은 날노 더어, 동상(同床)은 쳔니 ᄀᆞᆺᄐᆞ니, 우랑(牛郎)[261] 텬손(天孫)의 은하(銀河) 삼쳔니(三千里)ᄂᆞᆫ 칠셕교(七夕橋) 다리 잇거니와, 뎡태우 부부금슬 ᄌᆡ합(再合)은 ᄊᆡ를 모로리러라.

양평댱이 금평후를 ᄃᆡᄒᆞ여 ᄉᆡᆼ딜의 젼후 셜화를 베프러, 의(義)예 타문을 ᄉᆡᆼ각디 못ᄒᆞᆯ 줄 니르니, 금휘 츈교의 초【4】ᄉᆞ로 알고, 대양시 언ᄂᆡ(言內)로 소시의 일을 아랏ᄂᆞᆫ디라. 가히 타문의 가디 못ᄒᆞᆯ 줄 혜아리나, ᄋᆞ직 년쇼호방으로 허랑방일ᄒᆞ고 실셩

258)신병(辛病) : 병으로 몹시 애씀.
259)슈유블니(須臾不離) : 잠시도 곁을 떠나지 않음.
260)ᄂᆡᆼ낙(冷落) : 서로의 사이가 멀어져 정답지 않고 쌀쌀하다.
261)우랑(牛郎) : 견우(牽牛). 견우직녀 설화에 나오는 남자 주인공.

태위 신병(辛病)[228] 슈월의 쾌ᄎᆞ(快差)ᄒᆞ여 옥궐의 조회ᄒᆞ니, 샹이 그 오ᄅᆡ 유병ᄒᆞ엿던 줄 위로ᄒᆞ시고, 츈광(春光)[229]이 슈쳑ᄒᆞ믈 보시ᄆᆡ 그 병이 즁턴 줄 아시더라.

태위 젼과를 뉘웃촌 후ᄂᆞᆫ 다시ᄂᆞᆫ 화ᄉᆞ(華奢)를 바려, 온즁졍ᄃᆡᄒᆞᆫ 군ᄌᆞ지조[도]를 힝ᄒᆞ니 무흠이라. 가즁이 ᄉᆡ로온 화긔 ○○○[가득ᄒᆞ]나 일단 흠ᄉᆡ 그 부부 금슬이라. 태위 양씨를 ᄋᆡ모ᄒᆞ미 슈유블니(須臾不離)[230]ᄒᆞᆯ 뜻이 이시나, 소져의 ᄂᆡᆼ졍(冷情) ᄆᆡ몰ᄒᆞ믄 일일층가(日日層加)로, ᄉᆞ실에 모드나 ᄆᆡᆨᄆᆡᆨ히 손을 쏩고, 옥모의 혜풍(惠風) 화긔(和氣) 소삭(消索)ᄒᆞ여 상텬녈일(霜天烈日)【80】갓고, 상경여빈(相敬如賓)을 다ᄒᆞ니 의연이 힝노인(行路人) ᄀᆞᆺᄒᆞ니, 태위 심니에 블열ᄒᆞ미 그음 업고, 젼일 호승(好勝)이면 일분(一分) 관셔(寬恕)치 아닐 거시로ᄃᆡ, 쳐음부터 ᄌᆞ개 그릇ᄒᆞ여 슉녀의 불불(不服)이 되엿ᄂᆞᆫ지라. 장ᄎᆞᆺ 위엄으로 관속(關束)ᄒᆞ미 불가ᄒᆞᆫ 줄 아니, 덕으로 감화코져 ᄒᆞ여 감히 다시 격노치 못ᄒᆞ고, 비록 ᄉᆞ실의 긔회 ᄌᆞᄌᆞ나 부인○[의] ᄂᆡᆼ담(冷淡)은 날노 더어, 동상(同床)은 쳔니 ᄀᆞᆺᄒᆞ니, 우랑(牛郎)[231] 쳔손(天孫)의 은하ᄉᆞᆷ쳔니(銀河三千里)ᄂᆞᆫ 칠셕교(七夕橋) 다리 잇거니와, 뎡태우 부부금슬 ᄌᆡ합(再合)은 ᄊᆡ를 모로깃더라.

양평장이 금평후를 ᄃᆡᄒᆞ여 ᄉᆡᆼ딜의 젼후 셜화를 베프러, 의(義)네[에] 타문을 ᄉᆡᆼ각지 못ᄒᆞᆯ 줄 니르니, 금휘 츈교의 초ᄉᆞ를[로] 알고, 대양씨 언ᄂᆡ(言內)로 소씨의 일을 아랏ᄂᆞᆫ지라. 가히 타문의 가지 못ᄒᆞᆯ 줄 혜아리나, ᄋᆞ직 년소【81】호방으로 허랑 방일

228)신병(辛病) : 병으로 몹시 애씀.
229)춘광(春光) : ①봄날의 경치. ②젊은 사람의 나이 또는 풍채.
230)슈유블니(須臾不離) : 잠시도 곁을 떠나지 않음.
231)우랑(牛郎) : 견우(牽牛). 견우직녀 설화에 나오는 남자 주인공.

광망을 계오 딘뎡(鎭定)ᄒᆞ엿거ᄂᆞᆯ, 어나 ᄉᆞ이의 혼ᄉᆞ를 드노흐미 블가ᄒᆞᆫ 고로, 침ᄉᆞ반향(沈思半晑)의 빈미(颦眉) 왈,

"소시 명되 다험토다. 뎍인(適人)[262]ᄒᆞᄆᆡ 계활이 쾌치 못ᄒᆞ여, 블초(不肖) 광망(狂妄) ○[ᄒᆞᆫ] 셰홍을 만나시니 신셰 가련ᄒᆞ도다. 슈연(雖然)이나 셰(勢) 마디 못ᄒᆞ리니 엇디 거졀ᄒᆞ리오마ᄂᆞᆫ, 돈ᄋᆡ 신양(身恙)이 패(敗)ᄒᆞ고 환난을 갓 딘뎡ᄒᆞ고, 녕딜(佲姪)이 셩녀의게 참욕(慘辱)을 바다, 연연(軟軟) 옥장(玉腸)을 놀ᄂᆡ다 ᄒᆞ니, 아ᄃᆞᆨ 셰월을 쳔연(遷延)ᄒᆞ여 소셩(蘇醒)ᄒᆞ기를 기다려, 혼ᄉᆞ를 일우미 늣디 아니니 【5】 이 쯧을 통ᄒᆞ라."

평댱이 그 말을 조ᄎᆞ 졈두(點頭) 칭샤(稱謝)ᄒᆞ고 도라가, 소공을 ᄃᆡᄒᆞ여 ᄎᆞᄉᆞ를 젼ᄒᆞ니 소공이 대희ᄒᆞ나, 쇼졔 알고 부젼의 읍고(泣告)ᄒᆞ여, 슬하의셔 늙기를 원ᄒᆞ고 대경ᄒᆞ니, 공이 블승ᄋᆡ련(不勝哀憐)ᄒᆞ나 ᄉᆞ리로 개유(開諭)ᄒᆞ여, ᄌᆞ긔 남ᄆᆡ 간 다른 ᄌᆞ녀를 두디 못ᄒᆞ여시니, 폐륜(廢倫)이 인ᄌᆞ(人子)의 되(道) 아니므로ᄡᅧ, ᄇᆞᆰ히 닐너 고집ᄒᆞ믈 개유ᄒᆞ니, 쇼졔 ᄒᆞᆯ일업셔 다시 개구(開口)치 못ᄒᆞ더라.

이젹의 동창왕 계 모반(謀叛)ᄒᆞ여 ᄌᆞ칭 뎡동텬ᄌᆡ라 ᄒᆞ고, 텬위(天位)를 찬탈ᄒᆞᆯ 쯧이 급ᄒᆞ여 동창 일읍(一邑)의 변뵈(變報) 눈 날니 ᄃᆞᆺᄒᆞ여, 됴졍의 비보(飛報)[263]ᄒᆞ니, 됴졍 문뮈 대경ᄒᆞ여 뇽뎐의 쥬ᄒᆞ니, 이 ᄣᆡ 평졔 대원슈 뎡텬 【6】 홍은 졔왕의 강셩ᄒᆞ믈 ○○○[인ᄒᆞ여] 밋쳐 파치 못ᄒᆞ○○○○[여 승젼ᄒᆞ]믈 뇽뎐의 쥬치 못ᄒᆞ여셔, 평위대원슈 윤광텬은 발셔 쳡음이 두 번 뇽뎐의 올나, 오라디 아냐 승젼환됴(勝戰還朝)ᄒᆞ게 되엿ᄂᆞᆫ디라. 텬ᄌᆡ 오히려 번이(蕃夷)[264]의 근심을 더디 못ᄒᆞ여 계시거ᄂᆞᆯ, 동뎍(東賊)이 강셩ᄒᆞ믄 니르도 말고, 슈하의 두 호댱(胡將)이 이셔, 요술(妖術) 변홰(變化) 무궁ᄒᆞ

ᄒᆞ고, 실셩광망을 겨유 진졍ᄒᆞ엿거ᄂᆞᆯ, 어ᄂᆞ ᄉᆞ이의 혼ᄉᆞ를 드노흐미 블가ᄒᆞᆫ 고로, 침ᄉᆞ반향(沈思半晑)에 빈미(嚬眉) 왈,

"소씨 명되 다험토다. 젹군(適君)[232]ᄒᆞᄆᆡ 계활이 쾌치 못ᄒᆞ여, 불초(不肖) 광망(狂妄) ○[ᄒᆞᆫ] 셰홍을 만나시니 신셰 가련ᄒᆞ도다. 슈연(雖然)이나 셰(勢) 마지 못ᄒᆞ리니 엇지 거졀ᄒᆞ리오마ᄂᆞᆫ, 돈ᄋᆡ 신양(身恙)이 픽(敗)ᄒᆞ고 환난을 갓 진졍ᄒᆞ고, 《녕걸 ‖ 녕질(佲姪)》이 셩녀의게 참욕(慘辱)을 바다, 연연(軟軟) 옥장(玉腸)을 놀ᄂᆡ다 ᄒᆞ니, 아즉 셰월을 쳔연(遷延)ᄒᆞ여 소셩(蘇醒)ᄒᆞ기를 기다려 혼ᄉᆞ를 일우미 늣지 아니니, 이 쯧을 통ᄒᆞ라."

평장이 그 말을 조ᄎᆞ 졈두(點頭) 치샤(致謝)ᄒᆞ고 도라가, 소공을 ᄃᆡᄒᆞ여 ᄎᆞᄉᆞ를 젼ᄒᆞ니 소공이 ᄃᆡ희ᄒᆞ나, 소졔 알고 부젼에 읍고(泣告)ᄒᆞ여 슬하에셔 늙기를 원ᄒᆞ고 ᄃᆡ경ᄒᆞ니, 공이 불승ᄋᆡ련(不勝哀憐)ᄒᆞ나 ᄉᆞ리로 ᄀᆡ유ᄒᆞ여 ᄌᆞ긔 【82】 남ᄆᆡ 간 다른 ᄌᆞ녀를 두지 못ᄒᆞ엿시니, 폐륜(廢倫)이 인ᄌᆞ(人子)의 되(道) 아니므로ᄡᅧ, ᄇᆞᆰ히 닐너 고집ᄒᆞ믈 ᄀᆡ유ᄒᆞ니, 소졔 ᄒᆞᆯ일업셔 다시 ᄀᆡ구(開口)치 못ᄒᆞ더라.

이젹에 동창왕 계 뫼[모]반(謀叛)ᄒᆞ여 ᄌᆞ칭 텬ᄌᆞ라 ᄒᆞ고, 텬위를 찬탈ᄒᆞᆯ 쯧이 급ᄒᆞ여 동창 일읍(一邑)의 변뵈(變報) 눈 날니 ᄃᆞᆺᄒᆞ여, 조졍에 비보(飛報)[233]ᄒᆞ니, 조졍 문뮈 ᄃᆡ경ᄒᆞ여 뇽젼에 쥬ᄒᆞ니, 이 ᄣᆡ 평졔 ᄃᆡ원슈 뎡천홍은 졔왕의 강셩ᄒᆞ믈 인ᄒᆞ여 밋쳐 파(破)치 못ᄒᆞ○○○○[여 승젼ᄒᆞ]믈 뇽젼에 쥬치 못ᄒᆞ여셔, 평위 ᄃᆡ원슈 윤광텬은 발셔 쳡음이[을] 두 번 뇽젼의 올녀, 오라지 아냐 승젼환조(勝戰還朝)ᄒᆞ게 되엿ᄂᆞᆫ지라. 텬ᄌᆡ 오히려 번니(蕃夷)[234]의 근심을 더지 못ᄒᆞ여 계시거ᄂᆞᆯ, 동젹이 강셩ᄒᆞ믄 니르도 말고, 슈하에 두 호장(胡將)이 잇셔, 요술변홰 무궁ᄒᆞ여 지나ᄂᆞᆫ 바에 ᄃᆡ젹ᄒᆞ리

262)적인(適人) : 시집 감. 결혼 함
263)비보(飛報) : 아주 빨리 보고함. 또는 그런 보고.
264)번이(蕃夷) : 변방의 오랑캐.

232)적군(適君) : 남편에게 시집 옴.
233)비보(飛報) : 아주 빨리 보고함. 또는 그런 보고.
234)번이(蕃夷) : 변방의 오랑캐.

여, 풍우○[의] 변화와 귀신을 브르니, 소과(所過)의 무뎍(無敵)이오, ᄡᅡ호ᄆᆡ 니긔디 못ᄒᆞᄂᆞᆫ ᄇᆡ 업다 ᄒᆞᄂᆞᆫ디라. 샹이 됴회를 여르샤 동뎍(東賊) ᄃᆡ뎍ᄒᆞᆯ 일을 므르시니, 문무냥관이 다 놀나고, 젼일 손확이 ᄌᆞ원ᄒᆞ여 패망ᄒᆞᆫ 줄을 보앗ᄂᆞᆫ디라. 셔로 면면상고ᄒᆞ고 능히 ᄃᆡ답디 【7】 못ᄒᆞ더니, 반부듕(班部中)으로 일위 지상이 금포(錦袍)를 ᄯᅥᆯ치고 옥ᄃᆡ를 도도며, 츄이딘쥬(趨移進奏) 왈(曰),

“신슈브ᄌᆡ(臣雖不才)나 원컨ᄃᆡ 일녀디ᄉᆞ(一旅之士)를 빌니시면, 셩듀(聖主)의 홍복(鴻福)과 졔댱(諸將)의 힘으로 동창 뎍을 멸ᄒᆞ여 농우(龍憂)를 덜니이다.”

쥬파(奏罷)의 긔위 늠연ᄒᆞ고 셩음이 쇄락ᄒᆞ여, 구소(九霄)265)의 난학(鸞鶴)이 우디디ᄂᆞᆫ ᄃᆞᆺ ᄒᆞ니, 뎐샹뎐ᄒᆡ(殿上殿下) 엄연(奄然) 찰시(察視)ᄒᆞᄆᆡ, 이 곳 다르니 아니라 태ᄌᆞ태부 홍문관 태ᄒᆞᆨᄉᆞ 니부퉁ᄌᆡ 효문공 윤희텬이라. 샹이 견파(見罷)의 대열ᄒᆞ샤 뎡히 옥음을 나리오고져 ᄒᆞ시더니, ᄯᅩ 반부 듕으로셔 일위 쇼년명ᄉᆡ ᄌᆞ포오ᄉᆞ(紫袍烏紗)로 츌반(出班) 쥬왈,

“쇼신이 브ᄌᆡ년쇼(不才年少)ᄒᆞ오나, 윤희텬과 ᄒᆞᆫ가디로 요뎍(妖賊)을 삭평(削平)ᄒᆞ여【8】 디이다.”

뎐샹뎐ᄒᆡ ᄒᆞᆫ가디로 보니, 간의태우 뎡셰홍이니, 와잠미(臥蠶眉)오, 월면단슌(月面丹脣)의 원비일외(猿臂逸腰)266)니, ᄒᆞᆫ갓 영걸《이오 ‖ 일 ᄲᅮᆫ 아니오》, 위무(威武)와 디용(智勇)이{오} 한신(韓信)267) 쥬아부(周亞夫)268)로 병구(竝驅)ᄒᆞᆯ디라. 샹이 ᄆᆡ양 ○[그] 츌셰디용(出世之容)269)과 경인디풍(驚人之風)270)을 흠ᄋᆡ(欽愛)ᄒᆞ시던 ᄇᆡ라. 텬안

업고, ᄡᅡ호ᄆᆡ 니긔지 못 【83】 ᄒᆞᄂᆞᆫ ᄇᆡ 업다 ᄒᆞ거ᄂᆞᆯ, 상이 문무 졔신을 모ᄒᆞ샤 근심ᄒᆞ시거ᄂᆞᆯ, 윤니뷔 츌반(出班) 주왈(奏曰),

“소신이 비록 지죄 업ᄉᆞ오나 동적을 버혀 상의 근심을 덜가 ᄒᆞᄂᆞ이다.”

---

265)구소(九霄) : 높은 하늘.

266)원비일외(猿臂逸腰) : 긴 팔과 늘씬한 허리.

267)한신(韓信) : ? - BC196. 중국 한(漢)나라 때의 무장(武將). 한 고조를 도와 조(趙)·위(魏)·연(燕)·제(齊)나라를 멸망시키고 항우를 공격하여 큰 공을 세웠다

268)쥬아부(周亞夫) : 중국 전한(前漢) 전기의 무장, 정치가. 오초칠국(吳楚七國)의 난을 평정해 공을 세웠고 승상에 올랐다.

269)츌셰디용(出世之容) : 세상에서 뛰어난 용모.

(天顔)이 환열(歡悅)ᄒᆞ샤 동군(東君)[271]의 화긔(和氣)를 움ᄌᆞᆨ이샤 왈,

"윤·뎡 냥문 졔경(諸卿)은 숑됴(宋朝)의 샤졀딕신(死節直臣)이라. 딤의 샤딕간셩(社稷干城)이니 군국 듕ᄉᆞ를 가ᄉᆞ의셔 더은디라. 텬흥과 광텬이 ᄒᆡ외(海外)의 츌샤ᄒᆞ여 회환(回還) 디쇽(遲速)이 미가분(未可分)이어ᄂᆞᆯ, 경 등이 마ᄌᆞ[272] ᄌᆞ원츌뎡(自願出征)ᄒᆞ니 딤이 우려를 노치 못ᄒᆞ리로다. 슈연(雖然)이나 경 등은 블모지디의 나아가 명텰보신(明哲保身)ᄒᆞ고 국ᄉᆞ를 【9】 션티ᄒᆞ며 도뎍을 평뎡ᄒᆞ여 도라오라."

ᄒᆞ시고, 윤니부로 평동대원슈(平東大元帥)를 ᄇᆡᄒᆞ샤 상방인검(尙方印劍)[273]을 주시고, 뎡셰흥으로 부원슈를 삼아 즉일 티힝(治行) 발병(發兵)ᄒᆞ라 ᄒᆞ시니, 냥인이 퇴됴ᄒᆞ여 부듕의 도라와 존당 부모긔 소유를 고ᄒᆞ니, 취운산 뎡부의셔ᄂᆞᆫ 슌태부인이 만니흉디(萬里凶地)의 슈히 환가치 못ᄒᆞ믈 우려ᄒᆞᄂᆞᆫ ᄀᆞ온ᄃᆡ, 남창후ᄂᆞᆫ 발셔 위국을 평뎡ᄒᆞ여 쳡음(捷音)이 농졍(龍廷)의 니르니, 슌태부인과 금평후 부뷔 녀셔(女壻)의 슈히 승쳡ᄒᆞ믈 깃거ᄒᆞ고, 븍공의 신긔묘산(神技妙算)으로 승뎍(勝敵)디 못ᄒᆞᆯ가 근심ᄒᆞ미 아니로ᄃᆡ, 뎍셰(敵勢) 강용(强勇)ᄒᆞ여 슈히 환가치 못ᄒᆞ니, 태부인이 우려ᄒᆞ미 과도ᄒᆞ니, 금평후와 딘부인이 학낭쇼어(謔浪笑語)로 【10】 즐기시믈 요구ᄒᆞ더니, 믄득 슉녈이 창후의 츌샤(出師)[274] 슈삭의 싱ᄌᆞᄒᆞ여 일개 긔린을 싱ᄒᆞ니, ᄒᆡᄋᆡ ᄌᆞ못 슉셩긔이(夙成奇異)ᄒᆞ고 부풍모ᄌᆞ(父風母姿)[275]ᄒᆞ니, 윤부의셔 환희ᄒᆞ믄 니르도 말고, 희뵈 뎡부의 니르니 태부인과 금후 부부며 윤부○[인]의

270)경인디풍(驚人之風) : 사람들을 놀라게 할 풍채.
271)동군(東君) : '봄의 신', '태양의 신', '태양' 등을 달리 이르는 말.
272)마ᄌᆞ : 마저. 남김없이 모두.
273)상방인검(尙方印劍) : 임금이 전장에 나가는 장수에게 내린 대원수 금인(金印)과 상방검(尙方劍).
274)츌샤(出師) : 출병(出兵). 군사를 이끌고 싸움터로 나감.
275)부풍모ᄌᆞ(父風母姿) : 아버지의 풍채와 어머니의 자태를 닮음.

상이 ᄃᆡ희ᄒᆞ샤 니르샤ᄃᆡ,

"불모지지의 나아가 명졀[쳘]보신(明哲保身)ᄒᆞ고 국ᄉᆞ를 션치ᄒᆞ며 도젹을 평졍ᄒᆞ여 도라오라."

ᄒᆞ시고, 윤니부로 동평ᄃᆡ원슈(東平大元帥)를 ᄇᆡᄒᆞ샤 상방검(尙方劍)[235]을 주시고 뎡셰흥으로 부원슈를 삼아 즉일 치힝(治行) 발병(發兵)ᄒᆞ라 ᄒᆞ시니, 냥인이 퇴ᄒᆞ여 부중에 도라와 존당에 소유를 고ᄒᆞ니, 취운산 뎡부에셔ᄂᆞᆫ 슌태부인이 만니흉디(萬里凶地)에 슈히 환가○[치] 못ᄒᆞ믈 우려ᄒᆞᄂᆞᆫ ᄀᆞ온ᄃᆡ, 남창후ᄂᆞᆫ 발셔 위를 평ᄒᆞ고 쳡음이 뇽젼(龍殿)에 니르니, 슌태부인과 금평후 부뷔 녀셔(女壻)의 슈이 승쳡ᄒᆞ믈 깃거ᄒᆞ고, 북공의 신긔묘산(神技妙算)으로 승적(勝敵)지 【84】 못ᄒᆞᆯ가 근심ᄒᆞ미 아니로ᄃᆡ, 젹셰(敵勢) 강용(强勇)ᄒᆞ여 슈히 환가치 못ᄒᆞ니, 태부인이 우려ᄒᆞ미 과도ᄒᆞ니, 금평후와 딘부인이 학낭소어(謔浪笑語)로 즐기시믈 요구ᄒᆞ더니, 믄득 슉녈이 창후의 츌ᄉᆞ(出師)[236] 슈월에 싱ᄌᆞᄒᆞ여 일ᄀᆡ 《긔련∥긔린》을 싱ᄒᆞ니, ᄒᆡᄋᆡ ᄌᆞ못 슉셩긔이(夙成奇異)ᄒᆞ고 부풍모습(父風母習)[237] ᄒᆞ니, 윤부에셔 환희ᄒᆞ믄 니르도 말고 희뵈 졍부의 니르니 태부인과 금후 부부며 윤부인의 깃부미 상하치 아냐, 일가에 환셩이 가득ᄒᆞ더니, 의외에 동

235)상방검(尙方劍) : 임금이 출정 장수에게 하사하던 칼. 임금의 권위를 상징하는 역할을 하여 부하나 군졸 등이 명을 거역할 때 임금에게 보고하지 않고도 그들의 생사를 마음대로 할 수 있는 권위를 지니는 칼이다.
236)츌샤(出師) : 출병(出兵). 군사를 이끌고 싸움터로 나감.
237)부풍모습(父風母習) : 모습이나 언행이 아버지와 어머니를 고루 닮음.

깃브미 샹하치 아냐, 일가의 환셩이 가득ᄒᆞ더니, 의외의 동창 요뎍(妖賊)이 모반ᄒᆞᄆᆡ, 윤니부와 뎡태위 ᄌᆞ원츌뎡ᄒᆞᄂᆞᆫ디라. 태위 태원뎐의 드러가 연듕ᄉᆞ(筵中事)[276]를 고ᄒᆞ니, 태부인이 아연(啞然) 대경 왈,

"네 비록 궁마디ᄌᆡ(弓馬之才) 유여(裕餘)ᄒᆞ나, 나히 졈고 또 듕병디여(重病之餘)의 엇디 흉디의 가기를 ᄌᆞ원ᄒᆞ뇨? 더옥 ○○[텬ᄋᆡ] 가듕을 써나ᄆᆡ 근간 노뫼 안젼의 듕보(重寶)를 일흠 ᄀᆞᆺᄐᆞ여, 【11】심회 심히 결훌(缺欻)ᄒᆞ니, 뎡히 굴디계일(屈指計日)[277]ᄒᆞ여 텬ᄋᆞ의 환가를 바라거ᄂᆞᆯ, 네 또 만니 젼딘의 나아가니 노뫼 엇디 결연치 아니리오."

셜파의 쳑연(慽然)ᄒᆞ믈 마디 아니니, 태위 안ᄉᆡᆨ을 화히 ᄒᆞ고,

"ᄇᆡᆨ형이 본ᄃᆡ 한신(韓信) 쥬아부(周亞夫)의 위무와 냥평(良平)[278]의 디혜 잇ᄉᆞ오니, 반ᄃᆞ시 오라디 아냐 승젼개가(勝戰凱歌)로 환경ᄒᆞᆯ 거시오, 윤형이 쳥슈미약(淸秀微弱)ᄒᆞ나 와룡(臥龍)[279]의 디혜와 듕달(仲達)[280]의 쇼견이 이시니, 이의 혜건ᄃᆡ 쇼뎍(小賊)을 근심치 아니ᄒᆞ오리니 복원 대모ᄂᆞᆫ 믈우ᄒᆞ쇼셔."

언파의 안ᄉᆡᆨ이 화려ᄒᆞ여 ᄋᆞᄌᆞ를 나호여 슬샹의 언져, 우쥬(又奏) 왈,

"쇼손이 가ᄂᆡ를 써나오나 쳐실과 유ᄋᆡ 잇ᄉᆞ오니, 조뫼 현ᄋᆡ 등과 ᄒᆞᆫ가디【12】로 머므르샤 유희ᄒᆞ쇼셔."

인ᄒᆞ여 졔딜을 ᄇᆡᆨ단유희(百端遊戲)ᄒᆞ여 조모의 열의(悅意)를 요구ᄒᆞ니, 승안화긔 츈

276)연듕ᄉᆞ(筵中事) : 임금과 신하가 모여 자문(諮問)·주달(奏達)하던 자리에서 있었던 일.

277)굴디계일(屈指計日) :손가락을 꼽아 가며 예정된 날을 기다림.

278)냥평(良平) : 중국 한(漢)나라 때의 책사(策士) 장량(張良)과 진평(陳平)을 함께 이르는 말.

279)와룡(臥龍) : 중국 삼국시대 촉한의 정치가 제갈량(諸葛亮 : 181-234)의 별호(別號).

280)듕달(仲達) : 사마의(司馬懿). 179~251. 중국 삼국 시대 위(魏)나라의 명장·정치가. 자는 중달(仲達). 촉한(蜀漢)의 제갈공명의 도전에 잘 대처하는 등 큰 공을 세워, 그의 손자 사마염이 위(魏)에 이어 진(晉)을 세우는 데에 기초를 세웠다

창 요젹(妖賊)이 모반ᄒᆞᄆᆡ, 윤니부 뎡태위 ᄌᆞ원 츌뎡ᄒᆞᄂᆞᆫ지라. 태위 태원뎐에 드러가 궐즁ᄉᆞ(闕中事)를 고ᄒᆞ니, 태부인이 ᄃᆡ경 왈,

"네 비록 궁마지ᄌᆡ(弓馬之才) 유여ᄒᆞ나, 나히 졈고 또 즁병지여(重病之餘)에 엇지 흉디에 가기를 ᄌᆞ원ᄒᆞ뇨? 더욱 텬ᄋᆡ 가즁을 써ᄂᆞᄆᆡ, 근간 노뫼 안젼에 즁보를 일흠 ᄀᆞᆺᄐᆞ여 심【85】회 심히 결훌ᄒᆞ니, 《졍ᄃᆡ‖졍히》 굴지계일(屈指計日)[238]ᄒᆞ여 텬ᄋᆞ의 환가를 ᄇᆞ라거ᄂᆞᆯ, 네 또 만니 젼진에 나아가니 노뫼 엇지 결연치 아니리오."

셜파에 쳑연ᄒᆞ믈 마지 아니니, 태위 안ᄉᆡᆨ을 화히ᄒᆞ고 왈,

"ᄇᆡᆨ형이 지뫼(智謀) 유여ᄒᆞ니, 반ᄃᆞ시 오ᄅᆡ지 아냐 승젼 환경ᄒᆞᆯ 거시오, 소손이 부ᄌᆡ박덕으로 동창 도젹은 족히 근심치 아닐 거시오, 윤형이 쳥슈미약(淸秀微弱)ᄒᆞ나 와룡(臥龍)[239]의 지혜와 즁달(仲達)[240]의 소견이 잇시니, 이에 혜건ᄃᆡ 소젹(小賊)을 근심치 아니리니 복원 ᄃᆡ모ᄂᆞᆫ 물우ᄒᆞ쇼셔."

언파에 안ᄉᆡᆨ이 화려ᄒᆞ여 ᄋᆞᄌᆞ를 나호여 술상에 언져 우주 왈,

"소손이 가ᄂᆡ를 써ᄂᆞ오나 쳐실과 유ᄋᆡ 잇ᄉᆞ오니, 조뫼 현ᄋᆡ 등으로 ᄒᆞᆫ 가지 머므르샤 유희케 ᄒᆞ쇼셔."

인ᄒᆞ여 졔딜을 ᄇᆡᆨ단유희(百端遊戲)ᄒᆞ여 조모의 ○○○[열의(悅意)를] 요구ᄒᆞ니, 승안화긔 츈풍이 온쟈(溫慈)ᄒᆞ여 만물이 부ᄉᆡᆼ(復生)ᄒᆞ【86】니, 태부인과 금평후 부뷔 두굿기고, 녜부 유흥 《궐풍‖필흥》이 존

238)굴디계일(屈指計日) :손가락을 꼽아 가며 예정된 날을 기다림.

239)와룡(臥龍) : 중국 삼국시대 촉한의 정치가 제갈량(諸葛亮 : 181-234)의 별호(別號).

240)듕달(仲達) : 사마의(司馬懿). 179~251. 중국 삼국 시대 위(魏)나라의 명장·정치가. 자는 중달(仲達). 촉한(蜀漢)의 제갈공명의 도전에 잘 대처하는 등 큰 공을 세워, 그의 손자 사마염이 위(魏)에 이어 진(晉)을 세우는 데에 기초를 세웠다

풍이 온ᄌᆞ(溫慈)ᄒᆞ여 만물을 브싱(復生)ᄒᆞᄂᆞᆫ ᄃᆞᆺᄒᆞ니, 태부인과 금평후 부뷔 두굿기고, 녜부 유홍 필홍 등이 존당 부모의 승안열의(承顔熱意)로 학낭쇼에(謔浪笑語) 니어시니, 모든 쇼년 졔부인이 옥협(玉頰)의 가득ᄒᆞᆫ 쇼안이나, 오딕 쇼양시 봉관이 나죽ᄒᆞ고 고개를 슉여시니, 단슌(丹脣)이 《함흑‖함홍(含紅)[281]》ᄒᆞ여 힝혀도 좌간의 경식을 쳠관(瞻觀)ᄒᆞ미 업ᄉᆞ니, 타인은 무심ᄒᆞᄃᆡ 태위 아라 보고 반ᄃᆞ시 ᄌᆞ가를 염증(厭憎)ᄒᆞ민 줄 ᄭᆡᄃᆞ라, 조모긔 쇼이쥬왈(笑而奏曰),

"쇼손이 황됴(皇詔)를 밧ᄌᆞ와 만니의 가오니, 디어가듕샹하(至於家中上下)의 다 결연ᄒᆞ여 ᄒᆞ【13】오ᄃᆡ, 홀노 양시ᄂᆞᆫ 인졍이 아닌가 시브오니, 반ᄃᆞ시 쇼손이 업ᄉᆞ믈 싀훤이 넉이미로소이다."

태부인이 잠쇼 왈,

"양시ᄂᆞᆫ 당금녀ᄉᆞ(當今女士)라. 엇디 이럴니 이시리오. 네 ᄆᆡ양 션실기도(先失其道)ᄒᆞ고 ᄉᆞᄉᆞ의 쳐ᄌᆞ 칙망이 과도ᄒᆞ니, 양시 엇디 도로혀 블복(不服)디 아니리오."

금휘 뎡식 왈,

"고어의 왈, 군ᄌᆞ슉녀ᄂᆞᆫ ᄉᆞ실의 ᄃᆡᄒᆞ나 군ᄌᆞᄂᆞᆫ 믁믁(默默)ᄒᆞ고 슉녀ᄂᆞᆫ 졍졍(貞靜)ᄒᆞ라 ᄒᆞ니, 양시ᄂᆞᆫ 슉인(淑人) 현녀(賢女)의 미딘ᄒᆞ미 업거니와, 너의 광망ᄒᆞ믄 개과ᄒᆞ노라 ᄒᆞ나, 오히려 양시ᄂᆞᆫ 밋디 못ᄒᆞ{리}니 여뷔 한심(寒心) 극의(極矣)라."

태위 청교의 블승황공(不勝惶恐)○○[ᄒᆞ여] 샤죄ᄒᆞ고, 다른 말ᄉᆞᆷ ᄒᆞ다가 날이 져믈ᄆᆡ 셕식을 뎡당의셔 파ᄒᆞ고 혼뎡(昏定)ᄒᆞᄆᆡ, ᄎᆞ야의【14】션삼졍의 가 부인을 볼ᄉᆡ, 웃고 닐오ᄃᆡ,

"부인이 ᄉᆡᆼ을 보면 싀호(豺虎) 샤갈(蛇蝎) ᄀᆞᆺ치 넉이더니, 오ᄅᆡ디 아니나 ᄯᅩᄒᆞᆫ 못 보미 오랄 거시니 져기 싀훤ᄒᆞ리로다. 연이나 슈일 티힝(治行)ᄒᆞ리니, 명일은 대인긔 시침ᄒᆞ고 형뎨 니회를 베플니니 다시 오디 못ᄒᆞᆯ디라, 부인이 ᄯᅩᄒᆞᆫ 금야의 니회(離懷)를 니

281)함홍(含紅) : 입을 닫아 붉은 입술을 다문 채로 있음.

당 부모의 승안열의(承顔熱意)○[로] 학낭소에(謔浪笑語) 니어시니, 모든 소년과 졔부인이 옥협(玉頰)의 가득ᄒᆞᆫ 소안이나, 오죽 소양씨 봉관이 나죽ᄒᆞ고 고ᄀᆡ를 슉여시니, 단슌(丹脣)이 함홍(含紅)[241]ᄒᆞ여 힝혀도 좌간의 경식을 쳠관(瞻觀)ᄒᆞ미 업ᄉᆞ니, 타인은 무심ᄒᆞᄃᆡ 태위 아라 보고, 반ᄃᆞ시 ᄌᆞ가를 념증(厭憎)ᄒᆞ민 줄 ᄭᆡᄃᆞ라, 조모긔 소이주왈(笑而奏曰),

"소손이 황조(皇詔)를 밧ᄌᆞ와 만니에 가오니, 지어가즁샹하(至於家中上下)의 다 결연ᄒᆞ여 ᄒᆞ오ᄃᆡ, 홀노 양씨ᄂᆞᆫ 인졍이 아닌가 보오니 반ᄃᆞ시 소손이 업ᄉᆞ믈 싀원이 넉이미로소이다."

태부인이 잠소 왈,

"양씨ᄂᆞᆫ 당금녀ᄉᆞ(當今女士)라. 엇지 이럴니 잇시리오. 네 ᄆᆡ양 션실기도(先失其道)ᄒᆞ여 ᄉᆞᄉᆞ의 쳐ᄌᆞ 칙망이 과도ᄒᆞ니, 양씨 엇지 도로혀 불복지 아니리오."

금휘 뎡식 왈,

"고어에 왈,【87】군ᄌᆞ슉녀ᄂᆞᆫ ᄉᆞ실의 ᄃᆡᄒᆞ나 장부ᄂᆞᆫ 묵묵(默默)ᄒᆞ고 슉녀ᄂᆞᆫ 졍졍(貞靜)ᄒᆞ라 ᄒᆞ니, 양씨ᄂᆞᆫ 슉인(淑人) 현녀(賢女)의 미진ᄒᆞ미 업거니와, 너의 광망ᄒᆞ믄 ᄀᆡ과 ᄒᆞ노라 ᄒᆞ나, 오히려 양씨ᄂᆞᆫ 밋지 못ᄒᆞ{리}니 여뷔 한심(寒心) 극의(極矣)라."

태위 청파에 불승황공(不勝惶恐)○○[ᄒᆞ여] ᄉᆞ죄ᄒᆞ고, 다른 말ᄉᆞᆷᄒᆞ다가 일모(日暮)ᄒᆞᄆᆡ, ᄎᆞ야에 션삼졍에 가 부인을 볼ᄉᆡ, 웃고 왈,

"부인이 ᄉᆡᆼ을 보면 싀호(豺虎) 샤갈(蛇蝎) ᄀᆞᆺ치 넉이더니, 오ᄅᆡ지 아니나 ᄯᅩᄒᆞᆫ 못 보미 오릴 거시니 져기 싀훤ᄒᆞ리로다. 연이나 슈일 치힝(治行)ᄒᆞ리니, 명일은 대인긔 시침ᄒᆞ고 형뎨 니회(離懷)를 베플니니 다시 오지 못ᄒᆞᆯ지라. 부인이 ᄯᅩᄒᆞᆫ 금야의 니회를

241)함홍(含紅) : 입을 닫아 붉은 입술을 다문 채로 있음.

르디 아니랴 ᄒᆞ시ᄂᆞ냐?"

쇼졔 침음브답(沈吟不答)의 태위 ᄌᆡ삼 힐문ᄒᆞᆫᄃᆡ 쇼졔 뎡ᄉᆡᆨ ᄃᆡ왈,

"쳡은 드ᄅᆞ니 남ᄌᆡ 샤군(事君)ᄒᆞ미 집을 ᄉᆡᆼ각디 못ᄒᆞ고 몸을 도라보디 아닛ᄂᆞᆫ다 ᄒᆞ거ᄂᆞᆯ, 군ᄌᆡ 당당○[ᄒᆞᆫ] 댱부로 신샹의 듕임을 밧ᄌᆞ와, 구구히 규방의셔 녀ᄌᆞ로 더브러 니별을 니르시ᄂᆞ니잇고? 쳡슈블혜(妾雖不慧)나 항복【15】디 아닛ᄂᆞ이다."

언파의 안ᄉᆡᆨ이 뎡엄ᄒᆞ고 말ᄉᆞᆷ이 졀당ᄒᆞ여 완연이 ᄉᆞ군ᄌᆞ 녈댱부의 풍이 이시니, ᄉᆡᆼ이 심니(心裏)의 탄복 흠ᄋᆡ(欽愛)ᄒᆞ여 날호여 흔연 왈,

"부인의 명달ᄒᆞᆫ 언논이 여ᄎᆞᄒᆞ니 엇디 항복디 아니리잇가? 대인의 명녕이 계샤 금야ᄂᆞᆫ ᄉᆞ침의 쉬라 ᄒᆞ신 고로 이의 니르러시나, 엇디 규방의 규규(糾糾)[282]ᄒᆞ리오."

셜파의 완완이 의ᄃᆡ를 그르고 침셕의 나아가나, 부인을 ᄉᆞ모ᄒᆞ여 뎡심(貞心)을 곳쳐 화락디 못ᄒᆞᆯ가 초조ᄒᆞ더라.

이의 슈일 티힝ᄒᆞᆯᄉᆡ 가듕샹하(家中上下)의 훌연(欻然)[283]ᄒᆞ미 비길 ᄃᆡ 업더라.

ᄎᆞ셜 윤니뷔 ᄯᅩᄒᆞᆫ 부듕의 도라오니, 호람휘 ᄋᆞᄌᆞ로 더브러 태부인긔 뵈ᄋᆞᆸ고, 니뷔 동창을 뎡별【16】ᄒᆞᆯ 고ᄒᆞ니, 태부인이 아연(俄然) 뉴톄 왈,

"광텬이 위국의 뎡별ᄒᆞ여 밋쳐 오디 못ᄒᆞ여거ᄂᆞᆯ, 희텬이 마ᄌᆞ 츌뎡ᄒᆞ니 가듕이 뷘 ᄃᆞᆺ 결연ᄒᆞ믄 니르도 말고, 광텬은 위국과 교젼ᄒᆞ여 임의 승젼타 ᄒᆞ니 오라 디 아냐 올디라. 근심이 업거니와 동챵 뎍은 환슐(幻術)이 이상타 ᄒᆞ니, 희텬이 쳥슈미딜(淸秀微質)노 엇디 승젼을 슈히 ᄒᆞ리오. 만일 셰월이 쳔연ᄒᆞ면 노뫼 초젼(焦煎)ᄒᆞ여 ᄌᆞ레 죽을가 ᄒᆞ노라."

셜파의 쳑연 타루(墮淚)ᄒᆞ니, 호람휘 민망ᄒᆞ여 위로 쥬왈,

282)규규(糾糾) : 서로 뒤얽혀 있음. 얽매임.
283)훌연(欻然) : 갑작스럽게 이별을 하게 되어 매우 서운하고 아쉬움.

니르지 아니랴 ᄒᆞᄂᆞ뇨?"

소졔 침음부답(沈吟不答)의 태위 ᄌᆡ삼 힐문(詰問)ᄒᆞᆫᄃᆡ 소졔 졍ᄉᆡᆨ ᄃᆡ 왈,

"쳡은 드ᄅᆞ니 남ᄌᆡ ᄉᆞ군(事君)ᄒᆞ미 집을 ᄉᆡᆼ각지 못ᄒᆞ고, 몸을 도라보지 아니ᄂᆞᆫ다 ᄒᆞ거ᄂᆞᆯ, 군ᄌᆡ 당【88】당ᄒᆞᆫ 장부로 신상의 즁작(重爵)을 밧ᄌᆞ와, 구구히 규방에셔 녀ᄌᆞ로 더브러 니별을 니르시나니잇고? 쳡슈불혜(妾雖不慧)나 항복지 아닛ᄂᆞ이다."

《어파‖언파(言罷)》에 안ᄉᆡᆨ이 졍엄ᄒᆞ고 말ᄉᆞᆷ이 졀당ᄒᆞ여 완연이 ᄉᆞ군녈장부(事君烈丈夫)○[의] 풍이 잇시니, ᄉᆡᆼ이 심니(心裏)에 탄복 흠ᄋᆡ(欽愛) ᄒᆞ여 날호여 흔연 왈,

"부인의 명달ᄒᆞᆫ 식견이 여ᄎᆞᄒᆞ니 엇지 항복지 아니리잇가? ᄃᆡ인의 명녕이 계ᄉᆞ 금야ᄂᆞᆫ ᄉᆞ침의 쉬라 ᄒᆞ신 고로, 이에 니르러시나 엇지 규방에 구구(區區)[242]ᄒᆞ리오."

셜파에 완완히 의ᄃᆡ를 그르고 금셕(衾席)[243]에 나아가나, 부인을 ᄉᆞ모ᄒᆞ여 졍심을 곳쳐 화락지 못ᄒᆞᆯ가 초조ᄒᆞ더라.

이에 수일 치힝ᄒᆞᆯᄉᆡ 가즁상하(家中上下)의 훌연(欻然)[244]ᄒᆞ미 비길 ᄃᆡ 업더라.

ᄎᆞ셜 윤니뷔 ᄯᅩᄒᆞᆫ 부즁에 도라오니, 호람후 등이 ᄋᆞᄌᆞ로 더브러 태부인긔 뵈ᄋᆞᆸ고, 니뷔 동창의 졍별을 고ᄒᆞ니, 태부인이 아연(俄然) 뉴쳬 왈,

"광텬이 위국에 졍별【89】ᄒᆞ니 가즁이 뷘 ᄃᆞᆺ 결연ᄒᆞ믄 니르지 말고, 광텬은 위국과 교젼ᄒᆞ여 임의 승젼타 ᄒᆞ니, 오ᄅᆡ 지 아냐 올지라, 근심이 업거니와, 동창 젹은 환슐(幻術)이 이상타ᄒᆞ니, 희텬이 쳥슈미질(淸秀微質)노 엇지 승젼을 슈히ᄒᆞ리오. 만일 셰월이 쳔연ᄒᆞ면 노뫼 초젼(焦煎)ᄒᆞ여 ᄌᆞ레 죽을가 ᄒᆞ노라."

셜파에 쳑연 타루(墮淚)ᄒᆞ니, 호람휘 민망ᄒᆞ여 위로 주 왈,

242)구구(區區) : ①구차스러움. ②떳떳하지 못하고 졸렬함.
243)금석(衾席) : 이부자리. 이불을 펴놓은 곳.
244)훌연(欻然) : 갑작스럽게 이별을 하게 되어 매우 서운하고 아쉬움.

“고어의 ᄉᆞ블범졍(邪不犯正)이라 ᄒᆞ니, 광텬과 희텬은 오문(吾門)을 흥긔ᄒᆞ랴 텬되 나리신 바 일빵 긔린이라. ᄌᆞ고(自古)로 농듕(籠中)의 가치인 봉황이 업고, 환난의 【17】 버셔나디 못ᄒᆞᄂᆞᆫ 셩현이 업다 ᄒᆞ오니, 광ᄋᆞ와 희ᄋᆡ 슈화(水火)의 더져도 몰몰(沒沒)[284]이 맛디 아니ᄒᆞ오리니, 엇디 동창 요뎍을 족히 근심ᄒᆞ리잇고? 원 ᄌᆞ위(慈闈)ᄂᆞᆫ 믈우(勿憂)ᄒᆞ쇼셔.”

“고어에 ᄉᆞ블범졍(邪不犯正)이라 ᄒᆞ니, 광쳔과 희쳔은 산쳔 정긔와 일월 졍화를 오로지 타 나은 ᄋᆞ히라. 이제 희ᄋᆡ 변ᄉᆡ(邊塞) 흉포ᄒᆞᆫ 도젹이 무지 흉완ᄒᆞ여, 각쳐 쥬현을 《뇌략‖노략(擄掠)》ᄒᆞ여 형세 ᄐᆡ산 ᄀᆞᆺᄉᆞ오니[나], 광텬과 희텬은 텬되 각별이 유의ᄒᆞᄉᆞ 오문(吾門)을 흥긔코져 나리오신 일빵 긔린이라. ᄌᆞ고로 농즁(籠中)에 갓치이ᄂᆞᆫ 봉황이 업고, 화란(禍亂)의 버셔○○○○[나지 못ᄒᆞ]ᄂᆞᆫ 성현이 업다○○○[ᄒᆞ오며], 녯 ᄉᆞ젹의 성현군자와 녁ᄃᆡ(歷代) 제왕(帝王) 【90】 도 당ᄒᆞᆯ[ᄒᆞᆫ] 일이 업다 ᄒᆞ오니, 희ᄋᆡ 엇지 동창의[을] 근심ᄒᆞ리잇가? 소ᄌᆞᄂᆞᆫ 일분도 념녀 업ᄉᆞ오니, 복원 ᄌᆞ위ᄂᆞᆫ 희ᄋᆞ 등의 츌ᄉᆞ(出師)ᄒᆞ믈 셩념(聖念)의 과렴치 마르소셔“

태부인이 ᄎᆞ언을 듯고 쇼왈,

“노뫼 일공(一空)이 아득ᄒᆞ다가도 여등의 말을 드르면 ᄉᆡ훤ᄒᆞᆫ디라. 과연 광・희 냥손은 각별 긔특ᄒᆞ므로, 《허난‖허다》 환난의 보젼ᄒᆞ믈 ᄉᆡᆼ각ᄒᆞ면 져기 근심치 아니나, 이리 긔특ᄒᆞ믈 혜리면 노모의 젼젼과악이 ᄉᆡᆼ각ᄒᆞᆯᄉᆞ록 심골이 경한ᄒᆞ도다.”

셜파의 상연슈루(傷然愁淚)ᄒᆞ여 ᄉᆡ로이 젼과를 회한(悔恨)ᄒᆞ니, 공이 디극 위로ᄒᆞ고, 니뷔 크게 블안ᄒᆞ여 이셩(怡聲)○○○○[화언(和言)으로] 위로 왈,

“왕ᄉᆞ(往事)ᄂᆞᆫ 이의(已矣)라. ᄉᆡ로이 셕ᄉᆞ를 츄감(追感)ᄒᆞ샤 셩녀(聖慮)를 허비ᄒᆞ시미 쇼손 【18】 등의 블효를 더으시미로소이다. 이ᄂᆞᆫ 다 쇼손 등의 명되 긔험ᄒᆞ미어ᄂᆞᆯ, 왕뫼 ᄆᆡ양 ᄌᆞ과(自過)ᄒᆞ시니 위인ᄌᆞ손(爲人子孫)[285]ᄒᆞ와 어이 안한(安閒)ᄒᆞ리잇고? 복원 태모ᄂᆞᆫ 믈념ᄒᆞ쇼셔. 형이 오라디 아냐 환가ᄒᆞᆯ 거시오, 쇼손이 블구의 요뎍(妖賊)을 삭평ᄒᆞ고 개가로 환가ᄒᆞᆯ 거시니, 왕모ᄂᆞᆫ 셩톄 녕슌안강(寧順安康)[286]ᄒᆞ쇼셔.”

니뷔 ᄯᅩᄒᆞᆫ 니셩화언(怡聲和言)으로 위로 왈,

“왕ᄉᆞ(往事)ᄂᆞᆫ 이의(已矣)라. 엇지 ᄉᆡ로이 츄감(追感)ᄒᆞ샤 셩녀(聖慮)를 허비ᄒᆞ시나잇가? 니럿틋 ᄒᆞ시미 소손의 블효를 더으미로소이다. 복원 ᄃᆡ모ᄂᆞᆫ 그 ᄉᆞ이 셩쳬 안강ᄒᆞ시고, 념녀를 과도히 ᄒᆞ샤 ᄌᆞ손의 우황졀민(憂惶切悶)ᄒᆞᄋᆞᆸᄂᆞᆫ 하졍(下情)을 고렴(顧念)ᄒᆞ시믈 ᄇᆞ라나이다. 형이 슈히 환가ᄒᆞᆯ 거시니, 소손이 ᄯᅩᄒᆞᆫ 요적(妖賊)을 삭평(削平)ᄒᆞ고 개가로 도라와 존젼의 뵈오리니, 그 ᄉᆞ이 셩쳬 안강ᄒᆞᄋᆞᆸ소셔.”

---

284)몰몰(沒沒)이 : ①어둡고, 어리석은 모양. ②묻혀서 보이지 않거나, 나타나지 않는 모양

285)위인ᄌᆞ손(爲人子孫) : 아들이나 손자가 된 사람.

286)녕슌안강(寧順安康) : 평안함.

언파의 안식이 유화ᄒᆞ고 말솜이 화평ᄒᆞ여, 효슌ᄒᆞᆫ 거동이 일만 블평ᄒᆞᆫ 거술 다 술와 바리니, 태부인이 두굿거온 입을 주리디 못ᄒᆞ여, 그 손을 잡고 등을 두다려 왈,

"오가(吾家)의 쳔니귀(千里駒)오 국가의 쥬셕(柱石)이라."

ᄒᆞ니, 니뷔 블감(不堪)ᄒᆞ믈 고ᄒᆞ고, 뉴부인의 결연ᄒᆞᆫ 비회 태부인긔 디디 아니ᄒᆞ더라. ᄌᆞ긔 젼젼악【19】ᄉᆞ를 ᄉᆡᆼ각ᄒᆞᄆᆡ, 녯날 희텬 형뎨를 죽이디 못ᄒᆞᆯ가 ᄇᆡᆨ가디 ᄒᆡᆼ악을, 이졔 ᄉᆡᆼ각ᄒᆞ여 스스로 ᄌᆞ괴ᄒᆞᄆᆡ 과도ᄒᆞᆫ 말을 못ᄒᆞ나, 니별을 ᄌᆞ못 ○○[츄연]ᄒᆞ여 ᄒᆞ니, 조부인의 관홍인ᄌᆞ(寬弘仁慈)ᄒᆞᆷ과 뎡·딘·하·댱 등 슉뇨(淑窈) 현ᄒᆡᆼ(賢行)으로 셕ᄉᆞ(昔事)를 졔긔ᄒᆞᆯ 거시 아니로ᄃᆡ, 기심(其心)이 젼후의 텬디현격(天地懸隔)ᄒᆞ믈 이상이 너이고, 무식ᄒᆞᆫ 시녀 비는 져히가디[287] 공논(公論)ᄒᆞ고 티쇼(嗤笑)ᄒᆞ더라.

이러구러 발ᄒᆡᆼ날이 당ᄒᆞᄆᆡ, 샹하(上下)의 결훌ᄒᆞ기 측냥업ᄉᆞ니, 태부인 조부인 뉴부인이 다 원노의 보듕ᄒᆞ여 승젼닙공(勝戰立功)ᄒᆞ믈 당부ᄒᆞ고 호람휘 경계ᄒᆞ니, 니뷔 일일히 ᄇᆡ샤슈명ᄒᆞ고, 뎡·딘·남·화 등 슈슈(嫂嫂)를 각각 젼별(餞別)ᄒᆞ고 표연(飄然)이 하딕ᄒᆞᄆᆡ, 교댱(敎場)으로【20】나아가니, 가듕샹히(家中上下) 훌연ᄒᆞ믈 니긔디 못ᄒᆞ더라.

윤원쉬 년무쳥(鍊武廳)의 니르니, 부원슈 뎡셰홍이 ᄯᅩᄒᆞᆫ 존당 부모긔 하딕ᄒᆞ고 모든 곤계로 분슈ᄒᆞ여, 이의 니르러 ᄒᆞᆫ가디로 군무를 뎡졔ᄒᆞ여 ᄒᆡᆼ군ᄒᆞᆯᄉᆡ, 샹이 난여(鑾輿)를 움즉이샤 문외의 젼별ᄒᆞ시며, 슈히 셩공 반샤(班師)ᄒᆞ믈 니르샤 황봉어쥬(黃封御酒)[288]로[를] 샤급(賜給)ᄒᆞ시니, 냥 원쉬 황은을 감튝ᄒᆞ여 ᄇᆡᆨᄇᆡ샤○[은]ᄒᆞ고 농뎐의 하딕ᄒᆞᄆᆡ, ᄇᆡᆨ이 셰 번 우러 ᄒᆡᆼ군을 지쵹ᄒᆞ니,

287)-가디 : ①-끼리. '그 부류만이 서로 함께'의 뜻을 더하는 접미사. ②-까지. 어떤 일이나 상태 따위에 관련되는 범위의 끝임을 나타내는 보조사.

288)황봉어쥬(黃封御酒) : 임금 하사하는 술. 황봉(黃封)은 임금이 하사한 술을 단지에 담고 황색 천으로 봉(封) 것으로 임금이 하사한 술을 뜻한다.

쥬파의 안식이 유화ᄒᆞ고 말솜이 화평ᄒᆞ여 효슌ᄒᆞᆫ 거동이 일만 불평ᄒᆞᆫ 거술 다 살와 바리니, 태부인이 두굿거온 입을 쥬리지 못ᄒᆞ여, 그 손을 잡고 등【91】을 두ᄃᆞ려, 왈,

"오가(吾家)의 쳔니귀(千里駒)오, 국가의 쥬셕(柱石)이라."

ᄒᆞ니, 니뷔 블감(不堪)ᄒᆞ믈 고ᄒᆞ고, 뉴씨 결연ᄒᆞᆫ 심회 태부인긔 지지 아니ᄒᆞ더라. ᄌᆞ긔 젼젼악ᄉᆞ를 ᄉᆡᆼ각ᄒᆞᄆᆡ, 녯날 희텬 형뎨를 죽이지 못ᄒᆞᆯ가 ᄇᆡᆨ가지 ᄒᆡᆼ악을, 이졔 ᄉᆡᆼ각ᄒᆞ여 스스로 ᄌᆞ괴ᄒᆞᄆᆡ, 과도ᄒᆞᆫ 말을 못ᄒᆞ나 니별을 쟈못 츄연ᄒᆞ여 ᄒᆞ니, 조부인 관홍인ᄌᆞ(寬弘仁慈)ᄒᆞᆷ과 뎡·진·하·장 등 슉뇨(淑窈) 현ᄒᆡᆼ(賢行)으로 셕ᄉᆞ(昔事)를 졔긔ᄒᆞᆯ 거시 아니로ᄃᆡ, 기심(其心)이 젼후에 텬디현격(天地懸隔)ᄒᆞ믈 이상이 너이고, 《무신(無信)‖무식(無識)》ᄒᆞᆫ 시녀비는 져히{ᄒᆞᆫ}가지[245] 공논ᄒᆞ더라.

이러구러 발ᄒᆡᆼ 날이 당ᄒᆞᄆᆡ, 샹하의 결훌ᄒᆞ기 측냥업ᄉᆞ니, 태부인 조부인 뉴부인이 다 원노○[에] 보즁 승젼을 당부ᄒᆞ고 호람휘 경계ᄒᆞ니, 니뷔 일일 ᄇᆡ샤슈명(拜謝受命)ᄒᆞ고, 뎡·딘·남·화 등 슈슈(嫂嫂)를 각각 젼별(餞別)ᄒᆞ고 표연(飄然)이 하직ᄒᆞᄆᆡ, 교장(敎場)으로 나아가니 가【92】즁샹히(家中上下) 훌연ᄒᆞ믈 니긔지 못ᄒᆞ더라.

윤원쉬 연무쳥(鍊武廳)의 니르니, 부원슈 뎡셰홍이 ᄯᅩᄒᆞᆫ 존당 부모긔 하직ᄒᆞ고 모든 곤계로 분슈ᄒᆞ여, 이에 니르러 ᄒᆞᆫ가지로 군무를 정졔ᄒᆞ여 ᄒᆡᆼ군ᄒᆞᆯᄉᆡ, 샹이 난예(鑾輿)를 움작여 문외에 젼별ᄒᆞ시며, 슈히 셩공ᄒᆞ시믈 니르샤 황봉어쥬(黃封御酒)[246]로 샤급(賜給)ᄒᆞ시니, 냥 원쉬 황은을 감츅ᄒᆞ여 ᄇᆡᆨᄇᆡ 샤은ᄒᆞ고 농젼의 하직ᄒᆞᄆᆡ, 북이 셰 번 우러 ᄒᆡᆼ군을 지촉ᄒᆞ니, 양 원쉬 개갑(介

245)-가지 : ①-끼리. '그 부류만이 서로 함께'의 뜻을 더하는 접미사. ②-까지. 어떤 일이나 상태 따위에 관련되는 범위의 끝임을 나타내는 보조사.

246)황봉어쥬(黃封御酒) : 임금 하사하는 술. 황봉(黃封)은 임금이 하사한 술을 단지에 담고 황색 천으로 봉(封) 것으로 임금이 하사한 술을 뜻한다.

냥 원쉬 개갑(介甲)[289]을 션명이 ᄒᆞ고 샹마ᄒᆞ여 대딘(大陣)을 프러 호호탕탕(浩浩蕩蕩)이 동(東)으로 나아가니, ᄀᆡ률(紀律)이 엄슉ᄒᆞ고 ᄀᆡ치 검극이 셔리 ᄀᆞᆺ고, ᄇᆡᆨ모(白旄)[290] 황월(黃鉞)[291]은 알플 인도ᄒᆞ고, 딘법이 뎡졔【21】ᄒᆞ여 쥬아부(周亞夫)의 위엄 ᄀᆞᆺ더라. 샹이 만됴쳔관을 거나리샤 먼니 가도록 쳠관ᄒᆞ시고 칭찬ᄒᆞ믈 마디 아니시더라. 임의 ᄐᆞᆺ글이 아득ᄒᆞ고 산이 등디ᄆᆡ 어개 환궁ᄒᆞ시다.

옥누항의셔 뎡슉녈이 옥슈신월(玉樹新月) ᄀᆞᆺ튼 ᄋᆞᄒᆡ를 ᄉᆡᆼ각고 비ᄋᆡ(悲哀)ᄒᆞ믈 마디 아니ᄒᆞ더니, 니뷔 가듕을 ᄯᅥ나ᄆᆡ 고루장각(高樓壯閣)이 황연이 븨엿ᄂᆞᆫ ᄃᆞᆺ, 근심이 층츌(層出)ᄒᆞ더니, 이러구러 슈월이 디나ᄆᆡ 위국으로조ᄎᆞ 창후의 도라오ᄂᆞᆫ 션셩이 니르니, 일개 깃거 환셩(歡聲)이 《여루‖여류(如流)》ᄒᆞᆫ디라.

이ᄣᅢ 딘부인이 ᄒᆡ만(解娩)ᄒᆞ여 슌산ᄉᆡᆼᄌᆞ(順産生子)ᄒᆞ니, ᄋᆞᄒᆡ 우름 소ᄅᆡ 집말[292]니 울히ᄂᆞᆫ ᄃᆞᆺ, 홍종(洪鐘)[293]을 두다리ᄂᆞᆫ ᄃᆞᆺ, 톄형이 셕대ᄒᆞ고 미목(眉目)이【22】청낭(淸朗)ᄒᆞ여, 부풍모습(父風母習)[294]으로 크게 범ᄋᆞ(凡兒)와 다르니, 존당 샹하의 환희ᄒᆞ미 측냥 업더라.

임의 삼칠일(三七日)[295]을 무ᄉᆞ히 디ᄂᆡ나, 딘시 산후 허약ᄒᆞᆫ ᄀᆡ뷔(肌膚) 젼후 젹상(積傷)ᄒᆞᆫ 증이 층가ᄒᆞ여, 약딜이 크게 미류(彌留)[296]ᄒᆞ니, 일개 경녀(驚慮)ᄒᆞ여 의약으로 티료ᄒᆞ여 슈히 소셩(蘇醒)치 못ᄒᆞ니, 딘부의셔 우려ᄒᆞ여 평댱이 모부인 졀우를 근

289)개갑(介甲) : 갑옷.
290)ᄇᆡᆨ모(白旄) : 털이 긴 쇠꼬리를 장대 끝에 매달아 놓은 기(旗).
291)황월(黃鉞) : 황금으로 장식한 도끼. 천자가 정벌할 때 지닌다.
292)집말 : 지붕마루. 지붕꼭대기.
293)홍종(洪鐘) : 큰 종.
294)부풍모습(父風母習) : 모습이나 언행이 아버지와 어머니를 고루 닮음.
295)삼칠일(三七日) :아이가 태어난 후 스무하루 동안. 또는 스무하루가 되는 날. 대개는 이날 금줄을 거둔다. =세이레.
296)미류(彌留) : 병이 오래 낫지 않음.

甲)[247]을 션명이 ᄒᆞ고 샹마ᄒᆞ여 ᄃᆡ진(大陣)을 프러 호호탕탕(浩浩蕩蕩)이 동으로 나아가니, ᄀᆡ률(紀律)이 엄슉ᄒᆞ고 ᄀᆡ치검극(旗幟劍戟)[248]이 셔리 ᄀᆞᆺ고, ᄇᆡᆨ모(白旄)[249] 황월(黃鉞)[250]은 알플 인도ᄒᆞ고, 진법(陣法)이 졍졔ᄒᆞ니 쥬아부(周亞夫)의 위엄 ᄀᆞᆺ더라. 상이 만조쳔관을 거ᄂᆞ려 먼니 가도록 쳠관ᄒᆞ시고 칭찬ᄒᆞ믈 마지 아니시더라. 임의 ᄐᆡᄭᅳᆯ이 아득ᄒᆞ고 산이 등지ᄆᆡ 어ᄀᆡ 환궁ᄒᆞ시다.

옥누항에셔 슉녈이 옥【93】슈신월(玉樹新月) ᄀᆞᆺ튼 ᄋᆞᄒᆡ를 ᄉᆡᆼ각고 비ᄋᆡᄒᆞ믈 마지 아니ᄒᆞ더니, 니뷔 가즁을 ᄯᅥ나ᄆᆡ 고루장각(高樓壯閣)이 황연이 븨엿ᄂᆞᆫ ᄃᆞᆺ, 근심이 층츌ᄒᆞ더니, 이러구러 슈월이 지나ᄆᆡ 위국으로조ᄎᆞ 창후의 도라오ᄂᆞᆫ 션셩이 니르니 일ᄀᆡ 깃거 환셩(歡聲)이 여류(如流)ᄒᆞᆫ지라.

이 ᄣᅢ 진부인이 ᄒᆡ만(解娩)ᄒᆞ여 슌산ᄉᆡᆼᄌᆞ(順産生子)ᄒᆞ니, ᄋᆞᄒᆡ 우름 소ᄅᆡ 집말[251]니 울니ᄂᆞᆫ ᄃᆞᆺ 홍종(洪鐘)[252]을 두다리ᄂᆞᆫ ᄃᆞᆺ, 쳬형이 셕ᄃᆡᄒᆞ고, 미목(眉目)이 청낭(淸朗)ᄒᆞ여, 부풍모습(父風母習)[253]으로 크게 범아와 다르니, 존당 샹하의 환희ᄒᆞ미 측냥 업더라.

임의 삼칠일(三七日)[254]을 지ᄂᆡ나, 진씨 산후 허약ᄒᆞᆫ ᄀᆡ뷔 젼후 젹상ᄒᆞᆫ 증이 층가ᄒᆞ여, 약질이 크게 미류(彌留)[255]ᄒᆞ니, 일ᄀᆡ 경녀(驚慮)ᄒᆞ여 의약으로 치료ᄒᆞ여 슈히 소

247)개갑(介甲) : 갑옷.
248)기치검극(旗幟劍戟) : 깃발과 칼과 창을 아울러 이르는 말.
249)ᄇᆡᆨ모(白旄) : 털이 긴 쇠꼬리를 장대 끝에 매달아 놓은 기(旗).
250)황월(黃鉞) : 황금으로 장식한 도끼. 천자가 정벌할 때 지닌다.
251)집말 : 지붕마루. 지붕꼭대기.
252)홍종(洪鐘) : 큰 종.
253)부풍모습(父風母習) : 모습이나 언행이 아버지와 어머니를 고루 닮음.
254)삼칠일(三七日) :아이가 태어난 후 스무하루 동안. 또는 스무하루가 되는 날. 대개는 이날 금줄을 거둔다. =세이레.
255)미류(彌留) : 병이 오래 낫지 않음.

심ᄒᆞ여 호람후를 보고, 쇼ᄆᆡ의 귀령ᄒᆞ여 티료ᄒᆞ믈 청ᄒᆞ니, 공이 허락ᄒᆞᄆᆡ 딘시 익일의 거교를 출혀 본부로 도라 갈ᄉᆡ, 딘평댱이 본ᄃᆡ 나히 만흐나 모든 쇼년을 보ᄎᆡ여 희롱을 즐기ᄂᆞᆫ 고로, 젼일 창휘 쇼ᄆᆡ를 일장 곤욕ᄒᆞ믈 ᄆᆡ이 넉이고, 또 그 부부의 ᄉᆞ졍을 【23】 알고져 ᄒᆞ여, 또 창후의 슈히 환경홀 줄 아ᄂᆞᆫ 고로, 일일은 딘시다려 닐오ᄃᆡ,

"쇼ᄆᆡ 산후 미양(微恙)은 젼일 젹상(積傷)ᄒᆞᆫ 병이 겸발(兼發)ᄒᆞ미라. 옥누항이나 본뷔나 죵용이 티료홀 곳이 아니니, 심히 번○[거]ᄒᆞᆫ디라. ᄎᆡ셜졍 동원(東園)이 가장 죵용ᄒᆞ고 노복이 ᄃᆡᆨ희여시니 본뷔 머디 아닌디라. 이 곳의 가 구병ᄒᆞ미 엇더 ᄒᆞ뇨? 연즉 ᄌᆞ졍과 모든 형뎨 왕ᄂᆡᄒᆞ리라."

쇼졔 홀연 《쇼져‖거거(哥哥)》의 거동을 괴이히 넉여 왈,

"아모 ᄃᆡ 잇다, 나을 병이 아니 나으리잇가? 윤군이 거의 환경(還京)ᄒᆞ리니, 쇼ᄆᆡ 무고히 귀령도 블가ᄒᆞ고, 또 타쳐로 가미 더옥 블가ᄒᆞ이다."

평댱이 쇼왈,

"너ᄂᆞᆫ 잡말 말나. ᄉᆞ원이 도라오나 못 갈 곳이 아니니라."【24】

ᄒᆞ고, ᄌᆡ촉ᄒᆞ니 쇼졔 마디 못ᄒᆞ여 존당의 하딕(下直) ᄇᆡ샤(拜辭)ᄒᆞᄆᆡ, 조·뉴 냥부인이며 뎡·하·댱 등이 그 ᄉᆞ이나 ᄯᅥ나믈 결연ᄒᆞ여 슈히 오믈 일컷더라.

쇼졔 거거를 조ᄎᆞ ᄎᆡ셜졍의 니르니, 모든 복쳡이 인도ᄒᆞ여 ᄂᆡ당의 안둔ᄒᆞ니, 힝각이 졍결ᄒᆞ고 ᄎᆡ화단쳥(彩畵丹靑)이 ᄌᆞ못 긔이ᄒᆞ여, 옥계(玉階) 청셕(靑石)[297]의 긔화이최(奇花異草) 난만(爛漫)ᄒᆞ여 경믈(景物)이 아름답더라.

평댱이 ᄆᆡᄌᆞ를 이곳의 머므르ᄆᆡ, ᄉᆞ디(事知)[298] 양낭(養娘)[299]을 분부ᄒᆞ여 디셩 구

297) 청셕(靑石) : 푸른 빛깔을 띤 응회암. 실내 장식이나 건물의 외부 장식에 쓴다.
298)ᄉᆞ디(事知) : 어떤 일에 매우 익숙하거나 잘 앎.

셩(蘇醒)치 못ᄒᆞ니, 딘부에셔 우려ᄒᆞ니, 평쟝이 모부인 졀우를 근심ᄒᆞ여 호람후를 보, 고 소ᄆᆡ의 귀령ᄒᆞ여 치료ᄒᆞ믈 청ᄒᆞ니, 휘 허락ᄒᆞᄆᆡ 딘씨【94】익일에 거교를 찰혀 본부로 도라 갈ᄉᆡ, 딘평쟝이 본ᄃᆡ 나히 만흐나 졔 소년을 보ᄎᆡ여 희롱을 즐기ᄂᆞᆫ 고로, 젼일 창휘 소ᄆᆡ를 일장 곤욕ᄒᆞ믈 ᄆᆡ이 넉이고, 또 그 부부의 ᄉᆞ졍을 알고져 ᄒᆞ여, 또 창후의 슈이 환경홀 줄 아ᄂᆞᆫ 고로, 미리 딘씨ᄃᆞ려 닐오ᄃᆡ,

"소ᄆᆡ의 산후병과 젹상ᄒᆞᆫ 병이 겸발ᄒᆞ여 위중ᄒᆞ{오}니 본부의 가 치료케 ᄒᆞ라. 연즉 ᄌᆞ졍과 모든 형뎨 왕ᄂᆡᄒᆞ리라."

소졔 홀연 거거(哥哥)의 거동을 괴이히 넉여 왈,

"아모 ᄃᆡ 잇다 나을 병이 아니 나으리잇가? 윤군이 거의 환경ᄒᆞ리니 소ᄆᆡ 무고히 귀령도 블가ᄒᆞ고 또 타쳐로 가미 ○○[더옥] 블가ᄒᆞ이다."

평쟝이 쇼왈,

"너ᄂᆞᆫ 잡말 말나. 잠간 단녀{도라}오나 못 갈 곳이 아니라."

ᄒᆞ고, ᄌᆡ촉ᄒᆞ니 쇼졔 마지 못ᄒᆞ여 존당의 ᄒᆞ【95】직(下直) ᄇᆡᄉᆞ(拜辭) ᄒᆞ니, 조·뉴 두 부인이며 뎡·하·댱 등이 그 ᄉᆞ이나 ᄯᅥ나믈 결연ᄒᆞ여 슈이 오믈 일캇더라.

소졔 거거를 조ᄎᆞ ᄎᆡ션[셜]졍의 니르니, 모든 복쳡이 인도ᄒᆞ여 ᄂᆡ당의 안둔ᄒᆞ니, 힝각이 졍결ᄒᆞ고 ○[ᄎᆡ]화단쳥(彩畵丹靑) ᄌᆞ못 긔이ᄒᆞ여, 옥계(玉階) 쳥셕(靑石)[256]의 긔화이최(奇花異草) 난만(爛漫)ᄒᆞ여 경물(景物)이 아름답더라.

평쟝이 ᄆᆡᄌᆞ를 이 곳의 머므르ᄆᆡ, ᄉᆞ지(事知)[257] 양낭(養娘)[258]을 분부ᄒᆞ여 지셩

256) 쳥셕(靑石) : 푸른 빛깔을 띤 응회암. 실내 장식이나 건물의 외부 장식에 쓴다.
257)ᄉᆞ디(事知) : 어떤 일에 매우 익숙하거나 잘 앎.

호ᄒᆞ니, 슌일(旬日) 후 병셰 가복(可復)ᄒᆞ니 300)일개 깃거 ᄒᆞ더라.

낙양후와 쥬부인이 녀ᄋᆞ의 병이 나으믈 깃거, 오라디 아냐 창휘 환가(換家)ᄒᆞᆯ디라, 슈히 도라 가라 ᄒᆞᄂᆞᆫ디라. 평댱이 힝혀 계괴【25】 니디 못ᄒᆞᆯ가 민망ᄒᆞ여, 어ᄉᆞ로 상의ᄒᆞ여 쇼ᄆᆡ를 도라 보ᄂᆡ므로 ᄃᆡ답ᄒᆞ고, 대개 칙셜졍이 문ᄂᆡ(門內) 취운산과 달나 쟝원(牆垣)이 졉옥년장(接屋連墻)ᄒᆞ엿ᄂᆞᆫ디라. 일마다 괴이하고 평댱의 뜻을 맛쳐, 비ᄌᆞ 슉낭이 독딜(毒疾) 십ᄉᆞ일의 죽으니, 나히 이칠이오 밋쳐 뎍인도 못ᄒᆞ엿ᄂᆞᆫ디라. 기모 소딘이 유공(有功)ᄒᆞᆫ 비ᄌᆡ라. 낭이 죽으나 불상히 넉여 무휼ᄒᆞ믈 각별이 ᄒᆞ고, 평댱이 계교 마ᄌᆞ믈 암열(暗悅)ᄒᆞ고 창후의 환가 슈일을 격ᄒᆞ여, 칙셜졍 듕당의 녕연(靈筵)을 ᄇᆡ셜ᄒᆞ고 창후를 소기려 ᄒᆞᆯᄉᆡ, 평댱이 옥누항의 니르러 호람후긔 고ᄒᆞ고 간예치 마르시믈 청ᄒᆞ니, 호람휘 쇼왈,

"군이 년긔(年紀) 노셩(老成)ᄒᆞᄃᆡ ᄋᆞᄇᆡ(兒輩)의 희롱을 즐기니【26】내 엇디 간예ᄒᆞ리오."

ᄒᆞ더라.

위 태부인이 듯고 창후의 거동을 보고져 말니디 아니니, 조부인은 ᄋᆞᄌᆞ(兒子)의 신명ᄒᆞ므로 속디 아닐 줄을 알오ᄃᆡ, 졔딘의 희롱과 태부인 명을 거역디 못ᄒᆞ여 잠잠ᄒᆞ더라.

슈일 후 창후의 환됴ᄒᆞᄂᆞᆫ 션문(先聞)이 니르니, 일개 대희ᄒᆞ고 텬ᄌᆡ 난여(鸞輿)를 동ᄒᆞ샤 문외의 마ᄌᆞ실ᄉᆡ, 호람휘 또ᄒᆞᆫ 인친(姻親) ᄌᆞ딜(子姪)노 어가를 뫼셔 마ᄌᆞ니, 반기미 비길 ᄃᆡ 업더라.

화셜 평위대원슈(平魏大元帥) 윤청문이 황명을 밧ᄌᆞ와 명댱ᄉᆞ졸(名將士卒)을 거ᄂᆞ려 위국(魏國)으로 나아가니, 디나ᄂᆞᆫ 바의 츄호를 블범ᄒᆞ고, 계견(鷄犬)이 놀나디 아니ᄒᆞ더라.

299) 양낭(養娘) : 시녀.
300)가복(可復)ᄒᆞ다 : 회복(回復)하다.

구호ᄒᆞ니, 슌일(旬日) 후 병셰 가복(可復)ᄒᆞ니259) 일ᄀᆡ 깃거 ᄒᆞ더라.

낙양후와 쥬부인이 녀ᄋᆞ의 병이 나으믈 깃거, 오라지 아냐 창휘 환가ᄒᆞᆯ지라, 슈이 도라 가라 ᄒᆞᄂᆞᆫ지라. 평장이 힝혀 계괴 이지 못ᄒᆞᆯ【96】가 민망ᄒᆞ여, 어ᄉᆞ로 상의ᄒᆞ고 소ᄆᆡ를 도라 보ᄂᆡ므로 ᄃᆡ답ᄒᆞ고, ᄃᆡᄀᆡ 칙셜졍이 문ᄂᆡ(門內) 취운산과 달나 쟝원(牆垣)이 졉옥년장(接屋連墻) ᄒᆞ엿ᄂᆞᆫ지라. 일마다 고이하고 평장의 뜻을 맛쳐, 비ᄌᆞ 숙낭이 독질 십ᄉᆞ 일에 죽으니, 나히 이칠이오 밋쳐 젹인도 못ᄒᆞ엿ᄂᆞᆫ지라. 기모 소진이 유공(有功)ᄒᆞᆫ 비ᄌᆡ라. 낭이 죽으ᄆᆡ 불상히 넉여, 무휼(撫恤)ᄒᆞ믈 각별○[이] ᄒᆞ고 평장이 계괴 마ᄌᆞ믈 암열(暗悅)ᄒᆞ고 창후의 환가 슈일을 격ᄒᆞ여, 칙셜졍 즁당의 녕연(靈筵)을 ᄇᆡ셜ᄒᆞ고 창후를 속이려 ᄒᆞᆯᄉᆡ, 평장이 옥누항이 니르러 호람후긔 고ᄒᆞ고 간예치 마르시믈 청ᄒᆞ니, 호람휘 소왈,

"군이 년긔(年紀) 노셩(老成)ᄒᆞᄃᆡ ᄋᆞᄇᆡ(兒輩)의 희롱을 즐기니, 내 엇지 간예(干與)ᄒᆞ리오."

ᄒᆞ더라.

위 태부인이 듯고 창후의 거동을 보고져 말니지 아니ᄒᆞ니, 조부인은 ᄋᆞᄌᆞ(兒子)의 총명으로 속지 아닐 줄 아ᄃᆡ, 졔딘의 희【97】롱과 태부인 명을 거역지 못ᄒᆞ여 잠잠ᄒᆞ더라.

슈일 후 창후의 환문(還聞)260)이 니르니, 일ᄀᆡ ᄃᆡ희ᄒᆞ고 상이 난예(鸞輿)를 동ᄒᆞ샤 문외에 마ᄌᆞ실ᄉᆡ, 호람휘 또ᄒᆞᆫ 인친 ᄌᆞ딜노 어가를 조ᄎᆞ 마ᄌᆞ니, 반기미 비길 ᄃᆡ 업더라.

화셜 평위ᄃᆡ원슈(平魏大元帥) 뉴[윤]청문이 황명을 밧ᄌᆞ와 장졸을 거ᄂᆞ려 위(魏)로 나아가니, 지나ᄂᆞᆫ 바의 츄호를 불범ᄒᆞ고, 계견(鷄犬)이 놀나지 아니ᄒᆞ더라.

258) 양낭(養娘) : 시녀.
259)가복(可復)ᄒᆞ다 : 회복(回復)하다.
260)환문(還聞) : 돌아온다는 소식.

쥬현이 망풍귀슌(望風歸順)301)ᄒᆞ고 향민(鄕民)이 단ᄉᆞ호장(簞食壺漿)302)으【27】로 이영왕샤(以迎王士)303)ᄒᆞ여, 인ᄌᆞ(仁者)의 군(軍)이라 ᄒᆞ더라.

출샤(出師) 월여(月餘)의 위디(魏地)의 니르니, 연쥐 ᄌᆞᄉᆞ 문흡이 대군을 마ᄌᆞ 드러가 뎍딘(敵陣) 긔미(機微)를 고ᄒᆞ고, ᄎᆞ일 셩샹(城上)의 텬병이 왓ᄂᆞᆫ 줄 알게 긔를 셰오고 격셔를 보ᄂᆡ니, 위국 군신이 대병이 온 줄 알고 대경(大驚)○○[ᄒᆞ여] 상의ᄒᆞ더니, 밋 격셔를 보ᄆᆡ 강하(江河)의 대ᄌᆡ(大才)오, 문ᄎᆡ(文彩)의 영웅이라. 그 ᄡᆞ호디 아냐셔 그 션풍도골(仙風道骨)의 긔이ᄒᆞᆫ 줄 알고, 위국 군신이 막블대찬(莫不大讚)ᄒᆞ여, 위왕이 유예미결(猶豫未決)304)의, 대댱 니한과 모ᄉᆞ(謀士) 오표 등이 소ᄅᆡ 딜너 왈,

"뎐하(殿下)야, 국가 안위 흥망이 ᄌᆡ조의 잇디 아냐 텬명(天命)의 잇ᄂᆞᆫ디라. 셕의 항젹(項籍)305)이 슈하(手下)의 범아부(范亞夫)306) 《한초 ‖ 환초(桓楚307)》【28】종니ᄆᆡ(鐘離昧)308) 쥬은(周殷)309) 등이 이셔시

쥬현이 망풍귀슌(望風歸順)261)ᄒᆞ고 향인이 단ᄉᆞ호장(簞食壺漿)262)으로 마ᄌᆞ, 인ᄌᆞ(仁者)의 군(軍)이라 ᄒᆞ더라.

출ᄉᆞ(出師) 월여(月餘)에 위디(魏地)에 니르니, 연쥬 쟈ᄉᆞ 문흠이 ᄃᆡ군을 마ᄌᆞ 드러가 젹진(敵陣) 긔미(機微)를 고ᄒᆞ고, ᄎᆞ일 셩샹(城上)의 텬병이 왓ᄂᆞᆫ 줄 알게 긔를 셰우고 격셔를 보ᄂᆡ니, 위국 군신이 대병이 온 줄 알고 ᄃᆡ경(大驚)ᄒᆞ여 상의ᄒᆞ더니, 밋 격셔를 보ᄆᆡ 강하(江河)의 ᄃᆡᄌᆡ(大才)오, 문ᄎᆡ(文彩)의 영웅이라. 그 ᄊᆞ【98】호지 아냐셔 그 션풍도골(仙風道骨)의 긔이ᄒᆞᆫ 줄 알고, 위국 군ᄉᆡ 막불대찬(莫不大讚)ᄒᆞ여, 위왕이 유예미결(猶豫未決)263)의, ᄃᆡ장 니한과 모ᄉᆞ(謀士) 오표 등이 소ᄅᆡ 질너 왈,

"젼하(殿下)ᄂᆞᆫ 국가 안위 흥망이 ᄌᆡ조의 잇지 아냐 텬명의 잇ᄂᆞᆫ지라. 《이젹 ‖ 예젼》의 하[항]젹(項籍)264)이 슈하(手下)의 범아부(范亞夫)265), 《한초 ‖ 환초(桓楚266)》, 종니ᄆᆡ(鐘離昧)267), 쥬은(周殷)268)

---

301)망풍귀슌(望風歸順) : 높은 명망을 듣고 우러러 스스로 항복해옴.

302)단ᄉᆞ호장(簞食壺漿) : '대나무로 만든 밥그릇에 담은 밥과 병에 넣은 마실 것'이라는 뜻으로, 넉넉하지 못한 백성들이 군대를 환영하기 위하여 갖춘 음식을 이르는 말.

303)이영왕샤(以迎王士) : 임금의 군대를 맞이함

304)유예미결(猶豫未決) : 망설여 일을 결행하지 아니함.

305)항젹(項籍) : 항우(項羽). 중국 진(秦)나라 말기의 무장(B.C.232~B.C.202). 이름은 적(籍). 우는 자(字)이다. 숙부 항량(項梁)과 함께 군사를 일으켜 유방(劉邦)과 협력하여 진나라를 멸망시키고 스스로 서초(西楚)의 패왕(霸王)이 되었다. 그 후 유방과 패권을 다투다가 해하(垓下)에서 포위되어 자살하였다.

306)범아부(范亞夫) : 범증(范增, BC277-204. 중국 초나라의 책사·정치가. 항우와 초나라를 위해 유방을 죽이려 했지만 실패하고, 유방의 모사 진평의 반간계에 빠진 항우에게도 쫓겨나, 천하를 떠돌다가 객사했다.

307)환초(桓楚) : 중국 初(楚)나라 패왕(霸王; 項羽) 때의 무장(武將). 항우를 도와 초(楚)나라를 세우고 항우가 패왕(霸王)에 오르는데 기여하였다.

308)종니ᄆᆡ(鐘離昧) : 중국 초(楚)나라 패왕(霸王; 項羽) 때의 무장(武將). 항우를 도와 한 고조 유방

261)망풍귀슌(望風歸順) : 높은 명망을 듣고 우러러 스스로 항복해옴.

262)단ᄉᆞ호장(簞食壺漿) : '대나무로 만든 밥그릇에 담은 밥과 병에 넣은 마실 것'이라는 뜻으로, 넉넉하지 못한 백성들이 군대를 환영하기 위하여 갖춘 음식을 이르는 말.

263)유예미결(猶豫未決) : 망설여 일을 결행하지 아니함.

264)항젹(項籍) : 항우(項羽). 중국 진(秦)나라 말기의 무장(B.C.232~B.C.202). 이름은 적(籍). 우는 자(字)이다. 숙부 항량(項梁)과 함께 군사를 일으켜 유방(劉邦)과 협력하여 진나라를 멸망시키고 스스로 서초(西楚)의 패왕(霸王)이 되었다. 그 후 유방과 패권을 다투다가 해하(垓下)에서 포위되어 자살하였다.

265)범아부(范亞夫) : 범증(范增, BC277-204. 중국 초나라의 책사·정치가. 항우와 초나라를 위해 유방을 죽이려 했지만 실패하고, 유방의 모사 진평의 반간계에 빠진 항우에게도 쫓겨나, 천하를 떠돌다가 객사했다.

266)환초(桓楚) : 중국 初(楚)나라 패왕(霸王; 項羽) 때의 무장(武將). 항우를 도와 초(楚)나라를 세우고 항우가 패왕(霸王)에 오르는데 기여하였다.

267)종니ᄆᆡ(鐘離昧) : 중국 초(楚)나라 패왕(霸王; 項羽) 때의 무장(武將). 항우를 도와 한 고조 유방(劉邦)과 패권을 다투다가 패해, 친구인 한신(韓

나 패망ᄒᆞ엿ᄂᆞ니, 텬시를 볼 거시니 엇디 근심ᄒᆞ리오. 미리 승패를 보디 아냐 텬댱의 ᄒᆞᆫ 장 글을 보고 큰 ᄯᅳᆺ을 두로혀 영웅을 붓그럽게 ᄒᆞᄂᆞ니잇고?"

ᄒᆞ니, 위왕이 올히 넉여 샤ᄌᆞ(使者)를 도라 보ᄂᆡ고 명일 냥딘(兩陣)이 상ᄃᆡᄒᆞᆯᄉᆡ, 금괴(金鼓)310) 졔명(齊鳴)ᄒᆞ고 긧발이 움즉이ᄂᆞᆫ 곳의 ᄇᆡᆨᄉᆞ장(白沙場) 너른 들히 냥딘(兩陣) 긔치(旗幟)를 버리고, 위왕이 머리의 ᄌᆞ금관(紫金冠)을 쓰고 몸의 망농포(蟒龍袍)311)의 ᄇᆡᆨ옥ᄃᆡ(白玉帶)312)를 두르고 문긔하(門旗下)의 나, 송딘을 바라고 ᄡᆞ호ᄌᆞ ᄒᆞ니, 송딘 듕의 문긔(門旗) 열니며 고각(鼓角)313)이 딘텬(振天)ᄒᆞ고 다홍슈ᄌᆞ긔(大紅帥字旗)314) 븟치이ᄂᆞᆫ 곳의 홍냥산(紅陽傘)315) 아ᄅᆡ ᄉᆞ륜거(四輪車)를 미러 나아오니, 이ᄂᆞᆫ【29】 윤원쉬라. ᄌᆞ금포(紫錦袍)316)의 익션관(翼善冠)317)의 냥디ᄇᆡᆨ옥ᄃᆡ

(劉邦)과 패권을 다투다가 패해, 친구인 한신(韓信)에게 의탁하였다가 자결하였다.

309)쥬은(周殷) : 중국 초(楚)나라 패왕(霸王; 項羽) 때의 무장(武將). 항우의 충직한 장수였으나 한(漢)나라의 반간계(反間計)에 속아 한 고조 유방(劉邦)에게 투항하였다.

310)금괴(金鼓) : 고려·조선 시대에, 군중(軍中)에서 호령하는 데 사용하던 징과 북.

311)망농포(蟒龍袍) : 가슴과 등과 어깨에 용의 무늬를 수놓아 지은 임금의 정복. =곤룡포(袞龍袍).

312)ᄇᆡᆨ옥ᄃᆡ(白玉帶) : 명주에 백옥(白玉)을 붙여 만든 허리띠.

313)고각(鼓角) : 군중(軍中)에서 호령할 때 쓰던 북과 나발.

314)다홍슈ᄌᆞ긔(大紅帥字旗) : 진중(陣中)이나 영문(營門)의 뜰에 세우던 대장의 다홍색(大紅色) 군기(軍旗). 다홍색 바탕에 검은색으로 '帥' 자가 쓰여 있으며 드림이 달려 있다. *다홍색(大紅色) : 진홍색(眞紅色). '다홍'은 중국어 '大紅[dàhóng]'의 음차(音借).

315)홍냥산(紅陽傘) : 햇볕을 가리는데 쓰는 붉은 양산(陽傘).

316)ᄌᆞ금포(紫錦袍) : 붉은 비단으로 지은 남자의 겉옷.

317)익션관(翼善冠) : 왕과 왕세자가 평상복인 곤룡포를 입고 집무할 때에 쓰던 관. 앞 꼭대기에 턱이 져서 앞이 낮고 뒤가 높은데, 뒤에는 두 개의 뿔을 날개처럼 달았으며 검은빛의 사(紗) 또는 나(羅)로 둘렀다

등이 잇셔○○[시나] 멸ᄑᆡ(滅敗)ᄒᆞ엿ᄂᆞ니, 텬시를 볼 거시니 엇지 근심ᄒᆞ리오. 미리 승ᄑᆡ를 보지 아냐 송국 장슈의 글을 보고, 큰 ᄯᅳᆺ을 두로혀 영웅을 붓그럽게 ᄒᆞᄂᆞ니잇고?"

ᄒᆞ니, 위왕이 올히 넉여 ᄉᆞᄌᆞ(使者)를 이에 도라 보ᄂᆡ고 명일에 냥진(兩陣)이 상ᄃᆡᄒᆞᆯᄉᆡ, 금괴(金鼓)269) 졔명(齊鳴)ᄒᆞ고 긔ᄲᆞᆯ이 움작이ᄂᆞᆫ 곳에, ᄇᆡᆨᄉᆞ장 너른 ᄯᅳᆯ에 낭진(兩陣)이 긔치(旗幟)를 버리고, 위왕이 머리의 금관을 쓰고 망농포(蟒龍袍)270)의 ᄇᆡᆨ옥ᄃᆡ(白玉帶)271)를 두루고 문긔하(門旗下)의 나와, 송진을 바라고 ᄊᆞ호쟈 ᄒᆞ니, 송진 즁의 문긔(門旗) 열니【99】며 고각(鼓角)272)이 진텬ᄒᆞ고 다홍슈쟈긔(大紅帥字旗)273) 붓치이ᄂᆞᆫ 곳에 홍양산(紅陽傘)274) 아ᄅᆡ 일눈거(一輪車)를 미러 나아오니, 이ᄂᆞᆫ 윤원쉬○[라]. ᄌᆞ금금포(紫金錦袍)275)의 익션관(翼善冠)276)의 양지ᄇᆡᆨ옥ᄃᆡ(兩枝白玉帶)277)에 ᄇᆡᆨ

信)에게 의탁하였다가 자결하였다.

268)쥬은(周殷) : 중국 초(楚)나라 패왕(霸王; 項羽) 때의 무장(武將). 항우의 충직한 장수였으나 한(漢)나라의 반간계(反間計)에 속아 한 고조 유방(劉邦)에게 투항하였다.

269)금괴(金鼓) : 고려·조선 시대에, 군중(軍中)에서 호령하는 데 사용하던 징과 북.

270)망농포(蟒龍袍) : 가슴과 등과 어깨에 용의 무늬를 수놓아 지은 임금의 정복. =곤룡포(袞龍袍).

271)ᄇᆡᆨ옥ᄃᆡ(白玉帶) : 명주에 백옥(白玉)을 붙여 만든 허리띠.

272)고각(鼓角) : 군중(軍中)에서 호령할 때 쓰던 북과 나발.

273)다홍슈ᄌᆞ긔(大紅帥字旗) : 진중(陣中)이나 영문(營門)의 뜰에 세우던 대장의 다홍색(大紅色) 군기(軍旗). 다홍색 바탕에 검은색으로 '帥' 자가 쓰여 있으며 드림이 달려 있다. *다홍색(大紅色) : 진홍색(眞紅色). '다홍'은 중국어 '大紅[dàhóng]'의 음차(音借).

274)홍냥산(紅陽傘) : 햇볕을 가리는데 쓰는 붉은 양산(陽傘).

275)ᄌᆞ금금포(紫金錦袍) : 자금색(紫金色) 비단으로 지은 남자의 겉옷.

276)익션관(翼善冠) : 왕과 왕세자가 평상복인 곤룡포를 입고 집무할 때에 쓰던 관. 앞 꼭대기에 턱이 져서 앞이 낮고 뒤가 높은데, 뒤에는 두 개의 뿔을 날개처럼 달았으며 검은빛의 사(紗) 또는 나(羅)로 둘렀다

277)냥디ᄇᆡᆨ옥ᄃᆡ(兩枝白玉帶) : 백옥대(白玉帶)를 양

(兩枝白玉帶)318)의 빅우션(白羽扇)319)과 산호편(珊瑚鞭)320)을 드러시니, 보건딕 옥모영풍(玉貌英風)의 오악경긔(五嶽精氣)321) 태산의 위엄과 뇽호(龍虎)의 음아즐타(吟哦叱打)322) 호는 긔상이라. 안연(晏然)이323) 태허(太虛)324) 숑옥(宋玉)325)의 아룸다오믄 니르도 말고, 강산슈긔(江山秀氣)를 오로디 픔슈(稟受)호여 졔셰안민디지(濟世安民之材)326)와 경뉸패업디혜(經綸霸業之慧)327)의 결승천니디지(決勝千里之才)328)니, 웅위호 골격과 쳑탕호 풍신이 쳔고(千古)를 녁냥(歷量)329)호나 딕두(對頭)330)호리 업술디라. '청텬빅일(靑天白日)은 노예하쳔(奴隸下賤)도 역디기명(亦知其明)이라.'331) 위국 군신이 호 번 보믹 대경 칭찬호고, 부원슈 님셩각을 쏘호 보고 크게 놀나더라.

위왕이 일견 쳠망(瞻望)의 대경(大驚) 무언(無言)호고 윤원【30】쉬 또 위왕을 보니 쳔승국군(千乘國君)의 상뫼 당당호디라. 원쉬 금편(金鞭)을 드러 위왕을 ᄀ르쳐 니르

318)냥디빅옥딕(兩枝白玉帶) : 백옥대(白玉帶)를 양 끝이 가닥이 나게 맨 모양.
319)빅우션(白羽扇) : 새의 흰 깃으로 만든 부채.
320)산호편(珊瑚鞭) : 산호로 꾸민 채찍.
321)오악경긔(五嶽精氣) : 눈·코·입의 다섯 구멍에서 나오는 기운.
322)음아즐타(吟哦叱打) : 크게 소리 내어 꾸짖음.
323)안연(晏然)이 : 안연(晏然)히. 차분하고 침착하게.
324)태허(太虛) : '하늘'을 달리 이르는 말. 여기서는 '하늘에 있는'의 의미.
325)숑옥(宋玉) : B.C.290-B.C.222. 중국 춘추 전국시대 초나라의 문인. 반악(潘岳)과 함께 중국의 대표적인 미남자로 일컬어짐. <구변(九辯)>, <초혼(招魂)>, <고당부(高唐賦)> 등의 작품이 전하고 있고 굴원(屈原)의 제자로 알려져 있다.
326)졔셰안민디지(濟世安民之材) : 세상을 구제하고 백성을 편안하게 할 인재(人材).
327)경뉸패업디혜(經綸霸業之慧) : 천하를 다스리고 제후의 으뜸지리를 차지할 지혜(知慧).
328)결승천니디지(決勝千里之才) : 교묘한 꾀를 써서 먼 곳에서 일어나는 싸움의 승리를 결정하는 재주.
329)녁냥(歷量) : 역력(歷歷)히 헤아림.
330) 딕두(對頭) : 맞서 겨룰 만한 상대.
331)'청텬빅일(靑天白日)은 노예하쳔(奴隸下賤)도 역디기명(亦知其明)이라.' : 맑은 하늘의 밝은 태양은 노예나 천민과 같은 무식한 사람들도 그 밝음을 안다.

우션(白羽扇)278)과 산호편(珊瑚鞭)279)을 드러시니, 보건딕 옥모영풍(玉貌英風)에 오악경긔(五嶽精氣)280) 틱산의 위엄과 뇽호(龍虎)의 음아즐타(吟哦叱打)281)호는 긔상이라. 완연(宛然)이282) 송옥(宋玉)283)의 아름다오믄 니르도 말고, 강산슈긔를 오로지 픔슈호여 졔셰안민지직(濟世安民之材)284)와 경륜픽업(經綸霸業)285)의 결승쳔니지직(決勝千里之才)286)니, 위국 군신이 호 번 보믹 딕경 칭찬호고, 부원슈 님션[셩]각을 쏘호 크게 놀나더라.

위왕이 일견에 딕경(大驚) 무언(無言)호고, 윤원쉬 쏘호 위왕을 보니 쳔승국군(千乘國君)의 상뫼 당당호지라. 원쉬 금편(金鞭)을 드러 왈,

끝이 가닥이 나게 맨 모양.
278)빅우션(白羽扇) : 새의 흰 깃으로 만든 부채.
279)산호편(珊瑚鞭) : 산호로 꾸민 채찍.
280)오악경긔(五嶽精氣) : 눈·코·입의 다섯 구멍에서 나오는 기운.
281)음아즐타(吟哦叱打) : 크게 소리 내어 꾸짖음.
282)완연(宛然)이 : 눈에 보이는 것처럼 아주 뚜렷하게
283)송옥(宋玉) : B.C.290-B.C.222. 중국 춘추 전국시대 초나라의 문인. 반악(潘岳)과 함께 중국의 대표적인 미남자로 일컬어짐. <구변(九辯)>, <초혼(招魂)>, <고당부(高唐賦)> 등의 작품이 전하고 있고 굴원(屈原)의 제자로 알려져 있다.
284)졔셰안민디직(濟世安民之材) : 세상을 구제하고 백성을 편안하게 할 인재(人材).
285)경뉸패업(經綸霸業) : 천하를 다스리고 제후의 으뜸지리를 차지할함
286)결승쳔니디직(決勝千里之才) : 교묘한 꾀를 써서 먼 곳에서 일어나는 싸움의 승리를 결정하는 재주.

되,

"금애(今矣) 대송 텬지 신셩영무(神聖英武)ᄒᆞ샤 고금 명왕(明王)을 니으시고, 쥬공(周公)[332]·쇼공(召公)[333]·냥평(良平)·와룡(臥龍) ᄀᆞᆺ툰 지 무슈ᄒᆞ니, 덕홰 만방의 ᄉᆞ못거ᄂᆞᆯ 홀노 대왕이 역텬무도(逆天無道)ᄒᆞ니, 고어의 왈 '사ᄅᆞᆷ이 쳐음 그르나 곳치미 귀타' ᄒᆞ니, 대왕은 응텬슌인(應天順人)을 좃ᄎᆞ 죄를 청ᄒᆞ고 귀슌ᄒᆞᆫ죽, 쳐음 역텬무도를 샤(赦)ᄒᆞ샤 기리 왕낙(王樂)을 일치 아니리라."

ᄒᆞ여 만단(萬端) 개유(開諭)ᄒᆞ니, 소딘(蘇秦)[334]의 구변(口辯)으로 만이(蠻夷)를 항복게 ᄒᆞᄂᆞᆫ디라. 위왕이 쳥파의 미쇼 왈,

"텬하ᄂᆞᆫ 비일인디텬하(非一人之天下)오 텬하인디텬히(天下人之天下)니[335] ᄌᆞ웅을 결ᄒᆞ【31】리라."

ᄒᆞ거ᄂᆞᆯ, 원쉬 좌우 션봉으로 ᄆᆞᆯ을 ᄂᆡ여 졉젼 슈합(數合)의 션봉이 니한을 버히고 왕한을 싱금ᄒᆞ니, 덕당 오피 대로ᄒᆞ여 ᄂᆡᄃᆞ라 상젼(相戰) 빅여합의, 윤원쉬 딘샹의셔 오표의 흉댱살긔(凶壯殺氣)ᄒᆞ믈 보고, 오호궁(烏號弓)[336]의 금비젼(金飛箭)[337]을 먹여 오표의 가슴을 맛ᄎᆞ니, 오피 마하의 ᄡᅥ러디거ᄂᆞᆯ, 숑 션봉이 버히고 승젼곡을 울니더라.

냥딘이 징(錚) 쳐 군을 거두니, ᄎᆞ시 윤원쉬 군을 거두어 도라와 삼군(三軍)을 호상

332)쥬공(周公) : 중국 주나라의 정치가. 문왕의 아들로 성은 희(姬). 이름은 단(旦). 형인 무왕을 도와 은나라를 멸하였고, 주나라의 기초를 튼튼히 하였다. 예악 제도(禮樂制度)를 정비하였으며, ≪주례(周禮)≫를 지었다고 알려져 있다.

333)쇼공(召公) : 소공석(召公奭). 중국 주(周)나라의 정치가. 산둥 반도를 정벌하여 동방(東方) 경로(經路)의 사업을 이룩하여 주나라의 기초를 닦았다.

334)소진(蘇秦) : 중국 전국 시대의 유세가(遊說家). 산동 6국의 합종(合從)을 설득, 진(秦)에 대항했다.

335)텬하ᄂᆞᆫ 비일인디텬하(非一人之天下)오 텬하인디텬히(天下人之天下)라. : 천하는 한 사람의 천하가 아니라 천하 사람의 천하다. 즉 천하는 특정한 한 사람만이 주인이 될 수 있는 것이 아니라, 천하 사람 모두가 그 주인이 될 수 있다는 말.

336)오호궁(烏號弓) : 예전에, 중국에서 이름난 활의 하나.

337)금비젼(金飛箭) : 쇠붙이로 화살촉을 박은 화살.

"이졔 대송 텬지 신셩영무(神聖英武)ᄒᆞ샤 고금 명왕(明王)을 니으시고, 쥬○[공](周公)[287]·소공(召公)[288]·냥평(良平)·와룡(臥龍) ᄀᆞᆺ툰 지 무슈ᄒᆞ니, 덕홰 만방에 ᄉᆞ못거ᄂᆞᆯ, 되【100】왕이 홀노 역텬기죄(逆天己罪)[289]ᄒᆞ니, 고어에 왈, '샤ᄅᆞᆷ이 쳐음 그르나 고치미 귀타' ᄒᆞ니, ᄃᆡ왕은 응텬슌인(應天順人)을 조ᄎᆞ 죄를 쳥ᄒᆞ고 슌항(順降)ᄒᆞᆫ죽 쳐음 역텬무도(逆天無道)를 샤(赦)ᄒᆞᄉᆞ 기리 왕낙(王樂)을 일치 아니리라."

ᄒᆞ여 만단(萬端) ᄀᆡ유(開諭)ᄒᆞ니, 위왕이 쳥파의 미소 왈, '텬하ᄂᆞᆫ 일인(一人)의 텬히 아니믈' 닐너, 'ᄌᆞ웅을 결ᄒᆞ쟈.' ᄒᆞ거ᄂᆞᆯ, 원쉬 좌우 션봉으로 말을 ᄂᆡ여, 졉젼 슈합(數合)의 션봉이 니탄[한]을 버히고 왕환을 싱금ᄒᆞ니, 젹장 오피 ᄃᆡ로ᄒᆞ여 ᄂᆡᄃᆞ라 빅여합의, 윤원쉬 진샹에셔 오표의 흉장살긔(凶壯殺氣)ᄒᆞ믈 보고, 오호궁(烏號弓)[290]의 금젼(金箭)[291]을 먹여 오표의 가슴을 맛ᄎᆞ니, 오피 마하의 ᄡᅥ러지거ᄂᆞᆯ, 송션봉이 칼을 드러 버히고 승전ᄒᆞ더라.

냥진이 징(錚) 쳐 군을 거두니, ᄎᆞ시 윤원쉬 군을 거두어 도라와 삼군(三軍)을 호상(犒賞)[292]ᄒᆞ고 긔모【101】비계(奇謀秘計)로[와] 신츌귀몰(神出鬼沒)ᄒᆞᄂᆞᆫ 용병과

287)쥬공(周公) : 중국 주나라의 정치가. 문왕의 아들로 성은 희(姬). 이름은 단(旦). 형인 무왕을 도와 은나라를 멸하였고, 주나라의 기초를 튼튼히 하였다. 예악 제도(禮樂制度)를 정비하였으며, ≪주례(周禮)≫를 지었다고 알려져 있다.

288)쇼공(召公) : 소공석(召公奭). 중국 주(周)나라의 정치가. 산둥 반도를 정벌하여 동방(東方) 경로(經路)의 사업을 이룩하여 주나라의 기초를 닦았다.

289)역천기죄(逆天己罪) : 천명을 거역하여 스스로 죄를 지음.

290)오호궁(烏號弓) : 예전에, 중국에서 이름난 활의 하나.

291)금전(金箭) : 쇠붙이로 화살촉을 박은 화살.

292)호상(犒賞) : 군사들에게 음식을 차려 먹이고 상을 주어 위로함.

(犒賞)338)ᄒᆞ고 긔모비계(奇謀秘計)와 신츌귀몰(神出鬼沒)ᄒᆞᄂᆞᆫ 용병(用兵)과 ᄇᆡᆨ보쳔양(百步穿楊)339)ᄒᆞᄂᆞᆫ ᄌᆡ조로, 위왕으로 더브러 여러 번 ᄡᅡ화 일일승젼(日日勝戰)ᄒᆞ고 댱슈를 죽이며 ᄉᆡᆼ금(生擒)ᄒᆞ니, 항복 바든 직 무슈ᄒᆞ고,【32】위왕을 항복 바든디라.

원쉬 대희ᄒᆞ여 셩듕의 드러가니, 인믈이 번화ᄒᆞ고 풍쇽이 슌후(淳厚)ᄒᆞ여, 비록 디방이 험조(險阻)ᄒᆞ나 녜악(禮樂) 문믈(文物)《과∥이 번성ᄒᆞ며》, 오곡이 풍등(豐登)ᄒᆞ고 셩곽이 댱녀(壯麗)ᄒᆞ며 누ᄃᆡ(樓臺) 공교ᄒᆞ더라.

원슈 일ᄒᆡᆼ을 셜연(設宴) 관ᄃᆡ(款待)ᄒᆞ고 금은보화(金銀寶華)를 무슈히 드리니, 원쉬 일믈도 밧디 아닌ᄃᆡ, 위국 군신이 감격ᄒᆞ고 원쉬 션티(善治) 교화(敎化)로 위국 디방을 슌무(巡撫)ᄒᆞ니, 슈월디간(數月之間)의 일국이 션티(善治)ᄒᆞ더라.

월여의 듕ᄉᆡ(中使) 황됴(皇詔)를 가져 니르고, 위왕 왕호를 다시 허ᄒᆞ시다. 원슈의 대군이 반샤(班師)ᄒᆞ여 듕노의 니르러, 됴졍 됴보(朝報)를 보니 니뷔(吏部) 동창의 출샤ᄒᆞ다 ᄒᆞᄂᆞᆫ디라, 원슈의 명달ᄒᆞ【33】므로 셩듀의 득인ᄒᆞ시믈 아나, 디극ᄒᆞᆫ 우ᄋᆡ로ᄡᅧ 샤례(私慮)340) 무궁ᄒᆞ더라.

대군이 완ᄒᆡᆼ(緩行)ᄒᆞ여 동교(東郊)의 니르러 어개(御駕) 친히 마ᄌᆞ시니, 삼군 댱졸의 예긔(銳氣) 하날 ᄌᆞᆺ고 승젼곡을 일시의 쥬ᄒᆞ니, 원쉬 먼니셔 하마(下馬)ᄒᆞ여 어젼의 팔ᄇᆡ(八拜) 산호(山呼)341)ᄒᆞ니, 텬심이 환희대열ᄒᆞ샤 면유(面諭)ᄒᆞ샤 왈,

338)호상(犒賞) : 군사들에게 음식을 차려 먹이고 상을 주어 위로함.

339)빅보천양(百步穿楊) : 활 쏘는 솜씨가 매우 뛰어남을 이르는 말. 중국 초나라 때 양유기(養由基)라는 사람이 백 걸음 떨어진 곳에서 활을 쏘아 버드나무 잎을 꿰뚫었다는 데서 유래한다.

340)샤례(私慮) : 사사로운 염려.

341)산호(山呼) : 산호만세(山呼萬歲). 나라의 중요 의식에서 신하들이 임금의 만수무강을 축원하여 두 손을 치켜들고 만세를 부르던 일. 중국 한나라 무제가 숭산(嵩山) 산에서 제사 지낼 때 신민(臣民)들이 만세를 삼창한 데서 유래한다.

ᄇᆡᆨ보쳔양(百步穿楊)293)ᄒᆞᄂᆞᆫ ᄌᆡ조로, 위왕으로 여러 번 ᄊᆞ화 일일승젼(日日勝戰)ᄒᆞ고 쟝슈를 죽이며 ᄉᆡᆼ금ᄒᆞ여, ○○○[위왕을] 항복 바든지라.

원쉬 ᄃᆡ희ᄒᆞ여 셩즁의 드러가니, 인물이 번화ᄒᆞ고 풍속이 슌후(淳厚)ᄒᆞ여, 비록 지방이 험조(險阻)ᄒᆞ나 문물례악(文物禮樂)과 오곡(五穀)이 풍등(豐登)ᄒᆞ고 《션악∥셩곽(城郭)》이 장녀(壯麗)ᄒᆞ며 루ᄃᆡ(樓臺) 공교ᄒᆞ더라.

위왕이 원쉬 일ᄒᆡᆼ을 셜연(設宴) 관ᄃᆡ(寬待)ᄒᆞ고 금은보화(金銀寶華)를 무슈히 드리니, 원쉬 밧지 아닌ᄃᆡ 위국 군신이 감격ᄒᆞ여 ᄒᆞ고 원쉬 교화(敎化) 션치(善治)로 위국 지방을 순무ᄒᆞ니, 일국이 슈월간○[에] 션치(善治)ᄒᆞ다.

월여에 즁ᄉᆡ(中使) 황조(皇詔)를 가져 니르고, 위왕 왕호를 다시 허ᄒᆞ시다. 원슈의 ᄃᆡ군이 반ᄉᆞ(班師)ᄒᆞ여 즁노의 니르러, 됴졍 조보(朝報)를 보니 니뷔 동창의 출ᄉᆞᄒᆞ다 ᄒᆞᄂᆞᆫ지라. 원슈의 명달ᄒᆞ므로 셩쥬의【102】득인ᄒᆞ시믈 아나, 지극ᄒᆞᆫ 우ᄋᆡ로 ᄉᆞ례(私慮)294) 무궁ᄒᆞ더라.

ᄃᆡ군이 완ᄒᆡᆼ(緩行)ᄒᆞ여 동문(東門)에 니르러 어ᄀᆡ(御駕) 친히 마ᄌᆞ시니, 삼군 장졸의 예긔(銳氣) 하ᄂᆞᆯ ᄌᆞᆺ고, 승졍[젼]곡을 일시에 쥬ᄒᆞ니, 원쉬 먼니셔 하마(下馬)ᄒᆞ여 어젼의 팔ᄇᆡ(八拜) 산호(山呼)295)ᄒᆞ니, 텬심이 환희ᄃᆡ열ᄒᆞᄉᆞ 면유(面諭) 왈,

293)빅보천양(百步穿楊) : 활 쏘는 솜씨가 매우 뛰어남을 이르는 말. 중국 초나라 때 양유기(養由基)라는 사람이 백 걸음 떨어진 곳에서 활을 쏘아 버드나무 잎을 꿰뚫었다는 데서 유래한다.

294)샤례(私慮) : 사사로운 염려.

295)산호(山呼) : 산호만세(山呼萬歲). 나라의 중요 의식에서 신하들이 임금의 만수무강을 축원하여 두 손을 치켜들고 만세를 부르던 일. 중국 한나라 무제가 숭산(嵩山) 산에서 제사 지낼 때 신민(臣民)들이 만세를 삼창한 데서 유래한다.

"경의 신무(神武)ᄂᆞᆫ 아란 디 오ᄅᆡ거니와, 슈히 셩공ᄒᆞ고 개가로 도라 올 줄은 의외라. 요ᄉᆞ이 동창 요뎍(妖賊)이 창궐ᄒᆞ므로 경데(卿弟) ᄌᆞ원츌뎡(自願出征)ᄒᆞ니, 경데의 ᄌᆡ조로뼈 족히 념녀ᄒᆞᆯ ᄇᆡ 아니로ᄃᆡ, 각쳐의 졔뎍이 챵궐ᄒᆞ므로 딤의 쥬셕디신(柱石之臣)이 다 히외의 나가니, 좌우슈를 일흔 ᄃᆞᆺᄒᆞ더니, 경이 몬【34】져 환됴ᄒᆞ니 딤심을 위로ᄒᆞ리로다."

드ᄃᆡ여 옥ᄇᆡ의 향온(香醞)을 ᄎᆞ례로 브어 삼군 댱졸○[을] 반샤(頒賜)ᄒᆞ샤, 만니 젼딘의 노고ᄒᆞ믈 위로ᄒᆞ시니, 원쉬 감튝 샤은ᄒᆞ여 고두(叩頭) 쥬왈,

"고어의 왈, '듀우신욕(主憂臣辱)이오 듀욕신ᄉᆞ(主辱臣死)라'342) ᄒᆞ오니, 신 등이 년쇼ᄌᆡ박(年少才薄)ᄒᆞ오나, 위인신(爲人臣)ᄒᆞ와, 폐하의 늉우(隆憂)를 당ᄒᆞ와 젹은 힘을 괴롭다 ᄒᆞ올딘ᄃᆡ, ᄎᆞᄂᆞᆫ 만고블튱(萬古不忠)이라 ᄒᆞ리로소이다."

샹이 더옥 아름다이 넉이샤, 윤원슈를 봉ᄒᆞ여 위국공을 더으시고, 님셩각으로 졀졔도춍독을 삼으시고, 졔댱 등의 픔직을 ᄎᆞ례로 도도시고 어개 환궁ᄒᆞ신 후, 【35】윤원쉬 계부를 뫼셔 부듕의 도라와 태부인긔 뵈오니, 태부인이 창후를 보고 크게 반겨 집슈무ᄇᆡ(執手撫背)343) 왈,

"노뫼 너를 젼딘의 보ᄂᆡ고 쇽식이 블안터니, 네 이러틋 슈히 승젼반샤(勝戰班師)ᄒᆞ니 엇디 긔특디 아니리오. 희텬은 언졔나 이ᄀᆞᆺ치 슈히 도라 올고?"

창휘 광미대샹(廣眉大顙)344)의 화긔이연(和氣怡然)ᄒᆞ여, 조모의 이ᄀᆞᆺ치 ᄉᆞ랑ᄒᆞ시믈 보ᄆᆡ, 인간의 희귀디ᄉᆞ로 아라 깃거ᄒᆞ며, 모부인과 쇽모긔 ᄇᆡ현ᄒᆞ고 뎡·남·화·하·

---

342)주우신욕(主憂臣辱) 주욕신ᄉᆞ(主辱臣死) : 임금에게 근심이 있으면 신하는 마땅이 이를 치욕으로 생각하여 근심을 없애야 하고, 또 임금에게 치욕이 있으면 신하는 마땅이 죽음으로써 그 치욕을 씻어야 한다.

343)집슈무ᄇᆡ(執手撫背) ; 손을 잡고 등을 어루만짐.

344)광미대샹(廣眉大顙) : 너른 눈썹과 큰 이마.

"경의 신무(神武)ᄂᆞᆫ 아란 지 오ᄅᆡ거니와, 슈히 셩공ᄒᆞ고 개가로 도라 올 줄은 의외라. 요ᄉᆞ이 동창 도젹이 창궐ᄒᆞ여 경데(卿弟) ᄌᆞ원츌졍(自願出征)ᄒᆞ니, 족히 념녀ᄒᆞᆯ ᄇᆡ 아니로ᄃᆡ, 각쳐의 졔젹이 창궐ᄒᆞ므로 딤의 쥬셕지신(柱石之臣)이 다 히외에 나아가니, 좌우슈를 일흔 ᄃᆞᆺᄒᆞ더니, 경이 몬져 환조ᄒᆞ니 딤심을 위로ᄒᆞ리로다."

드ᄃᆡ여 옥ᄇᆡ에 향온(香醞)을 ᄎᆞ례로 부어 삼군 장졸을 반ᄉᆞ(頒賜)ᄒᆞ시며, 만니 젼진에 《뇌뇌 ‖ 노고》ᄒᆞ믈 위로ᄒᆞ시니, 원쉬 ᄉᆞ은 감츅ᄒᆞ여 고두(叩頭) 주왈,

"고어의 왈, '군욕신ᄉᆞ(君辱臣死)라'296) ᄒᆞ오니, 신 등이 년소【103】ᄌᆡ박(年少才薄) ᄒᆞ오나, 위인신(爲人臣)하와 폐하의 융우(隆憂)를 당ᄒᆞ와 져근 힘을 괴롭다 ᄒᆞᆯ진ᄃᆡ ᄎᆞᄂᆞᆫ 만고불츙(萬古不忠)이라 ᄒᆞ리로소이다."

상이 더욱 아름다이 넉이ᄉᆞ, 윤원슈로 위국공을 더으시고, 졔장 등을 ᄎᆞ례로 픔직을 도도시고, 어개 환궁ᄒᆞ신 후, 윤원쉬 슉부를 뫼셔 부즁에 도라와 존당긔 뵈오니, 태부인이 창후를 보고 크게 반겨 집슈무ᄇᆡ(執手撫背)297) 왈,

"노뫼 너를 젼진에 보ᄂᆡ고 쇽식이 불안터니, 네 니러틋 슈히 승젼반ᄉᆞ(勝戰班師)ᄒᆞ니 엇지 긔특지 아니리오. 희텬은 언졔나 이ᄀᆞᆺ치 슈히 도라 올고."

ᄒᆞ니,

◎298)어시에 창휘 조모○[의] 여ᄎᆞ 과ᄋᆡᄒᆞ시믈 본젹마다 인간의 희귀ᄒᆞᆫ 경ᄉᆞ로 아라, 항상 ᄆᆞᄋᆞᆷ의 화긔이연(和氣怡然)ᄒᆞ여[며], 모부인과 쇽모긔 뵈옵고 뎡·남·화

---

296)군욕신ᄉᆞ(君辱臣死) : 임금에게 치욕이 있으면 신하는 마땅이 죽음으로써 그 치욕을 씻어야 한다..

297)집슈무ᄇᆡ(執手撫背) ; 손을 잡고 등을 어루만짐.

298)◎ : 필사자가 선행본의 권 경계를 나타내기 위해 앞 권에 이어 필사하는 권의 시작부분에 첨가해놓은 표점.

댱 등 졔부인과 구파를 향ᄒᆞ여 각각 녜필의 기간 영모디회(永慕之懷) 간졀ᄒᆞ던 바를 고ᄒᆞ더니, 외각의 하ᄀᆡᆨ이 운집ᄒᆞ니, 창휘 계부를 뫼셔【36】 밧긔 나와 졉ᄀᆡᆨᄒᆞᆯ식, 쵹을 니어 쥬찬을 드려 통음(痛飮) 달야(達夜)ᄒᆞ고, 명일 옥궐의 됴회ᄒᆞᆫ 후 퇴됴ᄒᆞ여 죵일 ᄃᆡᄀᆡᆨ의, 바야흐로 몸을 ᄲᆡ혀 ᄂᆡ당의 드러와 존당의 한화(閑話)ᄒᆞᆯ식, 태부인이 좌우로 슉녈의 ᄋᆞᄌᆞ를 다려○○○○[오게 ᄒᆞ여] 니르니, 슉녈의 ᄉᆡᆼᄌᆞᄂᆞᆫ 오뉵 삭이라 능히 언어를 통ᄒᆞᆯ ᄃᆞᆺ 힝보를 움죽이니, 옥셜긔븨(玉雪肌膚) 영형슈미(英形秀美)ᄒᆞ미 범ᄋᆞ(凡兒)로 다른디라. 위공이 좌우로 어로만져 년ᄋᆡ 귀듕ᄒᆞ고, 딘시 업ᄉᆞ믈 믓ᄌᆞ왈[와] ᄀᆞᆯ오ᄃᆡ,

"딘시를 엇디 보디 못ᄒᆞᆯ소니잇고? 어ᄃᆡ 미양이 이셔 못 보ᄂᆞ니잇가?"

태부인이 미급답(未及答)의 구패 믄득 눈섭을 ᄡᅵᆼ긔고 탄식ᄒᆞ여, ᄀᆞᆯ【37】오ᄃᆡ,

·하·장 등 졔 부인과 구파를 향ᄒᆞ여 각각 례를 필【104】ᄒᆞ고, 광슈로 대모의 손을 밧드러 셩쳬 안강ᄒᆞ시믈 깃거ᄒᆞ고, 영모지회(永慕之懷)를 가득이 고ᄒᆞ여 조손 모ᄌᆞ의 반기ᄂᆞᆫ 졍을 《ᄎᆞ려치 ‖ 칙 펴지》 못ᄒᆞ여셔, 외당에 하ᄀᆡᆨ이 브졀여루(不絶如縷)ᄒᆞ니, 창휘 숙부를 뫼셔 외헌에 나와 졉빈 ᄃᆡᄀᆡᆨᄒᆞᆯ식, 쵹을 니어 쥬찬을 드려 통음달야(痛飮達夜)ᄒᆞ고, 명조에 옥궐에 조회ᄒᆞᆫ 후, 겨유 정당(正堂)299)에 신셩(晨省)을 파ᄒᆞ미, ᄯᅩ 외당에 모든 손이 무슈ᄒᆞ니, 창휘 능히 ᄉᆞ괴 연첩ᄒᆞ여 ᄂᆡ당에 드지 못ᄒᆞ고, 수삼일 졉빈ᄀᆡᆨ(接賓客) ᄒᆞ기를 맛ᄎᆞ미, 바야흐로 ᄂᆡ당에 드러와 존당과 ᄌᆞ위를 뫼셔 한담ᄒᆞᆯ식, 태부인이 좌우로 슉녈의 ᄋᆞᄌᆞ와 딘씨의 ᄉᆡᆼᄋᆞ을 ᄃᆞ려○○○○[오게 ᄒᆞ여] 니르니, 슉녈의 ᄉᆡᆼᄌᆞᄂᆞᆫ ᄉᆡᆼ지 오뉵 삭의 능히 지각이 잇ᄂᆞᆫ ᄃᆞᆺ, 언어를 닐우고 힝보를 옴기고져 ᄒᆞ니, 쳬형이 셕ᄃᆡ(碩大)ᄒᆞ여 옥셜긔보[븨](玉雪肌膚)와 영형슈미(英形秀美)ᄒᆞ【105】미, 범ᄋᆞ(凡兒)와 수셰이[나] 지○○[ᄂᆞᆫ ᄃᆞᆺ] ᄒᆞ고, 딘소져 ᄉᆡᆼᄌᆞᄂᆞᆫ 난 지 삼칠일(三七日)이 지나시되, ᄒᆞᆫ ᄌᆞ 옥으로 무으며300) ᄭᅩᆺᄎᆞ로 삭엿ᄂᆞᆫ ᄃᆞᆺ, 새별301) ᄡᅡᆼ안과 옥모영ᄎᆡ(玉貌英彩) 숙녈의 ᄋᆞᄌᆞ와 ᄃᆞ르지 아냐, 장단(長短)이 잠간 ᄎᆞ호(差乎)302)ᄒᆞ나 일ᄡᅡᆼ 긔린이라. 손으로 어루만져 년ᄋᆡ(憐愛) 귀즁ᄒᆞ나, 딘씨 업ᄉᆞ믈 보고 바야흐로 뭇ᄌᆞ와 ᄀᆞᆯ오ᄃᆡ,

"츌젼(出戰)ᄒᆞᆫ 지 팔 삭에 환가ᄒᆞ오니, 딘씨의 분산(分産) 일월을 혜건ᄃᆡ 발셔 신긔(身氣) 소셩(蘇醒)ᄒᆞ여실 거시로ᄃᆡ, 엇지 보지 못ᄒᆞᄂᆞ니잇고? 어ᄃᆡ 미양이 이셔 신셩(晨省)의 불참ᄒᆞ니잇고?"

태부인이 미급답(未及答)에 구ᄑᆡ 머뭇기다가 눈섭을 ᄶᅵᆼ긔고 왈,

---

299)정당(正堂) : 한 구획 내에 지은 여러 채의 집 가운데 가장 주된 집채로 집안의 가장 높은 여자 어른이 거처한다.
300)무으다 : ①쌓다. ②만들다.
301)새별 : 샛별.
302)차호(差乎) : 차이가 있음.

"딘부인의 ᄎᆞ악ᄒᆞᆫ 말을 니르고져 ᄒᆞ나, 먼니셔 갓 도라와 가듕의 깃브미 가득ᄒᆞ니, 비ᄉᆞ(悲事)를 들추미 밧븐 고로 밋쳐 니르디 못ᄒᆞ엿거니와, 졔딘이 일즉 흉음(凶音)을 아니ᄒᆞ던가. 과연 쇼졔 모일의 산후병으로 셰샹을 바려시니, 낭군이 환경ᄒᆞ던 날 셩복이라. 그런 참혹ᄒᆞᆫ 일이 어ᄃᆡ 이시리오."

위공이 믄득 놀나, 왈,

"어ᄃᆡ셔 상ᄉᆞ 낫ᄂᆞ니잇가?"

구패 왈,

"딘쇼졔 병이 듕ᄒᆞ시니 ᄎᆡ셜졍으로 피우를 가셔 몰타 ᄒᆞ니, 그 청츈이 가장 잔잉ᄒᆞ거니와, 냥ᄌᆡ 이셔 후ᄉᆞᄂᆞᆫ 션션(詵詵)ᄒᆞ니 현마 어이ᄒᆞ리잇가?"

위공이 쳐음 구파의 말노조ᄎᆞ 놀나더니, 좌간 경ᄉᆡᆨ을 보니 【38】 의심 된디라. 죵말을 보고져 ᄒᆞ여 거즛 속ᄂᆞᆫ 쳬ᄒᆞ고, 참연ᄒᆞᆫ ᄉᆞᄉᆡᆨ으로 ᄃᆡ왈,

"ᄉᆞᄌᆞᄂᆞᆫ 블가ᄇᆞᄉᆡᆼ(不可復生)이라 엇디 ᄒᆞ리잇가? 슈연이나 녕연(靈筵)의 곡ᄇᆡ(哭拜)나 ᄒᆞ미 올흔가 ᄒᆞᄂᆞ이다."

태부인이 졈두ᄒᆞ고, 구패 그 실노 속ᄂᆞᆫ 줄 알고 거즛 비쳑ᄒᆞ믈 마디 아니니, 위공이 딘시 슈복완젼지상(壽福完全之相)으로 엇디 헛되이 죽으리오. 이의 뎡·딘 냥부의 가 악부모를 ᄇᆡ견ᄒᆞ고, 긔ᄉᆡᆨ을 보아 도로혀 속이고져, 호승(好勝)345)이 발ᄒᆞ고[여] 취운산의 니르니, 금평후 부뷔 태원뎐의셔 볼ᄉᆡ, 태부인 딘부인이 반기고 ᄉᆞ랑ᄒᆞ미 ᄇᆡᆨ공으로 다르미 업ᄉᆞ니, 샹하의 츈풍화긔 일양(一樣)으로 승젼 【39】 셩공ᄒᆞ믈 치하ᄒᆞ고, 말ᄉᆞᆷ이 혈심으로 소ᄉᆞ나니 위공이 감샤ᄒᆞ여 반ᄌᆞ디도(半子之道)를 극딘히 ᄒᆞ고, 의렬이

345)호승(好勝) : 남과 겨루어 이기기를 좋아함.

"발셔 니르고져 ᄒᆞ나 그ᄃᆡ 먼니셔 갓 도라오니, 가즁의 깃분 흥이 바야흐로 가득ᄒᆞᆫᄃᆡ, 비ᄉᆞ(悲事)를 들츄미 밧브지 아닌 고로 밋쳐 니르지 못ᄒᆞ엿더니, 아지 못게라 졔딘 등이 일즉 흉음을 젼치 아 【106】 니턴가. 과연 딘소졔 모월 모일에 슌산ᄒᆞ시고 산후 병셰 위악(危惡)ᄒᆞ여, 임의 셰샹을 ᄇᆞ련지 하마 뉵칠 일 되엿ᄂᆞ니, 그 참혹ᄒᆞ고 경악ᄒᆞ미 비ᄒᆞᆯ 데 업ᄉᆞ나, 오ᄂᆞᆯ 날 인간의 희한ᄒᆞᆫ 경ᄉᆞ를 당ᄒᆞ여, 만당(滿堂)이 환취(環聚)ᄒᆞ고 낙ᄉᆡᆨ(樂事) ᄀᆞ장 무궁ᄒᆞᆫ지라. 이 ᄀᆞᆺᄐᆞᆫ 비참ᄒᆞᆫ 말을 ᄂᆡ리오. 고셔의 운ᄒᆞᄃᆡ, '군ᄌᆞᄂᆞᆫ 언길불언흉(言吉不言凶)303)이라' ᄒᆞ엿ᄂᆞ니, ᄒᆞ믈며 길ᄉᆞ(吉事)를 당ᄒᆞ여 엇지 흉ᄒᆞᆫ 말○[을] ᄒᆞ며, 또 샤ᄅᆞᆷ이 임의 죽어시니 언지무익(言之無益)304)이라. 오ᄂᆞᆯ은 조ᄒᆞᆫ 날이라. 이 등ᄉᆞ(等事)를 다시 일컷지 말고 심회를 너그러이 ᄒᆞ여 수일이 지ᄂᆞᆫ 후 다시 말ᄒᆞ리라"

ᄒᆞ고 나아가{더}니, 좌간 경ᄉᆡᆨ을 ᄉᆞᆯ피나 아마도 의심이 잇ᄂᆞᆫ지라. 종말을 보고져 ᄒᆞ여 거즛 속ᄂᆞᆫ 쳬ᄒᆞ고, 창연(悵然)ᄒᆞᆫ ᄉᆞᄉᆡᆨ으로 ᄃᆡ 왈,

"ᄉᆞ쟈ᄂᆞᆫ 불가부ᄉᆡᆼ(不可復生)이라 엇지 ᄒᆞ리잇가? 수연(雖然)이나 【107】 몰나실 젹은 ᄒᆞᆯ일업거니와, 임의 안 후ᄂᆞᆫ 녕연(靈筵)에 곡ᄇᆡ(哭拜)ᄒᆞ여 뉸긔(倫紀)를 ᄇᆞᆰ히미 올토소이다."

태부인이 졈두ᄒᆞ고 구픠 진실노 속ᄂᆞᆫ 줄노 아라 우음기를 니기지 못ᄒᆞ나, 강잉ᄒᆞ여 얼골을 ᄶᅵᆼ긔고 거즛 비쳑ᄒᆞ믈 마지 아니나, 창휘 딘씨의 완젼긔[지]상(完全之相)으로 엇지 헛도이 죽다 ᄒᆞ믈 고지들으리오. 이에 겸ᄒᆞ여 뎡·딘 냥부에 나아가 악모긔 ᄇᆡ현ᄒᆞ고, 인ᄒᆞ여 졔 딘 등의 긔ᄉᆡᆨ을 보아 도로혀 속이려 ᄒᆞ여 호승(好勝)305)이 발작ᄒᆞ니, 이에 가(駕)를 촉(促)ᄒᆞ여 취운산의 니르니,

303)언길불언흉(言吉不言凶) : 길(吉)한 것은 말을 하고, 흉(凶)한 것은 말을 하지 않음.
304)언지무익(言之無益) : 말을 해도 유익함이 없음.
305)호승(好勝) : 남과 겨루어 이기기를 좋아함.

ᄯᅩᄒᆞᆫ 승쳡ᄒᆞ믈 깃거 아험346)의 츈풍이 ᄌᆞ연ᄒᆞ니, 위공이 져져를 반기고 ᄇᆡ반(杯盤)을 나와 냑간 햐져(下箸)ᄒᆞᄆᆡ 하딕고 딘부의 니르니, 낙양후 부뷔 녀셔의 니르믈 보고 크게 반기고 깃거 ᄂᆡ당(內堂)으로 쳥견(請見)ᄒᆞᆯᄉᆡ, 이ᄢᆡ 쥬부인이 맛참 신긔 불평ᄒᆞ여 상요를 ᄯᅥ나디 못ᄒᆞ엿더니, 녀셔의 와시믈 듯고 강질슈작(强疾酬酌)ᄒᆞᆯᄉᆡ, 위공이 악모긔 ᄇᆡ알ᄒᆞ고 그 ᄉᆞ이 병후를 뭇ᄌᆞ와 슈됴(數條) 한훤(寒暄)의 실인의 ᄌᆞ최를 므르니, 낙양후와 부인이 의괴(疑怪)ᄒᆞ여 밋쳐 답디 【40】 못ᄒᆞ여셔, 평댱이 ᄀᆞᆯ오ᄃᆡ,

“쇼ᄆᆡ 명박ᄒᆞ여 초년의 허다(許多) 곤ᄋᆡᆨ(困厄)을 경녁ᄒᆞ고, 젹상(積傷)ᄒᆞᆫ 고질(痼疾)이 산후의 발ᄒᆞ여 일즉 셰상을 바리니, 엇디 가긍(可矜)치 아니리오. ᄉᆞᄌᆞ(死者)ᄂᆞᆫ 이의(已矣)라. ᄒᆞᆯ 일업거니와 모친이 과쳑(過瘠)ᄒᆞ샤 상요를 ᄯᅥ나디 아니시니 민망ᄒᆞ여라.”

낙양후 부뷔 쳥파의 녀ᄋᆡ 치셜경의 구쳐(苟處)ᄒᆞ여 희히(戲諧)ᄒᆞ믈 ᄭᆡᄃᆞ라, ᄇᆞ졀업

346)아험 : 아검(娥臉)의 변음인 듯. 고운 빰, 고운 얼굴.

몬져 뎡부에 가 셔당에 쳥알ᄒᆞ니 금후부뷔 태원뎐에셔 쳥ᄒᆞ여 볼ᄉᆡ, 태부인과 딘부인이 반기고 사랑ᄒᆞ미 북공으로 상하치 아냐, 화긔 춘풍 ᄀᆞᆺᄒᆞ여 만니 《젼ᄉᆡ॥변ᄉᆡ(邊塞)》에 승젼 셩공ᄒᆞ여 수히 돌아오믈 치하ᄒᆞᆯᄉᆡ, 말ᄉᆞᆷ이 관곡(款曲)ᄒᆞ여 혈심소ᄌᆡ(血心所在)의 ᄇᆞ라ᄂᆞᆫ 밧기라. 창휘 감샤ᄒᆞ여 반ᄌᆞ지례(半子之禮)를 다【108】ᄒᆞ여 공경(恭敬) ᄌᆞ허(自許)ᄒᆞᄆᆡ 예ᄉᆞ 빙가와 크게 ᄃᆞ르더라. 의렬이 ᄯᅩᄒᆞᆫ ᄋᆞ의 수이 승쳡 환가ᄒᆞ믈 깃거 아험306)의 츈풍이 ᄌᆞ연ᄒᆞ니, 창휘 형ᄆᆡ(兄妹)를 반기ᄂᆞᆫ 졍이 상하치 아니터라. 이윽고 식반을 나와 약간 햐져(下箸)ᄒᆞ기를 파ᄒᆞᄆᆡ 상을 물리ᄆᆡ, 창휘 하직고, 딘부에 니르니, 낙양후 부뷔 녀셔의 왓시믈 듯고 크게 반기고 깃거 ᄂᆡ당으로 쳥ᄒᆞᆯᄉᆡ, 이 ᄢᆡ 쥬부인이 맛참 신긔 불평ᄒᆞ여 상요를 ᄯᅥᄂᆞ디 못ᄒᆞ엿더니, 녀셔의 왓시므로 강병슈작(强病酬酌) ᄒᆞᆯᄉᆡ, 창휘 악모긔 ᄇᆡ알ᄒᆞ고 그 ᄉᆞ이 평부를 뭇ᄌᆞ온 후, ᄀᆞᆯᄋᆞᄃᆡ,

“소셰 니가(離家) 팔구 삭에 환가ᄒᆞᄆᆡ, 업던 ᄋᆞ히ᄂᆞᆫ 잇ᄉᆞ오ᄃᆡ 샤랏던 실인은 발셔 디하인(地下人)이[의] 유음(幽陰)307)이 지격(至隔)ᄒᆞ오니 엇지 참혹지 아니리잇고?”

낙양후 부뷔 미급답(未及答)에 평장이 니르ᄃᆡ,

“소ᄆᆡ 명박다험(命薄多險)ᄒᆞ여 초년의 허다화ᄋᆡᆨ(許多禍厄)을 지ᄂᆡ고, 환난 여싱이 지우금(至于今) 투【109】싱(偸生)ᄒᆞᄆᆡ 슷슷치 무복(無福)ᄒᆞ여 마ᄌᆞ막 님ᄉᆞ(臨死)의 부뷔 영결도 못ᄒᆞ고 ᄉᆞ원이 만니 이국(夷國)의 츌ᄉᆞᄒᆞᆫ ᄢᆡ 죽으니, 엇지 져의 팔ᄌᆞ 궁ᄒᆞ미 아니리오. ᄉᆞ쟈(死者)ᄂᆞᆫ 이의(已矣)라. 소ᄆᆡᄂᆞᆫ 임의 죽어시니 ᄒᆞᆯ일업거니와, 모친이 과도히 비ᄋᆡ(悲哀)ᄒᆞ샤 지금 상요를 ᄯᅥᄂᆞ지 못ᄒᆞ시니, 동긔지졍(同氣之情)도 참연ᄒᆞ거니와, 일노ᄡᅧ 더욱 민망ᄒᆞ여라.”

낙양후 부뷔 쳥파의 녀ᄋᆞ의 쟈최 아직 치

306)아험 : 아검(娥臉)의 변음인 듯. 고운 빰, 고운 얼굴.

307)유음(幽陰) : 으슥한 그늘.

ᄉᆞᆫ 발언을 모로ᄂᆞᆫ ᄃᆞᆺᄒᆞ니, 위공이 심하의 그윽이 실쇼ᄒᆞ고, 거ᄌᆞᆺ 고디듯ᄂᆞᆫ ᄃᆞᆺ, 빵미를 빈튝(嚬蹙)ᄒᆞ고 비언(悲言)으로 회포(懷抱)ᄒᆞ여 빈소(殯所)를 보고져 ᄒᆞ니, 평댱 왈,

"쇼ᄆᆡ 과연 나의 댱원각 ᄎᆡ셜동의 가 기셰ᄒᆞ여시니, ᄉᆞ원이 아등과 ᄒᆞᆫ【41】가디로 가리라."

위공이 즉시 낙양후 부부를 하딕ᄒᆞ고, 평댱과 어ᄉᆞ로 ᄆᆞᆯ을 ᄀᆞᆯ와 ᄎᆡ셜동의 니르니, 쇼져 유랑 시비 ᄇᆡᆨ의소ᄃᆡ(白衣素帶)347)로 고두ᄇᆡ알 ᄒᆞ고 슬프믈 뎡치 못ᄒᆞ니, 위공이 긔괴히 넉여 날호여 녕연(靈筵)의 나아가니, 소장병니(素帳屛裏)348)의 거믄 관(棺)이 한가ᄒᆞ고, 븕은 명졍(銘旌)349)의 '남창후계비

347)ᄇᆡᆨ의소ᄃᆡ(白衣素帶) : '흰옷'과 '흰띠'를 함께 이르는 말로, 상복을 입은 사람의 차림.

348)소장병니(素帳屛裏) : 흰 장막과 병풍을 둘러친 안쪽.

349)명졍(銘旌) : 죽은 사람의 관직과 성씨 따위를 적은 기. 일정한 크기의 긴 천에 보통 다홍 바탕

셜동에 그져 잇시믈 말ᄒᆞ니, {창휘} 이에 희히(戲諧)를 ᄭᆡᄃᆞ라 브졀업시 넉이나, 임의 발언ᄒᆞ미 이 ᄀᆞᆺᄒᆞ니 ᄯᅩᄒᆞᆫ 긔ᄉᆡᆨ을 ᄎᆡ 보고져 ᄒᆞ여, 진후ᄂᆞᆫ 묵연ᄒᆞ고 쥬부인은 미우를 찡긔고 불평지ᄉᆡᆨ(不平之色)이 가득ᄒᆞ니, 창휘 심하(心下)의 실소ᄒᆞ믈 니기지 못ᄒᆞ나 고지듯ᄂᆞᆫ 쳬ᄒᆞ고, 가월상[빵]미(佳月雙眉)308)를 빈츅(嚬蹙)ᄒᆞ고, 츄연 탄 왈,

"소졔 가즁(家中)을 써날 젹은 녕ᄆᆡ(令妹) 츈ᄉᆡᆨ이 의구ᄒᆞ니, 긔약ᄒᆞᄃᆡ 환【110】가ᄒᆞᄆᆡ 반ᄃᆞ시 옥슈신월 ᄀᆞᆺᄒᆞᆫ ᄒᆡᄋᆞ(孩兒)를 안고 산 낫ᄎᆞ로 반길가 ᄒᆞ엿더니, 팔구삭지ᄂᆡ(八九朔之內)에 셰ᄉᆡ(世事) 챠타(蹉跎)309)ᄒᆞ미 여ᄎᆞᄒᆞ여, 녕ᄆᆡ 발셔 디하인이 되여 향혼(香魂)을 유명(幽冥)310)○[에] 치상(治喪)ᄒᆞ니, 소뎨 비여셕(非如石)이며 비여철(非如鐵)이라, 엇지 슬프지 아니리오. 원컨대 형등은 그 빙소(殯所)를 가라치라. 소뎨 몬져 녕연의 교ᄇᆡᄒᆞ고 복졔(服制)를 ᄀᆞᆺ초리라"

평장 왈,

"소ᄆᆡ 이곳에셔 장셔(長逝)ᄒᆞ미 아니라, 병후 긔허(氣虛)ᄒᆞ여 분요(紛擾)ᄒᆞ믈 슬히 넉이ᄂᆞᆫ 고로, 피졉(避接)311)ᄒᆞ여 종용ᄒᆞᆫ 쳐소를 ᄀᆞᆯ히여 나의 장원각 ᄎᆡ셜동에 가 기셰ᄒᆞ엿시니, 이곳과 문노(門路) 동귀(洞口) ᄃᆞ르나 졉옥연장(接屋連墻) ᄒᆞ엿시니, ᄯᅩᄒᆞᆫ 왕반(往返)이 하 머지 아닌지라. 상슈(喪需)를 그곳에셔 ᄃᆞᄉᆞ리ᄂᆞ니 ᄉᆞ원이 아등과 ᄒᆞᆫ가지로 가게 ᄒᆞ라."

창휘 즉시 니러셔며 낙양후 부부긔 하직ᄒᆞ고, 평장과 어ᄉᆞ로 더브러 마두(馬頭)를 갈【111】와 ᄎᆡ셜동의 니르러 즁당에 드러가니, 소져의 유랑 시녜 ᄇᆡᆨ의소ᄃᆡ(白衣素帶)312)로 나와 고두ᄇᆡ알(叩頭拜謁)ᄒᆞ고, 슬

308)가월쌍미(佳月雙眉) : 초승달처럼 아름다운 두 눈썹.

309)차타(蹉跎) : ①미끄러져 넘어짐. ②시기를 잃음. ③일을 이루지 못하고 나이가 들어감.

310)유명(幽冥) : 저승.

311)피접(避接) : '비접'의 원말. 앓는 사람이 다른 곳으로 자리를 옮겨서 요양함. 병을 가져오는 액운을 피한다는 뜻이다.

312)ᄇᆡᆨ의소ᄃᆡ(白衣素帶) : '흰옷'과 '흰띠'를 함께 이

딘시디구(南昌侯繼妃陳氏之柩)'라 ᄡᅧ시니 위공이 볼ᄉᆞ록 실쇼(失笑)ᄒᆞ고, 기리 읍(揖)[350]ᄒᆞ고 나아가, 관을 두다려 실셩통곡(失性痛哭) ᄒᆞ며 브르디져,

"슬프다 부인이여, 구원(九原)[351]의 알오미 잇ᄂᆞ냐? ᄉᆡᆼ이 ᄒᆞᆫ 번 가듕을 ᄡᅥ나 만니의 공업을 일워 도라오니, 부인이 옥동을 안아 산 낫ᄎᆞ로 반길가 ᄒᆞ엿더니, 엇디 옥이 바아디고 ᄭᅩᆺ치 ᄉᆞ라【42】디믈 알니오. ᄉᆡᆼ즉동쥬(生則同住) ᄒᆞ고 ᄉᆞ즉동혈(死則同穴)ᄒᆞᄌᆞ 언약이 헛 곳의 가도다. ᄎᆞ(嗟)홉다[352]. 부인이여! 다시 디하(地下)의 부뷔 되여 금ᄉᆡᆼ의 져른 인연을 니으리라."

이러ᄐᆞᆺ 브르디져 실셩호곡(失性號哭)의 누쉬 여우ᄒᆞ며, 만일 진짓 딘시 죽은 줄 알면 텬ᄉᆡᆼ아딜(天生雅質)을 앗길디언졍 그리 참상(慘傷)ᄒᆞ리오마ᄂᆞᆫ, 졔딘이 ᄌᆞ가 속이믈 우이 녁여 짐ᄌᆞᆺ 과상(過傷)ᄒᆞ믈 ᄌᆞ아ᄂᆡ니, 딘평댱이 그 궤계(詭計)를 모로고 심니(心裏)의 우음을 ᄎᆞᆷ디 못ᄒᆞ나, 위로 왈,

"ᄉᆞᄌᆞ(死者)ᄂᆞᆫ 이의(已矣)라. ᄉᆞ원이 박명약ᄆᆡ(薄命弱妹))[353]를 이러ᄐᆞᆺ 비원(悲怨)ᄒᆞ

에 흰 글씨로 쓰며, 장사 지낼 때 상여 앞에서 들고 간 뒤에 널 위에 펴 묻는다.

350)읍(揖) : 인사하는 예(禮)의 하나. 두 손을 맞잡아 얼굴 앞으로 들어 올리고 허리를 앞으로 공손히 구부렸다가 몸을 펴면서 손을 내린다.

351)구원(九原) : 저승.

352)ᄎᆞ(嗟)홉다 : 슬프다.

프믈 니긔지 못ᄒᆞᄂᆞᆫ 거동이라. 창휘 긔괴이 녁이고 날호여 녕연의 나아가니, 소장병니(素帳屛裏)[313]에 거믄 관(棺)이 청즁에 ᄒᆞᆫ가ᄒᆞ고, 븕은 명졍(銘旌)[314]의 '남창후계비윤모부인딘씨지귀(南昌侯繼妃尹某夫人陳氏之柩)라 ᄡᅧ시니, 창휘 볼ᄉᆞ록 실소ᄒᆞ고 녕궤(靈几)를 ᄇᆞ라며 기리 ᄌᆡ비ᄒᆞ고, 나아가 광슈(廣袖)로 관을 두ᄃᆞ려 실셩통곡(失性痛哭) 왈,

"슬프다 부인이여 구원쳔ᄃᆡ(九原泉臺)[315]에 알음이 잇ᄂᆞ냐? ᄉᆡᆼ이 ᄒᆞᆫ 번 가즁을 ᄡᅥᄂᆞᄆᆡ 만니의 공업을 셰워 도라오니, 부인이 옥동을 안고 산 낫ᄎᆞ로 반길가 ᄒᆞ엿더니, 엇지 쇄옥낙화(碎玉落花)ᄒᆞ여 화용옥질(花容玉質)은 관즁(棺中)의 찬 ᄌᆡ되고, 낭셩쳥음(朗聲淸音)은 구원의 망ᄆᆡ(茫昧)ᄒᆞ뇨? 비ᄌᆡ(悲哉)라 부인이여! ᄉᆡᆼ즉동쥬(生則同住)ᄒᆞ고 ᄉᆞ즉동혈(死則同穴)ᄒᆞ쟈 ᄒᆞ엿더니, 언약이 일장츈몽(一場春夢)이 되엿시니,【112】ᄋᆡ(哀)홉다[316] 부인이여! 원ᄒᆞᄂᆞ니 타일의 다시 부뷔되여 금ᄉᆡᆼ의 단박(短薄)ᄒᆞᆫ 인연을 니으랴?"

니러ᄐᆞᆺ 브르지져 통곡ᄒᆞᄆᆡ, 슬픈 눈물이 오월장슈(五月長水) ᄀᆞᆺᄒᆞ여, 썻거지며 ᄆᆡ여질 ᄃᆞᆺᄒᆞ니, 딘소졔 만일 죽으○[므]로 알진ᄃᆡ, 비록 그 텬ᄉᆡᆼ아질(天生雅質)을 앗길지언졍 니ᄀᆞᆺ치 참잉(慘剩)ᄒᆞ리오마ᄂᆞᆫ, 졔딘이 ᄌᆞ긔를 속이려 ᄒᆞᄂᆞᆫ 줄 알고, 우히 녁여 니러ᄐᆞᆺ 과상ᄒᆞ믈 나타ᄂᆡ니, 딘평장의 지족다모(知足多謀)ᄒᆞ므로도 그 궤계(詭計)를 ᄎᆡ ᄭᆡᄃᆞᆺ지 못ᄒᆞ여, 심니(心裏)의 우읍기를 니긔지 못ᄒᆞ나, 져를 속이려 ᄒᆞ므로 창후의 과상비ᄋᆡ(過傷悲哀)ᄒᆞ믈 보고, 츄연 위로 왈,

"ᄉᆞ쟈(死者)ᄂᆞᆫ 이의(已矣)라. ᄉᆞ원이 박명

르는 말로, 상복을 입은 사람의 차림.

313)소장병니(素帳屛裏) : 흰 장막과 병풍을 둘러친 안쪽.

314)명졍(銘旌) : 죽은 사람의 관직과 성씨 따위를 적은 기. 일정한 크기의 긴 천에 보통 다홍 바탕에 흰 글씨로 쓰며, 장사 지낼 때 상여 앞에서 들고 간 뒤에 널 위에 펴 묻는다.

315)구원쳔ᄃᆡ(九原泉臺) : 저승.

316)ᄋᆡ(哀)홉다 : 슬프다.

니, 아등이 어이 감샤치 아니리오마ᄂᆞᆫ, ᄉᆞ원이 당당○[ᄒᆞᆫ] 대댱부로 일개 쳐ᄌᆞ를 이리 ᄋᆡ호(哀號)ᄒᆞ니 모로미 관회(寬懷)ᄒᆞ라."

위공이 ᄎᆞ언【43】을 ᄃᆞᆺ고 거ᄌᆞᆺ 강인ᄒᆞᄂᆞᆫ ᄃᆞᆺ, 눈믈을 거두고 니르ᄃᆡ,

"형언(兄言)이 시애(是也)라. 녕ᄆᆡ 님별의 하ᄃᆡᆨ디 아니ᄒᆞ고 죽으ᄆᆡ, 영결치 못ᄒᆞ니 ᄒᆞᆫ 조각 유한이로다. 쇼뎨ᄂᆞᆫ 금야ᄂᆞᆫ 예셔 머믈니라."

평댱이 허락ᄒᆞ고, 어ᄉᆡ 화미를 ᄶᅵᆼ긔여 탄왈,

"집의 가 평안이 쉬오미 올흔디라. 엇디 쇽졀 업ᄉᆞᆫ 뷘 관을 ᄃᆡᆨ희리오. 드르니 쳥츈 녀ᄌᆡ 죽으면 원혼이 된다 ᄒᆞ니, 쇼ᄆᆡ 상시(常時) 힝동거디 유법ᄒᆞ거니와, ᄒᆞᆫ 번 죽으ᄆᆡ 셰쇽 요괴로온 혼신(魂神)과 ᄀᆞᆺᄐᆞ여, 밤이면 ᄐᆡᆨ듕(宅中)의 빈빈왕ᄂᆡ(頻頻往來)ᄒᆞ므로, ᄎᆞ환의 무리 두리믈 니긔디 못ᄒᆞᄂᆞᆫ디라. ᄉᆞ원이 이의 머므다가 쇼ᄆᆡ 신령이 ᄂᆡᄃᆞ라 침노ᄒᆞ여 졉귀(接鬼)[354]ᄒᆞ면 엇디ᄒᆞ리오?"【44】

위공 왈,

"셕ᄌᆞ(昔者)의 ᄒᆞᆫ창녜(韓昌黎)[355]○○○○○○○[왈, '귀신이 엇지] 사ᄅᆞᆷ과 말○○○[ᄒᆞ리오] ᄒᆞ여시나[니], ᄉᆞ블범졍(邪不犯正)[356]이오 요블승덕(妖不勝德)[357]이라. 군

353)박명약ᄆᆡ(薄命弱妹) : 복이 없고 명이 짧은 어린 누이.
354)접귀(接鬼) : 귀신이 들림. 귀신이 덮침.
355)한창녜(韓昌黎) : 한유(韓愈). 중국 당나라의 문인・정치가(768~824). 명은 유(愈). 자는 퇴지(退之). 호는 창려(昌黎). 당송 팔대가의 한 사람으로, 변려문을 비판하고 고문(古文)을 주장하였다. 시문집에 ≪창려선생집≫ 따위가 있다
356)ᄉᆞ블범졍(邪不犯正) : 사악(邪惡)한 것은 정대(正

약ᄆᆡ(薄命弱妹)[317]를 위ᄒᆞ여 이ᄀᆞᆺ치 비ᄋᆡ(悲哀)ᄒᆞ니, 아등이 엇지 감샤치 아니리오마ᄂᆞᆫ, ᄉᆞ원이 당당ᄒᆞᆫ 대장부로 일ᄀᆡ 쳐ᄌᆞ를 위ᄒᆞ여 여ᄎᆞ 비상ᄒᆞ니, 만일 신상이 불평ᄒᆞ면 녕존당의 셩녀를【113】ᄶᅵ치오리니, 모로미 관심(寬心)ᄒᆞ라."

창휘 ᄎᆞ언을 ᄃᆞᆺ고 거ᄌᆞᆺ 강잉ᄒᆞᄂᆞᆫ 쳬ᄒᆞ여 슈루(收淚) ᄃᆡ왈,

"형언(兄言)이 시애(是也)나, 녕ᄆᆡ 님별에 소뎨 능히 부부의 도로 영결치 못ᄒᆞ고, 죽으ᄆᆡ 즉시 보지 못ᄒᆞ니 이 ᄒᆞᆫ 조각 유한이로다. 소뎨 금야ᄂᆞᆫ 이에 머믈녀 ᄒᆞᄂᆞ니, 형등이 능히 ᄒᆞᆫ가지로 지ᄂᆡ랴?"

평장 왈,

"그리ᄒᆞ라"

어ᄉᆡ 믄득 빈미 왈,

"집이 잇시니 도라가 평안이 쉬미 올커ᄂᆞᆯ, 무ᄉᆞᆫ 쳥승[318]으로 뷘 관을 직희여 ᄌᆞᆷ조ᄎᆞ 못ᄌᆞ랴 ᄒᆞᄂᆞ뇨? 우리 셰간에 청춘 녀ᄌᆡ 왕왕이 죽으ᄆᆡ 원혼이 된다 ᄒᆞ거ᄂᆞᆯ 허언만 넉엿더니, 유명(幽明)이 ᄒᆞᆫ 번 격(隔)ᄒᆞᄆᆡ 극히 고히코 이상ᄒᆞ더라. 소ᄆᆡ 상(常)ᄒᆡ[319] 힝동이 유법ᄒᆞ고 범졀이 단졍터니, 이에 죽으ᄆᆡ 셰샹 요물의 괴이ᄒᆞᆫ 혼녕과 ᄀᆞᆺᄒᆞ여, 밤이면 ᄐᆡᆨ즁(宅中)에 현ᄇᆡᆨ(現魄)[320]ᄒᆞ므로, 비ᄇᆡ(婢輩) 챠환(叉鬟)의 무리 두리오믈 니긔지 못ᄒᆞᄂᆞᆫ지라. ᄉᆞ원이【114】이에 머므다가 힝여 소ᄆᆡ 신령이 ᄂᆡᄃᆞ라 종ᄉᆞ(縱肆)[321] 졉귀(接鬼)[322]ᄒᆞ면 엇지 ᄒᆞ리오."

창휘 소 왈,

"셕쟈에 한창녜(韓昌黎)[323] 왈, '귀신이

317)박명약ᄆᆡ(薄命弱妹) : 복이 없고 명이 짧은 어린 누이.
318)청승 : 궁상스럽고 처량하여 보기에 언짢은 태도나 행동.
319)상(常)ᄒᆡ : 평소에. 항상. 보통, 늘. *ᄒᆡ; 조사 '에'.
320)현ᄇᆡᆨ(現魄) : =현형(現形). 모습(혼백)을 드러내 보임.
321)종사(縱肆) : 하고 싶은 대로 함.
322)접귀(接鬼) : 귀신이 들림. 귀신이 덮침.
323)한창녜(韓昌黎) : 한유(韓愈). 중국 당나라의 문인・정치가(768~824). 명은 유(愈). 자는 퇴지(退之). 호는 창려(昌黎). 당송 팔대가의 한 사람으로,

ᄌᆞ 압히 엇디 귀신이 작희(作戲)ᄒᆞ리오. 형 등은 범ᄐᆡ육골(凡胎肉骨)[358]이라 이런가 시브거니와, 쇼뎨ᄂᆞᆫ 군ᄌᆡ(君子)라. 음녕(陰靈)이 감히 간범치 못ᄒᆞᆯ 거시오, ᄉᆡᆼ시의 쇼뎨를 두리던 거시니 금야ᄂᆞᆫ ᄎᆞ쳐(此處)의 오도 못ᄒᆞ리라."

엇지 사ᄅᆞᆷ과 셔로 보리오' ᄒᆞ니, 요블승덕(妖不勝德)[324]이오 샤불범졍(邪不犯正)[325]이라. 군ᄌᆞ지젼에 귀신이 엇지 작희ᄒᆞ리오. 형 등은 범ᄐᆡ슈골(凡胎腴骨)[326]이라, ᄒᆞ물며 동긔지간에 ᄉᆡᆼ젼 ᄉᆞ후나 ᄃᆞ르리오. 니러므로 현녕(現影)[327] ᄒᆞᄂᆞᆫ가 시브거니와 소뎨ᄂᆞᆫ 군ᄌᆡ라. 음녕(陰靈)이 감히 간셥치 못ᄒᆞᆯ 거시오, ᄯᅩ ᄉᆡᆼ시에 소뎨를 두려ᄒᆞ더[던] 거시니, 금야ᄂᆞᆫ ᄎᆞ쳐(此處)의 오지도 못ᄒᆞ리라."

셜파의 잠쇼ᄒᆞ고, 시녜 져녁 졔(祭)를 올니니, 위공이 의구히 참졔(參祭) ᄋᆡ통(哀慟)ᄒᆞ거ᄂᆞᆯ, 딘평댱 등이 ○[그] 기량(器量)을 ᄭᆡᄃᆞᆺ디 못ᄒᆞ더라.

셜파에 완이(莞爾)[328] 잠소ᄒᆞ고 시녜 ᄯᅩ 져녁 졔를 당ᄒᆞ여 울ᄆᆡ, 창휘 의구히 참녜ᄒᆞ며 ᄋᆡ통ᄒᆞ니, 평장 등이 기의(其意)를 ᄭᆡᄃᆞᆺ지 못ᄒᆞ더라.

ᄎᆞ야의 듕당(中堂)의 블을 ᄇᆞᆰ혀 안셕(案席)의 디혀 ᄌᆞᄂᆞᆫ ᄃᆞᆺᄒᆞ니, 평댱 등도 이윽이 안ᄌᆞᆺ다가 의ᄃᆡ를 그르고 원침(園寢)[359]의 나아가 잠드니, 위공이 야심ᄒᆞᄆᆡ 니러【45】 ᄂᆡ당으로 돌입ᄒᆞ여 창틈으로 규시(窺視)ᄒᆞ니, 딘시 쵹을 도도고, 유랑 시비도 위공의 속아, 녕궤의 통곡비도(痛哭悲悼)ᄒᆞ믈 고ᄒᆞ고 웃기를 마디 아니니, 쇼졔 블열 왈,

ᄎᆞ야의 청즁에 불을 ᄇᆞᆰ히고 창휘 심ᄉᆡ 번뇌ᄒᆞ믈 닐ᄏᆞ라, 안셕(案席)의 비겨 ᄌᆞᄂᆞᆫ 쳬ᄒᆞ니, 평장 형뎨 이윽이 안졋다가 의ᄃᆡ를 그르고 원침(園寢)[329]에 나아가 줌을【115】깁히 드니, 창휘 깃거 ᄀᆞ장 야심ᄒᆞᆫ 후 니러나 문을 열고 ᄂᆡ당으로 쎄쳐 드러가니, 그림 그린 사챵(紗窓)의 쵹영(燭影) 명멸(明滅)ᄒᆞ고 언셩이 낭낭ᄒᆞ거ᄂᆞᆯ, 창휘 족용(足容)을 즁지ᄒᆞ여 나아가 창틈으로 규시(窺視)ᄒᆞ니, 딘소졔 쵹하에 안ᄌᆞ 침션을 ᄃᆞᄉᆞ리며, 유랑 시녀 등이 셕상에 창휘 숙낭의 관을 붓들고 울며, 허다 비ᄉᆞ고어(悲辭苦語)로 ᄋᆡ통ᄒᆞ던 줄 고ᄒᆞ고 웃기를 마지 아니니, 소졔 불열 왈,

"거거의 일시 희롱이나 이리 망녕되니, 군ᄌᆞ의 ᄎᆡᆨ언은 나의 신샹의 밋출노다."

"거거의 일시 희롱이나 니러틋 망녕되니, 군ᄌᆞ의 가칙이 나의 신상의 밋출지라. 내

大)한 것을 범하지 못한다.

357)요블승덕(妖不勝德) : 요괴로운 것은 바르고 어진 것을 이기지 못한다.

358)범ᄐᆡ육골(凡胎肉骨) : 평범한 사람의 뼈와 살을 받아 태어난 몸.

359)원침(園寢) : =원소(園所). 왕세자나 세자빈 및 왕의 친척 등의 산소. 여기서는 '원중(園中)에 있는 침소'를 말함.

변려문을 비판하고 고문(古文)을 주장하였다. 시문집에 ≪창려선생집≫ 따위가 있다

324)요블승덕(妖不勝德) : 요괴로운 것은 바르고 어진 것을 이기지 못한다.

325)ᄉᆞ블범정(邪不犯正) : 사악(邪惡)한 것은 정대(正大)한 것을 범하지 못한다.

326)범ᄐᆡ슈골(凡胎腴骨) : 평범한 사람의 파리한 살과 뼈를 받아 태어난 몸.

327)현영(現影) : =현형(現形). 형체를 눈앞에 드러냄. 또는 그 형체.

328)완이(莞爾) : 빙그레 웃는 모양.

329)원침(園寢) : =원소(園所). 왕세자나 세자빈 및 왕의 친척 등의 산소. 여기서는 '원중(園中)에 있는 침소'를 말함.

실노 깃부지 아니커놀, 어미와 시ᄋᆡ 등은 엇지 웃ᄂᆞ뇨?"

유랑이 쇼왈,

"노애 통달ᄒᆞ시니 엇디 이런 일의야 쇼져를 가칙(呵責)ᄒᆞ시리잇고? 옥누항 태부인과 구파랑이 ᄒᆞᆫ가디로 동계(同計)ᄒᆞ시니이다."

유랑이 소 왈,

"창후 노애 통달ᄒᆞ시니, 엇지 니런 일에야 제 노야의 희ᄒᆡ(戱諧)를 ᄭᆡ돗지 못ᄒᆞ실 거시라, 소져 신상의 불평ᄒᆞ시미 잇시리잇가? 옥누항 태부인과 구파도 ᄒᆞᆫ가지로 힝계ᄒᆞ민가 ᄒᆞᄂᆞ이다"

쇼졔 침음브답(沈吟不答)의, 위공이 그 노쥬의 문답을 듯고, 부인의 탓시 아니ᄆᆡ 믄득 일계(一計)를 ᄉᆡᆼ각고 급히 창을 열고 드러 셔니, 유랑 시비 황망이 퇴ᄒᆞ고, 쇼졔 뎡대히 마ᄌᆞ 녜필의, 위공【46】이 평댱을 속이랴 ᄒᆞ므로, 급히 부인의 향신을 플낫ᄀᆞᆺ치 후리쳐 녑히 ᄭᅵ고, ᄀᆞᆯ오ᄃᆡ,

소졔 침음부답(沈吟不答)이라. 창휘 져 노쥬의【116】문답을 다 듯고, ᄯᅩᄒᆞᆫ 부인의 탓이 아니니 가칙(呵責)이 부졀 업ᄉᆞᆫ 고로, 스ᄉᆞ로 일계를 ᄉᆡᆼ각고 우음을 ᄯᅴ여 부지불각의 문을 열고 드러가니, 유랑 시녜 황황이 물러나고, 소졔 년망이 니러 마즐ᄉᆡ, 창휘 딘평장 등을 속이려 ᄒᆞ므로, 진가(眞假)를 모르ᄂᆞᆫ 체ᄒᆞ고, 급히 소져의 향신(香身)을 ᄀᆞᄇᆡ야이 후르쳐330) 엽히 ᄭᅵ여 왈,

"《유음 ‖ 유명(幽明)》이 길히 다르거놀 ᄉᆡᆼ인(生人)ᄀᆞᆺ치 안ᄌᆞ시니, 내 비록 ᄌᆡ죄 업ᄉᆞ나 일즉 옥딘(玉眞)360)의 혼ᄇᆡᆨ 브르ᄂᆞᆫ 슈단이 이시니, 혼령을 가져다가 관듕을 ᄭᆡ치고 다시 ᄌᆡᄉᆡᆼ케 ᄒᆞ리라."

"유명(幽明)이 현슈(懸殊)ᄒᆞ거놀 그ᄃᆡ 혼ᄇᆡᆨ이 ᄉᆡᆼ인(生人)과 ᄀᆞᆺ치 현녕(現影)ᄒᆞ다 ᄒᆞ니, 내 비록 ᄌᆡ죄 업ᄉᆞ나 일작 이인(異人)을 만나, 옥인[진](玉眞)331)의 혼ᄇᆡᆨ을 브르ᄂᆞᆫ 슈단을 ᄇᆡ화시니, 녕혼을 ᄃᆞ려다가 녕궤(靈几)를 ᄭᆡ치고 다시 ᄌᆡᄉᆡᆼ케 ᄒᆞ리라."

셜파의 힝뵈 나ᄂᆞᆫ 듯ᄒᆞ여 듕당(中堂)의 나오니, 쇼졔 대경(大驚) 경괴(驚愧)ᄒᆞ나 무망(無妄)361)의 일언을 못ᄒᆞ더라.

셜파의 힝뵈 나ᄂᆞᆫ 듯ᄒᆞ여 즁당(中堂)으로 나아오니, 소졔 크게 경괴(驚愧)ᄒᆞ나 무망(無妄)332) 즁, 밋쳐 일언을 못ᄒᆞ더라.

위공이 쇼져를 녑히 ᄭᅵ고 듕헌의 나가 소ᄅᆡ를 벽녁(霹靂)ᄀᆞᆺ치 딜너 왈,

창휘 즁헌(中軒)에셔 소ᄅᆡ를 벽녁(霹靂)ᄀᆞᆺ치 질너 왈,

"형 등이 ᄌᆞᄂᆞ냐? 쇼뎨 녕ᄆᆡ의 녕혼을 잡아 왓노라."

"형 등이 ᄌᆞ나냐? 소뎨 녕ᄆᆡ의 녕혼을 잡아 왓노라."【117】

ᄒᆞ니, 딘평댱 형뎨 잠결의 산악 ᄀᆞᆺ튼 소ᄅᆡ를 듯고, 몽혼이 놀나 ᄭᆡᄃᆞ르니, 위공이

평장 형뎨 잠결의 산악 ᄀᆞᆺ튼 소ᄅᆡ를 듯고

360)옥딘(玉眞) : 옥진부인(玉眞夫人). 하늘에 있는 신선으로 옥진보황도군(玉眞保皇道君)이라 일컫는데, 옥청삼원궁(玉淸三元宮)에 산다고 한다.

361)무망(無妄) : =무망중(無妄中). 별 생각이 없이 있는 상태.

330)후르쳐 : 후려쳐. 휘둘러 힘껏 들어.

331)옥딘(玉眞) : 옥진부인(玉眞夫人). 하늘에 있는 신선으로 옥진보황도군(玉眞保皇道君)이라 일컫는데, 옥청삼원궁(玉淸三元宮)에 산다고 한다.

332)무망(無妄) : =무망중(無妄中). 별 생각이 없이 있는 상태.

쇼져로 더브러【47】당듕의 왓ᄂᆞᆫ디라. 평댱 형뎨 계괴 발각ᄒᆞᆫ 줄을 알고, 어ᄉᆡ 크게 웃고 희롱ᄒᆞ기를 마디 아니니, 쇼졔 거거 등의 희담(戲談)을 크게 블열(不悅) 미쾌(未快)ᄒᆞ여, 뎡ᄉᆡᆨ(正色) 믁연ᄒᆞ고 안흐로 드러가니, 평댱과 위공이 좃ᄎᆞ 환쇼(歡笑)ᄒᆞ다가 명됴의 각각 흣터져 본부로 도라와 부모긔 뵈ᄋᆞᆸ고, 작일 위공의 거동을 젼ᄒᆞ고 모다 웃기를 마디 아니ᄒᆞ니, 이런 희한ᄒᆞᆫ 일이 어ᄃᆡ 이시리오. 경ᄉᆞ를 삼아 셔로 희학(戲謔)ᄒᆞ여 소일ᄒᆞ더라.

놀나 ᄭᆡ여 급히 나와 보니, 창휘 소져를 녑히 ᄭᅵ고 즁헌에 섯ᄂᆞᆫ지라. 평장 형뎨 계괴 발각ᄒᆞᆷ을 알고 대소(大笑)ᄒᆞ고 희롱ᄒᆞ기를 마지 아니니, 창휘 비로소 소져를 노흐ᄆᆡ 소졔 거거의 희히를 불열ᄒᆞ여, 졍ᄉᆡᆨ(正色) 무언(無言)ᄒᆞ고 안흐로 드러 가니, 평장과 창휘 좃ᄎᆞ 환소ᄒᆞ다가 명조에 각각 도라오니라. 평장 형뎨 부즁에 돌아와 작야ᄉᆞ(昨夜事)를 젼ᄒᆞ고 웃기를 마지 아니니, 낙양후 부뷔 ᄯᅩᄒᆞᆫ 웃고, 거륜(車輪)을 슈습(收拾)ᄒᆞ여 평장 등으로 녀ᄋᆞ를 ᄃᆞ려오라 ᄒᆞ니, 평장이 슈명ᄒᆞ고 취셜동에 나아가 소ᄆᆡ를 ᄃᆞ려 본부에 니르니, 창휘 ᄯᅩᄒᆞᆫ ᄒᆞᆫ가지로 왓ᄂᆞᆫ지라. 화교(華轎)를 ᄂᆡ졍(內庭)에 노흐ᄆᆡ, 낙양휘 친이 장(帳)을 들고 녀ᄋᆞ를 븟드러 ᄂᆡ고, 쥬부인이 마조 나와 급히 녀ᄋᆞ의 손을 잡고, 슉당(叔堂)은 웃고 니【118】르ᄃᆡ,

"윤ᄉᆞᄆᆡ(司馬) ᄌᆞ부ᄒᆞ던 총명이나 ᄎᆞᄉᆞ의 다ᄃᆞ라ᄂᆞᆫ 그윽이 속고, 슬허ᄒᆞ며 경참ᄒᆞ여 ᄒᆞᄂᆞᆫ 눈물이 창(窓)[333]히 소소ᄒᆞ더라 ᄒᆞ니, 엇지 가소롭지 아니ᄒᆞ리오"

소졔 나즉이 ᄃᆡ왈,

"소녜 취셜동을 구경ᄒᆞ고 온 일이 심히 긔괴ᄒᆞ오니, 이 젼혀 ᄇᆡᆨ거거(伯哥哥)의 희롱 즐기ᄂᆞᆫ 연괴로소이다."

유랑이 비로소 창휘 작일에 숙낭의 녕궤를 어르만져 통도(痛悼) 비졀(悲絶)ᄒᆞ던 바와 혼자말노 쑤어리던 일을 보ᄂᆞᆫ ᄃᆞ시 젼ᄒᆞ며, ᄯᅩ 소져를 녑히 ᄭᅵ고 원문을 쾌히 너므ᄃᆡ 갓바ᄒᆞᄂᆞᆫ 일이 업셔, ᄒᆞᆫ낫 유ᄋᆞ를 안고 평디에 왕ᄂᆡ홈 ᄀᆞᆺ던 일을 ᄌᆞ시 알외니, 낙양후 삼곤계 대소ᄒᆞ고 외헌에 나와 뎡·하 등을 ᄃᆡᄒᆞ○[여] 셜파ᄒᆞ니, 제단이 웃고 창후를 보치려 희담(戲談)을 주츌(做出)ᄒᆞ여 작야ᄉᆞ를 ᄀᆞᆺ초 니르고 웃기를 마지 아니니, 하공 부ᄌᆞ와 금휘 희연 대【119】소ᄒᆞ고, 창휘 뉴슈지언(流水之言)으로 평창의 보치ᄂᆞᆫ 말을 ᄃᆡ답ᄒᆞ니, 일좌(一座)의 즐기ᄂᆞᆫ 홍이 무르녹고, 낙양휘 두굿기믈 니긔지 못ᄒᆞ

333)창(窓) : '눈'을 비유적으로 표현한 말.

위공이 두 악댱(岳丈)긔 하딕ᄒᆞ고 셩ᄂᆡ로 드러가고, 평댱 등이 ᄆᆡ데의 병을 약셕(藥石)으로 착실이 ᄒᆞ여 졈졈 ᄎᆞ경의 밋쳣더라.

위공이 집의 도【48】라가ᄆᆡ 초후 부인이 급문 왈,

"현데 딘후 부부긔 빅현ᄒᆞ고 딘데의 녕연의 통곡ᄒᆞ냐?"

공이 잠쇼 왈,

"통곡ᄒᆞ라 갓거든 그져 오리잇가? 슬토록 울ᄆᆡ 목이 다 쉬엿ᄂᆞ이다."

의렬이 쇼왈,

"딘부의셔 범ᄉᆞ를 쥰비ᄒᆞ여 일분도 의심된 거동이 업거ᄂᆞᆯ 엇디 아랏ᄂᆞ뇨?"

위공이 작야ᄉᆞ를 잠간 베퍼 졔딘의 속은 바를 일일이 고ᄒᆞ니, 태부인이 웃기를 마디 아니ᄒᆞ고 초후 부인이 쇼왈,

"남을 속이랴 ᄒᆞᄆᆡ 현데 슈고롭도다. 아모커나 신싱ᄋᆡ 엇더 ᄒᆞ더냐?"

위공이 웃고 ᄃᆡ왈,

"비록 져져의 몽셩만 못ᄒᆞ나 잘 가ᄅᆞ치면 사ᄅᆞᆷ 뉴의 셧길 만 ᄒᆞ더【49】이다."

부인이 쇼 왈,

"우리 부부ᄂᆞᆫ 남의셔 나은 일 업ᄉᆞᆫ 고로 몽셩 등이 긔특디 못ᄒᆞ나, 현데 부부ᄂᆞᆫ 다 특이ᄒᆞ니 ᄌᆞ식을 나흐ᄆᆡ 얼현ᄒᆞ리오362)."

위공이 ᄃᆡ 왈,

"쇼데 하형의셔 나으니, 져제 엇디 쇼데로 하형의게 비길 줄노 아르시ᄂᆞ니잇가?"

의렬과 초후 부인이 낭쇼 왈,

"남이 칭찬ᄒᆞᆯ 나의363) 업시 스ᄉᆞ로 긔특

---

362)얼현ᄒᆞ다 : 어련하다. 따로 걱정하지 아니하여도 잘될 것이 명백하거나 뚜렷하다. 대상을 긍정적으로 칭찬하는 뜻으로 쓰나, 때로 반어적으로 쓰여 비아냥거리는 뜻을 나타내기도 한다.

363)나의 : 나위. 더 할 수 있는 여유나 더 해야 할 필요.

더라.

날이 느ᄌᆞ미 창휘 두 악장(岳丈)긔 하직고 셩ᄂᆡ로 드러가고, 평장 등이 소ᄆᆡ의 병이 미ᄎᆞ(未差)ᄒᆞ믈 민망ᄒᆞ여, 약셕(藥石)을 착실이 ᄒᆞᄆᆡ, 소졔 졈졈 ᄎᆞ셩ᄒᆞ니라.

창휘 부즁에 도라오니, 하부인과 의렬이 귀령(歸寧)ᄒᆞ엿더니, 초후 부인이 창후를 보고 급히 왈,

"현데 낙양후 부부를 보고 빅현 후 딘씨 녕연(靈筵)에 통곡ᄒᆞ엿ᄂᆞ냐?"

창휘 함소 왈,

"통곡ᄒᆞ라 갓거든 그져 오리잇가? 슬토록 울ᄆᆡ 목이 다 쉬엿ᄂᆞ이다."

의렬이 잠소 왈,

"딘부에셔 범ᄉᆞ를 조비(造備)334)ᄒᆞ여 일분도 의심된 일이 업거ᄂᆞᆯ, 현데 엇지 아랏ᄂᆞ뇨?"

창휘 작야ᄉᆞ를 잠간 베프러 졔진의 속은 바를 일일이 고ᄒᆞ니, 태부인이 웃기를【120】마지 아니ᄒᆞ고, 초후 부인이 낭연 소왈,

"남을 속이려 ᄒᆞᄆᆡ 현데 도로혀 슈고롭도다. 아모커나 신싱ᄋᆡ 엇더 ᄒᆞ더뇨?"

창휘 미소 ᄃᆡ 왈,

"우리 져져의 몽셩만 못ᄒᆞ나 잘 가ᄅᆞ치면 샤ᄅᆞᆷ 뉴에 셧길만치 삼겻더이다."

부인이 왈,

"우리 부부ᄂᆞᆫ 남의셔 나은 일이 업ᄂᆞᆫ 고로 몽셩 등이 긔특지 못ᄒᆞ나, 현데 부부ᄂᆞᆫ 다 특이ᄒᆞ니, ᄌᆞ식을 나흐ᄆᆡ 얼연ᄒᆞ리오335)."

창휘 ᄃᆡ 왈,

"소데 하형보다ᄂᆞᆫ ᄆᆡ이 나으나 져제 엇지 소데로 하형과 비길 줄노 아르시더니잇가?"

의렬과 초후 부인이 낭소 왈,

"남이 칭찬ᄒᆞᆯ 나위336) 업시 제 스ᄉᆞ로 긔

---

334)조비(造備) : 만들어 갖춤.

335)얼연ᄒᆞ다 : 어련하다. 따로 걱정하지 아니하여도 잘될 것이 명백하거나 뚜렷하다. 대상을 긍정적으로 칭찬하는 뜻으로 쓰나, 때로 반어적으로 쓰여 비아냥거리는 뜻을 나타내기도 한다.

336)나의 : 나위. 더 할 수 있는 여유나 더 해야 할

ᄒᆞ믈 ᄌᆞ랑ᄒᆞ니, 엇디 우읍디 아니리오."

위공이 답고져 ᄒᆞ더니, 외당의 빈ᄀᆡᆨ이 모드믈 고ᄒᆞ니 나와 빈ᄀᆡᆨ을 졉응ᄒᆞᆯᄉᆡ, 위공이 벌위(伐魏)ᄒᆞ고 도라온 후, 궐듕의셔 황혼의와 일야를 집의셔 디ᄂᆡ고, 작일 됴참 후 취운산으로 가 금일의 도라오【50】니, 하ᄀᆡᆨ이 위공을 ᄎᆞᄌᆞ 보려 왓다가 그져 도라 갓더니, 금일의 모드니 광실(廣室)이 터질 ᄃᆞᆺᄒᆞ고, 《ᄌᆞ모 ‖ ᄌᆞ포》옥ᄃᆡ(紫袍玉帶)[364] 나렬ᄒᆞ여 위공의 놉흔 ᄌᆡ덕을 칭복디 아니리 업ᄉᆞᄃᆡ, 《후람후 ‖ 호람후》 슉딜이 갈ᄉᆞ록 ᄉᆞᆼ검겸퇴(崇儉謙退)ᄒᆞ기를 쥬ᄒᆞ고, 힝혀 교우ᄌᆞ듕(驕傲自重)ᄒᆞᆫ 빗치 업ᄉᆞ니, 인인(人人)이 흠션탄복(欽羨歎服)ᄒᆞ믈 마디 아니ᄒᆞ더라.

위공이 존당 슉당과 편친을 뫼셔 오ᄅᆡ 써 낫던 하졍을 펴디 못ᄒᆞ고, 통ᄌᆡ로 광금댱침(廣衾長枕)의 힐항(頡頏)ᄒᆞᄂᆞᆫ 졍을 펴디 못ᄒᆞ여 어나 ᄢᅵ 평동ᄒᆞ고 도라올 줄 아디 못ᄒᆞ니, 홀연 비결(悲缺)ᄒᆞᆫ 회푀 밤을 당ᄒᆞ면 눈믈 나믈 금치 못ᄒᆞ더니, 하・댱 두 부인이 ᄯᆞᆯ을 년【51】ᄒᆞ여 옥동긔린을 ᄉᆡᆼᄒᆞ고, 산후 딜양이 업셔 삼칠일이 디나ᄆᆡ 즉시 니러나니, 호람후 부부의 희열ᄒᆞ믄 니르도 말고, 위공의 깃거ᄒᆞ미 ᄌᆞ긔 ᄋᆞᄃᆞᆯ 어드니의셔 더ᄒᆞ더라.

딘쇼졔 흠딜이 소셩ᄒᆞᄆᆡ 옹닌과 유ᄌᆞ를 다려 옥누항으로 도라오니, 위태부인으로브터 합문 샹하의 반기미 ᄉᆡ롭고, 신싱의 비상ᄒᆞ미 옹닌과 다르디 아니믈 힝희ᄒᆞ더라.

이러구러 ᄯᅩ ᄒᆡ를 밧고고 남・화 이쇼졔 슈ᄐᆡ(受胎)ᄒᆞ니, 조부인이 위공의 쟝옥(璋玉)[365]이 션션(詵詵)ᄒᆞᆯ 바를 환열ᄒᆞ나, 각골이 ᄋᆡᄃᆞᆯ은 밧ᄌᆞᄂᆞᆫ 댱손을 일허 발셔 오년의 그 ᄉᆞ싱을 졈복디 못ᄒᆞ니, 참통ᄒᆞᆫ 슬프미 밋【52】첫더라.

364)ᄌᆞ포옥ᄃᆡ(紫袍玉帶) : 붉은 도포와 백옥 허리띠 차림의 고위관리들.

365)장옥(璋玉) : ①구슬. ②아들을 비유적으로 이르는 말. 예전에 중국에서 아들을 낳으면 구슬을 장난감으로 준데서 유래한다.

특ᄒᆞ믈 ᄌᆞ랑ᄒᆞ니 엇지 우읍지 아니리오."

창휘 답고져 ᄒᆞ더니, 외당에 빈ᄀᆡᆨ이 모드므로 나와 즁빈을 졉응ᄒᆞᆯᄉᆡ, 창휘 벌위(伐魏)ᄒᆞ고 도라 온 후, 궐졍으로셔 황혼에 물너와, 일야를 지ᄂᆡ고 작일 신셩 후【121】 취운산으로 나아가 금일에 도라오니, 하ᄀᆡᆨ이 창후를 ᄎᆞᄌᆞ려 왓다가 그져 도라 갓더니, 금일의 모드니 광실(廣室)이 터질 ᄃᆞᆺᄒᆞ고, ᄌᆞ포옥ᄃᆡ(紫袍玉帶)[337] 나렬ᄒᆞ여 창후의 놉흔 ᄌᆡ덕을 칭복지 아니리 업ᄉᆞᄃᆡ, 호람후 슉딜이 갈ᄉᆞ록 청검(淸儉)ᄒᆞ기를 쥬ᄒᆞ고, 힝혀도 교우ᄌᆞ즁(驕傲自重)ᄒᆞᄂᆞᆫ 빗치 업ᄉᆞ니, 인인이 흠션(欽羨)ᄒᆞ여 탄복블이(歎服不已)러라.

창휘 존당 슉당과 편친을 뫼셔, 오ᄅᆡ 써 낫던 하졍을 펴나, 총ᄌᆞ[ᄌᆡ](冢宰)로 광금장침(廣衾長枕)의 힐항(頡頏)ᄒᆞᄂᆞᆫ 졍을 펴지 못ᄒᆞ고, 아모 ᄢᅵ 동졍(東征) 환가(還家)ᄒᆞᆯ 줄을 모로ᄆᆡ, 홀연 비결(悲缺)ᄒᆞᆫ 회푀 밤을 당ᄒᆞ면 눈물 나믈 금치 못ᄒᆞ더니, 하・장 두 부인이 ᄯᆞᆯ을 년ᄒᆞ여 옥동긔린을 ᄉᆡᆼᄒᆞ고, 산후 질양이 업셔 삼칠일 후 즉시 니러나니, 남후 부부의 희열ᄒᆞ믄 니르도 말고 창후의 깃거ᄒᆞ미 ᄯᅩᄒᆞᆫ ᄌᆞ긔 ᄋᆞᄃᆞᆯ【122】어드니에셔 더으더라.

딘소졔 부모 동긔 지셩 구호ᄒᆞ믈 인ᄒᆞ여 흠질이 소셩ᄒᆞᄆᆡ 옹닌과 유ᄌᆞ로 더브러 옥누항으로 도라오니, 위태부인으로브터 합문의 반기미 ᄉᆡ롭고, 신싱의 비상ᄒᆞ미 옹닌과 다르지 아니믈 힝희ᄒᆞᄂᆞᆫ지라.

이러구러 남・화 이 소졔 다 슈ᄐᆡᄒᆞ니 조부인과 일개 환열ᄒᆞ더라

필요.

337)ᄌᆞ포옥ᄃᆡ(紫袍玉帶) : 붉은 도포와 백옥 허리띠 차림의 고위관리들.

화셜 문양공쥐 젼젼악식 셰셰히 발각ᄒᆞ여, 임의 신묘랑과 최상궁이 죽고, 황샹이 부녀의 텬눈디졍을 버히샤 궐졍 왕니를 막으시며, 녹봉을 거두샤 여러 일월의 ᄒᆞᆫ갈ᄀᆞᆺ치 미몰ᄒᆞ믈 뵈시니, 뎡부의셔 ᄉᆞ이 통ᄒᆞᆫ 협문을 막고 븍공이 엄녕(嚴令)ᄒᆞ여 ᄌᆞ긔 궁듕 비복의 무리 뎡부 문젼의 어른기는 일이 이시면 문니(門吏)를 죽이련다 ᄒᆞ여시므로, 문니 등이 살피기를 등한이 아니ᄒᆞ여 문양궁의 노복이라도 나아오디 못ᄒᆞ게 ᄒᆞ니, 공쥐 오히려 듕청(重聽)[366] 병인은 되디 아녓는 고로, 듯는 말이 졀졀이 분노를 더으는디라.

고요【53】히 누어 ᄌᆞ긔 명도를 ᄉᆡᆼ각건ᄃᆡ, 몸이 만승디존(萬乘之尊)[367]의 ᄉᆡᆼ디(生之)ᄒᆞ신 바로, 왕희(王姬)의 존귀와 쳔승의 존을 가져, 황야의 ᄉᆞ랑ᄒᆞ샤미 뎡궁(正宮) ᄉᆡᆼᄒᆞ신 공쥬로 다르미 업ᄉᆞ시거ᄂᆞᆯ, ᄌᆞ긔 초두(初頭)로브터 괴이ᄒᆞᆫ 의ᄉᆡ 니러나 ᄒᆞᆫ 번 고루(高樓)의셔 븍공의 뎡벌ᄒᆞ고 닙공승젼(立功勝戰)ᄒᆞ여 도라오는 위의를 구경ᄒᆞ미, 그 쳥텬ᄇᆡᆨ일디상(靑天白日之像)[368]과 태산졔월디풍(泰山霽月之風)[369]의 경운화긔(慶雲和氣)를 겸ᄒᆞ여 만고무뎍(萬古無敵)ᄒᆞᆫ 풍뉴신광(風流身光)을 탐혹ᄒᆞ여, 구구ᄒᆞᆫ 음졍(淫情)이 상ᄉᆞ(相思) 괴딜(怪疾)을 니르혀, 쳔만 브득이 황샹이 뎡텬흥으로 부마를 삼으시ᄃᆡ, 윤・양・니 등을 폐츌치 못ᄒᆞ시니, ᄌᆞ긔 황녀의 존ᄒᆞ믈 발뵐 길히 업셔,【54】하가뎡문(下嫁鄭門)ᄒᆞ미 존당의 침뎡홈과 구고의 단엄ᄒᆞ미 일시도 ᄌᆞ긔 교일방자(驕逸放恣)ᄒᆞᆫ 긔운을 펴디 못ᄒᆞ고, 븍공의 쥰녈 ᄉᆡᆨᄉᆡᆨᄒᆞ미 녀ᄌᆞ로 ᄒᆞ여금 ᄒᆞᆫ 조각 ᄉᆞ졍을 빗최디 못ᄒᆞ여, 여러 일월의 조심ᄒᆞ며 두립고 박빙(薄氷)을 드ᄃᆡ며, 침상(針上)을 님ᄒᆞᆫ

화셜 문양공쥐 젼젼악식 셰셰히 발각ᄒᆞ여, 임의 신묘랑과 최상궁이 죽고, 황샹이 부녀의 텬륜지졍을 버히샤 궐졍 왕니를 막으시며, 녹봉을 거두샤 여러 일월의 ᄒᆞᆫ갈ᄀᆞᆺ치 미몰ᄒᆞ믈 뵈시니, 뎡부의셔 ᄉᆞ이 통ᄒᆞᆫ 협문을 막고 북공이 엄금(嚴禁)ᄒᆞ여 ᄌᆞ긔 궁즁 비복의 무리 뎡부 문졍(門庭)에 어른기는 일이 잇시면 문니(門吏)를 죽이려 노라 ᄒᆞ여시므로, 문니 등이 ᄉᆞᆯ피기를 등한이 아니ᄒᆞ여 엄금ᄒᆞ니, 공쥐 능히 거두(擧頭)치 못ᄒᆞ고 신【123】셰의 슬프믈 닐우ᄃᆡ,

---

366)듕청(重聽) : 귀가 어두워서 소리를 잘 듣지 못하는 증상.

367)만승디존(萬乘之尊) : =천자(天子).

368)쳥텬ᄇᆡᆨ일디상(靑天白日之像) : 푸른 하늘의 빛나는 태양과 같은 기상.

369)태산졔월디풍(泰山霽月之風) : 비갠 하늘의 밝은 달빛 아래 우뚝 솟아 있는 태산과 같은 풍채.

듯 ᄒᆞ다가, 뉴시와 신묘랑의 도으믈 닙어 가만ᄒᆞᆫ ᄀᆞ온ᄃᆡ 윤·양·니·경과 현긔 등 ᄉᆞ남ᄆᆡ를 ᄒᆡᄒᆞ며, 운영 등 십창가디 업시 ᄒᆞ랴 도모ᄒᆞ여, 계교를 일우ᄃᆡ ᄒᆞ로도 븍공의 흔연 상ᄋᆡ(相愛)ᄒᆞ미 혈심딘졍(血心眞情)의 밋ᄎᆞ믈 보디 못ᄒᆞ고, ᄆᆡ양 외친ᄂᆡ쇼(外親內疏)ᄒᆞ여 은졍을 낫토ᄂᆞᆫ ᄃᆞ시 ᄒᆞ여, 계오 일녀를 어드ᄆᆡ, 그 셜부옥골(雪膚玉骨)이 【55】부풍(父風)을 젼습(專襲)ᄒᆞ여 용용쇽녜(庸庸俗女)[370]아니어ᄂᆞᆯ, 공연이 최현의 쳔ᄒᆞᆫ ᄌᆞ식과 밧고와 참혹히 일흐미 되고, ᄌᆞ긔 픽도(悖道)ᄂᆞᆫ 아니 밋ᄎᆞᆫ 곳이 업셔, 쳔인(千人)이 ᄉᆞ딧고 만인(萬人)이 머리를 흔드러, 간악다 ᄒᆞ기를 긋치디 아니커ᄂᆞᆯ, ᄌᆞ긔ᄂᆞᆫ 젼ᄌᆞ의 다 셔르져 업시 ᄒᆞᆫ 줄 양양ᄌᆞ득(揚揚自得)ᄒᆞ던 바, 윤·양·니·경은 안연ᄒᆞ미 반셕 ᄀᆞᄐᆞ여 됴히 도라오고, 운영 구창가디 즐거이 모드믈 어덧고, 현긔 등 ᄉᆞ남ᄆᆡᄂᆞᆫ 한틍의 부뷔 극딘히 보호ᄒᆞ여 일시의 도라오고, 븍공이 ᄉᆞ비십희(四妃十姬)로 경을 펴ᄆᆡ 옥동화○[녀]ᄂᆞᆫ 슬하의 층층ᄒᆞ여 영화복경(榮華福慶)을 도으며, 윤시ᄂᆞᆫ 더옥 의렬문이 금ᄌᆞ어필(金字御筆)노 놉흐ᄆᆡ, 그 문을 디나【56】ᄂᆞᆫ ᄌᆡ 황ᄌᆞ(皇子) 공후(公侯)라도 어셔(御書)를 공경ᄒᆞ여 하마(下馬)치 아니리 업ᄉᆞ며, 일셰인(一世人)이 남녀노쇼 업시 윤의렬의 졀조명ᄒᆡᆼ(節操名行)을 탄복디 아니리 업셔, 구고의 ᄉᆞ랑과 가부의 듕ᄃᆡᄂᆞᆫ 다시 드러 알 ᄇᆡ 아니라.

공쥐 윤·양·니·경 등을 이심히 ᄒᆡᄒᆞ미 도로혀 그 어딘 덕을 빗ᄂᆡ미 되여시니, 죵일달야(終日達夜)토록 ᄉᆡᆼ각ᄂᆞᆫ 일이 다 간장을 ᄉᆞᆺ고 흉격이 터질 듯ᄒᆞ니, 녀ᄌᆡ 셰샹의 나ᄆᆡ 삼죵디탁(三從之托)을 미드미 되거ᄂᆞᆯ, 우흐로 황애 부녀의 졍을 버히시고, ᄀᆞ온ᄃᆡ로 븍공이 부부의 의(義)를 ᄉᆞᆺ쳐 아조 남으로 알고, 아ᄅᆡ로 ᄒᆞᆫ낫 ᄌᆞ식이 업셔, 유녀(乳女)를 일헌 디 ᄉᆞ년의 그 ᄉᆡᆼᄉᆞ를 알 길히 업ᄉᆞ니, 슬하 유【57】치도 업ᄉᆞ니 삼죵(三

370)용용쇽녜(庸庸俗女) : 세간(世間)의 평범한 여자아이.

하로도 북공의 흔연 상ᄋᆡ(相愛)ᄒᆞ미 혈심진졍(血心眞情) 밋ᄎᆞ물 보지 못ᄒᆞ고, ᄆᆡ양 외친 ᄂᆡ소(外親內疏) 은졍을 나토ᄂᆞᆫ ᄃᆞ시 ᄒᆞ여 겨유 일녀를 어드ᄆᆡ, 그 셜부옥골(雪膚玉骨)이 부풍(父風)을 젼습(專襲)ᄒᆞ여 용용숙녜(庸庸俗女)[338]아니어ᄂᆞᆯ, 공연이 최현쳔식(賤息)과 밧고아 참혹히 닐흐미 되고, ᄌᆞ긔 픽도(悖道)ᄂᆞᆫ 아니 밋ᄎᆞᆫ 곳이 업셔, 쳔인이 ᄉᆞ짓고 만인이 머리를 흔드러 간악다 ᄒᆞ기를 긋치지 아니커ᄂᆞᆯ, ᄌᆞ긔ᄂᆞᆫ 젼쟈에 다 셔르져 업시ᄒᆞᆫ 줄노 양양ᄌᆞ득(揚揚自得)던 바, 윤·양·니·경은 안여반셕(安如磐石)ᄒᆞ여 조히 도라오고, 운영 등은 즐거이 모드믈 어덧고, 현긔 등 ᄉᆞ남ᄆᆡᄂᆞᆫ 한통[틍] 부뷔 극진 보호ᄒᆞ야 일시에 도라오고, 북공이 ᄉᆞ비십희(四妃十姬)로 졍을 펴ᄆᆡ 옥동화녜 슬하에 층층ᄒᆞ여 영화복경(榮華福慶)을 도으며, 윤씨○[ᄂᆞᆫ] 더욱 의렬문이 금ᄌᆞ어【124】필(金字御筆)노 놉핫거ᄂᆞᆯ, 그 문을 지나ᄂᆞᆫ ᄌᆡ 황ᄌᆞ(皇子) 왕공후ᄇᆡᆨ(王公侯伯)이라도 어필(御筆)을 공경ᄒᆞ여 하마(下馬)치 아니 리 업ᄉᆞ며, 일셰인(一世人)의 무론 남녀ᄒᆞ고 윤의렬의 졀도[조]명ᄒᆡᆼ(節操名行)을 아니 탄복ᄒᆞ리 업셔, ᄋᆞ동쥬졸(兒童走卒)이 모로리 업거ᄂᆞᆯ, 구고의 ᄉᆞ랑과 가부의 중ᄃᆡᄂᆞᆫ 다시 드러 알 일이 아니라.

공쥐 윤·양·니·경 등을 이심히 ᄒᆡᄒᆞ미 도로혀 그 어진 덕을 빗ᄂᆡ미 되엿ᄂᆞᆫ지라. 종일종야(終日終夜)토록 ᄉᆡᆼ각ᄂᆞᆫ 일이 다 ᄀᆞᆫ장이 ᄉᆞᆺ치고 《흉경‖흉격(胸膈)》이 터질 듯 ᄒᆞ니, 녀ᄌᆡ 츌셰ᄒᆞᄆᆡ 삼종지탁(三從之托)이 ᄋᆞᆺ듬이어ᄂᆞᆯ, 우흐로 황애 부녀지졍을 버히시고, ᄀᆞ온ᄃᆡ로 북공이 부부지의를 ᄉᆞᆺ쳐 아조 남으로 알고, 아ᄅᆡ로 ᄒᆞᆫ낫 ᄌᆞ식이 업셔 신ᄉᆡᆼ 옥녀를 닐헌 지 ᄉᆞ년에 그 ᄉᆞᄉᆡᆼ을 모르니, 부뫼 업ᄉᆞᆷ ᄀᆞᆺ고 삼종의 의지 ᄉᆞᆺ쳐

338)용용숙녜(庸庸俗女) : 세간(世間)의 평범한 여자아이.

從)의 의(義) 긋쳐져 일신 의디(依支)를 뎡치 못ᄒᆞᆯ ᄇᆡ라. 이런 망극ᄒᆞᆫ 경계를 당ᄒᆞ여, 위인이 침듕ᄒᆞᆫ 부인이라도 ᄌᆞ연 심장이 녹으믈 면치 못ᄒᆞ려든, ᄒᆞ믈며 투악협쳔(妬惡狹淺)홈과 만ᄉᆞ의 남의셔 낫과져 ᄒᆞ던 ᄆᆞᄋᆞᆷ으로뼈, 보젼ᄒᆞ미[여] 디금 ᄉᆞ라시미 도로혀 괴이치 아니리오. 평ᄉᆡᆼ 은악양션(隱惡佯善)ᄒᆞ고 ᄌᆡ믈을 널니 ᄒᆞᆺ터 인심을 취합ᄒᆞ던 일이 그림의 ᄯᅥᆨ이라.

쥬쥬야야(晝晝夜夜)의 통곡비열(痛哭悲咽)ᄒᆞ여 쳥츈상부(青春喪夫)[371]ᄒᆞᆫ 거동과 디원극통을 ᄑᆞᆷ은 형상 ᄀᆞᆺᄐᆞ여, 무시(無時) 곡읍이 긋출 젹이 업술 ᄲᆞᆫ 아니라, 머리를 브드이ᄌᆞ며 가ᄉᆞᆷ을 두다려 초상(初喪) 상○[인](喪人) 갓ᄐᆞ니, 그 몸인즉 ᄉᆡᆼ어옥엽(生於玉葉)[372]이오,【58】댱어금궐듕부귀(長於禁闕中富貴)[373]라, 엇디 병인들 나디 아니리오.

심홰 셩ᄒᆞ고 딜양이 써나디 아냐 일신을 괴로이 ᄌᆞ통(自痛)ᄒᆞ더니, 믄득 ᄇᆡ종(背腫)[374]이 대단ᄒᆞ여 인ᄉᆞ(人事)를 아디 못ᄒᆞ고, ᄇᆡᆨ약이 무효ᄒᆞ여 죽게 되니, 한상궁이 공쥬 위ᄒᆞᆫ 정셩이 졔 몸이 딘키를 그음ᄒᆞ여 뜻을 변치 아니코, 공쥐 최녀를 귀듕ᄒᆞ고 ᄌᆞ긔를 ᄆᆡ워, 녹셤 등의 초ᄉᆞ(招辭)의 너허 졀ᄒᆡ(絶海)의 원찬ᄒᆞ엿던 분원은 츈셜 스러디 ᄃᆞᆺᄒᆞ여, 아이의 심듕의 머므ᄅᆞ디 아니코, 쥬야로 공쥬를 븟드러 위로ᄒᆞ고 구호ᄒᆞᄂᆞᆫ 도리, 튱녈의 현신이라도 이의 밋출 ᄇᆡ 업셔, 공쥐 악심을 곳치디 아냐 악언(惡言)으로 금후 부부를 원망【59】ᄒᆞ며, 븍공과 윤·양·니·경을 욕ᄒᆞ기의 {당ᄒᆞ기의} 당ᄒᆞ여ᄂᆞᆫ, 한상궁이 화(和)ᄒᆞᆫ낫빗ᄎᆞ로 공쥬의 패덕을 간ᄒᆞ고, ᄆᆡ양 개과쳔션ᄒᆞ기를 쳥ᄒᆞ여, 텬신(天神)이 복을 빌니게 ᄒᆞ믈 ᄀᆞᆺ초 고ᄒᆞ니, 공쥐 구고와 븍공을 원망ᄒᆞ여 윤·양·

371)청춘상부(青春喪夫) : 젊은 나이에 남편을 잃음.
372)ᄉᆡᆼ어옥엽(生於玉葉) : 왕가(王家)의 귀한 자녀로 태어남.
373)댱어금궐듕부귀(長於禁闕中富貴) : 대궐의 부귀(富貴) 가운데서 자라남.
374)ᄇᆡ종(背腫) : 등에 나는 큰 부스럼. =등창.

일신을 지졍치 못ᄒᆞᆯ ᄇᆡ라. 니런 망극ᄒᆞᆫ 경계를【125】당ᄒᆞ여, 위인이 침즁ᄒᆞᆫ 부인이라도 ᄌᆞ연 심장이 녹으믈 면치 못ᄒᆞ려든, ᄒᆞ믈며 포악협쳔(暴惡狹淺) 홈가[과] 만ᄉᆞ{쳔}의 남ᄃᆞ른 심장으로뼈, 보젼ᄒᆞ여 지금ᄭᆞ지 ᄉᆞ라시미 도로혀 고이치 아니리오. 평ᄉᆡᆼ 은악양션(隱惡佯善)ᄒᆞ고 ᄌᆡ물을 널니 ᄒᆞᆺ터 인심을 취합ᄒᆞ던 일이 그림의 ᄯᅥᆨ이라.

쥬쥬야야(晝晝夜夜)의 통도비열(痛哭悲咽)ᄒᆞ여 쳥츈상부(青春喪夫)[339]ᄒᆞᆫ 거동과 지원극통을 ᄑᆞᆷ은 형상 ᄀᆞᆺᄒᆞ여, 무시(無時) 곡읍이 긋출 젹 업술 ᄲᆞᆫ 아니라, 머리를 부드이ᄌᆞ며 ᄀᆞᄉᆞᆷ을 두ᄃᆞ려 초상(初喪) 상인(喪人) ᄀᆞᆺᄒᆞ니, 그 몸인즉 ᄉᆡᆼ어옥엽(生於玉葉)[340] 이오, 장어금달즁부귀(長於禁闕中富貴)[341]라. 엇지 병인들 업ᄉᆞ리오.

심홰 셩ᄒᆞ고 질양이 써나지 아냐 일신을 괴로이 ᄌᆞ통(自痛)ᄒᆞ더니, 믄득 ᄇᆡ종(背腫)[342]이 ᄃᆡ단ᄒᆞ여 인ᄉᆞ를 아지 못ᄒᆞ고 ᄇᆡᆨ약이 무효ᄒᆞ여 죽게 되니, 한상궁이 공쥬 위ᄒᆞᆫ 졍셩이 졔 몸이 진키를 그음ᄒᆞ여 뜻을 변치【126】아니코, 공쥐 최녀를 귀즁ᄒᆞ며 ᄌᆞ긔를 ᄆᆡ워ᄒᆞ여 녹셤 등의 초ᄉᆞ(招辭)의 너허 졀ᄒᆡ(絶海)에 원찬ᄒᆞ엿던 분원은 츈셜 스ᄃᆞᆺ 닛고, 쥬야로 공쥬를 븟드러 위로ᄒᆞ며 구호ᄒᆞᄂᆞᆫ 도리, 츙녈의 현신이라도 밋출 ᄇᆡ 아니로ᄃᆡ, 공쥐 악심을 곳치지 아냐 악언으로 금후 부부를 원망ᄒᆞ며, 북공과 윤·양·니·경을 즐욕ᄒᆞ기에 당ᄒᆞ야ᄂᆞᆫ, 한상궁이 화ᄒᆞᆫ 낫빗ᄎᆞ로 공쥬의 ᄑᆡ덕을 ᄀᆞᆫᄒᆞ고, ᄆᆡ양 ᄀᆡ과쳔션ᄒᆞ기를 쳥ᄒᆞ여, 텬신이 복을 빌니게 ᄒᆞ믈 ᄀᆞᆺ초 고ᄒᆞ면, 공쥐 악셜노 즐욕ᄒᆞ다가도 ᄯᅢᄯᅢ 북공의 션풍옥골을 ᄉᆞ랑ᄒᆞ여 그립고 셜운 졍이 넉술 인도ᄒᆞ여 북공의 얼

339)쳥춘상부(青春喪夫) : 젊은 나이에 남편을 잃음.
340)ᄉᆡᆼ어옥엽(生於玉葉) : 왕가(王家)의 귀한 자녀로 태어남.
341)댱어금궐듕부귀(長於禁闕中富貴) : 대궐의 부귀(富貴) 가운데서 자라남.
342)ᄇᆡ종(背腫) : 등에 나는 큰 부스럼. =등창.

니・경 등을 ᄭᅮ덧다가도, ᄯᆡᄯᆡ 븍공의 션풍옥골을 ᄉᆡᆼ각ᄒᆞ여 그립고 셜운 졍이 뭉쳐, ᄭᅮᆷ이 넉술 인도ᄒᆞ여 븍공의 얼골을 반기나, ᄉᆡᆼ셰의 다시 부부의 의(義)를 펼 길히 업ᄉᆞ니, 출하리 어셔 죽어 녕ᄇᆡᆨ(靈魄)이나 븍공의 ᄌᆞ최를 ᄯᆞᆯ오고져 ᄒᆞᄂᆞᆫ디라. ᄇᆡᆨ종이 극듕ᄒᆞᆫ 가온ᄃᆡ 샤상디심(思相之心)[375]이 간졀ᄒᆞ여, 더옥 병회(病懷)를 돕ᄂᆞᆫ디라. 한상궁이 공쥬의 질【60】양이 ᄉᆞ디 못ᄒᆞ게 되여시믈 망극ᄒᆞ여, 뎡・오 이왕긔 이 소유를 고ᄒᆞ니, 뎡왕과 오왕이 디극ᄒᆞᆫ 셩우(誠友)[376]의 그 과악(過惡)은 다 닛고, 신셰를 참잔(慘殘)[377]ᄒᆞ여 날마다 왕ᄂᆡᄒᆞ여 병후(病候)를 살펴 의약을 착실이 ᄒᆞ고, 말숨을 텬문의 알외ᄆᆡ 샹이 공쥬의 과악을 통히ᄒᆞ샤 단연이 텬뉸ᄌᆞᄋᆡ(天倫慈愛)를 버히드시 ᄒᆞ시나, 그 병이 듕ᄒᆞ믈 드르시ᄆᆡ 참졀(慘切) 잔잉ᄒᆞ샤[378], 뎡・오 이왕다려 ᄀᆞᆯ오샤ᄃᆡ,

“문양의 죄괜즉 죽고 남지 못ᄒᆞᆯ 거시로ᄃᆡ, 그 청츈이 잔잉ᄒᆞ니 여등(汝等)이 살펴 병을 곳치라. 딤이 져를 블러 보고져 아니리오마ᄂᆞᆫ, 인군(人君)의 도리 ᄉᆞ경으로뼈 당연ᄒᆞᆫ 듕죄를 샤(赦)치 못ᄒᆞᆯ 거시오, 또 외됴(外朝) 시비(是非)를 브르ᄂᆞᆫ디라.【61】시고(是故)로 딤이 졔 죄를 프디 못ᄒᆞ니, 여등이 딤의 뜻을 문양의게 젼ᄒᆞ고 그 심ᄉᆞ를 위로ᄒᆞ라.”

뎡・오 이왕이 ᄇᆡ샤슈명(拜謝受命)ᄒᆞ고 믈너나, ᄎᆞ후 공쥬를 구호ᄒᆞᄂᆞᆫ 도리 극딘ᄒᆞ여 고인(古人)의 나롯 그을니ᄂᆞᆫ 우ᄋᆡ를 ᄯᆞᆯ오니, 공쥐 한상궁과 뎡・오 이왕의 구호ᄒᆞᄂᆞᆫ 덕을 닙어 목숨이 ᄭᅳᆺ디 아니나, 쳔슈만한(千愁萬恨)과 각골(刻骨) 앙앙(怏怏)ᄒᆞᆫ 심ᄉᆞ를 일시의 ᄭᅳᆺ치디 못ᄒᆞ여, 윤・양・니・경을 업시 ᄒᆞ고져 뜻이 발발ᄒᆞᄃᆡ, 눌노 더

375)샤상디심(思相之心) : 남자나 여자가 마음에 둔 사람을 몹시 그리워하는 마음.

376)셩우(誠友) : 매우 정성스러운 우애.

377)참잔(慘殘) : 애처롭고 불쌍하여 차마 보기 어려움.

378)잔잉ᄒᆞ다 : 자닝하다. 애처롭고 불쌍하여 차마 보기 어렵다.

골을 반기나, ᄉᆡᆼ셰에 다시 부부지의(夫婦之義)를 펼 길히 업ᄉᆞ니, 출하리 어셔 죽어 녕ᄇᆡᆨ(靈魄)이나 북공의 알ᄑᆡ로 ᄯᆞ르고져 ᄒᆞᄂᆞᆫ지라. ᄇᆡᆨ종이 극즁ᄒᆞᆫ 가온【127】ᄃᆡ도 ᄉᆞ상지심(思相之心)[343]이 근졀ᄒᆞ여, 더욱 병회(病懷)를 도으니, 한상궁이 공쥬의 질양이 ᄉᆞ지 못ᄒᆞ게 되여시믈 망극ᄒᆞ여, 급히 뎡・오 이왕긔 이 소유를 고ᄒᆞ니, 이왕이 지극ᄒᆞᆫ 셩우(誠友)[344]에 그 과악은 다 닛고 신셰를 참잔(慘殘)[345]ᄒᆞ여, 날마다 왕ᄂᆡᄒᆞ여 증후를 ᄉᆞᆯ펴 의약을 착실이 ᄒᆞ고, 말숨을 텬문의 알외ᄆᆡ, 상이 공쥬의 과악을 통히ᄒᆞ샤 단연이 텬륜ᄌᆞᄋᆡ(天倫慈愛)를 버히ᄂᆞᆫ ᄃᆞ시 ᄒᆞ시나, 그 병이 즁ᄒᆞ믈 드르시고 참졀(慘切) 잔잉ᄒᆞ샤[346] 뎡・오 이왕 ᄃᆞ려 왈,

“문양의 죈즉 죽고 남지 못ᄒᆞᆯ 거시로ᄃᆡ, 그 청츈이 잔잉ᄒᆞ니 여등(汝等)이 ᄉᆞᆯ펴 병을 곳치게 ᄒᆞ라. 딤이 어이 져를 불러 보지 말과져 ᄒᆞ리오마ᄂᆞᆫ, 인군(人君)의 도리 ᄉᆞ경으로뼈 당연ᄒᆞᆫ 즁죄를 샤(赦)치 못ᄒᆞᆯ 거시오, 또 외조(外朝) 시비(是非)를 브르지 못ᄒᆞᆯ지라. 니러므로 딤이 졔 죄를 프지 못ᄒᆞᄂᆞ니, 여등이 딤의(朕意)를 문양의게 젼ᄒᆞ【128】고 그 심ᄉᆞ를 위로ᄒᆞ라.

뎡・오 이왕이 ᄇᆡ샤슈명(拜謝受命)ᄒᆞ고 믈너와, ᄎᆞ후ᄂᆞᆫ 공쥬를 구호ᄒᆞ미 극진ᄒᆞ여 고인의 《낫흘니던∥나롯 그을니던》 우ᄋᆡ를 ᄯᆞᆯ오니, 공쥐 한상궁과 뎡・오 냥왕의 구호ᄒᆞᄂᆞᆫ 덕을 힘닙어 목숨이 ᄭᅳᆺ치지 아니나, 쳔슈만한(千愁萬恨)과 각골앙앙(刻骨怏怏)ᄒᆞᆫ 심ᄉᆞᄂᆞᆫ ᄒᆞᆫ ᄯᆡ도 한가ᄒᆞ믈 엇지 못ᄒᆞ여, 윤・양・니・경과 운영으로브터 구창ᄉᆡᆨ

343)샤상디심(思相之心) : 남자나 여자가 마음에 둔 사람을 몹시 그리워하는 마음.

344)셩우(誠友) : 매우 정성스러운 우애.

345)참잔(慘殘) : 애처롭고 불쌍하여 차마 보기 어려움.

346)잔잉ᄒᆞ다 : 자닝하다. 애처롭고 불쌍하여 차마 보기 어렵다.

브러 의논ᄒᆞ리오. 쇽졀업시 심장을 ᄉᆞᆯ올 ᄲᆞᆫ이라. 뎡·오 이왕이 디셩 구호ᄒᆞᄆᆡ 공쥬의 ᄇᆡ죵이 ᄉᆞ오일을 신고ᄒᆞ여, 살이 ᄲᅧ어나고 ᄉᆡ 살이 《빗최ᄃᆡ ‖ 빗췬 후》 비로소 ᄉᆡᆼ도를 어드나, 화용이 슈쳑ᄒᆞ고 옥골이 표연(飄然)ᄒᆞ【62】여 보기의 위ᄐᆡ로이 되여시니, 한상궁이 보긔ᄒᆞᆯ 찬픔과 미듁을 구미의 맛도록 ᄒᆞ니, 공쥐 그 졍셩을 감동ᄒᆞ여 젼ᄌᆞ의 져를 심히 ᄆᆡ워, 최녀와 의논ᄒᆞ고 ᄒᆡᄒᆞ던 바를 참괴코 뉘웃ᄂᆞᆫ 뜻이 졈졈나ᄂᆞᆫ디라.

지 ᄌᆞᆺ너흐러 업시 ᄒᆞ고, 현긔 등을 ᄉᆞᆷ킬 뜻이 발발ᄒᆞ나, 눌노 더브러 의논ᄒᆞ리오. 속졀업시 심장을 살와 통상 비도ᄒᆞᆯ ᄲᆞᆫ이라. 뎡·오 이왕이 위로 구호ᄒᆞ믈 각별히 ᄒᆞ여, 공쥬의 ᄇᆡ종이 ᄉᆞ오일을 신고ᄒᆞ여 살히 ᄲᅧ어나고 ᄉᆡ 살이 빗췬 후 ᄉᆡᆼ도를 어드나, 일신이 괴롭고 쥬변키 어려온 밧, 병이 써나지 아녀 음식을 ᄣᆡ에 나오지 못ᄒᆞ니, 화용이 슈쳑ᄒᆞ고 옥골이 초췌ᄒᆞ여 보기의 위ᄐᆡ로이 되어시【129】니, 한상궁이 념녀로오믈 니긔지 못ᄒᆞ여, 가ᄌᆞᆨᄒᆞᆫ 졍셩을 다ᄒᆞ여 보긔ᄒᆞᆯ 찬픔과 미쥭을 구미의 맛ᄀᆞᆺ도록 ᄒᆞ니, 공쥐 한상궁의 지극ᄒᆞᆫ 졍셩을 감동ᄒᆞ여, ᄌᆞ긔 젼쟈에 져를 심히 뮈워 ᄒᆡᄒᆞ던 줄이 참괴코 뉘웃버 ᄒᆞᄂᆞᆫ ᄃᆞᆺ ᄒᆞ더라.

이ᄣᆡ 윤의렬이 구고 존당을 밧들며 슉ᄆᆡ(叔妹) 금장(襟丈)을 셔로 화우ᄒᆞ여, 양·니·경 삼부인으로 디극ᄒᆞᆫ 졍이 골육동긔 ᄀᆞᆺ고, 심듕의 참연ᄒᆞᆫ 밧ᄌᆞᄂᆞᆫ 공쥬의 슬픈 신셰라. 그ᄋᆞᆨ이 협문을 다시 통ᄒᆞ고 친히 나아가 낫ᄎᆞ로 공쥬를 보아 졍의를 펴고, ᄋᆡᄌᆞ디원(睚眦之怨)[379]을 픔디 아닛ᄂᆞᆫ 뜻을 베플고져 ᄒᆞᄃᆡ, 딘부인이 단엄 견고ᄒᆞ여 사ᄅᆞᆷ의 궁흉극악디ᄉᆞ(窮凶極惡之事)를 드【63】르면, 비록 언두의 ᄌᆞ로 니르디 아니나 듕심의 티부(置簿)ᄒᆞ미 되고, 슌태부인의 화홍인ᄌᆞ(和弘仁慈)ᄒᆞ미 간간이 공쥬의 신셰 볼 것 업ᄉᆞ믈 측은ᄒᆞ여 일ᄏᆞ른즉, 딘부인이 나ᄌᆞᆨ이 ᄃᆡ 왈,

"텬흥의 ᄋᆡ회 괴ᄒᆞ여 공쥬를 만나 현쳐와 영ᄌᆞ(英子)를 다 보젼치 못ᄒᆞᆯ 번 ᄒᆞ오니, ᄉᆡᆼ각ᄒᆞᆫ 즉 심골이 셔늘ᄒᆞ온디라. 존고의 셩덕으로 비록 져를 위ᄒᆞ여 측은이 녁이시나, 우리 부듕 비ᄌᆞ로 ᄒᆞ여금 간악ᄒᆞᆫ 곳의 왕ᄂᆡᄒᆞ미 업게 ᄒᆞ시믈 바라ᄂᆞ이다. 블인(不人)을 먼니 ᄒᆞᄂᆞᆫ 거시 올흐니이다

태부인 왈,

"내 ᄆᆞ음인들 엇디 져 블인을 가ᄂᆡ의 닐

이ᄣᆡ 유[윤]의렬이 구고 존당을 밧들며 숙ᄆᆡ(叔妹) 금쟝(襟丈)을 셔로 화우ᄒᆞ야, {윤}양·니·경 삼부인으로 지극ᄒᆞᆫ 졍이 골육동긔 ᄀᆞᆺ튼 가온ᄃᆡ도, ᄆᆡ양 즁심의 참연이 못 닛ᄂᆞᆫ 바ᄂᆞᆫ, 공쥬의 슬픈 신셰라. 그ᄋᆞᆨ이 젼일 협문을 다시 통ᄒᆞ고, 친히 나아가 낫ᄎᆞ로 공쥬를 보아 졍의를 펴고, ᄋᆡᄌᆞ(睚眦)의 원(怨)[347]을 픔지 아니믈 베프고져 ᄒᆞᄃᆡ, 딘부인이 단엄(端嚴) 경경(梗梗)ᄒᆞ여 샤ᄅᆞᆷ의 궁흉극악지ᄉᆞ(窮凶極惡之事)를 드르면, 비록 언두에 자로 니르지 아니나 즁심의 치부(置簿)ᄒᆞ미 되고, 슌태부인의 화홍인ᄌᆞ(和弘仁慈)ᄒᆞ미 간간이 공쥬의 신셰【130】볼 거시 업ᄉᆞ믈 측은이 녁인즉, 딘부인이 나ᄌᆞᆨ이 ᄃᆡ 왈,

"텬흥의 ᄋᆡ회 고이ᄒᆞ여 공쥬를 만나, 현쳐와 녕ᄌᆞ를 다 보젼치 못ᄒᆞᆯ 번 ᄒᆞ오니, ᄉᆡᆼ각하온 즉 심골이 셔늘ᄒᆞ온지라. 존고의 셩덕이 비록 져를 위ᄒᆞ여 슬피 녁이시실지라도, 우리 부즁 비ᄌᆡ 간악ᄒᆞᆫ 곳의 왕ᄂᆡᄒᆞᄂᆞᆫ 일이 업게 ᄒᆞ시믈 ᄇᆞ라옵ᄂᆞ니, 불인을 먼니 ᄒᆞᄂᆞᆫ 거시 올흐니이다."

태부인 왈,

"낸들 엇지 져 불인을 다시 가ᄂᆡ의 닐위

379)ᄋᆡᄌᆞ디원(睚眦之怨) : 한 번 흘겨보는 정도의 원망이란 뜻으로, 아주 작은 원망.

347)ᄋᆡᄌᆞ디원(睚眦之怨) : 한 번 흘겨보는 정도의 원망이란 뜻으로, 아주 작은 원망.

위고져 ᄒᆞ리오마ᄂᆞᆫ, ᄆᆞᄋᆞᆷ의 잔잉ᄒᆞ미 그 청츈【64】이오, ᄯᅩ 황샹의 ᄉᆞ랑ᄒᆞ시ᄂᆞᆫ 공쥐믈 혜아리ᄆᆡ, 그 신셰 참혹ᄒᆞ여 삼죵디의(三從之義)를 폐졀(廢絶)ᄒᆞ고, 잔등야우(殘燈夜雨)[380]의 홍뉘(紅淚)[381] 뉴미를 잠으미 측은ᄒᆞ고, 블인이 져의 디은 죄ᄂᆞᆫ ᄉᆡᆼ각디 못ᄒᆞ고 각골ᄒᆞᆫ 원망이 우리 집 남녀노쇼 업시 다 삼킬 ᄃᆞᆺ 믜워 ᄒᆞᆯ 바를 혜아리건ᄃᆡ, 어이 ᄆᆞᄋᆞᆷ이 편ᄒᆞ리오."

딘부인이 탄 왈,

"존고의 하괴 맛당ᄒᆞ시나, 슈요댱단(壽夭長短)[382]과 화복길흉(禍福吉凶)이 텬슈(天數)의 뎡ᄒᆞᆫ ᄇᆡ라. 져 공쥐 아모리 우리 집을 원망ᄒᆞ여도, 이 ᄯᆡᄂᆞᆫ 독ᄒᆞᆫ 슈단을 베플 곳이 업ᄉᆞᆸᄂᆞ니, 그 악악(惡惡)ᄒᆞᆫ 즐언(叱言)이야 므어시 두려오리잇가? 다만 ᄉᆞ이【65】를 엄히 ᄒᆞ여 시녀ᄇᆡ 왕ᄂᆡ치 아니면, 셔로 소식을 모로ᄂᆞᆫ ᄉᆞ이 되올디라. 쳡은 실노 텬흥이 부부뉸의(夫婦倫義)를 뉴렴(留念)치 아니ᄒᆞᄂᆞᆫ 거시[슬] 과도타 못ᄒᆞᄂᆞ이다."

태부인이 공쥬의 악악ᄒᆞ믈 무셔히 넉이ᄂᆞᆫ 고로, 욱여 비ᄌᆞ를 보ᄂᆡ여 안부를 므를 의ᄉᆞ를 아니ᄒᆞ니, 윤의렬이 태부인과 존고의 말ᄉᆞᆷ을 듯ᄌᆞ오ᄆᆡ, ᄌᆞ긔 각별ᄒᆞᆫ 셩덕으로 존고 안젼의 고치 못ᄒᆞ고, 공쥬의 슬픈 졍ᄉᆞ를 혜아려 쥬야의 닛디 못ᄒᆞ니, 슉식이 편치 아니ᄃᆡ, 스ᄉᆞ로 공쥬를 위ᄒᆞ여 슉식이 블안ᄒᆞ믈 니른즉, 남이 교졍(矯情)[383]으로 아라, 스ᄉᆞ로 어딘 덕을 ᄌᆞ랑코져 ᄒᆞ【66】ᄂᆞᆫ 줄 알 ᄃᆞᆺᄒᆞ여 발셜치 못ᄒᆞ엿더니, 일일은 양·니·경 삼부인이 다 셜원졍의 니르러 죵용이 담화ᄒᆞ고, 쇼니·양과 쥬시 등이 ᄒᆞᆫ가디로 나와 말ᄉᆞᆷᄒᆞᆯᄉᆡ, 윤부인이 홀연 츄연ᄒᆞᆫ 빗치 니러나, 《쇼양니‖양·니·경》

380)잔등야우(殘燈夜雨) : 깊은 밤에 등불은 기름이 다하여 꺼질락 말락 희미하고, 비가 또한 내려, 고독하고 애잔한 마음을 가눌 길 없음을 나타낸 말.
381)홍뉘(紅淚) : 붉은 눈물. 피눈물. 몹시 슬프고 분하여 나는 눈물
382)슈요댱단(壽夭長短) : 오래살고 일찍 죽음.
383)교졍(矯情) : 진심을 속이고 거짓으로 꾸밈

고져 ᄒᆞ며, 시녀 왕ᄂᆡᆫ들 식이고져 ᄒᆞ리오마ᄂᆞᆫ, 마음의 잔잉ᄒᆞ기 그 청츈이오 ᄯᅩᄂᆞᆫ[ᄒᆞᆫ] 황상의 ᄉᆞ랑ᄒᆞ시던 공쥐믈 혜아라ᄆᆡ, 그 신셰 절박ᄒᆞ야 삼종지의(三從之義)를 여지업시 폐졀(廢絶)ᄒᆞ고, 잔등야우(殘燈夜雨)[348]에 홍뉘(紅淚)[349] 뉴미를 잠가, 측은ᄒᆞᆫ 분언(奮言)이 그 지은 죄ᄂᆞᆫ ᄉᆡᆼ각지 못ᄒᆞ고, 각골ᄒᆞᆫ 원망이 우리 집 남【131】녀 노소 업시 삼킬 ᄃᆞᆺ 뮈워ᄒᆞᆯ 바를 혜건ᄃᆡ, 어이 마음이 편ᄒᆞ리오."

딘부인이 탄 왈,

"존고의 하교ᄂᆞᆫ 맛당ᄒᆞ시나, 슈요장단(壽夭長短)[350]과 화복길흉(禍福吉凶)이 막비텬쉬(莫非天數)라. 져 공쥐 아모리 우리 집을 원망ᄒᆞ여도, 이 ᄯᆡᄂᆞᆫ 독ᄒᆞᆫ 슈단을 베플 곳이 업ᄉᆞᆸᄂᆞ니, 그 악악(惡惡)ᄒᆞᆫ 즐언(叱言)이야 므어시 두려오리잇가? 다만 시녀ᄇᆡ 왕ᄂᆡ를 엄금ᄒᆞ여 셔로 소식을 모로미 올ᄉᆞ오니, 쳡은 실노 텬흥이 부부뉸의(夫婦倫義)를 뉴렴(留念)치 아닛ᄂᆞᆫ 거시[슬] 과도타 못ᄒᆞᄂᆞ이다."

태부인이 공쥬의 악악ᄒᆞ믈 무셔이 넉이ᄂᆞᆫ 고로, 우겨 비ᄌᆞ도 보ᄂᆡ여 안부를 무를 의ᄉᆞ를 아니ᄒᆞ니, 의렬이 태부인과 딘부인 말ᄉᆞᆷ을 듯ᄌᆞ오ᄆᆡ, ᄌᆞ긔 각별ᄒᆞᆫ 셩덕을 존고 안젼에 고치 못ᄒᆞ고, 공쥬의 슬픈 졍ᄉᆞ를 혜아려 쥬야에 닛지 못ᄒᆞᄆᆡ, ᄌᆞ연 ᄌᆞᆷ이 편치 아【132】니코, 스ᄉᆞ로 공쥬를 위ᄒᆞ야 슉식이 불안ᄒᆞ믈 니를진ᄃᆡ, 어딘 덕을 ᄌᆞ랑ᄒᆞᆷ ᄀᆞᆺ고, ᄯᅩ 샤ᄅᆞᆷ이 교졍(矯情)[351]으로 알가 ᄒᆞ여 발셜치 못ᄒᆞ엿더니, 일일은 양·니·경 삼부인이 션월졍의 니르러 종용○[이] 담화ᄒᆞ고, 소니·양과 쥬시 등이 ᄒᆞᆫ가지로 모다 말ᄒᆞᆯᄉᆡ, 홀연 윤부인이 츄연ᄒᆞᆫ 빗ᄎᆞ로 양·니·경 삼부인을 향ᄒᆞ여 왈,

348)잔등야우(殘燈夜雨) : 깊은 밤에 등불은 기름이 다하여 꺼질락 말락 희미하고, 비가 또한 내려, 고독하고 애잔한 마음을 가눌 길 없음을 나타낸 말.
349)홍뉘(紅淚) : 붉은 눈물. 피눈물. 몹시 슬프고 분하여 나는 눈물
350)슈요댱단(壽夭長短) : 오래살고 일찍 죽음.
351)교졍(矯情) : 진심을 속이고 거짓으로 꾸밈

삼 부인을 향ᄒᆞ여 왈,

“쳡이 부인ᄂᆡ로 더브러 명위뎍인(名爲敵人)이나 실은 골육동긔(骨肉同氣)와 다르미 업고, 심담(心膽)이 상됴(相照)ᄒᆞ니, 쳡이 슈고로이 발치 아냐도, 부인ᄂᆡ 쳡의 ᄆᆞ옴을 모로디 아닐 거시오, 피ᄎᆞ 뜻이 다르디 아닐디니, 금일 맛ᄎᆞᆷ 죵용ᄒᆞᆫ 고로 딘졍을 펴ᄂᆞ니, 부인ᄂᆡᄂᆞᆫ 괴이히 넉이디 말나. 쳡이 외람이 샹원위(上元位)를 당ᄒᆞ여 부인ᄂᆡ【67】로 더브러 머리 디어 군ᄌᆞ의 듕궤(中饋)를 님ᄒᆞᄆᆡ, 허믈을 면키 어려오ᄃᆡ, 부인ᄂᆡ 극딘히 규졍(糾正)ᄒᆞ고 졍셩○○○[으로 도]으믈 힘닙어, 봉친ᄃᆡᄀᆡᆨ(奉親對客)의 대단ᄒᆞᆫ 죄를 면ᄒᆞ엿ᄂᆞᆫ디라. 그윽이 ᄉᆡᆼ각건ᄃᆡ, 아등은 인신(人臣)의 쳔ᄒᆞᆫ ᄌᆞ식이오, 공쥬ᄂᆞᆫ 만승디존(萬乘之尊)의 탄휵(誕慉)[384]ᄒᆞ신 바로, 비록 후의 드러온 셔의(齟齬)ᄒᆞ미 이시나, 당당ᄒᆞᆫ 황녀로뻐 국법(國法)의 부매(駙馬) 두 안히 업ᄉᆞ믈 혜아리면, 아등 ᄀᆞᄐᆞᆫ 무리ᄂᆞᆫ 폐츌ᄒᆞ고, 공쥐 온젼이 뎡군의 듕궤를 쇼임ᄒᆞ여도 시비ᄒᆞ리 업ᄉᆞᆯ 거시오, 원망치 못ᄒᆞᆯ ᄇᆡ로ᄃᆡ, 셩듀의 관홍대덕이 하상디원(夏霜之怨)[385]을 살피샤 아등을 폐츌【68】치 아니시니, 일노 드ᄃᆡ여 공쥬의 뎍인이 슈플 ᄀᆞᄐᆞ니, 궁인의 셩졍이 ᄒᆞ나ᄒᆞᆯ 위ᄒᆞ여 졍을 뽀드ᄆᆡ 두로혈 줄을 아디 못ᄒᆞᄂᆞᆫ 고로, 공쥐 나히 졈은ᄃᆡ 셰ᄉᆞ를 경녁디 못ᄒᆞ엿거ᄂᆞᆯ, 돕ᄂᆞᆫ 무리 무상ᄒᆞ고 블인ᄒᆞᆫ 고로 변괴를 디으미라. 아등과 졔ᄋᆡ 다 ᄋᆡᆨ회 ᄎᆞ악ᄒᆞᆫ 연괴니, ᄉᆞᄉᆞ로 명도를 탄ᄒᆞᆯ ᄲᅮᆫ이라 엇디 홀노 공쥬의 탓시리오.”

ᄒᆞ더라.【69】

“쳡이 부인ᄂᆡ로 더브러 명위젹인(名爲敵人)이나 실위골육동긔(實爲骨肉同氣)와 ᄃᆞ르미 업고, 간담(肝膽)이 상조(相照)ᄒᆞ니, 쳡이 슈고로이 말을 발치 아녀도, 부인ᄂᆡ 쳡심을 모로지 아닐 거시로ᄃᆡ, 피ᄎᆡ 다 니런 일을 발셜키 어려워 함묵ᄒᆞ미라. 금일 종용ᄒᆞᆫ ᄯᆡ를 인ᄒᆞ여 진졍을 펴ᄂᆞ니, 부인ᄂᆡᄂᆞᆫ 고이히 넉이지 말나. 쳡이 외람이 상원위(上元位)를 당ᄒᆞ여 부인ᄂᆡ를 머리 지으미 잇시니, 군ᄌᆞ의 즁궤(中饋)를 소임ᄒᆞᄆᆡ 발셔 허물을 어더실 거시로【133】ᄃᆡ, 그ᄃᆡᄂᆡ 극진이 규졍(糾正)ᄒᆞ여 졍셩으로 도으믈 닙어, 봉친졉ᄀᆡᆨ(奉親接客)의 ᄃᆡ단ᄒᆞᆫ 허물은 면ᄒᆞ엿시나, 그윽이 ᄉᆡᆼ각건ᄃᆡ 아등은 인신(人臣)의 쳔ᄒᆞᆫ ᄌᆞ식이오, 공쥬ᄂᆞᆫ 만승지존(萬乘之尊)의 ᄉᆡᆼ지(生之)ᄒᆞ신 《비로‖바로》, 비록 후의 드러 온 셔의(齟齬)ᄒᆞ미 잇시나, 당당ᄒᆞᆫ 황녀 지위로뻐 국법의 부마(駙馬) 냥쳬(兩妻) 업ᄉᆞ믈 혜아리면, 아등 ᄀᆞᄐᆞᆫ 무리ᄂᆞᆫ 폐륜ᄒᆞ고, 공쥐 온젼이 뎡군의 즁궤를 소임ᄒᆞ야도 시비ᄒᆞ리 업ᄉᆞ며, 원망ᄒᆞ리 업ᄉᆞᆯ지라. 셩쥬의 관홍후덕(寬弘厚德)이 돗ᄂᆞᆫ ᄒᆡ ᄀᆞᆺᄒᆞ샤 하상지원(夏霜之怨)[352]을 ᄉᆞᆯ피시ᄂᆞᆫ 연고로, 아등을 폐츌치 아니시니, 닐노 드ᄃᆡ여 공쥬의 젹인이 슈플 ᄀᆞᆺᄒᆞ니, 궁인의 셩졍이 그 ᄒᆞ나ᄒᆞᆯ 위ᄒᆞᄆᆡ 두로혈 줄을 아지 못ᄒᆞᄂᆞᆫ 고로, 공쥐 나흔 젹고 셰ᄉᆞ를 경녁지 아녓거ᄂᆞᆯ, 돕ᄂᆞᆫ 무리 무상ᄒᆞ여 허다 변고를 지으니, 이 ᄯᅩ 부인ᄂᆡ로【134】브터 졔ᄋᆡ 다 ᄋᆡᆨ회 악착ᄒᆞᆫ 연괴라. ᄉᆞᄉᆞ로 명도를 탄ᄒᆞᆯ ᄲᅮᆫ이오.

384)탄휵(誕慉) : 존귀한 신분의 사람이 낳아서 기름.

385)하상디원(夏霜之怨) : 여름에 서리가 내릴 만큼의 큰 원한. *여자가 한을 품으면 오뉴월에도 서리가 내린다.

352)하상디원(夏霜之怨) : 여름에 서리가 내릴 만큼의 큰 원한. *여자가 한을 품으면 오뉴월에도 서리가 내린다.

어시의 윤부인이 ᄀᆞᆯ오ᄃᆡ,

"아등과 졔ᄋᆡ 다 ᄋᆡᆨ회 ᄎᆞ악ᄒᆞᆫ 연괴라. 스ᄉᆞ로 명도를 탄ᄒᆞᆯ ᄯᆞᆫ이오, 남을 원(怨)ᄒᆞᆯ 일이 아니어놀, ᄯᅩᄒᆞᆫ 각각 참화를 버셔나 필경은 텬일을 보미 이시니, 더옥 ᄋᆡᄌᆞ디원(睚眦之怨)[386]을 픔디 아닛ᄂᆞᆫ 거시 맛당이 올흐니, 이졔 공쥬 삼죵디탁(三從之托)이 업슴 ᄀᆞᆺᄐᆞ여, 뎍뎍(寂寂)○[ᄒᆞᆫ] 심궁의 촌장(寸腸)을 살오고 신셰를 늣기미[ᄆᆡ] 장ᄎᆞ 병을 닐월디라. 부인ᄂᆡ 쳡으로 더브러 글월을 븟쳐 그 병을 뭇고, ᄉᆞ셰(事勢)를 보아 친히 가 낫ᄎᆞ로[387] 위로ᄒᆞ미 엇더 ᄒᆞ리오?"

부인의 말이 맛디 못ᄒᆞ여셔, 니부인이 흔연 칭복 왈,

"쳡이 이 뜻【1】이 이션디 오라ᄃᆡ, 합문이 공쥬의 과악을 졀치ᄒᆞ시니, 감히 빗최디 못ᄒᆞ여 민울(悶鬱)ᄒᆞᆯ 즈음이러니, 부인이 ᄋᆡᄌᆞ디원(睚眦之怨)을 픔디 아니시고 화우ᄒᆞᆯ 도리를 ᄉᆡᆼ각ᄒᆞ시니, 쳡 등은 다만 부인의 셩덕을 열복ᄒᆞᆯ ᄯᆞ룸이라. 스ᄉᆞ로 어딘 일을 ᄒᆞ디 못 ᄒᆞᆫ들, 부인의 인ᄌᆞ혜화디덕(仁慈惠化之德)으로 화우(和友)ᄒᆞ시ᄂᆞᆫ 셩심을 좃디 아니리잇고? 그러나 부인이 몬져 글월노 문후ᄒᆞ고 조초[388] 얼골노 반기ᄌᆞ ᄒᆞ시나, 공쥬의 셩졍이 결단코 슈삼년 사이 회심개과(回心改過)ᄒᆞ여 어딘 곳의 나아 《가믈‖가믄》 밋디 못ᄒᆞᄂᆞ《이다‖니》, 아등의 셔간을 보면 노긔 발발ᄒᆞ여 답셔 아니키ᄂᆞᆫ 니ᄅᆞ디 말고, 욕셜이 참참(慘慘)ᄒᆞ리니, 출하리 궁극히 틈을 어더 아등【2】이 블의(不意)예 나아 갈딘ᄃᆡ, ᄃᆡ면ᄒᆞ여 밋쳐 욕셜을 발치 못ᄒᆞ고 함분(含憤) 은노(隱怒)ᄒᆞ다가, 졈졈ᄒᆞ여 여러번 얼골노 위로ᄒᆞ믈 극딘히 ᄒᆞ면, 혹ᄌᆞ 감화ᄒᆞᆯ 도리 이실가 ᄒᆞᄂᆞ이다."

---

386)ᄋᆡᄌᆞ디원(睚眦之怨) : 한 번 흘겨보는 정도의 원망이란 뜻으로, 아주 작은 원망.
387)낫ᄎᆞ로 : 낯으로. 얼굴을 서로 마주 보고.
388)조초 : 좇아. 뒤따라. 이어.

남을 원(怨)ᄒᆞᆯ 닐이 아니며, ᄯᅩ 각각 참화를 버셔나 필경은 텬일을 보미 잇시니, 더욱 ᄋᆡᄌᆞ지원(睚眦之怨)[353]을 픔지 아닛ᄂᆞᆫ 거시 맛당ᄒᆞ니, 이졔 공쥬 삼종지탁(三從之托)이 업슴 ᄀᆞᆺᄐᆞ여, 젹젹(寂寂)○[ᄒᆞᆫ] 심궁에 촌장(寸腸)을 ᄉᆞᆯ오고, 신셰를 늣기미 셩질(成疾)ᄒᆞᆯ지라. 그ᄃᆡᄂᆡ 쳡으로 더브러 글월을 븟쳐 그 병을 뭇고, ᄉᆞ셰(事勢)를 보아 친히 가 ᄂᆞᆺᄎᆞ로[354] 반기미 엇더ᄒᆞ뇨?"

말이 미쳐 맛지 못ᄒᆞ여셔, 니부인이 흔연 칭복 왈,

"쳡이 ᄯᅩᄒᆞᆫ 이 뜻이 잇신지 오ᄅᆡᄃᆡ 합문이 공쥬의 과악을 졀치ᄒᆞ시니 감히 빗최지 못ᄒᆞ여 민울(悶鬱)ᄒᆞᄂᆞᆫ 즈음이러니, 부인이 ᄋᆡᄌᆞ지원(睚眦之怨)을 픔지 아니시고 화우ᄒᆞᆯ 도리를 ᄉᆡᆼ각ᄒᆞ시니, 쳡 등은 다만 부인의 셩덕을 열복(悅服)ᄒᆞᆯ ᄯᆞ름이라. 스ᄉᆞ로 어진 일을 ᄒᆞ지【135】못 ᄒᆞᆫ들 부인의 인ᄌᆞ혜화(仁慈惠化)를 ᄂᆞ리와 화우(和友)ᄒᆞ시ᄂᆞᆫ 덕힝을 베와들니[355] 잇시리오. 그러나 부인이 몬져 글월노 문후ᄒᆞ고 다시 얼골노 반기ᄌᆞ ᄒᆞ시나, 공쥬의 셩졍이 결단ᄒᆞ여 수삼년 사이 회심ᄀᆡ과(回心改過)ᄒᆞ여 어진 ᄃᆡ 나아가믄 밋지 못ᄒᆞᄂᆞ니, 아등의 셔간을 보면 노긔 발발ᄒᆞ여 답셔 아니키ᄂᆞᆫ 니ᄅᆞ지 말고 욕셜이 참○[참](慘慘)ᄒᆞ리니, 출하리 궁극히 틈을 어더 아등이 블의에 나아갈딘ᄃᆡ, 《근면‖ᄃᆡ면》ᄒᆞ여 미쳐 욕셜을 발치 못ᄒᆞ고, ᄒᆞᆫ 번은 노ᄒᆞ다가 졈졈ᄒᆞ여 여러 번 얼

---

353)ᄋᆡᄌᆞ지원(睚眦之怨) : 한 번 흘겨보는 정도의 원망이란 뜻으로, 아주 작은 원망.
354)낫ᄎᆞ로 : 낯으로. 얼굴을 서로 마주 보고.
355)베와들다 : '베다+들다' 베려 들다. *베다 : 끊거나 자르거나 하다. *들다; 동사 뒤에서 '-려(고) 들다'의 구성으로 쓰여, 앞말이 뜻하는 행동을 애써서 적극적으로 하려고 함을 나타내는 말

양부인이 ᄯᅩᄒᆞᆫ 그러히 넉여 왈,

"쳡은 듕무소듀(中無所主)ᄒᆞᆫ 인ᄉᆡ라. ᄒᆞ믈며 화우ᄒᆞ시ᄂᆞᆫ 혜화(惠化)를 막ᄋᆞ리잇가? 스ᄉᆞ로 ᄉᆡᆼ각ᄒᆞ셔○[서], 셔간으로 몬져 문병코져 ᄒᆞ시면 쳡이 ᄯᅩ ᄒᆞᆫ가디로 글월을 붓치고, 몸소 나아가고져 ᄒᆞ시면 쳡도 ᄯᅩᄒᆞᆫ ᄯᆞᆯ을 ᄲᆞᆫ이라."

경쇼졔 단슌을 여러 탄식 왈,

"쳡이 므ᄉᆞᆫ 사ᄅᆞᆷ이완ᄃᆡ 삼부인의 맛당이 넉이시ᄂᆞᆫ 일을 ᄇᆡ쳑ᄒᆞ여, ᄉᆞᄉᆞ로 투정을 낫타ᄂᆡ고 어딘 덕을 깃거 아니리오마ᄂᆞᆫ, 쳡의 참변을 오【3】날ᄂᆞᆯ 셜파ᄒᆞ리이다. 쳡이 범ᄉᆞ의 남 ᄀᆞᆺ디 못ᄒᆞ여, 뎡문의 쇽현(續絃)ᄒᆞᄃᆡ 삼년을 구고의 모로시ᄂᆞᆫ 며ᄂᆞ리 되여, ᄌᆞ식이 나ᄆᆡ 블안ᄒᆞ고 황민(惶憫)턴 바를 어이 다 고ᄒᆞ리오. 더옥 군ᄌᆞ의 ᄌᆞ최 쳡의 곳의 ᄌᆞ로 님ᄒᆞ니, 부뫼 능히 말노ᄡᅧ 막디 못ᄒᆞ여 ᄉᆞ형의 임소 소쥐로 가다 핑계ᄒᆞᆫ즉, 궁극히 ᄎᆞᄌᆞ 후졍 심쳐의 니르러 쳡의 유모와 시녀 등을 즐타(叱咤)ᄒᆞ고, 쳡을 구욕(驅辱)ᄒᆞ여 감히 ᄀᆞᆷ초일 의ᄉᆞ를 못ᄒᆞ게 ᄒᆞ고, 브졀업시 왕ᄂᆡᄒᆞᆫ 연고로 ᄋᆞᄌᆞ를 몬져 참혹히 일흐미 되어, 놀나온 심신을 몬져 뎡치 못ᄒᆞ여셔, 군ᄌᆡ 엄젼의 용납디 못ᄒᆞᆯ 변을 당ᄒᆞ니, 근본인즉 쳡의 연괴라. 비록 쳡이 디은 죄 업ᄉᆞ나, 녀ᄌᆞ디심이 블【4】안ᄒᆞ미 장ᄎᆞ 엇더 ᄒᆞ리오. 일월을 쳔연ᄒᆞ여 군ᄌᆡ 삼삭만의 엄젼의 샤명을 엇고, 쳡을 존당 구괴 브르시니 감히 믈너 잇디 못ᄒᆞ여, 쳐음으로 ᄇᆡ현디녜(拜見之禮)를 일우고, 즉시 도라 가디 못ᄒᆞ여 슈삼삭을 머믈ᄆᆡ, 믄득 요졍의 후려가ᄂᆞᆫ 변을 면치 못ᄒᆞ여 궐졍(闕庭)의 가ᄆᆡ, 머리를 무쥬리며 것고로 ᄆᆡ여 달고 박살ᄒᆞ려다가, 오히려 일명을 남겨 태셤 궁비를 맛져 슈듕(水中)의 드리치라 ᄒᆞ니, 맛ᄎᆞᆷ 궁인의 의긔현심으로 급화를 구ᄒᆞ미 되어, 반ᄉᆡᆼ반ᄉᆞ듕(半生半死中) 강시를 ᄯᆞ라 계오 ᄉᆞᆯ ᄯᆞᄒᆞᆯ 드ᄃᆡ나, 셰월이 오랄ᄉᆞ록 ᄉᆡᆼ각ᄒᆞᆫ즉 심골이 셔늘ᄒᆞᆫ디라. 부인ᄂᆡ 다 디

골노 반기믈 닐러 위로ᄒᆞ믈 극진이 ᄒᆞ면, 혹쟈 감화ᄒᆞᆯ 도리 잇실가 ᄒᆞᄂᆞ이다."

양부인이 ᄯᅩᄒᆞᆫ 그러이 넉여 왈,

"쳡은 즁무소쥬(中無所主) ᄒᆞᆫ 인ᄉᆡ라. ᄒᆞ믈며 화우ᄒᆞ시ᄂᆞᆫ 혜화(惠化)를 막ᄋᆞ리잇가? ᄉᆞᄉᆞ로 ᄉᆡᆼ각ᄒᆞ샤, 셔간으로 믄져 문병코져 ᄒᆞ시면 쳡이 ᄯᅩ ᄒᆞᆫ【136】가지로 글월을 붓치고, 몸소 나아가고져 ᄒᆞ시면 쳡도 ᄯᅩᄒᆞᆫ ᄯᆞᆯ을 ᄲᆞᆫ이라."

경소졔 단슌을 여러 탄식 왈,

"쳡이 무ᄉᆞᆷ 샤ᄅᆞᆷ이완ᄃᆡ, 삼부인의 맛당이 넉이시ᄂᆞᆫ 화ᄉᆞ(華事)를 ᄇᆡ쳑ᄒᆞ여 ᄉᆞᄉᆞ로 투졍(妬情)을 낫타ᄂᆡ고, 어진 덕을 깃거 아니리오마ᄂᆞᆫ, 쳡의 참변을 오ᄂᆞᆯ 날 셜파ᄒᆞ리이다. 쳡이 범ᄉᆡ 남과 ᄀᆞᆺ지 못ᄒᆞ여 뎡군의 속현(續絃)ᄒᆞᄃᆡ, 수삼 년을 구고의 모로시ᄂᆞᆫ 며ᄂᆞ리 되어, ᄌᆞ식이 나ᄆᆡ 블안코 황민(惶憫)턴 바를 어이 다 고ᄒᆞ리오. 더욱 뎡군의 ᄌᆞ최 쳡의 곳의 ᄌᆞ로 님ᄒᆞ니, 부뫼 능히 말노ᄡᅧ 막지 못ᄒᆞ여, 샤형의 소쥐 임소로 가다 핑계ᄒᆞᆫ즉 궁극히 ᄎᆞᄌᆞ 후졍 심쳐에 니르러, 쳡의 유모와 시녀 등을 즐타(叱咤)ᄒᆞ고, 쳡을 구욕(驅辱)ᄒᆞ여 감히 감초일 의ᄉᆞ를 못ᄒᆞ게 ᄒᆞ고, 브졀업시 왕ᄂᆡᄒᆞᆫ 연고로 ᄋᆞᄌᆞ를 믄져 참혹히 닐흐【137】미 되여, 놀나온 뎡신을 밋쳐 졍치 못ᄒᆞ여셔 군ᄌᆡ 《언젼‖엄젼》의 용납지 못ᄒᆞᆯ 죄을 당ᄒᆞᄃᆡ, 근본인즉 쳡의 연괴라. 비록 쳡이 지은 죄 업ᄉᆞ나, 그 불평ᄒᆞ미 장ᄎᆞᆺ 엇더 ᄒᆞ리오. 일월을 쳔연ᄒᆞ야 군ᄌᆡ 삼삭만의 엄젼에 샤명을 엇고, 쳡을 존당 구괴 브르시니 감히 믈너 잇지 못ᄒᆞ여 쳐음으로 ᄇᆡ현지례(拜見之禮)를 닐우고, 즉시 도라 가지 못ᄒᆞ여 수삼 삭을 머므ᄂᆞᆫ 즁, 믄득 요졍의 후려가믈 면치 못ᄒᆞ여 궐졍(闕庭)에 가ᄆᆡ, 머리를 무주리며 갓고로356) ᄆᆡ여 ᄃᆞᆯ고 박살ᄒᆞ려다가, 오히려 일명을 남겨 ᄐᆡ셤 등으로 물 가온ᄃᆡ 드리치라 ᄒᆞ니, 마ᄎᆞᆷ 궁인의 의긔현심으로 급화를 구ᄒᆞ미 되여, 반ᄉᆡᆼ반ᄉᆞ즁(半生半死中) 강씨를 ᄯᆞ라 나와 겨유 샤라나 ᄯᆞᄒᆞᆯ 드ᄃᆡ나, 셰

356)갓고로 : 거꾸로.

리ᄒᆞᆫ 환난을 당ᄒᆞ여 혹 셕혈누옥(石穴陋獄)의도 【5】 가도이며, 혹 닉슈디환(溺水之患)을 당ᄒᆞ여 셰샹의 희한ᄒᆞᆫ 경계를 겻거시나, 오히려 쳡ᄀᆞᆺ치 신톄발부(身體髮膚)를 상히와 승니의 머리ᄀᆞᆺ치 무쥬리고, 잔혹ᄒᆞᆫ 형벌을 바다 일신의 온젼ᄒᆞᆫ 살이 업도록은 아냐 계시리니, 이졔 부인ᄂᆡ 디셩으로 화우코져 ᄒᆞ시니, 져 공쥐 능히 회심ᄌᆞ칙(回心自責)ᄒᆞ여 부인ᄂᆡ 덕ᄐᆡᆨ을 감동ᄒᆞ면 깃브려니와, 다시 신묘랑 ᄀᆞ튼 요졍을 어더 젼일 손ᄡᅵ[389]를 바리디 아닐가 몬져 궁극ᄒᆞᆫ 념녀 압셔ᄂᆞᆫ디라. 이 ᄯᅩᄒᆞᆫ 쳡이 인덕(仁德)이 업셔, 사ᄅᆞᆷ의 궁측(窮惻)ᄒᆞᆫ 신셰를 ᄉᆡᆼ각디 아니코 괴이ᄒᆞᆫ 의심을 두ᄂᆞᆫ 거시, 맛ᄎᆞᆷᄂᆡ 블현키를 면치 못ᄒᆞᆯ 줄 모로디 아니ᄃᆡ, 부인ᄂᆡ긔 엇디 심곡의 잇ᄂᆞᆫ 바를 ᄂᆡ외ᄒᆞ리오. 【6】 쳥컨ᄃᆡ 문양궁 소식을 탐쳥ᄒᆞ여 요괴로온 ᄉᆞ졍(事情)이 이졔나 업ᄂᆞᆫ가 ᄌᆞ셰히 아르시고, 몸소 나아가 화ᄉᆞ(華事)를 일우미 됴흘가 ᄒᆞᄂᆞ이다."

말ᄉᆞᆷ이 딘졍소발(眞情所發)[390]이오, ᄉᆞ긔(辭氣) 안졍ᄌᆞ약ᄒᆞ여 활연(豁然) 녈ᅀᅮᆨ(烈肅)ᄒᆞᆫ 거동이 문인(文人) 녈ᄉᆞ(烈士)의 풍이 잇고, 부인 녀ᄌᆞ의 용용무디(庸庸無知)ᄒᆞᆷ과 ᄀᆞᆺ디 아냐, 조금도 구ᄎᆞ치 아니니, 윤부인이 본ᄃᆡ 양부인의 온슌ᄒᆞᆷ과 니부인의 샹쾌ᄒᆞᆷ과 경부인의 단아(端雅) 뎡딕(正直)ᄒᆞᆷ을 깁히 아ᄅᆞᆷ다이 넉이ᄂᆞᆫ디라. 이의 탄왈,

"쳡인들 엇디 문양공쥬를 감격ᄒᆞᆫ 의ᄉᆡ 이시리오마ᄂᆞᆫ, ᄀᆞᆺᄐᆞ여 믜온 ᄆᆞᄋᆞᆷ은 업ᄉᆞ니, 디셩으로 져를 감화코져 ᄒᆞᄂᆞ니, 셔간을 보고 독한 셩이 발발ᄒᆞ여 즐욕ᄒᆞ나 그런 일은 놀납디 아니ᄒᆞ【7】고, ᄉᆞ졍(邪精)을 ᄯᅩ ᄀᆞᆷ초와 두고 쳡 등을 히코져 ᄒᆞ여도, 익회 딘ᄒᆞᆫ 후ᄂᆞᆫ 다시 념녀 업ᄉᆞ리니, 이졔 다만 ᄀᆞᆺ게 막은 협문을 트려 ᄒᆞ면 말이 만하 쉽디 못ᄒᆞ리니, 몬져 셔간으로 아니 뭇디 못ᄒᆞ리

389)손ᄡᅵ : 솜씨.
390)딘졍소발(眞情所發) : 참된 마음에서 나옴.

월이 오릴ᄉᆞ록 ᄉᆡᆼ각ᄒᆞᆫ미 심골이 셔늘ᄒᆞᆫ【138】지라. 부인ᄂᆡ 다 지리ᄒᆞᆫ 환난을 당ᄒᆞ여 혹 셕혈ᄂᆡᆼ옥(石穴冷獄)에도 가도이며, 혹 익슈지환(溺水之患)을 당ᄒᆞ여 셰샹의 희한ᄒᆞᆫ 지경을 격거시나, 오히려 쳡ᄀᆞᆺ치 신체발부(身體髮膚)를 상히와 승니(僧尼)의 머리ᄀᆞᆺ치 무주리고, 참혹ᄒᆞᆫ 형벌을 바다 일신의 온젼ᄒᆞᆫ 곳이 업도록은 아냐 겨시리니, 이졔 부인ᄂᆡ 지셩으로 화우코져 ᄒᆞ시나, 져 공 ○…결락369자…○[쥐 능히 회심ᄌᆞ칙(回心自責)ᄒᆞ여 부인ᄂᆡ 덕ᄐᆡᆨ을 감동ᄒᆞ면 깃브려니와, 다시 신묘랑 ᄀᆞ튼 요졍을 어더 젼일 손ᄡᅵ[357]를 바리디 아닐가 몬져 궁극ᄒᆞᆫ 념녀 압셔ᄂᆞᆫ디라. 이 ᄯᅩᄒᆞᆫ 쳡이 인덕(仁德)이 업셔, 사ᄅᆞᆷ의 궁측(窮惻)ᄒᆞᆫ 신셰를 ᄉᆡᆼ각디 아니코 괴이ᄒᆞᆫ 의심을 두ᄂᆞᆫ 거시, 맛ᄎᆞᆷᄂᆡ 블현키를 면치 못ᄒᆞᆯ 줄 모로디 아니ᄃᆡ, 부인ᄂᆡ긔 엇디 심곡의 잇ᄂᆞᆫ 바를 ᄂᆡ외ᄒᆞ리오. 쳥컨ᄃᆡ 문양궁 소식을 탐쳥ᄒᆞ여 요괴로온 ᄉᆞ졍(事情)이 이졔나 업ᄂᆞᆫ가 ᄌᆞ셰히 아르시고, 몸소 나아가 화ᄉᆞ(華事)를 일우미 됴흘가 ᄒᆞᄂᆞ이다."

말ᄉᆞᆷ이 딘졍소발(眞情所發)[358]이오, ᄉᆞ긔(辭氣) 안졍ᄌᆞ약ᄒᆞ여 활연(豁然) 녈ᅀᅮᆨ(烈肅)ᄒᆞᆫ 거동이 문인(文人) 녈ᄉᆞ(烈士)의 풍이 잇고, 부인 녀ᄌᆞ의 용용무디(庸庸無知)ᄒᆞᆷ과 ᄀᆞᆺ디 아냐, 조금도 구ᄎᆞ치 아니니, 윤부인이 본ᄃᆡ 양부인의 온슌ᄒᆞᆷ과 니부인의 샹쾌ᄒᆞᆷ과 경부인의 단아(端雅) 뎡딕(正直)ᄒᆞᆷ을 깁히 아ᄅᆞᆷ다이 넉이ᄂᆞᆫ디라. 이의 탄왈,

"쳡인들 엇디 문양공쥬를 감격ᄒᆞᆫ 의ᄉᆡ 이시리오마ᄂᆞᆫ, ᄀᆞᆺᄐᆞ여 믜온 ᄆᆞᄋᆞᆷ은 업ᄉᆞ니, 디셩으로 져를 감화코져 ᄒᆞᄂᆞ니, 셔간을 보고 독한 셩이 발발ᄒᆞ여 즐욕ᄒᆞ나 그런 일은 놀납디 아니ᄒᆞ고, ᄉᆞ졍(邪精)을 ᄯᅩ ᄀᆞᆷ초와 두고 쳡] 등을 히코져 ᄒᆞ여도, 익회 진ᄒᆞᆫ 후ᄂᆞᆫ 두리울 일이 아니라, 이졔 ᄀᆞᆺ게 막은 협문을 트려ᄒᆞ면 말이 만하 쉽지 못ᄒᆞᆯ 거시니, 몬져 셔간으로 그 병을 아니 뭇지 못ᄒᆞ

357)손ᄡᅵ : 솜씨.
358)딘졍소발(眞情所發) : 참된 마음에서 나옴.

라.”

이의 필연을 나와 쓰기를 시작ᄒᆞ니, 양・니 등이 ᄒᆞᆫ가디로 글월을 일우ᄆᆡ, 경시 최말(最末)의 붓슬 잡아 두어 줄노 문후ᄒᆞᄆᆡ, 말ᄉᆞᆷ이 번잡디 아니ᄃᆡ ᄉᆞ의 간절ᄒᆞ여 경셩이 낫타나고, 필획이 찬난ᄒᆞ거ᄂᆞᆯ, 윤부인의 ᄒᆞᆫ 장 셔간의 디현혜화(至賢惠化)와 슉연ᄉᆞ덕(肅然四德)이 완젼이 낫타나고, 양부인의 온슌ᄒᆞᆫ 덕과 니부인의 너른 냥이 젼일 굿긴 바를 쾌히 닛고, 셔ᄉᆡ(書辭) 간졀ᄒᆞ여 ᄋᆡᄌᆞ디원(睚眦之怨)을 픔디 아니미 현져ᄒᆞᆫ디라. ᄉᆞ부인(四夫人)이 다 쓰기를【8】맛고, 시졀 향긔로온 과픔과 긔이ᄒᆞᆫ 찬션을 ᄀᆞ초와 한상궁긔 보닐ᄉᆡ, 쥬영과 양・니・경 삼부인 시녜 각각 문양궁으로 나아가며, 고왈,

“노애 비록 츌뎡ᄒᆞ여 계시나 분뷔 경녕(丁寧)ᄒᆞ샤, 문양궁 비ᄌᆞ 노복도 상부 문젼의 드리디 못ᄒᆞ게 ᄒᆞ여 계시니, 혹ᄌᆞ 쇼비 등이 문양궁 왕ᄂᆡᄒᆞᆫ 일을 오신 후 아르시면, 죄칙이 업디 아닐가 두리ᄂᆞ이다.”

윤부인 왈,

“이런 일은 내 당ᄒᆞ리니 근심 말나.”

쥬영이 문양궁의 나아가 바로 드러가디 아니코, 밧긔셔 궁인으로 하여금 셔간을 보ᄂᆡ고, 찬션(饌膳)과 과픔(果品)을 미조ᄎᆞ391) 보ᄂᆡ니, 공쥐 ᄇᆡ종이 조금 나으ᄃᆡ 흉격(胸膈)의 원이 뭉쳐 바야흐로 니를 갈며, 윤・양・니【9】・경 등을 즛너흘고져392) 독ᄒᆞᆫ 셩을 춤디 못ᄒᆞ고, ᄇᆞᆨ공의 풍뉴신광(風流身光)이 이목(耳目)의 의의(依依)ᄒᆞ여 그리온 경을 억졔 못ᄒᆞ니, 바야흐로 가슴을 두다려 통곡ᄒᆞᆯ 즈음이러니, 믄득 한상궁이 만면 희ᄉᆡᆨ으로 드러와, 윤・양・니・경의 셔간을 압희 노코 위로 왈,

“옥쥬ᄂᆞᆫ 이 셔간을 보쇼셔. 슉녀의 ᄉᆞ덕(四德)이 ᄀᆞ초 긔특ᄒᆞ여 원을 프러 니ᄌᆞ미

391)미조ᄎᆞ : 뒤이어.

392)즛너흘다 : 짓씹다. 짓물다. 마구 물어뜯다. *즛; 짓. 일부 동사 앞에 붙어, ‘마구’, ‘함부로’, ‘몹시’의 뜻을 더하는 접두사

리라.”

이에 필연을 나와 쓰기를 시작ᄒᆞ니, 양・니 등이 ᄒᆞᆫ가지로 글월을 닐우ᄆᆡ, 경씨 말ᄅᆡ(末來)359)에 붓슬 잡아 두어 줄 글노 문후ᄒᆞ니, 말이 번잡지 아니ᄃᆡ ᄉᆞ의 ᄀᆞᆫ절ᄒᆞ여 정셩이 나타나고 필획이 찬난ᄒᆞ거ᄂᆞᆯ, 윤부인【139】의 ᄒᆞᆫ 장 셔간에 지인혜화(至仁惠化)와 슉뇨ᄉᆞ덕(淑窈四德)이 완젼이 나타나고, 양부인의 온슌ᄒᆞᆫ 덕과 니부인의 너른 냥으로 젼일 굿긴 바를 쾌히 닛고, 셔ᄉᆡ(書辭) ᄀᆞᆫ졀ᄒᆞ여 ᄋᆡᄌᆞ지원(睚眦之怨)을 픔지 아니미 현져ᄒᆞᆫ지라. ᄉᆞ부인이 다 쓰기를 맛고 시졀 향긔론 과픔과 긔이ᄒᆞᆫ 찬션을 ᄀᆞ초와 한상궁에게 보닐ᄉᆡ, 졔 부인○[의] 시녜 다 문양궁으로 나가며 고왈,

“노애 비록 츌졍ᄒᆞ여 계시나 분뷔 경녕(丁寧)ᄒᆞ샤, 문양궁 비ᄌᆞ 노복도 상부 문젼에 드리지 못ᄒᆞ게 ᄒᆞ여 계시거ᄂᆞᆯ, 혹쟈 소비 등이 문양궁 왕ᄂᆡᄒᆞᄂᆞᆫ 일을 오신 후 아르시면, 죄칙이 업지 아닐가 두리ᄂᆞ이라[다].”

윤부인 왈,

“니런 일은 내 당ᄒᆞᆯ 거시니 근심 말나.”

쥬영 등이 문양궁의 나아가 바로 드러가지 아니코, 밧게셔 궁인으로 믄져 셔간을 드리고 찬션과 과픔을 밋조ᄎᆞ360) 드려 보ᄂᆡ니, 이ᄯᅢ 공쥐 ᄇᆡ종이 잠간 나으ᄃᆡ 흉【140】격(胸膈)의 원이 뭉쳐 ᄇᆞ야흐로 니를 갈며, 윤・양・니・경을 즛너흘고져361) 독ᄒᆞᆫ 셩을 춤지 못ᄒᆞ고, 북공의 풍뉴신광이 이목에 의의ᄒᆞ여 그립기를 억졔치 못ᄒᆞ니, ᄇᆞ야흐로 당ᄉᆞ를 두ᄃᆞ려 통곡ᄒᆞᆯ 즈음이러니, 믄득 한상궁이 만면 희ᄉᆡᆨ으로 드러와, 윤・양・니・경의 셔간을 알ᄑᆡ 노코 위로 왈,

“옥쥬ᄂᆞᆫ 이 셔찰을 보소셔. 숙녀의 ᄉᆞ덕(四德)이 ᄀᆞ초 긔특ᄒᆞ여 원을 프러 니ᄌᆞ미

359)말래(末來) : 끝에, 늘그막에.

360)밋조ᄎᆞ : 미조ᄎᆞ. 뒤이어.

361)즛너흘다 : 짓씹다. 짓물다. 마구 물어뜯다. *즛; 짓. 일부 동사 앞에 붙어, ‘마구’, ‘함부로’, ‘몹시’의 뜻을 더하는 접두사

이 ᄀᆞᆺᄐᆞ니, 옥쥐 답간을 극딘히 ᄒᆞ고 ᄎᆞ후로 셔찰 왕복이나 빈빈ᄒᆞ면, ᄌᆞ연 쥬군이 도라오셔도 이로 금단치 못ᄒᆞ여, ᄉᆞᆺ쳐딘 신이 이 ᄀᆞ온ᄃᆡ 닛ᄂᆞᆫ 도리 이시리이다.”

인ᄒᆞ여 윤・양 등의 셔간을 몬져 닑어 들니랴 ᄒᆞᆫ즉, 공쥐 발연이 닒더나393) 셔간을 믜치고 고셩대ᄆᆡ(高聲大罵) 왈,

“요괴년들이 날【10】노 더브러 젼셰 원쉬라. 나의 골돌ᄒᆞᆫ 분이 윤・양・니・경 ᄉᆞ녀와 현긔 등을 아오로 ᄌᆞᆺ붋아 ᄇᆡᆨ골도 남기디 아니코 분쇄홈 곳 보면, 내 신셰ᄂᆞᆫ 이의셔 더 못ᄒᆞ여도 쾌활홀디라. 요녀 등이 거ᄌᆞᆺ 화우ᄒᆞᄂᆞᆫ 덕을 빗ᄂᆡ여, 문병ᄒᆞᄂᆞᆫ 셔간을 븟쳐 구가 합문(闔門)의 명예를 더옥 모호려 ᄒᆞ미니, 상궁은 엇디 그 간특ᄒᆞ믈 아디 못ᄒᆞᄂᆞ뇨? 내 당당이 셔간 가져온 시녀를 죽여 업시 ᄒᆞ여 요악(妖惡)을 다시 브리디 못ᄒᆞ게 ᄒᆞ리라.”

한상궁이 대경ᄒᆞ여 년망이 공쥬를 븟들고 셔간을 아ᄉᆞ 왈,

“옥쥐 ᄎᆞ마 엇디 이런 ᄒᆡ거(駭擧) 패셜(悖說)을 ᄒᆞ시ᄂᆞ니잇가? 윤・양・니・경 ᄉᆞ부인이 극딘이 화우디덕(和友之德)을 닥그시고, ᄋᆡᄌᆞ디원(睚眦之怨)【11】을 필보(必報)키를 ᄉᆡᆼ각디 아니시고, 옥쥬의 외롭고 슬픈 신셰를 츄연ᄒᆞ샤 셔간을 븟쳐 위로ᄒᆞ시ᄂᆞᆫ ᄉᆞ의(辭意) 간절ᄒᆞ시고, 기리 동녈(同列)의 졍을 ᄆᆡᆺ고져 ᄒᆞ시니, 옥쥬ᄂᆞᆫ 실노 쳔금을 허비ᄒᆞ여도 엇디 못홀 경ᄉᆡ라. 쥬군이 ᄒᆞᆫ갈ᄀᆞᆺ치 ᄆᆡ몰ᄒᆞ실디라도 윤・양・니・경 ᄉᆞ인으로 졍의를 펴시면, 현긔 등 졔 공ᄌᆞᄂᆞᆫ 옥쥬 셤기미 친모와 다르디 아니리니, 아딕 공ᄌᆞ 등이 어렷거니와 셰월이 믈 흐르ᄃᆞᆺ ᄒᆞ니 언마ᄒᆞ여 댱셩ᄒᆞ리오. 이러ᄐᆞᆺ ᄒᆞ면 옥쥐 삼죵디탁(三從之托)을 ᄉᆞᆺ디 아닌 즉시니, 어이 ᄉᆡᆼ각디 못ᄒᆞ시ᄂᆞ잇가?”

공쥐 분노를 억졔치 못ᄒᆞ여 손으로 셔안을 치고, 기리 ᄒᆞᆫ 소ᄅᆡ를 탄 왈,

“심의(甚矣){의}라. 하날【12】이 엇디

393)닒더나다 : 벌떡 일어나다.

이 ᄀᆞᆺᄒᆞ니, 옥쥐 답간을 극진히 ᄒᆞ소셔. ᄎᆞ후로 셔찰 왕복이나 빈빈ᄒᆞ면, ᄌᆞ연 쥬군이 도라오셔도 니로 금단치 못ᄒᆞ여, ᄉᆞᆺ쳐진 신이 《잇ᄉᆞ온ᄃᆡ‖이 ᄀᆞ온ᄃᆡ》 잇ᄂᆞᆫ 도리 잇시리이다.”

인ᄒᆞ여 윤・양 등의 셔간을 몬져 닑어 드리랴 ᄒᆞ니, 공쥐 발연이 닐쎠나362) 셔간을 뮈치고 고셩대ᄆᆡ(高聲大罵) 왈,

“요괴년들이 날노 더브러 젼셰 원쉬라. 나의 골돌ᄒᆞᆫ 분이 윤・양・니・경 ᄉᆞ녀와 현긔 등○[을] 아오로【141】ᄌᆞᆺᄇᆞ아363), 그 ᄇᆡᆨ골을 남기지 아니코, 분쇄홈 곳 보면, 내 신셰 이에셔 더 못 ᄒᆞ야도 쾌활홀지라. 요녀들이 거ᄌᆞᆺ 화우ᄒᆞᄂᆞᆫ 덕을 빗ᄂᆡ여 문병ᄒᆞᄂᆞᆫ 셔간을 븟쳐, 구가 합문(闔門)의 명예를 더욱 모호려 ᄒᆞ미니, 상궁은 엇지 그 간특ᄒᆞ믈 아지 못ᄒᆞᄂᆞ뇨? 내 당당이 셔간 가져온 시녀를 죽여 업시ᄒᆞ여 요악(妖惡)을 다시 부리지 못ᄒᆞ게 ᄒᆞ리라.”

한상궁이 대경ᄒᆞ여 년망이 공쥬를 븟들고 셔간을 아ᄉᆞ 왈,

“옥쥐 ᄎᆞ마 엇지 이런 ᄒᆡ거(駭擧) ᄑᆡ셜(悖說)을 ᄒᆞ시ᄂᆞ니잇가? 윤・양・니・경 ᄉᆞ부인이 극진○[이] 화우지덕(和友之德)을 닥그샤, ᄋᆡᄌᆞ지원(睚眦之怨)을 필보(必報)키를 ᄉᆡᆼ각지 아니시고, 옥쥬의 외로운 신셰를 츄연ᄒᆞ샤 셔찰노 몬져 문병ᄒᆞ시고 위로ᄒᆞ시ᄂᆞᆫ ᄉᆞ의 근졀ᄒᆞ시니, 옥쥬긔ᄂᆞᆫ 이런 다ᄒᆡᆼᄒᆞᆫ 일이 업ᄂᆞ이다. 쥬군이 ᄒᆞᆫ갈ᄀᆞᆺ치 ᄆᆡ몰ᄒᆞ실지라도, 윤・양・니・경 ᄉᆞ인으로 졍의를 펴시면 현【142】긔 공ᄌᆞ 등도 옥쥬 셤기믈 친모와 다르지 아니리니, 공ᄌᆞ 등이 아직 어렷거니와 셰월이 언마ᄒᆞ여 장셩ᄒᆞ리오. 니러ᄐᆞᆺ ᄒᆞ면 옥쥐 삼종지탁(三從之托)을 ᄉᆞᆺ지 아니시리니, 엇지 ᄉᆡᆼ각기를 그ᄃᆡ도록 못ᄒᆞ시ᄂᆞ잇가?”

공쥐 분을 억졔치 못ᄒᆞ여 손으로 셔안을 치고 일셩 장탄 왈,

362)닐쎠나다 : 벌떡 일어나다.
363)ᄌᆞᆺᄇᆞ아다 : 짓부수다. 함부로 마구 부수다.

날을 연고 업시 ᄆᆡ이 넉이샤, ᄒᆞᆫ낫 골육을 보젼치 못ᄒᆞ고, 져 윤·양·니 등은 ᄆᆞᄉᆞᆷ 긔특ᄒᆞᆫ 일노 그ᄃᆡ도록 유복ᄒᆞᆫ고. 가히 텬의를 아디 못ᄒᆞ리로다."

상궁이 민망ᄒᆞ여 ᄉᆞ리로 간ᄒᆞᄂᆞᆫ 말이 다 ᄌᆞᄌᆞ히 어딜고 화평ᄒᆞ여, 공쥬의 모딘 심장을 어로녹이거ᄂᆞᆯ, 뎡왕이 맛ᄎᆞᆷ 공쥬를 보라 왓다가 공쥬와 한상궁의 문답 셜화를 듯고, 장(帳)을 들고 드러와 공쥬를 ᄇᆡᆨ단개유(百端開諭)ᄒᆞ여, 회과쳔션(悔過遷善)ᄒᆞ여 사ᄅᆞᆷ이 어딘 거시 복되고 악ᄒᆞᆫ 거시 신샹의 대단이 ᄒᆡ되믈 니르니, 공쥐 뎡왕과 상궁의 말을 비록 좃디 아니나, 일단 뎡병부 위ᄒᆞᆫ 졍은 ᄉᆡᆼ젼의 플닐 길히 업ᄂᆞᆫ 고로, 윤·양 등으로 【13】 통신ᄒᆞ여 다시 동녈의 의를 펴면, 막힌 협문이 트이여 ᄌᆞ긔 몸이 상부로 왕ᄂᆡᄒᆞ여 븍공의 얼골 어더 보ᄂᆞᆫ 거시 될가, 쳔만가디로 ᄉᆞ량ᄒᆞ여 모딘 노를 ᄎᆞᆷ고, 인ᄒᆞ여 두어 줄 글노 답간을 ᄡᅧ 보ᄂᆡ고, 비로소 ᄡᅳᄌᆞᆫ 글을 니어 그 ᄉᆞ의를 살피ᄆᆡ, 모든 글이 정정(貞靜) 단슉(端肅)ᄒᆞ여 글 우히 낫타나니, 공쥬의 극악흉참디심(極惡凶慘之心)으로도 오히려 참괴ᄒᆞ미 업디 아니나, 윤·양 등의 긔특ᄒᆞᆷ을 ᄭᅥ리고 ᄆᆡ워ᄒᆞ니, 투현딜능(妬賢嫉能)ᄒᆞᄂᆞᆫ 셩졍이야 졸연이 곳치리오. 머리를 도로혀 벼개의 박고 우ᄂᆞᆫ디라. 우ᄂᆞᆫ 눈믈이 창(窓)394)히 소소(昭昭)ᄒᆞ여, 남을 블워ᄒᆞ며 긔특ᄒᆞᆫ 인믈을 ᄆᆡ워 ᄒᆞ미 병이 되여시니, 한상궁이 위로ᄒᆞ여 누이고, 밧긔 【14】 나와 쥬찬을 ᄀᆞᆺ초와 쥬영 등을 ᄃᆡ졉ᄒᆞ고, 윤부인긔 답간을 올녀 후덕을 쳔만 샤례ᄒᆞ고, 쥬영 등을 칭샤ᄒᆞ여 도라 보ᄂᆡ니, 쥬영 등이 답간을 맛다 도라와 부인긔 드리며 한상궁의 감은ᄒᆞ던 바를 고ᄒᆞ니, 윤부인이 공쥬의 글을 보고 블상이 넉이니, 니시 우어 왈,

"공쥐 마디 못ᄒᆞ여 답셔를 ᄒᆞ여 보ᄂᆡ여시나 우리를 일장즐욕(一場叱辱)은 참참(慘慘)

394)창(窓) : 창문(窓門). 여기서는 '눈'의 비유적 표현.

"심ᄌᆡ(甚哉)라. 하ᄂᆞᆯ이여! 엇지 나를 연고 업시 뮈이 넉이샤, ᄒᆞᆫᄂᆞᆺ 골육을 보젼치 못ᄒᆞ고, 져 윤·양 등은 무ᄉᆞᆷ 긔특ᄒᆞᆫ 일노 이ᄃᆡ도록 유복ᄒᆞᆫ고. 가히 텬의를 아지 못ᄒᆞ리로다."

상궁이 민망ᄒᆞ여 ᄉᆞ리로 간ᄒᆞᄂᆞᆫ 말이 다 ᄌᆞᄌᆞ히 어질고 화평ᄒᆞ여, 공쥬의 모진 심장을 어루녹이거ᄂᆞᆯ, 뎡왕이 마ᄎᆞᆷ 공쥬를 보라 왓다가 공쥬와 상궁의 문답 셜화를 듯고, 장을 들혀고 드러와 공쥬를 ᄇᆡᆨ단개유(百端開諭)ᄒᆞ며, 회과쳔션(悔過遷善)ᄒᆞ기를 당부ᄒᆞ여, 사ᄅᆞᆷ이 언[어]진 거시 복되고 악ᄒᆞᆫ 거시 홰되믈 【143】 니르니, 공쥐 뎡왕과 상궁의 말을 비록 조출 거시 아니로ᄃᆡ, 뎡병부 위ᄒᆞᆫ 졍은 ᄉᆡᆼ젼의 플닐 길히 업ᄉᆞ므로, 윤·양 등과 동심ᄒᆞ여 다시 동녈의 의를 펴면, 막힌 협문이 트이여 ᄌᆞ긔 몸이 상부로 왕ᄂᆡᄒᆞ여 북공의 얼골을 어더 보미 될가 쳔만 가지로 ᄉᆞ량ᄒᆞ여 모진 셩을 ᄎᆞᆷ고, 인ᄒᆞ여 두어 줄 글노 답간을 ᄡᅧ 보ᄂᆡ고, 비로소 뮈친 글을 니어 그 ᄉᆞ리를 ᄉᆞᆯ피ᄆᆡ, 정정단슉(貞靜端肅)ᄒᆞᆫ 위인이 모든 셔ᄉᆞ 즁에 나타ᄂᆞ니, 공쥬의 극악흉참지심(極惡凶慘之心)으로ᄃᆡ 오히려 참괴ᄒᆞ미 업지 아냐, 윤·양 등의 긔특ᄒᆞᆷ을 ᄭᅥ리고 뮈워ᄒᆞ니, 투현질능(妬賢嫉能)ᄒᆞᄂᆞᆫ 셩졍이야 졸연이 긋치리오 머리를 도로혀 벼개의 박고 우ᄂᆞᆫ 눈믈이 창(窓)364)히 소소(昭昭)ᄒᆞ여, 남을 불워ᄒᆞ며 긔특ᄒᆞᆫ 인물을 ᄆᆡ워ᄒᆞ기 병이 되엿더라. 한씨 위로ᄒᆞ야 누이고, 밧비 나와 쥬찬을 ᄀᆞᆺ초와 쥬영 등을 ᄃᆡ졉ᄒᆞ 【144】 고, 윤부인긔 답간을 올녀 후덕을 쳔만 샤례ᄒᆞ고, 쥬영 등이 답간을 ᄇᆞ다 도라와 부인긔 드리고 한상궁의 감은ᄒᆞ던 바를 고ᄒᆞ니, 부인이 공쥬의 글을 보고 블상이 넉이니, 니씨 우어 왈,

"공쥐 마지 못ᄒᆞ여 답셔를 ᄒᆞ여 보ᄂᆡ여시나, 우리를 일장즐욕(一場叱辱)은 참참(慘

364)창(窓) : 창문(窓門). 여기서는 '눈'의 비유적 표현.

ᄒᆞ리라."
양시 왈,
"셔간이 아니라도 모딘 셩과 독ᄒᆞᆫ 분이 어ᄃᆡ 가리오. ᄌᆞ연 여러 일월의 ᄒᆡ참(駭慘)ᄒᆞᆫ 욕언이 아등의 신상의 다 뭇길395) 둣ᄒᆞ니, 엇디 ᄆᆞ음이 편ᄒᆞ리오."
경시 왈,
"이러나 져러나 윤부인이 디극히 감화코져 ᄒᆞ시니 아등은 일톄디인(一體之人)이라. 【15】공쥬의 현슉홈 곳 보면 엇디 깃브디 아니리오마ᄂᆞᆫ, 실노 범의게 상ᄒᆞᆫ 사름 ᄀᆞᆺᄐᆞ여, 간인의 흉계 어나 디경(地境)가디 밋출고, 이 거시 념녀로소이다."
윤부인이 미쇼 왈,
"쳡이 이러틋 셔신ᄒᆞᆫ 후, 졔 다시 간계를 힝ᄒᆞᄂᆞᆫ 일이 잇거든, 쳡이 당당이 부인ᄂᆡ긔 그릇ᄒᆞ믈 샤죄ᄒᆞ리이다."

쇼니시 쇼양시 다 의렬의 셩덕을 열복ᄒᆞ고, 경시 반졈 투졍이 업ᄂᆞᆫ디라, 엇디 공쥬의게 통신ᄒᆞ믈 블열ᄒᆞ리오마ᄂᆞᆫ, 그 위인을 무셔이 넉이미러라.

이후 의렬이 ᄒᆞ로 ᄒᆞᆫ 번식 구실 삼아 공쥬긔 문후ᄒᆞᄂᆞᆫ 글을 붓치ᄃᆡ, 갈ᄉᆞ록 공경ᄒᆞ미 더으고 ᄉᆞ의 간졀ᄒᆞ거ᄂᆞᆯ, 쎡쎡 병구(病軀)396)의 합당ᄒᆞᆫ 찬션(饌膳)과 화미(華味)를 보ᄂᆡ니, 공쥬궁이 므릇 긔귀(器具) 업셔 【16】 딘찬 화미를 장만치 못ᄒᆞ미 아니라, 한상궁 일인 밧 공쥬긔 졍셩 되니 업ᄉᆞᆫ디라. 상궁이 공쥬를 붓들고 안ᄌᆞ시면, 다른 궁인은 찬픔을 공쥬 구미의 합당이 ᄒᆞ디 못ᄒᆞ여 공쥐 먹디 못ᄒᆞᄂᆞᆫ디라. 윤시의 졍셩된 화미 찬션과 디극ᄒᆞᆫ 셔신 공쥬의 악악ᄒᆞᆫ ᄆᆞ음을 졈졈 감동ᄒᆞ미 되여, 공쥐 윤시의 셔간이 삼십여 번의 밋쳐ᄂᆞᆫ, 악악ᄒᆞᆫ 욕언을 긋치고 스ᄉᆞ로 탄ᄒᆞ며 슬허 혜오ᄃᆡ,
"윤시 등의 위인이 이 ᄀᆞᆺ디 아니면, 뎡군의 눈이 그ᄃᆡ도록 놉디 아닐 거시오, 내 심

395)못기다 : 모이다.
396)병구(病軀) : 병든 몸. =병체(病體).

慘)ᄒᆞ리로라."
양씨 왈,
"셔간이 아니라도 모진 셩과 독ᄒᆞᆫ 분이야 어ᄃᆡ 가리오. ᄌᆞ연 여러 일월의 ᄒᆡ참ᄒᆞᆫ 욕셜이 아등의 신상에 다 뭇길365) 둣ᄒᆞ니, 엇지 마음이야 변ᄒᆞ리오."
경씨 왈,
"이러나 져러나 윤부인이 지극히 감화코져 ᄒᆞ시니, 아등이 다 일쳬지인(一體之人)이라. 공쥬의 《한슉‖현슉(賢淑)》홈 곳 보면 엇지 깃브지 아니리오마ᄂᆞᆫ, 실노 범의비[게] 상ᄒᆞᆫ 샤름 ᄀᆞᆺᄒᆞ여 간인의 흉계 엇덜 줄 모르니, 이 다시 념녀로소이다."
윤부인이 미소 왈,
"쳡이 이럿틋 《지신‖셔신(書信)》ᄒᆞᆫ 후, 졔 다시 간계를 힝ᄒᆞᄂᆞᆫ 일이 잇거든, 쳡이 당【145】당이 부인ᄂᆡ게 그릇ᄒᆞ믈 샤죄ᄒᆞ리이다."
소니{냥}씨와 소양씨 다 윤부인의 셩덕을 열복ᄒᆞ고, 경씨 반졈 투졍이 업ᄂᆞᆫ지라. 엇지 공쥬의 통신ᄒᆞ믈 깃거 아니ᄒᆞ리오마ᄂᆞᆫ,○…**결락12자**…○[그 위인을 무셔이 넉이미러라].

○○[이후] 윤부인이 하로 ᄒᆞᆫ 번식 구실 삼아 공쥬긔 문후ᄒᆞᄂᆞᆫ 글을 붓치ᄃᆡ, 갈ᄉᆞ록 공경ᄒᆞ미 더으고 ᄉᆞ의 ᄂᆞᆫ졀ᄒᆞ거ᄂᆞᆯ, 쎡쎡 병구(病軀)366)의 합당ᄒᆞᆫ 찬픔(饌品)과 화미(華味)를 보ᄂᆡ니, 공쥬궁이 므릇 긔귀(器具) 업셔 진찬 을 작만치 못ᄒᆞ미 아니라, 한상궁 일인 밧 공쥬긔 졍셩되니 업ᄂᆞᆫ지라. 상궁이 공쥬를 붓들고 안ᄌᆞ시면 ᄃᆞ른 궁인은 찬픔을 공쥬 구미에 합당치 못ᄒᆞ게 ᄒᆞ여, 공쥐 못 먹ᄂᆞᆫ 고로, 윤씨의 졍셩된 화미찬션(華味饌膳)과 지극ᄒᆞᆫ 셔신 공쥬의 악악ᄒᆞᆫ 마음을 졈졈 감동케 ᄒᆞ미 되야, 공쥐 윤씨의 셔찰이 삼십여 번에【146】밋쳐ᄂᆞᆫ 악셩을 긋치고, 스ᄉᆞ로 탄ᄒᆞ며 슬허ᄒᆞ여 혜오ᄃᆡ,
"윤・양 등의 위인이 이 ᄀᆞᆺ지 아니면 뎡군의 눈에 그ᄃᆡ도록지 아니며, 내 또 심녁

365)못기다 : 모이다.
366)병구(病軀) : 병든 몸. =병체(病體).

녁을 허비ᄒᆞ여 업시코져 아냐시리니, 그 남달니 어딜고 긔특ᄒᆞᆫ 거시 나의 젼졍을 맛ᄎᆞ미로다."

ᄒᆞ여, 오딕 읍읍(泣泣)【17】히 늣기고 블워ᄒᆞ미 측냥업거ᄂᆞᆯ, 한상궁이 인의디덕(仁義之德)○[과] 개과(改過)ᄒᆞᆯ 도리를 권ᄒᆞ여, ᄒᆞᆫ ᄌᆞ 블법의 말을 공쥬의 귀의 들니디 아니ᄒᆞ고, ᄒᆞᆫ 번 모딘 낫빗촐 뵈디 아니니, 공쥐 비록 만악(萬惡)이 구비ᄒᆞ나, 이ᄯᆡ를 당ᄒᆞ여 형셰 네 ᄀᆞᆺ디 못ᄒᆞ여, 모비ᄂᆞᆫ 외궁의 폐치ᄒᆞ엿고 쵀녀 흉인은 검하 경혼이 되며, ᄌᆞ긔ᄂᆞᆫ 황샹이 부녀의 졍의(情義)를 ᄭᅳᆺᄎᆞ샤 녹봉을 거두시고, 궐졍 왕ᄂᆡ를 막으시거ᄂᆞᆯ, 쳔고(千古) 과악은 만셩(萬姓)의 훼ᄌᆞᄒᆞ니, 므ᄉᆞᆷ 쳔승디존(千乘之尊)과 황녀디귀(皇女之貴) 이시리오. 아쇠이397) 바라ᄂᆞᆫ 밧ᄌᆞᄂᆞᆫ 한상궁으로 더브러 ᄉᆞ뎨의 도와 모녀 ᄀᆞᄐᆞᆫ 졍을 겸ᄒᆞ여 상궁을 의디《ᄒᆞ여‖ᄒᆞᆯ ᄲᅮᆫ이오》, ○[ᄯᅩ] 너른 궁의 외로이 셰월을 보ᄂᆡ니 엇디【18】그런 악ᄉᆞ를 한상궁과 의논ᄒᆞᆯ 길히 이시리오. 쥬야의 보ᄂᆞᆫ 거시 상궁의 화ᄒᆞᆫ 얼골이오, 듯ᄂᆞᆫ 말이 다 어딘 규정(糾正)이라. 삼년을 ᄒᆞᆫ ᄢᅵ도 ᄯᅥ난 일이 업시 다리고, 뎡·오 이왕이 ᄌᆞ로 와 보고, 개심슈덕 ᄒᆞ믈 ᄌᆡ삼 권ᄒᆞ니, 가ᄉᆞᆷ 가온ᄃᆡ 니검(利劍)을 장(藏)ᄒᆞ여시나 플 곳이 업고, ᄌᆞ연 윤시의 간곡ᄒᆞᆫ 졍셩과 디인혜화(至仁惠化)를 감동ᄒᆞ미 되여, ᄆᆞᄋᆞᆷ이 만히 플니니, 텬셩 춍명 ○[뎡]긔(精氣) 남의셔 나은디라. ᄭᆡᄃᆞᆺ고 뉘웃기를 시작ᄒᆞᆫ 후야 긔특ᄒᆞᆫ 사ᄅᆞᆷ이 못 되리오. 졈졈 무시(無始) 통곡과 즐욕ᄒᆞ기를 긋치고, 븍공 ᄉᆞ상(思相)ᄒᆞ기로 됴양셕월(朝陽夕月)398)의 촌장(寸腸)을 ᄭᅳᆺ출 ᄲᅳᆫ이니, 상궁이 공쥬의 졈졈 회심ᄒᆞ믈 깃거 가디록 어딘 일노 도으며 패【19】악디ᄉᆞ(悖惡之事)를 입 밧긔 ᄂᆡ디 아니터라.

익셜 평졔대원슈(平齊大元帥) 삼노도춍병(三路都總兵) 뎡듁쳥이 오만 졍병과 십원 명댱을 거ᄂᆞ려 호호탕탕(浩浩蕩蕩)이 졔국

397)아쇠이 : 애시에. 애초에. *애시; 맨 처음. 처음.
398)됴양셕월(朝陽夕月) : 아침 해와 저녁 달.

을 허비ᄒᆞ여 업시코져 아냐시리니, 가업시 어질고 남ᄃᆞᆯ니 긔특ᄒᆞᆫ 거시 내 젼졍을 맛ᄎᆞᆺ다."

ᄒᆞ여, 오직 읍읍(泣泣)히 늣기고 불워ᄒᆞ미 측냥업거ᄂᆞᆯ, 한상궁이 인의지덕(仁義之德)과 개과ᄒᆞᆯ 도리를 권ᄒᆞ야, ᄒᆞᆫ ᄌᆞ 불법의 말을 공쥬 귀에 들니지 아니ᄒᆞ고, ᄒᆞᆫ 번도 모진 ᄂᆞᆺ빗촐 뵈지 아니○[니], 공쥐 비록 만악이 구비ᄒᆞ나, 이ᄯᆡ를 당ᄒᆞ야 형셰 네 ᄀᆞᆺ지 못ᄒᆞ고, 모비ᄂᆞᆫ 외궁의 폐치ᄒᆞ여시며, 쵀녀 흉인은 검하 경혼이 되엿고, ᄌᆞ긔ᄂᆞᆫ 황상 부녀의 텬눈을 ᄭᅳᆺᄎᆞ시[샤] 녹봉을 거두시고, 궐졍왕ᄂᆡ를 막으시거날, 쳔고(千古) 과악은 만궁의 회ᄌᆞᄒᆞ니,【147】 므ᄉᆞᆷ 쳔승디귀(千乘之貴)와 황녀의 존(尊)이 이시리오. 아소이367) ᄇᆞ라ᄂᆞᆫ 밧ᄌᆞᄂᆞᆫ 한상궁으로 더브러 ᄉᆞ뎨의 도와 모녀지졍을 겸ᄒᆞ여 상궁을 의지ᄒᆞᆯ○○○[ᄲᅮᆫ이오], 너란 궁의 셰월을 보ᄂᆡᄂᆞᆫ 배 되여시니, 엇지 간흉 악ᄉᆞ를 한상궁과 의논ᄒᆞᆯ니 이시리오. 쥬애의 보ᄂᆞᆫ 거시 상궁의 화ᄒᆞᆫ 얼골이오, 듯ᄂᆞᆫ 말이 다 어딘 규정(糾正)이라. 삼년을 ᄒᆞᆫ ᄢᅵ도 ᄯᅥ난 일이 업시 ᄃᆞ리고 잇고, 뎡·오 이왕이 ᄌᆞ로 와 보고 개심슈덕 ᄒᆞ기를 니르니, 흉즁의 니검을 장ᄒᆞ여시나 플 곳지 업고, ᄌᆞ연 윤씨의 관곡(款曲)ᄒᆞᆫ 졍셩과 지인혜화(至仁惠化)를 감동ᄒᆞ미 되야 만히 플니니, 텬셩 총명 영긔ᄂᆞᆫ ᄂᆞᆷ의긔 나은지라. ᄭᆡ닷고 뉘웃기를 시작ᄒᆞᆫ 후야 긔특ᄒᆞᆫ 사ᄅᆞᆷ이 못 되리오. 졈졈 무시 통【148】곡과 즐욕기를 긋치고, 북공을 ᄉᆡᆼ각기를 조운셕월(朝雲夕月)368)의 촌장을 ᄭᅳᆺ출 ᄇᆞᆫ이니, 상궁이 공쥐의 졀졀 회심ᄒᆞ믈 깃거, 가지록 어진 일노 도아 ᄑᆡ악디ᄉᆞ(悖惡之事)를 입 밧긔 ᄂᆡ지 아니타라.

익셜 평졔대원슈(平齊大元帥) 삼노도춍병(三路都總兵) 뎡듁쳥이 오만 졍병과 십원 명댱을 거ᄂᆞ려 호○[호]탕탕(浩浩蕩蕩)이

367)아쇠이 : 애시에. 애초에. *애시; 맨 처음. 처음.
368)됴운셕월(朝雲夕月) : 아침 구름과 저녁 달.

으로 나아가ᄆᆡ, 이 본ᄃᆡ 여러 곳 뎡벌의 대공(大功)을 셰워 명만텬하(名滿天下)[399]ᄒᆞ며 위딘히ᄂᆡ(威震海內)[400]ᄒᆞ여 ᄌᆡ덕과 듕망(重望)의 놉흐미 잇ᄂᆞᆫ디라. 긔치졀월(旗幟節鉞)이 향ᄒᆞᄂᆞᆫ 바의 각읍(各邑) 쥬현(州縣)이 황황영디(惶惶迎之)ᄒᆞ고 ᄇᆡᆨ셩이 단ᄉᆞ호장(簞食壺漿)으로 맛ᄂᆞᆫ디라. 대군이 ᄒᆡᆼᄒᆞ여 동십월의 비로소 졔국의 니르러 녹운셩의 하ᄎᆡ(下寨)[401]ᄒᆞ고, 몬져 격셔를 졔국의 보ᄂᆡ니, 졔왕 합이 바야흐로 삼만 졍병과 쳔원 용댱(勇將)을 모화 황셩을 범ᄒᆞᆯ ᄯᅳᆺ이 급ᄒᆞᄃᆡ, 일긔(日氣) 한엄(寒嚴)[402]ᄒᆞ고 대셜(大雪)이 ᄡᆞ히므로, 셰환(歲換)ᄒᆞ여 개츈(開春)ᄒᆞ기를 기다려 동병(動兵)ᄒᆞ려 슈륙(水陸) 냥쳐【20】군을 ᄒᆞᆫ 곳의 모홧더니, 홀연 대군이 니르러 격셰 왓다 ᄒᆞᄂᆞᆫ디라. 왕이 격셔를 보니 ᄒᆞ여시ᄃᆡ,

"텬됴(天朝) 병부상셔(兵部尙書) 뇽두각태ᄒᆞᆨᄉᆞ(龍頭閣太學士) 텬하병마졀제ᄉᆞ(天下兵馬節制使) 평제대원슈(平齊大元帥) 뎡모ᄂᆞᆫ 글노ᄡᅧ 졔국 왕의게 보ᄂᆡ노라. 희(噫)라, 군신대의(君臣大義)ᄂᆞᆫ 삼강오상(三綱五常)[403]의 읏듬이라. 금(今)애 셩텬ᄌᆞ 셩덕이 돗ᄂᆞᆫ ᄒᆡ ᄀᆞᆺᄐᆞ샤, 만긔(萬機)를 춍찰(總察)ᄒᆞ시ᄆᆡ ᄉᆞ이번국(四夷藩國)[404]이 귀슌치 아니리 업고, 만민이 셩듀의 대은을 목욕ᄀᆞᆷ아 강구(康衢)[405]의 노ᄅᆡ를 화(和)ᄒᆞ고, 격양(擊壤)[406]의 포복(匍腹)ᄒᆞ여 요텬슌일(堯天

399)명만텬하(名滿天下) : 이름이 천하에 가득 퍼짐.
400)위딘히ᄂᆡ(威震海內) : 위엄이 세상에 진동함.
401)하ᄎᆡ(下寨) : 진지(陣地)를 구축하고 진(陣)을 침.
402)한엄(寒嚴) : 몹시 추움.
403)삼강오상(三綱五常) : 삼강(三綱)과 오륜(五倫).
404)ᄉᆞ이번국(四夷藩國) : 사방의 오랑캐와 제후국(諸侯國)들.
405)강구(康衢) : 강구연월(康衢煙月)의 줄임말. 번화한 큰 길거리에서 달빛이 연기에 은은하게 비치는 모습을 나타내는 말로, 태평한 세상의 평화로운 풍경을 이르는 말. *강구(康衢); 사방으로 두루 통하는 번화한 큰 길거리.
406)격양(擊壤) : 격양가(擊壤歌). 풍년이 들어 농부가 태평한 세월을 즐기는 노래. 중국의 요임금 때에, 태평한 생활을 즐거워하여 불렀다고 한다. *격양(擊壤); ①땅을 침. ②흙으로 만든 악기의 하나. 또는 그런 악기를 치는 일.

졔국으로 나아가며[ᄆᆡ], 이 본ᄃᆡ 여러 곳 졍벌의 대공을 셰워 명만텬하(名滿天下)[369]ᄒᆞ며 위진히ᄂᆡ(威震海內)[370]ᄒᆞ고, ᄌᆡ덕과 즁망(重望)의 놉흐미 잇ᄂᆞᆫ지라. 긔치졀월(旗幟節鉞)이 향ᄒᆞᄂᆞᆫ 바의 각읍(各邑) 쥬현(州縣)이 황황영디(惶惶迎之)ᄒᆞ고, ᄉᆞ민부뢰(士民扶老) 단ᄉᆞ호장(簞食壺漿)으로 맛ᄂᆞᆫ지라. 대군이 동 십월의 비로소 졔국의 니르러 하ᄎᆡ(下寨)[371]ᄒᆞ고, 몬져 격셔를 보ᄂᆡ니, 졔왕 합이 ᄇᆞ야흐로 십만 대군과 쳔원(千員) 용댱(勇將)을 모【149】화 황셩으로 ᄒᆡᆼᄒᆞ고, ᄯᅳᆺ이 급ᄒᆞ여 일긔 한엄(寒嚴)[372]ᄒᆞ고, 대셜(大雪)이 ᄡᆞ히므로, 명츈(明春)을 기ᄃᆞ려 동병(動兵)코져 슈륙(水陸) 냥군을 ᄒᆞᆫ ᄃᆡ 모홧더니, 홀연 텬조 ᄃᆡ군이 니르고 격셰 왓다 ᄒᆞᄂᆞᆫ지라. 왕이 그 격셔를 본즉, ᄒᆞ여시ᄃᆡ,

"텬조(天朝) 병부상셔(兵部尙書) 뇽두각태ᄒᆞᆨᄉᆞ(龍頭閣太學士) 텬하병마졀졔ᄉᆞ(天下兵馬節制使) 평졔대원슈(平齊大元帥) 뎡모ᄂᆞᆫ ᄒᆞᆫ 장 글노ᄡᅧ 졔왕긔 보ᄂᆡ노라. 군신대의(君臣大義)ᄂᆞᆫ 삼강오상(三綱五常)[373]의 읏듬이라. 금(今)ᄋᆡ 셩텬ᄌᆞ 셩덕이 돗ᄂᆞᆫ ᄒᆡ ᄀᆞᆺᄒᆞ샤 만긔(萬機)를 총찰(總察)ᄒᆞ시ᄆᆡ, ᄉᆞ이번국(四夷藩國)[374]이 귀슌치 아니리 업고, 텬하 만민이 셩쥬의 대은을 목욕 감아 강구(康衢)[375]에 노ᄅᆡᄒᆞ고, 격양(擊壤)[376]에 포복(匍腹)ᄒᆞ니, 요텬슌일(堯天舜日)[377]을

369)명만텬하(名滿天下) : 이름이 천하에 가득 퍼짐.
370)위딘히ᄂᆡ(威震海內) : 위엄이 세상에 진동함.
371)하ᄎᆡ(下寨) : 진지(陣地)를 구축하고 진(陣)을 침.
372)한엄(寒嚴) : 몹시 추움.
373)삼강오상(三綱五常) : 삼강(三綱)과 오륜(五倫).
374)ᄉᆞ이번국(四夷藩國) : 사방의 오랑캐와 제후국(諸侯國)들.
375)강구(康衢) : 강구연월(康衢煙月)의 줄임말. 번화한 큰 길거리에서 달빛이 연기에 은은하게 비치는 모습을 나타내는 말로, 태평한 세상의 평화로운 풍경을 이르는 말. *강구(康衢); 사방으로 두루 통하는 번화한 큰 길거리.
376)격양(擊壤) : 격양가(擊壤歌). 풍년이 들어 농부가 태평한 세월을 즐기는 노래. 중국의 요임금 때에, 태평한 생활을 즐거워하여 불렀다고 한다. *격양(擊壤); ①땅을 침. ②흙으로 만든 악기의 하나. 또는 그런 악기를 치는 일.

舜日)[407]을 다시 볼 거시어늘, 난역(亂逆) 역신(逆臣)이 ᄆᆡ양 국쳑(國戚)으로 조ᄎᆞ 니러나 쳔승의 모림(冒臨)[408]ᄒᆞ여 부귀 극ᄒᆞᄆᆡ, 도로혀 참남(僭濫)ᄒᆞᆫ 의ᄉᆡ 니러나니, 초뎍과 댱샤 흉뎍의 형뎨 년ᄒᆞ여 반【21】ᄒᆞ여 황셩을 엿보다가 멸망디화(滅亡之禍)를 취ᄒᆞ엿더니, 이졔 졔국이 군신대의를 어ᄌᆞ러이고 디친디졍(至親之情)을 아디 못ᄒᆞ여, 졔국 칠십여 셩을 두ᄆᆡ 믄득 텬위를 항형(抗衡[409])ᄒᆞᆯ 의ᄉᆡ 이셔, 대국 토디를 겁탈(劫奪)ᄒᆞ고 흉역(凶逆)이 낭ᄌᆞ(狼藉)ᄒᆞ니, 셩텬ᄌᆡ 딘노ᄒᆞ샤 날노 ᄒᆞ여금 졔국 역신을 탕멸ᄒᆞ라 ᄒᆞ시니, 내 비록 브ᄌᆡ박덕(不才薄德)이나 졔국을 탕멸치 못ᄒᆞᆯ가 근심ᄒᆞ리오마ᄂᆞᆫ, '솔토디민(率土之民)이 막비왕신(莫非王臣)이라'[410], 무죄ᄒᆞᆫ ᄉᆡᆼ녕(生靈)의 원억히 도륙(屠戮)ᄒᆞᆯ 바를 츄연ᄒᆞ여, 몬져 글을 보ᄂᆡ여 내 ᄯᅳᆺ을 알게 ᄒᆞᄂᆞ니, 왕의 죄악이 비록 관영(貫盈)ᄒᆞ나, 개과(改過)ᄒᆞ믄 셩인의 허ᄒᆞ신 ᄇᆡ라. 모로미 니히득실(利害得失)을 ᄉᆡᆼ각ᄒᆞ라."

ᄒᆞ엿더라.

졔왕이 견파의 대로ᄒᆞ【22】여 격셔를 믜치고 졔신다려 왈,

"뉘 과인을 위ᄒᆞ여 뎡텬홍을 ᄉᆡᆼ금(生擒)ᄒᆞ여 죄를 다ᄉᆞ리고, 인ᄒᆞ여 졔국 신하를 삼을고?"

대댱군 셥긔경과 대션봉 복삼쳘이 응셩 왈,

"신 등이 슈우브ᄌᆡ(雖愚不才)[411]나 ᄒᆞᆫ 팔가온ᄃᆡ 오히려 구졍(九鼎)을 움ᄌᆞ기ᄂᆞᆫ 힘이

407)요텬슌일(堯天舜日) : 유가에서 이상적인 왕도정치가 이루어졌던 시대라고 하는 중국의 요(堯)·순(舜) 임금의 시절이란 듯으로, '태평한 시절'을 말한다.

408)모림(冒臨) : 세력이나 명예 따위가 어떤 집단에서 제일가는 위치에 오름.

409)항형(抗衡) : 서로 지지 아니하고 맞섬.

410)'솔토디민(率土之民)이 막비왕신(莫非王臣)이라' : 온 영토 안에 사는 사람들이 다 왕의 신하 아닌 사람이 없음. 『맹자』 <만장장구 상(萬章章句上)>에 있는 글귀.

411)슈우브ᄌᆡ(雖愚不才) : 비록 어리석고 재주가 없으나.

다시 볼 거시어늘, 난역적신(亂逆賊臣)이 황치[친]국쳑(皇親國戚)으로 조ᄎᆞ 니러나, 쳔승의 모림(冒臨)[378]ᄒᆞ여 부귀 극ᄒᆞᄆᆡ, 도로혀 참남(僭濫)ᄒᆞᆫ 의ᄉᆡ 이셔, 초젹과 장ᄉᆞ 흉젹의 형뎨 년ᄒᆞ【150】여 반ᄒᆞ야 황셩을 엿보다가 멸망지화(滅亡之禍)를 당ᄒᆞ엿더니, 이졔 졔국이 군신ᄃᆡ의를 난(亂)ᄒᆞ고 지친지졍(至親之情)을 아지 못ᄒᆞ여, 졔국 칠십여 셩을 두ᄆᆡ, 그 족ᄒᆞᆫ 줄 모로고 텬위를 항형(抗衡[379])ᄒᆞᆯ 의ᄉᆡ 니러나 흉역(凶逆)이 낭ᄌᆞ(狼藉)ᄒᆞ니, 셩텬ᄌᆡ 진노ᄒᆞ샤 나로 ᄒᆞ야곰 졔국의 역신을 탕멸ᄒᆞ라 ᄒᆞ시니, 내 비록 무ᄌᆡ박덕(無才薄德) 이나, 졔국을 탕멸치 못ᄒᆞᆯ가 근심ᄒᆞ리오마ᄂᆞᆫ, '솔토지민(率土之民)이 막비왕신(莫非王臣)이라'[380], 원억ᄒᆞᆫ ᄉᆡᆼ녕(生靈)의 도륙(屠戮)을 츄연ᄒᆞ여, 몬져 글노ᄲᅧ 내 ᄯᅳᆺ을 알게 ᄒᆞᄂᆞ니, 왕의 죄악이 비록 관영(貫盈)ᄒᆞ나 개과(改過)ᄂᆞᆫ 셩교의 허ᄒᆞ신 ᄇᆡ라. 모로미 니히득실(利害得失)을 ᄉᆡᆼ각ᄒᆞ라."

ᄒᆞ엿더라.

졔왕이 견파의 ᄃᆡ로ᄒᆞ여 격셔를 뮈치고 졔신ᄃᆞ려 왈,

"뉘 과인을 위ᄒᆞ여 뎡텬홍을 ᄉᆡᆼ금ᄒᆞᆯ고?"

대장군 셥긔경과 대【151】션봉 복삼쳘이 응셩 왈,

"신 등이 슈부ᄌᆡ(雖不才)[381]나 오히려 ᄒᆞᆫ 팔 ᄀᆞ온ᄃᆡ 구졍(九鼎)을 움ᄌᆞ기고, 풍우(風

377)요텬슌일(堯天舜日) : 유가에서 이상적인 왕도정치가 이루어졌던 시대라고 하는 중국의 요(堯)·순(舜) 임금의 시절이란 듯으로, '태평한 시절'을 말한다.

378)모림(冒臨) : 세력이나 명예 따위가 어떤 집단에서 제일가는 위치에 오름.

379)항형(抗衡) : 서로 지지 아니하고 맞섬.

380)'솔토디민(率土之民)이 막비왕신(莫非王臣)이라' : 온 영토 안에 사는 사람들이 다 왕의 신하 아닌 사람이 없음. 『맹자』 <만장장구 상(萬章章句上)>에 있는 글귀.

381)슈부ᄌᆡ(雖不才) : 비록 재주가 없으나.

잇고, 풍우(風雨)를 임의로 ᄒᆞᄂᆞᆫ ᄌᆡ죄 이시니 뎡텬흥을 ᄉᆡᆼ금치 못ᄒᆞᆯ가 근심ᄒᆞ리오. ᄒᆞ믈며 뎐하의 용병ᄒᆞ시ᄂᆞᆫ 도리 크게 신긔ᄒᆞ니, 텬흥이 ᄒᆞᆫ 번 우리 딘셰와 병법을 보면 간담이 ᄡᅥ러져 스ᄉᆞ로 항(降)ᄒᆞ리이다."

왕 왈,

"경등의 용ᄆᆡᆼ이 무뎍(無敵)ᄒᆞ거니와 텬흥의 ᄌᆡ략(才略)은 텬됴의도 일홈난디라. 범연이 ᄒᆞ여ᄂᆞᆫ 어려오니, 과인의 ᄯᅳᆺ은 가바이 동(動)치 말고, 엄동(嚴冬)이 딘(盡)키를 기다려 ᄎᆞᆼ군으로 더브러 졉젼【23】ᄒᆞ미 맛당ᄒᆞᆫ디라. 대군이 만니의 엄한을 당ᄒᆞᄆᆡ 의식(衣食)이 어려올 ᄲᅮᆫ 아니라, 눈이 ᄡᅡ혀 녕(嶺)이 막히면 냥초(糧草)를 운젼치 못ᄒᆞ리니, 텬흥이 손무(孫武)412)의 용(勇)과 냥평(良平)413)의 디뫼(智謀) 이셔도 냥초를 운젼치 못ᄒᆞᆫ 후ᄂᆞᆫ, 삼군 댱ᄉᆡ 긔한을 면치 못ᄒᆞ여 ᄡᅡ호기 젼 죽으리 만흘가 ᄒᆞ노라."

졔신이 일시의 맛당ᄒᆞ믈 일ᄏᆞᆺ고, 개츈(開春) 후 졉젼ᄒᆞ기를 긔약ᄒᆞ니, 뎡원쉬 녹운셩의셔 졔왕의 개츈 후 졉젼코져 ᄒᆞ믈 드르ᄆᆡ 셰월을 쳔연ᄒᆞ미 민망ᄒᆞ나, 일긔 엄한ᄒᆞ여 냥딘이 ᄃᆡᄒᆞᆫ즉 샤졸이 만히 상ᄒᆞᆯ디라. 역시 다ᄒᆡᆼ이 넉여 오딕 냥초를 착실이 운젼ᄒᆞᆯᄉᆡ, 목우뉴마(木牛流馬)414)를 슈업시 ᄆᆡᆫᄃᆞ라 냥초를 운젼ᄒᆞᆯᄉᆡ, 대셜이 ᄡᅡ혀 녕을 넘디 못ᄒᆞ면, 원쉬 ᄒᆞᆫ【24】장 부작을 녕우ᄒᆡ셔 소화ᄒᆞ면 편ᄀᆡᆨ의 녹아 믈이 되고, 굿ᄐᆞ여 어름이 되디 아닛ᄂᆞᆫ 고로 냥초 운젼ᄒᆞ기의 슈고롭디 아닌디라. 원쉬 ᄯᅩᄒᆞᆫ 샤졸의 치위415)를 념녀ᄒᆞ여 대셜이 ᄡᅡ히ᄂᆞᆫ 날이면, 가마니 장하(帳下)의 나려 사ᄅᆞᆷ이 아디

412)손무(孫武) : 중국 춘추 시대의 병법가. 기원전 6세기경의 제(齊)나라 사람으로, 오왕(吳王) 합려(闔閭) 밑에서 장군이 되어 초나라, 진나라를 위압하고 절도와 규율 있는 군사를 양성하였다. 저서에 병서 ≪손자≫가 있다

413)냥평(良平) : 중국 한(漢)나라 때의 책사(策士) 장량(張良)과 진평(陳平)을 함께 이르는 말.

414)목우뉴마(木牛流馬) : 중국 삼국 시대, 식량을 운반하기 위해 제갈량이 소나 말의 모양으로 만든 수레, 기계 장치로 움직이게 하였다.

415)치위 : 추위. *칩다; 춥다.

雨)를 임의로 ᄒᆞᄂᆞᆫ ᄌᆡ죄 잇시니, 뎡텬흥을 ᄉᆡᆼ금치 못ᄒᆞᆯ가 근심ᄒᆞ리오. ᄒᆞ믈며 뎐하의 용병지되(用兵之道) 크게 신긔ᄒᆞ니, 텬흥이 ᄒᆞᆫ 번 우리 진셰와 병법을 보면, 간담이 ᄡᅥ러져 스ᄉᆞ로 항ᄒᆞ리이다."

왕 왈,

"경 등의 용ᄆᆡᆼ은 무젹(無敵)이어니와, 텬흥의 ᄌᆡ략(才略)은 텬하에 유명ᄒᆞᆫ지라. 범연이 ᄒᆞ야ᄂᆞᆫ 어려오니, 딤의 ᄯᅳᆺ인즉 경동(輕動)치 말고 엄동(嚴冬)이 진(盡)키를 기ᄃᆞ려, 송군으로 더브러 졉젼ᄒᆞ미 맛당ᄒᆞᆫ지라. ᄃᆡ군이 만니의 엄한을 당ᄒᆞᄆᆡ 의식(衣食)이 어려올 ᄲᅮᆫ 아니라, 눈이 ᄡᅡ혀 녕(嶺)이 막히면 냥초(糧草)를 운젼치 못ᄒᆞ리니, 텬흥이 손무(孫武)382)의 용ᄆᆡᆼ이 잇셔도 운냥(運糧)치 못 ᄒᆞᆫ 후ᄂᆞᆫ, 삼군 댱ᄉᆡ 긔한을 면치 못ᄒᆞ여 스ᄉᆞ【152】로 죽으리라."

졔신이 일시의 맛당ᄒᆞ믈 닐ᄏᆞ라 개츈(開春) 후 졉젼ᄒᆞ기를 긔약ᄒᆞ니, 뎡원쉬 녹운셩에셔 졉젼치 못ᄒᆞ고 셰월을 쳔연ᄒᆞ미 민망ᄒᆞ나, 일긔 엄한ᄒᆞ여 냥진이 ᄃᆡ젹ᄒᆞᆫ 즉 ᄉᆞ졸이 만히 상ᄒᆞᆯ 거시므로, 역시 맛당히 넉여 오직 냥초를 착실이 운젼ᄒᆞᆯᄉᆡ, 목우뉴마(木牛流馬)383)를 수업시 만ᄃᆞ라 운냥ᄒᆞ니, ᄃᆡ셜이 ᄡᅡ혀 녕을 못 넘다가도 원쉬 ᄒᆞᆫ 장 부작을 녕상(嶺上)에셔 소화ᄒᆞᆫ즉, 편각에 녹아 물이 되며 굿ᄐᆞ여 어름이 되지 아니므로, 운냥ᄒᆞ기 슈고롭지 아닌지라. 원쉬 ᄯᅩᄒᆞᆫ 샤졸의 치위384)를 념녀ᄒᆞ야, 대셜이 ᄡᅡ혓ᄂᆞᆫ 날이면 ᄀᆞ마니 쳠하(檐下)385)에 ᄂᆞ려, 사ᄅᆞᆷ이 아지 못ᄒᆞ게 부작을 ᄲᅧ ᄉᆞᆯ오면, 봄날 갓ᄒᆞ여 ᄒᆞᆫ 조각 어름이 업고, 원쉬 ᄒᆞᆫ 번

382)손무(孫武) : 중국 춘추 시대의 병법가. 기원전 6세기경의 제(齊)나라 사람으로, 오왕(吳王) 합려(闔閭) 밑에서 장군이 되어 초나라, 진나라를 위압하고 절도와 규율 있는 군사를 양성하였다. 저서에 병서 ≪손자≫가 있다

383)목우뉴마(木牛流馬) : 중국 삼국 시대, 식량을 운반하기 위해 제갈량이 소나 말의 모양으로 만든 수레, 기계 장치로 움직이게 하였다.

384)치위 : 추위. *칩다; 춥다.

385)쳠하(檐下) : 처마 밑.

못ᄒᆞ게 부작을 ᄲᅧ ᄉᆞᆯ오○[면], 봄날 갓ᄐᆞ여 ᄒᆞᆫ 조각 어름이 엉긔디 아니ᄒᆞ고, 원슈 ᄒᆞᆫ 번 부ᄎᆡ로 두로면, 일긔 훈화(薰和)ᄒᆞ고 븍풍이 나ᄌᆞᆨᄒᆞ여 겨을 ᄀᆞᆺ디 아니니, 샤졸이 조금도 치운 빗치 업셔 만니 전딘(戰陣)의 한고(寒苦)를 아디 못ᄒᆞ니, 졔국이 ᄇᆡ판(配判) 후 동일이 훈화ᄒᆞᄆᆡ 이 ᄒᆡ ᄀᆞᆺ튼 젹이 업ᄂᆞᆫ디라. 원슈 부원슈와 졔댱을 {명을} 명ᄒᆞ여 졔국 관ᄋᆡᆨ(關阨)[416]의 요긴쳐(要緊處)를 혜여 가며 취ᄒᆞ니, 디혜(智慧) 모략(謀略)이 신명【25】긔이(神明奇異)ᄒᆞ여 ᄉᆡᆼ각 밧 비상디ᄉᆡ 만흐니, 슈고로이 ᄡᆞ호디 아냐셔 덕화로 항복 밧고, 디혜로 겁탈ᄒᆞ여 슈삭디ᄂᆡ(數朔之內)의 이십여 관ᄋᆡᆨ을 앗고, 삼십여 셩을 탈취ᄒᆞ니, 졔왕이 대로ᄒᆞ여 뎡원슈와 ᄡᆞ호기를 날회고 셩곽을 도로 ᄎᆞᆺ고져 ᄒᆞᄃᆡ, 발셔 텬됴 댱ᄉᆡ 원슈의 녕을 드러 ᄃᆡᆨ희기를 엄히 ᄒᆞ니, 능히 아ᄉᆞᆯ 길히 업ᄂᆞᆫ디라. 이러구러 봄이 되니, 졔왕이 엄한(嚴寒)의 ᄡᆞ호디 아니코 쳔연(遷延)ᄒᆞ여, 송군이 대셜의 녕(嶺)이 막혀 냥초를 운젼치 못ᄒᆞ여, 긔한(飢寒)의 골몰(汨沒)ᄒᆞ고 만니타국의 슈토(水土)의 상ᄒᆞ여 죽을가 ᄒᆞ더니, 쳬탐의 젼ᄒᆞᄂᆞᆫ 말을 듯고 밧비 승부를 결코져 ᄒᆞ여, 송딘의 통ᄒᆞ고 군긔를 각별이 빗ᄂᆡ더【26】라.

뎡원슈 만니 젼딘의셔 ᄒᆡ 밧괴이ᄆᆡ, 디극ᄒᆞᆫ 튱효로 군친을 영모ᄒᆞ고, 얼픗ᄒᆞᆫ ᄉᆞ이 집 ᄯᅥ난 디 긔년(朞年)이 되니, 고국이 아으라 ᄒᆞ여 고구친쳑(故舊親戚)과 만믈이 눈의 암암ᄒᆞ니, 존당 부모의 무궁ᄒᆞᆫ 념녀와 결울ᄒᆞᆫ 회포를 ᄉᆡᆼ각ᄒᆞᄆᆡ, 영웅의 긔운이 셜셜(屑屑)[417]ᄒᆞ고, 댱부의 눈믈이 ᄯᅥ러디믈 ᄭᆡ듯디 못ᄒᆞᄂᆞᆫ디라. 앗ᄎᆞᆷ을 당ᄒᆞ면 븍궐을 향ᄒᆞ여 팔ᄇᆡ대례(八拜大禮)를 폐치 아냐 됴회ᄒᆞ던 녜를 ᄒᆡᆼᄒᆞ고, 존당 부모긔 신셩(晨省)ᄒᆞ던 ᄯᆡ를 당ᄒᆞ면, 존젼의 시봉홈ᄀᆞᆺ치 궤슬

416)관ᄋᆡᆨ(關阨) : ①국경이나 요지의 통로에 두어 드나드는 사람이나 화물을 조사하던 곳. ②군사적으로 중요한 곳에 세운 요새.

417)셜셜(屑屑)ᄒᆞ다 : 자잘하게 굴다, 구구(區區)하다.

부ᄎᆡ를 두르면 북풍이 나ᄌᆞᆨᄒᆞ고 일긔 훈화ᄒᆞ여 겨【153】을날 ᄀᆞᆺ지 아냐, ᄉᆞ졸이 조곰도 치운 빗치 업셔, 만니 전진의 한고(寒苦)를 아지 못ᄒᆞ니, 졔군이 져마다 겨울날이 훈화(薰和)홈은 이 ᄒᆡ ᄀᆞᆺ지 아니물 알니러라. 원슈 부원슈와 졔장을 명ᄒᆞ여 졔국 관ᄋᆡᆨ(關阨)[386]의 요긴쳐(要緊處)를 혜아려 취ᄒᆞᆯᄉᆡ, 지략이 신명긔이(神明奇異)ᄒᆞ여 ᄉᆡᆼ각 밧 비상ᄒᆞᄆᆡ 잇시니, 수고로이 ᄡᆞ호지 아냐셔 덕화로 항복 밧고 ○○○[디혜로] 겁탈ᄒᆞ여, 슈월지ᄂᆡ(數月之內)에 이십여 관ᄋᆡᆨ을 취ᄒᆞ여 웅거ᄒᆞ니, 졔왕이 대로ᄒᆞ여 군령을 날회고 장수를 거ᄂᆞ려 스ᄉᆞ로 가셔 츌젼ᄒᆞ랴 ᄒᆞ되, 발셔 텬조 장졸이 각쳐 요ᄋᆡᆨ(要阨)에 드러 직희기를 엄히 ᄒᆞ니, 능히 ᄒᆡᆼ군ᄒᆞᆯ 길이 업ᄉᆞᆫ지라. 니러구러 봄이 되니 졔왕이 엄한○[에] ᄡᆞ호지 아니코, 일월을 쳔연ᄒᆞ여 송군의 냥되(糧道) ᄭᅳᆫ치이고 긔한(飢寒)에 골몰(汨沒)ᄒᆞ여, 만니 타국의 슈토(水土)에【154】상ᄒᆞ여 죽을가 ᄒᆞ더니, 쳬탐의 젼언을 듯고 밧비 승부를 결코ᄌᆞ ᄒᆞ여, 송진에 통ᄒᆞ고 군긔를 각별이 빗ᄂᆡ더라.

뎡원슈 만니 젼진에셔 ᄒᆡ밧괴이ᄆᆡ, 지극ᄒᆞᆫ 츙효로ᄡᅥ 군친을 영모ᄒᆞᄂᆞᆫ 심ᄉᆡ ᄀᆞᆫ절ᄒᆞ니, 만ᄉᆡ 아오라 ᄒᆞ여 고구친쳑(故舊親戚)과 ᄇᆡᆨ물(百物)이 눈알ᄑᆡ 암암(暗暗)ᄒᆞᆫ 듯, 존당 부모의 무궁ᄒᆞᆫ 념녀와 결울ᄒᆞᆫ 회포를 ᄉᆡᆼ각ᄒᆞᄆᆡ, 영웅의 긔운이 셜셜(屑屑)[387]ᄒᆞ고, 장부의 눈물이 ᄯᅥ러지물 ᄭᆡ듯지 못ᄒᆞᄂᆞᆫ지라. 아ᄎᆞᆷ을 당ᄒᆞ면 북향(北向)ᄒᆞ여 팔ᄇᆡ(八拜)를 경ᄉᆞ(京師)에 잇실젹 ᄀᆞᆺ치 ᄒᆞ며, 존당 부모긔 신셩ᄒᆞ던 ᄯᆡ를 당ᄒᆞ면 녜를 닐치 아냐, 대현군ᄌᆞ의 풍으로 덕긔 빈빈ᄒᆞ거늘, ᄉᆞ졸

386)관ᄋᆡᆨ(關阨) : ①국경이나 요지의 통로에 두어 드나드는 사람이나 화물을 조사하던 곳. ②군사적으로 중요한 곳에 세운 요새.

387)셜셜(屑屑)ᄒᆞ다 : 자잘하게 굴다, 구구(區區)하다.

뎡좌(跪膝正坐)ᄒᆞ여 ᄒᆞᆫ ᄣᅵ도 게어르디 아냐, 슉흥야ᄆᆡ(夙興夜寐)○○[ᄒᆞ여] 독실ᄒᆞᆫ ᄒᆡᆼ실이 대현군ᄌᆞ의 풍이 가ᄌᆞᆨᄒᆞ며, 호령이 엄슉【27】ᄒᆞ여 사ᄅᆞᆷ으로 ᄒᆞ여금 블감앙시(不敢仰視)ᄒᆞᆯ 위풍이 이시ᄃᆡ, 덕긔(德氣) 빈빈(彬彬)ᄒᆞ여 ᄉᆞ졸을 무휼ᄒᆞᄆᆡ ᄋᆡ증이 편벽디 아니코, ᄆᆞᄋᆞᆷ으로ᄡᅧ 뎡(精)ᄒᆞᆫ 져울을 삼으며, 눈으로ᄡᅧ ᄇᆞᆰ은 거울을 삼아, 상벌이 명쾌ᄒᆞ고 은혜 베프미 두터워, 덕화를 몬져 ᄒᆞ고 위엄을 후의[에] ᄒᆞᄃᆡ, ᄉᆞ졸이 두리고 우러ᄂᆞᆫ ᄆᆞᄋᆞᆷ이 뎍ᄌᆞ(赤子) ᄌᆞ모(慈母) 바라ᄃᆞᆺ ᄒᆞᄂᆞᆫ디라. 장듕(場中)의 독ᄒᆞᆫ 형벌이 업고, ᄒᆞᆫ 군ᄉᆞ도 목숨 ᄭᅳᆺᄎᆞ니 업ᄉᆞᄃᆡ, 스ᄉᆞ로 원슈의 덕택을 감격ᄒᆞ여 명녕을 ᄃᆡ희여 범죄ᄒᆞᆯ ᄌᆞ 업ᄂᆞᆫ디라. 츈 이월 긔망(旣望)을 당ᄒᆞ여 표하졍 너른 들 우희 냥딘이 ᄃᆡ뎍ᄒᆞᆯᄉᆡ, 냥딘 군용이 뎡슉ᄒᆞ고 긔뉼이 뎡졔ᄒᆞᆫ 가온ᄃᆡ, 졔왕이 망【28】뇽포(蟒龍袍)의 홍금쇄ᄌᆞ갑(紅錦鎖子甲)[418]을 ᄡᅧ 닙고, 머리의 슌금 투고를 ᄡᅳ고 허리의 ᄇᆡᆨ옥ᄡᅣᆼ닌ᄃᆡ(白玉雙鱗帶)를 두로고 젼후 좌우로 ᄇᆡᆨ여 원(員) 댱슈를 거ᄂᆞ려 딘문 압ᄒᆡ 나, 샤졸노 ᄒᆞ여금 웨여 왈,

"졔왕 뎐히 숑 원슈와 말ᄒᆞᄌᆞ ○○○[ᄒᆞ신다]."

ᄒᆞᆫᄃᆡ, 숑딘 문긔(門旗) 열니ᄂᆞᆫ 바의 대긔 움즉여 ᄇᆡᆨ모황월(白旄黃鉞)[419]이 날빗ᄎᆞᆯ[420] ᄀᆞ리오ᄂᆞᆫᄃᆡ, 허다 ᄉᆞ졸이 믈미ᄃᆞᆺ[421] 나오며, 뎡원쉬 홍금포(紅錦袍)의 ᄌᆞ금쇄ᄌᆞ갑(紫錦鎖子甲)을 ᄡᅧ 닙고, 머리의ᄂᆞᆫ 봉시투고(鳳翅--)[422]를 ᄡᅳ고 허리의 냥디ᄇᆡᆨ옥ᄃᆡ(兩枝白

418)홍금쇄ᄌᆞ갑(紅錦鎖子甲) : 갑옷의 일종. 붉은 명주 옷에 사방 두 치 정도 되는 돼지가죽으로 된 미늘을 작은 고리로 꿰어 붙여서 만들었다.

419)ᄇᆡᆨ모황월(白旄黃鉞) : 털이 긴 쇠꼬리를 매단 기(旗)와 황금으로 장식한 도끼.

420)날빗ᄎᆞ : 날빛. 햇빛.

421)믈미ᄃᆞᆺ : 물밀 듯. *물밀다; 세찬 기세로 밀어닥치다.

422)봉시투고(鳳翅--) : 봉시투구(鳳翅--). 봉의 깃으로 꾸민 투구. 봉시(鳳翅)는 봉의 깃. 투구는 예전에, 군인이 전투할 때에 적의 화살이나 칼날로부터 머리를 보호하기 위하여 쓰던 쇠로 만든 모자.

을 무휼ᄒᆞᄆᆡ ᄋᆡ증이 편벽되지 아냐, 마음으로ᄡᅧ 평ᄒᆞᆫ 져울을 삼고, 눈으로ᄡᅧ ᄇᆞᆰ은 물을 삼아 상벌이 명【155】쾌ᄒᆞ고, 은위 병ᄒᆡᆼᄒᆞ니, ᄉᆞ졸의 두리미 비ᄒᆞᆯ 곳 업고, 우럿ᄂᆞᆫ 마음이 젹ᄌᆞ(赤子) ᄌᆞ모(慈母)를 ᄉᆞ모ᄒᆞᆷ ᄀᆞᆺ더라. 만일 범죄ᄒᆞ여 형벌을 당ᄒᆞ면, 목숨 긋ᄎᆞ미 닛ᄉᆞᆯ가 념녀ᄒᆞ여 ᄒᆞᆫ갓 명녕을 조ᄎᆞ 직힐 ᄯᆞ름이오. 범죄ᄒᆞᆫ ᄌᆞ 업더라. 츈 이월 긔망(旣望)에 냥군이 ᄃᆡ진ᄒᆞᆯᄉᆡ, 군위 정슉ᄒᆞ고 긔뉼(紀律)이 분명ᄒᆞᆫ 가온ᄃᆡ, 졔왕이 망뇽포(蟒龍袍)의 홍금쇄ᄌᆞ갑(紅錦鎖子甲)[388]을 ᄡᅧ 입고, 머리의 슌금 투고를 ᄡᅳ고 허리의 ᄇᆡᆨ옥ᄡᅣᆼ닌ᄃᆡ(白玉雙鱗帶)를 두르고, 젼후 좌우로 ᄇᆡᆨ여 원(員) 장슈를 거ᄂᆞ려 진문에 나와, ᄉᆞ졸노 ᄒᆞ야곰 웨여 왈,

"졔왕 뎐히 송 원슈와 말ᄒᆞ쟈 ○○○[ᄒᆞ신다]."

ᄒᆞᆫᄃᆡ, 송진 문긔(門旗) 열니ᄂᆞᆫ 곳에 큰 긔 움즉이며 ᄇᆡᆨ모황월(白旄黃鉞)[389]이 압플 인도ᄒᆞᄂᆞᆫ 즁, 원쉬 나아오ᄆᆡ 위풍이 늠늠ᄒᆞ여 불감앙시러라. 졔왕이 니르ᄃᆡ,

388)홍금쇄ᄌᆞ갑(紅錦鎖子甲) : 갑옷의 일종. 붉은 명주 옷에 사방 두 치 정도 되는 돼지가죽으로 된 미늘을 작은 고리로 꿰어 붙여서 만들었다.

389)ᄇᆡᆨ모황월(白旄黃鉞) : 털이 긴 쇠꼬리를 매단 기(旗)와 황금으로 장식한 도끼.

玉帶)를 두로고, 좌슈의 젹은 긔를 잡아시며 우슈의는 ᄌᆞ금션(紫錦扇)을 들고 딘문(陣門) 밧긔 나ᄆᆡ, 쳑탕(滌蕩)ᄒᆞᆫ 풍뉘 몬져 뎍군의 심간을 놀ᄂᆡᄂᆞᆫ디라. 쇄락(灑落)ᄒᆞᆫ 긔상이 탈쇽(脫俗)ᄒᆞ여 츄【29】텬(秋天)을 닷토ᄂᆞᆫ디라. 졔셰안민(濟世安民)ᄒᆞᆯ ᄌᆡ덕이 이셔, 우쥬를 광보(廣步)ᄒᆞ며 건곤(乾坤)을 ᄉᆞ매[423]의 너흘 뜻이 이시니, 한핑(韓彭)[424]의 긔상이 이의 들ᄆᆡ 연약ᄒᆞ고, 쥬아부(周亞夫)의 위풍이 ᄎᆞ인(此人)으로 비ᄒᆞᆯ딘ᄃᆡ 일두(一頭)를 샤양ᄒᆞᆯ디라. 졔왕이 귀국ᄒᆞᆯ ᄶᆡ 뎡원쉬 신딘명ᄉᆞ(新進名士)로 잇던디라. 왕의 군신이 먼니셔 바라보고 긔이ᄒᆞ믈 결을[425]치 못ᄒᆞ여, 믄득 졔왕의 외람ᄒᆞᆫ 뜻이 뎡원슈를 다ᄅᆡ고져 의ᄉᆡ 잇ᄂᆞᆫ디라. 마샹의셔 읍ᄒᆞ여 왈,

"갑쥬ᄌᆡ신(甲冑在身)[426]ᄒᆞ고 ᄆᆞᆯ 우희셔 녜(禮)를 못ᄒᆞᄂᆞ니, 원슈ᄂᆞᆫ 허믈치 말나. 다만 원슈를 ᄃᆡᄒᆞ여 심곡(心曲)을 펴ᄂᆞ니 원슈ᄂᆞᆫ 그윽이 ᄉᆡᆼ각ᄒᆞ여 보라. ᄌᆞ고로 텬하ᄂᆞᆫ 일인의 텬ᄒᆡ 아니라, 덕이 잇고 텬명이 도라 간 곳의 당당【30】이 만니강산(萬里江山)의 님ᄌᆡ 나ᄂᆞ니, 인력(人力)의 밋ᄎᆞᆯ ᄇᆡ 아니라. 과인이 힝혀 졔국의 도읍(都邑)ᄒᆞᄆᆡ 민망(民望)이 내게 도라완 디 오ᄅᆡᄃᆡ, 과인이 스ᄉᆞ로 군신대의와 디친지졍(至親之情)을 상(傷)히오디 못ᄒᆞ여, 년년 됴공(朝貢)[427]을 폐치 아니코, 번신디녜(藩臣之禮)를 공슌이 힝ᄒᆞ더니, 맛초와 본국이 긔황(饑荒)ᄒᆞ므로 대국 토디 풍등(豐登)ᄒᆞᆫ 곳을 ᄀᆞᆯ희여 취ᄒᆞ미 이시나, 굿ᄐᆞ여 반코져 의ᄉᆡ 아니러니, 이졔 원쉬 대군을 거나려 이 곳

---

423)ᄉᆞ매 : 소매. 윗옷의 좌우에 있는 두 팔을 꿰는 부분. ≒옷소매

424)한핑(韓彭) : 한(漢) 나라의 명장인 회음후(淮陰侯) 한신(韓信)과 건성후(建成侯) 팽월(彭越)을 가리킨다.

425)결을 : 겨를. 어떤 일을 하다가 생각 따위를 다른 데로 돌릴 수 있는 시간적인 여유. =틈.

426)갑쥬ᄌᆡ신(甲冑在身) : 갑옷을 입고 투구를 쓰고 있는 차림임.

427)됴공(朝貢) : 종속국이 종주국에 때를 맞추어 예물을 바치던 일. 또는 그 예물.

"네 비록 간계를 베프러 이곳에 와, 마음ᄃᆡ로 그【156】요익을 몬져 직히여시나 내 겁ᄒᆞᆯ ᄇᆡ 업고, 또 내 토디 풍등(豐登) ᄒᆞᆫ 곳을 ᄀᆞᆯ희여 취ᄒᆞ미 닛시나, 굿ᄒᆞ여 반심은 아니러니, 이졔 원쉬 대군을 거ᄂᆞ려 이곳에

의 하ᄎᆡ(下寨)ᄒᆞ여 ᄒᆡ를 묵어 오ᄅᆡ 뉴쳐(留處)ᄒᆞ믈 보니, 과인의 슈하 무슈ᄒᆞᆫ 졔댱 가온ᄃᆡ 원슈만ᄒᆞᆫ ᄌᆡ 업ᄉᆞᆫ 거시 아니라, ᄋᆡ인하ᄉᆞ(愛人賀士)428) ᄒᆞ믄 과인의 본 ᄯᅳᆺ이라. 원슈 져믄 나히 혈긔디분(血氣之分)으로ᄡᅧ ○[ᄡᆞ]화 니긜가 녁이나, 과인이 반ᄉᆡᆼ 힝셰의 위엄과 덕망이 닌국을 드레고,【31】 슈하 댱ᄉᆡ 다 한신(韓信) 손무(孫武)의 용(勇)과 냥평(良平)의 디모(智謀)를 두어시니, 원슈 ᄡᆞ호미 셩명이 위틔ᄒᆞᆯ디라. 원슈 ᄯᅳᆺ을 도로혀 과인을 조출딘ᄃᆡ 과인이 탕무(湯武)429)의 덕을 니면430) 원슈 녀상(呂尙)431) 되믈 샤양ᄒᆞ랴. 모로미 니히(利害)를 ᄉᆡᆼ각ᄒᆞ여 만니 타국의 고혼(孤魂)이 되디 말나."

원슈 졔왕의 망측디언(罔測之言)을 드르니 블승분ᄒᆡ(不勝憤該) ᄒᆞ여 고셩대ᄆᆡ(高聲大罵) 왈,

"반국역신(叛國逆臣)이 텬디의 관영ᄒᆞᆫ 죄악을 몸 우ᄒᆡ 싯고, 오히려 개과(改過)ᄒᆞᆯ 줄 아디 못ᄒᆞ고, 대역부도디언(大逆不道之言)이 입 밧긔 나는 줄 ᄭᆡ돗디 못ᄒᆞ니, 네 능히 져리코 엇게 우ᄒᆡ 머리를 보젼ᄒᆞ랴. 네 반상(叛狀)이 ᄭᅩᆨ뒤432)를 ᄲᅦ쳐시니 블구의 패망ᄒᆞ리라."

졔왕이 노왈,

"뉘 능히 텬홍을 잡을고?"

복삼쳘이 응셩(應聲) 츌(出) 왈,

"쇼신【32】이 텬홍을 ᄉᆡᆼ금ᄒᆞ여 뎐하의 분을 플니이다."

ᄒᆞ고 ᄆᆞᆯ을 모라 ᄂᆡ다르니, 뎡원슈 ᄌᆞ약히 웃고 왈,

428)ᄋᆡ인하ᄉᆞ(愛人賀士) : 모든 사람을 사랑하고 선비에겐 예를 다함.

429)탕무(湯武) : 중국 은나라를 건국한 탕왕(湯王)과 주나라를 건국한 무왕(武王). 둘 다 현군(賢君)으로 이름이 높다.

430)니다 : 닐다. 이루다. 일어나다.

431)녀상(呂尙) : '태공망(太公望)'의 다른 이름. 여(呂)는 그에게 봉해진 영지(領地)이며, 상(尙)은 그의 이름이고 성은 강(姜)이다. 중국 주나라 초기의 정치가로 무왕을 도와 은나라를 멸하고 천하를 평정하였다. 저서에 ≪육도(六韜)≫가 있다.

432)ᄭᅩᆨ뒤 : 꼭뒤. 꼭대기. *꼭뒤; 뒤통수의 한가운데.

하ᄎᆡ(下寨)ᄒᆞ여 셰환(歲換) 이구(已久)히 뉴쳐(留處)ᄒᆞ믈 보니, 과인의 슈히[히] 무장즁 원슈만 못ᄒᆞ니 업ᄉᆞ되, ᄋᆡ인ᄒᆞᄉᆞ(愛人賀士)390)ᄒᆞ믄 과인의 본 ᄯᅳᆺ이라. 원슈 년소 혈긔로 ᄡᅢ화 니긜가 녁이거니와, 과인의 반ᄉᆡᆼ 힝셰의 위덕이 닌국(隣國)을 드레여 슈하 장ᄉᆔ 다 한신(韓信), 손무(孫武)의 용(勇)과 냥평(良平)의 지모(智謀)를 두어시니, 원슈 ᄡᆞ호미 셩명이 위틔ᄒᆞᆯ지라. 원슈 ᄯᅳᆺ을 두로혀 과인을 도울진ᄃᆡ 과인이 탕무(湯武)391)의 덕○[을] 《이르리니 ‖ 이루리니》, 원슈 《반상 ‖ 여상(呂尙)392)》 되믈 ᄉᆞ양ᄒᆞ랴. 모로미 니히를 혜아려 ᄀᆞᄇᆞ야이 만니 타국의 고혼(孤魂)○[이] 되지 말나."

원슈 졔왕의 망측지셜(罔測之說)을 드르니 불승분ᄒᆡ(不勝憤該)ᄒᆞ여 고셩대즐(高聲大叱) 왈,

"반국녁신(叛國逆臣)이 텬디의 관영ᄒᆞᆫ 죄악을 몸 우【157】ᄒᆡ 짓고, 오히려 개과쳔션ᄒᆞᆯ 줄은 모로고, 가지록 대역부도지셜(大逆不道之說)이 입 밧긔 나믈 ᄭᆡ돗지 못ᄒᆞ니, 네 능히 져리코 엇게 우ᄒᆡ 머리를 보젼ᄒᆞ랴. 네 반상이 ᄭᅩᆨ뒤393)를 ᄲᅦ쳐시니 불구의 ᄑᆡ망ᄒᆞ리라."

왕이 ᄃᆡ로ᄒᆞ여 회고좌우(回顧左右) 왈,

"뉘 능히 텬홍을 잡을고?"

복삼쳘이 응셩(應聲) 츌(出) 왈,

"소신이 텬홍을 ᄉᆡᆼ금ᄒᆞ여 뎐하의 분을 풀니이다."

ᄒᆞ고 말을 치쳐 ᄂᆡ다르니, 뎡원슈 소왈,

"너는 엇던 거시완ᄃᆡ 감히 날과 결우고져

390)ᄋᆡ인하ᄉᆞ(愛人賀士) : 모든 사람을 사랑하고 선비에겐 예를 다함.

391)탕무(湯武) : 중국 은나라를 건국한 탕왕(湯王)과 주나라를 건국한 무왕(武王). 둘 다 현군(賢君)으로 이름이 높다.

392)녀상(呂尙) : '태공망(太公望)'의 다른 이름. 여(呂)는 그에게 봉해진 영지(領地)이며, 상(尙)은 그의 이름이고 성은 강(姜)이다. 중국 주나라 초기의 정치가로 무왕을 도와 은나라를 멸하고 천하를 평정하였다. 저서에 ≪육도(六韜)≫가 있다.

393)ᄭᅩᆨ뒤 : 꼭뒤. 꼭대기. *꼭뒤; 뒤통수의 한가운데.

"너ᄂᆞᆫ 엇던 거시완ᄃᆡ 감히 날과 결우고져 ᄒᆞᄂᆞ뇨? 션봉댱을 ᄂᆡ여 너와 승부를 결ᄒᆞ리라. 언파의 딘(陣) 안흐로 들고, 션봉 환긔 일만 군을 거ᄂᆞ려 졍창츌마(挺槍出馬)ᄒᆞ니, 복삼쳘이 브ᄃᆡ 뎡원슈와 ᄡᅡ화 ᄌᆞ웅을 결코져 ᄒᆞ여 딘듕으로 들녀 ᄒᆞ니, 《셩긔∥셥기경》 ○[이] 웨여 왈,

"경환긔를 몬져 버히고 텬흥을 ᄉᆡᆼ금ᄒᆞ라."

ᄒᆞ니 복삼쳘이 마디 못ᄒᆞ여 경션봉과 크게 ᄡᅡ홀ᄉᆡ, 냥딘 군ᄉᆡ 어우러져 두 댱싂 칼흘 번득이ᄆᆡ 셔리 날니고 무디개 갓튼디라. 그러나 복삼쳘의 용녁인【33】즉 이상ᄒᆞ니, 경션봉이 임의 원슈의 디휘를 드럿ᄂᆞᆫ디라, 삼십여 합(合)의 양패이쥬(佯敗而走)433)ᄒᆞ니[여], 일만 군을 거ᄂᆞ리고 산곡을 바라고 다라나거ᄂᆞᆯ, 복삼쳘이 승승(乘勝)ᄒᆞ여 ᄆᆞᆯ을 노화 이십여 리를 ᄯᆞᆯ오ᄃᆡ, 경션봉이 간간이 ᄆᆞᆯ을 두로혀 슈합식 ᄡᅡ호다가 다라나니, 복삼쳘이 대로ᄒᆞ여 입 가온ᄃᆡ 딘언(眞言)을 념(念)ᄒᆞ며 ᄉᆞ매로조ᄎᆞ ᄒᆞᆫ 장 부작을 더디니, 경ᄀᆡᆨ의 운뮈(雲霧) ᄉᆞᄉᆡᆨ(四塞)ᄒᆞ며 광풍이 대작(大作)ᄒᆞ고 거믄 긔운이 ᄌᆞ옥ᄒᆞ여, 송군의 졍신을 어ᄌᆞ러이니, 경션봉이 뎡히 아모리 ᄒᆞᆯ 바를 아디 못ᄒᆞᆯ 즈음의, 산곡간으로조ᄎᆞ 함셩이 대딘ᄒᆞ며 좌션봉 윤긔텬과 호위댱 슌담이 각각 대【34】군을 거ᄂᆞ려 ᄆᆡ복ᄒᆞ엿다가, 삼쳘의 흑무(黑霧) ᄂᆡ믈 보고, 원쉬 '쳥명(淸明)' 부작을 ᄲᅧ 준 거시 잇ᄂᆞᆫ 고로 소화(燒火)ᄒᆞ고 즛쳐 ᄂᆡᄃᆞ르니, 냥딘 군ᄉᆡ 졍신이 황홀ᄒᆞ여 아모 곳 군졸인 줄 아디 못ᄒᆞᆯ ᄉᆞ이의, 윤긔텬이 바로 삼쳘을 쥐ᄒᆞ니, 슌담 경환긔 일시의 쳘통ᄀᆞᆺ치 ᄡᅡ고 제군을 싀살ᄒᆞ니, 쳘이 셰 급ᄒᆞ믈 보고 도망ᄒᆞᆯ 의ᄉᆡ 나, 다시 딘언ᄒᆞ고 작법(作法)ᄒᆞᄆᆡ, 믄득 번개 번득이며 뇌셩이 딘동ᄒᆞ여 경ᄀᆡᆨ의 송군을 다 즛칠 ᄃᆞᆺ ᄒᆞ거ᄂᆞᆯ, 윤션봉이 ᄯᅩ 원슈의 주던 부작을 더디ᄆᆡ, 뇌위(雷雨) 뎡ᄒᆞ여 어ᄌᆞ러온 비 긋치니, 삼쳘

433)양패이쥬(佯敗而走) : 거짓 못이기는 체하여 달아남.

ᄒᆞᄂᆞ뇨? 내 ᄯᅩ 션봉장을 ᄂᆡ여 너와 승부를 결케 ᄒᆞ리라. 언미필에 진즁에셔 션봉장 경한긔 일만 군을 거ᄂᆞ려 졍창츌마(挺槍出馬)ᄒᆞ니, 복삼쳘이 부ᄃᆡ 원슈와 ᄌᆞ웅을 결코져 ᄒᆞ여 진즁으로 들녀 ᄒᆞ니, 셥긔졍이 웨여 왈,

"경한긔를 몬져 버히고 텬흥을 ᄉᆡᆼ금ᄒᆞ라."

ᄒᆞ니, 복삼쳘이 마지 못ᄒᆞ【158】여 경션봉과 ᄡᅡ홀ᄉᆡ, 냥ᄆᆡ 어우러져 검광이 셔리 갓튼지라. 그러나 복삼쳘의 용한(勇悍)394)인 즉 이상ᄒᆞ니, 경션봉이 발셔 원슈의 지휘를 드럿ᄂᆞᆫ지라. 십여 합에 양ᄑᆡ이쥬(佯敗而走)395)ᄒᆞ니 복삼쳘이 승승(乘勝)ᄒᆞ여 말을 노화 ᄶᅩ로거ᄂᆞᆯ, 경션봉이 혹젼혹쥬(或戰或走)ᄒᆞ여 산곡을 바라며 급히 ᄃᆞ르니, 복삼쳘이 대로ᄒᆞ여 입으로 진언(眞言)을 념(念)ᄒᆞ며 ᄉᆞᄆᆡ로 조ᄎᆞ ᄒᆞᆫ 부작을 더지니, 경각에 운뮈ᄉᆞᄉᆡᆨ(雲霧四塞)ᄒᆞ며 광풍(狂風) 흑긔(黑氣) ᄌᆞ옥ᄒᆞ며[여] 송군의 졍신을 어즈러이니, 경션봉이 졍히 아모리 ᄒᆞᆯ 줄 모를 즈음에, 산곡간으로조ᄎᆞ 함셩이 대진ᄒᆞ며, 좌션봉 윤긔텬과 호위댱 슌담이 돌츌ᄒᆞ여 좌우 협공ᄒᆞᆯᄉᆡ, 윤션봉이 복삼쳘의 작법ᄒᆞ믈 보고 ᄯᅩ 원쉬 쥬던 부작을 더지ᄆᆡ, 운뮈 거두고 광풍이 긋치며 어즈러온 빗발이 다시 ᄶᅥ러지【159】ᄂᆞᆫ지라. 복삼쳘이 이에 밋쳐ᄂᆞᆫ ᄒᆞᆯ일업셔 앙텬(仰天) 탄왈,

394)용한(勇悍) : 날래고 사나움.
395)양패이쥬(佯敗而走) : 거짓 못이기는 체하여 달아남.

이 이의 밋쳐는 훌일업셔 앙텬(仰天) 탄왈,

"나의 지죄 소향무뎍(所向無敵)434)으로, 풍우(風雨) 【35】를 임의로 브르며 흑무(黑霧)를 니면 정신 출힐 지 업셔 헛되이 죽더니, 금일은 흑무(黑霧)와 뇌우(雷雨)를 쁠 곳이 업ᄉᆞ니 쇽졀 업시 죽으리로다."

언파의 ᄌᆞ문코져 ᄒᆞ거늘, 윤션봉이 압흐로 달녀들고 슌댱군이 뒤흐로 드러, 창검을 앗고 텰삭으로 긴긴히 결박ᄒᆞ여 경션봉이 눌너 ᄐᆞ고 올ᄉᆡ, 윤·슌 냥댱이 소ᄅᆡ를 놉혀 왈,

"복삼쳘의 거나렷던 군ᄉᆞ는 무죄ᄒᆞ니 슈히 항ᄒᆞ는 ᄌᆞ는 죽이디 말나."

쳘의 군졸이 갑쥬를 벗고 응셩 브복 왈,

"쥬댱이 임의 ᄉᆡᆼ금ᄒᆞ이여시니 쇼졸 등이 엇디 항복ᄒᆞ여 살기를 구치 아니리오."

슌·경·윤 삼댱이 명ᄒᆞ여 뒤히 조ᄎᆞ라 ᄒᆞ고, 마샹의셔 노ᄅᆡ 브르며 본딘으로 도라 【36】 오니,

434)소향무뎍(所向無敵) : 어디를 가든지 대적할 만한 사람이 없음.

"내 지죄 일즉 소향무뎍(所向無敵)396)으로 호풍환우(呼風喚雨)를 임의로 ᄒᆞ미, 능히 정신을 출히리 업더니, 금일은 뇌우(雷雨) 풍운(風雲)의 슐법이 용사홀 힘이 업ᄉᆞ니, 속졀 업시 죽을지라."

칼을 ᄲᆡ혀 ᄌᆞ문코져 ᄒᆞ거늘, 윤긔텬 슌담 니장(二將)이 뒤흐로 ᄃᆞ라드러 복삼쳘을 긴긴히 결박ᄒᆞ여 대진(大陣)으로 올ᄉᆡ, 복삼쳘의 거ᄂᆞ렷던 군ᄉᆞ를 달ᄂᆡ여 왈,

"항ᄒᆞ는 쟈는 죽기를 면ᄒᆞ리라."

ᄒᆞ니, 즁군이 항ᄒᆞ믈 원ᄒᆞ거늘, 슌·경·윤 삼장이 명ᄒᆞ여 뒤히 조ᄎᆞ라 ᄒᆞ고, 본진으로 도라오니라. 【160】

396)소향무뎍(所向無敵) : 어디를 가든지 대적할 만한 사람이 없음.

원쉬 복삼쳘을 ᄉᆡᆼ금ᄒᆞ여 오믈 보고, 당즁의셔 흔연이 삼당의 슈고ᄒᆞ믈 일ᄏᆞᄅᆞ며, 삼쳘을 계하의 ᄭᅮᆯ니고 항복ᄒᆞ라 ᄒᆞ니, 쳘이 울고 말을 아니니, 원쉬 우ᄂᆞᆫ 연고를 므ᄅᆞᆫᄃᆡ, 삼쳘이 ᄃᆡ왈,

"쇼댱이 졔왕을 좃춘 디 팔년의, 그 ᄃᆡ졉이 문왕(文王)[435]의 녀상(呂尙)[436]과 고종(高宗)[437]의 부열(傅說)[438] ᄀᆞᆺᄐᆞ니, 은혜를 ᄲᅧ골의 삭엿더니, 오날놀 텬됴 대병을 만나 능히 ᄌᆡ조와 용녁을 빗최디 못ᄒᆞ고, 헛되이 잡히믈 바드니 용녈ᄒᆞ믈 븟그리고, 청하산의 구십 노뫼 이셔 왕을 조출 적 잡고 말니ᄂᆞᆫ 거ᄉᆞᆯ, 국왕의 디우를 감격ᄒᆞ여 브득이 왕을 좃ᄎᆞᆺ더니, 이졔 항복디 말고져 ᄒᆞᆫ즉 왕을 위ᄒᆞᆫ 튱의나, 일명을【37】 보젼치 못ᄒᆞᆫ즉 노모를 져바리미 되고, 항코져 ᄒᆞᆫ즉 튱의 니져디니[439], 능히 튱효를 냥젼ᄒᆞᆯ 길히 업셔 셜워 ᄒᆞᄂᆞ이다."

원쉬 그 말을 듯고 즉시 ᄆᆡᆫ 거ᄉᆞᆯ 그르라 ᄒᆞ고, 탄 왈,

"네 말을 드르니 인심의 감동ᄒᆞ믈 면치 못ᄒᆞᆯ디라. 내 엇디 너를 잡아 두리오, 쾌히

435)문왕(文王) : 중국 주나라 무왕의 아버지. 이름은 창(昌). 기원전 12세기경에 활동한 사람으로 은나라 말기에 태공망 등 어진 선비들을 모아 국정을 바로잡고 융적(戎狄)을 토벌하여 아들 무왕이 주나라를 세울 수 있도록 기반을 닦아 주었다. 고대의 이상적인 성인군주(聖人君主)의 전형으로 꼽힌다.

436)녀상(呂尙) : 중국 주나라 초기의 정치가로 무왕을 도와 은나라를 멸하고 천하를 평정하였다. 저서에 ≪육도(六韜)≫가 있다.

437)고종(高宗) : 중국 은(殷)나라 제22대 임금. 이름은 무정(武丁). 꿈에 나타난 현신(賢臣)의 초상화를 그려 부열(傅說)이라는 훌륭한 신하를 등용하고 정사를 바로잡아 은나라를 부흥시켰다.

438)부열(傅說 : 중국(中國) 은(殷)나라 고종(高宗) 때의 재상(宰相), 토목(土木) 공사(工事)의 일꾼이었는 데, 당시(當時)의 재상(宰相)으로 등용(登用)되어 중흥(中興)의 대업을 이루었음

439)니져디다 : 이지러지다. 잊혀지다. *닞다; 잊다.

어시에 원슈 복삼쳘을 ᄉᆡᆼ금ᄒᆞ여 오ᄂᆞᆫ 줄 알고, 흔연이 삼장의 슈고로오믈 니르며 삼쳘을 계하의 ᄭᅮᆯ니고 항ᄒᆞ라 ᄒᆞ니, 쳘이 울고 말을 아니커ᄂᆞᆯ, 원쉬 그 우ᄂᆞᆫ 연고를 무르니 쳘이 ᄃᆡ 왈,

"소댱이 졔왕을 조춘 지 팔년의 그 ᄃᆡ졉이 문왕(文王)[397]의 여상(呂尙)[398]과 고종(高宗)[399]의 부열(傅說)[400] ᄀᆞᆺᄒᆞ니 은혜를 ᄲᅧ골의 삭엿더니, 오ᄂᆞᆯ 날 텬조 ᄃᆡ셩(大聖)을 만나, 능히 ᄌᆡ조와 용녁을 빗최지 못ᄒᆞ고, 헛되이 사로 잡히미 되니, 용녈ᄒᆞ믈 븟그려 ᄒᆞᆯ ᄲᅮᆫ 아니라, 청하산의 구십 노뫼 잇셔 왕을 조출 적 잡고 말니ᄂᆞᆫ 거ᄉᆞᆯ, 국쥬(國主)의 지우를 감격ᄒᆞ여 부득이 왕을 좃ᄎᆞᆺ더니, 이졔 항치 아니믄 왕을 위ᄒᆞᆫ 츙의나, 일명을 보젼치 못ᄒᆞᄂᆞᆫ 지경이면, 노모를 져ᄇᆞ리미오. 항코져 ᄒᆞᆫ【1】즉 츙의를 ᄯᅩᄒᆞᆫ 져ᄇᆞ리미니, 엇지 츙효를 �실(雙失)ᄒᆞ리잇고? 이러므로 항치 못ᄒᆞ노이다."

원쉬 이 말을 듯고 즉시 ᄆᆡᆫ 거ᄉᆞᆯ ᄭᅳ르고 탄 왈,

"네 말을 드르니 인심의 감동ᄒᆞᆯ지라. 내 엇지 너를 잡아 두리오 쾌히 노아 보ᄂᆡᄂᆞ니, 네 왕을 힘ᄡᅧ 도아 ᄃᆡ군을 잘 ᄃᆡ적ᄒᆞ고

397)문왕(文王) : 중국 주나라 무왕의 아버지. 이름은 창(昌). 기원전 12세기경에 활동한 사람으로 은나라 말기에 태공망 등 어진 선비들을 모아 국정을 바로잡고 융적(戎狄)을 토벌하여 아들 무왕이 주나라를 세울 수 있도록 기반을 닦아 주었다. 고대의 이상적인 성인군주(聖人君主)의 전형으로 꼽힌다.

398)녀상(呂尙) : 중국 주나라 초기의 정치가로 무왕을 도와 은나라를 멸하고 천하를 평정하였다. 저서에 ≪육도(六韜)≫가 있다.

399)고종(高宗) : 중국 은(殷)나라 제22대 임금. 이름은 무정(武丁). 꿈에 나타난 현신(賢臣)의 초상화를 그려 부열(傅說)이라는 훌륭한 신하를 등용하고 정사를 바로잡아 은나라를 부흥시켰다.

400)부열(傅說 : 중국(中國) 은(殷)나라 고종(高宗) 때의 재상(宰相), 토목(土木) 공사(工事)의 일꾼이었는 데, 당시(當時)의 재상(宰相)으로 등용(登用)되어 중흥(中興)의 대업을 이루었음

노화 보ᄂᆡᄂᆞ니, 네 왕을 도아 대군을 능히 ᄃᆡ뎍ᄒᆞ여 다시 잡히디 말나. 두 번 샤(赦)키 어려오리라. 네 졔왕을 도으미 튱의라 ᄒᆞ나, 대역블인(大逆不人)을 도으ᄆᆡ ᄆᆡ명(罵名)을 면치 못ᄒᆞ고, 맛ᄎᆞᆷᄂᆡ 텬됴를 반ᄒᆞᆫ 뎍ᄌᆡ(賊者) 되리니, 네 ᄯᅩ 두 눈이 이셔 사ᄅᆞᆷ을 아라 볼딘ᄃᆡ, 졔왕이 딘실노 션죵디인(善終之人)으로 네 튱을 셰올너냐?”

언파의 복삼쳘의 ᄆᆞᆯ과 의갑(衣甲)을 주어 도라 가믈 ᄌᆡ촉ᄒᆞ니,【38】삼쳘이 원슈의 션풍옥골과 빈빈(彬彬)ᄒᆞᆫ 셩덕을 보ᄆᆡ, 크게 경복ᄒᆞ고 감은ᄒᆞ여, 쳐음 가ᄇᆡ야이 져를 잡으랴 ᄒᆞ던 바를 뉘웃ᄂᆞᆫ디라. 머리를 두다려 샤례ᄒᆞ고, 눈믈을 드리워 ᄀᆞᆯ오ᄃᆡ,

“쇼댱이 이제ᄂᆞᆫ 튱효를 냥젼치 못ᄒᆞ게 되여시니, 출하리 노모를 ᄎᆞᄌᆞ 산듕의 숨고 나디 아니려 ᄒᆞᄂᆞ이다.”

원쉬 쇼왈,

“이ᄂᆞᆫ 네 임의로 ᄒᆞᆯ ᄇᆡ니 날다려 니를 ᄇᆡ 아니로다. 다만 네 긔상이 무명쇼댱(無名小將)으로 맛디 아니리니, 타일 복녹을 누릴가 ᄒᆞ노라.”

인ᄒᆞ여 쳥하산으로 보ᄂᆡ니, 삼쳘이 쳔만 ○○○○[ᄉᆞ례ᄒᆞ고] 원슈의 말노 조ᄎᆞ 졔왕이 패망ᄒᆞᆯ 줄 알고, ᄯᅳᆺ을 곳쳐 산듕으로 도라 가 노모를 봉양ᄒᆞ고, 다시 졔왕의 졍ᄉᆞ를 아른 체【39】 아니니, 졔왕이 쳣 ᄡᅡ홈의 복삼쳘을 ᄉᆡᆼ금ᄒᆞ이고, 삼쳘의 거나렷던 군ᄉᆞ를 다 일흔 ᄇᆡ 되니, 쳐음의 경환긔 패ᄒᆞ여 다라나ᄂᆞᆫ 쳬ᄒᆞ믈 보고. 왕은 그 계교믈 아디 못ᄒᆞᄂᆞᆫ디라, 복삼쳘이 경환긔를 버혀 도라오리라 ᄒᆞ여, 댱졸을 더 보ᄂᆡ디 아녓다가, 복삼쳘이 숑영(宋營)의 잡혀 간 후야 비로소 알고, 통완ᄒᆞ여 년ᄒᆞ여 쳬탐군을 노화 삼쳘의 ᄉᆞ싱을 듯본즉, 혹 죽다 ᄒᆞ며 혹 노화 보ᄂᆡ다 ᄒᆞ여 딘뎍(眞的)ᄒᆞ미 업ᄉᆞ니, 왕이 분노를 니긔디 못ᄒᆞ여 명일 다시 졉젼(接戰)ᄒᆞᆯᄉᆡ, 왕이 니르ᄃᆡ,

“원쉬 복삼쳘을 잡고 만여 군을 아ᄉᆞᆺ거니와, 승패ᄂᆞᆫ 병가의 상ᄉᆡ라. 금일은 과인과 딘법(陣法)을 결우고, 버거【40】두 곳 댱

다시 잡히지 말나. 두 번 ᄉᆞᆯ기 어려오리니, 네 왕을 도으미 츙이라 ᄒᆞ려니와, 대역불인(大逆不人)을 도으ᄆᆡ ○[ᄆᆡ]명(罵名)을 면치 못ᄒᆞ고, 텬조를 반ᄒᆞᆫ 젹ᄌᆡ(賊者) 되리니, 네 ᄯᅩ 두 눈이 잇셔 샤ᄅᆞᆷ을 아라 ○○○[볼딘ᄃᆡ], 졔왕이 실노 션종지상(善終之相)이냐?”

언필에 복삼쳘의 마필(馬匹) 의갑(衣甲)을 주어 도라가믈 ᄌᆡ촉ᄒᆞ니, 삼쳘이 원슈의 션풍옥골과 빈빈ᄒᆞᆫ 덕화를 보ᄆᆡ 크게 경복ᄒᆞ고 감은ᄒᆞ여, 쳐음 ᄀᆞᄇᆡ야이 져를 ᄌᆞᆸ으려 ᄒᆞ던 ᄇᆡ 더욱 뉘웃븐지라. 이에【2】고두사례 왈,

“소댱이 이제ᄂᆞᆫ 츙효를 냥젼(兩全)치 못ᄒᆞ게 되엿시니, 출하리 노모를 ᄎᆞᄌᆞ 산즁에 숨고 다시 나지 아니려 ᄒᆞᄂᆞ이다.”

원쉬 소왈,

“이ᄂᆞᆫ 네 임의로 ᄒᆞᆯ ᄇᆡ라. 날ᄃᆞ려 니를 일이 아니거니와, 다만 네 긔상이 무명소장(無名小將)으로 맛지 아닐 ᄃᆞᆺᄒᆞ니, 타일 복녹을 누릴가 ᄒᆞ노라.”

인ᄒᆞ여 쳥하산으로 보ᄂᆡ니, 삼쳘이 쳔만 ᄉᆞ례ᄒᆞ고 원슈의 말노 조ᄎᆞ 졔왕이 ᄑᆡ망ᄒᆞᆯ 줄 알고, ᄯᅳᆺ을 곳쳐 산즁으로 도라 가 노모를 봉양ᄒᆞ고, 다시 졔왕○[의] 국ᄉᆞ를 아른 쳬 아니니, 졔왕이 쳣 ᄡᅡ홈에 복삼쳘을 ᄉᆡᆼ금ᄒᆞ이고, 슈하 ᄉᆞ졸을 다 닐흔 ᄇᆡ 되니, 쳐음에 경한긔 ᄑᆡᄒᆞ여 ᄃᆞ라나ᄂᆞᆫ 쳬ᄒᆞ믈 보고 왕은 그 계ᄀᆈᆫ 줄 아지 못ᄒᆞ고, 삼쳘이 한긔를 버혀 도라오리라 ᄒᆞ여 장졸을 더 보ᄂᆡ지 아녓다가, 삼쳘이 송영(宋營)에 잡【3】혀 간 후야 비로소 알고 통완ᄒᆞᆫ들 어이 밋ᄎᆞ리오. 년ᄒᆞ여 쳘의 ᄉᆞ싱을 탐쳥ᄒᆞᆫ즉 혹 죽다 ᄒᆞ며 혹 노화 보ᄂᆡ다 ᄒᆞ여 진젹(眞的)ᄒᆞ미 업ᄉᆞ니, 왕이 불승분노(不勝忿怒)ᄒᆞ여 명일 다시 졉젼(接戰)ᄒᆞᆯᄉᆡ, 낭진이 상ᄃᆡᄒᆞᄆᆡ 왕이 츌마 왈,

“원쉬 복삼쳘을 잡고 만여 군을 아ᄉᆞᆺ거니와, 승ᄑᆡᄂᆞᆫ 병가의 상ᄉᆡ라. 금일은 과인과 진법(陣法)을 결워, 각각 장슈의 샤ᄌᆡ(射才)

슈를 닉여 사진(射才) 검술(劍術)과 용녁(勇力)으로 즈웅을 결코즈 ᄒᆞ딕, 다만 ᄉᆞ랑ᄒᆞᆫ 당슈를 상히오미 맛당치 아니니, 의갑을 벗기며 투고를 나리치며 ᄆᆞᆯ을 죽이거나 ᄒᆞᄂᆞ 니로 승패를 뎡ᄒᆞ미 엇더 ᄒᆞᄂᆞ뇨?"

원쉬 쇼왈,

"텬됴 대군이 쇼국 뎍신으로 더브러 직조를 결우미 블가ᄒᆞ딕, 왕이 브딕 힝코져 ᄒᆞᆯ딘딕 므어시 어려오리오."

몬져 졔왕의 딘(陣) 치믈 직촉ᄒᆞ니, 대개 왕이 딘법이 신통ᄒᆞ여 딘을 일우믹 됴홰 만흔디라. 졔 직조를 밋고 거즛 샤양 왈,

"대국 원쉬 몬져 치쇼셔."

원쉬 즉시 ᄒᆞᆫ 딘을 치니, 텬디건곤(天地乾坤)의 됴화와 한 업ᄉᆞᆫ 신긔로, 딘샹의 셔광(瑞光)이 찬난ᄒᆞ고 칙운이 어릭 곳의, 청【41】농(靑龍)[440]이 니러나 오치 현난ᄒᆞ더라.

원쉬 딘을 일우고 조화를 므른즉, 졔왕 군신의 일인도 아는 직 업셔, 오릭 믁연ᄒᆞ엿다가 날호여 계오 딘 일홈을 알 ᄲᅳᆫ이니, 발셔 딘법의 원슈를 당치 못ᄒᆞ엿거ᄂᆞᆯ, 냥편 당슈를 열식 뎡ᄒᆞ여 ᄉᆞ직(射才)를 결우믹, 숑댱(宋將)은 빅발빅듕(百發百中)ᄒᆞ딕 졔댱은 쳐음 뎡ᄒᆞᆷ과 ᄀᆞᆺ치 ᄒᆞ여, 열 댱슈 가온딕 계오 삼ᄉᆞ인이 숑댱을 앙망ᄒᆞ고, 기여ᄂᆞᆫ 다 맛치디 못ᄒᆞ고, 검술(劍術)을 결우믹 숑댱은 졔댱의 ᄐᆞᆫ ᄆᆞᆯ 다리도 디르며 투고도 벗기치고 의갑도 ᄡᅳᄌᆞ딕, 졔댱은 능히 손을 놀니디 못ᄒᆞ여 일졔히 패ᄒᆞᆫ 빅 되고, 용녁의 또 이러ᄐᆞᆺ ᄒᆞ여 몰슈(沒數)히 패ᄒᆞ여, 숑딘 듕즐기ᄂᆞᆫ 소릭ᄂᆞᆫ 예긔(銳氣) 하날의도【42】오를 ᄃᆞᆺᄒᆞ고, 졔딘의셔 낙담상혼(落膽喪魂)ᄒᆞ믄 울 ᄃᆞᆺᄒᆞᆫ디라. 원쉬 단ᄉᆞ(丹砂)[441]의

440)청농(靑龍) : 이십팔수 가운데 동쪽에 있는 일곱 별. 각(角), 항(亢), 저(氐), 방(房), 심(心), 미(尾), 기(箕)를 통틀어 이른다.

441)단ᄉᆞ(丹砂) : 진사(辰砂). 수은으로 이루어진 황화 광물. 육방 정계에 속하며 진한 붉은색을 띠고 다이아몬드 광택이 난다. 붉은색 안료(顔料)나 약

검술과 용녁을 결워 ᄌᆞ웅을 분간ᄒᆞ딕, ᄃᆞ만 ᄉᆞ랑ᄒᆞᄂᆞᆫ 장슈를 상히ᄒᆞ미 맛당치 아니니, 의갑을 벗기고, 투고를 ᄂᆞ리치며, 병긔를 앗거나, 말을 죽이거나, ᄒᆞᄂᆞ 니로 승픽를 졍ᄒᆞ미 엇더ᄒᆞ뇨?"

원숴 소왈,

"텬조 대군이 소국 젹신으로 더브러 직조를 결우미 불가ᄒᆞ딕, 왕이 브딕 힝코져 ᄒᆞ니, 무어시 어려오리오. 아무커나 몬져 시험ᄒᆞ【4】여 나를 뵈이라."

딕개 왕의 진법이 신통ᄒᆞ여 진을 닐우믹 됴홰 만흔 고로, 스ᄉᆞ로 직조를 밋고 거즛 샤양 왈,

"대국 원쉬 몬져 진을 베플면 내 시험ᄒᆞ야 보리라."

원숴 즉시 진을 닐우고[니], 텬디 됴화의 한 업ᄉᆞᆫ 직죄라. 진상에 셔광이 찬난ᄒᆞ고 칙운이 어릭여 청농(靑龍)[401]이 셔린 ᄃᆞᆺᄒᆞ더라.

원숴 진을 닐우고 나와 문 왈,

"능히 이 진 일홈을 알소냐?"

졔왕 군신의 일인도 알니 업셔 낭구 묵연이러니, 겨유 진 일홈을 알 ᄲᅳᆫ이오 파ᄒᆞᆯ 줄은 모르니, 발셔 원슈의 진법을 당치 못ᄒᆞ엿거ᄂᆞᆯ, 또 냥편 당슈를 열식 졍ᄒᆞ여 샤직(射才)를 결울ᄉᆡ, 송장(宋將)은 빅발빅즁(百發百中)ᄒᆞ딕 제장(齊將)은 쳐음 ○○○[뎡ᄒᆞᆷ과] ᄀᆞᆺ치 ᄒᆞ여, 열 장슈 즁에 삼ᄉᆞ 인이 송장을 겨유 앙망ᄒᆞ고, 기여ᄂᆞᆫ 다 맛치치 못ᄒᆞ고, 검슐(劍術)을 결우믹 송장은 졔장의 탄 말 ᄃᆞ리도 지르며, 투고도 벗기 지【5】르고 의갑도 ᄡᅳᄌᆞ딕, 졔장은 능히 손을 놀니지 못ᄒᆞ여 일졔히 픽ᄒᆞᆫ 빅 되고, 용녁의 또 니러ᄐᆞᆺ 무슈히 픽ᄒᆞ니, 송진의 즐기ᄂᆞᆫ 예긔ᄂᆞᆫ 하ᄂᆞᆯ에도 오를 ᄃᆞᆺᄒᆞ고, 졔진의 낙담ᄒᆞ믄 거의 울 ᄃᆞᆺ ᄒᆞᆫ지라. 원숴 단ᄉᆞ(丹砂)[402]의 빅옥(白玉)[403]이 현츌ᄒᆞ여 왈,

401)청농(靑龍) : 이십팔수 가운데 동쪽에 있는 일곱 별. 각(角), 항(亢), 저(氐), 방(房), 심(心), 미(尾), 기(箕)를 통틀어 이른다.

ᄇᆡᆨ옥(白玉)[442]이 현츌ᄒᆞ여 왈,

"왕이 딘법으로브터 ᄉᆞ직 검슐과 용녁을 결워 보ᄌᆞ ᄒᆞ더니, 왕의 댱쉬 년ᄒᆞ여 우리 댱슈를 ᄯᅩᆯ오디 못ᄒᆞ여 다 패ᄒᆞ미 되니, 왕이 이제도 항복ᄒᆞᆯ ○[의]ᄉᆡ 업ᄂᆞ냐?"

제왕이 답 왈,

"오날 우연이 ᄌᆡ조를 시험ᄒᆞ여 원슈의 제댱을 밋디 못ᄒᆞᄂᆞ 니 이시나, 엇디 듕대ᄒᆞᆫ 일을 가ᄇᆡ야이 항복ᄒᆞᆯ 니 이시리오. 합이 ᄠᅳᆺ을 결ᄒᆞ여 텬하를 엇디 못ᄒᆞᄂᆞᆫ 날이면 스ᄉᆞ로 죽어 븟그러오믈 니ᄌᆞ리라."

ᄒᆞ고 후일 다시 ᄡᆞ호기를 언약ᄒᆞ고 징(錚) 쳐 군을 거두니, 원쉬 ᄯᅩ 딘을 프러 녹운셩으로 오니라.

제왕이 이날 【43】 궁실의 도라와 니르ᄃᆡ,

"뎡텬흥으로 더브러 ᄡᅡ화 니긜 도리 업ᄉᆞ니 내 브ᄃᆡ 져를 닐위여 제국 보좌를 삼고져 ᄒᆞ엿더니, 그 ᄠᅳᆺ이 텬ᄌᆞ를 위ᄒᆞ여 돌 ᄀᆞᆺ튼 튱셩이 당당ᄒᆞ여, ᄉᆞᄉᆡᆼ의 ᄆᆞ음이 변치 아닐 거동이오, 화복(禍福)의 낫빗출 곳칠 위인이 아니라. 이제ᄂᆞᆫ 마디 못ᄒᆞ여 가마니 죽일 ᄭᅬ를 ᄉᆡᆼ각ᄒᆞ여, 뎡텬흥 일인 곳 업ᄉᆞ면 기여(其餘)ᄂᆞᆫ 념녀로온 일이 업다 ᄒᆞ여, 방연(龐涓)[443]이 손빈(孫臏)[444] 히ᄒᆞ던 져쥬(詛呪)를 힝ᄒᆞ고, ᄯᅩ 초인(草人)을 ᄆᆡᆫᄃᆞ라 뎨ᄌᆞ(帝者)의 복ᄉᆡᆨ을 ᄒᆞ여 놉히 안치고 숑황뎨(宋皇帝) 세 ᄌᆞ(字)를 ᄡᅳᆫ 후, 날마다 활노 ᄡᅩ아 면모를 상히오며 칼노 디르려 ᄒᆞ며, 우어(于於) 왈,

"어나 시졀의 숑황을 이ᄀᆞᆺ치 ᄒᆞ리오."

ᄒᆞ며, 셩문을 구디 【44】 닷고 뎡원슈의 죽으믈 기다리고 ᄡᆞ홀 의ᄉᆡ 업ᄉᆞ니, 원쉬

재로 쓴다. 여기서는 붉은 입술을 나타낸 말.

442)ᄇᆡᆨ옥(白玉) ; 흰빛을 띤 옥. 여기서는 하얀 '이'를 나타낸 말.

443)방연(龐涓) : 중국 전국시대 위(魏)나라 장수(將帥). 병법가(兵法家). 제(齊)나라 손빈(孫臏)과 함께 귀곡자(鬼谷子)에게 병법을 공부하였으나 서로 대립하였다.

444)손빈(孫臏) : 중국 전국시대 제(齊)나라 병법가(兵法家). 손무(孫武)의 손자로 알려져 있다. 위(魏)나라 방연(龐涓)과 함께 귀곡자(鬼谷子)에게 병법을 공부하였으나 서로 대립하였다.

"왕이 진법으로브터 샤직 검슐과 용녁을 결워 보ᄌᆞ ᄒᆞ더니, 왕의 장쉬 년ᄒᆞ여 우리 장슈를 ᄯᆞ로지 못ᄒᆞ여 다 ᄑᆡᄒᆞ미 되니, 이제도 항복ᄒᆞᆯ 의ᄉᆡ 업ᄂᆞ냐?"

제왕이 답 왈,

"오날 우연이 ᄌᆡ조를 시험ᄒᆞ여 원슈의 제댱을 밋지 못ᄒᆞ엿시나, 엇지 즁대ᄒᆞᆫ 일을 ᄀᆞᄇᆡ야이 ᄒᆞ리오. ᄠᅳᆺ을 결ᄒᆞ여 텬하를 엇지 못ᄒᆞᄂᆞᆫ 날이면, 스ᄉᆞ로 죽어 븟그러오믈 니ᄌᆞ리라."

이리 니르며 후일 다시 ᄡᆞ홀 긔약을 졍ᄒᆞ고 징쳐 군을 거두니, 원쉬 ᄯᅩ ᄒᆞᆫ 진을 프러 녹운셩을 향ᄒᆞ니라.

제왕이 이날 궁실에 【6】 도라와 니르ᄃᆡ,

"뎡텬흥으로 ᄡᅡ화 니긜 도리 업ᄉᆞ니, 내 브ᄃᆡ 져를 닐위여 국가 보좌를 삼고져 ᄒᆞ엿더니, 그 ᄠᅳᆺ이 텬ᄌᆞ를 위ᄒᆞ여 돌 ᄀᆞᆺᄒᆞᆫ 츙셩이 당당ᄒᆞ여, ᄉᆞᄉᆡᆼ의 마음을 변치 아니ᄒᆞ고, 화복의 안ᄉᆡᆨ을 곳치지 아닐 위인이라. 이제ᄂᆞᆫ 마지 못ᄒᆞ여 ᄀᆞ마니 죽일 ᄭᅬ를 ᄉᆡᆼ각ᄒᆞ여, 뎡텬흥 곳 업시ᄒᆞ면 기여ᄂᆞᆫ 념녀 업다 ᄒᆞ고, 방연(龐涓)[404]이 손빈(孫臏)[405] 히ᄒᆞ던 져쥬를 힝ᄒᆞ며, ᄯᅩ 초인을 ᄆᆡᆫᄃᆞ라 제장의 복ᄉᆡᆨ을 ᄒᆞ여 놉히 안치고, 송진장 세 ᄌᆞ를 쓴 후, 날마다 활노 ᄡᅩ아 명모(明眸)를 상히오며, 칼노 지르고, 우어 왈,

"어ᄂᆡ 시졀의 진종을 이ᄀᆞᆺ치 ᄒᆞ리오."

402)단ᄉᆞ(丹砂) : 진사(辰砂). 수은으로 이루어진 황화 광물. 육방 정계에 속하며 진한 붉은색을 띠고 다이아몬드 광택이 난다. 붉은색 안료(顔料)나 약재로 쓴다. 여기서는 붉은 입술을 나타낸 말.

403)ᄇᆡᆨ옥(白玉) ; 흰빛을 띤 옥. 여기서는 하얀 '이'를 나타낸 말.

404)방연(龐涓) : 중국 전국시대 위(魏)나라 장수(將帥). 병법가(兵法家). 제(齊)나라 손빈(孫臏)과 함께 귀곡자(鬼谷子)에게 병법을 공부하였으나 서로 대립하였다.

405)손빈(孫臏) : 중국 전국시대 제(齊)나라 병법가(兵法家). 손무(孫武)의 손자로 알려져 있다. 위(魏)나라 방연(龐涓)과 함께 귀곡자(鬼谷子)에게 병법을 공부하였으나 서로 대립하였다.

일야ᄂᆞᆫ 녹운셩의셔 셔안의 디혀 우연이 잠을 드러, ᄭᅮᆷ 가온ᄃᆡ 졔왕의 흉모를 보고, 놀나 ᄭᆡ여 듕심의 혜오ᄃᆡ,

“이 도덕이 셩문을 구디 닷고 ᄡᅡ호디 아니믄 뎡히 나의 죽기를 기다리미라. ᄎᆞ덕이 만일 날만 ᄒᆡ코져 ᄒᆞᆯ딘ᄃᆡ 디셩(至誠)으로 감화ᄒᆞ여 쳔승디위를 안과케 ᄒᆞᆯ 거시로ᄃᆡ, 맛ᄎᆞᆷᄂᆡ 반역이 ᄉᆞᆨ뒤를 쎄쳣고 상뫼 흉ᄒᆞ여 의ᄉᆡ 궁흉ᄒᆞ니, 금번의 멸치 아니면 일후디ᄉᆡ(日後之事)[445] ᄎᆞᆨ냥 업ᄉᆞ리라.”

ᄒᆞ며 져쥬ᄉᆡ(詛呪事) 우흘 범ᄒᆞ여 혹ᄌᆞ 만분의 일이나 유히ᄒᆞᆯ가 념녀ᄒᆞ여, 친히 목인(木人)을 ᄆᆡᆫᄃᆞ라 ᄌᆞ긔 셩명을 ᄡᅧ 깁히 뭇고, 그 우히【45】 부작을 븟친 후 타연이 요괴로온 일을 두리디 아니ᄒᆞᄃᆡ, 흉덕의 거동이 셰월을 쳔연ᄒᆞ여 슈히 ᄡᅡ홀 ᄯᅳᆺ이 업ᄉᆞ믈 통완ᄒᆞ여, 짐줏 뎍심(賊心)을 흔흡(欣洽)게 ᄒᆞ여 결단을 ᄂᆡ려 ᄒᆞᄂᆞᆫ 고로, 부원슈 이하를 당부ᄒᆞ여 말을 ᄂᆡᄃᆡ,

“원쉬 불의예 괴이ᄒᆞᆫ 병을 어더 슈족(手足)을 놀니디 못ᄒᆞ고, ᄒᆞᆫ 술 음식을 나오디 못ᄒᆞ여 져므도록 헛말을 ᄲᅮ어리고, 인ᄉᆞ를 아디 못ᄒᆞ여 죽게 되엿다.”

ᄒᆞ니, 졔왕이 흉ᄉᆞ를 ᄒᆡᆼᄒᆞ고 날마다 송영 소식을 탐쳥ᄒᆞ다가, 뎡원슈의 죽게 되여시믈 년(連)ᄒᆞ여 듯고, ᄒᆡᆼ열(幸悅)ᄒᆞ믈 니긔디 못ᄒᆞ더라.

뎡원쉬 흉덕을 밧비 탕멸코져 ᄒᆞ여 ᄯᅩ 거즛 말을 퍼디오ᄃᆡ, 원쉬 죽다 ᄒᆞ고 군듕【46】의 발상(發喪)ᄒᆞ게 ᄒᆞ니, 대군의 곡셩이 텬디를 흔들고 후댱(後將) 구응ᄉᆡ(救應使) 안히셔 초상을 가음알고, 호위댱 슌담이 밧글 각별이 딕희노라 ᄒᆞᆫ 거시 법녕(法令)이 ᄒᆡ타(懈惰)커ᄂᆞᆯ, 부원슈 조현창이 승상 조딘의 댱ᄌᆞ로 ᄒᆡ벌(海伐)의ᄂᆞᆫ 크게 공을 일웟더니, 졈졈 의ᄉᆡ 교만ᄒᆞ여 ᄉᆞ졸(士卒)을 ᄉᆞ랑치 아냐 무죄히 형벌ᄒᆞ고, 대원슈의 죽으믈 슬허 아닛ᄂᆞᆫ다 ᄒᆞ여 터 업ᄉᆞᆫ 허언을 쥬츌(做出)ᄒᆞ여, 쳬탐(諦探)의 듯기

445)일후디ᄉᆡ(日後之事) : 훗날의 일.

ᄒᆞ며 셩문을 구지닷고, 뎡원슈의 죽기를 기ᄃᆞ려 ᄡᅡ홀 의ᄉᆡ 업ᄉᆞ니, 원쉬 일야ᄂᆞᆫ 녹운셩에셔 우연이 ᄌᆞᆷ을 드니, 몽즁에 졔왕의 흉모를 보고, 놀나 ᄭᆡ여 즁심의 혜오ᄃᆡ,

“이 도뎍【7】이 셩문을 구지 닷고 ᄡᅡ호지 아니믄, 졍히 나의 죽기를 기ᄃᆞ리미라. ᄎᆞ적이 만일 날만 ᄒᆡ코져 ᄒᆞᆯ진ᄃᆡ 지셩으로 감화ᄒᆞ여 쳔승지위를 안과○[케] ᄒᆞᆯ 거시로ᄃᆡ, 마ᄎᆞᆷᄂᆡ 반역이 ᄉᆞᆨ뒤를 쎄쳣고 상뫼 흉ᄒᆞ며 의ᄉᆡ 궁흉ᄒᆞ니, 금번에 멸치 아니면 후일지ᄒᆡ(後日之害)[406] ᄎᆞᆨ냥 업ᄉᆞ리라.”

ᄒᆞ나, ○…**결락8자**…○[져쥬ᄉᆡ(詛呪事) 우흘 범ᄒᆞ여] 혹ᄌᆞ 만분의 일이나 유ᄒᆡᄒᆞᆯ가 념녀ᄒᆞ여, 친히 목인(木人)을 ᄆᆡᆫᄃᆞ라 ᄌᆞ긔 셩명을 ᄡᅧ 깁히 뭇고, 그 우히 부작을 븟친 후, 타연이 요괴로온 일을 두리지 아니ᄒᆞᄃᆡ, 흉적의 거동이 《시월‖셰월》을 쳔연ᄒᆞ여, 수히 ᄡᅡ홀 ᄯᅳᆺ이 업ᄉᆞ믈 통ᄒᆡᄒᆞ여 짐줏 적심(賊心)을 요동(搖動)ᄒᆞ여 결젼ᄒᆞ려 ᄒᆞᄂᆞᆫ 고로, 부원슈 이하로 당부ᄒᆞ여 말을 ᄂᆡᄃᆡ,

“원쉬 불의에 고이ᄒᆞᆫ 병을 어더 슈족을 놀니지 못ᄒᆞ여, ᄒᆞᆫ 술 음식을 나오지 못ᄒᆞ고 져무도록 헛말을【8】ᄲᅮ어리며, 인ᄉᆞ를 아지 못ᄒᆞ고 죽게 되엿다.”

ᄒᆞ니, 졔왕이 흉ᄉᆞ를 ᄒᆡᆼᄒᆞ고 날마다 송영 소식을 《탐‖탐쳥》ᄒᆞ다가, 뎡원슈의 죽게 되여시믈 년(連)ᄒᆞ여 듯고, 불승ᄒᆡᆼ열(不勝幸悅)ᄒᆞ더라.

뎡원쉬 흉적을 밧비 탕멸코져 ᄒᆞ여, ᄯᅩ 거즛 말을 ᄂᆡᄃᆡ, 원쉬 죽다 ᄒᆞ고, 군즁에 발상(發喪)ᄒᆞ게 ᄒᆞ니, 대군의 곡셩이 텬디를 흔들고, 졔군 장졸이 안히셔 초상을 가음알고, 호위장 슌담이 밧글 각별이 직희노라 ᄒᆞᆫ 거시 법녕(法令)이 ᄒᆡ타(懈惰)ᄒᆞ거ᄂᆞᆯ, 부원슈 조현창이 승상 조건의 장ᄌᆞ로 일즉 대공을 일웟더니, 졈졈 의ᄉᆡ 교만ᄒᆞ여 ᄉᆞ졸(士卒)을 ᄉᆞ랑치 아녀 무죄히 형벌ᄒᆞ고, 대원쉬의 죽으믈 슬허 아닛ᄂᆞᆫ다 ᄒᆞ여, 터업ᄉᆞᆫ 허언을 쥬츌(做出)ᄒᆞ여, 쳬탐(諦探)의 듯기를 요구ᄒᆞ니, 탐후ᄉᆡ(探候士)[407] 조금도 의

406)후일지ᄒᆡ(後日之害) : 훗날의 해로움.

를 요구ᄒᆞ니, 탐후ᄉᆡ(探候士)446) 조금도 의심치 아니코 이ᄃᆡ로 젼ᄒᆞ니, 왕이 대열 왈,

"하날이 날을 위ᄒᆞ여 텬흥을 죽여 텬됴 오만 대병과 십원 명당을 다 날을 주시ᄂᆞᆫ도다."

ᄒᆞ고, 뎡원슈의 셩복(成服)447) 디나기를 계【47】오 기다려, 병을 니르혀 대군을 친히 거ᄂᆞ리고 셥긔령[경]으로 압흘 쎄쳐 가라 ᄒᆞ고, 왕후 핑시 녀듕용ᄉᆡ(女中勇士)오, 병법의 슉달ᄒᆞ더니, ᄒᆞᆫ가디로 가기를 쳥ᄒᆞ여 구응ᄉᆡ(救應使) 되어, 군을 난화 숑영을 쎄쳐 드러가 십원 명댱과 오만 대병을 졔긔믈(器物)을 삼으려 ᄒᆞ니, 엇디 우읍디 아니리오.

이ᄯᆡ 뎡원쉬 큰 궤 ᄒᆞ나흘 드려노코 븕은 명졍(銘旌)을 셰워 녕연(靈筵)을 ᄇᆡ셜ᄒᆞ고, 부원슈 됴현창을 명ᄒᆞ여 이만 군을 거ᄂᆞ려 졔왕 궁실이 빈 ᄯᆡ를 타 블질너 업시 ᄒᆞ고, ᄉᆞ문(四門)의 방 븟쳐 ᄇᆡᆨ셩을 안무ᄒᆞ라 ᄒᆞ고, 우션봉 경환긔로 소봉산 밋ᄐᆡ ᄆᆡ복ᄒᆞ엿다가 졔왕을 잡으라 ᄒᆞ고, ᄌᆞ긔는 구응ᄉᆞ 셕쥰을 다리고 군듕을 ᄯᅥ나 뒤 뫼히【48】숨고, 좌션봉 윤긔텬과 호위댱 슌담 등 졔댱은 장듕의 잇다가 졔왕을 만나거든 굿ᄐᆞ여 ᄡᆞ호려 말고, 스ᄉᆞ로 항복고져 ᄒᆞᄂᆞᆫ ᄉᆞᄉᆡᆨ을 뵈여 졔왕디심(齊王之心)을 깃기라 ᄒᆞ니라. 과연 ᄎᆞ야의 졔왕이 칠만 군을 거ᄂᆞ려 숑딘을 겁영(刼營)ᄒᆞᆯᄉᆡ, 군졸의 무리 져마다 뎡원슈의 별셰ᄒᆞ믈 슬허, 금일 셩복을 디ᄂᆡ고 밤이 깁도록 ᄋᆡ셩(哀聲)이 텬디를 움죽이니, 영ᄎᆡ(營寨)○[를] ᄃᆡᆨ희미 극히 허슈ᄒᆞᆫ디라448). 졔왕이 쇼왈,

"사ᄅᆞᆷ이 ᄒᆞᆫ번 죽으ᄆᆡ 만ᄉᆡ 거ᄌᆞᆺ 거시믈 이런 일의 알니로다. 뎡텬흥이 일셰를 아오라 당셰의 뎨일 영쥰이러니, 삼십도 못 ᄉᆞᆯ고 헛되이 만니 젼딘의 와 참혹히 죽고, 발셔 영ᄎᆡ를 ᄃᆡᆨ희미 이러ᄐᆞᆺ 허슈ᄒᆞ니,【49】

446)탐후ᄉᆡ(探候士) : 척후병(斥候兵).

447)성복(成服) : 초상이 나서 처음으로 상복을 입음.

448)허슈ᄒᆞ다 : 허수하다. 짜임새나 단정함이 없이 느슨하다.

심치 아냐 회보ᄒᆞ니, 왕이 ᄃᆡ열 왈,

"하ᄂᆞᆯ이 나를 위ᄒᆞ여 텬흥을 죽게【9】ᄒᆞ시미로다."

ᄒᆞ고, 뎡원슈의 셩복(成服)408) 지ᄂᆡ기를 겨요 기ᄃᆞ려, 친히 ᄃᆡ병을 모라 셥긔졍으로 쎄쳐 드러 가라 ᄒᆞ고, 왕후 핑시 녀즁용ᄉᆡ(女中勇士)오, 병법의 슉달ᄒᆞ더니, ᄒᆞᆫ가지로 가기를 쳥ᄒᆞᄆᆡ, 구응ᄉᆡ(救應使) 되여 군을 난화 송영(宋營)을 겁칙ᄒᆞᆯ409)ᄉᆡ, 앙앙ᄌᆞ득(仰仰自得)410)ᄒᆞᄂᆞᆫ지라 엇지 우읍지 아니리오.

이 ᄯᆡ 뎡원쉬 큰 궤 ᄒᆞ나와 블근은 명졍(銘旌)을 뼈 《빙영‖빈연(殯筵)》을 ᄇᆡ셜ᄒᆞ고, 부원슈 조현창을 명ᄒᆞ여 이만 군을 거ᄂᆞ려 졔왕 궁실이 빈 ᄯᆡ를 타 블질너 업시 ᄒᆞ고, ᄉᆞ문(四門)의 방 븟쳐 ᄇᆡᆨ셩을 안무ᄒᆞ라 ᄒᆞ고, 우션봉 경한긔로 소봉산 밋히 ᄆᆡ복ᄒᆞ엿다가 졔왕을 잡으라 ᄒᆞ고, ○…결락12자…○[ᄌᆞ긔는 구응ᄉᆞ 셕쥰을 다리고] 장졸을 거ᄂᆞ려 뒤 뫼히 숨고, 좌션봉 윤긔텬과 호위 장군 슌담은 장즁(帳中)에 잇다가, 졔왕을 만나거든 굿ᄐᆞ여 ᄡᆞ호려 말고, 스ᄉᆞ로 항(降)ᄒᆞᆯ 《듯‖ᄯᅳᆺ》을 뵈여 그 마음을 깃기라 ᄒᆞ더니, 과연 ᄎᆞ야에 졔왕이【10】대군을 거ᄂᆞ려 송진에 돌입ᄒᆞᆯᄉᆡ, 군즁에 ᄋᆡ셩(哀聲)○[이] 진텬(震天)ᄒᆞᆯ ᄲᅮᆫ이오, 영ᄎᆡ(營寨)를 직희미 허소(虛疎)ᄒᆞᆫ지라411). 졔왕이 소왈,

"샤ᄅᆞᆷ이 ᄒᆞᆫ 번 죽으ᄆᆡ 만ᄉᆡ 거ᄌᆞᆺ 거시믈 니런 일에 알니로다. 뎡텬흥이 당셰의 졔일

407)탐후ᄉᆡ(探候士) : 척후병(斥候兵).

408)성복(成服) : 초상이 나서 처음으로 상복을 입음.

409)겁칙하다 : =겁탈(刼奪)하다. ①위협하거나 폭력을 써서 빼앗다. ②강제로 성관계를 맺다.

410)앙앙자득(仰仰自得) : 의욕이나 자신감 따위가 넘쳐 뽐내며 우쭐거리는 모양.

411) 허소(虛疎)ᄒᆞ다 : 얼마쯤 비어서 허술하거나 허전하다.

부원슈 조현창은 개국공신 조빈(曺彬)[449]의 손으로 댱문(將門) ᄌᆞ손이어ᄂᆞᆯ, 엇디 용병ᄒᆞᄂᆞᆫ 도리 이러틋 무상(無狀)ᄒᆞ뇨?"

셥긔경이 압흘 당ᄒᆞ여 홀연 ᄆᆞᄋᆞᆷ이 녕신(靈神)ᄒᆞ여[450] ᄀᆞᆯ오ᄃᆡ,

"인심(人心)은 블가측(不可測)이라. 영치를 착실이 딕희디 아니ᄒᆞ고 우리 군신으로 ᄒᆞ여금 일분 의심이 업게 ᄒᆞ엿다가, 모로ᄂᆞᆫ 가온ᄃᆡ 흉뫼 잇ᄂᆞᆫ동 어이 알니잇가?"

왕 왈,

"그럴 니 업ᄉᆞ니 밧비 ᄌᆞᆺ쳐 드러가게 ᄒᆞ라."

셥긔경이 마디 못ᄒᆞ여 압흘 쎄치고 왕은 듕군이 되여 일시의 영치를 겁칙ᄒᆞ니, 윤긔텬 등 텬댱이 장듕의셔 원슈의 관을 븟들고 실셩통곡(失性痛哭)ᄒᆞ다가, 뎍군이 영치(營寨)를 ᄌᆞᆺ쳐 드러오믈 보고 하날을 우러러, 탄왈,

"텬야(天也)며 명얘(命也)라. 원쉬 이의와 몸을 【50】 맛ᄎᆞ시고, 조원슈의 교만패악(驕慢悖惡)ᄒᆞ미 일을 만나기 쉬올너니, 오날밤을 당ᄒᆞ여 뎍군이 영치를 겁칙ᄒᆞ니, 뉘 이셔 막으리오. 아등은 갑쥬(甲冑)를 버셔 셩명을 보젼ᄒᆞ리라."

언파의 윤션봉과 슌댱군 등이 ᄒᆞᆫ 편으로 츼여셔며 뎍군이 깁히 드러오기를 요구ᄒᆞᄂᆞᆫ디라. 졔왕이 어리고 외람ᄒᆞᆫ 의ᄉᆡ 이셔 거ᄌᆞᆺ 인덕(仁德)ᄒᆞᆫ 체 ᄒᆞ여, 소ᄅᆡ를 놉혀 왈,

"항ᄌᆞ(降者)ᄂᆞᆫ 블살(不殺)이라. 과인이 만민의 부뫼 되고져 ᄒᆞᄂᆞ니, 엇디 ᄉᆡᆼ녕(生靈)을 념녀치 아니리오. 댱슈로브터 군졸의 항(降)ᄒᆞᄂᆞᆫ 무리ᄂᆞᆫ 죽이디 말나."

ᄒᆞ니, 졔왕 댱졸이 왕명을 조ᄎᆞ 윤션봉 등을 히치 아니ᄒᆞᄂᆞᆫ디라. 졔왕과 셥긔경이 바야흐로 깁히 드러와 보건ᄃᆡ 조원슈 등이

449)조빈(曺彬) : 중국 송(宋)나라 태조 때의 무장(武將). 개국공신(開國功臣).

450)녕신(靈神)ᄒᆞ다 : 갑자기 이상한 느낌이 들다.

영웅이러니, 헛도이 삼십도 못 살고 만니 젼진에 와 참혹히 죽으ᄆᆡ 발셔 군졸이 여ᄎᆞ 허소ᄒᆞ니, 부원슈 조현창은 개국공신 조빈(曺彬)[412]의 손으로 장문지인(將門之人)이어ᄂᆞᆯ, 엇지 용병ᄒᆞᄂᆞᆫ 도리 니러틋 무상ᄒᆞ뇨?"

셥긔경이 홀연 마음이 녕신(靈神)ᄒᆞ여[413] 니르ᄃᆡ,

"인심(人心)은 불가측(不可測)이라. 영치를 착실히 직희지 아니ᄒᆞ고, 우리 군신으로 ᄒᆞ야곰 일분 의심이 업게 ᄒᆞ고, 부지듕 흉뫼 잇실 줄 엇지 알니잇가?"

왕 왈,

"그럴니 업ᄉᆞ니 ᄌᆞᆺ쳐 밧비 드러가게 ᄒᆞ라."

셥긔경이 마지 못ᄒᆞ여 알플 쎄치고 왕은 즁군이 되여 일시에 돌입ᄒᆞ【11】니, 윤긔텬 등이 장즁에셔 원슈의 《단∥관》을 붓들고 실셩통곡(失性痛哭)ᄒᆞ다가, 젹군이 살입ᄒᆞ믈 보고, 앙텬(仰天) 탄왈,

"텬얘(天也)며 명얘(命也)라. 원쉬 이에와 맛ᄎᆞ시고, 조원슈의 교만ᄑᆡ악(驕慢悖惡)ᄒᆞ미 일을 만나기 쉬울너니, 과연 금야에 젹군이 겁영(刦營)ᄒᆞ믈 당ᄒᆞ나, 뉘 잇셔 막으리오. 아등은 갑주를 벗셔 셩명을 보젼ᄒᆞ리라."

언필에 윤·슌 냥장이 ᄒᆞᆫ편으로 츼워가며 젹군이 깁히 들기를 요구ᄒᆞᄂᆞᆫ지라. 졔왕이 어리고 외람ᄒᆞᆫ 의ᄉᆡ 잇셔 거ᄌᆞᆺ 덕 잇ᄂᆞᆫ 쳬 ᄒᆞ여 소ᄅᆡ를 놉혀 왈,

"항ᄌᆞ(降者)ᄂᆞᆫ 불살(不殺)이라. 과인이 만민의 부뫼 되고져 ᄒᆞᄆᆡ, 엇지 ᄉᆡᆼ녕의 골육을 념녀치 아니리오. 무론(毋論) 댱졸의 항ᄌᆞᄂᆞᆫ 죽이지 말나."

ᄒᆞ니, 졔군이 왕명을 조ᄎᆞ 윤션봉을 히치 아니ᄒᆞᄂᆞᆫ지라. 왕과 셥긔경이 ᄇᆞ야흐로 깁히 드러오나, 조원슈 등이 업고 군졸 【12】

412)조빈(曺彬) : 중국 송(宋)나라 태조 때의 무장(武將). 개국공신(開國功臣).

413)녕신(靈神)ᄒᆞ다 : 갑자기 이상한 느낌이 들다.

【51】 업고, 군졸이 젹으믈 의아ᄒᆞ여 뭇고져 ᄒᆞᆯ 즈음의, 고각(鼓角)이 텬디를 흔들고 함셩이 대딘(大振)ᄒᆞ며, 쳔병만마(千兵萬馬) 호호탕탕(浩浩蕩蕩)이 즛쳐 오ᄂᆞᆫ 바의 화광(火光)이 됴요(照耀)ᄒᆞ니, 졔왕 군신이 졍신을 일허 창황이 ᄆᆞᆯ을 모라 마조 나오려 ᄒᆞᆫ즉, 뎡원슈 갑쥬를 빗ᄂᆡ고 옥셜청춍만니운(玉雪青驄萬里雲)[451]을 ᄐᆞ고 ᄉᆞ졸을 디휘ᄒᆞ여 뎍군을 싀살ᄒᆞ니, 동탕ᄒᆞᆫ 위인이 볼ᄉᆞ록 긔이ᄒᆞ고 규규(赳赳)ᄒᆞᆫ 위풍은 운듕뇽(雲中龍)이며 나ᄂᆞᆫ 범이라. 당당ᄒᆞᆫ 긔상이 뎍군의 넉술 놀ᄂᆡᄂᆞᆫ디라. 졔왕이 장듕(場中)의 드러와 원슈의 빈녕(殯靈)[452] 비셜ᄒᆞᆫ 거술 얼프시 보고, 일분 의려(疑慮)ᄒᆞ미 업다가, 쳔만 ᄉᆡᆼ각 밧 뎡원슈를 만나ᄆᆡ 놀나온 혼빅이 비월(飛越)ᄒᆞᆫ디라. 밧비 셥긔경을 붓드러 왈,

"댱군이 ᄌᆡ조를 다ᄒᆞ디 아니면 우리 【52】 군졸이 ᄡᆞᆫ 거술 헤치디 못ᄒᆞ리로다."

셥긔경이 십분 창황(蒼黃)ᄒᆞ여, 져의 비혼 ᄌᆡ조를 다ᄒᆞ여 풍우와 요괴로온 ᄉᆞ졍(邪情)을 다 시험ᄒᆞᄃᆡ, 뎡원슈 풍우를 믈니치며 요샤(妖邪)ᄒᆞᆫ 긔운을 다 쓰리쳐 경ᄀᆡᆨ의 업시 ᄒᆞ고, ᄒᆞᆫ 장 부작을 ᄂᆡ여 공듕의 더디ᄆᆡ 슈고로이 ᄡᅡ호디 아냐셔, 신병귀졸(神兵鬼卒)이 쳡쳡이 졔왕 군신을 에워 ᄡᆞ고, 광풍이 대긔(大起)ᄒᆞ여 비ᄉᆞ쥬셕(飛沙走石)[453] ᄒᆞ니, 졔군이 눈을 ᄯᅳ디 못ᄒᆞᄃᆡ 숑군은 관겨치 아니ᄒᆞ니, 셥긔경이 손으로 눈을 ᄀᆞ리오나 능히 사셕(沙石)을 면치 못ᄒᆞ여 낫치 상ᄒᆞ고 눈의 가득이 들ᄆᆡ, 구웅ᄉᆞ 셕쥰이 뎡창츌마(挺槍出馬)ᄒᆞ여 셥긔경을 ᄉᆡᆼ금ᄒᆞ려 ᄒᆞ니, 긔경이 눈을 ᄯᅳ디 못ᄒᆞ여 사ᄅᆞᆷ을 아라 보디 못ᄒᆞ나, 용ᄆᆡᆼ이 본ᄃᆡ 비 【53】 상ᄒᆞᆫ

451)옥셜청춍만니운(玉雪青驄萬里雲) : 말 이름. 갈기와 꼬리가 파르스름한 백마(白馬)인 청총마(青驄馬)의 일종.
452)빈녕(殯靈) : 초상이 났을 때 설치하는 빈소(殯所)와 영좌(靈座).
453)비ᄉᆞ쥬셕(飛沙走石) : 모래가 날리고 돌멩이가 구른다는 뜻으로, 바람이 세차게 붊을 이르는 말. =양사주석(揚沙走石).

이 젹으믈 의아ᄒᆞ여 뭇고져 ᄒᆞᆯ 즈음에, 믄득 고각(鼓角)이 혼텬(渾天)[414]ᄒᆞ고 함셩이 진디(震地)ᄒᆞ며, 쳔병만마(千兵萬馬) 호호탕탕이 즛쳐 오ᄂᆞᆫ 바에 화광(火光)이 조요(照耀)ᄒᆞ니, 졔왕 군신이 아모란 줄 몰나 창황이 말을 ᄎᆡ쳐 마조 나오려 ᄒᆞᆫ즉, 뎡원쉬 갑주를 빗ᄂᆡ고 옥셜청총말(玉雪青驄馬)[415]을 타고, 군졸을 지휘ᄒᆞ여 젹군을 ᄉᆡ살ᄒᆞ니, 졔왕이 원슈의 《빙영∥빈연(殯筵)》비셜ᄒᆞᆫ 거술 얼프시 보고 일분 깃거ᄒᆞ다가, 이졔 뎡원슈를 만나ᄆᆡ 경혼(驚魂)이 비월(飛越)ᄒᆞ믈 졍치 못ᄒᆞᄂᆞᆫ지라. 밧비 셥긔경을 붓드러 왈,

"장군이 ᄌᆡ조를 다ᄒᆞ지 아니면 우리 군졸이 빠인 거술 벗어나지 못ᄒᆞ리라."

셥긔경이 십분 창황ᄒᆞ여 져의 ᄇᆡ혼 ᄌᆡ조를 다ᄒᆞ여 요괴로온 슐을 다 시험ᄒᆞᄃᆡ 뎡원쉬 풍우를 믈니치며 요샤ᄒᆞᆫ 긔운을 다 쓰리쳐 경각에 업시ᄒᆞ고, ᄒᆞᆫ 장 부작을 ᄂᆡ여 공【13】즁에 더지ᄆᆡ, 슈고로이 ᄡᅡ호지 아냐셔 신병귀졸(神兵鬼卒)이 즁즁쳡쳡(重重疊疊)ᄒᆞ여, 졔왕 군신을 에워 ᄡᆞ고 셥긔경을 버히니라. 졔왕이 긔졍 ᄀᆞᆺᄒᆞᆫ 용장을 속졀업시 죽이고, 즁위(重圍)[416] 즁에 드러 능히 버셔날 길히 업거ᄂᆞᆯ, 공즁으로 조ᄎᆞ 나리ᄂᆞᆫ ᄉᆞ셕(沙石)에 눈을 ᄯᅳ지 못ᄒᆞᄂᆞᆫ지라. 이에 ᄑᆡᆼ씨를 붓들고 통곡 왈,

414)혼텬(渾天) : 하늘에 가득함.
415)옥셜청총마(玉雪青驄馬) : 말의 한 종류. 갈기와 꼬리가 파르스름한 백마(白馬)인 청총마(青驄馬)의 일종.
416)중위(重圍) : 여러 겹으로 에워쌈.

고로 셕 댱군과 ᄡᅡ화 십여 합의 블분승뷔(不分勝負)러니, 셕댱군이 잠간 고개를 두로혈 젹 긔졍이 됴궁(操弓)[454]의 금비젼을 먹여 ᄒᆞᆫ 번 ᄡᅩᄆᆡ, 요힝 바른 곳이 맛디 아냐, 좌각이 잠간 상ᄒᆞᄃᆡ 셕댱군이 살흘 마ᄌᆞᄆᆡ 분용(憤勇)이 ᄇᆡᄇᆡ(倍倍)ᄒᆞ여, ᄒᆞᆫ 번 창날이 번득이ᄂᆞᆫ 곳의 셥긔졍을 딜너 마하의 나리치니, 숑딘 군졸이 일시의 다라드러 긔졍을 분쇄ᄒᆞ고, 다시 왕과 핑시를 에워 ᄡᆞ고 치기를 급히 ᄒᆞ니, 졔왕이 긔졍 ᄀᆞᄐᆞᆫ 용댱을 쇽졀 업시 죽이고, 동셔남븍의 텰통ᄀᆞ치 ᄡᆞ히여 능히 버셔날 길히 업거ᄂᆞᆯ, 공듕으로조ᄎᆞ 나리ᄂᆞᆫ ᄉᆞ셕(沙石)이[의] 눈을 ᄯᅳ디 못ᄒᆞᄂᆞᆫ디라. 왕이 핑시를 븟들고 통곡 왈,

"과인이 반ᄉᆡᆼ 힝셰(行世)의 안하무인(眼下無人)ᄒᆞ고, 긔병ᄒᆞᄆᆡ 【54】 소향무뎍(所向無敵)이러니, 하날이 돕디 아냐 오날ᄂᆞᆯ 녹운셩 가온ᄃᆡ 뎡텬흥 쇼ᄌᆞ의 계교의 ᄲᅡ져시니, 죽을 밧 다른 모칙이 업ᄂᆞᆫ디라. 도라 내 신후(身後)를 ᄉᆡᆼ각건ᄃᆡ 현비로 동쥬(同住) 삼십년의 일졈 골육이 업고, 남녀간 동긔 업ᄉᆞ니 뉘 이셔 나의 시슈(屍首)를 념장(殮葬)ᄒᆞ리오. 현비 오히려 듕년(中年)이라, 미려ᄒᆞᆫ 용안(容顔)이 사ᄅᆞᆷ이 황홀ᄒᆞᆯ ᄇᆡ니, 엇디 패망ᄒᆞᆫ 합을 위ᄒᆞ여 졀의를 잡으리오."

핑시 ᄯᅩᄒᆞᆫ 왕을 븟들고 실셩뉴체(失性流涕)라. 뎡원쉬 졔국 군졸을 향ᄒᆞ여 왈,

"너의 국군이 대역브되(大逆不道)오, 이 ᄡᅡ홈의 ᄋᆡᄆᆡᄒᆞᆫ ᄉᆡᆼ녕의 목숨이 남디 못ᄒᆞ여 옥셕을 ᄀᆞᆯ희디 못ᄒᆞ니, 모로미 일즉이 항복ᄒᆞ여 죽기를 면ᄒᆞ라."

칠만 대군이 소ᄅᆡ를 응ᄒᆞ 【55】 여 항ᄒᆞ여 왈,

"쇼졸 등은 죽으미 디원극통(至冤極痛)ᄒᆞ니, 이제 명을 좃ᄎᆞ 항ᄒᆞᄂᆞ니, 싀살(弑殺)ᄒᆞᄂᆞᆫ 화를 당치 아니케 ᄒᆞ쇼셔."

원쉬 댱졸을 녕ᄒᆞ여 죽이디 말나 ᄒᆞ고, 졔왕과 핑시의 나가ᄂᆞᆫ 길흘 비로소 틔워 주어 왈,

"흉역의 죽을 시ᄀᆡᆨ이 오히려 다닷디 아냐

454)됴궁(操弓) : 활을 잡아당김.

"과인이 반ᄉᆡᆼ 힝셰의 안하무인(眼下無人)ᄒᆞ고, 긔병ᄒᆞᄆᆡ 소향무젹(所向無敵)이러니, 하ᄂᆞᆯ이 돕지 아니샤 오ᄂᆞᆯ날 뎡텬흥 소ᄌᆞ의 계교의 ᄲᅡ져 죽게 될 줄 엇지 알니오."

핑시 ᄯᅩᄒᆞᆫ 왕을 븟들고 실셩뉴체(失性流涕)러라. 뎡원쉬 졔국 군졸을 향ᄒᆞ여 왈,

"너희 국군은 ᄃᆡ역부도(大逆不道)라. 죄당쥬륙(罪當誅戮)이어니와, 여등(汝等) ᄉᆡᆼ녕(生靈)은 무죄ᄒᆞ니, 모로미 일즉 항(降)ᄒᆞ여 죽으믈 면ᄒᆞ라."

즁군이 제셩(齊聲) 응종(應從)ᄒᆞ여 일시에 항ᄒᆞ니,

원쉬 항졸을 위로ᄒᆞ고, 졔왕의 ᄃᆞ라날 길【14】흘 여러 왈,

"흉역의 죽을 시각이 오히려 다둣지 아녀시니, ᄇᆞᆰᄂᆞᆫ 날은 네 명이 오릇지 못ᄒᆞ리라."

시니, 그만ᄒᆞ여 ᄂᆡ여 보ᄂᆡ거니와 명일은 날이 져므디 아냐셔 네 명을 맛ᄎᆞ리라."

졔왕과 ᄑᆡᆼ시 져의 궐경의 이만 군병과 십여 원(員) 용댱(勇將)이 이시믈 ᄉᆡᆼ각고, 다시 잔병패졸을 모화 대업을 일우고져 ᄒᆞᄂᆞᆫ 고로, 계오 몸을 ᄲᅢ혀 뎡원슈의 터 주ᄂᆞᆫ 길노 도망ᄒᆞ여 본딘으로 도라오니, 궁녀 태감의 무리 졔왕의 오ᄂᆞᆫ 길노 마조 오며, 임의 궁실을 부원슈 조현창이 소화ᄒᆞ고, 본딘의 남【56】앗던 이만 군과 십여 원 댱싊 다 항복ᄒᆞ엿다 ᄒᆞᄂᆞᆫ디라. 왕의 부뷔 ᄎᆞ언을 드르ᄆᆡ 간담이 ᄲᅥ러디ᄂᆞᆫ 듯ᄒᆞ여, 길거리의셔 방셩통곡 ᄒᆞ다가 갈 곳이 업셔 슈봉관으로 가려, 슈십여 리를 ᄒᆡᆼ치 못ᄒᆞ여셔 임의 동방이 긔빅ᄒᆞ고 우션(右先) 경환긔 쇼산 아ᄅᆡ ᄆᆡ복ᄒᆞ엿다가, 쳔병만ᄆᆞ를 거ᄂᆞ려 졔왕과 ᄑᆡᆼ시를 쳥통ᄀᆞᆺ치 ᄡᆞ고, 치기를 급히 ᄒᆞᄃᆡ 졔왕의 용ᄆᆡᆼ이 비상ᄒᆞᆫ 고로, 필마단창(匹馬單槍)으로 무슈ᄒᆞᆫ 대군을 당ᄒᆞ여 경이히 잡히디 아니ᄒᆞᄂᆞᆫ디라. 반일을 ᄡᆞ화 필경은 왕이 ᄆᆞᆯ을 죽이고 칼흘 일허 보군(步軍) 뉴(類)의 셧기ᄃᆡ, 경이히 잡디 못ᄒᆞ여 경션봉이 평ᄉᆡᆼ 용녁을 다ᄒᆞ여 만여【57】군으로 일시의 다라드러 왕을 버히ᄆᆡ, ᄑᆡᆼ시 홀일업셔 항ᄒᆞᆫᄃᆡ, 경션봉이 왕의 머리를 ᄆᆞᆯ긔 달고 ᄑᆡᆼ시ᄂᆞᆫ 녀진 고로, 욕되이 잡디 아니코 ᄆᆞᆯ 틔와 원슈 영(營)으로 도라오니, 발셔 날이 어두엇더라.

원싊 졔왕의 머리를 ᄉᆞᄉᆞ로 버힐 줄 모로디 아니ᄃᆡ, ᄌᆞ긔 공을 웃듬ᄒᆞ디 아니려 ᄒᆞᄂᆞᆫ 고로, 짐ᄌᆞᆺ 갈 길흘 틔워 경션봉으로 ᄒᆞ여금 죽이게 ᄒᆞ미라. 경 션봉이 임의 졔왕의 머리를 원슈긔 드리고 공노를 고ᄒᆞᄆᆡ, 원싊 즉시 션봉의 공젹을 논상ᄒᆞ여 치부(置簿)ᄒᆞ고, ᄑᆡᆼ시ᄂᆞᆫ 경젼의 드리디 아니코 갈 곳이 잇거든 가라 ᄒᆞ니, ᄑᆡᆼ시 음특(淫慝)ᄒᆞᆫ 녀ᄌᆡ라, 원슈의 용화를【58】그윽이 흠앙ᄒᆞ나, 년긔 ᄂᆡ도ᄒᆞ여 제 죽은 ᄋᆞᄃᆞᆯ과 동년인 고로 ᄎᆞ마 셤겨디라 못ᄒᆞ고, 디휘ᄉᆞ 뉴종이 시년 ᄉᆞ십의 풍광이 동탕ᄒᆞ니, ᄑᆡᆼ시 뉴종의 압희 나아가 다른 ᄃᆡ 갈 곳이 업ᄉᆞ니 비쳡

졔왕과 ᄑᆡᆼ씨 궐경(闕庭)에 이만 군과 용장 십여 원(員)이 잇시므로, 다시 잔병을 모화 대업을 닐우고져 ᄒᆞ여, 겨유 몸을 ᄲᅢ혀 쥐 숨듯 도망ᄒᆞ여 도셩으로 도라오니, 궁녀 태감의 무리 졔왕의 오ᄂᆞᆫ 길노 마조 오며, 임의 궁실을 소화ᄒᆞ고 궁셩을 직히엿던 장졸이 다 항(降)ᄒᆞ다 ᄒᆞ거ᄂᆞᆯ, 왕의 부뷔 쳥미파(聽未罷)에 간담이 ᄲᅥ러지ᄂᆞᆫ 듯ᄒᆞ야, 방셩통곡 ᄒᆞ다가 갈 곳이 업셔 슈봉관으로 나아갈 ᄉᆡ, 수십여 리ᄂᆞᆫ 가셔 임의 동방이 긔빅ᄒᆞ고 인곤마핍(人困馬乏)[417]ᄒᆞ여 경히 쉬고져 ᄒᆞ더니, 우션봉 경한긔 소○[봉]산 아ᄅᆡ ᄆᆡ복ᄒᆞ엿다가, 쳔병 만ᄆᆞ를 모라 왕과 ᄑᆡᆼ씨를 쳘통ᄀᆞᆺ치 ᄡᆞ고 치기를 급히 ᄒᆞᄃᆡ, 졔왕의 용ᄆᆡᆼ이 비상ᄒᆞ여 필마단창(匹馬單槍)으로 좌슈우응(左酬右應)ᄒᆞ【15】여 반일을 크게 ᄡᆞ호다가, 필경 마필을 죽이고 칼흘 닐허 보군(步軍) 뉴의 셕기여 경이히 잡지 못ᄒᆞ더니, 경션봉이 평ᄉᆡᆼ 용녁을 분발ᄒᆞ여 ᄒᆞᆫ 칼로 왕을 버히ᄆᆡ, ᄑᆡᆼ씨 홀일업셔 항ᄒᆞ거ᄂᆞᆯ, 션봉이 왕의 슈급을 말게 달고, ᄑᆡᆼ씨ᄂᆞᆫ 녀진 고로 말을 틔워, 대영(隊營)으로 도라오니 발셔 날이 어두엇더라.

원싊 졔왕의 머리를 ᄉᆞᄉᆞ로 버힐 줄 모로미 아니라, ᄌᆞ긔 공을 웃듬ᄒᆞ지 아니려 ᄒᆞᄂᆞᆫ 고로, ○○○○○[경션봉으로] ᄒᆞ야곰 죽이게 ᄒᆞ미라. 경션봉이 임의 졔왕의 머리를 원슈긔 드리고 공뇌를 고ᄒᆞᄆᆡ, 원싊 즉시 공젹을 논상ᄒᆞ고 ᄑᆡᆼ씨를 노화 보ᄂᆡ니, ᄑᆡᆼ씨ᄂᆞᆫ 음측(淫-)ᄒᆞᆫ[418] 녀ᄌᆡ라. 원슈의 용화를 그윽이 흠앙ᄒᆞ나, 년긔 ᄂᆡ도ᄒᆞ여 졔 죽은 ᄋᆞᄃᆞᆯ과 동년인 고로 ᄎᆞ마 셤겨지라 못ᄒᆞ고, 지휘ᄉᆞ 뉴등이 시년 ᄉᆞ십의 풍광이

417)인곤마핍(人困馬乏) : 사람과 말이 다 피곤하고 지침.
418)음측(淫-)하다 : 음란하고 추잡하다.

디녈(婢妾之列)의나 용납ᄒᆞ믈 쳥ᄒᆞ니, 뉴종이 그 말을 치 듯디 아니코 집고 셧던 칼날이 번득이며 핑시의 머리 ᄯᅥ러디니, 이의 웃고 닐오ᄃᆡ,

"내 평ᄉᆡᆼ 통한ᄒᆞᄂᆞᆫ 바ᄂᆞᆫ 계집의 음황ᄒᆞ고 념치 업ᄉᆞ미라. 아모리 대음대악(大淫大惡)인들 나라히 망ᄒᆞ고 국군의 머리를 엇게 우히 보젼치 못ᄒᆞ니, 졍식 망극ᄒᆞ미 텬디를 분간치 못ᄒᆞᆯ 거시어ᄂᆞᆯ 오날ᄂᆞᆯ 다른 남ᄌᆞ를 ᄉᆡᆼ각ᄒᆞ니 그 흉음【59】극악이 만고의 업ᄉᆞᆫ 거시라."

ᄒᆞ니, 군듕이 다 샹쾌히 넉이고 원슈 뉴종의 위인을 아름다이 넉이ᄃᆡ, 사름을 너모 ᄲᆞᆯ니 죽이다 하여 우은ᄃᆡ, 뉴종 왈,

"그런 음황ᄒᆞᆫ 계집을 오ᄅᆡ 머므른즉 반ᄃᆞ시 유희ᄒᆞ리이다."

ᄒᆞ더라.

명일 원슈 대군을 거ᄂᆞ려 셩듕의 드러 가니, 부원슈 발셔 졔왕 궁실을 블 디르고 ᄇᆡᆨ셩을 안무ᄒᆞ여시니, 졔왕이 패망ᄒᆞᄆᆡ 인심이 뎡ᄒᆞ고, 숑영의셔 밋쳐 탈취치 못ᄒᆞᆫ 관익(關阨)이라도 각각 ᄃᆡ흰 댱슈 문을 여러 항복ᄒᆞᄂᆞᆫ디라. 원슈 어딘 말ᄉᆞᆷ으로 ᄉᆞ민(四民)455)을 안무ᄒᆞ고 녜의를 권장ᄒᆞ니, 셩듕의 머믄 슈삼삭(數三朔)이 못ᄒᆞ여 인심이 크게 뎡ᄒᆞᆫ디라. 원슈【60】졔국 승상 우달심으로 국토를 ᄃᆡ희오고, 복삼쳘을 블너 도춍ᄉᆞ를 삼아 우달심과 ᄒᆞᆫ가디로 문무 국졍을 가음 알게 ᄒᆞ니, 군ᄌᆞ의 덕홰 아니 밋촌 곳이 업셔, 흉참ᄒᆞ던 풍쇽이 크게 슌후(淳厚)ᄒᆞ고, 남녀노쇼 녜의를 ᄎᆞᆯ히며 미말쳔인(未末賤人)이라도 ᄒᆡᆼ실을 삼가고, ᄋᆞ동쥬졸(兒童走卒)456)이 뎡원슈의 덕화를 노ᄅᆡᄒᆞ여 감격디 아니리 업더라.

원슈 임의 졔국 흉덕을 소탕ᄒᆞᄆᆡ 고국의 도라 갈 ᄆᆞ음이 시위 ᄯᅥ난 살 ᄀᆞᆺᄐᆞ여, 하오월(夏五月) 듕슌의 대군을 두로혀 황셩으로

455)ᄉᆞ민(四民) : 온 백성. 사(士)·농(農)·공(工)·상(商) 네 가지 신분이나 계급의 백성.

456)ᄋᆞ동쥬졸(兒童走卒) : 철없는 아이들과 어리석은 사람들을 아울러 이르는 말.

동탕【16】ᄒᆞ니, 즉시 뉴등의 알픠 나아가 다른 ᄃᆡ 갈 곳○[이] 업ᄉᆞ믈 니르고, 비쳡지렬(婢妾之列)의 용납ᄒᆞ믈 쳥ᄒᆞ니, 뉴등이 그 말을 치 듯지 아니코 집고 셧던 칼흘 드러 핑씨의 머리를 버혀 나리치니,

원슈 뉴등의 위인을 아름다히 넉이ᄃᆡ, 샤름을 너모 ᄲᆞᆯ니 죽인다 ᄒᆞ니, 뉴등이 ᄀᆞᆯ오ᄃᆡ,

"엇지 그런 음황ᄒᆞᆫ 겨집을 오ᄅᆡ 머므러 두리오. 오ᄅᆡ면 반ᄃᆞ시 유희ᄒᆞ리이다"

ᄒᆞ더라

명일 원슈 ᄃᆡ군을 거ᄂᆞ려 셩즁에 드러가니, 부원슈 발셔 졔왕의 궁실을 다 불지르고, 이만 장졸을 항복 바다 안도(安堵)419)케 ᄒᆞ고 셩을 굿게 직히ᄂᆞᆫ지라. 원슈의 오믈 보고 셩문을 여러 마즐ᄉᆡ, 원슈 왈,

"금일 승젼ᄒᆞ믄 다 부원슈 공인가 ᄒᆞ노라."

부원슈 불감ᄒᆞ믈 손ᄉᆞᄒᆞ더라. 이에 원슈 졔국 항졸(降卒)을 안무ᄒᆞᆯᄉᆡ, 항졸 등이 졔셩 칭복 왈,

419)안도(安堵) : ①사는 곳에서 평안히 지냄. ②어떤 일이 잘 진행되어 마음을 놓음.

향ᄒᆞᆯᄉᆡ, 졔국 문무(文武)로브터 ᄇᆡᆨ셩부뢰(百姓父老) 먼니 와 젼별ᄒᆞ니, 눈믈이 비 ᄀᆞᆺᄐᆞ여 부모를 원별ᄒᆞᆷ ᄀᆞᆺᄐᆞᆫ디라. 원쉬 면면이 위【61】로ᄒᆞ고, 수ᄅᆡ를 두로혀ᄆᆡ ᄇᆡᆨ셩과 복삼쳘 등이 술위를 븟들고 쳬읍 ᄇᆡ별 왈,

"아등이 쳐음의 ᄉᆡᆼ각기를 그릇ᄒᆞ여 졔왕을 셤겨시나, 당ᄎᆞ시 ᄒᆞ여 원슈의 하날 ᄀᆞᆺᄐᆞᆫ 대은이 골졀의 ᄉᆞ못ᄎᆞ니, 나라히 망ᄒᆞ고 님군이 죽으ᄃᆡ 능히 ᄉᆞ졀(死絶)치 못ᄒᆞ고, ᄇᆡᆨ셩이 안연ᄒᆞ며 신뇌 무ᄉᆞᄒᆞ믈 어더 망멸디화(亡滅之禍)를 면ᄒᆞ고, 패풍악쇽(敗風惡俗)을 곳쳐 요슌시졀(堯舜時節)을 다시 보믄 실노 원슈의 명셩디덕(明聖之德)이라. ᄇᆡᆨ셩과 문무 신뇨의 바라ᄂᆞᆫ ᄆᆞᄋᆞᆷ이 원슈로ᄡᅧ 국군(國君)을 삼아, 격양(擊壤)의 포복(匍腹)ᄒᆞ고 남풍(南風)의 시[457]를 읇고져 원ᄒᆞᄂᆞ니, 원슈ᄂᆞᆫ 졔국 ᄉᆡᆼ녕의 바라믈 ᄉᆞᆺ디 마르쇼셔."

인ᄒᆞ여 우양(牛羊)과 술을 가져 원슈의 졉구(接口)ᄒᆞ【62】믈 바라ᄂᆞᆫ디라. 원쉬 본ᄃᆡ 너른 쥬량(酒量)의 그 바라ᄂᆞᆫ 졍으로ᄡᅧ 먹고져 ᄒᆞᄂᆞᆫ ᄆᆞᄋᆞᆷ을 좃디 아니리오. 흔연이 잔을 거후르고 안쥬(按酒)를 맛보며 위로 왈,

"내 일시 뎡벌노 이의 니르러시나 ᄆᆡ양 이실 거시 아니오. 도라가미 당연ᄒᆞ거늘 엇디 이ᄃᆡ도록 과도히 슬허 ᄒᆞ리오. 여등이 날을 닛디 아니커든 가디록 튱의를 힘쓰며, 패악포한(悖惡暴悍)ᄒᆞ믈 먼니ᄒᆞ여 블의예 ᄲᆡ디디말나."

우달심과 복삼쳘이 ᄇᆡ샤슈명(拜謝受命)ᄒᆞ니, 일ᄉᆡᆨ이 느ᄌᆞᄆᆡ 원쉬 대군을 두로혀니[458]ᄇᆡᆨ셩이 먼니 가도록 바라다가 뫼흘 두로치ᄆᆡ[459], 애각(涯角)[460]이 가리니, 긔치(旗

---

457)남풍시(南風詩) : 남훈시(南薰詩). 중국 순임금이 지었다는 남풍시(南豊詩; 南薰詩라고도 함)의 "따사로운 남풍이여 우리 백성 불만을 풀어줄 만하여라(南風之薰兮 可以解吾民慍兮)"구(句)에서 온 말로 백성들의 근심을 풀어줄 '따사로운 바람', 또는 '성군의 정치로 태평성대를 누리는 것'을 뜻한다.

458)두로혀다 : 돌이키다. 돌리다.

459)두로치다 : 돌이키다. 돌리다. 돌다.

460)애각(涯角) : 멀리 떨어져 있어 외지고 먼 땅.

"금【17】일 잔명 보존ᄒᆞ믄 실노 원슈의 명셩지덕(明聖之德)이라. ᄇᆡᆨ셩과 문무 신뇨의 ᄇᆞ라ᄂᆞᆫ 마음이 원슈로ᄡᅧ 국공(國公)을 삼아 격양(擊壤)의 포복(匍腹)ᄒᆞ고 남풍지시(南風之詩)[420]를 읇고져 ᄒᆞᄂᆞ니, 원슈ᄂᆞᆫ 졔국 ᄉᆡᆼ녕의 소망을 긋지 마르소셔."

인ᄒᆞ여 양쥬(羊酒)를 가져 원슈의 졉구(接口)ᄒᆞ믈 ᄇᆞ라ᄂᆞᆫ지라. 원쉬 본ᄃᆡ 너른 쥬량(酒量)의 그 ᄇᆞ라ᄂᆞᆫ 졍으로ᄡᅧ, 먹과져 ᄒᆞᄂᆞᆫ ᄆᆞᄋᆞᆷ을 ᄉᆞᆺ지 못ᄒᆞ야, 흔연이 잔을 거후르고 안쥬를 맛보며 위로 왈,

"내 일시 졍벌노 이에 니르러시나, 마양[421] 잇실 거시 아니오. 도라가미 당연ᄒᆞ지라 엇지 이ᄃᆡ도록 과도히 슬허ᄒᆞ리오 여등이 날을 닛지 아니커든 가지록 츙의를 힘쓰며 ᄑᆡ악포한(悖惡暴悍) ᄒᆞ믈 먼니ᄒᆞ여, 불의에 ᄲᆡ지지 말나."

우달심・복삼쳘 등이 ᄇᆡ샤슈명(拜謝受命)ᄒᆞ고 일ᄉᆡᆨ이 느ᄌᆞᄆᆡ 원쉬 대군을 두로혀니[422] ᄇᆡᆨ셩이 먼니 가도록 ᄇᆞ라다【18】가 뫼흘 돌치ᄆᆡ[423] 다시 긔치(旗幟) 졀월(節

---

420)남풍시(南風詩) : 남훈시(南薰詩). 중국 순임금이 지었다는 남풍시(南豊詩; 南薰詩라고도 함)의 "따사로운 남풍이여 우리 백성 불만을 풀어줄 만하여라(南風之薰兮 可以解吾民慍兮)"구(句)에서 온 말로 백성들의 근심을 풀어줄 '따사로운 바람', 또는 '성군의 정치로 태평성대를 누리는 것'을 뜻한다.

421)마양 : 매양. 항상. 번번이.

422)두로혀다 : 돌이키다. 돌리다.

423)돌치다 : 돌아서다. 돌리다.

幟) 절월(節鉞)을 다시 볼 길히 업ᄉᆞ니, 삼쳘 등이 눈믈을 ᄲᅳ리고 도라【63】와 원슈의 덕화를 닛디 못ᄒᆞ여, 셩남(城南)의 일좌 대가를 니르혀고 뎡원슈의 화상을 그려 고루의 봉안ᄒᆞ고, ᄉᆞ시향화(四時香火)461)를 ᄇᆡᆨ년의 ᄭᅳᆺ디 아니키로 결단ᄒᆞ여, 공경ᄒᆞᄂᆞᆫ 경셩이 극딘ᄒᆞ고, 이 ᄯᆡ 사ᄅᆞᆷ이 혹 졀박ᄒᆞᆫ 일이 이셔, 그 화상의 튝원ᄒᆞᆫᄌᆞᆨ, 녕험(靈驗)ᄒᆞᆫ 일이 잇ᄂᆞᆫ디라. 더옥 디극히 밧드더라.

원쉬 하(夏) 오월 습슌(拾旬)462)의 졔국의셔 회군(回軍)ᄒᆞ여, 츄(秋) 팔월 회간(晦間)의 소쥐(蘇州)463) 디계(地界)의 니르니, 황셩이 머디 아닌디라. 흔ᄒᆡᆼ(欣幸)ᄒᆞ여 급히 ᄒᆡᆼ코져 ᄒᆞ나, 구몽슉이 ᄎᆞ쳐의 뉴찬(流竄)ᄒᆞ엿ᄂᆞᆫ 고로 일일을 머므러 몽슉을 ᄎᆞᄌᆞ 보고져 ᄒᆞ여 관아로 나아오더니, 문득 길거리의 ᄒᆞᆫ 사ᄅᆞᆷ이 헌 옷ᄉᆞ로 몸을 가리와시나, 곳곳【64】이 살이 드러나고 삿ᄯᅴ464)를 눌너 ᄯᅴ여시며, 초리(草履)465)를 신고 여러 사ᄅᆞᆷ 뉴의 각별 몸을 ᄂᆡ와다466) 원슈의 오ᄂᆞᆫ 위의를 관경ᄒᆞᄃᆡ, 형ᄉᆡᆨ(形色)이 초고(楚苦)ᄒᆞ며 거동이 괴이ᄒᆞ여 ᄒᆡᆼ걸(行乞)ᄒᆞᄂᆞᆫ 모양과 다르디 아니니, 길 츼오ᄂᆞᆫ 하리 그 사ᄅᆞᆷ의 ᄉᆞᆨ뒤○[를] 딜너 ᄀᆞᆯ오ᄃᆡ,

"뉘 ᄒᆡᆼᄎᆡ라 감히 몸을 ᄂᆡ와다 버릇 업시 보ᄂᆞ뇨? 보고 시브거든 깁흔 곳의셔 여어보라."

기인이 눈믈을 흘니며 즉시 믈너셔시니, 원쉬 ᄒᆞᆫ 번 보ᄆᆡ 엇디 몰나 보리오. 결단ᄒᆞ여 그 면목이 의연(依然)467)이 고우(古友)의 얼골이니, 구몽슉이 아니면 뉘리오. 원쉬

461)사시향화(四時香火) : 사시제(四時祭). 철을 따라 1년에 네 번 지내는 제사. 매 계절 마다 가운데 달인 2·5·8·11월 상순(上旬)의 정일(丁日)이나 해일(亥日) 중 하루를 택하여 지낸다.
462)습슌(拾旬) : 10일. 또는 100일.
463)소쥐(蘇州) : 중국 강소성(江蘇省)에 있는 도시.
464)삿ᄯᅴ : 삿띠. 새끼줄로 만든 허리띠.
465)초리(草履) : 짚신. 볏짚으로 삼아 만든 신. 가는 새끼를 꼬아 날을 삼고 총과 돌기총으로 울을 삼아 만든다.
466)ᄂᆡ와다 : ᄂᆡ왇+아, 내밀어. *ᄂᆡ왇다; 내밀다.
467)의연(依然) : 전과 다름없음.

鉞)을 볼 길히 업ᄉᆞ니, 삼쳘 등이 눈믈을 ᄲᅮ리고 도라와, 원슈의 덕화를 닛지 못ᄒᆞ여 셩즁(城中)에 일좌(一座) 대가(大家)를 닐우혀고, 뎡원슈의 화상을 봉안ᄒᆞᆫ 후 ᄉᆞ시향화(四時香火)424)를 ᄭᅳᆺ지 아니터라.

원쉬 하(夏) 오월 십슌(十旬)425)에 회군(回軍)ᄒᆞ여, 츄(秋) 팔월 회간(晦間)에 소쥐(蘇州)426)에 니르니, 황셩이 머지 아니므로 잠간 머무러 구몽슉을 ᄎᆞᄌᆞ 보고져 ᄒᆞᆯᄉᆡ, 관아로 나아오더니, 믄득 길거리의 ᄒᆞᆫ 샤ᄅᆞᆷ이 헌 옷ᄉᆞᆯ 몸의 가리와시나 곳곳이 살이 드러나고, ᄉᆞ립(簑笠)427)을 눌너 쓰고 초리(草履)428)를 신고, 여러 사ᄅᆞᆷ 뉴에 각별 원슈의 오ᄂᆞᆫ 위의를 구경ᄒᆞᄃᆡ, 형ᄉᆡᆨ이 초고(楚苦)ᄒᆞ며 거동이 고이ᄒᆞ여 ᄒᆡᆼ걸(行乞)ᄒᆞᄂᆞᆫ 모양과 ᄃᆞ르지 아니니, 길 츼우ᄂᆞᆫ 하리 그 샤ᄅᆞᆷ의 ᄉᆞᆨ뒤를 질너 왈,

"뉘 ᄒᆡᆼᄎᆞ라 감히 몸을 ᄂᆡ와다 버릇 업시 보ᄂᆞ뇨? 보고 시부거든 깁【19】흔 곳에셔 여어보라."

기인이 눈물을 흘니며 즉시 믈너셔거늘, 원쉬 ᄒᆞᆫ 번 보ᄆᆡ 엇지 몰나 보리오. 결단코 그 면목이 의연(依然)429)ᄒᆞᆫ 고위(古友) ○○○[얼골이]니 구몽슉이 아니오 뉘리오. 원쉬 참연코 반가오믈 니긔디 못ᄒᆞ여 장졸

424)사시향화(四時香火) : 사시제(四時祭). 철을 따라 1년에 네 번 지내는 제사. 매 계절 마다 가운데 달인 2·5·8·11월 상순(上旬)의 정일(丁日)이나 해일(亥日) 중 하루를 택하여 지낸다.
425)십슌(十旬) : 10일. 또는 100일. =습슌(拾旬).
426)소쥐(蘇州) : 중국 강소성(江蘇省)에 있는 도시.
427)ᄉᆞ립(簑笠) : 도롱이와 삿갓을 아울러 이르는 말.
428)초리(草履) : 짚신. 볏짚으로 삼아 만든 신. 가는 새끼를 꼬아 날을 삼고 총과 돌기총으로 울을 삼아 만든다.
429)의연(依然) : 전과 다름없음.

반갑고 참연ᄒᆞ믈 니긔디 못ᄒᆞ여 관아(官衙)로 드러 가디 아니코, 댱졸을【65】명ᄒᆞ여 안졸 곳을 뎡ᄒᆞ라 ᄒᆞ니, 하리 일시의 장막을 둘너 포진을 뎡졔ᄒᆞᄆᆡ, 원쉬 하리를 명ᄒᆞ여 ᄀᆞᆯ오ᄃᆡ,

“앗가 길 ᄎᆡ오던 하리의게 ᄡᅥᆨ뒤 질너[녀] 믈너셧던 상공을 뫼셔 오ᄃᆡ, 힝혀 상ᄒᆡ오면 죄를 면치 못ᄒᆞ리라.”

하리 등이 청녕ᄒᆞ고 나ᄂᆞᆫ ᄃᆞ시 몽슉의 겻ᄐᆡ 나아가, ‘원슈 노애 뫼셔 오라 ᄒᆞ시더라.’ ᄒᆞ고 일시의 ᄡᅧ드러468) 댱막으로 드러오ᄆᆡ, 원쉬 발셔 슈ᄅᆡ의 나려 기다리다가 몽슉을 보고, 밧비 그 손을 잡으며 팔흘 어로만져 상연(傷然)이 타루(墮淚)ᄒᆞ여 ᄀᆞᆯ오ᄃᆡ,

“형의 참잔(慘殘)ᄒᆞᆫ 형용을 ᄃᆡᄒᆞᄆᆡ 인심을 가진 ᄌᆞ야 뉘 아니 눈믈을 ᄂᆡ리오. 아디 못게라, 이 곳의 뉴찬ᄒᆞ연 디【66】 오ᄅᆡ디 아니ᄒᆞ고, 경샤의셔 표슉과 샤데(舍弟) 등이 형의 뇨ᄉᆡᆼ(療生)469)ᄒᆞᆯ 도리를 념녀ᄒᆞᆯ ᄃᆞᆺᄒᆞᄃᆡ 이ᄃᆡ도록 ᄒᆞ믄 엇디오?”

몽슉이 원슈를 보고 반갑고 슬프며 붓그렵고 ᄋᆡ돌오미, 비록 져의 힝ᄒᆞᆫ ᄇᆡ나 젼젼악ᄉᆞ(前前惡事)를 혜아리ᄆᆡ ᄉᆡ로이 낫출 싹고져 시븐디라. 체읍ᄒᆞ여 오ᄅᆡ 말을 못ᄒᆞ다가 날호여 계오 소ᄅᆡ를 일워 ᄀᆞᆯ오ᄃᆡ,

“누뎨(陋弟) 현형을 모히코져 ᄒᆞᆫ 죄악이 텬디의 관영ᄒᆞ니, 디금의 일누(一縷)를 보젼ᄒᆞ여 이곳의 뉴찬홈도 셩듀의 여텬대은(如天大恩)이오, ᄉᆞ부와 현형의 덕이라. 엇디 디은 죄를 혜건ᄃᆡ 이 경계를 셜워 ᄒᆞ리오마ᄂᆞᆫ, 명도(命途)의 긔박ᄒᆞ미 일마다 괴이ᄒᆞ여, 이의 이션 디 칠팔삭이【67】못ᄒᆞ여, 이상ᄒᆞᆫ 귀ᄆᆡ(鬼魅) 누데를 극악히 보ᄎᆡ여, 비록 옷시 이셔○[도] 닙디 못ᄒᆞ며 미곡이 이셔도 됴셕 식반을 ᄂᆡ여 먹디 못ᄒᆞ게 작희ᄒᆞ며, 쥬야로 보ᄎᆡ기를 긋치디 아니ᄒᆞ니, 올

468)ᄡᅧ들다 : 껴들다. 팔로 끼어서 들다. 함께 끌려들다.

469)뇨ᄉᆡᆼ(療生) : 죽지 않을 정도로 근근(僅僅)이 살아감.

을 명ᄒᆞ여 좌쳐(坐處)를 졍ᄒᆞ고, 길 ᄎᆡ우던 하리를 불너 앗가 그 말ᄒᆞ던 상공을 뫼셔 오라 ᄒᆞ니, 하리 청녕ᄒᆞ여 나ᄂᆞᆫ ᄃᆞᆺ시 몽슉의 겻ᄒᆡ 나아가, 원슈 녕으로 뫼셔 가믈 니르고 일시에 ᄡᅧ드러430) 오니, 원쉬 발셔 슐위에 ᄂᆞ려 ○○○○[기다리다가], 몽슉을 보고 밧비 그 손을 잡으며 ᄑᆞᆯ을 어루만져 왈,

“형의 참잔(慘殘)ᄒᆞᆫ 형용을 ᄃᆡᄒᆞᄆᆡ 인심의 뉘 아니 츄연(惆然)ᄒᆞ리오. 아지 못게라 이 곳에 뉴찬ᄒᆞ연 지 오ᄅᆡ지 아니ᄒᆞ고, 경ᄉᆞ에셔 표슉(表叔)과 샤데(舍弟) 등이 형의 요ᄉᆡᆼ(療生)431)ᄒᆞᆯ 도리를 념녀ᄒᆞᆯ ᄃᆞᆺᄒᆞᄃᆡ 이ᄃᆡ도록 ᄒᆞ믄 엇지미뇨?”

몽슉이 원슈를 보ᄆᆡ 반갑고 슬프며 붓그럽【20】고 ᄋᆡ돏으미, 비록 제 스ᄉᆞ로 힝ᄒᆞᆫ ᄇᆡ나 젼젼악ᄉᆞ(前前惡事)를 혜아리ᄆᆡ ᄉᆡ로이 ᄂᆞᆺ출 ᄶᅡᆨ고 시분지라. 체읍(涕泣) 냥구(良久)의 날ᄒᆞ여 왈,

“죄뎨(罪弟) 현형을 모히코져 ᄒᆞᆫ 죄악이 텬디의 관영ᄒᆞ거ᄂᆞᆯ, 지금에 일누(一縷)를 보젼ᄒᆞ여 이곳에 뉴찬홈도 현형의 은덕이라. 엇지 지은 죄를 혜건ᄃᆡ 이 경계를 셜워 ᄒᆞ리오마ᄂᆞᆫ, 명도(命途)의 긔박ᄒᆞ미 일마다 고이ᄒᆞ여, 이에 잇션 지 칠팔 삭이 못ᄒᆞ여, 이상ᄒᆞᆫ 귀ᄆᆡ(鬼魅) 뉘뎨(陋弟)를 극악히 보ᄎᆡ여, 비록 옷시 이셔도 닙지 못ᄒᆞ며 미곡이 이셔도 죠셕 식반을 ᄂᆡ혀 먹지 못ᄒᆞ게 작희ᄒᆞ며, 쥬야로 보ᄎᆡ기를 긋치지 아니ᄒᆞ니, 힝여 올므면 ᄯᆞ라 오지 아닐가 ᄒᆞ여 ᄃᆞ셧 번

430)ᄡᅧ들다 : 껴들다. 팔로 끼어서 들다. 함께 끌려들다.

431)뇨ᄉᆡᆼ(療生) : 죽지 않을 정도로 근근(僅僅)이 살아감.

므면 ᄯᅩᆯ와오디 아닐가 ᄒᆞ여 다ᄉᆞᆺ 번 가ᄉᆞ를 올므듸, ᄎᆞᄌᆞ ᄯᆞ라 오고, ᄌᆞᄉᆞ(刺史) 태슈(太守) 형의 명을 밧들며, ᄉᆞ부의 셔간으로 조ᄎᆞ 누뎨를 고휼(顧恤)코져 냥미를 쥬족(周足)470)히 니우고, 군ᄉᆞ를 발ᄒᆞ여 그 귀ᄆᆡ를 잡고져 ᄒᆞ나 능히 잡디 못ᄒᆞ여 ᄀᆞᆺ치니, 누뎨의 의식은 신긔히 도뎍ᄒᆞ여 ᄂᆡ고, 누뎨의 노복으로 삼긴 거ᄉᆞᆫ ᄒᆞᆫ ᄢᆡ도 못 견듸게 보ᄎᆡ여 업시 ᄒᆞ고, 쇼뎨로 ᄒᆞ여금 ᄉᆡ초(柴草)를 친히 ᄒᆞ여 밥을 닉이게 ᄒᆞ고, 가간(家間)의ᄂᆞᆫ 만셕 미곡이 이셔도 됴셕(朝夕)을 못ᄒᆞ게 희(戲)디【68】으며, 쇼뎨다려 ᄉᆞ쳐로 단니며 비러 먹으라 ᄒᆞ니, 쇼뎨 엇디 븟그러오믈 모로리오마ᄂᆞᆫ 공연이 긔ᄉᆞ(饑死)치 못ᄒᆞ여 두로 걸식ᄒᆞ연 디 오ᄅᆡ더니, 오날 《늘이‖하날의》 도으믈 닙어, 현형을 만나니 영힝ᄒᆞ믈 니긔디 못ᄒᆞ리로다."

원슈 청ᄎᆞ(聽此)의 더옥 ᄎᆞ악(嗟愕) 잔잉ᄒᆞ여, 이의 본부 ᄌᆞᄉᆞ를 명ᄒᆞ여 부원슈 이하 ᄉᆞ졸을 다 관아의셔 쉬게 ᄒᆞ라 ᄒᆞ고, ᄌᆞ긔ᄂᆞᆫ 몽숙으로 더브러 ᄒᆞᆫ가디로 그 집으로 향ᄒᆞ더라.【69】

니ᄉᆞ(移徙)ᄒᆞ듸 ᄯᅩ 오고, ᄌᆞᄉᆞ(刺史) ᄐᆡ슈(太守) 형의 명을 밧들며, ᄉᆞ부의 셔간으로 조ᄎᆞ 누뎨를 고휼(顧恤)코져 냥미를 유족(裕足)히 니우고, 군ᄉᆞ를 발ᄒᆞ여 그 귀ᄆᆡ를 잡고져 ᄒᆞ나 능히 잡지 못ᄒᆞ【21】여, 누뎨의 의식은 신긔히 도젹ᄒᆞ여 ᄂᆡ며, 노복을 ᄒᆞᆫ ᄢᆡ도 못 견듸게 보ᄎᆡ여 다 업시 ᄒᆞ고, 소뎨로 ᄒᆞ야곰 ᄉᆡ초(柴草)를 몸소ᄒᆞ여 밥을 닉히게 ᄒᆞ고, 가간에ᄂᆞᆫ 비록 만셕 미곡이 잇셔도 조셕(朝夕)을 못ᄒᆞ게 희(戲)지으며, 소뎨 샤쳐로 ᄃᆞ니며 걸식ᄒᆞ게 ᄒᆞ니, 소뎨 엇지 붓그러오믈 모로리오마ᄂᆞᆫ 긔ᄉᆞ(饑死)치 못ᄒᆞ여 두로 걸식ᄒᆞ연 지 오ᄅᆡ더니, 오늘날 텬힝으로 현형을 만나니 힝열ᄒᆞ믈 니긔지 못ᄒᆞ노라."

원슈 청필(聽畢)에 차악(嗟愕) 잔잉ᄒᆞ여, 이에 본부 ᄌᆞᄉᆞ를 명ᄒᆞ여 부원슈 이하를 듸졉ᄒᆞ라 ᄒᆞ고,

470)쥬족(周足) : 두루 넉넉히 함.

명듀보월빙 권디팔십뉵

화셜 뎡원쉬 구몽슉으로 더브러 그 거쳐ᄒᆞᄂᆞᆫ 집으로 향ᄒᆞᆯᄉᆡ, 댱졸을 일인도 다려가디 아니코 다만 두 낫 셔동과 일필(一匹) 쳥녀(靑驢)471)로 몽슉과 ᄒᆞᆫ가디로 힝ᄒᆞ니, ᄌᆞᄉᆞ로브터 댱졸이 원슈의 녕을 어긔오디 못ᄒᆞ여 ᄯᆞ로디 못ᄒᆞ고 다 관아로 향ᄒᆞ니, 원슈ᄂᆞᆫ 몽슉으로 더브러 그 머므ᄂᆞᆫ 곳의 니르니, 가ᄉᆡ(家舍) 누츄ᄒᆞ기를 면ᄒᆞ고 협칙(狹窄)472)디 아냐 견딜 만ᄒᆞᄃᆡ, 긔용즙물(器用什物)이 동ᄒᆡ슈(東海水)로 ᄲᅵᄉᆞᆫ ᄃᆞᆺᄒᆞ여, ᄒᆞᆫ낫 미곡 찬션을 머므른 거시 업ᄉᆞ니, 이ᄂᆞᆫ 귀ᄆᆡ 다 가져 가미라. 원쉬 몽슉으로 더브러 오ᄅᆡ ᄲᅧ낫던 회포를 펴ᄆᆡ 졍이 간졀【1】ᄒᆞ여, 반졈 ᄂᆡ외ᄒᆞᆯ ᄯᅳᆺ이 업고, 디셩으로 몽슉을 살과져 ᄒᆞ며, 참잔ᄒᆞᆫ 형용을 슬피 넉이미 골졀의 ᄉᆞ못ᄎᆞ니, 몽슉의 감은각골ᄒᆞ미 오ᄃᆡᆨ 구원(九原)473)의 '구술을 먹음고 플 ᄆᆡᆺ기를 긔약ᄒᆞᆯ'474) ᄲᅳᆫ이라.

ᄎᆞ일 셕반을 몽슉과 ᄒᆞᆫ 상의 먹으ᄃᆡ 흉귀(凶鬼) 어른기디 아니코, 벼개를 ᄒᆞᆫ가디로 ᄒᆞ여 밤을 디ᄂᆡᄃᆡ 귀ᄆᆡ 형뎍을 보디 못ᄒᆞᆯ너라. 십니 밧긔 ᄉᆞᄂᆞᆫ ᄇᆡᄉᆞ옹이라 ᄒᆞᄂᆞᆫ 사ᄅᆞᆷ이 부ᄌᆡ(富者)라. ᄉᆡ벽을 당ᄒᆞ여 ᄉᆞᆷ을 헐헐이고 밧긔 와 몽슉 보기를 쳥ᄒᆞ니, 몽슉이 ᄇᆡ가의 밥을 여러 번 비러 먹엇ᄂᆞᆫ 고로, 즉시 듕쳥의 나와 ᄇᆡᄉᆞ옹을 쳥ᄒᆞ여 보ᄆᆡ, ᄇᆡᄉᆞ옹이 눈을 모(模)475) 업시 �고 가숨을 두다려, ᄀᆞᆯ오ᄃᆡ,

ᄌᆞ긔ᄂᆞᆫ 몽슉을 조ᄎᆞ 그 거쳐ᄒᆞᄂᆞᆫ 집으로 향ᄒᆞᆯᄉᆡ, 다만 두 ᄂᆞᆺ 소동(小童)과 일필 쳥녀(靑驢)432)로 몽슉과 동힝ᄒᆞ여 ᄒᆞᆫ 곳에 니르니, 가ᄉᆡ(家舍) 누츄ᄒᆞ기를 면ᄒᆞ고 용신(容身)ᄒᆞᆯ 만ᄒᆞᄃᆡ, 긔용즙물(器用什物)이 동ᄒᆡ슈(東海水)로 부싄433) ᄃᆞᆺ 《횡연‖황연(荒然)434)》 일공(一空)435)이라. 원쉬 몽슉으로 더브러 니회(離懷)를【22】펴ᄆᆡ, 반졈 ᄂᆡ외(內外)ᄒᆞᆯ ᄯᅳᆺ이 업고, 지셩으로 몽슉을 살과져 ᄒᆞ며, 참잔ᄒᆞᆫ 형용을 슬피 넉이미 골졀의 ᄉᆞ못차○[니], ○○○[몽슉이] 오직 구원(九原)436)의 함호결초(含琥結草)437)를 긔약할 ᄲᅳᆫ이라

ᄎᆞ일 셕반을 몽슉과 ᄒᆞᆫ가지로 먹으ᄃᆡ 흉괴 어른기지 아니코, 년침ᄒᆞ여 밤을 지ᄂᆡ나 귀ᄆᆡ 형적도 보지 못ᄒᆞᆯ너라. ᄎᆞ쳐 십니 밧게셔 샤ᄂᆞᆫ ᄇᆡ샤옹이란 샤ᄅᆞᆷ은 부ᄌᆡ(富者)라. ᄉᆡ벽을 당ᄒᆞ여 ᄉᆞᆷ을 헐헐이고 밧게 와 몽슉 보기를 쳥ᄒᆞ니, 몽슉이 ᄇᆡ가의 여러 번 걸식ᄒᆞᆫ 고로 즉시 즁쳥으로 쳥ᄒᆞ여 볼ᄉᆡ, ᄇᆡ샤옹이 눈을 《몹시‖모(模)438) 업시》 ᄯᅳ

471)쳥녀(靑驢) : 털빛이 검푸른 당나귀.
472)협칙(狹窄) : 공간이나 면적이 매우 좁음.
473)구원(九原) : 저승. 사람이 죽은 뒤에 그 혼이 가서 산다고 하는 세상.
474)'구술을 먹음고 플 ᄆᆡᆺ기를 긔약ᄒᆞᆯ' : 함호결쵸(含琥結草)를 번역한 말. 죽어서 풀을 맺어 은혜를 갚는다는 뜻. 즉 '입에 구슬을 머금고 있다'는 말은 상례(喪禮)에서 염습할 때에 죽은 이의 입에 구슬을 물리는 것을 말하는 것으로, '죽은 사람'을 뜻한다. ≒결초보은(結草報恩).
475)모(模) : 모양(模樣). 남들 앞에서 세워야 하는 위신이나 체면.

432)쳥녀(靑驢) : 털빛이 검푸른 당나귀.
433)부싀다 : 부시다. 그릇 따위를 씻어 깨끗하게 하다.
434)황연(荒然) : 인가(人家)가 드묾. 인기척이 없음.
435)일공(一空) : 텅 비어 아무것도 없는 상태.
436)구원(九原) : 저승. 사람이 죽은 뒤에 그 혼이 가서 산다고 하는 세상.
437)함호결초(含琥結草) : 구슬을 머금고 풀을 맺어 은혜를 갚는다는 뜻으로, 죽어서도 은혜를 잊지 않고 갚겠다는 말. 즉 '입에 구슬을 머금고 있다'는 말은 상례(喪禮)에서 염습할 때에 죽은 이의 입에 구슬을 물리는 것을 말하는 것으로, '죽은 사람'을 뜻하며, '결초(結草)'는 '결초보은(結草報恩)'의 줄임말이다.
438)모(模) : 모양(模樣). 남들 앞에서 세워야 하는 위신이나 체면.

"상공아 텬하의 괴이코 놀나온 일도 잇ᄂᆞ이【2】다. 내 ᄌᆞ식이 다만 일ᄌᆞ ᄲᅳᆫ으로 《뎍년Ⅱ뎐년(前年)》 이후로 졈졈슉식을 폐ᄒᆞ니 죽을 날만 기다리거ᄂᆞᆯ, 셜샹가상(雪上加霜)으로 ᄯᅩ 괴이ᄒᆞᆫ 일이 이셔, 일신이 거머ᄒᆞ고476) 옷칠ᄒᆞᆫ ᄃᆞᆺ 흉참ᄒᆞᆫ 귀ᄆᆡ(鬼魅) 닐곱이 흠긔 달녀드러, 내 ᄌᆞ식을 온 가디로 보ᄎᆡ며 왈, '우리 몽슉을 조로고 보ᄎᆡ여 그 죄를 다ᄉᆞ리더니, 금야ᄂᆞᆫ 대귀인이 그 집의 와 밤을 디ᄂᆡ니 우리 가디 못ᄒᆞᆯ디라. 디졉(止接)ᄒᆞᆯ 곳이 업ᄉᆞ니 마디 못ᄒᆞ여 금야(今夜)만 이의 잇다가, 그 귀인이 도라간 후 몽슉을 보ᄎᆡ리라' ᄒᆞ니, 아디 못거이다. 상공을 보ᄎᆡ던 귀ᄆᆡ 모양이 엇더 ᄒᆞ더니잇가?"

몽슉이 청파의 면ᄉᆡᆨ이 다르믈 ᄭᆡᄃᆞᆺ디 못ᄒᆞ여, ᄇᆡᆨᄉᆞ옹을 잠간 머므르고 방듕의 드러와 원【3】슈를 보고, ᄀᆞᆯ오ᄃᆡ,

"아ᄌᆞ 그 사ᄅᆞᆷ○○[의 말]을 드러 계실 거시니 졔어ᄒᆞᆯ 도리를 가ᄅᆞ치쇼셔."

원슈 침음(沈吟) 냥구(良久)의 쥬필 부작 열두 ᄌᆞ를 ᄡᅧ 주어 왈,

"이 거ᄉᆞᆯ 그 병인 누은 곳의 븟쳐 두면, 병인의게도 됴코 형을 보ᄎᆡ던 귀ᄆᆡ도 ᄌᆞ연 다라나리라."

몽슉이 대열ᄒᆞ여 ᄇᆡᆨᄉᆞ옹을 나와 보고, 부작을 주어 왈,

"이 거ᄉᆞᆯ 시험ᄒᆞ여 병소의 븟쳐 두라."

ᄉᆞ옹이 바다 가디고 집의 도라와 그 ᄋᆞ들의 병침(病寢)의 븟치ᄆᆡ, 시긱이 넘디 못ᄒᆞ여셔 ᄇᆡᆨᄉᆞ옹의 ᄋᆞ들의 뎍년(積年) 고딜(痼疾)이 쾌ᄎᆞ(快差)ᄒᆞ고, 홀연 동남(東南)으로조ᄎᆞ 거믄 긔운이 원 집을 두로며 급ᄒᆞᆫ 비 븟드시 오더니, ᄇᆡᆨᄉᆞ옹 집 동산 뒤히 굴 쇽을 ᄭᆡ치며 온갓 괴이ᄒᆞᆫ 즘ᄉᆡᆼ이 다 모혀 죽엇ᄂᆞᆫ 가온ᄃᆡ, 산져(山猪) 닐곱【4】이 죽어 느러져시니, 이ᄂᆞᆫ 몽슉을 보ᄎᆡ던 흉귀(凶鬼)러라. ᄉᆞ옹이 계오 뇌우(雷雨) 긋치믈 기다려 몽슉을 와 보고, 여러 흉귀 텬벌 닙으믈

476)거머ᄒᆞ다 : 거멓다.

고 가ᄉᆞᆷ을 두ᄃᆞ려 왈,

"상공아 텬디의 고이코 놀나온 일이 잇ᄂᆞ이다. ᄂᆡ ᄌᆞ식이 다만ᄒᆞ나 ᄲᅳᆫ으로 젼년 이후브터 졈졈 슉식을 폐ᄒᆞ니, 아조 죽을 날만 기ᄃᆞ리거ᄂᆞᆯ, 셜샹가상(雪上加霜)으로 ᄯᅩ 고이ᄒᆞᆫ 일이 잇셔, 일신이 거머439) 옷 칠ᄒᆞᆫ ᄃᆞᆺ ᄒᆞ고, 흉【23】참ᄒᆞᆫ 귀ᄆᆡ(鬼魅) 닐곱이 드러와 내 ᄌᆞ식을 온가지로 보ᄎᆡ며 왈, '우리 몽슉을 보ᄎᆡ여 그 죄를 ᄃᆞᄉᆞ리더니, 금야ᄂᆞᆫ 대귀인이 그 집에 와 밤을 지ᄂᆡ므로, 우리 가지 못ᄒᆞ고 지졉(止接)ᄒᆞᆯ 곳이 업ᄉᆞ니, 마지 못ᄒᆞ여 금야(今夜)만 이에 잇다가 그 귀인이 가거던 도로 몽슉을 보ᄎᆡ리라' ᄒᆞ니, 아지 못거라. 공을 보ᄎᆡ던 귀ᄆᆡ 모양이 엇더 ᄒᆞ더니잇가?"

몽슉이 청파에 변ᄉᆡᆨᄒᆞ믈 ᄭᆡᄃᆞᆺ지 못ᄒᆞ여 방즁의 드러와 원슈를 보고 왈,

"기인의 말을 드러 계시니 졔어ᄒᆞᆯ 도리를 가라치소셔."

원쉬 냥구(良久)에 《지필Ⅱ쥬필(朱筆)》 부작 열두 ᄌᆞ를 ᄡᅧ 쥬어 왈,

"이 거ᄉᆞᆯ 그 병인 누은 곳에 븟쳐 두면 병인에게도 조코, 형을 보ᄎᆡ던 귀신도 ᄌᆞ연이 다라나리라."

몽슉이 대열 칭ᄉᆞᄒᆞ고 ᄇᆡᆨ샤옹을 보고, 부작을 주어 왈,

"이 거ᄉᆞᆯ 시험ᄒᆞ여 병소에 븟쳐 두라."

샤옹이 ᄇᆞ다【24】가지고 도라와 그 ᄋᆞᄃᆞᆯ의 병침(病寢)에 븟치ᄆᆡ, 시각이 못ᄒᆞ여 병인의 젹년(積年) 고질(痼疾)이 쾌ᄎᆞ(快差)ᄒᆞ고, 홀연 동남(東南)으로조ᄎᆞ 거믄 구름이 원 집을 두르며, 큰 비 븟ᄃᆞ시 오고 뇌셩이 진동ᄒᆞ더니, 샤옹의 집 뒤 동산 굴속을 ᄭᆡ치며 온갓 고이ᄒᆞᆫ 즘ᄉᆡᆼ이 다 모혀 죽엇ᄂᆞᆫ 가온ᄃᆡ, 산제(山猪) 닐곱이 죽어 느러져시니 이ᄂᆞᆫ 몽슉을 보ᄎᆡ던 흉괴[귀](凶鬼)러라. 샤옹이 겨유 뇌우(雷雨) 긋치믈 기ᄃᆞ려 몽슉을 ○[와] 보고, 여러 흉귀 텬벌 닙으믈 니

439)거머ᄒᆞ다 : 거멓다.

니르고, 졔 ᄋᆞ들이 쾌소ᄒᆞ믈 닐너 샤례ᄒᆞ니, 몽슉이 역시 다ᄒᆡᆼᄒᆞ여 ᄇᆡᄉᆞ옹의 복되믈 일ᄏᆞ르니, ᄉᆞ옹이 깃브믈 니긔디 못ᄒᆞ여 부작 쁜 사ᄅᆞᆷ을 ᄎᆞᄌᆞ 샤례코져 ᄒᆞ니, 몽슉 왈,

"이ᄂᆞᆫ 다른 사ᄅᆞᆷ이 아니라 평졔대원슈 뎡듁쳥이니 노댱이 젼일 져를 보미 업ᄉᆞ니, 부작ᄉᆞ(符籍事)로 보기를 구ᄒᆞᆫ즉 졔 즐겨 보디 아닐가 ᄒᆞ노라."

ᄉᆞ옹이 감히 뵈믈 쳥치 못ᄒᆞ고, ᄒᆞᆫ갓 그 ᄌᆡ덕이 만ᄉᆞ의 이 ᄀᆞᆺᄐᆞ믈 경앙흠복(敬仰欽服)ᄒᆞᆯ ᄯᆞᄅᆞᆷ이러라.

원쉬 ᄒᆡᆼ게(行車) 밧븐 고로 ᄎᆞ일 소쥐를 ᄯᅥ나려 ᄒᆞᆯᄉᆡ, 몽슉이 원슈를 븟들고 슬허ᄒᆞ【5】믈 마디 아니니, 원쉬 또ᄒᆞᆫ 상연(傷然) 뉴톄(流涕)ᄒᆞ여 ᄎᆞ마 ᄯᅥ나디 못ᄒᆞ나, 군친을 영모ᄒᆞᄂᆞᆫ 회푀 간졀ᄒᆞ니, 마디 못ᄒᆞ여 몽슉으로 더브러 작별ᄒᆞᄆᆡ, 몽슉의 의식디졀과 셰밀디ᄉᆞ(細密之事)를 다 디극히 념녀ᄒᆞ여, 뎍소의 다시 군핍ᄒᆞᆫ 일이 업게 ᄒᆞ고, 그 집의 부작을 븟쳐 ᄉᆞ졍(邪精)을 졔어ᄒᆞ며, 님별의 몽슉의 손을 잡고 왈,

"쇼뎨 딘심ᄒᆞ여 형을 슈히 환쇄(還刷)케 ᄒᆞ리니, 멀면 ᄉᆞ오 년이오 갓가오면 이삼 년이라. 형은 그 ᄉᆞ이 보듕ᄒᆞ라."

몽슉이 톄뤼(涕淚) 산산(潸潸)ᄒᆞ여 말을 일우디 못ᄒᆞ더니, 날호여 오열 왈,

"현형 ᄀᆞᆺᄐᆞᆫ 대현의 뒤흘 조ᄎᆞ 셩듀를 셤기디 못ᄒᆞ고, 이제 한 업ᄉᆞᆫ 죄과를 몸 우히 싯고, 소쥐 뎍ᄀᆡᆨ이 되믄 셩듀와 현형의 은덕이라. 다시 환쇄ᄒᆞ믈 바라디 못【6】ᄒᆞᆯ디라. 쇼뎨 본ᄃᆡ 강근디친(强近之親)이 업ᄉᆞ니, 쳐ᄌᆞ의 뇨ᄉᆡᆼ디도(聊生之道)를 다 형의게 미덧ᄂᆞ니, 누뎨의 ᄋᆞ지 거의 문ᄌᆞ를 ᄇᆡ호기의 갓가와시니, 형이 거두어 가ᄅᆞ치믈 바라노라."

원쉬 왈,

"당부치 아니나, 형의 ᄌᆞ식은 내 ᄌᆞ식과 다르디 아니리니 근심 말고, ᄒᆡᆼ혀 소쥐 고혼이 될가 슬허 말나. 내 말과 일을 달니 아니리니, 형을 고토의 닐위도록 ᄒᆞ리라."

르고, 졔 ᄋᆞ들이 쾌소ᄒᆞ믈 고ᄒᆞᄃᆡ, 몽슉이 역시 다ᄒᆡᆼᄒᆞ여 ᄇᆡ샤옹의 복 되믈 닐ᄏᆞ라니, 샤옹이 깃브믈 니긔지 못ᄒᆞ여 부작 쁜 샤ᄅᆞᆷ을 ᄎᆞᄌᆞ 샤례코져 ᄒᆞ니, 몽슉 왈,

"이ᄂᆞᆫ 다른 샤ᄅᆞᆷ이 아니라 평졔대원슈 뎡쥭쳥이니 노장이 젼일 져를 보미 업ᄉᆞ니, 부작ᄉᆞ(符籍事)로 보믈 구ᄒᆞᆫ즉, 졔 즐겨 보지 아닐가 ᄒᆞ노라."【25】

샤옹이 감히 다시 쳥치 못ᄒᆞ고, ᄒᆞᆫ갓 그 ᄌᆡ덕이 과인ᄒᆞ믈 샤례ᄒᆞ더라.

원쉬 ᄒᆡᆼ게(行車) 밧븐 고로 ᄎᆞ일 소쥐를 ᄯᅥ나려 ᄒᆞᆯᄉᆡ, 몽슉이 원슈를 븟들고 슬허ᄒᆞ믈 마지 아니니, 원쉬 또ᄒᆞᆫ 상연(傷然) 뉴톄(流涕)ᄒᆞ야, ᄎᆞ마 ᄯᅥ나지 못ᄒᆞ나 군친을 영모ᄒᆞᄂᆞᆫ 회푀 근졀ᄒᆞ니, 마지 못ᄒᆞ여 작별ᄒᆞᆯᄉᆡ 몽슉의 의식지졀과 셰밀지ᄉᆞ(細密之事)를 다 지극히 념녀ᄒᆞ여, 젹소의 다시 군핍ᄒᆞᆫ 일이 업게 ᄒᆞ고, 그 집의 부작을 븟쳐 샤경(邪精)을 졔어ᄒᆞ며, 님별의 몽슉의 손을 잡고 왈,

"소뎨 진심ᄒᆞ여 형을 슈히 환쇄(還刷)케 ᄒᆞ리니, 멀면 ᄉᆞ오 년이오, 갓가온즉 삼ᄉᆞᄌᆡ(三四載)라. 형은 그 ᄉᆞ이 안심 보즁ᄒᆞ라."

몽슉이 톄뤼(涕淚) 산산(潸潸)ᄒᆞ여 말을 니르지 못ᄒᆞ더니, 날호여 오열 왈,

"원쉬 ᄀᆞᆺᄐᆞᆫ 대현의 뒤흘 좃ᄎᆞ 셩쥬를 셤기지 못ᄒᆞ고, 이제 한 업ᄉᆞᆫ 죄과를 몸의 싯고, 소쥐【26】젹ᄀᆡᆨ이 되믄 셩쥬와 현형의 은덕이라. 다시 환쇄ᄒᆞ믈 ᄇᆞ라리오. 소뎨 본ᄃᆡ 강근지친(强近之親)이 업ᄉᆞ니, 쳐ᄌᆞ의 소[뇨]ᄉᆡᆼ지도(聊生之道)를 다 원쉬긔 미덧ᄂᆞᆫ지라. 누뎨의 ᄋᆞ들이 거의 문ᄌᆞ를 ᄇᆡ호기에 갓가와시니, 형이 거두어 가ᄅᆞ치믈 ᄇᆞ라노라."

원쉬 왈,

"당부치 아니나, 형의 ᄌᆞ식 보믈 내 ᄌᆞ식과 달니 아니리니 근심 말나. 내 말과 일을 ᄀᆞᆺ치ᄒᆞ여 ○○[형을] 고토에 도라오게 ᄒᆞ리라."

몽슉이 톄읍(涕泣) 샤례 ᄒᆞ더라.

원쉬 몽슉을 니별ᄒᆞ고 힝거를 ᄌᆡ촉ᄒᆞ여 개가 승젼곡으로 호호탕탕(浩浩蕩蕩)이 황셩으로 나아오니, 츄구월 긔망(旣望)의야 경샤의 니르니라.

화셜 뎡동대원슈 삼노도춍병(征東大元帥三路都總兵) 윤통ᄌᆡ(尹總裁) 효문공이 ᄌᆞ원츌뎡(自願出征)ᄒᆞ여, 삼만 졍병과 십원 명댱을 거ᄂᆞ려 긔치(旗幟) 졀월(節鉞)이 【7】 동으로 향ᄒᆞᄆᆡ, 이 본ᄃᆡ 도덕대현(道德大賢)의 명셩군ᄌᆞ(明聖君子)로 니부텬관(吏部天官)을 거(居)ᄒᆞ여, 혁연ᄒᆞᆫ 명망과 무궁ᄒᆞᆫ ᄌᆡ덕이 이윤(伊尹) 쥬공(周公)의 후를 니어, 산두듕망(山斗重望)[477]이 일신의 온젼ᄒᆞᆯ ᄲᅮᆫ 아니라, 당ᄉᆞ 군졸을 거ᄂᆞ리ᄆᆡ 호령이 엄슉ᄒᆞ고, 덕홰(德化) 빈빈(彬彬)ᄒᆞ여 은혜를 몬져 ᄒᆞ며 위엄을 나죵 ᄒᆞᄃᆡ, ᄉᆞ졸의 두리ᄂᆞᆫ ᄆᆞ음이 형벌을 밧디 아니며 놉흔 셩음을 듯디 아닐ᄉᆞ록 더ᄒᆞ더라.

져히 말노 니르ᄃᆡ,

"우리 원슈의 은혜를 닛디 못ᄒᆞ고 녕을 위월(違越)ᄒᆞ여 죄의 나아가ᄂᆞᆫ 니ᄂᆞᆫ 블인흉패(不仁凶悖)ᄒᆞ여 동뉴의도 용납디 못ᄒᆞᆯ 거시라."

말ᄌᆡ ᄉᆞ졸이라도 녜의(禮儀)를 의장(倚仗)[478]ᄒᆞ여 원슈의 녕을 딕희고, 디나ᄂᆞᆫ 바의 츄호를 블범ᄒᆞ니, 삼만 대군과 십원 대댱이 힝ᄒᆞᄃᆡ 고요 나ᄌᆞᆨᄒᆞ여 초목이 【8】 상치 아니코, 계견이 놀나디 아니며, ᄇᆡᆨ셩이 져ᄌᆡ를 것디 아닛ᄂᆞᆫ디라. 쇼과주현(所過州縣)이 명망(名望)을 공경ᄒᆞ여 황황지영(惶惶祇迎)ᄒᆞᆯᄉᆡ, 원쉬 션문(先文)[479]을 보ᄂᆡᄂᆞᆫ 바의 ᄆᆡ양 풍악을 ᄀᆞᆺ초디 말나 ᄒᆞᄂᆞᆫ 고로, 졔읍 쥬현이 감히 비례로ᄡᅧ 원슈의 ᄆᆞ음을 깃기디 못ᄒᆞ고, ᄌᆡ보로ᄡᅧ 그 념결(廉潔)ᄒᆞᆫ 뜻을 더러이디 못ᄒᆞᄂᆞᆫ디라. ᄒᆞᆫ갓 뎐신이 디남 ᄀᆞᆺ치 ᄒᆞ여, 블인포악(不仁暴惡)ᄒᆞ던 ᄌᆞᄉᆞ(刺

477)산두듕망(山斗重望) : 태산북두(泰山北斗; 태산과 북두성)와 같은 매우 두터운 명성과 인망.
478)의장(倚仗) : 의지함.
479)션문(先文) : 중앙의 벼슬아치가 지방에 출장할 때, 그곳에 도착 날짜를 미리 알리던 공문

몽슉이 쳬읍(涕泣) ᄉᆞ샤 ᄒᆞ더라.

원쉬 힝거를 ᄌᆡ촉ᄒᆞ여 황셩에 니르니, ᄎᆞ시 츄구월 긔망(旣望)이러라.

화셜 졍동대원슈삼노도춍병(征東大元帥三路都總兵) 윤희텬이 ᄌᆞ원츌졍(自願出征)ᄒᆞ여, 삼만 졍병과 십원 명장을 거ᄂᆞ려 긔치(旗幟) 졀월(節鉞)이 동으로 향ᄒᆞᄆᆡ, 이 본ᄃᆡ 도덕대현(道德大賢)의 명셩군ᄌᆞ(明聖君子)로 니부텬관(吏部天官)에 거ᄒᆞ여, 혁연ᄒᆞᆫ 명망과 무궁ᄒᆞᆫ ᄌᆡ덕이 이윤(伊尹) 쥬공(周公)의 후를 니어, 산두즁망(山斗重望)[440]이 일신 【27】 의 온젼ᄒᆞᆯ ᄲᅮᆫ 아니라, 장ᄉᆞ 군졸을 거ᄂᆞ리ᄆᆡ 호령이 엄슉ᄒᆞ고 덕홰 빈빈ᄒᆞ여, 은혜를 몬져ᄒᆞ며 위엄을 나종ᄒᆞ여[ᄃᆡ], ᄉᆞ졸의 두리ᄂᆞᆫ 마음은 형벌을 밧지 아니며 놉흔 셩음을 듯지 아닐ᄉᆞ록 더ᄒᆞᆫ지라.

져마다 니르ᄃᆡ,

"우리 원슈의 은혜를 아지 못ᄒᆞᄂᆞᆫ 쟈ᄂᆞᆫ 불인흉ᄑᆡ(不仁凶悖)ᄒᆞ여 동뉴에도 용납지 못ᄒᆞᆯ 거시라."

ᄒᆞ야, 지어(至於) 말(末)긔 ᄉᆞ졸이라도 례의(禮義)를 의장(倚仗)[441]ᄒᆞ여 원슈의 녕을 직희고, 지나ᄂᆞᆫ 바에 츄호를 블범ᄒᆞ니, 대군이 힝ᄒᆞᄃᆡ 고요 나ᄌᆞᆨᄒᆞ여 초목이 상치 아니코, 계견이 놀나지 아니며 ᄇᆡᆨ셩이 져ᄌᆡ를 것지 아닛ᄂᆞᆫ지라. 소과쥬현(所過州縣)이 명망(名望)을 공경ᄒᆞ여 황황지영(惶惶祇迎)ᄒᆞᆯᄉᆡ, 원쉬 션문(先文)[442]을 보ᄂᆡᄂᆞᆫ 바에 ᄆᆡ양 풍악을 ᄀᆞᆺ초지 말나 ᄒᆞᄂᆞᆫ 고로, 읍져(邑底)[443] 쥬현이 감히 녜물노ᄡᅧ 원슈의 마음을 깃기지 못ᄒᆞ고, 【28】 ᄌᆡ보로ᄡᅧ 그 념결

440)산두듕망(山斗重望) : 태산북두(泰山北斗; 태산과 북두성)와 같은 매우 두터운 명성과 인망.
441)의장(倚仗) : 의지함.
442)션문(先文) : 중앙의 벼슬아치가 지방에 출장할 때, 그곳에 도착 날짜를 미리 알리던 공문
443)읍저(邑底) : 읍내(邑內). 조선 시대에, 관찰 관아가 아닌 지방 관아가 있던 마을.

史) 쥬현(州縣)이라도 져의 ᄉᆞ오나온 본셩을 발치 못ᄒᆞ여, 안찰ᄉᆞ 나려옴도곤 더ᄒᆞ여 근신겸퇴(勤愼謙退)ᄒᆞ기를 구실 삼으니, 이 ᄯᅩᄒᆞᆫ 각읍 ᄇᆡᆨ셩의 복이러라.

호호탕탕이 ᄒᆡᆼᄒᆞ여 동창 디계(地界)의 다ᄃᆞ라, 대국토디를 다 디ᄂᆡ고 동국을 드ᄃᆡᄆᆡ, 길가의 사ᄅᆞᆷ의 죽엄이 뫼흘 【9】 일워, 남녀노쇼 업시 시신을 ᄀᆞᆷ초디 못ᄒᆞ엿거ᄂᆞᆯ, ᄯᅩ 념딜(染疾)[480]이 치셩(熾盛)ᄒᆞ여 가가호호(家家戶戶)의 면ᄒᆞ리 업고, 인심이 흉참ᄒᆞ여 부ᄌᆞ(父子) 《상식 ‖ 상실(相失)[481]》 ᄒᆞ며, ᄇᆡᆨ쥬대로디샹(白晝大路之上)의 도뎍(盜賊)이 편만(遍滿)ᄒᆞ여 ᄒᆡᆼ장(行裝)[482]을 겁탈ᄒᆞᄂᆞᆫ 디라.

원쉬 남다른 인덕(仁德)으로ᄡᅧ 몬져 님ᄌᆞ 업ᄉᆞᆫ 신톄를 보ᄆᆡ 참담ᄒᆞ믈 니긔디 못ᄒᆞ여, 삿ᄎᆡ[483] ᄡᆞ 공산(空山)의 뭇기를 브ᄌᆞ러니 ᄒᆞ니, 날마다 디나ᄂᆞᆫ 바의 ᄉᆞ오십 ○[시]슈(屍首)[484]를 아니 무들 젹이 업ᄂᆞᆫ디라. ᄎᆞ고로 동창 디계를 드ᄃᆡ여 ᄒᆡᆼ게(行車) 더ᄃᆡ기 심ᄒᆞᄃᆡ, 원쉬 ᄒᆞᆫ 번도 무심히 디나칠 젹이 업ᄉᆞ니, ᄉᆞ졸이 ᄒᆡᆼ게 《머흘믈[485] ‖ 더ᄃᆡ믈[486]》 민망이 넉인ᄃᆡ, 원쉬 츄연 왈,

"시운이 브졔(不齊)ᄒᆞ믈 인ᄒᆞ여 동창 ᄉᆡᆼ녕(生靈)이 죄 업시 죽어시니, 거두디 아니미 인ᄌᆞ의 덕이 아니라. 어이 길 【10】 히 밧브다 ᄒᆞ여 디ᄂᆡ쳐 보리오. ᄉᆞ졸이 날노 더브러 용ᄉᆞ(用事)를 ᄒᆞᆫ가디로 ᄒᆞ여, 승젼닙공(勝戰立功)은 날회고 젹덕을 일삼으라."

ᄉᆞ졸이 원슈의 덕화를 감복ᄒᆞ여 급히 가

480)염질(染疾) : ①염병(染病). 장티푸스. ②전염병.
481)상실(相失) : (부모와 자식이) 서로를 잃어버림.
482)힝장(行裝) : 여행할 때 몸에 지니고 다니는 물건과 차림. ≒행리(行李). 행구(行具)
483)삿ᄎᆡ : 삿자리. 짚이나 갈대 따위를 엮어서 만든 깔개.
484)시슈(屍首) : 송장.
485)머흘다 : 험하다. 궂다.
486)더ᄃᆡ다 : 더디다. 어떤 움직임이나 일에 걸리는 시간이 오래다.

(廉潔)ᄒᆞᆫ ᄯᅳᆺ을 더러이지 못ᄒᆞᄂᆞᆫ지라. ᄒᆞᆫ갓 텬신이 지남ᄀᆞᆺ치 ᄒᆞ여, 블인포악(不仁暴惡)ᄒᆞ던 ᄌᆞᄉᆞ 쥬현이라도 져의 ᄉᆞ오나온 본셩을 감히 발치 못ᄒᆞ여, 안찰ᄉᆡ ᄂᆞ려옴도큰[곤] 더ᄒᆞ야 근신겸퇴(勤愼謙退) ᄒᆞ기를 구실 삼으니, 이 ᄯᅩᄒᆞᆫ 각읍 ᄇᆡᆨ셩의 복이러라.

호호탕탕이 ᄒᆡᆼᄒᆞ여 대국 토지를 다 지ᄂᆡ고 동국 《지셰 ‖ 지계(地界)》를 드ᄃᆡᄆᆡ, 길가희 사ᄅᆞᆷ의 죽엄이 뫼흘 닐워, 남녀노소 업시 시신을 감초지 못ᄒᆞ엿거ᄂᆞᆯ, ᄯᅩ 염질(染疾)[444]이 치셩(熾盛)ᄒᆞ여 가가호호(家家戶戶)이 아니 알흐리 업고, 인심이 흉참ᄒᆞ여 부ᄌᆞ 상실(相失)[445]ᄒᆞ며, ᄇᆡᆨ쥬대도지상(白晝大道之上)의 도젹(盜賊)이 편만(遍滿)ᄒᆞ여 ᄒᆡᆼ장(行裝)[446]을 겁탈ᄒᆞᄂᆞᆫ지라.

원쉬 남ᄃᆞ른 지인지덕(至仁之德)으로ᄡᅧ 몬져 님쟈 업ᄉᆞᆫ 시쳬를 보ᄆᆡ 불승참담ᄒᆞ여, ᄉᆞ치[447]{의} ᄡᆞ아 공산(空山)의 뭇기를 브즈러니 ᄒᆞ여, 날마다 ᄒᆡᆼᄒᆞᄂᆞᆫ 바에 ᄉᆞ오십 시슈(屍首)[448]를 아니 무들 젹 【29】 이 업ᄉᆞ니, ᄎᆞ고로 ᄒᆡᆼ게(行車) 더ᄃᆡ미 심ᄒᆞᄃᆡ, 원쉬 ᄒᆞᆫ 번 무심히 지나칠 젹이 업ᄉᆞ므로, ᄉᆞ졸이 ᄒᆡᆼ게 더ᄃᆡ믈[449] 답답이 넉이ᄂᆞᆫ지라. 원쉬 츄연 왈,

"시운이 부졔(不齊)ᄒᆞ믈 인ᄒᆞ여 동창 ᄉᆡᆼ녕(生靈)이 무죄히 죽어 시신이 뫼를 닐워시니, ᄇᆞ리고 거두지 아니미 인ᄌᆞ의 ᄒᆞᆯ ᄇᆡ 아니라. 어이 길히 밧부다 ᄒᆞ고 지ᄂᆡ○[쳐] 보리오. ᄉᆞ졸은 날노 더브러 마ᄋᆞᆷ을 ᄒᆞᆫ가지로 ᄒᆞ여 승젼닙공(勝戰立功)은 날회고 젹덕을 널니ᄒᆞ라."

ᄉᆞ졸이 원슈의 인심을 감덕ᄒᆞ여 급히 가기를 우기지 못ᄒᆞ고, 시쳬 곳 보면 ᄉᆞ치

444)염질(染疾) : ①염병(染病). 장티푸스. ②전염병.
445)상실(相失) : (부모와 자식이) 서로를 잃어버림.
446)힝장(行裝) : 여행할 때 몸에 지니고 다니는 물건과 차림. ≒행리(行李). 행구(行具)
447)삿ᄎᆡ : 삿자리. 짚이나 갈대 따위를 엮어서 만든 깔개.
448)시슈(屍首) : 송장.
449)더ᄃᆡ다 : 더디다. 어떤 움직임이나 일에 걸리는 시간이 오래다.

기를 우기디 못ᄒᆞ고, 시톄를 보면 ᄉᆞᆺ치 ᄡᆞ뭇기를 일삼을 ᄡᅳᆫ 아니라, 념질(染疾)의 아조 죽게 되어○○[셔도], 귀ᄆᆡ를 들녀 실셩 발광 ᄒᆞ여 죽게 된 줄 알고, 다 원쉬 알패 블너○○[오면], 의약을 티료치 아냐도 쾌ᄎᆞᄒᆞ믄 니르도 말고, 원슈의 긔치 졀월이 동창을 드ᄃᆡ므로브터, 념질이 간졍ᄒᆞ고[487] 요괴 ᄌᆞ최를 피ᄒᆞ여 먼니 슘ᄂᆞᆫ디라. ᄎᆞ고로 동창 ᄉᆡᆼ녕이 됴셕(朝夕)의 위ᄐᆡᄒᆞᆫ 목슘을 보젼ᄒᆞ여 ᄉᆞ라난 ᄌᆡ 무슈ᄒᆞ고, 각각 ᄉᆞᆱ 가온ᄃᆡ 념귀(染鬼)[488]와 요얼(妖孼)[489]이 ᄌᆞ최를 ᄀᆞᆷ초며, 니【11】르ᄃᆡ,

"녕허도군(靈虛道君)이 이 ᄯᆞᄒᆞᆯ 드ᄃᆡ시니, 이졔ᄂᆞᆫ 동창의 작난치 못ᄒᆞ리니, 우리 ᄌᆞ최를 번거히 못ᄒᆞᆯ디라. 태풍산 굴혈(窟穴)노 숨을 거시라."

ᄒᆞ고, 이 몽ᄉᆡ(夢事) 귀쳔(貴賤) 남녀(男女) 업시 다 ᄒᆞᆫ가디라. 반ᄃᆞ시 윤원쉬 쇽셰 범인이 아니믈 ᄭᆡᄃᆞ라, 져마다 동창을 복구(復舊)ᄒᆞᆯ가 바라미 깁더라.

원쉬 ᄒᆡᆼᄒᆞ여 동창 궁실노 바로 나아가려 ᄒᆞᆯᄉᆡ, 부원쉬 ᄀᆞᆯ오ᄃᆡ,

"궁실의 요뎍(妖賊)이 가득ᄒᆞ여시니, 우리 바로 ᄡᅦ쳐[490] 드러가면 ᄉᆞ졸의 상ᄒᆞ리 만ᄒᆞᆯ가 ᄒᆞᄂᆞ이다."

원쉬 쇼왈,

"아등이 비록 긔특ᄒᆞᆫ 일이 업ᄉᆞ나 평ᄉᆡᆼ 요신(妖神)과 잡귀(雜鬼)를 두려 아닛ᄂᆞ니, 요블승덕(妖不勝德)[491]이오 ᄉᆞ블범졍(邪不犯正)[492]이라, 엇디 요뎍(妖賊)을 두리리오. 쳐음의 내 안무ᄉᆞ(按撫使)를 《힝∥쳥》ᄒᆞ믄 져 요뎍과【12】ᄡᆞ홀 일이 대단치 아니므로, 동창 쇼국을 슌시ᄒᆞ여 ᄇᆡᆨ셩을 안무

487)간졍ᄒᆞ다 : 건정(乾淨)하다. 정결(淨潔)하다. 매우 깨끗하고 깔끔하다.
488)념귀(染鬼) : 염병(染病; 장티푸스)을 옮기는 귀신.
489)요얼(妖孼) : 요괴(妖怪). 요사스러운 귀신.
490)ᄡᅦ치다 : 꿰뚫다. 깨치다. 깨뜨리다.
491)요블승덕(妖不勝德) : 요괴로운 것은 바르고 어진 것을 이기지 못한다.
492)ᄉᆞ블범졍(邪不犯正) : 사악(邪惡)한 것은 정대(正大)한 것을 범하지 못한다.

{의} ᄡᆞ아 뭇기를 일삼을 ᄲᆞᆫ 아니라, 념질(染疾)에 아조 죽게 되어○○[셔도], 고이ᄒᆞᆫ 귀ᄆᆡ를 들녀 실셩 발광ᄒᆞᆫ 뉴를 다 원쉬 알ᄑᆡ 블너오면, 의약으로 치료치 아녀셔 쾌ᄎᆞᄒᆞ믄 니르도 말고, 원슈의 긔치 졀월이 동창을 드ᄃᆡ므로브터, 염질이 간졍ᄒᆞ고[450] 요ᄉᆡ 쟈최를 피ᄒᆞ여 먼니 숨ᄂᆞᆫ지라. ᄎᆞ고로 동창 ᄉᆡᆼ【30】녕이 조셕(朝夕)의 위ᄐᆡᄒᆞᆫ 목숨을 보젼ᄒᆞ여 ᄉᆞ라ᄂᆞᆫ ᄌᆡ 무수ᄒᆞ고, 각각 ᄉᆞᆱ 가온ᄃᆡ 염귀(染鬼)[451]와 요얼(妖孼)[452]이 쟈최를 감초며, 니르ᄃᆡ,

"녕허도군(靈虛道君)이 이 ᄯᆞᄒᆞᆯ 지나시니, 우리 ᄌᆞ최를 번거이 못ᄒᆞ리니 ᄐᆡ풍산 굴혈(窟穴)의 숨을 거시라."

ᄒᆞ고, 이 몽ᄉᆡ(夢事) 귀쳔(貴賤) 남녀(男女) 업시 다 ᄒᆞᆫ가지라. 반ᄃᆞ시 윤원슈 쇽셰 범인이 아닌 줄 ᄭᆡᄃᆞ라, 져마다 동창을 복구(復舊)ᄒᆞᆯ가 바라미 깁더라.

원쉬 ᄒᆡᆼᄒᆞ여 동창셩을 바로 나아가려 ᄒᆞᆯᄉᆡ, 부원쉬 왈,

"궁실의 요젹(妖賊)이 가득ᄒᆞ엿시니 우리 바로 ᄡᅦ쳐[453] 드러가면 ᄉᆞ졸이 상ᄒᆞᆯ가 념녀ᄒᆞᄂᆞ이다."

원슈 소왈,

"아등이 비록 긔특ᄒᆞᆫ 일이 업ᄉᆞᄃᆡ 평ᄉᆡᆼ 요신(妖神)과 잡귀(雜鬼)를 두려 아니ᄒᆞᄂᆞ니, 요블승덕(妖不勝德)[454]이오, 샤블범졍(邪不犯正)[455]이라, 엇지 요젹을 두리리오. 쳐음에 내 안무ᄉᆞ를 쳥ᄒᆞ믄 져 요젹(妖賊)과 ᄡᆞ홀 일이 ᄃᆡ단치 아닐 고로, 동창 소국을 슌시ᄒᆞ여 ᄇᆡᆨ셩을 안무ᄒᆞ고, 요졍을 쫏고져 ᄒᆞ

450)간졍ᄒᆞ다 : 건정(乾淨)하다. 정결(淨潔)하다. 매우 깨끗하고 깔끔하다.
451)념귀(染鬼) : 염병(染病; 장티푸스)을 옮기는 귀신.
452)요얼(妖孼) : 요괴(妖怪). 요사스러운 귀신.
453)ᄡᅦ치다 : 꿰뚫다. 깨치다. 깨뜨리다.
454)요블승덕(妖不勝德) : 요괴로운 것은 바르고 어진 것을 이기지 못한다.
455)ᄉᆞ블범졍(邪不犯正) : 사악(邪惡)한 것은 정대(正大)한 것을 범하지 못한다.

(按撫)ᄒᆞ고 요졍(妖精)을 쫏고져 ᄒᆞ미러니, 의외의 텬의와 듕논이 대원슈를 보ᄂᆡ미 올흐믈 일ᄏᆞ라, ᄇᆞ득이 병혁(兵革)을 니르혀시나, 엇디 져 요뎍과 ᄡᆞ홀 일이 대단ᄒᆞ리오.”

부원쉬 왈,

“원슈의 말ᄉᆞᆷ이 맛당ᄒᆞ시나, 요뎍이 발셔 누만 대군을 모화 태풍산과 궁실의 웅거ᄒᆞ여 외람이 ‘동텬ᄌᆞ(東天子)’ 위호(位號)를 칭ᄒᆞ고, 텬병을 막ᄌᆞ르미 심ᄒᆞᆯ 듯ᄒᆞ니 블의(不意)예 궁실을 아ᄉᆞ려 ᄒᆞᆫ즉, 원슈ᄂᆞᆫ 감히 범치 못ᄒᆞ나 ᄉᆞ졸은 결단ᄒᆞ여 상ᄒᆡ올 듯ᄒᆞ니, 아딕 다른 관익(關阨)[493]의 하ᄎᆡ(下寨)ᄒᆞ미 올흘가 ᄒᆞᄂᆞ이다.”

원쉬 듯디 아니코 삼군을 녕ᄒᆞ여 바로 궁실노【13】 드러 갈ᄉᆡ, 이ᄯᅢ 요뎍이 누만 군을 거나려 《동원Ⅱ동창》후ᄇᆡᆨ과 동왕을 죽이고 향ᄒᆞᄂᆞᆫ 바의 무뎍(無敵)이라. 위엄이 동창을 드레고, 셰ᄃᆡ의 희한ᄒᆞ믈 ᄌᆞ부ᄒᆞ여 대업(大業)을 일우기를 긔약ᄒᆞ니, 발셔 ‘동텬ᄌᆞ(東天子)’로라 칭ᄒᆞ고. ○○○[뉴별심] 호술귀로 대당군 대도독을 삼아 동졀ᄇᆡᆨ을 겸ᄒᆞ여 각각 군졸 삼 만식 거ᄂᆞ리게 ᄒᆞ니, 텬됴(天朝) 대군 오ᄂᆞᆫ 줄은 아디 못ᄒᆞ고, 뉴별심과 호슐귀로 다 봉읍의 보ᄂᆡ여 ᄇᆡᆨ셩을 안무ᄒᆞ고 오라 ᄒᆞ고, 차경계ᄂᆞᆫ 태풍산의 나아가 군졸을 졈검ᄒᆞ여 궁궐노 조ᄎᆞ 도라오려 나간 ᄉᆞ이의, 원슈의 대군이 궁궐노 드러가ᄆᆡ, 군용(軍容)의 뎡숙ᄒᆞᆷ과, 원슈의 텬일(天日) ᄀᆞᆺ튼 의표(儀表)와 뇽봉(龍鳳) ᄀᆞᆺ튼 ᄌᆞ질이 셩현○[의] 픔격을 가져 덕화와【14】외뫼 훤츌ᄒᆞ고, 부원슈의 영풍쥰골(英風俊骨)이 ᄇᆡᆨ일(白日)의 빗출 아ᄉᆞ며 츄월(秋月)의 정화를 가져 쳔고(千古)의 희한ᄒᆞ니, 엇디 차경계 요뎍의 블인간악(不仁奸惡)ᄒᆞ미 비기리오.

궁실을 딕희ᄂᆞᆫ 군졸이 텬됴 대댱의 긔특ᄒᆞᆷ과 힝군긔률(行軍紀律)의 뎡졔ᄒᆞ믈 흠앙(欽仰)ᄒᆞ여, 차경계 ᄋᆞ들다려도 니르디 아니

493)관익(關阨) : ①국경이나 요지의 통로에 두어 드나드는 사람이나 화물을 조사하던 곳. ②군사적으로 중요한 곳에 세운 요새.

미러니, 의외에 텬【31】의와 즁논을 조ᄎᆞ ᄇᆞ득이 병혁을 니르혀시나, 엇지 져 요젹과 ᄡᆞ홀 거시 대단ᄒᆞ리오.”

부원쉬 왈,

“원슈의 말ᄉᆞᆷ이 맛당ᄒᆞ시나, 요젹이 발셔 누만 대병을 모화 ᄐᆡ풍산과 궁실에 웅거ᄒᆞ여, 외람이 동텬ᄌᆞ(東天子) 위호(位號)를 칭ᄒᆞ고 텬병을 막ᄌᆞ를 듯ᄒᆞ니, 불의에 궁실을 아ᄉᆞ려 ᄒᆞᆫ즉, 원슈ᄂᆞᆫ 감히 범치 못ᄒᆞ려니와 ᄉᆞ졸을 상ᄒᆡ올 듯ᄒᆞ니, 오직 ᄃᆞ른 관익(關阨)[456]에 하ᄎᆡ(下寨)ᄒᆞ미 조흘가 ᄒᆞᄂᆞ이다.”

원쉬 듯지 아니코 삼군을 녕ᄒᆞ여 바로 궁실노 드러 갈ᄉᆡ, 이 ᄯᅢ 요젹이 누만 군을 거ᄂᆞ려 동창후ᄇᆡᆨ과 동왕을 죽이고, 국즁에 횡힝ᄒᆞ여 소향무젹(所向無敵)이라. 위엄이 동창을 드레고 셰ᄃᆡ의 희한ᄒᆞ믈 ᄌᆞ부ᄒᆞ여 대업을 닐우기로 긔약ᄒᆞ니, 발셔 동텬ᄌᆞ(東天子)로라 칭ᄒᆞ고, ○○○[녹발심] 호슈로ᄡᅧ 좌[대]장군 도독을 삼아 동경ᄇᆡᆨ을 겸ᄒᆞ여, 각각 군졸 삼 만식 거ᄂᆞ리게 ᄒᆞ니, 텬조(天朝) 대군 오ᄂᆞᆫ 줄은 모【32】로고, 녹발심과 호슈를 봉읍에 도라 보ᄂᆡ여 ᄇᆡᆨ셩을 안무ᄒᆞ고 오라 ᄒᆞ고, 차경셰ᄂᆞᆫ ᄐᆡ풍산에 나아가 군졸을 졈검ᄒᆞ여 궁궐노 도라오려 나간 ᄉᆞ이의, 원슈의 대군이 궁궐에 드러 가ᄆᆡ, 군용(軍容)의 정슉ᄒᆞᆷ과, 원슈의 텬일지표(天日之表)와 뇽봉지질(龍鳳之質)의 셩현 픔격을 가져 덕화와 외뫼 훤츌ᄒᆞ고, 부원슈의 영풍도골(英風道骨)이 ᄇᆡᆨ일(白日)의 빗출 아ᄉᆞ며, 츄월(秋月)의 정화를 가져 쳔고(千古)에 희한ᄒᆞ니, 엇지 차경셰 요젹의 불인간악(不仁奸惡)ᄒᆞᆷ에 비기리오.

궁실을 직희ᄂᆞᆫ 군졸이 텬조 대장의 긔특ᄒᆞᆷ과 힝군긔률(行軍紀律)의 졍졔ᄒᆞ믈 흠앙(欽仰)ᄒᆞ여, 차경셰 오들 ᄃᆞ려ᄂᆞᆫ 니르도 아

456)관익(關阨) : ①국경이나 요지의 통로에 두어 드나드는 사람이나 화물을 조사하던 곳. ②군사적으로 중요한 곳에 세운 요새.

코 문을 여러 원슈의 대군을 마ᄌᆞ 드리니, 윤원쉬 궁실의 드러가 항졸(降卒)을 죽이디 아니코, 차정계 두 ᄋᆞᄃᆞᆯ과 쳐를 잡아 ᄂᆡ여 본ᄌᆞᆨ, 다 요긔(妖氣) 춍농(叢朧)494)ᄒᆞ고 독ᄉᆡ(毒邪) 은은(隱隱)ᄒᆞᆫ디라. 원쉬 ᄎᆞ인 등을 《일시의 살녀 둘 줄을 씌ᄃᆞᆺ디 못ᄒᆞ더니 이후브터 씌ᄃᆞ라‖일시 살녀두고져 ᄒᆞ엿더니, 그 요샤를 보ᄆᆡ》 급히 죽이려 ᄒᆞᆯ 쌘 아니라, 정계의 쳐ᄂᆞᆫ 황후의 복ᄉᆡᆨ이오, 당ᄌᆞ는 태【15】ᄌᆞ의 복ᄉᆡᆨ이라. 원쉬 그 참남(僭濫)ᄒᆞᆫ 복ᄉᆡᆨ을 보ᄆᆡ 더옥 분에(憤恚)ᄒᆞ여, 일시의 버히기를 지쵹ᄒᆞ여 그 머리를 셩샹(城上)의 달고, ᄉᆞ문(四門)의 방 븟쳐 ᄇᆡᆨ셩을 위로 왈,

"이제 역뎍이 역텬무도(逆天無道)ᄒᆞ여 동월후ᄇᆡᆨ과 동창왕을 죽이고, 뎨호(帝號)를 참칭(僭稱)ᄒᆞ여 ᄇᆡᆨ셩을 협제(脅制)ᄒᆞ미 되여시나, 이제 텬됴 대병이 궁실의 드러와 동창 ᄉᆡᆼ녕의 탕화(湯火)를 구ᄒᆞᄂᆞ니, 일죽 요뎍을 바리고 국군(國君)의 참ᄉᆞ(慘死)ᄒᆞᆫ 원슈 갑기를 ᄉᆡᆼ각ᄒᆞ여 쌜니 도라오라."

ᄒᆞ니, 차정계의 군졸이 본ᄃᆡ 오합디졸(烏合之卒)이라. 원슈의 군ᄉᆡ 동창 디계(地界)를 드ᄃᆡ므로브터, 념질(染疾)이 간뎡495)ᄒᆞ여[고] 요괴 ᄌᆞ최를 피ᄒᆞ여, 신셩(神聖) 대귀인(大貴人)을 두리믈 드르ᄆᆡ, 원근을 혜디【16】아냐 ᄒᆞᆫ 번 원슈의 셩덕(聖德) 광휘(光輝)를 구경코져 ᄒᆞᄂᆞᆫ디라. ᄌᆞ연 '은민(殷民)496)이 쥬(周)497)로 도라옴'498) ᄀᆞᆺᄐᆞ여, 차정계를 ᄃᆡᆨ희디 아니코 원슈의 영ᄎᆡ(營寨)로 일시의 모드니, 그 슈를 혜기 어려온디

494)춍농(叢朧) : 몹시 번잡하게 어른거림.

495)간뎡 : 건정(乾淨). 더럽지 않고 깨끗함. 일처리를 잘하여 뒤끝이 깨끗함.

496)은민(殷民) : 중국 고대 은(殷)나라 백성.

497)쥬(周) : 기원전 1046년에서 기원전 256년까지 중국을 지배하던 왕조. 주(周) 무왕(武王)이 은나라 주왕(紂王)의 폭정을 진압하고 건국하여, 호경에 도읍을 정하고 봉건 제도를 시행하였다

498)은민(殷民)이 쥬(周)로 도라옴 : 고대 중국의 은나라 백성들이 주왕(紂王)의 폭정을 피하여 숨었다가 주(周)나라 무왕(武王)이 새로 나라를 세우고 선정(善政)을 베푼다는 소문을 듣고 주나라로 돌아왔던 일을 말함.

니코 셩문을 여러 원슈의 대군을 마ᄌᆞ 드리니, 윤원쉬 궁실에 드러가 항졸을 위로ᄒᆞ고, 차정셰 두 ᄋᆞᄃᆞᆯ과 쳐를 잡아 ᄂᆡ여 본ᄌᆞᆨ,○○○[다 요긔(妖氣)] 춍농(叢朧)457)ᄒᆞ고 독긔 은은ᄒᆞᆫ지라. 원쉬 ᄎᆞ인 등을 일시 살녀두고져 ᄒᆞ엿더니,【33】그 요샤를 보ᄆᆡ 급히 《죽이려‖죽여야》 ᄒᆞᆯ 쌘더러, 졍셰의 쳐ᄂᆞᆫ 황후의 복ᄉᆡᆨ이오, 장ᄌᆞᄂᆞᆫ ᄐᆡᄌᆞ의 복ᄉᆡᆨ이라. 윤·뎡 냥 원쉬 그 참남ᄒᆞᆫ 복ᄉᆡᆨ을 더욱 분히ᄒᆞ여 일시에 버히기를 지쵹ᄒᆞ여 그 머리를 셩샹의 ᄃᆞᆯ고, ᄉᆞ문에 방 븟쳐 ᄇᆡᆨ셩을 위로 왈,

"이제 동적이 녁텬무도(逆天無道)ᄒᆞ여 동월후ᄇᆡᆨ과 동창 왕을 죽이고, 위호(位號)를 참칭(僭稱)ᄒᆞ여 ᄇᆡᆨ셩을 협제(脅制)ᄒᆞ미 되여시나, 이제 텬조 대병이 궁실에 드러와 동창 ᄉᆡᆼ녕의 탕화(湯火)를 구ᄒᆞᄂᆞ니, 일작 요적을 ᄇᆞ리고 국군(國君)의 참ᄉᆞ(慘死)ᄒᆞᆫ 원슈 갑기를 ᄉᆡᆼ각ᄒᆞ여 쌜니 도라오라."

ᄒᆞ니, 차정셰의 군졸은 본ᄃᆡ 오합지즁(烏合之衆)이라. 윤원슈의 대병이 동창 지계(地界)를 드ᄃᆡ며, 염질(染疾)이 간정458)ᄒᆞ고 요괴 자최를 피ᄒᆞ여, 신명(神明) 대귀인(大貴人)으로 두리믈 드르ᄆᆡ, 원근을 불계(不計)ᄒᆞ고 ᄒᆞᆫ 번 원슈의 셩덕 광휘를 구경코져 ᄒᆞᄂᆞᆫ지라. ᄌᆞ연 ○…결락45자…○['은민(殷民)459)이 쥬(周)460)로 도라옴'461) ᄀᆞᆺᄐᆞ여, 차정셰를 ᄃᆡᆨ희디 아니코 원슈의 영ᄎᆡ(營寨)로 일시의 모드니, 그 슈를 혜기 어려온디

457)춍농(叢朧) : 몹시 번잡하게 어른거림.

458)간정 : 건정(乾淨). 더럽지 않고 깨끗함. 일처리를 잘하여 뒤끝이 깨끗함.

459)은민(殷民) : 중국 고대 은(殷)나라 백성.

460)쥬(周) : 기원전 1046년에서 기원전 256년까지 중국을 지배하던 왕조. 주(周) 무왕(武王)이 은나라 주왕(紂王)의 폭정을 진압하고 건국하여, 호경에 도읍을 정하고 봉건 제도를 시행하였다

461)은민(殷民)이 쥬(周)로 도라옴 : 고대 중국의 은나라 백성들이 주왕(紂王)의 폭정을 피하여 숨었다가 주(周)나라 무왕(武王)이 새로 나라를 세우고 선정(善政)을 베푼다는 소문을 듣고 주나라로 돌아왔던 일을 말함.

라. 원싊 은혜와 덕을 베퍼 귀항(歸降)ᄒᆞᄂᆞᆫ ᄇᆡᆨ셩을 위무(慰撫)ᄒᆞ고, 셩듕의 ᄡᅡ혓던 시신을 깁히 무드니, 님ᄌᆞ 업ᄉᆞᆫ ᄇᆡᆨ골이 ᄯᆞᄒᆡ ᄇᆞᆲ히믈 면ᄒᆞ더라.

차졍계 태운산의 잠간 머믈 ᄉᆞ이의, 궁실을 아이고 이ᄌᆞ(二子)와 쳐를 죽인 ᄇᆡ 되니, 모딘 분과 독ᄒᆞᆫ 셩이 골돌ᄒᆞ여 샤(使)를 보ᄂᆡ여 뉴발심과 호슐긔를 브르고, 크게 군긔(軍器)를 니르혀 텬됴 대병을 다 ᄌᆞᆺ치랴[499] 니를 갈고, 윤희텬의 머리 버히기ᄂᆞᆫ 낭듕취믈(囊中取物) ᄀᆞᆺ다 ᄒᆞ고, ᄐᆡᆨ일ᄒᆞ여 냥딘이 ᄃᆡ【17】뎍ᄒᆞ기를 쳥ᄒᆞ니, 숑딘의셔 부원싊 대원슈긔 고ᄒᆞ여 ᄀᆞᆯ오ᄃᆡ,

"텬됴 대병이 쇼국 뎍뉴와 졉젼코져 ᄒᆞᄆᆡ, 몬져 격셔를 보ᄂᆡᄂᆞᆫ 도리 잇거ᄂᆞᆯ, 원슈ᄂᆞᆫ 엇디 차뎍의게 격셔를 보ᄂᆡ디 아니시나니잇가?"

원싊 쇼왈,

"예ᄇᆡᆨ의 ᄎᆞᆼ명ᄒᆞ기로ᄡᅧ 요뎍(妖賊)의 근본을 아디 못ᄒᆞᄂᆞ뇨? 차졍계ᄂᆞᆫ 사ᄅᆞᆷ인디 모로거니와 호슐긔와 녹발심이란 거ᄉᆞᆫ 더옥 사ᄅᆞᆷ이 아니라. 각별ᄒᆞᆫ 요졍이니 군ᄌᆡ 엇디 져 뉴의게 격셔를 보ᄂᆡ여 위덕을 일흐리오. 내 다만 교유셔를 《셕곽‖셩곽(城郭)》마다 븟쳐 ᄇᆡᆨ셩을 샹히오디 아니며 ᄉᆞᄉᆞ로 귀항(歸降)케 ᄒᆞ리라."

부원싊 그러히 녁여 말을 아니ᄒᆞ더라.

원싊 교유셔로ᄡᅧ 관ᄋᆡᆨ(關阨)마다 븟치ᄆᆡ, 남【18】녀의 녜의 대졀과 튱효를 ᄀᆞᆺ초 베퍼, 공부ᄌᆞ(孔夫子)의 츈츄(春秋)를 디으시던 문니(文理)와, ᄆᆡᆼᄌᆞ(孟子)의 경젼(經傳)을 니르시던 언변(言辯)을 겸ᄒᆞ여, ᄒᆞᆫ 번 보ᄆᆡ 골졀이 녹ᄂᆞᆫ 듯ᄒᆞ여 모딘 ᄆᆞ음이 프러디며, 졔 압○[히] 그르믈 ᄉᆡᆼ각ᄒᆞᄆᆡ 낫ᄎᆞᆯ ᄡᅡᆨ고져 시븐디라. 경계의게 항복ᄒᆞ여 차뎍의 긔치(旗幟)를 다 놉히 ᄭᅩᄌᆞᆺ다가, 원슈의 교유셔를 본 후 크게 ᄭᆡᄃᆞ라, 뉘웃쳐 관문을 크게 여러 대군을 마ᄌᆞ며, 일시의 항복ᄒᆞ여 차뎍을 위(爲)치 아니ᄒᆞ니, 원싊 동창 궁실의 머믄 슈슌이 못ᄒᆞ여, ᄒᆞᆫ 번 창검을 빗기며 ᄉᆞ

499)ᄌᆞᆺ치다 : 짓치다. 함부로 마구 치다.

라. 원싊] 은혜와 덕화를 널【34】니 베퍼, 도즁의 ᄡᅡ혓ᄂᆞᆫ 시신을 거두어 깁히 뭇어셔, 임ᄌᆞ 업ᄉᆞᆫ ᄇᆡᆨ골이 ᄯᆞᄒᆡ ᄇᆞᆲ히믈 면ᄒᆞ더라.

차졍셰 ᄐᆡ운산에 잠간 머믈 ᄉᆞ이에, 궁실을 아이고 쳐ᄌᆞ를 다 죽인 ᄇᆡ 되니, 모진 분과 독ᄒᆞᆫ 셩이 골돌ᄒᆞ여 ᄉᆞ(使)를 보ᄂᆡ여 녹발심과 호슈를 브르고, 크게 군긔(軍器)를 니르혀 텬조 대병을 다 ᄌᆞᆺ치려[462] 니를 갈고, 윤희텬의 머리 버히기ᄂᆞᆫ 낭즁취물(囊中取物) ᄀᆞᆺ다 ᄒᆞ고 군을 나와 ᄃᆡ진ᄒᆞᄆᆡ,

462)ᄌᆞᆺ치다 : 짓치다. 함부로 마구 치다.

졸을 슈고치 아냐셔 인심이 믈 흐름 ᄀᆞᆺᄐᆞ여, 댱슈와 군졸이 닷토아 숑딘으【19】로 모드니, 큰 길히 좁고 셩문이 터질 ᄃᆞᆺᄒᆞ니 군ᄌᆞ의 덕이 이ᄀᆞᆺ더라.

차졍계 여러 관익과 만흔 군졸을 반 남아 일코, 윤원슈의 ᄌᆡ덕이 만ᄃᆡ의 희한ᄒᆞ믈 듯고, 더옥 통완ᄒᆞ여 녹발심과 호슐긔를 ᄌᆡ쵹ᄒᆞ여 군병을 총독게 ᄒᆞ나, 군졸이라 ᄒᆞᄂᆞᆫ ᄇᆡ 다 오합디졸이라. ᄒᆞᆫ 번 흣터디ᄆᆡ 향ᄒᆞ여 ᄎᆞᄌᆞᆯ 모(謀)히 업ᄉᆞ니, 녹·호 냥댱은 흉측능휼(凶測能譎)500)ᄒᆞ고[여], 군병을 호령ᄒᆞ며 다ᄅᆡ여 쥬육(酒肉)을 포복(飽腹)게 ᄒᆞ고 차졍계로 더브러 녕슈산 하의 딘치고, 숑딘과 졉젼ᄒᆞ믈 ᄌᆡ쵹ᄒᆞᆯᄉᆡ, ○[ᄌᆞ]칭(自稱) 왈, '동텬ᄌᆞ(東天子) 친뎡(親征)ᄒᆞ랴 ᄒᆞᄂᆞᆫ 위의(威儀)라' ᄒᆞ여, 긔치(旗幟) 의장(儀仗)501)이 텬ᄌᆞ 모양이라. 뇽봉일월긔(龍鳳日月旗)를 붓【20】치며 황냥산(黃陽繖)502)을 밧치고, ᄇᆡᆨ모(白旄) 황월(黃鉞)을 좌우로 갈나 셰우고, 군용(軍容)을 십분 엄졍(嚴整)이 ᄒᆞ여 숑군을 두렵게 ᄒᆞ고, 호슐긔 소ᄅᆡ를 놉히 ᄒᆞ여 왈,

"우리 폐ᄒᆡ 숑 원슈와 말ᄒᆞᄌᆞ 쳥ᄒᆞ신다."

ᄒᆞ니, 숑딘(宋陣)의셔 참모ᄉᆞ 뎡관이 은갑(銀甲) 은투고의 삼디창을 잡고, 허다 샤졸(士卒)을 거나려 츌마, 대호(大號) 왈,

"우리 대원슈ㅣ 너 ᄀᆞᆺᄐᆞᆫ 요졍과 슈작ᄒᆞ믈 더러이 넉이샤, 날을 보ᄂᆡ여 ᄌᆞ웅을 결ᄒᆞ라 ᄒᆞ시니, 모로미 긔를 누이고 목을 느르혀 나의 칼흘 바드라."

차졍계 대로ᄒᆞ여 호슐긔와 녹발심을 ᄌᆡ쵹

500)흉측능휼(凶測能譎) : 몹시 흉악하고 속이기를 잘함.

501)의장(儀仗) : 천자(天子)나 왕공(王公) 등 지위가 높은 사람이 행차할 때에 위엄을 보이기 위하여 격식을 갖추어 세우는 병장기(兵仗器)나 물건. 의(儀)는 위의(威儀)를, 장(仗)은 창이나 칼 같은 병기를 가리킨다.

502)황냥산(黃陽繖) :의장(儀仗)으로 쓰던 누런색의 양산(陽繖). *양산(陽繖); 햇볕을 가리는 데 사용하던 의장. 가에 늘어지도록 둘러친 헝겊이 3층으로 되어 있고 중간은 긴 자루로 받치고 있다.

녹·호 냥쟝이 《흉휼능측‖흉측능휼(凶測能譎)463)》ᄒᆞ며[여], 군병을 호령ᄒᆞ며 달ᄂᆡ여 쥬식(酒食)을 각별(各別) 포복(飽腹)게 ᄒᆞ고, 차졍셰로 더브러 녕슈산 하에 진치고 송진(宋陣)과 대젼ᄒᆞ믈 ᄌᆡ촉ᄒᆞᆯᄉᆡ, ᄌᆞ칭 '동텬ᄌᆞ(東天子)'라 ᄒᆞ여 뇽봉일월긔(龍鳳日月旗)를 붓치며, 황양산(黃陽繖)464)을 밧치고, ᄇᆡᆨ모(白旄) 황월(黃鉞)을 좌우로 셰우며, 군용(軍容)을 각별 엄졍(嚴整)히 ᄒᆞ여 송군으로 두렵게 ᄒᆞ고, 《스ᄉᆞ로‖호슈》 소ᄅᆡ를 놉혀 왈,

"우리 폐【35】ᄒᆡ 송 원슈와 말ᄒᆞᄌᆞ 쳥ᄒᆞ신다."

ᄒᆞ니, 송진(宋陣)에셔 참모ᄉᆞ 뎡관이 은갑(銀甲) 은투고의 삼지창을 잡고 츌마 ᄃᆡ호(大號) 왈,

"우리 대원슈ㅣ 너 ᄀᆞᆺᄐᆞᆫ 요졍과 슈작ᄒᆞ믈 더러이 넉이샤, 나를 보ᄂᆡ여 ᄌᆞ웅을 결ᄒᆞ라 ᄒᆞ시니, 이 ᄀᆡ ᄀᆞᆺᄐᆞᆫ 요졍은 목을 느ᄅᆡ혀 내 칼흘 바드라."

차졍셰 대로ᄒᆞ여 호슬긔와 녹발심으로 츌젼ᄒᆞ라 ᄒᆞ니, 녹·호 냥장이 응셩(應聲) 츌마ᄒᆞ여 일시에 뎡 참모를 취ᄒᆞ니, 송진 즁에셔 부원슈 뎡셰홍이 좌우 션봉을 거ᄂᆞ려, 진문 밧게 나와 긔를 두르며 북을 울니며

463)흉측능휼(凶測能譎) : 몹시 흉악하고 속이기를 잘함.

464)황양산(黃陽繖) :의장(儀仗)으로 쓰던 누런색의 양산(陽繖). *양산(陽繖); 햇볕을 가리는 데 사용하던 의장. 가에 늘어지도록 둘러친 헝겊이 3층으로 되어 있고 중간은 긴 자루로 받치고 있다.

ᄒᆞ여 위풍을 빗ᄂᆡ라 ᄒᆞ니, 녹・호 냥댱이 청녕(聽令)ᄒᆞ여○…결락22자…○[일시에 뎡참모를 취ᄒᆞ니, 송진 즁에셔 부원슈 뎡셰홍이] 대군을 거나려, 딘문 밧긔 나와 긔를 두로며 븍을 울【21】녀 ᄡᅡ홈을 도도니, 늠연(凜然)ᄒᆞᆫ 신위ᄂᆞᆫ 싁싁ᄒᆞ고, 당당ᄒᆞᆫ 경긔 녹・호 냥댱의 요샤(妖邪)를 졔어ᄒᆞᆯ ᄇᆡ라. 차뎍(-賊)의 군병이 칭찬 왈,

“이ᄂᆞᆫ 반ᄃᆞ시 텬션(天仙)이 하강ᄒᆞ시미오, 진셰(塵世) 속인(俗人)이 아니라. 부원쉬 이 ᄀᆞᆺᄐᆞᆫ 인물이니 대원슈ᄂᆞᆫ 더옥 니를 거시 업ᄉᆞ리로다.”

ᄒᆞ여, 황홀(恍惚) 경찬(驚讚)ᄒᆞ믈 마디 아니ᄒᆞ니, 차뎍이 대로ᄒᆞ여 부원슈 일ᄏᆞᆺᄂᆞᆫ 군ᄉᆞ를 스ᄉᆞ로 죽이고, 이의 뎡원슈를 향ᄒᆞ여 왈,

“네 대댱이 인ᄉᆞ를 모로ᄂᆞᆫ 고로 딤을 ᄇᆡ견(拜見)치 아니ᄒᆞ거니와, 딤이 임의 응텬슌인(應天順人)[503]ᄒᆞ여, 동방(東方)의 인심을 크게 취ᄒᆞ고 향ᄒᆞᄂᆞᆫ 바의 위명(威名)이 딘동ᄒᆞ니, 여등 ᄀᆞᆺᄐᆞᆫ 황구쇼ᄋᆞ(黃口小兒)[504]ᄂᆞᆫ 파리 목숨 ᄡᅳ리치[505] ᄃᆞᆺᄒᆞ려니와, 딤이 일단【22】의긔 현심의 ᄎᆞᆷ디 못ᄒᆞᄂᆞᆫ 바ᄂᆞᆫ ᄉᆡᆼ녕(生靈)의 도륙(屠戮)이라. ‘숑이 본ᄃᆡ 고ᄋᆞ(孤兒)와 과부(寡婦)를 속여 어든 나라히니’[506] 블인디국(不仁之國)이라. 딤이 당당이 블인디국을 탕멸ᄒᆞ고, 와탑(臥榻)의 타인의 소ᄅᆡ를 듯디 아니리니, 너 쇼ᄋᆡ 므ᄉᆞᆷ ᄉᆞ리(事理)를 알니오마ᄂᆞᆫ, 혹ᄌᆞ 텬의를 알미 잇거든 항복ᄒᆞ여 검하경혼(劍下驚魂)이 되디 말나.”

503)응텬슌인(應天順人) : 하늘의 뜻에 순응하고 백성의 뜻을 따름.
504)황구쇼ᄋᆞ(黃口小兒) : 젖내 나는 어린아이라는 뜻으로, 철없이 미숙한 사람을 낮잡아 이르는 말.
505)ᄡᅳ리치다 : 쓸어버리다. 뿌리치다.
506)송(宋) 태조 조광윤(趙匡胤: 927-976)이 절도사(節度使)로서, 후주(後周) 세종(世宗)이 갑자기 병사하여 황태자 시종훈(柴宗訓: 953-968)이 불과 7세의 나이로 제위에 오르고 황태후가 섭정을 하게 되자, 부하장수들의 추대를 받아 반란을 일으키고, 공제(恭帝; 시종훈)로부터 황위(皇位)를 선양받아 송나라를 건국한 일을 두고 이르는 말.

ᄡᅡ홈을 도도니, 늠연ᄒᆞᆫ 신위ᄂᆞᆫ 싁싁ᄒᆞ고 당당ᄒᆞᆫ 경긔ᄂᆞᆫ 녹・호 냥장의 요샤를 졔어ᄒᆞᆯ ᄇᆡ라. 차젹(-賊)의 군졸이 탄지칭션(歎之稱善) 왈,

“이ᄂᆞᆫ 반ᄃᆞ시 텬신(天神)이 하강ᄒᆞ미오, 진셰(塵世) 속인(俗人)이 아니라. 부원쉬 져 ᄀᆞᆺᄒᆞ니 대원슈ᄂᆞᆫ 더욱 니를 거시 업【36】ᄉᆞ리로다.”

ᄒᆞ니, 차젹이 대로ᄒᆞ여 칼흘 ᄲᆡ혀 칭션(稱善)ᄒᆞᄂᆞᆫ 군졸을 버히고, 이에 뎡원슈를 향ᄒᆞ여 왈,

“네 대장이 인ᄉᆞ를 모로ᄂᆞᆫ 고로 ○○[딤을] ᄇᆡ견(拜見)치 아니ᄒᆞ거니와, 딤이 임의 응텬슌인(應天順人)[465]ᄒᆞ여 동방(東方)의 인심을 크게 취ᄒᆞ고, 향ᄒᆞᆫ 바의 위명(威名)이 대진ᄒᆞ니, 여등 ᄀᆞᆺᄐᆞᆫ 황구소ᄋᆞ(黃口小兒)[466]ᄂᆞᆫ ○○[파리] 목숨을 ᄡᅳ리칠[치][467] ᄃᆞᆺᄒᆞ려니와, 딤이 일단 현심(賢心)에 ᄎᆞ마 못ᄒᆞᄂᆞᆫ 바ᄂᆞᆫ ᄉᆡᆼ녕(生靈)의 도륙(屠戮)이라. ‘송(宋)이 본ᄃᆡ 고ᄋᆞ(孤兒)와 과부(寡婦)를 속여 어든 나라히라’[468] 불인지국(不仁之國)이니, 딤이 당당이 불인지국을 탕멸ᄒᆞ고져 ᄒᆞᄂᆞ니, 너 소ᄋᆡ 무ᄉᆞᆫ ᄉᆞ리(事理)를 알니오마ᄂᆞᆫ, 혹쟈 텬의를 알미 잇거든 항복ᄒᆞ여 검하경혼(劍下驚魂)이 되지 말나.”

465)응텬슌인(應天順人) : 하늘의 뜻에 순응하고 백성의 뜻을 따름.
466)황구쇼ᄋᆞ(黃口小兒) : 젖내 나는 어린아이라는 뜻으로, 철없이 미숙한 사람을 낮잡아 이르는 말.
467)ᄡᅳ리치다 : 쓸어버리다. 뿌리치다.
468)송(宋) 태조 조광윤(趙匡胤: 927-976)이 절도사(節度使)로서, 후주(後周) 세종(世宗)이 갑자기 병사하여 황태자 시종훈(柴宗訓: 953-968)이 불과 7세의 나이로 제위에 오르고 황태후가 섭정을 하게 되자, 부하장수들의 추대를 받아 반란을 일으키고, 공제(恭帝; 시종훈)로부터 황위(皇位)를 선양받아 송나라를 건국한 일을 두고 이르는 말.

뎡원슈 ᄎᆞ언을 드르ᄆᆡ, 노목(怒目)이 딘녈(瞋烈)ᄒᆞ고 분발(憤髮)이 상디(上指)ᄒᆞ여, 녀셩(厲聲) 대즐(大叱) 왈(曰),

"우흐로 셩텬ᄌᆡ(聖天子) 만긔(萬機)를 춍찰(總察)ᄒᆞ시ᄆᆡ, 셩덕(聖德)이 일월(日月) ᄀᆞᆺᄐᆞ시거ᄂᆞᆯ, 역텬무도(逆天無道)ᄒᆞᆫ 도뎍이 동방의 쥰쥰(蠢蠢) 농부로셔, 국왕을 죽여 죄역(罪逆)이 텬디의 관영(貫盈)ᄒᆞ고, 다시 대국 토디를 노략ᄒᆞ며 동월후ᄇᆡᆨ을 다 ᄒᆡᄒᆞ여, 눈 우희 셔리 【23】 를 므릅뼛거ᄂᆞᆯ507), 문득 위호(位號)를 참칭(僭稱)ᄒᆞ고 흉패(凶悖)ᄒᆞᆫ 말노뼈 텬됴대댱(天朝大將)을 욕ᄒᆞ니, 너희 죄역은 텬ᄉᆞ무셕(千死無惜)508)이오 만ᄉᆞ유경(萬死猶輕)509)이라. 우리 딘(陣)의셔 너를 쁘져 죽이디 못ᄒᆞ면 결단ᄒᆞ여 영웅이 아니라."

차졍계 대로ᄒᆞ여 녹·호 냥댱으로 ᄒᆞ여금 뎡원슈를 버히라 ᄒᆞ니, 녹·호 냥댱이 뎡원슈와 좌우 션봉 등으로 ᄒᆞ여금 크게 ᄡᆞ홀ᄉᆡ, 냥딘 군ᄉᆡ 어우러져 징(錚) 븍을 울니며 창검을 번득여 승부를 닷토ᄂᆞᆫ디라. 윤원슈ᄂᆞᆫ 댱ᄃᆡ(將臺)의셔 냥딘 승패를 보며, 녹·호 냥댱이 결단코 사ᄅᆞᆷ이 아니오, 괴이ᄒᆞᆫ 요졍이믈 ᄇᆞᆰ히 알ᄆᆡ, 졔요가(制妖歌)510)를 한가히 외오니, 청월(淸越)511)ᄒᆞᆫ 셩음(聲音)이 댱공(長空)512)의 어ᄅᆡ고, 단혈(丹穴)513)의 【24】 봉황이 우디디ᄂᆞᆫ ᄃᆞᆺ, 화평ᄒᆞ고 유열ᄒᆞ여 텬디의 화긔를 닐위며, 만믈의 티셩(熾盛)을 볼디라. 녹·호 냥댱의 ᄌᆡ조와 용녁이며 요슐(妖術) 신ᄒᆡᆼ(神行)이 뎡원슈를 못 니긜 ᄇᆡ 아니로ᄃᆡ, 뎡원슈의 당당ᄒᆞᆫ 졍

507)눈 우희 셔리를 므릅뼛거ᄂᆞᆯ : 설상가상(雪上加霜)·을 번역한 말.

508)텬ᄉᆞ무셕(千死無惜) : 천 번을 죽여도 조금도 아까운 마음이 없음.

509)만ᄉᆞ유경(萬死猶輕) : 지은 죄가 커서 만 번을 죽여도 그 죄가 오히려 가벼움.

510)졔요가(制妖歌) : 요사(妖邪)를 제어하는 영험(靈驗)을 가진 노래.

511)청월(淸越) : 소리가 맑고 가락이 높음.

512)댱공(長空) : 끝없이 높고 먼 공중.

513)단혈(丹穴) : 예전에, 중국에서 남쪽의 태양 바로 밑이라고 여기던 곳.

뎡원슈 청필에 노목(怒目)이 진녈(瞋裂)ᄒᆞ여 녀셩(厲聲) ᄃᆡ즐(大叱) 왈(曰),

"우리 셩텬ᄌᆡ(聖天子) 만긔(萬機)를 총찰(總察)ᄒᆞ시ᄆᆡ, 셩덕(聖德)이 ᄃᆞᆺᄂᆞᆫ ᄒᆡ ᄀᆞᆺᄒᆞ시거ᄂᆞᆯ, 녁텬무도(逆天無道)ᄒᆞᆫ 도적 【37】 이 동방의 쥰쥰(蠢蠢) 농부로셔 국왕을 죽여 ᄃᆡ역(大逆)이 텬디의 관영(貫盈)커ᄂᆞᆯ 다시 대국 토디를 침노ᄒᆞ며 위호(位號)를 참칭(僭稱)ᄒᆞ고 흉ᄑᆡ지셜(凶悖之說)노 텬조대장(天朝大將)을 욕ᄒᆞ니, 너의 죄악은 쳔살무셕(千殺無惜)469)이오 만ᄉᆞ유경(萬死猶輕)470)이로다."

차졍셰 대로ᄒᆞ여 녹·호 냥장으로 ᄒᆞ야곰 뎡원슈를 버혀 오라 ᄒᆞ니, 냥장이 뎡원슈와 ᄡᆞ홀ᄉᆡ 징(錚) 북을 울니며 창검을 번득여 승부를 ᄃᆞᆺ토ᄂᆞᆫ지라. 윤원쉬 진문 안에셔 냥진 승ᄑᆡ를 보며, 녹·호 냥장이 결단코 샤ᄅᆞᆷ이 아니오 요졍이믈 ᄇᆞᆰ히 알ᄆᆡ, 졔요가(制妖歌)471)를 한가히 외오니 쳥월(淸越)472)ᄒᆞᆫ 셩음이 단혈(丹穴)473)의 봉황이 우ᄂᆞᆫ ᄃᆞᆺ, 화령(和寧) 유열(愉悅)ᄒᆞ미 텬디의 화긔를 닐위니, 녹·호 냥장의 ᄌᆡ조와 용녁이며 요슐(妖術) 신ᄒᆡᆼ(神行)인ᄌᆞᆨ, 뎡원슈를 못니긜 ᄇᆡ 아니로ᄃᆡ, 뎡원슈의 당당ᄒᆞᆫ 졍긔와 윤원슈의 졔 【38】 요가(制妖歌) 불으믈 당ᄒᆞ여, 졍신과 긔운이 어득ᄒᆞ여 능히 당치 못ᄒᆞ니, 뎡원쉬 좌우 션봉과 ᄎᆞᆷ모ᄉᆞ로 더브러 적군을 싀살ᄒᆞ니, ᄉᆞ졸이 ᄃᆡ란(大亂)ᄒᆞ여 항복ᄒᆞᄂᆞᆫ ᄌᆡ 반이 넘고,

469)쳔살무셕(千殺無惜) : 천 번을 죽여도 조금도 아까운 마음이 없음.

470)만ᄉᆞ유경(萬死猶輕) : 지은 죄가 커서 만 번을 죽여도 그 죄가 오히려 가벼움.

471)졔요가(制妖歌) : 요사(妖邪)를 제어하는 영험(靈驗)을 가진 노래.

472)쳥월(淸越) : 소리가 맑고 가락이 높음.

473)단혈(丹穴) : 예전에, 중국에서 남쪽의 태양 바로 밑이라고 여기던 곳.

긔 족히 요얼(妖孼)을 졔어ᄒᆞᆯ ᄇᆡ어ᄂᆞᆯ, 겸ᄒᆞ여 윤원슈의 졔요가의 녹·호 냥댱의 졍신과 긔운이 어득ᄒᆞ여, 능히 뎡원슈를 당치 못ᄒᆞᄂᆞᆫ디라. 뎡원쉬 좌우 션봉과 참모ᄉᆞ로 더브러 뎍군을 싀살(弑殺)ᄒᆞᄆᆡ, 용ᄆᆡᆼ이 신긔ᄒᆞ여 사ᄅᆞᆷ의 머리 버히기를 낭듕취믈(囊中取物)ᄀᆞᆺ치 ᄒᆞᄂᆞᆫ디라. 뎍군이 대란(大亂)ᄒᆞ여 항복ᄒᆞᄂᆞᆫ ᄌᆡ 반이 넘더라.

녹·호 냥댱이 분ᄒᆞᆷ을 니긔디 못ᄒᆞ여, 몸을 흔드러 공듕의 소ᄉᆞ며 칼흘 부원슈【25】의게 나리치ᄆᆡ, 뎡원쉬 몸을 기우려 피ᄒᆞ다가 두 팔히 흠긔 다질녀[514] 좌편 팔히 상ᄒᆞ여 혈츌갑샹(血出甲上)[515]ᄒᆞᄃᆡ, 블변안ᄉᆡᆨ(不變顔色)ᄒᆞ고 두 칼흘 모도잡아[516] ᄡᅥᆨ거 더디고, 보궁(寶弓)의 비젼(飛箭)을 먹여 공듕을 바라며 흑뮈(黑霧) 엉긘 곳을 ᄡᅩᄆᆡ, 일셩(一聲)을 ᄋᆡ고[517]ᄒᆞ며 왈학[518] 나려디ᄂᆞᆫ 거시 잇거ᄂᆞᆯ, 모다 보니 큰 ᄉᆞ슴이 슘통을 마ᄌᆞ 셰 길이나 느러졋ᄂᆞᆫ디라. 뎡원쉬 좌우 션봉으로 ᄒᆞ여금 그 ᄉᆞ슴을 ᄭᅳ어다가 원슈긔 뵈오라 ᄒᆞ고, 다시 공듕을 향ᄒᆞ여 ᄯᅩ ᄡᅩᄆᆡ 흑뮈 어릔 곳으로 조ᄎᆞ ᄉᆞ셕(沙石)이 비 오ᄃᆺ ᄒᆞ니, 송군이 ᄯᅩᄒᆞᆫ 무셔히 넉여 능히 공듕을 보리 업고 다만 먼니 피ᄒᆞᄃᆡ, 뎡원쉬 분완○[ᄒᆞ]여 블고ᄉᆞᄉᆡᆼ(不顧死生)[519]ᄒᆞ고 ᄡᅩ기를 마디 아니ᄒᆞ더니, ᄯᅩ 공듕으로셔 나【26】려 오ᄂᆞᆫ 살이 뎡원슈의 우각(右脚)의 깁히 박히ᄃᆡ, 원쉬 블승분완(不勝憤惋)ᄒᆞᄆᆡ 알픈 줄을 모로고, 공듕을 우러러 평ᄉᆡᆼ ᄌᆡ조를 다ᄒᆞ여 ᄡᅩ기를 긋치디 아니ᄆᆡ, ᄯᅩ ᄋᆡ고 소ᄅᆡ 딘동ᄒᆞ며, 딘문 안희셔 윤원쉬 졔요가 외오ᄂᆞᆫ 소ᄅᆡ 쳥낭ᄒᆞ더니, 흑뮈 트이며 ᄯᅩ 나려디ᄂᆞᆫ 거시 이시니, 모다 보ᄆᆡ 아홉 ᄭᅩ리 가딘 금빗 ᄀᆞᆺ튼 여이라. 가슴을 마ᄌᆞ 나려디나 아조 죽든 아녓거ᄂᆞᆯ, 뎡원쉬 ᄉᆞ졸노 ᄒᆞ여금 ᄭᅳ어다가 원슈긔 밧

---

514)다질니다 : 부딪다. 부딪치다.
515)혈츌갑샹(血出甲上) : 피가 갑옷 위로 솟아남.
516)모도잡다 ; 모아 잡다.
517)ᄋᆡ고 : 애고. 아이고의 준말.
518)왈학 : 와락. 갑자기 행동하는 모양.
519)불고ᄉᆞᄉᆡᆼ(不顧死生) : 죽고 삶을 돌아보지 않음.

녹·호 냥장이 급히 몸을 흔드러 공즁에 소ᄉᆞ며 칼흘 드러 부원슈를 지르니, 원슈ᅵ 몸을 기우려 피ᄒᆞ다가 두 칼이 한ᄃᆡ 다질녀[474] 좌편 ᄑᆞᆯ이 상ᄒᆞᄃᆡ, 안ᄉᆡᆨ을 불변ᄒᆞ고 두 칼을 ᄡᅥᆨ거 더지고, 보궁(寶弓)의 비젼(飛箭)을 먹여 흑뮈(黑霧) 엉긘 곳을 향ᄒᆞ여 ᄡᅩ니, ᄋᆡ고 일셩(一聲)에 ᄂᆞ려지ᄂᆞᆫ 소ᄅᆡ 잇거ᄂᆞᆯ, 모다 보ᄆᆡ 큰 《샤ᄅᆞᆷ‖ᄉᆞ슴》이 숨통을 마ᄌᆞ거ᄂᆞᆯ, 뎡원슈ᅵ 좌우 션봉으로 ᄒᆞ야곰 그 《샤ᄅᆞᆷ‖ᄉᆞ슴》을 ᄭᅳ어다가 원슈긔 뵈오라 ᄒᆞ고, 다시 공즁을 향ᄒᆞ여 ᄯᅩ ᄡᅩᄆᆡ 흑뮈 엉긘 곳으로 조ᄎᆞ 《시셕‖ᄉᆞ셕(沙石)》이 비 오ᄃᆺ ᄒᆞ니, 송군이 ᄃᆡ경ᄒᆞ여 허여지ᄃᆡ, 뎡원슈ᅵ 불고ᄉᆞᄉᆡᆼ(不顧死生)[475]ᄒᆞ고 ᄡᅩ기를 마지 아니【39】터니, ᄯᅩ 공즁으로셔 살이 ᄂᆞ라와 뎡 원슈ᅵ의 우각(右脚)에 깁히 박히니, 원슈ᅵ 불승분완(不勝憤惋)ᄒᆞ여 평ᄉᆡᆼ ᄌᆡ조를 다ᄒᆞ여 공즁을 우러러 비젼(飛箭)을 먹여 ᄡᅩ니, ᄋᆡ고[476] 소ᄅᆡ 텬디 진동ᄒᆞ며 아홉 ᄭᅩ리 가진 금빗 ᄀᆞᆺ튼 녀이 ᄀᆞ슴을 마ᄌᆞ ᄂᆞ려지나, 아조 죽든 아녓거ᄂᆞᆯ ᄉᆞ졸을 호령ᄒᆞ여 원슈긔 밧치라 ᄒᆞ고, 빵텬검을 두르며 젹병을 싀살ᄒᆞ더니, 윤원슈ᅵ 징쳐 군을 거두ᄆᆡ 본진에 도라와 왈,

---

474)다질니다 : 부딪다. 부딪치다.
475)불고ᄉᆞᄉᆡᆼ(不顧死生) : 죽고 삶을 돌아보지 않음.
476)ᄋᆡ고 : 애고. 아이고의 준말.

치라 ᄒᆞ고, 빵천검을 두로며 뎍병을 ᄉᆡ살ᄒᆞ니, 용녁이 비상ᄒᆞ고 날ᄂᆡ미 졔비도곤 더ᄒᆞᆫ디라. 윤원쉬 호슐긔와 녹발심을 잡으ᄆᆡ, 차졍계ᄂᆞᆫ 잡으미 ᄌᆞ연 쉬올 거시므로, 【27】 뎡원슈의 상ᄒᆞ믈 민망ᄒᆞ여 징(錚)쳐 군을 거두니, 차졍계 쳣 ᄡᅡ홈의 녹·호 냥댱을 일코 블승분완《ᄒᆞ여∥ᄒᆞ나》, ᄉᆞ졸이 죽디 아닛ᄂᆞᆫ 뉴ᄂᆞᆫ 다 항복ᄒᆞ니, 졔 누만(累萬) 군을 거나려 바야흐로 졉젼ᄒᆞ다가, ᄉᆞ졸을 일흘가 념녀ᄒᆞ므로 능히 ᄡᅡ호디 《못ᄒᆞᆯ ᄲᅮᆫ 아니라∥못ᄒᆞ더라》.

○○○[아이오(俄而-)], ᄉᆞ졸이 ᄉᆞ슴과 여을 ᄭᅳ어 대원슈 알패 니르고 부원쉬 도라와 ᄀᆞᆯ오ᄃᆡ,

"쇼댱이 차뎍을 마ᄌᆞ 잡아 일만 조각의 ᄡᅳᄌᆞ려 ᄒᆞ엿거ᄂᆞᆯ, 원쉬 므ᄉᆞ 일 징쳐 군을 거두시니잇가?"

원쉬 왈,

"댱군이 금일 녹·호 냥(兩) 요졍을 잡으려 ᄒᆞᄆᆡ, 좌비(左臂)의 칼흘 맛고 우각(右脚)의 살흘 마ᄌᆞ 위경(危境)을 당ᄒᆞᆯ ᄲᅮᆫ 아니라, 차뎍이 녹·호 냥댱을 일코 바야흐로 궁딘(窮盡)ᄒᆞᆫ 도뎍이 되여, 독ᄒᆞᆫ 【28】 분이 녈화 ᄀᆞᆺᄐᆞ여, 비록 댱군을 간ᄃᆡ로 상히오디 못ᄒᆞ나, 앗가온 ᄉᆞ졸을 만히 상히올 ᄃᆞᆺᄒᆞ고, 궁딘ᄒᆞᆫ 도뎍을 이심(已甚)히 잡으려 셔들 일이 아니라. 나의 ᄠᅳᆺ이 차뎍을 잡으려 ᄒᆞ미 아니오, ᄌᆞ연ᄒᆞᆫ 가온ᄃᆡ 졔어ᄒᆞᆯ 도리를 ᄉᆡᆼ각ᄒᆞ미러니, 댱군이 너모 급히 셔돌기의 비각(臂脚)을 상히오니, 이 엇디 놀납디 아니리오."

부원쉬 미급답(未及答)의, 가ᄉᆞᆷ의 살흘 ᄲᅢ고 졍젼(庭前)의 죽엇던 여이 슬피 울며 왈,

"나ᄂᆞᆫ 태운산 밋ᄐᆡ 삼쳔년 믁은 호ᄑᆡ(虎豹)러니, 산듕의 이실 ᄯᅴ 사ᄅᆞᆷ을 잡아 긔혈(氣血)을 ᄲᆡ라 먹은 ᄌᆡ 팔ᄇᆡᆨ의 넘고, 사ᄅᆞᆷ의 얼골을 비러 차왕을 조ᄎᆞ 병혁을 니르혀ᄂᆞᆫ 바의 뎍군을 죽이미 ᄯᅩ 무슈ᄒᆞ더니, 금일 태창 【29】 셩의 년ᄒᆞ여 ᄡᅩᄂᆞᆫ 살의 능히 피키 어려올 ᄲᅮᆫ 아니라, 녕허도군(靈虛道君)이 졔요가를 브르샤 요슐을 능히 발뵈디 못ᄒᆞ

"소장이 챠젹을 마ᄌᆞ 잡으려 ᄒᆞ거ᄂᆞᆯ, 원쉬 무ᄉᆞᆫ 일노 징쳐 군을 거두시니잇가?"

원쉬 왈,

"장군이 금일 녹·호 냥(兩) 요졍을 잡으려 ᄒᆞᄆᆡ, 좌비(左臂) 우각(右脚)을 상ᄒᆞᆯ ᄲᅮᆫ 아니라, 차젹이 녹·호를 일코 궁진(窮盡)ᄒᆞᆫ 도젹이 되엿시니, 이심(已甚)히 잡으려ᄒᆞ미 불가ᄒᆞᄆᆡ 명일 잡으려 ᄒᆞ노라."

부원쉬 미급답(未及答)에 진젼(陣前)의 죽엇던 녀이 슬피 울며 왈,

"나ᄂᆞᆫ 태풍산 밋 삼쳔년 묵은 호ᄑᆡ(虎豹)러니, 산즁 【40】 에 이실 졔 샤ᄅᆞᆷ 팔ᄇᆡᆨ을 너머 잡아먹고 인형을 비러 챠왕을 조ᄎᆞᆺ더니 금일 태창셩의 살의 능히 피키 어려올 ᄲᅮᆫ 아니라, 녕허도군(靈虛道君)이 졔요가를 부르샤 요슐을 능히 발뵈지 못ᄒᆞ게 ᄒᆞ시니, 평ᄉᆡᆼ 슐업(術業)이 헛 곳의 도라가고, 본형을 감초지 못ᄒᆞ니 엇지 슬프지 아니리오.

게 ᄒᆞ시니, 평ᄉᆡᆼ 슐업(術業)이 헛 곳의 도라가 감히 본형을 ᄀᆞᆷ초디 못ᄒᆞ니, 어이 슬프디 아니리오. 녹발심은 이쳔 년 믁은 ᄉᆞ슴으로 ᄯᅩᄒᆞᆫ 사ᄅᆞᆷ을 만히 죽이고, 환슐을 ᄇᆡ화 사ᄅᆞᆷ이 되엿더니, 차왕을 도은 연고로 참화를 만나니 뉘웃ᄎᆞ나 밋출 길히 업도소이다.”

원쉬 듯ᄂᆞᆫ 말마다 요악ᄒᆞ믈 니긔디 못ᄒᆞ여, ᄉᆞ슴과 여을 깁히 굴형의 드리치고, 섭흘 가득이 ᄡᆞ흔 후 념초(焰硝)520)를 셧거 블을 노흐니, 화광이 년텬(連天)ᄒᆞ고 믄득 거믄 긔운이 뭉쳐 동남으로 향ᄒᆞ거ᄂᆞᆯ, 윤원쉬 친히 보궁을 잡아 ᄡᆞᄆᆡ 거믄 ᄉᆡ 흠긔 ᄢᅦ이여 【30】 나려디니, 원쉬 그 ᄉᆡ를 마ᄌᆞ 슐와 믈 가온ᄃᆡ 프러 바리니[고], 뎡원슈의 상쳐의 약을 ᄡᆞᄆᆡ여○○[주며], 다시 ᄉᆞ졸을 졈검ᄒᆞ나 ○○○[ᄒᆞ나토] 죽디 아냣고, ᄯᅩ ○[뎡]원슈쳐로 상ᄒᆞᆫ ᄌᆡ 업ᄉᆞ니, 원쉬 깃거ᄒᆞ나 뎡원슈의 상쳐를 념녀ᄒᆞ니, 뎡원쉬 쇼 왈,

“쇼댱이 비록 용녈ᄒᆞ나 엇디 요졍의 칼날과 살쯧ᄐᆡ 상ᄒᆞᆫ 거술 념녀ᄒᆞ리잇고? 알픈 일 업ᄉᆞ니 원슈ᄂᆞᆫ 믈녀ᄒᆞ쇼셔.”

원싊 츄연 왈,

“예빅은 이리 니르디 말나. 사ᄅᆞᆷ이 부모의 ᄉᆡᆼ휵ᄒᆞ신 몸을 상히오미 엇디 놀납디 아니리오. ᄒᆞᆫ갓 예빅을 니르디 말고 내 ᄯᅳᆺ이 말ᄌᆡ ᄉᆞ졸도 상치 아니키를 바라ᄂᆞ니, 결단ᄒᆞ여 이졔ᄂᆞᆫ 냥딘이 ᄃᆡ딘(對陣)치 아니리라. 비록 일월을 쳔【31】연ᄒᆞ나 ᄌᆞ연ᄒᆞᆫ 가온ᄃᆡ 차뎍을 죵용이 잡으리라.”

뎡원쉬 ᄀᆞᆯ오ᄃᆡ,

“사ᄅᆞᆷ이 혈육이 상히오ᄆᆡ ᄆᆞ음이 편ᄒᆞᆯ 거ᄉᆞᆫ 아니로ᄃᆡ, 쇼댱이 잠간 상ᄒᆞ기로ᄡᅧ 엇디 차뎍 잡기를 더ᄃᆡ게 ᄒᆞ리잇가?”

원쉬 쇼왈,

“예빅은 착급히 구디 말나 차뎍이 일슌(一旬) ᄂᆡ의 잡히믈 면치 못ᄒᆞ리라.”

ᄒᆞ더라.

이ᄢᅴ 차졍계 녹·호 냥댱을 다 죽이고,

520)념초(焰硝) : 화약(火藥).

녹발심은 이쳔 년 묵은 ᄉᆞ슴으로, ᄯᅩᄒᆞᆫ 샤ᄅᆞᆷ을 만히 상ᄒᆞ고, 환슐을 ᄇᆡ화 챠왕을 조ᄎᆞᆺ다가 참화를 만나니 회지막급(悔之莫及)477)이로소이다.”

원싊 듯ᄂᆞᆫ 말마다 요악ᄒᆞ믈 니긔지 못ᄒᆞ여, ᄉᆞ슴과 녀흘 깁흔 굴형의 드리치고 셥흘 만히 ᄡᆞ코 블을 노흐니, 화광이 년텬(連天)ᄒᆞ고 믄득 거믄 긔운이 공즁에 올나 동남으로 향ᄒᆞ거ᄂᆞᆯ, 윤원싊 친히 철궁(鐵弓)을 잡아 ᄡᆞᄆᆡ, 거믄 ᄉᆡ 살쯧히 ᄢᅦ이여 ᄂᆞ려치[지]니, 그 ᄉᆡ를 마ᄌᆞ 술와 믈 ᄀᆞ온ᄃᆡ 프러 ᄇᆞ리고, 뎡원슈【41】의 상쳐를 념녀ᄒᆞ니, 원싊 소왈,

“소장이 비록 용녈ᄒᆞ나 엇지 조고만 요졍의게 상ᄒᆞ믈 과히 념녀ᄒᆞ리잇고?”

윤 원싊 츄연 왈,

“여빅은 이리 니르지 말나. 샤ᄅᆞᆷ이 부모의 ᄉᆡᆼ휵ᄒᆞᆫ 몸을 상ᄒᆞᆯ 지경에 엇지 놀납지 아니리오.”

뎡원싊 왈,

“샤ᄅᆞᆷ이 혈육을 상히오ᄆᆡ 마음이 편ᄒᆞᆯ 거ᄉᆞᆫ 아니로ᄃᆡ, 소장이 잠간 ᄒᆞᆫ 곳 상ᄒᆞ미 잇시나 차젹을 급히 잡으려 ᄒᆞᄂᆞ이다.”

원쉬 소왈,

“여빅은 아직 급히 구지 말나 차젹이 일슌지ᄂᆡ(一旬之內)에 잡히믈 면치 못ᄒᆞ리라.”

ᄎᆞ시 졍셰 녹·호 냥장을 다 죽이고, 본

477)회지막급(悔之莫及) : 후회해도 소용없음.

본영의 도라와 슬프며 분ᄒᆞ믈 니긔디 못ᄒᆞ여 가숨이 터질 ᄃᆞᆺᄒᆞ니, 윤원슈와 뎡셰홍의 고기를 너흐디[521] 못ᄒᆞ믈 한ᄒᆞ는디라. 산병패졸(散兵敗卒)을 다시 모화 숑딘과 크게 ᄡᆞ화, 녹·호 냥당의 원슈를 갑흐려 결단ᄒᆞ고, 슈삼일 됴련ᄒᆞ여 숑딘과 졉젼ᄒᆞ믈 뎡ᄒᆞ여 청ᄒᆞᆫᄃᆡ, 윤【32】원쉬 셩문을 구디 닷고 다시 군ᄉᆞ를 요동치 아니며, 한가로온 노ᄅᆡ와 경셔를 닑으며, 말ᄌᆡ 군졸의 니르히 학문을 아는 ᄌᆞ는 ᄆᆞᆰ게 외오고 병ᄉᆞ(兵事)의 ᄆᆞ음이 업ᄉᆞ니, 차뎍이 분ᄒᆞ고 착급ᄒᆞ여 일야는 가마니 ᄉᆡᆼ각ᄒᆞᄃᆡ,

"나의 ᄌᆡ죄 ᄒᆞᆫ 번 번득이는 바의 사ᄅᆞᆷ의 머리 셕은 플 ᄀᆞᆺ더니, 엇디 윤희텬을 죽이디 못ᄒᆞᆯ가 근심ᄒᆞ리오. 희텬은 본ᄃᆡ 군녀(軍旅)의 소여(疎如)ᄒᆞᆫ 위인으로, 거ᄌᆞᆺ 셩현 도덕이 잇는 쳬ᄒᆞ여, 빗난 문한(文翰)으로�셩곽마다 붓치므로 인ᄒᆞ여 인심이 도라 가시나, 원ᄂᆡ 대댱(大將)의 ᄌᆡ죄 업ᄉᆞ므로, 내 셔로 보기를 청ᄒᆞᄃᆡ 뎡셰홍을 ᄂᆡ여 보ᄂᆡ고 져는 나오【33】디 아니니, 반ᄃᆞ시 암약(暗弱)ᄒᆞ믈 알디라. 금야의 칼흘 픔고 숑영(宋營)의 가 윤희텬과 뎡셰홍을 죽이고, 텬됴 삼만 졍병과 십원 대댱을 슈하의 춍녕(總領)ᄒᆞ리라."

ᄒᆞ고 몸을 흔드러 흑무(黑霧)를 멍에ᄒᆞ여 숑영을 바라보더니, 믄득 일계를 ᄉᆡᆼ각고 '금야의 가마니 숑영의 드러가 윤·뎡 냥인을 죽이리라' ᄒᆞ더라.

이날 윤 원쉐 신명ᄒᆞᆫ ᄆᆞ음의 차뎍의 간계를 짐작고, 초인(草人)을 ᄆᆡᆫᄃᆞ라 ᄌᆞ긔 상(床) 우희 누이고, 부원슈를 명ᄒᆞ여 계교를 가ᄅᆞ치고,

521)너흐다 : 너흘다. 물다. 물어뜯다. 씹다.

영의 도라와 슬프며 분ᄒᆞ믈 니긔지 못ᄒᆞ여 ᄀᆞ숨이 터질 ᄃᆞᆺ○○[ᄒᆞ니], 윤원슈·뎡셰홍 등의 고기를 너흐지[478] 못ᄒᆞ믈 한ᄒᆞ는지라. 잔병ᄑᆡ졸(殘兵敗卒)을 다시 모화 한번 ᄌᆞ웅을 결ᄒᆞ여, 녹·호 냥장의 원슈를 갑흐려 ᄒᆞᆯᄉᆡ, 수숨일 조련ᄒᆞ여 이에 졉젼【42】키를 청ᄒᆞᆫᄃᆡ, 윤원쉬 진문을 구지 닷고 다시 군ᄉᆞ를 요동치 아냐, 한가로온 노ᄅᆡ와 경셔를 외와 말ᄌᆡ 군졸의 니르히 ᄒᆞᆨ문을 아는 쟈는 ᄆᆞᆰ게 외오고 병셔의 마음이 업ᄉᆞ니, 챠젹이 분ᄒᆞ고 착급ᄒᆞ여 일야는 ᄀᆞ마니 ᄉᆡᆼ각ᄒᆞᄃᆡ,

"나의 ᄌᆡ조 ᄒᆞᆫ 번 발ᄒᆞ면 샤ᄅᆞᆷ의 머리 셕은 풀 ᄀᆞᆺ더니 엇지 윤희텬은 본ᄃᆡ 군녀(軍旅)의 소여(疎如)ᄒᆞᆫ 위인으로, 거ᄌᆞᆺ 셩현 도덕이 잇는 쳬ᄒᆞ여, 빗난 문한을 셩곽마다 붓치믈 인ᄒᆞ여 인심이 도라 갓시나, 원간 대장(大將)의 신통ᄒᆞᆫ 뉵예(六藝)[479]는 잇지 못ᄒᆞ므로, 내 셔로 보기를 청ᄒᆞᄃᆡ 뎡셰홍을 ᄂᆡ여 보ᄂᆡ고 져는 나오지 아니니, 반ᄃᆞ시 암약(暗弱)ᄒᆞ믈 알지라. 금야에 칼흘 픔고 송영(宋營)의 가 희텬과 셰홍을 죽이고, 텬조 숨만 장졸과 십원 대장을 내 슈하의 총녕(總領)ᄒᆞ리라."

ᄒᆞ고 몸을 썰쳐 흑무(黑霧)를 멍에ᄒᆞ여 송【43】영으로 나아가니,

ᄎᆞ야에 윤 원쉬 장(帳)밧게 나와 하늘을 우러러 건상을 ᄉᆞᆯ피ᄆᆡ, 영즁에 ᄀᆡᆨ이 들 쥴 혜아리고, ᄒᆞᆫ낫 초인(草人)을 ᄆᆡᆫᄃᆞ라 ᄌᆞ긔 상상(床上)의 누이고, ᄌᆞ긔는 병풍 뒤흐로 피ᄒᆞᆯᄉᆡ, 부원쉬 ᄆᆡ양 ᄒᆞᆫ가지로 밤을 지ᄂᆡ더니, 원쉬 초인을 상셕에 누이고 부원슈의 손을 닛그러 피ᄒᆞ기를 니르니, 부원쉬 소 왈,

478)너흐다 : 너흘다. 물다. 물어뜯다. 씹다.

479)육예(六藝) : 고대 중국 교육의 여섯 가지 과목. 예(禮), 악(樂), 사(射), 어(御), 서(書), 수(數)를 이른다.

“장뷔 엇지 조고만 ᄌᆞᄀᆡᆨ을 두려 미리 피ᄒᆞ리오. 소뎨ᄂᆞᆫ 편히 ᄌᆞ리에 누어시리니 현형만 피ᄒᆞ소서”

원쉬 왈,

“금야에 챠적을 잡을지니 니른바 쳔지일시(千載一時)480)어ᄂᆞᆯ, 엇지 피치 아니코 누엇다가 더러온 칼날에 상ᄒᆞ리오. 고집디 말나.”

ᄒᆞᆫ가디로 병풍 뒤히 몸을 ᄀᆞᆷ초아, 각각 손의 쳘삭을 가디고 ᄌᆞᄀᆡᆨ(刺客)을 기다리더니, 반야(半夜)의 홀연 방문이 열니며 젹은【34】ᄉᆡ 입실(入室)ᄒᆞ더니, 즉시 몸을 변ᄒᆞ여 ᄒᆞᆫ 사ᄅᆞᆷ이 되어[니], 신댱이 구쳑이오 몸이 셰 아ᄅᆞᆷ이라. 손의 셔리 ᄀᆞᆺᄐᆞᆫ 비슈를 번득이며 바로 초인 누은 곳으로 다라드ᄂᆞᆫ디라. 뎡원쉬 블승분히(不勝憤駭)ᄒᆞ여 몬져 ᄭᅢ여 ᄂᆡᄃᆞ라, 고셩 즐왈,

ᄒᆞ고, ᄒᆞᆫ가지로 병후(屛後)481)에 몸을 ᄀᆞᆷ초아, 각각 손의 《쳘잉∥쳘삭(鐵索)》을 가지고 ᄌᆞᄀᆡᆨ의 돌입ᄒᆞ기를 기ᄃᆞ리더니, 밤이 반은 ᄒᆞ여 인셩이 업슬 즈음에 홀연 방문이 열니며 져근 새 입【44】실ᄒᆞ더니, 즉시 몸을 화ᄒᆞ여 ᄒᆞᆫ 샤ᄅᆞᆷ이 되ᄆᆡ 신장이 구쳑이오, 몸이 셰 아람이나 ᄒᆞᆫ지라. 손의 셔리 ᄀᆞᆺᄐᆞᆫ 비슈를 번득이며 바로 초인 누은 곳으로 다ᄅᆞ드ᄂᆞᆫ지라. 뎡원쉬 블승분히(不勝憤駭)ᄒᆞ여 몬져 ᄭᅢ여 ᄂᆡᄃᆞ라 고셩 즐왈(叱曰),

“엇던 요괴로온 도뎍이 심야의 칼흘 잡고 댱듕(帳中)의 돌입ᄒᆞ여, 감히 우리 원슈를 ᄒᆡ코져 ᄒᆞᄂᆞ냐?”

어언디간(於焉之間)522)의 바로 ᄌᆞᄀᆡᆨ이 발셔 초인을 버히고, 다시 칼흘 드러 뎡원슈를 잡아 죽이랴 ᄒᆞ더니, 홀연 병풍 뒤흐로조ᄎᆞ 긔이ᄒᆞᆫ 졍광이 니러나며 옥뇽(玉龍)과 셩신(聖神)이 셧도라523) 졍긔를 비양(飛揚)하니, 차뎍이 스ᄉᆞ로 ᄆᆞ음이 황황ᄒᆞ여【35】의식 젼긍(戰兢)ᄒᆞ니, 밧비 다라나고져 ᄒᆞ다가, 뎡원슈의 소ᄅᆡ를 드르ᄆᆡ 더옥 경악ᄒᆞ나 본ᄃᆡ 대간대독(大奸大毒)이라. 뎡원슈를 질너 녹·호 냥당의 원슈를 브ᄃᆡ 갑흐려 ᄒᆞ므로, 비슈(匕首)를 춤추어 바로 뎡원슈의게 다라드니, 원쉬 맛츰 칼흘 가디디 아냐 쳘삭만 쥐고 분두(忿頭)의 소ᄅᆡ를 놉혀 ᄂᆡᄃᆞ라 결울 젹, 칼흘 피흘 길히 업셔 뎡히 위급흘 즈음의, 윤원쉬 병풍을 박ᄎᆞ고 ᄭᅢ여 ᄂᆡ다르며 크게 우어 왈,

“엇던 요젹(妖賊)이 심야에 칼흘 잡고 장즁(帳中)에 돌입ᄒᆞ여 감히 우리 원슈를 ᄒᆡ코져 ᄒᆞᄂᆞ뇨?”

어언지간(於焉之間)482)에 발셔 초인을 버히고, 다시 칼흘 드러 뎡원슈를 잡아 죽이려 ᄒᆞ더니, 홀연 병후로 조ᄎᆞ 긔이ᄒᆞᆫ 셩광이 이러나며 《옥동∥옥뇽(玉龍)》과 셩신(聖臣)이 셧도라483) 졍긔를 비양(飛揚)하니, 차젹이 스ᄉᆞ로 마음이 황황ᄒᆞ여 의식 젼긍(戰兢)ᄒᆞ니, 밧비 다라ᄂᆞ고져 ᄒᆞ다가, 뎡원슈의 소ᄅᆡ를 드르ᄆᆡ 더욱 경악ᄒᆞ나 본ᄃᆡ 대간대독(大奸大毒)이라. 뎡원슈를 부ᄃᆡ 잡으려 ᄒᆞ므로, 비슈를 춤추어 바로 뎡원슈를【45】취ᄒᆞ니, 원쉬 마춤 칼흘 가지지 아냐 쳘삭만 쥐고 분두(忿頭)의 소ᄅᆡ를 놉혀 ᄂᆡᄃᆞ라 셔로 결울 젹, 칼흘 피흘 길히 업셔 뎡히 위급흘 즈음의, 윤원쉬 병후로 조ᄎᆞ 나오며 대소 왈,

522)어언디간(於焉之間) : 어언간(於焉間). 어느새.
523)셧돌다 : 섞여 돌다.

480)천재일시(千載一時) : 천재일우(千載一遇). 천 년 동안 단 한 번 만날 수 있는 기회라는 뜻으로, 좀처럼 만나기 어려운 좋은 기회를 이르는 말.
481)병후(屛後) : 병풍 뒤.
482)어언디간(於焉之間) : 어언간(於焉間). 어느새.
483)셧돌다 : 섞여 돌다.

"요뎍이 스ᄉᆞ로 내 ᄌᆞᄂᆞᆫ ᄃᆡ 니르러 죽으믈 바야니, 너의 죄역이 텬디의 관영ᄒᆞᆫ디라. 내 비록 살육(殺戮)을 피ᄒᆞ나 어이 너를 살나 두리오."

언필의 쳘삭을 가져【36】그 몸을 긴긴히 결박ᄒᆞ며, 차뎍의 잡은 칼흘 아ᄉᆞ 셰 동강의 ᄭᅥᆨ거 더디니, 차뎍이 윤원슈의 얼골이 엇더 ᄒᆞᆫ디 본 일이 업고, 임의 초인을 버혀시니 대원슈ᄂᆞᆫ 죽이므로 아랏다가, 병풍 뒤흐로 조ᄎᆞ ᄯᅱ여 나오ᄂᆞᆫ 바의, 옥뇽이 호위ᄒᆞ고 오ᄎᆡ샹운(五彩祥雲)이 둘너시니, 용녁이 원슈를 밋디 못ᄒᆞ미 아니로ᄃᆡ, 스ᄉᆞ로 슈족이 져리고 졍혼이 어득ᄒᆞ여 쇽졀 업시 ᄆᆡ이믈 면치 못ᄒᆞᆫ디라. 오히려 대원쉬믈 ᄭᆡ둣디 못ᄒᆞ여 '엇던 사ᄅᆞᆷ의 경광이 이러틋 이샹ᄒᆞᆫ고?', 능히 측냥치 못ᄒᆞ여 밧비 므르ᄃᆡ,

"대원슈ᄂᆞᆫ 내 앗가 버혓거니와 이ᄂᆞᆫ 엇던 사ᄅᆞᆷ인다?"

부원쉬【37】 통완ᄒᆞ믈 니긔디 못ᄒᆞ여 그 닙을 질너 왈,

"너를 결박ᄒᆞ시ᄂᆞ니 곳 대원쉬시니, 네 므어ᄉᆞᆯ 버힌다?"

윤원슈ᄂᆞᆫ 다시 말을 아니ᄒᆞ고, 다만 일댱 부작을 등의 븟쳐 요슐을 ᄒᆡᆼ치 못ᄒᆞ게 ᄒᆞᆫ 후, 상후(床後)의셔 슉딕ᄒᆞ던 댱졸을 ᄭᆡ와 도뎍을 딕희여시라 ᄒᆞ고, 뎡원슈로 더브러 상요의 나아가 밤을 디ᄂᆡ고, 명됴의 차뎍을 잡아 ᄂᆡ여 졍젼(庭前)의 ᄭᅮᆯ니고, 대역부도의 죄를 니르고 무ᄉᆞ로 ᄒᆞ여금 버히기를 지쵹ᄒᆞ니, ᄎᆞ졍계 앙텬(仰天) 탄왈,

"내 일흠을 당(唐) 태종(太宗) 니셰민(李世民)[524] ᄀᆞᆺ치 디어 태평티셰(太平治世)로 명호(名號)를 딋고, 기리 만니 강산의 님지 되여 만셰를 누릴가 ᄒᆞ엿더니, 오날ᄂᆞᆯ 윤희텬 쇼ᄌᆞ의게 잡【38】히믈 인ᄒᆞ여 쇽졀 업시 명을 ᄭᅳᆫ케 되니, 이ᄂᆞᆫ 하날이 날을 돕디

524)니셰민(李世民) : 중국 당나라의 제2대 황제 태종(598~649). 성은 이(李). 이름은 세민(世民). 삼성 육부와 조용조 따위의 제도를 정비하였고, 외정(外征)을 행하여 나라의 기초를 쌓았다. 재위 기간은 629~649년이다.

"요뎍이 스ᄉᆞ로 내 ᄌᆞᄂᆞᆫ 곳에 니르러 죽으믈 ᄇᆞ야니, 너의 죄역이 텬디에 관영ᄒᆞᆫ지라. 내 비록 살육(殺戮)을 피ᄒᆞ나 어이 너를 살와 두리오."

언필에 쳘삭을 가져 ᄆᆡᄂᆞᆫ 셰[484] 업시 긴긴히 동히고 그 칼흘 아ᄉᆞᄆᆡ, 챠젹이 일즉 윤원슈의 얼골을 본 일이 업고, 임의 초인을 버혀시니 대원슈ᄂᆞᆫ 죽이므로 아랏다가, 윤원슈의 일셩 호령에 스ᄉᆞ로 슈족이 져리고 졍혼이 어득ᄒᆞ여, 쇽졀업시 ᄆᆡ이믈 ᄇᆞ드나 오히려 대원쉬믄 ᄭᆡ둣지 못ᄒᆞ고, '엇던 샤ᄅᆞᆷ의 경광이 져러틋 이상ᄒᆞᆫ고?' 능히 측냥치 못ᄒᆞ여 밧비 무르ᄃᆡ,【46】

"대원슈ᄂᆞᆫ 내 앗가 버혀거니와 이ᄂᆞᆫ 엇던 샤ᄅᆞᆷ인다?"

부원쉬 통완ᄒᆞ여 그 입을 질너 왈,

"너를 ᄆᆡ시ᄂᆞ니 곳 대원쉬니 네 므어ᄉᆞᆯ 버힌다?"

윤원슈ᄂᆞᆫ 다시 말을 아니ᄒᆞ고, 다만 일장 부작을 등의 부쳐 요슐을 ᄒᆡᆼ치 못ᄒᆞ게 ᄒᆞᆫ 후, 장후(帳後)에셔 슉직ᄒᆞ던 장졸을 ᄭᆡ와 도젹을 잘 직희라 ᄒᆞ고, 뎡원슈로 더브러 편히 상요의 나아가 밤을 지ᄂᆡ고, 명조에 차적을 잡아ᄂᆡ여 장젼(帳前)에 ᄭᅮᆯ니고, 대역부도의 죄를 니르고 무ᄉᆞ로 ᄒᆞ야곰 버히믈 직촉ᄒᆞ니, ᄎᆞ졍셰 앙텬(仰天) 탄왈,

"내 일흠을 당(唐) 태종(太宗) 니셰민(李世民)[485] ᄀᆞᆺ치 지어 태평치셰(太平治世)로 명호(名號)를 짓고, 기리 만니 강산의 님재 되여 만셰를 누릴가 ᄒᆞ엿더니, 오ᄂᆞᆯ날 윤희텬 소ᄌᆞ에게 잡히믈 인ᄒᆞ여 속졀업시 명을

484)셰 : 'ᄉᆡ'의 이표기(異表記). 새. 사이.
485)니셰민(李世民) : 중국 당나라의 제2대 황제 태종(598~649). 성은 이(李). 이름은 세민(世民). 삼성 육부와 조용조 따위의 제도를 정비하였고, 외정(外征)을 행하여 나라의 기초를 쌓았다. 재위 기간은 629~649년이다.

아니미어니와, 죽어 당당이 모딘 귀신이 되여 윤가의 원을 플고 말니라."

이리 니르며 원슈를 브릅써 보는 눈이 독식(毒邪) 은은ᄒᆞ니, 원쉬 대로ᄒᆞ여 무ᄉᆞ를 ᄉᆞ디져 급히 버히라 ᄒᆞ고 슈죡(首足)을 올니라 ᄒᆞ니, 무ᄉᆡ 쳥녕ᄒᆞ고 원문 밧긔 ᄂᆡ여와 쳐참ᄒᆞ니, 등의 부작을 븟쳣는 고로 차뎍이 요슐을 발뵈디 못ᄒᆞ여, 변화를 발치 못ᄒᆞ고 버히믈 바드니라.

차경계를 버힐 ᄯᅢ의 븕은 피조각 ᄒᆞ나히 공듕으로 치닷더니, 화(和)ᄒᆞ여 거믄 긔운이 되여 바로 황셩(皇城)으로 향ᄒᆞ여, 부귀ᄒᆞᆫ 곳의 투틱(投胎)ᄒᆞ여 ᄎᆞ년 셰말(歲末)의 다시 사【39】름이 되여 셰샹의 나미, 후릭(後來)의 윤셩닌 윤창닌 등을 히ᄒᆞ여 일장괴란(一場壞亂)을 니르혀미 되니, 원슈의 ᄌᆞ딜(子姪)을 다 히ᄒᆞ미 이 ᄯᅢ의 졔 뜻을 펴디 못ᄒᆞ고 죽으믈 함독(含毒)ᄒᆞ미라. 길인(吉人)을 돕는 도리 명명ᄒᆞ니, 셩・창 냥(兩) 닌이 일시 유익(有厄)ᄒᆞ믈 인ᄒᆞ여 요샤(妖邪)의 히(害)를 바드나, 엇디 필경이 영화롭디 아니리오. 이 셜화는 <윤문삼셰록(尹門三世錄)>의 잇고 <쳥문효문냥공ᄌᆞ녀별젼(淸文孝文兩公子女別傳)>의 잇ᄂᆞ니라.

윤원쉬 차뎍을 촌참ᄒᆞ고 대군을 거ᄂᆞ려 태풍산의 나아가 요얼의 여당을 탕멸(蕩滅)ᄒᆞ실ᄉᆡ, 항ᄒᆞ는 군ᄉᆞ는 다 죽이디 아니ᄒᆞ딕, 요괴(妖怪) ᄉᆞ졍(邪精)은 개개히 업시 ᄒᆞ여 일후(日後) ᄉᆡᆼ녕(生靈)의 환(患)을 업시 ᄒᆞ실ᄉᆡ, 원슈의 칼 쓰며 ○[말] 달니는 거동이 신【40】긔ᄒᆞ여, 날니미 만고(萬古)를 역슈(逆數)[525]ᄒᆞ나 듯디 못 ᄒᆞᆫ 빅오, 용밍이 당당ᄒᆞ여 평ᄉᆡᆼ 강용(强勇)으로 일홈 어든 댱군이라도 능히 윤원슈를 당치 못ᄒᆞᆯ디라.

부원슈 이히 눈을 ᄡᅩ아 대원슈의 용밍을 구경ᄒᆞᆯ ᄲᅮᆫ이오, 도로혀 어린 ᄃᆞᆺᄒᆞ여 ᄡᅡ홈을 돕는 일이 업ᄉᆞ딕, 원쉬 요얼을 일일이 쥬멸(誅滅)ᄒᆞ고, 동창왕의 셰ᄌᆞ 혐과 냥뎨(兩弟) 셕과 목을 ᄎᆞᄌᆞ니, 깁흔 옥듕의 가도엿

525)역슈(逆數) : 거슬러 헤아림.

맛게 되니, 이는 하늘이 나를 돕지 아니미어니와, 죽어 당당이 모진 귀신이 되여 윤가의 원【47】을 플고 말니라."

이리 니르며 원슈를 브릅써 보는 눈이 독식(毒邪) 은은ᄒᆞ니, 원쉬 대로ᄒᆞ여 무ᄉᆞ를 호령ᄒᆞ여 급히 버히고 그 슈죡(首足)을 이(離)ᄒᆞ라 ᄒᆞ니, 무ᄉᆡ 쳥녕ᄒᆞ야 원문 밧게 가 쳐참ᄒᆞ니, 챠젹이 능히 요술을 힝치 못ᄒᆞ믄 그 등의 부작을 븟쳐시므로, 샤졍과 변화를 발뵈지 못ᄒᆞ미라.

차경셰를 버힐 ᄯᅢ에 븕은 피 조각 ᄒᆞ나히 공즁으로 치ᄃᆞᆺ더니, 화(和)ᄒᆞ여 거믄 긔운이 되여 바로 황셩(皇城)으로 향ᄒᆞ여, 부귀ᄒᆞᆫ 곳의 《투치‖투틱(投胎)》ᄒᆞ여 ᄎᆞ년 셰말(歲末)에 다시 샤름이 되어, 후릭(後來)의 윤경닌・창닌 등을 히ᄒᆞ여 일장괴란(一場壞亂)을 니르혀 원슈의 ᄌᆞ딜(子姪)을 다 히ᄒᆞ미 되니, 이 ᄯᅢ에 졔 뜻을 펴지 못ᄒᆞ고 죽으믈 함독(含毒)ᄒᆞ미나, 길인(吉人)을 돕는 도리 명명ᄒᆞ니, 윤경닌과 창닌이 일시 유익(有厄)ᄒᆞ믈 인ᄒᆞ여 요샤(妖邪)의 히(害)를 바드나, 엇지 필경이 영화롭지 못ᄒᆞ【48】리오. 이 셜화는 <윤문삼셰록(尹門三世錄)>과 <쳥효냥공ᄌᆞ녀별젼(淸孝兩公子女別傳)>의 잇ᄂᆞ니라.

윤원쉬 차젹을 쳐참ᄒᆞ고, 대군을 거ᄂᆞ려 태풍산의 나아가 요얼의 여당을 탕멸(蕩滅)ᄒᆞ실ᄉᆡ, 항졸(降卒)은 다 죽이지 아니ᄒᆞ되, 요괴(妖怪) 샤졍(邪精)인즉 개개히 업시 ᄒᆞ여 일후(日後) ᄉᆡᆼ녕(生靈)의 환(患)을 업시ᄒᆞ니, 원슈의 칼 쓰며 말 ᄃᆞᆯ니는 거동이 신긔ᄒᆞ여, ᄂᆞᆯᄂᆡ미 만고(萬古)를 역슈(逆數)[486]ᄒᆞ나 듯지 못ᄒᆞᆫ 빅오, 용밍이 당당ᄒᆞ여 평ᄉᆡᆼ 강용(强勇)으로 일홈 어든 장군이라도 능히 윤원슈를 당치 못ᄒᆞᆯ지라.

부원슈 이히 눈을 ᄡᅩ아 대원슈의 용밍을 구경ᄒᆞᆯ ᄲᅮᆫ이오, 도로혀 어린 ᄃᆞᆺᄒᆞ여 ᄡᅡ홈을 돕는 일이 업ᄉᆞ딕, 윤원쉬 요얼을 일일히 죽여 업시 ᄒᆞ고, 동창왕의 셰ᄌᆞ 협과 냥뎨(兩弟)를 깁흔 옥즁에 가도엿[앗]는지라, 참

486)역슈(逆數) : 거슬러 헤아림.

는디라. 참모 뎡간으로 ᄒᆞ여금 옥문을 ᄭᅢ치고 셰ᄌᆞ의 삼형뎨를 븟드러 ᄂᆡ여, 동창왕의 죽으믈 됴위(弔慰)ᄒᆞ고, 다시 동월ᄇᆡᆨ 쳘의 부인 양시와 그 녀ᄋᆞ 경쇼져를 교ᄌᆞ의 ᄐᆡ와 셩듕으로 드려 보ᄂᆡ고, 동월후 흡의 부ᄌᆞ 부부의 ᄇᆡᆨ【41】골을 계오 ᄎᆞᄌᆞ 후례(厚禮)로 안장ᄒᆞ고, 동월ᄇᆡᆨ 경쳘의 부ᄌᆞ 칠인을 다 안장ᄒᆞᆯᄉᆡ, 동창왕 묘와 동월ᄇᆡᆨ 묘 젼(前)의 차뎍의 고기를 가져 졔문 디어 셜졔(設祭)ᄒᆞ고, 승쳡(勝捷)ᄒᆞᆫ 표문을 황셩의 올니고, 셰ᄌᆞ 협을 븟드러 동창국왕 위(位)의 나아가게 ᄒᆞ고, 튱효녜의(忠孝禮義)○[로] ᄉᆞ민(四民)을 교화ᄒᆞ니, 윤원쉬 동창의 머므런 디 오뉵삭(五六朔)의 인심이 크게 슌후(淳厚)ᄒᆞ여, 남녀노쇼 업시 녜의를 가다듬아 원슈의 교화를 쥰ᄒᆡᆼ(遵行)ᄒᆞ니, 도뎍(盜賊)이 화(化)ᄒᆞ여 냥민이 되고, 난신뎍ᄌᆞ(亂臣賊子) 변ᄒᆞ여 튱냥디신(忠良之臣)이 되는디라. 시고로 도블습유(道不拾遺)[526]ᄒᆞ며 야블폐문(夜不閉門)[527]ᄒᆞ고 남녜 길ᄒᆞᆯ 샤양ᄒᆞ니 완연ᄒᆞᆫ 타국(他國)이 된디라.

윤원쉬 거년 십일월의【42】황셩을 ᄯᅥ나, 츈 이월 초슌의 동창의 니르러, 계츈(季春)[528]의 요뎍(妖賊)을 탕멸ᄒᆞ고, 여러 ᄃᆞᆯ을 머므러 ᄇᆡᆨ셩을 교화ᄒᆞ고 인심을 딘뎡(鎭靜)ᄒᆞᄆᆡ, 오ᄅᆡ 폐ᄒᆞ던 농업을 일우니 우슌풍됴(雨順風調)ᄒᆞ여 　　젼야만곡(田野滿穀)[529]이 니로[530] ○[다] 슈젼(輸轉)[531]ᄒᆞ기 어렵더라.

하(夏) 뉵월의 원슈 대군을 두로혀 황셩으로 도라올ᄉᆡ, 동창왕 협으로브터 문무 신

526)도블습유(道不拾遺) : 길에 떨어진 물건을 주워 가지지 않는다는 뜻으로, 형벌이 준엄하여 백성이 법을 범하지 아니하거나 민심이 순후함을 비유하여 이르는 말. ≪한비자≫의 <외저설좌상편(外儲說左上篇)>에 나오는 말이다.

527)야블폐문(夜不閉門) : 밤에 대문을 닫지 아니한다는 뜻으로, 세상이 태평하여 인심이 순박함을 이르는 말.

528)계츈(季春) : 음력 3월을 달리 이르는 말.

529)젼야만곡(田野滿穀) : 들에 가득한 곡식.

530)니로 : 이루.

531)슈젼(輸轉) : 물자를 다른 곳으로 실어 나름.

모장(參謀長)으로 ᄒᆞ야곰 옥문을 ᄭᅢ치고 셰ᄌᆞ 삼형뎨를 븟드러 ᄂᆡ여, 동창○[왕]의【49】죽으믈 조위ᄒᆞ고, 다시 동월ᄇᆡᆨ 쳘의 부인 양씨와 그 녀ᄋᆞ를 교ᄌᆞ ᄐᆡ와 셩즁으로 드려 보ᄂᆡ고, 동월후 왕흡의 부ᄌᆞ 부부의 ᄇᆡᆨ골을 겨요[487] ᄎᆞᄌᆞ 후례(厚禮)로 안장ᄒᆞ고, 동월ᄇᆡᆨ 경쳘의 부ᄌᆞ 칠인을 다 안장ᄒᆞᆯᄉᆡ, 동창왕의 묘젼으로브터 동월후ᄇᆡᆨ의 묘젼에 차정셰○[의] 고기를 가져 졔문 지어 셜졔ᄒᆞ고, 승쳡ᄒᆞᆫ 넌유를 일일히 베펴 황셩의 표주(表奏)ᄒᆞ고, 셰ᄌᆞ 협을 븟드러 쳔승지위(千乘之位)에 나아가게 ᄒᆞ고, 츙효례의(忠孝禮義)로 ᄉᆞ민을 교화ᄒᆞ니, 윤원쉬 동창에 머므런 지 오륙삭(五六朔)에 인심이 크게 슌직(順直)ᄒᆞ여, 녜의를 가ᄃᆞ듬어 원슈의 교화를 쥰ᄒᆡᆼᄒᆞ니, 도젹이 화ᄒᆞ야 냥민이 되고, 젹ᄌᆞ난신(賊子亂臣)이 츙냥지신(忠良之臣)이 된지라. 시고로 도블습유(道不拾遺)[488] ᄒᆞ며, 야불폐문(夜不閉門)[489] ᄒᆞ고, 남녜 분노(分路)[490]ᄒᆞ니, 완연ᄒᆞᆫ 인의지국(仁義之國)이 되엿더라.

윤원쉬 거년 십일 월에 황셩【50】을 ᄯᅥ나, 츈 정월 초슌에 동창의 니르러, 계츈(季春)[491]에 요젹을 탕멸ᄒᆞ고, 여러 달 머므러 ᄇᆡᆨ셩을 교화ᄒᆞ여 인심을 진졍(鎭靜)ᄒᆞ고, 오ᄅᆡ 폐ᄒᆞ엿던 농업을 시작게 ᄒᆞᄆᆡ, 우슌풍죠(雨順風調)ᄒᆞ여 　　젼야만곡(田野滿穀)[492]을 니로 슈젼(輸轉)[493]키 어렵더라.

하(夏) 뉵월에 원슈 대군을 두로혀 황셩으로 도라올ᄉᆡ, 동창왕 협으로브터 문무신

487)겨요 : 겨우. 어렵게 힘들여. 기껏해야 고작.

488)도블습유(道不拾遺) : 길에 떨어진 물건을 주워 가지지 않는다는 뜻으로, 형벌이 준엄하여 백성이 법을 범하지 아니하거나 민심이 순후함을 비유하여 이르는 말. ≪한비자≫의 <외저설좌상편(外儲說左上篇)>에 나오는 말이다.

489)야블폐문(夜不閉門) : 밤에 대문을 닫지 아니한다는 뜻으로, 세상이 태평하여 인심이 순박함을 이르는 말.

490)분노(分路) : 길을 좌우 또는 전후로 나뉘어 감.

491)계츈(季春) : 음력 3월을 달리 이르는 말.

492)젼야만곡(田野滿穀) : 들에 가득한 곡식.

493)슈젼(輸轉) : 물자를 다른 곳으로 실어 나름.

뇨와 ᄇᆡᆨ셩이 남녀노쇼 업시 부로휴유(扶老携幼)[532]ᄒᆞ여 ᄇᆡᆨ니(百里)의 젼별(餞別)ᄒᆞᆯᄉᆡ, 져마다 원슈를 보ᄂᆡᄂᆞᆫ 눈믈이 창ᄒᆡ(蒼海) ᄀᆞᆺᄐᆞ여 압히 어둡고 말이 막히ᄂᆞᆫ디라. 원쉬 동창왕을 몬져 위로ᄒᆞ여 ᄀᆞᆯ오ᄃᆡ,

"복이 황명을 ᄇᆞᆺᄌᆞ와 이의 니르러 셩듀의 홍복과 졔댱의 도으믈 힘닙어, 요뎍을 탕멸ᄒᆞ여 션왕의【43】원슈를 갑고, 대왕을 븟드러 쳔승디위(千乘之位)를 닛게 ᄒᆞ니, ᄯᅩᄒᆞᆫ 대왕의 ᄒᆡᆼ(幸)이라. 망극(罔極)[533] 듕이나 션왕의 원슈를 갑흐미 쾌ᄒᆞ니 엇디 깃브디 아니리오. 도시(都是) 동창국 운(運)이 잠간 트이미니, 복의 ᄌᆡ용(才勇)이 아니라. 대왕이 엇디 이러ᄐᆞᆺ 쳬읍ᄒᆞ여 쳔승의 위를 손케 ᄒᆞᄂᆞ뇨? 대왕이 삼년일됴(三年一朝)[534]를 폐치 못ᄒᆞᆯ 거시니, 황셩의 도라 가나 피ᄎᆞ 삼년의 일ᄎᆞ식은 셔로 반기믈 어드리니, 대왕은 모로미 과상(過傷)치 말고 ᄇᆡᆨ셩을 ᄉᆞ랑ᄒᆞ며, 원쇼인(遠小人)ᄒᆞ고 친현신(親賢臣)ᄒᆞ며, 션ᄇᆡ를 ᄃᆡ졉ᄒᆞ고 학업을 권장ᄒᆞ여, 티국안민(治國安民)을 어디리 ᄒᆞ여 다시 어ᄌᆞ러온 일이 업게 ᄒᆞ쇼셔."

ᄯᅩ ᄇᆡᆨ셩을 면면(面面)이 위로 왈,

"이제ᄂᆞᆫ 동【44】창의 요뎍이 업고, 국군이 인명화홍(仁明和弘)ᄒᆞ여 삼쳔니디방(三千里地方)은 죡히 티국안민(治國安民)ᄒᆞ리니, 여등은 날을 보ᄂᆡ며 슬허 말고, 날을 닛디 아니커든 국군을 도와 튱의디심(忠義之心)을 깁히 몸을[의] 가져 블의예 나아가디 말고 군신이 기리 태평을 누리라."

동창왕이 톄읍 샤왈,

"원슈의 신츌귀몰ᄒᆞᄂᆞᆫ ᄌᆡ조와 무궁ᄒᆞᆫ 덕화로ᄡᅧ 요뎍을 쥬멸(誅滅)ᄒᆞ여, 과인의 블공ᄃᆡ텬디슈(不共戴天之讎)를 갑게 ᄒᆞ시고, 동

---

532)부로휴유(扶老携幼) : 노인은 부축하고 어린이는 이끈다는 뜻으로, 여기서는 향민들이 늙은이를 부축하고 어린이를 이끌고 모두 나옴을 이르는 말.

533)망극(罔極) : ≒망극지통(罔極之痛). 한이 없는 슬픔. 보통 임금이나 어버이의 상사(喪事)에 쓰는 말이다.

534)삼년일됴(三年一朝) : 3년에 한 번씩 입조(入朝)함.

됴와 ᄇᆡᆨ셩 남녀노소 업시 부로휴유(扶老携幼)[494]ᄒᆞ고 ᄇᆡᆨ니(百里)의 젼별(餞別)ᄒᆞᆯᄉᆡ, 져마다 원슈를 보ᄂᆡᄂᆞᆫ 눈물이 창ᄒᆡ(滄海) ᄀᆞᆺᄒᆞ니, 워[원]쉬 동창왕을 위로ᄒᆞ여 왈,

"복이 황명을 ᄇᆞᆺᄌᆞ와 이에 니르니, 셩쥬의 홍복과 졔장의 도으믈 힘닙어 요젹을 탕멸ᄒᆞ여 션왕의 원슈를 갑고, 대왕을 븟드러 쳔승(千乘)을 님케 ᄒᆞ니, 이 ᄯᅩᄒᆞᆫ 대왕의 ᄒᆡᆼ(幸)이라. 망극(罔極)[495] 즁이나 션왕의 원슈를 갑흐미 쾌ᄒᆞ니 엇지 깃부지 아니리오. 이 도시(都是) 동창국 운쉬(運數) 잠간 트이미오, 복의 ᄌᆡ용(才勇)【51】이 아니니, 대왕이 엇지 니러ᄐᆞᆺ 쳬읍ᄒᆞ여 쳔승의 지위를 손케 ᄒᆞᄂᆞ뇨? 대왕이 삼년일조(三年一朝)[496]를 폐치 아닐거시니, 황셩에 도라가 ○[나] 셔로 삼년 일ᄎᆞᄂᆞᆫ 반기미 닛시리니, 모로미 과상치 말고 치국 안민ᄒᆞ여 다시 어려온 일이 업게 ᄒᆞ쇼셔."

ᄯᅩ ᄇᆡᆨ셩을 면면(面面)히 위로 왈,

"이제ᄂᆞᆫ 동창의 요젹이 업고, 국군이 인ᄌᆞ화열(仁慈和悅)ᄒᆞ여 쳔니지방(千里地方)은 족히 치국안민(治國安民)ᄒᆞ리니, 여등은 슬허 말고 날을 닛지 아니ᄒᆞ거든, 국군을 도아 츙의(忠義)로 ᄋᆞᆺ듬을 삼아, 불의에 나아가지 말고 군신이 기리 태평을 누리라."

---

494)부로휴유(扶老携幼) : 노인은 부축하고 어린이는 이끈다는 뜻으로, 여기서는 향민들이 늙은이를 부축하고 어린이를 이끌고 모두 나옴을 이르는 말.

495)망극(罔極) : ≒망극지통(罔極之痛). 한이 없는 슬픔. 보통 임금이나 어버이의 상사(喪事)에 쓰는 말이다.

496)삼년일됴(三年一朝) : 3년에 한 번씩 입조(入朝)함.

창 삼쳔여리 디방(地方)을 평뎡ᄒᆞ샤 흉참ᄒᆞᆫ 인심을 크게 뎡(定)ᄒᆞ시며, 과인의 형뎨 삼인으로 ᄒᆞ여금 태풍산 누옥(陋獄)을 버셔나 텬일을 보게 ᄒᆞ시미, 다 원슈의 ᄌᆡ덕(才德)이라. 과인의 형뎨 삼인으로○○[브터] ᄉᆞ민(四民)535)의 니르히, 원【45】슈를 감은ᄒᆞ미 골슈의 ᄉᆞ못ᄎᆞᄂᆞ니, 금ᄉᆡᆼ(今生)의ᄂᆞᆫ 능히 원슈의 대은을 갑흘 도리 업ᄉᆞᆫ디라. 후ᄉᆡᆼ의 치를 잡아 ᄆᆞᆯ 뒤흘 ᄯᆞᆯ오믈 발원(發願)ᄒᆞᆯ ᄯᆞᄅᆞᆷ이로소이다."

ᄇᆡᆨ셩이 소ᄅᆡ를 년ᄒᆞ여 슬허ᄒᆞᄂᆞᆫ 말이 ᄭᅳᆺ디 아니ᄒᆞ니, 원쉬 ᄌᆡ삼 위로ᄒᆞ고 대군을 두로혀 노샹(路上)의 오로고져 ᄒᆞ더니, 동월ᄇᆡᆨ 경공의 부인 양시, 흰 교ᄌᆞ를 ᄐᆞ고 원슈 알패 나아와 슬피 고ᄒᆞ여 왈,

"원슈의 산히 ᄀᆞᆺᄐᆞᆫ 덕으로ᄡᅧ 쳡의 가부(家夫)와 졔ᄌᆞ(諸子)의 시신을 ᄎᆞᄌᆞ 됴흔 뫼희 ᄇᆡᆨ골을 ᄀᆞᆷ초와시나, 쳡이 본ᄃᆡ 대국 사ᄅᆞᆷ으로 가뷔 봉ᄇᆡᆨ(封伯)ᄒᆞ여 식읍으로 나려오ᄆᆡ ᄯᆞ라 니르러시나, 원쉬 오날늘의 도라가시ᄆᆡ 쳡이 고혈(孤孑)536)ᄒᆞᆫ 일【46】녀로 더브러 보젼지되(保全之道) 아득ᄒᆞ니, 쳡이 만일 녀식을 도라보디 아닐딘ᄃᆡ 살고져 ᄒᆞ리잇가마ᄂᆞᆫ, 녀식의 위인이 힝혀 슉뇨(淑窈)ᄒᆞ고 졀힝(節行)이 셔리 ᄀᆞᆺᄐᆞ여, 차뎍의 활착(活捉)ᄒᆞᄂᆞᆫ 욕을 당ᄒᆞᄃᆡ, 오히려 쥬표(朱標)를 흐리오디 아냐시니, 원슈의 덕튁으로ᄡᅧ 쳡의 모녀를 거나려 황셩가디 다려다가 주시면, 더옥 감은(感恩)ᄒᆞᆯ가 ᄒᆞᄂᆞ이다."

원쉬 양시의 모녀를 태풍산의셔 잠간 보ᄆᆡ, 경시ᄂᆞᆫ 비상ᄒᆞᆫ 부인이 될 ᄃᆞᆺᄒᆞ고 양시ᄂᆞᆫ 어딘 녀ᄌᆡ라. 그 쇼쳥이 이 ᄀᆞᆺᄐᆞ니 비록 군듕의 녀ᄌᆞ의 힝ᄎᆡ 비편(非便)ᄒᆞ나, ᄎᆞ마 ᄡᅥ르치고 갈 ᄠᅳᆺ이 업셔, ᄌᆞ금션(紫錦扇)을 드러 ᄎᆞ【47】면(遮面)ᄒᆞ고, 념슬(斂膝) 공경(恭敬)ᄒᆞ여 왈,

"쇼ᄉᆡᆼ이 부인과 쇼져를 뫼셔 가미 군듕의 비편(非便)ᄒᆞ오나, 부인의 쳥ᄒᆞ시미 여ᄎᆞᄒᆞ

535)ᄉᆞ민(四民) : 온 백성.
536)고혈(孤孑) : 가족이나 친척이 없어 의지할 데가 없음.

ᄇᆡᆨ셩이 소ᄅᆡ를 년ᄒᆞ여 슬허ᄒᆞᄂᆞᆫ 말이 긋지 아니니, 원쉬 ᄌᆡ삼 위로 ᄒᆞ고 대군을 두로혀고져 ᄒᆞ더니, 동월ᄇᆡᆨ 경공의 부인 양씨, 흰 교ᄌᆞ를 타고 원슈 알ᄑᆡ 나아와 슬피 고 왈,

"원슈의 산히 ᄀᆞᆺᄐᆞᆫ 덕으로ᄡᅧ 가부(家夫)와 졔ᄌᆞ(諸子)의 시신을 ᄎᆞᄌᆞ 조흔 뫼에 ᄇᆡᆨ골을 편히【52】장(葬)ᄒᆞ나, 쳡이 본ᄃᆡ 대국 샤ᄅᆞᆷ으로 가뷔 봉ᄇᆡᆨ(封伯)ᄒᆞ여 식읍으로 나려오ᄆᆡ ᄯᆞ라 니르러시나, 오늘날에 원쉬 도라 가시ᄆᆡ 쳡이 고혈(孤孑)497)ᄒᆞᆫ 일녀로 더브러 보젼지되(保全之道) 아득ᄒᆞ니, 쳡이 만일 녀식을 도라보지 아닐진대 살고져 ᄒᆞ리잇고마ᄂᆞᆫ, 녀식의 위인이 힝혀 슉뇨(淑窈)ᄒᆞ고 졀힝(節行)이 셔리 ᄀᆞᆺᄒᆞ여, 차젹의 활착(活捉)ᄒᆞᄂᆞᆫ 욕을 당ᄒᆞᄃᆡ, 오히려 쥬표(朱標)를 상히오지 아냐시니, 원슈의 덕튁으로ᄡᅧ 쳡의 모녀를 거ᄂᆞ려 황셩ᄭᆞ지 ᄃᆞ려다가 쥬시면 더욱 감은ᄒᆞᆯ가 ᄒᆞᄂᆞ이다."

원쉬 양부인 모녀를 태풍산에셔 잠간 본 ᄇᆡ라. 념용(斂容) ᄃᆡ 왈,

"ᄉᆡᆼ이 부인○[과] 소져를 뫼셔 가미 궁[군]마지노(軍馬之路)498)에 비편(非便)ᄒᆞ오

497)고혈(孤孑) : 가족이나 친척이 없어 의지할 데가 없음.
498)군마지노(軍馬之路) : 군대가 먼 거리를 이동하

시니, 근신(謹愼)ᄒᆞᆫ 댱졸노 ᄒᆞ여금 힝거를 뫼셔 황셩가디 득달ᄒᆞ시게 ᄒᆞ리이다."

이의 ᄌᆞ긔 셔지죵(庶再從) 윤태뎐과 후ᄃᆡ 댱관(後隊將官) 딘됴로 ᄒᆞ여금, 양부인과 경쇼져 힝거를 됴심ᄒᆞ여 뫼셔 오라 ᄒᆞ고, 대군이 힝ᄒᆞ여 황셩으로 올나오며, 일노(一路)○[의] 사름의 잔잉ᄒᆞ고 위급ᄒᆞᆫ 일 곳 드르면 못 밋쳐 구ᄒᆞᆯ ᄃᆞᆺ○○[ᄒᆞ니], 의긔 현심으로 환과고독을 각별이 념녀ᄒᆞ여○○○○[무휼ᄒᆞ고], 봉변ᄒᆞᆫ 사름을 화긔[의] 건져ᄂᆡ미 ᄇᆡᆨ의 당ᄒᆞᆯ디라.

인인이 윤원슈의 셩명을 드르【48】면 우러러 셩현으로 밀위고, ᄇᆡᆨ셩의 우럴고 바라미 젹ᄌᆞ(赤子) ᄌᆞ모(慈母) 바라ᄃᆞᆺ ᄒᆞᄂᆞᆫ디라. 동창 국왕 협이 문무 신뇨와 ᄇᆡᆨ셩으로 더브러 원슈의 화상을 일워, 닌각(麟閣)[537] 을 딧고 놉히 봉안ᄒᆞ여, ᄉᆞ시향화(四時香火)를 만년(萬年)의 폐치 아니려 ᄒᆞᄂᆞ니, 진짓 셩현의 덕홰오, 댱부의 쾌ᄒᆞᆫ ᄉᆞ업인 줄 가히 알니러라.

윤원쉬 하(夏) 오월 초슌의 동창을 ᄯᅥ나 츄(秋) 구월 긔망의 황셩을 드딀ᄉᆡ, 션문(先聞)을 농누의 고ᄒᆞ니라.

ᄎᆞ시 만세 황애 평제와 동창의 흉뎍을 근심ᄒᆞ샤, 비록 뎡·윤 등의 츌뎡ᄒᆞ미○○○[이시나], 윤희뎐은 옥부빙골(玉膚氷骨)의 션풍이딜(仙風異質)이 틔 업ᄉᆞᆫ 슈졍(水晶) ᄀᆞᆺᄐᆞ며, 반【49】졈(半點) 딘애(塵埃)의 무드디 아니코 만ᄉᆡ 화홍(和弘)ᄒᆞ기로 쥬ᄒᆞ니, ᄇᆡᆨ만듕(百萬衆)을 춍녕ᄒᆞ여 위엄과 호령이 상셜(霜雪) ᄀᆞᆺᄐᆞ믈 긔필치 못ᄒᆞ여, 혹 앗가온 몸이 상ᄒᆞᆯ가 셩네(聖慮) 무궁ᄒᆞ시더니, 국디대경(國之大慶)과 뎡·윤 등의 ᄌᆡ덕으로 평제와 동창 요뎍을 탕멸ᄒᆞ고, 년ᄒᆞ여 쳡보를 쥬ᄒᆞ니, 황애 대열ᄒᆞ샤 뎡·윤 냥가의 각별ᄒᆞᆫ 은영을 뵈시고, 슈히 회군반샤

537)닌각(麟閣) : =기린각(麒麟閣). 중국 한나라의 무제가 장안의 궁중에 세운 전각. 선제 때 곽광 외 공신 11명의 초상을 그려 각상(閣上)에 걸었다고 한다.

나, 부인의 쳥ᄒᆞ시미 여ᄎᆞᄒᆞ시니, 근신(謹愼)ᄒᆞᆫ 장졸노 ᄒᆞ야곰 힝거를 뫼셔 황셩ᄭᆞ지 득달ᄒᆞ시게 ᄒᆞ리이다."

이에 윤태뎐과 딘조로 ᄒᆞ야곰 양부인 모녀 힝거를 조심ᄒᆞ야 뫼【53】셔 오라 ᄒᆞ고, 대군을 힝ᄒᆞ여 황셩으로 힝ᄒᆞᆯᄉᆡ, 일노(一路)에 사름의 잔잉ᄒᆞ며 위급ᄒᆞᆫ 일 곳 드르면 밋쳐 못 구ᄒᆞᆯ ᄃᆞᆺ, 의긔 현심으로 환과 고독을 각별히 념녀ᄒᆞ여 무휼ᄒᆞ니

인인이 윤원슈의 셩명을 드르면 우러러 ᄇᆞ라ᄂᆞᆫ 마음이 젹ᄌᆞ(赤子) 부모 ○○[ᄇᆞ람] ᄀᆞᆺᄒᆞᆫ지라. 동창 국왕 협이 도라와 군하로 상의ᄒᆞ고, 원슈의 화상을 닐워 닌각(麟閣)[499]을 짓고 놉히 봉안ᄒᆞ여, ᄉᆞ시향화(四時香火)를 만세(萬歲)에 폐치 아니려 ᄒᆞ니, 진ᄌᆞᆺ 셩현의 덕화오, 장부의 쾌ᄉᆞ믈 가지(可知)러라.

하(夏) 뉵월 초슌에 동창을 ᄯᅥ나 츄(秋) 구월 긔망의 황셩에 니르러, 션문(先聞)을 농누의 고ᄒᆞ니,

ᄎᆞ시 만세 황애 평제와 동창 흉적을 근심ᄒᆞ샤, 비록 뎡·윤 등이 츌졍ᄒᆞ나, 오히려 희뎐은 옥보방신(玉寶芳身)의 빙골(氷骨)이 무하(無瑕)ᄒᆞ므로 만ᄉᆡ 화홍(和弘)키를 쥬ᄒᆞ나, ᄇᆡᆨ만즁(百萬衆)을 통녕(統領)ᄒᆞ여 위령(威令)이 상셜(霜雪) ᄀᆞᆺᄒᆞ믈 긔필치 못ᄒᆞ니, 【54】혹 앗가온 몸이 상ᄒᆞ미 잇실가 셩네(聖慮) 무궁ᄒᆞ시더니, 국지대경(國之大慶)과 뎡·윤 니공의 덕으로 평뎨와 동창 요적을 탕멸ᄒᆞ고, 년ᄒᆞ여 쳡보를 드르시ᄆᆡ 셩심이 환희(歡喜) 대열(大悅)ᄒᆞ샤, 뎡·윤 냥가에 각별ᄒᆞᆫ 은영을 뵈시고, 슈히 도라오믈 기ᄃᆞ리시더니, 임의 개가승젼○[곡](凱歌勝戰曲)

는 길

499)닌각(麟閣) : =기린각(麒麟閣). 중국 한나라의 무제가 장안의 궁중에 세운 전각. 선제 때 곽광 외 공신 11명의 초상을 그려 각상(閣上)에 걸었다고 한다.

(回軍班師)ᄒᆞ믈 기다리시더니, 임의 개가승젼곡(凱歌勝戰曲)으로 환경ᄒᆞᄂᆞᆫ 션셩(先聲)이 다[538], 구월 ᄀᆡ망이니 맛초아 ᄒᆞᆫ 날이라. 샹이 만됴 문무쳔관(文武千官)을 거나리샤 뎡텬흥 윤희텬을 교외의 마ᄌᆞ실ᄉᆡ, 샤를 마조 뎡원슈의게 보ᄂᆡ여【50】힝거를 동문안흐로 드러오게 ᄒᆞ시니, 이ᄂᆞᆫ 두 원쉬 다 ᄒᆞᆫ 문으로 못게 ᄒᆞ시미라.

동교(東郊) 십니 밧긔 어막(御幕)을 ᄇᆡ셜ᄒᆞ고 옥좌를 여르샤 냥 원슈를 기다리실ᄉᆡ, 일ᄉᆡᆨ이 반오(半午)의 개가승젼곡(凱歌勝戰曲)이 은은이 들니ᄆᆡ, 대ᄉᆞ마 위국공 윤광텬이 참디 못ᄒᆞ여 마조 나가ᄆᆡ, 이 곳 동졍 원슈의 도라오ᄂᆞᆫ 위의라.

윤원쉬 삼군을 거나려 나아오다가 눈을 들ᄆᆡ, 일위 공후 ᄌᆡ렬이 허다 츄죵을 거ᄂᆞ려 마조 오ᄂᆞᆫ 바의, 신ᄎᆡ 풍광이 동탕ᄒᆞ여 안광이 찬난ᄒᆞ니, 원쉬 임의 샤ᄇᆡᆨ(舍伯)의 나아오믈 보ᄆᆡ 반가온 졍이 빗기 흔득이ᄂᆞᆫ디라. 즉시 하마ᄒᆞ여 댱막을 둘너 잠【51】간 안졸 곳을 뎡ᄒᆞᄆᆡ, 위공이 섈니 댱막의 드러 가 원슈를 볼ᄉᆡ 원쉬 밧비 졀ᄒᆞ고, 형뎨 집슈년비(執手聯臂)[539]ᄒᆞᄆᆡ 반가오미 넘ᄡᅵ고 즐거오미 극ᄒᆞᄃᆡ, 만ᄉᆞ의 부친이 ᄌᆡ셰치 못ᄒᆞ믈 각골디통(刻骨之痛)이 되엿ᄂᆞᆫ디라. 오날ᄂᆞᆯ 영화를 ᄒᆞᆫ가디로 두ᄀᆞᆺ기디 못ᄒᆞ시믈 ᄉᆡᆼ각ᄒᆞᄆᆡ, 심장이 ᄎᆞᆫ단ᄒᆞᄂᆞᆫ디라. 형뎨 냥인의 슬픈 누쉬 쳠의(沾衣)ᄒᆞ여, 오ᄅᆡ도록 말을 일우디 못ᄒᆞ다가, 위공이 날호여 ᄀᆞᆯ오ᄃᆡ,

"우형이 위국을 뎡벌ᄒᆞ고 도라오믈 어드나, 현뎨 동으로 츌뎡ᄒᆞ여 도라 올 디속(遲速)을 뎡치 못ᄒᆞ니, 울울ᄒᆞ고 챵연ᄒᆞᆫ 심ᄉᆞ를 엇디 다 형언ᄒᆞ리오. 다만 존당 슉당이 안강ᄒᆞ시고,【52】ᄌᆞ졍이 존휘(尊候) 일양 강건ᄒᆞ시니, 합문이 무ᄉᆞᄒᆞ며 업던 ᄋᆞ희들이 년ᄒᆞ여 나ᄆᆡ 회포를 위로ᄒᆞᆯ 곳이 만하, 도로혀 너를 니ᄌᆞᆫ ᄃᆞᆺ 디ᄂᆡ나, 병긔ᄂᆞᆫ 흉디

538)다 : 닿아. *다다 ; 닿다. 소식 따위가 전달되다.
539)집슈년비(執手聯臂) : 손을 잡고 어깨를 나란히 함.

으로 환경ᄒᆞᄂᆞᆫ 션셩(先聲)이 ○[다[500]], 구월 ᄀᆡ망이니 마촘 ᄒᆞᆫ 날이라. 샹이 만조 문무텬관(文武千官)을 거ᄂᆞ리샤 교외에 나아가의 마ᄌᆞ실ᄉᆡ, ᄉᆞ를 마조 보ᄂᆡ샤 뎡원쉬의 힝거를 동문으로 드러 오게 ᄒᆞ시니, 이ᄂᆞᆫ 두 원쉬 다 ᄒᆞᆫ 날을 당ᄒᆞ야 《심∥ᄒᆞᆫ 문》으로 들게 ᄒᆞ시미러라.

화셜 만셰 황얘 동교(東郊)에 힝힝(行行)ᄒᆞ샤 냥 원슈를 마ᄌᆞ실ᄉᆡ, 만조 공경이 상을 뫼셔 냥 원슈를 기ᄃᆞ리더니, 이윽고 승젼곡(勝戰曲) 소ᄅᆡ 먼니 은은ᄒᆞ니, ᄃᆡᄉᆞ마 남창후 윤광텬이 참지 못ᄒᆞ여 마조 나아갈ᄉᆡ, 윤원쉬 삼군을 거ᄂᆞ려 오【55】더니, 눈을 들ᄆᆡ 일위 ᄌᆡ상(宰相) 공휘(公侯) 허다 츄종을 거ᄂᆞ려 마조 오니, 신위 풍광이 슈려동탕(秀麗動蕩)ᄒᆞ니 이곳 《챠ᄇᆡᆨ∥샤ᄇᆡᆨ(舍伯)》이라. 크게 반겨 즉시 하마ᄒᆞ여 마ᄌᆞ 막ᄎᆞ(幕次)에 드러가 절ᄒᆞ고, 형뎨 손을 잡아 반기고 즐거오미 넘치ᄃᆡ, 부친이 ᄌᆡ셰치 못ᄒᆞ시므로 각골지통(刻骨之痛)이 된지라. 금일 영화를 ᄒᆞᆫ가지로 즐기지 못ᄒᆞ믈 ᄉᆡᆼ각ᄒᆞᄆᆡ, ᄉᆡ로이 심담이 ᄎᆞᆫ할ᄒᆞ여, 냥인의 비뤼(悲淚) 옷깃ᄉᆞᆯ 젹시더라. 창휘 왈,

"우형이 위국을 졍벌ᄒᆞ고 갓 도라오니, 현뎨 쳐음으로 츌졍ᄒᆞ여 회환(回還) 지속(遲速)을 모로ᄆᆡ 심ᄉᆞ(心思) 창연(愴然)ᄒᆞ나, 다만 존당이 강건ᄒᆞ시고 슉당과 ᄌᆞ졍긔○[셔] 안강ᄒᆞ시니, 합문이 무ᄉᆞᄒᆞ며 업던 ᄋᆞ히드리 연ᄒᆞ여 나, 회포를 위로ᄒᆞᆯ 곳이 만흐니, 도로혀 현뎨를 니ᄌᆞᆫ ᄃᆞᆺ 지ᄂᆡ나, 병긔(兵器)ᄂᆞᆫ 흉지라 승ᄑᆡ를 알기 어려오니, 혹ᄌᆞ 요졍【56】을 평졍치 못ᄒᆞᆯ가 우려ᄒᆞ더니, 금일 승젼 환가ᄒᆞ니 깃부믈 어이 측냥

500)다 : 닿아. *다다 ; 닿다. 소식 따위가 전달되다.

(凶地)라. 승패를 졈복기 어려오니 현뎨의
슉연ᄒᆞᆫ 도혹과 어딘 힝ᄉᆞ로뼈, 혹ᄌᆞ 요뎍을
쾌히 쓰러바리디 못ᄒᆞᆯ가 우려ᄒᆞ미 실노 간
졀ᄒᆞ더니, 금일 승젼곡으로 황셩을 드ᄃᆡ니
이 깃브믈 엇디 측냥ᄒᆞ리오."

원쉬 샹후와 존당 뎨후며 양부모(養父母)
와 ᄉᆡᆼᄌᆞ졍(生慈庭)의 존후를 뭇ᄌᆞᆸ고, 부원쉬
본부 소식을 뭇더니, ᄯᅩ 평졔원슈의 도라오
ᄂᆞᆫ 위의 막ᄎᆞ의 다ᄃᆞ르니, 동뎡부원쉬 위공
의 곤계와 년망이 【53】 장 밧긔 나 마ᄌᆞ며,
위국공과 윤원쉬 도로 니어 마ᄌᆞᄆᆡ, 뎡원쉬
그 아을 보고 만면의 반가온 졍이 늉흡(隆
洽)ᄒᆞᄆᆡ, 단ᄉᆞ(丹砂)의 ᄇᆡᆨ옥(白玉)이 녕농ᄒᆞ
여, 우슈로 셰흥의 손을 ᄌᆞᆸ고 좌슈로 챵후
형뎨를 붓드러 왈,

"ᄉᆞ원과 내 ᄒᆞᆫ가지로 황셩을 써나 위(魏)
· ᄒᆡ(海)540)로 길흘 난홧더니, ᄉᆞ원은 위국
을 평뎡ᄒᆞᄆᆡ 긔한의 도라오고 나ᄂᆞᆫ 평졔를
탕멸ᄒᆞ고 금츄의야 환경ᄒᆞ거니와, ᄉᆞ빈의
동창 뎡벌이 ᄉᆡᆼ각 밧기오, 오날ᄂᆞᆯ 셔로 맛
초디 아냐셔 ᄒᆞᆷ긔 도라오믈 어드니, 국디대
경과 ᄉᆞᄉᆞ(事事) ᄒᆡᆼ심(幸甚)이 이 밧긔 ᄯᅩ
업ᄉᆞᆫ디라. 엇디 깃브믈 언어로 다 니르리오.
아디 못게라, 옥휘(玉候)541) 녕안(寧安)ᄒᆞ시
며 우리 친당 【54】 이 무ᄉᆞᄒᆞ시냐?"

위공이 샹후(上候)의 안길(安吉)ᄒᆞ심과 취
운산 합문(闔門)이 무ᄉᆞᄒᆞ시믈 젼ᄒᆞ고, 어개
(御駕) 문외의 친님ᄒᆞ시믈 니ᄅᆞᆫᄃᆡ, 뎡원쉬
만면츈풍(滿面春風)이 삼츈혜화(三春蕙和)를
닛그러 즉시 니러 나며, ᄀᆞᆯ오ᄃᆡ,

"닙공반샤(立功班師)의 깃브믄 둘ᄌᆡ오, 군
친이 문외의 친님ᄒᆞ시믈 드르니 황공블안
ᄒᆞᆫ 듕, 농뎐의 현알ᄒᆞ고 친위의 봉ᄇᆡᄒᆞᆯ ᄯᅳᆺ
이 일시 급ᄒᆞᆫ디라. 엇디 갓븐542) 일이 업시
막ᄎᆞ(幕次)의 쉬여 한가ᄒᆞᆫ 긴 셜화를 펴리
오."

이의 긔를 둘너 결딘(結陣)ᄒᆞ고 삼군이
하마(下馬)ᄒᆞ여 어막으로 나갈ᄉᆡ, 윤원쉬 ᄯᅩ

540)위(魏) · ᄒᆡ(海) : 위국과 해북(海北).
541)옥휘(玉候) : 황제의 안부를 이르는 말.
542)갓브다 : 가쁘다. 힘에 겹다. 숨이 몹시 차다

ᄒᆞ리오."

원쉬 존당과 양부모(養父母) 존후를 뭇ᄌᆞᆸ
고, 부원슈 본부 소식을 뭇더니, ᄯᅩ 평졔 대
원슈의 도라오ᄂᆞᆫ 위의 막ᄎᆞ에 다ᄃᆞ르니, 삼
인이 장 밧긔 나와 마ᄌᆞᄆᆡ, 뎡 원쉬 그 ᄋᆞ
오를 보고 만면의 회ᄉᆡᆨ으로 셰흥의 손을 잡
고, 좌슈로 창후 곤계를 집슈(執手) 왈,

"ᄉᆞ원과 ᄂᆡ ᄒᆞᆫ가지로 황셩을 써낫더니,
ᄉᆞ원은 몬져 위국을 평졍ᄒᆞ고 도라오고,
나ᄂᆞᆫ 겨유 졔국을 탕멸ᄒᆞᄆᆡ 이졔야 도라 어
거니와, ᄉᆞ빈의 동창 졍벌이 ᄯᅳᆺ밧기오, 금일
셔로 맛초지 아냐셔 모드니, 국지대경(國之
大慶)과 ᄉᆞᄉᆞ(事事) ᄒᆡᆼ심(幸甚)이 이 밧긔
ᄯᅩ 업ᄉᆞᆫ지라. 깃브믈 어이 다 니르리오. 아
지 못게라, 옥휘(玉候)501) 영안(寧安ᄒᆞ시며
우리 친당이 안강ᄒᆞ시냐?"

창휘 상후(上候)의 안강(安康)ᄒᆞ심과 취운
산 합문이 무ᄉᆞᄒᆞ시믈 젼ᄒᆞ고, 어개(御駕)
문 【57】 외의 친님ᄒᆞ시믈 니르니, 뎡원쉬
쳥미필(聽未畢)에 군친(君親)을 반길 마ᄋᆞᆷ이
밧분 고로 졍회를 펴지 못ᄒᆞ여, 이에 긔를
둘너 결진ᄒᆞ고 삼군이 하마ᄒᆞ여 어막으로
나아갈 ᄉᆡ, 윤원슈도 결진ᄒᆞ고 쳔쳔히 거러
ᄒᆡᆼᄒᆞᄆᆡ, 냥진 군졸의 즐기ᄂᆞᆫ 소ᄅᆡ 하ᄂᆞᆯ의
ᄉᆞᄆᆞᆺ더라.

501)옥휘(玉候) : 황제의 안부를 이르는 말.

ᄒᆞᆫ 결딘ᄒᆞ고 쳔쳔이 거러 힝ᄒᆞᄆᆡ, 냥딘 군졸의 즐기ᄂᆞᆫ 예긔 하날의 오른 듯ᄒᆞ고, 뎡원슈와 윤원쉬 각각 당ᄉᆞ【55】를 거나려 어막 알패 나아가 팔ᄇᆡ산호(八拜山呼)ᄒᆞᆯᄉᆡ, 삼군 댱졸의 만셰를 호창(呼唱)ᄒᆞᄂᆞᆫ 소ᄅᆡ 구텬(九天) 창합(閶闔)[543]의 딘동ᄒᆞ더라.

화셜 샹이 냥원슈를 기다리시다가 이의 츄ᄇᆡ(趨拜)ᄒᆞᄆᆞᆯ 당ᄒᆞ샤, 슌목듕동(脣目重瞳)[544]의 희긔(喜氣) 영ᄌᆞ(盈滋)[545]ᄒᆞ시고 팔ᄎᆡ농미(八彩龍眉)[546]의 반기믈 씌이샤, 밧비 뎡·윤 냥원슈를 나아오라 ᄒᆞ샤 각각 집슈(執手)ᄒᆞ시고, 젼딘(戰陣) 구티(驅馳)를 위로ᄒᆞ시며 닙공반사(立功班師)를 칭하ᄒᆞ샤 왈,

"뎡경은 임의 일셰 영쥰으로 동뎡셔벌(東征西伐)의 대공을 셰워, 위명(威名)이 대딘(大振)ᄒᆞ고 공개텬하(功盖天下)ᄒᆞ니, 오히려 평제의 대공 일우믄 긔어필득(期於必得)[547] ᄒᆞᆯ 줄 ᄉᆡᆼ각ᄒᆞᆫ ᄇᆡ어니와, 윤경은 공ᄆᆡᆼ(孔孟)의 도덕(道德)을 젼쥬(專主)ᄒᆞ여 일보일언(一步一言)[548]이 셩니(性理)의 바른【56】줄ᄆᆡᆨ(-脈)[549]으로, 니음양슌ᄉᆞ시(理陰陽順四時)[550]ᄒᆞ여 묘당(廟堂)[551]의 안ᄌᆞ셔 티졍(治政)을 의논ᄒᆞ여 태청화각(太淸畵閣)[552]의 현명ᄌᆡ샹(賢明宰相)이 될 바ᄂᆞᆫ 벅벅ᄒᆞ거니와, 풍딘(風塵) ᄉᆞ이의 ᄇᆡᆨ만듕(百萬衆)을 춍녕(總領)ᄒᆞ여 《냥슈 ‖ 냥딘(兩陣)》 교병(交兵)의 젼필승공필취(戰必勝功必取)[553]ᄒᆞ

---

543)창합(閶闔) : 하늘 문. 궁궐의 정문.

544)슌목듕동(脣目重瞳) : 입술(脣)과 눈(目) 그리고 두 눈동자(重瞳).

545)영ᄌᆞ(盈滋) : 가득함.

546)팔ᄎᆡ농미(八彩龍眉) : 임금의 아름다운 눈썹.

547)긔어필득(期於必得) : 어떠한 일이 있더라도 반드시 얻어냄.

548)일보일언(一步一言) : 발걸음 하나하나, 말 한마디한마디, 라는 뜻으로, '모든 행동과 말'을 이르는 말.

549)줄ᄆᆡᆨ(-脈) : 맥락(脈絡). 계통(系統).

550)니음양슌ᄉᆞ시(理陰陽順四時) : 음양(陰陽)을 다스리고 사시(四時; 春夏秋冬)의 변화에 순응함.

551)묘당(廟堂) : 의정부(議政府)를 달리 이르던 말.

552)태청화각(太淸畵閣) : 매우 깨끗하고 아름다운 전각(殿閣).

553)젼필승공필취(戰必勝功必取) : 싸우면 반드시 이

《뎡 ‖ 냥》 원슈 어막에 ᄃᆞ다라 뇽탑하(龍榻下)에 산호(山呼) ᄇᆡ무(拜舞)ᄒᆞ니,

상이 반기샤 위로 왈,

"경 등이 개셰츙녈(蓋世忠烈)노 냥쳐 흉젹을 삭평(削平)ᄒᆞ니, 이ᄂᆞᆫ 국가쥬셕(國家柱石)이오 샤직동량(社稷棟樑)이라. 뎡경은 지용이 겸비ᄒᆞ니 족히 근심ᄒᆞᆯ ᄇᆡ 아니로ᄃᆡ, 윤경은 셩ᄌᆞ긔ᄆᆡᆨ(聖者氣脈)이 가히 공ᄆᆡᆼ(孔孟)의 도통(道統)을 니으며, 안ᄌᆞ셔 치졍(治政)을 의논ᄒᆞ여 현명ᄌᆡ상(賢明宰相)은 되려니와, 풍진(風塵) ᄉᆞ이에 냥진(兩陣)이 교봉(交鋒)ᄒᆞ여, 젼필승공필취(戰必勝功必取)[502] ᄒᆞᄂᆞᆫ ᄌᆡ략이 잇시믄 실노 아지 못ᄒᆞ엿더니, 동창을 졍토(征討)ᄒᆞᄆᆡ 용뮈(勇武) 당당ᄒᆞᆫ ᄃᆡ장이라도 불급(不急)ᄒᆞ미 만【58】ᄒᆞᆯ지라. 엇지 긔특지 아니리오."

---

502)젼필승공필취(戰必勝功必取) : 싸우면 반드시 이기고 공을 반드시 취함.

는 직략이 이시믄, 딤이 블명(不明)ᄒᆞ여 ᄌᆞ시 아디 못ᄒᆞ엿더니, 차뎍을 쥬멸ᄒᆞ미 용뮈(勇武) 당당ᄒᆞᆫ 대댱뷔라도 밋디 못ᄒᆞᆯ 거시 만흔디라. 엇디 긔특디 아니리오."

윤·뎡 냥원싊 빅비(百拜) ᄉᆞ샤(謝辭) ᄒᆞ여 블감ᄒᆞ믈 일ᄏᆞᆺ고, 문무 듕신이 일시의 만셰를 블너 국디대경(國之大慶)을 하례ᄒᆞ니, 즐기ᄂᆞᆫ 긔운이 양츈이 므로녹음 ᄀᆞᆺᄐᆞ디라. 샹이 뎡원슈의 졔벌(齊伐)의 공노치부칙(功勞置簿冊)을 올니라 ᄒᆞ시고, 윤원슈의 동【57】창 평뎡ᄒᆞᆫ 공뇌칙(功勞冊)도 올니라 ᄒᆞ샤, 뎐안이 친히 살피시미, 금평후 뎡공과 호람후 윤공을 갓가이 브르샤, 옥빈(玉杯) 어온(御醞)을 반샤(頒賜)ᄒᆞ시고 일ᄏᆞ라 니르샤ᄃᆡ,

"뎡경은 텬흥 ᄀᆞᆺᄐᆞᆫ ᄋᆞᄃᆞᆯ을 두어 국가고굉디신(國家股肱之臣)을 삼아, 남졍븍벌(南征北伐)과 히뎡졔벌(海征齊伐)의 공업이 쳔고의 희한ᄒᆞ고, 다시 셰흥이 동창의 큰 공을 일우게 ᄒᆞ고, 윤경은 희텬 ᄀᆞᆺᄐᆞᆫ 긔ᄌᆞ를 계후ᄒᆞ여 가ᄅᆞ치믈 남달니 ᄒᆞᆫ 연고로, 셩ᄌᆞ도덕(聖者道德)과 명댱디략(名將智略)을 겸ᄒᆞ여 국가의 보필을 삼으니, 웃듬은 경형(卿兄)이 긔특ᄒᆞ여 광텬 희텬을 나코, 버거ᄂᆞᆫ 경이 어디리 교훈ᄒᆞᆫ 공이라. 엇디 아름답디 아니리오.

금평후와 호람휘 년망이 어온【58】을 밧ᄌᆞ와 거후로고, 니러 빅샤 왈,

"신 뎡연은 맛ᄎᆞᆷ 텬흥과 셰흥 등을 두어 용녈키를 계오 면ᄒᆞ엿ᄉᆞ오나, 졔 엇디 셩듀의 찬양ᄒᆞ시ᄂᆞᆫ 직덕을 만의 일이나 당ᄒᆞ리잇고마ᄂᆞᆫ, 힝혀 셩듀의 홍복을 닙ᄉᆞ오며, 졔댱의 도으므로 셔졀구토[투](鼠竊狗偸)[554] 의 젹은 도뎍을 멸ᄒᆞ미 잇ᄉᆞ오나, 므ᄉᆞᆫ 공뇌리잇고?

ᄒᆞ믈며 신 윤슈ᄂᆞᆫ 텬셩이 우미블능(愚迷不能)ᄒᆞ와 시가(詩歌)의 다ᄃᆞ라도 분명이

기고 공을 반드시 취함.

554)셔졀구투(鼠竊狗偸) : 쥐나 개처럼 몰래 물건을 훔친다는 뜻으로, '좀도둑'을 이르는 말.

윤·뎡 냥원쉬 비복(拜伏)ᄒᆞ여 불가ᄒᆞ믈 닐캇고, 졔신이 만셰를 불너 국가 경ᄉᆞ를 하례ᄒᆞ니, 상이 냥쳐 평졍ᄒᆞᆫ 《공뇌를 칙의‖공노책(功勞冊)을》 올니라 ᄒᆞ샤, 보시고 금후 뎡연과 남후 윤슈를 갓가이 브르샤, 옥빈(玉杯)의 어온(御醞)을 반샤(頒賜)ᄒᆞ시고 닐ᄋᆞ르샤 왈,

"뎡경은 텬흥 ᄀᆞᆺᄐᆞᆫ ᄋᆞᄃᆞᆯ을 두미 국가고굉지신(國家股肱之臣)을 삼아, 남젹(南賊) 북토(北土)를 졍벌ᄒᆞᆫ 공업이 쳔고의 드믄 일이오, 또 셰흥을 두어 이 동창의 큰 공을 일우니, 이ᄂᆞᆫ 션셰를 계후ᄒᆞ여 어지리 ᄀᆞᄅᆞ치미[믈] 남 ᄃᆞᆯ니 ᄒᆞᆫ 고로, 셩현도덕(聖賢道德)과 문장직화(文章才華)로 명장지략(名將智略)을 겸ᄒᆞ여 국가 보좌(輔佐)를 삼으니, 그 웃듬은 경형(卿兄)이 긔특ᄒᆞ여 광텬 형뎨를 나코, 버금은 경이 어지리 교훈ᄒᆞᆫ 공이라. 엇지 아름답지 아니리오

금후와 남휘 년망이 어온을【59】 밧ᄌᆞ와 거후르고, 니러 빅샤 왈,

"신 ○○[뎡연]은 맛ᄎᆞᆷ 텬흥과 셰흥을 두어 용녈ᄒᆞ믄 면ᄒᆞ엿ᄉᆞ오나, 엇지 셩쥬○[의] 과장(誇張)ᄒᆞ시믈 당ᄒᆞ리잇고? 힝혀 폐하의 홍복을 닙ᄉᆞ와 셔졀구투(鼠竊狗偸)[503]의 도적을 멸ᄒᆞ오나, 무ᄉᆞᆷ 공이리잇고?"

호람휘 니어 돈슈(頓首) 주왈,

"신은 텬셩이 우미(愚迷)ᄒᆞ와 시ᄉᆞ(詩詞)에 다ᄃᆞ라도 분명이 ᄭᆡᄃᆞᆺ지 못ᄒᆞ오니, 엇지 ᄌᆞ딜을 남에셔 낫게 ᄀᆞᄅᆞ치미 잇시리잇고마

503)셔졀구투(鼠竊狗偸) : 쥐나 개처럼 몰래 물건을 훔친다는 뜻으로, '좀도둑'을 이르는 말.

ᄭᆡᄃᆞᆺ디 못ᄒᆞᄋᆞᆸᄂᆞᆫ ᄇᆡ니, 엇디 군녀디ᄉᆞ(軍旅之事)[555]를 가ᄅᆞ치ᄆᆡ 감히 남의셔 나으미 이시리잇고마ᄂᆞᆫ, 광텬 등이 요힝 돈견(豚犬) ᄀᆞᆺ기를 계오 면ᄒᆞ와, 일즉 《셤궁(蟾宮)[556] ‖ 셩궁(聖躬)[557]》의 뇽닌(龍鱗) 봉익(鳳翼)을 더위잡아[558] 셩듀의 여텬대은(如天大恩)이 그 몸의 넘【59】ᄢᅵ오ᄃᆡ, 실노 쳑촌(尺寸)도 국은을 갑ᄉᆞᆸ디 못ᄒᆞ오니, ᄆᆡ양 부ᄌᆞ 슉딜이 ᄉᆞ실(私室)의 업ᄃᆡ여 젼긍(戰兢)[559] ᄒᆞᄂᆞᆫ 의ᄉᆡ 깁ᄉᆞᆸ더니, 이제 신ᄌᆞ 희텬이 동창을 쥬멸ᄒᆞ미 젼혀 졔댱의 도은 공이라, 졔 엇디 명댱(名將)의 디략이 이시리잇고? 셩교를 듯ᄌᆞ오ᄆᆡ, 신이 블승황공(不勝惶恐)ᄒᆞ와 ᄃᆡ쥬(對奏)ᄒᆞ올 바를 아디 못ᄒᆞ리로소이다."

샹이 우으시고 ᄌᆡ삼 칭찬ᄒᆞ시며, 뎡·윤 등의 부ᄌᆞ 형뎨를 어온을 취토록 권ᄒᆞ시고 풍악을 죄오며, 군신이 즐기믈 다ᄒᆞᆯᄉᆡ, 뎡원쉬 친안과 동긔를 반기미 디쳑텬안(咫尺天顔)의 ᄉᆞ졍(私情)을 펴디 못ᄒᆞ나, 반가온 졍이 황홀ᄒᆞ여 눈으로ᄡᅧ 졍을 보닐 ᄲᅮᆫ이라. 평졔원슈ᄂᆞᆫ 본ᄃᆡ 쥬【60】량(酒量)이 댱(壯)ᄒᆞᆫ 고로, 년(連)ᄒᆞ여 반샤(頒賜)ᄒᆞ시ᄂᆞᆫ 어온을 슌슌이 거후로ᄃᆡ 취ᄉᆡᆨ(醉色)이 굿ᄐᆞ여 낫타나디 아니ᄒᆞ고, 동뎡원슈ᄂᆞᆫ 옥면의 쥬긔(酒氣) 잠간 올나 봉안이 몽농이 프러디니, 도화(桃花) 일쳔 졈이 ᄯᅳᆺ드러[560] 녕농ᄒᆞ미 찬난ᄒᆞ고 심히 미묘ᄒᆞᆫ디라, 부원슈 뎡셰흥이 근간의 술을 졉구(接口)치 아니ᄒᆞ다가 금일 쥬ᄇᆡ(酒杯)를 년음ᄒᆞᄆᆡ 옥모(玉貌)의 취ᄉᆡᆨ(醉色)이 찬연ᄒᆞ여, 그 긔상과 풍신이 신ᄎᆡ(身彩)로조ᄎᆞ 두샤인(杜舍人)[561]

555)군녀디ᄉᆞ(軍旅之事) : 전쟁에 관한 일.
556)셤궁(蟾宮) : 달.
557)셩궁(聖躬) : 임금의 몸을 높여 이르는 말.
558)더위잡다 : 높은 곳에 오르려고 무엇을 끌어 잡다.
559)젼긍(戰兢) : 전전긍긍(戰戰兢兢). 몹시 두려워서 벌벌 떨며 조심함.
560)ᄯᅳᆺ들다 : ᄯᅳᆺ듣다. 뚝뚝 떨어지다.
561)두샤인(杜舍人) : 중국 만당(晩唐)때 시인 두목지(杜牧之). 이름은 두목(杜牧). 중서사인(中書舍人)에 올랐고, 중국의 대표적 미남자로 꼽힌다.

ᄂᆞᆫ, 광텬 등이 뇨힝(僥倖) 돈견(豚犬) ᄀᆞᆺ기를 면ᄒᆞ와, 셩쥬의 여텬 대은(如天大恩)이 이졔 몸의 넘치오ᄃᆡ, 실노 쳑촌도 국은을 갑습지 못ᄒᆞ오니, 부ᄌᆞ슉딜(父子叔姪)이 ᄆᆡ양 ᄉᆞ실의 업ᄃᆡ여 젼젼긍긍(戰戰兢兢)[504] ᄒᆞᄋᆞᆸ더니, 이졔 신ᄌᆞ 희텬이 동창 뇨젹(妖賊)을 쥬멸ᄒᆞ미 젼혀 졔장(諸將)의 힘이라. 졔 엇지 장략(將略)이 잇시리잇고? 셩교를 듯ᄉᆞ오ᄆᆡ 신이 불승황공(不勝惶恐)ᄒᆞ여 쥬(奏)ᄒᆞᆯ 바를 아지 못ᄒᆞ리로소이다."

상이 우으시고 ᄌᆡ삼【60】칭찬ᄒᆞ샤, 뎡·윤 등 부ᄌᆞ 형뎨를 어온을 취토록 권ᄒᆞ시고, 군신이 즐길ᄉᆡ, 윤·뎡 냥원쉬 텬안과 동긔를 반기나 지쳑텬안(咫尺天顔)에 ᄉᆞ졍(私情)을 펴지 못ᄒᆞ고, 눈으로 졍을 보닐 ᄯᆞ름이라.

504)젼젼긍긍(戰戰兢兢) : 몹시 두려워서 벌벌 떨며 조심함.

의 헌아디풍(軒雅之風)과 딘승상(晉丞相)562)의 관옥디모(冠玉之貌)563)를 일ᄏᆞ를 ᄇᆡ 아니오, 평졔원슈의 ᄇᆡᆨ일디풍(白日之風)과 뇽봉ᄌᆞ딜(龍鳳資質)이 쳔승(千乘)을 긔필(期必)ᄒᆞ며, 그 복덕이 곽분양(郭汾陽)564)을 우술디라. 냥ᄌᆞᄒᆞᆫ ᄇᆡ반(杯盤)565) 듕의 문무졔신이 그 이【61】ᄌᆞ의 상모를 못ᄂᆡ 칭찬ᄒᆞᄂᆞᆫ디라. 금후와 호람휘 두리고 깃거 아냐 셩만(盛滿)ᄒᆞᆷ을 우려ᄒᆞ더라.

군신이 즐기믈 다ᄒᆞ고 날이 느ᄌᆞᄆᆡ 환궁ᄒᆞ실ᄉᆡ, 평졔 원슈로 ᄒᆞ여금 군ᄉᆞ를 거나려 좌로 힝ᄒᆞ라 ᄒᆞ시고, 동뎡원슈로 삼군 샤졸을 거나려 우로 힝ᄒᆞ라 ᄒᆞ샤, 대원슈의 긔계(器械)를 녈젼(列展)566)ᄒᆞ고, 샹은 문무 쳔관을 거나려 뒤히 오실ᄉᆡ, 냥딘 원슈의 도창검극(刀槍劍戟)567)이 ᄒᆡ빗출 ᄀᆞ리와 츄상(秋霜) ᄀᆞᆺᄐᆞᆫ 위엄의 길히 좁아 가더라.

평졔원슈ᄂᆞᆫ 용무ᄌᆡ략(勇武才略)이 운남 이후로 졀이(絶異)ᄒᆞ미 무후(武侯)568)로 견줄 ᄇᆡ어니와, 윤원슈 반샤(班師)ᄂᆞᆫ 쳐음이라. 만목이 황홀ᄒᆞ여 쥬아부(周亞夫)569)의 디난 위풍이 잇다 ᄒᆞ며, 황샹【62】이 뒤히셔 바라보시고 블승대희(不勝大喜)ᄒᆞ시니, 금평후와 호람휘 ᄯᅩᄒᆞᆫ 두굿기믈 먹음고 각각 ᄋᆞ돌을 바라볼 ᄲᅮᆫ이라. 영광이 만고(萬古)의 쳐음이오, 셰ᄃᆡ(世代)의 다시 업ᄉᆞᆫ 장

562)딘승상(晉丞相) : 중국 서진(西晉)의 미남자 반악(潘岳)을 달리 이르는 말.

563)관옥디모(冠玉之貌) : 관옥처럼 아름다운 모습. 관옥은 관(冠)을 꾸미는 옥.

564)곽분양(郭汾陽) : 곽자의(郭子儀). 697~781. 중국 당(唐)나라 중기의 무장(武將). 안녹산 사사명의 반란을 평정하고 토번을 쳐 큰 공을 세워 분양왕(汾陽王)에 올랐다.

565)ᄇᆡ반(杯盤) : ①술상에 차려 놓은 그릇. 또는 거기에 담긴 음식. ②흥취 있게 노는 잔치.

566)녈젼(列展) : 늘어세워 보임.

567)도창검극(刀槍劍戟) : 군사들의 병기(兵器)인 다양한 종류의 칼과 창을 일괄하여 이르는 말.

568)무후(武侯) : 제갈량(諸葛亮). 181~234. 중국 삼국 시대 촉한의 정치가. 자(字)는 공명(孔明). 시호는 충무(忠武). 무향후(武鄕侯)에 봉작되었다.

569)쥬아부(周亞夫) : 중국 전한(前漢) 전기의 무장, 정치가. 오초칠국(吳楚七國)의 난을 평정해 공을 세웠고 승상에 올랐다.

날이 느ᄌᆞᄆᆡ 어개 환궁ᄒᆞ실ᄉᆡ, 평졔원슈로 군을 거ᄂᆞ려 좌로 힝ᄒᆞ라 ᄒᆞ시고, 동뎡원슈로 군을 거ᄂᆞ려 우로 힝ᄒᆞ라 ᄒᆞ시고, 황상은 문무 쳔관을 거ᄂᆞ리고 뒤히 오실ᄉᆡ, 도창검극(刀槍劍戟)505)이 일광을 ᄀᆞ리와 츄상 ᄀᆞᆺᄒᆞᆫ 위엄이 씩씩ᄒᆞ더라.

만목이 다 윤·뎡 냥원슈 신상에 어릐여 쥬아부(周亞夫)506)의 지닌 위풍이라 ᄒᆞ며, 상이 뒤히셔 ᄇᆞ라보시고 불승대희(不勝大喜)ᄒᆞ시며, 금후와 호람휘 ᄯᅩᄒᆞᆫ 두굿기믈 먹음고 각각 ᄋᆞ돌을 바라볼 ᄲᅮᆫ이러라. 그 영광이 만ᄃᆡ의 쳐음이오, 셰ᄃᆡ(世代)의 업ᄉᆞᆫ 장관이라. ᄉᆞ셔인민(士庶人民)과 왕공후ᄇᆡᆨ가(王公侯伯家)에셔 져마다【61】집을 잡아 구경ᄒᆞ며, 뎡·윤 등의 긔특ᄒᆞ믈 닐컷고,

505)도창검극(刀槍劍戟) : 군사들의 병기(兵器)인 다양한 종류의 칼과 창을 일괄하여 이르는 말.

506)쥬아부(周亞夫) : 중국 전한(前漢) 전기의 무장, 정치가. 오초칠국(吳楚七國)의 난을 평정해 공을 세웠고 승상에 올랐다.

관이라. 도셩(都城) ᄉᆞ민(四民)이며 왕후(王侯) 궁가(宮家)의 니르히 거리의 집 잡아 관경(觀景)ᄒᆞ며, 뎡·윤 등의 ᄀᆡ특ᄒᆞ믈 일ᄏᆞ라, ᄉᆡ로이 위태부인과 뉴부인의 과악(過惡)을 닐너, ᄀᆞᆯ오ᄃᆡ,

"쳥문과 효문 ᄀᆞᆺᄐᆞᆫ 손ᄋᆞ를 온가디로 보ᄎᆡ여 못 견ᄃᆡ도록 조로던 용심이 아모리 ᄉᆡᆼ각ᄒᆞ여도 셰샹의 둘 업ᄉᆞᆫ 대악이라."

ᄒᆞ더라.

ᄒᆡᆼᄒᆞ여 환궁ᄒᆞ시고, 만되 파됴ᄒᆞ여 도라올ᄉᆡ, 샹이 동창과 평졔를 탕멸ᄒᆞᆫ 공을 명일 쳐티ᄒᆞ시믈【63】 하교ᄒᆞ시다.

뎡·윤 냥원쉬 궐문 밧긔 나와 군졸을 각각 '니문(里門)의 기다리ᄂᆞᆫ 졍(情)'570)을 위로ᄒᆞ라 ᄒᆞ고, ᄌᆞ긔 등은 경샤 ᄒᆞ리로 각각 부듕으로 도라올ᄉᆡ, 호람휘 명일 뎡원슈 보믈 일ᄏᆞᆺ고, 금평후ᄂᆞᆫ 윤원슈의 손을 잡고, 쉬워571) 취운산으로 오믈 니르며, 하공 부ᄌᆞᄂᆞᆫ 뒤흘 조ᄎᆞ 옥누항의셔 밤을 디ᄂᆡ려 ᄒᆞᆯᄉᆡ, 황친국쳑(皇親國戚)과 졔국녈휘(諸國列侯) 취운산 옥누항으로 난화572), 윤·뎡 냥원슈의 경ᄉᆞ를 치하ᄒᆞ더라.

윤원쉬 부형을 뫼셔 부듕으로 도라와, 바로 원양뎐의 드러가 존당과 냥모친긔 ᄇᆡ알ᄒᆞ고, 문친(門親)573)이 다 반기고, 위·뉴 냥부인은 더옥 비감ᄒᆞ여 눈믈을 흘리며, 챵닌 형【64】뎨 듕문 밧긔 마조 나와 옷슬 븟들고 {ᄎᆞ마} 즐겨 마ᄌᆞ 드러가, 좌뎡 후 말을 발치 못ᄒᆞ여셔, ○…결락16자…○[하·댱 냥부인의 신ᄉᆡᆼ 냥ᄋᆡ(兩兒) 좌우의 잇시니], 원쉬 츌뎡ᄒᆞᆯ ᄣᆡ의 하·댱 이부인이 잉ᄐᆡ 만월ᄒᆞ엿더니, 발셔 셰샹의 난 디 십 삭이 되여시니, 그 영오슈발(穎悟秀拔)ᄒᆞ미 부슉여풍(父叔餘風)으로 말을 거의 젼코져

ᄉᆡ로이 위·뉴 냥부○[인]에 과악을 닐너 왈,

"윤쳥문과 ○○[효문] ᄀᆞᆺᄒᆞᆫ 손ᄋᆞ를 온가지로 보ᄎᆡ고, 못 견ᄃᆡ도록 조르던 용심이 고금에 업다."

ᄒᆞ더라.

어개 환궁ᄒᆞ시고, 만죄 파ᄒᆞ여 도라 갈ᄉᆡ,

뎡·윤 냥원슈 금궐(禁闕) 밧게 나와 군졸을 각각 도라 보ᄂᆡ고, ᄌᆞ긔 등은 경ᄉᆞ ᄒᆞ리를 거ᄂᆞ려 본부로 도라올ᄉᆡ, 호람휘 명일 뎡원슈 보믈 니르고, 금평후ᄂᆞᆫ 윤원슈의 손을 잡아 명일 취운산에 가믈 니르고, 하공 부ᄌᆞᄂᆞᆫ 뒤흘 조ᄎᆞ 옥누항에게 가 밤을 지ᄂᆡ려 ᄒᆞᆯᄉᆡ, 황친국쳑(皇親國戚)이 취운산 옥누항에 난화, 윤·뎡 냥원슈의 경ᄉᆞ를 치하ᄒᆞ더라.

윤원쉬 부형을 ○○[뫼셔] 본부의 도라와, 바로 원양젼의 드러가 조모와 모친긔 ᄇᆡ알ᄒᆞ고 합문이 다 반길ᄉᆡ, 위·뉴【62】냥부인이 더욱 비감ᄒᆞ여 눈믈을 흘니며, 챵닌 형뎨 즁문 밧긔 나와 마ᄌᆞ 옷슬 븟들고 드러와 좌정 후, 하·장 냥부인의 신ᄉᆡᆼ 냥ᄋᆡ(兩兒) 좌우의 잇시니, 원쉬 츌졍ᄒᆞ기 젼에 하·졍 이부인이 잉ᄐᆡ 만월이러니, 발셔 셰샹에 나 십 삭이 되어시니, 그 깃부미 측냥 업더라.

570)니문(里門)의 기다리ᄂᆞᆫ 졍(情) : 동네 어귀의 문에 기대어 기다리는 정이라는 뜻으로, 의려지망(倚閭之望)을 말함. 즉 자녀나 배우자가 돌아오기를 초조하게 기다리는 가족들의 마음을 비유적으로 나타낸 말.

571)쉬다 : 피로를 풀려고 몸을 편안히 두다.

572)난호다 : 나누다. 나뉘다.

573)문친(門親) : 종친(宗親). 같은 가문의 친척.

ᄒᆞ며, 그 모양이 비상ᄒᆞ여 챵닌 형뎨의○…**결락11자**…○[다르디 아니믈 힝희ᄒᆞ더라.] 그 ᄉᆞ이 허다 ○[부]인 듕의 여러 부인이 ᄉᆡᆼᄌᆞᄒᆞ여 계오 삼ᄉᆞ칠(三四七)[574]이 되엿더라. 원쉬 부모 존당과 합ᄂᆡ(閤內) 안녕ᄒᆞ믈 깃거ᄒᆞ며 십여삭디ᄂᆡ(十餘朔之內)의 업던 옥동이 층층ᄒᆞ여 개개 비상ᄒᆞ더라.

원쉬 희열ᄒᆞ미 ᄉᆡᆼ셰디ᄂᆡ(生世之內)의 쳐음이라. 존당과 냥 ᄌᆞ위긔 존후를 뭇【65】ᄌᆞᆸ고, ᄌᆞ뎔을 어로ᄆᆞᆫ져 깃브며 아름다오믈 니긔디 못ᄒᆞᄂᆞᆫ디라. 조손(祖孫) 부ᄌᆞ(父子)와 형뎨(兄弟) 셔로 별회(別懷)를 베플ᄉᆡ, 늠늠ᄒᆞᆫ 영홰 만고의 업ᄉᆞᆫ ᄃᆞᆺ, 호람후의 두굿기며 반기ᄂᆞᆫ 졍은 텬뉸 밧 ᄌᆞ별ᄒᆞ더라.

밋쳐 경회를 펴디 못ᄒᆞ여셔, 외헌의 하ᄀᆡᆨ이 낙역(絡繹)ᄒᆞ니, 호람휘 ᄌᆞ뎔을 거나려 나와 빈ᄀᆡᆨ을 졉응ᄒᆞᆯᄉᆡ, ᄌᆡ렬명뉴(宰列名流) 모다 원슈의 ᄌᆡ덕을 못ᄂᆡ 칭션ᄒᆞ며 하언(賀言)이 분분ᄒᆞ니, 호람후 부ᄌᆞ와 만좌 졔ᄀᆡᆨ이 그 셩힝을 일ᄏᆞᆺ고 하언이 분분여루[류](紛紛如流)ᄒᆞ더라.

날이 져물ᄆᆡ 졔ᄀᆡᆨ이 각귀기가(各歸其家)ᄒᆞ고, 공이 ᄌᆞ뎔을 거나려 ᄂᆡ당의 드러와 태부인을 뫼셔 말ᄉᆞᆷᄒᆞᆯᄉᆡ,【66】ᄎᆞ시 뉴부인의 원슈를 귀듕ᄒᆞ미 조부인의 우ᄒᆞᆫ ᄃᆞᆺᄒᆞ니, 대개 조부인은 텬셩이 단듕ᄒᆞ기를 쥬ᄒᆞᄂᆞᆫ 고로, 위공 등을 ᄋᆡ듕ᄒᆞ미 범연ᄒᆞᆫ 거시 아니로ᄃᆡ ᄉᆞ랑ᄒᆞᄂᆞᆫ 빗출 낫토디 아니ᄒᆞ더라.

호람휘 외당의 나와 하공 부ᄌᆞ와 담화ᄒᆞ여 밤을 디ᄂᆡᆯᄉᆡ, 하공의 ᄉᆞ회 ᄉᆞ랑이 탐혹ᄒᆞ여 친ᄌᆞ의 감치 아닌더라. 원쉬 초후의 뉴부인을 즐욕ᄒᆞ믈 분노ᄒᆞ여 여러 일월의 온심이 플니디 아니니, 도금(到今) 흔연 관졉(款接)ᄒᆞ미 업더니, 금일의 다ᄃᆞ라ᄂᆞᆫ 하공의 졍을 도라보아 블호(不好)ᄒᆞᆫ 빗출 못ᄒᆞ여 담쇼ᄒᆞ고, 명됴의 원쉬 샤묘(祠廟)의 빈알ᄒᆞ고 화샹(畵像)의 빈례ᄒᆞᄆᆡ,【67】각골디통(刻骨之痛)이 누쉬 광슈(廣袖)를 젹시더라.

574)삼사칠(三四七) : 삼칠일(三七日; 21일) 또는 사칠일(四七日; 28일)

당ᄎᆞ시 ᄒᆞ여 뉴부인이 창후 형뎨를 귀즁ᄒᆞ미 조부인의 우ᄒᆞᆫ ᄃᆞᆺᄒᆞ니, 대개 조부인은 텬셩이 단즁키로 창후 등을 ᄋᆡ즁ᄒᆞ미 범연ᄒᆞ미 아니로ᄃᆡ, ᄉᆞ랑ᄒᆞᄂᆞᆫ 빗출 외모에 나토지 아니ᄒᆞ더라.

남휘 ᄌᆞ뎔노 더브러 외당의 나와 하공 부ᄌᆞ와 담화ᄒᆞ여○○○○○[밤을 지ᄂᆡᆯᄉᆡ], 하공이 ᄉᆞ회 ᄉᆞ랑이 친ᄌᆞ의 감치 아닌지라. 니뷔 초후의 뉴부인을 즐욕ᄒᆞ던 쥴 분노ᄒᆞ여 여러 일월의 미온지심(未穩之心)이 플니지 아냐 흔연 관졉(款接)ᄒᆞ미 업더니, 금일을 당ᄒᆞ야ᄂᆞᆫ 양부(養父)의 지셩으로 화【63】우코져 ᄒᆞ심과 하공의 졍니를 도라보아, 불호지ᄉᆡᆨ(不好之色)을 뵈지 못ᄒᆞ여, 비로소 뜻을 여러 담소ᄒᆞ고, 명조에 원슈 ᄉᆞ당의 빈례ᄒᆞ고 화상(畵像)의 빈알ᄒᆞᄆᆡ, 효ᄌᆞ의 각골지통(刻骨之痛)이 점점 더ᄒᆞ여 눈물이 광슈(廣袖)를 적시더라.

금평휘 졔ᄌᆞ를 거나려 취운산의 도라오ᄆᆡ, ᄋᆞ공ᄌᆞ 등이 문외의 ᄇᆡ알ᄒᆞ니, 슈년 ᄂᆡ의 댱셩ᄒᆞ미 범ᄋᆞ의 십셰나 된 ᄃᆞᆺᄒᆞ니, 원쉬 졔ᄋᆞ의 긔특ᄒᆞ믈 보ᄆᆡ 면모의 츈풍이 니러 나니, 평후ᄂᆞᆫ 더옥 아ᄅᆞᆷ다오믈 측냥치 못ᄒᆞ여 ᄋᆞᄌᆞ 등의 손을 ᄌᆞᆸ고 태원뎐의 드러오니, 태부인이 냥손이 ᄒᆞᆷ긔 드러오ᄆᆡ 반갑고 즐거오미 측냥업셔, 난간 밧긔 나와 냥원슈의 ᄇᆡ례ᄒᆞ믈 당ᄒᆞ여 각각 손을 ᄌᆞᆸ고 깃브믈 ᄭᆡᄃᆞᆺ디 못ᄒᆞ거ᄂᆞᆯ, 딘부인이 냥ᄌᆞ를 반김과 즐거오미 무궁ᄒᆞ더라.

금평후ᄂᆞᆫ 졔ᄌᆞ를 거ᄂᆞ려 취운산 본부에 도라오니, 현긔 등이 문외에 나와 ᄇᆡ알ᄒᆞᄆᆡ, 슈년지간에 언연(偃然) 장대ᄒᆞ미 범ᄋᆞ의 십셰를 지닌 ᄃᆞᆺᄒᆞ여, 그 영광이 일신의 조요(照耀)ᄒᆞ니, 원쉬 졔ᄋᆞ의 긔특ᄒᆞ믈 보고 깃브믈 니긔지 못ᄒᆞ며, 그 졀ᄒᆞ기를 당ᄒᆞ여ᄂᆞᆫ 면모의 츈풍이 온ᄌᆞᄒᆞ고, 평후ᄂᆞᆫ 더욱 아ᄅᆞᆷ다오믈 니긔지 못ᄒᆞ여 ᄋᆞᄌᆞ의 손을 ᄌᆞᆸ고 태원젼에 드러오ᄆᆡ, 태부인이 냥손의 도라오믈 보고 반가오믈 니긔지 못ᄒᆞ여, 냥원슈 ᄇᆡ알ᄒᆞ믈 당ᄒᆞ여 각각 손을 ᄌᆞᆸ고 깃브믈 참지 【64】 못ᄒᆞ거ᄂᆞᆯ, 진부인이 냥ᄌᆞ의 손을 잡고 반기며 즐거오미 무궁ᄒᆞ더라.

원쉬 조모를 븟드러 뎡침의 드르시믈 청ᄒᆞ고, 모친긔 ᄇᆡ례ᄒᆞ며, 윤·【68】양·니·경과 졔슈로 녜필 후, 좌를 일워 존당 부모의 존후를 뭇ᄌᆞ올ᄉᆡ, 만심환희(滿心歡喜)ᄒᆞ여 만실(滿室)이 츈풍화원(春風花園)이러라.

원쉬 조모와 모친긔 ᄇᆡ례ᄒᆞ고, 윤·양·니·경과 졔슈(諸嫂)로 녜필에 존당 부모의 강건ᄒᆞ시믈 깃거ᄒᆞ고, 일좨(一座) 츈풍화긔(春風和氣)를 일웟더라

태부인이 탐(貪)ᄒᆞ여 쇼왈,

"노뫼 너희를 보ᄂᆡ고 쥬야 그리온 회푀 슉식이 편치 못ᄒᆞ더니, 국가 홍복(洪福)과 여등의 ᄌᆡ덕이 츌뉴ᄒᆞ여 오날ᄂᆞᆯ 승젼ᄒᆞ여 도라오니, 국가의 튱신이오 내 집의 효ᄌᆡ라. 이 즐거오믈 므어ᄉᆡ 비ᄒᆞ리오. 사ᄅᆞᆷ마다 튱효를 냥젼(兩全)키 어려오ᄃᆡ, 여등은 ᄀᆞᆺ초 겸ᄒᆞ니 이런 긔특ᄒᆞᆫ 일이 어ᄃᆡ 이시리오."

태부인이 소왈,

"노뫼 너를 보ᄂᆡ고 쥬야 그리온 회푀 슉식이 불안ᄒᆞ더니, 국가 홍복(洪福)이오 여등의 ᄌᆡ죄 츌즁ᄒᆞ여, 반젹을 삭평ᄒᆞ고 개가(凱歌)로 도라오니 가국(家國)의 츙효ᄌᆡ(忠孝子)라. 이 즐거오믈 어ᄃᆡ 비ᄒᆞ리오. 샤ᄅᆞᆷ마다 츙회냥젼(忠孝兩全)키 어려오ᄃᆡ, 여등은 충효를 ᄀᆞᆺ치 ᄒᆞ니 이런 긔특ᄒᆞᆫ 일이 어대 잇시리오."

북공 형뎨 오ᄅᆡ 영모(永慕)ᄒᆞ던 하졍(下情)을 고ᄒᆞᄆᆡ, 금후의 슉묵(肅默)ᄒᆞᆫ 위의(威儀)로도 부ᄌᆞ 텬륜의 지극ᄒᆞᆫ 졍으로뼈, ᄒᆡ(海)·평(平)507) 졍벌의 신츌귀몰ᄒᆞᆫ ᄌᆡ조 모략(謀略)과 동평부원슈의 츌인(出人)ᄒᆞᆫ 용ᄆᆡᆼ○[을] 두ᄀᆞᆺ겨 파젹 셜화를 뭇고, 냥ᄌᆞ【65】의 손을 잡아 우어 왈,

"여등이 여러 곳 졍벌에 셩은(聖恩)을 만(萬)의 일(一)이나 갑ᄉᆞ와, 무고히 작녹(爵祿)을 도젹ᄒᆞ믈 면ᄒᆞ니, 여부(汝父)의 용우(庸愚) 박덕(薄德)을 ᄀᆞ리오미 이 밧긔 나지

507)ᄒᆡ(海)·평(平) : 정천흥의 정벌한 해국(海國)와 평제(平齊)를 함께 이른 말.

이러구러 밋쳐 경회를 다 ○○[펴디] 못ᄒᆞ여 외당의 하ᄀᆡᆨ이 운집ᄒᆞ니, 금평휘 외헌의 나와 빈ᄀᆡᆨ을 슈응(酬應)ᄒᆞᆯᄉᆡ, 명공 청현이 원슈 등의 ᄌᆡ【69】덕을 칭션(稱善)ᄒᆞ미 측냥 업더라. 금휘 도로혀 깃거 아니ᄒᆞ며, 원쉬 청검근신(淸儉謹愼)ᄒᆞ기를 쥬ᄒᆞ여 엄훈을 폐부의 삭이더라.

평졔 원슈의 하일디위(夏日之威)며 뇽호긔습(龍虎氣習)이 ᄌᆞ연 태산이 암암(巖巖)ᄒᆞ고 츄텬(秋天)이 의의(依依)ᄒᆞᆷ[575] ᄀᆞᆺᄐᆞ여, ᄉᆞᄅᆞᆷ으로 ᄒᆞ여금 그 구셕[576]과 가[577]을 여어보디 못○○[ᄒᆞ게] ᄒᆞ여 두리온 의ᄉᆡ 잇고, 부원슈의 쥰엄굉녈(峻嚴宏烈)[578]ᄒᆞ며 뇌락상쾌(磊落爽快)ᄒᆞ미 대댱부의 긔상과 영쥰디상(英俊之像)이 가ᄌᆞᆨᄒᆞ니, 젼일의 실셩발광(失性發狂)은 아모 곳의 밋쳣다 ᄒᆞ여도, 금ᄌᆞ의 보ᄆᆡᄂᆞᆫ ᄉᆞᄅᆞᆷ의 탄복(歎服) 긔경(起敬)ᄒᆞᆯ ᄇᆡ라.

소계암이 ᄯᅩᄒᆞᆫ 이의 와 동 원슈의 손을 잡고 ᄋᆡ듕ᄒᆞᄂᆞᆫ 의ᄉᆡ, 어든 ᄉᆞ회로 다르디

575)의의(依依)ᄒᆞ다 : 풀이 무성하여 싱싱하게 푸르다.

576)구셕 ; 구석. ①모퉁이의 안쪽. ②마음이나 사물의 한 부분.

577)가 : 경계에 가까운 바깥쪽 부분

578)쥰엄굉녈(峻嚴宏烈) : 조금도 타협함이 없이 매우 엄격하며, 통이 크고 격렬함.

아니리니, 모로미 가지록 찰임공근(察任恭勤)ᄒᆞ여 겸퇴(謙退)ᄒᆞ믈 쥬ᄒᆞ라"

낭ᄌᆡ 슈명ᄇᆡ샤(受命拜謝)ᄒᆞ고 북공이 ᄯᅩ 조모와 부모긔 고 왈,

"소ᄌᆡ ᄒᆡ국(海國)을 치고 도라올 적 삼뎨의 실셩이 소ᄌᆞ 마ᄋᆞᆷ의 민망ᄒᆞ더니, 존당 부모의 젹덕여음(積德餘蔭)으르 스ᄉᆞ로 개심슈ᄒᆡᆼ(改心修行)ᄒᆞ여 졍도의 도라가고, 양쉬 옥ᄀᆞᄐᆞᆫ 긔린을 ᄉᆡᆼᄒᆞ여 덕ᄋᆡ 아름다오미 승어뷔(勝於父)라, 큰 경ᄉᆞ니, 소ᄌᆡ 깃부믈 니긔지 못ᄒᆞᆯ소이다"

태부인이 셰흥의 실셩이 여지업던 바를 니르고, 셩씨의 간악과 셰흥의 만분 위즁턴 바를 젼ᄒᆞ고, 지ᄂᆡᆫ 일이나 불승ᄒᆡ연(不勝駭然)○○[ᄒᆞ여] ᄒᆞ더라.

하ᄀᆡᆨ이 외당에 낙역부졀(絡繹不絶)ᄒᆞ니, 금휘 외당의 나【66】와 빈ᄀᆡᆨ을 슈응(酬應)ᄒᆞᆯᄉᆡ, 명공거경(名公巨卿)이 원슈의 ᄌᆡ덕을 닐ᄏᆞ라 치ᄒᆡ(致賀) 분분(紛紛)ᄒᆞ니, 금휘 흔연 샤샤ᄒᆞ고, 즁빈(衆賓)이 ᄉᆡ로이 원슈 등의 풍신용화를 흠션(欽羨)ᄒᆞ더니,

소계암이 ᄯᅩᄒᆞᆫ 이에 왓다가, 동평 원슈의 손을 잡고 ᄋᆡ듕ᄒᆞᄂᆞᆫ 의ᄉᆡ 임의 어든 ᄉᆞ회로 다르지 아니ᄒᆞ니, 셩친을 ᄌᆡ촉ᄒᆞ믄 너모 급ᄒᆞᆫ 고로 혼ᄉᆞ 다히[508] 말은 아니터라.

508)다히 : 쪽. 방향을 가리키는 말.

아니ᄒᆞᄃᆡ, 셩친을 ᄌᆡ쵹ᄒᆞ믄 너모 급ᄒᆞᆫ 고로, 【70】 혼인 다히579) 말은 아니터라.

텬ᄉᆡᆨ(天色)이 어두오ᄆᆡ 허다 빈ᄀᆡᆨ이 다 도라가고, 금휘 ᄂᆡ루의 드러와 태부인을 뫼셔 담화ᄒᆞ다가. 야심ᄒᆞᄆᆡ 믈너 듁헌의 나와 취침ᄒᆞᆯᄉᆡ, 부ᄌᆞ 형뎨 일실디ᄂᆡ(一室之內)의 오ᄅᆡ 니별ᄒᆞ엿던 졍을 니르ᄆᆡ, 날이 ᄇᆞᆰᄂᆞᆫ 줄을 ᄭᆡᄃᆞᆺ디 못ᄒᆞ고, 금평휘 두 원슈 ᄉᆞ랑ᄒᆞ미 유ᄌᆞ(幼子) ᄀᆞᆺ고, 형뎨 댱침(長枕)의 힐항(頡頏)580)ᄒᆞ여 즐기미 비길 ᄃᆡ 업더라.

어시의 만셰 황애 【71】

날이 져물ᄆᆡ 빈ᄀᆡᆨ이 도라 가고, 금휘 ᄂᆡ루(內樓)의 드러가 태부인을 뫼셔 담화ᄒᆞ다가, 야심ᄒᆞ니 청죽헌에 나와 취침ᄒᆞᆯᄉᆡ, 부ᄌᆞ 형뎨 일실에 모드니 니회(離懷)를 니르ᄆᆡ 날이 ᄇᆞᆰᄂᆞᆫ 줄 ᄭᆡᄃᆞᆺ지 못ᄒᆞ더라

579)다히 : 쪽. 방향을 가리키는 말.

580)힐항(頡頏) : '새가 날면서 오르락내리락 함'을 뜻하는 말로 형제간에 우애하며 지내는 모양을 이르는 말.

낙선재본 명듀보월빙 권디팔십칠

어시의 만셰 황애 뎡원슈의 남뎡븍벌(南征北伐)과 ᄒᆡ뎡졔벌(海征齊伐)의 공업이 당셰 일인이오, 문무 대ᄌᆡ라. 튱효덕망이 쳔고의 희한ᄒᆞ니 크게 아름다이 넉이샤, 텬의(天意) 결(決)ᄒᆞ여 뎡텬홍으로ᄡᅥ 졔국의 듀(主)를 삼으려 ᄒᆞ실ᄉᆡ, 명일 《금쳔 ‖ 금화뎐》의 됴알(朝謁)을 바드시고, 인ᄒᆞ여 졔신을 도라보아 ᄀᆞᆯ오샤ᄃᆡ,

"군신은 부자일톄(父子一體)라. ᄉᆞ이번국(四夷藩國)이 반경(叛境)581)이 잇ᄂᆞᆫ ᄊᆡ를 당ᄒᆞ여, 어나 신ᄌᆞ 딤의 우려ᄒᆞ믈 아니 결박히 넉이리오마ᄂᆞᆫ, 실노 뎡텬홍과 윤광텬 형뎨 ᄀᆞᄐᆞᆫ 니ᄂᆞᆫ 업ᄉᆞᆫ디라. ᄉᆞᄉᆞ(私事)를 블고(不顧)ᄒᆞ고 위국뎡튱(爲國貞忠)이 금셕(金石)의 삭여 듁【1】빅(竹帛)582)의 드리웜즉 ᄒᆞᆫ디라. 셕(昔)의 윤현이 뎡연으로 더브러 금국의 나아가 참ᄉᆞᄒᆞ고, 뎡연은 안뉼도의 머리를 버히고 위풍을 빗ᄂᆡ니, 웃듬은 윤현이 튱졀노 몸을 맛쳐 호삼ᄀᆡ의 군신으로 ᄒᆞ여금 크게 감동케 ᄒᆞᆫ 공이며, 버거583) 뎡연의 대공이로ᄃᆡ, 윤현이 ᄉᆡᆼ시의 그 일홈을 ᄉᆞ칙(史冊)의 올니믈 써리고, 뎡연이 역(亦) 여ᄎᆞ(如此)ᄒᆞ여 디셩으로 샤양ᄒᆞᄆᆡ, 윤·뎡 디명을 샤칙(史冊)의 올니디 못ᄒᆞ니, 그 ᄋᆞᄃᆞᆯ이 ᄃᆡ를 니어 윤광텬 형뎨와 뎡텬홍 등이 명슈듁빅(名垂竹帛)ᄒᆞ믈 블원ᄒᆞ니, 딤이 그 겸퇴(謙退)ᄒᆞᄂᆞᆫ 뜻을 앗디 못ᄒᆞ여 샤긔(史記)의 일홈을 ᄉᆡᆨ히ᄆᆡ, 공업(功業)이 헛되고 일홈이 후셰의 초목과ᄀᆞᆺ치 민【2】멸ᄒᆞ미 실노 앗갑고 ᄋᆡᄃᆞᆯ온584)디라. 광텬은 타일 그 나히 ᄎᆞ기를 기다려 쳔승디위(千乘之位)를 주량으로585) 뎡ᄒᆞ고, 텬홍을 몬져 졔국

581)반경(叛境) : 반역을 일으키는 지경(地境).
582)듁빅(竹帛) : 서적(書籍) 특히, 역사를 기록한 책을 이르는 말. 종이가 발명되기 전에 대쪽이나 헝겊에 글을 써서 기록한 데서 생긴 말이다.
583)버거 : 둘째. 다음. 둘째로, 다음으로.
584)ᄋᆡᄃᆞᆯ다 : 애달프다. 마음이 안타깝거나 쓰라리다.
585)주량으로 : '줄 양으로'. *양: 어미 '-을' 뒤에 '양

박순호본 명쥬보월빙 권지삼십일

어시에 만셰 황애 뎡원슈의 남정북벌(南征北伐)과 ᄒᆡ정제멸(海征齊滅)의 공업이 당셰에 일인이오, 문무 대ᄌᆡ라. 츙효 덕망이 쳔고의 희한ᄒᆞ니 크게 아름다이 넉이샤, 뎡텬홍으로 제왕을 삼으랴 ᄒᆞ실ᄉᆡ, 명일 금【67】화뎐에 조회를 여르시고, 문무의 조회를 바드시고, 인ᄒᆞ여 조신을 도라보샤 왈,

"군신은 부ᄌᆞ일체(父子一體)라. 번국(藩國)의 반셩(叛聲)509)이 잇ᄂᆞᆫ ᄊᆡ를 당ᄒᆞ여, 어늬 신ᄒᆡ 님군의 우려ᄒᆞ믈 아니 절박히 넉이리오마ᄂᆞᆫ, 실노 뎡텬홍과 윤광텬 형뎨 ᄀᆞᆺᄒᆞ니 업ᄂᆞᆫ지라. ᄉᆞᄉᆞ(私事)를 불고(不顧)ᄒᆞ고, 위국정츙(爲國貞忠)이 금셕(金石)의 삭여 쥭빅(竹帛)510)의 드리옴즉 ᄒᆞ니, 셕에 윤현이 뎡연으로 더브러 금국에 나아가 참ᄉᆞᄒᆞᄆᆡ, 뎡연은 《안으로도 ‖ 안뉼도》의 머리를 버혀 위풍을 빗ᄂᆡ고, 윤현은 츙녈노 몸을 맛쳐 호삼개의 군신으로 ᄒᆞ야곰 크게 감동케 ᄒᆞ니, 웃듬은 윤현이오, 버금511)은 뎡연이라. 대공을 닐우ᄃᆡ 윤현이 ᄉᆡᆼ시의 일홈을 ᄉᆞ칙(史冊)의 올니믈 써리고 뎡연이 ᄯᅩ 여ᄎᆞᄒᆞ여 지셩으로 ᄉᆞ양ᄒᆞᄆᆡ 윤뎡의 공을 ᄉᆞ칙의 올니지 못ᄒᆞ믈 한탄ᄒᆞ더니 그 ᄋᆞᄃᆞᆯ【68】이 대를 니어 윤광텬 형뎨와 뎡텬홍 등이 명슈쥭빅(名垂竹帛)ᄒᆞ믈 원치 아니니 딤이 그 겸퇴ᄒᆞᄂᆞᆫ 뜻을 《아지 ‖ 앗지》 못ᄒᆞ여 ᄉᆞ긔의 일홈을 ᄉᆡᆨ히ᄆᆡ 공업이 헛되고 초목과 ᄀᆞᆺ치 후셰에 민멸ᄒᆞ미 심히 앗갑고 ᄋᆡ다르은512)지라 광텬은 타일에 그 나히 챠기를 기ᄃᆞ려 쳔승지위(千乘之位)를 쥬려니와, 텬홍을 몬져 제왕을 삼아 단셔텰권

509)반셩(叛聲) : 반역을 일으킨 소식 또는 소문.
510)듁빅(竹帛) : 서적(書籍) 특히, 역사를 기록한 책을 이르는 말. 종이가 발명되기 전에 대쪽이나 헝겊에 글을 써서 기록한 데서 생긴 말이다.
511)버금 : 둘째. 다음.
512)ᄋᆡ다르다 : 애달프다. 마음이 안타깝거나 쓰라리다.

왕을 삼아 단셔텰권(丹書鐵券)586)을 주어 ᄌᆞ손이 승습(承襲)ᄒᆞ고, 병부 군무(軍務)와 대댱군 텬하병마ᄉᆞ(天下兵馬使)의 번극(煩劇)ᄒᆞᆫ 듕임을 뎡텬흥이 아니면 당치 못ᄒᆞ리니, 경샤의 왕궁을 두고 귀국든 아니케 ᄒᆞ리니 졔경(諸卿)은 딤의(朕意)를 엇더타 ᄒᆞᄂᆞ뇨?"

삼공(三公)이 쥬 왈,

"상벌은 션왕의 ᄇᆞᆰ히신 ᄇᆡ오, 봉작은 그 위인과 공뇌를 조ᄎᆞ 쏠오인 거시니, 셩샹이 텬흥을 봉왕(封王)코져 ᄒᆞ시미 실노 맛당ᄒᆞ온디라. 신 등이 셩듀의 상작을 힝ᄒᆞ시미 명셩ᄒᆞ신 바를 열복(悅服)ᄒᆞᄂᆞ이다."

샹이 더옥 깃그샤【3】뎡텬흥으로ᄡᅧ 졔국왕 ᄉᆡ슈(璽綬)587)를 주시ᄃᆡ, 병부상셔 농두각 태학ᄉᆞ 대댱군 텬하병마졀졔ᄉᆞ(天下兵馬節制使)를 가라588)주지 아니시고, 경샤의 평졔왕궁을 주시고 귀국디 못ᄒᆞ게 ᄒᆞ시고, 그 조션(祖先)을 ᄃᆡᄃᆡ 츄증(追贈)ᄒᆞ며, 금평후ᄂᆞᆫ 상졔왕(上齊王)을 봉ᄒᆞ며, 딘부인으로ᄡᅧ 태왕비(太王妃)를 봉ᄒᆞ시고, 원비(元妃) 졀효의렬비(節孝義烈妃) 윤시로 졔국 뎡비(正妃)를 삼고, 십희(十姬)로ᄡᅧ 희빈(-嬪)589) 위호를 주게 ᄒᆞ신 후, 부원슈 조현창으로 경천후를 봉ᄒᆞ시고, 션봉 경환긔로 평졔ᄇᆡᆨ을 봉ᄒᆞ시고, 윤긔텬으로 평양ᄇᆡᆨ을 봉ᄒᆞ시고, 구응ᄉᆞ 셕쥰의 본ᄃᆡᆨ 상태우(上大夫)를 도도아 녕능후를 봉ᄒᆞ시고, 기ᄎᆞ(其次) 졔댱을 ᄎᆞ례로 공뇌(功勞)를 조ᄎᆞ 작상(爵賞)을 더으【4】시고, 동뎡원슈 윤희텬으로 본ᄃᆡᆨ 니부상셔 홍문관태학ᄉᆞ의 다시

으로', '양이면' 꼴로 쓰여, '의향'이나 '의도'의 뜻을 나타내는 말.

586)단셔텰권(丹書鐵券) : 공신을 표창하던 문권(文券)과 쇠로 만든 표지.

587)ᄉᆡ슈(璽綬) : 국새(國璽). 나라를 대표하는 도장.

588)가라 : 갈아. *갈다 : 이미 있는 사물을 다른 것으로 바꾸다

589)희빈(-嬪) : '숙빈(淑嬪)' '영빈(映嬪)' 등과 같은 빈(嬪)의 하나. '희빈(禧嬪)'은 조선 숙종의 후궁 장씨의 위호(位號). *빈(嬪); 조선 시대에, 후궁에게 내리던 정일품 내명부의 품계. 종일품인 귀인(貴人)의 위. 왕비로 책봉되면 품계가 없어진다.

(丹書鐵券)513)을 쥬어 ᄌᆞ손이 계습(繼襲)ᄒᆞ고, 병부의 군무(軍務)와 대장군 텬하 병마ᄉᆞ(天下兵馬使)의 《번구 ‖ 번극(煩劇)》ᄒᆞᆫ 즁임은 뎡텬흥이 아니면 당치 못ᄒᆞ리니, 경ᄉᆞ의 왕궁을 쥬고 귀국든 아니케 ᄒᆞ리라. 졔경(諸卿)은 딤의(朕意)의 뜻을 엇덧ᄐᆞ ᄒᆞᄂᆞ뇨?"

삼공(三公)이 쥬 왈,

"상벌은 님군의 ᄇᆞᆰ히실 ᄇᆡ오, 봉작은 그 위인의 공뇌를 조ᄎᆞ 홀거시니, 셩샹이 텬흥을 봉작코져 ᄒᆞ시미 실노 맛당ᄒᆞ온지라. 셩쥬의 상작을 봉ᄒᆞ시미【69】명셩ᄒᆞ믈 《신통 ‖ 신 등》이 하례(賀禮)ᄒᆞᄂᆞ이다. "

상이 이에 뎡텬흥을 졔국왕 인슈(印綬)514)를 쥬시ᄃᆡ, 병부상셔 농두각태흑ᄉᆞ 대장군 병마ᄉᆞ(兵馬使)를 인잉(仍任)515)ᄒᆞ여 경ᄉᆞ에 《형뎨의 ‖ 평뎨》 왕궁을 쥬시고 귀국지 못ᄒᆞ게 ᄒᆞ시며, 그 조션(祖先)을 츄증ᄒᆞ고 금평후로 ᄒᆞ야곰 상졔왕(上齊王)을 봉ᄒᆞ시고, 딘부인으로 《졔왕비 ‖ 태왕비(太王妃)》를 봉ᄒᆞ고, 평졔왕의 원비(元妃) 결효의렬현비(節孝義烈賢妃) 윤씨로 졔국 졍비(正妃)를 봉ᄒᆞ시고, 기챠 양・니・경 등을 다 왕비 직쳡을 쥬시고, 십희(十姬)ᄂᆞᆫ 부인(夫人)516) 위호를 주신 후, 부원슈 조현창으로 평경후를 봉ᄒᆞ시고, 《션견 ‖ 션봉》 ○○○[경환긔]・한긔쳔 등으로 평졔ᄇᆡᆨ과 경[평]양ᄇᆡᆨ을 봉ᄒᆞ고, 기ᄎᆞ 졔장은 공뇌(功勞)를 조ᄎᆞ 작상(爵賞)을 더으시고, 동평원슈 윤희텬을 본작(本爵) 니부상셔 홍문관태흑ᄉᆞ 겸 금ᄌᆞ광녹태우 황태부(皇太傅)를 삼으샤 동평공을 봉ᄒᆞ시고,【70】부원슈 뎡셰

513)단셔텰권(丹書鐵券) : 공신을 표창하던 문권(文券)과 쇠로 만든 표지.

514)인수(印綬) : 인끈. 병권(兵權)을 가진 무관이 발병부(發兵符) 주머니를 매어 차던, 길고 넓적한 녹비 끈.

515)인임(仍任) : 기한이 다 된 관리를 그 자리에 그대로 남겨 둠

516)부인(夫人) : ①남의 아내를 높여 이르는 말. ②고대 중국에서, 천자의 비(妃) 또는 제후의 아내를 이르던 말.

금ᄌᆞ광녹태우 겸 황태부(皇太傅)를 더으시고 동평후를 봉ᄒᆞ신 후, 부원슈 뎡셰흥으로 본딕 간의태우(諫議大夫)를 도도아 형부상셔 문연각태혹ᄉᆞ 동월후를 봉ᄒᆞ시고, 동졍(東征)의 갓던 졔댱을 ᄎᆞᄎᆞ로 봉작ᄒᆞ시미, ᄃᆡ공무ᄉᆞ(至公無私)ᄒᆞ샤 각각 일운 공을 조ᄎᆞ 작상이 맛가ᄌᆞ니, 삼군 ᄉᆞ졸이 흔흔이 심복(心服)ᄒᆞ여 격됴(激調)의 짓궤과, 샤듕(士衆)[590]의 말ᄒᆞ리 업ᄉᆞᄃᆡ, 뎡원슈와 윤원쉬 대경ᄒᆞ여 년망(連忙)이 면관(免冠) 고두(叩頭) 왈,

"신 등이 비록 뎡벌의 쇼쇼공노(小小公路)를 어더 신ᄌᆞ의 ᄃᆡᆨ분을 만분디일이나 힝ᄒᆞ엿ᄉᆞ오나, 신 등이 본딕이 과도ᄒᆞ【5】여 열운 복이 넘삽거놀, 이졔 봉왕봉공(封王封公)ᄒᆞ샤 신 등으로 ᄒᆞ여금 몸 둘 ᄯᅡ히 업게 ᄒᆞ시니, 신 등이 이런 과분ᄒᆞᆫ 딕위를 당ᄒᆞ와 반ᄃᆞ시 손복감슈(損福減數)[591]ᄒᆞ올디니, 복원 셩샹은 황민(惶悶)ᄒᆞᆫ 졍ᄉᆞ를 ᄉᆞᆯ피샤 왕위와 봉공디ᄉᆞ(封公之事)의 셩디를 거두시믈 바라옵ᄂᆞ니, 신 텬흥은 일개 박덕무식디인(薄德無識之人)이어놀 므ᄉᆞᆷ 덕화로 쳔승디위(千乘之位)를 누리오며, 신 희텬은 텬셩이 암용블민(暗庸不敏) ᄒᆞ와 쇼혹(所學)이 박누(薄陋)ᄒᆞ오니, 녀염쇼ᄌᆞ(閭閻小子)들도 가ᄅᆞ칠 지죄 업삽거놀, 므ᄉᆞᆫ 힝의(行義)와 므ᄉᆞᆫ 지조로 동궁(東宮)을 돕ᄉᆞ와 감히 황태부 소임을 당ᄒᆞ리잇가? 봉공이 외람ᄒᆞᆯ ᄲᅮᆫ 아니라 태부작치(太傅爵次) 블감황공(不堪惶恐)ᄒᆞ【6】온디라. 신이 태ᄌᆞ쇼부(太子少傅)로 잇ᄉᆞ올 ᄯᅢ의도 츈궁(春宮)을 쳑촌(尺寸)도 도은 일이 업ᄉᆞ오니, 바라건ᄃᆡ 셩명은 각별이 명졍군ᄌᆞ(明正君子)를 갈히샤 동궁태부를 삼으시고, 신의 과람(過濫)ᄒᆞᆫ 작딕을 거두샤 손복게 마르쇼셔."

말ᄉᆞᆷ이 혈심의 비로샤 부귀를 ᄉᆞᆷᄀᆞᆺ치 녀이고, 셩만(盛滿)ᄒᆞ믈 두리미 극ᄒᆞ니, 고두샤양(叩頭辭讓)ᄒᆞ기를 긋치디 아닛ᄂᆞᆫ디라.

흥으로 본직 간의태우(諫議大夫) 형부상셔 문연각태혹ᄉᆞ 동월후를 봉ᄒᆞ시고, 기ᄎᆞ(其次) 제장을 ᄎᆞ례로 봉작ᄒᆞ니, 삼군 장졸이 흔열(欣悅)ᄒᆞ고, 각각 상작이 맛가ᄌᆞ믈 닐ᄏᆞ라ᄃᆡ, 뎡·윤 등이 ᄃᆡ경ᄒᆞ여 연망이 면관(免冠) 고두(叩頭) 왈,

"신 등이 비록 졍벌의 져근 공이 잇시나 신ᄌᆞ의 직분이라. 신 등이 본직이 과도ᄒᆞ야 여른 복이 손홀가 ᄒᆞ거놀, 이졔 봉왕봉공(封王封公)ᄒᆞ샤 신 등으로 ᄒᆞ야곰 치신무지(置身無地)[517]케 ᄒᆞ시니, 복원 셩상은 신 등의 황민(惶悶)ᄒᆞᆫ 졍ᄉᆞ를 살피샤 봉왕봉공(封王封公)ᄒᆞ신 셩지(聖旨)를 거두소셔. 신 텬흥은 박덕무식지인(薄德無識之人)이니 무슨 복으로 쳔승지위(千乘之位)를 누리며, 신 희텬은 텬셩이 암용불민(暗庸不敏) ᄒᆞ와 소학(所學)이 쳔박ᄒᆞ니, 녀염소ᄌᆞ(閭閻小子)들도 ᄀᆞᄅᆞ칠 지죄 업거놀, 무슨 힝실과 지덕으로 동궁을 돕ᄉᆞ와 감히 황태부 즁【71】작을 소임ᄒᆞ리잇고? ᄒᆞᆫᄀᆞᆺ 봉공이 외람ᄒᆞᆯ ᄲᅮᆫ더러 대부작치(大傅爵次) 불감(不堪) 황송(惶悚)ᄒᆞ온지라. 신이 태ᄌᆞ소부(太子少傅)로 잇실 졔도 동궁을 도을 쳑촌지회(尺寸之效) 업ᄉᆞ오니, 복망(伏望) 셩쥬ᄂᆞᆫ 각별이 명셩군ᄌᆞ(明聖君子)를 가리여 태부를 삼으시고, 신 ᄀᆞᆺᄐᆞᆫ 용지(庸才)로ᄡᅥ 미신의 과람(過濫) ○[ᄒᆞᆫ] 지위를 더으샤 손복(損福)게 마르쇼셔."

말ᄉᆞᆷ이 혈셩(血誠)의 비로ᄉᆞ 부귀를 ᄉᆞᆷᄀᆞᆺ치 녀이고, 황송 무지ᄒᆞ여 고두유혈(叩頭流血)[518]ᄒᆞ니, 그 고집이 봉왕 봉공을 즐기지

590)샤듕(士衆) : 군중(軍衆). 군사들의 무리.
591)손복감슈(損福減數) : 복이 달아나고 수명이 줄어듦.

517)치신무지(置身無地) : 두려워 몸 둘 바를 모름.
518)고두유혈(叩頭流血) : 한사코 머리를 땅에 조아려 머리에 피가 흐름.

그 고집이 봉왕 봉공 인슈(印綬)를 즐겨 밧디 아닐 거동이라. 샹이 브ᄃᆡ 그 뜻을 우겨 왕공(王公) ᄉᆡ슈(璽綬)[592]를 주려 ᄒᆞ시ᄂᆞᆫ 고로, 텬안이 크게 블예(不豫)ᄒᆞ샤 뎡ᄉᆡᆨ고 니르샤ᄃᆡ,

“텬여블취(天與不取)면 반슈기앙(反受其殃)이라[593]. 경 등이 식니군ᄌᆞ(識理君子)로 텬의를 모로디 아【7】니려든, 엇디 ᄉᆞ쳬(事體)를 아디 못ᄒᆞᄂᆞᆫ 사ᄅᆞᆷᄀᆞᆺ치 샤양ᄒᆞ미 이 ᄀᆞᆺᄐᆞ뇨? 공(功)을 뎡ᄒᆞ고 작상(爵賞)을 힝ᄒᆞᄆᆞᆫ ᄒᆞᆫ 사ᄅᆞᆷ의 ᄉᆞᄉᆡ 아니라. 고ᄌᆞ(古者) 뎨왕의 법을 의빙(依憑)ᄒᆞ미니, 경 등이 아모리 닷토아 봉작을 면코져 ᄒᆞ나, 딤심이 굿게 뎡ᄒᆞ여시니, 경 등의 원을 듯디 아니리니 브졀업시 고샤(固辭)치 말디어다.”

ᄒᆞ시고 이의 금평후와 호람후를 명패(命牌)ᄒᆞ시니, 금평후 뎡공과 호람후 윤공은 국가 대ᄉᆞ와 삭망됴알(朔望朝謁) 밧근 참예ᄒᆞᄂᆞᆫ 일이 업ᄂᆞᆫ 고로, 금일 됴회의 드러 오디 아녓더니, 패명을 조ᄎᆞ 입궐ᄒᆞ니, 샹이 텬흥과 희텬으로ᄡᅧ 봉왕(封王) 봉【8】공(封公)ᄒᆞᄆᆞᆯ 니르시고, ᄀᆞᆯ오샤ᄃᆡ,

“님군이 《명ᄒᆞᄂᆞᆫ ‖ 쥬ᄂᆞᆫ》 바ᄂᆞᆫ 견마(犬馬)라도 샤양치 아닛ᄂᆞᆫ다 ᄒᆞ니, ᄒᆞᄆᆞᆯ며 작상을 더음가? 딤심이 임의 구디 뎡ᄒᆞ엿거ᄂᆞᆯ 텬흥과 희텬이 무식히 샤양ᄒᆞ여, 군신의 화긔를 상ᄒᆡ오고 대쳬(大體)를 ᄉᆡᆼ각디 아니ᄒᆞ니, 경 등이 모로미 각각 ᄋᆞᄌᆞ를 경계ᄒᆞ여 봉작을 다시 샤양치 못ᄒᆞ게 ᄒᆞ라.”

금평휘 몬져 ᄇᆡ복 쥬 왈,

“셩교를 듯ᄌᆞ오ᄆᆡ 블승황황(不勝惶惶)ᄒᆞ와 알월 바를 아디 못ᄒᆞ리소이다. 텬흥이 년쇼 브ᄌᆡ로 외람이 셩은을 닙ᄉᆞ와 일즉 경악(經幄)의 근시(近侍) 되ᄋᆞᆸ고, 문무 두 길ᄒᆞᆯ 드ᄃᆡ와 됴졍의【9】대용(大用)ᄒᆞ미 되오니, 신이 슉야(夙夜) 젼긍(戰兢)ᄒᆞ올 ᄲᅳᆫ 아니라, 닌흥이 ᄎᆞ례로 농방의 오로와 ᄌᆡ렬의

592)ᄉᆡ슈(璽綬) : 국새(國璽)의 꼭지에 꿴 끈이라는 말로, 국새를 뜻한다.

593)텬여블취(天與不取)면 반슈기앙(反受其殃)이라 : 하늘이 주는 것을 받지 않으면 도리어 앙화(殃禍)를 입게 된다.

아닛ᄂᆞᆫ지라. 상이 부ᄃᆡ 그 뜻을 욱여 왕공(王公) ᄉᆡ슈(璽綬)[519]를 쥬려 ᄒᆞ샤, 텬안이 불열 왈,

“텬여불취(天與不取)면 반슈기앙(反受其殃)이라[520]. 경 등이 식니군ᄌᆞ(識理君子)로 텬의를 알지니 엇지 고샤(固辭)ᄒᆞᄂᆞ뇨? 논공작상은 졔왕의 응당ᄒᆞᆫ ᄇᆡ라. 경 등이 비록 ᄉᆞ양ᄒᆞ나 딤이 임의 뜻을 졍ᄒᆞᄆᆡ 면치 못ᄒᆞ리니, 부졀업시 ᄉᆞ양치 말나.”

ᄒᆞ시고 이에 금평후 뎡연과 호람후【72】윤슈를 명○[패](命牌)ᄒᆞ시니, 원ᄂᆡ 뎡·윤 냥후ᄂᆞᆫ 국지대ᄉᆞ(國之大事)와 삭망(朔望) 밧근 퇴샤(退仕)ᄒᆞᄂᆞᆫ 고로, 금일 조회에 참녜치 아냣더니, 승ᄑᆡ(承牌) 입조ᄒᆞ니, 상 왈,

“텬흥과 희텬으로 봉왕 봉공ᄒᆞᄆᆡ 구지 ᄉᆞ양ᄒᆞ니, 님군의 쥬ᄂᆞᆫ 바ᄂᆞᆫ 견마(犬馬)라도 ᄉᆞ양치 못ᄒᆞᄂᆞ니, ᄒᆞᄆᆞᆯ며 작상(爵賞)이리오. 딤의 뜻이 졍ᄒᆞᆫ 바의 텬흥, 희텬의 고샤ᄒᆞ미 군신의 화긔를 상ᄒᆡ오고, 대톄(大體)를 ᄉᆡᆼ각지 아니미니, 경 등은 각각 ᄋᆞᄃᆞᆯ을 경계ᄒᆞ여 다시 ᄉᆞ양ᄒᆞ미 업게 ᄒᆞ라.”

금휘 몬져 ᄇᆡ복 쥬 왈,

“셩교를 듯ᄉᆞ오니 불승황공(不勝惶惶)ᄒᆞ와 부지소위(不知所謂)[521]로소이다. 텬흥이 년쇼 부ᄌᆡ로 외람이 셩은을 닙ᄉᆞ와 일즉 《경ᄋᆡ ‖ 경악(經幄)》의 근시(近侍) 되ᄋᆞᆸ고, 문무 두 길을 드ᄃᆡ여 조졍의 대용(大用)ᄒᆞ미 되오니, 신이 쥬야 젼긍(戰兢)ᄒᆞᆯ ᄲᅳᆫ 아니

519)ᄉᆡ슈(璽綬) : 국새(國璽)의 꼭지에 꿴 끈이라는 말로, 국새를 뜻한다.

520)텬여블취(天與不取)면 반슈기앙(反受其殃)이라 : 하늘이 주는 것을 받지 않으면 도리어 앙화(殃禍)를 입게 된다.

521)부지소위(不知所謂) : 말할 바를 알지 못함.

이시니, 부즈 오인이 공훠 아니면 옥당명환(玉堂名宦)이라. 옥보(玉寶) 금인(金印)이 상즈의 가득ᄒᆞ고, 화개쥬륜(華蓋朱輪)이 곡듕(谷中)의 몌여시니, ᄆᆡ양 ○○[ᄀᆞ득]ᄒᆞ면 ᄢᅵ○[이]ᄂᆞᆫ594) 화(禍)를 ᄉᆡᆼ각ᄒᆞ와, 뉴한(流汗)이 쳠의(沾衣)ᄒᆞ믈 면치 못ᄒᆞᄋᆸ더니, 이졔 텬흥이[의] 젹은 공으로ᄡᅧ 군왕을 봉ᄒᆞ시고, 디어(至於) 신의 부쳐의 니르히 봉왕봉비(封王封妃)ᄒᆞ시믈 듯ᄌᆞ오니, 텬은의 망극ᄒᆞ시믈 모르ᄂᆞᆫ 거시 아니오ᄃᆡ, 열운 복이 손(損)ᄒᆞ올 바를 혜아리오ᄆᆡ 몸 둘 ᄯᅡ히 업ᄉᆞᆸᄂᆞ니, 복망 폐하ᄂᆞᆫ 신의 부ᄌᆞ의 황황민툭(惶惶憫跼)595) 【10】 ᄒᆞᆫ 정ᄉᆞ(情私)를 살피쇼셔."

호람휘 니어 쥬왈,

"희텬은 ᄒᆞᆫ낫 암용블민디인(暗庸不敏之人)이라, 맛츰 동뎍(東賊)을 탕멸ᄒᆞ오미 우흐로 셩듀의 홍복을 힘닙ᄉᆞᆸ고, 아릐로 졔댱의 도은 공이라. 졔 스ᄉᆞ로 일운 공이 업ᄉᆞ오니 엇디 외람이 봉작을 양양(揚揚)이 밧ᄌᆞ오리잇고? 희텬의 샤양ᄒᆞ오미 셩은을 경시(輕視)ᄒᆞ미 아니오라, 져의 브ᄌᆡ(不才)로 능히 당치 못ᄒᆞ올 바를 깁히 블안ᄒᆞ오미니, 폐하ᄂᆞᆫ 과도ᄒᆞᆫ 봉작을 더으디 마르시고, 그 본ᄃᆡ이 열운 분(分)596)의 극ᄒᆞ믈 살피쇼셔."

텬심이 냥공의 쥬ᄉᆞ를 드르시고 가장 깃거 아니샤, 다시 니르샤ᄃᆡ,

"디ᄌᆞ(知子)ᄂᆞᆫ 막여뷔(莫如父)오, 디신(知臣)은 막여군(莫如君)597) 【11】 이라. 딤의[이] 텬흥의 당당ᄒᆞᆫ 상뫼(相貌) 텬승(千乘)을 긔필(期必)ᄒᆞᆯ 바와, 희텬의 슉연ᄒᆞᆫ 덕홰(德化) 이윤(伊尹)598) 쥬공(周公)599)의 일뉴

---

594)ᄢᅵ이다 : 찢어지다.
595)황황민툭(惶惶憫跼) ; 몹시 두려워하며 근심하고 삼감.
596)분(分) : 분수(分數). 자기 신분에 맞는 한도.
597)디ᄌᆞ(知子) 막여뷔(莫如父), 디신(知臣) 막여군(莫如君) : 아들을 알기는 그 아버지만한 이가 없고 신하를 알기는 그 임금만한 이가 없다.
598)이윤(伊尹) : 중국 은나라의 전설상의 인물. 이름난 재상으로 탕왕을 도와 하나라의 걸왕을 멸망시키고 선정을 베풀었다.

라, 닌흥이 ᄎᆞ례로 놉방에 올나 ᄌᆡ렬의 잇시니, 부ᄌᆞ 오인이 공훠 아니면 옥당명환(玉堂名宦)이라. 옥보(玉寶) 금닌(金印) 【73】 이 상ᄌᆞ의 ᄀᆞ득ᄒᆞ고, 화ᄀᆡ쥬륜(華蓋朱輪)이 곡즁에 메워시니, ᄆᆡ양 ᄀᆞ득ᄒᆞ면 ᄶᅵ이ᄂᆞᆫ522) 환(患)을 ᄉᆡᆼ각ᄒᆞ오면, ○[뉴]한(流汗)이 쳠의(沾衣)어ᄂᆞᆯ, 이졔 텬흥의 져근 공뇌를 봉왕ᄒᆞ시고, 지어 신의 부부에 니르히 봉왕봉비(封王封妃)ᄒᆞ시니, 텬흥이 망극즁(罔極中) 만복(萬福)이 손ᄒᆞᆯ 바를 혜아리오ᄆᆡ, 황황민축(惶惶憫跼)523) ᄒᆞᆫ 정ᄉᆞ를 살피쇼셔."

호람휘 니어 쥬왈,

"희텬은 ᄒᆞᆫᄀᆺ 암용블민지인(暗庸不敏之人)이라. 맛참 동젹(東賊)을 멸ᄒᆞᆫ 공이 잇시나, 이ᄂᆞᆫ 셩상의 덕과 졔장의 힘이오니, 외람이 봉공의 셩은을 엇지 감당ᄒᆞ오리잇고? 불승황공ᄒᆞ와 부지(不知) 쳐신(處身)이로소이다"

상이 불열 왈,

"딤의 ᄯᅳᆺ이 임의 정ᄒᆞ엿시니, 경 등의 고집ᄒᆞ믄 톄례(體例)524) 아니라"

---

522)ᄢᅵ이다 : 찢어지다.
523)황황민툭(惶惶憫跼) ; 몹시 두려워하며 근심하고 삼감.
524)체례(體例) : 관리들 사이에 지키는 예절.

(一類)로 황각(黃閣)600)의 깃드리며, 뎨ᄌᆞ(帝子)의 ᄉᆞ우(師友)로 문댱 도ᄒᆞᆨ이 당셰의 일인이믈 아ᄂᆞ니, 엇디 그 작위 일분이나 과도ᄒᆞ미 이시리오. 므릇 손복감슈(損福減壽)란 거ᄉᆞᆫ 블인박덕(不仁薄德)의 뉘 범ᄉᆡ 넘ᄢᅵ미 이시면 ᄌᆞ연이 화를 보거니와, 텬흥과 희텬 등의 복녹완젼디상(福祿完全之相)은 곽분양(郭汾陽)601)의 디나거ᄂᆞᆯ, 경 등이 엇디 ᄋᆞ둘을 몰나 보리오마ᄂᆞᆫ, 딤의 박덕을 ᄭᅧ려 상작을 분명이 힝치 말과져 ᄒᆞ미니, 딤이 경 등을 밋던 ᄇᆡ 아니라. 모로미 대쳬를 슝상ᄒᆞ【12】여 당치 아닌 근심과 무익히 공구(恐懼)ᄒᆞᄂᆞᆫ 념녀를 말고, 이 번 작상은 샤양치 못ᄒᆞᆯ 줄 알나."

금평후와 호람휘 셩교(聖敎)를 밧ᄌᆞ오ᄆᆡ, 인신의 도리의 감히 다시 샤양치 못ᄒᆞᆯ디라. 텬의(天意) 이ᄀᆞᆺ치 견고ᄒᆞ시거ᄂᆞᆯ, ᄇᆞ졀 업ᄉᆞᆫ 고샤(固辭)로 군신대쳬(君臣大體)를 상ᄒᆡ오미 가치 아닌디라. 금평휘 쥬 왈,

"셩괴 디ᄎᆞᄒᆞ시니 신이 다시 알욀 말ᄉᆞᆷ이 업ᄉᆞ오ᄃᆡ, 신의 왕작이 더옥 놀랍ᄉᆞ온디라. 복망 폐하ᄂᆞᆫ 미신의 디원을 살피샤 샹제왕(上齊王) 봉작을 환슈ᄒᆞ시면 열운 복이 편ᄒᆞᆯ가 ᄒᆞᄂᆞ이다."

호람휘 ᄯᅩ 쥬 왈,

"희텬이 ᄒᆞᆫ 번 동뎡의 쇼쇼ᄒᆞᆫ 공이 잇ᄉᆞ오나, 졔 나【13】히 아딕 이십도 ᄎᆞ디 못ᄒᆞ엿ᄉᆞᆸᄂᆞ니, 엇디 봉공ᄒᆞ시믈 감당ᄒᆞ리잇가? 원컨ᄃᆡ 동평공 작위를 환슈ᄒᆞ샤 져의 황황ᄒᆞᆫ 심ᄉᆞ를 편케 ᄒᆞ시믈 바라ᄋᆞᆸ나니, 희텬이 본ᄃᆡ 즐약잔미(拙弱孱微)ᄒᆞ와 분의(分義)의 과ᄒᆞᆫ 직임을 당ᄒᆞᆫ즉, 숙식을 편히 못

ᄒᆞ시니, 금휘 우쥬(又奏) 왈,

"셩괴 지ᄎᆞᄒᆞ시니 신이 다시 알욀 말ᄉᆞᆷ이 업ᄉᆞ오나, 신의 왕작이 더욱 놀랍ᄉᆞ온지라. 복망 폐하ᄂᆞᆫ 미신의 지원을 살피샤 상제왕(上齊王)【74】봉작을 환슈ᄒᆞ시면, 여른 복이 넘치ᄂᆞᆫ 홰 오히려 덜ᄒᆞ고, 미신의 ○○○[마ᄋᆞᆷ이] 일분이나 진졍ᄒᆞᆯ지니이다."

호람휘 ᄯᅩ 쥬 왈,

"희텬이 ᄒᆞᆫ 번 동졍ᄒᆞᆫ 공이 잇셔도 그 나히 이십이 ᄎᆞ지 못ᄒᆞ오니, 엇지 봉공ᄒᆞ믈 당ᄒᆞ리잇고? 원컨ᄃᆡ 봉공 작위를 환슈ᄒᆞ샤 져의 황황ᄒᆞᆫ심ᄉᆞ를 편안케 ᄒᆞ소셔. 희텬이 본ᄃᆡ 졸약잔미(拙弱孱微)ᄒᆞ여 부귀 과도ᄒᆞ미 밋쳐ᄂᆞᆫ 슉식을 편히 못ᄒᆞ고, 젼긍ᄒᆞᄂᆞᆫ 의ᄉᆡᆨ 질(疾)을 닐월 듯 ᄒᆞ오니, 신의 부ᄌᆡ 텬은을 감골(感骨)ᄒᆞ오미 범연치 아니ᄒᆞ오ᄃᆡ, 스ᄉᆞ로 박덕ᄌᆡ미(薄德才微)ᄒᆞᆫ 바의 작녹이 인신에 과의(過矣)오니, 엇지 《셩황∥송황(悚惶)》치 아니리잇고?"

---

599)쥬공(周公) : 중국 주나라의 정치가. 문왕의 아들로 성은 희(姬). 이름은 단(旦). 형인 무왕을 도와 은나라를 멸하였고, 주나라의 기초를 튼튼히 하였다. 예악 제도(禮樂制度)를 정비하였으며, ≪주례(周禮)≫를 지었다고 알려져 있다.

600)황각(黃閣) : 의정부(議政府)를 달리 일컫는 말.

601)곽분양(郭汾陽) : 곽자의(郭子儀). 697~781. 중국 당(唐)나라 중기의 무장(武將). 안녹산 사사명의 반란을 평정하고 토번을 쳐 큰 공을 세워 분양왕(汾陽王)에 올랐다.

ᄒᆞᄋᆞᆸ고 젼긍(戰兢)ᄒᆞ여 질(疾)을 일위오니, 신의 부ᄌᆡ 텬은을 감골치 아니미 아니오ᄃᆡ, 스ᄉᆞ로 덕이 박ᄒᆞ고 ᄌᆡ죄 미(微)ᄒᆞ온ᄃᆡ 작녹이 인신의 과의(過矣)오니, 엇디 두렵디 아니리잇가?”

금평후와 호람휘 쥬ᄉᆞ를 긋치ᄆᆡ, 뎡·윤 냥원쉬 봉왕봉공ᄒᆞ믈 고샤ᄒᆞ미 간졀ᄒᆞᄃᆡ, 샹이 블윤ᄒᆞ시고 텬안이 엄【14】녀(嚴厲)ᄒᆞ샤 니르샤ᄃᆡ,

“경 등의 부ᄌᆡ 아모리 샤양ᄒᆞ나 딤이 임의 뎡ᄒᆞᆫ ᄇᆡ니, 만되 비록 가치 아니타 ᄒᆞ여도 딤이 뎡ᄒᆞᆫ 바를 곳치디 아니리라.”

ᄒᆞ시니, 뎡원쉬 달니(達理) 군ᄌᆞ로 임의 ᄌᆞ긔 명슈를 혜아리ᄆᆡ, 평졔국군 되기를 샤양ᄒᆞ여 면치 못ᄒᆞᆯ 줄 알고, 다시 고샤치 못ᄒᆞ여 ᄇᆡ복 샤은 왈,

“신이 부귀를 도뎍ᄒᆞᄂᆞᆫ 욕심이 긋칠 줄을 아디 못ᄒᆞ오니 ᄃᆡ인ᄒᆞᆯ 면목이 업ᄉᆞ오나, 텬의 맛ᄎᆞᆷᄂᆡ 신의 황튝(惶蹙)ᄒᆞᆫ ᄉᆞ정을 살피디 아니시니 감히 샤양치 못ᄒᆞᄂᆞ이다.”

텬안이 크게 희열(喜悅)ᄒᆞ샤 됴셔를 나리와 공젹을【15】포상ᄒᆞ시고, 《도쥬부‖도독부(都督府)[602]》와 병부(兵部) 니부(吏部)로 ᄒᆞ여금 공훈을 ᄎᆞ례로 긔록ᄒᆞ여 올니고, 호부(戶部)를 명ᄒᆞ샤 상샤(賞賜)ᄒᆞᆯ 금은을 ᄀᆞᆺ초고, 녜부(禮部)ᄂᆞᆫ 졀조(節操)를 뎡ᄒᆞ고, 공부(工部)의셔ᄂᆞᆫ 단셔텰권(丹書鐵券)[603]을 ᄆᆡᆫ둘고, 한님원(翰林院)은 봉왕(封王) 면복(冕服)[604]을 디으라 ᄒᆞ시니, 금평휘 단디(段地)[605]의 머리를 두다려 ᄌᆞ긔 봉왕ᄒᆞᄂᆞᆫ 셩디(聖旨)를 환슈ᄒᆞ시믈 간걸(懇乞)ᄒᆞ니, 샹이 우으시고, ᄀᆞᆯ오ᄉᆞᄃᆡ,

“경을 ᄉᆡ 나라히 봉왕ᄒᆞ미 아니오, 블과

602)도독부(都督府) : 중국에서, 군정을 맡아 다스리던 지방 관아. 또는 외지(外地)를 통치하던 기관. 당나라 때는 고구려, 백제가 멸망한 뒤 그 옛 땅에 9도독부, 5도독부를 각각 두었고, 신라 땅에까지 계림 도독부를 두었다.

603)단셔텰권(丹書鐵券) : 공신을 표창하던 문권(文券)과 쇠로 만든 표지.

604)면복(冕服) : 면류관과 곤룡포를 아울러 이르던 말.

605)단지(段地) : ①층이진 땅. ②계단 아래.

냥인의 쥬ᄉᆡ 여ᄎᆞᄒᆞᄃᆡ, 상이 종불윤(終不允)ᄒᆞ시고 텬안이 엄녈(嚴烈)ᄒᆞ샤 왈,

“경 등의 부ᄌᆡ 아모리 ᄉᆞ양ᄒᆞ나 딤이 발셔 졍ᄒᆞᆫ ᄇᆡ라. 이ᄂᆞᆫ 만조 문뮈 닷토와도 듯지 아니리라”

뎡 원쉬 달니(達理)ᄒᆞᆫ 군ᄌᆞ로 거【75】의 ᄌᆞ긔 명도를 짐작건ᄃᆡ, 형세 국군(國君)되믈 ᄉᆞ양ᄒᆞ나 면치 못ᄒᆞᆯ 고로, 다시 ᄉᆞ양치 아냐 ᄇᆡ복 샤은 왈,

“신이 부귀를 도젹ᄒᆞᄂᆞᆫ 욕심이 긋칠 줄 모로와 ᄃᆡ인ᄒᆞᆯ 면목이 업ᄉᆞᆸ거ᄂᆞᆯ, 텬심이 맛ᄎᆞᆷᄂᆡ 신의 황츅(惶蹙)ᄒᆞᆫ ᄉᆞ정을 살피지 아니시니 감히 ᄉᆞ양치 못ᄒᆞᄂᆞ이다.”

상이 깃거 조셔를 ᄂᆞ리와 공젹을 표장ᄒᆞ시고, 도독부(都督府)[525]와 병부(兵部) 니부(吏部)로 ᄒᆞ야곰 공훈을 ᄎᆞ례로 긔록ᄒᆞ여 올니고, 호부(戶部)로 상샤(賞賜)ᄒᆞᆯ 금은을 대후(待候)ᄒᆞ고, 녜부(禮部)로 졀조(節操)를 졍ᄒᆞ며, 공부(工部)ᄂᆞᆫ 단셔텰권(丹書鐵券)[526]을 ᄆᆡᆫ둘고, 한님원(翰林院)으로 봉작(封爵) 면복(冕服)[527]을 지으라 ᄒᆞ시니, 금평휘 ᄌᆞ긔 봉왕 셩지(聖旨)를 환슈ᄒᆞ시믈 고샤(固辭)ᄒᆞ니, 상 왈,

“경을 ᄉᆡ 나라에 봉왕ᄒᆞ미 아니오, 불과 텬흥의 봉국에 태샹왕(太上王) 명호를 쥬엇

525)도독부(都督府) : 중국에서, 군정을 맡아 다스리던 지방 관아. 또는 외지(外地)를 통치하던 기관. 당나라 때는 고구려, 백제가 멸망한 뒤 그 옛 땅에 9도독부, 5도독부를 각각 두었고, 신라 땅에까지 계림 도독부를 두었다.

526)단셔텰권(丹書鐵券) : 공신을 표창하던 문권(文券)과 쇠로 만든 표지.

527)면복(冕服) : 면류관과 곤룡포를 아울러 이르던 말.

텬홍의 봉국의 태샹왕(太上王)으로 영효를 두ᄀᆞᆺ과져 ᄒᆞ미러니, 경의 ᄠᅳᆺ이 이 ᄀᆞᆺᄐᆞ니 샹졔왕(上齊王) 인슈를 거두미 므어시 어려오리오. 경의 조션(祖先)을 다 츄증(追贈)ᄒᆞᄆᆡ, 경이 ᄯᅩ ᄉᆡᆼ셰(生世) 【16】 의 쳔승국군의 부군(父君)으로 비록 봉왕을 샤양ᄒᆞ나 영복이 극딘ᄒᆞ고, ᄉᆞ후의 왕녜(王禮)로 장ᄒᆞ리니, ᄃᆡᆷ이 경의 공검ᄒᆞᆫ ᄠᅳᆺ을 도라보아 태왕(太王)을 삼디 아니ᄒᆞ노라."

금평휘 ᄋᆞᄌᆞ의 왕작이 외람ᄒᆞ나 텬의 견고ᄒᆞ시믈 보고, ᄒᆞᆯ 일 업셔 ᄌᆡᄇᆡᆨ 샤은 ᄒᆞᄃᆡ, 윤원쉬 맛ᄎᆞᆷᄂᆡ 오ᄉᆞ(烏紗)[606]를 ᄡᅳ디 아니코, 나히 이십이 ᄎᆞ디 못ᄒᆞ믈 고ᄒᆞ여 봉공이 외람ᄒᆞ고 블ᄉᆞ(不似)ᄒᆞ믈 ᄒᆞᆫ갈ᄀᆞᆺ치 닷토아, 안ᄉᆡᆨ이 화평ᄒᆞᄃᆡ ᄉᆞ긔 단엄ᄒᆞ며 말ᄉᆞᆷ이 죵용ᄒᆞ나 심정의 견고ᄒᆞ미, 녀슈(麗水)[607]의 겸금(兼金)[608]이[을] 단년(鍛鍊)ᄒᆞ고, 곤산(崑山)[609]의 흰 옥이 다ᄉᆞ홈[610] ᄀᆞᆺᄐᆞ니, 군샹의 위엄으로도 그 ᄠᅳᆺ을 앗기 【17】 어려온디라. 샹이 동평공 작위를 낫초아 동평후를 봉ᄒᆞ시고, ᄀᆞᆯ오샤ᄃᆡ,

"후작(侯爵)을 다시 샤양ᄒᆞ며 태ᄌᆞ태부 쇼임을 슬히 넉일딘ᄃᆡ, 군신대의와 ᄉᆞ체(事體)를 모로고 ᄃᆡᆷ을 업슈히 넉이미니, 모로미 고샤(固辭)ᄒᆞᄂᆞᆫ 말을 다시 ᄂᆡ디 말나."

ᄒᆞ시니, 원쉬 ᄒᆞᆯ일업셔 ᄇᆡ복샤은(拜伏謝恩)ᄒᆞᄆᆡ, 샹이 흔연이 니르샤ᄃᆡ,

"금일은 봉공(封公)을 샤양ᄒᆞ여 면ᄒᆞ엿거니와 타일은 삼공(三公)[611]의 웃듬 ᄌᆞ리를

606)오ᄉᆞ(烏紗) : 오사모(烏紗帽). 관복을 입을 때 머리에 쓰던 검은 사(紗)로 만든 모자.

607)녀슈(麗水) : 중국 양자강(揚子江) 상류인 운남성(雲南省)의 금사강(金砂江)을 이름. <천자문> '금생여수(金生麗水)'에서 말한 금(金)의 산지(産地)로 유명.

608)겸금(兼金) : 품질이 뛰어나 값이 보통 금보다 갑절이 되는 좋은 황금.

609)곤산(崑山) : 곤륜산(崑崙山). 중국 전설상의 높은 산. 중국의 서쪽에 있으며, 옥(玉)이 난다고 한다. 전국(戰國) 시대 말기부터는 서왕모(西王母)가 살며 불사(不死)의 물이 흐른다고 믿어졌다.

610)다ᄉᆞᄒᆞ다 : 다사하다. 따뜻하다.

611)삼공(三公) : 삼정승. 조선의 영의정·좌의정·우의정. 중국 주(周)·명(明)·청(淸)의 태사(太師)·태부(太傅)·태보(太保). 한(漢)·당(唐)·송(宋)의

더니, 경의 ᄉᆞ양이 이 ᄀᆞᆺᄒᆞ니 상졔왕(上齊王)의 닌슈를 거두미 무어시 어려 【76】 오리오. 경의 조션(祖先)을 다 츄증ᄒᆞᄆᆡ 경이 비록 ᄉᆡᆼ셰(生世)의 봉왕을 사양ᄒᆞ나 영복이 극진ᄒᆞ고, ᄉᆞ후 왕례(王禮)로 장ᄒᆞ리니, 경의 공검ᄒᆞᆫ ᄠᅳᆺ을 ᄉᆡᆼ각ᄒᆞ여 왕작(王爵)을 환슈(還收)ᄒᆞ노라."

금휘 ᄌᆡᄇᆡᆨ 샤은ᄒᆞᄃᆡ, 윤원쉬 종시 ᄉᆞ모(紗帽)[528]를 ᄡᅳ지 아니ᄒᆞ고, 봉공이 쳔만 외람ᄒᆞ믈 ᄒᆞᆫ갈ᄀᆞᆺ치 닷토아, 안ᄉᆡᆨ이 화령(和寧)ᄒᆞᄃᆡ ᄉᆞ긔 단엄ᄒᆞ여, 말ᄉᆞᆷ이 금옥(金玉)ᄀᆞᆺ치 견고ᄒᆞ니, 군상의 위엄이나 그 ᄠᅳᆺ을 앗기 어려오ᄆᆡ, 상이 동평후로 봉ᄒᆞ시고 왈,

"후작(侯爵)을 다시 ᄉᆞ양ᄒᆞ며 동궁 태부 ᄉᆞ양ᄒᆞ면, 군신ᄃᆡ의와 ᄉᆞ톄(事體)를 모로고 ᄃᆡᆷ을 업슈히 넉이ᄂᆞᆫ 작시라[529]. 모로미 다시 ᄉᆞ양치 말나."

원쉬 ᄒᆞᆯ일업셔 샤은ᄒᆞ니, 상 왈,

"금일은 봉공(封公)을 ᄉᆞ양ᄒᆞ엿거니와 타일은 삼공(三公)[530]의 웃듬 ᄌᆞ리를 샤양치 못ᄒᆞ리라."

528)ᄉᆞ모(紗帽) : 오사모(烏紗帽). 고려말에서 조선시대에 걸쳐 관리들이 관복을 입을 때 머리에 쓰던 검은 사(紗)로 만든 모자.

529)작(作)시라 : 작(作)이라. *작(作); '작(作)하다'의 어근. 언행을 부자연스럽게 지어서 하는 모양. 꼴.

530)삼공(三公) : 삼정승. 조선의 영의정·좌의정·우의정. 중국 주(周)·명(明)·청(淸)의 태사(太師)·태부(太傅)·태보(太保). 한(漢)·당(唐)·송(宋)의 태위(太尉)·사공(司空)·사도(司徒).

샤양치 못ᄒᆞ리라."

ᄒᆞ시고, 좌복야 초평후 하원광의 작호를 도도아 초국공을 봉ᄒᆞ시니, 초휘 ᄉᆡ로이 일운 공이 업ᄉᆞᄃᆡ, 김탁 흉덕을 탕멸ᄒᆞ여 셩샹의【18】 위ᄐᆡᄒᆞ신 변을 면ᄒᆞ시믄 초후의 대공이로ᄃᆡ, 그 나히 ᄎᆞ디 못ᄒᆞᆫ 고로 국공(國公)을 봉치 아냐 계시더니, 이졔 나히 이십이 넘엇ᄂᆞᆫ 고로 특별이 국공을 봉ᄒᆞ시니, 초휘 화가여ᄉᆡᆼ(禍家餘生)으로 부ᄌᆡ 봉공ᄒᆞ믈 크게 외람ᄒᆞ여 샤양ᄒᆞᄃᆡ, 샹이 블윤ᄒᆞ시니 능히 닷토디 못ᄒᆞ여 샤은ᄒᆞ니라.

샹이 금평후다려 니르샤ᄃᆡ,

"딤이 젼일 경의 집의 샤연(賜宴)을 명ᄒᆞ엿더니, 경이 복졔(服制)로 연셕을 밧디 못ᄒᆞ고, 인ᄒᆞ여 텬홍 등이 츌뎡ᄒᆞ여 슈년을 즈음친 연고로, 시금(時今) 연회(宴會) 달난(團欒)612)치 못ᄒᆞ미 흠ᄉᆡ라. 이졔 왕궁을 일운 후 잔치를 밧게 ᄒᆞ라."

금평휘 숀숀빅【19】샤ᄒᆞ여 셩은을 일ᄏᆞᆺ고 믈너나니, 만되 퇴됴훌ᄉᆡ, 샹이 졔왕궁을 밧비 디으라 직촉ᄒᆞ시니, 평졔왕이 쥬ᄒᆞᄃᆡ,

"신의 집이 광활ᄒᆞ여 여러 형뎨 견딜 만ᄒᆞ오ᄃᆡ, 폐히 브ᄃᆡ 궁실을 짓고져 ᄒᆞ시면, 경샤 ᄌᆡ믈을 허비홀 거시 아니라, 본국의 밧드ᄂᆞᆫ 거ᄉᆞ로 족히 궁실을 일우올 거시니, 호부 금빅과 각ᄉᆞ(各司)613) 민력(民力)을 허비치 말게 ᄒᆞ쇼셔."

샹이 그 쳥검ᄒᆞᆫ 뜻을 좃ᄎᆞ샤 그리 ᄒᆞ라 ᄒᆞ시다.

평졔왕이 취운산으로 나갈 길히, 옥누항의 드러가 악모와 위·뉴 두 부인긔 비현ᄒᆞ고 슈년디ᄂᆡ(數年之內) 존후를 뭇즙고, 창후 형뎨 년ᄒᆞ여 승쳡ᄒᆞ여 닙공【20】반샤(立功班師)ᄒᆞ믈 하례ᄒᆞ니, 조부인과 위·뉴 두 부인이 또ᄒᆞᆫ 평졔왕의 녈토봉왕(列土封王)614) ᄒᆞ믈 칭하ᄒᆞ고, 조부인이 심니(心裏)

태위(太尉)·사공(司空)·사도(司徒).
612)달난(團欒) : 한 가족의 생활이 원만하고 즐겁다.
613)각사(各司) : =경각사(京各司). 서울에 있던 관아를 통틀어 이르는 말.
614)녈토봉왕(列土封王) : 일정한 땅을 정하여 주어 왕을 봉함.

ᄒᆞ시고, 좌복야 초평후 하원광의 작호를 도도아【77】초국공을 봉ᄒᆞ시니, 초휘 ᄉᆡ로이 닐윈 공이 업ᄉᆞᄃᆡ, 김탁 흉젹을 탕멸ᄒᆞ여 셩샹이 위ᄐᆡᄒᆞ시믈 면ᄒᆞ미 초후의 공이라. 그 나히 ᄎᆞ지 아냐시므로 국공(國公)을 봉치 아냣더니, 이졔 이십이 넘은 고로 국공을 봉ᄒᆞ시니, 초휘 화가여ᄉᆡᆼ(禍家餘生)으로 부ᄌᆡ 봉공을 크게 외람ᄒᆞ여 고샤ᄒᆞᄃᆡ, 상이 종 불윤ᄒᆞ시니 능히 ᄃᆞ토지 못ᄒᆞ여 샤은ᄒᆞ더라.

상이 금평후 다려 왈,

"딤이 젼일 경의 집의 샤연을 ᄒᆞ엿더니, 복제로 연셕을 밧지 아니ᄒᆞ고, 인ᄒᆞ여 텬홍 등이 츌젼(出戰)ᄒᆞ여 지금 연회치 못ᄒᆞ미라. 이졔 왕궁을 짓고 잔치ᄒᆞ라."

ᄒᆞ시니 금평휘 숀숀 빅샤이퇴(拜謝而退)ᄒᆞ미, 만죄 다 퇴홀ᄉᆡ, 상이 평졔궁을 밧비 지으라 ᄒᆞ시다. 평졔왕이 쥬 왈,

"신의 궁이 광활ᄒᆞ여 여러 형뎨 견딜만ᄒᆞ거ᄂᆞᆯ, 폐히 부ᄃᆡ 궁실을 짓고져 ᄒᆞ시니, 경ᄉᆞ ᄌᆡ【78】믈을 허비홀 거시 아니라, 봉국(封國)의 밧드ᄂᆞᆫ 거시 거의 궁실을 지을 만ᄒᆞ리니, 호부 금빅과 각ᄉᆡᆨ(各色)531) 민력(民力)을 허비치 말게 ᄒᆞ쇼셔."

상이 그 쳥검ᄒᆞᆫ 뜻ᄉᆞᆯ 조ᄎᆞ 허ᄒᆞ시다.

평졔왕이 물너 취운산으로 가ᄂᆞᆫ 길에 옥누항에 드러 가 악부모와 위·뉴 냥 부인긔 빈견ᄒᆞ고 슈년지ᄂᆡ(數年之內) 존후를 뭇즙고, 창후 형뎨 연ᄒᆞ여 닙공반샤(立功班師)ᄒᆞ믈 하례ᄒᆞ니, 조부인과 위·뉴 냥 부인이 또ᄒᆞᆫ 평졔왕의 녈토봉왕(列土封王)532)ᄒᆞ믈 하례ᄒᆞ여[고], ○○○○[조부인이] 심니(心裏)에 녀ᄋᆡ 쳔승국모(千乘國母)로 혁혁ᄒᆞᆫ

531)각색(各色) : =각종(各種). 온갖 종류. 또는 여러 종류.
532)녈토봉왕(列土封王) : 일정한 땅을 정하여 주어 왕을 봉함.

의 녀ᄋᆡ 쳔승국모(千乘國母)로 혁혁ᄒᆞᆫ 존귀를 누리믈 두굿기나, 션상셰(先尙書) 보디 못ᄒᆞ믈 통할(痛割)[615]ᄒᆞ고, ᄎᆞᄌᆡ 마ᄌᆞ 봉후(封侯) 고명(告命)[616]을 가져, 니부텬관(吏部天官)으로 황태부(皇太傅)를 겸ᄒᆞ여 홍문관(弘文館) 광녹시(光祿寺)[617]의 웃듬 머리 짓ᄂᆞᆫ ᄌᆡ상이 되니, 도로혀 셩만ᄒᆞ믈 두리ᄂᆞᆫ디라. 호람휘 블안코 외람ᄒᆞ나 역시 두굿거오미 극ᄒᆞ여 조부인을 위로ᄒᆞ더라.

평졔왕이 슉녈과 딘·하 등의 유ᄌᆞ를 어로만져 아ᄅᆞᆷ다오믈 니긔디 못ᄒᆞ여, 위공 등의 놉흔 복을 칭하ᄒᆞ며 동평【21】후를 향ᄒᆞ여 웃고 니르ᄃᆡ,

"나ᄂᆞᆫ 작일의 환경(還京)ᄒᆞ여 금일 즉시 악모긔 ᄇᆡ현ᄒᆞ여 반ᄌᆞ(半子)의 도를 다ᄒᆞᄃᆡ, ᄉᆞ빈 등은 아모 ᄃᆡ를 나갓다가 도라와도 우리 존당과 부모긔 즉시 와 ᄇᆡ알ᄒᆞᄂᆞᆫ 일이 업ᄉᆞ니, 가히 반ᄌᆞ의 졍이라 니르랴?"

동평휘 함쇼 왈,

"형이 우리 집의 박(薄)디 아니커니와, 오날 즉시 와 ᄇᆡ현ᄒᆞ믄 족히 일ᄏᆞ를 말이 아니라. 됴회 길히 과문블입(過門不入)[618]디 못ᄒᆞ여 식칙(塞責)[619]으로 드러오미디, ᄒᆞᆫ갓 편위와 존당의 ᄇᆡ현코져 ᄒᆞ미 아니오, 블과 뎡·딘 이슈와 하시를 반기랴 오미니, 쇼뎨 ᄯᅩ 져져를 ᄇᆡ견(拜見)ᄒᆞᆯ ᄯᅳᆺ이 급ᄒᆞ니 형이 이리 니르디 아니【22】ᄒᆞ여도, 가간의 대단 ᄉᆞ괴 업ᄉᆞᆫ 후야 취운산의 나아가기를 바야디 아니리잇가?"

위공이 쇼왈,

"형이 아등을 ᄌᆞ로 왕ᄂᆡ코져 ᄒᆞ거든, 가

615)통할(痛割) : 애를 끊으며 아파함.
616)고명(告命) : 예전에 임금이 관리의 임명, 해임 따위의 인사에 관한 명령을 적어 당사자에게 내려 주던 문서. ≒사령장(辭令狀).
617)광녹시(光祿寺) : ①고려 시대에, 외빈(外賓)의 접대를 맡아보던 관아. 태조 초기에 둔 것으로, 문하성에서 외빈을 접대하는 일을 맡게 되면서 없어졌다. ②중국의 북제·당나라 이후 제사나 조회(朝會) 따위를 맡아보던 관아.
618)과문블입(過門不入) : 아는 사람의 집 문 앞을 지나면서도 들르지 아니함.
619)식칙(塞責) :책임을 면하기 위하여 겉으로만 둘러대어 꾸밈.

존귀를 누릴 바를 깃거ᄒᆞ나, 촉쳐(觸處)의 션상셰(先尙書) 보지 못ᄒᆞ믈 통상(痛傷)[533]ᄒᆞ고, ᄎᆞᄌᆡ 마ᄌᆞ 봉후(封侯) 고명(告命)[534]을 가져, 니부텬관(吏部天官)과 황태부에 거ᄒᆞ니, 홍문관(弘文館) 광녹시(光祿寺)[535]의 머리 짓ᄂᆞᆫ ᄌᆡ상이 되엿시ᄆᆡ, 도로혀 셩만ᄒᆞ믈 두리ᄂᆞᆫ지라. 호람휘 불안 외람ᄒᆞᆫ 즁, 두굿거오미【79】 극ᄒᆞ여 조부인을 위로ᄒᆞ더라.

평졔왕이 뎡슉녈과 딘·하 등 유ᄌᆞ를 어로만져 아ᄅᆞᆷ다오믈 니긔지 못ᄒᆞ여, 창후 등의 놉흔 복을 치하ᄒᆞ며, 동평후를 향ᄒᆞ여 소왈 ,

"나ᄂᆞᆫ 작일의 환셩(還城)ᄒᆞ여 금일 악모긔 ᄇᆡ현ᄒᆞ여 반ᄌᆞ(半子)의 의를 다ᄒᆞᄃᆡ, 너ᄂᆞᆫ 등은 아모 ᄃᆡ를 갓다가 도라와도 즉시 우리 존당 부모긔 ᄇᆡ견ᄒᆞ미 업ᄉᆞ니, 가히 반ᄌᆞ지졍(半子之情)이라 ᄒᆞ랴?"

동평휘 잠소 왈,

"현형이 우리 집의 《밧‖박(薄)》게 아니커니와, 오날 즉시 와 ᄇᆡ견ᄒᆞ믄 족히 닐ᄏᆞ를 말ᄉᆞᆷ이 아니라, 조회 길에 과문블입(過門不入)[536]을 못ᄒᆞ시미라. 존당과 우리 ᄌᆞ젼에 ᄇᆡ현코ᄌᆞ ᄒᆞ미 아니오, 블과 뎡·딘 니슈(二嫂)와 하씨를 반기려 ᄒᆞ미나, 소뎨 ᄯᅩᄒᆞᆫ 져져를 반기려 ᄒᆞ니, 형이 이리 니르지 아니나, 가간에 ᄃᆡ단ᄒᆞᆫ ᄉᆞ괴 업ᄉᆞᆫ 후야 취운산의 가기를 ᄇᆞ야지 아니리잇가?"

창휘 ᄯᅩ 소왈,

"형【80】이 아등을 ᄌᆞ로 왕ᄂᆡ코져 ᄒᆞ거든, 가ᄉᆞ를 옴겨 셩ᄂᆡ로 드러 오쇼셔."

533)통상(痛傷) : 몹시 슬퍼하고 아프게 여김.
534)고명(告命) : 예전에 임금이 관리의 임명, 해임 따위의 인사에 관한 명령을 적어 당사자에게 내려 주던 문서. ≒사령장(辭令狀).
535)광녹시(光祿寺) : ①고려 시대에, 외빈(外賓)의 접대를 맡아보던 관아. 태조 초기에 둔 것으로, 문하성에서 외빈을 접대하는 일을 맡게 되면서 없어졌다. ②중국의 북제·당나라 이후 제사나 조회(朝會) 따위를 맡아보던 관아.
536)과문블입(過門不入) : 아는 사람의 집 문 앞을 지나면서도 들르지 아니함.

샤를 옴겨 셩ᄂᆡ로 드러 오쇼셔."

평졔왕이 함쇼 왈,

"동긔를 위ᄒᆞᆫ 졍이 박ᄒᆞᆫ 거시 아니로ᄃᆡ, 내 금일 이의 오믄 존당과 악모 존후를 뭇ᄌᆞᆸ고 ᄆᆡᄌᆞ를 반기고져 ᄒᆞ미러니, ᄉᆞ빈이 ᄉᆡᆨ칙으로 온다 ᄒᆞ며 과블입(過不入)620)디 못ᄒᆞ미라 니르거니와, 군 등의 인ᄉᆞᄂᆞᆫ 우리 집이 비록 갓가이 이셔도 과블입이 ᄌᆞ즐가 ᄒᆞ노라."

호람휘 쇼왈,

"쇽담의 안히를 ᄉᆞ랑ᄒᆞᄂᆞᆫ 지 쳐가를 듕히 《녁이ᄂᆞᆫ‖녁인다 ᄒᆞᄂᆞᆫ》 고로, 우리 집의 졍이 후ᄒᆞ고,【23】 오ᄋᆞ 등은 쳐실을 듕히 녁이디 아닛ᄂᆞᆫ 고로 쳐가의 무졍ᄒᆞᆫ가 ᄒᆞ노라."

평졔왕이 쇼이ᄃᆡ왈(笑而對曰),

"년슉 말ᄉᆞᆷ이 맛당ᄒᆞ시ᄃᆡ, 쇼ᄉᆡᆼ은 본ᄃᆡ 신긔(神氣)를 굿게 잡아 박ᄒᆡᆼ(薄行)을 피ᄒᆞᄂᆞᆫ 고로, 무죄ᄒᆞᆫ 쳐실을 공연이 박ᄃᆡ구욕(薄待驅辱)ᄒᆞᄂᆞᆫ 광거ᄂᆞᆫ 아녓ᄉᆞᆸᄂᆞ니, ᄉᆞ원의 안히 거교를 ᄊᆡ치ᄂᆞᆫ 광증과 ᄉᆞ빈의 ᄆᆡᆨᄆᆡᆨ히 박쳐(薄妻)ᄒᆞ던 바ᄂᆞᆫ 아모리 ᄉᆡᆼ각ᄒᆞ여도 괴이ᄒᆞ더이다."

위공이 ᄎᆞᆷ디 못ᄒᆞ여 두○[어] 말 희쇼(喜笑)를 발ᄒᆞ여 존당 슉당의 즐기시믈 돕더니, 날이 느ᄌᆞᄆᆡ 졔왕이 취운산으로 도라가고, 동평휘 심ᄉᆡ 한가ᄒᆞ믈 인ᄒᆞ여 동월ᄇᆡᆨ 경공의 부인 양시의 ᄯᆞ라온 바를 고ᄒᆞ니, 조【24】부인이 크게 《잔인히‖잔잉히》 녁이고, 호람휘 그 졍니를 츄연ᄒᆞ여 옥누항 근쳐의 뷘 집을 엇고 경쇼져와 양부인을 즉시 다려오니, 양시 그 뎨남 양박의게 의디ᄒᆞ려 올나 왓더니, 양박이 그 ᄉᆞ이 등과ᄒᆞ여 화쥐 ᄌᆞᄉᆞ로 나가고 업ᄉᆞ니, 양시 모녜 윤원슈의 은덕으로 계오 경샤가지 득달ᄒᆞ여시나 도라 갈 곳이 업셔 뎡히 착급ᄒᆞᆯ 즈음의, 윤부의셔 가샤를 어더주고 조부인이 살도리를 도모ᄒᆞ여 극딘히 디휘ᄒᆞ고 고렴(顧念)ᄒᆞ미 강근디친(強近之親) ᄀᆞᆺᄐᆞ니, 양시 녀ᄋᆞ로 더브러 감은골슈(感恩骨髓)ᄒᆞ믈 니

620)과블입(過不入) : 과문불입(過門不入).

왕이 소왈,

"ᄂᆡ 금일에 오믄 존당과 악모 긔후(氣候)537)를 뭇ᄌᆞᆸ고 ᄆᆡᄃᆡ를 반기져 ᄒᆞ미러니, ᄉᆞ빈이 ᄉᆡᆨ칙(塞責)538)으로 온다 ᄒᆞ거니와, 너의 인ᄉᆞᄂᆞᆫ 우리 집이 비록 갓가오나 과문불입(過不入)이 ᄌᆞ즐가 ᄒᆞ노라."

호람휘 소왈,

"쇽담의 안히를 족히 녁이ᄂᆞᆫ 지 쳐가를 즁히 《녁이ᄂᆞᆫ‖녁인다 ᄒᆞᄂᆞᆫ》 고로, 우리 집에 졍이 즁ᄒᆞ고, 우리 ᄌᆞ뎔은 쳐실을 즁히 아니 녁이므로 쳐가에 무졍ᄒᆞᆫ가 ᄒᆞ노라."

왕이 소왈,

"합하 말ᄉᆞᆷ이 맛당ᄒᆞ시거니와, 소ᄉᆡᆼ은 본ᄃᆡ 신의를 굿게 잡아 《ᄇᆡᆨᄒᆡᆼ‖박ᄒᆡᆼ(薄行)》을 피ᄒᆞ미 되엿시니, 무죄ᄒᆞᆫ 쳐실을 공연이 박ᄃᆡ구욕(薄待驅辱)ᄒᆞᄂᆞᆫ 광거를 아냣ᄂᆞ니, ᄉᆞ원의 안히 거교를 ᄊᆡ치ᄂᆞᆫ 광증과 ᄉᆞ빈의 ᄆᆡᄆᆡ히 박쳐(薄妻)ᄒᆞ던 바ᄂᆞᆫ 아모리 ᄉᆡᆼ각ᄒᆞ나 괴이ᄒᆞ더이다."

창휘 ᄎᆞᆷ지 못ᄒᆞ여 두어 말노 존당 슉당의 즐기【81】시믈 돕더니, 날이 느ᄌᆞᄆᆡ 졔왕이 취운산으로 도라가고, 동평휘 동월ᄇᆡᆨ 뎡공의 부인 양씨의 ᄯᆞ라온 바를 고ᄒᆞ니, 조부인이 크게 잔잉히 녁이고, 남휘 그 졍니를 츄연ᄒᆞ여 옥누항 근쳐의 뷘 집을 엇고, 양소져와 부인을 즉시 다려오니, 양씨 그 뎨남 양ᄇᆡᆨ에게 의지ᄒᆞ려 올나왓더니, 양ᄇᆡᆨ이 그 ᄉᆞ이 등과ᄒᆞ여 화쥬ᄌᆞᄉᆞ로 나가고 업ᄉᆞ니, 양씨 모녜 윤원슈의 은덕으로 경ᄉᆞᄭᆞ지 득달ᄒᆞ나, 도라갈 곳이 업셔 졍히 착급ᄒᆞᆯ 졔, 윤부에셔 가ᄉᆞ를 어더 쥬고 조부인이 ᄉᆡᆼ도를 지휘ᄒᆞ여 쥬며, 극진 고렴ᄒᆞ미 강근지친(強近之親) ᄀᆞᆺᄒᆞ니, 양씨 모녜 불승

537)긔후(氣候) : =기체(氣體). 몸과 마음의 형편이라는 뜻으로, 웃어른께 올리는 편지에서 문안할 때 쓰는 말.

538)ᄉᆡᆨ칙(塞責) :책임을 면하기 위하여 겉으로만 둘러대어 꾸밈.

그디 못ᄒᆞ더라.

이ᄯᅢ 뎡부의셔 졔왕이 쳔승디위(千乘之位)를 밧ᄌᆞ와 조션(祖先)【25】을 왕작으로 츄증ᄒᆞ고, 부모 존당의 영화 무궁ᄒᆞ여 부귀를 측냥치 못ᄒᆞ고, 셰흥이 작ᄎᆡ 뉵경(六卿)의 죵ᄉᆞᄒᆞ고 위거공후(位居公侯)621)ᄒᆞ니, 져믄 나히 만ᄉᆡ 과의(過矣)라. 슌태부인과 금평후 부뷔 셩만ᄒᆞ믈 두려 도로혀 깃븐 줄을 모로더라.

소 쇼ᄉᆡ(少師)622) 금평후를 와 보고, ᄉᆞ셰(事勢) 임의 다른 곳의 뎍인(適人)623)치 못ᄒᆞ게 되여시니, 녀ᄋᆞ의 무주러딘 운발이 잠간 길고 ᄯᅩᄒᆞᆫ 신병이 나아시니, ᄇᆞ졀업시 셰월을 쳔연ᄒᆞᄂᆞ니 슈히 튁일ᄒᆞ여 셩녜ᄒᆞ믈 쳥ᄒᆞᆫᄃᆡ, 금평휘 ᄯᅩᄒᆞᆫ 그러히 넉여 쾌허ᄒᆞ니, 소계암이 대희ᄒᆞ여 즉시 도라가 튁일ᄒᆞᄆᆡ, 길긔 신쇽ᄒᆞ여 계오 일슌이 가려시【26】니, 동월휘 도라온 일망이 넘디 못ᄒᆞ여 신취(新娶)ᄒᆞ니, 금평휘 듕당의 돗글 여러 일가 친쳑을 쳥ᄒᆞ여 신낭을 보ᄂᆡ며 신부를 마줄ᄉᆡ, 동월휘 양부인긔 젼일 허다 광패디ᄉᆡ(狂悖之事) 이시나, 도금ᄒᆞ여 여텬디무궁(如天地無窮)ᄒᆞᆫ 은졍을 두어시ᄃᆡ, 갓 도라와 부ᄌᆞ 형뎨로 더브러 ᄡᅥ낫던 회포를 ᄎᆡ 펴디 못ᄒᆞ엿고, 양부인의 ᄂᆡᆼ엄녈일(冷嚴烈日)ᄒᆞ미 가뷔 만니젼딘(萬里戰陣)의 나갓다가 도라올ᄉᆞ록, 조금도 부부의 ᄉᆞᄉᆞ 못거디를 ᄉᆡᆼ각디 아니커ᄂᆞᆯ, 어이 월후를 보고져 ᄉᆡᆼ각이 이시리오. 월휘 젼일 ᄌᆞ긔 그릇ᄒᆞ믈 모로미 아니로ᄃᆡ, 녀ᄌᆞ의게 그릇ᄒᆞ믈 구구【27】히 비디 아니랴 ᄒᆞᄂᆞᆫ디라. 그 침쳐의 ᄒᆞᆫ 번도 드러 간 일이 업다가, 소시 취ᄒᆞᄂᆞᆫ 길일의야, 양부인이 관복(官服)624)을 일웟다가 존당 태부인 명으로 월후의 길의를 닙혀 보닐

621)위거공후(位居公侯) : 작위(爵位)가 공후(公侯)의 반열에 있음.

622)쇼ᄉᆡ(少師) : 태자소사(太子少師). 고려 시대에, 태자부(太子府)에 둔 종이품 벼슬.

623)뎍인(適人) : 시집 감.

624)관복(官服) : 관디. 남자의 혼인예복(婚姻禮服) 옛날 벼슬아치들의 공복(公服). 지금은 전통 혼례 때에 신랑이 입는다.

(不勝) 감은골슈(感恩骨髓)ᄒᆞ더라.

이ᄯᅢ 정부에셔 졔왕이 쳔승지위(千乘之位)를 밧ᄌᆞ와 조션을 츄증ᄒᆞ고, 부모 존당의 영화 무궁ᄒᆞ여 부귀 측냥업고, 셰흥의 작위 뉵경(六卿에 있고 위거【82】공후(位居公侯)539)ᄒᆞ니, 져믄 나히 만ᄉᆡ 과의라. 슌태부인과 금후 부뷔 셩만ᄒᆞ믈 두려 도로혀 깃븐 줄 모로더라.

소 소뷔(少傅)540) 운산에 나아가 금후를 보고, 녀ᄋᆞ를 위ᄒᆞ여 ᄉᆞ졍을 펼ᄉᆡ, 그 무쥬린 털이 잠간 길고 신병이 ᄯᅩᄒᆞᆫ 나하시니, 부졀업ᄉᆞᆫ 셰월을 쳔연ᄒᆞᄂᆞ니 슈히 튁일 셩녜ᄒᆞ리라 ᄒᆞᆫᄃᆡ, 금휘 즉시 허락ᄒᆞ니, 소공이 ᄃᆡ희ᄒᆞ여 도라와 튁일ᄒᆞᄆᆡ 겨유 일슌이 격ᄒᆞ니, 동월휘 도라 온 후 일망이 못ᄒᆞ여 신취(新娶)ᄒᆞᆯᄉᆡ, 금휘 즁당에 돗ᄎᆞᆯ 여러 일가 친쳑을 쳥ᄒᆞ여 신낭을 보ᄂᆡ며 신부를 마줄ᄉᆡ, 동월휘 젼일 양부인긔 허다 픽광지ᄉᆡ(悖狂之事) 잇시나, 도금ᄒᆞ여 여텬디무궁(如天地無窮)ᄒᆞᆫ 졍으로, 갓 도라와 부ᄌᆞ 형뎨로 더브러 니회(離懷)를 펴지 못ᄒᆞ엿고, 양부인의 ᄂᆡᆼ엄녈일(冷嚴烈日)ᄒᆞ미 가뷔 만니젼진(萬里戰陣)에 갓 도라올ᄉᆞ록, 조곰도 부【83】부의 ᄉᆞᄉᆞ 못고지를 ᄉᆡᆼ각지 아니니, 월휘 ᄌᆞ긔 그릇ᄒᆞᆫ 줄 모로지 아니ᄃᆡ, 녀ᄌᆞ에게 구구ᄒᆞ믈 뵈지 아니려, 그 침실에 ᄒᆞᆫ 번 드러가미 업다가, 소씨 취ᄒᆞᄂᆞᆫ 날이야, 양부인이 길복을 닐웟다가 태부인 명으로 월후의 길복(吉服)을 닙혀 보닐ᄉᆡ, 부뷔 갓가이 ᄃᆡᄒᆞᄆᆡ, 더욱 긔특ᄒᆞ미 명월과 긔화(奇花) ᄀᆞᆺ고 농닌(龍鱗)과 ᄎᆡ봉(彩鳳) ᄀᆞᆺᄒᆞ니, 존당 부뫼 한업시 두굿기고 즁ᄀᆡᆨ이 칭션ᄒᆞ며, 월휘 부인의 빙ᄌᆞ아질(氷姿雅質)을 갓가이 ᄃᆡᄒᆞᄆᆡ, 이향(異香)이 ᄀᆞ득ᄒᆞ믈 더욱 황홀ᄒᆞᄃᆡ, 부모 존젼이라 ᄉᆞᆨ식지 아니코 간간이 눈을 드러 볼 ᄲᅮᆫ이라. 소졔 길의를 셤

539)위거공후(位居公侯) : 작위(爵位)가 공후(公侯)의 반열에 있음.

540)소뷔(少傅) : 태자소부(太子少傅). 고려 시대에, 태자부(太子府)에 둔 종이품 벼슬. =소사(小師)

식, 부뷔 갓가이 되ᄒᆞ미 더옥 긔특ᄒᆞ여 명월과 긔화(奇花) ᄀᆞᆺ고 뇽닌(龍鱗)과 ᄎᆡ봉(彩鳳) ᄀᆞᆺᄐᆞ니, 존당 부뫼 한업시 두굿기고, 듕빈이 칭션ᄒᆞ믈 마디 아니니, 월휘 부인의 빙ᄌᆞ아질(氷姿雅質)을 갓가이 되ᄒᆞ여 이향(異香)이 가득ᄒᆞ믈 더옥 황홀ᄒᆞ되, 존당 부모 면젼(面前)이라 ᄉᆡᆨ을 변치 아니ᄒᆞ고, 간간이 눈을 드러 볼 ᄯᅳᆫ이라. 쇼졔 길의(吉衣)를 셤겨 골흠을 ᄆᆡ며 ᄭᅴ 두로기를 맛ᄎᆞᄆᆡ, 날호여 믈너 나 좌【28】의 든듸, 동디 안샹(安詳)ᄒᆞ고 ᄉᆞ긔 나즉ᄒᆞ여 슉녀의 풍이 일신의 온젼ᄒᆞ니, 좌긱이 칭찬 왈,

"져 ᄀᆞᆺᄐᆞᆫ 슉녀를 두고 므어시 브족ᄒᆞ여 ᄯᅩ 신취ᄒᆞᄂᆞᆫ 거죄 이시니, 어인 일이니잇고?"

슌 태부인이 쇼왈,

"이ᄂᆞᆫ 연분의 듕ᄒᆞ믈 인ᄒᆞ여 긔특이 친ᄉᆞ를 일우게 되니, 양쇼부를 굿ᄐᆡ여 조금도 브족히 넉이미 아니라."

ᄒᆞ더라.

동월휘 허다 위의를 거ᄂᆞ려 소부의 나아가 옥상의 홍안을 젼ᄒᆞᄆᆡ, 소흑ᄉᆡ 팔 미러 인도ᄒᆞ여 좌의 들ᄆᆡ, 소공이 쳔금 일녀로ᄡᅧ 이 ᄀᆞᆺᄐᆞᆫ 영쥰걸ᄉᆞ(英俊傑士)와 친ᄉᆞ(親事)를 셩젼(成全)ᄒᆞᄆᆡ 즐거오미 무궁ᄒᆞ여, 월후의 손을 잡고 녀ᄋᆞ【29】의 일ᄉᆡᆼ을 의탁ᄒᆞᄆᆡ 말솜이 간졀ᄒᆞ니, 월휘 흔연이 슈명ᄒᆞ여 몸을 굽혀 ᄉᆞ샤ᄒᆞ니, 듕긱이 소공긔 쾌셔(快壻) 어드믈 칭하ᄒᆞᄆᆡ, 공이 좌슈우응(左酬右應)의 희희열열(喜喜悅悅)ᄒᆞ여 조금도 샤양치 아니ᄒᆞ니, 양상셔 등이 쇼왈,

"슉뷔 오긔(吳起) ᄀᆞᆺᄐᆞᆫ 도덕으로ᄡᅧ 쳔금 녀셔를 삼으시며 이러툿 환희ᄒᆞ시니, 우리 쇼ᄆᆡ의 일ᄉᆡᆼ이 괴로오믈 크게 분ᄒᆞ여 ᄒᆞ거ᄂᆞᆯ, 죵ᄆᆡ를 마ᄌᆞ 져 거ᄉᆡ게 쇽현ᄒᆞ시니, 쇼딜 등은 하언이 나디 아냐 분완ᄒᆞ믈 니긔디 못ᄒᆞᄂᆞ이다."

쇼공이 쇼왈,

"디난 일은 엇더ᄒᆞ던디, 금ᄌᆞ(今者)의 ᄒᆡᆼ신(行身) 만ᄉᆡ 대군ᄌᆡ 되여시니, 녀ᄋᆞ의 일ᄉᆡᆼ이 괴롭디 아닐디라.【30】현딜 등은 예

기고 ᄭᅴ를 두르ᄆᆡ 좌의 드니, 동지 안상ᄒᆞ고 ᄉᆞ긔 나즉ᄒᆞ여 온젼ᄒᆞᆫ 슉녀지풍이니, 좌긱이 칭찬 왈,

"져런 슉녀를 두고 무엇시 부족ᄒᆞ여 ᄯᅩ 신취ᄒᆞᄂᆞᆫ 거죄 잇ᄂᆞ니잇고?"

슌 태부인이 소【84】왈,

"이ᄂᆞᆫ 연분의 즁ᄒᆞ믈 인ᄒᆞ여 긔특이 친ᄉᆞ를 닐우게 되니, 구타여 양씨를 미흡ᄒᆞ미 아니라."

ᄒᆞ더라.

월휘 허다 위의를 거ᄂᆞ려 소부의 나아가 옥상의 홍안을 젼ᄒᆞ고, 소흑ᄉᆡ 팔을 드러 인도ᄒᆞ여 좌의 들ᄆᆡ, 소소뷔 쳔금 녀ᄋᆞ로ᄡᅧ 이 ᄀᆞᆺᄐᆞᆫ 영쥰걸ᄉᆞ(英俊傑士)와 결친(結親)ᄒᆞᄂᆞᆫ 즐거오미 무궁ᄒᆞ여, 월후의 손을 잡고 녀ᄋᆞ의 일ᄉᆡᆼ을 의탁ᄒᆞᄆᆡ 말솜이 근졀ᄒᆞ니, 원[월]휘 흔연 슈명ᄒᆞ여 흠신 샤ᄉᆞᄒᆞ고, 즁긱이 소공의 쾌셔 엇으믈 하례ᄒᆞ니, 소공이 흔연이 좌슈우응(左酬右應)의 조곰도 ᄉᆞ양치 아니《며∥ᄒᆞ니》, 양상셔 등이 소 왈,

"슉뷔 오긔(吳起) ᄀᆞᆺᄐᆞᆫ 도젹으로 쳔금 녀셔를 삼으시며 이러툿 즐기시니, 우리 쇼ᄆᆡ의 일ᄉᆡᆼ이 괴로옴도 크게 분ᄒᆞ여 ᄒᆞ거ᄂᆞᆯ, 죵ᄆᆡ로ᄡᅧ 져 거ᄉᆡ게 슉현ᄒᆞ니, 소딜 등은 하언도 나지 아냐 분완【85】ᄒᆞᄂᆞ이다."

소공이 소왈,

"지난 일은 닐을 거시 아니라. 근ᄌᆞ의 ᄒᆡᆼ신 만ᄉᆡ 대군ᄌᆡ 되엿시니, 녀ᄋᆞ 일ᄉᆡᆼ이 괴롭지 아닐거시오, 현딜 등은 여빅의 허믈을

ᄇᆡᆨ의 넷 허믈을 곳쳐시니 샤례ᄒᆞ라.”

ᄒᆞ니, ᄉᆞ좌의 쇼년 명ᄂᆔ 월후의 샹셩(喪性)을 아는 ᄌᆞᄂᆞᆫ, 오긔와 ᄀᆞᆺᄐᆞᆫ 박힝이라 긔롱ᄒᆞ니, 월휘 ᄯᅩᄒᆞᆫ 미미히 우으며 졔인의 긔롱을 ᄃᆡ답ᄒᆞᄆᆡ 말이 궁딘치 아니터니, 녜뷔 날이 느ᄌᆞ믈 일ᄏᆞ라 신부의 상교를 ᄌᆡ쵹ᄒᆞᄆᆡ, 양평당 부인 ᄉᆞ금장(四襟丈)이 식부 등을 거나려 이의 와 신부를 단장ᄒᆞ여 뎡의 올니니, 월휘 슌금쇄약(純金鎖鑰)으로 봉교ᄒᆞᆫ 후, 상마ᄒᆞ여 부듕으로 도라 올ᄉᆡ, 후ᄇᆡᆨ의 ᄌᆡ취ᄒᆞᄂᆞᆫ 위의(威儀)오, 공후의 식부(息婦)며 ᄌᆡ상의 녀ᄋᆡ(女兒)라. 셩혼 대례(大禮)[625]의 영요(榮耀)ᄒᆞᆫ 광ᄎᆡ와【31】 장ᄒᆞᆫ 위의 일노(一路)의 휘황ᄒᆞ고, 신낭의 영풍옥골(英風玉骨)이 승난(乘鸞)[626] 니ᄇᆡᆨ(李白)이오 태을군션(太乙君仙)[627]이라. 노샹(路上) 관광ᄌᆡ 칙칙(嘖嘖) 칭션ᄒᆞ더라.

힝ᄒᆞ여 부듕의 도라와 듕청(中廳)의셔 냥 신인이 합증[근]교ᄇᆡ(合巹交拜)[628]를 파ᄒᆞ고 금쥬션(錦珠扇)[629]을 반개(半開)ᄒᆞ니, 신부의 옥ᄐᆡ월광(玉態月光)이 찬연이 방듕의 바ᄋᆡ고, 신낭의 슈려ᄒᆞᆫ 미우의 희긔(喜氣) 뉴츌(流出)ᄒᆞ니, 뇽닌(龍鱗)과 난봉(鸞鳳)이 희롱홈 ᄀᆞᆺᄐᆞᆫ디라.

날호여 신낭이 외당으로 나가니, 신뷔 금년(金蓮)[630]을 두로혀 존당 구고긔 폐ᄇᆡᆨ(幣帛)[631]을 헌(獻)ᄒᆞ고 팔ᄇᆡ대례(八拜大

그만ᄒᆞ여 샤ᄒᆞ라.”

좌즁 소년 명ᄂᆔ 월후의 상셩을 아ᄂᆞᆫ 쟈ᄂᆞᆫ 오긔 ᄀᆞᆺᄐᆞᆫ 박힝이라 닐ᄏᆞᄅᆞ니, 월휘 미미히 웃고 졔인의 긔롱을 ᄃᆡ답ᄒᆞ여 말이 궁진치 아니터니, 날이 느ᄌᆞᄆᆡ 신부의 상교를 ᄌᆡ쵹ᄒᆞ여 양평장 부인이[의] ᄉᆞ금장(四襟丈)이 식부를 거나려 신부를 단장ᄒᆞ여 뎡의 올니니, 월휘 금쇄(金鎖)로 봉교ᄒᆞ고 상마ᄒᆞ여 부즁으로 도라올ᄉᆡ, 후ᄇᆡᆨ의 ᄌᆡ취ᄒᆞᄂᆞᆫ 위의(威儀)오, 공후의 식뷔(息婦)며 ᄌᆡ상의 녀ᄋᆡ(女兒)라. 셩혼 대례(大禮)[541]의 영요(榮耀)ᄒᆞᆫ 위의 일노(一路)에 휘황ᄒᆞ고, 신낭의 옥골영풍(玉骨英風)이 승난(乘鸞)[542] 니ᄇᆡᆨ(李白)이오 태을션군(太乙仙君)[543]이라. 노상(路上) 관광ᄌᆡ 칙칙(嘖嘖) 칭션ᄒᆞ더라.

부즁에 도라와 냥 신인이 청즁에셔 합증[근]교ᄇᆡ(合巹交拜)[544]ᄒᆞ고 금쥬【86】션(錦珠扇)[545]을 반ᄀᆡᄒᆞ니, 신부의 옥ᄐᆡ월광(玉態月光)이 찬연이 당즁(堂中)의 ᄇᆡᄋᆡ고, 신낭의 화려ᄒᆞ미 뉴츌(流出)ᄒᆞ니, 뇽닌(龍鱗)과 난봉(鸞鳳) ᄀᆞᆺᄒᆞᆫ지라.

신낭이 츌외ᄒᆞ고 신뷔 금년(金蓮)[546]을 두로혀 존당 구고긔 조뉼(棗栗)을 헌(獻)ᄒᆞ고 팔ᄇᆡ대례(八拜大禮)[547]를 닐울ᄉᆡ, 존당

---

625)대례(大禮) : 혼례(婚禮).

626)승난(乘鸞) : 난(鸞)새를 타고 구름 속을 날아감. 『고문진보(古文眞寶)』 오언고풍단편(五言古風短篇) 강문통(江文通)의 <잡시(雜詩)> 승란향연무(乘鸞向煙霧; 난새를 타고 구름안개 속을 나네)에서 따온 말.

627)태을군션(太乙君仙) : 태을성의 신선. *태을성(太乙星); 음양가에서, 북쪽 하늘에 있으면서 병란·재화·생사 따위를 맡아 다스린다고 하는 신령한 별.

628)합근교ᄇᆡ(合巹交拜) : 전통 혼례에서, 신랑 신부가 서로 잔을 주고받고[합근], 절을 주고받고[교배] 하는 의례.

629)금쥬션(錦珠扇) : 비단으로 폭을 만들고 구슬을 달아 꾸민 부채.

630)금련(金蓮) : 금으로 만든 연꽃이라는 뜻으로, 미인의 예쁜 걸음걸이를 비유적으로 이르는 말.

631)폐ᄇᆡᆨ(幣帛) : 신부가 처음으로 시부모를 뵐 때 큰

541)대례(大禮) : 혼례(婚禮).

542)승난(乘鸞) : 난(鸞)새를 타고 구름 속을 날아감. 『고문진보(古文眞寶)』 오언고풍단편(五言古風短篇) 강문통(江文通)의 <잡시(雜詩)> 승란향연무(乘鸞向煙霧; 난새를 타고 구름안개 속을 나네)에서 따온 말.

543)태을군션(太乙君仙) : 태을성의 신선. *태을성(太乙星); 음양가에서, 북쪽 하늘에 있으면서 병란·재화·생사 따위를 맡아 다스린다고 하는 신령한 별.

544)합근교ᄇᆡ(合巹交拜) : 전통 혼례에서, 신랑 신부가 서로 잔을 주고받고[합근], 절을 주고받고[교배] 하는 의례.

545)금쥬션(錦珠扇) : 비단으로 폭을 만들고 구슬을 달아 꾸민 부채.

546)금련(金蓮) : 금으로 만든 연꽃이라는 뜻으로, 미인의 예쁜 걸음걸이를 비유적으로 이르는 말.

547)팔ᄇᆡ대례(八拜大禮) : 혼례(婚禮)에서 신부가 신

禮)[632]를 일울ᄉᆡ, 존당 구괴 눈을 들ᄆᆡ 이 믄득 션원(仙苑)의 아딜(雅質)이오, ᄒᆡ상(海上)의 명월쥐(明月珠)라. ᄇᆡᆨ셜(白雪)이 엉긘 긔부(肌膚)와 【32】 향긔로온 긔질노, 교옥(皎玉) ᄀᆞᆺ튼 용화ᄂᆞᆫ 오ᄎᆡ(五彩) 녕녕(熒熒)ᄒᆞ고, 팔ᄌᆞ츈산(八字春山)은 셩ᄌᆞ긔ᄆᆡᆨ(聖姿奇脈)이오, 효셩츄파(曉星秋波)ᄂᆞᆫ 슉녀의 덕ᄒᆡᆼ이 낫타나니, 어딜고 유슌ᄒᆞ믈 뭇디 아냐 알디라. 월ᄋᆡᆨ화험(月額花臉)[633]과 단ᄉᆞ잉슌(丹砂櫻脣)[634]의 고은 빗치 므로녹아, 츈원(春園)의 일만화봉(一萬花峰)이 닷토아 웃ᄂᆞᆫ ᄃᆞᆺ, ᄆᆞᆰ은 광ᄎᆡ 벽텬(碧天)의 ᄎᆡ운(彩雲)을 헷치고 명월이 교교(皎皎)ᄒᆞᆫ ᄃᆞᆺ, 뉵쳑향신(六尺香身)의 긴 단장(丹粧)[635]을 가ᄒᆞ고, 일쳑셰요(一尺細腰)의 슈라상(繡羅裳)을 쓰어 비례ᄒᆞᄆᆡ, 동용쥬션(動容周旋)이 유법ᄒᆞ고, 딘퇴졀ᄎᆞ(進退節次)의 규귀(規矩) 응목(應穆)ᄒᆞ고, 녜뫼(禮貌) 유한졍뎡(幽閑貞靜)ᄒᆞ여 슉녀의 풍이 가ᄌᆞᆨᄒᆞᆫ디라. 존당 구괴 만심환열(滿心歡悅) ᄒᆞ여 옥슈를 잡고 년ᄋᆡ(憐愛) 왈,

"신부ᄂᆞᆫ 【33】 뇨됴슉녜라. 비상 특이ᄒᆞ미 여ᄎᆞᄒᆞ니 엇디 오문의 복경이 아니리오. 돈ᄋᆞ(豚兒)의 조강(糟糠)[636] 양시ᄂᆞᆫ 현텰(賢哲)ᄒᆞᆫ 녀ᄌᆡ라. 금일 대례의 셔로 보ᄂᆞᆫ 녜를 폐치 말고 기리 화우(和友)ᄒᆞ여 황영(皇英)[637]의 ᄌᆞᄆᆡ ᄀᆞᆺ기를 바라노라."

절을 하고 올리는 물건. 또는 그런 일. 주로 대추나 포 따위를 올린다.

632)팔ᄇᆡ대례(八拜大禮) : 혼례(婚禮)에서 신부가 신랑의 부모께 처음 뵙는 예(禮)인 현구고례(見舅姑禮)를 행할 때 여덟 번 큰절을 올렸다.

633)월ᄋᆡᆨ화험(月額花臉) : 달처럼 둥근 이마와 꽃처럼 아름다운 두 뺨. *험; '검(臉)' 또는 '협(頰)'의 오기인 듯.

634)단ᄉᆞ잉슌(丹砂櫻脣) : 붉은 연지를 찍은 앵두처럼 붉은 입술.

635)단장(丹粧) : 얼굴, 머리, 옷차림 따위를 곱게 꾸밈.

636)조강(糟糠) : 조강지처(糟糠之妻). 지게미와 쌀겨로 끼니를 이을 때의 아내라는 뜻으로, 몹시 가난하고 천할 때에 고생을 함께 겪어 온 아내를 이르는 말. ≪후한서≫의 <송홍전(宋弘傳)>에 나오는 말이다.

637)황영(皇英) : 중국 순(舜)임금의 두 왕비이자 요

구괴 눈을 들ᄆᆡ, 팔ᄎᆡ광염(八彩光艷)[548]의 졍신이 어리고 눈이 황홀ᄒᆞ더라

랑의 부모께 처음 뵙는 예(禮)인 현구고례(見舅姑禮)를 행할 때 여덟 번 큰절을 올렸다.

548)팔채광염(八彩光艷) : 아름다운 눈썹의 빛나는 눈.

신뷔 ᄇᆡ샤슈명(拜謝受命)ᄒᆞ고 양시를 향ᄒᆞ여 나ᄌᆞᆨ이 ᄌᆡᄇᆡᄒᆞ니, 양부인이 규구를 바리고 좌의 나 답녜ᄒᆞ니, 태부인이 희열ᄒᆞ믈 니긔디 못ᄒᆞ여 윤·양·니·경과 쇼니시와 양·소 등으로 병익(竝翼)ᄒᆞ여 좌ᄒᆞ게 ᄒᆞ고, 우음을 먹음어 왈,

"손부와 손녀 등이 녈위(列位) 고안(高眼)의 엇더ᄒᆞ니잇고?"

만좌듕빈(滿座衆賓)이 신부의 특이ᄒᆞ믈 제셩갈치(齊聲喝采)ᄒᆞ여 월후의 쳐궁이 유복ᄒᆞ믈 하례ᄒᆞ고, 【34】 하부인과 양·니·경 등과 신부의 텬향아ᄐᆡ(天香雅態) 셔로 바ᄋᆡ여 실듕이 찬난이 붉앗ᄂᆞᆫᄃᆡ, 슉녈의 면모상광(面貌祥光)과 의렬비의 팔치광염(八彩光艶)[638]의 정신이 어리고 눈이 현황ᄒᆞ여, 몸이 홍딘(紅塵)의 머므나 ᄆᆞᄋᆞᆷ이 텬궁의 올나, 왕모(王母)[639]와 월녀(月女)[640]를 구경ᄒᆞᆫ ᄃᆞᆺ, 혈육디신이 이 ᄀᆞᄐᆞ믈 ᄭᆡᄃᆞᆺ디 못ᄒᆞ고, 화식(火食)ᄒᆞᄂᆞᆫ 사ᄅᆞᆷ이 아닌가 의심ᄒᆞ니, 냥인의 픔딜을 의논ᄒᆞᆯ딘ᄃᆡ 막상막하ᄒᆞ여 진짓 ᄃᆡ두(對頭)ᄒᆞᆯ 셩녀(聖女)로ᄃᆡ, 신명특달(神明特達)ᄒᆞ미 일분 밋디 못ᄒᆞᆯ ᄃᆞᆺᄒᆞ나, 슈플 ᄀᆞᄐᆞᆫ 홍장분ᄃᆡ(紅粧粉黛)[641] 뉘 병구(倂俱)ᄒᆞ리오. 의렬문과 슉녈문의 금ᄌᆞ어필(金字御筆)이 헛되디 아니믈 일ᄏᆞᆮ더【35】라.

죵일 딘환(盡歡)ᄒᆞ고 ᄂᆡ외 빈ᄀᆡᆨ이 각산(各散)ᄒᆞ니, 신부 슉소를 션슈졍의 뎡ᄒᆞ니 셕일 셩녀의 침소러라. 월휘 혼뎡을 맛고 신방의 니르러 옥인을 보려 ᄒᆞ다가, 양부인을 보고 가려 션삼졍의 니르니, 양시 죵일

(堯)임금의 두 딸인 아황(娥皇)과 여영(女英)을 함께 이르는 말.

638)팔치광염(八彩光艶) : 아름다운 눈썹의 빛나는 눈.

639)왕모(王母) : 서왕모(西王母). 중국 신화에 나오는 신녀(神女)의 이름. 불사약을 가진 선녀라고 하며, 음양설에서는 일몰(日沒)의 여신이라고도 한다

640)월녀(月女) : 달 속에 있다고 하는 전설 속의 선녀. 항아(姮娥)[=상아(嫦娥)]

641)홍장분ᄃᆡ(紅粧粉黛) : '붉게 연지를 찍고 분을 바른 얼굴과 먹으로 그린 눈썹'이란 뜻으로, 화장한 아름다운 여자를 비유적으로 이르는 말

일모(日暮)ᄒᆞᄆᆡ, 신부 슉소를 정ᄒᆞ니 젼셩녀의 슉쇠러라. 월휘 혼정을 맛고 신방의 니르러 옥인을 보려 ᄒᆞ다가, 양부인을 보고 가려 션삼정에 니르니, 양씨 종일 연셕에 존당 구고를 뫼셔 몸이 ᄂᆞᆺ부ᄆᆡ, ᄋᆞᄌᆞ를 품고 상요에 나아가 단잠이 바야히러니, 월휘 동창을 정벌ᄒᆞ고 도라온 후 ᄉᆞ실에 드러오미 쳐음이라. 부인이 발셔 ᄋᆞᄌᆞ를 픔고 상상에 잠이 깁흐믈 보니, 그 념광(艶光)이 쵹하의 더욱 찬연(燦然) 요조(窈窕)ᄒᆞ여 봉침(鳳枕)[549] 우히 현요(顯曜)ᄒᆞ고, ᄇᆡᆨ셜 ᄀᆞᄐᆞᆫ 가【87】ᄉᆞᆷ이 운취금니(雲翠衾裏)[550]의 반

549)봉침(鳳枕) : 봉황(鳳凰)을 수놓은 베개.

550)운취금리(雲翠衾裏) : 운취금 속. *운취금(雲翠衾); 구름과 푸른 하늘을 수놓은 이불.

연셕의 존당 구고를 뫼셔 몸을 닛비ᄒᆞ엿ᄂᆞᆫ 고로, ᄋᆞᄌᆞ를 픔고 상요의 나아가 단잠이 바야히니 사ᄅᆞᆷ이 드러오믈 아디 못ᄒᆞ고, 더옥 ᄎᆞ야의 동월후의 드러 오믄 ᄉᆡᆼ각디 아녓ᄂᆞᆫ디라. 동월휘 동창으로셔 도라온 후 ᄉᆞ실의 드러오미 금야의 쳐음이라. 부인이 발셔 상요의 나아가 ᄋᆞᄌᆞ를 픔고 잠이 깁허시믈 보ᄆᆡ, 쵹하의【36】염광(艶光)이 더옥 찬난ᄒᆞ여, 봉침(鳳枕)642) 우히 현요(顯曜)ᄒᆞ고, 운취금(雲翠衾)643)이 ᄇᆡᆨ셜 ᄀᆞᄐᆞᆫ 가ᄉᆞᆷ의 반만 덥혀시니, 냥목을 그린ᄃᆞ시 ᄀᆞᆷ고 쥬슌(朱脣)이 함홍(含紅)ᄒᆞ여 그 췌침(就寢)ᄒᆞᆫ 거동이 더옥 긔특ᄒᆞ여, 거름을 즉시 두로혈 ᄯᅳᆺ이 업ᄂᆞᆫ디라. 월휘 황홀ᄒᆞᆫ 은ᄋᆡ를 ᄎᆞᆷ디 못ᄒᆞ여 나아가 ᄯᅩᄒᆞᆫ 의ᄃᆡ(衣帶)를 잠간 히탈ᄒᆞ고 ᄒᆞᆫ가디로 벼개를 년ᄒᆞᄆᆡ, 양시 비로소 눈을 ᄡᅥ 보고 증홰(憎火) 가득ᄒᆞ여 ᄆᆡᆼ녈이 몸을 ᄲᅥᆯ쳐 니러나 의상을 슈렴ᄒᆞ니, 월휘 무궁ᄒᆞᆫ 졍을 펼 길히 업셔 오딕 ᄋᆞᄌᆞ를 픔고 이윽이 누엇다가, 날호여 니러나 의ᄃᆡ를 슈렴ᄒᆞ며 냥안을 길게 ᄡᅥ 부인을 오ᄅᆡ【37】도록 보다가, 분연이 니ᄅᆞᄃᆡ,

"ᄉᆡᆼ이 만니 젼딘의 히를 밧고와 도라오ᄆᆡ 부부ᄉᆞ졍은 니ᄅᆞ디 말고, 범연ᄒᆞᆫ 남이라도 ᄒᆞᆫ 번 낫ᄎᆞ로 칭하(稱賀)ᄒᆞ미 잇고, 가듕 상히 다 흔연ᄒᆞᄃᆡ, 홀노 부인이 나의 ᄉᆞ라 도라오믈 블힝이 녁이ᄂᆞᆫ 긔ᄉᆡᆨ이 현연(顯然)ᄒᆞ니 긔 므ᄉᆞᆷ ᄯᅳᆺ이뇨?"

양시 져슈단좌(低首端坐)ᄒᆞ여 믁연 브답이라. 월휘 양부인으로 더브러 흔연 상화ᄒᆞᆯ 길히 업ᄉᆞ믈 ᄋᆡ돏고 분ᄒᆞ여, ᄌᆞ긔 졍을 아디 못ᄒᆞ믈 심한(深閑)ᄒᆞ나, 일시의 그 견고ᄒᆞᆫ ᄯᅳᆺ을 두로혈 모칙이 업ᄉᆞ니, 심홰 듕ᄒᆞᄃᆡ 젼ᄌᆞ의 ᄌᆞ긔 허믈이 깁고, 양시를 박ᄃᆡᄒᆞ던 ᄇᆡ 인졍 밧 거죄 만턴 바를 ᄉᆡᆼ각ᄒᆞᆫ즉, 말이 막혀 양시를 칙망ᄒᆞᆯ【38】말이 업ᄉᆞ니, 분노를 셔리담고 다시 칙ᄒᆞ여, ᄀᆞᆯ오ᄃᆡ,

"ᄉᆡᆼ이 젼일의 쇼쇼과실이 이시나, 녀ᄌᆡ

642)봉침(鳳枕) : 봉황(鳳凰)을 수놓은 베개.
643)운취금(雲翠衾) : 구름과 푸른 하늘을 수놓은 이불.

만 덥혀시니, 냥목을 그린ᄃᆞ시 감고 쥬슌(朱脣)이 담홍(淡紅)ᄒᆞ여 그 츄○[침](就寢)ᄒᆞᆫ 거동이 더욱 긔이ᄒᆞ여, 거름을 즉시 두로혈 길 업ᄂᆞᆫ지라. 월휘 은ᄋᆡ 황홀ᄒᆞ여 나아가 ᄯᅩᄒᆞᆫ 의ᄃᆡ(衣帶)를 히탈(解脫)ᄒᆞ고 ᄒᆞᆫ가지로 벼ᄀᆡ를 년(連)ᄒᆞᄆᆡ, 양씨 비로소 눈을 ᄯᅥ 보고 증홰(憎火) 대발(大發)ᄒᆞ여 ᄆᆡᆼ녈이 ᄲᅥᆯ쳐 니러나 의상을 슈렴(收斂)ᄒᆞ니, 월휘 무궁ᄒᆞᆫ 졍을 펼 길히 업셔, 다만 ᄋᆞᄌᆞ를 품고 누엇다가 날호여 니러나 의ᄃᆡ를 슈렴ᄒᆞ며, 부인을 보아 왈,

"ᄉᆡᆼ이 만니 젼진의 히를 밧고와 도라오니 부부 ᄉᆞ졍은 니ᄅᆞ도 말고 범연ᄒᆞᆫ 남이라도 셔로 칭하ᄒᆞ미 잇고, 가즁 상히 다 흔연ᄒᆞᄃᆡ 홀노 그ᄃᆡ 나의 ᄉᆡᆼ환ᄒᆞ믈 블힝이 녁임 ᄀᆞᆺᄒᆞ니 그 무ᄉᆞᆷ 도리뇨?"

양씨 져슈단좌(低首端坐)ᄒᆞ여 묵연 부답이라. 월휘 양부인으로 더브러 흔연 상화ᄒᆞᆯ 길○[히] 업ᄉᆞ믈【88】ᄋᆡ돏고 분ᄒᆞ나, 그 견고ᄒᆞᆫ ᄯᅳᆺ을 두루혈 모칙이 업ᄉᆞ니, 심홰 즁ᄒᆞ나 젼ᄌᆞ의 ᄌᆞ긔 허믈이 깁고 양씨를 박ᄃᆡᄒᆞ미 인졍 밧 거죄 만흔 줄 ᄉᆡᆼ각ᄒᆞᄆᆡ, 말이 막혀 칙망ᄒᆞᆯ 길 업ᄉᆞ므로, 분을 참고 다시 칙 왈,

"ᄉᆡᆼ이 젼일 소소과실이 잇시나, 녀ᄌᆡ 엇지 ᄆᆡ양 함분(含憤)ᄒᆞ여 가부를 볼 젹마다 노ᄉᆡᆨ을 감초지 못ᄒᆞᆯ ᄇᆡ리오. ᄇᆡᆨ형장(伯兄丈)은 날ᄀᆞ치 외입(外入)ᄒᆞ신 일은 아니로ᄃᆡ,

엇디 ᄆᆡ양 함분인통(含憤忍痛)ᄒᆞ여, 가부를 본 적마다 노ᄉᆡᆨ(怒色)을 ᄀᆞᆷ초디 못ᄒᆞᄂᆞᆫ 도리 이시리오. ᄇᆡᆨ시(伯氏)ᄂᆞᆫ 날ᄀᆞᆺ치 외입(外入)ᄒᆞ신 일이 업ᄉᆞᄃᆡ, 문양공쥬를 만나신 연고로 의렬 존슈로브터 양·니·경 졔쉬(諸嫂) 화ᄋᆡᆨ을 비상이 디ᄂᆡ시ᄃᆡ, 일즉 사ᄅᆞᆷ의 탓술 삼으시믈 듯디 못ᄒᆞ엿ᄂᆞ니, 그ᄃᆡ 엇디 여러 일월의 ᄉᆡᆼ을 원한ᄒᆞ미 삼ᄃᆡ원슈(三代怨讐)와 ᄇᆡᆨ년ᄃᆡ쳑(百年大隻)[644]ᄀᆞᆺ치 녁이ᄂᆞ뇨?”

언파의 ᄉᆞᄉᆡᆨ이 ᄀᆞ장 됴치 아니니, 양시 월후의 빗기 쓰ᄂᆞᆫ 안ᄎᆡ(眼彩)와 분연ᄒᆞᆫ ᄉᆞᄉᆡᆨ을 ᄃᆡᄒᆞ면 심신이 셔늘ᄒᆞ고, 【39】 져를 알오미 싀호(豺虎) 샤갈(蛇蝎)ᄀᆞᆺ치 녁이ᄂᆞᆫ 고로, 부부ᄉᆞ졍은 ᄭᅮᆷ결ᄀᆞᆺ치 녁이ᄂᆞᆫ디라. 져의 이런 ᄎᆡᆨ망을 드르면 분한이 층가ᄒᆞ니, 뎡ᄉᆡᆨ ᄃᆡ 왈,

“군휘(君侯) 친히 드르며 보디 아닌 말을 억견(臆見)으로 니르시니, 쳡슈블인(妾雖不仁)이나 역유인심(亦有人心)이라. 군ᄌᆞ를 젼딘의셔 도라오디 말과져 ᄯᅳᆺ을 ᄆᆞ음 가온ᄃᆡ 두리잇가? 임의 닙공반샤(立功頒賜) ᄒᆞ시ᄆᆡ, 우흐로 셩쥬 공노를 일ᄏᆞᄅᆞ샤 봉후ᄒᆞ시ᄂᆞᆫ 은영을 나리오시고, 존당 구고와 일가 족친이 아니 깃거ᄒᆞ리 업ᄉᆞ니, 쳡 ᄀᆞᆺᄐᆞᆫ 뉴ᄂᆞᆫ 셩되 완(頑)ᄒᆞ여 참난(慘難)을 디ᄂᆡ고 말광(末光)[645]의 영화를 비러 부귀 일신의 넘ᄶᅵ니, 황황(惶惶) 외람ᄒᆞ고 ᄯᅩᄒᆞᆫ 깃브디 아니리잇가? 므ᄉᆞᆫ 【40】 ᄯᅳᆺ으로 군ᄌᆞ를 ᄃᆡᄒᆞᆯ 적마다 함노작ᄉᆡᆨ(含怒作色)ᄒᆞ리잇고? 본ᄃᆡ 언에 민쳡디 못ᄒᆞ고 화긔 브족ᄒᆞ여, 군후의 ᄯᅳᆺ을 영합디 못ᄒᆞ니, 군휘 ᄆᆡ양 증통(憎痛)ᄒᆞ시ᄂᆞᆫ ᄇᆡ어ᄂᆞᆯ, 이졔 ᄉᆡ로이 ᄎᆡᆨ망ᄒᆞ시리잇가?

말ᄉᆞᆷ을 맛ᄎᆞᄆᆡ ᄂᆡᆼ담ᄒᆞᆫ 긔운은 츄상(秋霜)이 늠늠ᄒᆞ고 녈녈ᄒᆞᆫ 안ᄉᆡᆨ은 빙셜(氷雪)의 한월(寒月)이 빗췸 ᄀᆞᆺᄐᆞ여, 다시 말 븟치기

644)ᄇᆡᆨ년ᄃᆡ쳑(百年大隻) : 백년 곧 일생토록 잊지 못할 원수.

645)말광(末光) : 후광(後光). 어떤 사물의 뒤쪽에서 비추어 그 사물을 더욱 빛나게 하거나 두드러지게 하는 빛. *일월지말광(日月之末光); 해와 달의 후광.

문양공쥬를 맛나신 연고로 의렬 존슈(尊嫂)로 더브러 양·니·경 졔쉬(諸嫂) 화ᄋᆡᆨ을 비상이 지ᄂᆡ시대, 일즉 샤ᄅᆞᆷ의 탓슬 삼으시믈 듯지 못ᄒᆞ엿시니, 그대 엇지 여러 일월에 나를 한ᄒᆞ미 삼대원슈(三代怨讐)갓치 녁이ᄂᆞ뇨?”

언파에 냥안을 흘녀보니, 양씨 월후의 빗기ᄂᆞᆫ 안ᄎᆡ(眼彩)와 분연ᄒᆞᆫ ᄉᆞᄉᆡᆨ을 대ᄒᆞ면, ᄆᆡ양 심신이 셔늘ᄒᆞ고 싀호(豺虎) 【89】 샤갈(蛇蝎)ᄀᆞᆺ치 녁이던지라. 져의 이런 ᄎᆡᆨ망곳 드르면 분한이 층가ᄒᆞ니, 정ᄉᆡᆨ 대 왈,

“군ᄌᆡ 친견치 못ᄒᆞ고 듯지 못ᄒᆞᆫ 말을 억견으로 니르지 아니심즉 ᄒᆞ니, 쳡슈불인(妾雖不仁)이나 군ᄌᆞ를 엇지 젼진에셔 도라오지 말고ᄌᆞ 하ᄂᆞᆫ 마음을 머물니잇고? 임의 닙공반ᄉᆞ(立功頒賜)ᄒᆞᄆᆡ 우흐로 셩쥬 공노를 닐ᄏᆞ라샤 봉후ᄒᆞ시ᄂᆞᆫ 은영이 잇고, 존당 구고와 일가 족친이 아니 깃거ᄒᆞ리 업ᄉᆞ니, 쳡 ᄀᆞᆺᄐᆞᆫ 뉴ᄂᆞᆫ 명되 완(頑)ᄒᆞ여 참난(慘難)을 지ᄂᆡ고 말광(末光)[551]의 영ᄎᆡ(映彩)를 비러 부귀 일신에 《넘긔니∥넘치니》, 황황(惶惶) 외람ᄒᆞᆯ지언정 즐거오미 과의(過矣)라. 엇지 군ᄌᆞ를 ᄃᆡᄒᆞᆯ 적마다 함노작ᄉᆡᆨ(含怒作色)ᄒᆞᆯ니 잇시리잇고마ᄂᆞᆫ, 본대 화긔(和氣) 젹고 언에 민쳡지 못ᄒᆞ여 군휘 ᄆᆡ양 증통(憎痛)ᄒᆞ시ᄂᆞᆫ ᄇᆡ라. 이ᄌᆡ[552] 엇지 ᄉᆡ로이 ᄎᆡᆨ망ᄒᆞ시리잇고?

언파에 ᄂᆡᆼ담(冷淡) 녈 【90】 녈(烈烈)ᄒᆞ여 다시 말 븟치기 어려오니, 월휘 다시 뇨란(搖亂)이 ᄌᆡᆼ힐(爭詰)치 아니려 ᄒᆞ여 몸을 니러 션슈졍으로 갈ᄉᆡ, 도로혀 미미히 소왈,

551)말광(末光) : 후광(後光). 어떤 사물의 뒤쪽에서 비추어 그 사물을 더욱 빛나게 하거나 두드러지게 하는 빛. *일월지말광(日月之末光); 해와 달의 후광.

552)이ᄌᆡ : 이제. 바로 이때에.

어려온디라. 월휘 그 위인을 어려이 넉이나 요란이 징힐(爭詰)ᄒᆞ기를 아니려 ᄒᆞᄂᆞᆫ 고로, 몸을 니러 션슈졍으로 향ᄒᆞ며, 도로혀 미미히 우어 니르ᄃᆡ,

"금야ᄂᆞᆫ 신방을 딕희라 가거니와, 만일 닝박(冷薄)ᄒᆞᆫ 빗출 ᄒᆞᆫ갈ᄀᆞᆺ치 디으면, 결ᄒᆞ여 ᄒᆞᆫ 그디[646]를 【41】 닉고 말니라."

양시ᄂᆞᆫ 이런 말의ᄂᆞᆫ 더옥 놀나오니, 혹ᄌᆞ 그 광증이 다시 발ᄒᆞᆯ가 {근심ᄒᆞᆯ가} 근심ᄒᆞ더라.

월휘 션슈졍의 드러와 신인으로 더브러 동셔로 좌뎡ᄒᆞᄆᆡ, 소시ᄂᆞᆫ 녜ᄉᆞ 신부와 ᄀᆞᆺ디 아냐 미혼 젼의 졀노 더브러 언어를 문답ᄒᆞ미 잇고, 다시 셩녀의게 참욕을 바다 분ᄒᆞ고 놀나오미 여러 일월이 될ᄉᆞ록 더ᄒᆞ니, 실노 셰ᄉᆞ의 참예ᄒᆞᆯ ᄠᅳᆺ이 업ᄉᆞᄃᆡ 부친이 비록 계후를 뎡ᄒᆞ여시나 친싱 골육이 ᄌᆞ긔ᄲᅮᆫ으로, 텬뉸 밧긔 ᄌᆞ별(自別)[647]ᄒᆞᆫ 졍이 이셔 타별(他別)[648]ᄒᆞᆫ ᄉᆞ랑과 귀듕ᄒᆞ미 ᄌᆞ긔 몸의 온젼ᄒᆞᆫ 고로, ᄎᆞ마 폐륜ᄒᆞ믈 부친긔 들니디 못ᄒᆞ여 됴흔 ᄃᆞ시 뎡상셔의 【42】 직실노 도라오나, 듕심의 통앙(痛怏)ᄒᆞ미 극ᄒᆞ니 능히 화긔를 작위치 못ᄒᆞ여, ᄆᆡᆨᄆᆡᆨ 닝담ᄒᆞ미 옥ᄆᆡ(玉梅) 한풍(寒風)을 씌여심 ᄀᆞᆺᄐᆞ니, 월휘 ᄌᆞ긔 부인으로 삼기ᄂᆞ니ᄂᆞᆫ 화열 유슌ᄒᆞᆫ 위인이 업ᄉᆞ믈, 도로혀 팔ᄌᆞ의 ᄆᆡ이 민가 ᄒᆞ더라.

월휘 ᄌᆞ긔 쇼원인즉 풍늉화열(豊隆和悅)[649]ᄒᆞ고 온슌화홍(溫順和弘)ᄒᆞ미 져져 슉녈비 ᄀᆞᆺᄐᆞᆫ 부인을 바라던 바로, 양・소 등이 ᄉᆡᆨᄐᆡ염광(色態艷光)은 슉녈의 버금이나, 그 픔격을 밋디 못ᄒᆞ여 창ᄒᆡ(滄海)의 깁희와 텬디의 도량을 밋디 못ᄒᆞ고, 대양부인의 옥을 ᄯᅳᆯ히ᄂᆞᆫ 담쇼(談笑) 쇄연(灑然)ᄒᆞ미 ᄒᆞᆫ ᄌᆞ블법의 말이 업고, ᄒᆡᆼ실의 반졈 고집을 두디 아냐 유화(柔和) 【43】 상쾌(爽快)ᄒᆞ미

646)그디 : 그지. 끝. 한도.
647)ᄌᆞ별(自別) : 특별함. =타별(他別).
648)타별(他別) : 특별함. =자별(自別).
649)풍늉화열(豊隆和悅) : 성풍이 넉넉하고 온화하며 기뻐함.

"금야ᄂᆞᆫ 신방을 직희라 가거니와, 만일 닝박(冷薄)ᄒᆞᆫ 빗출 ᄒᆞᆫ갈 ᄀᆞᆺ치 《긔오면‖디으면》, ᄠᅳᆺ슬 결ᄒᆞ여 큰 거조를 닉리니 아라 ᄒᆞ라."

양씨 이런 말에ᄂᆞᆫ 더욱 놀나와 혹ᄌᆞ 그 광증이 다시 발ᄒᆞᆯ가 근심ᄒᆞ더라.

월휘 션슈졍에 니르러 신부로 더브러 동셔로 좌졍ᄒᆞᄆᆡ, 소씨ᄂᆞᆫ 예ᄉᆞ 신부와 ᄀᆞᆺ지 못ᄒᆞ미, 혼젼에 셔로 문답ᄒᆞ미 잇고, 다시 셩녀에게 참욕을 바다 분완ᄒᆞ미 여러 일월의 더ᄒᆞ미 잇거ᄂᆞᆯ, 실은 인륜(人倫) 셰ᄉᆞ(世事)의 참예ᄒᆞᆯ ᄠᅳᆺ이 업ᄉᆞᄃᆡ, 그 부친이 비록 계후를 졍ᄒᆞ엿시나, 진[친]싱 골육《을‖으로》 인륜 밧 ᄌᆞ별(自別)[553]ᄒᆞᆫ ᄉᆞ랑과 귀즁이 ᄌᆞ긔 몸의 잇시니, 챠마 폐륜지셜(廢倫之說)을 입 밧긔 닉지 못ᄒᆞ여, 조흔 ᄃᆞ시 뎡상셔 직실 【91】 노 도라오나, 즁심의 일단 통앙(痛怏)ᄒᆞ미 극ᄒᆞ여 능히 화긔를 작위치 못ᄒᆞ고, ᄆᆡᆨᄆᆡᆨ 닝담ᄒᆞ미 옥ᄆᆡ(玉梅) 한풍(寒風)을 씌엿심 ᄀᆞᆺᄒᆞ니, 월휘 ᄌᆞ긔 부인으로 《심지‖삼기》나니ᄂᆞᆫ 다 유열○[ᄒᆞᆫ] 화긔 업ᄉᆞ믄[믈] 도로혀 팔ᄌᆞ의 ᄆᆡ이민가 ᄒᆞ야,

553)ᄌᆞ별(自別) : 특별함. =타별(他別).

녈댱부(烈丈夫)의 긔상이며, 치마 ᄆᆡᆫ 영웅이 믈 양·소 등이 밋디 못ᄒᆞᄃᆡ, 쇼양시ᄂᆞᆫ 고ᄉᆞ(高士) 명인(名人)의 염일단슉(炎日端肅)[650]ᄒᆞ미, 츄상빙셜(秋霜氷雪)ᄀᆞᆺ튼 풍이 이셔, 남ᄌᆡ 될던ᄃᆡ 도힝이 빈빈(彬彬)ᄒᆞ고 언논이 뎡딕ᄒᆞ여, 묘당(廟堂) 화각(畵閣)의 ᄌᆡ상은 아니로ᄃᆡ, 급어ᄉᆞ(汲御使)[651]의 격[격]졀(激切)과 안연(顔淵)의 어질믈 겸ᄒᆞ여, 쳐신(處身) 힝도(行道)의 반졈 하ᄌᆞ(瑕疵)ᄒᆞᆯ 거시 업ᄉᆞ며, 소시ᄂᆞᆫ 쳔연이 도ᄒᆞᆨ군ᄌᆞ(道學君子)의 침엄단듕(沈嚴端重)ᄒᆞ미 이시니, 인믈노 니를딘ᄃᆡ 막상막히라. 월휘 소시를 ᄃᆡᄒᆞ여 은근이 졍회를 펴 셩시긔 욕(辱)본 바를 위로ᄒᆞ고, 야심ᄒᆞ믈 일ᄏᆞ라 신부를 븟드러 상요의 나아 갈【44】ᄉᆡ, 은ᄋᆡ 취듕(醉重)ᄒᆞ여 소시의 텬향아질(天香雅質)을 ᄉᆡ로이 경복ᄒᆞᄂᆞᆫ 뜻이 무궁ᄒᆞ니, 일침디하(一枕之下)의 쳔단정ᄋᆡ(千端情愛)와 만죵풍뉴(萬種風流)를 블가형언(不可形言)이로ᄃᆡ, 소쇼졔 일분도 댱부의 은졍을 가랍(嘉納)디 아니ᄒᆞ고 미혼 젼의 셔로 얼골을 본 바로뼈 신누(身累)를 삼더라.

소시 인ᄒᆞ여 구가의 머므러 존당 구고를 효봉ᄒᆞ며 승슌군ᄌᆞ와 숙ᄆᆡ금장(叔妹襟丈)[652]을 화우ᄒᆞᄂᆞᆫ 힝ᄉᆡᆨ 쇼양시로 다르미 업고, 셜유랑을 ᄃᆡ졉ᄒᆞ미 ᄌᆞ못 과도ᄒᆞ니, 유랑이 감은ᄒᆞ믈 니긔디 못ᄒᆞ고, 쇼양시 소시를 화우ᄒᆞ믄 '뎍인' 두 ᄌᆞ를 닛고, 죵형뎨디간(從兄弟之間)이믈 ᄊᆡ돗디【45】못ᄒᆞ여 골육동긔(骨肉同氣)로 다르미 업ᄉᆞ니, 셔로 ᄉᆞ랑ᄒᆞ미 일신(一身) ᄀᆞᆺ튼디라. 월후의 가ᄂᆡ 일노조ᄎᆞ 슉청화열(淑淸和悅)ᄒᆞ미 츄슈(秋水) ᄀᆞᆺᄐᆞᄃᆡ, 월휘 양부인의 ᄂᆡᆼ담(冷淡)ᄒᆞᆷ과 소시의 녈슉(烈肅)ᄒᆞ미 ᄌᆞ긔 뜻과 ᄀᆞᆺ디 못ᄒᆞ믈 ᄋᆡ돌나 ᄒᆞ더라.

욕(辱)본 바를 위로ᄒᆞ고, 야심ᄒᆞ믈 닐ᄏᆞ라 소져를 븟드러 자리에 나아가니, 은ᄋᆡ 취즁(醉重)ᄒᆞ여 소씨의 쳔향아딜(天香雅質)을 ᄉᆡ로이 경복ᄒᆞ미 무궁ᄒᆞ니, 일침지상(一枕之上)에 쳔단정[졍]ᄋᆡ(千端情愛)와 만즁풍뉴(萬重風流)ᄂᆞᆫ 불가형언(不可形言)이라. 소씨 일분도 장부의 뜻을 가랍(嘉納)지 아니코 미혼젼 셔로 얼골 본 거ᄉᆞᆯ 신누(身累)를 삼더라.

소씨 구가에 머므러 승슌군ᄌᆞ《와 ‖ ᄒᆞ고》 효봉구고ᄒᆞ며 화우금장(和友襟丈)ᄒᆞ고[여], 힝ᄉᆡᆨ 소양씨로 다르미 업ᄉᆞ며, 셜유랑을 극진히 ᄃᆡ졉ᄒᆞ니, 유랑이 불승감은(不勝感恩)ᄒᆞ고, 소양씨 소씨로 화우ᄒᆞ믄 '젹인' 두【92】ᄌᆞ와 종형뎨간(從兄弟間이믈 ᄊᆡ돗지 못ᄒᆞ여 골육동긔(骨肉同氣) ᄀᆞᆺᄒᆞ니, 셔로 ᄉᆞ랑ᄒᆞ미 이신일심(二身一心)이라. 월휘의 가ᄂᆡ 일노조ᄎᆞ 슉청화열(淑淸和悅)ᄒᆞ미 가을 물결 ᄀᆞᆺᄒᆞᄃᆡ, 월휘 냥부인의 ᄂᆡᆼ담ᄒᆞᆷ과 소씨의 녈슉ᄒᆞ미 ᄌᆞ긔 뜻 ᄀᆞᆺ지 못ᄒᆞ믈 ᄋᆡ돌나 ᄒᆞ더라.

---

650)염일단슉(炎日端肅) : 여름에 뜨겁게 내리쬐는 태양처럼 단정하고 엄숙함.

651)급어ᄉᆞ(汲御使) : 급암(汲黯). 중국 전한(前漢) 무제 때의 충신(忠臣)(?~B.C.112). 자는 장유(長孺). 성정이 엄격하고 직간을 잘하여 무제로부터 '사직(社稷)의 신하'라는 말을 들었다.

652)슉ᄆᆡ금장(叔妹襟丈) : 시누이와 동서.

ᄎᆞ시 금평후의 뎨오ᄌᆞ 필홍의 ᄌᆞᄂᆞᆫ 우ᄇᆡᆨ이니 년이 십삼이라. 사ᄅᆞᆷ 《일온디 ‖ 되오미》 할[활]연청고(豁然淸高)ᄒᆞ여 산쳔의 녕이(靈異)ᄒᆞᆫ 졍화를 타 나시니, 밧 얼골이 화옥의 고으믈 가져시며, 안ᄒᆡ 금슈문장(錦繡文章)을 픔어시니, 겸ᄒᆞ여 셩되(性度) 천균(千鈞)의 무거오미 잇고, 긔상이 츄텬(推薦)의 놉흐미 이시니, 현현(顯顯)ᄒᆞᆫ 신ᄎᆡᄂᆞᆫ 셰뤼(細柳) 츈풍(春風) 【46】 을 ᄯᅴ이고, 화ᄒᆞᆫ 얼골은 ᄇᆡᆨ년(白蓮)이 츄ᄐᆡᆨ(秋澤)의 셩개(盛開)ᄒᆞᆫ ᄃᆞᆺ, 봉미셩안(鳳眉星眼)653)이오 호비단슌(虎鼻丹脣)654)이며 월ᄋᆡᆨ호치(月額皓齒)655)라. 외모(外貌)의 슉연ᄒᆞ미 부형을 픔습(稟襲)ᄒᆞ고, 총명ᄌᆡ화(聰明才華)ᄂᆞᆫ 하날이 뎡가를 위ᄒᆞ여 평졔왕의 오곤계(五昆季)로 ᄒᆞ여금, 셰ᄃᆡ의 특이ᄒᆞᆫ ᄌᆡ조를 빌니시미라. 붓술 ᄒᆞᆫ 번 두로ᄆᆡ 쳔언(千言)을 닙취(立就)656)ᄒᆞ고, 필획이 찬난ᄒᆞ여 디샹(紙上)의 창뇽(蒼龍)이 셔리고, 신셩특달(神聖特達)ᄒᆞ미 텬문디리와 인간만믈의 능통치 아닐 곳이 업고, 도량이 강하(江河)의 훤출ᄒᆞ미657) 이시니, 평ᄉᆡᆼ의 ᄲᆞ른 노긔와 급ᄒᆞᆫ 셩으로 과격쥰급(過激峻急)ᄒᆞ미 업ᄉᆞᄃᆡ, ᄯᅩᄒᆞᆫ 단아(端雅) 졸딕(拙直) 【47】 디 아니니, 간간(間間)이 희쇼ᄒᆞᄆᆡ 화열ᄒᆞᆫ 거동이 삼츈혜풍(三春蕙風)이 ᄇᆡᆨ믈(百物)을 회ᄉᆡᆼ(回生)ᄒᆞᄂᆞᆫ ᄃᆞᆺ, 셩회(誠孝) 츌텬(出天)ᄒᆞ여 목족ᄋᆡ인(睦族愛人)658)ᄒᆞᄂᆞᆫ 셩졍(性情)이 ᄇᆡᆨ형(伯兄)의 뒤흘 ᄯᆞ로고, 신당이 나흐로조ᄎᆞ ᄂᆡ도ᄒᆞ여659) 팔쳑(八尺)이 거의오, 만ᄉᆡᆨ 슉셩당대(夙成壯大)ᄒᆞ여 인뉴의 초츌ᄒᆞ니, 부뫼 필ᄌᆞ(畢子)로 그 위인이 이러틋 아름다오믈 크게 ᄉᆞ랑

653)봉미셩안(鳳眉星眼) : 봉황의 눈썹처럼 아름다운 눈썹과 별같이 반짝이는 눈.
654)호비단슌(虎鼻丹脣) : 호랑이 코와 단사(丹砂)처럼 붉은 입술.
655)월ᄋᆡᆨ호치(月額皓齒) : 달처럼 둥근 이마와 하얀 이.
656)닙취(立就) : 문장 따위를 즉시에 이뤄냄.
657)훤출ᄒᆞ다 : 시원하다. 시원스럽다.
658)목족ᄋᆡ인(睦族愛人) : 친족과 화목하며 남을 사랑함.
659)ᄂᆡ도ᄒᆞ다 : 다르다. 판이(判異)하다.

금평후의 제 오ᄌᆞ 필홍의 ᄌᆞᄂᆞᆫ 유ᄇᆡᆨ이니 년이 십삼이라. 위인이 청고(淸高) 화인(和仁)ᄒᆞ고 산쳔의 슈출(秀出)ᄒᆞᆫ 졍긔를 타 나시니, 밧긔 화옥의 고으믈 가졋시며, 안ᄒᆡ 금슈문장(錦繡文章)을 품어, 셩품이 천균(千鈞)의 무거오미 잇고 긔상이 츄텬의 놉흐미 잇시니, 편편(翩翩)ᄒᆞᆫ 신ᄎᆡᄂᆞᆫ 셰류(細柳) 츈풍(春風)을 ᄯᅴ고, 화ᄒᆞᆫ 얼골은 ᄇᆡᆨ년(白蓮)이 츄ᄐᆡᆨ(秋澤)에 셩ᄀᆡ(盛開)ᄒᆞᆷ ᄀᆞᆺᄒᆞ니, 봉미셩안(鳳眉星眼)554)이오 《호반슌 ‖ 호비단슌(虎鼻丹脣)555)》의 월ᄋᆡᆨ호뒤(月額虎頭)556)라. 슉연ᄒᆞᆫ 외모ᄂᆞᆫ 부형의 여풍(餘風)이오, 총명 ᄌᆡ화(聰明才華)ᄂᆞᆫ 하ᄂᆞᆯ이 뎡가를 위ᄒᆞ여 여려[러] 형【93】뎨 초륜(超倫)557)케 ᄉᆡᆼᄒᆞᆷ인 ᄃᆞᆺ ᄒᆞ더라.

554)봉미셩안(鳳眉星眼) : 봉황의 눈썹처럼 아름다운 눈썹과 별같이 반짝이는 눈.
555)호비단슌(虎鼻丹脣) : 호랑이 코와 단사(丹砂)처럼 붉은 입술.
556)월ᄋᆡᆨ호뒤(月額虎頭) : 달처럼 둥근 이마와 호랑이 비슷한 머리라는 뜻으로, 먼 나라에서 봉후(封侯)가 될 상(相)을 이르는 말.
557)초륜(超倫) : 범상함을 넘어서서 뛰어남. =초범(超凡).

ᄒᆞ고, 조모 슌태부인의 년ᄋᆡ(憐愛)ᄒᆞ미 타인의 비겨 다ᄅᆞ미 만하, 십분 과도ᄒᆞ미 이시ᄃᆡ, 공ᄌᆡ 너그럽고 화슌(和順)ᄒᆞ여 ᄉᆡᆼ어부귀(生於富貴)ᄒᆞ고 댱어호치(長於豪侈)ᄒᆞᄃᆡ, 일즉 ᄌᆞ존(自尊)ᄒᆞ미 업ᄉᆞ니, 완젼이 복녹을 바ᄃᆞ며 무흠이 아ᄅᆞᆷ다올[온] 위인이 곽분양(郭汾陽)660)의 어진 덕을 겸【48】ᄒᆞ엿ᄂᆞᆫ디라.

황친국쳑(皇親國戚)과 명공거경(名公巨卿)의 유녀ᄌᆞ(有女子)ᄂᆞᆫ 뎡공ᄌᆞ의 긔특ᄒᆞ믈 듯고 닷토아 구혼ᄒᆞ니, 쳔파만ᄆᆡ(千婆萬媒) 문졍(門庭)을 드레ᄃᆡ, 금평후의 ᄐᆡᆨ부(擇婦)ᄒᆞ미 비상ᄒᆞ여 경이히 허혼치 아니터니, 참디졍ᄉᆞ(參知政事) 두원이 뎡공ᄌᆞ를 친히 와 보고, 당면(當面)ᄒᆞ여 혼인을 간쳥ᄒᆞᄂᆞᆫ 고로, 금평휘 인졍의 믈리치디 못ᄒᆞ여 태부인긔 고ᄒᆞ고 허혼ᄒᆞ여 셩친ᄒᆞᄆᆡ, 두시의 외뫼 평상ᄒᆞ고 만ᄉᆡ 딜둔(質鈍)ᄒᆞ여 공ᄌᆞ의 츌인ᄒᆞᆫ 긔상으로 비컨ᄃᆡ 뇽닌(龍麟)과 우마(牛馬) ᄀᆞᆺ고, 난봉(鸞鳳)과 오작(烏鵲) ᄀᆞᆺᄐᆞ니, 텬디우쥬간(天地宇宙間)은 앙망이나 ᄒᆞ거니와, 이ᄂᆞᆫ 만만 브뎍(不適)ᄒᆞ【49】여 노쥬(奴主)로 비홈도 가치 아니ᄒᆞᄃᆡ, 오히려 일ᄏᆞ람즉 ᄒᆞᆫ 곳이 이시믄, 일단 미우의 화긔 영발(英發)ᄒᆞ고 면모(面貌)의 복긔 어ᄅᆡ여시니, 존당 부뫼 필ᄌᆞ의 ᄇᆡ항(配行)이 여ᄎᆞ(如此) 상뎍(相適)디 못ᄒᆞ믈 ᄋᆡ돏고 가이업시661) 넉이나, 본ᄃᆡ 관인후덕(寬仁厚德)ᄒᆞᆫ디라. ᄉᆞ랑ᄒᆞ고 편히 거ᄂᆞ리미 졔부(諸婦)와 다ᄅᆞ디 아니ᄒᆞ고, 공ᄌᆡ 쳐실이 이 ᄀᆞᆺᄐᆞ믈 크게 실망ᄒᆞ나, 염박(厭薄)ᄒᆞᆫ ᄉᆞ식을 뵈디 아냐, 항녀(伉儷)662)의 졍(情)을 폐치 아니ᄒᆞᄃᆡ, 두시 녀공디ᄉᆞ(女功之事)663)의 소여(疎如)ᄒᆞ미 남ᄌᆞ도곤 더 심ᄒᆞ고, 쥬야로 잠

660)곽분양(郭汾陽) : 곽자의(郭子儀). 697~781. 중국 당(唐)나라 중기의 무장(武將). 안녹산 사사명의 반란을 평정하고 토번을 쳐 큰 공을 세워 분양왕(汾陽王)에 올랐다.

661)가이업다 : ①가없다. 한이 없다. ②가엾다. 마음이 아플 만큼 안 되고 처연하다.

662)항녀(伉儷) : 남편과 아내로 이루어진 짝.

663)녀공디ᄉᆞ(女功之事) : 예전에, 부녀자들이 하던 길쌈이나 바느질 따위의 일

조모 슌태부인의 ᄋᆡ즁(愛重)ᄒᆞ미 졔ᄌᆞ를 다 극ᄋᆡᄒᆞᄂᆞᆫ 즁, 공ᄌᆡ 너그럽고 화슌(和順)ᄒᆞ여 ᄉᆡᆼ어부귀(生於富貴)ᄒᆞ고 장어ᄒᆞ치(長於豪侈)ᄒᆞ되, 일즉 교○[오]ᄌᆞ즁(驕傲自重)ᄒᆞ미 업셔, 복녹이 완젼지상(完全之相)과 무흠이 아ᄅᆞᆷ다온 위인이 곽녕공(郭令公)558)의 인덕을 겸ᄒᆞ니, 공ᄌᆞ를 ᄉᆞ랑ᄒᆞ믄 졔 형의 우희 잇더라.

황친국쳑(皇親國戚)과 명공거경(名公巨卿)의 유녀ᄌᆡ(有女子) 뎡공ᄌᆞ의 긔특ᄒᆞ믈 듯고 닷토아 구혼ᄒᆞ여, 쳔파만ᄆᆡ(千婆萬媒) 문졍(門庭)을 들네ᄃᆡ, 금후의 ᄐᆡᆨ부(擇婦)ᄒᆞ미 비상ᄒᆞ여 경히 허혼치 아니ᄒᆞ더니, 참지졍ᄉᆞ(參知政事) 두원이 공ᄌᆞ를 보고 ᄀᆞᆫ졀이 쳥혼ᄒᆞᆫᄃᆡ, 금휘 태부인긔 고ᄒᆞ고 허혼 셩녜ᄒᆞ니, 두소졔 외뫼 평상ᄒᆞ고 만ᄉᆡ 혼암(昏暗) 미거(未擧)ᄒᆞᆫ 즁, 잠이 과ᄒᆞ여 혼졍(昏定)559)의 곤난ᄒᆞ믈 니긔지 못ᄒᆞ더라.

558)곽영공(郭令公) : 곽자의(郭子儀). 697~781. 중국 당(唐)나라 중기의 무장(武將). 안녹산 사사명의 반란을 평정하고 토번을 쳐 큰 공을 세워 분양왕(汾陽王)에 올랐다.

559)혼정(昏定) : =혼정신성(昏定晨省). 밤에는 부모의 잠자리를 보아 드리고 이른 아침에는 부모의 밤새 안부를 살핌.

이 미만(彌滿)ᄒᆞ여 밤은 ᄏᆞ니와 낫이라도 됴식(朝食)을 포복토록 먹은 후는, ᄉᆞ침의 믈너와 벼개의 쓰【50】러져 잠든즉, 동혀 니워도664) 모로니, 유모 시네 낫 문안을 당ᄒᆞᆫ즉, 디셩으로 흔드러 ᄭᆡ와 문안의 참예ᄒᆞ나, ᄆᆡ양 남의셔 뒤디는 ᄯᅥᆨ 만ᄒᆞ니, 가듕이 모로리 업셔 시녀빅 무리 디어 웃더라.

일일은 져녁 문안 ᄯᅥᆨ 남좌녀위(男左女右) ᄡᅥ디니 업시 모다시ᄃᆡ, 홀노 두시 몬져 퇴ᄒᆞ고 업ᄂᆞᆫ디라. 월휘 웃고 조모ᄭᅴ 고왈,

"두싊 귀령ᄒᆞ니잇가? 엇디 좌의 아니 계시니잇고?"

태부인이 쇼왈,

"두쇼뷔 본ᄃᆡ 잠○[을] 겨워ᄒᆞ니 믈너간가 ᄒᆞ노라."

월휘 공ᄌᆞ다려 왈,

"두싊 침션 방젹을 못ᄒᆞ시고 잠이 심히 깁다 ᄒᆞ니, 네 그 방의 가 숙딕ᄒᆞ미 무미(無味)치 아니터냐?"

공지【51】잠쇼(潛笑) ᄃᆡ 왈,

"셰샹 사ᄅᆞᆷ이 다 밤이면 ᄌᆞ는 버르시라. 두시 각별 타난 거시 잠이라, 셕식을 치 먹디 못ᄒᆞ여 조으름이 몽농ᄒᆞᄃᆡ 계오 참고 혼뎡ᄒᆞ고 믈너 나면 쓰러디니, 쇼데 역시 그 침소의 드러 가면 혼ᄌᆞ 안ᄌᆞ시리잇가? 이러므로 져의 침실의 드러 간즉 즉시 잠드니 괴로온 줄 아디 못ᄒᆞᆯ너이다."

졔 형데 다 웃고, 공ᄌᆞ의 긔량(器量)을 칭찬ᄒᆞ,여 스ᄉᆞ로 밋디 못ᄒᆞ믈 ᄭᆡ돗더라.

ᄎᆞ년 동(冬)의 공지 왕모의 명(命)으로 과장의 나아가 의의(依依)히 장○[원]의 ᄲᆡ히니, 풍신용화(風神容華)는 니두(李杜)665)를

664)니위다 : 일으키다.
665)니두(李杜) : 당나라 때 시인 이백(李白:

태부인이 이 말을 듯고 ᄋᆡ둛고 불상히 넉여, ᄉᆡᆼ을 어로 만져 두【94】씨의 어질믈 거즛 칭찬ᄒᆞ고 힝동을 므르니, ᄉᆡᆼ이 조모의 므르시믈 인ᄒᆞ여 두씨 위인을 논폄(論貶)ᄒᆞ나, ᄎᆞ후 다시 언두의 닐ᄏᆞ르미 업고, ᄉᆞ실 왕닉를 폐지 아니ᄒᆞ니, 동월휘 그 비위를 긔특이 녀겨 ᄉᆡᆼᄃᆞ려 왈,

"속어에 '츄쳐악쳡(醜妻惡妾)도 승공방(勝空房)이오, 박박탁쥬(薄薄濁酒)도 승다탕(勝茶湯)이라'560) ᄒᆞ니, 두씨[싊]의 외뫼 연미(娟美)치 못ᄒᆞ시고 잠이 심히 겨워ᄒᆞ야 ᄒᆞ시니, 네 그 방에 가 슉직ᄒᆞ미 무미치 아니ᄒᆞ더냐?"

공지 함소(含笑) 대 왈,

"셰인이 다 밤이면 쟈는 버릇시라. 두씨 각별 타난 거시 잠이니, 셕식을 치 못ᄒᆞ야 조으름이 몽농ᄒᆞᄆᆡ, 겨유 참아 혼뎡ᄒᆞ고 믈너 와 쓰러지니, 소데 ᄯᅩᄒᆞᆫ 그 침소에 드러가 혼ᄌᆞ 안ᄌᆞ시리잇가? 이러므로 즉시 잠드니 괴로오믈 아지 못ᄒᆞᄂᆞ이다."

졔 형이 웃고 공ᄌᆞ 《지량‖긔량(器量)》을 칭찬ᄒᆞ여, 스ᄉᆞ로 밋지 못ᄒᆞᆯ 바를 ᄭᆡ【95】닷더라.

ᄎᆞ년 동에 공지 왕모의 명으로 과장의 나

560)추처악첩(醜妻惡妾)도 승공방(勝空房)이오, 박박탁주(薄薄濁酒)도 승다탕(勝茶湯)이라 : 추하고 악한 처나 첩도 없는 것보다는 낫고, 아무리 맛없는 술이라도 차(茶)보다는 낫다.

압두(壓頭)ᄒᆞ고, 문장ᄌᆡ화(文章才華)는 태ᄉᆞ쳔(太史遷)666)을 묘시(藐視)ᄒᆞ니, 상통이 늡늡ᄒᆞ샤 한님ᄒᆞᆨᄉᆞ를【52】ᄒᆞ이시고, 만되 금평후의 놉흔 복을 아니 블워ᄒᆞ리 업더라.

장원이 방하(榜下)를 거나려 텬문의 샤은ᄒᆞ고, 계디청삼(桂枝青衫)667)으로 부즁의 도라와 부모긔 ᄇᆡ현ᄒᆞ니, 태부인의 황홀이 두굿기믄 니르도 말고, 금평후 부뷔 셩만ᄒᆞ믈 두리ᄂᆞᆫ 가온ᄃᆡ, 필ᄌᆞ의 과경(科慶)이라 ᄌᆞ연 두굿기미 다른 ᄋᆞ둘의 등과(登科)ᄒᆞ여실 쎄도곤 더으믈 면치 못ᄒᆞᄃᆡ, 그 ᄇᆡ항(配行)의 브뎍ᄒᆞ미 졀박ᄒᆞᆫ 근심이 되어, ᄋᆞᄌᆡ 옥당명ᄉᆡ(玉堂名士) 되나 ᄃᆡᄀᆡᆨ(對客)의 쥬찬도 능히 밧드디 못ᄒᆞᆯ 바를 ᄋᆡ둘나 ᄒᆞ더니, 밧긔 하ᄀᆡᆨ이 분분ᄒᆞ여 신ᄂᆡ(新來)668)를 브르니, 금평휘 ᄋᆞᄌᆞ를 압셰워 밧긔 나와 빈ᄀᆡᆨ【53】을 졉응ᄒᆞᆯᄉᆡ, 츄밀ᄉᆞ 화뮈 장원의 풍ᄎᆡ 긔상을 ᄉᆞ랑ᄒᆞ여, 임의 두시 그 ᄇᆡ항이 되나 위인이 쟝원으로 쳔만 블ᄉᆞ(不似)ᄒᆞ믈 ᄌᆞ연 드럿ᄂᆞᆫ 고로, 믄득 쟝원으로ᄡᅧ 동상(東床)을 삼고져 의ᄉᆡ 이셔, 흔연이 웃고 혼인을 구ᄒᆞ니, 금평휘 미급답의 두참졍이 좌를 써나 ᄀᆞᆯ오ᄃᆡ,

"쇼뎨 녀혼을 디ᄂᆡ연 디 슈삭이 디나ᄃᆡ 이곳의 능히 오디 못ᄒᆞ믄, 실노 낫촐 드러 인형(姻兄)669)을 보미 참괴ᄒᆞᆫ 연괴러니, 금일은 우ᄇᆡᆨ의 과경을 당ᄒᆞ여 ᄒᆞᆫ 번 칭하를

701-762)과 두보(杜甫: 712~ 770)

666)태샤쳔(太史遷) : 사마천(司馬遷). BC.145-86. 중국 전한(前漢)의 역사가. 태사(太史)는 태사령(太史令)을 지낸 그의 관직명. 자는 자장(子長). 기원전 104년에 공손경(公孫卿)과 함께 태초력(太初曆)을 제정하여 후세 역법의 기초를 세웠으며, 역사책 ≪사기≫를 완성하였다.

667)계디청삼(桂枝青衫) : 조선시대 과거급제자의 차림. 종이로 만든 계수나무 꽃가지 곧 계지(桂枝)를 복두(幞頭)의 뒤에 꽂고 청색 도포를 입은 차림을 하였다. *복두(幞頭); 조선 시대에, 과거에 급제한 사람이 홍패를 받을 때 쓰던 관(冠). 사모같이 두 단(段)으로 되어 있으며, 위가 모지고 뒤쪽의 좌우에 날개가 달려 있다.

668)신ᄂᆡ(新來) : 과거에 급제한 사람. ≒신은(新恩)

669)인형(姻兄) : 사위의 아버지를 이르는 말.

아가 의의히 장원에 오르니, 풍신용화(風神容華)ᄂᆞᆫ 니두(李杜)561)를 압두(壓頭)ᄒᆞ고, 문장ᄌᆡ화(文章才華)ᄂᆞᆫ 태ᄉᆞ쳔(太史遷)562)을 모[묘]시(藐視)ᄒᆞ니, 상총이 늡늡ᄒᆞ샤 한님ᄒᆞᆨᄉᆞ를 ᄒᆞ이시고, 만죄 금후의 놉흔 복을 아니 칭찬ᄒᆞ리 업더라.

한님이 텬은을 ᄇᆡᄉᆞᄒᆞ고 어젼 풍악을 거ᄂᆞ려 본부에 도라올ᄉᆡ 발셔 하ᄀᆡᆨ이 만당ᄒᆞ더라.

561)니두(李杜) : 당나라 때 시인 이백(李白: 701-762)과 두보(杜甫: 712~ 770)

562)태샤쳔(太史遷) : 사마천(司馬遷). BC.145-86. 중국 전한(前漢)의 역사가. 태사(太史)는 태사령(太史令)을 지낸 그의 관직명. 자는 자장(子長). 기원전 104년에 공손경(公孫卿)과 함께 태초력(太初曆)을 제정하여 후세 역법의 기초를 세웠으며, 역사책 ≪사기≫를 완성하였다.

아니치 못ᄒᆞᆯ 고로 귀부의 니르나, 쇼녀의 박용누딜이 실노 군ᄌᆞ의 호귀(好逑) 아니믈 모르디 아니ᄃᆡ, ᄋᆞ녀의 블민용딜(不敏庸質)이 존【54】부 ᄀᆞᆺᄐᆞᆫ 구가를 엇디 못ᄒᆞ면 용납기 어려온 고로, 인형으로브터 귀부 졔인이 다 관ᄌᆞ화홍(寬慈和弘)으로 위쥬ᄒᆞ시믈 닉이 아ᄂᆞᆫ 고로, 쳔만 블ᄉᆞ(不似)ᄒᆞ믈 알오ᄃᆡ 외람이 녕윤을 구ᄒᆞ여 ᄉᆞ회를 삼아시나, 쇼녀 ᄀᆞᆺᄐᆞᆫ 거ᄉᆞᆫ 식듕(食蟲)으로 ᄒᆞᆫ 구셕의 드리치고, 녕낭으로 ᄒᆞ여금 맛당ᄒᆞᆫ ᄇᆡ우를 갈히시ᄂᆞᆫ 거시 실노 녕낭의 풍치를 져바리디 아니미니, 원컨ᄃᆡ 인형은 화츄밀의 쳥혼ᄒᆞ시ᄂᆞᆫ 바를 쾌허ᄒᆞ여 우ᄇᆡᆨ의 호구를 뎡ᄒᆞ시면, 쇼뎨의 ᄆᆞ음이 편ᄒᆞᆯ가 ᄒᆞᄂᆞ이다."

금평휘 흔연이 두공의 손을 잡고 위로 왈,

"녀ᄌᆞ의 용식(容色)은 신샹의 ᄒᆡ를 닐위기 쉽고, 쇼부의 위인【55】이 어질고 유슌ᄒᆞᆫ 녀ᄌᆡ니, 우리 뎡히 복녹을 누릴 사ᄅᆞᆷ이라 칭찬ᄒᆞ거ᄂᆞᆯ, 형이 엇디 괴이ᄒᆞᆫ 말을 ᄒᆞᄂᆞ뇨? 식부의 유복ᄒᆞ미 츌가ᄒᆞ여 미급삼삭(未及三朔)의 가뷔 쳥운의 고등(高騰)ᄒᆞ니, 그 팔ᄌᆡ 긔특ᄒᆞᆫ 바를 보디 아냐 알 거시어ᄂᆞᆯ, 형이 녕녀를 병인ᄀᆞᆺ치 칙오믄 엇디오? 돈ᄋᆡ 십삼 쇼ᄋᆞ로 만ᄉᆡ 과람ᄒᆞ거ᄂᆞᆯ 엇디 신취(新娶)ᄒᆞᄂᆞᆫ 거죄 이시리오."

도라 화츄밀을 향ᄒᆞ여 나디 구혼ᄒᆞ믈 ᄉᆞ샤ᄒᆞᆯ ᄲᅮᆫ이오, 허혼ᄒᆞᆯ ᄯᅳᆺ이 업ᄉᆞ니, 위국공이 ᄌᆞ긔 쳐뎨로 화쇼져의 아ᄅᆞᆷ다오믈 ᄌᆞ셔히 아ᄂᆞᆫ ᄇᆡ오, 낙양휘 ᄯᅩᄒᆞᆫ 쥬부인으로 ᄒᆞ여 화쇼져의 셩화를 듯고, ᄆᆡ양【56】필홍의 등과ᄒᆞ기를 기다려 쳔거코져 ᄒᆞ다가, 이 날 일시의 힘ᄡᅧ 권ᄒᆞ고 두공이 간졀이 허혼ᄒᆞ믈 쳥ᄒᆞ니, 금평휘 젼일 녀ᄋᆞ의 젼언으로조ᄎᆞ 화시의 츌인ᄒᆞ믈 ᄯᅩᄒᆞᆫ 얼프시 드럿ᄂᆞᆫ 고로, 다시 ᄉᆡᆼ각건ᄃᆡ 필홍 ᄀᆞᆺᄐᆞᆫ 위인이 두시와 독노(獨老)치 못ᄒᆞᆯ디라. 이의 ᄂᆡ루의 드러와 모친긔 고ᄒᆞ고, 화공을 향ᄒᆞ여 ᄀᆞᆯ오ᄃᆡ,

"쇼뎨 실노 어린 ᄌᆞ식의 ᄌᆡ취를 허ᄒᆞᆯ ᄯᅳᆺ이 업더니, 딘형 등과 셔랑의 녁권ᄒᆞ믈 박

일모ᄒᆞᄆᆡ 즁빈이 다 도라가고 다만 딘공, 화공이 아직 머므럿더라. 딘공이 일언을 츌ᄒᆞ여,

"화공의 ᄎᆞ녜 범졀이 극히 아ᄅᆞᆷ다오믈 드ᄅᆞᆫ 지 오ᄅᆡᄃᆡ 가랑을 쳔거키 어렵더니, 이졔 뎡한님의 용모 위의를 보ᄆᆡ 비범ᄒᆞᆫ 남ᄌᆡ 아니라. 쳥컨ᄃᆡ 현형은 ᄉᆞ졀치 마르시고 허혼ᄒᆞ믈 ᄇᆞ라노라."

금휘 심즁의 혜ᄃᆡ, 필ᄋᆡ 용뫼 비범ᄒᆞ고 겸ᄒᆞ여 일죽 등과ᄒᆞ니 일쳐로 《동노‖독노(獨老)》치 아닐지【96】라 ᄒᆞ여, ᄂᆡ루에 드러 가 모치[친]긔 고ᄒᆞ고 나와 화공ᄃᆞ려 왈,

"소뎨 실노 어린 ᄌᆞ식의 ᄌᆡ취를 허ᄒᆞᆯ ᄯᅳᆺ이 업더니, 딘형이 녁권ᄒᆞ고, 형이 블초 녀

졀치 못ᄒᆞ고, 형이 블초 녀식으뼈 남ᄌᆞ로 아라 동상(東床)을 허ᄒᆞ여 삼년 후휼(厚恤)ᄒᆞᆫ 은혜 감격ᄒᆞᆫ 고로, 녕녀를 우리 슬하를 삼아 현형의【57】덕음을 갑고져 ᄒᆞ미니, 형은 블초 돈ᄋᆞ를 구ᄒᆞ여 동상을 삼앗다가 타일 뉘웃디 말나."

화공이 대열환희 ᄒᆞ여 우어 ᄀᆞᆯ오ᄃᆡ,

"쇼뎨 뎡오랑(鄭五郞)[670]을 갈구ᄒᆞ여 {갈구하여}동상을 삼으나, 감히 언두(言頭)의 드노치 못ᄒᆞᆯ ᄇᆡ로ᄃᆡ, 금일 딘졍이 발ᄒᆞᄆᆡ 능히 참디 못ᄒᆞᄂᆞ니, 뎡오랑이 아모리 긔특ᄒᆞ여도, 실노 쇼뎨의 삼년 동상을 삼아 셔랑으로 ᄃᆡ졉ᄒᆞ던 슉녈비긔 견줄딘ᄃᆡ, 나린 일이 만흘가 ᄒᆞᄂᆞ니, ᄎᆞ 좌듕의 쳐궁이 ᄀᆞᆺ초 유복ᄒᆞᆫ ᄌᆞᄂᆞᆫ ᄉᆞ원 ᄀᆞᆺᄐᆞᆫ ᄌᆡ 업술가 ᄒᆞᄂᆞ이다.

금휘 잠쇼 왈,

"쇼네 용녈키ᄂᆞᆫ 계오 면ᄒᆞ나, 형의 과장은 당치 못ᄒᆞᆯ가 ᄒᆞᄂᆞ이다. 원ᄂᆡ【58】남녀를 모로고, 음양을 변톄ᄒᆞᆫ 쇼녀로뼈 ᄆᆡ양 칭찬ᄒᆞᄂᆞᆫ ᄇᆡ 되엿다 ᄒᆞ니, 엇디 가쇼롭디 아니리오."

낙양휘 쇼 왈,

"화형은 쑴ᄀᆞᆺ치 어든 사회를 ᄉᆡᆼ각디 말고, 그 동긔로 녀셔를 삼으리니, 어서 안ᄌᆞᆫ 돗긔[671]셔 길긔를 튁ᄒᆞ라."

금휘 왈,

"화형이 착급ᄒᆞ여 ᄒᆞ니 즉시 튁일ᄒᆞ라."

낙양휘 본ᄃᆡ 튁일을 잘ᄒᆞᄂᆞᆫ디라. 돗긔셔 길긔를 튁ᄒᆞ니, 현훈(玄纁)[672]은 ᄉᆞ오일이 격ᄒᆞ고, 혼녜ᄂᆞᆫ 명년 츄 팔월이라. 금휘 깃거 명년 가을노 디ᄂᆡ믈 춰ᄒᆞᆫᄃᆡ, 화공이 밧바 ᄒᆞ고 좌듕이 ᄉᆞ귀신쇽(事貴迅速)[673]을

식으로뼈 남ᄌᆞ로 아라 동상을 허ᄒᆞ여 삼년 후휼(厚恤)ᄒᆞᆫ 은혜 감격ᄒᆞ고, 녕녀를 우리 슬하에 닐위여 현형 ᄂᆡ외(內外) 덕음을 갑고져 ᄒᆞ미니, 형은 블초 돈ᄋᆞ를 구ᄒᆞ여 동상을 삼앗다가 타일 뉘웃ᄎᆞ미 업ᄉᆞ랴?"

화공이 ᄃᆡ희 왈,

"소뎨 녕낭(令郞)을 갈구ᄒᆞ여 동상을 삼고져 ᄒᆞ거니와, 감히 언두(言頭)에 드놋치 못ᄒᆞᆯ ᄇᆡ로ᄃᆡ, 금일 진졍이 발ᄒᆞᄆᆡ 능히 참지 못ᄒᆞᄂᆞ니, 녕낭이 아모리 긔특ᄒᆞ여도 실노 소녀의 삼년 동상을 삼아 셔랑으로 ᄃᆡ졉ᄒᆞ던 슉녈비께 견줄진ᄃᆡ, 나린 일이 만흘가 ᄒᆞᄂᆞ니, 쳐궁이 ᄀᆞᆺ초 유복ᄒᆞᆫ 쟈ᄂᆞᆫ ᄉᆞ원 ᄀᆞᆺᄒᆞ니 업실가 ᄒᆞᄂᆞ이다."

금휘 잠소 왈,

"소네 겨유 용녈【97】키ᄂᆞᆫ 면ᄒᆞ엿거니와, 형의 과장ᄒᆞ믈 실노 너모 과도히 넉이노라. 원ᄂᆡ 알기를 그릇ᄒᆞ여 남녀를 ᄭᆡ닷지 못ᄒᆞ고 음양을 변체ᄒᆞᆫ 소녀로뼈 ᄆᆡ양 칭찬ᄒᆞᄂᆞᆫ ᄇᆡ 되엿시니 엇지 가소롭지 아니리오."

낙양휘 소왈,

"화형은 쑴ᄀᆞᆺ치 어덧던 ᄉᆞ회를 ᄉᆡᆼ각지 말고, 그 동긔로뼈 ᄎᆞ녀셔를 삼으리니 어셔 좌석에셔 튁일ᄒᆞ여 길긔를 졍ᄒᆞ라."

ᄒᆞ니, 화공이 ᄀᆞ장 착급ᄒᆞ여 낙양후 ᄃᆞ려 길월냥신(吉月良辰)[563]을 튁ᄒᆞ라 ᄒᆞ니, 낙양후 즉시 길긔를 튁ᄒᆞᄆᆡ, 일ᄌᆡ 총망ᄒᆞ여 ᄉᆞ오 일이 격ᄒᆞ대, 불연즉(不然則) 명년 츄팔의 될 ᄃᆞᆺᄒᆞ니, 금후ᄂᆞᆫ 명년으로 지ᄂᆡ려 ᄒᆞ대 화공이 밧바 ᄒᆞ고, 좌즁이 다 ᄉᆞ귀신쇽(事貴迅速)[564]ᄒᆞ믈 니르니, 금휘 마지 못ᄒᆞ여 허ᄒᆞ니, 화공이 급히 도라가 혼ᄉᆞ를 셩비ᄒᆞᆯᄉᆡ, 발셔 예비ᄒᆞᆫ 거시 만흔지라. 긔귀(器具) 장(壯)ᄒᆞᆫ 고로 구간(苟艱)ᄒᆞᆫ 일이

---

670)뎡오랑(鄭五郞) : 정씨의 다섯째 아들.

671)돗긔 : 돗. 돗자리. 자리.

672)현훈(玄纁) : 장사지낼 때, 산신에게 드리는 폐백. 검은빛과 붉은빛의 두 조각 헝겊으로 나중에 무덤 속에 묻는다. 여기서는 신랑 집에서 신부 집으로 폐백을 보내는 납폐(納幣)를 말한다. 보통 납폐는 푸른 비단과 붉은 비단을 혼서와 함께 함에 넣어 보낸다.

673)ᄉᆞ귀신쇽(事貴迅速) : 일은 빠르게 하는 것이 좋

563)길월냥신(吉月良辰) : 운이 좋고 상서로운 달의 좋은 날. 흔히 혼인하기 좋은 월(月) 일(日)을 이르는 말.

564)ᄉᆞ귀신쇽(事貴迅速) : 일은 빠르게 하는 것이 좋음을 이르는 말.

니르니, 금휘 마디 못ᄒᆞ여 현훈 날 ᄃᆞ니려 혼슈(婚需)를 출힐ᄉᆡ, 【59】 어시의 쥬부인이 댱녀로 윤부의 츌가ᄒᆞ여 창후의 뎨ᄉᆞ 부실 주믈 ᄋᆡ돌나 ᄒᆞ고, ᄎᆞ녀로 뎡한님 ᄌᆡ실 주믈 즐겨 아니ᄃᆡ, 임의 뎡혼ᄒᆞᆫ 혼인을 거졀치 못ᄒᆞᆯ 거시므로 {임의} 허락ᄒᆞ고, {길일을 ᄐᆡᆨᄒᆞᄆᆡ} 훌훌이 ᄉᆞ오일이 디나니, 뎡한님이 뉵녜를 ᄀᆞ초아 화쇼져를 마ᄌᆞᄆᆡ, 부뷔 듕쳥(中廳)의셔 교ᄇᆡ(交拜)를 파ᄒᆞ고, 신뷔 폐ᄇᆡᆨ을 밧드러 존당 구고긔 비현ᄒᆞᄆᆡ, 이 딘짓 군ᄌᆞ의 ᄇᆡᆨ년호귀(百年好逑)라.

풍완호딜(豊婉好質)이 풍영슈려(豊盈秀麗)ᄒᆞ여 금분(金盆)의 화왕(花王)이 동풍의 우ᄉᆞ며, 년홰(蓮花) 쳥엽(靑葉)의 소ᄉᆞᆫ ᄃᆞᆺ, 시년(時年) 십이(十二)의 만ᄉᆡ 슉셩ᄒᆞ여 신댱이 표연ᄒᆞ고, 허리ᄂᆞᆫ 촉깁674)으로 묫근 ᄃᆞᆺᄒᆞᄃᆡ 요양(搖楊)ᄒᆞ【60】여 붓치일 ᄃᆞᆺᄒᆞ디 아니코, 미목(眉目)의 덕셩이 어른기며 면모의 화긔 므로녹아, 고은 가온ᄃᆡ도 완윤(婉潤)ᄒᆞ고, 됴흔 픔격이나 신듕ᄒᆞ며, 어위ᄎᆞ고 침엄ᄒᆞᄃᆡ 화슌(和順)ᄒᆞ고 유열(愉悅)ᄒᆞ여, 초쥰강악(峭峻强惡)ᄒᆞᆫ 긔운이 업고, 훤츨ᄒᆞ고 《상낭‖상냥》ᄒᆞ며, 네ᄇᆡ 딘퇴디졔(進退之際)의 ᄇᆡᆨᄉᆞ(百事) 인뉴(人類)의 특이ᄒᆞ여 현인(賢人) 군ᄌᆞ(君子)의 틀이 이시며, 유법(有法) 단일(端壹)ᄒᆞ고 셩장졍슉(盛裝貞淑)ᄒᆞ니, 먼니 보ᄆᆡ 보름 ᄎᆞᆫ ᄃᆞᆯ ᄀᆞᆺ고, ᄀᆞᆺ가이 ᄃᆡᄒᆞᄆᆡ 옥이 다ᄉᆞᄒᆞᆫ ᄃᆞᆺᄒᆞ니, 존당 구괴 대열쾌락(大悅快樂)ᄒᆞᄃᆡ 두시를 위ᄒᆞ여 현연(顯然)이 즐기ᄂᆞᆫ 빗출 여디 아니코, 다만 화우ᄒᆞ믈 당부ᄒᆞ니, 두시ᄂᆞᆫ 투긔도 ᄒᆞᆯ 줄 모를 ᄲᅮᆫ 아니라, 텬셩이 ᄒᆞ리눅고 【61】 거동이 졈즉ᄒᆞ여675) 셰샹 사ᄅᆞᆷ의 ᄡᅬ 만ᄒᆞ믈

음을 이르는 말.

674)촉깁 : 촉나라에서 짠 비단.

675)졈즉ᄒᆞ다 : 점직하다. 겸연쩍다. 멋쩍다. *점직하

【98】 업ᄉᆞ대, 쥬부인이 장녀로ᄡᅧ 윤후의 졔ᄉᆞ 부인을 삼고, ᄎᆞ녀로ᄡᅧ 또 뎡장원의 ᄌᆡ실 쥬믈 ᄋᆡ돌나 ᄒᆞ나, 츄밀은 셔랑의 위인을 볼 ᄲᅮᆫ이오, 굿ᄒᆞ여 ᄌᆡ실은 ᄶᅥ리지 아니터라.

◎565)화셜 뎡부에셔 장원의 ᄌᆡ취ᄒᆞ미 너모 급ᄒᆞ믈 깃거 아니ᄒᆞ대, 두씨의 인물이 즁궤(中饋)를 소임치 못ᄒᆞᆯ 고로, 임의 화공의 청혼ᄒᆞ믈 조ᄎᆞ 허락ᄒᆞ엿고 임의 ᄐᆡᆨ일ᄒᆞ여 길일이 다ᄃᆞ르ᄆᆡ, 빈ᄀᆡᆨ을 쳥ᄒᆞ여 소연을 개장ᄒᆞ고, 한님이 뉵네(六禮)를 ᄒᆡᆼᄒᆞ여 화소져를 마ᄌᆞ 도라와 즁쳥(中廳)에셔 교ᄇᆡ(交拜)를 파ᄒᆞ고, 신뷔 폐ᄇᆡᆨ을 밧드러 존당 구고긔 비현ᄒᆞᄆᆡ, 이 《짐짓‖진짓》 군ᄌᆞ의 ᄇᆡᆨ년호귀(百年好逑)라.

풍완호질(豊婉好質)이 풍영쇄락(豊盈灑落)ᄒᆞ여 금분(金盆)의 모란(牡丹)이 동풍에 우ᄉᆞ며, 년홰(蓮花) 쳥엽(靑葉)에 소ᄉᆞᆫ ᄃᆞᆺᄒᆞ고, 시년(時年) 십이(十二)의 만ᄉᆡ 슉셩ᄒᆞ여 뉴쳑 향신이 표연ᄒᆞ고, 버【99】들 ᄀᆞᆺ튼 가ᄂᆞᆫ 허리ᄂᆞᆫ 촉깁566)을 묵어 《온‖논》 ᄃᆞᆺᄒᆞ며, 미목(眉目)에 덕셩이 어릿ᄶᅵ고 명모(明眸)의 화긔 무루녹아, 고은 가온ᄃᆡ도 화슌(和順) 유열(愉悅)ᄒᆞ여 초쥰강악(峭峻强惡)ᄒᆞᆫ 일이 업셔 뵈고, 훤츨ᄒᆞ고 상냥ᄒᆞ여 례ᄇᆡ(禮拜) 진퇴지졀(進退之節)의 ᄇᆡᆨᄉᆞ(百事) 인류(人類)의 특이ᄒᆞ여, 현인 군ᄌᆞ의 틀이 잇셔, 유법(有法) 단일(端壹)ᄒᆞ고 셩장졍슉(盛裝貞淑)ᄒᆞ니, 먼니 ᄇᆞ라보ᄆᆡ 보름 ᄎᆞᆫ ᄃᆞᆯ ᄀᆞᆺ고, ᄀᆞᆺ가이 대ᄒᆞᄆᆡ 옥이 다ᄉᆞᄒᆞᆷ ᄀᆞᆺᄒᆞ니, 존당 구괴 ᄃᆡ희쾌락(大喜快樂)ᄒᆞ대 ᄉᆡᆨ지 아니ᄒᆞ고, 두씨를 위ᄒᆞ여 현연(顯然)이 즐기ᄂᆞᆫ 빗출 여지 아냐, 다만 셔로 화우ᄒᆞ믈 경계ᄒᆞ니, 두씨ᄂᆞᆫ 투긔도 ᄒᆞᆯ 줄 모를 ᄲᅮᆫ 아니라, 텬셩이 ᄒᆞ리눅고 거동이 졈직ᄒᆞ여567)

565)◎ : 필사자가 선행본의 권 경계를 나타내기 위해 앞 권에 이어 필사하는 권의 시작부분에 첨가해놓은 표점.

566)촉깁 : 촉나라에서 짠 비단.

567)졈직ᄒᆞ다 : 점직하다. 겸연쩍다. 멋쩍다. *점직하다; 부끄럽고 미안하다.

당ᄒᆞᆯ 길히 업고, 만ᄉᆡ 등한ᄒᆞ여 죽을 일이 이셔도 음식이 압ᄒᆡ 당ᄒᆞ면 포복(飽腹)기를 그음ᄒᆞ고, 벼개의 머리를 더디면 사ᄅᆞᆷ이 동혀676) 져가도677) 모로ᄂᆞᆫ디라.

두시 녁냥(力量)이 침원(沉遠)678)ᄒᆞ고 셩졍이 상활(爽闊)ᄒᆞ여 ᄇᆡᆨ만 근심을 믈니쳐 그런 거시 아니라, 그 위인이 딜둔(質鈍)ᄒᆞ고 용녈ᄒᆞ여 경듕완급(輕重緩急)을 모로고 사ᄅᆞᆷ의 눈츼를 ᄯᅩᄒᆞᆫ 아디 못ᄒᆞ여, 남이 ᄌᆞ긔를 우셔도 붓그러온 줄을 아디 못ᄒᆞ고, 남이 ᄌᆞ긔를 ᄭᅮ짓고 욕ᄒᆞ여도 결워 보고져 의ᄉᆡ 업ᄉᆞ며, 동용ᄒᆡᆼ지(動容行止)의 우둔ᄒᆞ고 블미ᄒᆞ미 낫타나ᄃᆡ, 일단 ᄉᆞ족 부녀의 쳥한ᄒᆞᆫ ᄯᅳᆺ이 이셔, 가부의 은ᄋᆡ【62】를 영구(佞求)679)ᄒᆞᆯ ᄯᅳᆺ이 업고, 욕심이 업셔 ᄌᆞ장패산지뉴(資粧貝珊之類)680)라도 남이 다 아ᄉᆞ가도 앗길 ᄆᆞᄋᆞᆷ이 업ᄉᆞ니, 뎡한님은 이런 일을 도로혀 무던이 넉이ᄂᆞᆫ디라. 이 날도 두시 화시를 보ᄃᆡ ᄀᆞᆺᄐᆞ여 블평디ᄉᆡᆨ(不平之色)이 업고, 그 옥용화모(玉容花貌)를 경앙ᄒᆞᄂᆞᆫ ᄯᅳᆺ도 업셔, 본동만동681) 무심무려(無心無慮)ᄒᆞ니, 낙양후 부인 쥬시 두시의 옷ᄉᆞᆯ 다ᄅᆡ여 겻ᄐᆡ 안치고, 소회를 므러 왈,

"이졔 딜녀로ᄡᅧ 필딜(畢姪)의 ᄌᆡ실을 삼으나, 그ᄃᆡ 졈은 나ᄒᆡ 뎍인 보믈 잔잉히 넉이ᄂᆞ니, 그ᄃᆡ ᄆᆞᄋᆞᆷ이 어이 편ᄒᆞ리오. 모로미 소회를 ᄒᆞᆫ 번 니르라."

두시 쳔연 ᄃᆡ왈,

"뎍인의 ᄒᆡ를 간간이 닙ᄂᆞ니 잇【63】거

다; 부끄럽고 미안하다.

676)동혀 : 감거나 둘러 묶어. *동이다; 끈이나 실 따위로 감거나 둘러 묶다.

677)져가다 : 지고가다. *지다; 물건을 짊어서 등에 얹다.

678)침원(沉遠) : 깊고 원대함.

679)영구(佞求) : 남의 비위를 맞추거나 아첨하여 어떤 것을 구함.

680)ᄌᆞ장패산지뉴(資粧貝珊之類) : 여자들이 화장하는데 쓰는 물건들과 몸치장을 하는 데 쓰는 조개껍질이나 산호(珊瑚) 귀금속(貴金屬) 등의 장신구(裝身具)들.

681)본동만동 : 본체만체. 본척만척. 보았는지 말았는지. 보고도 아니 본 듯이.

셰샹 샤ᄅᆞᆷ의 ᄡᅬ 만흐믈 ᄯᆞ를 길히 업고, 만ᄉᆡ 등한ᄒᆞ여 죽을 일이 잇셔도 음식이 알ᄑᆡ 당ᄒᆞ면 포복도록 다 먹고, 머리를 벼ᄀᆡ에 더지면 샤ᄅᆞᆷ이 동혀568) ○[져]가569)【100】도 모를지라.

그 위인이 여ᄎᆞ 용녈ᄒᆞ고 질둔(質鈍)ᄒᆞ여 경즁완급(輕重緩急)을 아지 못ᄒᆞ고, 샤ᄅᆞᆷ의 눈치를 몰나 남이 ᄌᆞ긔를 우셔도 붓그릴 줄 모로고, 일단 ᄉᆞ녀(士女)의 쳥ᄒᆞᆫ(淸閑)ᄒᆞᆫ ᄯᅳᆺ이 이셔 가부의 총(寵)을 영구(佞求)570)ᄒᆞᆯ ᄯᅳᆺ이 업고, 욕심이 업셔 ᄌᆞ장보ᄑᆡ지뉴(資粧寶貝之類)571)라도 남이 달나ᄒᆞ면 앗길 마ᄋᆞᆷ이 업ᄉᆞ니, 뎡한님은 이런 일을 도로혀 무던이 넉이ᄂᆞᆫ ᄇᆡ라. 이 날도 두씨, 화씨를 보ᄆᆡ 불평지ᄉᆡᆨ이 업셔, ᄯᅩ 그 옥용화모(玉容花貌)를 경아(驚訝)ᄒᆞᆷ도 업셔 무심무려(無心無慮)ᄒᆞ니, 낙양후 부인 쥬씨, 두씨 옷ᄉᆞᆯ 다ᄅᆡ여 겻ᄒᆡ 안치고 소회를 무러 왈,

"이졔 질녀로 필딜(畢姪)의 ᄌᆡ취를 삼으나, 그ᄃᆡ 져믄 마ᄋᆞᆷᄋᆡ 젹인 보믈 잔잉이 넉이ᄂᆞ니, 그ᄃᆡ 마ᄋᆞᆷ이 엇지 편ᄒᆞ리오. 모로미 소회를 ᄒᆞᆫ 번 니르라."

두씨 ᄃᆡ 왈,

"젹인의 ᄒᆡ를 닙ᄂᆞ니 간간이 잇거니와, 쳡은 다만【101】ᄉᆡᆼ각ᄒᆞ니 져도 샤ᄅᆞᆷ이오 쳡도 샤ᄅᆞᆷ이라, ᄉᆡ호샤갈(豺虎蛇蝎)의 뉘 아니라. 먹고 자ᄂᆞᆫ 외에 다른 무ᄉᆞᆷ 욕심이 이시리잇고?"

568)동혀 : 감거나 둘러 묶어. *동이다; 끈이나 실 따위로 감거나 둘러 묶다.

569)져가다 : 지고가다. *지다; 물건을 짊어서 등에 얹다.

570)영구(佞求) : 남의 비위를 맞추거나 아첨하여 어떤 것을 구함.

571)자장보패지류(資粧寶貝之類) : 여자들이 화장하는데 쓰는 물건들과 몸치장을 하는 데 쓰는 보석, 조개껍질, 진주 등의 장신구(裝身具)들.

니와, 쳡은 다만 ᄉᆡᆼ각ᄒᆞ니, 져도 사ᄅᆞᆷ이오 쳡도 사ᄅᆞᆷ이라, ᄉᆡ호ᄉᆞ갈(豺虎蛇蝎)의 뉴 아니니, 믜온 ᄯᅳᆺ과 ᄒᆡᄒᆞᆯ ᄆᆞ음이 어이 이시리잇가? 아ᄃᆡᆨ 디ᄂᆡ여 보디 아닌 연고로 셔로 보ᄃᆡ 반가온 일이 업고, 졍이 이실니 업ᄉᆞ니 ᄌᆞ연 무심ᄒᆞ도소이다."

두시 뎡가의 ᄉᆞᆨ현ᄒᆞ연 디 삼삭의 금일 말ᄉᆞᆷ이 가장 긴디라. 딘부인이 그 ᄂᆡ외디심(內外之心)이 업셔 말ᄉᆞᆷ이 뎡대ᄒᆞ믈 크게 아ᄅᆞᆷ다이 넉여 ᄉᆞ랑ᄒᆞ믈 극딘히 ᄒᆞ더라.

뎡한님이 ᄯᅳᆺ의 ᄎᆞᆫ 슉녀를 만나ᄃᆡ ᄋᆡ즁이 편벽디 아냐, 두·화 냥인을 공경듕ᄃᆡᄒᆞ미 ᄒᆞᆫ갈 ᄀᆞᆺᄐᆞᄃᆡ, 다만 ᄃᆡᄀᆡᆨ쥬찬(待客酒饌)과 의복한셔(衣服寒暑)를 가음알기ᄂᆞᆫ 다 화【64】시로 쇼임케 ᄒᆞ니, ᄌᆞ연 듕궤(中饋)[682]ᄂᆞᆫ 화시긔 도라가ᄃᆡ, 두시ᄂᆞᆫ ᄋᆡ돌은 줄도 아디 못ᄒᆞ고 그럴ᄉᆞ록 몸이 더 편ᄒᆞ여 반졈 근심이 업셔, 즘ᄌᆞ기로 웃듬을 삼으ᄃᆡ, 뎡ᄉᆡᆼ이 아ᄂᆞᆫ ᄃᆞᆺ 모로ᄂᆞᆫ ᄃᆞᆺ 그 허믈을 니르디 아니ᄒᆞ니, 졔형과 일개 크게 아ᄅᆞᆷ다이 넉이더라.

평졔왕이 조션(祖先)을 츄증ᄒᆞ시ᄂᆞᆫ 은영을 당ᄒᆞ여, 누ᄃᆡ(累代) 목묘(木廟)의 다 왕작(王爵)을 ᄡᅳ고, 다시 능침(陵寢)의 비셕을 곳칠디라. 월후를 다리고 태쥐 션산의 나려가게 되니, 태부인과 금평휘 그 ᄉᆞ이라도 결연ᄒᆞ여 슈히 도라오믈 당부ᄒᆞ니, 왕과 월휘 ᄇᆡ샤하딕(拜辭下直)ᄒᆞ고 ᄲᆞᆯ니 션산의 나려 가, 누ᄃᆡ 능【65】침을 슈리ᄒᆞ고 묘젼의 비셕을 곳칠ᄉᆡ, 쳔승국왕의 부귀를 기우리ᄆᆡ 향션디영(香先祇塋)[683]의 고즉ᄒᆞ[684]므로ᄡᅧ 못ᄒᆞᆯ 일이 어이 이시리오. 드ᄃᆡ여 번국왕의 능침과 ᄀᆞᆺ치 ᄒᆞᆫ 후, 슈호군(守護軍)을 각별이 뎡ᄒᆞ고, 역ᄉᆞ(役事)를 완필(完畢)ᄒᆞᄆᆡ 즉시 도라 올ᄉᆡ, 왕ᄂᆡ의 ᄌᆞ연 일삭이 되ᄂᆞᆫ디라.

ᄎᆞ시 일긔(日氣) 엄한(嚴寒)ᄒᆞ여 대셜이

682)즁궤(中饋) : ≒주궤(主饋). 안살림 가운데 음식에 관한 일을 책임 맡은 여자.

683)향션디영(香先祇塋) : 선영(先塋)에 공경을 다해 제사함

684)고즉ᄒᆞ다 : 곧다. 반듯하다.

ᄒᆞ니, 만좨 ᄃᆡ소 ᄒᆞ더라.

《이에 ॥ 시시(是時)에》 졔왕과 월휘 션산에 소분ᄒᆞ고 왕례로 치산(治山)[572]ᄒᆞᆯᄉᆡ 역ᄉᆞ를 완필ᄒᆞ고 즉시 도라오나 왕ᄂᆡ의 ᄌᆞ연 슈삭이 되엿더라

ᄎᆞ시 일긔(日氣) 엄한(嚴寒)ᄒᆞ여 대셜이 ᄡᅡ히고 찬 ᄇᆞ람이 부ᄂᆞᆫ 고로, 졔왕과 월휘 거의 경ᄉᆞ(京師)를 님ᄒᆞ여 일식이 져믈고 셜한(雪寒)이 극엄(極嚴)ᄒᆞ믈 괴로와, 잠간

572)치산(治山) : 산소를 매만져서 다듬음.

ᄲᅥ히고 한풍이 사ᄅᆞᆷ의 골졀(骨節)을 브ᄂᆞᆫ디라. 평졔왕과 동월휘 경샤(京師)를 남ᄒᆞ여 날이 져믈고 셜한(雪寒)이 극엄(極嚴)ᄒᆞ믈 괴로와, 잠간 인가(人家)를 어더 밤을 디ᄂᆡ려 ᄒᆞᆯᄉᆡ, 하리(下吏) 츄종(騶從)[685]이 고왈,

"여러 인가를 어더 밤을 지ᄂᆡ려 ᄒᆞᆫ죽, 비록 여러 집을 어더도 하【66】리 츄죵가디 머믈 곳이 업ᄉᆞ오니, 뫼 뒤히 츄월암이란 암ᄌᆡ 경결ᄒᆞ고 외실이 광활ᄒᆞ니, 그 곳의셔 일야를 디ᄂᆡ시미 맛당ᄒᆞᆯ가 ᄒᆞᄂᆞ이다."

졔왕이 츄월암 가온ᄃᆡ셔 윤부인을 만낫던 바를 ᄉᆡᆼ각ᄒᆞᄆᆡ 반가오미 업디 아니ᄃᆡ, 왕ᄌᆞ의 힝ᄎᆡ 녀승의 머므ᄂᆞᆫ 곳의 니르미 괴이ᄒᆞ여 다른 집을 잡으라 ᄒᆞ니, 월휘 년쇼디심의 암ᄌᆞ를 ᄒᆞᆫ 번 보고져 ᄒᆞ여 왕긔 고ᄒᆞᄃᆡ,

"형댱이 셕년의 츄월암의셔 윤슈를 만나 계시니, 비록 미혼 젼이나 츄월암이 형댱을 위ᄒᆞᆷ ᄀᆞᆺ거ᄂᆞᆯ, 어이 그 곳의셔 ᄒᆞ로 밤 디ᄂᆡ믈 피ᄒᆞ리잇【67】가? 쇼뎨ᄂᆞᆫ 결단ᄒᆞ여 암ᄌᆞ 정쇄(精灑)ᄒᆞᆫ 곳의셔 ᄌᆞ려 ᄒᆞᄂᆞ이다."

왕이 웃고 마디 못ᄒᆞ여 츄월암의 나아가 밤을 디ᄂᆡᆯᄉᆡ, 암듕 졔승이 황황ᄒᆞ여 ᄀᆡᆨ당을 츼우고 됴흔 ᄌᆞ리를 ᄭᆞᆯ며, ᄉᆡ목(柴木)을 가져 와 방을 데이며 분분ᄒᆞ니, 졔왕과 월휘 승니 등을 다 도라가라 ᄒᆞ고, 하리 노ᄌᆞ 등으로 ᄒᆞ여금 블을 ᄯᅵ이라 ᄒᆞ더니, 이날 맛춤 명셩대ᄉᆡ 은화촌 활인ᄉᆞ의셔 츄암의 단니라 왓다가, 그윽이 ᄉᆡᆼ각ᄒᆞᄃᆡ,

"내 뎨ᄌᆞ를 식여 양쥐 한효렴의 일녀를 부상(父喪) 삼년도 맛디 못ᄒᆞ여셔 이리 다려오믄, 기모 곽시의 인ᄉᆞ(人士)[686]를 밋디 못ᄒᆞ여, 텬졍연분(天定緣分)【68】을 일워 가게 ᄒᆞ미라. 오날ᄂᆞᆯ 동월휘 밧긔 온 ᄯᅵ를 타 유인ᄒᆞ여, 한쇼져를 뵈고 인연을 ᄆᆡᆺ게 ᄒᆞ리라."

685)츄죵(騶從) : 윗사람을 따라다니는 종. ≒추복06(騶僕).

686)인ᄉᆞ(人士) : ①사회적 지위가 높거나 사회적 활동이 많은 사람. ② (예스러운 표현으로) '사람'을 낮잡아 이르는 말.

인가를 어더 밤을 지ᄂᆡ고져 ᄒᆞᆯᄉᆡ, 하리 츄종(騶從)[573]이 고 왈,

"여러 인가를 잡으ᄃᆡ 모든 하리 머믈 곳이 업ᄉᆞ오니, 뫼 뒤히 츄월암이란 암ᄌᆡ 광활ᄒᆞ니, 그 곳에셔 밤을 지ᄂᆡ미 맛당ᄒᆞᆯ가 ᄒᆞᄂᆞ이다."

졔왕이 츄월암 가온ᄃᆡ셔 윤부인을 맛나던 바를 ᄉᆡᆼ각ᄒᆞᄆᆡ 반가오미 업지 아니ᄃᆡ, 왕후(王侯)의 힝ᄎᆡ 녀【102】승의 곳에 니르미 고이ᄒᆞ여 ᄃᆞ른 집을 잡으라 ᄒᆞ니, 월휘 년소지심의 한 번 암ᄌᆞ를 보고져 ᄒᆞ여, 이에 왕긔 고 왈,

"형장이 셕년에 츄월암에셔 유[윤]슈를 맛나시니, 비록 미혼 젼이나 츄월암이 형장을 위ᄒᆞᆷ ᄀᆞᆺ거ᄂᆞᆯ, 엇지 암ᄌᆞ를 피ᄒᆞ리잇고? 소뎨ᄂᆞᆫ 결단ᄒᆞ여 암ᄌᆞ 졍쇄(精灑)ᄒᆞᆫ 곳에 가 ᄌᆞ려 ᄒᆞᄂᆞ이다."

왕이 웃고 마지 못ᄒᆞ여 츄월암의 가 밤을 지ᄂᆡᆯᄉᆡ, 암즁 졔승이 황황ᄒᆞ여 ᄀᆡᆨ당을 셔릇고 조흔 ᄌᆞ리를 ᄭᆞᆯ거ᄂᆞᆯ, 왕과 월휘 승니 등을 다 도라가라 ᄒᆞ고, 하리로 방을 더히라[574] ᄒᆞ더니, 이날 맛츰 명셩대ᄉᆡ 츄월암의 단니라 왓다가 그윽이 ᄉᆡᆼ각ᄒᆞ대,

"내 졔ᄌᆞ를 시겨 양쥐 한효렴의 일녀를 부상(父喪) 삼년도 지ᄂᆡ지 못ᄒᆞ여셔 이리 다려오믄 기모 곽시의 인ᄉᆞ(人士)[575]를 밋지 못ᄒᆞ여 텬졍연분(天定緣分)을 일워 도라가【103】게 ᄒᆞ미라. 유인(誘引)ᄒᆞ여 한 소

573)츄죵(騶從) : 윗사람을 따라다니는 종. ≒추복06(騶僕).

574)더히다 : 덥히다. '덥다'의 피동형. 찬 것을 덥게 하다.

575)인ᄉᆞ(人士) : ①사회적 지위가 높거나 사회적 활동이 많은 사람. ② (예스러운 표현으로) '사람'을 낮잡아 이르는 말.

의ᄉᆡ 이의 밋쳐 개연이 외실의 나와, 평졔왕과 동월후를 만나 합장비례 ᄒᆞ고 만복을 튝ᄒᆞ니, 졔왕의 ᄇᆰ은 안광으로 엇디 혜원을 아디 못ᄒᆞ리오. 본ᄃᆡ 승니를 괴려이 넉이나 명셩 대ᄉᆞᄂᆞᆫ 녜ᄉᆞ 범범ᄒᆞᆫ 니고와 달나, 도ᄒᆡᇰ(道行)이 쳥고(淸高)ᄒᆞ고, 윤·양 이부인을 구활ᄒᆞ여 분산(分産)을 식이고, 신묘랑 요졍을 잡아 뎡·딘 냥문의 흉화(凶禍)를 두로혀687) 영복(榮福)을 삼게 ᄒᆞᆫ 공이 큰디라. 이의 소ᄅᆡ를 화히 ᄒᆞ여 칭샤 왈,

"괴(孤)688) ᄒᆞᆫ 번 【69】 법ᄉᆞ를 낫ᄎᆞ로 보아 큰 공을 샤례코져 ᄒᆞ연 지 오ᄅᆡᄃᆡ, 화란디후(禍亂之後)의 죵용이 집의 든 ᄡᅴ 업ᄉᆞᆯ ᄲᅳᆫ 아니라, 산문(山門)의 블을 드딀 일이 업셔 능히 법ᄉᆞ를 상졉(相接)디 못ᄒᆞ엿더니, 금일은 션산의 소분ᄒᆞ고 도라오다가 인ᄆᆡ(人馬) 맛당이 머믈 곳이 업셔 암ᄌᆞ를 ᄎᆞᄌᆞ 니르럿더니, 법ᄉᆡ ᄎᆞᄌᆞ니 뎡히 보고져 ᄒᆞ던 바를 위로ᄒᆞ리로다."

인ᄒᆞ여 신묘랑을 잡아 뎡·딘 냥문의 급화를 늣추게 ᄒᆞᆷ과, 윤·양 등을 구ᄒᆞ여 그 복ᄋᆞ(腹兒)를 무ᄉᆞ히 나케 ᄒᆞᆫ{ᄒᆞᆫ} 공을 일ᄏᆞᄅᆞᆫᄃᆡ, 혜원이 블감당(不堪當)이믈 일ᄏᆞ라 ᄌᆡ삼 ᄉᆞ샤ᄒᆞ거ᄂᆞᆯ, 월휘 ᄯᅩᄒᆞᆫ 그 공을 못ᄂᆡ 일ᄏᆞᆺ고 므르ᄃᆡ,

"녀승【70】 잇ᄂᆞᆫ 암ᄌᆞ의ᄂᆞᆫ 유학ᄒᆞᄂᆞᆫ 션비 머므디 아니려니와, 연이나 혹 과ᄀᆡᆨ(科客)이 잇ᄂᆞ냐?"

혜원이 ᄃᆡ왈,

"혹 유람ᄒᆞᄂᆞᆫ 션비 간간이 왕ᄂᆡᄒᆞᄂᆞᆫ 고로 즉금도 한 공ᄌᆞ라 ᄒᆞ리 이의 잇셔 학공(學工)을 브ᄌᆞ러니 ᄒᆞ시ᄂᆞ이다."

월휘 한시 녀진 줄은 아디 못ᄒᆞ고 ᄒᆞᆫ 번 보고져 ᄒᆞ더라. 【71】

687)두로혀다 : 돌이키다. 돌리다.
688)괴(孤) : 고(孤). 예전에, 왕이나 제후가 자기를 낮추어 이르던 일인칭 대명사.

져를 뵈고 인연을 ᄆᆡᆺ게 ᄒᆞ리라."

ᄒᆞ여, 의ᄉᆡ 이에 밋쳐ᄂᆞᆫ 가연이 외실에 나아가, 평졔왕과 동월후를 보아 합장비례ᄒᆞ고 만복을 닐ᄏᆞ르니, 졔왕의 안ᄎᆡ로 엇지 모리오마ᄂᆞᆫ, 본ᄃᆡ 승니를 고이 넉이나 명셩 대ᄉᆞᄂᆞᆫ 예ᄉᆞ 니고와 달나, 신묘랑 뇨졍을 잡아 뎡·딘 냥부의 흉화(凶禍)를 두루혀576) 영복(榮福)을 삼게 ᄒᆞᆫ 공이 큰지라. 이에 소ᄅᆡ를 화히 ᄒᆞ여 왈,

"ᄒᆞᆫ 번 법ᄉᆞ의 낫출 보와 샤례코져 ᄒᆞ연지 오린지라. 화란(禍亂) 후 종용이 집에 든 ᄡᅴ 업ᄉᆞᆯ ᄲᅮᆫ 아니라, ᄯᅩ 산문(山門)의 발을 드딀 일이 업셔 능히 법ᄉᆞ를 보지 못ᄒᆞ엿더니, 금일 션산의 소분(掃墳)ᄒᆞ고 도라오다가 인ᄆᆡ(人馬) 맛당이 머믈 곳이 업셔 암ᄌᆞ를 ᄎᆞᄌᆞ 니르럿더니, 법ᄉᆞ를 보니 졍히 보고ᄌᆞ ᄒᆞ던 ᄯᅳᆺ을 일웟도다."

인ᄒᆞ여 신묘랑을 잡아 뎡·딘 냥문【104】의 급화를 늣츄게 ᄒᆞᆷ과, 윤·양 등을 구ᄒᆞ여 그 복ᄋᆞ(腹兒)를 무ᄉᆞ히 분산케 ᄒᆞᆫ 공덕을 닐ᄏᆞ르니, 법ᄉᆡ 불감(不堪)ᄒᆞ므로ᄡᅧ 대답ᄒᆞ더라. 동월휘 그 공을 닐ᄏᆞ르며 무르ᄃᆡ,

"녀승의 암ᄌᆞ에 혹 유학ᄒᆞᄂᆞᆫ 션비 다니더냐?"

명성 법ᄉᆡ 대왈,

"혹 간간이 유람ᄒᆞᄂᆞᆫ 션비 왕ᄂᆡᄒᆞ고, 지금도 한 공ᄌᆞ라 ᄒᆞᄂᆞ니 잇셔 ᄒᆞᆨ공(學工)을 부ᄌᆞ러니 ᄒᆞ더이다."

576)두루혀다 : 돌이키다. 돌리다.

명듀보월빙 권디팔십팔

화셜 동월휘 니고의 말을 듯고 한시 녀ᄌᆡᆫ 줄은 아디 못ᄒᆞ고, 남ᄌᆞ로셔 녀승의 무리 잇ᄂᆞᆫ 암ᄌᆞ의셔 유학(留學)ᄒᆞ믈 가장 괴망(怪妄)이 넉여 그 위인이 엇던고 보고져 ᄒᆞ여, 웃고 니ᄅᆞᄃᆡ,

"그 한공ᄌᆡ 어ᄃᆡ 잇ᄂᆞ뇨? 내 잠간 드러가 보리라."

니괴 쾌히 한시 잇ᄂᆞᆫ 곳을 가ᄅᆞ치고, 니ᄅᆞᄃᆡ,

"그 공ᄌᆡ 하 울뎍히 학공만 브ᄌᆞ러니 ᄒᆞ시니, 빈승(貧僧)689)의 무리 답답ᄒᆞ여 잇다감 벗이나 ᄉᆞ괴시기를 쳥ᄒᆞᄃᆡ, 듯디 아니시더이다."

월휘 몸을 니ᄂᆞᆫ 줄 ᄭᆡ닷디 못ᄒᆞ여 즉시 한 공ᄌᆞ를 【1】 보라 가거ᄂᆞᆯ, 왕이 니ᄅᆞᄃᆡ,

"녀암(女庵)의 유혹ᄒᆞᄂᆞᆫ 션비 잇디 아닐 거시어ᄂᆞᆯ, 현데 그 근본을 모로고 가 보ᄂᆞᆫ 거시 블가ᄒᆞᆫ가 ᄒᆞ노라."

월휘 ᄃᆡ왈,

"ᄒᆞᆫ 번 잠간 보미 ᄒᆡ롭디 아니ᄒᆞ니, 남ᄌᆡᆯ딘ᄃᆡ ᄎᆞ쳐의 이시미 가장 괴망ᄒᆞ니 엇던고 보샤이다."

언파의 나ᄂᆞᆫ ᄃᆞ시 한시 침각(寢閣)의 니ᄅᆞ니, 원간 한시 부상(父喪) 삼년을 외오셔690) 디ᄂᆡ고 남다른 디통(至痛)이 골졀(骨節)의 사못ᄂᆞᆫ 가온ᄃᆡ, ᄌᆞ긔 ᄉᆞᄉᆡᆼ존망(死生存亡)을 모친이 아지 못ᄒᆞ여 쥬야 통상ᄒᆞ실 바를 더옥 셜워 블효를 탄ᄒᆞᄃᆡ, 암듕 니고 등의 밧드ᄂᆞᆫ 졍셩이 관음(觀音)691) 버금이라. 쇼졔 혹ᄌᆞ 암듕의 유람ᄒᆞᄂᆞᆫ 【2】 무리

689)빈승(貧僧) : 승려가 덕(德)이 적다는 뜻으로, 자기를 낮추어 이르는 일인칭 대명사.

690)외오 : 외우. *외우; 외따로 떨어져. 멀리.

691)관음(觀音) : 관세음보살(觀世音菩薩). 『불교』 아미타불의 왼편에서 교화를 돕는 보살. 4보살의 하나이다. 세상의 소리를 들어 알 수 있는 보살이므로 중생이 고통 가운데 열심히 이 이름을 외면 도움을 받게 된다.

동월휘 그 한씨 ○○[녀ᄌᆡ]믄 아지 못ᄒᆞ고, 남ᄌᆡ 녀승의 곳에 유혹(留學)ᄒᆞ믈 ᄀᆞ장 괴망이 넉여 또 위인이 웃더ᄒᆞᆫ고 보고져 ᄒᆞ여, 이에 문 왈,

"한공ᄌᆡ 어ᄃᆡ 잇ᄂᆞ뇨? 내 ᄒᆞᆫ 번 보리라."

ᄒᆞ니, 명셩 ᄃᆡᄉᆡ 한씨 잇ᄂᆞᆫ 곳을 가ᄅᆞ쳐 왈,

"그 공ᄌᆡ 울젹히 방듕에 잇셔 다만 혹공만 부ᄌᆞ런이 ᄒᆞ니 빈도(貧道)577) 등이 갑갑ᄒᆞ여 잇다감 벗이나 ᄉᆞ괴시믈 쳥ᄒᆞᄃᆡ 한공ᄌᆡ 듯지 아니터이다."

월휘 즉시 이러나 한ᄉᆡᆼ을 보라 가거ᄂᆞᆯ, 왕이 【105】 ᄀᆞᆯᄋᆞᄃᆡ,

"녀암(女庵)에 유혹ᄒᆞᄂᆞᆫ 션비 잇지 아닐 거시어ᄂᆞᆯ 현데 그 근본을 모로고 보ᄂᆞᆫ 거시 불가ᄒᆞᆫ가 ᄒᆞ니[노]라."

월휘 ᄃᆡ왈,

"ᄒᆞᆫ 번 잠간 보미 ᄒᆡ롭지 아니ᄒᆞ니, 남ᄌᆡᆯ진ᄃᆡ 이곳에 잇시미 괴망ᄒᆞᆫ지라, 엇더 ᄒᆞᆫ고 보ᄉᆞ이다."

ᄒᆞ고 한씨 쳐소에 나아가니, 원ᄂᆡ 한씨 부상(父喪) 삼년을 외오셔578) 지ᄂᆡ고 남ᄃᆞ른 지통(至痛)이 골졀(骨節)에 ᄉᆞ못ᄎᆞᆫ ᄀᆞ온ᄃᆡ, ᄌᆞ긔 ᄉᆞᄉᆡᆼ(死生)을 모친이 아지 못ᄒᆞ여 쥬야 통상ᄒᆞ실 바를 셜워ᄒᆞ여 블효를 탄ᄒᆞ나, 니고 등의 밧드ᄂᆞᆫ 졍셩이 지극ᄒᆞ니, 소졔 혹ᄌᆞ 암듕에 유람ᄒᆞᄂᆞᆫ 무리 왕ᄂᆡ홀가 두려 남복을 착(着)ᄒᆞ고 깁히 잇시나, 여러 일월에 외인을 본 일이 업고, 혹 외인의 남ᄌᆡ 니르면 니고 등이 외긱의 왓시믈 고ᄒᆞ여 소제 몸을 피ᄒᆞ더니, 이 날은 명셩 법ᄉᆡ 경

577)빈도(貧道) : 도인이나 승려가, 덕(德)이 적다는 뜻으로, 자기를 낮추어 이르는 일인칭 대명사. ≒ 빈승(貧僧)

578)외오 : 외우. *외우; 외따로 떨어져. 멀리.

왕ᄂᆡ홀가 두려 남복을 개착ᄒᆞ고, 깁히 이시나 여러 일월의 외인을 본 일이 업고, 혹ᄌᆞ 외실의 남ᄌᆡ 니르면, 니고 등이 외ᄀᆡᆨ의 왓ᄂᆞᆫ 줄을 고ᄒᆞ여 미리 몸을 피ᄒᆞ게 ᄒᆞ더니, 이 날은 명셩대ᄉᆡ 뎡후를 청ᄒᆞ여 한쇼져를 보도록 ᄒᆞᄂᆞᆫ 고로, 한시ᄀᆡ 몬져 고치 아녓더라.

월휘 브디블각(不知不覺)의 문을 열고 드러가니, 한시 바야흐로 셩경현젼(聖經賢傳)[692]을 ᄃᆡᄒᆞ여 스ᄉᆞ로 회포를 위로ᄒᆞ다가, 디게[693]를 여ᄂᆞᆫ 바의 일위 남ᄌᆡ 언연(偃然)이[694] 드러오ᄂᆞᆫ디라. 한쇼졔 대경대황(大驚大惶)ᄒᆞᄃᆡ 블변안ᄉᆡᆨ(不變顏色)ᄒᆞ고 쳔연이 니러 마ᄌᆞ 녜필 좌뎡의, 월후의 냥안이 【3】 한시 신샹의 온젼이 빗최여 ᄌᆞ시 보ᄆᆡ, 이 믄득 빙셜(氷雪)의 긔부(肌膚)오, 화월(花月)의 ᄉᆡᆨᄐᆡ(色態)라. 봉황미(鳳凰眉)의 팔ᄎᆡ(八彩) 녕녕(盈盈)ᄒᆞ고, 효셩빵안(曉星雙眼)의 졍긔 동인(動人)ᄒᆞ거ᄂᆞᆯ, 년화(蓮花) ᄀᆞᆺ튼 빵협(雙頰)과 잉도 ᄀᆞᆺ튼 단슌(丹脣)이며, 《초옥 ‖ 교옥(皎玉)》 ᄀᆞᆺ튼 면뫼 양츈의 화긔를 겸ᄒᆞ며, 츄월(秋月)의 졍화(精華)를 아오라, ᄇᆡᆨᄐᆡ(百態) 됴요(照耀)ᄒᆞ고 쳔광(千光)이 찬난ᄒᆞ니, 남복 가온ᄃᆡ 더옥 긔이ᄒᆞᆫ디라.

월후의 고산 ᄀᆞᆺ튼 안목과 일셰를 압두ᄒᆞᄂᆞᆫ 긔운으로도, ᄎᆞ인을 ᄃᆡᄒᆞᄆᆡ 아름답고 긔이ᄒᆞ믈 결을치 못ᄒᆞ여, 이의 말을 펴 ᄀᆞᆯ오ᄃᆡ,

"ᄉᆡᆼ은 경샤 사ᄅᆞᆷ으로 맛츰 션능의 소분ᄒᆞ고 도라오더니, 셜한(雪寒)이 극 【4】 엄(極嚴)ᄒᆞ믈 인ᄒᆞ여 잠간 이 곳의 드러 쉬고져 ᄒᆞ엿더니, 슈ᄌᆡ(豎子)[695] 이 곳의셔 유혹ᄒᆞ

692)셩경현젼(聖經賢傳) : 유학의 성현(聖賢)이 남긴 글. 성인(聖人)의 글을 '경(經)'이라고 하고, 현인(賢人)의 글을 '전(傳)'이라고 한다. ≒경전(經傳)

693)디게 : 지제. 지게문. 옛날식 가옥에서, 마루와 방 사이의 문이나 부엌의 바깥문. 흔히 돌쩌귀를 달아 여닫는 문으로 안팎을 두꺼운 종이로 싸서 바른다.

694)언연(偃然)이 : 언연(偃然)히. 거드름을 피우며 거만하게. ≒언건(偃蹇)히.

695)슈ᄌᆡ(豎子) : 더벅머리. 총각.

후를 청ᄒᆞ여 한소져를 보도록 ᄒᆞᄂᆞᆫ 고로, 한씨긔 몬져 고치 아니ᄒᆞ【106】니라.

월휘 법ᄉᆞ의 가ᄅᆞ치ᄂᆞᆫ 곳에 나아가 부지불각(不知不覺)의 문을 열고 드러가니, 한소졔 바야흐로 회포를 위로ᄒᆞ다가, 홀연 일위 남ᄌᆡ 드러오ᄆᆡ, 한소졔 대경ᄒᆞ여 놀나오나 안ᄉᆡᆨ을 불변ᄒᆞ고, 쳔연이 니러 례필 좌졍에, 월후의 냥안이 한씨를 보니 이 믄득 쳔광(千光)이 찬난ᄒᆞ니, 남복 ᄀᆞ온ᄃᆡ 더욱 긔이ᄒᆞ더라. 월후의 고산 ᄀᆞᆺ튼 안목으로도 긔이ᄒᆞ믈 결을치 못ᄒᆞ여, 이에 말슴을 펴 왈,

"혹ᄉᆡᆼ은 경ᄉᆞ 샤ᄅᆞᆷ으로 맛츰 션능의 소분ᄒᆞ고 도라오ᄂᆞᆫ 길에, 셜한(雪寒)이 극엄ᄒᆞ여 잠간 암ᄌᆞ에 드러 쉬고져 ᄒᆞ더니, 슈ᄌᆡ(豎子)[579] 이곳에 유학ᄒᆞ시믈 듯고, 복이 슈ᄌᆞ로 더브러 일면 지분이 업ᄉᆞ나, 존셩대명(尊姓大名)[580]과 거쥬(居住)를 어더 드르리잇가?"

579)슈ᄌᆡ(豎子) : 더벅머리. 총각.

580)존셩대명(尊姓大名) : 높은 성씨와 큰 이름. 성명(姓名).

시믈 듯고, 셕의 ᄉᆞ마의(司馬懿)696) 니르ᄃᆡ, 'ᄉᆞ히지ᄂᆡ개가위형뎨(四海之內皆可謂兄弟)697)라' ᄒᆞ니, ᄉᆡᆼ이 젼ᄌᆞ(前者)의 슈ᄌᆡ로 더브러 ᄉᆞ괸 일이 업ᄉᆞ나, ᄉᆡ로 교도를 니으믜 향ᄌᆞ(向者)698)의 친졀홈과 다르디 아니리니, 존셩대명(尊姓大名)699)과 거듀(居住)를 어더 드르리잇가?"

한쇼졔 ᄌᆞ긔 셩명을 밧비 니르고, 본ᄃᆡ ᄃᆡ인상졉(對人相接)을 못ᄒᆞᄂᆞᆫ 병이 이시믈 칭ᄒᆞ여, 어셔 나가게 ᄒᆞ려 ᄒᆞ므로, 이의,

"양쥐인 한희ᄇᆡᆨ이로라."

ᄒᆞ니, 월휘 ᄯᅩ 므러 ᄀᆞᆯ오ᄃᆡ,

"연즉 형이 양쥐 한효렴 시ᄌᆞ(侍子)700) 희린을 아ᄂᆞ냐?"

한쇼【5】졔 ᄎᆞ언을 드르믜 반갑고 놀나오며 슬프고 황홀ᄒᆞ믈 니긔디 못ᄒᆞ여, 이의 ᄃᆡ왈,

"한희린은 쇼ᄉᆡᆼ의 죵뎨(從弟)니 상공이 아르시나니잇가?"

월휘 ᄀᆞᆯ오ᄃᆡ,

"한희린이 편모(偏母) 곽부인을 뫼셔 니부툥ᄌᆡ 윤효문 부듕(府中)의 의지ᄒᆞ엿ᄂᆞᆫ 고로 ᄌᆞ로 보앗ᄂᆞ니, 한효렴이 한안공의 일ᄌᆞ니 다른 동긔 업ᄉᆞ믈 아ᄂᆞ니, 슈ᄌᆡ 한희린으로 더브러 죵형뎨(從兄弟)라 ᄒᆞ믈 의아ᄒᆞ노라."

한시 ᄌᆞ긔 집 근본을 ᄌᆞ시 알믈 보믜 반가오미 무궁ᄒᆞ여, 쇼쇼(小小) 븟그러오믈 덜고, 윤니부 가ᄉᆞ를 알고져 ᄒᆞ여 이의 ᄃᆡ왈,

"쇼ᄉᆡᆼ이 어려셔 부모를 실니ᄒᆞ여시므로, 한희【6】린과 동향(同鄕) 동곡(同谷)의셔

한씨 ᄌᆞ긔 셩명을 니르고 져를 어셔 나가게 ᄒᆞ고져 ᄒᆞ여, 즉시 답왈,

"소ᄉᆡᆼ은 양쥬인 한희ᄇᆡᆨ이【107】로라"

ᄒᆞ니, 월휘 다시 문왈,

"연즉 양쥐 한효렴의 ᄋᆞ들 희린을 아르시ᄂᆞᆫ가?"

한씨 이 말을 드르니 반갑고 놀나오며 슬프고 황홀ᄒᆞ믈 니긔지 못ᄒᆞ여, ᄃᆡ왈,

"한 희린은 소ᄉᆡᆼ의 종뎨라 상공이 알으시나니잇가?"

월휘 왈,

"희린이 편모(偏母) 곽부인을 뫼시고 니부총ᄌᆡ 윤효문 부즁(府中)에 의지ᄒᆞ엿거늘 ᄌᆞ로 보왓거니와, 한효렴이 한안공의 일ᄌᆞ오 다른 동긔 업○[ᄉᆞ]니, 슈ᄌᆡ 희린의 종뎨(從弟)될 길은 업술지라. ○○○○○[의아ᄒᆞ노라]."

ᄒᆞ니, 한씨 ᄌᆞ긔 집 존무(存無)를 ᄌᆞ시 알믈 보고 반가오미 무궁ᄒᆞ여, 소소(小小) 븟그러오믈 덜고 윤 니{냥}부(吏部) 가ᄉᆞ를 알고져 ᄒᆞ여, 이에 ᄃᆡ왈,

"소ᄉᆡᆼ이 어려셔 부모를 실니ᄒᆞ엿시므로, 한희린과 동향(同鄕) 동곡(同谷)에셔 형뎨로 칭ᄒᆞ고 ᄌᆞ라시니, 죵형뎨 되던가 녁이나, 인ᄉᆡ 미거ᄒᆞ엿실 ᄶᅥᆨ ᄶᅥ나【108】시니, 촌슈(寸數)ᄂᆞᆫ ᄌᆞ시 알지 못ᄒᆞᄂᆞᆫ지라. 희린 잇ᄂᆞᆫ 곳을 알면, 소ᄉᆡᆼ이 희린{을 ᄎᆞᄌᆞ 본죽 거}의 집을 ᄎᆞᄌᆞᆯ가 ᄒᆞᄂᆞ이다."

---

696)ᄉᆞ마의(司馬懿) : 중국 삼국 시대 위(魏)나라의 명장·정치가(179~251). 자는 중달(仲達). 촉한(蜀漢)의 제갈공명의 도전에 잘 대처하는 등 큰 공을 세워, 그의 손자 사마염이 위(魏)에 이어 진(晉)을 세우는 데에 기초를 세웠다.

697)ᄉᆞ히지ᄂᆡ개가위형뎨(四海之內皆可謂兄弟) : 온 세상에 있는 모든 사람들이 다 형제다.

698)향ᄌᆞ(向者) : 접때. 이전. 지난 날.

699)존셩대명(尊姓大名) : 높은 성씨와 큰 이름. 성명(姓名).

700)시ᄌᆞ(侍子) : 모시어 받드는 아들. 아들.

형뎨로 칭ᄒᆞ고 ᄉᆞ라시므로 죵형뎨 되던가 넉이나, 인ᄉᆡ(人士)701) 미거(未擧)ᄒᆞ702)여실 ᄊᆡᆨ 집을 ᄯᅥ나시니, 촌슈(寸數)ᄂᆞᆫ ᄌᆞ시 아디 못ᄒᆞᄂᆞᆫ디라. 희린의 잇ᄂᆞᆫ 곳을 알면, 쇼ᄉᆡᆼ이 희린으로 셔로 본ᄌᆞᆨ 집을 ᄎᆞᄌᆞ미 이실가 ᄒᆞᄂᆞ이다.”

월휘 본ᄃᆡ 잔 호의(狐疑) 업ᄂᆞᆫ 셩픔이라. 그 녀ᄌᆡ믈 아디 못ᄒᆞ고 졍니(情理)를 블상이 넉여, ᄌᆞ긔와 ᄒᆞᆫ가디로 셩ᄂᆡ의 드러가 옥누항 윤부로 가ᄌᆞ ᄒᆞ니, 한시 ᄉᆞ샤ᄒᆞ여 ᄀᆞᆯ오ᄃᆡ,

“상공의 후덕은 감격ᄒᆞ나, 쇼ᄉᆡᆼ이 풍한(風寒)의 상ᄒᆞ여 아딕은 방 밧글 나디 못ᄒᆞ게 되여시니, 슈삼일 됴리ᄒᆞ여 셩ᄂᆡ의 드러가 희 【7】 린을 ᄎᆞᄌᆞ려 ᄒᆞᄂᆞ이다.”

월휘 그 용모긔딜(容貌氣質)을 심ᄋᆡ(甚愛)ᄒᆞ여 ᄌᆞ연 집슈년슬(執手連膝)ᄒᆞ믈 면치 못ᄒᆞ니, 한쇼졔 대경ᄒᆞ여 늠연(凜然)이 손을 ᄲᆡ히고 신ᄉᆡᆨ(身色)이 변ᄒᆞ믈 ᄭᆡ닷디 못ᄒᆞ니, 즉시 좌를 먼니 ᄒᆞᄂᆞᆫ 바의 옷ᄉᆞᄆᆡ 너르고 팔히 이상이 약ᄒᆞᆫ 고로 쥬졈(朱點)703)이 드러나니, 월휘 비로소 《년진‖녀진》 줄 ᄭᆡᄃᆞ라 놀나오믈 니긔디 못ᄒᆞ여, 년망(連忙)이 니러 졀ᄒᆞ고 밧그로 나가며 니르ᄃᆡ,

“쇼ᄉᆡᆼ이 블명ᄒᆞ여 쇼져의 근본을 아디 못ᄒᆞ여 셜만(褻慢)ᄒᆞ미 만흐나 이 만만무졍지ᄉᆡ(萬萬無情之事)704)라. 쇼져ᄂᆞᆫ 괴이히 넉이지 마르쇼셔. 쇼ᄉᆡᆼ이 한희린을 보고 쇼져의 ᄎᆞᆺ고져 ᄒᆞᄂᆞᆫ 바를 젼ᄒᆞ리이다.”

언파의 일 【8】 시도 머므디 아니ᄒᆞ고 나가니, 명셩대ᄉᆡ 드러와 한시를 위로 왈,

701)인ᄉᆡ(人士) : 사람. ‘사람’을 낮잡아 이르는 말.
702)미거(未擧)ᄒᆞ다 : 철이 없고 사리에 어둡다.
703)쥬졈(朱點) : ‘앵혈’의 다른 용어. 개용단·회면단·도봉잠 등과 함께 한국고소설 특유의 서사도구의 하나. 앵혈은 어려서 이것으로 여자의 팔에 점을 찍어두거나 출생신분을 기록해 두면, 남성과의 성적 결합을 갖기 전에는 지워지지 않는 효능을 갖고 있기 때문에, 주로 남녀의 동정(童貞) 여부를 감별하거나 부부의 성적 결합여부를 판별하는 징표로 사용되지만, 이에 못지않게 신분표지나 신원확인의 수단으로도 많이 활용되고 있다.
704)만만무졍지ᄉᆡ(萬萬無情之事) : 전혀 고의(故意)로 한 일이 아님. 혐의(嫌疑)를 둘 만한 일이 없음.

동월휘 본ᄃᆡ 잔 호의(狐疑) 업ᄂᆞᆫ 고로, 한ᄉᆡᆼ이 그 녀 ᄌᆡ믄 아지 못ᄒᆞ고 그 졍니(情理)를 불상이 넉여, ᄌᆞ긔와 ᄒᆞᆫ가지로 셩ᄂᆡ의 드러 가 옥누항 윤부로 가기를 니르니, 한씨 샤ᄉᆞ 왈,

“군후의 후덕이 감격ᄒᆞ나, 소ᄉᆡᆼ이 풍한(風寒)의 상ᄒᆞ여 아즉은 방 밧긔 나지 못ᄒᆞ리니, 슈일 조리ᄒᆞ여 입셩ᄒᆞ여 희린을 ᄎᆞᄌᆞ려 ᄒᆞᄂᆞ이다.”

월휘 그 용모긔질(容貌氣質)을 ᄉᆞ랑ᄒᆞ여 ᄌᆞ연 집슈연슬(執手連膝)ᄒᆞ믈 면치 못ᄒᆞ니, 한씨 대경ᄒᆞ여 ᄌᆞ연 손을 급히 ᄲᆡ히고, 안ᄉᆡᆨ이 변ᄒᆞ여 즉시 츄파(秋波)를 먼니 ᄒᆞᄂᆞᆫ지라. 옷ᄉᆞᄆᆡ 너르고 팔히 이상이 약ᄒᆞ므로 홍졈(紅點)이 편편(翩翩)이 드러나니, 월휘 비로소 녀진 줄 ᄭᆡᄃᆞ라, 크게 놀나 연망이 니러 졀ᄒᆞ고 밧그로 나오【109】며, 니르ᄃᆡ,

“소ᄉᆡᆼ이 불명ᄒᆞ여 소져의 근본을 아지 못ᄒᆞ엿시니 고이히 넉이지 말으소셔. 소ᄉᆡᆼ이 희린을 보고 소져의 찻고져 ᄒᆞ시ᄂᆞᆫ 바를 젼ᄒᆞ리이다.”

언파에 즉시 밧그로 나아가니, 명셩 대ᄉᆡ 소져를 위로 왈,

“소져ᄂᆞᆫ 놀나지 마르쇼셔. 이졔야 길운이 다ᄃᆞ라시니, 소졔 친당을 ᄎᆞᄌᆞ 도라 가시고 ᄇᆡᆨ년가연(百年佳緣)을 일우리이다.”

"쇼져ᄂᆞᆫ 외인을 보고 놀나디 마르쇼셔. 이졔야 길운(吉運)이 다ᄃᆞ라시니, 쇼졔 친당을 ᄎᆞᄌᆞ 도라 가시고, ᄇᆡᆨ년긔연(百年奇緣)을 맛당이 일우리이다."

한시 {쇼ᄆᆡ} 평ᄉᆡᆼ ○○[쳐음]으로 일면디분(一面之分)705)도 업ᄂᆞᆫ 남ᄌᆞ를 만나 ᄌᆞ긔 쥬표를 뵈고, 그 말이 쳐음 아득히 모로고 드러 왓던 바를 드르ᄆᆡ, 참괴ᄒᆞ고 놀나오미 욕ᄉᆞ무디(欲死無地)어ᄂᆞᆯ, 대ᄉᆡ(大師) 이러ᄐᆞᆺ 니르니, ᄉᆞᄉᆞ(事事)의 ᄌᆞ긔 팔ᄌᆡ 괴이ᄒᆞ여 규문(閨門)의 디극ᄒᆞᆫ 녜를 잡디 못ᄒᆞ고, 산ᄉᆞ의 뉴락(流落)ᄒᆞ믈 슬허 눈믈이 년낙(連落)ᄒᆞ믈 ᄭᆡᄃᆞᆺ디 못ᄒᆞ니, 오ᄅᆡ【9】도록 말이 업더니, 날호여 ᄀᆞᆯ오ᄃᆡ,

"내 산ᄉᆞ의 머므런 디 셰월이 포706) 되어시ᄃᆡ, 암듕(庵中) 니고(尼姑) 등이 힝혀 외인의 ᄌᆞ최 니르면, 날다려 몬져 닐너 알게 ᄒᆞ미 잇더니, 금일은 외인이 드러오ᄃᆡ 영영(永永)이 니르디 아냐, 날노 ᄒᆞ여금 이 붓그러오믈 깃치게 ᄒᆞ믄 엇던 일이뇨?"

니괴 흔연 쇼왈,

"이 붓그러온 거ᄉᆞᆫ 대ᄉᆡ(大事) 아니오, ᄇᆡᆨ슈동낙(白首同樂)의 텬뎡연분(天定緣分)을 ᄎᆞᄌᆞ미 올흐니, 쇼져ᄂᆞᆫ 슬허 마르쇼셔."

한시 ᄆᆞᆨ연브답(默然不答)이러라.

월휘 한시 녀ᄌᆡ믈 알고 경동(驚動)ᄒᆞ여 즉시 나와 형댱(兄丈)을 ᄃᆡᄒᆞ여, 녀ᄌᆡ 남복(男服)ᄒᆞ고 잇던 바를 젼ᄒᆞ고, 쳐음 드러 가본 줄을 뉘【10】웃ᄎᆞ니, 졔왕이 미우를 ᄶᅵᆼ긔여, ᄀᆞᆯ오ᄃᆡ,

"그러므로 내 쳐음의 드러가디 말과져 ᄒᆞ엿더니, 네 ᄇᆞᄃᆡ 욱여 드러갓다가 남의 집 규슈를 보미 되니, ᄆᆞ어시 됴흐리오."

월휘 쇼왈,

"모로고 드러갓다가 규슈믈 알고 즉시 나와시니, 쇼뎨의 힝실의 히로오미 업ᄂᆞ이다."

졔왕이 미쇼 왈,

705)일면디분(一面之分) : 한 번 만나 본 정도의 친분.

706)포 : 거듭. 어떤 일이 되풀이 됨.

한소제 {소ᄆᆡ} 평ᄉᆡᆼ의 《일이 ‖ 일면》부지(一面不知)581)의 남ᄌᆞ로 ᄒᆞ야곰 ᄌᆞ긔 쥬표를 뵈ᄆᆡ, ᄌᆞ긔 팔ᄌᆡ 고이ᄒᆞ여 산ᄉᆞ의 뉴락ᄒᆞ믈 슬허 눈물이 연낙ᄒᆞ니, 오ᄅᆡ도록 말이 업다가 날호여 왈,

"ᄂᆡ 산ᄉᆞ의 머므런 지 오ᄅᆡᄃᆡ, 암즁(庵中) 니고(尼姑)들이 힝혀 외인의 ᄌᆞ최 니르면 몬져 내게 니르더니, 금일 외인이 드러오ᄃᆡ 날ᄃᆞ려 니르지 아냐 이 붓그러오믈 보게 ᄒᆞ믄 엇지미뇨?"

니괴 소왈,

"붓그러온 거ᄉᆞᆫ 대ᄉᆡ(大事) 아니오, ᄇᆡᆨ슈동【110】낙(白首同樂)의 텬졍연분(天定緣分)을 ᄎᆞᄌᆞ미 올흐니, 소져ᄂᆞᆫ 슬허 마르쇼셔."

한씨 묵연부답(默然不答)이러라.

월휘 밧긔 나와 졔왕을 ᄃᆡᄒᆞ여, 한ᄉᆡᆼ이 남ᄌᆡ 아니오, 그 녀ᄌᆡ믈 고ᄒᆞ여, 쳐음에 드러가믈 뉘웃ᄎᆞ ᄒᆞ니, 왕이 미소 왈,

"그러므로 내 아이의 너다려 드러가지 말나 ᄒᆞ엿더니, 네 부ᄃᆡ 욱여 드러갓다가 남의 규슈를 보미 되니, 무엇이 조흐리오."

월휘 소이ᄃᆡ왈(笑而對曰),

"모르고 드러갓다가 규슈로 알고 즉시 나왓시니 소졔 힝실의 히로오미 업ᄂᆞ이다."

왕이 미소 왈,

"슈연(雖然)이나 이곳에 와 규슈를 맛ᄂᆞ

581)일면부지(一面不知) : 만나 본 일이 전혀 없어 알지 못함

"비록 그러ᄒᆞ나 이곳의 와 규슈를 만나니 우연ᄒᆞᆫ 일이 아니라. 혹ᄌᆞ 우형의 윤시 만남 ᄀᆞᆺᄐᆞ면, 엇지 괴롭디 아니리오."

월휘 미미히 우ᄉᆞ나, 뜻인 즉 기우러 쇼져로ᄡᅧ ᄇᆞᄃᆡ ᄌᆞᄀᆡ 긔믈(奇物)을 삼고져 ᄒᆞᄂᆞᆫ디라. 명일 암ᄌᆞ를 ᄡᅥ나 집으로 도라 올ᄉᆡ, 길히 옥【11】누항을 디나ᄂᆞᆫ 고로, 총총이 윤부의 드러 가니, 맛촘 윤태뷔(太傅) 쇼셔헌의셔 한희린과 ᄒᆨ문을 의논ᄒᆞᄂᆞᆫ디라. 월휘 밋쳐 당의 오로디 못ᄒᆞ고, 다만 한 공ᄌᆞ를 보아 왈,

"남문 밧 취월암의 뉴우(留寓)ᄒᆞᄂᆞᆫ 슈ᄌᆡ(豎子) 얼골 셩음이 만히 슈ᄌᆡ(豎子)로 방블ᄒᆞ고, 《브ᄌᆡ∥브ᄃᆡ》 슈ᄌᆡ로 셔로 보고져 ᄒᆞᄂᆞᆫ 뜻이 이셔 죵형뎨간(從兄弟間)이 되노라 ᄒᆞ니, 내 디금 션산으로셔 도라오ᄂᆞᆫ 길히라. 총급(悤急)707)ᄒᆞ여 죵용히 말을 못ᄒᆞᄂᆞ니, 슈ᄌᆡᄂᆞᆫ 밧비 가 ᄎᆞᄌᆞ 보라."

언파의 즉시 거름을 두로혀 ᄆᆞᆯ긔 오로니, 희린이 ᄎᆞ언을 드르ᄆᆡ 심신이 황홀ᄒᆞ여 혹ᄌᆞ 그 누읜가 ᄒᆞ여 태부긔 고왈,

"쇼ᄉᆡᆼ이 편모【12】긔 이 쇼유를 고ᄒᆞ고, 거교를 출혀 취월암의 가 보고져 ᄒᆞᄋᆞᆸᄂᆞ니 션인이 본ᄃᆡ 독신이라. 쇼ᄉᆡᆼ의게 죵뎨 이실 묘리(妙理) 업ᄉᆞ니 짐작건ᄃᆡ 일흔 누읜가 ᄒᆞᄂᆞ이다."

태뷔 왈,

"과연 그러홀 ᄃᆞᆺᄒᆞ니 일시를 더ᄃᆡ지 말고 밧비 취월암의 나아가, 진짓 일흔 쇼져실○[진]ᄃᆡ 녕당(令堂) 태부인 노년의 상회(傷懷)ᄒᆞ시ᄂᆞᆫ 회포를 위로ᄒᆞ라."

희린이 샤례ᄒᆞ고 곽부인긔 고코져 ᄒᆞ거늘, 태뷔 왈,

"네 본ᄃᆡ 죵일 셔헌의 이시니 고치 말고 취월암의 나아가 진짓 녕ᄆᆡ면, 모로고 계시다가 모녀 상봉ᄒᆞ시ᄆᆡ 더 깃블 거시오, 혹ᄌᆞ 아니라도 그 ᄉᆞ이의 경동ᄒᆞ【13】여 악연(愕然)ᄒᆞ실 니 업ᄉᆞ리라."

희린이 과약기언(果若其言)708)ᄒᆞ여, 태부

707)총급(悤急) : 몹시 급함.

니 우연ᄒᆞᆫ 일이 아니라. 혹ᄌᆞ 우형의 윤씨 만남 ᄀᆞᆺᄒᆞ면 엇지 괴롭지 아니리오."

월휘 미미히 우ᄉᆞ나, 뜻인 즉 기우러 한 소져로ᄡᅧ ᄌᆞ긔 긔믈을 삼고져 ᄒᆞᄂᆞᆫ지라. 명일 암ᄌᆞ를 ᄡᅥ나 집으로 도라올ᄉᆡ, 총총히 윤부【111】에 드러가니, 맛춤 윤태위 쇼셔헌에셔 한 희린과 ᄒᆨ문을 의논ᄒᆞᄂᆞᆫ지라. 월휘 밋쳐 승당치 못ᄒᆞ여 한 공ᄌᆞ를 보아 왈,

"남문 밧 취월암의 우유(留寓)ᄒᆞᄂᆞᆫ 슈ᄌᆡ(豎子) 얼골과 셩음이 만히 그ᄃᆡ로 방불ᄒᆞ고, 부ᄃᆡ 셔로 보고져 ᄒᆞᄂᆞᆫ 의ᄉᆡ 잇셔 그ᄃᆡ와 종○[형]뎨지간(從兄弟之間)이 되노라 ᄒᆞ니, 내 지금 션산으로셔 도라오ᄂᆞᆫ 길이라 촉급(促急)ᄒᆞ여 말을 다 못ᄒᆞᄂᆞ니, 그ᄃᆡᄂᆞᆫ 밧비 취월암에 가 한슈ᄌᆞ를 ᄎᆞᄌᆞ 보라."

ᄒᆞ고, 언파의 즉시 거름을 두루혀 말긔 올나 도라가니, 한희린이 이 말을 듯고 심신이 황홀ᄒᆞ여, 혹ᄌᆞ 그 누읜가 ᄒᆞ여 태부긔 고 왈,

"소졔 편모긔 이 소유를 고ᄒᆞ고 거교를 찰혀 취월암의 나아가 보고져 ᄒᆞᄂᆞ니, 션인의[이] ○○[본ᄃᆡ] 《쥬시미∥독신이》라. 소ᄉᆡᆼ에게 종형뎨 잇실 리 업ᄉᆞ니, 짐죽건ᄃᆡ 일흔 누읜가 ᄒᆞᄂᆞ이다."

태뷔 왈,

"과연 그럴듯 시부니【112】밧비 가 보아 짐짓 일흔 소졀진ᄃᆡ, 녕당 태부인긔 누년 상회ᄒᆞ시ᄂᆞᆫ 회포를 위로ᄒᆞ라."

희린이 ᄉᆞ례ᄒᆞ고 곽부인긔 고ᄒᆞ려 ᄒᆞ니, 태뷔 왈,

"네 본ᄃᆡ 종일토록 셔헌에 잇시니 고치 말고 취월암의 나아가, 진짓 녕ᄆᆡ면 모로고 계시다가 모녀 상봉ᄒᆞ면 더욱 깃블 거시오, 혹ᄌᆞ 아니라도 그 ᄉᆞ이의 경동ᄒᆞ여 ᄋᆡ련(哀憐)ᄒᆞ시ᄂᆞᆫ 일이 업ᄉᆞ리라."

희린이 올히 녁여 거교를 찰혀 가지고 일필 청녀(青藜)를 치쳐 취월암에 니르니, 명

의게 거교(車轎)를 어더 가디고 일필 청녀(靑驢)를 ᄎᆡ쳐 쌸니 ᄎᆔ월암의 니르ᄆᆡ, 명셩대ᄉᆡ 뎡히 기다리다가 즉시 나와 한 공ᄌᆞ를 ᄀᆡᆨ당(客堂)의 안치고 이의 온 연고를 므르니, 희린이 디필(紙筆)을 구ᄒᆞ여 ᄌᆞ긔 셩명 거듀를 ᄡᅧ 주며 니르ᄃᆡ,

"이 곳의 유학ᄒᆞᄂᆞᆫ 공ᄌᆡ 잇거든 이 ᄡᅳᆫ 거ᄉᆞᆯ 젼ᄒᆞ라."

대ᄉᆡ 드러가 한시를 보고 밧긔 온 공ᄌᆞ의 의형면목(儀形面目)을 ᄌᆞ셔히 옴겨 니르며, 그 셩명 젹은 거ᄉᆞᆯ 드리니, 한쇼졔 귀로 니고의 말을 드르며 눈으로 그 글을 보니, 분명이 뎨남 희린이라. 한시 심신【14】이 황홀ᄒᆞ여 즉시 청ᄒᆞ여 드러와 남ᄆᆡ 상견{ᄒᆞ견}ᄒᆞᄆᆡ, 피ᄎᆡ 일장을 통곡ᄒᆞ여 정신을 출히디 못ᄒᆞ다가 계오 딘졍ᄒᆞ여, 한공ᄌᆡ 눈믈을 거두고 윤태부를 ᄯᆞ라 모ᄌᆡ 경샤의 와시믈 젼ᄒᆞ니, 쇼졔 ᄒᆞᆫ 일이나 위로ᄒᆞᆯ 일이 이시믈 영ᄒᆡᆼᄒᆞ며, ᄌᆞ긔 오ᄅᆡ 산문의 유우ᄒᆞ다가, 굿ᄐᆞ여 외인을 만나 신상의 누얼을 면ᄒᆞ기 어려오믈 슬허ᄒᆞ니, 공ᄌᆡ 위로ᄒᆞ고 대ᄉᆞ와 월청이 ᄒᆞᆷ긔 나와 쇼져의 연분이 뎡가의 이시믈 공ᄌᆞ긔 고ᄒᆞ고, 동월후의 녜를 잡으미 쇼졔 녀진 줄 안 후ᄂᆞᆫ 경동(驚動)ᄒᆞ여 즉시 나가던 바를【15】 젼ᄒᆞ니, 공ᄌᆡ 탄 왈,

"만ᄉᆡ 텬의(天意)니 인력으로 ᄒᆞᆯ ᄇᆡ 아니라."

ᄒᆞ고, 인ᄒᆞ여 ᄆᆡ져를 구하여 오ᄅᆡ 산문의 머므던 은혜를 쳔만 칭샤ᄒᆞ여, ᄉᆡᆼ젼의 닛디 못ᄒᆞᆯ 은혜를 일ᄏᆞᄅᆞ니, 니고 등이 블감ᄒᆞ믈 ᄉᆞ양ᄒᆞ더라.

공ᄌᆡ 져져의도라 가믈 청ᄒᆞ니, 쇼졔 니고 등을 작별ᄒᆞᄆᆡ 집슈(執手) 쳑연(慽然)ᄒᆞ여 눈믈 나리믈 ᄭᆡ돗디 못ᄒᆞ며, 여러 일월의 가ᄌᆞᆨ이709) ᄃᆡ졉ᄒᆞ던 은혜를 ᄎᆞᄉᆡᆼ의 갑디 못ᄒᆞᆯ가 슬허ᄒᆞ니, 니고 등이 다 쳬읍(涕泣) ᄇᆡ별(拜別)ᄒᆞ더라.

한시 니고 등을 니별ᄒᆞ고 즉시 거교의 오셩대ᄉᆡ 정히 기ᄃᆞ리더라. 한ᄉᆡᆼ이 거교를 멈츄고 믓고져 ᄒᆞᆯ 즈음에, 명셩대ᄉᆡ 인도ᄒᆞ여 소져 잇ᄂᆞᆫ 곳을 가ᄅᆞ쳐ᄆᆡ, 한ᄉᆡᆼ이 문을 열고 드러가 누의를 붓들고 쳬읍ᄒᆞ니, 한소제 ᄯᅩᄒᆞᆫ 일장 통곡ᄒᆞ다가, 일변 승니들의 은덕을 닐컷고, 모부인 보고 십은 마음이 촉급ᄒᆞ여,

708)과약기언(果若其言) : 과연 그 말과 같이 함
709)가ᄌᆞᆨ이 : 가득히. 후(厚)하게. 많거나 넘치게

즉시 졔 니【113】고를 작별ᄒᆞ고 명성대ᄉᆞ의 은혜를 무슈 치ᄉᆞᄒᆞᆫ 후, 거교의 올나 바로 입셩(入城)ᄒᆞ여 윤부에 니르러 모친

로ᄆᆡ, 한공ᄌᆡ 호ᄒᆡᆼᄒᆞ여 옥누항의 도라와 바로 모친 침소의 다ᄃᆞ르ᄆᆡ, 【16】 곽시 텬상(天喪)[710] 삼년을 훌훌이 디ᄂᆡ고, 윤부 은덕과 희린의 셩효를 의디ᄒᆞ여 일월을 보ᄂᆡ나, 녀ᄋᆞ의 ᄉᆡᆼ존을 아디 못ᄒᆞ여 촌장을 살오다가, 오날ᄂᆞᆯ 쳔만 긔약디 아냐셔 일흔 녀ᄋᆡ ᄌᆞ라 도라오니, 환ᄒᆡᆼ희열(歡幸喜悅)ᄒᆞ미 극ᄒᆞᄆᆡ 도로혀 슬프미 무궁ᄒᆞ니, 황망이 녀ᄋᆞ의 손을 잡고 낫출 다혀 실셩 통곡 왈,

"이 거시 ᄭᅮᆷ이냐, 상시냐. 도시(都是)[711] 내 무상(無狀)ᄒᆞ여 최가 못ᄡᅳᆯ 놈의게 도라 보ᄂᆡ려 ᄒᆞ다가 영영(永永)이 일허, 셰월이 오ᄅᆡ○○[도록] ᄉᆞᄉᆡᆼ존망을 아디 못ᄒᆞ니, 쥬야의 간장이 녹고 ᄉᆞ히여[712], 디하의 션군을 보올 면목이 업셔 더옥 셜워ᄒᆞ더니, 오 【17】 날ᄂᆞᆯ 네 ᄌᆞ라 도라 올 줄 어이 알니오."

쇼졔 슬프고 ᄋᆡ돌오미 가득ᄒᆞ나, 모친의 비회를 돕디 못ᄒᆞ여 나ᄌᆞᆨ이 위로ᄒᆞ고, 인ᄒᆞ여 월청을 만나 산ᄉᆞ의 머므던 바를 죵용이 고ᄒᆞ고, 부친 샤묘의 ᄇᆡ알ᄒᆞᄆᆡ 눈믈이 비ᄀᆞᆺ고 긔운이 막힐 듯ᄒᆞᄃᆡ, 디통을 억졔ᄒᆞ여 모녜 윤태부 은혜를 감골ᄒᆞ나, 희린이 태부의 은혜를 일ᄏᆞᄅᆞ믈 깃거 아닛ᄂᆞᆫ 셩경과 위인을 아ᄂᆞᆫ 고로, 은덕을 일ᄏᆞᆺ디 못ᄒᆞ나, ᄉᆡᆼ당운슈(生當運數)[713]ᄒᆞ고　ᄉᆞ당결초(死當結草)[714]ᄒᆞᆯ ᄯᅳᆺ이 잇고, 태뷔 희린이 형ᄆᆡ(兄妹)[715]를 ᄎᆞᄌᆞ 도라오믈 ᄒᆡᆼ열ᄒᆞ여, 브ᄃᆡ 옥인군ᄌᆞ(玉人君子)를 갈히여 희린의 져부(姐夫)[716]를 삼 【18】 고져 ᄒᆞᄃᆡ, 동월휘 한시의 ᄉᆡᆼ존을 아라다가 희린의게 젼ᄒᆞᆫ ᄯᅳᆺ이 심

---

710)텬상(天喪) : 남편의 상(喪). 남편을 '하늘(天)'이라 한 데서 유래한 말.

711)도시(都是) : 도무지. 이러니저러니 할 것 없이 아주.

712)ᄉᆞ히다 : 사위다. 다 타버리다. 불이 사그라져서 재가 되다.

713)ᄉᆡᆼ당운슈(生當運數) : 살아서는 마땅히 운명의 정해진 바를 따를 뿐임.

714)ᄉᆞ당결초(死當結草) : 죽어서는 마땅히 결초보은(結草報恩)할 것임.

715)형ᄆᆡ(兄妹) : 손윗누이.

716)져부(姐夫) : 누이의 남편.

침소의 다ᄃᆞ르니, 곽부인이 텬상(天喪)[582] 삼년을 훌훌이 지ᄂᆡ고, 윤부 은덕과 희린의 셩효를 의지ᄒᆞ여 일월을 보ᄂᆡ나, 녀ᄋᆞ의 ᄉᆡᆼ존을 아지 못ᄒᆞ여 촌장을 술오다가, 금일 쳔만 긔약지 아니코 일헛던 녀ᄋᆡ ᄌᆞ라 무ᄉᆞ히 도라오니, 희열ᄒᆞ미 극진ᄒᆞᄆᆡ 도로혀 슬푸미 무궁ᄒᆞᆫ지라. 부인이 황망이 녀ᄋᆞ의 옥슈를 잡고 얼골을 다하며 실셩 통곡 왈,

"내 무상(無狀)ᄒᆞ여 최가 몹슬 놈에게 너를 도라 보ᄂᆡ려 ᄒᆞ다가, 영영(永永)히 일허 ᄇᆞ리고, 셰월이 오ᄅᆡᄃᆡ ᄉᆞᄉᆡᆼ존망을 능히 아지 못ᄒᆞ니, 노모의 간장이 쥬야로 ᄉᆞ회엿시며[583], 타일 지하에 도라가나 감히 션군긔 뵈올 안면이 업ᄉᆞ믈 ᄉᆡᆼ각ᄒᆞ고, 더 【114】 욱 슬프믈 니긔지 못ᄒᆞ더니, 녀ᄋᆡ ᄌᆞ라 금일에 도라 올 줄을 엇지 아라시리오."

소졔 슬프고 ᄋᆡ다르미 ᄀᆞ득ᄒᆞ나, 모친의 슬픈 회포를 돕지 아니려 ᄒᆞ여, 화셩유어(和聲柔語)로 태태(太太)[584]를 위로ᄒᆞ고, 인ᄒᆞ여 월경을 만나 산ᄉᆞ에 머므던 일을 고ᄒᆞ고, 부친의 ᄉᆞ당에 ᄇᆡ현ᄒᆞᄆᆡ 긔운이 막힐 듯 ᄒᆞᄃᆡ, 지통을 억졔ᄒᆞ고 모녜 윤태부 은혜를 각골불망(刻骨不忘)ᄒᆞ더라.

---

582)텬상(天喪) : 남편의 상(喪). 남편을 '하늘(天)'이라 한 데서 유래한 말.

583)ᄉᆞ회다 : 사위다. 다 타버리다. 불이 사그라져서 재가 되다.

584)태태(太太) : 부인에 대한 존칭. 또는 '어머니'를 이르는 말.

상치 아니믈 싱각고, 아딕 혼亽를 일캇디 아니ᄒᆞ더라.

시시(是時)의 졔왕과 월휘 본부의 도라와 존당 부모긔 빅현ᄒᆞ미, 태부인과 금평후 부뷔 그 亽이나 반기미 극ᄒᆞ여, 도로의 셜한(雪寒)을 당ᄒᆞ여 발셥(跋涉)이 괴롭던 바를 뭇고, ᄎᆞ야의 금휘 녜부와 월후를 다리고 청듁헌의셔 취침ᄒᆞ엿더니, 亽몽비몽간(似夢非夢間)의 일위 현식(賢士) 광의대딕(廣衣大帶)[717]로 손의 빅옥쥬미(白玉麈尾)[718]를 들고 치운(彩雲)을 멍에ᄒᆞ여 듁헌의 니르러, 금평후를 향ᄒᆞ여 읍ᄒᆞ고 골오딕,

"싱은 명공으로【19】더브러 일면(一面)의 분(分)[719]이 업고 쳑촌(尺寸)의 은혜 씻친 일이 업亽니, 엇디 싱의 ᄌᆞ식을 거두어 슬하의 ᄌᆞ식을 삼으라 ᄒᆞ리오마ᄂᆞᆫ, 태창셩이 아녀로 더브러 텬연(天緣)이 듕ᄒᆞ고, 취월암 산亽의셔 서로 보고 비록 ᄋᆞ녀를 남ᄌᆞ로 아라시나, 집슈년슬(執手連膝)ᄒᆞ여 임의 쥬표(朱標)가디 보아시니, 亽문규쉬(士門閨秀) 외간남ᄌᆞ로 더브러 딕면친졉(對面親接)ᄒᆞ고 엇디 타문(他門)을 싱각ᄒᆞ리오. 명공은 텬연이 믹인 바의 인력으로 밋출 빅 아니믈 헤아려, ᄋᆞ녀를 거두어 무휼(撫恤)ᄒᆞ시면 싱이 당당이 결초보은(結草報恩)ᄒᆞ리이다. 금휘 기인의 승형학골(勝形鶴骨)[720]이 속셰 범인과 다르고, 언에(言語) 여【20】ᄎᆞᄒᆞ믈 보고, 이의 흠신(欠身)[721] 답왈,

"션싱의 니른 바 태창셩은 누를 니르미뇨?"

기인 왈,

"태창셩은 이 곳 동월휘니 ᄋᆞ녀와 셰연(世緣)이 디듕ᄒᆞ니 명공은 텬의를 슌슈(順受)ᄒᆞ쇼셔."

---

717)광의대딕(廣衣大帶) : 품이 넉넉한 도포(道袍)를 입고 넓은 띠를 두른 차림.

718)빅옥쥬미(白玉麈尾) : 백옥으로 장식한 총채. *총채; 말총이나 헝겊 따위로 만든 먼지떨이.

719)분(分) : 친분(親分).

720)승형학골(勝形鶴骨) : 아름다운 외모와 학처럼 늘씬한 골격.

721)흠신(欠身) : 공경하는 뜻을 나타내기 위하여 몸을 굽힘.

언흘(言訖)의 브디거쳬(不知去處)722)라. ᄎᆞ시 월휘 ᄯᅩ 일몽을 어드니, 일위 댱ᄌᆡ 드러와 월후를 향ᄒᆞ여 왈,

"군이 ᄋᆞ녀와 텬연이 듕ᄒᆞ니 기리 화락ᄒᆞ믈 바라노라."

월휘 졍신을 딘뎡치 못ᄒᆞᆯ ᄌᆞ음의, 기인이 월후의 등을 두다리며 쾌셔라 ᄒᆞ여 ᄋᆡ듕ᄒᆞ믈 마디 아니ᄒᆞ다가, 날호여 형뎍(形迹)을 ᄀᆞᆷ출ᄉᆡ 월후의 손을 쥐엿다가 노코, 기리 유신(有信)ᄒᆞ믈 당부ᄒᆞ고 나가니, 월휘 【21】 하당(下堂) ᄉᆞᆼ디(送之)ᄒᆞ려 몸이 나리다가 듕계(中階)의 것구러디니, 월휘 인ᄒᆞ여 몽압(夢魘)723)ᄒᆞ니, 금휘 월후의 소ᄅᆡ의 ᄭᆡ여 즉시 월후를 흔드러 ᄭᆡ오고 몽압ᄒᆞᆫ 연고를 므르니, 월휘 야야(爺爺) 몽ᄉᆞ(夢事)와 다르미 업ᄉᆞ나 오히려 부친의 ᄭᅮᆷ 어드시믈 아디 못ᄒᆞ고, 허탄ᄒᆞᆫ 몽ᄉᆞ를 셩언ᄒᆞ미 가치 아냐 다만 ᄃᆡ왈,

"도로의 몸을 닛비ᄒᆞ엿ᄂᆞᆫ 고로 우연이 몽압ᄒᆞ민가 ᄒᆞᄂᆞ이다. 금평휘 ᄀᆞᆺ트여 ᄌᆞᄀᆡ 몽ᄉᆞ를 니르디 아니ᄒᆞᄃᆡ, 듕심의 괴이히 넉이더니 명일 졔왕다려 므로ᄃᆡ,

"너희 태쥐로셔 {올나} 올나올 ᄯᆡ의 취월암이란 곳의 드러가미 잇더냐?" 【22】

졔왕이 ᄃᆡ 왈,

"다른 인개 맛당치 아냐 암듕의셔 일야를 디ᄂᆡ고 왓ᄂᆞ이다."

금평휘 드를 만ᄒᆞ엿더니, 월휘 몽ᄉᆞ를 엇고 한시의 ᄀᆡ화명월 ᄀᆞᆺ튼 용ᄎᆡ(容彩)를 그ᄋᆞᆨ이 ᄉᆞ상(思相)ᄒᆞ여, 일일은 파됴(罷朝) 후 부듕으로 도라오ᄂᆞᆫ 길히 옥누항의 니르ᄆᆡ, 창후 곤계 밧근 다른 사ᄅᆞᆷ이 업ᄂᆞᆫ디라. 월휘 ᄀᆞ장 다힝ᄒᆞ여 슈일 보디 못ᄒᆞ믈 일ᄏᆞᆺ고 날호여 므러 ᄀᆞᆯ오ᄃᆡ,

"한희린이 기ᄆᆡ를 ᄎᆞᄌᆞ 오니잇가?"

동평휘 답쇼 왈,

"취암의 가 다려 왓거니와 예ᄇᆡᆨ이 아라 므엇 ᄒᆞ려 ᄒᆞᄂᆞ뇨?"

이ᄯᆡ 동월휘 ᄒᆞᆫ ᄭᅮᆷ을 어드니, 일위 장ᄌᆡ 알ᄑᆡ 니르러 ᄀᆞᆯᄋᆞᄃᆡ,

"군이 나의 녀ᄋᆞ와 텬연이 즁ᄒᆞ니 기리 화락ᄒᆞ기를 ᄇᆞ라노라."

ᄒᆞ거ᄂᆞᆯ,

월휘 ᄭᅮᆷ을 엇고, 한 소져의 용ᄎᆡ(容彩)를 ᄉᆞ랑ᄒᆞ여, 일일은 조회를 파ᄒᆞ고 도라오ᄂᆞᆫ 길에 옥누항에 니르니, 창후 형뎨만 잇고 다른 샤ᄅᆞᆷ은 업거ᄂᆞᆯ, 월휘 그 죵용ᄒᆞ믈 다힝ᄒᆞ여, 수일 못 보믈 니르고 담【115】화ᄒᆞᆯ ᄉᆡ, 날호여 문왈,

"한 희린이 그 누의를 ᄎᆞᄌᆞ 왓ᄂᆞ냐?"

동평휘 웃고 답왈,

"희린이 취월암에 가 그 누의를 다려 왓거니와 연ᄇᆡᆨ이 아라 무엇ᄒᆞ리오?"

동월휘 왈,

722)브디거쳬(不知去處) : 간 곳을 알 수 없음.
723)몽압(夢魘) : 자다가 가위에 눌림. *魘(가위눌릴 염); 음이 '염'임.

월휘 ᄀᆞᆯ오ᄃᆡ,

"쇼뎨 블명ᄒᆞ여 한시【23】의 남복을 보고 녀진 줄을 아디 못ᄒᆞ여, 평ᄉᆡᆼ 교도를 ᄆᆡᆺ고져 ᄒᆞ여 집슈년슬ᄒᆞ미 잇더니, 쥬표를 보ᄆᆡ 놀나오미 극ᄒᆞᆫ디라. 져 녀ᄌᆡ 만일 졀ᄒᆡᆼ이 이실딘ᄃᆡ 타쳐의 도라가디 아니랴 ᄒᆞᆯ 거시니, 쇼뎨 바려두면 사ᄅᆞᆷ의 일ᄉᆡᆼ을 희디은 젹앙(積殃)이 이실가 두려ᄒᆞᄂᆞ이다."

동평휘 미미히 우어 ᄀᆞᆯ오ᄃᆡ,

"예ᄇᆡᆨ이 젹블션(積不善)을 념녀ᄒᆞ여 이러ᄐᆞᆺ 니르나, 셕(昔)애 하혜(下惠)[724] 미ᄌᆡ(微子)[725] ᄒᆞᆫ 수ᄅᆡ의 부인을 픔어 구ᄒᆞᄃᆡ ᄒᆡᆼ실의 유희ᄒᆞ미 업ᄉᆞ니, 예ᄇᆡᆨ이 한시의 손을 잡으므로ᄡᅧ 일ᄉᆡᆼ을 희디으미 될가 근심ᄒᆞ【24】거든, 쾌히 한시로 결약남ᄆᆡ(結約男妹)ᄒᆞ여 혐의로오미 업게 ᄒᆞᄂᆞᆫ 거시 올흐니, 듁청 형으로브터 결약남ᄆᆡ ᄒᆞᄂᆞᆫ 버르시이시니, 예ᄇᆡᆨ이 듁청 형의 하시로 결약남ᄆᆡ ᄒᆞ믈 본바드미 엇더ᄒᆞ뇨?

월휘 청필의 쥬슌(朱脣)의 호치(皓齒) 현츌ᄒᆞ여 ᄀᆞᆯ오ᄃᆡ,

"형의 의논이 ᄌᆞ못 맛당ᄒᆞ시ᄃᆡ, 쇼뎨 남ᄆᆡ 슈를 혜면 하 져져(姐姐) 아오라 팔인이니, 동긔 슈가 브족ᄒᆞ여 양ᄆᆡ(養妹) 엇도록 ᄒᆞ리잇가?"

동평휘 쇼왈,

"동긔ᄂᆞᆫ {동긔ᄂᆞᆫ} ᄇᆡᆨ이라도 번화코 귀ᄒᆞᆫ

"소뎨 블명ᄒᆞ여 한씨의 남복을 보고 녀진 줄 아지 못ᄒᆞ여, 교도를 ᄆᆡᆺ고져 ᄒᆞ여 집슈연슬 ᄒᆞ미 잇더니, 그 쥬표를 보고 놀나오미 극ᄒᆞᆫ지라. 져 한씨 녀ᄌᆡ 만일 졀ᄒᆡᆼ이 잇실진대 다른 곳에 가지 아니려 ᄒᆞ리니, 소뎨 ᄇᆞ려두면 사ᄅᆞᆷ의 일ᄉᆡᆼ을 희지어 젹앙(積殃)이 잇실가 두리노라."

동평휘 소왈,

"젹블션(積不善)을 념녀ᄒᆞ거던 쾌히 한씨를 결약남ᄆᆡ ᄒᆞ라"

---

724)하혜(下惠) : 유하혜(柳下惠). 중국 춘추시대 노(魯)나라의 현자(賢者). 성은 전(展), 이름은 획(獲), 자는 금(禽) 또는 계(季). 유하(柳下)에서 살았으므로 이것이 호가 되었으며, 문인(門人)들이 혜(惠)라는 시호를 올렸으므로 '유하혜(柳下惠)'로 불렸다. 겨울밤에 추위에 떠는 여인을 자기 침상에 뉘어 몸을 녹여주었으나 그의 평소 행동이 단정하였기 때문에, 그의 결백을 의심하는 사람이 없었다고 한다.

725)미ᄌᆞ(微子) : 미자계(微子啓). 중국 은나라 말기의 현인(賢人). 기자(箕子), 비간(比干)과 함께 은말 삼인(三仁; 세 어진 사람)으로 꼽힌다. 이름은 계(啓)이고 은나라 마지막 왕인 주(紂)의 이복형이다. 주를 간(諫)했지만 받아들이지 않자 조상을 제사 지내는 제기들을 갖고 산서성 노성(潞城) 동북쪽에 있던 미(微) 땅으로 갔다. 주나라 무왕이 주(紂)를 정벌하자 항복했는데, 무왕은 그를 미(微) 땅의 제후로 봉했다. 그래서 미자(微子)라고 한다.

거시오, 쳐실은 만흔 거시 맛춤ᄂᆡ 깃브디 아니니, 예빅이 일노뻐 【25】 걸녀 흘진ᄃᆡ, 금일이라도 악댱긔 뵈옵고 한시를 양녀로 뎡ᄒᆞ시게 ᄒᆞ리라.”

월휘 다시 말을 못ᄒᆞ여셔 위국공이 웃고 ᄀᆞᆯ오ᄃᆡ,

“현뎨ᄂᆞᆫ 엇디 사ᄅᆞᆷ의 ᄆᆞᄋᆞᆷ을 아디 못ᄒᆞ고, 말ᄎᆡ를 몰나 드러 ᄃᆡ답을 그리 ᄲᅥᆨᄲᅥᆨ이[726] ᄒᆞᄂᆞ뇨? 예빅이 한쇼져의 일ᄉᆡᆼ을 딘졍으로 근심ᄒᆞ고 념녀ᄒᆞ여 젹블션디홰(積不善之禍)이실가 두리ᄂᆞᆫ 거시 아니라, 짐즛 혼인을 쳥코져 이러ᄐᆞᆺ 핑계ᄒᆞ여 한쇼져의 죵신대ᄉᆞ(終身大事)[727]를 져의게 디ᄂᆡ과져 ᄒᆞ미라. 어이 뜻 밧긔 결의남ᄆᆡ(結義男妹)를 니르리오.”

태뷔 함쇼 ᄃᆡ왈,

“쇼뎨 우미ᄒᆞ여 예빅이 개【26】과슈ᄒᆡᆼ(改過修行)ᄒᆞ다 ᄒᆞᄃᆡ, 이제도 뎡도의 나아가미 머럿도소이다.”

월휘 쇼왈,

“쇼뎨의 경박ᄒᆞ믄 냥위 존형의 ᄇᆞᆰ히 아ᄅᆞ시ᄂᆞᆫ ᄇᆡ라. 엇디 뎡도의 도라 갓다 ᄒᆞ리잇고? 문왕(文王)은 셩인(聖人)이샤ᄃᆡ 태샤(太姒) ᄀᆞᄐᆞᆫ 슉녀를 두시고도 삼쳔후비(三千后妃)를 유졍(有情)ᄒᆞ시니, ᄒᆞ믈며 쇼뎨 ᄀᆞᄐᆞᆫ 취ᄉᆡᆨ경박[덕](取色輕德)ᄒᆞᄂᆞᆫ 무리를 니ᄅᆞ리잇고? 냥형이 한시로뻐 쇼뎨의 긔믈(奇物)을 삼디 아니신즉, 쇼뎨 실셩발광(失性發狂)이 다시 나리로소이다.”

위공이 쇼왈,

“내 당당이 월노를 ᄌᆞ임ᄒᆞ리니, 셩친 후네 호쥬셩찬으로 나의 쥬량을 ᄎᆡ오고, 빅비고두【27】ᄒᆞ여 은덕을 ᄉᆡᆼ젼ᄉᆞ후의 닛디 아니려 ᄒᆞᄂᆞᆫ다?”

월휘 화연이 웃고 왈,

“쇼뎨 비록 피폐ᄒᆞ나 오히려 식읍 삼쳔셕 봉녹이 이시니, 형의 쥬량을 슬토록 ᄎᆡ

월휘 소왈,

“냥형이 한씨로뻐 소뎨의 긔물을 삼지 아닌즉 소뎨 다시 실셩발광(失性發狂)이 날가 ᄒᆞ노라”

창휘 소왈,

“녀ᄌᆞ ᄀᆞᄐᆞᆫ 뇨물이 업ᄂᆞ니, 현형은 실셩ᄒᆞᆯ 일이 업ᄂᆞ【116】《이다 ‖ 니라》.”

---

726)ᄲᅥᆨᄲᅥᆨ이 : 빽빽하게. *빽빽하다; ①융통성이 없고 고지식하다. ②꽉 끼거나 맞아서 헐겁지 아니하다.
727)죵신대ᄉᆞ(終身大事) : 평생에 관계되는 큰일이라는 뜻으로, ‘결혼’을 이르는 말.

오리니 형이 월노(月老)[728]를 ᄌᆞ임(自任)ᄒᆞ시나, 효문 형이 가친긔 ᄎᆞ혼을 쳥ᄒᆞ신즉 허락ᄒᆞ샤미 더옥 손바닥 뒤혐 ᄀᆞᆺᄐᆞ리이다."

동평휘 미쇼 왈,

"듕ᄆᆡ(中媒) 되기를 어려이 넉이ᄂᆞᆫ 거시 아니라, 예ᄇᆡᆨ의 셩졍이 발호ᄒᆞᆫ 거ᄉᆞᆯ ᄎᆡᆨ 잡디 못ᄒᆞ여시믈 념녀ᄒᆞᄂᆞ니, 내 본ᄃᆡ 사ᄅᆞᆷ을 과도히 ᄎᆡᆨ망치 못ᄒᆞ여, 기기쇼단(棄其所短)[729]ᄒᆞ고 취기쇼댱(取其所長)[730]ᄒᆞᄂᆞᆫ ᄇᆡ어ᄂᆞᆯ, 예ᄇᆡᆨ의 태강(太强)ᄒᆞᆫ 【28】 슈단이 노(怒)를 발ᄒᆞ면, 양슈 ᄀᆞᆺᄐᆞᆫ 어딘 부인이라도 믈의 동혀 너키를 아조 쉬온 일노 알믈 실노 무셔이 넉이ᄂᆞ니, 져 한시 과모(寡母)의 일녀로 호화히 ᄌᆞ라디 못ᄒᆞᆫ 녀ᄌᆡ니, 츌가ᄒᆞᆫ 후나 그 일신이 영화롭기를 곽부인이 졀박히 바란다 ᄒᆞ니, 예ᄇᆡᆨ이 스ᄉᆞ로 혜아려 {다시} 광증이 다시 나디 아니랑[731] ᄀᆞᆺᄐᆞ면, 내 금일이라도 녕존긔 쳥혼ᄒᆞ리라."

월휘 쇼이ᄉᆞ샤왈(笑而謝辭曰),

"쇼뎨의 젼 힝ᄉᆞᄂᆞᆫ 실노 사ᄅᆞᆷ을 들념즉디 아니ᄒᆞᆫ 일이 잇거니와, 엄훈을 밧드러 젼과(前過)를 뉘웃고 ᄉᆡ로 화홍관ᄌᆞ(和弘寬慈)ᄒᆞ기를 쥬ᄒᆞᄂᆞ니, 엇디 한【29】시를 취ᄒᆞ여 양시ᄀᆞᆺ치 ᄃᆡ졉ᄒᆞ리잇가? ᄒᆞ믈며 가ᄂᆡ의 셩녀 ᄀᆞᆺᄐᆞᆫ 요인(妖人)이 업ᄉᆞ니 쇼뎨 실셩ᄒᆞᆯ 묘ᄆᆡᆨ이 업ᄉᆞ리이다."

동평휘 쇼왈,

"댱부일언(丈夫一言)이 쳔년블개(千年不改)[732]라. 예ᄇᆡᆨ이 이러ᄐᆞᆺ 졍녕(丁寧)이 니르고 엇디 말과 일을 달니 ᄒᆞ리오. 내 명일 형댱을 뫼셔 운산의 나아가, 녕존긔 뵈ᄋᆞᆸ고 ᄎᆞ혼(此婚)을 의논ᄒᆞ리라."

---

728)월노(月老) : 월하노인(月下老人). 부부의 인연을 맺어 준다는 전설상의 늙은이. 중국 당나라의 위고(韋固)가 달밤에 어떤 노인을 만나 장래의 아내에 대한 예언을 들었다는 데서 유래한다.

729)기기쇼단(棄其所短) : 단점을 버림.

730)취기쇼댱(取其所長) : 장점을 취함.

731)아니랑 : 아니할 것. '아닐+ 양'의 연철표기. *양; '의향'이나 '의도'의 뜻을 나타내는 의존명사.

732)댱부일언(丈夫一言) 쳔년블개(千年不改) : 장부가 한 번 한 말은 아무리 많은 세월이 지난 뒤라도 변해서는 안 된다.

동평휘 소 왈,

"장부일언(丈夫一言)이 쳔년불개(千年不改)[585]라 ᄒᆞ니, 연ᄇᆡᆨ이 이럿ᄐᆞᆺ 니르며 엇지 말과 일을 달니ᄒᆞ리오. 내 명일 형장을 뫼셔 운산에 나아가 악장긔 뵈ᄋᆞᆸ고 이 혼ᄉᆞ를 의논ᄒᆞ리라."

---

585)댱부일언(丈夫一言) 쳔년블개(千年不改) : 장부가 한 번 한 말은 아무리 많은 세월이 지난 뒤라도 변해서는 안 된다.

월휘 대열ᄒᆞ여 ᄌᆡ삼 칭샤(稱謝)ᄒᆞ고, '말ᄉᆞᆷ을 브ᄃᆡ 됴토록 ᄒᆞ여 가친의 허락을 엇도록 ᄒᆞ라' 당부ᄒᆞ니, 동평휘 잠쇼 왈,

"비록 언단(言端)이 셔어(齟齬)ᄒᆞ나, 악댱의 허락은 손의 춤 밧고 긔약ᄒᆞ리니, 예ᄇᆡᆨ은 ᄒᆞ 초조치 말나."

월휘【30】웃고 날이 느ᄌᆞ므로ᄡᅧ 하ᄃᆡᆨ고 도라간 후, 금평휘 맛참 슌참졍을 보라 왓다가 윤부의 와 호람후 부ᄌᆞ 슉딜을 셔로 볼ᄉᆡ, 쥬ᄀᆡᆨ(酒客)이 다 ᄇᆡ작을 날니며 죵용이 담화ᄒᆞ다가, 위공이 웃고 몬져 ᄀᆞᆯ오ᄃᆡ,

"샤뎨(舍弟)ᄂᆞᆫ 한희린의 ᄆᆡ져를 위ᄒᆞ여 바야흐로 민울(悶鬱)ᄒᆞᆫ 근심이 이셔, 악댱긔 고코져 ᄒᆞᄃᆡ 청납디 아니실가 념녀ᄒᆞᄂᆞᆫ ᄇᆡ로소이다."

금평휘 쇼왈,

"ᄉᆞ빈의 니름 곳 이시면 내 본ᄃᆡ 아니 드른 일이 업거ᄂᆞᆯ, 므ᄉᆞ 일이완ᄃᆡ 그리 념녀ᄒᆞᄂᆞ뇨?"

창휘 ᄃᆡ왈,

"다른 일이 아니라, 쥐월암이 듁청 형의 곤계를 위ᄒᆞᆫ 산ᄉᆞ(山寺)오,【31】 존부 복경이 놉흐시미 졈졈더은 ᄯᆡ라. 옥녀텰뷔(玉女哲婦) ᄌᆞ연ᄒᆞᆫ 가온ᄃᆡ ᄀᆞᆺ초 모다, 가ᄂᆡ의 화긔를 닐위며 ᄌᆞ손이 흥셩ᄒᆞ믈 돕ᄂᆞᆫ디라. 모일의 듁청 형이 예ᄇᆡᆨ으로 더브러 태쥐 능침의 단녀 오다가, 쥐월암의 드러가 쉴 제, 한시 남복으로 여ᄎᆞ여ᄎᆞ 이시믈 듯고 예ᄇᆡᆨ이 남ᄌᆞ로 아라 교도를 ᄆᆡᆺ고져 ᄒᆞ다가, 비홍(臂紅)을 보고 경동(驚動)ᄒᆞ여 즉시 나오다 ᄒᆞᄃᆡ, 한희린이 그 누의를 ᄎᆞᄌᆞ 도라와 타쳐의 셩친코져 ᄒᆞᆫ즉, 한시 스ᄉᆞ로 폐륜ᄒᆞ믈 결단ᄒᆞ여, 규슈의 몸으로 외간남ᄌᆞ【32】와 집슈년슬ᄒᆞ믈 큰 누얼ᄀᆞᆺ치 넉인다 ᄒᆞ니, 곽부인이 다만 희린의 남ᄆᆡ쁜이라. 그 녀ᄋᆡ 폐륜ᄒᆞᆯ 바를 망극ᄒᆞ여 쇼ᄉᆡᆼ의 형뎨의게 말을 젼ᄒᆞ여, 그 일녀로ᄡᅧ 남의 여럿 ᄌᆡ부실노 도라보ᄂᆡ미 난쳐ᄒᆞ나, 폐륜ᄒᆞᄂᆞ니보다가[733] 나을 거시니, 존부의 혼인을 청ᄒᆞ여 달나 ᄒᆞ거ᄂᆞᆯ, 쇼ᄉᆡᆼ의 형뎨 예ᄇᆡᆨ을 보고

733)-보다가 : 보다 더.

ᄒᆞ니, 월휘 깃거 ᄌᆡ삼 칭ᄉᆞᄒᆞ고, 말ᄉᆞᆷ을 부ᄃᆡ 되도록 ᄒᆞ여 부친긔 허락을 엇게ᄒᆞ라 당부ᄒᆞ니, 동평휘 잠소ᄒᆞ더라.

월휘 하직고 도라가다.

금평휘 맛참 윤부의 와 호람후 슉딜 부ᄌᆞ를 보고 셔로 담화ᄒᆞᆯᄉᆡ, 쥬ᄀᆡᆨ이 ᄇᆡ작을 날리며 담화ᄒᆞ더니, 위공이 웃고 몬져 ᄀᆞᆯ오ᄃᆡ,

"샤졔(舍弟)ᄂᆞᆫ 한 희린의 ᄆᆡ져를 위ᄒᆞ여 민울ᄒᆞᆫ 근심이 잇셔, 악장긔 고코져 ᄒᆞᄃᆡ 청납지 아니실가 념녀ᄒᆞᄂᆞ이다."

금평휘 소왈,

"ᄉᆞ빈의 니름 ᄀᆞᆺᄒᆞ면 내 본ᄃᆡ 아니 듯ᄂᆞᆫ ᄇᆡ 업ᄉᆞ니, 무ᄉᆞᆷ 일이뇨?"【117】

창휘 ᄃᆡ 왈,

"모일에 쥭청 형이 연ᄇᆡᆨ을 ᄃᆞ리고 능침에 다녀올 길에 쥐월암의 드러가, 한씨 남복으로 잇시ᄆᆡ 연ᄇᆡᆨ이 남ᄌᆞ로 알고 교도를 ᄆᆡᆺ고져 ᄒᆞ엿다가, 비홍(臂紅)을 보고 놀라 즉시 밧그로 나오다 ᄒᆞᄃᆡ, 한희린이 그 누의를 ᄎᆞᄌᆞ ᄃᆞ려와 다른 곳에 셩혼코져 아닐지라. 한희린으로ᄡᅧ ᄉᆞ졔지의(師弟之義)를 ᄆᆡᄌᆞ 경의 골육에 감치 아니ᄒᆞ고, 어린 ᄯᅳᆺ의 희린의 남ᄆᆡ를 영화로온 곳의 닐위여 그 젼졍을 즐겁고져 ᄇᆞ라미러니, 팔ᄌᆞ를 임의로 못ᄒᆞ여 한가 녀ᄌᆡ 실산ᄒᆞ미 되어, 여러 일월을 찻지 못ᄒᆞ엿더니, 슌일젼(旬日前)에 겨유 쥐월암의 가 다려오니, 한씨 ᄯᅳᆺ을 결ᄒᆞ여 폐륜ᄒᆞ기를 졍ᄒᆞ고 혼ᄉᆞ부치[586]를 의논치 말나 ᄒᆞᆫ다 ᄒᆞ오니, 진짓 쳥한 졍결ᄒᆞᆫ 녀ᄌᆡ라. 소ᄉᆡᆼ의【118】게 {맛}당치 아닌 일이로ᄃᆡ, 긔특ᄒᆞᆫ 녀ᄌᆡ 공연이 인륜의 참예치 아니랴 ᄒᆞᄂᆞᆫ ᄇᆡ 심히 측은ᄒᆞ여 ᄒᆞ오나, 연

586)-붙이 : -붙이. ① 같은 겨레라는 뜻을 더하는 접미사. ②어떤 물건에 딸린 같은 종류라는 뜻을 더하는 접미사.

이 뜻을 빗최니, 졔 니르딕, '셩시를 만나 가닉를 어즈러이고, 허다 망측디스(罔測之事)를 힝ᄒᆞ니, ᄉᆡᆼ각ᄒᆞᆯᄉᆞ록 녀관(女關)이 쑴ᄌᆞᆺ다 ᄒᆞ여, 소시는 ᄉᆞ셰 마디 못ᄒᆞ여 취【33】ᄒᆞ여시나, 다시 타렴이 잇디 아녀라' ᄒᆞ고, 한시 졀노 인ᄒᆞ여 폐륜ᄒᆞᆯ딘딕 실노 젹블션이 두리오니, 출하리 악당긔 고ᄒᆞ고 결약남ᄆᆡ(結約男妹)ᄒᆞ여 ᄒᆞᆫ 조각 혐의로오믈 업시코져 ᄒᆞ노라 ᄒᆞ여, 신취ᄒᆞᆯ 의ᄉᆡ 몽니의도 업ᄉᆞ니, 그 고집이 과인(過人)ᄒᆞᆫ디라. 쇼ᄉᆡᆼ 등으로셔는 예빅의 뜻을 두로혀디 못ᄒᆞ오리니, 악당이 ᄎᆞ혼을 쾌허ᄒᆞ샤 슉녀 현부를 샤양치 마르샤미 맛당ᄒᆞ니, 텬여블취(天與不取)면 반슈기앙(反受其殃)이라, 하날이 예빅을 위ᄒᆞ여 슉녀텰부를 ᄂᆡ엿거늘, 예빅이 샤양ᄒᆞ고 악당이 블【34】허ᄒᆞ시면 덕이 되디 아니리니, 악당은 쇼ᄉᆡᆼ의 말솜이 ᄒᆡ롭디 아니믈 ᄉᆡᆼ각ᄒᆞ쇼셔."

태뷔 말솜을 니어 ᄀᆞᆯ오딕,

"쇼ᄉᆡᆼ이 져 한가로 일면지분(一面之分)이 업ᄉᆞ오나, 당ᄎᆞ시 ᄒᆞ여 희린으로 ᄉᆞ뎨(師弟)의 의를 ᄆᆡᄌᆞ, 경의 골육의 감치 아니ᄒᆞ고, 희린의 편당(偏黨)의 정ᄉᆡ 참담ᄒᆞᆫ디라. 일단 어린 뜻이 희린의 남ᄆᆡ를 영화로온 곳의 닐위여, 그 젼경을 즐겹과져 바라미 잇더니, 팔ᄌᆞ를 임의치 못ᄒᆞ여 한가의셔 녀ᄌᆞ를 실산(失散)ᄒᆞ미 되어, 여러 일월을 ᄎᆞᆺ디 못ᄒᆞ엿더니, 예빅의 젼언으로 조ᄎᆞ【35】취월암의 가 다려 오니, 한시 뜻을 결ᄒᆞ여 폐륜ᄒᆞ기를 뎡ᄒᆞ고, 혼ᄉᆞ부치[734]를 의논치 말나 ᄒᆞᆫ다 ᄒᆞ니, 딘실노 쳥한졍결(淸閑貞潔)ᄒᆞᆫ 녀ᄌᆡ라. 쇼ᄉᆡᆼ의게 당치 아닌 일이로딕, 긔특ᄒᆞᆫ 녀ᄌᆡ 공연이 인눈의 참예치 아니려 ᄒᆞ미 심히 측은ᄒᆞ여, 대인긔 고ᄒᆞ고 혼ᄉᆞ를 셩젼코져 ᄒᆞ나, 예빅의 뜻이 ᄂᆡ도ᄒᆞ니 뎡히 됴혼 모칙을 엇디 못ᄒᆞ여 우민(憂悶)ᄒᆞ더니이다."

금평휘 쳥ᄎᆞ(聽此)의 ᄌᆞ긔 몽ᄉᆡ 헛되디 아니믈 ᄭᆡ드라, 굿ᄐᆞ여 믈니칠 뜻이 업ᄂᆞᆫ디

734)-붙이 : -붙이. ① 같은 겨레라는 뜻을 더하는 접미사. ②어떤 물건에 딸린 같은 종류라는 뜻을 더하는 접미사.

빅의 뜻이 ᄂᆡ도ᄒᆞ[587]오니 졍히 조흔 모칙을 엇지 못ᄒᆞ여 우민ᄒᆞ더이다."

금평휘 쳥필(聽畢)에 소왈,

587)내도하다 : 매우 다르다. 판이(判異)하다.

라. 다만 웃고 니르ᄃᆡ,

"내 ᄆᆞ음은 니르디 아냐도 ᄉᆞ원 형뎨 모로【36】디 아니려니와, 블초ᄒᆞᆫ ᄋᆞ히들이 일죽이 셤궁(蟾宮)[735]의 월계(月桂)[736]를 썩고, 다시 여러 쳐실을 모화 번화ᄒᆞ믈 구ᄒᆞ니 실노 깃브디 아니ᄃᆡ, ᄎᆞ혼을 ᄉᆞ빈이 이러ᄐᆞᆺ 권ᄒᆞ고, 셰흥이 남의 규슈로 좌를 갓가이 ᄒᆞ고 손을 년ᄒᆞ미, 비록 모로ᄂᆞᆫ 가온ᄃᆡ나 실노 그 위인이 블명(不明)ᄒᆞᆫ 연괴라. 여러 사ᄅᆞᆷ을 구(求)ᄒᆞ여 탕ᄌᆞ의 ᄆᆞ음을 맛치ᄂᆞᆫ 거시 가치 아니나, 졔 팔ᄌᆞ의 ᄆᆡ여시니, 우흐로 양·소 등이 극딘ᄒᆞᆫ 슉녜라, 타인을 모호미 조믈(造物)[737]의 ᄆᆡ이믈 바들 ᄃᆞᆺ ᄒᆞ나, 내 집을 위ᄒᆞ여 폐륜(廢倫)코져 ᄒᆞᄂᆞᆫ 녀ᄌᆞ를 엇디 거두디 아니【37】리오. 현셔 등은 한슈ᄌᆡ를 보고 ᄎᆞ언을 젼ᄒᆞ여 죵용이 길일을 ᄐᆡᆨᄒᆞ여 셩녜ᄒᆞᆯ 줄을 니르라."

창후 등이 월후의 쇼원이 일게 되믈 깃거 흔연 ᄉᆞ샤ᄒᆞ고, 즉시 한 공ᄌᆞ를 블너 금평후의 압히셔 허혼ᄒᆞᆫ 연유를 니르고, ᄐᆡᆨ일ᄒᆞ여 슈히 셩녜케 ᄒᆞ라 ᄒᆞ니, 한 공ᄌᆡ 힝열ᄒᆞ믈 니긔디 못ᄒᆞ여 슌슌(順順) ᄇᆡ샤ᄒᆞ고, 인ᄒᆞ여 죵용이 말ᄉᆞᆷᄒᆞᆯᄉᆡ, 그 상모와 위인이 비범특이(非凡特異)ᄒᆞ여 뇽닌(龍鱗)의 픔격이라. 당당ᄒᆞᆫ 언논이 늠늠츌발(凜凜出拔)[738]ᄒᆞ여 영쥰호걸의 풍이 이시니, 금평휘 한 공ᄌᆞ를 보니, 그 누의 용쇽(庸俗)디 아닐 바【38】를 짐작ᄒᆞ고 ᄉᆞ랑ᄒᆞ믈 마디 아니니, 희린이 금평후의 할[활]연쳥고(豁然淸高)ᄒᆞᆫ 긔상과 녜모 덕힝이 빈빈(彬彬)ᄒᆞ믈 흠앙경복 ᄒᆞ더라.

날이 느ᄌᆞᄆᆡ 금평휘 운산의 도라와 태부인긔 뵈ᄋᆞᆸ고, 한가의 ᄯᅩ 월후의 삼취ᄒᆞᆯ 바

"내 ᄆᆞ음은 니르지 아냐도 ᄉᆞ원과 ᄉᆞ빈이 모로지 아니려니와, 블초ᄒᆞᆫ ᄋᆞ히들이 일죽이 계지(桂枝)[588]를 썩고, 다시 여러 쳐실을 모화 번화ᄒᆞ믈 취ᄒᆞ니, 실노 깃분 줄을 아지 못ᄒᆞᄃᆡ, ᄎᆞ혼은 ᄉᆞ빈이 이러ᄐᆞᆺ 권ᄒᆞ고, 셰흥이 남의 규슈를 좌ᄎᆞ를 갓가히 ᄒᆞ고 손을 연ᄒᆞ미, 비록 모르ᄂᆞᆫ 가온ᄃᆡ나 실노 그 위인이 블면[명]ᄒᆞᆫ 연괴라. 여러 사ᄅᆞᆷ을 구ᄒᆞ여 탕ᄌᆞ의 마ᄋᆞᆷ을 맛치미 쉬울가 ᄒᆞ노라."

ᄒᆞ고, 즉시 도라가 태부인긔 말ᄉᆞᆷ을 고ᄒᆞ니, 태부인이 한씨의 현슉ᄒᆞ믈 아랏던지라, 즉시 허혼케 ᄒᆞ고,

735)셤궁(蟾宮) : 월궁(月宮). 섬(蟾)은 달 또는 달빛을 말한다. 여기서 '월궁' 은 황제의 궁궐을 뜻함.

736)월계(月桂) : 전설에서, 달 속에 있다고 하는 계수나무. 조선시대에 임금이 과거 급제자에게 종이로 만든 계수나무 꽃을 하사하였는데, 여기서는 이 어사화(御賜花)를 이르는 말로 쓰임.

737)조믈(造物) : 조물주(造物主). 우주의 만물을 만들고 다스리는 신.

738)늠늠츌발(凜凜出拔) : 생김새나 태도가 의젓하고 당당하며 특출하게 빼어남.

588)계디(桂枝) : 계수나무 가지. 계수나무는 매우 귀한 나무로 인식되어 사람들의 영광과 성공을 드러내는 뜻으로 쓰였다. 조선시대에 임금이 과거급제자에게 하사한 '어사화(御賜花)'도 종이로 만든 계수나무 꽃이었다. 위 본문에서 '계지를 꺾다'는 '과거에 급제하다'는 뜻을 나타낸 말이다.

를 픔ᄒᆞ여 형셰 마디 못ᄒᆞᆯ ᄇᆡ믈 고ᄒᆞ니, 태부인이 ᄀᆞᆯ오ᄃᆡ,

“양·소 등이 일무소흠(一無所欠)739)이오, 셰홍이 젼일 ᄀᆞᆺ디 아니ᄒᆞ니 가ᄂᆡ 화평ᄒᆞᆯ가 밋ᄂᆞᆫ ᄇᆡ러니, ᄯᅩ 신췌ᄒᆞ게 되니 번오(煩嗷)740)ᄒᆞ기 심ᄒᆞ도다.”

금평휘 한 공ᄌᆞ의 긔특ᄒᆞ믈 고ᄒᆞ여 그 누의 용이치 아닐 바를 일ᄏᆞ르니, 태부인이 깃거 한시【39】의 현숙ᄒᆞ믈 바라더라.

명일 한부의셔 퇴일을 보ᄒᆞ니, 길긔 계오 일삭이 격ᄒᆞ여 명년 ᄆᆡᆼ츈(孟春) 회간(晦間)이라. 월휘 한시를 슈히 취케 되믈 만만 힝열ᄒᆞᄃᆡ, ᄉᆞᄉᆡᆨ(辭色)이 늠연ᄒᆞ여 깃븐 빗출 낫타ᄂᆡ디 아니터라.

평졔궁을 상부(上府) 겻ᄐᆡ 디을ᄉᆡ, 왕이 검소ᄒᆞ기로 위쥬ᄒᆞ여, 샤치히 ᄭᅮ미며 긔묘히 아로삭이디 아니코, 녜ᄉᆞ 왕궁으로 반감(半減)ᄒᆞ여 짓게 ᄒᆞᄃᆡ, 쳔승 군왕의 궁실이라, 삼ᄉᆞ 삭 ᄂᆡ의 필역(畢役)ᄒᆞᄃᆡ 광활(廣闊)ᄒᆞ고 댱녀(壯麗)ᄒᆞ여 ᄎᆡᄉᆡᆨ(彩色)으로 공교히 ᄭᅮ민 거시 업ᄉᆞ나, 고루장각(高樓壯閣)이【40】반공(半空)의 님니(淋漓)ᄒᆞ니741), 표연{연}(飄然)이 옥쳥션간(玉淸仙間)742) ᄀᆞᆺ튼디라. 왕이 졔뎨(諸弟)로 더브러 궁실을 와 보고, 믄득 깃거 아냐 미우를 ᄧᅵᆼ긔고, ᄀᆞᆯ오ᄃᆡ,

“당외(唐堯)743) 부유ᄉᆞᄒᆡ(富有四海)744)ᄒᆞ시고 귀위텬ᄌᆞ(貴爲天子)745)시로ᄃᆡ, 토계삼등(土階三等)746)의 모ᄌᆞ(茅茨)를 브젼(不

739)일무소흠(一無所欠) : 한 가지도 흠잡을 것이 없음.

740)번오(煩嗷) : 번거롭고 시끄러움.

741)님니(淋漓)ᄒᆞ다 : 임리(淋漓)하다. 즐비(櫛比)하다. 줄지어 빽빽하게 늘어서 있다.

742)옥쳥션간(玉淸仙間) : 옥황상제가 산다는 옥청궁이 있는 선계(仙界).

743)당외(唐堯) : 중국의 요임금을 달리 이르는 말. 당(唐)이라는 곳에서 봉(封)함을 받은 데서 유래한다.

744)부유ᄉᆞᄒᆡ(富有四海) : 천하의 부(富)를 수중(手中)에 둠.

745)귀위텬ᄌᆞ(貴爲天子) : 천자가 되어 그 귀(貴)를 누림.

746)토계삼등(土階三等) : 중국의 요임금이 검소한

명【119】일 한부에셔 퇴일을 보ᄒᆞ니, 길긔 겨유 일삭이 격ᄒᆞ엿시니, 명년 ᄆᆡᆼ츈(孟春) 슌간(旬間)589)이라. 월휘 한씨를 슈히 취케 되엿시믈 만분 힝열ᄒᆞᄃᆡ 희ᄉᆡᆨ(喜色)을 낫ᄐᆞᄂᆡ지 아니ᄒᆞ더라.

평졔왕궁을 상부(上府) 겻ᄒᆡ 지을ᄉᆡ, 왕이 검소ᄒᆞ기를 위ᄒᆞ여 슴ᄉᆞ 삭만에 필역ᄒᆞ니, 광활ᄒᆞ여 공교히 ᄎᆡᄉᆡᆨ을 ᄭᅮ민 거시 업ᄉᆞ나, 고루장각(高樓壯閣)이 반공(半空)에 님니(淋漓)ᄒᆞ니590), 왕이 졔제로 더브러 궁실을 와 보고, 믄득 미우를 ᄧᅵᆼ긔여 왈,

589)슌간(旬間) : 음력 초열흘게.

590)님니(淋漓)ᄒᆞ다 : 임리(淋漓)하다. 즐비(櫛比)하다. 줄지어 빽빽하게 늘어서 있다.

剪)747)ᄒᆞ시고, 셩탕(成湯)748)이 '뉵ᄉᆞ(六事)로 칙(責)ᄒᆞ시ᄃᆡ'749), '궁실(宮室)이 슝여(崇歟)아?750), 녀알(女謁)이 셩여(盛歟)아?751)' ᄒᆞ시니, 내 므ᄉᆞᆫ 사ᄅᆞᆷ이완ᄃᆡ 화당(華堂) 쳔여간(千餘間)의 외람이 쳔승 왕위를 안과(安過)ᄒᆞ리오. 다른 왕궁으로 반감(半減)ᄒᆞ여 디으라 ᄒᆞ엿더니, 어이 이러ᄐᆞᆺ 댱녀(壯麗)ᄒᆞ뇨?"

졔뎨 위로ᄒᆞ여 니르ᄃᆡ,

"샤치와 부귀를 깃거ᄒᆞᆯ 거시 【41】 아니로ᄃᆡ, 하날이 형댱으로 ᄒᆞ여금 각별이 복녹을 빌니시니, 텬여블취(天與不取)면 반슈기앙(反受其殃)이라 ᄌᆞ연이 오ᄂᆞᆫ 복을 엇디ᄒᆞ리잇가? 형댱은 안심믈녀(安心勿慮)ᄒᆞ쇼셔."

왕이 딘졍으로 깃거 아니ᄒᆞ더라.

임의 궁실을 필역(畢役)ᄒᆞ고, ᄒᆡ를 밧고아 명년 신졍(新正)이 되니, 졔국의셔 궁비 삼ᄇᆡᆨ 명과 궁노 삼ᄇᆡᆨ 명을 ᄉᆡᆫ 올니니, 대댱군 복삼쳘과 승상 오달심이 표를 올녀 국경을 고ᄒᆞ여시니, 왕이 궁노 궁비의 쉬 만흐믈 더옥 깃거 아냐, 이의 졔궁의 와 잠간 안ᄌᆞ 궁노와 궁비를 다 블너 압히 【42】 셔 니르ᄃᆡ,

"내 무ᄉᆞᆷ 샤ᄅᆞᆷ이완ᄃᆡ, 이럿ᄐᆞᆺ 궁실(宮室)이 장녀(壯麗)뇨?"

ᄉᆞ졔(四弟) 위로 왈,

"ᄉᆞ치와 부귀를 깃거ᄒᆞᆯ 거시 아니라, 하ᄂᆞᆯ이 각별 형장을 복녹으로 쥬시미라. 형장은 안심ᄒᆞ소셔."

왕이 진졍으로 깃거 아니ᄒᆞ더니,

임의 궁실을 필역(畢役)ᄒᆞ고, 명년 신졍(新正)이 되니, 졔국에셔 궁비 삼ᄇᆡᆨ 명과 궁노 삼ᄇᆡᆨ 명식 ᄉᆡᆫ 올니니, 대 【120】 장군 복삼쳘과 승상 우달심이 표를 올녀 국경을 고ᄒᆞ엿시니, 왕이 궁노 궁녀의 쉬 만흐믈 깃거 아냐, 이에 《졔국‖졔궁》에 와 잠간 안고 궁녀를 다 불너 왈,

---

생활을 하여, 궁전을 높고 화려하게 짓지 않고 궁전의 계단을 '흙으로 세 계단만 쌓은 것'을 말함.

747)모ᄌᆞ(茅茨) 브젼(不剪) : 중국 요임금이 궁전을 검소하게 지어, 지붕을 띠(茅)로 이고 그 띠지붕도 끝을 가지런히 깎지 않고 들쑥날쑥하게 두었던 것을 말함.

748)셩탕(成湯) : 탕(湯)임금의 다른 이름. 중국 은나라의 초대 왕. 원래 이름은 이(履) 또는 대을(大乙). 박(亳)에 도읍을 정하고 국호를 상(商)이라 칭하였으며, 제도와 전례(典禮)를 정비하였다. 13년간 재위하였다.

749)'뉵ᄉᆞ(六事)로 칙(責)ᄒᆞ시ᄃᆡ' : 중국 은나라 탕임금이 나라에 가뭄이 들자 여섯 가지 일로 자신을 책망하며 근신한 일. 곧 "정치를 절도 있게 하지 않았는가? 백성이 직분을 잃었는가? 궁실은 숭엄한가? 여자의 청(請)이 치성한가? 뇌물이 행하는가? 참소하는 자가 성한가?" 의 육책(六責)을 말함. 《呂氏春秋 順民》에 나온다.

750)궁실(宮室)이 슝여(崇歟)아 : '궁실이 너무 높아 사치한 것은 아닌가?' 하는 말.

751)녀알(女謁)이 셩여(盛歟)아? : '정사(政事)를 어지럽히는 여자들이 많은 것은 아닌가?' 하는 말.

"궁비란 거ᄉᆞᆫ 일ᄉᆡᆼ 폐륜(廢倫)ᄒᆞ여 머리털 잇ᄂᆞᆫ 듕이니, 그 신셰 슬프믈 ᄆᆞᆺ디 아녀 알 거시오. 궁노 등으로 닐너도 만니애각(萬里涯角)의 부모 친쳑을 아득히 니별ᄒᆞ고 궁듕의 속현(屬縣)752) ᄒᆞᆫ ᄇᆡ 되어, ᄉᆡᆼ살디권(生殺之權)이 남의게 ᄆᆡ여시니, 그 평ᄉᆡᆼ이 ᄯᅩᄒᆞᆫ 편치 못ᄒᆞᆯ디라. ᄒᆞ믈며 여등이 각각 어버이 독ᄌᆞ녀(獨子女)로 미들 동ᄉᆡᆼ이 업고, ᄎᆞ마 ᄯᅥ나디 못ᄒᆞᆯ 형셰로 만니의 올나와 궁듕의 ᄉᆞ환ᄒᆞ믈 절박히 넉이ᄂᆞᆫ ᄌᆡ 잇거든, 일시의 다 도라 가고 ᄒᆞ나토 머므ᄂᆞᆫ ᄌᆡ 업셔도 죄 삼디 아니리라."

궁노 궁비 등이 왕의【43】덕ᄐᆡᆨ이 졔국의 덥혀, 병난디시(兵亂之時)의 각각 목슘이 ᄉᆞ라남도 왕의 덕퇜 줄 아ᄂᆞᆫ 고로, ᄌᆞ원ᄒᆞ여 그 노복이 되기를 바라ᄂᆞᆫ디라. 왕이 쳐음의 복삼쳘과 우달심의게 교(敎)를 나리와, 궁노 궁비 등을 ᄌᆞ모(自募)바다753) 반감(半減)ᄒᆞ여 보ᄂᆡ라 ᄒᆞ엿ᄂᆞᆫ 고로, 궁녀 등이 일ᄉᆡᆼ을 폐륜ᄒᆞᆯ 줄 모로디 아니ᄃᆡ, 져희 등이 왕의 덕화를 감격ᄒᆞ여 졔국으로 도라 갈 ᄯᅳᆺ이 업ᄂᆞᆫ디라. 일시의 응셩(應聲)ᄒᆞ여 ᄀᆞᆯ오ᄃᆡ,

"쇼비 쇼복 등이 우승상과 복댱군의 ᄌᆞ모(自募)밧ᄂᆞᆫ ᄯᆡ를 당ᄒᆞ여, 각각 원ᄒᆞ여 이의 올나 왓ᄉᆞᆸ【44】ᄂᆞ니, 부모의 독ᄌᆞ 독녜 아니라 일즉 부모를 여희 니도 잇고, 어버의 여럿 ᄌᆡ ᄌᆞ식으로 유뮈블관(有無不關)ᄒᆞ니, 본향의 도라가도 즐거온 일이 업ᄉᆞ니, 궁듕의셔 ᄉᆞ후(伺候)ᄒᆞ기를 원ᄒᆞᄂᆞ이다."

왕이 그 쇼원이 이 ᄀᆞᆺᄐᆞ믈 보ᄆᆡ 능히 도라 보ᄂᆡ디 못ᄒᆞ여 다 머므르ᄃᆡ, 사ᄅᆞᆷ의 폐륜ᄒᆞᄂᆞᆫ 거ᄉᆞᆯ 잔잉히 넉이ᄂᆞᆫ 고로, ᄉᆡ로 규구(規矩)를 뎡ᄒᆞ여, 일ᄉᆡᆼ을 폐륜ᄒᆞᄂᆞᆫ 일이 업게 궁녀 등이 나히 이십만 되면, ᄒᆡᆼ각(行閣)의 나와 인뉸을 출혀 살게 ᄒᆞ고, 올나

"궁인이란 거ᄉᆞᆫ 일ᄉᆡᆼ 폐륜ᄒᆞ여 머리털 잇ᄂᆞᆫ 즁 ᄀᆞᆺᄒᆞ니, 그 신셰 슬프믈 ᄆᆞᆺ지 아냐 알지라. 부모 친쳑을 니별ᄒᆞ고 궁즁의 속현ᄒᆞᆫ ᄇᆡ 되어, ᄉᆡᆼ살(生殺)이 남에게 ᄆᆡ이엿시니, 그 평ᄉᆡᆼ이 ᄯᅩᄒᆞᆫ 편안ᄒᆞ리란 말이 나지 아니 ᄒᆞᆯ지라. 여등이 혹 독ᄌᆞ도 오며 독녀도 오고, ᄯᅩ 챠마 ᄯᅥ나지 못ᄒᆞᆯ 형셰도 잇셔, 궁즁의 ᄉᆞ환을 절박히 넉일 마음이 잇거든, 일시에 도라 가라. ᄒᆞ나히 아니 머므러도 죄를 삼지 아니리라."

궁녀 등이 왕의 덕ᄐᆡᆨ이 졔국에 덥혀, 병난지시(兵亂之時)에 각각 목숨이 살아남도 왕의 덕인 고로, ᄌᆞ원ᄒᆞ여 노복이 되기를 ᄇᆞ랄 ᄲᅮᆫ 아니라, 왕이 쳐음에 복삼쳘【121】과 우달심에게 글을 ᄂᆞ리와, 궁비 궁노를 ᄌᆞ모(自募)바다591) 반감(半減)ᄒᆞ여 보ᄂᆡ라 ᄒᆞ엿ᄂᆞᆫ 고로, 궁비 등이 일ᄉᆡᆼ을 폐륜ᄒᆞᆯ 줄 모로지 아니ᄒᆞ나, 져희들이 왕의 덕화를 감격ᄒᆞ여 도로 도라 갈 ᄯᅳᆺ이 업ᄂᆞᆫ지라. 일시에 응셩(應聲)ᄒᆞ여 왈,

"소비 소복이 우승상과 복장군의 ᄌᆞ모(自募)밧ᄂᆞᆫ ᄯᆡ를 당ᄒᆞ여, ᄌᆞ원ᄒᆞ여 다 이에 올나 왓ᄉᆞ오니, 부모의 독ᄌᆞ 독녜 아니라. 일즉 부모를 여흰 이도 잇ᄉᆞᆸ고, 어버이○[의]《여러‖여럿 ᄌᆡ》 ᄌᆞ식으로 유뮈불관(有無不關)ᄒᆞ여, 본향에 도라가도 즐거온 일이 업ᄉᆞ오니, 궁즁에셔 ᄉᆞ후(伺候)ᄒᆞ기를 원ᄒᆞᄂᆞ이다."

왕이 그 소원이 이 ᄀᆞᆺᄒᆞ믈 보고 능히 도라 보ᄂᆡ지 못ᄒᆞ여 다 머므르ᄃᆡ, 궁녀 등이 다 년긔 이십만 되면 ᄒᆡᆼ각에 나와 인륜을 출혀 살게 ᄒᆞ고, 올나 온 뉴의 이십이 찬 궁녀ᄂᆞᆫ 아이에 드리지 아냐, 바로 ᄒᆡᆼ각(行閣)592)에 두어 지아비를 어더 살【122】나

752)속현(屬縣) : 소속(所屬). 일정한 단체나 기관에 딸림.
753)ᄌᆞ모(自募)받다 : 초모(招募)하다. 의병이나 군대에 자원하여 입대할 사람을 모집하다.

591)ᄌᆞ모(自募)받다 : 초모(招募)하다. 의병이나 군대에 자원하여 입대할 사람을 모집하다.
592)행각(行閣) : 궁궐, 절 따위의 정당(正堂) 앞이나 좌우에 지은 줄행랑(-行廊). *줄행랑(-行廊); 대문의 좌우로 죽 벌여 있는 종의 방.

온 뉴의 이십 된 궁녀ᄂᆞᆫ 아이의 ᄂᆡ궁(內宮)의 드리디 아냐, 바로 ᄒᆡᆼ각(行閣)754)의【45】셔 디아비를 어더 살나 ᄒᆞ고, 궁관(宮官)을 명ᄒᆞ여 삼ᄇᆡᆨ 명 궁노로ᄡᅧ 각각 쇼임을 츌히게 ᄒᆞᆫ 후, 즉시 상부의 도라와 다시 궁의 가디 아니코, 윤·양·니·경 ᄉᆞ비와 십희를 ᄯᅩᄒᆞᆫ 궁실노 옴기디 아니ᄒᆞ니, 금평휘 니르ᄃᆡ,

"비록 궁실의 쟝ᄒᆞᆫ 거시 즐겁디 아니나, 엇디 필역ᄒᆞᆫ 후○○[조차] 옴디 아니리오."

제왕이 ᄃᆡ 왈,

"쇼ᄌᆞ의 평ᄉᆡᆼ 쇼원이 부모 슬하를 일시도 ᄯᅥ나디 말고져 ᄒᆞᄋᆞᆸᄂᆞ니, 엇디 닷755) 궁의 혼ᄌᆞ 올므리잇고?"

금평휘 침음 냥구의 왈,

"네 ᄯᅳᆺ이 비록 그러ᄒᆞ나, 합개(閤家) 일시의 궁으로 올믈 형셰 되디 못ᄒᆞ니, 무고히 궁【46】을 븨오디 못ᄒᆞᆯ디라. ᄉᆞᆨ히 옴게 ᄒᆞ라."

제왕이 실노 즐겨 아니나, ᄉᆞ셰 마디 못ᄒᆞ여 ᄉᆞ비와 십희를 궁으로 옴게 ᄒᆞᆯᄉᆡ, 홍운뎐은 윤비 뎡침을 삼고, 녕운뎐의 양비 ᄉᆞᆨ소를 삼고, 벽운뎐의 니비 들고, 경운뎐의 경비 쳐소를 뎡ᄒᆞ고, 제희를 각각 쳐소를 뎡ᄒᆞ고, 외헌 ᄇᆡᆨ화뎐의 왕의 쳐소를 뎡ᄒᆞ니, 왕은 ᄆᆡ양 상부(上府)의 잇고, 궁듕의 ᄌᆞ로 오ᄂᆞᆫ 일이 업ᄉᆞ며, 봉슈각의 제ᄌᆞ를 머므러 ᄒᆞᆨ공(學工)을 힘ᄡᅳ게 ᄒᆞᄂᆞᆫ디라.

윤비 궁의 올므나, ᄉᆞ시문안(四時問安)756)을 협문으로 조ᄎᆞ 왕ᄂᆡᄒᆞ여 ᄡᅵ를 어긔【47】오디 아닐 ᄲᅮᆫ 아니라, 존당 구고를 밧드ᄂᆞᆫ 졍셩이 갈ᄉᆞ록 동ᄎᆞᆨᄒᆞ여, 스ᄉᆞ로 몸이 닛브믈 도라보디 아니코, 궁듕 번화번극

754)ᄒᆡᆼ각(行閣) : 궁궐, 절 따위의 정당(正堂) 앞이나 좌우에 지은 줄행랑(-行廊). *줄행랑(-行廊); 대문의 좌우로 죽 벌여 있는 종의 방.

755)닷 : 달리. 따로. 홀로, 혼자.

756)ᄉᆞ시문안(四時問安) : 하루 네 때, 곧 단(旦; 아침)·주(晝; 낮)·모(暮; 저녁)·야(夜; 밤)에 드리는 문안.

ᄒᆞ고, 즉시 상부에 도라와 다시 궁에 가지 아니ᄒᆞ고, 윤·양·니·경 ᄉᆞ비와 십희를 ᄯᅩᄒᆞᆫ 궁즁에 옴기지 아니ᄒᆞ니, 금평휘 니르ᄃᆡ,

"비록 궁실의 쟝ᄒᆞᆫ 거시 즐겁지 아니나, 엇지 《졀부‖필역》ᄒᆞᆫ 후 조ᄎᆞ 옴지 아니ᄒᆞᄂᆞ뇨?"

왕이 ᄃᆡ 왈,

"소ᄌᆞ의 졍심(定心) 소원이 일시도 부모 슬하를 ᄯᅥᄂᆞ지 아니려 ᄒᆞ오니, 엇지 혼ᄌᆞ 궁실에 가리잇고?"

금평휘 침음 냥구에 ᄀᆞᆯᄋᆞᄃᆡ,

"너의 ᄯᅳᆺ이 비록 이러ᄒᆞ나 합ᄂᆡ(閤內)593) 일시에 궁으로 올믈 형셰ᄂᆞᆫ 되지 못ᄒᆞ고, 무고히 궁을 ᄯᅩᄒᆞᆫ 븨오지 못ᄒᆞᆯ지라. 모로미 슈히 궁으로 옴게 ᄒᆞ라."

ᄒᆞ니, 왕이 실노 마ᄋᆞᆷ의 즐겨 아니ᄒᆞ나 ᄉᆞ셰 마지 못ᄒᆞ여, ᄉᆞ비와 십희를 궁으로 옴겨[게] ᄒᆞᆯᄉᆡ, 홍운젼은 윤비 졍침을 삼고, 영운젼은 양비의 ᄉᆞᆨ소를 삼고, ᄇᆡᆨ운젼은 니비의 ᄉᆞᆨ소를 삼고, 경운젼은 경【123】비의 ᄉᆞᆨ소를 삼고, 졔희ᄂᆞᆫ 각각 쳐소를 졍ᄒᆞ고, 외헌 ᄇᆡᆨ화젼의 왕의 쳐소를 졍ᄒᆞ니, 왕은 ᄆᆡ양 상부에 잇고 궁즁에 ᄌᆞ로 오ᄂᆞᆫ 일이 업ᄉᆞ며, 봉슈각에 졔ᄌᆞ를 머므러 ᄒᆞᆨ공을 힘ᄡᅳ게 ᄒᆞ더라.

윤비 궁에 머므나, 상부의 ᄉᆞ시문안(四時問安)594)을 협문으로 조ᄎᆞ 왕ᄂᆡᄒᆞ여 ᄡᅵ를 어긔 오지 아닐 ᄲᅮᆫ 아니라, 구고를 밧들고 졍셩이 갈ᄉᆞ록 동동촉촉(洞洞屬屬)ᄒᆞ여 스ᄉᆞ로 몸이 닛부믈 도라보지 아니ᄒᆞ고, 상부 대소 비복으로브터 궁즁 소속이 져마다 윤비의 덕을 칭송ᄒᆞ여, 젹지 ᄌᆞ모를 어듬 ᄀᆞᆺ

593)합내(閤內) : 합가(閤家). 온 가족. 주로 편지글에서 남의 가족을 높여 이르는 말.

594)ᄉᆞ시문안(四時問安) : 하루 네 때, 곧 단(旦; 아침)·주(晝; 낮)·모(暮; 저녁)·야(夜; 밤)에 드리는 문안.

(繁華煩劇)757)ᄒᆞᆫ ᄂᆡᄉᆞ(內事)를 춍찰(總察)ᄒᆞ는 ᄀᆞ온ᄃᆡ, 구고 존당 감디(甘旨)와 ᄃᆡᄀᆡᆨ디절(待客之)이며, 의복 한셔(寒暑)를 맛초아 딘부인의 슈고를 ᄃᆡ(代)ᄒᆞ여 밧들미 날노 ᄉᆡ로오니, 딘부인이 봉사 졉ᄀᆡᆨ의 대졀믁(大節目)을 가음알 ᄲᅮᆫ이오, 기여는 의렬비의 다ᄉᆞ(多事)ᄒᆞ미 일시 한가ᄒᆞ믈 엇디 못ᄒᆞ나, 춍명ᄒᆞᆫ 졍신은 츄슈(秋水)를 헤치며, 비상ᄒᆞᆫ ᄌᆡ조는 귀신이 돕는 ᄃᆞᆺᄒᆞ니, 녀공침션디ᄉᆞ(女工針線之事)758)는 실노 비(妃)의 ᄒᆡᆼᄉᆞ(行事)의 일ᄏᆞ를 일이 아니어니【48】와, ᄒᆞᆫ 번 실을 ᄢᅦ며 바ᄂᆞᆯ을 ᄂᆞᆯ니미 범인의 십일 근노ᄒᆞ는 바를, 윤비는 일일디ᄂᆡ(一日之內)의 ᄡᅳ리치며759), 졔작(製作)이 셤농녕형(纖瓏靈形)760)ᄒᆞ니, 샹광(祥光)이 어린 ᄃᆞᆺᄒᆞ고, 범믈(凡物) 찬션(饌膳)의 다ᄃᆞ라도 비의 손이 가는 곳은 ᄀᆞᆺ특여 티셩(致誠)761)ᄒᆞ는 ᄇᆡ 아니로ᄃᆡ, 《졍경 ‖ 졍결》ᄒᆞ고 유미(有味)ᄒᆞ미 션미(仙味)라도 이의셔 더으디 못ᄒᆞᆯ 거시오, 냥안(兩眼)을 낫초고 무심무려(無心無慮)히 져슈단좌(低首端坐)ᄒᆞ여셔도 ᄒᆞᆫ 번 일쌍혜안(一雙慧眼)을 두로친죽, 사ᄅᆞᆷ의 오장뉵부(五臟六腑)를 ᄉᆞ못ᄎᆞ 발간뎍복(發奸摘伏)762)이 신명(神明) ᄀᆞᆺᄐᆞᄃᆡ 미몰치 아냐, 낫 우히 츈양화긔(春陽和氣)와 동일디ᄋᆡ(冬日之愛)763)를 머므러, 상부 대쇼(大小) 비복으로브터 궁【49】듕 쇼쇽이 져마다 숑뎍(頌德)ᄒᆞ여 바라는 앙셩(仰誠)이 뎍ᄌᆞ(赤子) ᄌᆞ모(慈母)를 어듬 ᄀᆞᆺᄐᆞᄃᆡ, 유열(愉悅)ᄒᆞᆫ 가온ᄃᆡ도 ᄉᆡᆨᄉᆡᆨᄒᆞᆫ 위의(威儀) 츄텬(秋天)의 놉흐미 이셔, 샹·현 희(姬) 등으로브터 비ᄌᆞᄒᆞ여, 유열ᄒᆞᆫ 가온ᄃᆡ도 ᄉᆡᆨᄉᆡᆨᄒᆞ여, 츄텬(秋天)의 놉흔 위의 잇셔, 비복 등과 졔희(諸姬)의 두려ᄒᆞ미 왕의 버금이라.

757)번화번극(繁華煩劇) : 지나치게 번화하여 몹시 번거롭고 바쁘다.

758)녀공침션디ᄉᆞ(女工針線之事) : 부녀자들이 하는 길쌈 바느질 등의 일.

759)ᄡᅳ리치다 : 쓸어버리다. 해치우다. 어떤 일을 빠르고 시원스럽게 끝내다.

760)셤농녕형(纖瓏靈形) : 곱고 빛나며 신령스러운 모습을 드러냄.

761)티셩(致誠) : 있는 정성을 다함. 또는 그 정성.

762)발간뎍복(發奸摘伏) : 정당하지 못한 일들과 숨겨져 있는 일들을 밝혀냄.

763)동일디ᄋᆡ(冬日之愛) : 겨울 햇살처럼 따뜻한 사랑.

등을 ᄃᆡᄒᆞᆫ ᄣᆡ도 흔연(欣然)○[이] 다셜(多說)을 못ᄒᆞᄂᆞᆫ 고로, 비복 등과 졔희(諸姬)의 두려ᄒᆞ미 왕과 일반이라. 윤비 금장슉ᄆᆡ(襟丈叔妹)로 화우ᄒᆞ미 ᄒᆞᆫ갓 의복을 난호며, 됴흔 낫ᄎᆞ로 돈목ᄒᆞᆯ ᄲᅮᆫ 아니라, 쇼니시로브터 양·소·쥬·화 등이 혹 허믈이 이시면, ᄀᆞ마니 닐너 곳치게 ᄒᆞ고 ᄉᆞ랑ᄒᆞ믈 일신갓치 ᄒᆞ고, 친쳑을 후휼(厚恤)ᄒᆞ믄 니르도 말고, 범연ᄒᆞᆫ 남이라도 그 졍ᄉᆡ 참연ᄒᆞ믈 드【50】르면, ᄌᆞ긔 몸의 당ᄒᆞᆫ 일 ᄀᆞᆺᄐᆞ여, 브ᄃᆡ 구활ᄒᆞ미 왕의 의긔를 ᄯᆞ로ᄃᆡ, 스ᄉᆞ로 어딜고 덕 잇ᄂᆞᆫ 체를 아니ᄒᆞ고, 친쳑의 졀박ᄒᆞᆫ 형셰와 사ᄅᆞᆷ의 궁박ᄒᆞᆫ 신셰를 살펴, {쇼ᄆᆡ} 평ᄉᆡᆼ으로 셩명도 아디 못ᄒᆞ던 ᄌᆡ라도, ᄌᆞ뢰(資賴)764)○○[ᄒᆞ여] 구급(救急)《ᄒᆞ기를‖ᄒᆞᆫ 거시》 니로 혜디 못ᄒᆞᆯ 거시로ᄃᆡ, 왕도 아디 못ᄒᆞᄂᆞᆫ 일이 만코, 비복과 졔희라도 무고히 상샤를 더으ᄂᆞᆫ 일이 업고, 샤치를 원슈ᄀᆞᆺ치 피ᄒᆞ여 ᄌᆞ긔로브터 졔희 비복이라도, 의복이 ᄣᆡ를 출혀 계오 한셔를 면ᄒᆞᆯ ᄲᅮᆫ이오, 먹ᄂᆞᆫ 거시 주리믈 면ᄒᆞᆯ 만ᄒᆞ여, 왕궁의 부【51】귀 업ᄉᆞ미 아니로ᄃᆡ, 졔희와 비복이 의렬비의 명녕을 쥰힝ᄒᆞ며, 덕의(德義)를 감격ᄒᆞ여 졀ᄎᆞ(切磋)765)ᄒᆞᄂᆞᆫ 바를 괴로이 넉이디 아니ᄒᆞᄂᆞᆫ디라. ᄌᆞ연 인심이 '믈이 동(東)으로 흐름' ᄀᆞᆺᄐᆞ여, 의렬비의 덕화를 감은골슈(感恩骨髓)치 아니리 업ᄉᆞ니, 그 덕퇵이 흡흡(洽洽)ᄒᆞ여 쥬국셩모(周國聖母)766)로 방블ᄒᆞ니, 존당 구괴 긔허ᄋᆡ듕(己許愛重)767)ᄒᆞ미 비ᄒᆞᆯ 곳이 업고, 일가 친쳑의 숑셩(頌聲)이 양양(揚揚)ᄒᆞ여 의렬문의 놉흐미 헛되디 아니믈 일ᄏᆞᆺ고, 아ᄅᆞᆷ다온 일홈이 만셩(滿城)의 《픔등‖풍등(豊騰)768)》ᄒᆞ여 시졀 사ᄅᆞᆷ이 남ᄌᆞ를 일ᄏᆞᆺᄂᆞ

764)ᄌᆞ뢰(資賴)ᄒᆞ다 : 자뢰(資賴)하다. 도모하다. 밑천 삼다.

765)절차(切磋) : 옥이나 돌을 갈고 닦는다는 뜻으로, 행실이나 학문을 닦음을 이르는 말.

766)쥬국셩모(周國聖母) : 중국 주나라 문왕의 어머니 태임(太姙)을 말함.

767)긔허ᄋᆡ듕(己許愛重) : 몸과 마음을 다해 사랑하고 중히 여김.

768)풍등(豊騰) : 떠들썩하게 널리 퍼져나감.

친쳑의 졀박ᄒᆞᆫ 형셰와 샤ᄅᆞᆷ의 궁박ᄒᆞᆫ 신셰를 살펴, 구급ᄒᆞ기를 이로 그 슈를 능히 혜지 못ᄒᆞᆯ【124】거시로ᄃᆡ, 왕이라도 아지 못ᄒᆞ게 ᄒᆞ여, 비복과 졔희라도 무고ᄒᆞᆫ 상샤를 베푸ᄂᆞᆫ 일이 업고, 의복이라도 오직 그 ᄣᆡ를 출혀 다만 한셔를 면ᄒᆞᆯ 만ᄒᆞ고, 모다 의렬비의 녕을 쥰봉ᄒᆞ여 먹ᄂᆞᆫ ᄇᆡ 쥬리를 면ᄒᆞᆯ ᄲᅮᆫ이로ᄃᆡ, 의렬비의 덕의를 감격ᄒᆞ여 졀ᄎᆞ(切磋)595)ᄒᆞᄂᆞᆫ 바를 괴로와 넉이지 아니ᄒᆞᄂᆞᆫ지라.

일가 친쳑의 송셩(頌聲)이 양양(揚揚)ᄒᆞ여 의렬문의 놉흐미 헛되지 아니믈 닐ᄏᆞᆺ더라.

595)절차(切磋) : 옥이나 돌을 갈고 닦는다는 뜻으로, 행실이나 학문을 닦음을 이르는 말.

니는 뎡듀쳥, 윤쳥문·효문공과, 【52】 하학ᄉᆞ오, 녀ᄌᆞ로ᄂᆞᆫ 윤의렬과 뎡슉널이라 ᄒᆞ더라.

궁의 올믄 후, 문양궁 쟝원(牆垣)[769]이 격(隔)ᄒᆞ여시믈 알고, 왕이 ᄌᆞ로 왕ᄂᆡ치 아닛ᄂᆞᆫ 고로 방심ᄒᆞ여 협문을 통ᄒᆞᆫ 후, 윤·양·니·경 ᄉᆞ비 의논ᄒᆞ고 공쥬를 상견(相見)ᄒᆞ려 ᄒᆞᆫ가디로 문양궁으로 나아가니, 공쥬의 쳐변(處變)[770]이 하여오.

션시의 문양공쥐 뎍뎍(寂寂) 심궁(深宮)의 무디(無知)ᄒᆞᆫ 궁녀 등만 ᄃᆡᄒᆞ여 심쇄 셩ᄒᆞ거ᄂᆞᆯ, ᄌᆞ긔 신셰를 ᄉᆡᆼ각ᄒᆞ니 ᄒᆞᆫ 곳 위로ᄒᆞᆯ 일이 업ᄉᆞᆫ디라. 악악(惡惡)ᄒᆞᆫ 심경의 원한이 ᄌᆞ연 윤·양·니·경 ᄉᆞ비긔 도라가 욕언이 긋디 아니터니, 쳔만 의외의 윤비 【53】 의 디셩(至誠) 화우(和友)코져 ᄒᆞᄂᆞᆫ 졍으로 고문(叩門)ᄒᆞ니, 도로혀 감격ᄒᆞ여 악악ᄒᆞᆫ 욕셜을 긋치고, 셰월이 여류ᄒᆞᆫ즉 왕의 ᄆᆞᄋᆞᆷ을 두로혈가 희망ᄒᆞ나, 왕이 텬은을 ᄡᅵ여 쳔승 국군이 되고, 그 쳐쳡이 다 이슈(異數)[771]를 ᄡᅵ여 운영가디 딕쳡을 나리오시ᄃᆡ, ᄌᆞ긔ᄂᆞᆫ 죵시 죄명을 샤치 아니시니, 셩샹의 텬늪디졍이 박ᄒᆞ시믈 원ᄒᆞ더니, 믄득 윤·양·니·경 등 ᄉᆞ부인이 엇게를 년ᄒᆞ여 친문(親問)ᄒᆞ여 위곡(委曲)ᄒᆞᆫ[772] 말ᄉᆞᆷ으로 위로ᄒᆞ믈 당ᄒᆞᄆᆡ, 도로혀 참슈블승(慙羞不勝)ᄒᆞ여 눈을 드러 보ᄆᆡ, 윤비 픔복(品服)[773]과 의결(衣-)[774]이 뎡졔(整齊)ᄒᆞ여 왕후의 【54】 쳬쳬(棣棣)[775]○○[ᄒᆞ고] 존엄ᄒᆞᆫ 위의를 알 거시어ᄂᆞᆯ, 년긔(年紀) 져기 ᄎᆞᄆᆡ 그 텬향이질(天香異質)이 더옥 완염(婉艷)ᄒᆞ고 풍영(豊盈)ᄒᆞ여, 일늪명월(一輪明月)이 듕텬의 한가ᄒᆞᆫ 둧, 쇄락ᄒᆞᆫ 용광이 이목의 현황ᄒᆞ고,

769)쟝원(牆垣) : 담장.
770)쳐변(處變) : 실정에 따라 융통성 있게 잘 처리하여 감.
771)이슈(異數) : 특별한 예우. 또는 보통과 구별되는 특별한 것.
772)위곡(委曲)ᄒᆞ다 : 자상(仔詳)하다.
773)픔복(品服) : 예전에, 품계에 따라 입던 옷.
774)의결(衣-) : 옷의 때깔. *결; 성깔. 때깔.
775)쳬쳬(棣棣)ᄒᆞ다 : 행동이나 몸가짐이 너절하지 아니하고 깨끗하며 트인 맛이 있다.

제왕궁이 문양궁과 격쟝(隔墻)ᄒᆞ므로, 쟝원(牆垣)[596]을 통ᄒᆞ여 협문을 열고, 윤·양·니·경 ᄉᆞ비 공쥬궁에 문병ᄒᆞ려 나아가니,

공쥐 눈을 드러 ᄉᆞ비를 보ᄆᆡ, 왕비의 휘황ᄒᆞᆫ 녜복이 졔졔히 ᄀᆞ초왓고, 의렬비의 셩ᄌᆞ이질(聖姿異質)과 쳔향(天香) 안광(眼光)이 년긔(年紀) 차고 이졔 근심을 쎨쳐시므로, 안모(眼眸)의 오치(五彩) 현황(炫煌)ᄒᆞ여 어ᄂᆡ 곳이 고으며 빗ᄂᆞᆫ 쥴을 【125】 알니오.

596)쟝원(牆垣) : 담장.

양비의 슈려ᄒᆞᆫ 용화ᄂᆞᆫ 부용(芙蓉)이 향슈(香水)의 소ᄉᆞᄆᆡ 목난(木蘭)이 됴○[로](朝露)[776]를 씌엿ᄂᆞᆫ ᄃᆞᆺ, 슉연ᄒᆞᆫ 덕ᄒᆡᆼ이 외모의 현츌ᄒᆞ며, 경비의 ᄆᆞᆰ은 격조와 됴흔 픔질이 형산ᄇᆡᆨ벽(荊山白璧)[777]을 다ᄃᆞᆷ은 ᄃᆞᆺ ᄒᆞ거ᄂᆞᆯ, 니비ᄂᆞᆫ 외뫼 비록 염미(艶美)치 못ᄒᆞ여 박용(薄容)이 다시 니를 ᄇᆡ ○○○[업ᄉᆞ나], 엄연ᄒᆞ고 슈려 상쾌ᄒᆞ여 녜복이 뎡졔ᄒᆞ여 톄위 당당ᄒᆞ거ᄂᆞᆯ, 도라 ᄌᆞ긔 몸을 구버보ᄆᆡ, 이 본【55】ᄃᆡ 만승(萬乘)의 교ᄋᆞ(嬌兒)로 쳔승(千乘)의 존(尊)과 왕희(王姬)의 귀(貴)ᄒᆞ므로, ᄒᆞᆫ 번 뎡문의 하가ᄒᆞᄆᆡ, 비록 쳔승위를 굴ᄒᆞ여 우히 윤비 잇고, ᄯᅩ 여러 뎍국(敵國)이 이시나, 알기를 초개(草芥)갓치 넉이ᄃᆡ, 다만 엇기 어려온 바ᄂᆞᆫ 구고의 ᄌᆞᄋᆡ와 금장(襟丈)의 ᄯᅳᆺ과 ᄇᆡᆨ년군ᄌᆞ(百年君子)의 관관(關關)[778]ᄒᆞᆫ 은졍(恩情)이라.

졔왕이 ᄌᆞ긔 ᄇᆡᆨ악(百惡)이 구비ᄒᆞᆫ 줄 모로미 아니로ᄃᆡ, 군은을 경시치 못ᄒᆞ여 강인ᄒᆞ여 뉸긔(倫紀)를 폐치 아냐 녀ᄋᆞ를 ᄉᆡᆼᄒᆞ여시나, ᄌᆞ긔게ᄂᆞᆫ 과의(過矣)라. 일ᄉᆡᆼ을 고요히 안과ᄒᆞᆯ 거시어ᄂᆞᆯ, 스ᄉᆞ로 과악을 가득이 ᄡᅡ하 국가의 죄쉬 되어, 황샹【56】이 텬뉸ᄌᆞᄋᆡ(天倫慈愛)를 ᄭᅳᆫ흐시고, 구가의 용납디 못ᄒᆞᆯ ᄌᆞ뷔오, 졔왕의 염박ᄒᆞ미 여시ᄒᆡᆼ노(如視行路)[779] ᄒᆞ며, ᄒᆞᆫ낫 녀ᄋᆞ를 실니ᄒᆞ고 머리를 궁문 밧긔 ᄂᆡ왓디 못ᄒᆞ니, 홍뉘(紅淚) 뉴미(柳眉)를 잠갓거ᄂᆞᆯ, 오날ᄂᆞᆯ ᄎᆞᄉᆞ인 등을 보ᄆᆡ 이 엇디 ᄌᆞ긔 슈듕의 져의 ᄉᆞᄉᆡᆼ(死生)을 마련ᄒᆞ던 ᄌᆡ믈 알니오. 븟그러옴과 ᄋᆡᄃᆞᆯ오며 슬픈 한이 구곡(九曲)[780]이

776)됴로(朝露) ; 아침 이슬.

777)형산ᄇᆡᆨ벽(荊山白璧) : 중국 호남성(湖南省) 형산현(荊山縣) 북쪽에 있는 형산에서 나는 백옥(白玉).

778)관관(關關) : 『시경(詩經)』 <국풍(國風)/주남(周南)> 의 '관저(關雎)'편 "관관저구(關關雎鳩; 까악까악 우는 저구 새)"에서 따온 말로, 암수가 서로서로 정답게 지저귀는 저구 새의 울음소리를 흉내낸 의성어. 여기서는 '서로 화락하는' 정도의 의미로 쓰였다.

779)여시ᄒᆡᆼ노(如視行路) : 길 가는 사람 보듯 함.

780)구곡(九曲) : 구곡간장(九曲肝腸). 굽이굽이 서린 창자라는 뜻으로, 깊은 마음속 또는 시름이 쌓인

공쥬 윤·양·니·경 등 ᄉᆞ비를 오ᄂᆞᆯ날 ᄃᆡᄒᆞᄆᆡ, 븟그러오미 알플 셔고 슬픈 마음이 극ᄒᆞ여, 도라 ᄌᆞ긔 팔ᄌᆞ를 헤아리건ᄃᆡ,

졔왕이 비록 후히 ᄃᆡ졉ᄒᆞ든 아니나 부부의 륜의(倫義)를 펴고 의졀ᄒᆞ든 아닐 거시오, 비록 ᄋᆞᄃᆞᆯ은 낫치 못ᄒᆞ여도 ᄭᅩᆺᄀᆞᆺᄒᆞᆫ 녀ᄋᆞ를 실니치 아냐, 슬하의 젹막ᄒᆞᆫ 거ᄉᆞᆫ 죡히 위로ᄒᆞᆯ 거시오, 다시 졔국 국모 되기를 윤비에게 아이지 아닐지라. 젼젼 악ᄉᆞ를 헤아리니 남을 ᄒᆡᄒᆞ미 졀졀이 ᄌᆞ긔 신상의 ᄒᆡ로오미 되여, 삼종지의(三從之義)[597]를 볼거시 업고, 윤·양·니·경 ᄉᆞ비 공쥬의 병후를 무르나 능히 ᄃᆡ답ᄒᆞᆯ 말이 나지 아냐, 실셩 오열ᄒᆞᄂᆞᆫ지라.

597)삼종지의(三從之義) : 삼종지도(三從之道). 예전에 여자가 따라야 할 세 가지 도리를 이르던 말. 결혼하기 전에는 아버지를, 결혼해서는 남편을, 남편이 죽은 후에는 자식을 따라야 하였다. ≪예기≫의 의례(儀禮) <상복전(喪服傳)>; 婦人有三從之義, 無專用道 故未嫁從父, 既嫁從夫 夫死從子.

ᄎᆞᆫ단(寸斷)ᄒᆞ니, ᄒᆡ음업시781) 실셩오열(失性嗚咽)ᄒᆞ여 비뤼(悲淚) 좌셕의 괴이니, 안ᄉᆡᆨ이 초췌(憔悴)ᄒᆞ고 혈긔 돈감(頓減)ᄒᆞ여 ᄒᆞᆫ 조각 촉뇌782) 되여시니, 윤비 츄연 탄식고 위로 왈,

“귀쥐 텬황디가(天皇之家)의 ᄉᆡᆼ댱(生長)ᄒᆞ샤 비【57】환(悲患)을 모로시다가, 시운이 블니ᄒᆞ여 간인(奸人)의 그ᄅᆞᆺ 인도ᄒᆞ믈 만나, 셩샹의 ᄎᆡᆨ교(責敎)를 바드시고 유ᄋᆞ를 실니ᄒᆞ미 참연ᄒᆞ나, 이 ᄯᅩ 명애(命也)오, 유ᄋᆡ 목젼의 요ᄉᆞ(夭死)ᄒᆞ미 아니라 실니(失離)ᄒᆞ여시니, 혹ᄌᆞ ᄉᆡᆼ환ᄒᆞ여 듕봉(重峯)ᄒᆞᄂᆞᆫ 경ᄉᆡ 이실가 바라미오, 옥쥬의 청츈이 머러시니 슈미(愁眉)를 ᄲᅥᆯ칠 ᄯᆡ 이실디라. 심회를 널니 ᄒᆞ여 타일을 기다리쇼셔.”

문양이 쳥파의 담을 크게 ᄒᆞ고, 감은ᄒᆞ믈 니긔디 못ᄒᆞ여, 이의 타루(墮淚) 왈,

“쳡의 무상혼암(無狀昏暗)ᄒᆞ미 흉인 최녀의 그ᄅᆞᆺ 인도ᄒᆞ믈 취신(取信)ᄒᆞ고, 신묘랑 요인의 농술(弄術)의 ᄲᆡ져 여산디【58】죄(如山之罪)○[가] 창ᄒᆡ슈(蒼海水)를 거ᄒᆞᆯ너○[도] ᄡᅵᆺ디 못ᄒᆞᆯ디라. 부인ᄂᆡ를 참ᄒᆡ(慘害)ᄒᆞ고 여러 ᄌᆞ녀를 모살(謀殺)ᄒᆞ던 죄악이 관영(貫盈)ᄒᆞᆫ지라. ᄎᆞ고로 셩샹이 텬뉸ᄌᆞᄋᆡ를 ᄭᅳᆫ흐시고, 졔왕의 박정(薄情) ᄆᆡ야ᄒᆞ미783) 미ᄉᆞ디젼(未死之前)의 고렴(顧念)치 아니실 ᄃᆞᆺᄒᆞ니, ᄎᆞᄂᆞᆫ 다 쳡의 죄로ᄃᆡ, 녀ᄌᆞ의 편협디심(偏狹之心)으로 신셰를 ᄂᆞᆺ기ᄆᆡ, 일야(日夜)784)의 합연(溘然)785)치 못ᄒᆞ믈 한ᄒᆞ거ᄂᆞᆯ, 부인이 쳡의 젼과(前過)를 개회(介懷)치 아니시고, 글을 씻쳐 위문ᄒᆞ시며

마음속을 비유적으로 이르는 말.

781)ᄒᆡ음없이 : 하염없이. 시름에 싸여 멍하니 이렇다 할 만 한 아무 생각이 없이.

782)촉뇌 : 촉루(髑髏). 해골.

783)ᄆᆡ야ᄒᆞ다 : 매정하다. 얄미울 정도로 쌀쌀맞고 인정이 없다.

784)일야(日夜) : 밤낮. 주야(晝夜).

785)합연(溘然) : 갑작스럽게 죽음.

윤비 츄연 ᄎᆞ탄ᄒᆞ기를 마지 아니ᄒᆞ여, 이에 지셩으로 공쥬를 위로 왈,

“옥쥬의 청츈이 ᄇᆞ야히오598), 녹발(綠髮)이 쇠ᄒᆞᆯ 날이 머러 계시니, 타일에 귀쥐 몃 ᄌᆞ녀를 두실 줄 알【126】니 잇고? 쳡등이 불초ᄒᆞᆫ ᄌᆞ식이 여러히 잇시니, 비록 귀쥬의 긔츌이 아니나 져히 인ᄉᆞ를 출히면, 귀쥐를 밧드ᄂᆞᆫ 정셩이 ᄉᆡᆼ모나 다르미 잇시리잇가? 옥쥐 일 녀ᄋᆞ를 위ᄒᆞ여 귀체(貴體)를 이ᄃᆡ도록 상(傷)ᄒᆡ오시미 가치 아니ᄒᆞ시니, 모로미 귀쥐ᄂᆞᆫ 마ᄋᆞᆷ을 관억(寬抑)ᄒᆞ소셔”

공쥐 ᄒᆞᆫᄀᆞᆺ 녀ᄋᆞ를 위ᄒᆞ여 슬허ᄒᆞᄂᆞᆫ 거시 아니라, ᄌᆞ긔 신셰(身勢) 명도(命途)를 각골통비(刻骨痛悲)ᄒᆞ○[미]거ᄂᆞᆯ, 윤비의 위로ᄒᆞᄂᆞᆫ 말ᄉᆞᆷ이 이 ᄀᆞᆺᄒᆞ니, 참아 모진 셩을 참지 못ᄒᆞ여, 오직 뉴체(流涕)ᄒᆞ여 ᄀᆞᆯᄋᆞᄃᆡ,

“쳡의 누명(陋名)은 비록 창ᄒᆡ(蒼海)를 거우려도 능히 씻지 못ᄒᆞᆯ 거시니, 황상이 텬뉸ᄌᆞᄋᆡ(天倫慈愛)를 버히시미 니를 거○[시] 잇시리오. 쳡이 일호(一毫)도 부인ᄂᆡ를 ᄒᆡ코ᄌᆞ ᄒᆞᄂᆞᆫ 일이 업ᄉᆞᄃᆡ, 심졍이 굿지 못ᄒᆞ여 샤ᄅᆞᆷ의 다ᄅᆡ오믈 당ᄒᆞ면, 허언(虛言)이믈 아지 못 ᄒᆞᄂᆞᆫ ᄇᆡ라. 젼쟈의 최녜【127】부인 등의 흔극(釁隙)을 닐러 져쥬지ᄉᆞ(詛呪之事)를 ᄒᆡᆼᄒᆞᆷ과, 녹셤이 한ᄉᆞ부로 모의ᄒᆞ여 쳡에게 독약을 나오미 다 올흔 일이라 ᄒᆞ고, 녕교 등의 초ᄉᆡᆨ(招辭) 분명ᄒᆞ니, 쳡의 암ᄆᆡ(暗昧)ᄒᆞ미 부인 등과[의] 원억ᄒᆞ믈 아지 못ᄒᆞ여, 신묘랑과 최녜 셔로 도모ᄒᆞ여 쳐음의 윤·양 이비를 궁즁에 드려와 쳡이 구박ᄒᆞ여 물에 너흐믄 실노 최녀의 말을 드르미라.”

598)ᄇᆞ야히다 : 한창이다. 무르익다.

ᄋᆡᄌᆞ(睚眦)의 원(怨)을 두디 아니시니, 감은각골(感恩刻骨)ᄒᆞᄂᆞᆫ ᄇᆡ러니, 이졔 친님ᄒᆞ샤 폐인(廢人)을 므르시미 이러ᄐᆞᆺ 관곡(款曲)ᄒᆞ시니 감샤ᄒᆞᆫ 밧, 쳡의 낫치 비록 ᄃᆞᆺ거오나【59】황괴(惶愧)ᄒᆞ미 욕ᄉᆞ무디(欲死無地)로소이다.”

의렬이 귀로 져 말을 드르며 눈으로 ᄒᆡᆼ디(行止)를 보ᄆᆡ, 춍명혜식(聰明慧識)으로 그 회션기악(回善棄惡)786)ᄒᆞ믄 쾌치 못ᄒᆞ나, 젼일 교긔(驕氣) 주러디고 악심이 져기 업셔시니, 크게 깃거 더옥 화셩유어(和聲柔語)로 위로 칭샤, 왈,

“셕일 옥쥬 세정(世情)을 밋쳐 경녁디 못ᄒᆞ시고, 좌우의 돕ᄂᆞᆫ ᄌᆞ 어디디 못ᄒᆞ여 일시 그ᄅᆞᆺᄒᆞ시미 괴이치 아니코, 디어(至於) 쳡등 ᄒᆞ여ᄂᆞᆫ 운익(運厄)의 긔구(崎嶇)ᄒᆞ믈 인ᄒᆞ여, 일시 화익(禍厄)을 겻그미라. 엇디 사ᄅᆞᆷ을 탓ᄒᆞ리잇고? 허믈이 이시나 곳치미 귀타 ᄒᆞ니, 이졔 셕ᄉᆞ를 드노화 과렴(過念)ᄒᆞ시믄 쳡 등의 원(願)이 아니라. 오딕 녜그【60】르믈 피치 졔긔치 말고, 서로이 화긔를 니르혀 군ᄌᆞ의 가되(家道) 옹목(邕穆)ᄒᆞ믈 바라ᄂᆞ이다.”

삼비(三妃) 또ᄒᆞᆫ 말ᄉᆞᆷ을 니어 ᄒᆡ위(解慰)ᄒᆞ여 셕한(昔恨)을 두디 아니ᄒᆞ니, 한상궁이 감격 숑덕(頌德)ᄒᆞ믈 니긔디 못ᄒᆞ여 눈믈을 머금고, ᄉᆞ비의 덕화를 복복(服服)787) 감은(感恩)ᄒᆞ고, 공쥬의 신셰를 고렴ᄒᆞ시믈 숑은(頌恩) 칭예(稱譽)ᄒᆞ미 혜 달흘 ᄃᆞᆺᄒᆞᆫ디라. ᄉᆞ비(四妃) 한상궁의 인현튱딕(仁賢忠直)ᄒᆞ믈 긔특이 녀여 흔연(欣然) 화답(和答)ᄒᆞ고, 윤비 시ᄋᆞ를 명ᄒᆞ여 딘슈미찬(珍羞美饌)을 가져오라 ᄒᆞ니, 슈유(須臾)788)의 금반옥긔(金盤玉器)의 화미딘찬(華味珍饌)을 가득이 버리고, 일쥰(一遵) 향온(香醞)을 나오니, 윤비 친【61】히 잔을 브어 공쥬긔 보ᄂᆡ고 상을 드려 햐져(下箸)ᄒᆞ며, 낭낭ᄒᆞᆫ 담쇼로

ᄒᆞ니, ᄉᆞ비 공쥐의 말ᄉᆞᆷ을 드ᄅᆞᄆᆡ 그 간악ᄒᆞᆫ 심ᄉᆞ를 구챠히 최녀에게 밀위고, ᄉᆞᄉᆞ로 무죄ᄒᆞ다 발명ᄒᆞ믈 가장 가소로이 녁이나, 윤비ᄂᆞᆫ 부ᄃᆡ 공쥬를 감화ᄒᆞ여 기리 동녈(同列)의 경을 펴고져 ᄒᆞᄂᆞᆫ 고로, 이에 ᄀᆞᆯᄋᆞᄃᆡ,

“지ᄂᆞᆫ 바ᄂᆞᆫ 다시 구두에 올녀 닐ᄏᆞ를 거시 업ᄂᆞᆫ지라. 다만 쳡의 무리 다 유익(有厄)ᄒᆞᆫ ᄣᅵ를 인ᄒᆞ여, 간악ᄒᆞᆫ 비ᄌᆡ 쥬인을 ᄉᆞ지에 모라 너흐니, 이ᄂᆞᆫ 도시 쳡의【128】운쉬 고히 ᄒᆞ미오. 다시 남을 탓ᄒᆞᆯ 거시 업ᄂᆞᆫ지라. 엇지 옥쥬의 과실이 되리잇고?”

ᄒᆞ며, 양·니·경 삼부인이 윤의렬의 말ᄉᆞᆷ을 니어 공쥬를 위로ᄒᆞᄆᆡ, 지극ᄒᆞᆫ 졍셩으로 말ᄉᆞᆷ이 화열ᄒᆞ고, 나ᄌᆞᆨᄒᆞᆫ 소ᄅᆡ로 공쥬를 위로ᄒᆞ고, 셕한을 조곰도 졔긔치 아니ᄒᆞ여 ᄋᆡᄌᆞ지원(睚眦之怨)을 품지 아니ᄒᆞ더라.

한상궁이 겻ᄒᆡ셔 그 문답ᄒᆞᄂᆞᆫ 말ᄉᆞᆷ을 듯고, 감격ᄒᆞ믈 니긔지 못ᄒᆞ여 ᄉᆞ비의 덕화를 닐ᄏᆞᄅᆞ며, 공쥬의 신셰를 고렴(顧念)ᄒᆞ믈 청ᄒᆞᆯᄉᆡ, 말ᄉᆞᆷ이 슬프고 근졀ᄒᆞ며 츙의(忠義) 각골ᄒᆞᄆᆡ, 윤·양·니·경 ᄉᆞ비 그 위인을 긔특이 녁이고 흔연이 답ᄒᆞᆯᄉᆡ, 공쥐 또 ᄀᆞᆯᄋᆞᄃᆡ,

“이졔 ᄉᆞ위(四位) 부인이 쳡의 심폐를 비최시미라. 쳡이 엇지 화우ᄒᆞ믈 즐겨 아니ᄒᆞ리오.”

786)회션기악(回善棄惡) : 악을 버리고 선으로 돌아옴.
787)복복(服服) : 마음속으로 깊이 항복하여 따름.
788)슈유(須臾) : 잠깐 사이.

공쥬를 위로(慰勞) 권면(勸勉)ᄒᆞ여 이윽이 담화ᄒᆞ다가, 셕양의 후회를 긔약ᄒᆞ고 도라가니, 공쥐 ᄉᆞ인(四人)을 보ᄆᆡ ᄉᆡ로이 ᄆᆡ온 ᄃᆞᆺ, 긔특ᄒᆞᆫ ᄃᆞᆺ, 블은789) ᄃᆞᆺ, 측냥치 못ᄒᆞ여 쥬견(主見)이 업ᄉᆞ니, 한상궁이 고왈,

"금일 ᄉᆞ비 이의 니르샤 화우ᄒᆞ시ᄂᆞᆫ 덕의를 보오ᄆᆡ, 셕ᄉᆡ(昔事) 더옥 한심ᄒᆞ온디라. 복원 옥쥬ᄂᆞᆫ 녯 허믈을 바리시고 ᄉᆡ로이 덕을 닷가 신셰(身勢)를 회복ᄒᆞ시고, 윤·양·○[니]·경 ᄉᆞ비의 후의(厚誼)를 져바리디 마르쇼셔."

공쥐 톄읍 탄왈,

"ᄉᆞ부ᄂᆞᆫ 이리 니르디 말나. 내 젼ᄌᆞ로브터 ᄎᆞ인 【62】 등을 ᄆᆡ워ᄒᆞ나, 독ᄒᆡ(毒害)ᄒᆞ여 젼졔(剪除)ᄒᆞᆯ 줄은 모로거ᄂᆞᆯ, 최녀 흉인의 간언의 대악을 ᄲᆞ하 신셰 그릇 되여, 대왕의 박ᄃᆡ ᄒᆡᆼ노(行路) ᄀᆞᆺᄐᆞ여 면목도 ᄃᆡᄒᆞᆯ 길히 업ᄉᆞ니, ᄎᆞ인 등이 비록 화우코져 ᄒᆞ나, 내 신셰의야 므ᄉᆞᆷ ᄒᆡ오미790) 이시리오."

한상궁이 쳥파의 공쥐 맛ᄎᆞᆷᄂᆡ 일공(一空)이 막혀시믈 ᄋᆡᄃᆞᆯ나 ᄒᆞ더라.

ᄎᆞ시 윤비 궁의 도라와 상부의 나아가 혼뎡ᄒᆞᆫ 후, 뎡침의 도라와 운긔《를∥등을》 블너 죵용이 경계 왈,

"문양공쥐 텬노를 만나 황샹이 부녀디졍을 ᄉᆞᆺᄎᆞ시고, 너희 대인의 구박ᄒᆞ믈 만나 궁듕의 침폐(沈廢)ᄒᆞ【63】연 디 여러 일월이라. 녀ᄌᆞ의 협ᄋᆡᆨ(狹阨)ᄒᆞᆫ 심졍의 젼젼초삭(輾轉焦削)791)ᄒᆞ여 딜병이 침면(沈綿)ᄒᆞ여

한상궁이 공쥬의 ᄂᆡ외 다르믈 ᄀᆞ장 ᄋᆡ달나 ᄒᆞ나, 【129】 오히려 젼일(前日)ᄀᆞᆺ치 악악ᄒᆞᆫ 일은 업ᄉᆞ니, 다시 윤·양·니·경 ᄉᆞ비와 현긔 등을 ᄒᆡ치 아닐 바를 짐쟉ᄒᆞ고, 극진히 화우ᄒᆞ믈 권ᄒᆞ더라. 윤의렬 등 ᄉᆞ비 반일을 공쥬로 더브러 한담ᄒᆞ다가, 상부(上府)의 낫 문안 ᄡᅴ 밋쳐시므로, 일시에 ᄒᆞᆫ가지로 도라갈ᄉᆡ, 이후로 다시 오기를 닐ᄏᆞᆺ더라.

윤·양·니·경 등 ᄉᆞ비 상부의 나아가 낫 문안에 참녜ᄒᆞ고, 인ᄒᆞ여 궁으로 도라와 현긔 등을 불러 니르ᄃᆡ,

789)블은 : 부러운. *븖다; 부럽다.
790)ᄒᆡ옴 : 혬. 생각. *혬; 셈. 손익을 따짐.
791)젼젼초삭(輾轉焦削) : 괴로움으로 몸을 뒤척이며 잠을 못 이루고 애를 태우고 끓음.

792) 상요(床褥)를 떠나디 못ᄒᆞ거ᄂᆞᆯ, 여등이 위인ᄌᆞ(爲人子)793)ᄒᆞ여 의연(依然)이794) 괄시(恝視)치 못ᄒᆞ리니, 날노 문후ᄒᆞ믈 게얼니 말고 구호ᄒᆞ믈 디셩으로 ᄒᆞ여 ᄌᆞ도(子道)를 다ᄒᆞ라."

운긔 등이 계슈(稽首) 고왈,

"쇼ᄌᆞ 등이 년긔 유튱(幼沖)ᄒᆞ와 여러 ᄌᆞ모긔 인ᄌᆞ디도(人子之道)를 닐위디 못ᄒᆞᄋᆞᆸᄂᆞᆫ 듕, 문양 ᄌᆞ위 심궁의 곤익ᄒᆞ시믈 념녀ᄒᆞ오나, 부왕이 일즉 왕ᄂᆡ치 못ᄒᆞᆯ 줄노 상히795) 엄칙(嚴飭)ᄒᆞ샤 ᄉᆞ죄를 마련ᄒᆞ시므로, 감히 엄노를 범치 못ᄒᆞ와 환후를 아디 못ᄒᆞ오미 되오니, 쇼ᄌᆞ 등의 죄【64】여산ᄒᆞ온디라. ᄌᆞ교(慈敎)를 봉힝ᄒᆞ와 틱만치 아니리이다."

792)침면(沈綿)ᄒᆞ다 : 병이 오래 낫지 않다.
793)위인ᄌᆞ(爲人子) : 사람의 아들이 되어서.
794)의연(依然)이 : 전과 다름없이.
795)상히 : 늘, 항상.

"여등(汝等)이 난 지 칠팔 셰에 거의 인ᄉᆞ를 출힐 ᄧᅴ어ᄂᆞᆯ, 엇지 모ᄌᆞ(母子)의 즁ᄒᆞᆫ 쥴을 아지 못ᄒᆞ여, 문양궁에 영영 왕ᄂᆡ치 아니ᄒᆞᄂᆞ뇨?"

냥 공지 피셕(避席) ᄃᆡ왈,

"ᄌᆞ괴(慈敎) 맛당ᄒᆞ시나, 소ᄌᆞ 등이 유충(幼沖)ᄒᆞ여 문양귀쥬의 면목(面目)을 ᄭᅢ닷지 못ᄒᆞ오니, 궁실을 지을 ᄧᅴ에 장원(牆垣)이 문양궁에 격(隔)하엿거ᄂᆞᆯ, 소ᄌᆞ 등이 엄졍(嚴庭)에 고ᄒᆞᄃᆡ, 문양궁을 통ᄒᆞ【130】게 협문을 ᄂᆡ기를 쳥ᄒᆞ온ᄃᆡ, 엄졍이 쥰졀히 니르시ᄃᆡ, '문양공쥬ᄂᆞᆫ 너의 등의 큰 원쉬오, 날노 더브러 ᄯᅩᄒᆞᆫ 의졀ᄒᆞ엿시니, 여등은 오직 남으로 알 ᄯᆞ름이라. 엇지 장원 ᄉᆞ이에 협문을 두리오.' ᄒᆞ시니, 소ᄌᆞ 등이 엇지 져곳에 왕ᄂᆡ를 임의로 ᄒᆞ리잇고?"

윤비 쳥필(聽畢)에 탄왈,

"너의 부왕이 만ᄉᆞ의 다 관인(寬仁)ᄒᆞ믈 힘쓰시ᄃᆡ, 오직 홀노 이런 일의 다ᄃᆞ라ᄂᆞᆫ 심히 박졀ᄒᆞ믈 면치 못ᄒᆞ시리로다. 내 비록 암용(暗庸)ᄒᆞ나, 엇지 여등으로 ᄒᆞ야곰 위태ᄒᆞᆫ 곳에 나아가라 ᄒᆞ리오. 이후ᄂᆞᆫ 너희 무리 문양궁에 왕ᄂᆡᄒᆞ여 가히 인ᄌᆞ지도(人子之道)를 폐치 말지어다."

냥 공지 모비의 말슴을 듯ᄌᆞ오ᄆᆡ, 심즁에 모비의 셩덕을 감복ᄒᆞ여 ᄇᆡ샤슈명ᄒᆞ고, ᄯᅩ 고ᄒᆞ여 왈,

"문양궁이 비록 장원(牆垣)이 격ᄒᆞ엿ᄉᆞ오나, 도라 왕【131】ᄂᆡᄒᆞ려 ᄒᆞ오면 ᄉᆞ이 ᄀᆞ장 이윽ᄒᆞ오니, 협문(夾門)을 ᄂᆡᄉᆞ이다"

윤비 미미히 웃고 니르ᄃᆡ,

"임의 발셔 협문을 ᄂᆡ고 네 어미 몬져 가 공쥬를 보고 다녀왓시니, 오ᄋᆞ 등은 ᄂᆡ일노브터 문양궁에 나아가, 공쥬긔 뵈ᄋᆞᆸ고 ᄉᆞ시(四時)599) 문안ᄒᆞ여 ᄌᆞ도(子道)를 폐치 말나."

ᄒᆞ니, 냥 공지 ᄌᆡᄇᆡᄒᆞ여 명을 밧ᄌᆞ오ᄆᆡ, 종용이 모비긔 뭇ᄌᆞ와 ᄀᆞᆯᄋᆞᄃᆡ,

599)사시(四時) : 하루 중의 네 때. 단(旦; 아침)・주(晝; 낮)・모(暮; 저녁)・야(夜; 밤)를 이른다

인ᄒᆞ여 운긔, 현긔로 더브러 병익(竝翼)ᄒᆞ여 문양궁의 나아가 문후ᄒᆞ고, ○○[샤왈(謝曰)],

"유튱블민(幼沖不敏) ᄒᆞ와 ᄌᆞ도(子道)를 폐ᄒᆞ온 죄 만ᄉᆞ유경(萬死猶輕)이로소이다."

○○[ᄒᆞ니], 공줘 경아ᄒᆞ여 밧비 눈을 들미, 냥ᄋᆞ의 댱셩슈미(長成秀美)홈과 쇄락쳥월(灑落淸越)ᄒᆞ고 앙쟝표일(昂壯飄逸)ᄒᆞ미 단산(丹山)[796]의 ᄒᆞᆫ 빵 ᄎᆡ봉(彩鳳)이오, 두낫 미옥(美玉)이라. 문양공줘 견파(見罷)의 윤·양 등의 복녹을 흠션(欽羨)ᄒᆞ며, ᄌᆞ긔 무용(無用) 녀ᄋᆡ나, 표풍착영(飄風捉影)[797] ᄀᆞᆺ치 실니(失離)ᄒᆞ고, ᄌᆞ긔 슬ᄒᆡ(膝下) 뎍막ᄒᆞᆷ을 슬허, ᄒᆡ음업시 냥ᄋᆞ의 손을 잡고 쳥

796)단산(丹山) : 중국 복건성(福建省) 북부(北部) 무이산(武夷山) 안에 있는 산 이름. 벽수단산(碧水丹山)의 수려한 경치로 유명하다.

797)표풍착영(飄風捉影) : 회오리바람이 그림자를 채간다는 말로, 허망하게 잃은 것을 비유적으로 표현한 말. *포풍착영(捕風捉影); 바람을 잡고 그림자를 붙든다는 말로, 허망한 일을 이르는 말.

"대인이 문양공쥬를 소ᄌᆞ 등으로 ᄒᆞ야곰 원슈라 ᄒᆞ시믄 엇지니잇고?"

윤비 잠간 우ᄉᆞ며 닐너 ᄀᆞᆯᄋᆞᄃᆡ,

"너의 부왕이 문양공쥬를 원슈로 밀위시믄 과도ᄒᆞᆫ 말숨이니라. 너희 등이 한 은인(恩人)과 양 은모(恩母)의 덕튁을 각골(刻骨)ᄒᆞᆯ ᄇᆡ라. 기간(其間)의 ᄌᆞ셔ᄒᆞᆫ 소유ᄂᆞᆫ 여 등이 알아도 유익ᄒᆞᆫ 일이 업ᄉᆞᆯ 거시니, ᄋᆞ희 등은 오죽 ᄒᆞᆨ공을 부지런이 ᄒᆞ여, 다만 셩효를 갈녁ᄒᆞ여, 졔슌(帝舜) 【132】과 증삼(曾參)[600] 왕상(王祥)[601]ᄀᆞᆺ치 못ᄒᆞᆯ지언정, 충효로ᄡᅧ 근본을 삼으며 학힝을 셥녁(涉歷)[602]ᄒᆞ여 광망(狂妄)ᄒᆞ기를 면ᄒᆞ면, 네 어미 ᄯᅩᄒᆞᆫ 태교 ○[못]ᄒᆞᆫ 죄를 면ᄒᆞᆯ가 ᄇᆞ라노라."

ᄒᆞ니, 냥 공ᄌᆡ 일시에 ᄇᆡ샤슈명ᄒᆞ더라.

이 ᄯᅢ 졔왕이 한총과 양씨를 다 졔궁으로 옴겨 ᄒᆞᆫᄀᆞᆯᄀᆞᆺ치 은인으로 ᄃᆡ졉ᄒᆞ여 ᄌᆞ못 과도ᄒᆞ기에 밋고, 공ᄌᆞ 등이 ᄯᅩᄒᆞᆫ 한총을 존즁히 ᄃᆡ졉ᄒᆞ미 졈졈 더으믹, 한총 부뷔 고루 거각에 안와 ᄒᆞ더라.

냥 공ᄌᆡ 명일 문양궁에 나아가 공주긔 신셩(晨省)ᄒᆞ니, 공줘 보건ᄃᆡ 냥 공ᄌᆞ의 비범출뉴ᄒᆞ미 진실노 부풍모습(父風母習)[603]ᄒᆞ여 옥골션풍(玉骨仙風)이라. 윤·양·니 등의 팔ᄌᆞ를 불워ᄒᆞ며 ᄌᆞ긔 신셰를 슬허ᄒᆞ여, 눈물이 흘너 옥안을 젹시ᄂᆞᆫ지라. 공ᄌᆞ 등이 비록 나히 유충(幼沖)ᄒᆞ나 공쥬의 슬【133】허ᄒᆞᄂᆞᆫ 거동을 보고 나즉이 위로ᄒᆞ믹,

600)증삼(曾參) : 중국 노나라의 유학자. 자는 자여(子輿). 공자의 덕행과 사상을 조술(祖述)하여 공자의 손자인 자사(子思)에게 전하였다. 후세 사람이 높여 증자(曾子)라고 일컬었으며, 저서에 ≪증자≫, ≪효경≫ 이 있다.

601)왕상(王祥) : 184-268. 중국 삼국-서진 시대의 관료. 효자. 자는 휴징(休徵). 서주 낭야국(낭야국) 임기현 사람. 중국 24효자의 한사람. 효성이 지극하여 계모 주씨가 자신을 사랑하지 않음에도 극진히 모셔, '겨울에 얼음을 깨고 잉어를 구해[叩氷得鯉]' 섬기는 등의 효행담을 남겼다.

602)섭력(涉歷) : 물을 건너고 산을 넘는다는 뜻으로, 여러 경험을 많이 함을 이르는 말.

603)부풍모습(父風母習) : 모습이나 언행이 아버지와 어머니를 고루 닮음.

뉘(淸淚) 환난(汍亂)ᄒᆞ여 여윈 귀밋출 적【65】시니, 냥ᄋᆡ 비록 년유ᄒᆞ나 공듀의 초췌ᄒᆞᆫ 안ᄉᆡᆨ과 톄루비읍(涕淚悲泣)ᄒᆞ믈 보ᄆᆡ, 쳑연(慽然) 감상(感傷)ᄒᆞ여 화셩유어로 위로ᄒᆞ며, 승안(承顔)ᄒᆞᄂᆞᆫ 졀ᄎᆞ 동용(動容)이 대군ᄌᆞ의 틀이라. 문양이 심니의 긔특이 넉이나 셕ᄉᆞ를 ᄉᆡᆼ각ᄒᆞ여 구연(懼然)ᄒᆞ믈 먹음더라.

ᄎᆞ후 냥 공ᄌᆡ ᄋᆞ쇼져 ᄌᆞ염으로 일일 왕ᄂᆡᄒᆞ여 공쥬의 심회를 소견(消遣) 위로(慰勞)홀ᄉᆡ, 학낭쇼어(謔浪笑語)와 박혁(博奕)○○[으로] 달난(團欒)ᄒᆞ여 열친디회(悅親之孝) 인ᄌᆞ(人子)의 도를 다ᄒᆞᄂᆞᆫ디라. 공쥐 심하의 도로혀 괴이히 넉이더라.

일일은 왕이 혼뎡(昏定)을 파ᄒᆞ고 궁의 니르러, 공ᄌᆞ 등의 업ᄉᆞ믈 괴이히 넉여, 좌우로 ᄂᆡ던의 가 브르라【66】ᄒᆞ니, 궁뇌 브복 고왈,

“냥 공ᄌᆡ 아자(俄者)[798]의 문양궁의 가계시니이다.”

왕이 대경 문왈,

“공ᄌᆞ 등이 언졔브터 문양궁 왕ᄂᆡ를 ᄒᆞ며 어ᄃᆡ로 단니더뇨?”

궁관이 황공 ᄃᆡ왈,

“ᄂᆡ화원으로 협문(夾門)을 통ᄒᆞ시고 왕ᄂᆡᄒᆞ션 디 일삭이 거의로소이다. 왕이 십분 경히ᄒᆞ여 냥ᄌᆞ의 오기를 기다리더니, 이윽고 냥 공ᄌᆡ 니르러 대인의 아르시미 잇ᄂᆞᆫ가 놀라ᄃᆡ, 안ᄉᆡᆨ을 화(和)히 ᄒᆞ여 시좌(侍坐)ᄒᆞ니, 왕이 그 거동을 보랴 ᄒᆞ여 아른 쳬 아니코, 뎡ᄉᆡᆨ 왈,

“여등이 글 닑으믈 젼일(專一)이 아니코 한유(閑遊)ᄒᆞ믈 일삼으니, 엇디 한심치 아니ᄒᆞ리오. 어ᄃᆡ를 갓【67】더뇨?”

냥 공ᄌᆡ 황공ᄒᆞ여 넌즈시 ᄂᆡ루(內樓)의 잇던 바를 고ᄒᆞᆫᄃᆡ 왕이 믁연이러니, 명일

798)아자(俄者) : 아까. 조금 전. 지난 번. 갑자기.

공쥐 진실로 ᄉᆞ랑ᄒᆞᄂᆞᆫ 졍은 업ᄉᆞᄃᆡ, 젼일ᄀᆞᆺ치 뮈온 마음은 닛지 아니ᄒᆞᆫ지라. 다만 흠션(欽羨)ᄒᆞ여 ᄀᆞᆯᄋᆞᄃᆡ,

“남은 엇지 져ᄀᆞᆺ치 긔특ᄒᆞᆫ ᄌᆞ식을 두엇ᄂᆞᆫ고?”

ᄒᆞ여, 마음에 ᄋᆡ다르오며 셜우미 더욱 심ᄒᆞ여, 가ᄉᆞᆷ이 막혀 터질 ᄃᆞᆺᄒᆞ더라.

이후로 조ᄎᆞ 챠챠 ᄌᆞ라ᄂᆞᆫ 공ᄌᆞ들이 현긔를 ᄯᆞ라 ᄌᆞ로 문양궁에 니르니, 젹막ᄒᆞ던 궁즁이 번화ᄒᆞ며, 공쥬 침젼에 옥동화녀(玉童花女) 빵빵히 노ᄂᆞᆫ지라,

일일은 졔왕이 존당의 혼졍(昏定)을 파ᄒᆞ고 궁에 니르러, ᄋᆞᄌᆞ(兒子)의 지은 글을 보고져 홀ᄉᆡ, 냥ᄌᆡ 다 외헌에 업ᄂᆞᆫ지라. 반ᄃᆞ시 ᄂᆡ젼에 잇ᄂᆞᆫ 줄노 알고 좌우로 ᄒᆞ야곰 냥 공자를 부르라 ᄒᆞ니, ᄂᆡ궁에도 업ᄉᆞ믈 고ᄒᆞᄂᆞᆫ지라. 왕이 심니의 고이히 넉여 공ᄌᆞ 등을 다리고 잇ᄂᆞᆫ 군【134】관을 불너, 냥 공ᄌᆞ의 간 곳을 므르니, 군관이 ᄃᆡ왈,

“문양공쥐 톄휘 불평ᄒᆞ시다 ᄒᆞ고 냥 공ᄌᆡ 앗가 협문으로 조ᄎᆞ 문양궁에 가시니이다.”

ᄒᆞ거ᄂᆞᆯ, 왕이 쳥파에 협문 잇ᄂᆞᆫ 줄을 알고 좌우로 ᄒᆞ야곰 현긔 등을 부르ᄃᆡ, 윤비를 쳥치 아니ᄒᆞ니라.

이ᄯᆡ 문양공쥐 맛ᄎᆞᆷ 병을 어더 쥬야로 고통ᄒᆞᄂᆞᆫ 고로, 윤비 친히 문양궁에 나아가 문병ᄒᆞ고, 약을 손조[604] 다ᄉᆞ리더니, 홀연 궁ᄋᆡ 니르러 왕의 명으로 냥 공ᄌᆞ를 부르시믈 젼ᄒᆞ니, 냥 공ᄌᆡ 부왕의 아ᄅᆞ 계시믈 ᄃᆡ경ᄒᆞ고 승명ᄒᆞ여 홍운젼에 다ᄃᆞ르니, 왕이 공ᄌᆞ 등을 보고 크게 ᄭᅮ지져 ᄀᆞᆯᄋᆞᄃᆡ,

604)손조 : 손수. 남의 힘을 빌리지 아니하고 제 손으로 직접.

존당의 낫 문안을 파ᄒᆞ고 ᄯᅩ 궁의 니르니, 냥 공ᄌᆡ며 ᄌᆞ염이 다 업고 홍운뎐이 황연(荒然)ᄒᆞ엿ᄂᆞᆫ디라. 왕이 몸을 니러 ᄂᆡ화원의 올나 문양궁 통ᄒᆞᆫ 문을 보ᄆᆡ, 어히 업고 대로ᄒᆞ여, 궁관을 명ᄒᆞ여 문양궁의 가 냥 공ᄌᆞ를 잡아 오라 ᄒᆞ니, 슈유(須臾)의 냥 공ᄌᆡ 당하(堂下)의 브복ᄒᆞ여 청죄ᄒᆞ니, 왕이 냥ᄌᆞ를 보ᄆᆡ 미우의 셜풍(雪風)이 쇼쇼(瀟瀟)ᄒᆞ고799) 참엄(斬嚴)ᄒᆞᆫ 노긔(怒氣) 븍풍한상(北風寒霜)800)ᄀᆞᆺᄐᆞ여 졍셩(霆聲)801) 슈죄(數罪) 왈,

"내 문양궁을 무고히 박ᄃᆡᄒᆞ미 아니라, 그 과악이 호대【68】ᄒᆞ여 죽기를 면치 못ᄒᆞᆯ 거시로ᄃᆡ, 셩샹이 호ᄉᆡᆼ디덕(好生之德)을 나리오샤 심궁의 폐치(廢置)ᄒᆞ시며, 존당이 디금 샤명을 나리오디 아니시고, 내 ᄯᅩ 그 곳 왕ᄂᆡ를 긋쳣거ᄂᆞᆯ, 여등 쇼ᄌᆡ(小子) 십셰도 ᄎᆞ디 못ᄒᆞᆫ 거시 부명을 홍모(鴻毛)ᄀᆞᆺ치 녁여, 협문을 통ᄒᆞ고 ᄌᆞᄒᆡᆼᄌᆞ디(自行自止)ᄒᆞ여 블인의 곳의 왕ᄂᆡᄒᆞ다가, 셕년 독슈를 다시 닙어 요인의 슈듕의 죽고져 ᄒᆞ니, 출하리 다ᄉᆞ려 아비 업슈히 녁이ᄂᆞᆫ 죄를 쇽(贖)게 ᄒᆞ리라."

공ᄌᆡ 평ᄉᆡᆼ 쳐음으로 부왕의 노를 만나ᄆᆡ 한한(寒汗)이 옷ᄉᆡ ᄉᆞ【69】못ᄎᆞ 능히 ᄃᆡᄒᆞᆯ 바를 아디 못ᄒᆞᄃᆡ, 스ᄉᆞ로 죄를 졔 몸의 당ᄒᆞ고 모비긔 밀위디 아니려 ᄒᆞ여, 현긔 몬져 ᄌᆡ빅 쳥죄 왈,

"초의 궁실을 디을 ᄯᅴ 쇼ᄌᆡ 대인긔 알외여 문양궁 협문을 ᄂᆡ기를 쳥ᄒᆞ오ᄃᆡ, 대인이 엄히 막ᄌᆞ르시니, ᄒᆡᄋᆡ 감히 ᄉᆞ졍을 누누히 고치 못ᄒᆞ오나, 모ᄌᆞ대륜(母子大倫)이 그 엇더케 듕(重)ᄒᆞ관ᄃᆡ, 쟝원(牆垣)을 격ᄒᆞ여 여러 ᄒᆡ를 빅견(拜見)치 못ᄒᆞ고, 인ᄌᆞ디도(人子之道)를 폐ᄒᆞ리잇고? ᄋᆞᄒᆡ 엄젼의 고치 못ᄒᆞ고, 동산 담을 ᄯᅮ러 통신(通信)ᄒᆞᆯ 길흘 ᄂᆡ고, 문양궁 왕ᄂᆡᄒᆞ연 디 계【70】오 일슌

"여등이 십셰도 챠지 못ᄒᆞ여셔 아비를 업슈히 녁여, 나의 니루ᄂᆞᆫ 말을 듯지 아니ᄒᆞ고, 원슈 요인(妖人)을 ᄌᆞ모로 칭ᄒᆞ고, 셩효를 일홈ᄒᆞ여 흉【135】인의 곳에 ᄌᆞ로 왕ᄂᆡ(往來)ᄒᆞ다가, ᄯᅩ 독슈(毒手)를 맛나 셩명을 보젼치 못ᄒᆞ여, 날노 ᄒᆞ야곰 셔하지탄(西河之嘆)을 일위고, ᄌᆞ당의 무궁ᄒᆞᆫ 불효를 ᄭᅵ치려 ᄒᆞ니, 이 엇진 도리며 여등을 간인의 손에 죽이나니, 출ᄒᆞ리 ᄂᆡ 몬져 죽여 괴로온 념녀를 ᄉᆞᆺ코, ᄎᆞᄎᆞ ᄌᆞ라ᄂᆞᆫ ᄋᆞᄒᆡ들노 ᄒᆞ야곰 간인의 곳에 가지 못ᄒᆞᆯ 줄노 알게 ᄒᆞ리라. 모ᄌᆞ(母子)의 륜의(倫義)라 하ᄂᆞᆫ 거시 다 곡졀이 잇ᄂᆞᆫ지라. 혹 아비가 모르고 무죄히 박ᄃᆡᄒᆞ거나 츌거(黜去)ᄒᆞᄂᆞᆫ 일이 잇시면, ᄌᆞ식된 ᄌᆡ 모의(母義)를 슬허ᄒᆞ여, ᄌᆞ로 왕ᄂᆡᄒᆞ며 셩효를 다ᄒᆞᄂᆞᆫ 거시 혹 고히치 아니ᄒᆞ거니와, 이졔 문양공쥬ᄂᆞᆫ 만악이 구비(具備)ᄒᆞ여, 셕년에 여모 등을 업시ᄒᆞ려 농즁(籠中)에 너허 강슈에 ᄯᅴ우려 ᄒᆞᄂᆞᆫ 거ᄉᆞᆯ, 한관인의 대은으로 너희 등의 목숨이 ᄉᆞ랏ᄂᆞᆫ지라. 잔악(殘惡) 질투ᄒᆞ미 지어(至於) 구창(九娼)【136】ᄭᅡ지 못 견ᄃᆡ도록 ᄒᆞ야, ○○○○○○○[황샹이 나로 하여]곰 부부 대의를 졀ᄒᆞ게 ᄒᆞ여 계시니, 원슈의 곳에 왕ᄂᆡᄒᆞ믈 네 엇지 긔탄치 아니ᄒᆞᄂᆞ뇨? 이ᄂᆞᆫ 반ᄃᆞ시 ○[ᄂᆡ] 너희를 ᄀᆞᄅᆞ치지 못ᄒᆞ미라."

799)쇼쇼(瀟瀟)ᄒᆞ다 : 바람이나 빗소리 따위가 쓸쓸하다.

800)븍풍한상(北風寒霜) : 북쪽에서 부는 차가운 바람과 찬 서리.

801)졍셩(霆聲) : 천둥소리. 천둥소리처럼 큰소리.

(一旬)이 되엿숩더니, ᄌᆞ휘(慈候) 블평ᄒᆞ여 딜환(疾患)이 근위비경(近爲非輕)[802]ᄒᆞ신 고로 감히 엄젼(嚴前)의 ᄉᆞ졍(事情)을 고치 못ᄒᆞᄋᆞᆸ고, ᄌᆞ모를 청ᄒᆞ여 문양궁의 닐위여 병후를 살펴 의약을 아라 ᄡᅳ고져 ᄒᆞ오미러니, 대인이 아르신 ᄇᆡ 되여 엄괴 여ᄎᆞᄒᆞ시니 ᄋᆞ히 죄 만ᄉᆞ무셕(萬死無惜)이라. ᄉᆞ죄를 밧ᄌᆞ올디언졍 모ᄌᆞ뉸긔(母子倫紀)를 폐치 못ᄒᆞ리로소이다."

운긔 청죄 왈,

"쇼ᄌᆡ 형으로 더브러 문양궁 왕ᄂᆡᄒᆞ와 모ᄌᆞ의 뉸의를 ᄇᆞᆰ현 디 계오 일슌이라. ᄌᆞ식이 되여 어미를 보고져 ᄒᆞ기ᄂᆞᆫ 인디상졍(人之常情)이라. 대인긔 고치 못ᄒᆞ고【71】ᄌᆞ힝ᄒᆞᆫ 죄를 청ᄒᆞᄂᆞ이다."

왕이 귀로 말을 드르며 눈으로 그 거동을 보니, 츈풍이 화란(和暖)ᄒᆞᆫ디 일쳔양뉴(一千楊柳) 휘듯ᄂᆞᆫ 둧, 동일디ᄋᆡ(冬日之愛)와 경운디화(慶雲之和)를 아오랏거ᄂᆞᆯ, 툭쳑숑늠(蹙蹐悚懍)ᄒᆞ여 황황(惶惶)이 청죄ᄒᆞᄂᆞᆫ 모양이 ᄌᆞ연 엄부(嚴父)의 노를 프러디게 ᄒᆞᄂᆞᆫ 디라. ᄯᅩ 운긔의 뇽봉ᄌᆞ딜(龍鳳資質)과 텬일디표(天日之表)를 겸ᄒᆞ여, 늠늠발호(凜凜勃豪)ᄒᆞᆫ 긔상이 태산을 넘쒸며, 강하를 건널 둧, 신긔로온 픔격이 만고(萬古)의 희한ᄒᆞᆫ 영쥰이 될디라. 그윽이 년ᄋᆡᄒᆞᄂᆞᆫ 졍과 두굿기ᄂᆞᆫ ᄆᆞᄋᆞᆷ이 가득ᄒᆞ니, 노긔 츈셜 ᄀᆞᆺᄐᆞ나 이러ᄐᆞᆺ 귀듕ᄒᆞᆫ 만금 ᄋᆞᄌᆞ(兒子)【72】로 ᄒᆞ여금 흉인의 곳의 왕ᄂᆡᄒᆞ여 다시 독ᄒᆡ(毒害)를 바들가 념녀ᄒᆞᄆᆡ, 긔ᄉᆡᆨ을 더옥 엄녈이 ᄒᆞ여 뎡셩(霆聲) 슈죄(數罪) 왈,

"져 문양의 젼후 투악대죄(妬惡大罪) 여산(如山)ᄒᆞ여, 뎍국과 가부와 가부의 골육을 다 셤멸코져 ᄒᆞ던 악뷔(惡婦)어ᄂᆞᆯ, 여등이 내 명 업시 아비를 긔이고[803] 져 곳의 왕ᄂᆡᄒᆞ여, 다시 흉인의 독슈(毒手)를 닙고, 여부의 가ᄂᆡ를 다시 어ᄌᆞ러일 길흘 열고져 ᄒᆞ니, 엇디 통히치 아니리오."

802)근위비경(近爲非輕) : 가볍지 않은 상태에 있음.
803)긔이다 : 기이다. 어떤 일을 숨기고 바른대로 말하지 않다.

셜파의 ᄉᆞ예(司隷)를 명하여 ᄆᆡ를 나오라 ᄒᆞ여, 개개 고찰(考察)ᄒᆞ여 치기를 ᄌᆡ촉ᄒᆞ더라.【73】

ᄒᆞ고, 이에 좌우를 ᄭᅮ지져 냥 공ᄌᆞ를 즁치 ᄒᆞ더라. 냥 공ᄌᆡ 엇지 된고 하회를 보라【137】

명듀보월빙 권디팔십구

ᄎᆞ셜 제왕이 ᄉᆞ예(司隷)를 명ᄒᆞ여 ᄆᆡ를 나오라 ᄒᆞ여, 개개히 고찰ᄒᆞ여 치기를 ᄌᆡ쵹ᄒᆞ니, 낭ᄋᆡ 비록 신댱이 셕대ᄒᆞ나 팔셰 치몽(稚蒙)741)이라. 블의예 엄노를 만나ᄆᆡ 경황숑뉼(驚惶悚慄)742)ᄒᆞ나, 안ᄉᆡᆨ을 온화○[히] ᄒᆞ고 ᄆᆡ를 바들ᄉᆡ, 윤비 문양의 슉질(宿疾)743)이 쳠가ᄒᆞ여 병셰 위름(危懍)744)ᄒᆞ믈 드르ᄆᆡ 참연ᄒᆞ여, 몸소 문양궁의 니르러 의약을 긔걸ᄒᆞ더니745), 왕의 명으로 낭공ᄌᆞ를 잡아가믈 보ᄆᆡ 왕의 쥰녈ᄒᆞᆫ 셩졍으로 ᄋᆞᄌᆞ 등이 듕죄를 닙을 줄 알고, 좌우로 공쥬를 시호ᄒᆞ라 ᄒᆞ고 ᄌᆞ염을 당부ᄒᆞ【1】여 미듁(糜粥)을 ᄌᆞ로 나오라 ᄒᆞ고, 협문으로 조ᄎᆞ 후창을 말ᄆᆡ암아 뎡뎐의 니르니, 왕이 노긔 참엄ᄒᆞ여 낭ᄌᆞ를 듕타ᄒᆞᄂᆞᆫ디라. 비록 짐작ᄒᆞᆫ 일이나 유듕 쇼ᄋᆡ 혈흔이 낭ᄌᆞᄒᆞ믈 보ᄆᆡ 대경ᄎᆞ악(大驚且愕)ᄒᆞ여 ᄌᆞ긔 아니면 노를 두로혀디 못ᄒᆞᆯ지라. 이의 잠이를 ᄲᆡ히고 하당 청죄 왈,

"이제 군ᄌᆡ 셩뇌(盛怒) 딘쳡(震疊)ᄒᆞ샤ᄂᆞᆯ, 쵹범(觸犯)ᄒᆞ오미 당돌ᄒᆞ오나, 낭ᄋᆞ의 슈쟝ᄒᆞ믄 다 쳡의 죄라. 낭ᄋᆞ의 죄 아니믈 짐작ᄒᆞ샤 관셔(寬恕)ᄒᆞ시고, 쳡의 ᄌᆞ젼ᄒᆞᆫ 죄를 다ᄉᆞ리시믈 청ᄒᆞᄂᆞ이다."

언필의 셩음이 온유화열(溫柔和悅)ᄒᆞ여 일만 블평ᄒᆞ믈 다 슬와바리ᄂᆞᆫ디라. 집장 궁뇌 황망이 퇴츌ᄒᆞ【2】고, 왕이 비록 ᄋᆞᄌᆞ를 장ᄎᆡᆨᄒᆞ나 옥셜긔부(玉雪肌膚)의 혈흔이

741)치몽(稚蒙) : 어린아이.
742)경황숑뉼(驚惶悚慄) : 몹시 놀라고 두려워 함.
743)슉질(宿疾) : 오래전부터 앓고 있는 병. =숙병(宿病).
744)위름(危懍) : 몹시 위태로움.
745)긔걸ᄒᆞ다 : 당부하다. 시키다. 신칙(申飭)ᄒᆞ다. 명령(命令)하다. 분부하다.

명쥬보월빙 권지삼십이

화셜 윤비 문양궁에 니르러 문병ᄒᆞ더니, 왕이 좌우로 ᄒᆞ야곰 낭ᄋᆞ를 불너가니, 윤비 그윽이 불안ᄒᆞ여 공쥬의 약 먹기를 다 ᄒᆞᆫ 후 상부에 도라오니, 왕이 청상에 좌를 정(定)ᄒᆞ고 좌우를 호령ᄒᆞ여 낭ᄋᆞ를 치기를 긋치지 아니ᄒᆞᄂᆞᆫ지라. 윤비 발셔 짐작ᄒᆞᆫ 일이라. 어린 ᄋᆞ희를 이ᄃᆡ도록 즁타ᄒᆞ믈 심니에 챠악ᄒᆞ믈 니긔지 못ᄒᆞ여, 이에 《ᄌᆞᆷ미‖ᄌᆞᆷ이(簪珥)602)》를 ᄲᆡ혀 ᄌᆞ리를 써나, 갈ᄋᆞᄃᆡ,

"쳡이 ᄃᆡ왕이 위엄을 간범(干犯)ᄒᆞ여 낭ᄋᆞ를 구ᄒᆞ미 당돌ᄒᆞ오나, 죄ᄂᆞᆫ 지은 곳으로 갈 ᄇᆡ라. 이제 낭ᄋᆡ 져런 즁장을 바들 ᄇᆡ 업셔, 문양궁으로 통ᄒᆞᄂᆞᆫ 협문을 쳡이 ᄂᆡ고, 낭ᄋᆞ의 왕ᄂᆡ를 쳡이 시겨 모ᄌᆞ의 눈의를 완젼코져 ᄒᆞ미니, 도시 쳡【1】의 죄오, 낭ᄋᆞ의 죄ᄂᆞᆫ 아니오니, 원컨ᄃᆡ ᄃᆡ왕은 낭ᄋᆞ의 어린 나ᄒᆞᆯ 살피샤 이 거조를 긋치시고 쳡의 허물을 다ᄉᆞ리소셔"

낭낭ᄒᆞᆫ 옥셩은 유열(愉悅)ᄒᆞ고 청아ᄒᆞ여 텬지 화긔를 일위고 면모의 념광은 찬란ᄒᆞ여 사ᄅᆞᆷ의 눈을 ᄉᆡ로이 황홀케 ᄒᆞᄂᆞᆫ지라. 왕이 ᄇᆞ야호로 낭ᄌᆞ의 혈흔(血痕)을 보고 잔잉ᄒᆞ미 앗기ᄂᆞᆫ ᄆᆞᄋᆞᆷ의 스ᄉᆞ로 몸이 알픈지라. 치기를 긋치고져ᄒᆞᄃᆡ, ᄉᆞ오장을 넘기지 못ᄒᆞ여셔 즉시 ᄉᆞᄒᆞ면 위엄이 셔지 못ᄒᆞᆯ가 ᄒᆞ여, 아모나 ᄌᆞ긔 알ᄑᆡ 말리기를 ᄇᆞ라더니, 윤비의 피셕 청죄ᄒᆞ믈 보고 노긔를

602)잠이(簪珥) : 비녀와 귀고리.

낭ᄌᆞᄒᆞᄆᆞᆯ 보ᄆᆡ ᄌᆞ긔 살히 알픈디라. 그만ᄒᆞ라 ᄒᆞ미 너모 히타(懈惰)ᄒᆞᄆᆞ로 뎡히 민민(憫憫)ᄒᆞ더니, 비의 온슌ᄒᆞᆫ 낫빗ᄎᆞ로 하당(下堂) 쳥죄(請罪)ᄒᆞᄆᆞᆯ 보ᄆᆡ, 이의 거슈(擧手)ᄒᆞ여 승당ᄒᆞᄆᆞᆯ 쳥ᄒᆞ고 냥ᄌᆞ를 샤ᄒᆞ니, 냥 공ᄌᆡ 알프ᄆᆞᆯ ᄎᆞᆷ고 의ᄃᆡ를 《슈련∥슈렴(收斂)》ᄒᆞ나, 안ᄉᆡᆨ이 찬 옥 ᄀᆞᆺᄐᆞ여 당하의셔 고두(叩頭) 쳥죄(請罪)ᄒᆞ니, 왕이 명ᄒᆞ여 오로라 ᄒᆞ고, 실듕의 드러와 냥ᄌᆞ를 경계ᄒᆞ여,

“후일 ᄯᅩ 방ᄌᆞ(放恣)○[이] ᄌᆞᄒᆡᆼ(自行) ᄒᆞ미 이신즉 다시 듕티ᄒᆞ리라.”

냥 공ᄌᆡ ᄌᆡᄇᆡ 슈명ᄒᆞ고 안셔(安舒)히 시좌ᄒᆞ니, 왕이 비를 향ᄒᆞ여 뎡ᄉᆡᆨ 왈,

“복이 비(妃)로 더브러 초【3】발부익(髫髮扶腋)[746]의 뎡약(定約)ᄒᆞ여 결발지졍(結髮之情)[747]을 ᄆᆡᄌᆞ니, 타인의 부부와 다르ᄆᆞᆯ 고렴ᄒᆞᆯ ᄲᅮᆫ 아니라, 비상화고(非常禍苦)를 경녁ᄒᆞ고 단취(團聚)ᄒᆞ니 그 졍ᄉᆞ를 가의(加意)[748]ᄒᆞ여 가졔(家齊)의 엄ᄒᆞ미 업ᄉᆞ니, 부인이 너모 긔탄(忌憚)치 아냐 복(僕)[749]을 긔이고 ᄌᆞᄒᆡᆼᄌᆞ지(自行自止)ᄒᆞ여, 블인(不人)을 다시 상통ᄒᆞ며 ᄌᆞ녀를 호구(虎口)의 왕ᄂᆡ케 ᄒᆞ여, ᄯᅩ 작히를 닙을디라. 이 엇디 복의 심화를 도도미 아니리오. 이ᄂᆞᆫ 비(妃)○[의] 뎍국을 화우ᄒᆞᄂᆞᆫ ᄯᅳᆺ도 아니오, 다시 취화(取禍)ᄒᆞᆯ 쟝본(張本)이라. 복이 현비 알오ᄆᆞᆯ 상히 경슌디도(敬順之道)의 딘션딘미(盡善盡美)ᄒᆞᆫ가 ᄒᆞ엿더니, 금일ᄉᆞ(今日事)ᄂᆞᆫ 가쟝(家長)을 너모 경만(輕慢)ᄒᆞ미 심치 아니리잇가?”

---

746)초발부익(髫髮扶腋) : 다박머리를 하고 겨드랑이를 껴 걸음걸이를 익히던 때를 뜻하는 말로, 어린 나이 또는 그러한 때를 이르는 말

747)결발지정(結髮之情) : 혼인의 정. *결발(結髮); ① 상투를 틀거나 쪽을 찌는 일. 또는 그렇게 한 머리. ②'혼인(婚姻)'을 달리 이르는 말.

748)가의(加意) : 특별히 마음을 씀.

749)복(僕) : 1인칭대명사 '저'를 문어적으로 이르는 말.

두로혀, 방셕을 미러 윤비의 평신ᄒᆞ기를 쳥ᄒᆞ고, 냥ᄌᆞ를 비로소 ᄉᆞᄒᆞᄆᆡ 냥 공ᄌᆡ 겨유 알픈 거ᄉᆞᆯ 진졍ᄒᆞ며 이러나 의ᄃᆡ(衣帶)를 슈렴(收斂)ᄒᆞ고, 신ᄉᆡᆨ이 황옥(黃玉) ᄀᆞᆺᄒᆞ여 졍신을 일헛ᄂᆞᆫ지라.【2】

왕이 닐오ᄃᆡ,

“문양궁 협문을 ᄂᆡ기와 왕ᄂᆡᄒᆞ미, 다 여등의 ᄉᆞᄉᆞ로 지은 죄 아닌고로 그만ᄒᆞ여 ᄉᆞᄒᆞ거니와, 후일에 다시 즉죄ᄒᆞ미 잇시면, ᄉᆞ(赦)치 아니ᄒᆞ리라.”

냥공ᄌᆡ ᄉᆞᄉᆞ 슈명ᄒᆞ고 감히 오로지 못ᄒᆞ거ᄂᆞᆯ, 왕이 오르기를 명ᄒᆞ고 비를 향ᄒᆞ여 졍ᄉᆡᆨ 왈,

“셰상에 어ᄂᆡ 샤ᄅᆞᆷ이 부뷔 업ᄉᆞ리오마ᄂᆞᆫ, 우리ᄂᆞᆫ 남과 부부와 다르미 만하, 나와 비 ᄉᆞ오셰를 넘지 못ᄒᆞ여 냥가 친당이 혼인을 졍ᄒᆞ여, 임의 치발(齒髮)이 ᄎᆡ 기지 못ᄒᆞ여 셔로 만나시나, 허다 변고를 지ᄂᆡ엿시니, 현비의 심졍이 온젼치 못ᄒᆞ리라 ᄒᆞ여, ᄂᆡ ᄯᅳᆺ과 ᄀᆞᆺ지 못ᄒᆞᆯ 일이 잇시나, ᄂᆡ 일즉 칙ᄒᆞᆫ 일이 업고, ᄯᅩᄒᆞᆫ 요란이 《징혈∥징힐》을 아니려 ᄒᆞ여, 비에게 불호지ᄉᆞᄉᆡᆨ(不好之辭色)을 아니ᄒᆞ여, ᄉᆞᄉᆞ로 바ᄂᆞᆯ의 소임과 닙을 담홍ᄒᆞ고 잇실지언졍 간출ᄒᆞ고 셰쇄ᄒᆞᆫ 사ᄅᆞᆷ이 되지 아니려, 쳐쳡으로【3】ᄒᆞ여곰 지극히 편히 ᄒᆞᄆᆡ, 비 나를 알기를 ᄒᆞᆫᄀᆞᆺ 어림장이로 알고, 나의 원슈로 녁이ᄂᆞᆫ 바를 ᄇᆞᆰ히 아ᄂᆞᆫ 비로ᄃᆡ, 나ᄃᆞ려 닐ᄋᆞ지 아니코, 어린 아ᄒᆡ를 다리여 흉인의 ᄯᅳᆺ슬 맛치려 ᄒᆞ믄 엇지미뇨? 실노 투긔를 아니ᄒᆞᆷ도 묘ᄆᆡᆨ이 잇ᄂᆞ니, 《가뷔 무고히 쳐쳡을 모호ᄂᆞᆫ 바를∥가뷔 쳐쳡을 모호ᄂᆞᆫ 바를 무고히》 투긔ᄒᆞᄂᆞᆫ 바ᄂᆞᆫ 대악(大惡)이오, 즁심이 협쳔(狹淺)ᄒᆞᆫ 지 초강(超强)ᄒᆞ여 ᄉᆞ리를 ᄎᆡ모로고 ᄒᆞᆫᄀᆞᆺ 투긔만 아ᄂᆞᆫ 인물이 잇시면, 어지러이 가ᄅᆞ쳐 지셩으로 감화ᄒᆞᆷ도 올커니와, 져 문양은 궁흉 극악이 셰ᄃᆡ 무쌍이라. 귀쳔 아

비 듯기를 다ᄒᆞᄆᆡ 념임 【4】 뎡금(斂衽整襟)750) ᄃᆡ왈,

"쳡이 져를 감화ᄒᆞ여 덕을 ᄌᆞ랑코져 ᄒᆞ미 아니라, 공쥬의 본셩이 춍오민달(聰悟敏達)ᄒᆞ믄 군왕의 아르시ᄂᆞᆫ ᄇᆡ라. 그 좌우의 돕ᄂᆞᆫ 지 블인무상(不仁無狀)ᄒᆞ여, ᄋᆞ녀ᄌᆞ의 엿튼 심장을 병드려 실톄과악(失體過惡)을 범ᄒᆞ여시나, 이졔 셩샹의 칙교(責敎)를 밧ᄌᆞᆸ고 존당과 대왕의 듕칙(重責)을 닙어, 심궁의 폐치ᄒᆞ여 머리를 ᄂᆡ왓디 못ᄒᆞ고, 약장(弱腸)751)을 살오며 우분초ᄉᆞ(憂憤焦思)752)ᄒᆞ여 회한(悔恨)ᄒᆞ미 깁흐나, 황샹이 ᄌᆞ인를

750)념임뎡금(斂衽整襟) : 공경하는 뜻으로 옷깃을 가지런히 여미어 몸가짐을 단정히 함.
751)약장(弱腸) : 약한 마음.
752)우분초ᄉᆞ(憂憤焦思) : 근심과 분노로 애를 태우며 생각함.

오로 젹인 십ᄉᆞ 인을 일시에 다 쥭을 곳의 모라 너흐믄, 쳔고의 듯지 못ᄒᆞᆫ 악인이오, 가부의 골육을 농즁(籠中)에 너허 강슈의 ᄶᅵ오라 ᄒᆞ며, 겨유 기ᄃᆞ려 나흔 ᄌᆞ식을 아ᄃᆞᆯ이 아니라 ᄒᆞ여, 쵀형의 더러온 ᄌᆞ식과 밧고와 부ᄌᆞ텬륜을 【4】 난상(亂常)ᄒᆞ려 ᄒᆞ던 일을 ᄉᆡᆼ각ᄒᆞᆫ 즉, 죄악이 텬디에 ᄀᆞ득ᄒᆞ여 ᄲᅡ흘 곳이 업ᄂᆞᆫ지라. 오슈박덕(吾雖薄德)이나 문양의 과악이 그ᄃᆡ도록 지 아니면, 엇지 군상의 은혜를 도라보은들 져를 아조 심궁에 폐인을 삼아시리오마ᄂᆞᆫ, 그 죄악이 쳔살무셕(千殺無惜)이오 만ᄉᆞ유경(萬死猶輕)이라. 마츰 부인ᄂᆡ며 졔ᄋᆡ 향슈다복(享壽多福)ᄒᆞ여 ᄉᆞ망지화(死亡之禍)를 버셔 낫거니와, 만일 문양의 히ᄒᆞᆫ 젹마다 독슈를 버셔나지 못ᄒᆞ더면, 현비 등과 구창이 다 엇지 ᄉᆞᆯ아시리오. 져의 모질고 ᄉᆞ오나오미 아모졔나 회과칙션(悔過責善)ᄒᆞᆯ 길이 업ᄂᆞ니, 현비 엇지 셔어ᄒᆞᆫ 의ᄉᆞ를 ᄂᆡ여 져를 감화코져 ᄒᆞᄂᆞ뇨? 현비로ᄡᅧ ᄒᆞᆫᄀᆞᆺ 부부의 즁졍 ᄲᅮᆫ 아니라, 길이 지긔(知己)의 의(義合)ᄒᆞ므로 ᄃᆡ졉ᄒᆞ더니, 현비 나의 마음을 여ᄎᆞ(如此)ᄒᆞ믈 알아시리오. 마지 못ᄒᆞ여 협문(夾門)을 막고 왕ᄂᆡᄒᆞᄂᆞᆫ 길흘 ᄭᅳᆫ코져 ᄒᆞᄂᆞ니, 현비ᄂᆞᆫ 나 【5】 로ᄡᅧ 박졀타 마르소셔."

윤비 왕의 말ᄉᆞᆷ을 드르ᄆᆡ 옷깃슬 염의고603) 나쟉이 ᄃᆡ왈,

"소쳡이 스ᄉᆞ로 공쥬를 감화ᄒᆞ여 어진 덕을 빗ᄂᆡ고져 ᄒᆞ미 아니라. 공쥬의 춍명ᄒᆞᆫ 바ᄂᆞᆫ ᄃᆡ왕이 거의 아르시ᄂᆞᆫ ᄇᆡ라. 젼쟈 최녀 흉인의 참소를 드러 허다 과악을 몸 우히 시러시나, 허물을 곳치고 덕을 길워 젼일 포완(暴頑)ᄒᆞ던 거ᄉᆞᆯ 양슌(良順)ᄒᆞ기로 밧고며, 당ᄎᆞ지신[시](當此之時) ᄒᆞ여ᄂᆞᆫ 안졍ᄒᆞ고 슉뇨(淑窈)ᄒᆞᆫ 부인이 되엿ᄂᆞᆫ지라. 쳡이 엇지 감히 ○…**결락14자**…○[공쥬를 감화코져 ᄒᆞ엿시리오. 다만] 셔ᄉᆞ로ᄡᅧ 홀노 므를 길이 업셔, 잇다감 나아가 그 병을 뭇더니, 왕뫼 비ᄌᆞ의 젼어를 드르ᄆᆡ 공쥐 크게 젼과

603)염의다 : 여미다. 벌어진 옷깃이나 장막 따위를 바로 합쳐 단정하게 하다.

나리오디 아니시고, 존당 구괴 샤(赦)치 아니시며, 대왕이 박졍ᄒᆞ시니, 녀ᄌᆞ의 심ᄉᆡ 엇디 안안(晏晏)ᄒᆞ리오. ᄯᅩ 유녀(幼女)를 실니(失離)ᄒᆞ여 슬ᄒᆡ 뎍막ᄒᆞ니, 쳐량비고(凄凉悲苦)ᄒᆞᆫ 심ᄉᆡ(心思) ᄇᆡ【5】ᄒᆞᆯ 곳이 업ᄉᆞᄆᆡ, 날노 초삭(焦削)ᄒᆞ여 병셰 위름(危懔)ᄒᆞ니, 만일 ᄉᆡᆼ도를 어드면 ᄒᆡᆼ이오, 엇디 못ᄒᆞᆫ즉 이ᄂᆞᆫ 'ᄇᆡᆨ인(伯仁)이 유아이ᄉᆡ(由我而死)오'753), 황은(皇恩)을 져바린 허믈이 대왕긔 밋출 ᄇᆡ오. 현긔 등은 더옥 ᄌᆞ식의 도리로 ᄌᆞ모(子母)의 환휘(患候)니 괄시(恝視)ᄒᆞ미 인ᄌᆞ(人子)의 ᄒᆞ올 ᄇᆡ 아니라. 밋쳐 대왕긔 픔(禀)치 못ᄒᆞ고 협문을 통ᄒᆞ여, 졔ᄋᆞ로 ᄒᆞ여금 신혼(晨昏)754)의 녜(禮)를 출히게 ᄒᆞ미니이다. 쳡의 셕년 화ᄋᆡᆨ은 공쥬의 허믈이라 ᄒᆞ시나, 쳡 등의 운싊 블니(不利)ᄒᆞ미오, 굿ᄐᆞ여 살명디화(殺命之禍)를 닙은 ᄌᆡ 업고, 미쳡(微妾)이 비록 식안(識眼)이 블명ᄒᆞ나, 이제 공쥬의 회과ᄒᆞ여시믈 아디 못ᄒᆞ리잇가? 쳡이 당돌ᄒᆞ나, 구몽슉의 암험【6】요특(暗險妖慝)ᄒᆞᆫ 죄악이 텬디의 관영(貫盈)ᄒᆞ거ᄂᆞᆯ, 대왕이 덕화를 드리오샤 ᄉᆡᆼ도를 엇게 ᄒᆞ여, 구활ᄒᆞ시믈 못 밋출 ᄃᆞᆺ ᄒᆞ시ᄂᆞᆫ 셩덕혜화를 다른 ᄃᆡ도 더러 베프샤, 문양공쥬의 허믈을 관샤(寬赦)ᄒᆞ신즉, ᄎᆞᄂᆞᆫ 군ᄌᆞ의 관홍지덕(寬弘之德)이 되리이다."

753)ᄇᆡᆨ인(伯仁)이 유아이ᄉᆡ(由我而死)라 : 백인(伯仁; 중국 동진 때 사람)은 나로 인해 죽었다'는 뜻으로, 직접적으로 사람을 죽이지는 않았지만 죽은 사람에 대해 자신이 적극적으로 구하지 않은 책임이 있음을 안타까워하거나, 어떤 사건에 간접적으로 연관되어 있는 것을 비유적으로 나타낸 말.

754)신혼(晨昏) : 신성(晨省)과 혼정(昏定). 곧 밤에는 부모의 잠자리를 보아 드리고 이른 아침에는 부모의 밤새 안부를 묻는 일. 또는 그러한 예절.

를 뉘웃고 ᄉᆡ로 이 션덕을 ᄒᆡᆼ타 ᄒᆞ거ᄂᆞᆯ, 어린 ᄆᆞᄋᆞᆷ의 ᄒᆞᆫ 번 그 낫출 보와 진위를 알고져 ᄒᆞ여, ᄃᆡ왕긔 밋쳐 고치 못ᄒᆞ고 일슌 젼에 협문○[을] ᄂᆡ고, 양·니·경 숌비로 더브러 공쥬궁에 가 셔로 보오니, 공쥬의 어질미 다【6】른 샤ᄅᆞᆷ이 되엿시니, 쳡슈불민(妾雖不敏)이오나, 샤ᄅᆞᆷ의 가ᄌᆞᆨ(假作)ᄒᆞᄂᆞᆫ 졍회와 초강(超强)ᄒᆞᆫ 심ᄉᆞ를 아라 볼 거시로ᄃᆡ, 공쥬ᄂᆞᆫ 그러치 아니ᄒᆞ여 진졍으로 현슉ᄒᆞ엿시니, 이 니른바 금지옥엽이오, 상녜(常例) 나모 여름604)이 아니라. 젼일 그르미 잇시나 ᄒᆞᆫ 번 ᄭᆡᄃᆞᆺ기를 시작ᄒᆞᄆᆡ, 남과 다른 총명으로 쾌히 어진 사ᄅᆞᆷ이 되엿시니, 쳡이 ᄃᆡ왕의 놉흔 복을 칭하ᄒᆞ고 현아 등의 왕ᄂᆡ를 시겨 지금 져 곳에 잇시ᄃᆡ 공쥬의 ᄉᆞ랑이 긔출에 지나ᄂᆞᆫ지라. 졔 비록 십악ᄃᆡ죄를 지엇시나, 만승교아(萬乘嬌兒)로 신셰와 명도(命途)의 ᄒᆞᆫ일도 일ᄏᆞᄅᆞᆷ ᄌᆞᆨ ᄒᆞᆫ 일이 업고, 젹막ᄒᆞᆫ 심궁에 죄인으로 ᄌᆞ쳐(自處)ᄒᆞ니, 한등야우(寒燈夜雨)605)에 명도를 슬허 ᄒᆞᄂᆞᆫ 눈물이 하슈(河水)ᄀᆞᆺ고, 심녀를 허비ᄒᆞ므로 병이 골슈의 침노ᄒᆞ여, 황[화]용셩뫼(花容盛貌) 형각(形殼)만 걸녀시니, 그 ᄌᆞᆫ잉ᄒᆞᆫ 거동을 누ᄃᆡ(累代) 원쳑(怨隻)606)이 보와도 누싊(淚水) 나리 올 ᄃᆞᆺᄒᆞ니, 쳡【7】이 비록 공쥬로 환난을 비경히 격거시나, 도시 쳡 등의 ᄋᆡᆨ운이 불이(不利)ᄒᆞ미오, 공쥬의 ᄉᆞ나오미 아니라. 당금 ᄒᆞ여ᄂᆞᆫ 공쥐 남을 ᄒᆡ코져 ᄒᆞ던 ᄇᆡ ᄌᆞ긔 몸에 고고(枯槁)히607) ᄒᆡ로우며, 쳡 등에게ᄂᆞᆫ 무ᄒᆡᄒᆞᆯ ᄲᅮᆫ 아니라, ᄒᆞ낫토 ᄉᆞ망지홰(死亡之禍) 업ᄉᆞ미, ᄯᅩ 공쥬의 ᄒᆡᄒᆞᆯ 마음이 심튼 아니ᄒᆞ던 바를 알지라. 쳡 등이 공쥬와 원쳑(怨隻)이 아니라, 셔로 동녈(同列)의 정을 펴고져 ᄒᆞ미오, 협문을 두어 조왕모ᄅᆡ(朝往暮來)로 ᄌᆞ녀의 셩효(誠孝)를 온젼코져 ᄒᆞ기ᄂᆞᆫ,

604)여름 : 열매.

605)한등야우(寒燈夜雨) : 비 내리는 밤의 쓸쓸한 등불 아래.

606)원쳑(怨隻) : 원수(怨讐).

607)고고(枯槁)히 : (비유적으로) 신세 따위가 형편없게.

어미 ᄉᆞ졍이 ᄌᆞ식으로ᄡᅧ 불초ᄌᆡ 되지 말기를 바라미니, ᄃᆡ왕은 ᄎᆞᄉᆞ로ᄡᅧ 큰 허물을 삼으실진ᄃᆡ, ᄒᆞᆫᄀᆞᆺ 쳡의 불민ᄒᆞᆫ 죄를 탄돌ᄒᆞᆯ ᄲᅮᆫ이오, 다시 고ᄒᆞᆯ 말ᄉᆞᆷ이 업도소이다. 쳡이 알고져 ᄒᆞᄂᆞ니, 구몽슉은 남ᄌᆞ로ᄃᆡ 투현질능(妬賢嫉能)ᄒᆞᆫ ᄒᆡᆼ동이 잇셔 존문과 진부를 ᄒᆡ코져 ᄒᆞᄆᆡ, 여쳔ᄃᆡ은(如天大恩)을 잇【8】고[608] 온갓 졔악(諸惡)을 ᄉᆡᆼ각ᄒᆞ여, 지어(至於) 용포(龍袍)와 옥ᄉᆡ(玉璽)를 도적ᄒᆞ여 ᄎᆡ쥭헌의 감초고, 반셔(叛書)를 봉읍(封邑)에 도르고[609] 고[도]쳐(到處)의 간흉ᄒᆞᆫ 죄악이 텬디에 ᄌᆞ옥ᄒᆞᄃᆡ, 왕이 몽슉을 참난(慘難)이 녁이고, 부ᄃᆡ ᄉᆞ도록 도모ᄒᆞ미 이에 덕화(德化)를 다ᄒᆞ시니, 쳡 등 녀ᄌᆞ의 마옴이나 놉흔 의긔를 감탄ᄒᆞ리니, 쳡 등이 엇지 졀박ᄒᆞ오믈 문양공쥬의 ᄒᆡᆼᄒᆞ오며, ᄃᆡ왕의 덕화를 두지 아니ᄒᆞ시나니잇고?"

○…결락250자…○[왕이 비의 졀딕뎡대(切直正大)ᄒᆞᆫ 셜화를 드르ᄆᆡ, 노분(怒憤)이 츈셜ᄀᆞᆺ튼디라. 광미풍협(廣眉豊頰)[610]의 우음이 미미(微微)ᄒᆞ여 답왈,

"금일 현비 모ᄌᆞ의 작용을 통히(痛駭)ᄒᆞ여 제ᄋᆞ를 듕치(重治)ᄒᆞ여, 협문(夾門)을 굿게 막아 다시 통노(通路)ᄒᆞ믈 굿ᄎᆞ려 ᄒᆞ엿더니, 비의 말이 구몽슉의 죄를 샤ᄒᆞ던 후의를 옴기라 ᄒᆞ시나, 몽슉은 회과ᄎᆡᆨ션(悔過責善)ᄒᆞ여시니 젼일을 유심(留心)ᄒᆞᆯ 거시 아닌 고로 관샤(寬赦)ᄒᆞ미어니와, 문양은 결연(決然)이 개심슈덕(改心修德)ᄒᆞᆯ ᄌᆡ 아니니, 비ᄂᆞᆫ 다만 아라출히고[611] 화란을 다시 닐위디 마르쇼셔. 협문은 아니 막으리니 만일 홰(禍) 밋쳐도 현비 담당ᄒᆞ고, 복의 심우를 씻치지 마르쇼셔."

인ᄒᆞ여 번연츌외(翻然出外)ᄒᆞ니, ᄎᆞᄂᆞᆫ 왕이 비의 춍명혜식(聰明慧識)이 공쥐 다시 작히 아닐 줄 알오미 붉으믈 취신(取信)ᄒᆞ미니 비를 긔허(己許)ᄒᆞ미 여ᄎᆞᄒᆞ더라.]

608)잇다 : 잇다.
609)도르다 : 돌리다.
610)광미풍협(廣眉豊頰) : 너른 눈썹과 풍만한 뺨.
611)아라출히다 : 알아차리다. 알아채다.

왕이 비의 졀딕뎡대(切直正大)ᄒᆞᆫ 셜화를 드르ᄆᆡ, 노분(怒憤)이 츈셜ᄀᆞᆺ튼디라. 광미풍협(廣眉豊頰)[755]의 우음이 미미(微微)ᄒᆞ여 답왈,

"금일 현비 모ᄌᆞ의 작용을 통히(痛駭)ᄒᆞ여 제ᄋᆞ를 듕치(重治)ᄒᆞ여, 협문(夾門)을 굿게 막아 다시 통노(通路)ᄒᆞ믈 굿ᄎᆞ려 ᄒᆞ엿더니, 비의 말이 구몽슉의 죄를 샤ᄒᆞ던 후의{의}를 옴기라 ᄒᆞ시나, 몽슉은 회과ᄎᆡᆨ션(悔過責善)ᄒᆞ여시니 젼일【7】을 유심(留心)ᄒᆞᆯ 거시 아닌 고로 관샤(寬赦)ᄒᆞ미어니와, 문양은 결연(決然)이 개심슈덕(改心修德)ᄒᆞᆯ ᄌᆡ 아니니, 비ᄂᆞᆫ 다만 아라출히고[756] 화란을 다시 닐위디 마르쇼셔. 협문은 아니 막으리니 만일 홰(禍) 밋쳐도 현비 담당ᄒᆞ고, 복의 심우를 씻치지 마르쇼셔."

인ᄒᆞ여 번연츌외(翻然出外)ᄒᆞ니, ᄎᆞᄂᆞᆫ 왕이 비의 춍명혜식(聰明慧識)이 공쥐 다시 작히 아닐 줄 알오미 붉으믈 취신(取信)ᄒᆞ미니 비를 긔허(己許)ᄒᆞ미 여ᄎᆞᄒᆞ더라.

시시(是時)의 왕이 외당의 나와 ᄋᆞᄌᆞ 등 티벌(笞罰)ᄒᆞ믈 잔잉히 녁이나, ᄉᆞᄉᆡᆨ디 아니

755)광미풍협(廣眉豊頰) : 너른 눈썹과 풍만한 뺨.
756)아라출히다 : 알아차리다. 알아채다.

ᄒᆞ고 그윽이 ᄉᆡᆼ각건ᄃᆡ, 그 ᄒᆡᆼ싀 ᄌᆞ긔 ᄋᆞ시젹과 《달나∥다르미 업서》 쳑촌무이(尺寸無異)757)ᄒᆞ니, ᄌᆞ긔 만일 그 부친의 단엄홈곳 아니면 군ᄌᆡ 되지 못【8】ᄒᆞ여, 발호디심(勃豪之心)을 것잡디 못홀 ᄃᆞᆺᄒᆞᆫ 고로, 운긔를 엄졔(嚴制)치 못ᄒᆞ면 삼가디 못홀 일이 만흐믈 념녀ᄒᆞ여, 십셰 젼브터 잡펄 쥬의를 뎡ᄒᆞᄆᆡ, 석석ᄒᆞ여 년ᄋᆡ디심(憐愛之心)을 발뵈디 아니ᄒᆞ더라.

왕이 ᄎᆞ일 혼뎡(昏定)의 드러가ᄆᆡ, 태부인과 금후 부뷔 운긔 등의 젼언으로 조ᄎᆞ, 윤·양·니·경 등이 문양궁의 왕ᄂᆡ홈과 협문을 두어 궁비 등이 왕ᄂᆡᄒᆞ믈 듯고, 윤비의 셩덕혜화(聖德惠化)를 긔특이 너이고, 왕이 협문을 막고져 홈과 현긔 등을 듕타ᄒᆞ여 엄졀(嚴絶)ᄒᆞᆫ 빗출 뵈려 홈도 괴이치 아닌디라. 태부인이 운긔를 나호여 손을 잡고 ᄌᆞ셔ᄒᆞᆫ 곡졀을 므르ᄆᆡ, 공ᄌᆡ 뉵셰 ᄒᆡᄋᆡ【9】로ᄃᆡ 영호명쾌(英豪明快)ᄒᆞ여 언에 ᄌᆞ셔ᄒᆞᆫ 고로, 젼언(傳言)이 분명ᄒᆞᆫ디라. 왕이 윤비의 말을 듯고 노긔를 두로혀 흔연 담화ᄒᆞ던 일을 ᄌᆞ셔히 알고, 금평후 부부는 미미히 우어 말을 아니코, 태부인은 어딘 ᄆᆞ음의 공쥬의 젼과를 닛고 신셰의 잔잉ᄒᆞ믈 가긍(可矜)ᄒᆞ여 ᄒᆞ며, 윤비를 ᄉᆡ로이 흠ᄋᆡ(欽愛) 귀듕(貴重)ᄒᆞ미 비길 곳 업더니, 왕이 드러오ᄆᆡ, ᄎᆞ셕(次席)의 윤비 존당의 합회(合會)ᄒᆞ엿더니, 운긔 젼언으로조ᄎᆞ 문양의 병이 비경《ᄒᆞ믈 고ᄒᆞ고∥홈과》, 협문으로 ᄉᆞ인(四人)이 왕ᄂᆡᄒᆞ여 문병 구호ᄒᆞ믈 《고ᄒᆞ니∥ᄌᆞ시 알고》, 존당 이하(以下) 윤비의 셩덕혜화를 ᄉᆡ로이 흠ᄋᆡ 귀듕ᄒᆞ믈 비길 곳 업더니, 태부인【10】이 니르ᄃᆡ,

"개과쳔션은 셩인의 허ᄒᆞ신 ᄇᆡ니, 공쥐 젼과를 븟그리ᄆᆡ 질을 일위다 ᄒᆞ니, 손ᄋᆞᄂᆞᆫ 관홍ᄒᆞᆫ 도량으로 ᄋᆞ녀ᄌᆞ를 과칙(過責)ᄒᆞ여 유심(愈甚)758) 짐[집]미(執迷)759)치 말고 잔인ᄒᆞᆫ760) 졍ᄉᆞ를 관렴(寬念)ᄒᆞ여 텬은을

757)쳑촌무이(尺寸無異) : 조금도 다름이 없음.
758)유심(愈甚) : 더욱 심히.
759)집미(執迷) : 고집을 부려 잘못에 빠짐..

ᄎᆞ일 혼졍에 드러가ᄆᆡ 태부인과 금평후 부뷔 운긔 등○○○[의 젼언]으로 조ᄎᆞ, 윤·양·니·경 등이 문양궁에 왕ᄂᆡ홈과 협문을 두어 궁비 등이 왕ᄂᆡᄒᆞ믈 듯고, 윤비 셩덕혜화(聖德惠化)를 긔특이 너이고, 왕이 협문○[을] 막고져 홈과 현긔 등을 즁타ᄒᆞ여 영[엄]졀(嚴絶)ᄒᆞᆫ 빗출 뵈려 홈도 고이치 아니ᄒᆞᆫ지라. 운긔ᄃᆞ려 쟈셔ᄒᆞᆫ 곡졀을 므르ᄆᆡ, 공ᄌᆡ 뉵셰 ᄒᆡᄋᆡ로ᄃᆡ 영호명쾌(英豪明快)ᄒᆞ여 언에 ᄌᆞ셔ᄒᆞᆫ 고로, 젼언(傳言)이 분명ᄒᆞᆫ지라. 왕이 윤비의 말을 듯고 노긔를 두로혀 흔연 감[담]화ᄒᆞ던 일을 ᄌᆞ셔히 알고, 금평후 부부는 미미히 우어 말을 아니코, 태부인은 어딘 ᄆᆞ음의 공쥬의 젼과를 잇고 신셰의 잔잉ᄒᆞ믈 가긍(可矜)ᄒᆞ여, 닐ᄋᆞᄃᆡ,

"개과회션은 셩교의 허ᄒᆞ신 ᄇᆡ{오}니, 님군의 쥬신 바는 ○○○○[견마(犬馬)라도] 공경ᄒᆞᄂᆞ니, 공쥐 쳐음의 허믈이 업다 ᄒᆞ미 아니로ᄃᆡ, 이졔 젼일 ᄉᆞ오납던 거ᄉᆞᆯ 바려 어진 곳의 나아갓다 ᄒᆞ고, 또 황상의 귀쥐리오. 《아조∥손ᄋᆞᄂᆞᆫ》 모르미 관홍대도ᄒᆞ기를 쥬ᄒᆞ여 공쥬를 {통활이} ᄉᆞ년을 더져 둔 ᄉᆞ경을 슬피라."

져바리디 말나."

왕이 청교(聽教)의 복슈(伏首) 고왈,

"쇼손이 블초ᄒᆞ오나 왕모의 하교를 밧드디 아니리잇고마는, 문양의 위인이 암용조협(暗庸躁狹)ᄒᆞ고 초강편익(超强偏阨)761) ᄒᆞ여 졸연(猝然)이 회과슈덕(悔過修德)ᄒᆞᆯ 지 아니오니, ᄂᆡ두(來頭)를 보아 다시 과악을 챵슈(唱酬)치 아닌즉, 엇디 녀ᄌᆞ의 비상디원(飛霜之怨)762)을 념(念)치 아니리잇가?"

금휘 ᄋᆞᄌᆞ의 도량을 두긋겨 장염(長髥)을 어로만져 희미(稀微) 열ᄉᆡᆨ(悅色)으로 《여렬‖의렬》【11】을 나아오라 ᄒᆞ여, 왈,

"현부의 셩덕이 ᄌᆞ연ᄒᆞᆫ ᄀᆞ온ᄃᆡ 공쥬의 악악ᄒᆞᆫ 투심(妬心)을 감화ᄒᆞ니, 엇디 긔특디 아니리오. 현뷔 노부를 ᄃᆡᄒᆞ여 은닉(隱匿)디 아니리니, 문양의 개과ᄒᆞ미 딘뎍(眞的)ᄒᆞ더냐?"

의렬이 쳔연(天然)이 ᄌᆡᄇᆡᄒᆞ여 셩언(聖言)을 블감ᄉᆞ샤(不堪謝辭)ᄒᆞ고, 문양의 회과(悔過)ᄒᆞ미 현현(顯現)ᄒᆞ믈 고ᄒᆞ니, 금휘 환열ᄒᆞ여 ᄌᆞ뎐(慈殿)의 고왈,

"녀ᄌᆞ의 덕이 호호(浩浩)ᄒᆞᆫ즉 나라ᄒᆞᆯ 흥(興)ᄒᆞ고 집을 챵(唱)ᄒᆞ여 ᄌᆞ손의 여경(餘慶)이 밋ᄂᆞ니라. 뎐홍이 므ᄉᆞᆫ 복으로 이 ᄀᆞᆺ튼 슉녀를 두엇ᄂᆞ니잇고? 태ᄉᆞ(太姒)763) 삼쳔후비(三千后妃)를 거나리시나, 윤현부갓치 악인을 감화ᄒᆞ믈 듯디 못ᄒᆞ엿ᄉᆞ오니, 현부의 ᄌᆞ연(自然)ᄒᆞᆫ 덕이 녀듕요【12】슌(女中堯舜)이라. ᄎᆞᄂᆞᆫ ᄌᆞ위(慈闈)의 젹덕여음(積德餘蔭)이 흘너 문회(門戶) 챵셩ᄒᆞᆯ 증뫼(徵兆)오, 공줴 개과칙션(改過責善)ᄒᆞ여실딘ᄃᆡ 쇼ᄌᆞ의 부ᄌᆡ 군샹의 은혜를 도라보아, 부부뉸의(倫義)를 온젼이 ᄒᆞ미 맛당ᄒᆞ니이다."

760)잔인ᄒᆞ다 : 자닝하다. 애처롭고 불쌍하여 차마 보기 어렵다

761)초강편익(超强偏阨) : 고집이 세고 편벽됨.

762)비상디원(飛霜之怨) : '오월비상지원(五月飛霜之苑)을 줄인 말' 곧 여자가 원한을 품으면 5월(여름)에도 서리가 내린다는 말. 한 여인이 왕에게 깊은 원한을 품었더니 오월인데도 서리가 내렸다는 데에서 유래한다.

763)ᄐᆡᄉᆞ(太姒) : 중국 주(周)나라 문왕의 비. 현모양처(賢母良妻)로 추앙되는 인물.

왕이 부복(仆伏) 대왈(對曰),

"《소ᄌᆡ‖소손》이 비록 불명ᄒᆞ오나 하괴 맛당ᄒᆞ오나[니], 문양의 위인이 실노 무거(無據)ᄒᆞᆫ 곳이 만흐니, 다시 ᄌᆞᆨ변ᄒᆞᆯ가 념녀ᄒᆞᄋᆸᄂᆞ니, 죰간 여러 일월을 쳔연ᄒᆞ여 그 개과ᄒᆞ미 불[분]명ᄒᆞ올진ᄃᆡ, 《소ᄌᆡ‖소손》 ᄒᆞᆯ노 박졀치 아니ᄒᆞ리니[이]○[다]."

금평휘 왕의 화홍ᄒᆞᆫ 지[도]량을 두긋기[겨], 미염(美髥)을 어로만져 흔흔ᄒᆞᆫ 우음을 ᄯᅴ여 의렬을 도라보아, ᄀᆞᆯᄋᆞᄃᆡ,

"현부의 셩덕이 ᄌᆞ연ᄒᆞᆫ ᄀᆞ온ᄃᆡ 공쥬의 심졍을 감화ᄒᆞ니, 엇지 아름답지 아니ᄒᆞ리오. 현뷔 나를 ᄃᆡᄒᆞ여 별노 개의ᄒᆞᆯ 일이 업ᄉᆞ니, 공쥬의 개과(改過)ᄒᆞ미 분명ᄒᆞ냐?"

의렬이 공쥬의 진젹ᄒᆞᆫ 속말ᄉᆞᆷ을 ᄌᆞ시 고ᄒᆞ니, 휘 환열ᄒᆞ여 태부인긔 고왈,

"녀ᄌᆞ의 덕이 호호(浩浩)ᄒᆞ여 ᄌᆞ혼[손]의 녀경(餘慶)이 죵ᄎᆞ(從次)로 셩취ᄒᆞ미[믜], 공쥬의 싀호지심(豺虎之心)과 포악ᄒᆞᆫ 셩품을 감화ᄒᆞ여 어진 ᄃᆡ 나아가게 ᄒᆞ며, 뎐홍으로 ᄒᆞ야곰 졔가(齊家)의 덕홰 빗나게 ᄒᆞ고, 간인의 함원을 업시ᄒᆞ고 궁ᄂᆡ에 화긔를 일위니, 뎐홍이 무ᄉᆞᆷ 팔ᄌᆞ로 윤비 ᄀᆞᆺ튼 안히를 두엇ᄂᆞ니잇고? ᄐᆡᄉᆞ(太姒)612) 《상뎐비운‖삼천후비(三千后妃)와》 ᄀᆞᆺ치 일ᄇᆡᆨ ᄌᆞ식을 거나려시나 오히려 문양 ᄀᆞᆺ튼 요악을 감화ᄒᆞ기ᄂᆞᆫ 듯지 못ᄒᆞᆫ 일이오니, 나의 며ᄂᆞ리ᄂᆞᆫ 실노 녀즁요슌(女中堯舜)이라. 이 ᄯᅩᄒᆞᆫ 모친의 젹덕여음(積德餘蔭)이 널리 흘너 이러틋 ᄒᆞ미로소이다. 문양이 개화(改化)ᄒᆞᆯ진ᄃᆡ 소ᄌᆞ의 부ᄌᆡ 군상(君上)의 은혜를 도라보아, 부부의 륜의(倫義)를 온젼ᄒᆞ미 맛당ᄒᆞ오니이다."

612)ᄐᆡᄉᆞ(太姒) : 중국 주(周)나라 문왕의 비. 현모양처(賢母良妻)로 추앙되는 인물.

태부인이 희블ᄌᆞ승(喜不自勝)764) 왈,

"하날이 뎡문을 도아 텬흥의 오형뎨를 ᄂᆡ고, 윤현부로브터 모든 손뷔 다 슉뇨현텰(淑窈賢哲)ᄒᆞ니, 기듕 현부ᄂᆞᆫ 더옥 특이ᄒᆞ거니와, 텬흥이 문왕(文王)의 덕이 이시니 태샤(太姒) ᄀᆞᆺ튼 현비 졔게 외람ᄒᆞ미 업술가 ᄒᆞ노라."

딘부인이 ᄯᅩᄒᆞᆫ 두ᄀᆞᆺ기믈 니긔디 못ᄒᆞ여, ᄌᆞ긔 젼일 공쥬의 ᄉᆞ오나오믈 빈쳑(排斥)ᄒᆞ여 셔신도 아니려 ᄒᆞ던 바를 뉘웃ᄎᆞ미 업디 아니ᄒᆞ고, 졔왕 【13】 이 뭇ᄌᆞ오ᄃᆡ,

"윤시 문양궁의 왕ᄂᆡᄒᆞ믈 ᄉᆞᄉᆞ로 대○[모]긔 쥬(奏)ᄒᆞ여 덕이 이시믈 ᄌᆞ랑ᄒᆞ더니잇가?"

태부인이 대쇼 왈,

"윤 현뷔 이런 말을 하쇼765)ᄒᆞᆯ진ᄃᆡ, 어이 칭찬ᄒᆞᆯ 거시 이시리오. 부부디간(夫婦之間)은 일일 ᄉᆞ이도 그 ᄆᆞᄋᆞᆷ을 안다 ᄒᆞ거ᄂᆞᆯ, 엇디 십년 넘은 부부로ᄡᅧ 그 위인을 아디 못ᄒᆞ미 이 ᄀᆞᆺᄐᆞ뇨? 운긔 여ᄎᆞ 니르기로 드럿노라."

왕이 ᄃᆡ왈,

"윤시 ᄉᆞᄉᆞ로 공쥬를 감화ᄒᆞ여 유덕ᄒᆞ믈 ᄌᆞ랑ᄒᆞ니 천연ᄒᆞᆫ 도리 아니오. 여러 ᄒᆡᄋᆡ(孩兒) 어미 ᄀᆞᄅᆞ치믈 조ᄎᆞ, 쇼손을 아비로 아디 아니코 홍모(鴻毛)ᄀᆞᆺ치 넉이오니, 운ᄋᆞ로 닐너도 뉵셰 ᄒᆡᄌᆡ(孩子) 므ᄉᆞᆫ ᄊᆡ를 아노라, 분분ᄒᆞᆫ 말을 존당의 【14】 알외여시니, 이런 일을 고ᄒᆞ여 쇼숀의 빈쳑ᄒᆞᄂᆞᆫ ᄆᆞᄋᆞᆷ을 썩고져 의ᄉᆞ를 ᄂᆡ여시니, 어린 것들이 어미 가ᄅᆞ치믈 바다 이러ᄒᆞ니 어이 패심치 아니리잇고?"

태부인 왈,

"운긔 ᄎᆞ언을 젼ᄒᆞ미 ᄋᆞ히 드른 바를 옴기미어ᄂᆞᆯ 썩고져 ᄒᆞ미리오. 괴이ᄒᆞᆫ 말을 말나."

764)희블ᄌᆞ승(喜不自勝) : 어찌할 바를 모를 만큼 매우 기쁨.

765)하쇼 : 하소연. 억울한 일이나 잘못된 일, 딱한 사정 따위를 간곡히 호소함.

태부인이 희블ᄌᆞ승(喜不自勝)613) 왈,

"하날이 뎡문○[을] 도와 텬흥의 오형뎨를 ᄂᆡ고, 윤현부로브터 졔 손부들이 다 현요(賢窈)ᄒᆞ고 기즁에 윤현부ᄂᆞᆫ 더욱 특츌ᄒᆞ거니와, 텬흥이 문왕(文王)의 덕이 잇시니 ᄐᆡᄉᆞ(太姒) ᄀᆞᆺ튼 셩비(聖妃) 져의게 외람ᄒᆞ미 업술가 ᄒᆞ노라"

딘부인이 두ᄀᆞᆺ기믈 니긔지 못ᄒᆞ여 ᄌᆞ긔 젼일 공쥬의 ᄉᆞ오나오믈 빈쳑(排斥)ᄒᆞ여 셔신 【12】 도 아니 턴 《비‖바》를 뉘웃ᄎᆞ미 업지 아니터라. 졔왕이 늘호여 뭇ᄌᆞ와 ᄀᆞᆯᄋᆞᄃᆡ.

"윤씨 문양궁에 왕ᄂᆡᄒᆞ믈 ᄉᆞᄉᆞ로 조모긔 《구‖주(奏)》ᄒᆞ여 덕이 잇시믈 ᄌᆞ랑 ᄒᆞ더니잇고?"

태부인이 ᄃᆡ소 왈,

"윤현뷔 이런 말을 하소614)ᄒᆞᆯ진ᄃᆡ 어이 칭찬ᄒᆞᆯ 거시 잇시리오. 부부지간(夫婦之間)은 일일지ᄂᆡ(一日之內)에 그 마ᄋᆞᆷ을 안다 ᄒᆞᄂᆞ니, 그 위인을 아지 못ᄒᆞᄂᆞ냐? 운긔 여ᄎᆞ여ᄎᆞ 니르기로 드럿노라."

왕이 ᄃᆡ왈,

"윤씨 ᄉᆞᄉᆞ로 공쥬를 감화ᄒᆞ여 유덕ᄒᆞ믈 ᄌᆞ랑ᄒᆞᄂᆞ니, 쳔연ᄒᆞᆫ 도리 아니오며, 소손을 홍모(鴻毛) ᄀᆞᆺ치 넉이미오, 운긔 뉵셰 소ᄋᆞ로 무숨 ᄊᆡ를 아노라 ᄒᆞ여, 분분ᄒᆞᆫ 말숨을 존당에 알외리잇고? 맛당이 ᄐᆡ장이 과(寡)ᄒᆞ도소이다"

태부인이 왈,

"운긔 챠언을 젼ᄒᆞ여신들 어이 ᄐᆡ장ᄒᆞᆯ 죄 잇시리오. 너ᄂᆞᆫ 고이ᄒᆞᆫ 말을 말나."

613)희블ᄌᆞ승(喜不自勝) : 어찌할 바를 모를 만큼 매우 기쁨.

614)하쇼 : 하소연. 억울한 일이나 잘못된 일, 딱한 사정 따위를 간곡히 호소함.

왕이 우음을 씌여 다시 말을 아니ᄒᆞ고 운ᄀᆡ 등을 도라보ᄆᆡ, 현ᄀᆡ 등과 ᄒᆞᆫ가지로 안ᄌᆞ 부친의 말을 듯고, 옥면이 년화(蓮花)를 취ᄒᆞ여 능히 고개를 드디 못ᄒᆞ니, 근심ᄒᆞᄂᆞᆫ 모양과 두려ᄒᆞᄂᆞᆫ 거동이 뉵셰 ᄒᆡᄋᆡ(孩兒) ᄀᆞᆺ디 아냐, 노셩군ᄌᆞ(老成君子)의 틀이 잇고, 왕이 운ᄀᆡ 모ᄌᆞ를 ᄋᆡ듕ᄒᆞ미 졔ᄌᆞ와 졔【15】비 듕의 특별ᄒᆞ니, 대개 경비를 블고이취(不告而娶)ᄒᆞ여 신혼 초의 ᄆᆞ음을 펴 화락지 못ᄒᆞ엿고, 부뫼 아르신 후도 경비 환난을 즉시 만나미 되여, 무궁ᄒᆞᆫ 졍의를 만의 일도 펴디 못ᄒᆞ엿ᄂᆞᆫ디라, 환난 후 즐거이 모드미 이시나, ᄉᆞ비(四妃) 십희(十姬)를 거ᄂᆞ리ᄆᆡ ᄋᆡ증(愛憎)을 아니려 ᄒᆞᄂᆞᆫ 고로 다ᄀᆞᆺ치 후ᄃᆡ(厚待)ᄒᆞ나, 윤비ᄀᆡ 무궁ᄒᆞᆫ 졍과 경비ᄀᆡ 각별ᄒᆞᆫ 졍의ᄂᆞᆫ ᄇᆡᆨ년(百年)을 즐기나 늣거온 뜻이 잇더라.

왕이 명일 됴참ᄒᆞ고 인ᄒᆞ여 황샹이 윤태부 조현창과 왕을 편뎐의 머므르샤 민간 질고(疾苦)와 티졍(治政)의 현블초(賢不肖)며 {윤태부의게} 믈졍(物情)을 므르샤, 군신【16】의 어슈디합(魚水之合)[766]이 한가(閑暇)ᄒᆞ시더니, 샹이 홀연 탄ᄒᆞ샤 왈,

"딤이 문양으로ᄡᅧ 경의게 하가ᄒᆞᄆᆡ, 경의 농호 ᄀᆞᆺᄐᆞᆫ ᄀᆡ질이 초방(椒房)[767]의 가셔(佳壻)를 빗ᄂᆡ고 동냥지신(棟樑之臣)이어ᄂᆞᆯ, 문양의 과악이 호대(浩大)ᄒᆞ여 황가(皇家)를 쳠욕(添辱)ᄒᆞ고 졔 신셰를 판단(判斷)ᄒᆞ

766)어슈디합(魚水之合) : 물고기와 물이 서로 뜻이 맞는다는 말로 신하와 임금이 서로 뜻을 합해 선정을 베풂을 이르는 말. ≒어수지교(魚水之交).
767)초방(椒房) : 산초나무 열매의 가루를 바른 방이라는 뜻으로, 왕비가 거처하는 방이나 궁전, 또는 왕실 등을 이르는 말. 후추나무는 온기가 있고 열매가 많은 식물로서, 자손이 많이 퍼지라는 뜻에서 왕비의 방 벽에 발랐다

왕이 운ᄀᆡ를 도라보니,【12】운ᄀᆡ, 현ᄀᆡ 등으로 더브러 홈ᄀᆡ 안쟈 부친의 말ᄉᆞᆷ을 듯고 황공송뉼(惶恐悚慄)ᄒᆞ여 능히 고개를 드지 못ᄒᆞ니, 조심ᄒᆞᄂᆞᆫ 모양과 두려ᄒᆞᄂᆞᆫ 거동이 뉵셰 ᄒᆡᄋᆡ(孩兒) ᄀᆞᆺ지 아니ᄒᆞ여, 노셩군ᄌᆞ(老成君子)의 틀이 이렷ᄂᆞᆫ지라. 왕이 운ᄀᆡ 모ᄌᆞ를 ᄋᆡ경ᄒᆞ미 졔비(諸妃) 졔ᄌᆞ(諸子) 즁의 특별ᄒᆞ니, ᄃᆡᄀᆡ 경비를 블고이취(不告而娶)ᄒᆞ여 신혼 초에 마음을 화락지 못ᄒᆞ엿고, 부뫼 알으신 후ᄂᆞᆫ 경비 즉시 화란을 맛나 무궁ᄒᆞᆫ 졍의로 만복지원을 《혀지∥펴지》 못ᄒᆞ엿ᄂᆞᆫ지라. 화란 후에 즐거이 모드미 잇시나, ᄎᆞ[ᄉᆞ]비(四妃) 십희(十姬)를 거ᄂᆞ리ᄆᆡ ᄋᆡ증(愛憎)을 《아이려∥아니려》 ᄒᆞ므로 ○○○[다ᄀᆞᆺ치] 후ᄃᆡᄒᆞ나, 윤비의[ᄀᆡ] 무궁ᄒᆞᆫ 졍과 졍[경]비의[ᄀᆡ] 각별ᄒᆞᆫ 졍은 ᄇᆡᆨ년지낙(百年之樂)이 늣거오믈 ᄒᆞᆫᄒᆞ더라.

명일에 조츰ᄒᆞᄆᆡ 황얘 윤희텬, 조현창, 왕공 등을 머므르샤, 반일을 궐졍의 뫼셔【14】민간질고(民間疾苦)와 치정(治政)을 의논ᄒᆞᄆᆡ, 윤ᄐᆡ부의 셩현지용(聖賢之容)과 뎡쥭쳥의 대군ᄌᆞ영쥰지상(大君子英俊之相)으로 말ᄉᆞᆷ이 나즉ᄒᆞ여, 공ᄌᆞ ᄆᆡᆼ변(孟辯)[615]의 치국만민(治國萬民)ᄒᆞᄂᆞᆫ 덕홰라. 또 상이 아름다오믈 니ᄀᆡ지 못ᄒᆞ여, 친히 잔을 셩(盛)이 드러 윤·뎡 등을 권ᄒᆞ샤, 홀연 쳔안(天顏)이 참쳑(慘慽)ᄒᆞ샤 츄연이 왕의 손을 잡으시고 탄왈,

"딤이 젼ᄌᆞ에 경으로 초방(椒房)[616]의 가셔(佳壻)를 삼아, 군신ᄃᆡ의(君臣大義)와 옹셔(翁壻)의 졍을 겸ᄒᆞ여, 문양의 일ᄉᆡᆼ을 경의게 의탁ᄒᆞ엿더니, 져의 과악이 쳔ᄉᆞ무셕(千死無惜)이라. 지금 소식을 듯지 못ᄒᆞ니 도로혀 한홉도다. 이제ᄂᆞᆫ 경으로 더브러 옹셔지의를 긋쳐시니, 졔 신셰를 측은ᄒᆞ여

615)맹변(孟辯) : 맹자(孟子)의 변론
616)초방(椒房) : 산초나무 열매의 가루를 바른 방이라는 뜻으로, 왕비가 거처하는 방이나 궁전, 또는 왕실 등을 이르는 말. 후추나무는 온기가 있고 열매가 많은 식물로서, 자손이 많이 퍼지라는 뜻에서 왕비의 방 벽에 발랐다

니768), 그 죄ᄂᆞᆫ 비록 앗갑디 아니ᄒᆞ나 텬뉸 디정을 ᄉᆡᆼ각ᄒᆞᄆᆡ 엇디 참연치 아니리오."

왕이 브복 쥬왈,

"신이 브릉769)누딜(不能陋質)노 그릇 초방의 모쳠(冒添)ᄒᆞ와, 공쥬의 평ᄉᆡᆼ을 져바리올가 ᄒᆞ엿삽더니, 공쥬의 악ᄒᆡᆼ이 호대ᄒᆞ와 뇽종닌지(龍種麟支)770)를 오예(汚穢)ᄒᆞ니 셩샹이 ᄌᆞᄋᆡ를 버히시고, 신이 부부지뉸(夫婦之倫)을 ᄭᅳᆺ쳔 디 ᄉᆞ년의 밋쳣삽더니, 근ᄂᆡ【17】ᄂᆞᆫ 신의 궁으로 격장(隔墻)이온 고로, 협문을 ᄂᆡ여 신의 쳔ᄒᆞᆫ ᄌᆞ식들이 됴왕모ᄅᆡ(朝往暮來)ᄒᆞᄋᆸ고, 《츄일‖츅일(逐日)771)》 상화(相話)ᄒᆞ미 일ᄐᆡᆨ(一宅) ᄀᆞᆺᄉᆞ오니, 만일 공쥐 개과슈덕(改過修德)ᄒᆞ여 악심을 바리온죽, 개즉션디(改卽善之)772)ᄂᆞᆫ 셩교(聖敎)의 허ᄒᆞ신 ᄇᆡ오니, 신이 엇디 뉸의(倫義)를 박히 ᄒᆞ오며, 황은(皇恩)을 경시(輕視)ᄒᆞ리잇고? 복원(伏願) 셩샹은 여ᄎᆞ(如此) 미셰디ᄉᆞ(微細之事)를 셩녀(聖慮)의 번득디773) 마르시믈 바라ᄂᆞ이다."

768)판단(判斷)ᄒᆞ다 : 결판(決判)내다.

769)브릉 : 불능(不能). 능하지 못함.

770)뇽종닌지(龍種麟支) : 용(龍)과 기린(麒麟)은 상서로운 동물로 왕을 상징한다. 여기서 용종(龍種)·인지(麟支)는 왕손(王孫)을 달리 표현한 말이다.

771)츅일(逐日) : 하루도 거르지 않고 날마다.

772)개즉션디(改卽善之) : (허물을) 고치는 것이 곧 착한 것이다.

773)번득다 : 번득이다. 빛이 잠깐씩 나타나다. 어떤 생각이 문득 문득 떠올라 마음에 거리끼다.

ᄒᆞ미 아니라, 짐의 골육으로 여ᄎᆞᄒᆞᆯ 줄을 엇지 ᄠᅳᆺ《ᄒᆞ리잇고‖ᄒᆞ엿스랴.》 ᄯᅩ ᄒᆞᆫ 져의 긔츌 녀ᄋᆞ를 실니(失離)타 ᄒᆞᄃᆡ ᄎᆞᄌᆞᆯ 길이 업시니, 일마다 져의 죄악이 즁【15 】ᄒᆞᆫ지라, 엇지 ᄎᆞ악지 아니ᄒᆞ리오"

ᄒᆞ시니, 왕이 천안의 비쳑ᄒᆞ시믈 보고 지극ᄒᆞᆫ 츙의로 감동하고, 역시 비감ᄒᆞᆫ ᄠᅳᆺ이 잇시믄, 셩쥬의 덕홰 지셩지인(至誠至仁)ᄒᆞ시므로 공쥬 ᄀᆞᄐᆞᆫ ᄃᆡ악으로 탄ᄉᆡᆼᄒᆞ시며, 자긔 유녀(幼女)를 닐허 흉즁에 슬프미 잇ᄂᆞᆫ지라. 왕이 부복 ᄃᆡ쥬(對奏) 왈,

"신의 불능누질(不能陋質)이 실노 초방지인(椒房之人)을 ᄡᅡᆼ입(雙立)지 못ᄒᆞᆯ 바를 ᄉᆞᆯ피지 못ᄒᆞ샤, 문양 옥쥬를 신에게 하가 ᄒᆞ시니, 최녀 흉인으로 십악ᄃᆡ죄(十惡大罪)617)를 ᄒᆡᆼᄒᆞ며, 우흐로 텬륜 ᄌᆞᄋᆡ를 버히시고 신의 부부뉸의(夫婦倫義)를 단절ᄒᆞ온지 ᄉᆞ년이라. 허믈을 곳쳐[치]미 귀타 ᄒᆞ미 셩교의 허ᄒᆞ신 ᄇᆡ라. 공쥐 일분이나 회심ᄒᆞ면 신이 셩은을 ᄉᆡᆼ각ᄒᆞ와 공쥬의 신셰를 위로 ᄒᆞ오리니, 폐하ᄂᆞᆫ 이런 미셰지ᄉᆞ(微細之事)의 셩녀(聖慮)를 허비【16】치 마르소셔"

상이 츄연 왈.

"딤이 엇지 ᄉᆞ졍(私情)으로ᄡᅧ 간악ᄒᆞᆫ 녀식을 경ᄃᆞ려 인륜을 온젼이 ○○[ᄒᆞ라] ᄒᆞ리오. ᄒᆞᆫᄀᆞᆺ 져의 만악(萬惡)이 구비ᄒᆞ던 바를 통완ᄒᆞ노라"

왕이 텬심(天心)을 위로코져 돈슈 쥬왈,

"근간에 미거(未擧)ᄒᆞᆫ ᄌᆞ식이 문양궁에 왕ᄂᆡᄒᆞ고, 신의 궁실과 문양궁 장원을 통ᄒᆞ

617)십악대죄(十惡大罪) : 조선 시대에, 대명률(大明律)에 정한 열 가지 큰 죄. 모반죄(謀反罪), 모대역죄(謀大逆罪), 모반죄(謀叛罪), 악역죄(惡逆罪), 부도죄(不道罪), 대불경죄(大不敬罪), 불효죄(不孝罪), 불목죄(不睦罪), 불의죄(不義罪), 내란죄(內亂罪)를 이른다.

샹이 쳥미(聽未)의 환연(歡然) 경희(慶喜)ᄒᆞ샤, 공쥬의 일ᄉᆡᆼ을 위ᄒᆞ여 만승디듀(萬乘之主)와 텬ᄌᆞ(天子)의 위엄으로도, 텬뉸ᄌᆞᄋᆡ(天倫慈愛)로 ᄯᆞᆯ 둔 구구(區區)ᄒᆞ믈 면치 못ᄒᆞ시니, ᄒᆞ믈며 녀염(閭閻) 신민(臣民)[774]의 ᄯᆞᆯ을 위ᄒᆞ여 ᄉᆞ회를 밧들고져 ᄒᆞ믈 더옥 니를 빅 이시리오.

이【18】날 왕이 샤쥬(賜酒)ᄒᆞ시ᄂᆞᆫ 향온(香醞)을 년ᄒᆞ여 거후르고 잠간 취ᄒᆞ엿거ᄂᆞᆯ, 퇴ᄒᆞ여 집의 도라오다가 길히셔 슌상셔를 만나, 상셰 억지로 닛그러 부듕의 드러 가 술을 권ᄒᆞ니, 왕이 미란이 취ᄒᆞ여 계오 술위의 올나 취운산으로 도라오ᄆᆡ, 감히 존당의 드러오디 못ᄒᆞ여, 한님으로 ᄒᆞ여금 존당 부모긔 궐졍의 가 샤쥬ᄒᆞ시믈 인ᄒᆞ여, 낫 우히 취ᄉᆡᆨ(醉色)이 이시므로 혼뎡(昏定)의 참예치 못ᄒᆞ믈 고ᄒᆞ고 홍운뎐의 니르ᄆᆡ, 윤비 혼뎡의 드러가고 업ᄂᆞᆫ디라. 궁비를 명ᄒᆞ여 침금을 포셜ᄒᆞ라 ᄒᆞ고 밧비 상요의 나아가ᄆᆡ, 인ᄉᆞ를 아디 못ᄒᆞ고 ᄡᅳ러디니, 현긔 등이【19】 좌우의 뫼셔 ᄯᅥ나디 아니ᄒᆞ더라.

한님이 존당의 드러와 빅형이 취ᄒᆞ여 혼뎡의 블참ᄒᆞᄂᆞᆫ 쇼유를 고ᄒᆞᆫᄃᆡ, 금평후 부부와 태부인이 ᄉᆞ실의 가 편히 쉬게 ᄒᆞ라 ᄒᆞ니, 윤비 왕의 취ᄒᆞ여 홍운뎐의 가믈 알고, 가마니 아쥬 쇼져의 나상(羅裳)을 다릐여 장 밧긔 나와 니르ᄃᆡ,

"녕형이 대취ᄒᆞ여 홍운뎐으로 드러갓다 ᄒᆞ니, 필연 취혼(醉昏)ᄒᆞ여 아모란 상(相)을 모로ᄂᆞᆫ가 시브니, 이런 ᄣᅵ의 공쥬로 ᄒᆞ여금 홍운뎐의 가 밤을 지ᄂᆡ게 ᄒᆞ시면, 인ᄒᆞ여 화긔를 닐위미 되리니, 쇼져ᄂᆞᆫ 동긔(同氣)의 부부간이 화평홀 바를 ᄉᆡᆼ각ᄒᆞ여, 이 말ᄉᆞᆷ을 존당의 고ᄒᆞ미 엇더ᄒᆞ뇨?"

아쥬 쇼졔 윤부인【20】의앙(依仰)ᄒᆞᄂᆞᆫ 졍이 각별ᄒᆞ여 ᄌᆞ별이 ᄡᅳ로ᄂᆞᆫ디라. 웃고 즉

774)신민(臣民) : 군주국에서 관원과 백성을 아울러 이르는 말.

고 협문을 두엇ᄉᆞ오니, 신의 왕ᄂᆡ ᄯᅩᄒᆞᆫ 무엇시 어려오리잇고?"

상이 ᄎᆞ언을 드르시고 용안이 희열(喜悅)ᄒᆞ시니, 만승지쥬(萬乘之主)와 텬ᄌᆞ(天子)의 위엄으로도, 텬륜ᄌᆞᄋᆡ(天倫慈愛)《를 구ᄒᆞ시믈‖로 ᄯᆞᆯ 둔 구구(區區)ᄒᆞ믈》 면치 못ᄒᆞ시니, 허믈며 녀염(閭閻) 인민(人民)의 ᄯᆞᆯ을 위ᄒᆞ여 셔랑(壻郞)을 밧들고져 ᄒᆞ믈 니르리오.

이날 왕이 ᄉᆞ쥬(賜酒)ᄒᆞ시믈 더어 거후르ᄆᆡ, 셩안(聖顔)의 홍광이 취지(聚之) ᄒᆞᄂᆞᆫ지라. 퇴ᄒᆞ여 집으로 도라오다가 길히셔 상셔 윤공을 맛나, 상셰 억지로 잇그러 부즁에 가 슐을 권ᄒᆞ니, 왕이 미란케 취【17】ᄒᆞᄆᆡ, 겨유 슐위에 올나 취운산으로 올나올ᄉᆡ, 감히 존당의 드러오지 못ᄒᆞ여, 한님으로 ᄒᆞ야곰 조모와 부모긔 궐졍에셔 ᄉᆞ쥬ᄒᆞ시믈 밧ᄌᆞ와, 취긔 낫 우히 오르므로 감히 존당에 시봉치 못ᄒᆞ믈 ᄉᆞ죄ᄒᆞ고, 홍운젼에 나아와 쉬려 ᄒᆞ더니, 임의 침구를 포셜(鋪設)ᄒᆞ엿ᄂᆞᆫ지라. 상상에 나아가 인ᄒᆞ여 취몽(就夢)이 몽농ᄒᆞᆫ지라. 현긔 등이 좌우에 뫼셔 ᄯᅥᄂᆞ지 못ᄒᆞ더라.

한님이 존당에 드러와 형의 혼졍에 블참ᄒᆞᆫ 소유를 고ᄒᆞᆫᄃᆡ, 태부인과 금평휘 굿ᄒᆞ여 ᄎᆞᄌᆞ미 업더라.

윤비 왕의 취ᄒᆞ○○○○○○[여 홍운뎐의 가]믈 보고, 가마니 소져를 쳥ᄒᆞ여 장 밧긔 나와 닐오ᄃᆡ,

"영형이 ᄃᆡ취ᄒᆞ여 홍운젼으로 드러갓다 ᄒᆞ니, 취몽(醉夢)이 ᄇᆞ야흐로 닐은[618] ᄣᅵ를 당ᄒᆞ여, 존명을 엇ᄌᆞ와 공쥬로 ᄒᆞ야곰 홍운젼에 가 밤을 지ᄂᆡ게 ᄒᆞ면, 인ᄒᆞ여 화긔를 일【18】우ᄂᆞᆫ 즉시니[619], 소ᄆᆡᄂᆞᆫ 동긔의 부부 화락을 ᄉᆡᆼ각ᄒᆞ여, 이 말ᄉᆞᆷ을 고ᄒᆞ미 엇더ᄒᆞ니잇고?"

소졔 윤비를 ᄯᆞ오고 우러르미 모친의 버금이라. 웃고 즉시 드러가 모부인긔 고 왈,

618)니르다 : 이르다. 어떤 정도나 범위에 미치다.
619)즉시니 : 일이니. 즉; 짓. 일. 행동.

시 드러가 고왈,

"ᄇᆡᆨ형(伯兄)○[이] 취ᄒᆞ여 홍운뎐으로 드러가 계시다 ᄒᆞ니, 태모ᄂᆞᆫ 공쥬를 쳥ᄒᆞ여 홍운뎐으로 보ᄂᆡ쇼셔."

금평휘 쇼왈,

"뉘셔 너다려 이 말을 ᄒᆞ라 ᄒᆞ더뇨?"

쇼졔 함쇼 ᄃᆡ왈,

"쇼네 의렬 져져의 긔ᄉᆡᆨ을 보ᄆᆡ 이 뜻이 잇ᄂᆞᆫ가 시브ᄃᆡ, 감히 발셜치 못ᄒᆞᄂᆞᆫ 거동이니, 쇼녀ᄂᆞᆫ 의렬 져져를 위ᄒᆞ여 이 《말ᄉᆞᆷ이로∥을 고ᄒᆞ미로》 소이다."

공이 쇼왈,

"윤현부의 어진 뜻을 좃디 {아} 아니리오. 네 모친의 니르기 젼의 내 쾌히 공쥬의게 젼어ᄒᆞ여, 홍운뎐으로 가게 ᄒᆞ리라."

ᄒᆞ고, 시녀로 ᄒᆞ여금 공쥬의게 보ᄂᆡ여 말ᄉᆞᆷ을 젼ᄒᆞᄃᆡ,

"장원(牆垣)【21】을 격ᄒᆞ여 여러 ᄒᆡ 셩식(聲息)775)을 통치 못ᄒᆞ더니, 이졔 곡졀이 여ᄎᆞᄒᆞ니 ○○○○○[홍운뎐으로] 도라가 취후(醉後)를 위로ᄒᆞ미 엇더ᄒᆞ니잇고?"

공쥐 이ᄯᅢ 여러 날 만신(滿身)을 고통ᄒᆞ더니, 윤비와 공ᄌᆞ 등의 디셩으로 구호ᄒᆞ믈 힘닙어 금일은 퍽 나으미 잇더니, 쳔만 의외의 엄구의 젼에(傳語) 여ᄎᆞᄒᆞ시니, 만일 념티(廉恥) 이실딘ᄃᆡ, 하면목(何面目)으로 윤비 침뎐의 나아가 왕을 보고져 ᄒᆞ리오마ᄂᆞᆫ, 부부지졍(夫婦之情)을 《ᄒᆡ포776)∥여러 ᄒᆡ》 긋쳐 격졀(隔絶)ᄒᆞᄆᆡ 보고져 뜻이 간졀ᄒᆞ더니, 엄구의 하괴 여ᄎᆞᄒᆞ니, 실노 고쇼원(固所願)이라. 쇼교(小轎)를 ᄐᆞ고 홍운뎐으로 드러가니, 윤비 장 밧긔 나와 공쥬를 마ᄌᆞ ᄎᆞ복(差復)ᄒᆞ믈 하례ᄒᆞ고, 궁노 등을 다 보닌 후 공쥬의 손을 잡고, ᄀᆞ마니 탄【22】왈,

"쳡이 감히 귀쥬의 쳐변(處變)을 디휘ᄒᆞ여 가ᄅᆞ치고져 ᄒᆞ미 아니라, 졔왕의 심경이

775)셩식(聲息) : 소식. 편지.

776)ᄒᆡ포 : 해포. 한 해가 조금 넘는 동안. *앞 17쪽의 "신이 부부지뉸(夫婦之倫)을 긋쳔 디 ᄉᆞ년의 밋쳣삽더니"와 맞지 않는다.

"태태ᄂᆞᆫ 공쥬를 밧비 홍운젼으로 드러가라 ᄒᆞ소셔"

금평휘 소왈,

"이 말을 너ᄃᆞ려 뉘 권ᄒᆞ더뇨?"

소졔 함소 ᄃᆡ왈,

"의렬의 긔ᄉᆡᆨ이 여ᄎᆞ ᄒᆞ오나, 감하[히] 고치 못ᄒᆞᄋᆞᆸ기 소네 의렬 져져를 위ᄒᆞ여 이 말ᄉᆞᆷ을 고ᄒᆞᄂᆞ이다."

평휘 소왈,

"윤현부의 어진 마ᄋᆞᆷ을 져바리지 못ᄒᆞ리니, 네 존명으로 쾌히 공쥬긔 젼ᄒᆞ여 홍운젼으로 가게 ᄒᆞ라."

ᄒᆞ고, 시녀로 공쥬긔 젼어ᄒᆞᄃᆡ,

"장원(牆垣)을 격ᄒᆞ여 셩식(聲息)620)을 통치 아니ᄒᆞ엿더니, 이졔 곡졀이 잇시니 ᄲᆞᆯ니 홍운젼으로 도라가 취ᄀᆡᆨ을 위로ᄒᆞ미 엇더ᄒᆞ뇨?"

공쥐 이ᄯᅢ 만신(滿身)을 고통ᄒᆞ더니, 윤비○[와] 공ᄌᆞ 등의 지【19】셩 구호ᄒᆞ믈 힘닙어 금일은 져기 나으미 잇더니, 쳔만 의외에 엄구의 명을 드르니, 념치 잇시면 하면목으로 윤비 침소에 니르러 왕을 보고져 ᄒᆞ리오마ᄂᆞᆫ, 부부지졍(夫婦之情)만 ᄉᆡᆼ각ᄒᆞ여 ᄒᆡ로621) ᄉᆞ모ᄒᆞ더니, 실노 고소원(固所願)이라. 이에 소교(小轎)를 타고 홍운젼으로 드러 가니, 윤비 창 밧긔 나와 마ᄌᆞ, 공쥬긔 병이 슈히 ᄎᆞ복ᄒᆞ믈 하례ᄒᆞ고, 궁노 등을 보닌 후 종용이 공쥬의 손을 잡고, 탄왈,

"쳡이 귀쥬를 가ᄅᆞ치고 지휘ᄒᆞ미 아니라, 왕의 심경이 남과 ᄃᆞ르믄 귀쥐 아ᄂᆞᆫ ᄇᆡ라. ᄌᆞ긔 비록 취즁이나 귀쥬를 몰나 보지 아닐 거시니, 귀쥐 혹ᄌᆞ 젼과를 회개ᄒᆞᆫ 줄 알고

620)셩식(聲息) : 소식. 편지.

621)ᄒᆡ로 : 해가 갈수록.

남다르믄 귀쥬 ᄯᅩᄒᆞᆫ 아르시ᄂᆞᆫ ᄇᆡ라. 쥐듕이 나 옥쥬를 몰나보디 아닐 거시니, 귀쥬 젼과(前過)를 회한(悔恨)ᄒᆞᄂᆞᆫ 말ᄉᆞᆷ을 ᄒᆞ실디라도, ᄉᆞᄉᆞ로 몸 우히 허믈을 시룸ᄀᆞᆺ치 ᄒᆞ샤 쳐녀의 죄를 삼디 마르시고, 귀쥬 죄악을 디은 ᄃᆞ시 ᄒᆞ시면, 왕이 총명ᄒᆞ니 옥쥬의 ᄋᆡᄆᆡᄒᆞ믈 모로디 아니ᄒᆞ리이다."

공쥬 쳥파의 감은ᄒᆞ믈 니긔디 못ᄒᆞ여, 체루를 드리워 샤왈(謝曰),

"쳡이 토목(土木) ᄀᆞᄐᆞ나 현비의 여ᄎᆞᄒᆞ시믈 감격지 아니ᄒᆞ리잇가? 가ᄅᆞ치믈 삼가 밧들니이다."

비(妃) 블감당(不堪當)이믈【23】 일ᄏᆞᆺ고, 공쥬를 방듕으로 보ᄂᆡᆫ 후, ᄌᆞ긔ᄂᆞᆫ 양비 침뎐의 와 밤을 디ᄂᆡ니라.

공쥬 드러와 왕을 보ᄆᆡ, ᄉᆞ년디ᄂᆡ(四年之內)의 왕의 일월 ᄀᆞᄐᆞᆫ 풍광이 더옥 슈려동탕(秀麗動蕩)ᄒᆞ여, 엄연(儼然)ᄒᆞᆫ 톄위(體位) ○[ᄂᆞᆫ] 왕ᄌᆞ(王者)의 픔복(品服)이 뇨료(嫋嫋)[777]ᄒᆞᆫ 신쟝(身長)의 참치(參差)[778]ᄒᆞ거ᄂᆞᆯ, 어온을 과취ᄒᆞ여시니 헌앙(軒昂)ᄒᆞᆫ 풍치 더옥 화려ᄒᆞ거ᄂᆞᆯ, 아룸다온 용쾌 풍화(豊華)ᄒᆞ며 쇄락(灑落)ᄒᆞ니, 문양이 ᄉᆡ로이 반가온 ᄃᆞᆺ 노호은 ᄃᆞᆺ 디향(指向)치 못ᄒᆞ며, 일변 윤시의 복녹을 블워ᄒᆞᄆᆡ, ᄒᆡ옴업시 누쉬(淚水) 죵횡(縱橫)ᄒᆞ여 도라갈 쥴 니져 바라보니, 궁ᄋᆡ(宮兒) 금니(衾裏)를 포셜ᄒᆞ고, 졔ᄌᆡ(諸子) ᄇᆞᆺ드러 침상의 나아가 안휴(安休)ᄒᆞ여 잠드ᄃᆡ, 윤비【24】뎡당(正堂)의 가시믈 알고 청치 아니코 취몽(就夢)이 혼혼ᄒᆞ엿더니, 이윽고 의렬이 니르러 공쥬 도라 가디 아니코 협실의 그져 이시믈 알고 함쇼(含笑)ᄒᆞ고, 년보(蓮步)[779]를 움즉여 뎡당의 니르러 쇼고(小姑) 아쥬 침소의 나아가, 쇼져다려 니르ᄃᆡ,

"○○○○○[현ᄆᆡ 왕모긔] 녕형(令兄)이 금일 샹젼(上前)의셔 샤쥬를 과취ᄒᆞ고 홍운 용납ᄒᆞ시미 잇ᄉᆞ오리니, 밧비 드러가소셔"

공쥬 븟그러오믈 므릅시고 드러가니,

777)뇨료(嫋嫋) : 요요(嫋嫋). 맵시 있고 날씬함.
778)참치(參差) : 참치부제(參差不齊). 길고 짧고 들쭉날쭉하여 가지런하지 아니함.
779)년보(蓮步) : 금련보(金蓮步). 미인의 정숙하고 아름다운 걸음걸이를 비유적으로 이르는 말.

뎐의셔 취침ᄒᆞ시ᄂᆞᆫᄃᆡ, 맛초아 공쥬를 쳥ᄒᆞ여 담화ᄒᆞ다가 대왕을 만나 협실의 《이시니‖이시믈 고ᄒᆞ고》, 현미 왕모 명을 쳥ᄒᆞ여 문양공쥬를 머므러 녕형의 취후를 살피게 ᄒᆞ여 화우를 닐위미 엇더ᄒᆞ뇨?"

아쥐 웃고 태부인긔 나아가 소유를 고ᄒᆞ고 샤(赦)【25】ᄒᆞ시믈 쳥ᄒᆞ니, 태부인이 쳥파의 실쇼ᄒᆞ나 노인디심이라, 쇼시ᄋᆞ(小侍兒)를 명ᄒᆞ여 젼어(傳語) 왈,

"귀쥐 '칠거(七去)의 득죄(得罪)780)ᄒᆞ미 젹디 아닌 고로, 심궁의셔 슈졸(守卒)ᄒᆞ믈 명ᄒᆞ엿더니, 드르니, 윤·양 등이 화우ᄒᆞ여 일틱(一宅)의 상죵(相從)ᄒᆞᆫ다 ᄒᆞ니, 깃브믈 니긔디 못ᄒᆞᄂᆞᆫ 듕, 금일 맛촘 손ᄋᆡ 샤쥬(賜酒)의 과취(過醉)ᄒᆞ고 궁의셔 머믄다 ᄒᆞ니, 귀쥬ᄂᆞᆫ 젹은 ᄃᆞᆺ 일야(一夜)를 머므러 손ᄋᆞ의 취후를 살피고, 명일 니르러 ᄉᆡ로 화긔를 닐위쇼셔."

ᄒᆞ니, 시ᄋᆡ 궁의 니르러 공쥬긔 태부인 명을 젼ᄒᆞ니, 이 ᄯᅢ 공쥐 도라 가지 아니○[코] 협실의셔 ᄉᆡ로이 넉술 살오더니, 이 명을 드르【26】ᄆᆡ 져기 념치 이실딘ᄃᆡ 엇디 구ᄎᆞ히 윤비의 몸을 비러 망측ᄒᆞᆫ 광경을 당ᄒᆞ리오마ᄂᆞᆫ, ᄉᆞ년을 공규(空閨0의 단장(斷腸)ᄒᆞ여 그리ᄂᆞᆫ 졍이 오ᄆᆡ(寤寐)의 ᄆᆡ쳐 딜(疾)이 일게 되엿던 바로, 금일 져의 용화(容華)를 여어보ᄆᆡ, ᄎᆞ마 ᄯᅥ날 ᄯᅳᆺ이 업더니, 태부인 명이 의외의 여ᄎᆞᄒᆞ시니, ᄎᆞᄂᆞᆫ 고목(枯木)이 ᄉᆡᆼ화(生花)ᄒᆞ미라. 감은각골ᄒᆞ여 슈명ᄒᆞ고 뎡침의 나아가, 촉을 등 두어 비ᄉᆞ기 안ᄌᆞ 쳔만 샤례(思慮) ᄇᆡᆨ츌(百出)ᄒᆞ여, 힝혀 왕이 아라보고 무류(無聊)히 ᄭᅮ디져 구튝(驅逐)ᄒᆞᆯ가, 경긱(頃刻)의 만념(萬念)이 요동(搖動)ᄒᆞ여 안ᄉᆡᆨ이 ᄌᆞ로 변ᄒᆞ더니, 야심ᄒᆞᆫ 후 왕이 번신(翻身)ᄒᆞ여 ᄎᆞ를 구ᄒᆞ니, 현긔【27】등이 오히려 쟝외(場外)의 ᄃᆡ후ᄒᆞ

---

780)칠거(七去)의 죄(罪) : 칠거지악(七去之惡). 예전에, 아내를 내쫓을 수 있는 이유가 되었던 일곱 가지 허물. 시부모에게 불손함(不順舅姑), 자식이 없음(無子), 행실이 음탕함(淫行), 투기함(嫉妬), 몹쓸 병을 지님(惡疾), 말이 지나치게 많음(多言), 도둑질을 함(竊盜) 따위이다.

엿더니, 왕이 먹기를 다ᄒᆞ고, 믈너 가 ᄌᆞ라 ᄒᆞ고, 취안이 몽농ᄒᆞ여 좌우를 살피니, 일위 부인이 의렬노 픔복이 ᄀᆞᆺ고, 금병하(錦屛下)의 단좌ᄒᆞ여시ᄃᆡ, 촉홰(燭火) 희미ᄒᆞ여 ᄌᆞ시 보디 못ᄒᆞ나, 윤비 아니오 뉘리오 ᄒᆞ여, 이의 닛그러 상요의 나아가니 은이 취듕(醉重)ᄒᆞᄂᆞᆫ디라. 문양이 슈을 낫초아 대희과망(大喜過望)ᄒᆞ나 근심ᄒᆞ더니, 왕이 비록 취듕(醉中)이나 윤비의 정졍단일(貞靜端壹)ᄒᆞᆫ 거조와 쳥고결ᄇᆡᆨ(淸高潔白)ᄒᆞ므로 ᄎᆞ인의 발양탕일(發揚蕩逸)ᄒᆞᆫ 졍틱 크게 괴이ᄒᆞᆫ디라. 대경의혹(大驚疑惑)ᄒᆞ여 낭듕의 야명쥬를 ᄂᆡ여 빗최ᄆᆡ, 이【28】 다르니 아니라 평ᄉᆡᆼ의 증염통한(憎厭痛恨)ᄒᆞ던 문양이라. 실ᄉᆡᆨ(失色)ᄒᆞ여 문왈,

"이 곳이 윤비 슉쇠어ᄂᆞᆯ 공쥐 엇디 니르러 취ᄀᆡᆨ의(醉客) ᄠᅳᆺ을 엿보니, 이 엇디 부녀의 되리오."

공쥐 참안슈괴(慙顔羞愧)ᄒᆞ여 그 ᄽᅡᆫ의도 만면(滿面)이 통홍(通紅)ᄒᆞ여 유유 ᄃᆡ왈,

"쳡이 텬디의 관영ᄒᆞᆫ 죄를 딧고 텬일 보미 붓그러워 죽으믈 바야더니, 윤비의 관샤화우(寬赦和友)ᄒᆞ미 디극ᄒᆞ시니, 쳡이 비록 토목심장(土木心腸)이나 감동ᄒᆞ미 업ᄉᆞ리잇가. 금일 윤비의 쳥ᄒᆞ므로 니르럿더니, 의외 존당 명이 대왕의 취후를 살피라 ᄒᆞ시므로 이 곳의 잇더니이다."

왕이 ᄌᆞ긔 일을 실쇼(失笑)[781]ᄒᆞ【29】고, 져의 념치 가디록 상딘(喪盡)ᄒᆞ믈 통히ᄒᆞ나, 대댱뷔 관홍대도(寬弘大道)로 녀ᄌᆞ를 칙망ᄒᆞ미 도로혀 우읍고, 셕상(夕上)의 텬어(天語)를 듯ᄌᆞ와시므로 ᄎᆞ마 각박디 못ᄒᆞ여, 다만 엄연(儼然) 뎡식 왈,

"셕ᄉᆞ를 ᄉᆡᆼ각ᄒᆞᆫ즉 심골이 경한(驚寒)ᄒᆞ니 아이의 일ᄏᆞᆺ디 말고, ᄎᆞ후나 과악을 딧디 마라 황가(皇家)를 다시 쳠욕(添辱)디 말며, 셩샹 티화(治化)를 상히오디 아니믈 ᄉᆡᆼ각ᄒᆞ쇼셔."

공쥐 참슈(慙羞) 브답(不答) ᄒᆞ니, 왕이

781)실쇼(失笑) : 어처구니가 없어 저도 모르게 웃음이 툭 터져 나옴. 또는 그 웃음.

왕이 취안을 드러 공쥐의 왓시믈 보고,

ᄎᆞ【20】마 각박치 못ᄒᆞ여, 엄녈(嚴烈) 뎡식 왈,

"셕ᄉᆞ를 ᄉᆡᆼ각ᄒᆞᆫ즉 심골(心骨)이 경한(驚寒)ᄒᆞ니, 다시 일ᄏᆞᆺ지 말으시고 ᄎᆞ후나 와 과악을 짓지 말아, 황가를 쳠욕지 마르시고 셩상의 치화(治化)를 상히오지 마르소셔."

공쥐 ᄎᆞᆷ화(慙話)[622] 부답(不答)이라. 왕이 ᄇᆰ기를 기ᄃᆞ려 태화뎐에 문침(問寢)ᄒᆞ니, 태

622)참화(慙話) : 말하기가 부끄러움.

효명(曉明)을 괴로이 기다려, 니러나 태원뎐의 문침(問寢)ᄒᆞ니, 태부인이 쇼왈,

"손ᄋᆡ 작야의 고인을 만나 니회(離懷)를 언마나 편다?"

왕이 함쇼 ᄃᆡ왈,

"쇼손이 작일 샤쥬를【30】과취ᄒᆞ고 도라와 존당의 현알(見謁)치 못ᄒᆞ고, 홍운뎐의 니르오니, 당(堂) 님ᄌᆡ 소(所)782)를 븨온 탓ᄉᆞ로, 평ᄉᆡᆼ 증염디인(憎厭之人)을 만나와 졀(節)을 문허바리믈 통한ᄒᆞ여 ᄒᆞᄂᆞ이다."

태부인이 미미히 우어 왈,

"실졀(失節)ᄒᆞ다 음ᄒᆡᆼ디죄(淫行之罪) 아니오, 임의 뎡심(貞心)을 일허시니, ᄎᆞ후 ᄉᆡ로이 금슬디화(琴瑟之和)를 여러 규ᄂᆡ(閨內)를 화평이 ᄒᆞ여 군은(君恩)을 져바리디 말나."

왕이 슈명(受命)이러니, 아쥬 쇼졔 문양의 청죄(請罪)ᄒᆞ믈 고ᄒᆞ니, 태부인이 금후 부부를 도라 보아 작일 샤명(赦命) 나리오믈 니르고, 드러오라 ᄒᆞ니, 공쥐 쳔만 ᄒᆡᆼ희(幸喜)ᄒᆞ여, 태원뎐 당하의 니르러 감히 오로디 못【31】ᄒᆞ고 청죄ᄒᆞ니, 태부인과 금평후 부뷔 문양공쥐 당하(堂下)의셔 청죄ᄒᆞ믈 보고, 몸을 니러 공쥬의 오로기를 청ᄒᆞ여 왈,

"디난 바ᄂᆞᆫ 업친 믈이라, ᄉᆡ로이 일ᄏᆞ라 무익ᄒᆞ니, 귀쥬ᄂᆞᆫ 괴이(怪異)ᄒᆞᆫ 거조를 마르시고 당의 올나, 우리 ᄆᆞ음을 편케 ᄒᆞ시고, 셩덕(聖德)을 빗ᄂᆡ여 젼일 과실(過失)을 ᄡᅵᄉᆞ시면, 쳐음 어디니의셔 아롬답디 아니리잇고?"

공쥐 시러곰783) 마디 못ᄒᆞ여 당의 올나 존당 구고긔 녜를 맛고, 도라 금장슉ᄆᆡ(襟丈叔妹)로 녜필(禮畢)의, 그 ᄉᆞ이 신인(新人)이 가득ᄒᆞ고, 소·쥬·두·화 등은 초면이라. 져마다 봉관화리(鳳冠花履)784)로 명부(命婦)785)의 복ᄉᆡᆨ(服色)이 현명ᄒᆞ고, 두시

782)소(所) : 거처. 처소.

783)시러곰 : 능히. 하여금. 이에.

784)봉관화리(鳳冠花履) : 봉황(鳳凰)을 장식한 예관(禮冠)과 아름다운 꽃신을 이르는 말로 옛 사대부가 부녀자들의 옷차림을 말함.

785)명부(命婦) : 봉작(封爵)을 받은 부인을 통틀어 이르는 말. 내명부와 외명부의 구별이 있었다.

부인이 소왈,

"네 작야에 고인을 맛나 이회(離懷)를 편다?"

왕이 즘소(潛笑) ᄃᆡ왈,

"소손이 작일 ᄉᆞ쥬를 ᄃᆡ취ᄒᆞ여 존당의 뵈ᄋᆞᆸ지 못ᄒᆞᄋᆞᆸ고 홍운젼에 니르니, 당당(當堂)623)님ᄌᆡ 쳐소를 븨온 타ᄉᆞ로 평ᄉᆡᆼ의 증염지인(憎厭之人)을 맛나, 《져를 ‖ 졀(節)을》 믄희치믈 통ᄒᆞᆫ ᄒᆞᄂᆞ니이다"

태부인이 미미히 우어 왈,

"실졀(失節)ᄒᆞ나 음ᄒᆡᆼ이 아닐 거시오, 임의 졍심(貞心)을 푸러시니, 이후나 ᄉᆡ로이 금슬지화(琴瑟之和)를 고로게 ᄒᆞ라."

공쥐 ᄯᅩᄒᆞᆫ 왕의 뒤흘 조ᄎᆞ 당하【21】에 셔셔 올으지 아니ᄒᆞᆫᄃᆡ, 태부인과 금평후 부뷔 몸을 동ᄒᆞ여 올으기를 쳥ᄒᆞ여 ᄀᆞᆯ오ᄃᆡ,

"지ᄂᆞᆫ 바ᄂᆞᆫ 발셔 엄친 물이라. ᄉᆡ로이 닐ᄏᆞ라 무익ᄒᆞ니, 귀쥐 ᄯᅩ 고이ᄒᆞᆫ 거조를 마르시고 당의 올나, 우리의 마음을 편안케 ᄒᆞ시고, 셩덕을 빗ᄂᆡ소셔."

공쥐 붓그러오믈 니긔지 못ᄒᆞ나, 부득이 당의 올나 낫출 드지 못ᄒᆞ더라.

623)당당(當堂) : 집을 말음. 집과 직접적인 관계가 있음.

ᄂᆞᆫ 비록 용뫼 평【32】상ᄒᆞ나 기여ᄂᆞᆫ 다 옥모(玉貌) 월광(月光)이 찬연슈려ᄒᆞ여 윤·양 등의 뒤흘 니을 거시어ᄂᆞᆯ, 아쥬 쇼제 십일 셰 초츈(初春)을 당ᄒᆞ여 톄형이 다 ᄌᆞ라고 쳔ᄐᆡ만광(天態萬光)이 긔이ᄒᆞ여 일월의 정화를 가져시니, 그 비상쿄 가려(佳麗)ᄒᆞ미 실노 슉녈의 아이 되미 맛당ᄒᆞᆯ디라. 공쥐 좌우를 고면(顧眄)ᄒᆞ여 ᄌᆞ긔 형용《이∥쳐로[786]》 초췌(憔悴)ᄒᆞ고 초고(楚苦)ᄒᆞ니 업ᄉᆞ믈 보ᄆᆡ, 《더은∥더옥》 블은 ᄆᆞ옴이 측냥 업셔 눈믈이 비오 ᄃᆞᆺ ᄒᆞ여, 젼일 과악을 뉘웃ᄂᆞᆫ 말이 디공(至公)ᄒᆞ고 비졀(悲絶)ᄒᆞᆫ디라. 태부인의 관인후덕(寬仁厚德)ᄒᆞ므로 위로ᄒᆞ믈 디극히 ᄒᆞ고, 금후 부뷔 말ᄉᆞᆷ을 니어 흔연【33】이 위로하ᄆᆡ, 조금도 젼일 ᄉᆞ를 ᄉᆞᄉᆡᆨ디 아니니, 공쥐 감은황공ᄒᆞ여 능히 낫출 드디 못ᄒᆞ고, 태부인이 현긔 등을 좌우로 안쳐 ᄌᆞ라니를 ᄋᆡ듕ᄒᆞ며 어리니를 유희ᄒᆞ여, 두굿기ᄂᆞᆫ 우음이 만면의 넘ᄭᅵ믈 보건ᄃᆡ, ᄌᆞ긔 유녀라도 쳑형의 더러온 ᄌᆞ식과 밧고ᄂᆞᆫ 일이 업던들, 발셔 오셰 되여 구고의 ᄉᆞ랑ᄒᆞ시ᄂᆞᆫ 구술이 되어실디라. 고고(苦苦)히 힝ᄉᆞ를 뉘웃고 ᄋᆡ돌나 탄셩오열(歎聲嗚咽)ᄒᆞ믈 마디 아니ᄒᆞ니, 소·니·양 등이 나ᄌᆞᆨ이 위로ᄒᆞᄃᆡ, 져마다 ᄂᆡᆼ셜(冷褻)[787]ᄒᆞᆫ 빗치 업셔 공경존ᄃᆡᄒᆞ믈 젼일과 달니 아니ᄒᆞ니, 이ᄂᆞᆫ 군샹(君上)의 녀ᄌᆡ【34】믈 도라보미러라.

금휘 이날 하리 노복 등을 명ᄒᆞ여 문양궁으로 통ᄒᆞᆫ 협문을 열게 ᄒᆞᆯᄉᆡ, 형극 ᄲᅡ흔 거ᄉᆞᆯ 다 앗고 길흘 평탄이 ᄒᆞ여, 부인ᄂᆡ 상희왕ᄂᆡ케 ᄒᆞ니, 공쥐 감희(感喜)ᄒᆞ믈 니긔디 못ᄒᆞ더라.

어시의 동월휘 한시 취ᄒᆞᆯ 길긔 다ᄃᆞ르니, 공이 연셕을 베퍼 일가친쳑을 청ᄒᆞ여 빅작을 날니며, 신낭을 보ᄂᆡ고 신부를 마ᄌᆞ 올ᄉᆡ, 날이 느ᄌᆞᄆᆡ 동월휘 ᄂᆡ루의 드러와 길복을 ᄎᆞᄌᆞᄆᆡ, 양·소 등이 ᄒᆞᆫ가디로 길의

786)-쳐로 : -처럼. 체언 아래 붙어서 '-처럼', '-과 같이' 등의 뜻을 나타내는 조사.
787)ᄂᆡᆼ셜(冷褻) : 냉랭하게 대하고 더럽게 여김.

태부인이 현긔 등을 좌우로 안쳐 ᄌᆞ로 ᄋᆡ즁ᄒᆞ며, 어린이를 《윤희∥유희》ᄒᆞ여 두굿기ᄂᆞᆫ 우음이 만면에 넘치믈 보건ᄃᆡ, ᄌᆞ긔 유녜 쳑형의 더러온 ᄌᆞ식과 밧고ᄂᆞᆫ 일이 업던들, 발셔 오셰되여 구고의 ᄉᆞ랑ᄒᆞ시ᄂᆞᆫ 구술○[이] 일위엿실 거ᄉᆞᆯ, ᄉᆡᆼ각ᄒᆞᆯᄉᆞ록 ᄌᆞ긔 힝ᄉᆡ ᄋᆡ둛고 뉘웃쳐 오열ᄒᆞ믈 마지 아니ᄒᆞ니, 소·니·양 등이 나ᄌᆞᆨ이 위로ᄒᆞ여 져마다 ᄂᆡᆼ멸(冷蔑)[624]ᄒᆞᄂᆞᆫ 빗【22】치 업셔, 공경(恭敬) 돈ᄋᆡ(敦愛)ᄒᆞ미 젼일과 다르지 아니ᄒᆞ니, 이ᄂᆞᆫ 군상녀ᄌᆡ(君上女子)믈 도라보미라.

금평휘 이날이야 노복 등을 명ᄒᆞ여 문양궁으로 통ᄒᆞᆫ 문을 널게 ᄒᆞᆯᄉᆡ, 가싀로 ᄲᅡ흔 거ᄉᆞᆯ 다 혯치고 평탄이 ᄒᆞ여, 부인ᄂᆡ들이 무상이 왕ᄂᆡ케 ᄒᆞ니, 공쥐 힝희ᄒᆞ믈 니긔지 못ᄒᆞ더라.

어시에 동월후의 한씨를 취ᄒᆞᆯ 길○[일]이 ᄃᆞ다르니, 공이 연셕을 일위여 일가와 친쳑을 청ᄒᆞ여 빅작을 날니고, 신낭을 보ᄂᆡ며 신부를 마ᄌᆞ올ᄉᆡ, 날이 느ᄌᆞᄆᆡ 동월휘 ᄂᆡ루에 드러와 길복을 ᄎᆞᄌᆞᄆᆡ, 양·소 등이 임의 길의를 ᄒᆞᆫ 가지로 일웟다가 ᄎᆞᄌᆞ믈 응ᄒᆞ

624)냉멸(冷蔑) : 냉안멸시(冷眼蔑視). 차가운 눈초리로 업신여겨 깔봄.

(吉衣)를 일웟다가 ᄎᄌ믈 응ᄒ여 ᄂᆡ여 오니, 태부인이 소시로 ᄒ여금 닙혀 보ᄂᆡ라 ᄒᄆᆡ, 쇼졔 슈명ᄒ여 나죽【35】이 길의를 셤기고 믈너 좌의 드러, ᄉᄀᆡ 안졍ᄒ고 동디 온듕ᄒ며 녜뫼 빈빈ᄒ고 톄디 한아(閒雅)ᄒ니, 존당 구괴 두굿기고 듕ᄀᆡᆨ이 칭찬ᄒ믈 마디 아니ᄒ더라.

신낭이 허다 위의를 거나려 옥누항의 다ᄃ라 옥상의 홍안을 젼ᄒ고 텬디ᄭᅴ ᄇᆡ례를 맛ᄎᄆᆡ, 남창휘 미미히 우ᄉ며 팔 미러 왈,

"내 ᄎ혼의 팔밀이[788] 홀 니(理) 업ᄉᄃᆡ, 아이[789] ᄀᆡ구(器具)를 베퍼 너를 쥬ᄇᆡ(酒杯)로 ᄃᆡ졉고져 ᄒ니, 마디 못ᄒ여 좌의 들기를 청ᄒ노라."

월휘 역쇼ᄒ고 좌의 들ᄆᆡ, 허다 빈ᄀᆡᆨ이 호람후와 위공 형뎨를 향ᄒ여 왈,

"존부의셔 한쇼져를 위ᄒ여 셜【36】연ᄒ여 신낭을 마ᄌ시니, 아등이 졔졔히 니르럿거니와 신낭ᄌ(新郎者)를 보니, 심히 완증노창(頑憎老蒼)[790]ᄒ여 죵요롭기의 버셔나도소이다."

호람휘 쇼왈,

"한쇼졔 내 집으로 친쳑이 아니로ᄃᆡ, 돈ᄋᆡ 브ᄃᆡ 져의 젼졍을 ○○○○○○[즐겁과져 ᄒ여] 후ᄇᆡᆨ 직렬의게 도라 보ᄂᆡ《기로‖거놀》, 녈위 신낭을 칭찬치 아니코 완증(頑憎)타 나모라믄 엇디오?"

쇼년 명뉴의 희롱 즐기ᄂᆞᆫ ᄌᄂᆞᆫ 월후를 ᄭᅮ딧고, 동후를 향ᄒ여 왈,

"ᄉ빈 형뎨 의긔로 한쇼져의 친ᄉ를 일워주랴 ᄒᆞᆯ던ᄃᆡ, 엇디 뎡여ᄇᆡᆨ ᄀᆞᄐᆞᆫ 광망흉패디인(狂妄凶悖之人)을 ᄀᆞᆯ히여, 한쇼졔 믈의 동혀 너히ᄂᆞᆫ 화를 보게 ᄒ랴 ᄒᄂᆞ뇨?"

동평휘 쇼왈,

"녈【37】위ᄂᆞᆫ 엇디 연셕을 당ᄒ여 신낭의 아름답디 아닌 힝ᄉ를 들추ᄂᆞ뇨. 쇼뎨 발셔 여ᄇᆡᆨ과 맛즌 말이 이셔, 한쇼져ᄂᆞᆫ 믈

788)팔밀이 : 팔을 잡아 손님을 어떤 장소로 인도하는 사람.
789)아이 : 아우. 남동생.
790)완증노창(頑憎老蒼) : 성질이 고집스럽고 밉살맞은데다가 늙어 참신하지 못함.

여 좌즁에 노흐니, 태부인이 소씨로 ᄒ야곰 입히라 ᄒᄆᆡ, 소씨 슈명ᄒ여 나즉이 길의를 셤기고 믈너 좌즁에 드ᄃᆡ, ᄉ【23】ᄀᆡ 안셔(安舒)ᄒ고 동용이 온즁 ᄒ여, 례뫼 빈빈ᄒ고 쳬되 한아(閒雅)ᄒ니, 존당 구괴 두굿기믈 니긔지 못ᄒ고, 즁빈이 칭찬ᄒ믈 마지 아니ᄒ더라.

월휘 위의를 거ᄂ려 옥누항에 다ᄃ라 홍안을 옥상에 젼ᄒ고, 텬디ᄭᅴ ᄇᆡ례를 맛ᄎᄆᆡ, 남창휘 미미히 우ᄉ며 팔흘 미러 ᄀᆞᆯ오ᄃᆡ,

"ᄂᆡ ᄎ혼의 팔흘 밀 일이 업ᄉᄃᆡ, 아이[625]에 년긔(年紀) 소ᄒ기로 너의를 ᄇᆡ쥬(盃酒)로 ᄃᆡ졉고져 ᄒ니, 마지 못ᄒ여 좌의 들기를 청ᄒ노라."

월휘 ᄯᅩᄒᆞᆫ 웃고 좌에 들ᄆᆡ, 허다 빈ᄀᆡᆨ이 호람후와 댱[창]후 형뎨를 향ᄒ여 ᄀᆞᆯ오ᄃᆡ,

"존부에셔 한씨를 위ᄒ여 연셕을 베프시고 신낭을 마ᄌ시니, 아등이 졔졔히 니르럿거니와, 신낭을 보니 심히 완증(頑憎)[626]ᄒ여 노슉(老熟)ᄒ여 죵요롭기의 버셔나도소이다"

하[호]람휘 소【24】왈,

"한소졔 ᄂᆡ 집으로 친쳑이 되ᄂᆞᆫ 일이 업ᄉᄃᆡ, 돈ᄋᆡ 부ᄃᆡ 져의 젼졍을 즐겁과져 ᄒ여, 직렬의 후ᄇᆡᆨ에게 도라 보ᄂᆡ거ᄂᆞᆯ, 열위 존ᄀᆡᆨ은 신낭을 칭찬치 아니코 나모라믄 엇지미뇨?"

소년 명유의 희소를 즐기ᄂᆞᆫ 유ᄂᆞᆫ 다 월후를 ᄭᅮ짓고, 동평후를 향ᄒ여 닐오ᄃᆡ,

"ᄉ빈 형이 의거[긔]로 한소져의 친ᄉ를 일우고져 ᄒᆞᆯ진ᄃᆡ, 엇지 뎡여ᄇᆡᆨ ᄀᆞᄐᆞᆫ 광망퓌려지인(狂妄悖戾之人)을 갈희여, 한소져를 물의 동혀 넛ᄂᆞᆫ 화를 보게 ᄒᄂᆞᆫ다?"

동평휘 소왈,

"녈위ᄂᆞᆫ 엇지 연셕을 당ᄒ여 신낭의 아름답지 아닌 소힝을 들츄ᄂᆞ뇨? 소졔 발셔 여ᄇᆡᆨ과 맛초인 말이 잇셔, 한소져란 물의 동혀 너치 아니렷노라 말을 다짐을 바닷나냐

625)아이 : 아우. 남동생.
626)완증(頑憎) : 성질이 억세게 고집스럽고 모질어 밉살스러움.

의 동혀 너치 아니렷노라 다짐 바닷ᄂᆞ니, 댱부일언(丈夫一言)은 쳔년블개(千年不改)라. 죵ᄂᆡ의 한쇼졔 신셰 편ᄒᆞ믄 뭇디 아녀 알니라.”

뎡녜부 촉현(促絃)791)이 쇼왈,

“사ᄅᆞᆷ이 허믈이 업ᄉᆞ면 셩인이 되ᄂᆞ니, 샤뎨(舍弟) 년쇼(年少) 과격(過激)ᄒᆞ여 삼가디 못ᄒᆞᆫ 일이 이시나, 이의 신낭으로 니르럿거ᄂᆞᆯ, 졔ᄀᆡᆨ이 엇디 사ᄅᆞᆷ의 단쳐(短處)를 그ᄃᆡ도록 드노화, ᄒᆞᆫ갓 곽부인이 샤뎨 쇼힝을 드르시면 놀나시리니, 쇼뎨 위인형(爲人兄)ᄒᆞ여 동긔 흔극(釁隙)을 들추니 듯기 슬희여이다. 남의 허【38】믈 니르ᄂᆞᆫ 쟈 ᄌᆞ긔 단쳐ᄂᆞᆫ 아디 못ᄒᆞ나, 아등은 다 드럿ᄂᆞ니 그ᄃᆡ 등은 그리 군ᄌᆡ러냐?”

쥬ᄀᆡᆨ(主客)이 다 대쇼 왈,

“후ᄇᆡᆨ이 기뎨를 위ᄒᆞ여 남의 업ᄂᆞᆫ 허믈을 잇ᄂᆞᆫ ᄃᆞ시 츼우니, 엇디 우읍디 아니리오. 아모커나 아등의 허믈○[을] 보미 잇거든 니르라.”

녜뷔 미미히 웃고 졔인의 단쳐를 잠간 니르미 딘뎍ᄒᆞᆫ디라. 졔인이 ᄭᅮ딧더라.

이날 곽부인이 혼구 범ᄉᆞ를 다 윤부의셔 극딘히 출혀 주ᄂᆞᆫ 고로, 녀ᄋᆞ의 단장을 빗ᄂᆡ여 쳥듕(廳中)의셔 대례를 습ᄒᆞᆯᄉᆡ, 뎡ㆍ딘ㆍ남ㆍ화 ᄉᆞ부인과 하ㆍ댱 등이 한쇼져를 보고 ᄋᆡ모ᄒᆞ믈 마디 아냐, 곽부인긔 소져의 아름다오【39】믈 칭하ᄒᆞ니, 곽부인이 졔부인ᄂᆡ 녀ᄋᆞ를 칭찬ᄒᆞ믈 듯고 쾌ᄒᆞ믈 니긔디 못ᄒᆞ여, 부인 등을 향 왈,

“부인ᄂᆡᄂᆞᆫ 녀ᄋᆞ의 쇼괴(小姑) 되리니, 녀ᄋᆞ의 긔딜이 부인 고안의 합당ᄒᆞᆯ딘ᄃᆡ, 존부 셩의예 블합ᄒᆞ믈 면ᄒᆞᆯ가 바라ᄂᆞᆫ ᄇᆡ로소이다. 심산궁향(深山窮鄕)의셔 향암(鄕闇)되이 ᄌᆞ란 바로, 다시 실니(失離)ᄒᆞ여 산문(山門)

791)촉현(促絃) : ‘거문고 줄을 팽팽히 죈다’는 뜻으로, 다른 사람의 말에 동조하여 논쟁에 끼어듦을 말함.

[니], 장부일언(丈夫一言)은 쳔년불개(千年不改)라. 죵ᄂᆡ에 그르지 아니ᄒᆞ리니 녈위ᄂᆞᆫ 두고 보【25】라.”

만좌 제인이 ᄃᆡ소 왈,

“발셔 다짐 밧고 ᄒᆞᄂᆞᆫ 혼인이니 일후에 이언(二言)은 못ᄒᆞ리라. 한소져 신셰ᄂᆞᆫ 뭇지 아니ᄒᆞ여 편ᄒᆞ기ᄂᆞᆫ 가히 알니로다.”

뎡녜뷔 소왈,

“사ᄅᆞᆷ이 허믈이 업ᄉᆞ면 셩현이 되ᄂᆞ니, ᄉᆞ제(舍弟) 년소과격(年少過激)ᄒᆞ여 일시 삼가지 못ᄒᆞ미 잇신들, 이졔 신낭으로 이에 니르럿거ᄂᆞᆯ, 엇지 사ᄅᆞᆷ의 젼과(前過)를 이러틋 취조(取調) ᄒᆞ시ᄂᆞ뇨?”

만좌 박장(拍掌)ᄒᆞ여 웃더라.

이 ᄃᆡ[쎄] 곽씨 셔랑을 ᄃᆡᄒᆞ여, 한공이 ᄉᆡᆼ존ᄒᆞ여 ᄒᆞᆫ가지로 두굿기지 못ᄒᆞ믈 슬허 누쉬(淚水) 여우ᄒᆞ더니, 뎡ㆍ진ㆍ남ㆍ화, 하ㆍ장 등이 모다 녀ᄋᆞ를 만구칭양(萬口稱揚)ᄒᆞ믈 듯고, 슬픈 가온ᄃᆡ라도 쾌ᄒᆞᆫ 의ᄉᆡ 잇셔, 뎡ㆍ하 냥부인을 향ᄒᆞ여 ᄀᆞᆯ오ᄃᆡ,

“부인ᄂᆡᄂᆞᆫ 녀ᄋᆞ의 소괴(小姑)시니 녀ᄋᆞ의 용화 긔질이 부인ᄂᆡ 고안에 합당ᄒᆞᆯ진ᄃᆡ, 녕【26】ᄌᆞ당부인과 슌태부인 존의에 거의 불합ᄒᆞ기를 면ᄒᆞᆯ가 바라ᄂᆞᆫ ᄇᆡ로ᄃᆡ, 심산궁촌(深山窮村)의셔 향암(鄕闇)져이 ᄌᆞ란 바로뼈, 다시 실니지화(失離之禍)를 만나 산문에 유우(留寓)ᄒᆞ미 되여 ᄒᆡᆼ신(行身)의 ᄇᆡ혼 거시 업ᄂᆞᆫ지라. 존문에 나아가 혹ᄌᆞ 효봉구고

의 유우(留寓)ᄒᆞ미 되엿던 거시니, 힝신네모(行身禮貌)의 ᄇᆡ혼 거시 업ᄉᆞᆫ디라, 존문(尊門)의 나아가 혹ᄌᆞ 실네ᄒᆞᆯ가, ᄌᆞ모(慈母)의 구구ᄒᆞᆫ 졍니로ᄡᅧ 근심 되믈 니긔디 못ᄒᆞᄂᆞ이다.”

뎡슉녈과 하부인이 ᄀᆞᆯ오ᄃᆡ,

“쇼져 옥모긔질을 ᄉᆞ랑치 아니리 업슬디라. 쳡 등의 친당이 보시면【40】ᄒᆞᆫ갓 긔특이 녁이실 ᄲᅳᆫ이오, 허믈 잡을 곳이 업슬 ᄲᅳᆫ 아니라, 인인(人人)이 인ᄌᆞ화홍(仁慈和弘)키로 쥬ᄒᆞ니, 녀힝과 부도의 졍슉디 못ᄒᆞᆫ 녀ᄌᆡ라도 비밀ᄒᆞᆫ 허믈을 아른 양ᄒᆞᄂᆞᆫ 일이 업ᄉᆞ니, ᄒᆞ믈며 녕ᄋᆞ 쇼져의 아름다오미니잇가? 부인은 브졀업ᄉᆞᆫ 념녀 마르쇼셔.”

곽시 더옥 깃거 흔연이 샤례ᄒᆞ고 죵용이 담화ᄒᆞ더니, 뎡네뷔 ᄆᆡ뎨의게 젼어ᄒᆞ여 신부를 밧비 장쇽ᄒᆞ여 뎡의 올니고 ᄒᆞᆫ가디로 힝ᄒᆞ믈 니르니, 뎡·하 냥부인이 하쇼져를 뎡의 올니고, 곽시 녀ᄋᆞ를 븟들고 체읍ᄒᆞ여 구가의 가 됴히 잇기를 당부ᄒᆞ니, 한시 ᄯᅩᄒᆞᆫ 쥬【41】루(珠淚)를 드리워 하딕ᄒᆞ더라.

뎡슉녈과 하부인이 존당·슉당·구고긔 하딕ᄒᆞ고, 신부의 뒤흘 조ᄎᆞ 취운산으로 향ᄒᆞᆯᄉᆡ, 신낭이 뎡문을 잠으고 샹마ᄒᆞ여 운산으로 도라올ᄉᆡ, ᄉᆡᆼ소고악(笙簫鼓樂)은 하날의 ᄉᆞ뭇고, 허다 위의ᄂᆞᆫ 일노(一路)의 휘황ᄒᆞ여 후ᄇᆡᆨ의 신취ᄒᆞᄂᆞᆫ 긔구를 가히 알니러라. 월후의 풍뉴신광(風流身光)은 이날 더옥 ᄉᆡ로오니 관광ᄌᆡ ᄎᆡᆨᄎᆡᆨ(嘖嘖) 칭션(稱善)ᄒᆞ더라.

힝ᄒᆞ여, 운산의 도라와 쳥듕(廳中)의 포진(鋪陳)이 댱녀(壯麗)ᄒᆞ고 긔린쵹(麒麟燭)이 휘황ᄒᆞᆫᄃᆡ, 부부 냥인이 독좌(獨坐)[792]ᄒᆞ고 월휘 밧그로 나가고, 신뷔 폐ᄇᆡᆨ을 밧드

792)독좌(獨坐) : 독좌례(獨坐禮). 혼인례에서 대례(大禮)를 달리 이른 말. 즉 신랑과 신부가 대례를 행할 때 각각의 앞에 음식을 차려 놓은 독좌상(獨坐床)을 놓고 교배(交拜)·합근(合巹) 등의 의례를 행하는 것을 비유하여 쓴 말이다.

지ᄉᆞ(孝奉舅姑之事)와 승슌군ᄌᆞ지도(承順君子之道)의 허믈 어드믈 면ᄒᆞᆯ가 쥬야 근심이 젹지 아니턴 ᄇᆡ로소이다.”

뎡슉녈과 하부인이 ᄀᆞᆯ오ᄃᆡ,

“소져 옥모긔질은 고왕금ᄂᆡ의 희한ᄒᆞ니, 인심 잇ᄂᆞᆫ ᄌᆞᄂᆞᆫ ᄉᆞ랑치 아니 리 업ᄂᆞᆫ지라. 쳡 등의 친당이 업셔도 ᄒᆞᆫᄀᆞᆺ 긔특이 녁이실 ᄇᆡ오, ᄯᅩᄒᆞᆫ 허믈을 잡을 곳이 업슬 ᄲᅳᆫ 아니라, 쳡의 집이 샤름마다 인ᄌᆞ화옹(仁慈和邕)키를 쥬ᄒᆞ니, 녀힝과 부도의 졍슉지 못ᄒᆞᆫ 녀ᄌᆡ라도 셰밀ᄒᆞᆫ 허믈을 아른 쳬ᄒᆞ미 업ᄉᆞ니, ᄒᆞ믈며 녕【27】ᄋᆞ소져의 아름다오미리잇가? 부인은 부졀 업시 념녀치 마르소셔.”

곽씨 더욱 깃거 흔연 ᄉᆞ례ᄒᆞ고 종용이 담화ᄒᆞ더니, 뎡네뷔 ᄆᆡ져의게 젼어ᄒᆞ여 신부를 밧비 장속ᄒᆞ여 상교ᄒᆞᆫ 후, ᄒᆞᆫ 가지로 힝ᄒᆞ믈 니르니, 뎡숙녈과 하부인이 한소져를 뎡의 올닐 ᄉᆡ, 곽씨 녀ᄋᆞ를 븟들고 쳬읍힝유(涕泣行流)ᄒᆞ여 구가에 가 기리 조히 잇기를 당부ᄒᆞ니, 한씨 ᄯᅩᄒᆞᆫ 쥬루(珠淚)를 먹음어 ᄇᆡ례 하직ᄒᆞ더라.

뎡·하 냥 부인이 존당 과 호람후 부부며 조부인긔 하직ᄒᆞ고, ᄯᅩᄒᆞᆫ 신부의 뒤흘 좃ᄎᆞ 취운산으로 향ᄒᆞᆯᄉᆡ, 동월휘 금쇄를 가져 한소져의 뎡문을 즘으고, 상마ᄒᆞ여 취운산으로 도라올 ᄉᆡ, ᄉᆡᆼ소고악(笙簫鼓樂)은 하ᄂᆞᆯ에 들네고, 허다 위의ᄂᆞᆫ 일노에 휘황ᄒᆞ여,【28】명공 후ᄇᆡᆨ의 신취ᄒᆞᄂᆞᆫ 긔구를 가이 볼거시어ᄂᆞᆯ, 월후의 풍뉴신광(風流身光)은 이날 더욱 ᄉᆡ로오니, 관광ᄌᆡ ᄎᆡᆨᄎᆡᆨ(嘖嘖) 칭션(稱善)ᄒᆞ더라.

힝ᄒᆞ여 운산의 도라와 쳥즁(廳中)에 포진이 졍제ᄒᆞ고 긔린쵹(麒麟燭)이 휘황ᄒᆞᆫᄃᆡ, 부부 낭인이 독좌(獨坐)[627]ᄒᆞᆯᄉᆡ, 신낭의 풍화와 골격이 ᄉᆡ로이 닐ᄏᆞ를 ᄇᆡ 아니라. 신부

627)독좌(獨坐) : 독좌례(獨坐禮). 혼인례에서 대례(大禮)를 달리 이른 말. 즉 신랑과 신부가 대례를 행할 때 각각의 앞에 음식을 차려 놓은 독좌상(獨坐床)을 놓고 교배(交拜)·합근(合巹) 등의 의례를 행하는 것을 비유하여 쓴 말이다.

러 존당구○[고]긔 헌ᄒ고 팔빅대례(八拜大禮)793)를 힝홀ᄉ, 존당 구괴 깃븐 눈을 【42】 들미, 신부의 빅틱만광(百態萬光)이 됴요(照耀)ᄒ여 구츄상월(九秋霜月)794)이 듕텬(中天)의 붉아시며, 츈하됴일(春夏照日)이 옥누(玉樓)의 다샤흔 듯, 녹파향년(綠波香蓮)795)이 츄슈(秋水)의 잠겻ᄂ 듯, 팔치봉미(八彩鳳眉)ᄂ 텬디의 슈츌흔 긔운을 모화 복녹이 완젼ᄒ며, 빵셩츄파(雙星秋波)796)ᄂ 묽은 경긔와 슉덕현힝(淑德賢行)이 츌어안치(出於眼彩)ᄒ니, 월익화싀(月額花顋)797)와 운환무빈(雲鬟霧鬢)798)의 쳔연슈려(天然秀麗)《ᄒ여 ‖ 흠과》, 봉익초요(鳳翼楚腰)799)와 뉵쳑향신(六尺香身)의 딘듕(鎭重)흔 톄도(體度)와 단엄흔 위의(威儀), 쇼쇼(小小) ᄋ녀ᄌ의 픔질이 아니라. 유(柔)ᄒ딕 프러디디 아니며, 강(剛)ᄒ딕 모디디 아니며, 딘션딘미(盡善盡美)ᄒ여 듕도(中道)를 어더, 딘퇴졀ᄎ(進退節次)의 쥬션응목(周旋應穆)800)ᄒ고 녜뫼(禮貌) 유한(幽閑)ᄒ여 셩녀(聖女)의 【43】 풍(豊)이 가ᄌᄒ니, 존당 구괴 대열 환희ᄒ여 손을 잡고 운환을 어로만져, 년ᄋ(憐愛)ᄒ여 ᄀ오딕,

"신부ᄂ 녜의디문(禮義之門)의 뇨됴현녀(窈窕賢女)라. 블힝ᄒ여 녕션대인(令先大人)

793)팔빅대례(八拜大禮) : 혼례(婚禮)에서 신부가 신랑의 부모께 처음 뵙는 예(禮)인 현구고례(見舅姑禮)를 행할 때 여덟 번 큰절을 올렸다.

794)구츄상월(九秋霜月) : 9월의 서리 내리는 늦가을 밤에 뜬 하얀 달.

795)녹파향년(綠波香蓮) : 맑고 푸른 물결 위에 피어난 향기롭고 아름다운 연꽃.

796)빵셩츄파(雙星秋波) : 별처럼 빛나고 가을 물결처럼 맑은 미인의 두 눈길.

797)월익화싀(月額花顋) : 달처럼 둥근 이마와 꽃처럼 아름다운 두 뺨.

798)운환무빈(雲鬟霧鬢) : 여자의 탐스러운 쪽 찐 머리와 안개 같은 살쩍(귀밑털)이란 뜻으로, 여자의 잘 단장한 아름다운 머리를 이르는 말.

799)봉익초요(鳳翼楚腰) : 봉황의 날개처럼 아름다운 어깨(선)과 초나라 미인의 가느다란 허리. *초요(楚腰); 미인의 가느다란 허리를 이르는 말. 중국 초나라의 영왕이 허리가 가는 미인을 좋아하였다는 데서 유래한다.

800)쥬션응목(周旋應穆) : 여러 가지로 하는 일들이 두루 잘 조화를 이룸.

의 화용월태(花容月態)와 웅장셩식(雄粧盛飾)은 샤롬의 이목을 현황케 ᄒᄂ지라. 녜뫼 유완(柔婉)ᄒ여 셩녀슉완(聖女淑婉)의 풍(風)이 가ᄌᄒ니, 존당 구괴 딕열 환희ᄒ여 손을 잡고 운환을 어루만져, 연ᄋ(憐愛)ᄒ여 ᄀ오딕,

"신부ᄂ 녜의지문(禮義之門)에 요조현녀(窈窕賢女)라. 불힝ᄒ여 영션딕인(令先大人)이 일즉 기셰 ᄒ시나, 조션녀풍(祖先餘風)의 긔특ᄒ미 이 ᄀᆺᄒ니 엇지 아름답지 아니ᄒ리오. 돈아의 조강(糟糠) 양씨 직실 소시 다 어진 녀지라. 금일 셔로 보ᄂ 례를 폐치 말고【29】기리 화우ᄒ여 '황녕(皇英)의 ᄌ민'628) ᄀᆺ기를 ᄇ라노라"

628)황영(皇英)의 자매 : 중국 요(堯)임금의 두 딸인 아황(娥皇)과 여영(女英). 자매가 함께 순(舜)임금에게 시집 가, 서로 화목하며 순임금을 잘 섬겼다.

이 조셰(早世)ᄒᆞ시나, 조션여풍(祖先餘風)의 작인(作人)의 긔특ᄒᆞ미 이 ᄀᆞᄐᆞ니, 엇디 아름답디 아니리오. 돈ᄋᆞ의 조강(糟糠) 양시와 지실 소시 다 어진 녀ᄌᆡ니, 금일 셔로 보는 녜를 폐치 말고 화우ᄒᆞ여, '황영(皇英)의 ᄌᆞ미'[801] ᄀᆞᄐᆞᆷ을 바라노라."

신뷔 ᄇᆡ샤슈명(拜謝受命)ᄒᆞ고, 도라 양・소 등을 향ᄒᆞ여 ᄌᆡᄇᆡᄒᆞ니, 양부인이 규구(規矩)를 바려 좌(座)의 나 답녜ᄒᆞ고, 소시 더옥 션후를 ᄉᆡᆼ각디 아니코 쳔연 답ᄇᆡᄒᆞ니, 태부인이 아름다오믈 니긔디 못【44】ᄒᆞ여 윤・양・니・경과 쇼니시 두시 등과 양・소・한 등과 쥬・화 냥인을 ᄎᆞ례로 병익(竝翼)ᄒᆞ여 좌ᄒᆞ게 ᄒᆞ고, 문양공쥬는 황녀의 존ᄒᆞ므로뼈 비록 그 과악이 무궁ᄒᆞ여시나, 졔왕의 뎨오비로 ᄃᆡ졉디 못ᄒᆞ여, 경비의 아ᄅᆡ 안디 아니코 ᄯᅩ 방셕을 노화 윤・양 등과 마조 안게 ᄒᆞ고, 슉녈과 하부인은 문양의 아ᄅᆡ 좌를 일우게 ᄒᆞᆫ 후, 태부인이 우음을 먹음고 좌(座)의 고ᄒᆞ여 ᄀᆞᆯ오ᄃᆡ,

"쳡의 열두 손부와 손녀 등이 널위 졔ᄀᆡᆨ의 고안의 엇더 ᄒᆞ니잇고? 공쥬는 최녀의 ᄉᆞ오나오므로뼈 초년의 허믈을 디어시나 당ᄎᆞ디시(當此之時)ᄒᆞ여는 개과ᄌᆞ칙(改過自責)ᄒᆞ여 어딘 부인이 되여시니,【45】 ᄯᅩᄒᆞᆫ 손ᄋᆞ의 복인가 ᄒᆞᄂᆞ이다."

만좌듕빈이 신부의 특이ᄒᆞᆷ을 칭션ᄒᆞ여, 월후의 쳐궁이 유복ᄒᆞᆷ을 하례ᄒᆞ고, 슉녈의 명모샹광(明眸祥光)과 팔ᄎᆡ션ᄐᆡ(八彩仙態) 항ᄋᆞ(姮娥)[802]를 구경ᄒᆞᆫ ᄃᆞᆺ, 진실노 혈육디신(血肉之身)이믈 ᄭᆡᄃᆞᆺ디 못ᄒᆞ여, ᄒᆞᆫ가디로 화식디인(火食之人)[803]이믈 아디 못ᄒᆞ는디라. 하부인과 냥(兩) 양시, 경・화・쇼니시

801)황영(皇英)의 자매 : 중국 요(堯)임금의 두 딸인 아황(娥皇)과 여영(女英). 자매가 함께 순(舜)임금에게 시집 가, 서로 화목하며 순임금을 잘 섬겼다.
802)항ᄋᆞ(姮娥) : ≒상아(嫦娥). 달 속에 있다는 전설 속의 선녀.
803)화식디인(火食之人) : 불에 익힌 음식을 먹는 사람. '보통사람'을 이르는 말.

신뷔 ᄇᆡᄉᆞ슈명(拜謝受命)ᄒᆞ고, 도라 양・소 등을 향ᄒᆞ여 녜필(禮畢)ᄒᆞᄆᆡ, 양씨 좌에 나와 답례ᄒᆞ고, 소씨는 더 션후를 ᄉᆡᆼ각지 아냐 슌히 답례 ᄒᆞ니라.

◎[629]ᄎᆞ셜 태부인이 아름다오믈 니긔지 못ᄒᆞ여 윤・양・니・경과 양・소・하 등이며 두・화 냥인을 ᄎᆞ례로 안쳐, 엇기를 년ᄒᆞ게 ᄒᆞ고, 문양공쥬는 황녀의 존ᄒᆞ므로뼈 비록 그 과악이 무궁ᄒᆞ나, 졔왕의 졔비(諸妃)로ᄃᆡ 다만 ○○○○[뎨오비로] ᄃᆡ졉지 못ᄒᆞ여, 경비의 아ᄅᆡ 안치지 못ᄒᆞ고, ᄯᅩᄒᆞᆫ 방셕을 나와 윤・양 등과 마조 안게 ᄒᆞ고, 슉녈과 하부인은 문양의 아ᄅᆡ 좌를 니르라 ᄒᆞ니라. 태부인이 우음을 먹음어 좌셕에 닐러 ᄀᆞᆯ오ᄃᆡ,

"노뫼 열두 손부와 손녀 등의 용모 긔질이 널위 졔ᄀᆡᆨ의 고안에 엇더 ᄒᆞ니잇고? 공쥬는 최【30】녀의 ᄉᆞ오나오므로뼈 초년의 《허가ᄒᆞᆷ을‖허다 허믈을》 지엇시나, 당ᄎᆞ지시(當此之時)ᄒᆞ여는 ᄀᆡ과ᄌᆞ칙(改過自責)ᄒᆞ여 어진 부인이 되엿시니, ᄯᅩᄒᆞᆫ 손ᄋᆞ의 복인가 ᄒᆞᄂᆞ이다"

만좌즁빈이 신부의 긔특ᄒᆞᆷ을 닐ᄏᆞ라, 월후의 쳐궁이 유복ᄒᆞᆷ을 하례ᄒᆞ고, 슉녈비의 명모상광(明眸祥光)과 의렬비의 팔ᄎᆡ명광(八彩明光)에 정신이 어리고 눈이 부싀여, 몸이 셰간에 머무나 마음이 텬궁의 올나, 왕모와 월녀를 구경ᄒᆞᆫ ᄃᆞᆺ, 진실노 혈육지인(血肉之人)이믈 ᄭᆡ닷지 못ᄒᆞᆯ너라.○…결락78자…○[하부인과 냥(兩) 양시, 경・화・쇼니시・소시 등과 신부의 텬향월ᄐᆡ(天香月態) 셔로 바ᄋᆡ여 쳥듕의 찬난이 ᄇᆞᆰ은 가온ᄃᆡ도, 의렬비와 슉녈은 각별이 ᄲᅢ혀나, 윤시는 가을 하날의 ᄒᆞᆫ 조각 구름이 업슨ᄃᆡ 빅

629)◎ : 선행본의 분권 권두표점.

·소시 등과 신부의 텬향월틱(天香月態) 셔로 바이여 쳥듕의 찬난이 붉은 가온딕도, 의렬비와 슉녈은 각별이 색혀나, 윤시는 가을 하날의 흔 조각 구름이 업순딕 빅일(白日)이 한가홈 굿고, 뎡시는 삼츈난일(三春暖日)이 취운을 멍에흐여 부상(扶桑)[804]의 소슨미, 혜풍(蕙風)은 빅【46】믈을 븟쳐 닉고 향긔는 만방의 됴요(窕窈)흐여, 훈화(薰和)훈 긔운이 사름으로 흐여금 심긔를 화열케 홈 굿트니, 윤시를 딕흐미 사름의 졍신과 긔운이 상연(爽然)흐여, 스스로 혼탁흔 슈회(羞悔)를 다 버셔 바린 듯 시브고, 뎡시는 비록 투한협쳔(妬悍狹淺)[805]훈 인믈이라도, ᄆᆞ음이 할[활]연쳥고(豁然淸高)흐여 딘셰(塵世)의 뇨뇨(擾擾)흔 잡념을 슷쳐, 일신이 혼화(渾和)[806]흐여 반졈 블현(不賢)흔 의식 머므디 아니니, 인픔을 의논홀진딕 뎡슉녈과 윤의렬이 막샹막하(莫上莫下)흐딕 진짓 딕두(對頭)홀 셩녀슉완(聖女淑婉)이라. 신명흐고 긔이흐여 쳔만고를 기우려도 둘 업순 직덕《을‖으로》 일분호리(一分毫釐){도} 슉녈이 윤시긔 잠간 더은 듯 흐딕, 그 ᄉᆞ【47】이 머디 아냐, 슉녈은 공ᄌᆞ 굿고 의렬은 밍ᄌᆞ 굿트니, ᄉᆞ좌의 슈플 굿튼 홍장분딕(紅粧粉黛)[807], 뉘 취를 잡아 윤·뎡 냥인으로 병구(竝驅)흐리오. 져마다 쥬찬의 맛슬 닛고 윤의렬 뎡슉녈긔 눈을 뽀아시니, 셩힝덕틱(聖行德澤)이 금슈(錦繡) 우희 쏫출 더으는 빗나미 잇는디라. 의렬문과 슉녈문의 금ᄌᆞ어필(金字御筆)이 헛되디 아니믈 일켯더라.

죵일 딘환(盡歡)흐고 낙극달난(樂極團欒)흐미, 닉외 빈긱이 각산(各散)흐니, 신부 슉소를 션희졍의 뎡흐여 보닉고, 촉을 니어 금평후 부뷔 태부인을 뫼셔 ᄉᆞ부 녀ᄋᆞ를 거

일(白日)이 한가홈 굿고], 뎡씨는 숨츈낙[난]일(三春暖日)이 취운을 멍이흐여 부상(扶桑)[630]에 소ᄉᆞ며, 혜풍(蕙風)은 빅물을 붓쳐 닉고 향긔는 만방의 조요(窕窈)흐니, 온화(溫和)흔 긔운이 ᄉᆞ름으로 흐야곰 심긔를 화열케 홈 굿트니, 윤씨를 딕흐미 ᄉᆞ름의 정신과 긔운이 상연흐여 스ᄉᆞ로 혼탁흔 슈회【31】를 버셔 바린 듯 시부고, 뎡씨는 비록 투한협쳔(妬悍狹淺)[631]흔 인물이라도 마음이 활연쳥고(豁然淸高)흐여 진셰의 요조흔 즙념을 슷쳐, 일신이 훈화(薰和)[632]흐여 반졈 불현(不賢)흔 회[의]ᄉᆡ(意思) 머므지 아니흐니, 인픔을 의논홀진딕 뎡슉녈과 윤의렬이 막상막하(莫上莫下)흐딕, 진짓 딕두(對頭)홀 셩녀슉완(聖女淑婉)이라. 신명흐고 긔이흐여 쳔만고를 기우려도 다시 쪽이 업술지라. ᄉᆞ좌(四座)의 《슐을 굿득 분딕‖슈플 굿흔 분딕》홍장(粉黛紅粧)[633]이 뉘 감히 취를 잡아 윤·뎡 냥인을 일호(一毫)나 병구(竝驅)흐리오. 져마다 쥬찬의 맛슬 일코 윤의렬·뎡슉녈의게 눈을 기우려시니, 셩힝ᄉᆞ덕이 금슈(錦繡) 우희 쏫출 더으미 잇는지라. 의렬문과 슉녈문의 금ᄌᆞ어필(金字御筆)이 헛되지 아니믈 닐컷더라.

종일 진환(盡歡)흐고 셕양에 닉외 빈긱이 각각【32】도라가미, 신부의 슉소를 션희졍의 졍흐여 보닉고, 촉을 니어 금평후 부뷔 태부인을 뫼셔, ᄌᆞ부 녀ᄋᆞ를 거ᄂᆞ려

804)부상(扶桑) : 해가 뜨는 동쪽 바다.
805)투한협쳔(妬悍狹淺) : 시샘하고, 사납고, 속이 좁고 얕음.
806)혼화(渾和) : 두루 원만하여 따뜻하고 부드러움.
807)홍장분딕(紅粧粉黛) : '붉게 연지를 찍고 분을 바른 얼굴과 먹으로 그린 눈썹'이란 뜻으로, 화장한 아름다운 여자를 비유적으로 이르는 말

630)부상(扶桑) : 해가 뜨는 동쪽 바다.
631)투한협쳔(妬悍狹淺) : 시샘하고, 사납고, 속이 좁고 얕음.
632)훈화(薰和) : 향기롭고 따뜻하며 부드러움.
633)분딕홍장(粉黛紅粧) : '먹으로 그린 눈썹과 분을 바르고 붉게 연지를 찍은 얼굴'이란 뜻으로, 화장한 아름다운 여자를 비유적으로 이르는 말

나려 죵용이 말ᄉᆞᆷᄒᆞᆯᄉᆡ, 문양공쥐 오히려 믈너나디 아니ᄒᆞ고 좌의 잇ᄂᆞᆫ디라. 뎡·하 【48】 냥부인이 동긔의 졍을 펴ᄆᆡ, 굿ᄐᆞ여 젼의 ᄉᆞ오납던 바를 허믈치 아니코 우공(友恭)ᄒᆞ믈 디극히 ᄒᆞ니, 공쥐 ᄌᆞ긔 쳔흉만악을 구가 일문이 용납ᄒᆞ여 슬하의 무ᄋᆡᄒᆞ미 젼과를 개회치 아니니, 당ᄎᆞ시 ᄒᆞ여ᄂᆞᆫ 공쥬의 ᄒᆡᆼᄃᆡ(行止) 젼후 두 사ᄅᆞᆷ이 되엿ᄂᆞᆫ디라. 각골감은 ᄒᆞ여 젼과를 ᄌᆞ칙ᄒᆞ믈 마디 아니ᄒᆞ더라.

태부인이 금후를 ᄃᆡᄒᆞ여 왈,

"오날 신부를 보ᄆᆡ 윤·양·경 등의 뉴의 셧길 만ᄒᆞ니, ᄎᆞ후ᄂᆞᆫ 셰ᄋᆞ의 가ᄉᆡ 화평ᄒᆞ며, 양쇼부의 교화로 인ᄒᆞ여 져의 부부 ᄉᆞ인이 흠 업시 화락ᄒᆞ리니, 노모의 ᄆᆞ음이 평ᄉᆡᆼ 쳐음 경ᄉᆞ를 본 ᄃᆞᆺᄒᆞ도다. 금휘 ᄃᆡ왈,

"셰ᄋᆞ의【49】 가ᄉᆡ 딘뎡ᄒᆞ니 ᄒᆡᆼ열ᄒᆞ오미 범연치 아니ᄒᆞ오니, ᄌᆞ녀를 위ᄒᆞ여 각별 근심이 업ᄉᆞ오ᄃᆡ, 아쥐 졈졈 댱셩ᄒᆞ오니 용화긔질(容華氣質)이 츌뉴(出類)ᄒᆞ여 졔 형의셔 만히 나리디 아니ᄒᆞ오나, ᄯᅩ 엇던 ᄇᆡ우를 만나 초년이 엇더 ᄒᆞᆯ고 근심이 업디 아니ᄒᆞ온디라, 쇼ᄌᆡ 아쥬의 다ᄃᆞ라ᄂᆞᆫ 친옹의 ᄂᆡ외를 다 살피고, ᄐᆡᆨ셔ᄒᆞ믈 윤ᄉᆞ빈 ᄀᆞᆺᄐᆞ니를 구ᄒᆞ여, 영쥰호걸(英俊豪傑)과 명셩군ᄌᆞ(明聖君子)를 ᄀᆞᆺ초 두고져 ᄒᆞᄂᆞ이다."

태부인이 쇼왈,

"아쥬의 용ᄉᆡᆨ(容色)이 긔이ᄒᆞ나, 화긔 우희염ᄌᆞᆨ ᄒᆞ고, 복덕이 어ᄅᆡ여시니 홍안의 ᄒᆡ를 보디 아닐디라, 엇디 브졀업ᄉᆞᆫ 념녀를

죵용이 말ᄉᆞᆷᄒᆞᆯᄉᆡ, 문양공쥐 오히려 믈너나지 아니ᄒᆞ고 좌의 잇ᄂᆞᆫ지라. 뎡·화[하] 냥부인이 동긔지졍을 펴ᄆᆡ, 굿ᄒᆞ여 젼의 ᄉᆞ오납던 바를 닐ᄏᆞᆺ지 아니ᄒᆞ고, 금평후 부뷔 ᄋᆡᄃᆡᄒᆞ믈 예ᄉᆞ ᄌᆞ부와 ᄃᆞ르지 아니ᄒᆞ니, 공쥐 감은ᄒᆞ믈 니긔지 못ᄒᆞᄂᆞᆫ지라. 공이 우음을 머금고 태부인긔 고왈,

"금일 신부를 보오니 용ᄉᆡᆨ이 긔려(奇麗) 광윤(光潤)ᄒᆞᆫ ᄀᆞ온ᄃᆡ, 완비ᄒᆞ고 신즁ᄒᆞ믄 오히려 양·소 등의 우히니, 슈한(壽限)의[이] 장원(長遠)ᄒᆞᆯ 긔틀이오, 셰흥의 맛당ᄒᆞᆫ ᄇᆡ위라. 엇지 깃부지 아니ᄒᆞ리오. 이졔 텬흥이 공쥬를 맛나 화합ᄒᆞ고, 셰흥이 가ᄉᆡ(家事) 졍(定)ᄒᆞ며, 필흥이【33】화씨를 ᄌᆡ취ᄒᆞ여 의복지졀(衣服之節)과 ᄃᆡᄀᆡᆨ지ᄉᆞ(對客之事)를 근심업시 맛지미 되어, 두씨ᄂᆞᆫ 편ᄒᆞ미 일층이 더ᄒᆞ고, 져희 부부 삼인이 흠 업시 화락ᄒᆞ미 되리니, 희ᄒᆡᆼ(喜幸)ᄒᆞ미 범연ᄒᆞᆫ 곳의 비치 못ᄒᆞ오며, ᄌᆞ녀를 위ᄒᆞ여 각별 근심이 업ᄉᆞᆯ 거시로ᄃᆡ, 아쥐 졈졈 ᄌᆞ라가ᄃᆡ 져의 용희[화]긔질(容華氣質)이 츌뉴(出類)ᄒᆞ여 졔 형에게 만히 나리지 아니ᄒᆞ니, 엇던 ᄇᆡ우를 만나 초년에[이] ᄯᅩᄒᆞᆫ 엇더 ᄒᆞᆯ고 근심이 업지 아니ᄒᆞ올[온]지라. 소ᄌᆡ 아쥬의 ᄃᆞ다ᄅᆞᄂᆞᆫ 친옹의 ᄂᆡ외를 다 ᄉᆞᆯ피고, ᄐᆡᆨ셔ᄒᆞ믈 윤ᄉᆞ빈 ᄀᆞᆺᄐᆞᆫ 셔랑을 어더 영쥰호걸(英俊豪傑)과 명셩군ᄌᆞ(明聖君子)를 마ᄌᆞ 두고져 ᄒᆞᄂᆞ이다."

태부인이 소 왈,

"아쥬의 용ᄉᆡᆨ(容色)이 긔이ᄒᆞ여 그 화긔 우희염ᄌᆞᆨ ᄒᆞ고, 복덕이 홍안의 ᄒᆡ를 보지 아닐지니, 엇지 부졀업시 념녀ᄒᆞ리오"

ᄒᆞ리오."

금휘 왈,

"ᄌᆞ괴 맛당ᄒᆞ시나【50】아쥬ᄯᆞ려808) 초년 ᄋᆡᆨ경을 면ᄒᆞ리잇가? 낫 우히 오ᄎᆡ팔광(五彩八光)809)이 현난(絢爛)ᄒᆞ니, 초년 ᄌᆡ앙은 그 고은 거시 넘ᄢᅵ오미오, 미우(眉宇)의 복녹영귀(福祿榮貴) 빗최고, 안광(眼光)의 어딘 ᄀᆡ운이 낫타나니, 맛ᄎᆞᆷᄂᆡ ᄌᆡ앙을 딘뎡ᄒᆞ고 팔ᄌᆡ 존귀ᄒᆞ리이다."

동월휘 고왈,

"하부의 원상 등 삼ᄋᆡ 다 년ᄀᆡ(年紀) 상뎍(相適)ᄒᆞ니, 기듕 일인을 ᄀᆞᆯ히여 미리 뎡혼ᄒᆞ시미 맛당ᄒᆞᆯ가 ᄒᆞᄂᆞ이다."

금평휘 ᄀᆞᆯ오ᄃᆡ,

"외모풍신과 문댱ᄌᆡ화를 니를딘ᄃᆡ, 하원상 삼ᄋᆞ를 어이 나모라 ᄒᆞ랴마ᄂᆞᆫ, 원상은 발셔 뎡혼(定婚)ᄒᆞ다 ᄒᆞ니 요개(搖改)치 못ᄒᆞᆯ 거시오, 《원냥‖원ᄉᆞᆷ》은 더옥 특츌ᄒᆞᄃᆡ 오히려 나히 아쥬만ᄒᆞᆫ 거시니, 아딕 두고 보아【51】 타쳐의 옥인가랑(玉人佳郞)을 ᄐᆡᆨᄒᆞ리라."

졔왕이 복슈 ᄃᆡ왈,

"엄괴 맛당ᄒᆞ시니 혼인이란 거ᄉᆞᆫ 초솔(草率)이 뎡ᄒᆞᆯ 거시 아니오니, ᄆᆡ뎨 혼ᄉᆞᄂᆞᆫ 텬연(天緣)이니 능히 인력으로 못ᄒᆞ올디라. 두로 구ᄒᆞ면 현마 쇼ᄆᆡ와 ᄀᆞᆺᄐᆞᆫ ᄇᆡ우를 만나디 못ᄒᆞ리잇가?"

금평휘 졈두ᄒᆞ나 딘실노 ᄐᆡᆨ셔의 근심이 일시를 방하치 못ᄒᆞ더라. 야심ᄒᆞᄆᆡ 태부인이 취침 후 졔왕 등을 다리고 쳥듁헌의 나올ᄉᆡ, 월후를 명ᄒᆞ여 신방으로 보ᄂᆡ니, 월휘 션희졍의 드러와 한시를 ᄃᆡᄒᆞᄆᆡ 촉하의 일만 광염(光艶)이 더옥 찬난ᄒᆞ여, 냥목(兩目)의[이] 현요(眩耀)ᄒᆞ고 어리로온 거동과 화열ᄒᆞᆫ 거디(擧止), ᄌᆞᄀᆡ 평ᄉᆡᆼ 여ᄎᆞ 슉【52】

808)-ᄯᆞ려 : -에게. -한테. 조사 '-ᄃᆞ려'의 이표기(異表記).

809)오채팔광(五彩八光) : 오채(五彩)와 팔광(八光)을 아울러 이르는 말. *오채(五彩); 파랑, 노랑, 빨강, 하양, 검정의 다섯 가지 색. *팔광(八光); 불교에서 말하는 여덟 가지 광명. 염(念)·의(意)·유(遊)·법(法)·지(智)·정(精)·신(神)·행(行)의 광명.

금평휘 ᄃᆡ【34】왈,

"ᄌᆞ괴 맛당ᄒᆞ시나 아쥬ᄶᅡ려634) 초년 ᄋᆡᆨ경을 면ᄒᆞ리잇가? 신상의 오ᄎᆡ팔광(五彩八光)635)이 현난(絢爛)ᄒᆞ니, 초년 화ᄋᆡᆨ은 그 고은 거시 넘치미오, 미우(眉宇)의 복녹(福祿)과 영ᄀᆡ(靈氣) 빗최고, 안광(眼光)의 어진 ᄀᆡ운이 낫타나니, 맛ᄎᆞᆷᄂᆡ ᄌᆡᄋᆡᆨ(災厄)을 진졍ᄒᆞ고 팔ᄌᆡ 존귀ᄒᆞ리이다"

동월휘 고ᄒᆞ여 ᄀᆞᆯ오ᄃᆡ,

"하부의 원상 등 ᄉᆞᆷᄋᆡ 다 년ᄀᆡ상젹(年紀相適)ᄒᆞ니, 기즁 일인을 갈히여 미리 졍혼ᄒᆞ시미 맛당ᄒᆞᆯ가 ᄒᆞᄂᆞ이다."

금휘 ᄀᆞᆯ오ᄃᆡ,

"외모 등의 풍신과 문장 ᄌᆡ화ᄂᆞᆫ 하원상 ᄉᆞᆷᄋᆞ를 엇지 내 모라리오636)마ᄂᆞᆫ, 원상은 발셔 님참졍의 ᄉᆞ회를[로] 칭옹(稱翁)ᄒᆞ니, ᄒᆞᆯ일업고, 원ᄉᆞᆷ은 더욱 걸츌ᄒᆞᄃᆡ 오히려 우리 아쥬만 못ᄒᆞ니, 아직 두고 보와 타쳐의 혹 옥인 ᄌᆡᄌᆞ를 구ᄒᆞ리라."

ᄒᆞᆫᄃᆡ, 졔왕이 복슈 ᄃᆡ 왈,

"엄괴 맛당ᄒᆞ시나 혼인이란【35】거ᄉᆞᆫ 초슬(草率)이 졍ᄒᆞᆯ 거시 아니오며, ᄯᅩᄒᆞᆫ 텬연(天緣)이라. 능히 인녁으로 못ᄒᆞ오리니, 두로 구ᄒᆞ오면 소ᄆᆡ와 ᄀᆞᆺᄐᆞᆫ ᄇᆡ우를 만나지 못ᄒᆞ리잇가?"

금휘 졈두ᄒᆞ나 진실노 ᄐᆡᆨ셔의 근심이 일시를 방하(放下)치 못ᄒᆞ더라. 야심ᄒᆞᄆᆡ 태부인이 취침ᄒᆞ신 후, 금평휘 졔왕 등으로부터 더브러 쳥쥭헌으로 나올ᄉᆡ, 월후를 명ᄒᆞ여 신방으로 보ᄂᆡ니, 월휘 션의졍에 드러와 한씨를 ᄃᆡᄒᆞᄆᆡ, 촉하의 일만 당[광]염(光艶)이 더욱 찬난ᄒᆞ여 냥목의[이] 현요(眩耀)ᄒᆞ

634)-ᄯᆞ려 : -에게. -한테. 조사 '-ᄃᆞ려'의 이표기(異表記).

635)오채팔광(五彩八光) : 오채(五彩)와 팔광(八光)을 아울러 이르는 말. *오채(五彩); 파랑, 노랑, 빨강, 하양, 검정의 다섯 가지 색. *팔광(八光); 불교에서 말하는 여덟 가지 광명. 염(念)·의(意)·유(遊)·법(法)·지(智)·정(精)·신(神)·행(行)의 광명.

636)모라다 : 모르다.

녀를 바라던 ᄇᆡ라. 쇼원과 ᄀᆞᆺᄐᆞ믈 대희 쾌열(快悅)ᄒᆞ여 흔연이 웃고 말ᄉᆞᆷᄒᆞᄆᆡ, 신뷔 슈용뎡금(修容整襟)[810] ᄒᆞ여 ᄃᆡ답디 아닐디언졍 ᄂᆡᆼ담초쥰(冷淡峭峻)ᄒᆞᆫ 빗치 업ᄉᆞ니, 월휘 아름다오믈 니긔디 못ᄒᆞ여, 즉시 촉을 멸ᄒᆞ고 ᄒᆞᆫ가디로 금니(衾裏)의 나아가니, 은ᄋᆡ 여산약ᄒᆡ(如山若海)ᄒᆞ여 교칠(膠漆) ᄀᆞᆺ더라.

명됴의 신뷔 단장을 일워 존당 구고긔 신셩ᄒᆞ고, 왕의 오곤계 엇게를 년ᄒᆞ여 드러와 존당 부모긔 문후ᄒᆞᆯᄉᆡ, 태원뎐 너른 당의 남좌녀우(男左女右)를 분(分)ᄒᆞ여 ᄎᆞ례로 좌를 뎡ᄒᆞᄆᆡ, 남ᄌᆞᄂᆞᆫ 개개히 신션 ᄀᆞᆺ고 녀ᄌᆞᄂᆞᆫ 져마다 션ᄋᆞ ᄀᆞᆺᄐᆞ여, 대니시(大李氏) 박ᄉᆡᆨ과 두시의 용상(庸常)ᄒᆞᆷ 곳 아니면 태원뎐 낭원(閬苑)[811]【53】의 승회(勝會)[812] 아니믈 아디 못ᄒᆞᆯ디라.

태부인과 금후 부뷔 좌우를 고면(顧眄)ᄒᆞ여 두굿기ᄂᆞᆫ 입이 열니믈 면치 못ᄒᆞᆯ디라. ᄎᆞ시를 당ᄒᆞ여 뎐부인의 즐거오미 반졈 근심도 머므디 아니ᄒᆞ니, 셕년 윤·양·니·경 등을 일코 현긔 등을 실니ᄒᆞ여실 ᄯᆡ 엇디 오날ᄂᆞᆯ이 이실 줄 아라시리오. 일노 보건ᄃᆡ 어디니 복(福)ᄒᆞ고 악ᄒᆞ니 망(亡)ᄒᆞ믈 알디라.

문양공쥬 신셰 명되 윤·양·경·니 ᄉᆞ비를 우러러나 보리오. ᄒᆞᆫ낫 유녀(幼女)도 셰월이 오ᄅᆡᄃᆡ ᄎᆞ줄 긔약이 업셔, 존망을 졈복디 못ᄒᆞ고 심장이 ᄉᆞᆺ쳐디믈 면치 못ᄒᆞ니, 윤·양 등이 위ᄒᆞ여 슬피 넉여 공쥬의 ᄐᆡ후(胎候)나 슈히 잇기를 바라더라.【54】

한쇼계 인ᄒᆞ여 구가의 머므러 효봉구고와 승슌군ᄌᆞᄒᆞᆷ과 슉ᄆᆡ(叔妹) 금장(襟丈)을 화우ᄒᆞ며, 만ᄉᆡᆨ 인뉴(人類)의 특이ᄒᆞᆯ ᄲᅮᆫ 아니라,

810)슈용뎡금(修容整襟) : 얼굴빛을 고치고 옷깃을 여밈.

811)낭원(閬苑) : 곤륜산(崑崙山)의 꼭대기에 있다는 신선이 산다고 하는 선계(仙界). =낭풍요지(閬風瑤池).

812)승회(勝會) : 성대한 모임.

고, 어리로온 거동과 화열ᄒᆞᆫ 거지(擧止), ᄌᆞ긔 평ᄉᆡᆼ의 여ᄎᆞᄒᆞᆫ 슉녀를 바라던 ᄇᆡ라. 소원이 마ᄌᆞ믈 ᄃᆡ희 쾌열ᄒᆞ여, 흔연이 웃고 말ᄉᆞᆷᄒᆞᄆᆡ 한씨 슈용졍금(修容整襟)[637]ᄒᆞ여 묵연이 ᄃᆡ답지 아닐지언졍, ᄂᆡᆼ담(冷淡)ᄒᆞ며 초쥰(峭峻)ᄒᆞ미 업셔, ᄌᆞ연ᄒᆞᆫ 위의 구츄상월(九秋霜月) ᄀᆞᆺᄐᆞ니, 월휘 긔【36】상(氣像)이 아름다오믈 니긔지 못ᄒᆞ여, 즉시 촉을 믈니치고 상상(床上)의 나아가 취침ᄒᆞ니, 운우(雲雨)의 즐거오믄 닐을 거시 업더라.

한 소제 인ᄒᆞ여 구가에 머므러 효봉구고와 승슌군ᄌᆞ며 슉ᄆᆡ(叔妹) 금장(襟丈)○○○[을 화우]ᄒᆞ여, 만ᄉᆡᆨ 특이ᄒᆞ고, 츈양화긔(春陽和氣)와 동일지ᄋᆡ(冬日之愛)를 겸ᄒᆞ여, ᄃᆡ인졉믈(對人接物)의 옥 ᄯᆞ리ᄂᆞᆫ 담쇠(談笑) 녈녈(烈烈) 쇄연(灑然)ᄒᆞ여, 일언일구(一言

637)슈용뎡금(修容整襟) : 얼굴빛을 고치고 옷깃을 여밈.

츈양화긔(春陽和氣)와 동일디ᄋᆡ(冬日之愛)를 겸ᄒᆞ여 ᄃᆡ인졉믈(對人接物)의 옥(玉) ᄊᆞ리ᄂᆞᆫ 담쇠(談笑) 아아히 쇄연ᄒᆞᄃᆡ, ᄒᆞᆫ ᄌᆞ 블법의 말이 업고, 힝신의 반졈 고집을 두디 아냐, 픔되(品度) 활연상낭(豁然爽朗)ᄒᆞ나, 위의(威儀) ᄉᆡᆨᄉᆡᆨᄒᆞ고 톄되(體度) 한아(閒雅)ᄒᆞ여 ᄉᆞ군ᄌᆞ의 풍이 잇ᄂᆞᆫ디라. 존당 구괴 칭찬 ᄋᆡ경(愛慶)ᄒᆞ며 일가졔족(一家諸族)이 경복(慶福)ᄒᆞ여 예셩(譽聲)이 가득ᄒᆞ믄 니르도 말고, 월후ᄂᆞᆫ 평ᄉᆡᆼ 뜻의 ᄎᆞᆫ 슉완(淑婉)을 만나니, 금슬우지(琴瑟友之)[813]의 죵고낙지(鐘鼓樂之)[814]ᄒᆞ여 ᄇᆡᆨ년동쥬(百年同住)[815]의 낫븐 뜻이 이시ᄃᆡ, 양・소 두 부인 향ᄒᆞᆫ 뜻은 ᄯᅩᄒᆞᆫ【55】 옴디 아냐, 셰부인 ᄃᆡ졉ᄒᆞᄂᆞᆫ 도리 ᄋᆡ증(愛憎)이 업ᄉᆞᄃᆡ 양부인의 단엄ᄆᆡᆼ녈(端嚴猛烈)ᄒᆞ미 셰월이 갈ᄉᆞ록 더ᄒᆞ니, 동월휘 일노�심위(心憂) 되여 분한ᄒᆞ믈 니긔디 못ᄒᆞᄃᆡ, 그 ᄇᆡᆨᄉᆞ(百事) 힝동을 보ᄆᆡᄂᆞᆫ 허믈ᄒᆞᆯ 곳이 업ᄉᆞ니, ᄒᆞᆫ갓 ᄉᆞ실(私室)의 ᄂᆡᆼ박(冷薄)ᄒᆞ므로 대ᄉᆞ로이 허믈 삼디 못ᄒᆞ여, 죵용이 칙ᄒᆞ믈 마디 아니ᄒᆞᄃᆡ, 양부인이 조금도 월후의 정을 가랍(嘉納)ᄒᆞᆯ 의ᄉᆡ 업셔, 션삼경 가온ᄃᆡ 셔로 ᄃᆡᄒᆞᆫ즉 셜풍한일(雪風寒日)ᄀᆞᆺᄐᆞ니, 월휘 만일 구습(舊習)이 이시면 어이 참으리오마ᄂᆞᆫ, 심홰(心火) 될디언졍, 요란이 즐욕(叱辱)기를 아니ᄒᆞ고, 양부인이 비록 가부의게 ᄆᆡᆼ녈ᄒᆞ나 뎍인(敵人)을 화우ᄒᆞ믄 '쥬아(周雅)[816]의 남은【56】풍(風)'[817]이 이셔, 소시와 한시로 더브러 졍

813)금슬우지(琴瑟友之) : '거문고와 비파를 타며 서로 사귄다'는 뜻으로 『시경』<국풍> '관저(關雎)'편에 나오는 시구.

814)죵고낙지(鐘鼓樂之) : 종과 북을 치며 서로 즐긴다는 뜻으로 『시경』<국풍> '관저(關雎)'편에 나오는 시구.

815)ᄇᆡᆨ년동쥬(百年同住) : 백년을 같이 산다는 뜻으로, 부부가 결혼하여 수(壽)를 누리며 일생을 같이 살아가는 것을 말함.

816)쥬아(周雅) : 『시경(詩經)』의 <소아(小雅)>편과 <대아(大雅)>편을 합하여 이르는 말. 소아와 대아는 주나라의 궁중음악 곧 아악(雅樂)을 정리해 놓은 것으로 주나라 왕실의 덕을 찬미한 것이 많다.

817)'쥬아(周雅)의 남은 풍(豊)' : 중국 주(周)나라 문왕의 비(妃)인 태사(太姒)의 부덕(婦德)과 같은 덕이 있다는 말. 곧 태사는 현모양처(賢母良妻)로 문

一句)의 ᄒᆞᆫ ᄌᆞ 블법의 말이 업고, 힝동ᄒᆞ미 반졈 고집을 두지 아냐, 픔되(品度) 활연상낭(豁然爽朗)ᄒᆞ나 위의 ᄉᆡᆨᄉᆡᆨᄒᆞ고 동지(動止) 한아(閒雅)ᄒᆞ여 ᄉᆞ군ᄌᆞ의 풍이 잇ᄂᆞᆫ지라. 존당구괴 ᄋᆡ경(愛慶)ᄒᆞ고 일가졔족(一家諸族)이 칭앙(稱仰) 경복(慶福)ᄒᆞ여, 예셩(譽聲)이 가득ᄒᆞ믄 니르도 말고, 월휘 평ᄉᆡᆼ ○[뜻]의 ○[ᄎᆞᆫ] 슉녀를 만나 금슬우지(琴瑟友之)[638]의 종고낙지(鐘鼓樂之)[639]ᄒᆞ여 ᄇᆡᆨ년동쥬(百年同住)[640]의 늣거온[641] 뜻이 잇시ᄃᆡ, 양・소 두 부인의 ᄃᆡ졉ᄒᆞ믄 졍이 옴기지 아냐, 셰 부인을【37】ᄃᆡ졉ᄒᆞ미 편벽지 아니ᄃᆡ, 양부인의 단엄ᄆᆡᆼ녈(端嚴猛烈)ᄒᆞ미 셰월이 갈ᄉᆞ록 더ᄒᆞ니, 동월휘 일노ᄡᅧ 심홰 되여 분한ᄒᆞ믈 니긔지 못ᄒᆞᄃᆡ, 양부인의 ᄇᆡᆨᄉᆞ(百事) 힝동이 즁인소시(衆人所視)의 한 허믈도 잡을 거시 업ᄉᆞ니, ᄉᆞ실의 드러 셔로 ᄃᆡᄒᆞᄆᆡ ○○○○[ᄂᆡᆼ박(冷薄)ᄒᆞ므로] 허물을 《참지‖삼지》 못ᄒᆞ여 종용이 칙ᄒᆞᄃᆡ, 양부인이 월후의 졍을 가랍(嘉納)ᄒᆞᆯ 뜻이 업셔, 션숨경 ᄀᆞ온ᄃᆡ의 셔로 ᄃᆡᄒᆞᆫ즉 셜풍녈일(雪風烈日)이 이러나 외인을 ᄃᆡᄒᆞᆷ ᄀᆞᆺᄒᆞ니, 월휘 만일 《괴습‖구습》이 잇스면 어이 참으리오마ᄂᆞᆫ, 심홰 될지언졍 요란이 즐칙지 아니ᄒᆞ고, 양부인이 비록 가부의게 ᄆᆡᆼ녈초쥰(峭峻)ᄒᆞ나, 젹인을 화우ᄒᆞ믄 '쥬아(周雅)[642]의 남은 풍(風)'[643]이 잇셔, 소・한・

638)금슬우지(琴瑟友之) : '거문고와 비파를 타며 서로 사귄다'는 뜻으로 『시경』<국풍> '관저(關雎)'편에 나오는 시구.

639)죵고낙지(鐘鼓樂之) : 종과 북을 치며 서로 즐긴다는 뜻으로 『시경』<국풍> '관저(關雎)'편에 나오는 시구.

640)ᄇᆡᆨ년동쥬(百年同住) : 백년을 같이 산다는 뜻으로, 부부가 결혼하여 수(壽)를 누리며 일생을 같이 살아가는 것을 말함.

641)늣겁다 : 느껍다. 어떤 느낌이 마음에 북받쳐서 벅차다.

642)쥬아(周雅) : 『시경(詩經)』의 <소아(小雅)>편과 <대아(大雅)>편을 합하여 이르는 말. 소아와 대아는 주나라의 궁중음악 곧 아악(雅樂)을 정리해 놓은 것으로 주나라 왕실의 덕을 찬미한 것이 많다.

643)'쥬아(周雅)의 남은 풍(豊)' : 중국 주(周)나라 문왕의 비(妃)인 태사(太姒)의 부덕(婦德)과 같은 덕이 있다는 말. 곧 태사는 현모양처(賢母良妻)로 문

의(情誼) 골육이 아니믈 씨둧디 못ᄒᆞ여, 피ᄎᆞ의 ᄉᆞ랑ᄒᆞ며 귀듕ᄒᆞ미 일신 ᄀᆞᄐᆞ니, 월후의 가ᄂᆡ 화(和)ᄒᆞ미 츈풍 ᄀᆞᆺ고, 묽으미 츄슈 ᄀᆞᄐᆞ여 반졈 딜투의 더러온 ᄯᅳᆺ이 업셔, 양시 소・한으로 야심ᄒᆞ여 믈너가 ᄌᆞ기를 님(臨)ᄒᆞᆫ 밧 써나기를 앗기니, 존당 구괴 아름다이 녀이더라.

뎡・오 이왕이 문양궁의 ᄌᆞ로 왕ᄂᆡᄒᆞᄂᆞᆫ 고로, 윤의렬의 셩덕혜홰 공쥬의 악악ᄒᆞᆫ 심졍을 감화ᄒᆞ고, 졔왕이 부부 뉸의를 폐절치 아니며, 뎡공 부뷔 녜ᄉᆞ ᄌᆞ부와 ᄀᆞᆺ치 ᄃᆡ졉ᄒᆞ믈 알고, 즉시 텬ᄌᆞ긔 고ᄒᆞ니, 샹이 크게 깃그샤 금후 부ᄌᆞ를 명【57】초ᄒᆞ시니, 금평휘 졔왕을 다리고 입궐ᄒᆞᄆᆡ 슈돈(繡墩)을 미러 가인부ᄌᆞ디녜(家人父子之禮)로 좌를 주시ᄃᆡ, 공의 부ᄌᆡ 황공ᄒᆞ여 감히 슈돈 우희 좌를 일우디 못ᄒᆞ니, 샹이 ᄌᆡ삼 권ᄒᆞ여 농상 겻ᄐᆡ 안ᄌᆞ믈 명ᄒᆞ시고, 텬안이 화열ᄒᆞ시며 옥음이 브드러오샤 희연(喜然)이 닐오샤ᄃᆡ,

"문양의 죄악은 텬디의 관영ᄒᆞ여 그 ᄒᆞᆫ 목숨을 니어시미 경의 구ᄒᆞᆫ 은덕이어ᄂᆞᆯ, 이졔 경의 부ᄌᆡ 문양의 참잔(慘殘)ᄒᆞᆫ 신셰를 측은ᄒᆞ미 이셔, 구식디졍(舅媳之情)과 부부 뉸의(夫婦倫義)를 뉴렴(留念)ᄒᆞ미 잇다 ᄒᆞ니, 문양이 만금을 두어 구ᄒᆞ여 엇디 못ᄒᆞᆯ 경실(慶事) ᄲᅮᆫ 아니라, 딤이 문양을 아조 죽임과 ᄀᆞᆺ디 못ᄒᆞ여【58】ᄆᆡ양 졔 신셰를 싱각ᄒᆞ면 블평ᄒᆞᆫ 의ᄉᆡ 잇더니, 경의 부ᄌᆞ의 관인화홍(寬仁和弘)ᄒᆞ미 쇽뉴(俗流)의 바라디 못ᄒᆞᆯ 긔량(器量)이니, 딤이 다시 문양의 신셰를 근심치 아니ᄒᆞ노라."

금평휘 돈슈(頓首) 샤왈,

"공쥐 초의 실덕ᄒᆞ미 계시나, 신의 부ᄌᆡ 셩은을 감격ᄒᆞ오미 골졀의 ᄉᆞ못ᄎᆞᆸᄂᆞ니, 엇디 공쥬의 뎍막ᄒᆞᆫ 신셰를 고렴치 아니리잇고? ᄒᆞ믈며 개과쳔션은 셩교의 허ᄒᆞ신 ᄇᆡ

왕을 잘 내조하여 성군(聖君)이 되게 하였는데, 특히 남편의 많은 후궁들을 덕으로 잘 거느려 화목한 가정을 이룬 일로, 후대의 무수한 글들에 그녀의 부덕이 칭송되고 있다.

양 등으로 더브러 골육이 아니믈 아지 못ᄒᆞ여, 피ᄎᆞ의 ᄉᆞ랑ᄒᆞ며 귀즁ᄒᆞ미 일신【38】갓고, 반졈 질투의 더러오미 업ᄉᆞ니, 양・소・한 삼인이 야심 후에 각각 침소의 물러간 후 셔로 《나오고∥나와》 물러가믈 앗기니, 존당 구괴 크게 아름다이 녀이더라.

ᄎᆞ시 뎡・오 양왕이 문양궁의 왕ᄂᆡᄒᆞ여, 다만 윤의렬의 셩덕혜화를 칭찬불이(稱讚不已)[644]ᄒᆞ며 공쥬의 악악ᄒᆞᆫ 흉심을 감화ᄒᆞ고, 졔왕이 부부의 륜의를 펴고, 금평후 부뷔 졔쟈○[부](諸子婦)와 ᄀᆞᆺ치 ᄃᆡ졉ᄒᆞ믈 보고, 즉시 텬문의 고ᄒᆞ니, 상이 크게 깃그샤 금평후 부ᄌᆞ를 명초ᄒᆞ시니, 금휘 부ᄌᆞ 입궐ᄒᆞᄆᆡ ᄯᅩ 상이 슈돈(繡墩)을 미러 가인부ᄌᆞ지례(家人父子之禮)로 좌를 쥬신ᄃᆡ, 금후 부ᄌᆡ 황공ᄒᆞ여 감히 좌를 닐우지 못ᄒᆞ니, 상이 ᄀᆞᆯ오ᄃᆡ,

"문양의 죄악이 텬디의 관영ᄒᆞ나, 그 일명을 지금 니어시미 경의 구ᄒᆞᆫ 덕이어ᄂᆞᆯ, 이졔 경의【39】부ᄌᆡ 다시 문양의 ᄎᆞᆷ잔(慘殘)ᄒᆞᆫ 신셰를 측은ᄒᆞ미 잇셔, 구식(舅媳)의 졍(情)과 부부륜의(夫婦倫義)를 뉴렴(留念)ᄒᆞ미 잇다 ᄒᆞ니, 문양이 만금을 드려 엇지 못ᄒᆞᆯ 경실(慶事) ᄲᅮᆫ 아냐, 딤이 문양을 아조 쥭임과 ᄀᆞᆺ지 아니미라. ᄆᆡ양 졔 신셰의 고독ᄒᆞ믈 싱각ᄒᆞ면 블평ᄒᆞᆫ 의ᄉᆡ 잇더니, 지금 경 등의 쳐ᄉᆞᄒᆞ믈 드르ᄆᆡ 깃부미 측냥읍도다"

왕을 잘 내조하여 성군(聖君)이 되게 하였는데, 특히 남편의 많은 후궁들을 덕으로 잘 거느려 화목한 가정을 이룬 일로, 후대의 무수한 글들에 그녀의 부덕이 칭송되고 있다.

644)칭찬불이(稱讚不已) : 칭찬하기를 그치지 않음.

라. 당ᄎᆞ지시(當此之時)ᄒᆞ여는 젼과(前過)를 만히 뉘웃ᄎᆞ시는 고로, 텬흥이 문양궁의 왕ᄂᆡᆨᄒᆞ여도 다시 변괴 업ᄉᆞᆯ가, 잠간 방심ᄒᆞᄋᆞᆸᄂᆞ니, 폐하의 일ᄏᆞᄅᆞ시믈 엇디 감히 【59】 당ᄒᆞ리잇고? 블승황공(不勝惶恐)ᄒᆞ와 ᄃᆡ쥬(對奏)ᄒᆞᆯ 바를 아디 못ᄒᆞ리로소이다."

샹이 우으시고 다시 ᄀᆞᆯ오샤ᄃᆡ,

"텬흥이 공쥬로 더브러 부부 뉸의를 폐졀치 아닐진ᄃᆡ, 공쥐 원간 쳔승디존(千乘之尊)과 왕희(王姬)[818]의 부귀를 가졋거니와, 졔국비 딕쳡은 주는 거시 올흐니, ᄎᆞ례를 줄딘ᄃᆡ 경시 버금이라. 딤이 윤시를 텬흥의 원비를 뎡ᄒᆞ여 조강을 곳치디 아니케 ᄒᆞᄆᆡ, 엇디 셔후를 ᄎᆞ착(差錯)게 ᄒᆞ리오. 문양으로ᄡᅧ 텬흥의 뎨오비를 봉ᄒᆞ리라."

공이 쥬왈,

"셩괴 맛당ᄒᆞ시나 공쥬의 존귀로ᄡᅧ 경시의 아ᄅᆡ로 뎡ᄒᆞ시미, 경녀 등으로 ᄒᆞ여금 심히 블평【60】ᄒᆞᆫ 마ᄃᆡ니, 왕비 딕쳡을 나리오시면 셔후를 의논치 마르시고, 다만 졔국비라 ᄒᆞ시는 거시 쥬편(周偏)ᄒᆞᆯ가 ᄒᆞᄋᆞᆸᄂᆞ니, 이러므로 신의 ᄉᆞ실의셔는 윤녀 등과 공쥐 ᄎᆞ례로 좌를 일우디 아냐, 동셔(東西)로 마조 안게 ᄒᆞᄂᆞ이다."

제왕이 비로소 입을 여러 쥬왈,

"공쥬의 죄악을 ᄉᆡᆼ각ᄒᆞ오면 터럭을 ᄲᅢ혀 혜여도 궁딘(窮盡)치 아니ᄒᆞ오리니, 신이 엇디 부부 뉸의를 도라보리잇고? 우흐로 셩상의 여텬대은(如天大恩)을 져바리디 못ᄒᆞᄋᆞᆸ고, 아ᄅᆡ로 신의 미셰ᄒᆞᆫ ᄌᆞ식들이 발셔 공쥬로 더브러 모ᄌᆞ디의(母子之義)를 ᄇᆞᆰ히오니, 신의 【61】 한미와 부뫼 공쥬의 뎍막ᄒᆞᆫ 신셰를 념녀ᄒᆞ오미 병이 되엿ᄉᆞᆸ는 고로, 신ᄌᆞ디도(臣子之道)의 군친(君親)의 ᄠᅳᆺ을 거ᄉᆞ리디 못ᄒᆞ온 ᄇᆡ라. 도금(到今)ᄒᆞ와 공쥐 젼과를 잠간 뉘웃는 디경이 되엿다 ᄒᆞ오니, 신의 여러 ᄌᆞ녀를 농듕(籠中)의 너허 죽이는 일이나 업ᄉᆞᆯ가 그윽이 영ᄒᆡᆼ(榮幸)ᄒᆞᄋᆞᆸ는 ᄇᆡ라. 이졔 왕비 딕쳡을 나리오고져 ᄒᆞ실딘

818)왕희(王姬) : 왕녀. 왕의 딸.

ᄯᅩ 하교ᄒᆞ샤,

"문양의 좌ᄎᆞ를 곳치지 말나. 엇지 셔후를 도ᄎᆞᆨ게 ᄒᆞ리오. 문양으로ᄡᅧ 텬흥의 《게∥제》오비를 졍ᄒᆞ리라."

공이 쥬왈,

"셩괴 맛당ᄒᆞ시나 공쥬의 존귀로ᄡᅧ 경씨의 아ᄅᆡ로 졍ᄒᆞ시미, 경니[녀] 등으로 심히 불평케 ᄒᆞᆯ 일이오니, 왕비 직쳡을 가[나]리오셔도 셔후를 의논치 마르시고, 다만 졔국비라 ᄒᆞ는 거시 쥬편ᄒᆞᆯ가 ᄒᆞᄋᆞᆸᄂᆞ니, 이【40】러므로 신의 ᄉᆞ실의셔도 《유니∥윤녀》 등과 공쥐 셔후 ᄎᆞ례로 좌를 닐우지 아냐, 동셔(東西)로 《만좌의 좌를 졍∥마조 안게》 ᄒᆞᄂᆞ이다."

제왕이 비로소 입을 여러 ᄀᆞᆯ오ᄃᆡ,

"공쥬의 과악을 ᄉᆡᆼ각ᄒᆞ올진ᄃᆡ 터럭을 ᄲᅢ혀 그 슈를 혜여도 궁진(窮盡)치 아니ᄒᆞ오리니, 신이 엇지 부부의 륜의를 도라보리잇고마는, 우흐로 셩쥬의 여텬ᄃᆡ은(如天大恩)을 져ᄇᆞ리지 못ᄒᆞᄋᆞᆸ고, 아ᄅᆡ로 신의 한미와 부뫼 공쥬의 젹막ᄒᆞᆫ 신셰를 모렴(慕念)ᄒᆞ오며, 지어(至於) 미셰ᄒᆞᆫ ᄌᆞ식들이 발셔 공쥬와 더브러 모ᄌᆞ지의(母子之義)를 ᄇᆞᆰ히오니, 인신인ᄌᆞ지도(人臣人子之道)의 군친(君親)의 ᄠᅳᆺ슬 거ᄉᆞ리지 못ᄒᆞ온 ᄇᆡ라. 도금(到今)ᄒᆞ여는 공쥐 젼과(前過)를 즘간 뉘웃는 지경이 되엿다 ᄒᆞ오니, 신의 여러 ᄌᆞ녀를 농즁(籠中)의 너허 죽이는 한이 업ᄉᆞᆯ가 그윽이 영【41】ᄒᆡᆼ(榮幸)ᄒᆞ는 ᄇᆡ라. 이졔 왕비 직쳡을 나리오고져 ᄒᆞ실진ᄃᆡ, 셔후를 명ᄇᆡᆨ히 ᄒᆞ

ᄃᆡ, 셰후 ᄎᆞ례를 명ᄇᆡᆨ히 ᄒᆞ시ᄂᆞᆫ 거시 맛당ᄒᆞ오ᄃᆡ, 신의 아비 ᄯᅩᄒᆞᆫ 이 일을 블안이 넉이ᄋᆞᆸᄂᆞᆫ 고로, 셰후를 들추디 말고져 ᄒᆞᄂᆞ이다."

상이 금후와 졔왕의 말마다 아ᄅᆞᆷ【62】다이 넉이샤, 이 날 공쥬긔 왕비 고명(告命)[819]을 나리오시ᄃᆡ, 다만 평졔국왕비 문양공쥐라 ᄒᆞ시고, 공의 부ᄌᆞ를 ᄃᆡᄒᆞ샤 연셕(宴席)을 ᄌᆡ촉ᄒᆞ여 니르샤ᄃᆡ,

"딤이 샤연(賜宴)을 명ᄒᆞ연 디 오ᄅᆡ거ᄂᆞᆯ, 디금 연셕을 개장(開場)치 아니ᄒᆞᄂᆞ뇨?"

금평휘 샤은 왈,

"신이 므ᄉᆞᆫ 사ᄅᆞᆷ이완ᄃᆡ 샤연을 깃거 아니리잇고마ᄂᆞᆫ, 그 ᄉᆞ이 사괴 년쳡(連疊)ᄒᆞ와 디금 연셕을 베프디 못ᄒᆞ엿ᄉᆞᆸ더니, 셩상이 여러 번 ᄌᆡ촉ᄒᆞ시니, 신이 일슌디ᄂᆡ(一旬之內)의 디친빈ᄀᆡᆨ(至親賓客)을 쳥ᄒᆞ여 셩은을 젼ᄒᆞᄋᆞᆸ고, ᄇᆡ작(杯酌)을 날녀 즐거오믈 다ᄒᆞ리이다."【63】

샹이 깃그샤 연셕 개쟝ᄒᆞᆯ 날을 므ᄅᆞ시니, 금휘 ᄃᆡ쥬 왈,

"금월 ○○[망일(望日)]이 신모(臣母)의 ᄉᆡᆼ일이니, 그 ᄯᅢ의 연셕을 베플고져 ᄒᆞᄂᆞ이다."

샹이 즉시 각 부의 하됴(下詔)ᄒᆞ샤, 뎡부의 삼일대연(三日大宴)ᄒᆞᆯ 긔구와 어악을 빌니샤, 슌태부인 ᄉᆡᆼ딘일(生辰日)의 녜관을 보ᄂᆡ여 공의 부부와 슌태부인긔 헌슈(獻壽)ᄒᆞ여, 졔왕 ᄀᆞᄐᆞᆫ ᄌᆞ손 두믈 치하ᄒᆞ려 ᄒᆞ시니, 금평휘 블감황공 ᄒᆞ믈 알외고 졔왕으로 더브러 날이 느즌 후 퇴ᄒᆞ여 집의 도라오니, 발셔 공쥬긔 졔국비 딕쳡(職牒) 고명(告命)이 나리니, 공쥐 조금도 '원비(元妃)' 딕쳡【64】 아니믈 ᄋᆡ돌나 ᄒᆞᄂᆞᆫ ᄯᅳᆺ이 업셔, '부비(副妃)'라도 딕쳡이 ᄉᆡ로 나리ᄆᆡ 깃브믈 니긔디 못ᄒᆞ여, 금월브터 녹봉을 녜ᄀᆞᆺ치 주라 ᄒᆞ시니, 공쥐 녹봉이 업ᄉᆞ므로 빈한ᄒᆞᆯ

819)고명(告命) : 사령장. 임명, 해임 따위의 인사에 관한 명령을 적어 본인에게 주는 문서. ≒직첩(職牒).

시미 올ᄉᆞ오ᄃᆡ, 신의 도리에 만승 귀쥬로ᄡᅧ 졔오비를 삼으미 가치 아니코, 신의 아비 이 일을 불안이 넉이ᄋᆞᆸᄂᆞᆫ 고로, 셰후를 닐ᄏᆞᆺ지 마르시과져 ᄒᆞ미로소이다."

상이 금평후와 졔왕의 말마다 아름다오믈 ○○○○[드르시고] 용안이 희열ᄒᆞ샤, 이 날 공쥬긔 왕비 직쳡(職牒)[645]을 나리오시되 '평졔국왕부비(平齊國王副妃) 문양공쥐'라 ᄒᆞ시고, 공의 부ᄌᆞ를 ᄃᆡᄒᆞ여 닐오ᄃᆡ,

"딤이 ᄉᆞ연(賜宴)을 명ᄒᆞ연 지 오ᄅᆡ거ᄂᆞᆯ, 엇지 지금 연셕을 ᄀᆡ장(開場)치 아니ᄒᆞᄂᆞ뇨?"

평휘 ᄃᆡ왈,

"신이 무ᄉᆞᆷ ᄉᆞᄅᆞᆷ이완ᄃᆡ ᄉᆞ연을 깃거 아니리잇고마ᄂᆞᆫ, 그 ᄉᆞ이 ᄉᆞ괴 다쳡ᄒᆞ와 지금 연셕을 베푸지 못ᄒᆞ엿ᄉᆞᆸ더니, 셩상이 여러 번 ᄌᆡ촉ᄒᆞ시니 신이 일실[슌]지ᄂᆡ(一旬之內)의 친쳑과 【42】 빈ᄀᆡᆨ을 모화 셩은을 젼ᄒᆞ고, ᄇᆡᄌᆞᆨ(杯酌)을 날녀 즐거믈 기다리깃ᄂᆞ이다."

상이 깃거ᄒᆞ샤 그 날○[을] ᄯᅩ 므ᄅᆞ시니, 금휘 ᄃᆡ쥬 왈,

"금월 망일(望日)이 신의 모(母)의 초두일(初頭日)[646]이오니, 그 날 연셕을 베프러 즐기려 ᄒᆞ{엿}ᄂᆞ이다"

상이 즉시 각 부에 하조(下詔)ᄒᆞ샤, 뎡부의 ᄉᆞᆷ일ᄃᆡ연(三日大宴)ᄒᆞᆯ 긔구와 어악을 빌니샤, 슌태부인긔 헌슈(獻壽)ᄒᆞ여, 졔왕 등의 손(孫) 두믈 치하ᄒᆞ라 ᄒᆞ시니, 금휘 불감황공 ᄒᆞ믈 알외고, 졔왕으로 더브러 날이 져믄 후 퇴조ᄒᆞ여 집의 도라오ᄆᆡ, 발셔 공쥬긔 평졔국왕부비(平齊國王副妃) 직쳡이 나려시ᄃᆡ, 공쥐 조금도 원비되지 못ᄒᆞ믈 ᄋᆡ돌나 ᄒᆞᄂᆞᆫ ᄯᅳᆺ이 업셔, 비록 '부비(副妃)'라도 직쳡이 ᄉᆡ로 나리ᄆᆡ 깃부믈 니긔지 못ᄒᆞ고, 금월븟터 녹봉을 녜ᄀᆞᆺ치 쥬라 ᄒᆞ시니, 공쥐 녹봉이【43】업ᄉᆞ므로 빈한ᄒᆞᆫ 거시

645)직첩(職牒) : 조정에서 내리는 벼슬아치의 임명장. ≒고신(告身). 고명(告命)

646)초두일(初頭日) : '첫날'이라는 뜻으로 생일을 말함.

거시 아니라, 황샹이 공쥬로 ᄃᆡ졉디 아니샤
텬늉 ᄌᆞᄋᆡ 박ᄒᆞ시믈 ᄋᆡ돌나 ᄒᆞ다가, ᄎᆞ일
녹봉을 다시 엇고 왕비 고명을 가디ᄆᆡ, 만
ᄉᆡ 바란 밧기로ᄃᆡ, 오ᄃᆡ 일흔 녀ᄋᆞ 곳 ᄉᆡᆼ각
ᄒᆞ면 심담(心膽)이 촌촌이 바아디믈 면치
못ᄒᆞ더라.

금평휘 모젼의 고ᄒᆞ여 ᄀᆞᆯ오ᄃᆡ,

“쇼ᄌᆡ 위거후ᄇᆡᆨ(位居侯伯)ᄒᆞ고, 졔ᄋᆡ 층
층이 ᄌᆞ라 과갑을 응ᄒᆞ여 청운의 고등ᄒᆞ오
ᄃᆡ, 일【65】즉 ᄌᆞ위(慈闈) 탄일의 일가 친
쳑을 모화 즐긴 일이 업ᄉᆞ오믄, ᄒᆡᄋᆞ의 셩
회 쳔박ᄒᆞ올 ᄲᅮᆫ 아니라, ᄌᆞ졍이 ᄆᆡ양 셜연
ᄒᆞ기를 엄금ᄒᆞ시니, 능히 ᄉᆡᆼ의(生意)치 못ᄒᆞ
엿ᄉᆞᆸ더니, 이번은 셩은이 《빗기∥빗ᄂᆡ미》
더으샤 샤연을 명ᄒᆞ시ᄃᆡ, 사괴 년쳡(連疊)ᄒᆞ
와 연셕을 베프디 못ᄒᆞ엿ᄉᆞᆸ더니, 금일 ᄯᅩ
ᄌᆡ촉ᄒᆞ시니 쇼ᄌᆡ ᄌᆞ졍 탄일의 셜연(設宴)ᄒᆞ
기를 알외고 나왓ᄉᆞᆸᄂᆞ니, ᄌᆞ졍은 ᄌᆞ손의 갈
망ᄒᆞᄂᆞᆫ ᄆᆞᄋᆞᆷ을 도라보샤 블열ᄒᆞ여 마르쇼
셔.”

태부인이 츄연 탄왈,

“셩쥐 샤연ᄒᆞ시ᄂᆞᆫ 바를 노뫼 능히 샤양치
못ᄒᆞ려니와, 셕년(昔年)의 ᄉᆡᆼ【66】일을 당
ᄒᆞ면 비록 여러 ᄌᆞ손이 업셔 너의 부부 ᄯᆞ
롬이나, 잔을 부을 ᄣᆡ의 션군과 ᄒᆞᆫ가지로
거후로며, 독ᄌᆞ의 셩회 타인의 용상(庸常)ᄒᆞᆫ
십ᄌᆞ를 블워 아니ᄒᆞ므로 슈작(酬酌)ᄒᆞ던 말
을 ᄉᆡᆼ각ᄒᆞ면, 노모{의} 혼ᄌᆞ 셰샹이 디리ᄒᆞ
믈 슬허 ᄒᆞᄂᆞ니, ᄆᆞᄉᆞᆫ 흥황(興況)으로 일가
를 모화 ᄇᆡ작으로 즐길 의ᄉᆡ 이시리오.”

금평휘 심니(心裏)의 감쳑(感慽)ᄒᆞ믈 니긔
디 못ᄒᆞ나, ᄉᆞᄉᆡᆨ을 화히 ᄒᆞ여 위로ᄒᆞ고, 졔
왕 등이 호언으로 조모의 위회(慰懷)ᄒᆞ시믈
요구ᄒᆞ여, 츈양(春陽)이 ᄆᆞ르녹ᄂᆞᆫ 화긔와 문
견 긔담이 이의 듯ᄂᆞ니로 ᄒᆞ여금 졀도ᄒᆞᆫ 일
이【67】만흐니, 태부인이 슬허 ᄒᆞ던 회포
를 두로혀, ᄯᅩᄒᆞᆫ 미미히 웃기를 마디 아니
ᄒᆞ더라.

이러구러 훌훌히 칠팔일이 디나ᄆᆡ, 삼월
십오일은 슌태부인 탄일(誕日)이라. 우흐로
황샹이 샤연을 명ᄒᆞ션 디 여러 ᄒᆡ 만의 비

아니라, 황상이 공쥬로 ᄃᆡ졉지 아니샤 텬늉
ᄌᆞᄋᆡ 박ᄒᆞ시믈 ᄋᆡ돌나 ᄒᆞ시다가, 이 날이야
다시 녹봉을 엇고, 왕비 직쳡이 나리며, 만
ᄉᆡ 바란 밧기믈 희힝ᄒᆞᄃᆡ, 일흔 녀ᄋᆞ 곳 ᄉᆡᆼ
각ᄒᆞ면, 심담(心膽)이 촌촌이 바아지기를
면치 못ᄒᆞ더라.

금평휘 모젼의 고ᄒᆞ여 ᄀᆞᆯ오ᄃᆡ,

“소ᄌᆡ 위거후ᄇᆡᆨ(位居侯伯)ᄒᆞ고, 졔ᄋᆡ 다
층층이 과갑을 응ᄒᆞ여 청운에 고등ᄒᆞ오ᄃᆡ,
일즉 ᄌᆞ졍(慈庭) 탄일에 일가 친쳑을 모화
즐기지 못ᄒᆞ오믄, ᄒᆡᄋᆞ의 셩회 쳔박ᄒᆞ올 ᄲᅮᆫ
아니오라, ᄌᆞ졍이 셜연을 엄금ᄒᆞ시니 능히
ᄉᆡᆼ의(生意)치 못ᄒᆞ와 인ᄌᆞ지도(人子之道)를
폐ᄒᆞ엿ᄉᆞᆸ더니, 이번은 셩은이 빗ᄂᆡ미 더으
샤 ᄉᆞ연을 명ᄒᆞ《샤∥시ᄃᆡ》, 다만 ᄉᆞ괴 년
쳡(連疊)ᄒᆞ와 베푸지 못ᄒᆞ엿ᄉᆞᆸ더니, 금일 ᄯᅩ
ᄌᆡ촉ᄒᆞ시니 소ᄌᆡ ᄌᆞ졍 탄일에 셜【44】연
(設宴)ᄒᆞ믈 알외엿ᄂᆞᆫ지라. 다만 바라건ᄃᆡ ᄌᆞ
졍은 ᄌᆞ손의 갈망(渴望)ᄒᆞᄂᆞᆫ 바를 도라보샤,
허ᄒᆞ시기를 ᄇᆞ라ᄂᆞ이다.”

태부인이 츄연 탄왈,

“셩쥐 ᄉᆞ연ᄒᆞ시ᄂᆞᆫ 바를 노뫼 능히 ᄉᆞ양치
못ᄒᆞ려니와, 셕년(昔年)에 항상 ᄉᆡᆼ일을 당ᄒᆞ
면, 여러 ᄌᆞ손이 업고 다만 너의 부부 ᄯᆞ름
이라. 잔을 부을 ᄣᆡ에 션군이 ᄒᆞᆫ가지로 거
후르며, 독ᄌᆞ의 영홰 타인의 십ᄌᆞ를 불워
아닐 바를 이르던 일을 ᄉᆡᆼ각ᄒᆞ며[면], 노모
{의} 혼ᄌᆞ 셰상에[이] 지리ᄒᆞ믈 슬허ᄒᆞᄂᆞ
니, 무슴 호화로{이} 일가친쳑을 모화 즐기
리오.”

금평휘 심니(深裏)의 감창ᄒᆞ믈 니긔지 못
ᄒᆞ나, ᄉᆞᄉᆡᆨ을 화히 ᄒᆞ여 나즉이 위로ᄒᆞ고,
졔왕 등이 호언으로 조모의 즐기시믈 요구
ᄒᆞ여, 츈양(春陽)이 ᄆᆞ르녹ᄂᆞᆫ 화긔와 문견
긔담의[이], 듯ᄂᆞᆫ 이로 ᄒᆞ야곰 졀도(絶倒)ᄒᆞᆫ
일이 만흐니, 태부인이 슬허【45】ᄒᆞ던 회
포를 도로혀 미미히 웃기를 마지 아니ᄒᆞ더
라.

이러구러 칠팔일이 훌훌히 지나ᄆᆡ, 숨월
십오일은 슌태부인 탄일(誕日)이라. 우흐로
황상이 ᄉᆞ연을 명ᄒᆞ신 지 여러 ᄒᆡ만의 비로

로소 뎡부의셔 연셕을 개장ᄒᆞᆯᄉᆡ, 빈ᄀᆡᆨ을 크게 모흠 ᄲᅳᆫ이오, 쥬육(酒肉)을 셜판(設辦)[820]ᄒᆞᄂᆞᆫ 슈고로오미 업ᄉᆞ니, 각 뷔(部) 딘심ᄒᆞ여 연셕 긔구를 출혀 향온미쥬(香醞美酒)와 팔딘미찬(八珍味饌)의 산딘히믈(山珍海物)[821]의 ᄀᆞᆺ디 아닌 거시 업ᄉᆞᆫ디라. 졔국 딘헌(進獻)ᄒᆞᄂᆞᆫ 믈건이 브디기쉬(不知其數)오, 기타ᄂᆞᆫ 블가승쉬(不可勝數)라. 왕공(王公) 부귀를 기우려 연셕의 당(壯)【68】홈과 긔구의 풍후(豊厚)ᄒᆞ믈 엇디 형언ᄒᆞ리오. 그 번화ᄒᆞ미 텬ᄌᆞ 버금이라. 평일의도 청검졀ᄎᆞ(淸儉切磋)[822]ᄒᆞ기를 위쥬ᄒᆞ여 의식디졀(衣食之節)의 다ᄃᆞ라ᄂᆞᆫ 계오 긔한(飢寒)을 면ᄒᆞᆯ 만ᄒᆞ더니, ᄌᆞ손이 정셩과 힘을 다ᄒᆞ여 태부인의 ᄒᆞᆫ 번 즐기시믈 절박히 죄오ᄂᆞᆫ 잔ᄎᆡ라, 어이 상시(常時)와 ᄀᆞᆺ치 공검(恭儉)ᄒᆞ리오. ᄂᆡ외 당샤(堂舍)를 통개(洞開)[823]ᄒᆞ고, 부계[824]를 널니며 ᄂᆡ외 빈ᄀᆡᆨ을 청ᄒᆞᆯᄉᆡ, 이 범연ᄒᆞᆫ 집 잔ᄎᆡ와 달나 후ᄇᆡᆨ의 태부인이며 왕공의 조모로, 그 탄일을 당ᄒᆞ여 황샹이 샤연ᄒᆞ시고, 왕후(王侯)의 부귀를 기우려 위친(爲親)ᄒᆞᄆᆡ, 갈망ᄒᆞ여 즐기ᄂᆞᆫ 날이라. 황친(皇親) 국【69】쳑(國戚)으로브터 만됴거경(滿朝巨卿)과 녈후군공(列侯君公)이 일졔히 참예ᄒᆞ며, 연혼가(連婚家) 절친(切親) 부인ᄂᆡ와 닌니(隣里) 붕ᄇᆡ(朋輩)의 부인ᄂᆡ 각각 녀부(女婦)를 거나려, 셩연(盛宴)을 구경코져 일시의 벌 뭉긔듯 ᄒᆞ니, 그 슈를 니로 혜기 어려온디라.

이날 금평휘 의ᄃᆡ를 뎡돈ᄒᆞ고 오ᄌᆞ를 거나려 빈ᄀᆡᆨ을 마ᄌᆞᆯᄉᆡ, ᄇᆡᆨ운ᄎᆞ일(白雲遮日)은 반공(半空)의 님니(淋漓)ᄒᆞ고, 금슈포진(錦繡鋪陳)은 뎡졔ᄒᆞ여 노쇼졔인(老少諸人)이

820)셜판(設辦) : 연회나 의식에 쓸 기구나 음식 따위를 준비하고 차리는 일.
821)산딘히믈(山珍海物) : 산과 바다에서 나는 진기한 물건들.
822)청검졀ᄎᆞ(淸儉切磋) : 청렴하고 검소한 생활을 애써 실천함.
823)통개(洞開) : 문짝 따위를 활짝 열어 놓음.
824)부계 : 비계. 높은 곳에서 일을 할 때에 딛고 다닐 수 있도록 긴 나무와 널판자로 다리나 난간처럼 매어 놓은 시설.

소 뎡부에셔 연셕을 여럿ᄂᆞᆫᄃᆡ, ᄒᆞᆫᄀᆞᆺ 빈ᄀᆡᆨ을 ᄃᆡ회(大會)ᄒᆞᆯ ᄲᅳᆫ 아니오, 쥬육(酒肉)을 《셜단‖셜판(設辦)[647]》ᄒᆞᆯ 슈고로오미 업시, 각 뷔(部) 진심ᄒᆞ여 연셕 긔구를 출혀 향온미쥬(香醞美酒)로 팔진경찬(八珍瓊饌)의 산히지물(山海之物)[648]의 ᄀᆞᆺ지 아닌 거시 업ᄂᆞᆫ지라. 졔국의 진헌(進獻)ᄒᆞᄂᆞᆫ ᄌᆡ물을 아오라 왕공 부귀를 기우리니, 연셕의 장(壯)홈과 긔구의 풍화(豊華)ᄒᆞ미 텬ᄌᆞ의 버금이라. 젼일에ᄂᆞᆫ 청검졀ᄎᆞ(淸儉切磋)[649]ᄒᆞ기를 위쥬ᄒᆞ여, 의식지졀(衣食之節)에 한긔(寒氣) 셔열(暑熱)을 겨유 면ᄒᆞᆯ 만ᄒᆞ더니, ᄌᆞ손이 정셩과 힘을 다ᄒᆞ여 태부인의 ᄒᆞᆫ 번 즐기시믈 절박히 죄오ᄂᆞᆫ 셩연(盛宴)이라.【46】어이 상시와 ᄀᆞᆺ치 공검(恭儉)ᄒᆞ리오. ᄂᆡ외 당ᄉᆞ를 쇄소ᄒᆞ며 부계[650]를 널니 ᄆᆡ어 ᄂᆡ외 빈ᄀᆡᆨ을 청ᄒᆞᆯᄉᆡ, 이ᄂᆞᆫ 범연ᄒᆞᆫ 연셕과 달나 후ᄇᆡᆨ의 모부인이며 왕공의 조모로 그 탄일을 당ᄒᆞ여, 황상이 ᄉᆞ연ᄒᆞ시고 왕후(王侯)의 부귀를 기우려 위친ᄒᆞᄆᆡ, 갈망ᄒᆞ여 크게 즐기ᄂᆞᆫ 날이라. 황친국쳑(皇親國戚)과 만조문뮈(滿朝文武)며 열후국공(列侯國公)의[이] 니르러 다 ᄎᆞᆷ예ᄒᆞ며, 연혼절친가(連婚切親家) 부인ᄂᆡ며 닌니붕ᄇᆡ(隣里朋輩)의 부인ᄂᆡ 다 각각 녀부(女婦)를 거ᄂᆞ려, 셩연을 구경코져 벌 뭉긔듯 모드니 그 슈의 다소를 이로 혜기 어려온지라.

이날 금평휘 의표(儀表)를 정제히 ᄒᆞ고, 아ᄌᆞ를 거ᄂᆞ려 빈ᄀᆡᆨ을 마ᄌᆞᆯᄉᆡ, ᄇᆡᆨ운쟈일(白雲遮日)은 반공(半空)에 님니(淋漓)ᄒᆞ고, 금슈포진(錦繡鋪陳)은 청상(廳上)에 휘황ᄒᆞᆫᄃᆡ, 노소닌니(老少隣里)[651]의 좌ᄎᆞ(座次)를 ᄎᆞ

647)셜판(設辦) : 연회나 의식에 쓸 기구나 음식 따위를 준비하고 차리는 일.
648)산히지물(山海之物) : 산과 바다에서 나는 온갖 물건들.
649)청검졀ᄎᆞ(淸儉切磋) : 청렴하고 검소한 생활을 애써 실천함.
650)부계 : 비계. 높은 곳에서 일을 할 때에 딛고 다닐 수 있도록 긴 나무와 널판자로 다리나 난간처럼 매어 놓은 시설.

ᄎᆞ례로 좌ᄎᆞ(座次)를 뎡케 ᄒᆞ니, 이날 취운산 곡듕(谷中)의 ᄉᆞ마쌍곡(駟馬雙曲)[825]이 분분(紛紛)ᄒᆞ여 인셩(人聲)이 훤텬(喧天)ᄒᆞ고, 만ᄆᆡ(萬馬) 운집(雲集)ᄒᆞ여 개야미 ᄡᅡ시며 벌이 뭉긔미[826]라도 이러치 못ᄒᆞᆯ디라. 금평【70】휘 일가 친쳑으로브터 만됴거경(滿朝巨卿)을 향ᄒᆞ여 연셕(宴席)의 빗ᄂᆡ 모드믈 샤례ᄒᆞᄆᆡ, 겸공(謙恭)ᄒᆞᄂᆞᆫ 말ᄉᆞᆷ과 근신(謹愼)ᄒᆞᄂᆞᆫ 어디르미 반졈 ᄌᆞ듕(自重)[827]ᄒᆞᄂᆞᆫ 일이 업거ᄂᆞᆯ, 졔왕 등 오곤계(五昆季) 부친을 뫼셔 존빈 귀ᄀᆡᆨ을 마ᄌᆞ며, 부형 면젼의 경근ᄒᆞᄂᆞᆫ 녜를 잡으ᄆᆡ 일동일졍이 근신ᄒᆞ미 가ᄌᆞᆨᄒᆞ여, 나아 갈ᄃᆡ 것칠[828] ᄃᆞ시 '여린 옥을 잡으며 가ᄃᆞᆨᄒᆞᆫ 거ᄉᆞᆯ 밧듬'[829] ᄀᆞᆺᄐᆞ여, 삼엄ᄒᆞᆫ 녜뫼 슉슉(肅肅)ᄒᆞᆫ 가온ᄃᆡ 완슌(婉順)ᄒᆞᆫ 낫빗과 온화ᄒᆞᆫ 거동이 의연이 삼셰 쳑동(尺童)ᄀᆞᆺ치 브드러오며, 금후긔 시임(侍任)ᄒᆞᄂᆞᆫ 바 셔동비 당ᄒᆞᆯ 슈고를 ᄒᆞᄃᆡ 염고(厭苦)ᄒᆞ【71】ᄂᆞᆫ 빗치 젼혀 업셔, 못 밋ᄎᆞᆯ ᄃᆞᆺ 응슌(應順)ᄒᆞ미 쳔승군왕(千乘君王)의 존귀ᄒᆞᆷ과 ᄌᆡ렬후ᄇᆡᆨ(宰列侯伯)의 위고(位高)ᄒᆞᆷ ᄀᆞᆺ디 아냐, 몸 가디믈 졔왕으로브터 쳑동ᄋᆞᄇᆡ(尺童兒輩)와 달니 ᄒᆞᄂᆞᆫ 일이 업ᄉᆞ니, 보ᄂᆞᆫ ᄌᆡ 경앙칭복(敬仰稱福)ᄒᆞ믈 니긔디 못ᄒᆞᄂᆞᆫ디라.

날이 반오(半午)ᄂᆞᆫ ᄒᆞ여 빈ᄀᆡᆨ이 써디○[니] 업시 못고, 금평휘 쥬벽(主壁)[830]의 좌를 일워 듕ᄀᆡᆨ(衆客)으로 더브러 잔을 날니며[831], ᄂᆡ외로 풍악을 쥬(奏)ᄒᆞ고, 기녀

825)ᄉᆞ마쌍곡(駟馬雙曲) : 네 필 말이 끄는 마차와 마차가 지나가는 데 방해받지 않도록 잡인의 통행을 금하는 피리나 나팔 따위의 악기 소리.
826)뭉긔다 : 뭉기다. 엉겨서 무더기를 이루다.
827)ᄌᆞ듕(自重) : 남에 대해 자기를 중대하게 여김.
828)것치다 : 거치다. 무엇에 걸리거나 막히다.
829)여린 옥을 잡으며 가ᄃᆞᆨᄒᆞᆫ 그르ᄉᆞᆯ ᄇᆞᆺ듬 : 집옥봉영지녜(執玉奉盈之禮)를 말함. 즉 효자가 부모를 섬김에 있어, 값비싼 옥을 잡고 있는 것처럼 또는 물이 가득 담긴 그릇을 받들고 있는 것처럼, 조심하여 예(禮)를 다함. 『소학(小學)』《명륜(明倫)》편에 나온다.
830)쥬벽(主壁) : 사람을 양쪽에 앉히고 가운데 앉는 주가 되는 자리. 또는 그 자리에 앉은 사람.

례로 졍졔ᄒᆞ니, 취운산 ○○○[곡듕(谷中)의] ᄉᆞ마필(駟馬匹)[652]【47】과 벽졔창곡(辟除唱曲)[653]이 분분(紛紛)ᄒᆞ니, 인셩(人聲)이 훤괄(喧聒)ᄒᆞ고 《안ᄆᆡ ‖ 만ᄆᆡ(萬馬)》 운집ᄒᆞᆫ ᄃᆞᆺ, 가야미 ᄉᆞᆨ기며[654] 봉졉(蜂蝶) 뭉긔미[655]라도 이에셔 밋지 못ᄒᆞᆯ너라. 금평휘 일가 친쳑으로 더브러 만조를 향ᄒᆞ여 연셕의 《공슌ᄒᆞ믈 ‖ 빗ᄂᆡ 모드믈》 ᄉᆞ례ᄒᆞᄆᆡ, 겸공(謙恭)ᄒᆞᄂᆞᆫ 말ᄉᆞᆷ과 《근심 ‖ 근신》ᄒᆞᆫ 어지럼[656]이 반졈 《교유 ‖ 교오(驕傲)》 ᄌᆞ즁(自重)[657]ᄒᆞ미 업거ᄂᆞᆯ, 졔왕 등으로 부친을 뫼셔 《ᄃᆡᄀᆡᆨ ‖ 존빈 귀ᄀᆡᆨ》을 마ᄌᆞ며, 부형 면젼의 경근ᄒᆞᄂᆞᆫ 녜를 잡으ᄆᆡ, 일동일어(一動一語)에 다 《근심 ‖ 근신》ᄒᆞ미 가ᄌᆞᆨᄒᆞ며, '《여린 ‖ 여린》 옥을 잡으며 가ᄃᆞᆨᄒᆞᆫ 그르ᄉᆞᆯ ᄇᆞᆺ듬'[658] ᄀᆞᆺ트여, ᄉᆞᆷ엄ᄒᆞᆫ 녜뫼 슉슉(肅肅)ᄒᆞᆫ 가온ᄃᆡ 완슌(婉順)ᄒᆞᆫ 낫빗과 온화ᄒᆞᆫ 거동이 의연이 샴셰 쳑동(尺童)ᄀᆞᆺ치 부드러오며, 금후긔 시임(侍任)ᄒᆞᄂᆞᆫ 셔동비의 당ᄒᆞᆫ 슈고를 ᄒᆞᄃᆡ, 염고(厭苦)ᄒᆞᄂᆞᆫ 빗치 젼혀 업셔, 못 밋ᄎᆞᆯ ○[ᄃᆞᆺ] 응슌(應順)ᄒᆞ미 쳔승국왕(千乘國王)의 존귀ᄒᆞᆷ과 ᄌᆡ렬후【48】ᄇᆡᆨ(宰列侯伯)의 위고(位高)ᄒᆞᆷ ᄀᆞᆺ지 아냐, 몸 가지믈 졔왕으로브터 쳑동ᄋᆞᄇᆡ(尺童兒輩)와 달니 ᄒᆞᄂᆞᆫ 일이 업셔, 보나니 경앙칭복(敬仰稱福)ᄒᆞ믈 니긔지 못ᄒᆞᄂᆞᆫ지라.

날이 반오에 미쳐 빈ᄀᆡᆨ이 써러지니 업시

651)노소닌니(老少隣里) : 이웃과 마을의 노인과 젊은이들.
652)ᄉᆞ마필(駟馬匹) : 사마(駟馬)와 말을 함께 이르는 말. *사마(駟馬) : 네 필의 말이 끄는 수레.
653)벽졔창곡(辟除唱曲) : 귀인의 행차가 지나가는 데 방해받지 않도록 잡인의 통행을 금하는 시위(侍衛)들의 외치는 소리나 나팔 따위의 악기 소리.
654)ᄉᆞᆨ기다 : 섞이다.
655)뭉긔다 : 뭉기다. 엉겨서 무더기를 이루다.
656)어질다 : 마음이 너그럽고 착하며 슬기롭고 덕행이 높다.
657)ᄌᆞ즁(自重) : 남에 대해 자기를 중대하게 여김.
658)여린 옥을 잡으며 가ᄃᆞᆨᄒᆞᆫ 그르ᄉᆞᆯ ᄇᆞᆺ듬 : 집옥봉영지녜(執玉奉盈之禮)를 말함. 즉 효자가 부모를 섬김에 있어, 값비싼 옥을 잡고 있는 것처럼 또는 물이 가득 담긴 그릇을 받들고 있는 것처럼, 조심하여 예(禮)를 다함. 『소학(小學)』《명륜(明倫)》편에 나온다.

(妓女) 등을 명ᄒᆞ여 쳥가묘무(淸歌妙舞)로 연샹(宴上)의 즐기믈 다ᄒᆞ더니, 녜관 샹셔 뎐영문이 황명을 밧ᄌᆞ와 슌태부인과 금평후 부부긔 헌슈(獻壽)ᄒᆞ라 니르러시니, 금평휘 졔ᄌᆞ(諸子)와 【72】 녀셔(女壻)로 더브러 녜관을 다리고 ᄂᆡ루(內樓)의 드러올ᄉᆡ, ᄂᆡ연(內宴)의 쟝ᄒᆞ미 외연(外宴)으로 일반이라.

뎐부인이 존고를 뫼셔 ᄌᆞ부 녀ᄋᆞ를 거나려 빈ᄀᆡᆨ을 마ᄌᆞᄆᆡ, ᄎᆞ시 뎐부인 년긔 ᄉᆞ십팔셰로ᄃᆡ 조금도 쇠ᄒᆞ미 업셔, 쳔연ᄒᆞᆫ ᄐᆡ도와 ᄉᆡᆨ광이 삼오홍옥(三五紅玉)[832]을 우이 넉이미 잇거ᄂᆞᆯ, 쳐신 ᄒᆡᆼ동이 유법단일(有法端壹)ᄒᆞ여 삼엄ᄒᆞᆫ 녜뫼 학이군ᄌᆞ(學理君子)의 풍이 은은ᄒᆞ니, 엇디 셰쇽 무식ᄒᆞᆫ 녀ᄌᆞ ᄀᆞᆺᄐᆞ리오. 슈플 ᄀᆞᆺᄐᆞᆫ 분ᄃᆡ홍장(粉黛紅粧)[833]과 듕년 부인ᄂᆡ 경복칭앙(慶福稱仰)ᄒᆞᄂᆞᆫ 의ᄉᆡ 가득ᄒᆞ거ᄂᆞᆯ, 슌태부인의 슉슉(肅肅)ᄒᆞᆫ 덕화와 평활(平活)ᄒᆞᆫ 말ᄉᆞᆷ이 ᄉᆞ좌(四座)를 감열(感悅)ᄒᆞ더라. 【73】

831)날니다 : 주고받다.
832)삼오홍옥(三五紅玉) : 열다섯 살 처녀의 붉은 얼굴.
833)분ᄃᆡ홍장(粉黛紅粧) : 홍장분대(紅粧粉黛). '붉게 연지를 찍고 분을 바른 얼굴과 먹으로 그린 눈썹'이란 뜻으로, 화장한 아름다운 여자를 비유적으로 이르는 말

못고, 금평휘 쥬벽(主壁)[659]에 좌를 일워, 빈ᄀᆡᆨ으로 더브러 잔을 날니며[660], ᄂᆡ외로 풍악을 쥬ᄒᆞ고, 기녀(妓女) 등을 명ᄒᆞ여 쳥가묘무(淸歌妙舞)로 연상(瑤池)의 즐기믈 다ᄒᆞ니, 진짓 요지션악[원](瑤池仙苑) ᄀᆞᆺᄐᆞᆫ지라. 아이오, 녜관 상셔 뎐영문이 황명을 밧ᄌᆞ와 슌태부인과 금평후 부부의[긔] 헌슈ᄒᆞ려 니르러시니, 금평휘 졔ᄌᆞ와 기셔(奇壻)를 다리고, 녜관으로 더브러 ᄂᆡ루에 드러 올ᄉᆡ, ᄂᆡ연(內宴)의 장ᄒᆞ미 외연으로 일반이라.

뎐부인이 존고를 뫼시며 ᄌᆞ부 녀ᄋᆞ를 거ᄂᆞ려 빈ᄀᆡᆨ을 마ᄌᆞ니, ᄎᆞ시 뎐부인이 년긔 ᄉᆞ십팔셰로ᄃᆡ 조금도 쇠ᄒᆞ미 업셔, 쳔연ᄒᆞᆫ 태도와 ᄉᆡᆨ【49】광이 ᄉᆞᆷ오츈광(三五春光)[661]을 우이 넉이미 잇거ᄂᆞᆯ, 쳐신 ᄒᆡᆼ동이 유법단일(有法端壹)ᄒᆞ여, 삼엄ᄒᆞᆫ 녜뫼 ᄒᆞᆨ이군ᄌᆞ(學理君子)의 풍이 은은ᄒᆞ니, 엇지 셰쇽의 용용무식(庸庸無識)ᄒᆞᆫ 녀ᄌᆞ ᄀᆞᆺᄐᆞ리오. 슈플 ᄀᆞᆺᄐᆞᆫ 분ᄃᆡ홍장(粉黛紅粧)[662]과 즁년 부인ᄂᆡ 경복경암[앙](慶福稱仰)ᄒᆞᄂᆞᆫ 소ᄅᆡ 가득ᄒᆞ거ᄂᆞᆯ,

659)쥬벽(主壁) : 사람을 양쪽에 앉히고 가운데 앉는 주가 되는 자리. 또는 그 자리에 앉은 사람.
660)날니다 : 주고받다.
661)ᄉᆞᆷ오츈광(三五春光) : 열다섯 살 처녀의 아름다운 자태.
662)분ᄃᆡ홍장(粉黛紅粧) : 홍장분대(紅粧粉黛). '붉게 연지를 찍고 분을 바른 얼굴과 먹으로 그린 눈썹'이란 뜻으로, 화장한 아름다운 여자를 비유적으로 이르는 말

익셜(益說)834) 슌태부인의 슉슉(肅肅)ᄒᆞᆫ 덕화와 평활(平活)ᄒᆞᆫ 말ᄉᆞᆷ이 ᄉᆞ좌(四座)를 감열(感悅)ᄒᆞ니, 비록 '붕셩(崩城)의 통(痛)'835)이 이시나, 금후 ᄀᆞᆺᄐᆞᆫ 대효의 ᄋᆞᄃᆞᆯ과 졔왕 ᄀᆞᆺᄐᆞᆫ 현손(賢孫)을 두어, 호호(浩浩)ᄒᆞᆫ 복녹을 누리며 무궁ᄒᆞᆫ 영효를 바ᄃᆞ믈 알디라. 만좌듕빈(滿座衆賓)이 일시의 늉늉ᄒᆞᆫ 복녹을 하례ᄒᆞ며, 윤의렬 뎡슉녈을 눈을 ᄡᅩ아, 젼ᄌᆞ의 보앗던 부인ᄂᆡ라도 ᄉᆡ로이 슘을 길게 쉬고 황홀ᄒᆞᆯ 쁜 아니라, 쳐음 보ᄂᆞᆫ 사ᄅᆞᆷ이 아니믈 ᄭᆡᄃᆞᆺ디 못ᄒᆞ거ᄂᆞᆯ, 냥(兩) 양과 쇼니시며 경·소·한·하 등의 션풍아ᄐᆡ(仙風雅態)와 면모상광(面貌祥光)이 찬【1】난이 바ᄋᆡ여 일ᄉᆡᆨ(日色)을 가리오고, 남챵후의 부실 딘·남·화 삼인과 초공의 원비 윤시며 동평후의 ᄎᆞ비 댱시 하부인을 ᄯᆞ라 이의 모드ᄆᆡ, 텬향아딜(天香雅質)과 월ᄐᆡ옥용(月態玉容)이 뎡부 졔 부인ᄂᆡ를 족히 ᄃᆡ두(對頭)ᄒᆞᆯ ᄇᆡ라. 만목(萬目)이 어린ᄃᆞ시 바라보며 칙칙 칭션ᄒᆞ여, 윤·뎡·하 삼부의 절ᄉᆡᆨ슉완(絶色淑婉)이 ○[다] 모닷다 ᄒᆞ며, ᄋᆞᄃᆞᆯ을 두고 며나리를 구ᄒᆞᄂᆞᆫ 부인ᄂᆡ 뎡·윤·하 삼부 슉녀 ᄀᆞᆺ기를 원ᄒᆞ나, 엇디 셰간의 여ᄎᆞ 슉녜 흔ᄒᆞ리오.

이날 뉴부인이 뎡부 연셕의 오기를 참괴ᄒᆞ여 아니 오고져 ᄒᆞ더니, 슌태부인으로브터 딘부인이 간청ᄒᆞ여[고], 슉녈과 하부인이 여러 날 즈음쳐【2】본부 연셕의 ᄒᆞᆫ 번 오시믈 디극히 청ᄒᆞ므로, 호람휘 굿ᄐᆞ여 막디 아니믄 뎡부 연인졀친(連姻切親)836)마다 범연ᄒᆞᆫ 부인ᄂᆡ라도 다 못ᄂᆞᆫ 즈음의, 위태부

834)익셜(益說) : 고소설에서 새로 이야기를 시작할 때 쓰는 '화설(話說)' '화표(話表)' '각설(却說)' 따위와 같은 화두사(話頭詞).

835)붕셩지통(崩城之痛) : 성이 무너질 만큼 큰 슬픔이라는 뜻으로, 남편이 죽은 슬픔을 이르는 말.

836)연인졀친(連姻切親) : 인척과 가까운 친척을 함께 이른 말. 곧 혼인으로 맺어진 친척과 혈통으로 맺어진 가까운 일가를 말함.

슌태부인의 슉슉(肅肅)ᄒᆞᆫ 덕화와 평활(平活)ᄒᆞᆫ 말ᄉᆞᆷ이 ᄉᆞ좌(四座)를 감열(感悅)ᄒᆞ니, '○○[비록] '붕셩(崩城)의 통(痛)'663)이 잇시나, 금평후 ᄀᆞᆺᄐᆞᆫ ᄃᆡ효의 아ᄃᆞᆯ과 졔왕 등 ᄀᆞᆺᄐᆞᆫ 현손(賢孫)을 두어, 호호(浩浩)ᄒᆞᆫ 복녹을 누리며 무궁ᄒᆞᆫ 영효를 바ᄃᆞᆯ 쥴 알지라. 만좌즁빈(滿座衆賓)이 융융ᄒᆞᆫ 복녹을 하례ᄒᆞ며, 윤의렬 뎡슉녈긔 눈을 기우려, 젼ᄌᆞ의 보왓던 ○…결락269자…○[부인ᄂᆡ라도 ᄉᆡ로이 슘을 길게 쉬고 황홀ᄒᆞᆯ 쁜 아니라, 쳐음 보ᄂᆞᆫ 사ᄅᆞᆷ이 아니믈 ᄭᆡᄃᆞᆺ디 못ᄒᆞ거ᄂᆞᆯ, 냥(兩) 양과 쇼니시며 경·소·한·하 등의 션풍아ᄐᆡ(仙風雅態)와 면모상광(面貌祥光)이 찬난이 바ᄋᆡ여 일ᄉᆡᆨ(日色)을 가리오고, 남챵후의 부실 딘·남·화 삼인과 초공의 원비 윤시며 동평후의 ᄎᆞ비 댱시 하부인을 ᄯᆞ라 이의 모드ᄆᆡ, 텬향아딜(天香雅質)과 월ᄐᆡ옥용(月態玉容)이 뎡부 졔 부인ᄂᆡ를 족히 ᄃᆡ두(對頭)ᄒᆞᆯ ᄇᆡ라. 만목(萬目)이 어린ᄃᆞ시 바라보며 칙칙 칭션ᄒᆞ여, 윤·뎡·하 삼부의 졀ᄉᆡᆨ슉완(絶色淑婉)이 다 모닷다 ᄒᆞ며, ᄋᆞᄃᆞᆯ을 두고 며나리를 구ᄒᆞᄂᆞᆫ 부인ᄂᆡ 뎡·윤·하 삼부 슉녀 ᄀᆞᆺ기를 원ᄒᆞ나, 엇디 셰간의 여ᄎᆞ 슉녜 흔ᄒᆞ리오.

이날 뉴부인이 뎡부 연셕의 오기를 참괴ᄒᆞ여 아니 오고져 ᄒᆞ더니, 슌태부인으로브터 딘부인이 간청ᄒᆞ여 슉녈과 하부인이 여러 날 즈음쳐 본부] 연셕의 ᄒᆞᆫ 번 나아오시기를 지극히 청ᄒᆞ시므로, 호람휘 굿ᄒᆞ여 막지 아니ᄒᆞ믄, 뎡부 '연인(連姻)ᄒᆞᆫ 친가(親家)'664)와 범연ᄒᆞᆫ 부인ᄂᆡ라도 다 못ᄂᆞᆫ 날【50】에, 위태부인과 조부인은 ᄂᆡ외 온젼치 못ᄒᆞ므로 본ᄃᆡ 일가 연셕에도 가ᄂᆞᆫ 일이 업고, 다만 뉴부인이 무ᄉᆞ(無事) 평상(平常)

663)붕셩지통(崩城之痛) : 성이 무너질 만큼 큰 슬픔이라는 뜻으로, 남편이 죽은 슬픔을 이르는 말.

664)연인(連姻)ᄒᆞᆫ 친가(親家) : 혼인으로 맺어진 친척 집안.

인과 조부인은 ᄂᆡ외 완젼치 못ᄒᆞ므로 일가 연ᄎᆞ(宴遮)837)의도 가ᄂᆞᆫ 일이 업고, 다만 뉴부인이 무ᄉᆞ(無事)ᄒᆞᆫ 사ᄅᆞᆷ으로 젼일 과악을 붓그려 뎡부 셩연(盛宴)의 참예치 아니면, 냥가 디극ᄒᆞᆫ 졍분의 도로혀 박ᄒᆞ미 되ᄂᆞᆫ 고로 가디 말나 ᄒᆞᆫ 일이 업ᄂᆞᆫ디라. 뉴부인이 마디 못ᄒᆞ여 이의 니르ᄆᆡ, 뎡국공 부인 됴시와 셕츄밀 뎔시 와 다 못고, 그 밧 윤부 연인졀친가(連姻切親家) 부인ᄂᆡ 아니 오니 업고, 녕능후의 ᄌᆡ실 오시 금【3】장쇼고(襟丈小姑) 등으로 더브러 뎔부인을 뫼셔 연ᄎᆞ의 참예ᄒᆞ여, 윤·양 이비를 보ᄆᆡ 피ᄎᆞ의 활인ᄉᆞ 고초를 ᄉᆡᆼ각ᄒᆞ여 각별ᄒᆞᆫ 졍이 이시니, 뉴부인이 ᄌᆞ녀셔(子女壻)의 공후의 복ᄉᆡᆨ으로 다 이의 모다실 쁜 아니라, 셕부 졔인ᄂᆡ 노쇼 업시 모ᄃᆞ믈 보ᄆᆡ, 홀노 녀ᄋᆞᄂᆞᆫ 셕부 심당의 ᄒᆞᆫ낫 죄쉬 되여 머리를 ᄂᆡ왓디838) 못ᄒᆞ믈 각골비졀(刻骨悲絶)ᄒᆞ더라. 슌태부인과 딘부인이 각별 후ᄃᆡᄒᆞ믈 당ᄒᆞ여ᄂᆞᆫ ᄌᆞ긔 젼과를 참괴ᄒᆞ여 능히 말을 못ᄒᆞᄃᆡ, 총민ᄒᆞᆫ ᄌᆡ졍과 영오ᄒᆞᆫ 긔딜이 타뉴의 ᄂᆡ도ᄒᆞ고, 묘려(妙麗)ᄒᆞᆫ ᄐᆡ도와 졀셰ᄒᆞᆫ 용화ᄂᆞᆫ 미옥을 공교히 삭이고, 홍ᄆᆡ홰(紅梅花) 납셜(臘雪)을 므릅【4】쁜 ᄃᆞᆺ, 일빵 가월미(佳月眉)ᄂᆞᆫ 먼 뫼히 ᄂᆡ 흔뎍이 희미ᄒᆞᆫ ᄃᆞᆺ, 냥안졍ᄎᆡ(兩眼精彩)ᄂᆞᆫ 츄슈(秋水)의 ᄇᆞᆰ은 별이 빗쵠 ᄃᆞᆺ, 년긔 ᄉᆞ슌을 넘은 디 오ᄅᆡᄃᆡ 홍옥초츈(紅玉初春)839)을 묘시(藐視)ᄒᆞ니, 그 ᄌᆞᄐᆡ○○○[의 공교]로오미 경셩경국(傾城傾國)ᄒᆞᆯ ᄉᆡᆨ이 잇ᄂᆞᆫ디라.

만좌 졔인이 그윽이 눈 주어 셔로 가마니 니르ᄃᆡ,

"져 ᄀᆞᄐᆞᆫ 용모 긔딜노뼈 ᄎᆞ마 못ᄒᆞᆯ 악ᄉᆞ를 엇디 그ᄃᆡ도록 힝ᄒᆞ던고. 외모와 ᄂᆡᄌᆡ(內才) ᄀᆞᆺ디 못ᄒᆞ다 ᄒᆞᆫ들 져 뉴부인과 문양공쥬 ᄀᆞᄐᆞ니 이시리오. 져 부인이 비록 만악이 구비ᄒᆞ나, 윤효문이 증증예블격간(蒸

ᄒᆞᆫ ᄉᆞᄅᆞᆷ으로, 젼일 ᄀᆞᆺ치 붓그려 ᄎᆞᆷ녜치 참예치 아니면, 양가 지극ᄒᆞᆫ 졍분이 도로혀 박ᄒᆞ미 되ᄂᆞᆫ 고로, 가지 말나 ᄒᆞ미 업ᄂᆞᆫ지라. 뉴부인이 마지 못ᄒᆞ여 이에 니르ᄂᆞᆫ지라.

ᄉᆞ좌(四座) 졔인이 그윽이 눈 쥬어 셔로 가마니 닐ᄋᆞᄃᆡ,

"져 ᄀᆞᄐᆞᆫ 용모 긔질노뼈 ᄎᆞ마 못ᄒᆞᆯ 악ᄉᆞ를 엇지 그ᄃᆡ도록 힝ᄒᆞ던고. 외모와 ᄂᆡ심이 ᄀᆞᆺ지 못ᄒᆞ믈 져 뉴부인과 문양공쥬 ᄀᆞᆺᄒᆞ니 잇시리오"

ᄒᆞ며 분분히 닐ᄋᆞᄃᆡ,

"져럿ᄐᆞᆺ 긔질이 남과 ᄃᆞ르ᄆᆡ ᄭᆡ닷기를 슈히 ᄒᆞ여 어진 ᄉᆞᄅᆞᆷ이 되니 닐ᄏᆞ름즉도 ○○[ᄒᆞ다.]"

ᄒᆞ며, ᄯᅩ 닐ᄋᆞᄃᆡ,

837)연ᄎᆞ(宴遮) : 잔치 자리에 친 차일(遮日)이란 뜻으로 잔치를 이르는 말.
838)ᄂᆡ왓다 : 내밀다.
839)홍옥초츈(紅玉初春) : 붉은 옥처럼 아름다운 처녀의 젊은 나이.

蒸乂不格姦)840)ᄒᆞ시던 대효로 디셩(至誠)이 텬디신명을 격감(激感)ᄒᆞ니, 뉴부인 악심도 ᄌᆞ연 감동ᄒᆞ미 되엿다."

ᄒᆞ며, 윤부 셰【5】밀디ᄉᆞ라도 거의 아ᄂᆞᆫ ᄌᆞᄂᆞᆫ 뉴부인이 윤효문 부부를 이상이 보치다가, 므ᄉᆞᆫ 놀나온 ᄭᅮᆷ을 ᄭᆡᆫ 후 회심ᄌᆞᄎᆡᆨ(回心自責)ᄒᆞ엿다 ᄒᆞ고, 가만ᄒᆞᆫ 말과 시비ᄂᆞᆫ 논단치 아니ᄒᆞ나, 뉴부인이 만ᄉᆞ의 ᄃᆡ졉ᄒᆞᆯ 것 업ᄉᆞᄃᆡ, 효문 ᄀᆞᆺᄐᆞᆫ ᄋᆞᄃᆞᆯ과 하・당 ᄀᆞᆺᄐᆞᆫ 며나리며, 초공 부인 ᄀᆞᆺᄐᆞᆫ ᄯᆞᆯ을 두ᄆᆡ, 사ᄅᆞᆷ마다 외면의 존경ᄒᆞ기ᄂᆞᆫ 딘부인이나 다르디 아니ᄒᆞ고, ᄒᆞᆫ번 ᄀᆡ동(起動)의 하・당 두 ᄌᆞ부와 뎡・진・남・화 ᄉᆞ부인이 다 부호(扶護)ᄒᆞ며, 의렬비와 초공 부인이 움즉이니, 만좌 쇼년 부인ᄂᆡ 다 니러나미 되고, ᄉᆞ오나오믈 모로ᄂᆞᆫ 거시 아니로ᄃᆡ 져마다 사괴고져 ᄒᆞ믄, 늉늉ᄒᆞᆫ 부귀를 흠앙ᄒᆞ○[미]니, 인심이【6】셰도(世道)를 조ᄎᆞ미 이 ᄀᆞᆺᄐᆞᆫ디라.

딘부인이 연혼가(連婚家) 부인ᄂᆡ 듕의도, 양평댱 부인 화시며 경참졍 부인 화시며 [와] 화츄밀 부인 쥬시와 니혹ᄉᆞ 부인 단시의 뇨됴유한(窈窕有限)ᄒᆞ믈 심복ᄒᆞᄃᆡ, 굿ᄐᆞ여 ᄉᆞ싀디 아냐 오딕 여러 빈ᄀᆡᆨ과 ᄒᆞᆫ가디로 ᄃᆡ졉ᄒᆞᆯ ᄲᅮᆫ이라. 이ᄯᅢ 니부인 친당이 님산을 ᄯᅥ나 경샤 고틱의 올나왓ᄂᆞᆫ 고로 단부인이 연셕의 참예ᄒᆞ엿《ᄂᆞᆫ디라‖더라》. 화츄밀 부인이 슉렬의 손을 잡고 반기ᄂᆞᆫ 졍이 아모 곳으로 나ᄂᆞᆫ 줄 ᄭᆡᄃᆞᆺ디 못ᄒᆞ여, 우음을 먹음고 ᄀᆞᆯ오ᄃᆡ,

"셕년의 부인으로ᄡᅧ 동상(東床)841)의 향ᄀᆡᆨ(香客)842)을 삼아, 태산ᄀᆞᆺ치 밋던 ᄆᆞ음과

840)증증예불격간(烝烝乂不格姦) : 차츰 어진 길로 나아가게 하여 간악한 데에 빠지지 않게 함. 『동몽선습(童蒙先習)』 '부자유친(父子有親)'조에 나오는 말.

841)동상(東床) : '동쪽 평상'이라는 뜻으로, '사위'를 달리 이르는 말. 중국 진(晉)나라의 극감(郄鑒)이 사위를 고르는데, 왕도(王導)의 아들 가운데 동쪽 평상 위에서 배를 드러내고 누워 있는 왕희지를 골랐다는 고사에서 유래한다.

"져 부인이 비록 만악이 구비ᄒᆞ나, 윤효문이 증증예블격【51】간(蒸蒸乂不格姦)665) ᄒᆞ던 ᄃᆡ효를 가져, 밧드러 크게 ᄀᆡ특ᄒᆞᄆᆡ ᄌᆞ연 감동ᄒᆞ미 되엿ᄂᆞ니라"

ᄒᆞ며, 윤부 셰밀지ᄉᆡᆨ라도 다 아ᄂᆞᆫ 뉴ᄂᆞᆫ,

"뉴부인이 효문 부부 냥인을 이상이 보ᄎᆡ다가, 무슴 놀나온 ᄭᅮᆷ을 ᄭᆡᆫ 후에 회심(回心)ᄒᆞ고, 져러틋 착ᄒᆞᆫ ᄉᆞᄅᆞᆷ이 되엿ᄂᆞ뇨?"

○○[ᄒᆞ며], 가만ᄒᆞᆫ 말과 시비ᄒᆞᄂᆞᆫ 논란이 긋지 아니ᄒᆞ니, 뉴부인이 만ᄉᆞ의 쾌ᄒᆞᆫ 조각이 업ᄉᆞᄃᆡ, 윤태부 ᄀᆞᆺᄒᆞᆫ ᄋᆞᄃᆞᆯ과 하・장 ᄀᆞᆺᄐᆞᆫ 며ᄂᆞ리며, 초공 부인 ᄀᆞᆺᄐᆞᆫ ᄯᆞᆯ을 두ᄆᆡ, ᄉᆞᄅᆞᆷ마다 존경ᄒᆞ미 딘부인이나 다르미 업ᄂᆞᆫ지라. ᄒᆞᆫ번 몸을 움즉이ᄆᆡ 하・장 《부부‖두 ᄌᆞ부》와 뎡・딘・남・화 ᄉᆞ부인이 다 븟들며, 의렬과 초공 부인이 일시에 종(從)ᄒᆞ니, 만좌 소년 부인ᄂᆡ 다 니러나미 되고, 그 ᄉᆞ오나오믈 모로지 아니ᄒᆞᄃᆡ 져마다 ᄉᆞ괴고져 ᄒᆞ【52】믄, 늉늉(隆隆)ᄒᆞᆫ 부인으로 칭양ᄒᆞ미라. 인심이 셰를 븟조ᄎᆞ미 여ᄎᆞᄒᆞ더라.

딘부인이 혼가(婚家) 즁 부인 뉴의, 양평장 부인 화씨며 경참졍 부인과 화츄밀 부인 쥬씨와 니혹ᄉᆞ 부인 단씨의 요조유한(窈窕有限)ᄒᆞ믈 심복 ᄋᆡ경ᄒᆞᄃᆡ, 굿ᄒᆞ여 ᄉᆞ싀지 아냐 오직 여러 빈ᄀᆡᆨ과 ᄒᆞᆫ가지로 ᄃᆡ졉ᄒᆞᆯ ᄲᅮᆫ 아니라, 이ᄯᅢ 여양 니부인 《원당‖친당》이 님산을 ᄯᅥ나 경ᄉᆞ 고틱의 도라 왓ᄂᆞᆫ지라. 단 부인이 연셕의 ᄯᅩᄒᆞᆫ 니르럿ᄂᆞᆫ지라. 화츄밀 부인 쥬씨 슉녈의 손을 잡아 반기ᄂᆞᆫ 졍이 아모 곳으로 조ᄎᆞ 나ᄂᆞᆫ 줄을 ᄭᆡᄃᆞᆺ지 못ᄒᆞ여, 우음을 먹음고 ᄀᆞᆯ오ᄃᆡ,

"셕년에 부인으로ᄡᅧ 동상(東床)666)의 향ᄀᆡᆨ(香客)667)을 삼아 ᄐᆡ산ᄀᆞᆺ치 밋ᄂᆞᆫ 마음과

665)증증예불격간(烝烝乂不格姦) : 차츰 어진 길로 나아가게 하여 간악한 데에 빠지지 않게 함. 『동몽선습(童蒙先習)』 '부자유친(父子有親)'조에 나오는 말.

666)동상(東床) : '동쪽 평상'이라는 뜻으로, '사위'를 달리 이르는 말. 중국 진(晉)나라의 극감(郄鑒)이 사위를 고르는데, 왕도(王導)의 아들 가운데 동쪽 평상 위에서 배를 드러내고 누워 있는 왕희지를 골랐다는 고사에서 유래한다.

가득훈 졍이 빅년(百年)【7】동방(洞房)의 깃드리는 즈미를 기리 원호더니, 훈번 상경의 건곤이 밧괴이니, 우리 밋쳐 창후로뼈 동상을 삼디 아닌 젼의, 그 홀연호미 일흔 거시 잇는 돗호던 바를 엇디 다 니르리오. 이졔 녀익 부인으로 더브러 동녈(同列)의 졍과 고구(故舊)의 친호믈 가져, 비록 뎍인(敵人)이나 실위동긔(實爲同氣) 깃트니, 쳡이 깃븐 무음을 견즐 곳이 이시리오."

뎡슉녈이 쥬부인을 빅견(拜見)호믹 쏘훈 반가오믈 니긔디 못호여, 존후를 뭇즈오며 삼년 후휼(厚恤)훈 은덕을 일킷다가, 쥬부인 말숨을 듯고 쏘 잠쇼 딕왈,

"쳡은 녀힝(女行)의 어긘 죄인이옵고, 음양을 변톄호여 상공과 부인을 긔망호고, 녕녀【8】쇼져의 용화긔딜(容華氣質)을 즈셔히 드르믹, 타문의 보닉기를 앗긴 고로, 어린 의식 가군(家君)의 셩시를 비러 존틱의 의디호와, 쇼져와 여러 일월(日月)을 훈가디로 디닉미 되엿던 거시어니와, 부인과 샹공이 쳡의 암용블민 홈과 미약잔녈(微弱孱劣)호미 녀지믈 일안의 아르실 거시로딕, 오히려 아디 못호시고 쇼져로뼈 유싱의 여렁 직부실을 빅호시미, 뎡히 하날이 식이시미오, 본의 아니신 돗 훈디라. 이졔 쳡의 쇼원을 일워 녕우로 쳡의 동녈을 삼고, 각각 싱남호여 구고 존당의 슬히 뎍막호시믈 위로호니, 깃브믈 범연훈 곳의【9】비치 못홀디라. 쳡이 존부의셔 후휼호시던 은덕을 오믹(寤寐)의 삭이미 되여시니, 녕녀와 훈 뎡을 타 존부의 나아가 현알코져, 하졍(下情)이 등한치 아니호오딕, 녀즈의 힝게(行車) 쉽디 못호와 은익를 져바리미 무궁호오니, 금일 뵈오믹 참안황괴(慙顔惶愧)호도소이다."

슌태부인과 딘부인이 녀우를 삼년 무휼(撫恤)훈 은혜를 일코라 쏘훈 샤례호니, 쥬부인이 블감호믈 칭샤호고 죵용이 담화홀식, 남창후 삼비(三妃)[843] 모든 말이 긋치

842)향긱(香客) : 아름다운 손님. 여기서는 동상(東床)과 함께 쓰여 '사위'를 이르는 말로 쓰임.

가득훈 졍이 빅년(百年) 동방(洞房)의 깃드리는 즈미를 그윽이 부라더니,【53】훈번 상경의 건곤이 밧고이니, 우리 미쳐 창후로뼈 동상을 삼지 아닌 젼에, 그 홀연호미 일흔 거시 잇는 돗호던 바를 어이 다 니르리오. 이졔 녀익 부인으로 더브러 동녈의 졍과 고우(古友)의 친호므로, 명위젹인(名爲敵人)이나 실위동긔(實爲同氣) 깃트니, 쳡의 깃븐 마음을 엇지 다 견쥴 곳이 잇시리오"

슉녈 부인이 화츄밀 부인을 빅례(拜禮)호믹, 쏘훈 반가온 뜻이 심상치 아냐, 나즉이 긔후를 뭇즈오며 숨년 후휼(厚恤)호던 은덕을《뭇즈오니‖일킷다가》, 쥬부인 말숨이 이 깃트믈 듯고, 쏘훈 죵소 딕왈,

"쳡은 녀힝(女行)의 어긘 죄인으로, 음양을 변쳬호여 상공과 부인을 긔망호고, 녕녀 소져의 용화긔질(容華氣質)을 즈셔이 드르며 타문에 도라 보닉기를 앗기믹, 어린 의식 범연훈 곳에 비치 못홀지라. 쳡이 존부에【54】셔 후휼호신 은덕을 빅골(白骨)에 삭이미 되엿시나, 영녀와 훈가지로 존부에 나아가 현알코져, 하졍(下情)이 등한치 아니호딕, 녀즈의 힝셰 졸연치 못호와 은혜를 져바리미 무궁호니, 금일 뵈오나 춤안황괴(慙顔惶愧) 호도소이다"

슌태부인과 딘부인이 녀우를 숨년 후휼무익(厚恤撫愛)호던 은혜를 닐코라 쏘훈 스례호니, 쥬부인이 블감호믈 닐킷고 죵용이 담화홀식, 남창후 숨비(三妃)[668] 모든 말이

667)향긱(香客) : 아름다운 손님. 여기서는 동상(東床)과 함께 쓰여 '사위'를 이르는 말로 쓰임.

기를 기다려, 쥬부인긔 나ᄌᆞᆨ이 칭샤 왈,

"쳡의 명되 괴이ᄒᆞ여 쳥평셰계(淸平世界)의 난니를 만나, 역시 뎡쳐 업시 【10】 슉녈부인을 의디ᄒᆞ여 ᄯᆞ라 단니다가, 존부의 삼년을 의디ᄒᆞ와 그윽ᄒᆞᆫ 당샤를 빌니시고, 의식지졀과 범ᄉᆞ의 상공이 극단 후휼ᄒᆞ시믈 닙ᄉᆞ와 일명을 보젼ᄒᆞ오니, 슉녈 부인은 오히려 동상으로 무ᄋᆡᆨᄒᆞ시미어니와, 쳡은 《쇼ᄆᆡ∥쇼녀》 평ᄉᆡᆼ 일면브디오ᄃᆡ 도라 갈 곳이 업ᄉᆞ믈 잔잉ᄒᆞ샤, 무휼ᄒᆞ시던 바를 ᄉᆡᆼ각ᄒᆞᆯᄉᆞ록 감은ᄒᆞ믈 니긔디 못ᄒᆞᄂᆞ이다."

쥬부인이 집슈 왈,
"부인 등을 다 남ᄌᆞ로 아라 ᄃᆡ졉ᄒᆞ던 ᄇᆡ라. 녀ᄋᆞ의 동녈이 되여시니 쳡심이 각별ᄒᆞ믈 형상치 못ᄒᆞᄂᆞ니, ᄒᆞ믈며 나의 녀ᄋᆞ로 졍의 디극ᄒᆞ시미, 【11】 황영(皇英)의 ᄌᆞᄆᆡ ᄀᆞᆺᄐᆞ믈 드르ᄆᆡ ᄒᆡᆼ열(幸悅)ᄒᆞ믈 니긔디 못ᄒᆞᄂᆞ니, 일시 ᄋᆡᆨ경(厄境)으로 쳡의 집의 잠간 머므르신 거술 족히 일ᄏᆞ를 ᄇᆡ 아니로소이다."
남부인이 흔연 칭샤ᄒᆞ더니, 시녀 등이 금평휘 녜관으로 더브러 드러오믈 고ᄒᆞ니, 가득ᄒᆞᆫ ᄂᆡᄀᆡᆨ이 다 쟝ᄂᆡ로 드러 헌슈ᄒᆞ믈 구경ᄒᆞᆯᄉᆡ, 금평휘 오ᄌᆞ와 냥셔를 다리고 태부인 뎡뎐의 다ᄃᆞ르니, 공슈궤복(拱手跪伏)ᄒᆞ여 녜관이 니르러시믈 고ᄒᆞ고, 딘상셰 먼니셔 ᄌᆡᄇᆡᄒᆞᄆᆡ 태부인이 좌의 나 답ᄇᆡᄒᆞ니, 딘상셰 상교(上敎)를 젼ᄒᆞ여 ᄀᆞᆯ오ᄃᆡ,

"하날이 숑됴를 도와 평졔왕 텬흥 ᄀᆞᆺᄐᆞᆫ 고굉디신(股肱之臣)을 ᄂᆡ시ᄆᆡ, 남뎡븍【12】벌(南征北伐)과 히평졔멸(海平齊滅)[844]ᄒᆞᆫ 공이 일셰의 웃듬이오, ᄌᆡ덕(才德)이 만고의 희한(稀罕)ᄒᆞ니, 딤의 통ᄋᆡᆨᄒᆞᄆᆡ 고종(高宗)[845]의 부열(傅說[846]과 문왕(文王)[847]

843)삼비(三妃) : 세 번째 부인. 곧 남희주를 말한다.
844)히평졔멸(海平齊滅) : 북해를 평정하고 제(齊)나라를 멸함.

긋치기를 기다려 나ᄌᆞᆨ이 쥬부인긔 칭ᄉᆞᄒᆞ여 ᄀᆞᆯ오ᄃᆡ,
"쳡의 명되 고이ᄒᆞ여 쳥평셰계(淸平世界)에 혼ᄌᆞ 난니를 만나, ᄯᅩᄒᆞᆫ 졍쳐 업시 슉녈부인을 ᄯᆞ라 단이다가, 존부의 슴년을 의지ᄒᆞ와 깁고 고요ᄒᆞᆫ 당ᄉᆞ를 빌니시고, 의식지졀과 범ᄉᆞ의 상공이 극진이 고렴ᄒᆞ시믈 닙ᄉᆞ와 일명을 보젼【55】ᄒᆞ미 되오니, 슉녈부인은 오히려 {동녈} 교ᄀᆡᆨ(嬌客)[669]으로 알아 무ᄋᆡᆨᄒᆞ시미어니와, 쳡은 《소ᄆᆡ∥소녀》 평ᄉᆡᆼ 일면부지로, 도라 갈 곳이 업ᄉᆞ믈 측은이 넉이신 ᄇᆡ니, ᄉᆡᆼ각ᄒᆞᆯᄉᆞ록 감은 황공ᄒᆞ믈 니긔지 못ᄒᆞ리로소이다."
쥬부인이 집슈 왈,
"부인을 다만 슈ᄌᆡ(秀才)[670]로 알아 ᄃᆡ졉ᄒᆞ던 ᄇᆡ라. 녀ᄋᆞ의 동녈이 되엿시니 쳡의 마음이 각별ᄒᆞ믈 형용치 못ᄒᆞᄂᆞ니, 허믈며 부인ᄂᆡ 녀ᄋᆞ와 졍의 지극ᄒᆞ샤 황녕(皇英)의 ᄌᆞᄆᆡ ᄀᆞᆺᄐᆞ믈 드르니, 진실노 ᄒᆡᆼ희ᄒᆞ믈 니긔지 못ᄒᆞᄂᆞ니, 일시 ᄋᆡᆨ경을 장ᄉᆞ에셔 지ᄂᆡ여, 쳡의 집의 소실(小室)에셔 즘간 머무신거술, 족히 닐ᄏᆞ를 ᄇᆡ 업도소이다."
남부인이 흔연 칭ᄉᆞᄒᆞ더라. 이윽고 시녀 등이 금평휘 녜관으로 더브러 입ᄂᆡ(入內)ᄒᆞ시믈 고ᄒᆞ니, 《아마도 앙소ᄒᆞᆫ∥인친가(姻親家)[671]》 부인ᄂᆡᄂᆞᆫ ○[다] 장ᄂᆡ에 드러【56】와 헌슈ᄒᆞ믈 구경ᄒᆞᆯᄉᆡ, 금휘 아ᄌᆞ와 냥셔(兩壻)를 거ᄂᆞ려 태부인 면젼에 ᄃᆞ다ᄅᆞ, 공슈궤복(拱手跪伏)ᄒᆞ여 녜관이 니르럿시믈 고ᄒᆞ고, 딘상셰 먼니셔 ᄌᆡᄇᆡᄒᆞ고, 태부인이 좌의 나와 답ᄇᆡᄒᆞᄆᆡ, 딘상셰 상교(上敎)를 젼ᄒᆞ여 ᄀᆞᆯ오ᄃᆡ,
"하ᄂᆞᆯ이 송조를 도와 녕[평]졔왕 텬흥 ᄀᆞᆺᄐᆞᆫ 고굉지신(股肱之臣)을 ᄂᆡᄆᆡ, 남졍북벌(南征北伐)의 공업(功業)이 일셰에 웃듬이오, ᄌᆡ덕(才德)이 만고에 희한(稀罕)ᄒᆞ니, 딤이

668)삼비(三妃) : 세 번째 부인. 곧 남희주를 말한다.
669)교객(嬌客) : 사위를 친근하게 이르는 말
670)수재(秀才) : 예전에, 미혼 남자를 높여 이르던 말.
671)인친가(姻親家) : 인가(姻家)와 친가(親家). 곧 인척의 집과 친척의 집.

의 녀상(呂尙)848) ᄀᆞᆺᄐᆞ여, 뎡문이 과(過)히 졀검(節儉)ᄒᆞ므로 인ᄒᆞ여, 금은과 필ᄇᆡᆨ으로 그 ᄆᆞᄋᆞᆷ을 더러이디 못ᄒᆞ고, 디난 일이나 간인의 참ᄒᆡᄒᆞ믈 조ᄎᆞ 합문(闔門)이 크게 놀나미 잇고, 졔왕 샹원비 윤의렬 곳 아니면 환난을 도로혀 영복(榮福)을 삼기 어려온디라. 이러므로 경가(卿家)의 녜우(禮遇)ᄒᆞᄂᆞᆫ 뜻을 뵈며 졔왕 등의 셩효를 도와, 태부인 슈셕(壽席)을 당ᄒᆞ여 딤이 특별이 녜관을 보ᄂᆡ여, 졔국 증태왕비(贈太王妃) 슌시로브터 샹평왕(上平王) 부부【13】의게 헌슈(獻壽)ᄒᆞ여, 긔특ᄒᆞᆫ ᄌᆞ손 둠과 복녹을 하례ᄒᆞ노라."

총ᄋᆡᄒᆞ미 고종(高宗)672)의 부열(傳說673)과 문왕(文王)674)의 여상(呂尙)675) 《ᄀᆞᆺᄐᆞᆫ 덕이 잇ᄉᆞᄃᆡ ‖ ᄀᆞᆺᄐᆞᄃᆡ》, 뎡문이 과도히 졀검(節儉)ᄒᆞ믈 인ᄒᆞ여, 금은과 필ᄇᆡᆨ을 가져 그 청심고의(淸心高意)를 더러이지 못ᄒᆞ고, 비록 지난 일이나 간인의 참ᄒᆡᄒᆞ믈 조ᄎᆞ 합문(闔門)의 크게 놀나미 잇고, 졔왕의 원비 윤의렬 곳 아니런들 화란을 도로혀 영복(榮福)을 삼기 어려온지라. 니러므로 경의 집에 녜(禮遇)우ᄒᆞᄂᆞᆫ 뜻을 뵈【57】며, 졔왕 등의 셩효로[를] 도와, 태부인 슈셕(壽席)을 당ᄒᆞ여 딤이 특별이 녜관을 보ᄂᆡ여, 졔국 증태왕비(贈太王妃)《를부쳐 ‖ 슌시로브터》《상태왕비 ‖ 샹평왕(上平王) 부부》에게 헌슈(獻壽)ᄒᆞ여, 긔특ᄒᆞᆫ ᄌᆞ손을 둠과 복녹을 하례 ᄒᆞ노라"

태부인과 금평후 부뷔 브복ᄒᆞ여 듯ᄌᆞᆸ기를 맛ᄎᆞᄆᆡ, 딘상셰 궐졍의셔 가져온 바 옥ᄇᆡ(玉杯)○[의] 향온(香醞)을 밧드러, 태부인긔 년ᄒᆞ여 삼작(三酌)을 나온 후, 금평후와 딘부인긔 헌슈홀ᄉᆡ, 옥ᄇᆡ를 들고 슉모 알패 나아가 고ᄒᆞᄃᆡ,

"쇼딜이 창ᄇᆡᆨ의 부귀를 칭앙(稱仰)ᄒᆞ여 녜관(禮官)을 ᄌᆞ원(自願)ᄒᆞ와 이의 니르믄, 녜단을 만히 징ᄉᆡᆨ고져 ᄒᆞ미니, ᄒᆞᆫ 필 깁도 장만ᄒᆞ여 노흔 거시 업ᄂᆞ니잇가?"

태부인과 금평휘 부뷔며 즁인(衆人)이 듯기를 맛ᄎᆞᄆᆡ, 딘상셰 궐즁에셔 가져온 ᄇᆡᆨ옥ᄇᆡ옥ᄇᆡ(白玉杯)○[의] 향온(香醞)을 밧드러 태부인긔 헌ᄒᆞ여 셰 번을 나온 후, 금평후와 딘부인긔 헌슈홀ᄉᆡ, 옥ᄇᆡ를 들고 슉모 알ᄑᆡ 나아가 고ᄒᆞᄃᆡ,

"소딜이 창ᄇᆡᆨ의 부귀를 칭앙(稱仰)ᄒᆞ여 녜관(禮官)을 ᄌᆞ원(自願)ᄒᆞ고 이에 니르믄, 녜단(禮緞)을 만히 징ᄉᆡᆨ고져 ᄒᆞ미니이다."

---

845)고종(高宗) : 중국 은(殷)나라 제22대 임금. 이름은 무정(武丁). 꿈에 나타난 현신(賢臣)의 초상화를 그려 부열(傳說)이라는 훌륭한 신하를 등용하고 정사를 바로잡아 은나라를 부흥시켰다.

846)부열(傳說 : 중국(中國) 은(殷)나라 고종(高宗) 때의 재상(宰相), 토목(土木) 공사(工事)의 일꾼이었는 데, 당시(當時)의 재상(宰相)으로 등용(登用)되어 중흥(中興)의 대업을 이루었음

847)문왕(文王) : 중국 주나라 무왕(武王)의 아버지. 이름은 창(昌). 기원전 12세기경에 활동한 사람으로 은나라 말기에 태공망 등 어진 선비들을 모아 국정을 바로잡고 융적(戎狄)을 토벌하여 아들 무왕이 주나라를 세울 수 있도록 기반을 닦아 주었다. 고대의 이상적인 성인 군주의 전형으로 꼽힌다.

848)녀상(呂尙) : '태공망(太公望)'의 다른 이름. 여(呂)는 그에게 봉해진 영지(領地)이며, 상(尙)은 그의 이름이고 성은 강(姜)이다. 중국 주나라 초기의 정치가로 무왕을 도와 은나라를 멸하고 천하를 평정하였다. 저서에 ≪육도(六韜)≫가 있다.

672)고종(高宗) : 중국 은(殷)나라 제22대 임금. 이름은 무정(武丁). 꿈에 나타난 현신(賢臣)의 초상화를 그려 부열(傳說)이라는 훌륭한 신하를 등용하고 정사를 바로잡아 은나라를 부흥시켰다.

673)부열(傳說 : 중국(中國) 은(殷)나라 고종(高宗) 때의 재상(宰相), 토목(土木) 공사(工事)의 일꾼이었는 데, 당시(當時)의 재상(宰相)으로 등용(登用)되어 중흥(中興)의 대업을 이루었음

674)문왕(文王) : 중국 주나라 무왕(武王)의 아버지. 이름은 창(昌). 기원전 12세기경에 활동한 사람으로 은나라 말기에 태공망 등 어진 선비들을 모아 국정을 바로잡고 융적(戎狄)을 토벌하여 아들 무왕이 주나라를 세울 수 있도록 기반을 닦아 주었다. 고대의 이상적인 성인 군주의 전형으로 꼽힌다.

675)녀상(呂尙) : '태공망(太公望)'의 다른 이름. 여(呂)는 그에게 봉해진 영지(領地)이며, 상(尙)은 그의 이름이고 성은 강(姜)이다. 중국 주나라 초기의 정치가로 무왕을 도와 은나라를 멸하고 천하를 평정하였다. 저서에 ≪육도(六韜)≫가 있다.

딘부인이 함쇼 답왈,

"현딜이 공후의 ᄌᆞ뎨로 위거뉵경(位居六卿)[849]ᄒᆞ여 남의 연셕의 녜관 되기를 그ᄃᆡ도록 ○○○○[희망ᄒᆞ고]【14】샤관을 ᄌᆞ구ᄒᆞ여, 녜단을 만히 《싱각∥징식》○○[고져]ᄒᆞ미 실노 남 들니기 붓그럽도다. 우리 셩은을 감골(感骨)ᄒᆞᆯ디언졍 너ᄂᆞᆫ 일쳑 깁도 줄 일 업도다."

딘상셰 만면의 우음을[이] 넘껴 ᄀᆞᆯ오ᄃᆡ,

"쇼딜이 츈경(春卿)[850]으로 이실 ᄸ 두로 녜관을 단녀 ᄒᆞᆫ두 번이 아니로ᄃᆡ, 슉모쳐로 녜관 ᄃᆡ졉을 박히 ᄒᆞ믈 보ᄋᆞᆸ디 못ᄒᆞ엿ᄉᆞᆸᄂᆞ니, 쇼딜이 만히 희망ᄒᆞ고 ᄌᆞ구ᄒᆞ여 왓던 거시 허ᄉᆡ 되엿ᄂᆞᆫ디라. 그윽이 ᄋᆡ돌나 ᄒᆞᄂᆞ이다."

딘부인이 낭연쇼디(朗然笑之)ᄒᆞ고, 금평휘 쇼왈,

"연셕을 디니기 잠간 죵용키를 기다려, 일빅금을 봉ᄒᆞ여 ᄀᆞ마니 현딜을 주리니, 하【15】ᄋᆡ돌나 말나."

딘 상셰 쇼이ᄉᆞ샤(笑而謝辭) 왈,

"쇼딜이 일필 깁도 엇디 못ᄒᆞᆯ가 ᄀᆞ장 울울ᄒᆞ더니, 슉부의 말ᄉᆞᆷ을 듯ᄌᆞ오니 크게 깃브도소이다."

이리 니르며, 금후와 딘부인긔 삼빈 헌슈ᄒᆞ기를 맛ᄎᆞᄆᆡ, 금평휘 태부인을 뫼셔 딘부인으로 망궐(望闕) 샤은(謝恩)ᄒᆞ기를 맛ᄎᆞᄆᆡ, 딘상셰 밧그로 나가려 ᄒᆞᆯᄉᆡ, 태부인이 딘상셔를 향ᄒᆞ여 왈,

"셕년의 상공이 년유디셰(年幼之歲)의 텬흥으로 더브러 항상 노신의 곳의 츌입ᄒᆞ시니, 노신이 ᄯᅩᄒᆞᆫ 손ᄋᆞ 등과 달니 ᄃᆡ졉ᄒᆞ미 업더니, 년광(年光)이 홀홀ᄒᆞ여 상공닉 댱셩ᄒᆞ시니, ᄂᆡ외 격졀ᄒᆞ고 남녜유별(男女有別)

딘부인이 함소 답왈,

"현딜이 공후(公侯)의 자(子)로 위거뉵경(位居六卿)[676] ᄒᆞ여, 남의 연셕에 례관 되기를 그ᄃᆡ도록 ᄌᆞ구(自求)ᄒᆞᄂᆞᆫ다? 녜단을 만히 징ᄉᆡ○○[고져] ᄒᆞ미, 실노 남 들니기 ᄀᆞ장 붓그【58】럽도다. 우리 셩은을 각골감은(刻骨感恩)ᄒᆞᆯ지언졍, 너ᄂᆞᆫ 일쳑 포(布)도 도모지 쥴니 업도다."

딘상셰 만면의 우음을 먹음어 ᄀᆞᆯ오ᄃᆡ,

"소딜이 츈경(春卿)[677]으로 잇실 젹븟터 두로 녜관으로 단이오니, 이졔 ᄒᆞᆫ두 번이 아니로ᄃᆡ, 슉모쳐로 녜관 ᄃᆡ졉을 박히 ᄒᆞ시믄 보ᄋᆞᆸ지 아니ᄒᆞ엿ᄉᆞᆸᄂᆞ니, 소딜이 만히 희망ᄒᆞ고 ᄌᆞ구ᄒᆞ여 왓ᄉᆞᆸ던 ᄇᆡ, 다 허ᄉᆡ 되엿ᄂᆞᆫ지라. 그윽이 ᄋᆡ돌나 ᄒᆞᄂᆞ이다"

딘부인이 우음을 머금고, 금평휘 역소(亦笑) 왈(曰).

"연셕을 지닌 후 종용키를 기ᄃᆞ려 일빅금을 봉ᄒᆞ여 가만이 현딜을 쥬리라, 모로미 ᄋᆡ돌나 ᄒᆞ지 말나"

딘 상셰 소이ᄉᆞ샤(笑而謝辭) 왈,

"ᄒᆞᆫ 필 깁도 엇기 어려올가 ᄀᆞ장 울울ᄒᆞ더니, 슉부의 말ᄉᆞᆷ을 듯ᄌᆞ오니 크게 깃부도소이다."

이리 닐ᄋᆞ며, 금평후 부부긔 ᄉᆞᆷ비 슈헌(壽獻)【59】을 다ᄒᆞᄆᆡ, 금후 부뷔 태부인을 뫼셔 ᄒᆞᆫ가지로 망궐(望闕) ᄇᆡ례ᄒᆞ여 ᄉᆞ은 ᄒᆞ기를 맛ᄎᆞᄆᆡ, 딘상셰 밧그로 나가려 ᄒᆞᆯᄉᆡ 태부인이 딘상셰를 밧그로 나아가려ᄒᆞᆯᄉᆡ, 태부인이 딘상셔를 향ᄒᆞ여 왈,

"셕년에 상공이 년유지시(年幼之時)에 텬흥으로 더브러 항상 노인의 곳에 츌입ᄒᆞ니, 노인이 ᄯᅩᄒᆞᆫ 손아 등과 졍의 다르미 업더니, 년광(年光)이 홀홀ᄒᆞ여 상공이 장셩ᄒᆞᄆᆡ, ᄂᆡ외 격졀ᄒᆞ며 셔로 보기를 청치 못ᄒᆞ

849)위거뉵경(位居六卿) : 직위가 육경(六卿)의 반열에 있음. *육경(六卿); 육조판서. 고려・조선 시대에, 국가의 정무(政務)를 나누어 맡아보던 여섯 관부(官府)의 으뜸벼슬. 이조, 호조, 예조, 병조, 형조, 공조의 판서를 이른다.

850)츈경(春卿) : 예조판서(禮曹判書). 중국 예부상서. *춘조(春曹); 예조(禮曹)를 달리 이르는 말.

676)위거뉵경(位居六卿) : 직위가 육경(六卿)의 반열에 있음. *육경(六卿); 육조판서. 고려・조선 시대에, 국가의 정무(政務)를 나누어 맡아보던 여섯 관부(官府)의 으뜸벼슬. 이조, 호조, 예조, 병조, 형조, 공조의 판서를 이른다.

677)츈경(春卿) : 예조판서(禮曹判書). 중국 예부상서. *춘조(春曹); 예조(禮曹)를 달리 이르는 말.

ᄒᆞᆫ 고로 셔【16】로 보오믈 청치 못ᄒᆞ엿더니, 오날ᄂᆞᆯ 연셕을 당ᄒᆞ여 비록 황명이 계시나, 상공이 녜관을 ᄌᆞ원ᄒᆞ여 이의 니르러 헌슈의 슈고로오믈 당ᄒᆞ시니, 노인이 텬은을 감골각심(感骨刻心)ᄒᆞᄂᆞᆫ ᄆᆞ온ᄃᆡ 다시 감샤ᄒᆞᆫ 뜻이 업디 아니토소이다.”

딘샹셰 념슬복슈(斂膝伏首) 왈,

“쇼ᄉᆡᆼ이 칠팔 셰가디ᄂᆞᆫ 창ᄇᆡᆨ을 ᄯᆞ라 존하(尊下)의 뵈오믈 일가디친(一家至親)ᄀᆞᆺ치 ᄒᆞ올 ᄲᅮᆫ 아니라, 존부인 무ᄋᆡᄒᆞ시며 가ᄎᆞ(假借)ᄒᆞ샤미[851] 창ᄇᆡᆨ 등이나 다르게 아니시니, 쇼ᄉᆡᆼ 등의 우러ᄋᆞᆸᄂᆞᆫ 하졍이 범연치 아니ᄒᆞ오ᄃᆡ, 댱셩ᄒᆞ온 후ᄂᆞᆫ 슉모를 뵈오라 혹 ᄂᆡ루의 드러올 젹이 잇ᄉᆞ오나, 연고 업【17】시 뵈오믈 청치 못ᄒᆞ와, 존하의 ᄇᆡ현ᄒᆞ믈 엇디 못ᄒᆞ엿ᄉᆞᆸ더니, 오날ᄂᆞᆯ 셩디를 밧ᄌᆞ와 존젼의 헌슈ᄒᆞ고 하교를 듯ᄌᆞ오ᄆᆡ, ᄌᆞ별ᄒᆞ온 졍셩을 어이 다 알외리잇가? 하믈며 슈십년디ᄂᆡ(數十年之內)의 긔력이 강건ᄒᆞ시며 신ᄉᆡᆨ이 ᄒᆞᆫ갈ᄀᆞᆺᄌᆞ오시니, ᄇᆡᆨ셰 향슈를 긔약ᄒᆞ실가 ᄒᆞ오며, 존문 복경을 칭희(稱喜)ᄒᆞᄂᆞ이다.”

태부인이 그 엄연ᄒᆞᆫ ᄌᆡ렬댱ᄌᆞ(宰列長者) 되여시믈 긔특이 넉여, 손ᄋᆡ나 달니 아니ᄒᆞ더라.

딘상셰 즉시 밧그로 나오ᄆᆡ, 금평휘 옥ᄇᆡ를 밧드러 모젼의 나아가 ‘강능(岡陵)의 슈(壽)’[852]를 튝(祝)ᄒᆞ고, 븍두(北斗)[853]의 복(福)을 빌ᄉᆡ, 쳥음(淸音)이 반공(半空)의 어ᄅᆡ고【18】긔운이 화열ᄒᆞ여, 하날의 반졈 운뮈(雲霧) 업ᄉᆞ며, 안뫼(顔貌) 쇄락ᄒᆞ여, 츄월이 ᄒᆡ곡(海谷)의 소ᄉᆞ며, 츈양(春陽)이 만방의 훈화(薰和)ᄒᆞᆫ ᄃᆞᆺ, 효슌ᄒᆞᆫ 거동과 대군

851)가ᄎᆞ(假借)ᄒᆞ다 : 가차(假借)하다. ①편하고 너그럽게 대하다. ②정하지 않고 잠시만 빌리다

852)강능(岡陵)의 슈(壽) : 산(山)처럼 오래 삶. 오래 살기를 빌 때 쓴다, =남산수(南山壽). *강릉(岡陵) : 산. 산등성이.

853)븍두(北斗) : 북두칠성(北斗七星). 탐랑(貪狼), 거문(巨門), 녹존(祿存), 문곡(文曲), 염정(廉貞), 무곡(武曲), 파군(破軍) 따위 일곱 개의 별. 밀교에서, 이것을 섬기면 천재지변 따위를 미리 막을 수 있다고 함.

더니, 금일 연셕을 당ᄒᆞ여 비록 텬명이 계시나, 상공이 녜관을 ᄌᆞ원ᄒᆞ샤 이에 니르러 헌슈의 슈고로오믈 당ᄒᆞ니, 노인이 우흐로 텬은을 각골감은(感骨刻恩)ᄒᆞ고 버거 상공을 감ᄉᆞᄒᆞᄂᆞ이다”

◎[678]화셜 딘상셰 복슈 ᄃᆡ왈,

“소ᄉᆡᆼ이 창ᄇᆡᆨ을 ᄯᆞ라 칠팔 셰에 존하(尊下)의 뵈오믈 일가친쳑(一家親戚) ᄀᆞᆺ치 ᄒᆞ올 ᄲᅮᆫ 아니오라, 존당이 ᄉᆞ랑ᄒᆞ【60】시기를 창ᄇᆡᆨ 등으로 다르지 아니ᄒᆞ시니, 소ᄉᆡᆼ 등의 우러ᄋᆞᆸᄂᆞᆫ 하졍이 범연치 아니ᄒᆞ오ᄃᆡ, 쟝셩ᄒᆞ온 후로 슉모를 ᄇᆡ견ᄒᆞ려 ᄂᆡ루의 왕ᄂᆡᄒᆞ오미 맛당ᄒᆞ오나, 연고 업시 청알치 못ᄒᆞ와 존하의 ᄇᆡ현ᄒᆞ오미 업ᄉᆞᆸ더니, 오ᄂᆞᆯ날 셩교를 밧ᄌᆞ와 이에 니르러 존젼의 헌슈ᄒᆞ고, 하교를 듯ᄌᆞ오며 ᄌᆞ별ᄒᆞᆫ 은우를 밧ᄌᆞ오니, 황공 감격ᄒᆞᆸ고, 허물며 긔휘 강건ᄒᆞ시니, 쳔셰 향슈를 긔약ᄒᆞ신가 존문의 놉흔 복경을 칭하(稱賀)ᄒᆞᄂᆞ이다 ”

태부인이 그 엄연ᄒᆞᆫ 쟝ᄌᆞ(長者) 되여시믈 긔특이 넉이며, 자긔 손ᄋᆞ 등으로 다르미 업더라.

딘상셰 츌외ᄒᆞᄆᆡ, 금평휘 옥ᄇᆡ를 밧드러 모젼의 나아가 ‘남산(南山)의 슈(壽)’[679]를 츅(祝)ᄒᆞ고, 다시 북두(北斗)[680]의 복(福)을 빌ᄉᆡ, 셩음이 쳥【61】건(淸健)ᄒᆞ여 장공(長空)의 어ᄅᆡ고 긔운이 활연ᄒᆞ여, ᄆᆞᆰ은 하ᄂᆞᆯ의 반졈 운뮈(雲霧) 업ᄉᆞ며, 안뫼(顔貌) 쇄락ᄒᆞ여, 츄월이 ᄒᆡ져(海底)의 소샤며, 츈양(春陽)이 만방의 훈화(薰和)ᄒᆞᆫ ᄃᆞᆺ, 효슌ᄒᆞᆫ 거동과 군ᄌᆞ지풍(君子之風)이 외모의 현츌

678)◎ : 선행본의 분권 권두표점.

679)남산슈(南山壽) : 남산(南山)이 다 닳아 없어질 때까지의 영원한 시간의 수명(壽命). 오래 살기를 빌 때 쓴다, =강릉수(岡陵壽).

680)븍두(北斗) : 북두칠성(北斗七星). 탐랑(貪狼), 거문(巨門), 녹존(祿存), 문곡(文曲), 염정(廉貞), 무곡(武曲), 파군(破軍) 따위 일곱 개의 별. 밀교에서, 이것을 섬기면 천재지변 따위를 미리 막을 수 있다고 함.

ᄌᆞ의 틱(態) 외모의 현츌(顯出)ᄒᆞ여, 너른 ᄉᆞ매와 긴 의복 ᄀᆞ온듸, 슈연(粹然) 댱슉(壯肅)ᄒᆞᆫ 위의(威儀) 무궁ᄒᆞᆫ 존귀를 겸ᄒᆞ여, 복덕이 완젼ᄒᆞᆫ 상이 곽영공(郭令公)854)의 후를 니을디라.

태부인이 잔을 밧고 ᄋᆞᄌᆞ의 손을 잡아, 츄연 하루(下淚) 왈,

"노모의 셰상이 디리ᄒᆞᆫ 고로, ᄌᆞ손의 무궁ᄒᆞᆫ 복경을 바드며, 오날ᄂᆞᆯ 연셕을 당ᄒᆞ여 너의 가셩(歌聲)을 드르니, 셕년의 너의 엄군 지시의 빈작(杯酌)으로 즐기던 일이 졀졀이 ᄉᆡᆼ각ᄒᆞᆯ[ᄂᆞᆯ] ᄯᆞ롬이【19】라. 이 두굿거오믈 셔로 닐너, 환열ᄒᆞ믈 난ᄒᆞᆯ 곳이 업ᄉᆞ니 이 심ᄉᆞ를 비ᄒᆞᆯ 곳이 업도다."

금평휘 쳑연(慽然) 감상(感傷)ᄒᆞ믈 니긔디 못ᄒᆞ니[나], 모친의 비회를 돕디 못ᄒᆞ여 낫빗촐 화히 ᄒᆞ고 위로 왈,

"셕ᄉᆞᄂᆞᆫ ᄉᆡᆼ각ᄒᆞᆯᄉᆞ록 비졀ᄒᆞ오나, 오날ᄂᆞᆯ 슈연(壽宴)을 당ᄒᆞ와 ᄌᆞ손의 갈망ᄒᆞ여 즐기ᄂᆞᆫ 날이라, 원컨ᄃᆡ ᄌᆞ졍은 무익디비(無益之悲)를 요동치 마르쇼셔."

태부인이 울울히 셕ᄉᆞ를 감상ᄒᆞ여 즐기디 아니니, 금평휘 딘부인을 향ᄒᆞ여 ᄀᆞ로ᄃᆡ,

"부인이 어셔 헌작ᄒᆞ여 졔ᄋᆞ(諸兒)로 ᄒᆞ여금 져의 ○[부]부(夫婦)로 ᄡᅡᆼ 디어 헌슈케 《ᄒᆞ리라‖ᄒᆞ쇼셔》."

딘부인이 즉시 뉴리빈를 들고 존고 알패 나아올ᄉᆡ,【20】ᄡᅡᆼ봉관(雙鳳冠)855)이 월익(月額)의 빗겻고, ᄎᆡ금젹의(彩錦翟衣)856)ᄂᆞᆫ 봉익(鳳翼)의 한가ᄒᆞ며, 청금슈라상(青錦繡羅裳)은 뉴요(柳腰)857)의 빗나니, 쳔승모비

854)곽영공(郭令公) : 곽자의(郭子儀). 697~781. 중국 당(唐)나라 중기의 무장(武將). 안녹산 사사명의 반란을 평정하고 토번을 쳐 큰 공을 세워 분양왕에 올랐다.

855)ᄡᅡᆼ봉관(雙鳳冠) : 두마리 봉황(鳳凰)을 장식한 황후나 황태후가 쓰던 예관(禮冠).

856)ᄎᆡ금젹의(彩錦翟衣) : 빛깔이 곱고 아름다운 비단 위에 꿩을 수놓은 왕비의 예복. *적의(翟衣); 조선 시대에, 나라의 중요한 의식 때 왕비가 입던 예복. 붉은 비단에 청색의 꿩을 수놓아 만들었다

ᄒᆞ여, 너른 ᄉᆞᄆᆡ와 긴 의복 가온ᄃᆡ 슈연(粹然) 졍슉(靜肅)ᄒᆞᆫ 위의(威儀), 무궁ᄒᆞᆫ 존귀를 겸ᄒᆞ여 복덕 완젼 지상이 곽분양(郭汾陽)681)의 후 니을지라.

태부인이 잔을 밧고 ᄋᆞᄌᆞ의 손을 잡아 츄연이 양항누(兩行淚)를 나리와 ᄀᆞᆯᄋᆞᄃᆡ,

"노모의 신톄 건강ᄒᆞᆫ 연고로 지금 것 ᄉᆞ라 잇셔 ᄌᆞ손의 무궁ᄒᆞᆫ 영효를 밧으며, 금일 연셕을 당ᄒᆞ여 너의 가셩(歌聲)을 드르ᄆᆡ, 셕년에 너의 부군(父君) 지시의 빈작(杯酌)을 여러 즐기던 일이 일장츈몽이라. 두굿기오믈 셔로 일너 환열ᄒᆞ믈 난ᄒᆞᆯ 곳이 업ᄉᆞ니,【62】 장ᄎᆞ 이 심ᄉᆞ를 비ᄒᆞᆯ ᄃᆡ 업도다."

금휘 쳑연(慽然) 감상(感傷)ᄒᆞ믈 니긔지 못ᄒᆞ나, 모친의 비회를 돕지 못ᄒᆞ여 낫빗촐 온화히 ᄒᆞ고, 위로ᄒᆞ여 왈,

"셕ᄉᆞᄂᆞᆫ ᄉᆡᆼ각ᄒᆞᆯᄉᆞ록 비졀ᄒᆞ오나, 오ᄂᆞᆯ날 《쥬셕‖수석(壽席)》을 당ᄒᆞ와 ᄌᆞ손이 갈망ᄒᆞ여 즐기ᄋᆞᆸᄂᆞᆫ 날이라, 원컨ᄃᆡ ᄌᆞ졍은 무익ᄒᆞᆫ 비회를 요동치 마르소셔."

태부인이 울울히 셕ᄉᆞ를 감동ᄒᆞ여 즐기지 아니ᄒᆞ거ᄂᆞᆯ, 금휘 딘부인을 향ᄒᆞ여 ᄀᆞᆯ오ᄃᆡ,

"부인이 어셔 헌ᄌᆞᆨᄒᆞ시면 졔ᄋᆞ(諸兒)로 ᄒᆞ야곰 져희 부뷔(夫婦) ᄡᅡᆼ 지어 ᄌᆞ졍에 헌슈케 ᄒᆞ리라."

딘부인이 즉시 잔을 들고 나아오니, 나금젹의(羅錦翟衣)682)ᄂᆞᆫ 봉익(鳳翼)의 ᄒᆞᆫ가ᄒᆞᆫᄃᆡ 청금슈라상(青錦繡羅裳)은 셰요(柳腰)683)를 둘너시니, 쳔승모비(天乘母妃)684)

681)곽분양(郭汾陽) : 곽자의(郭子儀). 697~781. 중국 당(唐)나라 중기의 무장(武將). 안녹산 사사명의 반란을 평정하고 토번을 쳐 큰 공을 세워 분양왕(汾陽王)에 올랐다.

682)나금적의(羅錦翟衣) : 아름다운 비단 위에 꿩을 수놓은 왕비의 예복. *적의(翟衣); 조선 시대에, 나라의 중요한 의식 때 왕비가 입던 예복. 붉은 비단에 청색의 꿩을 수놓아 만들었다

683)세요(細腰) : 가는 허리.

684)천승모비(天乘母妃) : 천승국(千乘國王)의 모비(母妃). 왕대비(王大妃).

(天乘母妃)[858]의 복식(服色)을 알디라. 명모아티(明眸雅態)[859]는 화월(花月)의 광휘(光輝)를 우ᄉᆞ며, 동용녜모(動容禮貌)는 ᄉᆞ군ᄌᆞ(士君子)의 화홍졍슉(和弘貞淑)ᄒᆞᆫ 풍(風)이 이시니, 딘듕(鎭重)ᄒᆞ고 침뎡온화(沈靜溫和)ᄒᆞ미 안일ᄒᆞ미 녈녀셩염(烈女盛艶)이라.

태부인이 흔연이 잔을 밧고 칭찬ᄒᆞ여 ᄀᆞᆯ오ᄃᆡ,

"현뷔 내 집의 드러온 디 삼십오지의 ᄇᆡᆨ힝ᄉᆞ덕(百行四德)이 인뉴의 초월ᄒᆞ여, 노뫼 맛ᄎᆞᆷ니 희미ᄒᆞᆫ 허믈도 보디 못ᄒᆞ고, ᄋᆞᄌᆞ로 더브러 상경상화(相敬相和)ᄒᆞ여 여러 ᄌᆞ녀를 ᄉᆡᆼ산ᄒᆞᄆᆡ, 태임(太姙)[860]이 ᄐᆡ교ᄒᆞ샤 문왕(文王)을 나흐며, ᄆᆡᆼ뫼(孟母) 삼【21】천디교(三遷之敎)[861]를 ᄒᆞ여 ᄆᆡᆼᄌᆞ(孟子)[862] 아셩(亞聖)이 되심 ᄀᆞᄐᆞ여, 텬흥 등의 긔특ᄒᆞ미 ᄒᆞᆫᄀᆞᆺ 현부의 ᄐᆡ교 잘ᄒᆞ미라. ᄒᆞ믈며 의렬 쇼부(少婦)의 아름다오믄 현부의 우히니, 셕ᄉᆡ(夕死)[863]나 ᄒᆞᆫ 조각 남은 한이 업고, 구텬타일(九泉他日)[864]의 쾌ᄒᆞᆫ낫ᄎᆞ로 션군을 뵈오리로다."

딘부인이 ᄌᆡᄇᆡᄉᆞ샤(再拜謝辭)ᄒᆞ고 날호여 믈너나ᄆᆡ, 금평휘 졔왕 등을 도라보아,

"○○○○○[여등의 부뷔] 각각 부뷔 쌍으로 ᄌᆞ경긔 헌슈ᄒᆞ여 ᄌᆞ위의 쳑연ᄒᆞ시믈 위로ᄒᆞ오라."

857)뉴요(柳腰) : 버들가지처럼 가느다란 허리.
858)쳔승모비(天乘母妃) : 천승국(千乘國王)의 모비(母妃). 왕대비(王大妃).
859)명모아틔(明眸雅態) ; 밝은 눈동자와 아름다운 자태.
860)태임(太姙) : 중국 주(周)나라 문왕(文王)의 어머니. 부덕(婦德)이 높아 며느리 태사(太姒: 문왕의 비)와 함께 성녀(聖女)로 추앙된다.
861)삼쳔지교(三遷之敎) : 맹자의 어머니가 아들을 가르치기 위하여 세 번이나 이사를 하였음을 이르는 말.
862)ᄆᆡᆼᄌᆞ(孟子) : B.C.372~289.중국 전국 시대의 사상가. 자는 자여(子輿)·자거(子車). 공자의 인(仁) 사상을 발전시켜 '성선설(性善說)'을 주장하였으며, 인의의 정치를 권하였다. 유학의 정통으로 숭앙되며, '아성(亞聖)'이라 불린다.
863)셕ᄉᆡ(夕死) : 저녁에 죽음, 곧 죽음.
864)구쳔타일(九泉他日) ; 죽어 저승에 간 날.

의 복ᄉᆡᆨ이물 가히 알지라. 명모아틔(明眸雅態)[685]는 ᄉᆞ군ᄌᆞ의 《하현 ‖ 화현(和賢)》졍【63】슉(靜肅)ᄒᆞᆫ 풍이 잇시니, 단졍ᄒᆞ고 침졍(沈靜)ᄒᆞ며 온화(溫和)ᄒᆞ고 안일(安逸)ᄒᆞ미 열녀명염(烈女名艶)의 졔일좌(第一座)를 ᄉᆞ양치 아닐지라"

태부인이 비ᄉᆡᆨ을 거두어 흔연이 잔을 밧고 칭션 왈,

"현부는 오문에 입승(入承)ᄒᆞ연 지 삼십오지에 ᄇᆡᆨ힝샤덕(百行四德)이 인뉴의 초월ᄒᆞ니, 노뫼 맛ᄎᆞᆷ니 희미ᄒᆞᆫ 허믈을 보지 못ᄒᆞ고, 아ᄌᆞ로 더브러 상경상화(相敬相和)ᄒᆞ여 여러 ᄌᆞ녀를 ᄉᆡᆼ산ᄒᆞᄆᆡ, 텬ᄋᆞ 등의 출뉴긔이ᄒᆞ미 현부 ᄐᆡ교 줄ᄒᆞᆫ 공이라. 의렬 손부의 아름다오믄 현부의 뒤흘 니으미 족ᄒᆞ니, 노뫼 셕ᄉᆞ[686]라도 여한이 업고, 타일구텬(他日九泉)[687]에 쾌ᄒᆞᆫ 낫ᄎᆞ로 션군을 뵈오리로다.

○…**결락28자**…○[딘부인이 ᄌᆡᄇᆡᄉᆞ샤(再拜謝辭)ᄒᆞ고 날호여 믈너나ᄆᆡ, 금평휘 졔왕 등을 도라보아],

"여등의 부뷔 각각 쌍으로 엇기를 연ᄒᆞ여 잔을 드리라"

685)명모아틔(明眸雅態) ; 밝은 눈동자와 아름다운 자태.
686)셕ᄉᆡ(夕死) : 저녁에 죽음, 곧 죽음.
687)타일구쳔(他日九泉) ; 구쳔타일(九泉他日). 죽어 저승에 간 날.

○○[ᄒᆞ니], 제왕 등이 일시의 ᄌᆡᄇᆡ슈명ᄒᆞᄆᆡ, 제왕이 몬져 홍금망농포(紅錦蟒龍袍)[865]를 붓치고 머리의 통텬관(通天冠)[866]을 쓰며, 허리의 ᄇᆡᆨ옥ᄉᆞᄌᆡᄃᆡ(白玉獅子帶)[867]를 두로고 아홉 【22】 줄 면뉴(冕旒)[868]를 드리워, 옥슈의 ᄌᆞ금ᄇᆡ(紫金盃)를 들고 비의 나오믈 기다리니, 금휘 명ᄒᆞ여,

"텬흥이 삼ᄇᆡ쥬(三盃酒)를 ᄒᆞ여 쳐음 의렬 현부로 빵딧고, 버거ᄂᆞᆫ 니·양·경 삼인과 헌작ᄒᆞ며, 뎨삼은 공쥬로 헌슈케 ᄒᆞ라."

잔 붓ᄂᆞᆫ 시녜 금후의 명을 조ᄎᆞ 윤비긔 잔을 드리니, 윤비 공쥬의 우히 ᄂᆡᄃᆞᆺ기를 실노 블안ᄒᆞ여 즉시 나오디 못ᄒᆞ니, 제왕이 봉안을 흘긔여 보며 왈,

"겸퇴(謙退)도 ᄒᆞᆯ 일이 잇ᄂᆞ니, 우흐로 황명(皇命)과 엄위(嚴威), 비를 발셔 조강(糟糠)을 변ᄒᆞ신 일이 업거ᄂᆞᆯ, 엇디 되디 못ᄒᆞᆯ 의ᄉᆞ를 ᄂᆡ여 녜모를 착난케 ᄒᆞᄂᆞ뇨?"

윤 【23】 시 청파의 마디 못ᄒᆞ여 즉시 잔을 들고 왕긔 갓가이 나아가나, 옥면(玉面)의 슈ᄉᆡᆨ(羞色)이 이셔, 팔ᄎᆡ아황(八彩蛾黃)[869]이 졔졔히 나ᄌᆞᆨᄒᆞ며, 츄파명목(秋波明目)의[이] 미미히 가나라, ᄇᆡᆨ년(白蓮) ᄀᆞᆺᄐᆞᆫ 얼골이 좌하의 홍광을 씌여시니, 그 졀염슉덕(絶艶淑德)ᄒᆞ미 더옥 황홀긔이(恍惚奇異)ᄒᆞ더라.

865)홍금망농포(紅錦蟒龍袍) : 붉은 빛의 비단으로 지은 임금의 정복. 가슴과 등과 어깨에 용의 무늬를 수놓았다. 곤룡포(袞龍袍)를 망룡포(蟒龍袍)라고도 한다.

866)통천관(通天冠) : 황제가 정무(政務)를 보거나 조칙을 내릴 때 쓰던 관. 검은 깁으로 만들었는데 앞뒤에 각각 열두 솔기가 있고 옥잠(玉簪)과 옥영자(玉纓子)을 갖추었다.

867)ᄇᆡᆨ옥ᄉᆞᄌᆡᄃᆡ(白玉獅子帶) : 사자(獅子) 가죽에 백옥을 붙여 만든 띠.

868)면뉴(冕旒) : 면류관의 앞뒤에 늘어뜨린 구슬꿰미.

869)팔ᄎᆡ아황(八彩蛾黃) : 아름답게 화장한 눈썹과 얼굴. *팔채(八彩); 팔(八)자 모양의 눈썹에서 나는 광채 *아황(蛾黃);예전에 여자들이 얼굴에 바르던 누런빛이 나는 분으로, 분바른 얼굴을 뜻함

○○[ᄒᆞ니], 제왕 등이 일시에 ᄇᆡᄉᆞ슈명ᄒᆞ고, 왕이 몬져 창룡금포(蒼龍錦袍)[688]를 가ᄒᆞ 【64】 고, 허리의 ᄇᆡᆨ옥ᄉᆞ쟈ᄃᆡ(白玉獅子帶)[689]를 두로고, 아홉 쥴 면류(冕旒)[690]를 드리워시니, 원비(猿臂) 옥슈(玉手)의 ᄌᆞ금ᄇᆡ(紫金盃)를 들고 왕비의 나아오기를 기다리니, 금평휘 명ᄒᆞᄃᆡ,

"텬흥은 각별이 삼ᄇᆡ헌쥬(三盃獻酒)를 다ᄒᆞ여, 쳐음은 의렬 현부로 빵을 짓고, 버금은 양·니·경 삼부로 헌슈ᄒᆞ며, 졔ᄉᆞᆷ은 공쥬와 ᄒᆞᆫ 가지로 로 헌슈케 ○○ᄒᆞ라."

ᄒᆞᄆᆡ, 잔 붓ᄂᆞᆫ 시에(侍女) 금후의 명을 조ᄎᆞ 윤비긔 몬져 잔을 드리니, 윤비 공쥬의 우히되믈 실노 블안ᄒᆞ며 깃거 아냐, 즉시 ᄂᆡ러셔지 못ᄒᆞ니, 제왕이 봉안을 흘니 써 보고 졍ᄉᆡᆨ 왈,

"겸손도 ᄒᆞᆯ 일이 잇ᄂᆞ니, 우흐로 황명(皇命)과 엄위(嚴威) 조강을 변ᄒᆞ실 니 업거ᄂᆞᆯ, 엇지 녜졀을 ᄎᆞᆨ난케 ᄒᆞ시ᄂᆞ뇨?"

윤비 청파에 마지 못ᄒᆞ여 잔을 들고 갓가이 나아가나, 은연ᄒᆞᆫ 슈ᄉᆡᆨ이 잇셔 팔 【65】 ᄌᆞ아황(八字蛾黃)[691]이 나ᄌᆞᆨᄒᆞ며, 츄파명목(秋波明目)이 미미히 《가라아 ‖ 가나라》, ᄇᆡᆨ년(白蓮) ᄀᆞᆺᄐᆞᆫ 얼골의 도화(桃花) 갓ᄐᆞᆫ ᄉᆡᆨ을 씌엿시니, 졀승ᄒᆞᆫ ᄐᆡ도와 션연(嬋姸)ᄒᆞᆫ 안ᄉᆡᆨ이 금분모란(金盆牡丹)이 향긔를 ᄇᆡ앗트며, 텬화(天花)[692] 일지(一枝) 옥호(玉壺)의 ᄭᅩᆺ쳣ᄂᆞᆫ ᄃᆞᆺ, 어엿분 거동과 어리로온 ᄐᆡ

688)창룡금포(蒼龍錦袍) : 푸른 용을 수놓은 곤룡포(袞龍袍). *곤룡포(袞龍袍); 임금이 입던 정복. 누런빛이나 붉은빛의 비단으로 지었으며, 가슴과 등과 어깨에 용의 무늬를 수놓았다. =용포(龍袍).

689)ᄇᆡᆨ옥ᄉᆞᄌᆡᄃᆡ(白玉獅子帶) : 사자(獅子) 가죽에 백옥을 붙여 만든 띠.

690)면뉴(冕旒) : 면류관의 앞뒤에 늘어뜨린 구슬꿰미.

691)팔자아황(八字蛾黃) : 아름답게 화장한 눈썹과 얼굴. *팔자(八字); 눈썹. 팔(八)자 모양으로 생긴 데서 쓴 말. *아황(蛾黃);예전에 여자들이 얼굴에 바르던 누런빛이 나는 분으로, 분바른 얼굴을 뜻함

692)천화(天花) : 천상계에 핀다는 영묘한 꽃. 또는 천상계의 꽃에 비길 만한 영묘한 꽃.

되 셕목간장(石木肝臟)을 녹이며, 금불(金佛)이라도 도라셔 불 ᄇᆡ여늘, 텬승국모의 휘황ᄒᆞᆫ 품복(品服)이 충치(參差)ᄒᆞ여, 일신의 위의를 도와시니, 팔덕(八德)[693]이 구비ᄒᆞᆫ지라. 존당 구괴 ᄉᆡ로이 ᄋᆡ경ᄒᆞ미 비ᄒᆞᆯᄃᆡ 업셔, 어린 다시 바라보고 아름다오믈 니긔지 못ᄒᆞ여, 졔왕이 비로 더브러 엇ᄀᆡ를 연ᄒᆞ여 옥ᄇᆡ를 들고 나아오니, 비록 신장이 ᄂᆡ도ᄒᆞ나 용모 긔상이 진실노 고하를 졍키 어려오니, 왕의 용봉긔질(龍鳳氣質)과 텬일지픠(天日之表) 이 날에 더욱 긔이【66】ᄒᆞ니, 팔쳑(八尺) 경뉸(經綸)의 가득ᄒᆞᆫ 풍뉘 금광(金光)이 휘드ᄂᆞᆫ ᄃᆞᆺ, 윤비의 미우팔황(眉宇八黃)[694]과 안모(眼眸)의 셔ᄎᆡ(瑞彩) 휘황찬난ᄒᆞ여, 왕으로 더브러 ᄧᆞᆨᄒᆞ미[ᄆᆡ] 일월(日月)이 함ᄭᅴ ᄇᆞᆰ아시며, 경[겸]금(兼金)[695]과 양옥(良玉)[696]이 셔로 ᄃᆡᄒᆞᆫ ᄃᆞᆺ, 부용(芙蓉)이 녹파(綠波)의 노ᄂᆞᆫ ᄃᆞᆺᄒᆞ여, 샤ᄅᆞᆷ으로 ᄒᆞ야곰 ᄇᆞ라보며[아] 어ᄃᆡ 고으며 뮈오믈 아지 못ᄒᆞ니, 실노 셰간의 다시 못 볼 셩녀명완(聖女明婉)이라. 부부 냥인이 헌ᄌᆞᆨᄒᆞᆯ ᄉᆡ 가셩(歌聲)을 느릐여 남산슈(南山壽)를 브르니, 셩음이 쳥월(淸越)ᄒᆞ여 구소(九霄)[697]의 학녀셩(鶴唳聲)[698]과 곤산(崑山)[699]의 봉음(鳳吟)일 ᄲᅮᆫ 아니라, 음뉼이 맛가ᄌᆞ며 화평ᄒᆞ고 유열ᄒᆞ며[여] 만물이 치셩(熾盛)키를 구ᄒᆞᆯ지라. 이 한 곡조 노ᄅᆡ의 근심ᄒᆞ고 슬허ᄒᆞ던 ᄌᆡ 스ᄉᆞ로 마ᄋᆞᆷ이 즐거

---

693)팔덕(八德) : 여덟 가지의 덕. 인(仁), 의(義), 예(禮), 지(智), 충(忠), 신(信), 효(孝), 제(悌)를 이른다.

694)미우팔황(眉宇八黃) : 눈썹을 그리고 분을 바른 얼굴. *미우(眉宇); 이마의 눈썹 근처. 얼굴을 뜻하기도 함. *팔황(八黃); 팔자(八字)와 아황(蛾黃). 팔자(八字)는 눈썹을, 아황(蛾黃)은 얼굴에 바르는 분(粉)을 말함.

695)경금(兼金) : 품질이 뛰어나 값이 보통 금보다 갑절이 되는 좋은 황금.

696)양옥(良玉) : 옥 가운데서도 품질이 뛰어난 옥.

697)구소(九霄) : ≒층소(層霄). 높은 하늘.

698)학려성(鶴唳聲) : 학의 큰 울음소리.

699)곤산(崑山) : 곤륜산(崑崙山). 중국 전설상의 높은 산. 중국의 서쪽에 있으며, 옥(玉)이 난다고 한다. 전국(戰國) 시대 말기부터는 서왕모(西王母)가 살며 불사(不死)의 물이 흐른다고 믿어졌다.

태부인이 잔을 잡고 왈,

“손뷔(孫婦) 셩덕슉딜(聖德淑質)이 고금의 업ᄉᆞᆷ과, 손ᄋᆞ(孫兒)ᄂᆞᆫ 츌댱입신(出將立身)ᄒᆞ여 위딘ᄒᆡᄂᆡ(威震海內)ᄒᆞ며 녈토봉왕(列土封王)ᄒᆞ여 국가의 튱냥(忠良)이 되고 집의 효ᄌᆡ 되여 조션(祖先)을 현양(顯揚)ᄒᆞ고, 윤현부ᄂᆞᆫ 효의절ᄒᆡᆼ(孝義節行)이 금슈(錦繡) 우ᄒᆡ ᄭᅩᆺ출 더으ᄂᆞᆫ 빗나믈 겸ᄒᆞ여, ᄇᆡᆨᄉᆞ쳔ᄒᆡᆼ(百事天行)이 【24】 녀듕셩인(女中聖人)이니, 쥬가(周家)[870] 팔ᄇᆡᆨ년(八百年) 긔업을 니르혀신 임샤(姙似)[871]를 긔특다 못ᄒᆞᆯ디라. 졔국의 원비(元妃)로 휘뎍(后籍)의 존귀를 누리며, 옥동을 년ᄒᆞ여 ᄉᆡᆼ산ᄒᆞ여 ᄇᆡᆨᄌᆞ쳔손(百子千孫)을 긔약ᄒᆞ리니, 엇디 깃브디 아니리오.”

졔왕과 윤비 ᄇᆡ샤ᄒᆞ고 믈너나ᄆᆡ, 왕이 다시 잔을 들고 양·니·경 삼비를 쳥ᄒᆞ여 태부인긔 헌슈ᄒᆞᄆᆡ, 양비의 염모(艶貌)와 경비의 쳔연월ᄐᆡ(天然月態), 왕의 풍신용화를 도와 엇게를 ᄀᆞᆯ와 헌작ᄒᆞᄆᆡ, 그 긔특ᄒᆞ미 태을딘군(太乙眞君)[872]이 왕모(王母)[873]와 월녀(月女)[874]를 겻디은 ᄃᆞᆺᄒᆞ거ᄂᆞᆯ, 니시의 험모흉상(險貌凶狀)이[의] 박ᄉᆡᆨ누딜(薄色陋質)을[은] 볼ᄉᆞ록 괴이(怪異)ᄒᆞᄃᆡ, 【25】 녜모동용(禮貌動容)이 유한ᄒᆞ여 ᄉᆞ군ᄌᆞ(士君子) 녈쟝부(烈丈夫) 풍이 이시니, 이 거시 가히

870)쥬가(周家) : 중국 주(周)나라 국성(國姓).
871)임샤(姙似) : 중국 주(周)나라 현모양처(賢母良妻)인 문왕의 어머니 태임(太姙)과 무왕(武王)의 어머니 태사(太姒)를 함께 이르는 말.
872)태을진군(太乙眞君) : =태을성군(太乙星君). 음양가에서, 북쪽 하늘에 있는 별인 태을성(太乙星)의 성군(星君)으로서 병란·재화·생사 따위를 맡아 다스린다고 하는 천상선관(天上仙官).
873)왕모(王母) : 서왕모(西王母). 중국 신화에 나오는 신녀(神女)의 이름. 불사약을 가진 선녀라고 하며, 음양설에서는 일몰(日沒)의 여신이라고도 한다
874)월녀(月女) : 달 속에 있다고 하는 전설 속의 선녀. 항아(姮娥)[=상아(嫦娥)]

오며, 흡연이 화평ᄒᆞ미 ᄇᆡᆨ만ᄇᆡ회를 살와바린 ᄃᆞᆺ, 긔이ᄒᆞᆫ 가셩이 웅위(雄威) 상쾌(爽快) 【67】 ᄒᆞ여 심규(深閨)의 니부(嫠婦)[700]를 울닐 ᄇᆡ라.

태부인이 희연(喜然)이 우음을 ᄢᅴ여 왕의 손을 잡고, 윤비의 운환을 어로만져 왈,

“너의 부부ᄂᆞᆫ 종ᄉᆞ(宗嗣)의 즁ᄒᆞ믈 가져, 위인의 긔특ᄒᆞ미 셰ᄃᆡ에 독보ᄒᆞ니, 노뫼 볼 젹마다 두굿기믈 니긔지 못ᄒᆞᄂᆞ니, 손ᄋᆞᄂᆞᆫ 츌장입공(出將立功)ᄒᆞ여 위진ᄒᆡᄂᆡ(威震海內)ᄒᆞ며 열토봉왕(列土封王)ᄒᆞ여 국가의 동냥(棟樑)이 되고, 윤현부ᄂᆞᆫ 효의절ᄒᆡᆼ(孝義節行)이 금슈(錦繡) 우ᄒᆡ 빗ᄂᆞᆫ ᄭᅩᆺ출 더욱 겸ᄒᆞ여, ᄇᆡᆨᄉᆞ쳔ᄒᆡᆼ(百事天行)이 녀즁셩인(女中聖人)이니, 쥬가(周家)[701] 팔ᄇᆡᆨ년 긔업을 일워 ᄂᆡ시던 임ᄉᆞ(姙似)[702]를 긔특다 못ᄒᆞᆯ지라. 졔국의 어미로 《위덕‖휘뎍(后籍)》의 존귀를 누리며, 옥동을 ᄉᆡᆼᄒᆞ여 ᄇᆡᆨᄌᆞ쳔손(百子千孫)의 만ᄃᆡ를 긔약ᄒᆞ리니, 엇지 깃브지 아니ᄒᆞ리오”

졔왕과 윤비 ᄇᆡᄉᆞ슈명(拜謝受命)ᄒᆞ고 믈너 나ᄆᆡ, 왕이 【68】 다시 잔을 들어 양·니·경 삼비를 쳥ᄒᆞ여 태부인긔 헌슈ᄒᆞᄆᆡ, 양부인의 션풍염모(仙風艶貌)와 경비의 쳔연월ᄐᆡ(天然月態), 왕의 풍신용화를 도와 엇ᄀᆡ를 갈와 헌ᄌᆞᆨᄒᆞᄆᆡ, ᄐᆡ을진군(太乙眞君)[703]이 왕모(王母)[704]와 월녀(月女)[705]를 겻지은 ᄃᆞᆺᄒᆞ거ᄂᆞᆯ, 니비의 험모흉상(險貌凶狀)의 박ᄉᆡᆨ누질(薄色陋質)은 볼ᄉᆞ록 고이ᄒᆞᄃᆡ, 녜모동용(禮貌動容)이 유한졍슉(幽閑靜淑)ᄒᆞ여

700)니부(嫠婦) : 과부.
701)쥬가(周家) : 중국 주(周)나라 국성(國姓).
702)임샤(姙似) : 중국 주(周)나라 현모양처(賢母良妻)인 문왕의 어머니 태임(太姙)과 무왕(武王)의 어머니 태사(太姒)를 함께 이르는 말.
703)태을진군(太乙眞君) : =태을성군(太乙星君). 음양가에서, 북쪽 하늘에 있는 별인 태을성(太乙星)의 성군(星君)으로서 병란·재화·생사 따위를 맡아 다스린다고 하는 천상선관(天上仙官).
704)왕모(王母) : 서왕모(西王母). 중국 신화에 나오는 신녀(神女)의 이름. 불사약을 가진 선녀라고 하며, 음양설에서는 일몰(日沒)의 여신이라고도 한다
705)월녀(月女) : 달 속에 있다고 하는 전설 속의 선녀. 항아(姮娥)[=상아(嫦娥)]

일ㅋ롬즉 ᄒᆞ더라. 태부인이 흔연이 잔을 밧고 슌슌이 ᄉᆞ랑ᄒᆞᄂᆞᆫ 졍을 니긔디 못ᄒᆞ니, 양·니·경 삼비 빅샤이퇴(拜謝而退)ᄒᆞᆫ 후, 왕이 ᄯᅩ 공쥬로 더브러 옥비를 나오미, 태부인이 공쥬의 손을 잡고 ᄀᆞᆯ오ᄃᆡ,

"어나 사ᄅᆞᆷ이 허믈이 업ᄉᆞ리오마ᄂᆞᆫ 곳치미 귀(貴)타ᄒᆞ니, 이ᄂᆞᆫ 셩교(聖敎)의 허ᄒᆞ신 ᄇᆡ라. 귀쥬의 개과쳔션ᄒᆞ시ᄂᆞᆫ 덕이 사ᄅᆞᆷ의 일ㅋ를 ᄇᆡ니, 노뫼 아름다오믈 니긔디 못ᄒᆞᄂᆞ니, 모로미 ᄒᆞᆫ갈ᄀᆞᆺ치 덕을 길우고 힝실을 닷그샤 쇼년 과실을 ᄲᅦᄉᆞ시고, 옥동【26】화녀를 ᄉᆡᆼ산ᄒᆞ여 슬하의 뎍막ᄒᆞᆫ 탄이 업게 ᄒᆞ쇼셔."

공쥐 ᄉᆞ샤(謝辭)ᄒᆞᄆᆡ 옥ᄐᆡ화딜(玉態花質)이 ᄌᆞ약긔려(自若奇麗)ᄒᆞ여 묘묘(妙妙)ᄒᆞᆫ ᄌᆞᄐᆡ 황홀비상(恍惚非常)ᄒᆞ니, 태부인이 그 용ᄐᆡ를 ᄉᆞ랑ᄒᆞ고 범ᄉᆡ 즐겁디 못ᄒᆞ믈 가련(可憐)이 넉이더라.

졔왕이 날호여 믈너나ᄆᆡ, 녜부샹셔(禮部尙書) 문연각태ᄒᆞᆨᄉᆞ(文淵閣太學士) 닌흥이 ᄌᆞ포옥ᄃᆡ(紫袍玉帶)의 금관(金冠)을 숙이고 부인 쇼니시로 더브러 옥비를 들고 나아오ᄆᆡ, 녜부의 쳥고쇄락(淸高灑落)ᄒᆞᆫ 긔상은 나히 ᄎᆞᄆᆡ 완연이 금평후의 거동이라. 현인군ᄌᆞ디풍(賢人君子之風)과 거셰명인(擧世名人)의 골격(骨格)이 부귀를 누리며 복녹을 향(享)ᄒᆞᆯ ᄇᆡ오, 슈려ᄒᆞᆫ 용안은 딘상국(晋相國)[875]의 관옥디【27】모(冠玉之貌)[876]를 우ᄉᆞ며, 니부인의 슉ᄌᆞ인픔(淑姿人品)과 션연월ᄐᆡ(嬋娟月態)ᄂᆞᆫ 남젼(藍田)[877]의 미옥(美玉)을 긔화(奇花)로 ᄎᆡᄉᆡᆨ(彩色)ᄒᆞᆫ ᄃᆞᆺ, 안일ᄒᆞᆫ 덕도와 뇨뇨ᄒᆞᆫ 심졍이 딘짓 하쥐슉녀(河洲淑女)[878]라. 부뷔 ᄒᆞᆷ긔 나아와 작(酌)

875)진상국(晉相國) : 중국 서진(西晉)의 미남자 반악(潘岳).

876)관옥디모(冠玉之貌) : 관옥처럼 아름다운 모습. 관옥은 관(冠)을 꾸미는 옥.

877)남젼(藍田) : 중국(中國) 섬서성(陝西省)에 있는 산 이름으로 옥의 명산지.

878)하쥐슉녀(河洲淑女) : 강물 모래톱 가운데 있는

ᄉᆞ군ᄌᆞ의 풍이 잇시니, 가히 일ㅋ럼즉 ᄒᆞ지라. 태부인이 흔연이 잔을 밧고 흡흡이 ᄉᆞ랑ᄒᆞᄂᆞᆫ 졍을[과] {니긔지 못ᄒᆞ여} 귀즁ᄒᆞ믈 니긔지 못ᄒᆞ니, 양·니·경 삼비 빅ᄉᆞ이퇴(拜謝而退)ᄒᆞᆫ 후, 왕이 ᄯᅩ 공쥬로 더브러 옥비를 나오ᄆᆡ, 태부인이 공쥬의 손을 잡고 ᄀᆞᆯ오ᄃᆡ,

"어ᄂᆡ ᄉᆞᄅᆞᆷ이 허믈이 업ᄉᆞ리오마ᄂᆞᆫ 곳치미 귀(貴)타 ᄒᆞ믄 셩인의 허ᄒᆞ신 ᄇᆡ니, 귀쥬의 개【69】과쳔션 ᄒᆞ시ᄂᆞᆫ 덕이 ᄉᆞᄅᆞᆷ의 닐ㅋ를 ᄇᆡ라. 노뫼 아름다오믈 니긔지 못ᄒᆞᄂᆞ니, 모로미 ᄒᆞᆫ갈ᄀᆞᆺ치 덕을 기르고 힝실을 가다듬어, 젼ᄌᆞ의 과악을씨셔 바리고 옥동화녀(玉童花女)를 ᄉᆡᆼᄒᆞ여, 슬하의 젹막ᄒᆞᆫ 탄이 업게 ᄒᆞ소셔."

공쥐 존교(尊敎)를 듯ᄌᆞᆸ고 ᄉᆞ샤(謝辭)ᄒᆞᄆᆡ, 옥ᄐᆡ긔질(玉態奇質)이 ᄌᆞ약쇄려(自若灑麗)ᄒᆞ여 묘묘(妙妙)ᄒᆞᆫ ᄐᆡ되 황홀긔이(恍惚奇異)ᄒᆞ니 태부인이 그 용화를 ᄉᆞ랑ᄒᆞ고 범ᄉᆞ의 즐기지 못ᄒᆞ믈 가련이 넉이더라."

졔왕이 날호여 믈너나오ᄆᆡ 녜부샹셔(禮部尙書) 문영[연]각ᄐᆡᄒᆞᆨᄉᆞ(文淵閣太學士) 인흥이 ᄌᆞ포옥ᄃᆡ(紫袍玉帶)의 금관을 숙이고 쇼○[니]씨(小李氏)[706]로 더브러 옥비를 들고 나아오ᄆᆡ, 녜뷔 쳥고쇄락(淸高灑落)ᄒᆞᆫ 긔상은 가히 {ᄎᆞ마} 완연ᄒᆞᆫ 금후의 아ᄃᆞᆯ이라 ᄒᆞᆷ즉 ᄒᆞ더라.

{태부인이 소씨의 손을 잡고 ᄀᆞᆯ【70】ᄋᆞᄃᆡ, ᄐᆡᄉᆞ의 덕화를 겸ᄒᆞ고 종ᄉᆞ의 ᄌᆞ녀를 ᄉᆡᆼᄒᆞ라 ᄒᆞ시니, 소씨[707] 슈명이 퇴ᄒᆞᄆᆡ}

니부인이 옥비를 드러 나오거ᄂᆞᆯ,

706)소이씨(小李氏) : 정인흥의 부인 이연빙으로 정천흥의 셋째부인인 '이수빙'의 친동생이다. 작중에서 이들 자매를 구별하기 위해 정인흥의 부인을 '소이씨' 또는 '소이부인'으로, 정천흥의 셋째부인은 '대이씨' 또는 '대이부인'으로 호칭하고 있다. 물론 구별할 필요가 없을 때는 둘 다 '이씨' 또는 '이부인'으로 호칭한다. 이 장면의 '소씨'는 정인흥은 이연빙 이외의 다른 처첩을 둔 일이 없으므로 '소이씨'의 오기다.

707)소씨 : 정인흥의 처는 '소이씨' 한 사람 뿐이므로, 이 장면의 '소씨' 관련 서사는 명백한 오류다. 필사자가 '소이씨'를 '소씨'와 '이씨' 두 사람으로 오해한 데서 생겨난 잘못으로 보인다.

을 헌ᄒᆞ고, 녜뷔 튝슈가ᄉᆞ(祝壽歌詞)를 창(唱)ᄒᆞᆯᄉᆡ, 셩음(聲音)이 청상(淸爽)ᄒᆞ며 화열(和悅)ᄒᆞ여 인심을 즐겁게 ᄒᆞᄂᆞᆫ디라. 조모와 부뫼 녜부의 가셩(歌聲)을 쳐음으로 드르ᄆᆡ, 웃ᄂᆞᆫ 입이 열니믈 ᄭᆡ돗디 못ᄒᆞ여, ᄀᆞᆯ오ᄃᆡ,

"닌흥이 평ᄉᆡᆼ의 셥신슈ᄒᆡᆼ(攝身修行)ᄒᆞᄆᆡ 가ᄉᆞ부치의 ᄉᆡᆼ소ᄒᆞᆫ가 ᄒᆞ엿더니, 오날ᄂᆞᆯ 가ᄉᆞ를 드르ᄆᆡ 일ᄉᆡᆼ 닉이던 뉘라도 이러치 못ᄒᆞ리니, 각각 ᄌᆡ조의 달녓도다."

녜뷔 함쇼퇴ᄉᆞ(含笑退謝)ᄒᆞᄆᆡ, 태부인이 ᄌᆡ【28】삼 일ᄏᆞ라 니르ᄃᆡ,

"너희 부부ᄂᆞᆫ 부모의 팔ᄌᆞ를 달므ᄆᆡ 되여, 초년으로브터 이 ᄭᆡ가디 ᄒᆞᆫ 조각 근심이 업ᄉᆞ니, ᄂᆡ외 상경여빈(相敬如賓)ᄒᆞ고 유ᄌᆞᄉᆡᆼ녀(有子生女)ᄒᆞ여 층층ᄒᆞᆫ ᄌᆞ녀의 아름다오미 옥슈신월(玉樹新月)ᄀᆞᆺᄐᆞ니, 노뫼 더옥 두굿기노라."

녜부와 니부인이 ᄌᆡᄇᆡ이퇴(再拜而退)ᄒᆞᄆᆡ, 형부상셔(刑部尙書) 동월후 셰흥이 부인 양·소·한 삼인으로 더브러 뉴리ᄇᆡ(琉璃盃)를 들고 나아올ᄉᆡ, 월후의 풍뉴신광은 이날 더옥 쇄락ᄒᆞ여, 두렷ᄒᆞᆫ 면모ᄂᆞᆫ 졔월(霽月)이 텬디의 명광을 흘니며, 냥미정화(兩眉精華)ᄂᆞᆫ 츄슈의 힛발이 빗쵠 둧ᄒᆞ고, 늠늠ᄒᆞᆫ 신댱은 금당(金塘)[879]의 일만 버들이 휘듯ᄂᆞᆫ【29】둧, 일희[880] 허리의 옥ᄃᆡ(玉帶)를 두로고, 월익(月額)의 오ᄉᆞ(烏紗)를 숙이고 표일ᄒᆞᆫ 신위의 픔복이 졔졔ᄒᆞᆫᄃᆡ, 양·소·한 삼인으로 ᄒᆞᆷᄭᅴ 딘헌ᄒᆞ니, 양부인의 빙ᄌᆞ아딜(氷姿雅質)과 일만광염(一萬光艶)이 승졀긔려(勝絶奇麗)ᄒᆞ여 향년(香蓮)이 청엽(靑葉)의 소ᄉᆞ며, ᄒᆡ샹명월쥬(海上明月珠) 보광(寶光)을 토ᄒᆞᆷ ᄀᆞᆺ거ᄂᆞᆯ, 소부인의 빙졍슈려(氷晶秀麗)ᄒᆞᆫ 용화ᄂᆞᆫ ᄌᆞ약션연(自若

숙녀라는 뜻으로 주(周)나라 문왕(文王)의 비(妃)인 태사(太姒)를 말한다. 문왕과 태사 부부의 사랑을 노래한 『시경』<관저(關雎)>장의 "관관저구 재하지주 요조숙녀 군자호구(關關雎鳩 在河之洲 窈窕淑女 君子好逑)"의 '하주(河洲)' '숙녀(淑女)'에서 따온 말.

879)금당(金塘) : 연꽃이나 버드나무 등을 심어 아름답게 가꾼 연못.

880)일희 : 이리.

○○○○[태부인이] 그 용화의 긔특ᄒᆞ믈 ᄉᆞ랑ᄒᆞ샤 만복을 칭ᄒᆞ시고, ○○○[니르ᄃᆡ],

"유ᄌᆞᄉᆡᆼ녀(有子生女)ᄒᆞ여 층층ᄒᆞᆫ ᄌᆞ녀의 아름다오미 옥슈신월(玉樹新月) ᄀᆞᆺᄒᆞ여[니], 노뫼 더옥 두굿기노라."

녜부와 니부인이 ᄌᆡᄇᆡ이퇴(再拜而退)ᄒᆞᄆᆡ, 형부상셔(刑部尙書) 동월후 셰흥이 부인 양·소·한 ᄉᆞᆷ인으로 더브러 쥬쥰(酒樽)을 들고 나아올ᄉᆡ, 월후의 풍뉴신광이 이날에 더욱 쇄락ᄒᆞ여 두렷ᄒᆞᆫ 면모ᄂᆞᆫ 츄월(秋月)이 망[만]방에 명광을 흘니며, 양미정화(兩眉精華)ᄂᆞᆫ 영영ᄒᆞᆫ 명긔를 ᄭᅴ엿고, 봉안영치(鳳眼靈彩)ᄂᆞᆫ 츄슈의 일광이 빗쵠 둧, 늠늠ᄒᆞᆫ 신장은 일희[708] 허리의 옥ᄃᆡ를 도도고 오ᄉᆞ(烏紗)를 숙여, 양·소·한 ᄉᆞᆷ인으로 ᄒᆞᆷᄭᅴ 헌슈ᄒᆞᄆᆡ, 양【71】부인의 빙ᄌᆞ아질딜(氷姿雅質)과 일만광염(一萬光艶)은 졀승긔려(絶勝奇麗)ᄒᆞ여 향년(香蓮)이 청쳘(淸徹)ᄒᆞᆫ 긔화(奇花)의 소ᄉᆞ나며, ᄒᆡ상의 명월쥐(明月珠) 보광(寶光)을 토ᄒᆞᆷ ᄀᆞᆺ거ᄂᆞᆯ, 소씨 빙청슈려(氷淸秀麗)ᄒᆞᆫ 용화ᄂᆞᆫ 《금부‖금분(金盆)》 모란(牡丹)이 츈풍셰우(春風細雨)의 우ᄉᆞ며, 월계화(月桂花)[709] 《셩노‖셕노(夕露)[710]》의 져젓ᄂᆞᆫ 둧, 풍완호질(豊婉好質)이 더욱 이 ᄀᆞ온ᄃᆡ 찬난윤ᄐᆡᆨ(燦爛潤澤)ᄒᆞ여 만복이 낫 우히 어릐고, 화긔 우히염ᄌᆞᆨ[711]

708)일희 : 이리.

709)월계화(月桂花) : 월계수(月桂樹)의 꽃..

710)셕노(夕露) : 저녁이슬.

嬋娟)ᄒᆞ여 ᄆᆞᆰ고 됴흐미 ᄒᆡ상청빙(海上淸氷)이라. 한 부인의 흐억 찬난ᄒᆞᆫ 옥모ᄂᆞᆫ 금분(金盆)의 목단(牧丹)이 동풍의 우ᄉᆞ며, 월계(月桂) [881] 셕노(夕露)[882]의 져졋ᄂᆞᆫ 듯, 풍완호딜(豊婉好質)이 이 ᄀᆞ온ᄃᆡ 더옥 찬연윤ᄐᆡᆨ(燦然潤澤)ᄒᆞ여, 만복이 낫 우히 어ᄅᆡ고 화긔 우희염ᄌᆞᆨ[883]ᄒᆞ니[며], 너그럽고 상활(爽闊)ᄒᆞ미 보름ᄃᆞᆯ ᄀᆞᆺᄐᆞ니, 【30】 사ᄅᆞᆷ으로 ᄒᆞ여금 ᄃᆡᄒᆞᄆᆡ ᄆᆞᄋᆞᆷ이 화평ᄒᆞᆫ디라. 양·소·한 삼위 슉녀의 셩힝ᄉᆞ덕(性行四德)이 청슈빙옥(淸水氷玉)ᄀᆞᆺᄐᆞ니, 댱부의 쾌활ᄒᆞᆯ ᄇᆡ라. 부부 ᄉᆞ인이 헌작을 다ᄒᆞ니, 동월휘 이의 튝슈가(祝壽歌) 일곡을 브르니, 셩음이 웅건활낭(雄建活朗)ᄒᆞ고 엄듕쇄락(嚴重灑落)ᄒᆞ여 구만니(九萬里) 댱공(長空)의 ᄉᆞ못ᄎᆞᆯ 듯, 음뉼이 화평ᄒᆞ여 남훈뎐(南薰殿)[884] 샹의 화긔를 닐윌디라. 존당 부뫼 ᄆᆞᄋᆞᆷ의 가득이 두굿기고 아ᄅᆞᆷ다오믈 니긔디 못ᄒᆞ여, 태부인이 동월후의 등을 두다리며 양·소·한 등의 옥슈를 어로만져 니르ᄃᆡ,

“너희 부부 ᄉᆞ인의 풍화긔딜(豊和氣質)은 실노 하날이 유의ᄒᆞ여 ᄂᆡ신 ᄇᆡ라. 【31】 셰ᄋᆡ ᄎᆞ시를 당ᄒᆞ여ᄂᆞᆫ 졔가(齊家)의 위덕(威德)이 텬흥의 아ᄅᆡ 되디 아니ᄒᆞ고, 양쇼뷔 광부(狂夫)의 보치ᄂᆞᆫ 욕을 바다시나, ᄇᆡᆨ힝ᄉᆞ덕을 어디리 닷그ᄆᆡ, 텬신이 복을 주샤 손ᄋᆡ 쾌히 ᄭᆡᄃᆞ르믈 엇고, 두 낫 동녈을 어드나 ᄒᆞ나ᄒᆞᆫ 죵뎨(從弟)오, ᄒᆞ나ᄒᆞᆫ 비록 남이나 화우ᄒᆞᄂᆞᆫ 덕이 각각 갈담풍화(葛覃風化)[885]를 효측ᄒᆞ여 ‘쥬아(周雅)의 풍(風)’[886]이 이시니, 내 집의 뎍디 아닌 복경이

881)월계(月桂) : 월계수(月桂樹).
882)셕노(夕露) : 저녁이슬.
883)우희염ᄌᆞᆨᄒᆞ다 : 움켜쥘만하다. 손가락을 우그리어 물건 따위를 힘 있게 잡을 수 있을 듯하다.
884)남훈뎐(南薰殿) : 순임금이 오현금(五絃琴)으로 남풍시(南風詩)를 타 백성들의 불만을 어루만져주던 전각.
885)갈담풍화(葛覃風化) : 갈담의 교화. 갈담은 『시경』 <주남(周南)> 갈담장(葛覃章)에 나오는 말로, 주나라 문왕비인 태사(太姒)의 덕을 기리는 시.
886)‘쥬아(周雅)의 풍(豊)’ : 중국 주(周)나라 문왕의 비(妃)인 태사(太姒)의 부덕(婦德)과 같은 덕이 있다는 말. 곧 태사는 현모양처(賢母良妻)로 문왕을

ᄒᆞ니, 보름 찬 달과 ○○[ᄀᆞᆺ치] 흔연(欣然) 쇄락(灑落)ᄒᆞ미 ᄉᆞᄅᆞᆷ을 놀ᄂᆡᄂᆞᆫ지라. ᄉᆞᆷ위 슉녀의 셩힝ᄉᆞ덕(性行四德)이 청슈빙옥(淸水氷玉) ᄀᆞᆺᄐᆞ니, 장부의 쾌활ᄒᆞᆯ 바를 가히 알지라. 부부 ᄉᆞ인이 헌ᄌᆞᆨ(獻爵)을 다ᄒᆞ니, 월휘 이에 츅슈가(祝壽歌)를 브르ᄆᆡ, 청활(淸闊)ᄒᆞᆫ 셩음이 웅건활달(雄建豁達)ᄒᆞ여 구만니(九萬里) 쟝텬(長天)의 ᄉᆞ못ᄎᆞᆯ 듯, 음셩이 화평ᄒᆞ여 남훈젼(南薰殿)[712] 상의 화ᄀᆡ[긔](和氣)를 여럿ᄂᆞᆫ지라. 조모와 부뫼 두굿기믈 니긔지 못ᄒᆞ【72】여, 태부인이 동월후의 등을 두다리며, 양·소·한 등의 옥슈를 어로만져 닐ᄋᆞᄃᆡ,

“너의 부부 ᄉᆞ인의 풍화긔질(豊和氣質)은 실노 하늘이 유의ᄒᆞ여 ᄂᆡ미라. 셰ᄋᆡ ᄎᆞ시를 당ᄒᆞ여ᄂᆞᆫ 졔가(齊家)의 위덕(威德)이 텬흥의 아ᄅᆡ 되지 아니ᄒᆞ고, 양현뷔 광부의 보치ᄂᆞᆫ 욕을 《밧아시나‖바다시나》 ᄇᆡᆨ힝ᄉᆞ덕을 어즈러이 《밧아시나‖닷그ᄆᆡ》 텬신이 복녹을 주샤, 손ᄋᆡ(孫兒) 쾌히 ᄀᆡ과(改過)ᄒᆞ믄[믈] 《다르고‖엇고》, 두 낫 동녈을 어드나 ᄒᆞ나ᄒᆞᆫ 종제(從弟)오, ᄒᆞ나ᄒᆞᆫ 비록 남이나 화우ᄒᆞᄂᆞᆫ 덕이 각각 ‘갈담(葛覃)의 풍(風)’[713]이 잇시니, ᄂᆡ 집의 젹지 아닌 복경이라. 노뫼 그윽이 심즁의 즐기오믈 능히 측냥치 못ᄒᆞᄂᆞ니, 손ᄋᆞᄂᆞᆫ 모로미 ᄒᆞᆫ갈ᄀᆞᆺ치 녯 일을 뉘웃쳐 ᄉᆞ힝(士行)을 가지록 가

711)우희염ᄌᆞᆨᄒᆞ다 : 움켜쥘만하다. 손가락을 우그리어 물건 따위를 힘 있게 잡을 수 있을 듯하다.
712)남훈뎐(南薰殿) : 순임금이 오현금(五絃琴)으로 남풍시(南風詩)를 타 백성들의 불만을 어루만져주던 전각.
713)갈담(葛覃)의 풍(風) : 갈담의 교화. 갈담은 『시경』 <주남(周南)> 갈담장(葛覃章)에 나오는 말로, 주나라 문왕비인 태사(太姒)의 덕을 기리는 시.

라. 노뫼 심듕의 즐거오믈 측냥치 못ᄒᆞ노라. 손ᄋᆞᄂᆞᆫ 모로미 ᄒᆞᆫ갈ᄀᆞᆺ치 녯 일을 뉘웃쳐 힝실을 가다ᄃᆞᆷ고, 양·소·한 삼부ᄂᆞᆫ 맛ᄎᆞᆷᄂᆡ 화우ᄒᆞ여 규문의 화긔를 상ᄒᆡ오디 말고 손ᄋᆞ의 ᄂᆡ조【32】를 빗ᄂᆡ라."

월후와 삼부인이 ᄇᆡ샤이퇴(拜謝而退)ᄒᆞᄆᆡ 니부시랑(吏部侍郎) 《홍문관 ‖ 듕셔》 샤인(中書舍人)887) 유홍이 부인 쥬시로 더브러 옥ᄇᆡ를 밧드러 헌ᄒᆞ고, 강능(岡陵)의 슈(壽)를 빌ᄉᆡ 가셩(歌聲)이 요량(嘹喨)ᄒᆞ여 원텬(遠天)의 힝운(行雲)이 머믈고, 풍골(風骨)이 쇄락(灑落)ᄒᆞ여 신션의 골격이오, 딘셰쇽인(塵世俗人)이 아니어ᄂᆞᆯ, 쥬시 옥ᄐᆡ화용(玉態花容)이 찬연ᄒᆞ여 복녹이 빗최고, 부부의 긔딜이 겸금(兼金)888)과 냥옥(良玉) ᄀᆞᆺᄐᆞ며 군ᄌᆞ와 슉녀의 풍이 가ᄌᆞᆨᄒᆞ니, 부인이 흔연이 잔을 밧고 두굿기ᄂᆞᆫ 우음을 먹음어 ᄋᆡ련ᄒᆞ믈 마디 아니ᄒᆞ니, 샤인 부뷔 ᄌᆡᄇᆡᄉᆞ샤ᄒᆞ고 믈너나ᄆᆡ, 한님혹ᄉᆞ 필홍이 부인 두·화 냥인으로 더브러 옥ᄇᆡ를【33】헌ᄒᆞ고, 남산슈(南山壽)889)를 튝(祝)ᄒᆞ니, 한님의 됴ᄒᆞᆫ 풍치ᄂᆞᆫ 이날 더옥 긔이ᄒᆞ니, 늠늠ᄒᆞᆫ 긔상과 고은 용화ᄂᆞᆫ 두목디(杜牧之)890)의 호일(豪逸)ᄒᆞ믈 나모라고, 반악(潘岳)891)의 미묘ᄒᆞ믈 낫게 넉이니, 동용힝디(動容行止)의 대현의 긔상이 낫타나ᄂᆞᆫ디라. 청월(淸越)ᄒᆞᆫ

잘 내조하여 성군(聖君)이 되게 하였는데, 특히 남편의 많은 후궁들을 덕으로 잘 거느려 화목한 가정을 이룬 일로, 후대의 무수한 글들에 그녀의 부덕이 칭송되고 있다.

887)사인(舍人) : 조선 시대에 의정부(=고려시대 중서성)에 속한 정사품 벼슬. 홍문관엔 사인 벼슬이 없다.

888)겸금(兼金) : 품질이 뛰어나 값이 보통 금보다 갑절이 되는 좋은 황금.

889)남산슈(南山壽) : 남산(南山)이 다 닳아 없어질 때까지의 영원한 시간의 수명(壽命). 오래 살기를 빌 때 쓴다,

890)두목디(杜牧之) : 803~852. 이름은 두목(杜牧). 당나라 만당(晩唐)때 시인. 미남자로, 두보(杜甫)에 상대하여 '소두(小杜)'라 칭하며, 두보와 함께 '이두(二杜)'로 일컬어지기도 한다.

891)반악(潘岳) : 247~300. 중국 서진(西晉) 때의 문인. 자는 안인(安仁). 미남이었고 망처(亡妻)를 애도한 <도망시(悼亡詩)>가 유명하다.

다ᄃᆞᆷ고, 양·소·한 ᄉᆞᆷ부ᄂᆞᆫ 맛ᄎᆞᆷᄂᆡ 화우ᄒᆞ여 《극문 ‖ 규문(閨門)》의 화긔【73】를 상ᄒᆡ오지 말고, 손ᄋᆞ의 ᄂᆡ조를 빗ᄂᆡ라."

월후와 양·소·한 ᄉᆞᆷ부인이 ᄇᆡ샤이퇴(拜謝而退)ᄒᆞᄆᆡ, 니부시랑(吏部侍郎) 유홍이 부인 쥬씨로 더브러 헌슈ᄒᆞ고, 남산(南山)의 슈(壽)를 빌ᄉᆡ, 가셩(歌聲)이 슈묘(秀妙)ᄒᆞ고 픔골(品骨)이 쇄연(灑然)ᄒᆞ여, 션인(仙人)의 골격이오, 셰샹 속인이 아니어ᄂᆞᆯ, 쥬씨의 옥ᄐᆡ화용(玉態花容)이 찬연슈려(燦然秀麗)ᄒᆞ여 복녹이 완젼ᄒᆞ고, 부부의 긔질이 경[겸]금(兼金)714) 냥옥(良玉) ᄀᆞᆺᄒᆞ여 군ᄌᆞ 슉녀의 풍이 가ᄌᆞᆨᄒᆞ니, 태부인이 흔연이 잔을 밧고 두굿기ᄂᆞᆫ 우음을 씌여, ᄋᆡ련ᄒᆞ믈 마지 아니ᄒᆞ니, 시랑 부뷔 ᄌᆡᄇᆡᄉᆞᄉᆞᄒᆞ고 믈너나ᄆᆡ, 한님혹ᄉᆞ 필홍이 부인 두·화 냥인으로 더브러 옥ᄇᆡ(玉杯)를 헌ᄒᆞ고 남산슈(南山壽)를 브르니, 한님의 용화(容華) 호풍(豪風)이 이날 더욱 긔이ᄒᆞ여, 늠늠ᄒᆞᆫ 신치 ᄉᆞ름의 이목을 황홀케 ᄒᆞ며, 반악(潘岳)715)의 미묘ᄒᆞ믈 낫비 넉이니, 동용【74】힝지(動容行止)의 ᄃᆡ현 긔상이 낫ᄐᆞ나니, 청월(淸越)ᄒᆞᆫ 가셩의 할연(豁然)ᄒᆞᆫ 위인을 알지라. 비록 두씨ᄂᆞᆫ 용모힝식을 닐ᄏᆞ를 거시 업ᄉᆞ나 명부(命婦) 복식이 한층 더ᄒᆞ고, 화씨의 풍영쥰[윤]ᄐᆡᆨ(豊盈潤澤)ᄒᆞᆫ 용뫼 옥이 빗나며 ᄭᅩᆺ치 봉오리를 ᄎᆡ 벗지 못ᄒᆞ여, 슉덕현힝(淑德賢行)이 츌어미목(出於眉目)ᄒᆞ고, 온슌화열ᄒᆞ믄 삼츈(三春)의 양긔(陽氣)를 거두엇시니, 신듕[즁](愼重)ᄒᆞᆫ ᄐᆡ도와 정슉ᄒᆞᆫ 녜뫼(禮貌) ᄌᆞ유법도(自有法度)ᄒᆞ니, 존당이 두굿기믈 니긔지 못ᄒᆞ여 흔연이 잔을 밧고, 집슈 ᄋᆡ듕ᄒᆞ미 만금듕보(萬金重寶)의 비홀ᄇᆡ 아니라. 다만 닐ᄋᆞᄃᆡ,

714)겸금(兼金) : 품질이 뛰어나 값이 보통 금보다 갑절이 되는 좋은 황금.

715)반악(潘岳) : 247~300. 중국 서진(西晉) 때의 문인. 자는 안인(安仁). 미남이었고 망처(亡妻)를 애도한 <도망시(悼亡詩)>가 유명하다.

가셩(歌聲)은 할연(豁然)ᄒᆞᆫ 위인을 알 거시오. 두시ᄂᆞᆫ 비록 용모ᄒᆡᆼᄉᆞ를 일ᄏᆞ를 거시 업ᄉᆞ나 명부 복싀이 휘황ᄒᆞ고, 화시의 풍영(豊盈)ᄒᆞᆫ 용모ᄂᆞᆫ 옥이 윤ᄢᅵ고 ᄭᅩᆺ치 봉오리치 벌기를 당ᄒᆞ여, 슉덕명ᄒᆡᆼ이 츌어외모(出於外貌)ᄒᆞ고, 온슌화열ᄒᆞ믄 삼츈양긔(三春陽氣)를 거두엇거ᄂᆞᆯ, 신듕ᄒᆞᆫ 톄위와 졍슉ᄒᆞᆫ 녜뫼 ᄌᆞ유법도(自有法度)ᄒᆞ니, 존당이 두굿【34】거오믈 니긔디 못ᄒᆞ여, ᄒᆞᆫ연이 잔을 밧고 손을 잡아 ᄋᆡ듕ᄒᆞ믈 만금의 비ᄒᆞᆯ 빅 아니라. 다만 니르ᄃᆡ,

"손ᄋᆞᄂᆞᆫ ᄒᆡᆼ실의 다시 허믈ᄒᆞᆯ 거시 업고, 두시 냥슌ᄒᆞ여[며], ○○○[화시ᄂᆞᆫ] 명달ᄒᆞᆫ 녀ᄌᆞ라. 가히 화평ᄒᆞ여 ᄌᆞ손의 챵셩ᄒᆞ믈 보디 아냐 알니로다. 노뫼 다ᄒᆡᆼᄒᆞ고 깃브믈 측냥치 못ᄒᆞ노라."

한님 부뷔 ᄇᆡ샤이퇴(拜謝而退)ᄒᆞ여 좌의 들ᄆᆡ, 금평휘 위국공과 동평후를 향ᄒᆞ여 니르ᄃᆡ,

"ᄉᆞ원의 형뎨 내 집 동상이 되연 디 여러 셰월의[이] 밧괴엿고, 오날ᄂᆞᆯ 《쥬셕॥슈셕(壽席)》을 당ᄒᆞ여 일ᄇᆡ 헌슈로 반ᄌᆞ디졍(半子之情)을 펴ᄂᆞᆫ 거시 올흘가 ᄒᆞ노라. 하ᄋᆡ 비록 우리 긔츌(己出)이 아니나,【35】부녀 남ᄆᆡ지졍을 ᄆᆡᄌᆞᆫ 디 오ᄅᆡ고, 져희 우리를 향ᄒᆞᆫ 졍셩과 우리 져를 아ᄂᆞᆫ ᄆᆞ음이 친녀의 감ᄒᆞ미 업ᄂᆞᆫ디라. ᄎᆞ고로 일ᄇᆡ를 ᄉᆞ빈도 폐치 못ᄒᆞ리라."

위공과 태뷔 몸을 굽혀 ᄃᆡ왈,

"쇼ᄉᆡᆼ 등이 ᄒᆞᆫ갓 구ᄉᆡᆼ(舅甥)892)으로 ᄉᆡᆼ각ᄒᆞᆯ 쁜 아니오라, 악당은 션인의 동긔 ᄀᆞᆺ툰 친위시고, 냥가 졍분이 ᄌᆞ별ᄒᆞ므로ᄡᅧ, 연셕의 일ᄇᆡ 딘헌으로 하졍을 펴디 아니면, 도로혀 무신블의(無信不義)예 갓가오리니, 명ᄒᆞ시ᄂᆞᆫ 바를 어이 샤양ᄒᆞ리잇고. 다만 부녀(婦女)로 더브러 엇게 ᄀᆞᆯ오며, 거름을 가ᄌᆞᆨ이 ᄒᆡᆼᄒᆞ믈 원치 아니ᄒᆞᄋᆞᆸᄂᆞ니, 쇼ᄉᆡᆼ 형뎨ᄂᆞᆫ 부뷔 다 각각 헌ᄇᆡᄒᆞ리이다."

금평휘【36】 쇼왈,

---

892)구ᄉᆡᆼ(舅甥) : ①외삼촌과 생질을 아울러 이르는 말. ②장인과 사위를 아울러 이르는 말.

"너의 ᄒᆡᆼ실에 허믈ᄒᆞᆯ 거시 업고, 두씨ᄂᆞᆫ 양슌ᄒᆞ며 《아부॥화씨》ᄂᆞᆫ 명달ᄒᆞᆫ 녀ᄌᆞ라. 가히 화평ᄒᆞ여 ᄌᆞ손의 장셩ᄒᆞ믈 보지 아냐 알이니, 노뫼 두굿기며 깃부믈 측냥치 못ᄒᆞᆯ 너라."

한【75】님 부뷔 ○[ᄇᆡ]ᄉᆞ이퇴(拜謝而退)ᄒᆞ여 좌의 들ᄆᆡ, 금휘, 남창후와 동평후를 향ᄒᆞ여 왈,

"ᄉᆞ원의 형뎨 ᄂᆡ 집 동상이 되연 지 여러 셰월이 밧고엿고, 금일 슈셕(壽席)을 당ᄒᆞ여 엇지 숙녈《노 ᄒᆞ야곰॥과 하ᄋᆡ(河兒)로 더부러》 일ᄇᆡ 헌○[슈]ᄒᆞᆯ 마ᄋᆞᆷ이 업ᄉᆞ리오."

ᄒᆞᆫᄃᆡ,

"내 텬흥의{의} 부부로브터 흠긔 헌슈를 식여 즈위의 즐기시믈 보고져 ᄒᆞ미니, 이 굿ᄐᆞ여 힝신(行身)의 휴손(虧損)ᄒᆞᆯ ᄇᆡ 아니라. 현셔 등이 괴로오나 마디 못ᄒᆞ리라."

창휘 함쇼 ᄃᆡ왈,

"쇼싱의 형뎨 부녀와 ᄒᆞᆫ가디로 헌슈ᄒᆞ믈 원치 아니ᄒᆞ더니, 악댱의 명이 이 ᄀᆞᆺᄐᆞ시니 ᄯᅩ 다시 거ᄉᆞ디 못ᄒᆞᄂᆞ니, 녕녀를 직쵹ᄒᆞ샤 어셔 잔을 들고 나오라 ᄒᆞ쇼셔."

졔왕이 미미히 웃고 창후를 향ᄒᆞ여 니르ᄃᆡ,

"ᄉᆞ원이 쇼ᄆᆡ로 슈유블니(須臾不離)코져 ᄒᆞᄂᆞᆫ ᄆᆞ옴의, 쇼ᄆᆡ 예 완 디 여러 날이 되ᄆᆡ, 뎡히 울울ᄒᆞ다가 대인이 ᄒᆞᆫ가디로 헌작ᄒᆞ믈 니르시니, 그 다힝ᄒᆞ미 쳥【37】텬(青天)의 비등(飛騰)홈 ᄀᆞᆺᄐᆞ니 엇디 우읍디 아니리오."

창휘 쇼왈,

"형은 져져와 여러 부인ᄂᆡ로 더브러 헌작ᄒᆞ믈 경ᄉᆞ로 알거니와, 나는 실노 원치 아닛ᄂᆞᆫ ᄇᆡ로ᄃᆡ, 악쟝이 브ᄃᆡ 그리 ᄒᆞ과져 ᄒᆞ시니, ᄆᆡ몰이 ᄯᅦ치디 못ᄒᆞ나 므어시 다힝ᄒᆞ리오."

니르며, ᄌᆞ포옥ᄃᆡ(紫袍玉帶)로 니러셔니, 슉녈이 션명ᄒᆞᆫ 녜복으로 옥ᄇᆡ를 드러 창후와 ᄒᆞᆫ가디로 나아 올ᄉᆡ, 창후의 쳑탕(滌蕩)ᄒᆞᆫ 풍뉴와 슈앙(秀昻)ᄒᆞᆫ 격죄 호호(浩浩)○[이] 뇽닌(龍鱗)893)의 긔습(氣習)을 가져시니, 태산(泰山)이 암암(巖巖)ᄒᆞᆫ 위의와, 텬일(天日)이 외외(巍巍)ᄒᆞᆫ 상뫼(相貌) 당당이 쳔승을 긔필(期必)ᄒᆞᆯ디라. 금관은 월익(月額)의 빗나고 직상의 관ᄌᆞ(貫子)894)는 빅년빈샹(白蓮鬢上)895)의【38】두렷ᄒᆞ니, 영쥰의 긔상과 대현디풍(大賢之風)이 일신의 오로디 겸ᄒᆞ여시니, 은하만니(銀河萬里)의 그

893)뇽닌(龍鱗) : ①용의 비늘. ②천자나 영웅의 위엄을 비유적으로 이르는 말.

894)관ᄌᆞ(貫子) : 망건에 달아 당줄을 꿰는 작은 단추 모양의 고리. 신분에 따라 금(金), 옥(玉), 호박(琥珀), 마노, 대모(玳瑁), 뿔, 뼈 따위의 재료를 사용하였다.

895)빅년빈샹(白蓮鬢上) : 백련처럼 하얀 귀밑머리.

남창휘 ᄌᆞ포옥ᄃᆡ(紫袍玉帶)로 이러셔니, 슉녈이 천연(天然)ᄒᆞᆫ 녜복(禮服)으로 옥ᄇᆡ를 들어 나아올ᄉᆡ, 창후의 쳑탕(滌蕩)ᄒᆞᆫ 풍뉴와 슈앙(秀昻)ᄒᆞᆫ 골격은 표표(表表)히 용호(龍虎)의 긔상을 가져, ᄐᆡ산(泰山)이 암암(巖巖)ᄒᆞᆫ 위의(威儀)와 텬일(天日)이 당당ᄒᆞᆫ 상뫼(相貌) 벅벅이 천승을 긔필(期必)ᄒᆞᆯ지라. 금관은 월익(月額)의 빗나고 영쥰ᄒᆞᆫ 긔상과 ᄃᆡ현지풍(大賢之風)을 오로지 겸ᄒᆞ여, 은하만니(銀河萬里)의 그음 업ᄂᆞᆫ 도량과 텬디의 가업ᄉᆞᆫ 너르믈 가져, ᄃᆡ장부의 위풍이 천고의 희한(稀罕)ᄒᆞ거ᄂᆞᆯ, 슉녈비 일월명광과 츄슈졍신이 쳔【76】연이 진속(塵俗)의 버셔나, 강산의 슈츌(秀出)ᄒᆞᆫ 졍화(精華)를 일편도이 타 나시ᄆᆡ, 외모 광염은 입으로 형언치 못ᄒᆞ며 붓술 드러 그리지 못ᄒᆞᆯ지니, 그 이상이 ㄱ[고]으며 긔려 졀승ᄒᆞ미 샤름 총즁의 셧기ᄆᆡ, 오즉즁봉황(烏鵲中鳳凰)716)이

음 업ᄉᆞᆫ 도량과 텬디의 가 업ᄉᆞᆫ 너르믈 가져, 대댱부의 위풍이 쳔고의 ○[희]한(稀罕)커ᄂᆞᆯ, 슉녈비의 일월명광과 츄슈 ᄀᆞᄐᆞᆫ 정신이 쳔연이 딘쇽의 버셔나, 강산의 슈츌ᄒᆞᆫ 졍화를 일편되이 타 나시니, 외모 광염은 입으로 형언치 못ᄒᆞ고 붓ᄉᆞ로 모ᄉᆞ(模寫)치 못ᄒᆞᆯ디라. 이상이 고으며 아ᄅᆞᆷ다오미 사ᄅᆞᆷ ᄀᆞ온ᄃᆡ 셧기ᄆᆡ 오작듕봉황(烏鵲中鳳凰)[896] 이오, 화듕왕(花中王)이라. 나상(羅裳)이 움즉이ᄂᆞᆫ 바의 긔이ᄒᆞᆫ 향긔를 비왓ᄂᆞᆫ[897] ᄃᆞᆺ, 보보(步步)히 년숑이[898] ᄯᅥ러디고, 의슈(衣袖) ᄉᆞ이의 옥결(玉玦)[899]이 징징【39】ᄒᆞ니, 팔좌(八座)의 존과 공후 ᄂᆡᄌᆞ(內子)의 귀를 아오라시니, 상모(相貌)의 영복(榮福)이 어ᄅᆡ고, 톄위(體位)의 특이ᄒᆞ미 휘뎍(后籍)의 존귀를 누릴디라. 스ᄉᆞ로 ᄌᆡ조와 덕을 낫타ᄂᆡ디 아니나, 신명ᄒᆞ고 특이ᄒᆞ미 현츌ᄒᆞ니 딘짓 창후의 ᄇᆡᆨ년가위(百年佳偶)러라. 부뷔 샹광이 셔로 빗최여 당샹(堂上)의 현명(顯明)ᄒᆞ니, 만목이 어린 ᄃᆞ시 관경(觀景)을 삼앗ᄂᆞᆫ디라. 이의 ᄇᆡ작(杯酌)을 헌ᄒᆞ고 다시 절ᄒᆞᄆᆡ, 태부인이 슉녈의 손을 잡고 창후를 향ᄒᆞ여 칭샤 왈,

"군휘 오날ᄂᆞᆯ 연셕을 당ᄒᆞ여 손녀로 더브러 헌작이 슈고로오믈 샤양치 아니ᄒᆞ니, 내 ᄌᆞ손의 슈헌(壽獻)은 예ᄉᆡ어니와, 군후【40】의 헌슈(獻壽)ᄂᆞᆫ 인가의 희귀ᄒᆞᆫ 일 ᄀᆞᄐᆞᆯ ᄲᅳᆫ 아니라, 감샤ᄒᆞ믈 니긔디 못ᄒᆞᄂᆞ니, 군휘 초년 화ᄋᆡᆨ을 딘뎡ᄒᆞ고 당ᄎᆞ시(當此時) ᄒᆞ여ᄂᆞᆫ 부귀 복녹이 구젼ᄒᆞ시니, 노신의 환심ᄒᆞ미 비ᄒᆞᆯ 곳 업도다."

남창휘 ᄇᆡ샤 왈,

"쇼ᄉᆡᆼ이 브ᄌᆡ우용디인(不才愚庸之人)으로 악댱(岳丈)의 디우를 힘닙ᄉᆞ와, 동상(東床)의 참예ᄒᆞ와 셰월이 오라고, 존당의 관인후의(寬仁厚意) 쇼ᄉᆡᆼ의 박녈(薄劣)ᄒᆞ믈 허믈치

896)오작중봉황(烏鵲中鳳凰) : 까마귀와 까치들 가운데 들어 있는 봉황새라는 말로, 많은 사람 가운데서 우뚝 뛰어난 인물을 이르는 말.
897)비왓다 : 뱉다. 토하다.
898)년숑이 : 연꽃송이.
899)옥결(玉玦) : 옥으로 만들어 허리에 차는 고리.

오, 지화즁화왕(紙花中花王)[717]이라. 긔이ᄒᆞ미 향긔를 비왓ᄂᆞᆫ[718] ᄃᆞᆺ, 스ᄉᆞ로 ᄌᆡ조와 덕을 ᄌᆞ랑치 아니나, 신명ᄒᆞ고 비상ᄒᆞ미 외모의 나타나ᄂᆞᆫ지라. 나상(羅裳)이 움즉이ᄂᆞᆫ 바의 거름마다 년홰(蓮花) ᄯᅥ러지고, 옷ᄉᆞ이의 ᄑᆡ옥(佩玉)이 징징ᄒᆞ니, 팔좌(八座)의 존험[엄]과 후ᄇᆡᆨ의 귀ᄒᆞ믈 가졋시니, 상모(相貌)의 영복(榮福)이 어ᄅᆡ여 쳬지(體肢)의 특이ᄒᆞ미 위덕(威德)을 오로지 겸ᄒᆞᆫ ᄇᆡ라. 부뷔 빵으로 ᄒᆡᆼᄒᆞᄆᆡ 명광이 찬난ᄒᆞ여 보ᄂᆞᆫ ᄌᆡ 어린 다시 관경을 《ᄉᆞ못ᄂᆞᆫ ‖ 삼앗ᄂᆞᆫ》지라. 《임의 ‖ 이의》 ᄇᆡᄌᆞᆨ(杯酌)을 헌【77】ᄒᆞ고 다시 녜를 맛ᄎᆞᄆᆡ, 태부인이 슉녈의 손을 잡고 창후를 향ᄒᆞ여 칭ᄉᆞ 왈,

"군휘 오ᄂᆞᆯ날 연셕을 당ᄒᆞ여 손녀로 더브러 헌ᄌᆞᆨ의 슈고로오믈 ᄉᆞ양치 아니ᄒᆞ니, 내 ᄌᆞ손 등의 슈헌(壽獻)과 달나, 군후의 헌슈ᄂᆞᆫ 인가의 희한ᄒᆞᆫ지라. 감ᄉᆞᄒᆞ미 측냥업ᄂᆞ니, 군휘 초년의 화ᄋᆡᆨ을 진졍ᄒᆞ고 당ᄎᆞ지시(當此之時)ᄒᆞ여 부귀 복녹이 무흠ᄒᆞ니, 노인의 ᄒᆡᆼ심이 비ᄒᆞᆯ 곳 업ᄂᆞ니다"

남창휘 ᄇᆡᄉᆞ 왈,

"소ᄉᆡᆼ이 우용지인(愚庸之人)으로 악장(岳丈)의 지우를 입ᄉᆞ와, 동상(東床)의 참네ᄒᆞ

716)오작중봉황(烏鵲中鳳凰) : 까마귀와 까치들 가운데 들어 있는 봉황새라는 말로, 많은 사람 가운데서 우뚝 뛰어난 인물을 이르는 말.
717)지화중화왕(紙花中花王) : 종이로 만든 조화(造花)들 가운데 화왕(=모란)이라는 말로,, 범속한 것들 가운데서 우뚝 뛰어난 것을 비유적으로 표현한 말.
718)비왓다 : 뱉다. 토하다.

아니시고 ᄌᆞ손ᄀᆞᆺ치 ᄃᆡ졉ᄒᆞ시니, 쇼ᄉᆡᆼ의 언ᄉᆡᆨ 소활(疎豁)ᄒᆞ고 언에 둔미(鈍微)ᄒᆞ와 일즉 하졍(下情)을 펴디 못ᄒᆞ고, 감은ᄒᆞ옴과 우러옵ᄂᆞᆫ 하졍이 등한치 아니ᄒᆞ옵더니, 금일 슈셕을 당ᄒᆞ와 엇디 일ᄇᆡ 헌슈를 폐【41】ᄒᆞᆯ 거시라, 이ᄀᆞᆺ치 일ᄏᆞᄅᆞ시ᄂᆞ니잇고?"

태부인이 두굿기며 아름다오믈 니긔디 못ᄒᆞ와[여], 슉녈의 등을 두다려, 왈,

"기리 영복을 누려 초년 ᄋᆡᆨ경을 일장츈몽으로 니르라."

ᄒᆞ니, 슉녈과 창휘 ᄇᆡ샤이퇴(拜謝而退)ᄒᆞᄆᆡ, 태뷔 마디못ᄒᆞ여 하부인으로 더브러 잔을 들고 나아올ᄉᆡ, 태부의 션풍옥골(仙風玉骨)과 쇄락ᄒᆞᆫ 명광(明光)은 듕츄망월(中秋望月)이 청공(靑空)의 한가ᄒᆞ며, 냥미졍화(兩眉精華)ᄂᆞᆫ 빈빈(彬彬)ᄒᆞᆫ 문딜(文質)을 ᄀᆞᆷ초고, 봉안광ᄎᆡ(鳳眼光彩)ᄂᆞᆫ 슉슉(肅肅)ᄒᆞᆫ 졍쇄 현츌(顯出)ᄒᆞ니, 됴흔 긔픔과 ᄆᆞᆰ은 골격이 일분도 홍딘(紅塵)의 무드디 아냐, 표표히 학을 모라 운간(雲間)의 향ᄒᆞᄂᆞᆫ 옥청상션(玉淸上仙)[900]이라도 이의셔 더으디 못ᄒᆞᆯ 거시【42】오, 명셩대군ᄌᆞ의 유유ᄒᆞᆫ 도ᄒᆡᆼ이 일신의 온젼ᄒᆞ여, 공안(孔顔)[901]의 셩ᄒᆡᆼ(聖行)과 증ᄆᆡᆼ(曾孟)[902]의 효(孝)를 아오라, 도덕이 일셰의 독보ᄒᆞ고 슈신셥ᄒᆡᆼ(修身攝行)이 쳔고의 희한ᄒᆞ니, 니른 바 낭묘(廊廟)[903]의 됴흔 ᄌᆡ목(材木)이오, 화각(畵閣)의 큰 그릇시라. 낫 우ᄒᆡ 경운화긔(慶雲和氣)와 동일디ᄋᆡ(冬日之愛)를 겸ᄒᆞ여, 사ᄅᆞᆷ으로 ᄒᆞ여금 ᄆᆡ양 보고져 뜻이 잇거ᄂᆞᆯ, 단엄

900)옥청샹션(玉淸上仙) : 옥황상제가 사는 옥청궁의 신선(神仙)

901)공안(孔顔) : 공자(孔子)와 안자(顔子)를 함께 이르는 말.

902)증ᄆᆡᆼ(曾孟) : 증자(曾子)와 맹자(孟子)를 함께 이르는 말.

903)낭묘(廊廟) : ①의정부(議政府). ②조정의 정무(政務)를 돌보던 궁전(宮殿).

여 반ᄌᆞ(半子)위[의] 녈(列)의 잇신지 셰월이 오ᄅᆡ고, 존당의 관인후의(寬仁厚意)ᄒᆞ시미 소ᄉᆡᆼ의 박졀ᄒᆞᆫ 허믈을 혐의치 아니시고, ᄌᆞ손 ᄀᆞᆺ치 ᄃᆡ졉ᄒᆞ시니, 소ᄉᆡᆼ의 감은ᄒᆞ미 범연치 아니ᄒᆞ고, ᄯᅩᄒᆞᆫ 우러옵【78】ᄂᆞᆫ 하졍이 등한ᄒᆞᆫ 곳의 비치 못ᄒᆞ오ᄃᆡ, 소ᄉᆡᆼ의 인ᄉᆡᆨ 소활(疎豁) ᄒᆞ고 언둔(言鈍)ᄒᆞ와, 일즉 하졍(下情)을 펴지 못ᄒᆞ엿습더니, 금일 슈셕을 당ᄒᆞ와 엇지 일ᄇᆡ 헌슈를 ᄉᆞ양(辭讓)ᄒᆞ리잇고?"

태부인이 두굿겁고 아름다오믈 측냥치 못ᄒᆞ여, 슉녈의 손을 잡고, 셰ᄉᆞ(世事)의 일장츈몽(一場春夢)이믈 닐ᄏᆞᆺ더라.

창후와 슉녈이 ᄇᆡᄉᆞ이퇴(拜謝而退)ᄒᆞᄆᆡ, 윤ᄐᆡ뷔 마지못ᄒᆞ여 하부인으로 더브러 잔을 들고 나아올ᄉᆡ, 태부의 션풍옥골(仙風玉骨)과 쇄락ᄒᆞᆫ 명광(明光)은 즁츄명월(中秋明月)이 텬궁(天宮)의 한가ᄒᆞ며, 냥미졍화(兩眉精華)ᄂᆞᆫ 빈빈ᄒᆞᆫ 문질을 감초고, 봉안의 광ᄎᆡᄂᆞᆫ 슉슉ᄒᆞᆫ 덕쇄 현츌(顯出)ᄒᆞ니, 조흔 긔픔과 ᄆᆞᆰ은 골격이 일분도 홍진의 무듸미 업ᄉᆞ며, 표표히 학을 모라 운산(雲山)으로 향ᄒᆞᄂᆞᆫ 옥【79】청○[상]션(玉淸上仙)[719]이라도 이에셔 더ᄒᆞ지 못ᄒᆞ고, 명셩ᄃᆡ군ᄌᆞ의 유유ᄒᆞᆫ 도ᄒᆡᆼ이 일신의 온젼ᄒᆞ여, 공ᄆᆡᆼ(孔孟)[720]의 셩ᄒᆡᆼ과 안증(顔曾)[721]의 효를 아오라, 도덕이 일셰에 독보ᄒᆞ고, 슈신셥ᄒᆡᆼ(修身攝行)이 쳔고의 희한ᄒᆞ니, 이른 바 낭묘(廊廟)[722]의 조흔 ᄌᆡ목(材木)이오, 황가(皇家)의 큰 그릇이라. 낫 우ᄒᆡ 경운화긔(慶雲和氣)와 동일지ᄋᆡ(冬日之愛)를 겸ᄒᆞ여, ᄉᆞᄅᆞᆷ으로 ᄒᆞ야곰 ᄆᆡ양 보고져 ᄒᆞᆯ 뜻이 잇거ᄂᆞᆯ, 단엄졍슉(端嚴整肅)ᄒᆞᆫ 위의와 삼녈(森列)ᄒᆞᆫ 녜

719)옥청샹션(玉淸上仙) : 옥황상제가 사는 옥청궁의 신선(神仙)

720)공ᄆᆡᆼ(孔孟) : 유학의 성현인 공자(孔子)와 맹자(孟子)를 함께 이르는 말.

721)안증(顔曾) : 유학의 성현인 안자(顔子)와 증자(曾子) 함께 이르는 말.

722)낭묘(廊廟) : ①의정부(議政府). ②조정의 정무(政務)를 돌보던 궁전(宮殿).

단숙(端嚴整肅)ᄒᆞᆫ 위의와 삼엄ᄒᆞᆫ 녜뫼(禮貌), 견ᄌᆞ(見者)로ᄡᅧ 개용티경(改容致敬)ᄒᆞᆯ ᄇᆡ오, 하부인의 텬ᄌᆞ혜딜(天姿惠質)은 나히 ᄎᆞ고 근심을 ᄱᅥᆯ치고 시름을 니ᄌᆞᄆᆡ, 더옥 풍영슈려(豊盈秀麗)ᄒᆞ여 곤산(崑山)[904]의 미옥(美玉)이 다ᄉᆞᄒᆞᆫ 향긔를 겸ᄒᆞ고, 년디(蓮池)의 부용(芙蓉)이 남풍(南風)을 만난 ᄃᆞᆺ, 아름다온 ᄌᆞᄐᆡ【43】와 보ᄇᆡ로온 모양의 츌뉴ᄒᆞᆫ 톄디(體肢)[905], 만고를 기우려 희한ᄒᆞᆫ디라. 삼촌금년(三寸金蓮)을 예예(芮芮)히[906] 옴겨 나아와, 부뷔 ᄒᆞᆷᄭᅴ 헌ᄇᆡᄒᆞᄆᆡ, 태부인이 하부인 운환을 어로만져 태부를 향ᄒᆞ여, 칭샤 왈,

"하ᄋᆞ로 명위양손녜(名爲養孫女)나 졍인즉 혈손(血孫)의 감치 아닌디라. 이졔 군휘 반ᄌᆞ디녜(半子之禮)를 다ᄒᆞ여, 노신의 압히 잔을 나오니, 텬흥 등의 잔은 녜ᄉᆡ(例事)어니와, 군후 형뎨의 슈ᄇᆡ(壽杯)ᄂᆞᆫ 각별이 감샤ᄒᆞ고 희귀ᄒᆞ믈 니긔디 못ᄒᆞᄂᆞ이다. 하ᄋᆡ 비상변고(非常變故)ᄒᆞ고 녁경화란(歷經禍亂)ᄒᆞ여시나, 태운(泰運)을 만나 만ᄉᆡ 무흠ᄒᆞ니, 기리 화락ᄒᆞ여 만복이 구젼ᄒᆞ믈 바라ᄂᆞ이다."

동평휘 념슬(斂膝) ᄉᆞ샤(謝辭) 왈,【44】

"쇼싱이 블민누딜(不敏陋質)노 존부 동상(東床)의 모쳠(冒忝)ᄒᆞ완 디 년광(年光)이 오ᄅᆡ고, 합하 ᄂᆡ외와 존부인의 은ᄋᆡ를 밧ᄌᆞ와 감골ᄒᆞ온 ᄯᅳᆺ이 헐치 아니ᄒᆞ오ᄃᆡ, 쇼싱이 만ᄉᆡ 무릉용우(無能庸愚)ᄒᆞ와 심곡의 픔은 바를 베프디 못ᄒᆞᄋᆞᆸ더니, 금일 연셕을 당ᄒᆞ와 헌슈(獻壽)ᄒᆞ오미, 이 ᄯᅩᄒᆞᆫ 예ᄉᆡ라. 셩히 일ᄏᆞᄅᆞ시믈 듯ᄌᆞ오니 황괴(惶愧)ᄒᆞ믈 니긔

904)곤산(崑山) : 곤륜산(崑崙山). 중국 전설상의 높은 산. 중국의 서쪽에 있으며, 옥(玉)이 난다고 한다. 전국(戰國) 시대 말기부터는 서왕모(西王母)가 살며 불사(不死)의 물이 흐른다고 믿어졌다.

905)테디(體肢) : 몸과 사지(四肢). *사지(四肢); 두 팔과 두 다리를 이르는 말.

906)예예(芮芮)히 : 유연(柔然)히.

뫼 견ᄌᆞ로 ᄒᆞ야곰 ᄀᆡ용치경(改容致敬)ᄒᆞᆯ ᄇᆡ오. 하부인의 청ᄌᆞ혜질(淸姿惠質)은 근심을 ᄱᅥᆯ치며 깃부믈 잇그러 더옥 풍영ᄒᆞ고 쇄락슈려(灑落秀麗)ᄒᆞ여 곤산(崑山)[723]의 미옥(美玉)이 다ᄉᆞᄒᆞᆫ 향긔를 겸ᄒᆞ며, 연지(蓮池)의 부용(芙蓉)이 남풍(南風)을 ᄃᆡᄒᆞ여 말ᄒᆞᄂᆞᆫ ᄌᆞᄐᆡ며 보ᄇᆡ로온 거동과 츌뉴ᄒᆞᆫ 쳬지(體肢)[724], 만【80】고(萬古)를 기우려 희한(稀罕)ᄒᆞᆫ지라. 삼촌금년(三寸金蓮)을 《작약∥자약(自若)》히 옴겨 나아와, 부뷔 헌ᄇᆡᄒᆞᄆᆡ, 태부인이 하씨의 운환을 어로만져 태부를 향ᄒᆞ여, 칭ᄉᆞ 왈,

"하아를 명위양손녀(名爲養孫女)로라 칭ᄒᆞ나, 실은 《혈속∥혈손(血孫)》의 감치 아닌 졍이 잇ᄂᆞᆫ지라. ○[이]졔 군휘 반ᄌᆞ(半子)의 도를 다ᄒᆞ여 노인의 압히 잔을 나오니, 텬흥 등의 《슈ᄒᆞᆫ 은혜∥잔은 녜ᄉᆡ(例事)어니와》, 군의 형뎨의 슈ᄇᆡ(壽杯)ᄒᆞ믄 각별이 감ᄉᆞᄒᆞ고 희귀ᄒᆞ믈 니긔지 못ᄒᆞᄂᆞ니, 하ᄋᆡ 비상변고(非常變故)를 지ᄂᆡ고 쳡봉화란(疊逢禍亂)ᄒᆞ여, 심졍이 온젼치 못ᄒᆞ엿시니, 혹ᄌᆞ 과실이 잇실지라도 군후의 인ᄌᆞ관후(仁慈寬厚)ᄒᆞ미 녀ᄌᆞ의 허믈을 셰셰히 살피지 아닐지라, 기리 화락ᄒᆞ여 만복이 구젼키를 바라노라"

동휘 념슬(斂膝) ᄉᆞᄉᆞ(謝辭) 왈,

"《소직∥소싱이》 블민누질(不敏陋質)노 존부 동상(東床)【81】을 모쳠(冒忝)ᄒᆞ연지 년광(年光)이 오릿지라. 악장 ᄂᆡ외분과 존당의 무ᄋᆡ(撫愛)ᄒᆞ시ᄂᆞᆫ 은ᄋᆡ를 밧ᄌᆞ와 감은감골(感恩感骨)ᄒᆞᄋᆞᆸᄂᆞᆫ ᄯᅳᆺ이 가즉ᄒᆞ오ᄃᆡ, 소싱이 만ᄉᆡ 무상용우(無能庸愚)ᄒᆞ와 심곡의 픔은 바를 고치 못ᄒᆞ엿ᄉᆞᆸ더니, 금일 연셕의 헌슈(獻壽)ᄒᆞ오미, 이 ᄯᅩᄒᆞᆫ 녜ᄉᆡ라. 셩히 닐ᄏᆞ르시믈 당치 못ᄒᆞᄂᆞ이다."

723)곤산(崑山) : 곤륜산(崑崙山). 중국 전설상의 높은 산. 중국의 서쪽에 있으며, 옥(玉)이 난다고 한다. 전국(戰國) 시대 말기부터는 서왕모(西王母)가 살며 불사(不死)의 물이 흐른다고 믿어졌다.

724)테디(體肢) : 몸과 사지(四肢). *사지(四肢); 두 팔과 두 다리를 이르는 말.

디 못ᄒᆞ리로소이다.”

태부인이 하부인의 손을 잡고 만복을 누리라 ᄒᆞ니, 하부인 부뷔 ᄇᆡ이ᄉᆞ샤(拜而謝辭)ᄒᆞ고 퇴ᄒᆞ여 좌의 들ᄆᆡ, 금평후 부뷔 좌를 가족이 ᄒᆞ여, 졔ᄌᆞ졔부(諸子諸婦)와 냥녀이셔(兩女二壻)의 슈ᄇᆡ(壽杯)를 거후르ᄆᆡ, 딘부인은 일작블음(一酌不飮)이라. 숀숀이 【45】 잔을 바다 졉구(接口)만 ᄒᆞᆯ ᄲᅳᆫ이오, 금후ᄂᆞᆫ 평ᄉᆡᆼ 쳐음으로 극취(極醉)ᄒᆞ니, 면모의 홍광(紅光)이 찬난(燦爛)ᄒᆞᄃᆡ, 태부인 면젼이라 관을 슈렴ᄒᆞ고 ᄯᅴ를 도도와 의관이 브뎡(不正)ᄒᆞᆯ가 념녀ᄒᆞ고, 녜를 잡으미 봉영집옥(奉盈執玉)[907] ᄀᆞᆺᄐᆞ니, 태부인이 ᄌᆞ손의 영효를 바다 연셕의 댱(壯)홈과 ᄀᆡ구의 풍화(豊華)ᄒᆞ믈 보니, 셕ᄉᆞ를 ᄉᆡᆼ각고 츄연비졀(惆然悲絕)ᄒᆞ여 혹탄혹비(或嘆或悲)ᄒᆞ믈 마디 아니ᄒᆞ니, 어원풍악(御苑風樂)과 모든 기녀의 초요월미(楚腰越眉)[908]로 ᄌᆡ조를 다ᄒᆞ여, 무슈(舞袖)ᄂᆞᆫ 표표(飄飄)ᄒᆞ고[909] 홍상ᄎᆡ삼(紅裳彩衫)이 셧도라, 가셩(歌聲)의 녈녈(烈烈)ᄒᆞ미[910] 인심을 즐겁게 ᄒᆞᄃᆡ, 태부인이 ᄀᆞᆺᄐᆞ여 즐기미 업ᄉᆞ니, 금휘 졔왕을 도라보아 【46】 ᄀᆞᆯ오ᄃᆡ,

“고인은 칠십의 반의(班衣)를 닙고 춤추어 친의를 깃기더라 ᄒᆞᄃᆡ, 여부ᄂᆞᆫ 오슌(五旬)이 ᄎᆡ 못ᄒᆞ여시나, 셩효의 쳔박(淺薄)ᄒᆞ미 ᄒᆞᆫ 일도 ᄌᆞ위의 희열ᄒᆞ실 바를 일위디 못ᄒᆞ니, 실노 ᄃᆡ인(對人)ᄒᆞᆯ 낫치 업ᄉᆞᆫ더라. 내 이졔 춤추어 ᄌᆞ졍의 우으시믈 보고져 ᄒᆞᄃᆡ, 무슈(舞袖)란 거ᄉᆞᆫ 혼ᄌᆞ 못ᄒᆞ고, ᄃᆡ무(對舞) 이셔야 되ᄂᆞᆫ 거시로ᄃᆡ, 여부 팔ᄌᆡ 박ᄒᆞ미 ᄒᆞᆫ낫 동긔 셔로 안항(雁行)을 출힐 사

---

907)봉영집옥(奉盈執玉) : 효자는 가득찬 물그릇을 받들어 드는 것처럼, 보배로운 옥을 집는 것처럼 조심하고 삼가며 부모를 섬겨야 한다는 뜻. 『예기(禮記)』<祭儀>편의 “효자여집옥여봉영(孝子如執玉如奉盈)…”에서 나온 말.

908)초요월미(楚腰越眉) : 중국 초나라 미인의 가는 허리와 월나라 미인의 아름답게 화장한 눈썹.

909)표표(飄飄)ᄒᆞ다 : 팔랑팔랑 가볍게 나부끼거나 날아오르다.

910)녈녈(烈烈)ᄒᆞ다 : 어떤 것에 대한 애정이나 태도가 매우 맹렬하다.

태부인이 다시 손을 잡아 만복을 누리라 ᄒᆞ니, 하씨와 태뷔 ᄇᆡ이ᄉᆞᄉᆞ(拜而謝辭)ᄒᆞ고 좌의 들ᄆᆡ, 공의 부뷔 좌를 가ᄌᆞ로이[725] ᄒᆞ고, 졔ᄌᆞ졔부(諸子諸婦)와 냥녀셔(兩女壻)의 쥬ᄇᆡ를 다 거후르ᄃᆡ, 원ᄂᆡ 딘부인은 일작(一酌)을 마시지 아니ᄒᆞᆫ지라. 슌슌이 바다 졉구(接口)ᄒᆞᆯ ᄯᆞ름이오, 금평후ᄂᆞᆫ ᄉᆡᆼᄂᆡ 쳐음으로 극취(極醉)ᄒᆞ여, 면모의 홍광(紅光)이 찬난(燦爛)ᄒᆞᄃᆡ, 태부인의 면젼이라 관을 슉이고, 다만 말ᄉᆞᆷ이 부졍 【82】 ᄒᆞᆯ가 념녀ᄒᆞᄆᆡ, 가족이 녜를 삼가 봉영집옥지녜(奉盈執玉之禮)[726]를 다ᄒᆞᄂᆞᆫ지라. 태부인이 ᄌᆞ손의 영효를 바다 연셕의 장(壯)홈과 ᄀᆡ구의 풍화(豊華)ᄒᆞ믈 보나, 셕ᄉᆞ를 ᄉᆡᆼ각고 츄연비창(惆然悲愴)ᄒᆞ미 업지 아냐, 혹탄혹비(或嘆或悲)ᄒᆞ믈 면치 못ᄒᆞ니, 어젼풍악(御苑風樂)의 요량(嘹喨)ᄒᆞᆫ ᄉᆡᆼ가(笙歌)와 모든 기녀의 초요《졔비‖월미》(楚腰越眉)[727]로 ᄌᆡ조를 다ᄒᆞ여, 홍장ᄎᆡ의(紅粧彩衣) 셧도라, 가셩(歌聲)의 아아(峨峨)ᄒᆞ미[728] 인심을 즐겁게 ᄒᆞᄃᆡ, 태부인이 ᄀᆞᆺᄒᆞ여 즐기미 업ᄉᆞ니, 금평휘 졔왕을 도라보아 ᄀᆞᆯ오ᄃᆡ,

“고인은 칠십에 반의(班衣)를 입고 그 부모를 위ᄒᆞ여 츔츄어 친의를 《깃드리더라‖깃기더다》○○[ᄒᆞᄃᆡ] 여뷔 ᄎᆡ 오슌(五旬)이 못ᄒᆞ엿시나, 셩효의 쳔박(淺薄)ᄒᆞ미 ᄒᆞᆫ 일도 ᄌᆞ위의 희열ᄒᆞ시믈 일위지 못ᄒᆞ니, 실노 ᄃᆡ인ᄒᆞᆯ 낫치 업ᄉᆞᆫ지라. 여뷔 이졔 ᄒᆞᆫ 【83】 번 츔츄어 ᄌᆞ안의 우으시믈 보ᄋᆞᆸ고져 ᄒᆞᄃᆡ, 무슈(舞袖)란 거ᄉᆞᆫ 혼ᄌᆞ ᄒᆞ지 못ᄒᆞ여 ᄃᆡ뮈(對舞) 잇셔야 되ᄂᆞᆫ 거시로ᄃᆡ, 여부

---

725)가ᄌᆞ롭다 : 가즉ᄒᆞ다. 가지런하다.

726)봉영집옥지례(奉盈執玉之禮) : 효자의 부모를 섬기는 예절. *봉영집옥(奉盈執玉) : 효자는 가득찬 물그릇을 받들어 드는 것처럼, 보배로운 옥을 집는 것처럼 조심하고 삼가며 부모를 섬겨야 한다는 뜻. 『예기(禮記)』<祭儀>편의 “효자여집옥여봉영(孝子如執玉如奉盈)…”에서 나온 말.

727)초요월미(楚腰越眉) : 중국 초나라 미인의 가는 허리와 월나라 미인의 아름답게 화장한 눈썹.

728)아아(峨峨)ᄒᆞ다 : ①위엄이 있고 성(盛)하다. ②산이나 큰 바위 따위가 험하게 우뚝 솟아 있다.

ᄅᆞᆷ이 업ᄉᆞ니, 너와 셰흥이 ᄃᆡ무ᄒᆞ고 닌흥이 현금(弦琴)을 농(弄)ᄒᆞ여 곡됴를 맛초라."

졔왕 등이 ᄇᆡ샤슈명 ᄒᆞ고 즉시 니러나 ᄃᆡ무ᄒᆞ여 ᄒᆞᆫ 번 우으시믈 보랴 ᄒᆞᆯᄉᆡ, 후ᄇᆡᆨ의【47】 복ᄉᆡᆨ(服色) 인슈(印綬)와, 쳔승(千乘)의 위를 겸ᄒᆞ여 망뇽포(蟒龍袍)를 붓치며 ᄇᆡᆨ옥 ᄉᆞᄌᆞᄃᆡ(白玉獅子帶)를 두로고, 면뉴(冕旒)를 드리오며 금관을 숙여 편편(翩翩)ᄒᆞᆫ 광슈(廣袖)를 펴니, 늠연ᄒᆞᆫ 신치의 쇄락ᄒᆞᆫ 신광은 일월(日月)이 징영(爭榮)ᄒᆞ여 명광(明光)을 토(吐)ᄒᆞ며, 츄텬의 계쉬(桂樹) ᄉᆡᆨᄉᆡᆨᄒᆞᆫ ᄃᆞᆺ 그 풍치 셔로 방블ᄒᆞ니, ᄆᆞᆰ은 안광은 ᄉᆞ좌의 ᄡᅩ이니 츄슈(秋水)의 샤양(斜陽)이 빗겨시며, 냥미(兩眉)ᄂᆞᆫ 텬디건곤(天地乾坤)의 졍화(精華)를 거두엇고, 화(和)ᄒᆞᆫ 덕냥(德量)이 빈빈ᄒᆞ니 외모의 군ᄌᆞ대도(君子大道)와 영웅의 풍치를 알디라. 엇디 용뉴디풍(庸類之風)911)을 일ᄏᆞ르며 이 두 사ᄅᆞᆷ으로 의논ᄒᆞ리오. ᄉᆞ매를 ᄯᅥᆯ치ᄆᆡ 우쥬를 광보(廣步)ᄒᆞ며 신긔로온 지죄【48】교룡(蛟龍)이 셔로 희롱ᄒᆞ고, 난봉(鸞鳳)과 학(鶴)이 셔로 닷토아 춤추미라. 긔이ᄒᆞᆫ 풍뉴긔상과 표치귀격(標致貴格)912)이 쳔고의 일○[인]이오 셰ᄃᆡ의 독보ᄒᆞ니, 졔왕의 대현의 픔질과 월후의 영걸위풍이 셰ᄃᆡ의 독보ᄒᆞ니, 딘실노 난형난뎨(難兄難弟)라. 신광이 일호 더ᄒᆞ며 못ᄒᆞ미 업고 용화긔딜이 셔로 ᄀᆞᆺᄐᆞ니, 우연이 보ᄆᆡᄂᆞᆫ 분변키 어려오ᄃᆡ, 졔왕은 하일디위(夏日之威)와 동일디ᄋᆡ(冬日之愛)와 경운(慶雲)의 화긔(和氣)를 겸ᄒᆞ엿고, 월후ᄂᆞᆫ 호호발양(浩浩發揚)ᄒᆞ여 산희(山海)를 넘ᄶᅧᆯ ᄃᆞᆺ, 즐기믈 당ᄒᆞ여 것칠 거시 업시 즐기거ᄂᆞᆯ, 녜뷔 현금(弦琴)을 농ᄒᆞᄆᆡ[며] 가셩(歌聲)을 느【49】리혀ᄆᆡ913), 뉵뉼(六律)914)이 됴화ᄒᆞ고 오음(五音)915)이

911)용뉴디풍(庸類之風) : 평범한 사람의 이렇다 할 특징이 없는 풍채.

912)표치귀격(標致貴格) : 아름다운 풍채와 귀한 격조.

913)느리혀다 : 느리혀다. 길게 늘이다. 여기서는 노래를 느린 장단으로 길게 부름을 말함.

팔지 긔박(奇薄)ᄒᆞ여 ᄒᆞᆫ낫 동긔 업ᄂᆞᆫ지라. 모로미 너와 셰흥으로 더브러 ᄃᆡ무ᄒᆞ고, 인흥이 현금(弦琴)을 농ᄒᆞ여 곡조를 맛초라."

졔왕 등이 ᄇᆡᄉᆞ슈명 ᄒᆞ고 즉시 이러나 ᄃᆡ무(對舞)ᄒᆞᆯᄉᆡ, 후ᄇᆡᆨ의 인슈(印綬)와 《텬흥‖텬승(千乘)》의 위의를 겸ᄒᆞ여, ᄡᅡᆼ룡금포(雙龍錦袍)를 가ᄒᆞ고 ᄇᆡᆨ옥ᄉᆞᄌᆞᄃᆡ(白玉獅子帶)를 허리의 두로며, 두렷ᄒᆞᆫ 텬졍(天庭)729)의 금관을 슉이고, 아홉 줄 면류(冕旒)를 드리웟시니, 헌앙(軒昻)ᄒᆞᆫ 풍위(風威) 보암 즉ᄒᆞ거ᄂᆞᆯ, 편편(翩翩)ᄒᆞᆫ 광슈(廣袖)를 펼치ᄆᆡ, 늠연ᄒᆞᆫ 신위(身位)와 쇄락ᄒᆞᆫ 풍광이 일월이 징영(爭榮)ᄒᆞ여 만광(萬光)을 《포‖토(吐)》ᄒᆞᄂᆞᆫ ᄃᆞᆺ, ᄆᆞᆰ은 안광은 ᄉᆞ좌의 ᄡᅩ이니 츄슈(秋水)에 ᄉᆞ양(斜陽)이 빗겨시며, 양미(兩眉)【84】의[ᄂᆞᆫ] {강산은} 텬디의 《평화‖정화(精華)》를 거두어 화(和)ᄒᆞᆫ 덕양(德量)이 빈빈ᄒᆞ거ᄂᆞᆯ, 군ᄌᆞ의 ᄃᆡ도(大道)와 영웅의 풍치를 가히 알지라.

녜뷔 현금(弦琴)을 농ᄒᆞ며[ᄆᆡ], 가셩(歌聲)을 늘희여730) 뉵뉼(六律)731)이 조화ᄒᆞ

729)천정(天庭) : 관상에서, 두 눈썹의 사이 또는 이마의 복판을 이르는 말.

730)느리혀다 : 느리혀다. 길게 늘이다. 여기서는 노래를 느린 장단으로 길게 부름을 말함.

731)뉵뉼(六律) : 『음악』 십이율 가운데 양성(陽聲)에 속하는 여섯 가지 소리. 황종, 태주, 고선, 유빈, 이칙, 무역을 이른다. ≒양률(陽律)

청화(淸和)ᄒᆞ여 댱공(長空)의 어ᄅᆡ고, 화평ᄒᆞᆫ 긔운은 츈양(春陽)이 므르녹으니, 경운(慶雲)이 화(和)ᄒᆞ여 남풍(南風)이 빗나며 혜풍(惠風)[916]이 만믈을 회싱ᄒᆞᄂᆞᆫ 조홰 잇거ᄂᆞᆯ, 봉안(鳳眼)이 나즉ᄒᆞ고 옥슈(玉樹)로 금현(琴絃)을 어로만져 곡됴를 맛초ᄆᆡ, 셩현의 녜악(禮樂)이 다시 도라온 ᄃᆞᆺ, 무슈와 현가의 긔특ᄒᆞ미 만고를 기우려 ᄧᅡᆨ이 업ᄉᆞᆯ디라. 쟝ᄂᆡ의 슈업ᄉᆞᆫ 부인ᄂᆡ 눈을 ᄲᅩ아 황홀이 바라보ᄆᆡ 인ᄉᆞ를 일코, 슌태부인이 악공의 공교ᄒᆞᆫ ᄌᆡ조와 기녀 등의 묘묘ᄒᆞᆫ 무슈를 보ᄃᆡ 조곰도 웃ᄂᆞᆫ 빗치 업더니, 삼손(三孫)의 신긔로온 ○○[츔과] 청쾌(淸快)ᄒᆞᆫ 가【50】셩을 드르며 보ᄆᆡ, ᄌᆞ연이 웃ᄂᆞᆫ 입이 열니이고 두굿거온 졍이 무궁ᄒᆞ여, 만면의 희열ᄒᆞᆫ 빗출 ᄀᆞᆷ초디 못ᄒᆞ고, 금평후의 졍엄(正嚴)ᄒᆞᆷ과 딘부인의 단믁(端默)ᄒᆞ므로도 두굿기며 아ᄅᆞᆷ다오믈 모양치 못ᄒᆞᄂᆞᆫ디라. 가쟝 이윽ᄒᆞᆫ 후 무슈(舞袖)와 가곡(歌曲)을 긋치고 존당 부모긔 ᄇᆡ샤ᄒᆞ니, 태부인이 졔왕과 월후의 등을 어로만져 두다리며 녜부의 손을 잡아 니르ᄃᆡ,

"노뫼 년긔 뉵슌을 디ᄂᆡᆫ 디 오ᄅᆡᄃᆡ, 금일 광○[경]이 셰ᄃᆡ의 다시 업ᄉᆞᆫ 쟝관인 ᄃᆞᆺ 시브니, 너희 무쉬(舞袖)[917] 그ᄃᆡ도록 신긔로오믈 엇디 아라시리오. ᄒᆞ믈며 닌흥이 가곡의 심히【51】소여(疎如)ᄒᆞᆫ ᄌᆡ어ᄂᆞᆯ, 오날ᄂᆞᆯ 금현을 농ᄒᆞᄆᆡ 음뉼이 맛가ᄌᆞ 비상코 긔이ᄒᆞ미, 본 바 쳐음이라. 노뫼 셰샹이 디리ᄒᆞᆫ 연고로 긔특ᄒᆞᆫ 거동을 ᄀᆞᆺ초 보니, 도로혀 ᄉᆞ랏던 줄이 다힝ᄒᆞ도다."

졔왕과 월휘 긔이ᄇᆡ샤(起而拜謝) 왈,

"왕뫼 쇼손 등의 용녈ᄒᆞᆫ 무슈를 도로혀

914)뉵뉼(六律) : 『음악』 십이율 가운데 양성(陽聲)에 속하는 여섯 가지 소리. 황종, 태주, 고선, 유빈, 이칙, 무역을 이른다. ≒양률(陽律)

915)오음(五音) : 『음악』 궁(宮), 상(商), 각(角), 치(徵), 우(羽)의 다섯 음률.

916)혜풍(惠風) : 온화하게 부는 봄바람.

917)무쉬(舞袖) : ①춤추는 사람의 옷소매. ②춤사위. ③춤추는 사람.

고, 오음(五音)[732]이 청활(淸闊)ᄒᆞ여 반공에 어ᄅᆡ고, 화평ᄒᆞᆫ 긔운은 츈양이 므르녹으니, 상운(祥雲)이 화(和)ᄒᆞ여 남훈(南薰)의 빗나며, 혜풍(惠風)[733]이 만물을 회싱ᄒᆞᄂᆞᆫ 조홰 잇거ᄂᆞᆯ, 봉안(鳳眼)이 나즉ᄒᆞ고 옥슈(玉手)로 금현을 어로만져 곡조를 맛초ᄆᆡ, 셩현의 녜악(禮樂)이 다시 도라 온 ᄃᆞᆺ, 무슈와 현가의 긔특ᄒᆞ미 만고를 기우려도 ᄧᅡᆨ이 업술지라. 쟝ᄂᆡ의 슈(數)업ᄉᆞᆫ 부인ᄂᆡᄂᆞᆫ 눈을 ᄲᅩ아 황홀이 바라보며 인ᄉᆞ를 일코, 슌 태부인이 악공의 공교ᄒᆞᆫ ᄌᆡ조와 기녀 등의 묘묘ᄒᆞᆫ 무슈를 보ᄃᆡ, 조곰도 웃ᄂᆞᆫ 빗치 업더니, 《숨ᄌᆞ‖삼손(三孫)》의 신긔로온 츔【85】과 청쾌(淸快)ᄒᆞᆫ 가셩을 드르며 보ᄆᆡ, ᄌᆞ연이 웃ᄂᆞᆫ 입이 크게 열니고 두굿거온 정이 무궁ᄒᆞ여, 만면의 희열ᄒᆞᆫ 빗출 감초지 못ᄒᆞ고, 금평후의 정엄ᄒᆞᆷ과 딘부인의 단목ᄒᆞ므로도 두굿기며 아ᄅᆞᆷ다오믈 니긔지 못ᄒᆞ니, 즐거오믈 닐을진ᄃᆡ 텬하의 ○○[다시] 업술 ○○○[쟝관인] ᄃᆞᆺᄒᆞᆫ지라. ᄀᆞ장 이윽ᄒᆞᆫ 후 무슈와 가셩을 긋치고 존당의 ᄇᆡᄉᆞᄒᆞ니, 태부인이 졔왕과 월후의 등을 두다려며 녜부의 손을 잡고 닐오ᄃᆡ,

"노뫼 뉵슌을 지난 지 오ᄅᆡᄃᆡ, 금일 광경이 셰상에 다시 업ᄉᆞᆫ 쟝관이라. 너희 무쉬(舞袖)[734] 그ᄃᆡ도록 긔특ᄒᆞ믈 어이 알아시리오. ᄒᆞ믈며 인흥○[이] 가곡의 심히 소여(疎如)ᄒᆞᆫ ᄇᆡ어ᄂᆞᆯ, 오ᄂᆞᆯ날 금현을 농ᄒᆞ여 음뉼이 마ᄌᆞ니 비상 긔이ᄒᆞ미 다시 니를 거시 업도다. 노뫼 셰상이 지리 ᄒᆞ므로【86】 긔특○[ᄒᆞᆫ] 거동을 갓초 보니, 도로혀 ᄉᆞ랏던 줄이 다힝ᄒᆞ도다."

졔왕과 휘 ᄇᆡ이ᄉᆞ왈(拜而謝曰),

"조뫼 소손 등의 용녈ᄒᆞᆫ 무슈를 도로혀 긔특다 니르시니, 졸 못ᄒᆞᆯᄉᆞ록 우음을 돕ᄉᆞ올지라. 이제ᄂᆞᆫ 날마다 츔추어 조모의 희열ᄒᆞ시믈 일워리이다"

732)오음(五音) : 『음악』 궁(宮), 상(商), 각(角), 치(徵), 우(羽)의 다섯 음률.

733)혜풍(惠風) : 온화하게 부는 봄바람.

734)무쉬(舞袖) : ①춤추는 사람의 옷소매. ②춤사위. ③춤추는 사람.

긔특다 ᄒᆞ시니, 잘 못ᄒᆞᆯᄉᆞ록 우으시믈 돕ᄉᆞ올디라. 이졔란 날마다 춤추어 태모의 희열ᄒᆞ시믈 닐위시게 ᄒᆞ리이다."

네뷔 ᄇᆡ샤(拜謝) ○[왈],

"쇼손이 금현을 농ᄒᆞ미 ᄉᆡᆼ후 쳐음이라, 음뉼이 오죽ᄒᆞ리잇가마ᄂᆞᆫ 잘 못ᄒᆞᄂᆞᆫ 현가(絃歌)918)를 드럼즉다 ᄒᆞ시니, ᄎᆞ후란 쇼손이 공부ᄒᆞ와 금가(琴歌)를【52】닉여 보샤이다."

태부인이 두굿기믈 니긔디 못ᄒᆞ여 웃ᄂᆞᆫ 입을 주리디 못ᄒᆞ더니, 외당의 빈ᄀᆡᆨ이 모다 금평후 부ᄌᆞ의 나오기를 쳥ᄒᆞ니, 금평휘 ᄂᆡ쳥(內廳) 하(下)의 쵹나쟝(蜀羅帳)919)을 둘너 잠간 막고, 밧긔셔ᄂᆞᆫ 풍뉴를 죄오고 기녀로 ᄌᆡ조를 다ᄒᆞ여 모든 부인ᄂᆡ 보시게 ᄒᆞ고, ᄌᆞ셔(子壻)를 거나려 밧그로 나가ᄆᆡ, 쟝ᄂᆡ의 드럿던 부인ᄂᆡ 일시의 나와 태부인 딘부인긔 늉늉ᄒᆞᆫ 복녹을 ᄉᆡ로이 칭하ᄒᆞ고, 져마다 탄복 갈칙ᄒᆞ여 블워 아니리 업더라.

태부인 딘부인이 좌슈우응(左酬右應)의 블감ᄒᆞ믈 ᄉᆞ샤ᄒᆞ고, ᄌᆞ부와 녀ᄋᆞ를 거나려 빈ᄀᆡᆨ을 졉ᄃᆡ【53】ᄒᆞᄆᆡ, 공경ᄒᆞᄂᆞᆫ 녜를 극딘히 잡아 조곰도 ᄌᆞ듕교오(自重驕傲)ᄒᆞ미 업ᄉᆞ니, ᄉᆞ좌(四座) 듕빈이 경앙칭복 ᄒᆞ여 그 셩덕 혜화를 감열(感悅)ᄒᆞ더라.

금평휘 외루(外樓)의 나오ᄆᆡ, 뎡국공과 낙양휘 웃고 닐오ᄃᆡ,

"윤뫼 ᄒᆞᆫ 번 드러가ᄆᆡ 오라도록 나오디 아니ᄒᆞ니, 우리 쥬인 업ᄉᆞᆫ 연셕의 즐기미 가치 아냐 브르괘라."

금평휘 답 왈,

"헌작 후 즉시 나올 거시로ᄃᆡ, 편친이 녯일을 ᄉᆡᆼ각ᄒᆞ시고 즐겨 아녀 ᄒᆞ시니, 쇼뎨 우민ᄒᆞ믈 니긔디 못ᄒᆞ여, 텬흥과 셰흥으로 ᄃᆡ무 식여 보시게 ᄒᆞ니, 그 ᄉᆞ이 더ᄃᆡ이다."

졔ᄀᆡᆨ이 일시의 ᄀᆞᆯ오ᄃᆡ,

"듁쳥【54】듁암이 현가(絃歌)와 무슈(舞

918)현가(絃歌) : 거문고 따위의 현악기에 맞추어 부르는 노래.

919)쵹나쟝(蜀羅帳) : 쵹라(蜀羅)로 만든 장막. *쵹라(蜀羅) : 중국 쵹(蜀) 지방에서 생산한 비단.

네뷔 왈,

"소손이 금현을 농ᄒᆞ오미 평ᄉᆡᆼ 쳐음이라, 음뉼이 엇지 마ᄌᆞ미 잇시리잇고마ᄂᆞᆫ, 조뫼 잘 못ᄒᆞᄂᆞᆫ 현가(絃歌)735)를 드럼즉다 ᄒᆞ시니, ᄎᆞ후ᄂᆞᆫ 공부ᄒᆞ여 현가를 익여 보ᄉᆞ이다."

태부인이 두굿거워 웃ᄂᆞᆫ 입을 쥬리지 못ᄒᆞᄂᆞᆫ지라, 외당 즁빈(衆賓)이 금평후 부ᄌᆞ 나오기를 쳥ᄒᆞ니,

금평휘 외루(外樓)에 나오ᄆᆡ, 뎡국공과 남[낙]양휘 웃고 왈,

"윤뷔[뫼] ᄒᆞᆫ 번 드러 가ᄆᆡ 오ᄅᆡ도록 나오지 아니ᄒᆞ니, 우리 쥬인 업ᄉᆞᆫ 연셕에 즐기미 가치 아냐 브르미【87】라."

금평휘 답왈,

"ᄌᆞ당의 헌작ᄒᆞᆫ 후 즉시 나올 거시로ᄃᆡ, 편친이 셕ᄉᆞ를 감상(感傷)ᄒᆞ샤 심히 즐기지 아니시니, 소뎨 우민ᄒᆞ여 텬흥 형뎨로 ᄃᆡ무를 식여 보시게 ᄒᆞ니, 그 ᄉᆞ이 더ᄃᆡᆫ괘라."

졔ᄀᆡᆨ이 일시에 ᄀᆞᆯ오ᄃᆡ,

"쥭쳥과 쥭암이 무ᄉᆔ(舞袖) 잇시나 님의 소ᄉᆡᆼ 등이 일즉 구경치 못ᄒᆞ엿ᄂᆞ니, 합하ᄂᆞᆫ 쳥컨ᄃᆡ 다시 식여보소셔"

735)현가(絃歌) : 거문고 따위의 현악기에 맞추어 부르는 노래.

袖)의 쇼여(疎如)치 아닐 ᄃᆞᆺ ᄒᆞᄃᆡ, 쇼ᄉᆡᆼ 등이 일즉 귀경치 못ᄒᆞ여시니, 합하ᄂᆞᆫ 쳥컨ᄃᆡ 다시 식이쇼셔."

금평휘 쇼왈,

"풍악과 무슈를 녈위 죵토록 ᄃᆡᄒᆞ여, 다시 돈ᄋᆞ의 용녈ᄒᆞᆫ 춤을 므어시 ○○○[보고시]브뇨? 졔좌 쇼년ᄇᆡ 스ᄉᆞ로 창기 등으로 더브러 ᄃᆡ무(對舞)ᄒᆞ리 잇거든, ᄒᆞᆫ 번 ᄌᆡ조를 다ᄒᆞ여 날노 ᄒᆞ여금 귀경케 ᄒᆞ라."

졔ᄀᆡᆨ이 왕과 월후의 묘무(妙舞) 못 보믈 ᄋᆡ들와 ᄒᆞᄃᆡ 다시 쳥치 못ᄒᆞ고, 져마다 취안이 몽농ᄒᆞᄆᆡ 호흥(豪興)이 ᄇᆡᆨ쟝(百丈)이나 놉하, 각각 부형이 ᄌᆡ좌(在坐)로ᄃᆡ 삼가디 못ᄒᆞ고, 쇼년 명뉴ᄂᆞᆫ 디【55】긔(知己)로 희롱ᄒᆞ며, 혹 창녀 등의 손을 닛그러 졍을 니긔디 못ᄒᆞᄂᆞᆫ ᄌᆡ 가득ᄒᆞᄃᆡ, 다만 졔왕의 오곤계(五昆季) 죵일토록 의관이 뎡돈ᄒᆞ여 취ᄉᆡᆨ이 낫 우ᄒᆡ 오로디 아냐, 술이 오면 오히려 졉구ᄒᆞ나 거후로디 아니ᄒᆞ고, 희롱이 오면 오ᄃᆡᆨ 미미히 우을 쓴이언졍, 부형 면젼의 방ᄌᆞ히 희학(戱謔)을 발치 아냐, 삼엄 졍슉 ᄒᆞᆫ 녜졀이 군젼(君前)의 시위ᄒᆞᆷ과 조곰도 다르디 아니커ᄂᆞᆯ, 졔빈이 역시 부형 뫼시니 ᄆᆡ 경근디녜를 잡고, 좌복야 초국공 하학셩이 뎡국공 면젼의 일즉 경근ᄒᆞ믈 다ᄒᆞ여, 희학의 참예ᄒᆞᄂᆞᆫ 일이 업거【56】ᄂᆞᆯ, 호람휘 ᄌᆡ좌ᄒᆞ여시니 창후 ᄀᆞᄐᆞᆫ 쥬량으로도 통음ᄒᆞᆯ 의ᄉᆞ를 못ᄒᆞ니, 과히 취ᄒᆞᄂᆞᆫ 일이 업고 언쇼를 삼가, 튱텬디긔(衝天之氣)를 쟝튝(藏縮)ᄒᆞ고 늠연(凜然)이 경근ᄒᆞᄂᆞᆫ 녜를 잡아, ᄒᆞᆫ 거름 ᄒᆞᆫ 말ᄉᆞᆷ이 방일ᄒᆞ미 업고, 윤태부의 탁탁디용(卓卓之容)[920]과 빈빈(彬彬)ᄒᆞᆫ 녜모ᄂᆞᆫ 이 ᄀᆞ온ᄃᆡ 더옥 소ᄉᆞ나니, 부공 면젼의 경근ᄒᆞᄂᆞᆫ 거동이 문왕(文王)[921]

금휘 소왈,

"열위 풍악과 무슈를 종일토록 보고 드르시고, 다시 돈아의 용녈ᄒᆞᆫ 츔이 무어시 보고져시부리잇고? 졔좌 소년ᄇᆡ 스ᄉᆞ로 창기 등과 ᄃᆡ무코져 ᄒᆞ리《잇고‖잇거든》, ᄒᆞᆫ 번 ᄌᆡ조를 다ᄒᆞ여 구경케 ᄒᆞ라."

졔ᄀᆡᆨ이 왕과 월후의 무싊 편편ᄒᆞᆷ과 인흥의 현가 요량(嘹喨)ᄒᆞ믈 듯고 보ᄆᆡ, ᄎᆡᆨᄎᆡᆨ(嘖嘖) 칭션(稱善)ᄒᆞ여 ᄇᆡ호지 안코 능ᄒᆞᆷ을 닐ᄏᆞᆺ더라.

---

920)탁탁디용(卓卓之容) : 여럿 가운데서 뛰어나게 우뚝한 용모.

921)문왕(文王) : 중국 주나라 무왕의 아버지. 이름은 창(昌). 기원전 12세기경에 활동한 사람으로 은나라 말기에 태공망 등 어진 선비들을 모아 국정을 바로잡고 융적(戎狄)을 토벌하여 아들 무왕이 주나라를 세울 수 있도록 기반을 닦아 주었다. 고대의 이상적인 성인군주(聖人君主)의 전형으로 꼽힌다.

이 왕계(王季)922)를 뫼심 ᄀᆞᆺᄐᆞ니, 당시의 ᄌᆞ딜의 ᄒᆡᆼ검(行檢)923)이 남달니 긔특ᄒᆞ믄, 윤·하·뎡 삼문과 딘문 ᄀᆞᆺᄐᆞᆫ 집이 업ᄂᆞᆫ디라. ᄎᆞ일도 ᄌᆞ딜을 거나리고 온 ᄌᆡ, 기ᄌᆞ의 ᄒᆡᆼ실이 각각 집의 이실 졔ᄂᆞᆫ 허믈 된 줄을 아디 못【57】ᄒᆞ더니, 이의 니르러ᄂᆞᆫ 졔왕의 오곤계와 창후 형뎨와 하학셩과 졔딘을 보ᄆᆡᄂᆞᆫ, ᄌᆞ긔 등 훈ᄌᆞ(訓子)의 블엄(不嚴)ᄒᆞ며, 기ᄌᆞ(其子) 등의 부형 면젼의 삼가디 못ᄒᆞ미, 부형 셤기ᄂᆞᆫ 도리를 아디 못ᄒᆞᆷ ᄀᆞᆺᄐᆞᆷ을 참괴ᄒᆞᆷ을 니긔디 못ᄒᆞ고, 혹 기ᄌᆡ 단아ᄒᆞ고 온듕ᄒᆞᆫ 픔되 잇ᄂᆞ니라도, 간간이 술을 취ᄒᆞ며 혹 즐타(叱咤) 망언도 ᄒᆞ나니 이시며, 존젼의 언쇼를 삼가디 아니코 믄득 희희(戲諧) 방탕ᄒᆞ며, 술을 ᄆᆞ음ᄃᆡ로 마시고 의관이 브졍ᄒᆞ며, 좀 ᄌᆡ용을 ᄌᆞ랑ᄒᆞ여 부형의 일을 우이 넉이ᄂᆞᆫ ᄌᆞ도 이셔, 공근디녜를 잡디 아니ᄒᆞ니, 그 부슉 된 ᄌᆡ 혹【58】붓그러워 눈으로ᄡᅧ ᄌᆞ딜을 보아, 윤·뎡·딘 ᄌᆞ딜 ᄀᆞᆺ기를 그윽이 죄이미 이시니, 텬셩이 우용(愚庸)치 아닌 뉴ᄂᆞᆫ 그 부슉의 긔ᄉᆡᆨ을 보고, 남의 부형 셤기ᄂᆞᆫ 녜모를 보고 [아] ᄯᅩᄒᆞᆫ ᄌᆞ괴(自愧)ᄒᆞ여 잠간 삼가미 이시ᄃᆡ, 취키를 마이924) ᄒᆞ여 눈츼를 모로ᄂᆞᆫ디라. 다함925) 즐기기를 웃듬ᄒᆞ고 ᄒᆡᆼ실을 도라 보디 아닛ᄂᆞᆫ디라. 뎡국공이 그 ᄌᆞ셔의 츌뉴(出類)ᄒᆞᆫ 위인을 더옥 두굿겨, 동평후를 향ᄒᆞ여 웃고 ᄀᆞᆯ오ᄃᆡ,

"금일 뎡부 연셕의 댱녀ᄒᆞᆷ을 당ᄒᆞ여 풍뉴의 뇨량(嘹喨)ᄒᆞᆷ과 미녀의 졀묘ᄒᆞ미 쇼년 남ᄌᆞ의 호흥으로 즐길 ᄇᆡ로ᄃᆡ, 녕ᄇᆡᆨ(令伯)이 젼혀 유의ᄒᆞ여【59】즐기ᄂᆞᆫ ᄇᆡ 업고, ᄉᆞ빈의 무심무려ᄒᆞ믄 도 닥ᄂᆞᆫ 고승 ᄀᆞᆺᄐᆞ니, 내 실노 ᄉᆞ빈의 너모 져러ᄒᆞᆷ을 볼 젹마다 딘욕이 업셔 ᄒᆡ로오미 이실가 념녀ᄒᆞᄂᆞ니, 엇디 남ᄀᆞᆺ치 즐기디 아니ᄒᆞᄂᆞ뇨?"

뎡국공이 그 ᄌᆞ【88】손[셔](子壻)의 츌뉴ᄒᆞᆷ을 더욱 두굿겨, 동평후를 향ᄒᆞ여 소왈,

"금일 뎡부 연셕을 당ᄒᆞ여 가셩의 요량(嘹喨)ᄒᆞᆷ과 미녀의 졀셰ᄒᆞ미 소년 남ᄌᆞ의 호흥을 도을 ᄇᆡ로ᄃᆡ, 뎡창ᄇᆡᆨ이 젼혀 즐기미 업고, ᄉᆞ빈의 무심무려ᄒᆞ미 더욱 도닥ᄂᆞᆫ 고승 ᄀᆞᆺᄒᆞ니, ᄂᆡ 실노 ᄉᆞ빈의 져러ᄒᆞᆷ을 볼 젹마다 향슈(享壽)의 ᄒᆡ로오미 잇실가 념녀ᄒᆞᄂᆞ니, 엇지 남과 ᄀᆞᆺ치 즐기지 아니ᄒᆞᄂᆞ뇨?"

---

922)왕계(王季) : 중국 주 문왕(文王) 창(昌)의 아버지. 이름은 계력(季歷). 자손이 왕업(王業)을 이룰 수 있는 기초를 닦았다.
923)ᄒᆡᆼ검(行檢) : 품행이 점잖고 바름. 또는 그 품행.
924)마이 : 매우. 심하게. 많이.
925)다함 : 다만. 또한. 그저.

동평휘 부젼의 화긔ᄂᆞᆫ 곳치디 아니랴 ᄒᆞᄂᆞᆫ 고로, 미미ᄒᆞᆫ 우음을 ᄯᅴ여 ᄀᆞᆯ오ᄃᆡ,

"쇼ᄉᆡᆼ이 풍ᄎᆡ ᄆᆡ몰ᄒᆞ고 셩(性)이 졸ᄒᆞᆫ 연고로, 악댱이 셔랑을 권ᄒᆞ여 녀악(女樂)을 즐기라 ᄒᆞ시ᄃᆡ, 쇼ᄉᆡᆼ이 능히 밧드디 못ᄒᆞ오니, 위인의 용우ᄒᆞ믈 심히 붓그럽거니와, ᄉᆞ좌 존빈이 뉘 ᄉᆞ회를 권ᄒᆞ여 창악(娼樂)의 무들나[926] ᄒᆞ나니 잇ᄂᆞ니잇가?"

하공이 대쇼 왈,

"내 굿ᄐᆞ여 ᄉᆞ빈으로 창【60】악의 무들나 ᄒᆞ미 아닐너니, 빙악이 되여 ᄉᆞ회다려 아닐 말을 니른다 ᄒᆞ여, ᄉᆞ빈이 우이 넉이거니와, 원간 ᄉᆞ빈이 너모 믈욕 업ᄉᆞ믈 실노 깃거 아니ᄒᆞᄂᆞ니, 젼일 드르ᄆᆡ 녕ᄇᆡᆨ은 창악부치를 ᄇᆡ쳑디 아닛ᄂᆞᆫ다 ᄒᆞ더니, ᄯᅩ 엇디 져러틋 무심무려ᄒᆞ뇨?"

창후와 태뷔 ᄃᆡ답디 못ᄒᆞ여셔, 호람휘 쇼왈,

"우리 ○○[ᄌᆞ딜] 등은 원간 즐거온 ᄋᆞ희 등[들]이 아니어니와, 희텬은 본ᄃᆡ 녀ᄉᆡᆨ을 블관이 넉이고, 광ᄋᆞ로 닐너도 젼일의 방일ᄒᆞ나 이 ᄯᅢ의 니르러ᄂᆞᆫ 나히 ᄎᆞ고 근ᄂᆡ의 슉녈 딜부의 ᄂᆡ죄 이시니, 다시 녀ᄉᆡᆨ을 유【61】의ᄒᆞ여 힝실을 휴손ᄒᆞᆯ니 이시리오.

하공이 칭션 왈,

"명강의 ᄌᆞ딜은 실노 군ᄌᆡ라. 타인의 만흔 ᄌᆞ딜이 엇디 밋ᄎᆞ리오. ᄉᆞ원이 비록 규ᄂᆡ의 슉녀 현ᄇᆡ(賢配)[927]를 두어시나, 년쇼 호신디심(豪身之心)[928]을 니를딘ᄃᆡ 어이 금일 연ᄎᆞ(宴遮)의 창기 등을 디ᄂᆡ 보리오마ᄂᆞᆫ, 그 졍슉ᄒᆞᆫ ᄯᅳᆺ이 사ᄅᆞᆷ의 항복ᄒᆞᆯ ᄇᆡ로다."

호람휘 굿ᄐᆞ여 샤양치 아냐 왈,

"돈ᄋᆞᄂᆞᆫ 힝실이 셩현을 뫼셔도 붓그럽디 아니ᄒᆞ고, 광ᄋᆞᄂᆞᆫ 년쇼 호신ᄒᆞ나 허랑경박(虛浪輕薄)ᄒᆞᆫ 픔질이 아니라, 비록 대군ᄌᆞ의

926)무들다 : 물들다.
927)현ᄇᆡ(賢配) : 어진 아내.
928)호신디심(豪身之心) : 몸을 사치스럽고 화려하게 꾸미고자 하는 마음.

동평휘 오직 미미히 소왈,

"소ᄉᆡᆼ이 풍ᄎᆡ ᄆᆡ몰ᄒᆞ고 쳔셩이 소졸ᄒᆞᆫ 고로, 악장이 소셔를 권ᄒᆞ여 《녜악‖녀악(女樂)》을 즐기라 ᄒᆞ시ᄃᆡ, 소ᄉᆡᆼ이 능히 악장의 존의를 밧ᄌᆞᆸ지 못ᄒᆞ니, 위인의 용우ᄒᆞ믈 그윽히 붓그리ᄋᆞᆸ거니와, 금일 연셕에 ᄉᆞ좌 존빈이 뉘 ᄉᆞ회를 간권(懇勸)ᄒᆞ여 창악(娼樂)에 즐기라 【89】 ᄒᆞᄂᆞ니잇가?"

하공이 ᄃᆡ소 왈,

"노뷔 굿ᄒᆞ여 ᄉᆞ빈을 권ᄒᆞ여 창악에 즐기라 ᄒᆞ미 아니오, ᄯᅩᄒᆞᆫ 원ᄂᆡ ᄉᆞ빈의 믈욕이 업ᄉᆞ믈 ᄂᆡ 실노 깃거 아닛ᄂᆞ니, 젼일 드르ᄆᆡ 영ᄇᆡᆨ은 창기부치를 ᄇᆡ쳑지 아닛ᄂᆞᆫ다 ᄒᆞᄂᆞ니, 군은 엇지 져러틋 무심무려 ᄒᆞ리오"

창후와 태뷔 밋쳐 답지 못ᄒᆞ여셔, 호람휘 소왈,

"우리 ᄌᆞ딜은 원간 즐거온 ᄋᆞ희들이 아니어니와, 희텬은 본ᄃᆡ ○○○[녀ᄉᆡᆨ을] 불관이 넉이고, 광텬은 비록 젼일의 방일ᄒᆞ나 ᄎᆞ시를 당ᄒᆞ여ᄂᆞᆫ 년긔 장셩ᄒᆞ고, 근ᄂᆡ의 슉녀 미ᄋᆡ(美兒) 갓초아시니, 다시 녀ᄉᆡᆨ을 유의ᄒᆞ여 힝실을 그르게 ᄒᆞ미 잇시리오"

하공이 칭션 왈,

"명강의 ᄌᆞ딜은 실노 군ᄌᆡ라. 타인의 만흔 ᄌᆞ딜이 엇지 밋ᄎᆞ리오. ᄉᆞ원이 비록 규ᄂᆡ《녀슉ᄒᆞ여‖의 슉녀》 현쳐(賢妻)를 두【90】나, 년소지심으로 니를진ᄃᆡ, 엇지 금일 연ᄎᆞ(宴遮)에셔 창기 등을 지ᄂᆡ여 보리오마ᄂᆞᆫ, 그 졍슉ᄒᆞᆫ ᄯᅳᆺ이 ᄉᆞᄅᆞᆷ으로 ᄒᆞ야곰 항복ᄒᆞᆯ 일이로다."

호람휘 굿ᄒᆞ여 샤양치 아냐 왈,

"나의 아ᄌᆞᄂᆞᆫ 힝실이 셩현을 뫼셔도 붓그럽지 아닐거시오, 광질이 ᄯᅩᄒᆞᆫ 경박호협(輕薄豪俠)ᄒᆞᆫ 품질이 아니라. 비록 ᄃᆡ군ᄌᆞᄂᆞᆫ 당치 못ᄒᆞ나, 인뉴의 셧기ᄆᆡ 하등은 되지 아니 ᄒᆞ리라."

픔딜을 감당치 못ᄒᆞ나, 인뉴의 하등은 되디 아닐가 ᄒᆞ노라."

딘평【62】댱이 춤디 못ᄒᆞ여 잠간 웃고, 호람후긔 고ᄒᆞᄃᆡ,

"합하의 딜ᄌᆞ 허랑경박든 아니ᄃᆡ, 쇼ᄆᆡ의 헛 부음(訃音)929)을 듯고, 반야삼경(半夜三更)의 쟝원(牆垣)을 ᄲᅱ여 드러와, 시녀의 관을 븟들고 만항비뤼(萬行悲淚) 좌셕의 ᄉᆞ뭇고, 톄읍통도(涕泣痛悼)ᄒᆞ미 ᄒᆞ마 엄홀홀 듯, 비ᄌᆞ(婢子)의 관(棺) 알패셔 ᄌᆞ문이ᄉᆞ(自刎而死)ᄒᆞ여 셜우믈 닛고져 ᄒᆞ다가, 흉휼ᄒᆞᆫ 놈다려 뉘 쇼ᄆᆡ를 ᄉᆞ랏다 닐넛던디, 일야디ᄂᆡ(一夜之內)의 졔 우리를 쇽이고져 쇼ᄆᆡ를 다려다가 ᄎᆡ셜동의 곱초고, 내도히 모로ᄂᆞᆫ 쳬ᄒᆞ던 일은 일월이 오랄ᄉᆞ록 우읍고 망측ᄒᆞ더이다."

호람휘 잠쇼 왈,

"현계(賢契)930) 오딜(吾姪)【63】의 흔극(釁隙)931)을 못ᄂᆡ 니르거니와, 현계 오딜을 여러 날 경영ᄒᆞ여 쇽이랴 ᄒᆞ던 ᄇᆡ, 오딜이 ᄒᆞ로 밤 ᄂᆡ로셔 ○○○○[현계 등을]《쇽임 ᄀᆞᆺ치 ᄒᆞ니‖속여시니》, 그 능ᄒᆞ미 뉘 더으뇨?"

딘평댱이 우음을 ᄭᅴ여 만좌의 고ᄒᆞ여, 창휘 쳔비 시신 너흔 관을 븟들고 ᄯᆞ라 죽고져 ᄒᆞ던 바를 의연이 젼ᄒᆞ니, ᄉᆞ좌 빈ᄀᆡᆨ이 대쇼ᄒᆞ고, 쇼년 명뉴 창후를 일시의 보ᄎᆡᄃᆡ, 창휘 미미히 웃고 계부의 말숨 긋치시믈 기다려, ᄌᆞ긔ᄂᆞᆫ 딘평댱긔 쇽디 아니코 딘부 합문이 ᄌᆞ긔게 만히 쇽은 곡졀을 니르니, 졔인이 ᄯᅩ 딘평댱을 희롱ᄒᆞ여 일야디ᄂᆡ의 ᄆᆡ뎨를 일코 슬허【64】ᄒᆞ던 바를 우ᄉᆞ니, 뎡네부 듁현이 쇼왈,

929)부음(訃音) : 사람이 죽었다는 것을 알리는 말이나 글.
930)현계(賢契) : 문인(門人), 제자, 친구 등을 존중해서 이르는 말.
931)흔극(釁隙) : 틈. 흠.

딘평장이 잠소 ᄒᆞ고, 호람후긔 고왈,

"합하의 딜ᄌᆞ 경박든 아니ᄒᆞᄃᆡ, 소ᄆᆡ의 헛 《부리믈‖부음(訃音)736)을》 듯고, 반야삼경(半夜三更)의 장원을 넘어 소ᄆᆡ의 침소에 드러와, 시녀의 《녕뎨‖녕궤(靈几)》를 븟들고 만항비뤼(萬行悲淚) 좌셕에 비ᄀᆞᆺ치 ᄲᅥ러져 실셩비읍(失性悲泣)ᄒᆞ니, 하마터면 쥭엄이 날 번 ᄒᆞ며, 쳔비(賤婢)를 위ᄒᆞ여 ᄌᆞ문이ᄉᆞ(自刎而死)ᄒᆞ여 셜우믈 잇고져 ᄒᆞ다가,【91】마ᄎᆞᆷᄂᆡ 흉휼ᄒᆞᆫ 놈다려 소ᄆᆡ ᄉᆞ랏다고 뉘라셔 일넛던지, 일야지ᄂᆡ(一夜之內)에 졔 우리를 도로혀 속이고져, 소ᄆᆡ를 엽히 ᄭᅵ고 ᄎᆡ셜동 즁당에 나와, 소릐를 벽녁 ᄀᆞᆺ치 질너, 소ᄆᆡ의 녕혼을 잡아 왓노라 ᄒᆞ니, 그런 고이코 능휼ᄒᆞᆫ 놈이 어ᄃᆡ 잇시리잇고?"

딩평장이 말노조ᄎᆞ 모다 박장ᄃᆡ소ᄒᆞ고, 호람휘 즘소 왈,

"현계(賢契)737) 아딜을 흔극(釁隙)738)ᄒᆞ미 못 미츨 다시 ᄒᆞ거니와, 현계ᄂᆞᆫ 여러 날을 경영ᄒᆞ여 아딜을 속이미오, 딜ᄋᆞᄂᆞᆫ 일야지ᄂᆡ에 현계 등을 ᄯᅩ 속여시니, 그 능ᄒᆞ미 뉘 더ᄒᆞ뇨?"

딘 평장이 웃고 창후의 그 ᄯᅢ ᄒᆞ던 일을 슈작(酬酌)ᄒᆞ여, 쳔비 녕궤를 ᄯᆞ라 죽고져 ᄒᆞ던 말을 젼ᄒᆞ니, 일좨 박소ᄒᆞ고 소년명뉘 일시에 창후를 보ᄎᆡᄃᆡ, 창휘 미미히【92】우으며 숙부의 말슴이 긋치기를 기ᄃᆞ려, ᄌᆞ긔ᄂᆞᆫ 딘평장에게 속지 아냐시ᄃᆡ, 딘부 합문에셔 ᄌᆞ긔게 ᄆᆡ이 속은 곡졀을 ᄌᆞ시 젼ᄒᆞᆫᄃᆡ, ᄎᆞ셰(次序) 잇고 명ᄇᆡᆨ ᄒᆞᆫ지라, 만좌 졔빈이 웃기를 마지 아니ᄒᆞ니, 뎡네뷔 소왈,

736)부음(訃音) : 사람이 죽었다는 것을 알리는 말이나 글.
737)현계(賢契) : 문인(門人), 제자, 친구 등을 존중해서 이르는 말.
738)흔극(釁隙) : 틈. 흠.

"나ᄂᆞᆫ 그 ᄶᅴ 표형의 ᄒᆞᄂᆞᆫ 거동과 ᄉᆞ원의 ᄆᆞ음을 다 아라시니, 표ᄆᆡ 죽으믈 고디○○[듯디] 아녓노란 말도 못ᄒᆞᆯ 말이고, 비ᄌᆞ의 관을 안고 ᄌᆞ문이ᄉᆞ(自刎而死) ᄒᆞ려더란 말도 되디 못 ᄒᆞᆫ 말이라. ᄉᆞ원의 말인즉 표ᄆᆡ를 죽디 아닌 ᄃᆞ시 ᄎᆡ오ᄃᆡ, ○[실]유령○[구](實有靈柩)932)ᄒᆞ미[ᄆᆡ] ○○○[진가(眞假)를] 블식(不識)ᄒᆞ여 ᄉᆞ랏ᄂᆞᆫ 표ᄆᆡ를 위ᄒᆞ여 죽엇ᄂᆞᆫ가 ○○[너겨] 쇼(素)933)를 극딘히 ᄒᆞ미오, 반야삼경(半夜三更)의 신고히 담을 너머 드러가, 슉낭 쳔비의 관을 어로만디며, '빅인(伯仁)이 유아이ᄉᆡ(由我而死)'934)라 《ᄒᆞ여‖ᄒᆞ믄》, 표ᄆᆡ ᄉᆞ원을 만난 연고로 감슈(減壽)ᄒᆞ여 일○[즉] 죽으니 엇디 ᄌᆞ긔 손으로 죽임과 다르리오 ᄒᆞ여, 실셩톄【65】읍(失性涕泣)ᄒᆞ믈 면치 못ᄒᆞ엿ᄂᆞ니, 표ᄆᆡ의 ᄉᆞ랏ᄂᆞᆫ 곡졀은 엇디ᄒᆞ여 아랏관ᄃᆡ 급급히 ᄎᆡ셜동의셔 옴겨 ᄀᆞᆷ초고 표문 합가를 다 쇽인고? 아디 못ᄒᆞ노라."

창휘 미쇼ᄒᆞ고 만좌 웃기를 마디 아니니, 뎐평댱이 ᄯᅩ 월후의 여디업시 쇽은 줄을 닐너, 양부인을 븟들고 《양녕‖녕혼》이라 일ᄏᆞᄅᆞ며 그릇ᄒᆞᆫ 바를 샤죄ᄒᆞ던 줄, 보ᄂᆞᆫ ᄃᆞ시 셜파ᄒᆞ니, ᄉᆞ좌 대쇼 왈,

"이ᄂᆞᆫ 오히려 딘뎍(眞的)히 흉음(凶音)을 듯고 그 빈연(殯筵) 빅셜ᄒᆞᆫ 거시나 보아시ᄆᆡ, 슬허ᄒᆞ미 괴이치 아니ᄒᆞᄃᆡ, 여빅은 인귀(人鬼)를 분별치 못ᄒᆞ고 완연이 ᄉᆞ랏ᄂᆞᆫ 부인을 ᄃᆡᄒᆞ여 죽어시므로 ᄎᆡ오믄, 고금의 듯디 못【66】ᄒᆞᆫ 블명인가 ᄒᆞ노라."

월휘 잠쇼 왈,

"내 평ᄉᆡᆼ 잔935)호의(-狐疑) 업ᄉᆞᆫ ᄆᆞ음이

932)실유령구(實有靈柩) : 실제로 영구(靈柩)가 있음.

933)소(素) : 『민속』 상중(喪中)에 고기나 생선 따위 비린 음식을 먹지 아니하는 일.

934)빅인(伯仁)이 유아이ᄉᆡ(由我而死)라 : 백인(伯仁; 중국 동진 때 사람)은 나로 인해 죽었다'는 뜻으로, 직접적으로 사람을 죽이지는 않았지만 죽은 사람에 대해 자신이 적극적으로 구하지 않은 책임이 있음을 안타까워하거나, 어떤 사건에 간접적으로 연관되어 있는 것을 비유적으로 나타낸 말.

935)잔- : '가늘고 작은' 또는 '자질구레한'의 뜻을 더하는 접두사.

"나ᄂᆞᆫ 그 ᄶᅴ 표형의 ᄒᆞ던 거동과 ᄉᆞ원의 마옴도 다 알아시니, 표ᄆᆡ의 망(亡)ᄒᆞ다 말을 듯지 아니ᄒᆞ엿노라 말도, 되지 못ᄒᆞᆫ 말이오, 쳔비를 ᄯᆞ라 ᄌᆞ문(自刎)코져 ᄒᆞ더라 말도 과도ᄒᆞᆫ 말이라. ᄉᆞ원의 말인즉 속지 아니ᄒᆞ엿노라 ᄒᆞᄃᆡ, 그 ᄶᅴ 육션(肉饍)을 불식(不食)ᄒᆞ미 ᄉᆞ랏ᄂᆞᆫ 표ᄆᆡ를 위ᄒᆞ여 스ᄉᆞ로 졍녜(情禮)739)를 극딘이 ᄒᆞ미오, 반야ᄉᆞᆷ경(半夜三更)에 장원(牆垣)을 너머 들어 슉낭 쳔비의 녕궤(靈几)를 븟들고 '빅인(伯仁)이 유아이ᄉᆞ(由我而死)'740)라○○[ᄒᆞ믄], 그 ᄶᅴ ᄉᆞ원을 맛ᄂᆞᆫ 고로 감슈(減壽)ᄒᆞ엿시니, '나의【93】손으로 히홈과 ᄃᆞ르리오' ᄒᆞ고 실셩통곡(失性慟哭)ᄒᆞ엿ᄂᆞ니, 표ᄆᆡ의 ᄉᆞ랏ᄂᆞᆫ 곡졀을 엇지 알앗관ᄃᆡ, 그 깁흔 침소에 드러가 표ᄆᆡ를 엽히 ᄢᅵ고 나왓더뇨?"

창휘 미소ᄒᆞ고 만좌 웃기를 마지 아니니, 뎐평장이 ᄯᅩ 월후의 여지업시 속아 양부인을 븟들고 녕혼이라 ᄒᆞ여, 그릇ᄒᆞᆫ 바를 쳥죄ᄒᆞ고 크게 슬허ᄒᆞ던 바를 본다시 젼ᄒᆞ니, 일좌 ᄃᆡ소ᄒᆞ고 ○[왈],

"ᄉᆞ원은 오히려 여러 길노 흉음(凶音)을 듯고 슬허ᄒᆞ미 고이치 아니○[ᄒᆞ]ᄃᆡ, 여빅은 인귀(人鬼)를 분변치 못ᄒᆞ여 완연이 ᄉᆞ랏ᄂᆞᆫ 양부인을 ᄃᆡᄒᆞᄃᆡ 아지 못ᄒᆞ니, 고금의 듯지 못ᄒᆞ던 《발병‖불명(不明)》이로다.

월휘 ᄌᆞᆷ소 왈,

"내 평ᄉᆡᆼ의 호의(狐疑) 업ᄂᆞᆫ 고로, 형이 속이기를 하 공교히ᄒᆞ니, 그ᄂᆞᆫ 생각 밧기라. ᄌᆞᆷ간 속으【93】미 잇거니와, 어이 그ᄃᆡ도

739)경례(情禮) : 정리(情理)와 예의를 아울러 이르는 말.

740)빅인(伯仁)이 유아이ᄉᆡ(由我而死)라 : 백인(伯仁; 중국 동진 때 사람)은 나로 인해 죽었다'는 뜻으로, 직접적으로 사람을 죽이지는 않았지만 죽은 사람에 대해 자신이 적극적으로 구하지 않은 책임이 있음을 안타까워하거나, 어떤 사건에 간접적으로 연관되어 있는 것을 비유적으로 나타낸 말.

어늘, 형이 ᄉᆡᆼ각 밧 쇽이믈 이상이 ᄒᆞᄆᆡ, 잠간 쇽앗던 거시어니와 엇디 그러ᄐᆞᆺ 밋치게 구러시리오. 표형의 허언을 고디듯디 마르쇼셔."

호람휘 쇼왈,

"아모리 발명ᄒᆞ여도 예ᄇᆡᆨ의 속기ᄂᆞᆫ 우이 ᄒᆞ엿거니와, 챵ᄇᆡᆨ은 쇼년 호신이 범연치 아니ᄃᆡ, ᄒᆞᆫ 번도 사ᄅᆞᆷ의게 그러ᄐᆞᆺ 쇽은 일이 업ᄂᆞᆫ가, 일즉 듯디 못ᄒᆞ엿ᄂᆞ니, ᄒᆡᆼ신만ᄉᆡ(行身萬事) 청텬ᄇᆡᆨ일(靑天白日) ᄀᆞᆺᄐᆞ니 엇디 아ᄅᆞᆷ답디 아니리오."

좌간의 대ᄉᆞ도 경츈긔 쇼왈,

"윤·하 냥 합히(閤下) 챵ᄇᆡᆨ을 ᄒᆡᆼ신만ᄉᆡ 긔특다 ᄒᆞ시나, 호신(豪身)이 남【67】다른 고로 유졍[936] 삼삭(三朔)의 ᄋᆡ를 퍽 술왓다 ᄒᆞ니, 속기로셔ᄂᆞᆫ '좀 아니'[937] 쇽앗ᄂᆞ니, 엇디 일시 희롱으로 속음과 비ᄒᆞ리오. 이졔 냥위 합하ᄂᆞᆫ 창ᄇᆡᆨ의 쇼ᄒᆡᆼ을 드러보쇼셔. 대군ᄌᆞ의 쇼ᄒᆡᆼ이 무상ᄒᆞ여 블고이취(不告而娶)도 잘ᄒᆞ고, 사ᄅᆞᆷ의게 변슈(便水) 쓰이기도 잘ᄒᆞ더니, 이졔 긔특ᄒᆞ여 군ᄌᆡ 되엿ᄂᆞᆫ디, 쳐음브터 군ᄌᆡ런 ᄃᆞ시 ᄒᆞᄂᆞᆫ 양을 보ᄆᆡ, 쇼ᄉᆡᆼ이 홀노 믜이 넉이ᄂᆞ이다."

졔왕이 미미히 우으며 왈,

"텬위 대군ᄌᆞ의 변슈○[를] 맛본 후로 ᄒᆡᆼ신이 져기 인도(仁道)의 도라가고 인ᄉᆡ 무던ᄒᆞ더니, 근간은 구습(舊習)이 이시니 죵용이 즘긔를 모화 병을 곳치게 ᄒᆞ라.【68】형이 나의 변슈 맛보미 극ᄒᆞᆫ 약이어니와, 친소 간 사ᄅᆞᆷ을 만난즉 션단(仙丹)을 맛보며 녕약(靈藥)을 먹은 ᄃᆞ시 니르ᄂᆞ뇨?"

936)유졍 : 벽유정. 정천흥이 경숙혜를 불고이취한 남사가 들통 나 부친으로부터 부자인륜을 폐절당하고 집에서 쫓겨나 자책 수행하던 정자.

937)좀 아니 : 적지 않게.

록 밋치게 구럿시리오. 표형의 허언을 고지 듯지 말나"

하공과 호람휘 소왈,

"아모리 발명ᄒᆞ여도○…**결락11자**…○[예ᄇᆡᆨ의 속기ᄂᆞᆫ 우이 ᄒᆞ엿도]다. 창ᄇᆡᆨ도 소년호신(豪身)이 범연치 아니ᄒᆞᄃᆡ, ᄒᆞᆫ 번 ᄉᆞᄅᆞᆷ에게 속으미 업ᄂᆞᆫ가, 일즉 듯지 못ᄒᆞ엿ᄂᆞ니, ᄒᆡᆼ실이 청천ᄇᆡᆨ일(靑天白日) ᄀᆞᆺᄐᆞᆫ 군ᄌᆡ라. 엇지 아ᄅᆞᆷ답지 아니ᄒᆞ리오"

좌간의 ᄃᆡᄉᆞ도 경츈긔 소왈,

"윤·아[하] 양 압[합]히(閤下) 창ᄇᆡᆨ의 속은 일을 엇지 ᄉᆡᆼ각지 못ᄒᆞ시ᄂᆞ뇨? 호신이 남과 다른 고로 유졍[741] ᄉᆞᆷ삭의 ᄋᆡ《표‖를》 만히 살왓다 ᄒᆞ니, 엇지 일시 희롱으로 속음과 비ᄒᆞ리잇고? 이졔 양 합히 창ᄇᆡᆨ을 칭션(稱善)ᄒᆞ샤 ᄒᆡᆼ신이 청텬ᄇᆡᆨ일 ᄀᆞᆺᄐᆞᆫ 군ᄌᆡ라 ᄒᆞ시거니와, 군ᄌᆞ의 소ᄒᆡᆼ이 그리 무상ᄒᆞ여 블고이취(不告而娶)돈[도] ○[잘]ᄒᆞ고, ᄉᆞᄅᆞᆷ의게 변슈(便水)도 깃치기도 잘ᄒᆞ【95】더니, 유졍[742] ᄉᆞᆷ삭(三朔)의 효험이 긔특ᄒᆞ여 실노 군ᄌᆡ 되엿시니, 져도 쳐음붓터 진짓 군ᄌᆡ런다시 ᄒᆞ난 양을 보ᄆᆡ, 소ᄉᆡᆼ이 홀노 뮈이 넉이ᄂᆞ이다."

윤,하 냥 공이 변슈의 말을 밋쳐 뭇지 못ᄒᆞ여셔, 졔왕이 미소 왈,

"쳔뉘 군ᄌᆞ의 변슈를 맛본 후로, ᄒᆡᆼ신이 젹이 인도(仁道)의 도라갓더니, 셰월이 오ᄅᆡᄆᆡ 변슈의 효험이 진(盡)ᄒᆞ여, 근간은 구습○[을] ᄒᆞ미 잇시니, 조용이 두어 즙긔를 모화 그 병을 곳치리라. 형이 나의 변슈를 맛보미 만금을 쥬고도 엇지 못ᄒᆞᆯ 약이니, 《어이‖이에》 와 엇지 ᄌᆞ랑ᄒᆞ믈 � 업시ᄒᆞ여, 친소간(親疎間) ᄉᆞᄅᆞᆷ을 만난즉, 션단(仙丹)을 맛 본다시 니르ᄂᆞ뇨?"

741)유정 : 벽유정. 정천홍이 경숙혜를 불고이취한 남사가 들통 나 부친으로부터 부자인륜을 폐절당하고 집에서 쫓겨나 자책 수행하던 정자.

742)유정 : 벽유정. 정천홍이 경숙혜를 불고이취한 남사가 들통 나 부친으로부터 부자인륜을 폐절당하고 집에서 쫓겨나 자책 수행하던 정자.

경ᄉᆞ되 ᄯᅮ지져 왈,

"네 변슈 맛본 일은 셰월이 오릴ᄉᆞ록 눅눅ᄒᆞᆫ938) 비위를 뎡치 못ᄒᆞᄂᆞ니, 그 � 통히 ᄒᆞ던 일이 닛치이디 아냐, 사ᄅᆞᆷ을 만나면 너의 무상ᄒᆞᆷ믈 니르노라. 변슈 일졀이 ᄌᆞ연 일ᄏᆞᆺᄂᆞᆫ 거시 되거니와, 어이 이졔조ᄎᆞ 믜온 말을 ᄒᆞᄂᆞ뇨?"

졔왕이 함쇼 브답ᄒᆞ니, 하・윤 냥공이 변슈 일졀을 ᄌᆞ시 므르니, 경ᄉᆞ되 졔왕의 힝ᄉᆞ를 일일히 고ᄒᆞ여 블고이취ᄒᆞ던 바와, ᄌᆞ긔 신방을 드리미러【69】규시(窺視)ᄒᆞ다가, 변슈를 머리로브터 발뒤츅가디 ᄡᅵ치던 바를 셜파ᄒᆞ니, 졔인이 대쇼ᄒᆞ고, 윤・하 냥공과 낙양휘 쇼왈,

"텬위 쇽기를 측냥업시 ᄒᆞ엿ᄂᆞᆫ 고로 셰월이 오라ᄃᆡ 닛디 아니커니와, 그 므ᄉᆞᆷ ᄌᆞ랑이라 만좌 듕의 변슈 맛보믈 일ᄏᆞᆺᄂᆞ뇨?"

경사되 쇼이ᄃᆡ왈,

"ᄌᆞ랑ᄒᆞ미 아니라 챵빅의 무상턴 바를 고ᄒᆞ오미, ᄌᆞ연 그런 말이 나ᄂᆞ이다."

경ᄉᆞ되 양안(兩眼)을 흘긔여 ᄯᅮ지져 왈,

"네 변슈를 맛본 일 셰월이 오릴ᄉᆞ록 녹녹ᄒᆞᆫ743) 비위를 졍【96】치 못ᄒᆞ니, 그 ᄯᅢ 통히ᄒᆞ던 일을 보지 아냐, ᄉᆞ름을 맛나면 너의 무상ᄒᆞᆷ믈 니르노라"

졔왕이 함소 부답ᄒᆞ니, 윤・하 냥공이 변슈 일졀을 무른ᄃᆡ, 경ᄉᆞ되 졔왕의 블고이취(不告而娶)ᄒᆞ던 바와, ᄌᆞ긔 신방을 드리미러 보다가 변슈를 머리로부터 만신의 나리ᄲᅧᆺ던 바를 셜파ᄒᆞ니, 졔인이 ᄃᆡ소ᄒᆞ고, 윤・하 냥공과 낙양휘 소왈,

"텬뉘 속기를 측냥업시 ᄒᆞ엿ᄂᆞᆫ 고로 셰월이 오릐ᄃᆡ 잇지 아니커니와, 그 무ᄉᆞᆷ ᄌᆞ랑이라 만좌 즁에 ○○[변슈] 맛보믈 닐컷ᄂᆞ뇨?"

경 사되 소이ᄃᆡ왈,

"ᄌᆞ랑ᄒᆞ미 아니라 챵빅의 《무빵‖무상》ᄒᆞ믈 고ᄒᆞ오미, ᄌᆞ연이 그런 말이 나나이다."

ᄒᆞ더라. ᄎᆞ간 하화홀지어다

팔십구 구십 구십일【97】

---

938)눅눅하다 : 축축한 기운이 약간 있다.

743)녹녹하다 : 축축한 기운이 약간 있다.

금평휘 쇼왈,

"돈ᄋᆡ 그 ᄣᆡ 무상턴 ᄒᆡᆼᄉᆞᄂᆞᆫ 텬위 니르디 아냐도 아랏거니와, 붕우(朋友)의 ᄎᆡᆨ션(責善)이 녜브터 이시니, 누의 가연(佳緣)을 허랑ᄀᆡᆨ(虛浪客)의 뎨ᄉᆞ부실을 삼아 혼녜를 일우고, 탕ᄌᆞ의 밧븐 【70】 ᄒᆡᆼ거(行車)를 머추어 ᄉᆞ창을 쳔거ᄒᆞ여 광ᄀᆡᆨ의 욕심을 맛초다가, 깃븐 치샤도 듯디 못ᄒᆞ고 그 욕을 보니, 돈ᄋᆞ의 ᄒᆡᆼ신즉 졀졀(切切)이 무상커니와, 텬유도 날 ᄀᆞᆺᄐᆞᆫ 댱ᄌᆞ를 텬흥과 ᄒᆞᆫ가디로 동모(同謀)ᄒᆞ여 쇽이랴 ᄒᆞᄆᆡ, ᄌᆞ연ᄒᆞᆫ ᄀᆞ온ᄃᆡ 신명(神明)이 벌ᄒᆞᄂᆞᆫ 도리 이셔 변슈를 ᄡᅳᄂᆞᆫ 욕을 보니, ᄎᆞ후란 경심계디(警心戒之)ᄒᆞ여 어룬을 속이려 말나"

ᄒᆞ더라 【71】

명쥬보월빙 권지삼십삼

ᄎᆞ셜 낙양휘 소왈,

"텬뉘 속기를 측냥 업시 ᄒᆞ엿ᄂᆞᆫ 고로, 셰월이 오ᄅᆡᄃᆡ 잇지 아니ᄒᆞ거니와 그 무ᄉᆞᆷ ᄌᆞ랑이라 만좌 즁에 맛보믈 닐ᄏᆞᆺᄂᆞ뇨?"

경ᄉᆞ되 소이ᄃᆡ왈,

"ᄌᆞ랑ᄒᆞ미 아니라 챵ᄇᆡᆨ의 무상ᄒᆞ믈 고ᄒᆞᄆᆡ, ᄌᆞ연 그런 말을 ᄒᆞᄂᆞ이다."

금평휘 쇼 왈,

"돈ᄋᆞ의 무식 ᄑᆡ려ᄒᆞ믈 텬뉘 니르지 아냐도 아랏거니와, 붕우ᄎᆡᆨ션(朋友責善)이 녜븟터 잇시니, 돈ᄋᆞ[ᄋᆡ]{와} 아비를 속이고 불고이취 ᄒᆞᆯ지라도, ᄉᆞ리를 ᄎᆡᆨᄒᆞ고 졍도로 경계ᄒᆞ미 올커ᄂᆞᆯ, 돈ᄋᆞ를 도와 규문 누의의 가연(佳緣)을 허ᄒᆞ여 광ᄀᆡᆨ(狂客)의게 졔ᄉᆞ부빈을 삼아 혼녜를 니르고, 탕ᄌᆞ의 방일ᄒᆞ믈 도와, 군ᄌᆞ의 ᄒᆡᆼ신으로 ᄆᆡ져의 암밀ᄉᆞ를 엿보다가, 그런 【1】 욕을 보니, 돈ᄋᆞ의 ᄒᆡᆼᄉᆞᄂᆞᆫ 졀졀(切切)이 무상ᄒᆞ거니와, 텬유ᄂᆞᆫ 날 ᄀᆞᆺᄐᆞᆫ 장ᄌᆞ를 속이려 ᄒᆞᄆᆡ, 신명(神明)이 ᄌᆞ연 벌ᄒᆞ샤 그런 욕이 밋ᄎᆞ니, ᄎᆞ후ᄂᆞᆫ 경심계지(警心戒之)ᄒᆞ여 어룬을 속이지 말나"

명듀보월빙 권디구십일

어시의 금평휘 ᄀᆞᆯ오ᄃᆡ,

"ᄎᆞ후란 경심계디(警心戒之) ᄒᆞ여 어룬을 속이려 말나."

경샤되 우음을 씌여 왈,

"쇼뎔이 옥 ᄀᆞᆺ튼 누의로ᄡᅧ 창빅의게 허ᄒᆞ여 혼ᄉᆞ를 일우ᄆᆡ, 창빅은 무상ᄒᆞ여 티샤ᄒᆞᆯ 줄 모로거니와, 년슉은 쇼ᄉᆡᆼ을 ᄃᆡᄒᆞ여 각별ᄒᆞ신 치ᄉᆡ(致辭) 이실가 ○○○○[ᄒᆞ엿더니], 여러 츈취 밧괴이도록 ᄒᆞᆫ 말ᄉᆞᆷ 칭샤ᄒᆞ시믄 업고, 오날ᄂᆞᆯ 변슈(便水) 맛보믈 신명(神明)의 벌ᄒᆞ미라 ᄒᆞ시니, 년뎔(緣姪)이 원통코 ᄋᆡ돌오믈 니긔디 못ᄒᆞᄂᆞ이다. 년뎔이 창빅을 도아 합하를 잠간 긔망(欺罔)ᄒᆞ믄 【1】그르오나, 쇼ᄆᆡ ᄀᆞᆺ튼 슉녀 텰부로ᄡᅧ 합하의 ᄌᆞ부디녈(子婦之列)을 ᄎᆡ오게 ᄒᆞ온 공은 젹디 아니ᄒᆞ니이다."

금휘 쇼왈,

"ᄌᆞ부의 아ᄅᆞᆷ다오믄 텬ᄉᆡᆼ작인(天生作人)의 비상ᄒᆞ미니 텬위 공이 아니오, 연분이 이시면 텬애(天涯)[939]라도 면치 못ᄒᆞᄂᆞ니, 텬위 구ᄐᆞ여 녕ᄆᆡ(令妹)를 허ᄒᆞ여 텬홍의 안ᄒᆡ를 삼아시리오. 막비연분(莫非緣分)이니 현뎔의게 티샤ᄒᆞᆯ 일이 업도다."

샤되 대쇼 왈,

"년슉의 말ᄉᆞᆷ이 이 ᄀᆞᆺᄐᆞ시니 다시 고ᄒᆞᆯ 말ᄉᆞᆷ이 업ᄂᆞ이다. 원간 창빅이 사ᄅᆞᆷ의 은덕을 아디 못ᄒᆞ미 년슉긔로셔 나린 픔(品)이랏다소이다."

금휘 대쇼ᄒᆞ고, 듀긱이 셔로 【2】즐겨 죵일토록 날니ᄂᆞᆫ 잔이 분분ᄒᆞ고 희쇠(喜笑) 긋디 아니터니, 황혼의 파연곡(罷宴曲)을 쥬ᄒᆞ니, ᄂᆡ외빈긱이 취ᄒᆞᆫ 거ᄉᆞᆯ ᄇᆞᆺ들녀 각귀기가(各歸其家)ᄒᆞ고, 여흥(餘興)을 니어 공이 졔ᄋᆞ를 춤추여 태부인을 보시게 ᄒᆞᆯᄉᆡ, 현긔 등의 무슈(舞袖) 신긔롭고 편편(翩翩)ᄒᆞ여

939)텬애(天涯) : ①하늘의 끝. ②이승에 살아 있는 핏줄이나 부모가 없음을 이르는 말.

경ᄉᆞ되 소이ᄃᆡ왈,

"소뎔이 옥 ᄀᆞᆺ튼 누의로ᄡᅧ 창빅의게 허ᄒᆞ니, 창빅이 무상ᄒᆞᄆᆡ 치ᄉᆞᄒᆞᆯ ᄌᆞᆯ도 모로거니와, 연슉은 소ᄉᆡᆼ을 각별히 치ᄉᆞ(致辭)ᄒᆞ실가 ᄒᆞ엿더니, 변슈(便水) 맛보믈 도로혀 신명(神命)의 벌이라 ᄒᆞ시니, 연뎔이 실노 원통ᄒᆞ여이다. 연뎔이 창빅을 도와 합하를 긔망(欺罔)ᄒᆞ믄 그르거니와, 소ᄆᆡ ᄀᆞᆺ튼 슉녀 쳘부로 합하의 ᄌᆞ부지열(子婦之列)을 ᄎᆡ오시게 ᄒᆞ미 그 공이 ᄯᅩᄒᆞᆫ 젹으니잇가?"

금휘 왈,

"식부의 현슉ᄒᆞ믄 텬ᄉᆡᆼ작인(天生作人)이 비상ᄒᆞ미니 텬유의 공이 아니오, 연분이 【2】잇신 후ᄂᆞᆫ 이 역텬의(亦天意)라 면치 못ᄒᆞᄂᆞ니, 텬위 엇지 구ᄐᆞ여 녕ᄆᆡ(令妹)를 허ᄒᆞ여 돈ᄋᆞ의 ᄉᆞ취(四娶)를 삼아시리오. 막비텬연(莫非天然)이니 현질의게 치ᄉᆞᄒᆞᆯ ᄇᆡ 업도다."

경ᄉᆞ되 ᄃᆡ소 ᄃᆡ왈,

"합하의 말ᄉᆞᆷ이 이 ᄀᆞᆺᄐᆞ시니 소ᄉᆡᆼ이 다시 ᄒᆞᆯ 말ᄉᆞᆷ이 업거니와, 원간 창빅이 ᄉᆞᄅᆞᆷ의 은공을 모로미 연슉긔로 나린 픔(品)이로소이다"

금휘 ᄃᆡ소ᄒᆞ고, 쥬긱이 셔로 즐겨 종일토록 날니ᄂᆞᆫ 잔이 분분ᄒᆞ고 희담이 긋치지 아니터니, 셕양에 파연곡(罷宴曲)을 쥬ᄒᆞᄆᆡ, ᄂᆡ외빈긱이 승취(乘醉)ᄒᆞ여 각산(各散)ᄒᆞ고, 공이 ᄌᆞ손을 거ᄂᆞ려 ᄐᆡ원젼에 드러와 태부인을 뫼셔, 촉을 니어 ᄌᆞ녀손을 거ᄂᆞ려 여흥(餘興)을 즐길ᄉᆡ, 운긔 등을 명ᄒᆞ여 츔추여 태부인이 보시게 ᄒᆞ니, 현긔 등이 무쉬(舞袖) 부슉을 【3】효칙(效則)ᄒᆞ여 신긔롭

부슉을 효측(效則)ᄒᆞ니, 태부인과 금후 부뷔 두긋기며 ᄋᆡ듕ᄒᆞ미 만금보옥(萬金寶玉)으로 견즐 ᄇᆡ 아니라.

녜부의 댱ᄌᆞ 은긔 칠셰로ᄃᆡ, 뇽호(龍虎)의 긔습(氣習)과 텬일디표(天日之表) ᄇᆡᆨ부 제왕을 일편되이 픔습(稟襲)ᄒᆞ여 다르미 업ᄉᆞ니, 존당이 귀듕ᄒᆞ고 일개 칭찬ᄒᆞ여 큰 그르ᄉᆞ로 밀위미, 십셰【3】 젼 쇼ᄋᆞ ᄀᆞᆺ디 아니터라.

삼일을 년(連)ᄒᆞ여 빈ᄀᆡᆨ을 대회ᄒᆞ고, 니원어악(梨園御樂)940)으로 낙극달난(樂極團欒)ᄒᆞᄆᆡ, 술은 ᄒᆡ슈(海水)의 넉넉ᄒᆞ미 잇고 음식은 태산 ᄀᆞᆺᄐᆞ여, 쳔만인을 ᄃᆡ졉ᄒᆞ나 딘(盡)치 아닐 ᄲᅳᆫ 아니라, 취운산의 디나ᄂᆞᆫ ᄒᆡᆼ인이라도 취치 아니코 포복디 아니리 업ᄉᆞ니, 노복 등○[이] 구실 삼아 대로변의 남ᄌᆞ 녀인을 쳥ᄒᆞ여 쥬찬을 ᄃᆡ졉ᄒᆞ니, 연석의 댱ᄒᆞ미 일ᄏᆞᆺ디 아니 리 업ᄉᆞᆫ디라. 삼일대연(三日大宴) 후 악공 창기 등을 상샤(賞賜)ᄒᆞ여 보ᄂᆡ고, 금후 부ᄌᆡ 샹표(上表)ᄒᆞ여 셩은을 샤례ᄒᆞ오니, 샹이 인견ᄒᆞᄉᆞ 샤쥬(賜酒)ᄒᆞ시고 호호(浩浩)ᄒᆞᆫ 복녹을 일ᄏᆞᄅᆞ시더【4】라.

이후로 뎡부의 반점 시름이 업고 공쥐 믄득 ᄐᆡ신(胎身)의 경ᄉᆡ 이시니, 존당 구괴 관인후덕ᄒᆞ므로 공쥬의 슬ᄒᆡ 뎍막ᄒᆞ믈 아연이 넉이다가, ᄐᆡ긔 이시믈 ᄀᆞ장 깃거 ᄉᆡᆼ남ᄒᆞ기를 희망ᄒᆞ니, ᄌᆞ부녀ᄋᆞ간(子婦女兒間)의 쳐음으로 유신ᄒᆞᆷ ᄀᆞᆺᄐᆞ여, 손ᄋᆞ를 보디 못ᄒᆞᆫ 사ᄅᆞᆷ이라도 이의셔 더ᄒᆞ디 못ᄒᆞᆯ디라. 문양공쥐 궐졍왕ᄂᆡ(闕庭往來)를 빈빈(彬彬)이 ᄒᆞ여 뎨후(帝侯)긔 ᄌᆞ로 됴알(朝謁)ᄒᆞᄆᆡ, ᄆᆡ양 젼과를 뉘웃고 윤의렬 등의 셩덕을 일ᄏᆞ라, 의렬을 밋고 바라미 범연치 아니ᄒᆞ니, 뎨휘 일노초ᄎᆞ 윤비의 셩심슉덕을 더옥 ᄌᆞ셔【5】히 아라 긔특이 넉이시고, 공쥬의 회심ᄌᆞ칙(回心自責)은 웃듬은 윤비의 감화ᄒᆞᆫ

940)니원어악(梨園御樂) : 장악원의 궁중 아악. *이원(梨園); ①중국 당나라 때, 현종이 몸소 배우(俳優)의 기술을 가르치던 곳. ②장악원(掌樂院); 조선시대에 음악에 관한 일을 맡아보던 관아로, 연산군 때 전악서를 고친 것이다.

고 긔이ᄒᆞ니, 태부인과 공의 부뷔 ᄋᆡ즁ᄒᆞ미 만금보옥(萬金寶玉)의 견즐 ᄇᆡ 아니라.

녜부의 장ᄌᆡ ○○[은긔] 년이 팔셰로ᄃᆡ, 웅호(雄豪)ᄒᆞᆫ 긔상과 텬일지표(天日之表) ᄇᆡᆨ부 제왕을 일편도이 습ᄒᆞ여 운긔로 다르미 업ᄉᆞ니, 존당이 더욱 귀즁ᄒᆞ고 칭ᄋᆡᄒᆞ며 큰 그릇ᄉᆞ로 밀위니, 십셰 젼 유ᄋᆞ ᄀᆞᆺ지 아니터라.

ᄉᆞᆷ일을 잔치ᄒᆞᄆᆡ 빈ᄀᆡᆨ이 ᄃᆡ회ᄒᆞ고 낙극단란(樂極團欒)ᄒᆞ니, 쥬ᄇᆡ(酒杯)ᄂᆞᆫ 여ᄒᆡ(如海)ᄒᆞ고 음식은 여산(如山)ᄒᆞ니, 취운산을 지ᄂᆡᄂᆞᆫ ᄒᆡᆼ인이라도 쳥ᄒᆞ여 쥬찬을 먹이니, 연셕의 장ᄒᆞ믈 이로 긔록지 못ᄒᆞᆯ너라. ᄉᆞᆷ일을 즐기믈 다ᄒᆞᆫ 후, 악공과 창기를 상샤(賞賜)ᄒᆞ여 도라 보ᄂᆡ고, 공의 부ᄌᆡ 상표ᄒᆞ여 텬은을 슉샤(肅謝)ᄒᆞ니, 상이 인견ᄒᆞ샤 샤쥬(賜酒)ᄒᆞ시고 호호(浩浩)ᄒᆞᆫ 복녹을 닐ᄏᆞ르【4】시더라.

이후로ᄂᆞᆫ 뎡부의 반점 시름이 업고, 공쥐 믄득 ᄐᆡ신(胎身)의 경ᄉᆡ 잇시니, 존당 구고의 관인후덕(寬仁厚德)ᄒᆞ므로 문양의 슬ᄒᆡ 젹막ᄒᆞ믈 슬피 넉이더니, ᄀᆞ장 깃거 ᄉᆡᆼ남ᄒᆞ믈 희망ᄒᆞ더라. 문양공쥐 ᄎᆞ후 궐졍왕ᄂᆡ(闕庭往來) 빈빈(彬彬)ᄒᆞ여 뎨후(帝侯)긔 ᄌᆞ로 조현(朝見)ᄒᆞᄆᆡ, 냥젼의 뫼셔 마양744) 젼과를 뉘웃고 윤의렬 등의 셩덕을 닐ᄏᆞ라 의렬을 밋고 ᄇᆞ라미 범연치 아니니, 뎨휘 일노조ᄎᆞ 윤비의 셩심슉덕을 긔특이 넉이시고, 공쥬의 회심ᄌᆞ칙(回心自責)ᄒᆞ미 웃듬은 윤비의 감화ᄒᆞᆫ 덕이오, 버거ᄂᆞᆫ 한상궁의 어지리 도으미라 ᄒᆞ샤, 각별이 상샤(賞賜)ᄒᆞ시고 츙의를 닐ᄏᆞ르시니, 상궁이 불감황공(不堪惶恐)ᄒᆞ더라. 공쥐 일삭의 슈일식 모비 궁에 나아가 현알ᄒᆞ고 심ᄉᆞ를 위로【5】ᄒᆞ니, 김귀비 그 부형이 흉화(凶禍)의 ᄎᆞᆷ벌(慘罰)

744)마양 : 매양. 번번이.

덕이오, 버거ᄂᆞᆫ 한상궁의 어디리 인도《ᄒᆞ믈‖ᄒᆞ미라 ᄒᆞ샤》, 아름다이 넉이샤 상궁을 각별 상샤ᄒᆞ시고 툥의를 ᄌᆡ삼 일ᄏᆞᄅᆞ시니, 상궁이 황공 감은ᄒᆞ믈 니긔디 못ᄒᆞ여 ᄒᆞ고, 공쥐 ᄯᅩ 일삭의 슈일식 모비 궁의 나아가 현알ᄒᆞ고, 그 뎍막비고(寂寞悲苦)ᄒᆞᆫ 졍ᄉᆞ를 위로ᄒᆞ니, 김귀비 그 부형의 대역으로 흉화(凶禍)의 참예ᄒᆞ고 삼족(三族)941)이 남디 아닌 슬픔과 망극ᄒᆞ믄 니르도 말고, 일녀의 신셰 아조 볼 것 업시 되여시믈 더옥 참졀ᄒᆞ여, 쥬쥬야야의 죽기를 ᄌᆞ분ᄒᆞᄃᆡ, 일명을【6】능히 ᄉᆞᆺ디 못ᄒᆞ여 ᄒᆞ더니, 의외(意外) 공쥐 졔왕의 도라보믈 어더 부부뉸의를 출히며, 구괴 ᄌᆞ부디녈(子婦之列)의 용납ᄒᆞ고 황상이 부녀텬뉸디졍(婦女天倫之情)을 비로소 펴시믈 당ᄒᆞ여, 공쥐 슈미(愁眉)을 잠간 열고 ᄐᆡ신(胎身)의 경ᄉᆡ 이시믈 보ᄆᆡ, 오히려 ᄒᆞᆫ 일이나 위로ᄒᆞᆯ 곳이 이셔 공쥬를 본 적마다, 젼일 ᄌᆞ긔 등의 악ᄉᆞ를 뉘웃고, 윤의렬의 셩덕혜화(聖德惠化)를 감격ᄒᆞ여 모녜 다만 의렬의 만복을 튝ᄒᆞ니, 의렬의 덕이 호호ᄒᆞ여 문양 ᄀᆞᆺ튼 대간대악(大奸大惡)도 감화ᄒᆞᄆᆡ, 김귀비 니르히 의렬을 녀듕셩ᄌᆞ(女中聖者)로 아라 각골감○[은]ᄒᆞ미 되니, 일노【7】조ᄎᆞ 윤비의 《덕이 크더라‖덕화를 알리러라》.

ᄒᆞ고, 《삼종(三從)745)‖삼족(三族)746)》의 남은 거시 업ᄉᆞ니, 슬프믄 니르지 말고 일녀의 신셰 아조 볼 거시 업ᄉᆞ믈 쥬야 참졀ᄒᆞ여, 죽기를 기다리ᄃᆡ 능히 일명을 쾌단(快斷)치 못ᄒᆞ더니, 뜻밧게 공쥐 졔왕의 관홍ᄃᆡ도(寬弘大道)ᄒᆞ므로 용셔ᄒᆞ믈 어더, 부부뉸의(夫婦倫義)를 찰히고, 구괴 ᄌᆞ부지열(子婦之列)의 용납ᄒᆞ며, 황상이 부녀지졍(父女之情)을 다시 회복ᄒᆞ니, 공쥐(公主) 비로소 슈미(愁眉)를 펴고 ᄐᆡ신(胎身)의 경ᄉᆡ 잇시믈 드르니, 오히려 한 일이나 위로ᄒᆞᆯ ᄇᆡ 잇셔, 공쥬를 볼 젹마다 평일 ᄌᆞ긔 악ᄉᆞ를 뉘웃고, 윤의렬의 셩덕혜화(聖德惠化)를 감격ᄒᆞ여 문양 ᄀᆞᆺ튼 ᄃᆡ악도 감화ᄒᆞᄆᆡ, 김귀비의 니르히 의렬을 녀즁셩인(女中聖人)이라 ᄒᆞ여 그 은덕을 각골감은ᄒᆞ니, 일노조ᄎᆞ 윤의렬의 덕화를 알미[리]러라.

ᄎᆞ시 남창후 윤ᄉᆞ마(尹司馬)의 형뎨, 존당과 호남후 부부며 조부인을 뫼셔 흐르ᄂᆞᆫ 일월의 ᄒᆞᆫ 조각 근심이 업시, 열친을 위쥬ᄒᆞ며 형뎨 우공ᄒᆞ미 날노 더은디라. 형뎨 일시 ᄯᅥ나믈 먼 니별ᄀᆞᆺ치 넉이며, 창후의 과격쥰급(過激峻急)ᄒᆞ기의도 평ᄉᆡᆼ 동후를 ᄃᆡᄒᆞ여ᄂᆞᆫ ᄆᆞᄋᆞᆷ의 분노ᄒᆞ미 잇다가도, 그 ᄋᆞ의 경운화풍(慶雲和風)을 ᄃᆡᄒᆞᄆᆡ 프러져 블평ᄒᆞᆫ ᄉᆡᆨ이 업ᄂᆞᆫ디라. 태뷔 기ᄇᆡᆨ(其伯)으로 동년동일(同年同日)의 난 바로, 창후의 만ᄉᆡᆨ 훤츌ᄒᆞ고 긔특ᄒᆞ나, 오히려 동평후의 셩명관ᄌᆞ(聖明寬慈)ᄒᆞ믈 잠간 밋디 못ᄒᆞ나, 오히려 동평휘 스ᄉᆞ【8】로 형의셔 나은 쳬를

어【6】시에 남창후 형뎨, 존당과 호람후 부부와 조부인을 뫼셔 흐르ᄂᆞᆫ 셰월에 반졈 근심이 업셔, 열친을 위쥬ᄒᆞ며 형뎨 우공ᄒᆞ미 날노 더ᄒᆞ여, 일시 ᄯᅥ나믈 원별ᄀᆞᆺ치 넉이니, 창후의 과격쥰급(過激峻急)ᄒᆞ므로도 동평후를 ᄃᆡᄒᆞᆫ즉 비록 마음의 분노ᄒᆞᆫ 일이 잇시나, 평후의 화풍경운지상(和風慶雲之相)에 만심이 푸러질 ᄲᅮᆫ 아니라, 동평휘 형장

941)삼족(三族) : 부계(父系), 모계(母系), 처계(妻系)를 통틀어 이르는 말.

745)삼종(三從) : 삼종지도(三從之道). 예전에 여자가 따라야 할 세 가지 도리를 이르던 말. 결혼하기 전에는 아버지를, 결혼해서는 남편을, 남편이 죽은 후에는 자식을 따라야 하였다. ≪예기≫의 의례(儀禮) <상복전(喪服傳)>; 婦人有三從之義, 無專用道 故未嫁從父, 旣嫁從夫 夫死從子.

746)삼족(三族) : 부계(父系), 모계(母系), 처계(妻系)를 통틀어 이르는 말.

아니ᄒᆞ여, ᄆᆡ양 가듕 대쇼ᄉᆞ의 야야와 형당긔 취픔ᄒᆞ여 명녕을 기다려, ᄌᆞ긔 ᄆᆞ음의 대단이 블합ᄒᆞ미 이시면 나즉이 ᄌᆞ긔 쇼견을 고ᄒᆞᆯ디언졍, 아모 일의 다ᄃᆞ라도 ᄌᆞ젼(自專)ᄒᆞᄂᆞᆫ ᄇᆡ 업고, 창후를 공경ᄒᆞ며 두려ᄒᆞ미 엄부 버금으로 ᄒᆞ여, 빈빈ᄒᆞᆫ 녜졀이 가디록 ᄉᆡ로오니, 일가 문듕이 탄복 칭션ᄒᆞ믄 니르도 말고, 졔우붕당(諸友朋黨)의 긔ᄃᆡ츄앙(期待推仰)ᄒᆞ미 칠십ᄌᆞ(七十子)[942]의 공부ᄌᆞ(孔夫子)[943]를 앙망ᄒᆞᆷ ᄀᆞᆺᄐᆞᆫ디라. 윤태뷔 ᄒᆞᆫ갓 집의 드러 존당과 냥 모친이며 부친을 봉효ᄒᆞᄂᆞᆫ 졍 【9】 셩이 동동쵹쵹(洞洞屬屬)ᄒᆞ여 츌텬대효ᄂᆞᆫ 뎨슌(帝舜)[944] 증삼(曾參)[945]을 ᄯᆞᆯ올 ᄲᆞᆫ 아니라, 거관디ᄉᆞ(居官之事)[946]의 슉덕쳥검(淑德淸儉)ᄒᆞ며 인명졀ᄃᆡᆨ(仁明切直)ᄒᆞᆷ과 화홍관대(和弘寬大)ᄒᆞ믄 당셰 일인이라. 니부텬관(吏部天官)의 거ᄒᆞ여 용인티졍(用人治政)이 공졍명달(公正明達)ᄒᆞ여 ᄆᆞ음으로 뎡(正)ᄒᆞᆫ 져울을 삼고, 눈으로ᄡᅧ ᄇᆞᆰ은 거울을 삼아 디공무ᄉᆞ(至公無事)ᄒᆞ며, 황태부 듕임을 당ᄒᆞ여 츈궁(春宮)을 돕ᄉᆞ오ᄆᆡ, 녜의인덕(禮儀仁德)으로 다ᄒᆞᆯ ᄲᆞᆫ 아니라, 그 문쟝이 금화댱니(錦畵帳裏)[947]의 근원을 가져, 공ᄌᆞ(孔子)의 츈츄

942)칠십ᄌᆞ(七十子) : 공자의 제자. 흔히 공자의 제자로 10철(哲) 72현(賢) 3000문도(門徒)를 일컫는다. 여기서 칠십자(七十子)는 72현인(賢人)을 말한다.

943)공부ᄌᆞ(孔夫子) : 공자(孔子). 중국 춘추 시대의 사상가·학자(B.C.551~B.C.479). 이름은 구(丘). 자는 중니(仲尼). 노나라 사람으로 여러 나라를 두루 돌아다니면서 인(仁)을 정치와 윤리의 이상으로 하는 도덕주의를 설파하여 덕치 정치를 강조하였다. 만년에는 교육에 전념하여 3,000여 명의 제자를 길러 내고, ≪시경≫과 ≪서경≫ 등의 중국 고전을 정리하였다. 제자들이 엮은 ≪논어≫에 그의 언행과 사상이 잘 나타나 있다

944)뎨슌(帝舜) : 순임금. 중국 고대 성군(聖君)의 한 사람으로 효자(孝子)로 추앙받는 인물.

945)증삼(曾參) : 중국 노나라의 유학자. 자는 자여(子輿). 공자의 덕행과 사상을 조술(祖述)하여 공자의 손자인 자사(子思)에게 전하였다. 후세 사람이 높여 증자(曾子)라고 일컬었으며, 저서에 ≪증자≫, ≪효경≫ 이 있다.

946)거관디ᄉᆞ(居官之事) : 관청에서 공무를 수행함.

947)금화댱니(錦畵帳裏) : '그림을 수놓은 비단 장막

으로 더브러 동년 동월 동일 동시의 난 바로, 창휘 만ᄉᆡ 흰츌ᄒᆞ고 긔특ᄒᆞ니[나], 오히려 동평후의 명셩(明聖) 단인(端仁)ᄒᆞ믈 잠간 밋지 못ᄒᆞᆫ 곳이 잇시나[니], 평휘 스ᄉᆞ로 기형에셔 나은 쳬를 아니ᄒᆞ여, ᄆᆡ양 ᄃᆡ소ᄉᆞ를 부친긔와 창후긔 취픔ᄒᆞᆫ 후, 그 명을 기다려 ᄌᆞ긔 마련의 ᄃᆡ단히 블합ᄒᆞ미 잇ᄉᆞᆫ즉, 나즉이 ᄌᆞ긔 소견을 고ᄒᆞᆯ지 【7】 언졍 ᄌᆞ젼ᄒᆞ미 업고, 창후를 공경ᄒᆞ며 두려 ᄒᆞ미 엄부 버금으로 ᄒᆞ여, 녜졀이 갈ᄉᆞ록 ᄉᆡ로오니 일가와 친쳑의 《창션‖칭션(稱善)》ᄒᆞ믄 니르도 말고, 졔우붕당(諸友朋黨)의 게[긔]ᄃᆡ츄앙(期待推仰)ᄒᆞ미 칠십ᄌᆞ(七十子)[747]의 공부ᄌᆞ(孔夫子)[748]를 앙망ᄒᆞᆷ ᄀᆞᆺ고, ᄒᆞᆫᄀᆞᆺ 집의 드러 존당과 냥 모친이며 부공을 효봉ᄒᆞᄂᆞᆫ 경셩이 동쵹(洞屬)ᄒᆞ여 츌텬ᄃᆡ회(出天大孝) 졔슌(帝舜)[749] 증ᄌᆞ(曾子)[750]를 ᄯᆞ를 ᄲᆞᆫ 아니라, 거관(居官)[751]ᄒᆞ미 슉연졀직(肅然切直)ᄒᆞ고, 니부텬관(吏部天官)의 용인치졍(用人治政)이 명달ᄒᆞ여, 마음으로 ᄡᅧ 졍ᄒᆞᆫ 져울을 삼고 눈으로ᄡᅧ ᄇᆞᆰ은 거울을 삼아, 지공무샤(至公無事)ᄒᆞ며 황ᄐᆡ부 즁임을 당ᄒᆞ여 츈궁을 돕ᄉᆞᆸ오ᄆᆡ, 녜의(禮儀)와 인덕(仁德)을 《화ᄒᆞ니‖다ᄒᆞ니》,

747)칠십ᄌᆞ(七十子) : 공자의 제자. 흔히 공자의 제자로 10철(哲) 72현(賢) 3000문도(門徒)를 일컫는다. 여기서 칠십자(七十子)는 72현인(賢人)을 말한다.

748)공부ᄌᆞ(孔夫子) : 공자(孔子). 중국 춘추 시대의 사상가·학자(B.C.551~B.C.479). 이름은 구(丘). 자는 중니(仲尼). 노나라 사람으로 여러 나라를 두루 돌아다니면서 인(仁)을 정치와 윤리의 이상으로 하는 도덕주의를 설파하여 덕치 정치를 강조하였다. 만년에는 교육에 전념하여 3,000여 명의 제자를 길러 내고, ≪시경≫과 ≪서경≫ 등의 중국 고전을 정리하였다. 제자들이 엮은 ≪논어≫에 그의 언행과 사상이 잘 나타나 있다

749)뎨슌(帝舜) : 순임금. 중국 고대 성군(聖君)의 한 사람으로 효자(孝子)로 추앙받는 인물.

750)증자(曾子) : 증삼(曾參). 중국 노나라의 유학자. 자는 자여(子輿). 공자의 덕행과 사상을 조술(祖述)하여 공자의 손자인 자사(子思)에게 전하였다. 후세 사람이 높여 증자(曾子)라고 일컬었으며, 저서에 ≪증자≫, ≪효경≫ 이 있다.

751)거관(居官) : 관청에서 공무를 수행함.

(春秋)를 디으시던 문니(文理)와, 밍ᄌᆞ(孟子)의 셩셔(聖書)를 니르시던 언변을 겸ᄒᆞ여, 츈궁을 셤기오미[믜], 【10】 군신의 삼엄(森嚴)ᄒᆞᆫ 녜를 잡는 ᄀᆞ온ᄃᆡ도, 츈궁의 ᄒᆞ시는 ᄇᆡ 희롱된 말의 다ᄃᆞ라는, 가치 아닌 말솜을 발ᄒᆞ시ᄆᆡ, 뎡ᄉᆡᆨ고 쥰절이 간ᄒᆞ여 츄호(秋毫)를 믈시(勿施)치 아니ᄒᆞ니, 츈궁이 긔ᄃᆡᄒᆞ시미 됴신으로 웃듬이오, 태부를 ᄃᆡᄒᆞ신즉 혹ᄌᆞ 환관의 무리와 희쇼ᄒᆞ미 계시다가도 개용녜경(改容禮敬)ᄒᆞ시고, 범ᄉᆞ를 삼가미 디극ᄒᆞ신디라. 일일은 태뷔 츈궁긔 뵈오라 드러가니, 틱ᄌᆡ 바야흐로 여러 환관등을 다리시고 빗 고은 ᄉᆡ를 딜드려 한가히 노르시다가, 태부의 드러 오믈 보시고 급히 ᄉᆡ를 날녀 먼니 쫏고져【11】 ᄒᆞ시나, 그 ᄉᆡ 발셔 딜드리신 ᄇᆡ라, 먼니 나라가는 일이 업고, 츈궁의 엇게 우희 나라 안ᄌᆞ시니, 태뷔 드러와 ᄉᆡ를 보고 안ᄉᆡᆨ을 뎡히 ᄒᆞ여, 태ᄌᆞ긔 고왈,

"귀인은 져런 노름과 잡된 희롱을 아니ᄒᆞᄋᆞᆸᄂᆞ니, 뎐히 비록 쇼년이시나 엇디 ᄉᆡ를 딜드리시며, 환시(宦侍) 등으로 희롱ᄒᆞ샤 톄위를 일흐시ᄂᆞ니잇고? 미신이 황명을 밧ᄌᆞ와 황태부 듕임을 당ᄒᆞᄆᆡ, 신의 미렬용우(微劣庸愚) ᄒᆞ오미 ᄒᆞᆫ 일도 츈궁을 돕ᄉᆞᆸ디 못ᄒᆞ오니, 황샹이 미더 맛디신 바를 져바리올가 슉야우구(夙夜憂懼)ᄒᆞ와 능히 일시를 방심치 못ᄒᆞᄋᆞᆸ더니, 뎐【12】히 신의 말솜을 듯디 아니시고, ᄆᆡ양 환쇼희학(歡笑戲謔)ᄒᆞ시니, 신의 어디리 돕ᄉᆞᆸ디 못 ᄒᆞᆫ 죄로소이다."

주파(奏罷)의 ᄉᆞ긔 뎡슉ᄒᆞ여 위의 구츄상셜(九秋霜雪) ᄀᆞᆺᄐᆞ니, 태ᄌᆡ 윤태부의 쥬ᄉᆞ를 드르시고 즉시 환시를 명ᄒᆞ여 ᄉᆡ를 잡아 업시 ᄒᆞ라 ᄒᆞ시고, 칭샤ᄒᆞ여 ᄀᆞᆯ오샤ᄃᆡ,

"과인(寡人)이 브ᄌᆡ박덕(不才薄德)으로 상부(相府)의 디극히 교훈ᄒᆞ믈 바드ᄃᆡ, 능히

안'이란 말로, 관리들이 국정을 논의하는 관청을 이르는 말. 여기서는 관각(館閣)을 말함. *관각(館閣); 조선 시대에, 홍문관·예문관·규장각을 통틀어 이르던 말.

허믈을 면치 못ᄒᆞ여, 상부로 ᄒᆞ여금 ᄆᆡ양 범ᄉᆞ를 뎡도로 교훈ᄒᆞ여 권유ᄒᆞᄂᆞᆫ 슈고로오미 잇게 ᄒᆞ니, 참안ᄒᆞ미 극ᄒᆞᆫ디라. 브졀업시 비됴를 희롱ᄒᆞ여 일시 우음으로 울뎍ᄒᆞ믈 소【13】회코져 ᄒᆞ미러니, 상부의 말ᄉᆞᆷ이 이 ᄀᆞᆺᄐᆞ시니, 과인의 허믈을 ᄭᆡᄃᆞᆺᄂᆞᆫ디라. ᄉᆞ를 업시 ᄒᆞ고 만ᄉᆞ를 상부의 가ᄅᆞ치믈 밧들니이다."

태뷔 츈궁의 디인춍명(至仁聰明)ᄒᆞ샤미 타일 대위(大位)에 나아가신즉, 셩쥬(聖主) 되실 줄 알오ᄃᆡ, 오히려 년쇼 과급(過急)ᄒᆞ신 일이 만ᄒᆞᆫ디라. ᄆᆡ양 관인ᄒᆞ시믈 권간(勸諫)ᄒᆞ고, 요순우탕(堯舜禹湯)948)의 덕으로 쥬ᄒᆞ고, 황샹긔라도 올ᄒᆞᆫ 일을 알외며, 그른 일을 ᄉᆡᆼ각ᄒᆞ신즉 크게 가치 아니믈 간ᄒᆞ니, 이 ᄒᆞᆫ갓 면졀졍ᄌᆡᆼ面折廷爭)949)이 보과습유(補過拾遺)의 명신(名臣)일 ᄲᅮᆫ 아니라, 관일뎡튱(貫一貞忠)과 현셩디덕(賢聖之德)이 쥬공(周公)950)의 후를 니으【14】니, 샹통의 늉늉ᄒᆞ시믄 날노 더으며 시(時)로 ᄉᆡ롭고, 만됴문뮈(滿朝文武) 탄복공경ᄒᆞ여, 국가의 니음양(理陰陽) 슌ᄉᆞ시(順四時)ᄒᆞᆯ ᄌᆡ상은 윤효문 밧긔 나디 아니타 ᄒᆞᄂᆞᆫ디라. 이러므로 황샹이 윤효문을 됴회의 칼흘 ᄎᆞ고 뎐의 오르게 ᄒᆞ시니, 가히 그 위인을 알 ᄇᆡ로ᄃᆡ, 윤니뷔 조심이 익익ᄒᆞ며 공근겸퇴(恭謹謙退)ᄒᆞ미 졈졈 더ᄒᆞ여, 교긍(驕矜)ᄒᆞᆫ 빗출 힝혀도 낫타ᄂᆡ디 아니코, 쥬공(周公)의 '일반(一飯)의 삼토포(三吐哺)와 일목(一沐)의 삼악발(三握髮)'951) ᄒᆞ시던 덕을 효측ᄒᆞ

948)요순우탕(堯舜禹湯) : 고대 중국의 성군(聖君)으로 일컬어지는 요임금과 순임금, 하(夏)의 우(禹)임금, 은(殷)의 탕(湯)임금을 함께 이르는 말.

949)면절정징(面折廷爭) : 임금의 면전에서 허물을 기탄없이 직간하고 쟁론함.

950)듀공(周公) : 중국 주나라의 정치가. 문왕의 아들로 성은 희(姬). 이름은 단(旦). 형인 무왕을 도와 은나라를 멸하였고, 주나라의 기초를 튼튼히 하였다. 예악 제도(禮樂制度)를 정비하였으며, ≪주례(周禮)≫를 지었다고 알려져 있다.

951)일반삼토포(一飯三吐哺)일목삼악발(一沐三握髮) : 중국 주나라 주공이 민심을 수렴하고 정무를 보살피기에 잠시도 편안함이 없음을 이르는 말로, 한 번 식사할 때에 세 차례나 먹던 것을 뱉고 손님을

상총이 늉늉ᄒᆞ고 만죄 탄복긔경(歎服起敬)ᄒᆞ여, 국가의 니음양슌ᄉᆞ시(理陰陽順四時)752) ᄒᆞᆯ ᄌᆡ상은 윤효문 밧긔 나지 아니리라 ᄒᆞ니, 니러므로 황상【8】이 윤ᄐᆡ부ᄂᆞᆫ 조회의 《칼ᄎᆞ지 ‖ 칼흘 그르지》 아니코 드러오게 ᄒᆞ니, 가히 그 위인을 알거시로ᄃᆡ, ᄐᆡ뷔 소심(小心) 익익(翊翊)ᄒᆞ여 공은[근]겸퇴(恭謹謙退)ᄒᆞ여, 교우[오](驕傲) ᄌᆞ즁(自重)ᄒᆞᆫ 빗출 힝여도 낫터[타]ᄂᆡ미 업고, 쥬공(周公)753)의 '일반(一飯)의 삼토포(三吐哺)와 《일발 ‖ 일목(一沐)》의 삼악발(三握髮)'754)ᄒᆞ던 덕을 효칙ᄒᆞ며,

752)니음양순사시(理陰陽順四時) : 음양(陰陽)을 바르게 하고 사계절(四季節)의 흐름을 순조롭게 함.

753)주공(周公) : 중국 주나라의 정치가. 문왕의 아들로 성은 희(姬). 이름은 단(旦). 형인 무왕을 도와 은나라를 멸하였고 어린 조카 성왕(成王)을 섭정하여 주나라의 기초를 튼튼히 하였다. 예악 제도(禮樂制度)를 정비하였으며, ≪주례(周禮)≫를 지었다고 알려져 있다

754)일반삼토포(一飯三吐哺)일목삼악발(一沐三握髮) : 중국 주나라 주공이 민심을 수렴하고 정무를 보살피기에 잠시도 편안함이 없음을 이르는 말로, 한 번 식사할 때에 세 차례나 먹던 것을 뱉고 손님을 영접하였고 또, 한번 목욕할 때에 세 차례나 감고

여, 텬하 현ᄉᆞ를 ᄃᆡ졉ᄒᆞᄂᆞᆫ 현심(賢心)이 흡연ᄒᆞ여 '믈이 동(東)으로 흐름'[952] ᄀᆞᆺ튼디라.

효문공이 평ᄉᆡᆼ 튱효【15】우ᄋᆡ를 크게 넉이ᄂᆞᆫ ᄆᆞᄋᆞᆷ으로, 그 양ᄆᆡ(兩妹) 경ᄋᆞ의 신셰 고초(苦楚)ᄒᆞ며 명되(命途) 박ᄒᆞ여, 셕가 후졍(後庭)의 ᄒᆞᆫ낫 죄쉬 되여 머리를 ᄂᆡ와다 텬일을 보디 못ᄒᆞ믈 듯고, 날마다 셕부의 왕ᄂᆡᄒᆞ여 ᄆᆡ져의 의식거쳐(衣食居處)를 다 보슬펴 범ᄉᆞ를 념녀ᄒᆞ미 ᄌᆞ긔 몸의셔 더 ᄒᆞᆫ디라. 경ᄋᆡ 쳐음은 악악ᄒᆞᆫ 심졍을 곳치디 못ᄒᆞ여 동평후를 믜워 ᄒᆞᄂᆞᆫ 의ᄉᆡ 업디 아니코, 그 잘 되여 가믈 더옥 싀긔ᄒᆞ며 통완ᄒᆞ더니, 졈졈 여러 셰월이 되ᄆᆡ 동평휘 디셩으로 감화ᄒᆞᄆᆡ, 싀호(豺虎)의 모질기와 ᄉᆞ독(蛇毒)의 ᄆᆞᄋᆞᆷ으로도 평후의 디인디덕(至仁至德)과 긔특ᄒᆞᆫ 우【16】ᄌᆞ(友慈)를 감동ᄒᆞ여, 젼과를 뉘웃쳐 어딘 ᄆᆞᄋᆞᆷ을 발ᄒᆞ여, 평일 ᄉᆞ오납던 ᄇᆡ, 다르니를 ᄒᆡ치 아냐 졔 몸을 극딘히 ᄒᆡᄒᆞ여시믈 아라 후회ᄒᆞ니, 니뷔 ᄆᆡ져의 ᄭᆡ다르믈 보고 ᄒᆡᆼ희(幸喜)ᄒᆞ믈 니긔디 못ᄒᆞ여, 녕능공을 보고 죵용ᄒᆞᆫ ᄯᆡ를 타 ᄆᆡ져의 개과ᄒᆞ믈 니르고, 그 박졍참잔(薄情慘殘)ᄒᆞᆫ 신셰를 고렴ᄒᆞ믈 쳥ᄒᆞ니, 말ᄉᆞᆷ이 간졀ᄒᆞ여 셕목을 요동ᄒᆞ며 ᄉᆡᆼ텰(生鐵)을 녹일 듯ᄒᆞ여 어딘 거동이 사ᄅᆞᆷ으로 ᄒᆞ여금 탄복감열(歎服感悅)ᄒᆞᆯ ᄇᆡ라. 녕능공이 크게 감동ᄒᆞ여 탄식고 니르ᄃᆡ,

"초의 내 ᄉᆞ빈의 ᄆᆡ뷔(妹夫) 되여 존부 동상을 참【17】예ᄒᆞ니, 악당의 관인(寬仁)ᄒᆞ심과 ᄉᆞ빈 등의 긔특ᄒᆞ미 실노 사ᄅᆞᆷ의 칭복ᄒᆞᆯ ᄇᆡ라. 녕ᄆᆡ로ᄡᅥ 일분이나 악당의 어딜믈 달맛ᄂᆞᆫ가 ᄒᆞ더니, 밋 그 ᄒᆡᆼ실을 보니 은악양션(隱惡佯善)이 극딘ᄒᆞᆫ디라. 경이 셧긔

영접하였고 또, 한번 목욕할 때에 세 차례나 감고 있던 머리를 거머쥐고 나와 손님을 맞았던 고사를 말함.

952)믈이 동(東)으로 흐름 : 중국의 하천은 대부분 서쪽에서 발원하여 동쪽으로 흐른다. 즉 서쪽은 높고 동쪽은 낮아 '물이 동(東)으로 흐르는 것'은 지극히 자연스러운 일이다. 여기서 '물이 동으로 흐름'은 민심이 절로 한 사람에게 쏠리고 있음'을 나타낸 말이다.

평ᄉᆡᆼ 츙효 우ᄋᆡ를 크게 넉이ᄂᆞᆫ 마음으로ᄡᅧ, 그 냥ᄆᆡ(養妹) 경ᄋᆡ 명되(命途) 박ᄒᆞ여, 셕부 후졍의 한낫[755] 죄슈 되여 머리를 ᄂᆡ와다 텬일을 보지 못ᄒᆞ니, 그 신셰를 슬허 날마다 셕부의 왕ᄂᆡᄒᆞ여, 져져의 의식거쳐(衣食居處)를 보살피며 범ᄉᆞ를 념녀ᄒᆞ미 지극ᄒᆞ니, 경ᄋᆡ 쳐음은 악악ᄒᆞᆫ 심졍의 평후의 이 ᄀᆞᆺ튼 지셩을 보ᄃᆡ 회심ᄒᆞ미 업더니, 졈졈 오ᄅᆡᄃᆡ 평휘의 졍셩이 갈ᄉᆞ록 지극ᄒᆞ믈 보ᄆᆡ, 도로혀 이상히 넉여 ᄌᆞ긔 젼후 악ᄉᆞ를 ᄉᆡᆼ각ᄒᆞ니, 비록 터럭【9】을 ᄲᆡ혀도 속지 못ᄒᆞᆯ지라. 홀연 슬픈 마음이 동ᄒᆞ여 평후의 금포(錦袍) ᄉᆞᄆᆡ를 붓들고 ᄌᆞ긔 악ᄉᆞ를 니르며, 비록 죽고ᄌᆞ ᄒᆞ나 ᄎᆞᆷ아 존당 부모의 과상ᄒᆞ시믈 ᄉᆡᆼ각ᄒᆞ니, 불효를 더으지 못ᄒᆞ리로다. 셜파의 누쉬여우(淚水如雨)ᄒᆞ니, 평휘 ᄆᆡ져의 거동을 보ᄆᆡ 회션기악(回善棄惡)ᄒᆞ미 젹실ᄒᆞᆫ지라. 심즁의 깃부믈 니긔지 못ᄒᆞ여 화셩유어(和聲柔語)로 위로ᄒᆞ고, 이에 외당에 나와 셕공을 보고 ᄆᆡ져의 회과ᄒᆞ믈 니르고, 그 젹막참잔(寂寞慘殘)ᄒᆞᆫ 신셰를 고렴ᄒᆞ믈 쳥ᄒᆞ니, 말ᄉᆞᆷ이 간졀ᄒᆞ여 셕목이 요동ᄒᆞ며 ᄉᆡᆼ쳘(生鐵)이 녹을지라. 영능휘 크게 감동ᄒᆞ여 타루 왈,

"초의 ᄂᆡ ᄉᆞ빈의 져뷔(姐夫)되여 윤부 동상의 참녜ᄒᆞ니, 악장의 인현(仁賢)ᄒᆞ심과 ᄉᆞ빈 등의 특츌 비범ᄒᆞ미 실노【10】ᄉᆞᄅᆞᆷ의 칭복ᄒᆞᆯ ᄇᆡ라. 녕ᄆᆡ 일분이나 악장의 어지시믈 달무미 잇던가 ᄒᆞ엿더니, 졈졈ᄒᆞ여 그 ᄒᆡᆼᄉᆞ를 본즉 은악양션(隱惡佯善)이 지극ᄒᆞᆫ지라. 경이 셧기고[756] 의ᄉᆡ ᄂᆡ도ᄒᆞ여, 등과(登科) 후 오씨를 ᄌᆡ취ᄒᆞ여 녕ᄆᆡ로ᄡᅧ 다시 부부뉸의를 ᄉᆡᆼ각지 아냣더니, 요ᄆᆡ(妖魅)로

있던 머리를 거머쥐고 나와 손님을 맞았던 고사를 말함.

755)한낫 : 한낱. 기껏해야. 대단한 것 없이 다만.

756)셧기다 : 성기다. 성글다. ①관계가 깊지 않고 서먹하다. ②물건의 사이가 뜨다.

고953) 의ᄉᆡ ᄂᆡ도ᄒᆞ여, 그 후 오시를 ᄌᆡ취ᄒᆞ여 녕ᄆᆡ를 다시 보고져 의ᄉᆞ를 ᄉᆡᆼ각디 아냣더니, 요괴로온 약이 댱부(臟腑)의 드러 심간을 어리워954), 홀연 녕ᄆᆡ를 다려 오고져 뜻이 이시므로, 브졀업시 내 집의 닐위엿다가 ᄌᆞ식을 다 죽일 번ᄒᆞ니, 그 요악ᄒᆞ믈 졀졀이 ᄉᆡᆼ각ᄒᆞᆯ딘ᄃᆡ 어이 일시나 후졍 심쳐를 빌녀 머므르리오마ᄂᆞᆫ, 악【18】댱의 날 ᄉᆞ랑ᄒᆞ시던 은혜를 ᄉᆡᆼ각ᄒᆞᄆᆡ 감격ᄒᆞ여, 오시의 모ᄌᆡ 죽디 아녓ᄂᆞᆫ 고로 녕ᄆᆡ를 ᄃᆡ살(代殺)치 아니ᄒᆞ고, 내 얼골을 ᄃᆡᄒᆞ여 요란이 즐욕ᄒᆞᆫ 일도 업더니, 이제 녕ᄆᆡ 개과쳔션ᄒᆞ고 ᄉᆞ빈의 말이 이러ᄒᆞ니, 내 심졍이 굿디 못ᄒᆞ니 실노 젼과를 ᄌᆞ칙ᄒᆞᆫ즉, 이 또 만ᄒᆡᆼ(萬幸)이라. 낸들 엇디 허루히 ᄃᆡ졉ᄒᆞ리오. ᄉᆞ빈은 블민ᄒᆞᆫ 누의를 위ᄒᆞ여 하 심녀를 허비치 말나."

태뷔 쳑연 ᄉᆞ샤 왈,

"현형이 ᄆᆡ져의 슬픈 신셰를 도라보아 관인대도(寬仁大度)를 힘쁠딘ᄃᆡ, 쇼뎨의 감은ᄒᆞ미 '디하(地下)의 구술을 먹음고 플 ᄆᆡᆺ기를 긔약ᄒᆞ리니'955)【19】개과쳔선은 셩인의 허ᄒᆞ신 ᄇᆡ라. '사ᄅᆞᆷ이 허믈 업ᄉᆞ미 젹다' ᄒᆞ니[고], '과실이 이시나 곳치미 귀(貴)타' ᄒᆞ니, 쇼뎨의 바라믈 굿디 마르쇼셔."

녕능공이 ᄃᆡ답ᄒᆞ여 슌슌이 허락ᄒᆞ고, 윤태부의 니르ᄂᆞᆫ 쇼유(所由)를 부모긔 고ᄒᆞ고, 후원의 가 윤시를 청ᄒᆞ여 오부인과 마즌 당의 머므르고 ᄃᆡ졉ᄒᆞᄂᆞᆫ 도리 관후ᄒᆞ니, 윤시의 즐거오미 ᄉᆡᆼᄂᆡ의 쳐음인 ᄃᆞᆺ ᄒᆞ더라. 셕츄밀 부뷔 ᄋᆞᄌᆞ의 긔량(器量)을 아름다이 넉이며, 윤시 개과ᄒᆞ믈 깃거 ᄒᆞ여 녜ᄉᆞ ᄌᆞ부ᄀᆞᆺ치 ᄒᆞ고, 오시ᄂᆞᆫ 어딘 녀ᄌᆡ라, 구한(舊

953)셧긔다 : 성기다. 성글다. ①관계가 깊지 않고 서먹하다. ②물건의 사이가 뜨다.
954)어리우다 : 홀리다. 미혹되게 하다. 혹하게 하다.
955)'디하(地下)의 구술을 먹음고 플 ᄆᆡᆺ기를 긔약ᄒᆞ리니' : '함호결초(含琥結草)'를 풀어쓴 말. 즉 죽은 뒤에도 은혜를 잊지 않고 갚겠다는 말. *함호(含琥); =반함(飯含). 상례(喪禮)에서 염습할 때에 죽은 이의 입에 쌀이나 구슬을 물리는 것. *결초(結草); 결초보은(結草報恩).

온 약이 장부의 심간(心肝)을 어리여757) 홀연 녕ᄆᆡ를 다려 오고ᄌᆞ 시분지라. 부졀업시 ᄂᆡ 집의 닐위여다가 ᄌᆞ녀를 죽일 번ᄒᆞ니, 그 요악(妖惡)을 ᄉᆡᆼ각ᄒᆞᆯ진ᄃᆡ 엇지 일시나 후졍 심쳐를 빌녀 머믈게 ᄒᆞ리오마ᄂᆞᆫ, 악장이 날 ᄉᆞ랑ᄒᆞ신 후를 감격ᄒᆞ며, 오씨 모녜 죽지 아낫ᄂᆞᆫ 고로 녕ᄆᆡ를 ᄃᆡ살(代殺)치 아니코, 그 얼골을 ᄃᆡᄒᆞ여 요란히 즐욕ᄒᆞᆷ도 업더니, 이졔 녕져의 ᄀᆡ과쳔션ᄒᆞ믈 듯고, ᄉᆞ빈의【11】청ᄒᆞ미 니러ᄐᆞᆺ 간졀ᄒᆞ니, ᄂᆡ 심졍이 굿지 못ᄒᆞ고 피ᄎᆡ(彼此) 치발(齒髮)이 ᄎᆡ 길치 못ᄒᆞ여셔, 뉵녜(六禮)를 구ᄒᆡᆼᄒᆞ여 마진758) 바를 혜아려, 져를 무ᄉᆞ평ᄉᆡᆼ[ᄉᆞᆼ](無事平常)이 ᄃᆡ졉ᄒᆞ여 두리니, ᄉᆞ빈을[은] 불인ᄒᆞᆫ 누의를 위ᄒᆞ여 심녀를 너모 허비치 말나."

ᄐᆡ뷔 셕연(釋然)759) ᄉᆞ샤 왈,

"현형의 져져의 슬픈 신셰를 도라보아 관인ᄃᆡ도(寬仁大度)ᄒᆞ믈 힘쓸진ᄃᆡ, 소뎨의 감은ᄒᆞ미 '디하(地下)의 구슬을 먹음고 풀을 ᄆᆡᆺᄌᆞ믈 긔약ᄒᆞᆯ지라'760). ᄀᆡ과쳔션은 셩교의 허ᄒᆞ신 ᄇᆡ니, ᄉᆞᄅᆞᆷ이 허믈이 업ᄉᆞᆫ즉 셩인이라. 져졔 초년의 소소과실이 잇시나, 이졔 졍도의 나아가시니 현형은 소뎨의 ᄇᆞ라ᄂᆞᆫ 마ᄋᆞᆷ을 져바리지 마르소셔."

영능휘 슌슌이 허락ᄒᆞ고 졍녕이 ᄃᆡ답ᄒᆞ더라. 윤ᄐᆡ뷔 도라간 후【12】이 소유를 부모긔 고ᄒᆞ고, 윤씨를 ᄉᆞᄒᆞ여 오부인과 마즌당에 쳐ᄒᆞ게 ᄒᆞ고 관인(寬仁)이 ᄃᆡ졉ᄒᆞ니, 경ᄋᆞ의 즐거오미 ᄉᆡᆼᄂᆡ의 쳐음인 ᄃᆞᆺᄒᆞ고, ○ [셕]츄밀 부뷔 아ᄌᆞ의 지[긔]량(器量)을 아

757)어리다 : 홀리다. 미혹되게 하다. 혹하게 하다.
758)맞다 : 오는 사람이나 물건을 예의로 받아들이다.
759)석연(釋然) : 석연(釋然)히. 의혹이나 꺼림칙한 마음이 없이 환하게
760)'디하(地下)의 구슬을 먹음고 플 ᄆᆡᆺᄌᆞ믈 긔약ᄒᆞᆯ지라' : '함호결초(含琥結草)'를 풀어쓴 말. 즉 죽은 뒤에도 은혜를 잊지 않고 갚겠다는 말. *함호(含琥); =반함(飯含). 상례(喪禮)에서 염습할 때에 죽은 이의 입에 쌀이나 구슬을 물리는 것. *결초(結草); 결초보은(結草報恩).

恨)을 졔긔치 아니코 화우ᄒᆞᄂᆞᆫ 덕을 힘쓰니, 윤시 일홈이 【20】 녕능공의 원비나, 당당○[ᄒᆞᆫ] 셰권은 능히 오시를 밋출 길히 업ᄂᆞᆫ디라. 오시 비록 후의 드러 오미 이시나, 몬져 여러 ᄌᆞ녀를 ᄉᆡᆼ산ᄒᆞ고 어질미 슉완(淑婉)이라. 엇디 사ᄅᆞᆷ의 요악간ᄉᆞᄒᆞᆷ ᄀᆞᆺᄐᆞ리오. ᄒᆞ믈며 녕능공이 듕궤ᄂᆞᆫ 오시긔 도라보니여 윤시ᄂᆞᆫ ᄒᆞᆫ낫 부실 ᄀᆞᆺᄐᆞ니, ᄌᆞ연 태산 ᄀᆞᆺᄐᆞᆫ 형셰ᄂᆞᆫ 오시 윤시의게 ᄇᆡᆨᄇᆡ승(百倍勝)이로ᄃᆡ, 윤시 다시 ᄒᆡ홀 의ᄉᆞ를 두디 아냐 범ᄉᆞ의 삼가고 조심ᄒᆞ니, 녕능공이 윤태부의 어딘 덕이 ᄌᆞ연ᄒᆞᆫ ᄀᆞ온ᄃᆡ 그 ᄆᆡ져의 극악ᄒᆞ믈 감화ᄒᆞ여, 어딘 사ᄅᆞᆷ 되게 ᄒᆞ믈 딘실노 긔특이 넉이고, 윤시의 개과천【21】션ᄒᆞ믈 감동ᄒᆞ여 ᄯᅩᄒᆞᆫ 부부뉸의를 폐치 아니니, ᄐᆡ신의 경ᄉᆡ 잇ᄂᆞᆫ디라. 셕츄밀 부뷔 깃거 ᄒᆞ고 녕능공이 ᄌᆞ녀 ᄉᆞ랑이 극ᄒᆞᆫ 고로, 윤시 유ᄐᆡ(有胎)ᄒᆞᄆᆡ 남녀간 골육이 그 모친의 얼골만 담고 심디(心志)ᄂᆞᆫ 담디 말기를 기ᄃᆞ리더라.

본부의셔 위태부인이 뉴부인으로 녕능공이 경ᄋᆞ로 회합(會合)ᄒᆞ여 태휘(胎候) 이시믈 만심 환희ᄒᆞ여, 다려다가 조손 모녀 슉딜 형뎨 반길ᄉᆡ, 경ᄋᆡ 본부의 왕ᄂᆡ치 아년디 누년만의 비로소 모드ᄆᆡ 반기ᄂᆞᆫ 졍이 황홀ᄒᆞ고, 슬픈 심ᄉᆡ 썩거지ᄂᆞᆫ ᄃᆞᆺᄒᆞ여 절절이 젼과를 뉘웃고 ᄋᆡ돌와 ᄒᆞᄂᆞᆫ디라. 호람휘 비로소 부녀【22】의 ᄌᆞᄋᆡ를 다ᄒᆞ여, 경ᄋᆞ를 쳔만 경계ᄒᆞ여 녀힝과 부도를 삼가라 ᄒᆞ고, 경ᄋᆡ 뎡·딘·하·댱 등을 보고 참괴ᄒᆞ미 극ᄒᆞᄃᆡ, 슉녈노브터 딘·하·댱 등이 일호(一毫) 셕한(昔恨)을 픔디 아냐, 면면이 반기ᄂᆞᆫ 빗출 씌여 죵용이 졍회를 펴니, 골육동긔를 ᄯᅥ낫다가 만남 ᄀᆞᆺᄐᆞ니, 경ᄋᆡ 더옥 감샤ᄒᆞ고 참안(慚顔)ᄒᆞ여 능히 젼일 교긔(驕氣)를 브리디 못ᄒᆞ더라.

ᄎᆞ시 우쇼졔 곳다온 년이 십ᄉᆞ의 밋ᄎᆞᄆᆡ 슉ᄌᆞ아딜(淑姿雅質)과 텬향국ᄉᆡᆨ(天香國色)이 ᄀᆞᆺ초 초츌ᄒᆞ여, 셜부옥골(雪膚玉骨)이오 뉴

름다이 넉이고, 윤씨의 ᄀᆡ과쳔션ᄒᆞ믈 깃거거ᄂᆞ리믈 오씨와 ᄀᆞᆺ치ᄒᆞ니, 오씨 ᄯᅩᄒᆞᆫ 구한을 졔긔치 아니코 화우ᄒᆞᄂᆞᆫ 덕을 힘쓰니, 윤씨 비록 영능후의 원비나 당당ᄒᆞᆫ 셰권은 능히 오씨를 밋지 못ᄒᆞ고, 오씨 비록 후에 드러 오미 잇시나 일즉 ᄌᆞ녀를 몬져 ᄉᆡᆼ산ᄒᆞ고, 텬셩이 인ᄌᆞᄒᆞ여 향규(香閨)의 슉완(淑婉)이라. 엇지 윤씨 경ᄋᆞ의 요악ᄒᆞᆷ ᄀᆞᆺᄐᆞ리오. 허믈며 영능휘 즁궤를 오씨에게 도라보니여, 경ᄋᆞᄂᆞᆫ ᄒᆞᆫ낫 부빈 ᄀᆞᆺᄒᆞ니, ᄌᆞ연이 ᄐᆡ산 ᄀᆞᆺᄐᆞᆫ 형셰ᄂᆞᆫ 경ᄋᆞ의게 ᄇᆡᆨᄇᆡ승(百倍勝)이로ᄃᆡ, 【13】 윤씨 다시 ᄒᆡ홀 의ᄉᆞ를 두지 아냐 범ᄉᆞ의 삼가고 조심ᄒᆞ니, 영능휘 윤 ᄐᆡ부의 어진 덕이 ᄌᆞ연ᄒᆞᆫ 즁의 그 ᄆᆡ져의 극악을 감화ᄒᆞ여, 어진 ᄉᆞᄅᆞᆷ이 되게 ᄒᆞ믈 진실노 긔특이 넉이고, 윤씨의 ᄀᆡ과쳔션ᄒᆞ믈 감동ᄒᆞ여, ᄯᅩᄒᆞᆫ 부부지의를 폐치 아니니 ᄐᆡ신의 경ᄉᆡ 잇ᄂᆞᆫ지라. 셕츄밀 부뷔 깃거 ᄒᆞ고 영능휘 ᄌᆞ녀 ᄉᆞ랑은 극ᄒᆞᆫ 고로, 경ᄋᆡ 유ᄐᆡ(有胎)ᄒᆞᄆᆡ, 남녀간 골육이 그 모친의 얼골만 담고 심긔ᄂᆞᆫ 담지 말고 나믈 바라더라.

본부에셔 위태부인과 뉴부인이 영능휘 경아로 화합ᄒᆞ여 유ᄐᆡ○○[ᄒᆞ믈] 만심 환열ᄒᆞ여, 즉시 다려다가 조손 모녀 슉딜 형뎨 반길ᄉᆡ, 경ᄋᆡ 친졍의 왕ᄂᆡ 아니ᄒᆞᆫ 지 누년만의 비로소 모드ᄆᆡ 반기ᄂᆞᆫ 졍이 황홀ᄒᆞ고 슬푼 【14】 심ᄉᆡ 썩거지ᄂᆞᆫ ᄃᆞᆺᄒᆞ여, 절절이 젼과를 뉘웃고 ᄋᆡ돌와 ᄒᆞᄂᆞᆫ지라. 호람휘 비로소 부녀의 졍을 다ᄒᆞ여, 경ᄋᆡ를 쳔만 경계ᄒᆞ여 녀힝과 부도를 삼가게 ᄒᆞ고, 경ᄋᆡ 뎡·딘·하·장으로 셔로 보ᄆᆡ 참괴ᄒᆞᄆᆡ 극ᄒᆞᄃᆡ, 뎡·딘·하·장 등은 조곰도 옛 한(恨)을 두지 아냐, 면면이 반기ᄂᆞᆫ 빗출 씌여 죵용이 졍회를 펴 골육동긔 ᄀᆞᆺ치 ᄒᆞ니, 경ᄋᆡ 더욱 감샤ᄒᆞ여 능히 젼일 교긔(驕氣)를 부리지 못ᄒᆞ더라.

ᄎᆞ시 우소졔 곳다온 나히 십ᄉᆞ의 밋ᄎᆞᄆᆡ 슉ᄌᆞ아질(淑姿雅質)과 텬향국ᄉᆡᆨ(天香國色)이 갓초 초츌ᄒᆞ여, 셜부옥골(雪膚玉骨)이오 뉴

미셩안(柳眉聖顔)이며, 월익화싀(月額花顋)오 단슌호치(丹脣皓齒)라. 용안(容顔)의 빙졍슈려(氷晶秀麗)ᄒᆞ미 임의 신명ᄒᆞᆫ 됴【23】ᄒᆞᆫ 픔격을 가져, 일만 염광(艶光)을 모도와 찬난ᄒᆞ미 《위 ‖ 됴(趙)》 혜왕(惠王)[956]의 됴승디쥐(趙城之珠)[957] 현요(眩耀)ᄒᆞᆫ ᄃᆞᆺ, 셩졍이 온슌ᄒᆞ며 그 부힝(婦行)이 졍졍(貞靜)ᄒᆞ여 녀공디ᄉᆞ(女工之事)와 방뎍디ᄌᆡ(紡績之才)의 슈션(繡線)이 긔이치 아닌 곳이 업고, ᄌᆞ질이 비상ᄒᆞ여 ᄒᆞᆨ문과 필법이 노ᄉᆞ슉유(老士宿儒)를 압두ᄒᆞ고, 덕되(德度) 빈빈(彬彬)ᄒᆞ여 임사(姙似)[958] 마등(馬鄧)[959]의 어딜믈 ᄯᆞ로고, 춍명이 여신(如神)ᄒᆞ여 ᄒᆞᆫ 번 귀예 드른 바ᄂᆞᆫ 능히 닛기를 공부ᄒᆞ여도 닛디 못ᄒᆞ고, 셔ᄉᆞ(書史) 고뎍(古蹟)이 눈의 디나치면 다 가ᄉᆞᆷ의 담기ᄂᆞᆫ 빅되나, 스ᄉᆞ로 ᄌᆡ조 잇ᄂᆞᆫ 쳬를 아냐, 고요 나족ᄒᆞ여 단믁침뎡(端默沈靜)ᄒᆞ미 유유도ᄌᆞ(有儒道者)의 틀이 이시니, 조부인이 ᄉᆞ랑ᄒᆞ믈 장듕보옥(掌中寶玉)ᄀᆞᆺ【24】치 ᄒᆞ고, 창후 형뎨 우ᄋᆡᄒᆞ믈 골육남ᄆᆡ(骨肉男妹) 아니믈 �ᅵᄃᆞᆺ디 못ᄒᆞᄂᆞᆫ디라.

우쳐ᄉᆞ 셥과 우상셔 염이 일ᄆᆡ ᄋᆡ듕ᄒᆞᄂᆞᆫ 졍이 박ᄒᆞ미 아니로ᄃᆡ, 남창후의 은혜를 감격ᄒᆞ여[고] 조부인의 쇼ᄆᆡ ᄉᆞ랑ᄒᆞᄂᆞᆫ 졍을 베우디[960] 못ᄒᆞ여, 우쳐사와 우상셰 다 옥

956)됴혜왕(趙惠王) : 중국 춘추시대 조(趙)나라의 왕. 조나라 왕으로서 당시 중국에 전래되던 유명한 보석 화씨벽(和氏璧)을 빼앗아 손에 넣은 일로 인하여 화씨지벽(和氏之璧), 연성지벽(連城之璧), 조성지주(造成之珠) 등의 고사와 함께 널리 이름이 전해지고 있다.

957)됴승지듀(趙城之珠) : 조(趙)나라에 있는 구슬이라는 뜻으로 화씨지벽(和氏之璧)을 이르는 말. 연성지벽(連城之璧)과 같은 구슬을 말하고 있으나 그것을 갖고자 하고 아끼는 주체가 진(秦)나라 소양왕(昭襄王)과 조나라 혜문왕(惠文王)이라는 사실이 다르다.

958)님ᄉᆞ(姙似) : 중국 주(周)나라 현모양처(賢母良妻)인 문왕의 어머니 태임(太姙)과 무왕(武王)의 어머니 태사(太姒)를 함께 일컫는 말.

959)마등(馬鄧) : 중국 동한(東漢) 명제(明帝)의 후비 마후(馬后)와 동한(東漢) 화제(和帝)의 후비(后妃) 등후(鄧后)를 함께 이르는 말. 둘 다 후궁 가운데 덕이 높았다.

960)베우다 : 베다. 날이 있는 연장 따위로 무엇을

미셩안(柳眉聖顔)이며, 월익화싀(月額花顋)오 단슌호치(丹脣皓齒)라. 용모의 슈려ᄒᆞ미 임의 조ᄒᆞᆫ 픔격을 가져 일만념광(一萬艶光)이 찬란ᄒᆞ여 '위왕(魏王)의 십이쥬(十二珠)'[761]를 불워 아닐【15】지라. 셩졍이 온슌○○[ᄒᆞ며] ᄌᆡ질이 비상ᄒᆞ여, 《한묵 ‖ ᄒᆞᆨ문》과 필법이 노ᄉᆞ슉유(老士宿儒)를 압두ᄒᆞ며, 춍명이 신긔ᄒᆞ여 ᄒᆞᆫ 번 귀의 드른 바를 잇지 아니ᄒᆞᄂᆞᆫ 고로, 조부인이 ᄉᆞ랑ᄒᆞ믈 장즁보옥(掌中寶玉)ᄀᆞᆺ치 ᄒᆞ고, 창후 형뎨 우ᄋᆡᄒᆞ미 골육남ᄆᆡ 아니믈 ᄭᆡᄃᆞᆺ지 못ᄒᆞᄂᆞᆫ지라.

쳐ᄉᆞ 우셥과 상셔 협이 졍이 박ᄒᆞ미 아니로ᄃᆡ, 창후의 은혜를 감격ᄒᆞ며 조부인의 소ᄆᆡ ᄉᆞ랑ᄒᆞᄂᆞᆫ 졍을 버히지 못ᄒᆞ여, 옥화산 조부 근쳐의 가ᄉᆞ를 졍ᄒᆞ여 잇고, 다시 두쥐로 갈 의ᄉᆞ를 아니ᄒᆞᄃᆡ, 소ᄆᆡ를 옥화산으로 다려 가지 못ᄒᆞ여 윤부의 두엇ᄂᆞᆫ지라. 우협이 환쇄(還刷)ᄒᆞ여 운남으로셔 올나온 후, 작직이 졈졈 쳥고ᄒᆞ여 뉵경(六卿)의 잇고, 물망(物望)이 ᄉᆞ셔(士庶)의 닐ᄏᆞᆺᄂᆞᆫ 빅되엿시니,【16】일ᄆᆡ(一妹)를 위ᄒᆞ여 옥인군자를 갈히ᄂᆞᆫ 눈이 ᄐᆡ악 ᄀᆞᆺᄐᆞᆫ 고로, 소ᄆᆡ와 상젹ᄒᆞᆫ 신낭을 만나지 못ᄒᆞ여 울울블낙ᄒᆞ니, 동평휘 한희린의 비상ᄒᆞ믈 긔특이 넉

761)위왕(魏王)의 십이주(十二珠) : 위(魏)나라 혜왕(惠王)이 조(趙)나라 위왕(威王)에게 자랑하였다고 하는 위나라의 보배. 지름이 1촌(寸) 쯤 되는 구슬로 수레 12대를 비출 수 있다고 한다. *십이주(十二珠)는 수레 열두 대를 비출 수 있는 구슬이라는 뜻. 『사기(史記)』 卷四十六, '田敬仲完世家' 第十六에 나온다.

화산 조부 근쳐의 가샤를 뎡ᄒᆞ여, 각각 쳐ᄌᆞ녀를 거ᄂᆞ려 다시 동쥐로 나려 갈 의ᄉᆞ를 아니ᄒᆞᄃᆡ, 쇼ᄆᆡ를 옥화산으로 다려가디 못ᄒᆞ여 윤부의 두엇ᄂᆞᆫ디라. 우염이 환쇄ᄒᆞ여 운남으로셔 올나온 후, 작ᄃᆡ이 졈졈 청고(青高)ᄒᆞ여 뉵경의 잇고, 믈망과 ᄌᆡ덕을 겸ᄒᆞ여 ᄉᆞ셔(士庶)의 일ᄏᆞᆺᄂᆞᆫ ᄇᆡ 되어시【25】니, 일ᄆᆡ(一妹)를 위ᄒᆞ여 옥인군자를 골희ᄂᆞᆫ 눈이 태악 ᄀᆞᆺ튼 고로, 년ᄋᆞ와 상뎍ᄒᆞᆫ 신낭을 만나디 못ᄒᆞ여 울울블낙ᄒᆞᆫᄃᆡ, 동평휘 한희린의 비상츌범 ᄒᆞ믈 긔허(己許)ᄒᆞᄂᆞᆫ 고로, 우쳐ᄉᆞ 형데를 쳥ᄒᆞ여 한 공ᄌᆞ를 뵈고 혼인을 의논ᄒᆞ니, 쳐ᄉᆞ 형데 웃고 한공ᄌᆞ를 보ᄆᆡ 실노 하ᄌᆞᄒᆞᆯ 곳이 업ᄉᆞᆯ ᄲᅳᆫ 아니라, 가셰(家勢) 벌열명족(閥閱名族)이니, 일시 빈궁ᄒᆞ여 ᄆᆡᄌᆡ 윤효문긔 의디ᄒᆞ엿던 바를 굿ᄐᆞ여 거리ᄭᅵᆯ ᄇᆡ 아니라 ᄒᆞ여, 결(決)ᄒᆞ여 혼인을 허ᄒᆞᆫᄃᆡ, 동평휘 뎡뉵암으로 ᄒᆞ여금 이 소유를 곽부인긔 고ᄒᆞ여 왈, 텬하의 졀식슉녀를 널니 구ᄒᆞᄃᆡ, 우시만 ᄒᆞ니 업【26】ᄂᆞᆫ 줄 ᄀᆞᆺ초 베픈ᄃᆡ, 곽부인은 ᄒᆞᆫ낫 듕무소쥬(中無所主)ᄒᆞᆫ 위인으로 평ᄉᆡᆼ 부귀를 거룩히 넉이ᄂᆞᆫ디라. 우시 비록 ᄉᆡᆼ휵ᄒᆞᆫ 부뫼 업ᄉᆞ나, 윤가 ᄀᆞᆺ튼 권문셰가의 양녜 되고 우염이 작위 ᄯᅩ 경상의 이시믈 아ᄂᆞᆫ 고로, 혼인을 쾌허ᄒᆞ여 그 부귀를 ᄀᆞ장 듕히 넉이니, 윤ᄉᆞ마 형데 곽시의 허락을 듯고 즉시 길일을 ᄐᆡᆨᄒᆞᄆᆡ 동(冬) 십월 초슌이라.

조부인이 혼구를 쥰비ᄒᆞ여 범ᄉᆞ의 친녀와 달니 ᄒᆞᄂᆞᆫ ᄇᆡ 업고, 길긔 오히려 삼ᄉᆞ 삭이나 ᄀᆞ려시믈 굼거이 넉이더니, ᄎᆞ년 츄의 텬ᄌᆡ 셩묘(聖廟)[961]의 ᄇᆡ알ᄒᆞ시고 과갑(科甲)을 여러 인ᄌᆡ를 ᄲᅢᆫ실ᄉᆡ, 한희린【27】이 ᄒᆞᆫ 번 과장의 나아가ᄆᆡ, 누년 공부와 평ᄉᆡᆼ ᄌᆡ조를 이 날 다ᄒᆞᄆᆡ, 문장이 쳡쳡ᄒᆞ여 은

끊거나 자르거나 가르다.

961)셩묘(聖廟) : =문묘(文廟). 공자를 모신 사당. 원래 선사묘(先師廟)라고 하였다가 중국 명나라 성조 때 문묘(文廟) 또는 성묘(聖廟)라고 하였으며, 청나라 이후 공자묘(孔子廟)라 하였다. 중국 산동성(山東省) 곡부(曲阜)에 있는 것이 가장 크고 유명하다.

여 우쳐ᄉᆞ 형데를 쳥ᄒᆞ여 한 공ᄌᆞ를 뵈고 혼인을 쳥ᄒᆞ니, 쳐ᄉᆡ ᄃᆡ희ᄒᆞ여 허락ᄒᆞ니, 동평휘 뎡 쥭암으로 ᄒᆞ야곰 이 소유를 곽부인긔 고ᄒᆞ여, 텬하의 졀식슉완을 듯보아도 우소져 만ᄒᆞ니 업ᄉᆞᆯ 바를 ᄀᆞᆺ초 베프니, 곽부인은 ᄒᆞᆫ낫 즁무소쥬(中無所主)ᄒᆞᆫ 위인인 고로 평ᄉᆡᆼ 부귀를 긔특이 넉이ᄂᆞᆫ지라. 우씨 비록 ᄉᆡᆼ휵○[ᄒᆞᆫ] 부뫼 업ᄉᆞ나 윤가 ᄀᆞᆺ튼 권문셰가의 냥네 되고, 우협이 ᄯᅩ 작위 경상(卿相)의 잇ᄉᆞ믈 아ᄂᆞᆫ 고로, 혼인을 쾌허ᄒᆞ고 그 부귀를 ᄀᆞ장 즁히 넉이니, ᄐᆡ부 형데 곽씨의 허락을 엇고 즉【17】시 길일을 ᄐᆡᆨᄒᆞᄆᆡ 동 십월 초슌이라.

조부인이 혼구를 쥰비ᄒᆞ여 범ᄉᆞ의 친녀와 다르미 업고, 길일이 오히려 슴ᄉᆞ 삭이 가려시믈 굼거이 넉이더니, ᄎᆞ년 츄의 텬ᄌᆡ 셩묘(聖廟)[762]의 ᄇᆡ알ᄒᆞ시고, 셜과(設科)ᄒᆞ여 인ᄌᆡ를 ᄲᅢᆫ실ᄉᆡ, 한공ᄌᆡ ᄒᆞᆫ 번 과장의 나아가ᄆᆡ 누년 공부와 평ᄉᆡᆼ ᄌᆡ조를 이날 다ᄒᆞ니, 문장은 은하의 근원이오, 필법은 찬난ᄒᆞ여 지상의 창룡(蒼龍)이 셔려시니, 엇지 남

762)셩묘(聖廟) : =문묘(文廟). 공자를 모신 사당. 원래 선사묘(先師廟)라고 하였다가 중국 명나라 성조 때 문묘(文廟) 또는 성묘(聖廟)라고 하였으며, 청나라 이후 공자묘(孔子廟)라 하였다. 중국 산동성(山東省) 곡부(曲阜)에 있는 것이 가장 크고 유명하다.

하(銀河)○[의] 근원이며, 필법이 찬난ᄒᆞ여 만니의 창뇽(蒼龍)이 셔려시니, 엇디 댱원을 남의게 아이리오. 임의 한희린의 일홈이 뎨일의 ᄲᅢ히니, 젼두관이 년ᄒᆞ여 브르ᄂᆞᆫ 소릐로 조ᄎᆞ 옥계의 츄단웅명ᄒᆞ니, 십ᄉᆞ 쇼년이 언건(偃蹇)이 댱부의 톄위와 영쥰의 긔습(氣習)을 겸ᄒᆞ여, 팔쳑 신댱의 긴 팔히 무릅 아ᄅᆡ 나리고, 두렷ᄒᆞᆫ 면뫼 일뉸ᄇᆡᆨ월(一輪白月) ᄀᆞᆺ거ᄂᆞᆯ, 뇽봉디딜(龍鳳之質)과 호치쥬슌(皓齒朱脣)이며 복듕의 만권 셔를 쟝ᄒᆞ여, 문댤이 빈빈ᄒᆞ고 동용쥬션(動容周旋)이 늠연졍슉(凜然靜肅)ᄒᆞ여 ᄉᆞ군ᄌᆞ의 녜뫼(禮貌)【28】반ᄉᆡᆼ 황각(黃閣)[962]의 닉인 ᄌᆡ라도 이러치 못ᄒᆞᆯ 거시오, 뎨이(第二)의 상셔 남슌의 일ᄌᆞ 남챵딘이 ᄯᅩᄒᆞᆫ 뎐폐(殿陛)의 됴알ᄒᆞᄆᆡ, 풍광이 승난(乘鸞)[963] 니ᄇᆡᆨ(李白)이오, 관옥승상(冠玉丞相)[964]이어ᄂᆞᆯ, 문댱ᄌᆡ홰 발셔 ᄉᆞ류의 밀위여 ᄌᆡᄉᆞ(才士)로 유명ᄒᆞ던 ᄇᆡ라.

샹이 신ᄂᆡ(新來)의 특이ᄒᆞ믈 툥우(寵遇)ᄒᆞ시고 ᄎᆞᄎᆞ 방하(榜下)를 다 블너 쟝원으로브터 나리 청삼(青衫)과 화리(花履)를 주시며, 장원의 무부(無父)ᄒᆞ믈 츄연ᄒᆞ시고, 즉시 작딕을 주샤, 츈방혹ᄉᆞ(春坊學士)[965]를 ᄒᆞ이시고, 셩ᄂᆡ의 쟝원각을 주라 ᄒᆞ시니, 셩외 취운산의 주시믈 청ᄒᆞ여 셩ᄂᆡ를 샤양ᄒᆞ고, 나히 어리고 ᄉᆞ군찰임(事君察任)ᄒᆞᆯ ᄌᆡ덕이 업ᄉᆞ믈 쥬ᄒᆞ여 ᄉᆞ오 년 말미를 청【29】ᄒᆞ니, 샹이 블윤ᄒᆞ시고 삼일유과 후 찰딕ᄒᆞ라 ᄒᆞ시며, 쟝원각은 쇼원ᄃᆡ로 취운산의 디어 주게 ᄒᆞ시다.

962)황각(黃閣) : 의정부(議政府).

963)승난(乘鸞) : 난(鸞)새를 타고 구름 속을 날아감. 『고문진보(古文眞寶)』 오언고풍단편(五言古風短篇) 강문통(江文通)의 <잡시(雜詩)> 승란향연무(乘鸞向煙霧; 난새를 타고 구름안개 속을 나네)에서 따온 말.

964)관옥승상(冠玉丞相) : 관옥(冠玉)처럼 아름다운 풍채를 지닌 승상(丞相). *관옥(冠玉); : 관을 꾸미는 옥. *승상(丞相); 우리나라의 정승에 해당하는 중국의 벼슬

965)츈방혹ᄉᆞ(春坊學士) : 세자시강원(世子侍講院)의 학사. *세자시강원(世子侍講院) : 조선 전기에, 왕세자의 교육을 맡아보던 관아.

의게 장원을 아이리오. 임의 한희린의 일홈이 졔일의 ᄲᅢ히ᄆᆡ 젼두관이 호명ᄒᆞ니, 부르ᄂᆞᆫ 소ᄅᆡ를 응ᄒᆞ여 옥계의 츄진ᄒᆞᄆᆡ,

상이 한희린의 ᄌᆡ죄 특이ᄒᆞ믈 크게 총우ᄒᆞ샤, 어화청삼(御花青衫)을 쥬시고 희린의 무부(無父)ᄒᆞ믈 츄연ᄒᆞ샤, 작직을 주샤 츈방혹ᄉᆞ(春坊學士)[763]를 ᄒᆞ이시고,【18】 쟝원각(壯元閣)을 ᄉᆞ급ᄒᆞ시니, 희린의[이] 나히 어리고 ᄉᆞ군찰임(事君察任)ᄒᆞᆯ ᄌᆡ죄 업ᄉᆞ믈 쥬ᄒᆞ여 ᄉᆞ오 년 말미를 청ᄒᆞ니, 상이 블윤ᄒᆞ시고 삼일유과(三日遊街) 후 찰임ᄒᆞ라 ᄒᆞ시며,

763)츈방혹ᄉᆞ(春坊學士) : 세자시강원(世子侍講院)의 학사. *세자시강원(世子侍講院) : 조선 전기에, 왕세자의 교육을 맡아보던 관아.

쟝원이 텬○[은]을 슉샤(肅謝)ᄒᆞ고 퇴ᄒᆞ여 옥누항의 도라와, 모젼(母前)의 ᄇᆡ알ᄒᆞ고 부친 ᄉᆞ당의 ᄇᆡ현ᄒᆞᄆᆡ, 쵹쳐의 녯 일을 통상ᄒᆞ여 금의쳥삼(錦衣青衫)의 눈믈이 비ᄀᆞᆺ치 ᄯᅥ러디니 비회를 금치 못ᄒᆞ고, 곽시 황홀ᄒᆞ여 깃븐 듯 ᄉᆡ로이 심ᄉᆡ 비ᄒᆞᆯ 곳 업ᄉᆞ니, 동월후 부인이 이의 왓더니, 뎨남의 과경(科慶)을 만분화열(萬分和悅)ᄒᆞ며 부친의 보디 못ᄒᆞ시믈 각골통원ᄒᆞ며, 모친과 ᄋᆞ을 위로ᄒᆞ더라.

밧긔 하ᄀᆡᆨ이 가득ᄒᆞ여 신ᄂᆡ(新來)를 브르니, 쟝원이 즉시 나와 【30】 빈ᄀᆡᆨ을 졉ᄃᆡᄒᆞᆯᄉᆡ, 허다 명공ᄌᆡ렬이 칭하(稱賀)ᄒᆞᆯ 곳이 업셔 오딕 호람후 부ᄌᆞ 슉딜의게 하례ᄒᆞ니, 호람휘 가쇼(可笑)로오나 좌슈우답(左酬右答)의 ᄀᆞᆯ오ᄃᆡ,

"양딜녀(養姪女)와 쟝원과 혼인을 뎡ᄒᆞ엿더니, 길긔(吉期) 머디 아냣거늘 그 ᄉᆞ이 신낭이 등과ᄒᆞ니, 문난(門欄)의 광치 ᄇᆡ승ᄒᆞᆯ 바를 깃거 ᄒᆞ노라."

우쳐ᄉᆞ 형뎨 환열ᄒᆞ믈 니긔디 못ᄒᆞ더라.

댱원이 삼일유과(三日遊街)를 맛고 딕ᄉᆞ(職事)의 나아가ᄆᆡ, 만ᄉᆡ 뎡엄슉딘(正嚴熟盡)ᄒᆞ고 언논이 격앙(激昂)ᄒᆞ여 긔졀이 당당ᄒᆞ며, 강개ᄒᆞᆫ 풍녁(風力)966)이며 쥰엄굉위(峻嚴宏偉)ᄒᆞᆫ 긔상이 ᄒᆞᆫ갓 옥당한원(玉堂翰苑)967)의 쳥현(清賢)을 ᄌᆞ임ᄒᆞᆯ 명환이 아니라, 츌댱입상(出將入相)ᄒᆞ여 안방뎡【31】국(安邦定國)ᄒᆞᆯ 큰 그릇시라. 샹통이 딘신명ᄉᆞ뉴(縉紳名士類)의 웃듬이오, 만되 긔ᄃᆡᄒᆞ여 그 나히 어리믈 ᄉᆡᆼ각디 아니ᄒᆞ고, 공경ᄒᆞ믈 범연이 못ᄒᆞᄂᆞᆫ디라. 셕년(昔年)의 한혹ᄉᆡ 그 부친을 여희고 은젼 일냥과 ᄒᆞᆫ 필 깁도 판득(辦得)ᄒᆞᆯ 길히 업셔, '텬디' 두 ᄌᆞ도 통치 못ᄒᆞᄂᆞᆫ 쇼동으로, 남의게 문필을 비러 ᄌᆞ긔 몸을 팔녀 문권을 ᄆᆡᆫᄃᆞ라 가디고, 양쥐 일촌을 두로 단닐 즈음의 엇디 오날놀이 이실 줄을 몽니의나 ᄉᆡᆼ각ᄒᆞ여시며,

966)풍녁(風力) : 사람의 위력.
967)옥당한원(玉堂翰苑) : 조선시대 홍문관(弘文館)과 예문관(藝文館)을 함께 이르는 말.

학ᄉᆡ ᄒᆞᆯ일업셔 텬은을 슉ᄉᆞ(肅謝)ᄒᆞ고 퇴ᄒᆞ여 옥누항의 도라와, 모친긔 ᄇᆡ알ᄒᆞ고 부친 ᄉᆞ묘의 ᄇᆡ현ᄒᆞᄆᆡ, 쵹쳐○[의] ○○○[녯 일을] 감상ᄒᆞ여 비뤼여우(悲淚如雨)ᄒᆞ니, 곽씨 황홀이 깃부며 ᄉᆡ로이 비창ᄒᆞ여 ᄒᆞ고, 소졔 제남의 과경(科慶)을 만분희열(萬分喜悅)ᄒᆞ나 부친의 보지 못ᄒᆞ믈 각골통상ᄒᆞᄂᆞᆫ 즁, ᄉᆞ식을 화히 ᄒᆞ여 모친과 장원을 위로ᄒᆞ더라.

외당의 하ᄀᆡᆨ이 가득ᄒᆞ여 신ᄅᆡ(新來)를 부르니, 장원이 즉시 나와 빈ᄀᆡᆨ을 접ᄃᆡᄒᆞᆯᄉᆡ, 명워(名流) 칭하(稱賀)ᄒᆞᆯ 곳이 업셔 오직 호람후 부ᄌᆞ 슉딜의게 하례ᄒᆞ니, 호람휘 가소(可笑)로오【19】나 좌슈우응(左酬右應) ᄒᆞ더라.

학ᄉᆡ 삼일유과(三日遊街)를 맛고 직ᄉᆞ(職事)의 나아가ᄆᆡ, 만ᄉᆡ 정엄(正嚴)ᄒᆞ여 언논이 격앙(激昂)ᄒᆞ며 쥰엄(峻嚴) 《ᄂᆡᆼ원‖굉원(宏遠)》ᄒᆞᆫ 긔상이 한갓 옥당한원(玉堂翰苑)764)의 쳥현(淸賢)을 ᄌᆞ임ᄒᆞᆯ ᄌᆡ죄 아니라. 츌장입상(出將入相)ᄒᆞ여 안방젹[정]국(安邦定國)ᄒᆞᆯ 그릇시라. 상총이 진신명ᄉᆞ(縉紳名士)의 웃듬이오, 만죄 긔ᄃᆡᄒᆞᄂᆞᆫ지라. 셕연(昔年) ᄒᆞᆫ학ᄉᆡ 그 부친을 여희고 일냥(一兩) 젼(錢)과 일필(一疋) 깁을 판득(辦得)지 못ᄒᆞ여, ᄌᆞ긔 몸을 몸을 팔녀 단닐 제(際) 엇지 오늘 날이 잇실 쥴 ᄉᆡᆼ각ᄒᆞ엿시리오. ᄌᆞ긔 이럿틋 되ᄆᆡ 다 윤효문의 하날 ᄀᆞᆺᄐᆞᆫ 은덕이믈 아라, 오즉 심곡의 삭일 ᄯᆞ름이러라.

764)옥당한원(玉堂翰苑) : 조선시대 홍문관(弘文館)과 예문관(藝文館)을 함께 이르는 말.

비록ㆍ작인이 긔특ᄒᆞ나 만일 윤태뷔 디셩으로 교회(敎誨)홈 곳 아니면, 엇디 빅힝쳐신과 문댱ᄌᆡ홰 그ᄃᆡ도록 ᄒᆞ며, 므ᄉᆞᆷ 일노 인ᄒᆞ여 능히 경샤의 올나와 모ᄌᆞ(母子) 【32】 도싱(圖生)ᄒᆞ고 ᄆᆡ져(妹姐)를 ᄎᆞᄌᆞ 후ᄇᆡᆨ의 부인을 삼아시리오. 졀졀이 윤태부의 하날 ᄀᆞᄐᆞᆫ 은덕이니, 한싱이 감골명심ᄒᆞ나 능히 다 갑디 못홀 바를 쥬야우구(晝夜憂懼)ᄒᆞ여, ᄌᆞ긔 몸이 영귀ᄒᆞ므로 감히 은덕을 일ᄏᆞᆺ디 못ᄒᆞ여, 오ᄃᆡᆨ 심곡의 삭일 ᄯᆞ름이러라.

임의 슈월이 넘디 못ᄒᆞ여 취운산의 댱원각을 니르혀ᄆᆡ, 한혹ᄉᆡ 모친을 뫼셔 운산으로 올믈ᄉᆡ, 태부의 고왈,

"쇼뎨의 경셩이 실노 샤형댱(師兄丈)을 일시도 ᄯᅥ나디 말고져 ᄯᅳᆺ이로ᄃᆡ, 누의를 뎡문의 쇽현ᄒᆞᄆᆡ ᄌᆞ뫼 오ᄅᆡ 상니(相離)ᄒᆞ던 졍을 펴디 못ᄒᆞ고, 누의 잇다감 귀령ᄒᆞ나 ᄆᆡ양 총총이 단녀가ᄆᆡ, ᄌᆞ 【33】 뫼 크게 결울ᄒᆞ시니, 형셰 마디 못ᄒᆞ여 쟝원각을 취운산의 디어 이졔 그리로 옴거니와, 쇼뎨 일삭의 반을 이의 와 ᄉᆞ형쟝을 뫼시리이다."

태뷔 역시 ᄯᅥ나믈 결연ᄒᆞᄃᆡ 형셰 마디 못ᄒᆞ여 옴게 되엿고, ᄌᆞ긔 형뎨 아ᄃᆡᆨ 셩ᄂᆡ의 이시나 ᄆᆡ양 운산으로 올믈 ᄯᅳᆺ이 잇ᄂᆞᆫ 고로, 다만 니르ᄃᆡ,

"봉경[968]이 운산으로 옴ᄂᆞᆫ 거시 아둥과 기리 ᄒᆞᆫ가디로 디닐 도리라. ᄉᆞ셰를 보아 우리도 취운산으로 가고져 ᄒᆞ니, 일틱디샹의 잇다가 그 ᄉᆞ이 ᄯᅥ나미 결연ᄒᆞ나, 현마 엇디 ᄒᆞ리오. 일삭의 반은 이의 와 디ᄂᆡ렷노라 ᄒᆞ니, 말과 다르게 말기를 바라노라."

한혹ᄉᆡ ᄉᆞ샤 하딕ᄒᆞ고 【34】 모친을 뫼셔 운산의 니르ᄆᆡ, 가ᄉᆡ(家舍) 광활ᄒᆞ고 치식이 화려ᄒᆞ여, 곽부인의 평싱 칭앙ᄒᆞ던 부귀 이의 다ᄒᆞ여시니, 즐거오미 쳥텬의 비둥홈 ᄀᆞᆺᄐᆞ여 ᄒᆞᄂᆞᆫ디라.

혹ᄉᆡ 부친 목쥬와 조션 신위를 사당의 봉안ᄒᆞ고, 급급히 양쥐 나려 가 션셰 능침과 부친 묘젼에 소분ᄒᆞ고, 비로소 착실ᄒᆞᆫ 슈호

968)봉경 : 한희린의 자(字).

슈월이 넘지 못ᄒᆞ여셔 취운산의 장원각을 닐우ᄆᆡ, ᄐᆡ부긔 고왈,

"소뎨의 경셩이 실노 ᄉᆞ형(師兄)을 일시도 ᄯᅥ나지 말고져 ᄒᆞ되, 【20】 누의 뎡문의 쇽현ᄒᆞᄆᆡ, ᄌᆞ뫼 오ᄅᆡ 상니(相離)ᄒᆞ엿던 졍을 치 펴지 못ᄒᆞ고, 누의 혹 귀령ᄒᆞ나 총총이 단여 가니, ᄌᆞ뫼 크게 결울ᄒᆞ시ᄂᆞᆫ 고로, 형셰 마지 못ᄒᆞ여 장원각을 취운산에 졍ᄒᆞ여 이졔 운산으로 올무니, 심히 소뎨 ᄯᅳᆺ이 아니라. 소뎨ᄂᆞᆫ 일삭의 반은 이에 와 ᄉᆞ형을 뫼시리이다."

ᄐᆡ뷔 ᄯᅩᄒᆞᆫ ᄯᅥ나믈 결연ᄒᆞ나, 형셰 마지 못ᄒᆞ여 다른 집으로 옴기게 되고, ᄌᆞ긔 형뎨 아직 셩ᄂᆡ의 잇시나 장ᄎᆞᆺ 운산으로 올믈 ᄯᅳᆺ이 잇ᄂᆞᆫ 고로, 다만 닐오ᄃᆡ,

"봉명(희린의 ᄌᆞ)이 운산으로 옴ᄂᆞᆫ 거시 아둥과 기리 한가지로 지닐 ᄯᅳᆺ이라. 우리도 ᄉᆞ셰를 보아 운산으로 가고져 ᄒᆞᄂᆞ니, 그 ᄉᆞ이 ᄯᅥ나ᄂᆞᆫ 거시 결연ᄒᆞ나 현마 엇지ᄒᆞ리오. 일삭의 반은 이에 와 지ᄂᆡ려노라 ᄒᆞ니, 말과 일이 【21】 다르게 말나."

한학ᄉᆡ ᄉᆞ샤 하직고 모친을 뫼셔 운산의 니르ᄆᆡ, 가ᄉᆡ 광활ᄒᆞ고 치식이 황홀ᄒᆞ여 곽부인의 평싱 칭앙ᄒᆞ던 바 부귀를 이에 다ᄒᆞ엿시니, 곽씨 즐거오미 쳥텬의 올은 듯 ᄒᆞ더라.

학ᄉᆡ 부친 목쥬를 ᄉᆞ당의 봉안ᄒᆞ고, 급히 양쥬의 나려 가 션셰 능침과 부친 묘젼에 소분ᄒᆞ고, 비로소 슈호군(守護-)[765]을 졍ᄒᆞ

765)수호군(守護-) : 수호꾼. 남의 산이나 묘 따위를

군(守護-)[969]을 뎡ᄒᆞ고 도라오ᄆᆡ, 발셔 초동(初冬)이 되고 길일이 다ᄃᆞ르니, 냥개 위의를 출혀 우쇼져를 마ᄌᆞ오니, 그 화월(花月)의 슈ᄐᆡ(秀態)와 슉덕혜딜(淑德惠質)이 딘짓 뇨됴슉완(窈窕淑婉)이오 졀ᄃᆡ가인이라. 만좨 갈ᄎᆡᄒᆞ믈 결을치 못ᄒᆞ더라.

낙극단난(樂極團欒)의 일모셔산(日暮西山)ᄒᆞᄆᆡ 졔ᄀᆡᆨ이 다 흣터【35】디거ᄂᆞᆯ, ᄒᆞᆨᄉᆡ 모친을 뫼셔 담화ᄒᆞ다가, 야심 후 모명을 인ᄒᆞ여 손의 긔린쵹(麒麟燭)[970]을 들고 ᄲᆞᆯ니 신방의 드러가 부뷔 명쵹하(明燭下)의 ᄃᆡᄒᆞ니, 쇼져의 옥ᄐᆡ화안은 볼ᄉᆞ록 ᄉᆡ로와 벽텬소월(碧天素月)[971]이 광치를 흘니ᄂᆞᆫ ᄃᆞᆺ, 츄슈(秋水)의 향년(香蓮)이 녹파(綠波)의 소ᄉᆞ시니, 됴흔 긔딜과 놉흔 골격이 딘셰의 무드ᄃᆡ 아니ᄒᆞ니, 한ᄉᆡᆼ이 평ᄉᆡᆼ의 졀ᄉᆡᆨ슉완을 ᄉᆞ모ᄒᆞᄂᆞᆫ ᄯᅳᆺ으로, 쇼원의 마ᄌᆞᆫ 졀셰명염(絶世名艶)을 ᄇᆡ필ᄒᆞᄆᆡ 깃브믈 니긔디 못ᄒᆞ여, 이의 흔연이 말ᄉᆞᆷ을 펴 ᄀᆞᆯ오ᄃᆡ,

"ᄉᆡᆼ은 명되 궁험ᄒᆞ고 ᄯᅩᄒᆞᆫ 긔박ᄒᆞ여 일ᄌᆞᆨ 엄군(嚴君)을 여희옵고, 혈혈일신(孑孑一身)이 편친(偏親)을 뫼셔 오날ᄂᆞᆯ가디 보젼ᄒᆞ미,

969)수호군(守護-) : 수호꾼. 남의 산이나 묘 따위를 맡아서 돌보는 사람. *군; =꾼. 어떤 일을 전문적으로 하는 사람.

970)긔린쵹(麒麟燭) : 기린의 목처럼 굽은 막대기에 매단 등촉(燈燭).

971)벽텬소월(碧天素月) : 푸른 하늘에 떠있는 하얀 달.

여 직히고 도라오니, 임의 쳣 겨을이 되고 길일이 ᄃᆞ다르니, 냥가(兩家) 위의를 졍졔ᄒᆞ여 한학ᄉᆡ 뉵네(六禮)를 ᄀᆞᆺ초아 소져를 친영 ᄒᆞᆯᄉᆡ, 윤부의셔 연셕을 ᄀᆡ장(開場)ᄒᆞ고 신낭을 마ᄌᆞ며 신부를 보ᄂᆡᆯᄉᆡ, 조부인이 소져를 경계ᄒᆞ여,

"구가의 나아가 필경필네(必敬必禮)[766]ᄒᆞ며 《우귀Ⅱ승순(承順)》 군ᄌᆞ(君子)ᄒᆞ라."

ᄒᆞ니, 소졔 ᄯᅩᄒᆞᆫ 니졍(離情)이 창결(愴缺)[767]ᄒᆞ여【21】 심회 상하치 아니터라.

한학ᄉᆡ 우소저를 친영ᄒᆞ여 부즁의 니르러 쳥상에셔 합증[근]교ᄇᆡ(合巹交拜)ᄒᆞᆯᄉᆡ, 남풍녀뫼(男風女貌) 반월특이(班越特異)[768]ᄒᆞ여 진실노 백세냥필(百歲良匹)[769]이라. 녜파(禮罷)의 단장을 곳쳐 ᄇᆡ현묘(拜見廟)ᄒᆞᆫ 후, 조뉼(棗栗)을 밧드러 나아올ᄉᆡ 화용월ᄐᆡ(花容月態) 진짓 슉녀쳘뷔(淑女哲婦)라. 곽부인이 만심화열ᄒᆞ여 두굿기ᄂᆞᆫ 졍이 측냥업셔 ○○[ᄒᆞ며] 빈ᄀᆡᆨ이 치하를 ᄉᆞ양치 아니코, 종일 진환(盡歡)ᄒᆞᄆᆡ 졔ᄀᆡᆨ이 각산기가(各散其家)ᄒᆞ니, 신뷔 슉소를 졍ᄒᆞ여 도라가ᄆᆡ, 학ᄉᆡ 모친긔 혼졍(昏定) 후 신방의 니르러 병쵹하(屛燭下)[770]의 부뷔 상ᄃᆡᄒᆞᄆᆡ, 우소져의 옥안화ᄐᆡ 볼ᄉᆞ록 긔이ᄒᆞ니 ᄉᆡᆼ의 소원이 족ᄒᆞᄆᆡ 힝희ᄒᆞ믈 니긔지 못ᄒᆞ여 흔연이 말ᄉᆞᆷ을 펴 ᄀᆞᆯ오ᄃᆡ,

"ᄉᆡᆼ은 명되 궁험ᄒᆞ여 일ᄌᆞᆨ 엄부(嚴父)

맡아서 돌보는 사람. *군; =꾼. 어떤 일을 전문적으로 하는 사람.

766)필경필례(必敬必禮) : 공경하기를 다하고 예를 다함.

767)창결(愴缺) : 몹시 서운하고 섭섭함.

768)반월특이(班越特異) : 무리 가운데서 매우 뛰어나고 특이함.

769)백세양필(百歲良匹) : 백년을 함께할 어진 배필.

770)병촉하(屛燭下) : 병풍을 두른 가운데 켜놓은 촛불 아래.

【36】 젼혀 윤효문의 산은히덕(山恩海德)이라. 쇼졔 쏘훈 고비(考妣)[972]를 조상(早喪)ᄒᆞ신 바로, 윤쳥문의 의긔현심을 힘닙어 윤부의 모녀남ᄆᆡ디졍(母女男妹之情)을 ᄆᆡᄌᆞ, 텬연이 긔특훈 고로 ᄉᆡᆼ의게 도라오시니, 쇼져의 용화긔딜(容華氣質)이 ᄉᆡᆼ의 바란 밧기라. 그윽이 힝열(幸悅)ᄒᆞ나 ᄉᆡᆼ이 학박블인(學薄不仁)ᄒᆞ니, 슉녀의 평ᄉᆡᆼ을 져바릴가 념녀ᄒᆞᄂᆞ이다."

우쇼졔 슈용뎡금(羞容整襟)ᄒᆞ여 믁연브답이라. 혹ᄉᆡ 졍결쳥졍(淨潔淸淨)ᄒᆞᆷ을 더옥 과ᄋᆡ(過愛)ᄒᆞ여, 쵹을 멸ᄒᆞ고 쇼져를 븟드러 금니(衾裏)의 나아가ᄆᆡ, 그 견권(繾綣)훈 은졍이 무궁ᄒᆞ더라. 소졔 구가의 머므러 존고를 효봉ᄒᆞᄆᆡ 슉흥야ᄆᆡ(夙興夜寐)ᄒᆞ여 봉영집옥(奉盈執玉)홈 굿고, 【37】 경부(敬夫)ᄒᆞᄆᆡ 유슌녈슉(柔順烈肅)ᄒᆞ여 녜뫼(禮貌) 빈빈(彬彬)ᄒᆞ니, 한ᄉᆡᆼ의 풍늉호발(豊隆毫髮)훈 희롱을 가랍(嘉納)디 아니ᄒᆞ고, 봉제ᄉᆞ(奉祭祀) 졉빈ᄀᆡᆨ(接賓客)의 만ᄉᆡ 특이ᄒᆞ여 슉뇨훈 셩힝과 인ᄌᆞ훈 덕되 현녀텰부(賢女哲婦)의 풍이 가죽ᄒᆞ니, 곽부인이 ᄋᆡ듕과ᄋᆡ(愛重過愛)ᄒᆞ여 도로혀 ᄋᆞ들의 디나고, 혹ᄉᆞ의 은졍이 여텬디무궁(如天地無窮)ᄒᆞ미 잇ᄂᆞᆫ디라. 부부 냥인이 남창후와 동평후의 대은을 심곡의 삭이며, 조부인을 밧들미 녀셔(女壻)의 도를 다ᄒᆞᄂᆞᆫ디라. 윤부의셔 조부인이 한혹ᄉᆞ를 듕히 넉이미 친셔로 다르미 업고, 태부인과 호람후 부뷔 한ᄉᆡᆼ을 ᄉᆞ랑ᄒᆞ미 ᄌᆞ딜 굿ᄐᆞ니, ᄉᆡᆼ이 동평후 【38】 의 은혜를 감격ᄒᆞ여 윤부를 녜ᄉᆞ로이 아디 아냐 보은ᄒᆞᆷ을 ᄉᆡᆼ각고, 우시로 화락ᄒᆞ여 금슬은졍(琴瑟恩情)이 ᄌᆞ못 과도ᄒᆞ니, 윤쳥문 형뎨 ᄉᆡᆼ으로ᄡᅧ ᄋᆡ쳐ᄀᆡᆨ(愛妻客)이라 ᄒᆞᄃᆡ, 학ᄉᆡ 괴로이 넉이디 아냐 우시로 슈유블니(須臾不離)훌 졍이 잇ᄂᆞᆫ디라. 하날이 길인을 도아 복녹이 ᄌᆞ연훈 가온ᄃᆡ 무궁ᄒᆞ니, 한학ᄉᆞ와 우쇼졔 초년명되 즐겁디 못ᄒᆞ나 디난 곤궁은 츈몽 굿고, 혹ᄉᆡ 벼슬이 졈졈 놉하 츌댱(出將)ᄒᆞ

972)고비(考妣) : 돌아가신 아버지와 어머니.

【23】 를 여희고, 혈혈일신(孑孑一身)이 편친(偏親)을 뫼셔 지금가지 보젼ᄒᆞ미, 젼혀 윤효문 은덕(恩德)이라. 쇼져도 쏘훈 엄친을 조상(早喪)ᄒᆞ신 바로, 윤쳥문의 의긔현심으로 ○○○[윤부의] 모녀남ᄆᆡ지졍(母女男妹之情) 《우ᄋᆡᄌᆞᄆᆡ‖을 ᄆᆡᄌᆞ》, 텬연이 긔특ᄒᆞ여 ᄉᆡᆼ의게 도라오시니, 쇼져의 용화긔딜(容華氣質)이 복(僕)의 바란 밧기라. 그윽히 힝열(幸悅)ᄒᆞ나이다."

우쇼졔 슈용졍금(羞容整襟)○○[ᄒᆞ여] 부답이어ᄂᆞᆯ, 혹ᄉᆡ 이에 쵹을 물니고 쇼져를 븟드러 금니(衾裏)의 나아가니, 그 견권지졍(繾綣之情)이 비훌데 업더라. 우소졔 인ᄒᆞ여 구가의 머므러 효봉구고ᄒᆞ고 승슌군ᄌᆞ(承順君子)ᄒᆞᄆᆡ 가되 흡흡(洽洽)ᄒᆞ니,

하날이 길인을 도아 복녹을 졔도ᄒᆞ니, 한희린과 우씨 초년명되 박ᄒᆞ나 지난 일은 일장츈몽이라. 혹ᄉᆡ 벼슬이 놉하 츌장입상(出將入相)ᄒᆞ며 위덕(威德)이 ᄉᆞ히의 【24】 진동ᄒᆞ며[여], 삼십의 쳔승지위(千乘之位)를 누려 즁산왕 ᄉᆡ슈(璽綬)[771]를 가졋고, 우시는

고 위덕(威德)이 놉흐므로 쳔승디위(千乘之位)를 누려, 듕산왕 ᄉᆡ슈(璽綬)973)를 ᄎᆞ고 우시 휘덕(后籍)의 존귀를 바드며, 칠ᄌᆞ일녀를 ᄉᆡᆼᄒᆞ여시며, ᄌᆡ【39】실(再室) 강시와 삼취(三娶) 녀시를 어드ᄆᆡ 다 슌효ᄒᆞᆫ 위인이오, 다ᄉᆞᆺ 쇼희(小姬)를 두어 다 간샤은악(奸邪隱惡)ᄒᆞᆫ 무리 업셔, 가ᄂᆡ 화열ᄒᆞ미 츈풍 ᄀᆞᆺ고, 강시ᄂᆞᆫ 일ᄌᆞ이네오, 녀시ᄂᆞᆫ 일ᄌᆞ이네니, 《십‖구》ᄌᆞ오녀의 쳔산(賤産) 칠팔인을 두고, 쳔승디국(千乘之國)의 모림(冒臨)ᄒᆞ여 늉늉ᄒᆞᆫ 부귀와 ᄌᆞ궁복경(子宮福慶)을 칭앙ᄒᆞ고, 만인이 블워ᄒᆞ니, ᄒᆞᆨᄉᆞ의 뎡벌(征伐)ᄒᆞ던 셜화와 봉왕(封王)ᄒᆞ던 일이며, 십ᄌᆞ오녀의 긔특ᄒᆞᆫ ᄉᆞ뎍과, 우시 상두(上頭)의 거ᄒᆞ여 강·녀 이인과 졔희를 은혜로 거나리며, 효봉존고ᄒᆞ던 셜화ᄂᆞᆫ '한문ᄒᆡᆼ녹(韓門行錄)'의 이시므로, ᄎᆞ뎐(此傳) 셜홰(說話) 번다(煩多)ᄒᆞ고, 윤·하·뎡【40】삼문ᄉᆞ젹(三門事蹟)의 더ᄒᆞᆯ 고로 긋치다.

이젹974)의 졔왕이 ᄒᆞᆫ 번 소쥐셔 구몽숙을 보고 도라 온 후ᄂᆞᆫ, 더옥 못 닛ᄂᆞᆫ ᄆᆞ음이 극ᄒᆞᄃᆡ, 그 죄악이 텬디의 관영(貫盈)ᄒᆞ미 이시니, 능히 뎡ᄇᆡ(定配)975)를 면케 ᄒᆞᆯ 조각이 업셔 울울블낙(鬱鬱不樂)ᄒᆞ믈 마디 아니ᄒᆞ더니, 맛초아 담양 ᄯᆞ히 녀역(癘疫)976)이 셩(盛)ᄒᆞ고, 슈삼년 긔황(饑荒)ᄒᆞ여 ᄇᆡᆨ셩이 니산(離散)ᄒᆞ고, 담양을 ᄯᅥ나디 아닌 뉴ᄂᆞᆫ 념질(染疾)의 죽ᄂᆞ니 만흔 고로, 담양 태슈 가ᄂᆞ니마다 년ᄒᆞ여 죽으니, 시인이 아모리 빈궁ᄒᆞ여 외임(外任)을 구ᄒᆞᄂᆞᆫ 뉴라도 담양 태슈를 가고져 ᄒᆞ리 업ᄂᆞᆫ디라. 졔왕이 탑젼(榻前)의 쥬ᄒᆞ여 구몽【41】숙의 뎡ᄇᆡ를 프러 담양 태슈를 삼아, 요ᄒᆡᆼ 담양을 복구ᄒᆞ고 녀역이 간졍(簡淨)977)ᄒᆞ거든, 인ᄒᆞ

973)ᄉᆡ슈(璽綬) : 도장. 국새(國璽).
974)이젹 : 이때. 현재.
975)뎡ᄇᆡ(定配) : 죄인을 지방이나 섬으로 보내 정해진 기간 동안 그 지역 내에서 감시를 받으며 생활하게 하던 일. 또는 그런 형벌. ≒찬배(竄配).
976)녀역(癘疫) : 전염성 열병을 통틀어 이르는 말.
977)간졍(簡淨) : 간결하고 깨끗함.

일국 국모의 존귀를 밧고 칠ᄌᆞ 일녀를 ᄉᆡᆼᄒᆞ며, ᄯᅩ ᄌᆡ실 강시와 삼취 녀씨를 《니르ᄆᆡ‖닐우ᄆᆡ》, 다 양슌ᄒᆞᆫ 위인이오, 다셧 소희(小姬)를 두ᄃᆡ 하나토 간ᄉᆞ 요악ᄒᆞᆫ 인물이 업셔, 가ᄂᆡ 화열ᄒᆞ미 츈풍 ᄀᆞᆺ고, 강씨ᄂᆞᆫ 일ᄌᆞ이녀오, 녀씨도 일ᄌᆞ이녀니, 《십‖구》ᄌᆞ오녀의 쳔ᄉᆡᆼ(賤生) 칠팔인을 두고, 쳔승지국(千乘之國)의 모림(冒臨)ᄒᆞ여 늉늉ᄒᆞᆫ 복녹과 부귀를 만민이 블워 아니니 업더라. 학ᄉᆞ의 졍벌(征伐)ᄒᆞ던 셜화와 봉왕(封王)ᄒᆞ던 일이며, 십[구]ᄌᆞ오녀의 긔특ᄒᆞᆫ ᄉᆞ젹과, 우씨 상두(上頭)의 거ᄒᆞ여 강·녀 이인과 졔희를 은혜로 거ᄂᆞ려며 존고를 효봉 ᄒᆞ던 ᄉᆞ젹은 '한문녜ᄒᆡᆼ녹(韓門禮行錄)의 잇ᄂᆞᆫ 고로, ᄎᆞ젼(此傳) 셜홰(說話) 번【25】화(繁華)ᄒᆞ고, 윤·하·뎡 ᄉᆞᆷ문ᄉᆞ젹(三門事蹟)의 한문(韓門) 셜화ᄂᆞᆫ 지리히 넛치 못ᄒᆞ여, 이에 샌히미 되나, 우씨의 조부인 우렷ᄂᆞᆫ 졍셩과 창후 형뎨를 감은ᄒᆞᄂᆞᆫ 마음은 ᄌᆞ긔 몸이 부귀ᄒᆞᆯ시록 더으더라.

이젹772)의 평졔왕이 소쥐셔 《헌‖한》 번 구몽숙을 보고 도라 온 후ᄂᆞᆫ 더욱 못 잇ᄂᆞᆫ 마음이 극ᄒᆞᄃᆡ, 그 ᄃᆡ악이 텬지의 관영(貫盈)ᄒᆞ미 잇시니, 능히 졍ᄇᆡ(定配)773)를 면ᄒᆞᆯ 조각이 업셔 울울불낙(鬱鬱不樂) ᄒᆞ더니, 맛초아 담양 ᄯᆞ히 여역(癘疫)774)이 ᄃᆡ치(大熾)ᄒᆞ고 슈ᄉᆞᆷ년을 긔황(饑荒)ᄒᆞ여 ᄇᆡᆨ셩이 이산(離散)ᄒᆞ고, 담양을 ᄯᅥ나지 아닛ᄂᆞᆫ 뉴ᄂᆞᆫ 념질의 죽으니 만흔 고로, 담양 ᄐᆡ○[슈] 가나니 마다 연(連)ᄒᆞ여 죽으니, 시졀 ᄉᆞ름이 아모리 빈궁ᄒᆞ여 외임(外任)을 구ᄒᆞᄂᆞᆫ 뉴라도 담양 ᄐᆡ슈ᄂᆞᆫ 가고져 ᄒᆞᄂᆞᆫ ᄉᆞ름이 {일언}【26】일인도 업ᄂᆞᆫ지라. 졔왕이 탑젼(榻前)의 쥬ᄒᆞ여 구몽숙의 졍ᄇᆡ를 푸러 담양 ᄐᆡ슈를 삼아 요ᄒᆡᆼ 담양이[을] 《봉구‖복구》ᄒᆞ고 여역이 간졍(簡淨)775)ᄒᆞ거든,

771)ᄉᆡ슈(璽綬) : 도장. 국새(國璽).
772)이젹 : 이때. 현재.
773)뎡ᄇᆡ(定配) : 죄인을 지방이나 섬으로 보내 정해진 기간 동안 그 지역 내에서 감시를 받으며 생활하게 하던 일. 또는 그런 형벌. ≒찬배(竄配).
774)녀역(癘疫) : 전염성 열병을 통틀어 이르는 말.

여 몽슉의 죄를 샤ᄒᆞ고 그러치 아냐 그 곳의셔 죽으미 되여도 제 죄를 쇽(贖)ᄒᆞ미 될 바를 알외니, 샹이 ᄀᆞᆯ오샤ᄃᆡ,

"몽슉이 당연ᄒᆞᆫ ᄉᆞ죄를 디어시ᄃᆡ, 형·유 냥쳐를 딘뎡ᄒᆞᆫ 고로 감ᄉᆞ뎡ᄇᆡ(減死定配)ᄒᆞ엿더니, 이졔 담양 태슈를 삼으면 그 죄ᄂᆞᆫ 아조 샤ᄒᆞᄂᆞᆫ 거시 되니, 후일 간악ᄒᆞᆫ 요인을 증[징]계(懲戒)치 못ᄒᆞᆯ디라. 다른 곳의 ᄌᆡ덕이 가ᄌᆞᆫ ᄌᆞ를 갈회여 담양 태슈를 삼으리니, 구몽슉은 소쥐셔 맛게 ᄒᆞ리라."

제왕이 우쥬(又奏) 왈,

"몽슉이 초【42】년 죄상이 크오나, 임의 형·유 이쳐를 딘뎡ᄒᆞ여 공으로ᄡᅧ 죄를 쇽ᄒᆞ미 잇고, 허믈을 곳치미 귀타 ᄒᆞ믄 셩교의도 용납ᄒᆞ신 말솜이라. 몽슉이 젼ᄌᆞ의 그르미 잇ᄉᆞ오나 금ᄎᆞ디시(今此之時)ᄒᆞ와ᄂᆞᆫ 냥션(良善)ᄒᆞᆫ 사ᄅᆞᆷ이 되여시니, 셩듀의 디인지덕(至仁之德)과 관홍대도(寬弘大度)ᄒᆞ샤므로ᄡᅧ, 엇디 구몽슉의 죄를 샤치 아니리잇고? 신은 몽슉으로 ᄉᆞᄉᆞ 혐원(嫌怨)이 이시되 그 개과ᄒᆞ믈 아ᄅᆞᆷ다이 넉이ᄋᆞᆸᄂᆞ니, ᄒᆞ믈며 몽슉이 죄를 국가의 디으미 업ᄉᆞᆸ고, 블과 져믄[978] ᄆᆞ음의 남을 싀긔ᄒᆞ여 형상 업ᄉᆞᆫ ᄡᅬ를 ᄂᆡ여 신 등을 ᄒᆡ코져 ᄒᆞ오미나, 신 등이【43】ᄒᆞᆫ갓 무ᄉᆞᄒᆞ고, 구몽슉이 남을 ᄒᆡᄒᆞ미 제 몸을 ᄒᆡᄒᆞ여 젼졍을 그릇 ᄆᆡᆫᄃᆞ니, 셩듀의 일월디덕(日月之德)으로ᄡᅧ 측은이 넉이시미 올흔가 ᄒᆞᄋᆞᆸᄂᆞ니, 바라건ᄃᆡ 몽슉을 담양 태슈를 ᄒᆞ이쇼셔."

니부샹셔 홍문관 태ᄒᆞᆨᄉᆞ 금ᄌᆞ광녹태우 황태부 윤효문이 츌반(出班) 쥬왈,

"신은 몽슉으로 더브러 이죵디의(姨從之義)[979]이시ᄃᆡ, ᄉᆞ혐(私嫌)인즉 듕ᄒᆞ오니 엇디 져를 구코져 ᄒᆞ리잇가마ᄂᆞᆫ, 당당ᄒᆞᆫ 공의(公義)를 잡을딘ᄃᆡ ᄉᆞ혐을 ᄉᆡᆼ각디 아니ᄒᆞ올디라. 몽슉의 작죄ᄒᆞ미 그 간교ᄒᆞᆫ 바ᄂᆞᆫ 여러 가디로 죽엄즉 ᄒᆞ오나, 닙공쇽죄(立功贖罪)ᄒᆞ여 형·유 냥쳐를 딘뎡【44】ᄒᆞ엿고,

978)져므다 : 졈다.
979)이죵디의(姨從之義) : 이종 사촌형제 간의 의리.

인ᄒᆞ여 몽슉의 죄를 샤ᄒᆞ고 그럿치 아냐 그 곳에셔 죽으미 되여도 제 죄를 속ᄒᆞ미 될 바를 알외니 상이 ᄀᆞᆯ오샤ᄃᆡ,

"몽슉이 당연ᄒᆞᆫ ᄉᆞ죄를 지엇시되 형·유 냥쳐를 진정하엿ᄂᆞᆫ 고로, 감ᄉᆞ정ᄇᆡ(減死定配) ᄒᆞ엿더니, 이제 담양 ᄐᆡ슈를 삼으면 그 죄를 아조 샤ᄒᆞᄂᆞᆫ 거시니, 후일 간악ᄒᆞᆫ 죄를 징거[계](懲戒)치 못ᄒᆞᆯ지라. 다른 곳에 ᄌᆡ덕이 가ᄌᆞᆫ ᄌᆞ를 갈ᄒᆡ여 담양 ᄐᆡ슈를 삼으리니, 구몽슉은 소쥬에셔 맛게 ᄒᆞ리라"

제왕이 우쥬(又奏) 왈,

"몽슉이 초년의 죄악이 크오나, 임의 형·유 이쳐를 진정ᄒᆞ여 공으【27】로ᄡᅧ 죄를 속ᄒᆞ미 잇고, ᄒᆞ물며 ᄀᆡ과ᄒᆞ미 귀타 ᄒᆞ믄 셩교의셔 용납ᄒᆞ신 ᄇᆡ라. 몽슉이 젼ᄌᆞ에 그르미 잇시나, 당금지시(當今之時) ᄒᆞ여ᄂᆞᆫ 양션ᄒᆞᆫ ᄉᆞᄅᆞᆷ이 되엿시니, 셩쥬의 지인지덕(至仁之德)과 관홍ᄃᆡ도(寬弘大度)ᄒᆞ시므로ᄡᅧ 구몽슉의 죄를 샤치 아니ᄒᆞ시리잇고? 신은 몽슉으로 ᄉᆞ혐이 이시ᄃᆡ 그 ᄀᆡ과ᄒᆞ믈 아ᄅᆞᆷ다이 넉기옵ᄂᆞᆫ니, 허물며 구몽슉이 죄를 국가의 지으미 업고, 불과 소연지심의 남을 싀긔ᄒᆞ여 형상 업ᄉᆞᆫ 《ᄡᅦ || ᄡᅬ》를 ᄂᆡ여 신 등을 ᄒᆡ코ᄌᆞ ᄒᆞ나, 신 등이 하ᄂᆞ토 그 ᄒᆡ를 입은 니 업ᄉᆞᆸ고, 몽슉이 남을 ᄒᆡ코ᄌᆞ 하미 도로혀 제 몸을 ᄒᆡᄒᆞ여 젼졍을 그릇 ᄆᆡᆫᄃᆞ니, 셩쥬의 일월지덕(日月之德)으로ᄡᅧ 측은이【28】 넉이시미 셩덕이 되실가 ᄒᆞᄋᆞᆸᄂᆞ니, 바라건ᄃᆡ 셩상은 구몽슉으로ᄡᅧ 담양 ᄐᆡ슈를 ᄒᆞ이소셔."

ᄐᆡ부 윤희텬이 츌반 쥬 왈,

"신은 몽슉으로 더브러 ᄉᆞ혐이 즁ᄒᆞ오니 엇지 져를 구ᄒᆞ리잇고마ᄂᆞᆫ, 당당ᄒᆞᆫ 공의(公義)를 잡을진ᄃᆡ, 몽슉의 간활(奸猾)ᄒᆞ미 그 작죄ᄒᆞᆫ 바ᄂᆞᆫ 여러 가지로 죽엄즉 ᄒᆞᄃᆡ, 입공ᄌᆞ효(立功自效)[776]ᄒᆞ여 형·유 냥쳐를 진졍ᄒᆞ엿고, 소쥐 졍ᄇᆡᄒᆞ연 지 여러 셰월의

775)간정(簡淨) : 간결하고 깨끗함.
776)입공자효(立功自效) : 공을 세워 자기의 정성을 다함.

소쥐 뎡ᄇᆡᄒᆞ연 디 여러 셰월의 개과쳔션 ᄒᆞᄂᆞᆫ 아ᄅᆞᆷ다오미 이시나[니], 셩듀의 덕화로ᄡᅧ 몽슉의 죄를 믈시ᄒᆞ시고 담양 태슈를 ᄒᆞ이샤, 념딜(染疾)을 간뎡(簡淨)ᄒᆞ고 ᄇᆡᆨ셩을 ᄋᆡ휼케 ᄒᆞ샤미 맛당ᄒᆞᆯ가 ᄒᆞᄋᆞᆸᄂᆞ니, 윤허ᄒᆞ쇼셔.”

샹이 쇼왈,

“몽슉이 대역은 힝ᄒᆞᆫ ᄇᆡ 업ᄉᆞ나, 농포(龍袍)와 옥ᄉᆡ(玉璽) 도뎍ᄒᆞ미 역뎍과 다르미 업ᄉᆞ니, 디금 일명을 니어심도 뎡경과 딘광의 구ᄒᆞᆫ 덕이어니와, 다시 뎡ᄇᆡ를 프러 태슈로 징소ᄒᆞ믈 이러ᄐᆞᆺ 쳥ᄒᆞ니, 경 등의 안면을 보아 마디 못ᄒᆞ여 윤허ᄒᆞ노라.”

ᄒᆞ시고, 【45】 몽슉으로 담양 태슈를 졔슈ᄒᆞ샤 뎍소로셔 바로 가게 ᄒᆞ시고, 경샤란 오디 말게 ᄒᆞ시니 이ᄂᆞᆫ 몽슉을 통히(痛駭)980)ᄒᆞ시미라. 졔왕과 윤태뷔 셩덕을 열복ᄒᆞ여 몽슉의게 은ᄉᆡ 더으시믈 칭샤ᄒᆞ니, 샹이 그 의ᄀᆡ현심을 ᄀᆡ특이 넉이시더라.

졔왕이 믈너와 몽슉의게 급급히 노ᄌᆞ를 보ᄂᆡᆯᄉᆡ, 글월을 븟쳐 ᄋᆡ민션졍(愛民善政)ᄒᆞᆯ 도리를 디휘ᄒᆞ여, 부작을 ᄡᅧ 보ᄂᆡ여 념딜을 간뎡(乾淨)981)케 ᄒᆞ니, 몽슉이 소쥐 뎍거 튱군을 ᄉᆡᆼ셰의 면치 못ᄒᆞᆯ가 슬허ᄒᆞ더니, 쳔만 의외 샤명이 니르고 뎡듁쳥의 셔간이 니르러, 담양 【46】 의 도임ᄒᆞ여 ᄋᆡ민션졍 ᄒᆞᆯ 바를 디휘ᄒᆞ고, 념질(染疾) 쫏ᄂᆞᆫ 부작을 보ᄂᆡ여시니, 몽슉이 대열ᄒᆞ여 즉시 븍향샤ᄇᆡ(北向四拜)ᄒᆞ여 텬은을 슉샤(肅謝)ᄒᆞ고 즉시 발힝ᄒᆞ여 담양의 니르러 도임ᄒᆞ여 ᄇᆡᆨ셩을 안무ᄒᆞ고, 듁쳥의 본ᄂᆡᆫ 바 부작(符作)982)을 ᄎᆞᄎᆞ 젼ᄒᆞ니, 녀역(癘疫)이 다 평뎡ᄒᆞ거ᄂᆞᆯ, 태쉐 즉시 창고를 여러 ᄇᆡᆨ셩을 딘휼(賑恤)ᄒᆞ며 부셰(賦稅)를 더러 주니, 남녀노쇼 업시 그 은덕을 감튝ᄒᆞ여 현명(賢名)이 훤ᄌᆞ

980)통히(痛駭) : 몹시 놀라 경계함.
981)간정(乾淨) : 일처리를 잘하여 뒤끝이 깨끗함.
982)부작(符作) : 부적(符籍)의 변한 말. *부적(符籍); 잡귀를 쫓고 재앙을 물리치기 위하여 붉은색으로 글씨를 쓰거나 그림을 그려 몸에 지니거나 집에 붙이는 종이.

ᄀᆡ과쳔션ᄒᆞᄂᆞᆫ 아름다오미 잇시시, 셩쥬의 덕화로ᄡᅧ 몽슉의 죄를 믈시ᄒᆞ시고, 담양 ᄐᆡ슈를 ᄒᆞ이샤 염질(染疾)을 간졍(簡淨)ᄒᆞ고 ᄇᆡᆨ셩을 ᄋᆡ휼케 ᄒᆞ시미 맛당ᄒᆞᆯ가 ᄒᆞᄋᆞᆸᄂᆞ니, 윤허ᄒᆞ소셔”

상이 소 왈,

“몽슉이 비록 ᄃᆡ역을 힝ᄒᆞ고져 ᄒᆞ미 업ᄉᆞ나, 용포(龍袍)와 《옥ᄃᆡ(玉帶) ‖ 옥ᄉᆡ(玉璽)》를 도젹ᄒᆞ여 ᄂᆡ미 역젹과 다르【29】미 업ᄉᆞ니, 지금 그 목숨을 니어심도 뎡경과 진경의 구ᄒᆞᆫ 덕이어ᄂᆞᆯ, 다시 졍ᄇᆡ를 푸러 담양 ᄐᆡ슈를[로] 징○[소](徵召)ᄒᆞ믈 청ᄒᆞ니, 경 등의 원을 조ᄎᆞ 윤허ᄒᆞ노라.”

ᄒᆞ시고, 몽슉으로 담양 ᄐᆡ슈를 ᄒᆞ이샤 젹소로셔 담양으로 가라 ᄒᆞ시니, 이ᄂᆞᆫ 몽슉을 통히(痛駭)777)ᄒᆞ시미러라. 평제왕과 윤ᄐᆡ뷔 셩덕을 열복(悅服)ᄒᆞ여 몽슉에게 은ᄉᆞ를 빗기 더으시믈 칭하ᄒᆞ니, 상이 그 의ᄀᆡ현심을 ᄀᆡ특이 넉이시더라.

졔왕이 물너나 몽슉에게 급급히 노ᄌᆞ를 보ᄂᆡᆯᄉᆡ, 글을 붓쳐 ᄋᆡ민션졍(愛民善政)ᄒᆞᆯ 도리를 지휘ᄒᆞ여, 부작을 ᄡᅧ 보ᄂᆡ여 염질을 간졍케 ᄒᆞ니, 몽슉이 소쥐 젹거ᄒᆞ여 츙군을 ᄉᆡᆼ셰의 면치 못ᄒᆞᆯ가 슬허ᄒᆞ더니, 쳔만 의외에 샤명이 나리고, 뎡쥭쳥의 셔【30】간이 니르러, 담양의 도임ᄒᆞ여 ᄋᆡ민션졍ᄒᆞᆯ 도리를 지휘ᄒᆞ고, 염질 쫏ᄂᆞᆫ 부작을 보ᄂᆡ엿시니, 몽슉이 ᄃᆡ열과망(大悅過望)ᄒᆞ여 북향ᄉᆞᄇᆡ(北向四拜)ᄒᆞ고 텬은을 슉ᄉᆞ(肅謝)ᄒᆞᆫ 후, 담양으로 향ᄒᆞᆯᄉᆡ, 관니 등이 소쥐로 오기를 기ᄃᆞ려, ᄐᆡ슈의 위의를 빗ᄂᆡ{려} 쌜니 담양의 니르러 도임ᄒᆞᄆᆡ, ᄇᆡᆨ셩을 인의로 거ᄂᆞ리고 말ᄉᆞᆷ이 강ᄀᆡᄒᆞ며, 요ᄉᆞᄒᆞᆫ 마ᄋᆞᆷ을 바리고 간악암밀(奸惡暗密)ᄒᆞ므로ᄡᅧ 양순(良順) 단아(端雅)ᄒᆞ믈 밧고ᄆᆡ, 힝ᄉᆞ의 허물이 업ᄉᆞᆫ지라. 뎡슉[쥭]쳥의 보ᄂᆡᆫ 바 부작(符作)778)을

777)통히(痛駭) : 몹시 놀라 경계함.
778)부작(符作) : 부적(符籍)의 변한 말. *부적(符籍); 잡귀를 쫓고 재앙을 물리치기 위하여 붉은색으로 글씨를 쓰거나 그림을 그려 몸에 지니거나 집에 붙이는 종이.

(喧藉)983)ᄒᆞ고, 그 음덕이 닌읍의 밋ᄂᆞᆫ디라. 농뷔 업을 ○[힘]ᄡᅳ고 죄를 범치 아니ᄒᆞ니, 도임ᄒᆞ연 디 슈삭만의 관졍(官庭)이 고요ᄒᆞ여 어ᄌᆞ로온【47】일이 업고, 니민(里民)이 태슈의 덕화를 칭숑ᄒᆞ니, 몽슉이 어딘 사ᄅᆞᆷ 되옴과 살 ᄯᆞ흘 드ᄃᆡ미 젼혀 졔왕의 공이러라.

ᄎᆞ년 셰말(歲末)의 문양공쥐 일개 옥동을 ᄉᆡᆼᄒᆞ니, 구각(軀殼)이 셕대ᄒᆞ고 톄형(體形)이 ᄀᆡ이ᄒᆞ여 광ᄎᆡ 찬난ᄒᆞ여[니], 그 부형을 일편되이 픔슈(稟受)ᄒᆞ고 힝여도 모비(母妃)를 달믄 곳이 업ᄂᆞᆫ디라. 졔왕이 즉시 드러와 보고 만심환희(滿心歡喜)ᄒᆞ여 각별이 즐기믄 무ᄐᆡ(無他)라. 공쥬의 슈ᄐᆡ(受胎)ᄒᆞ므로브터 깁흔 념녜 무궁ᄒᆞ믄, 혹ᄌᆞ 공쥬의 간악ᄒᆞᆫ 심디를 달믈가 근심ᄒᆞ다가, ᄋᆞᄌᆞ의 톄형을 보ᄆᆡ 거울 ᄀᆞᆺᄐᆞᆫ 안광(眼光)으로뼈 ᄀᆡ특ᄒᆞ믈 엇디【48】 모로리오. 이러므로 윤·양·니·경 ᄉᆞ비의 ᄉᆡᆼ산도곤 더ᄒᆞ고, 슌태부인과 금평후 부뷔 삼칠(三七)이 디난 후 신ᄋᆞ를 보고 비상ᄒᆞ믈 ᄋᆡ듕(愛重)ᄒᆞ여, 공쥬의 소ᄉᆡᆼ이 아ᄅᆞᆷ다오믈 오히려 ᄀᆡ약디 아냣더니, 졔왕을 젼듀(專主) 픔습(稟襲)ᄒᆞ고 모풍은 업ᄉᆞ믈 크게 깃거 ᄒᆞ더라.

샹이 공쥬를 편ᄋᆡᄒᆞ시ᄂᆞᆫ 밧 ᄉᆡᆼ산ᄒᆞ믈 드르시고, 셩심이 대열ᄒᆞ샤 어의와 태의원 약을 보ᄂᆡ샤 산후 티료ᄒᆞ믈 등한이 말나 ᄒᆞ시고, 뎡·오 이왕이 ᄒᆞᆫ가디로 문양궁의 니르러 극딘ᄒᆞᆯ ᄲᅳᆫ 아니라, 공쥐 녀ᄋᆞ를 ᄎᆞᆺ디 못ᄒᆞ미 참통ᄒᆞ여 ᄒᆞ다가, 봉츄(鳳雛)984) ᄀᆞᆺᄐᆞᆫ ᄋᆞ들을 엇고, 존당 구고와【49】제왕의 깃거 ᄒᆞ미 망외로 알고, 황샹이 텬뉸의 ᄌᆞᄋᆡ를 다ᄒᆞ시니, 공쥐 ᄆᆞ음이 즐겨 한이 프러디고 깃거ᄒᆞ미 비ᄒᆞᆯ 곳이 업ᄂᆞᆫ디라. ᄌᆞ연이

983)훤ᄌᆞ(喧藉) : 여러 사람의 입으로 퍼져서 왁자하게 됨. ≒훤전(喧傳).

984)봉추(鳳雛) : 봉황의 새끼.

살오니, 담양일읍의 교홰 ᄃᆡ치(大治)ᄒᆞ며 염질이 간졍ᄒᆞ고, 결옥치송(決獄治訟)이 지공무ᄉᆞ(至公無私)ᄒᆞ야 ᄋᆡ민션졍ᄒᆞ니, 현셩(賢聲)이 일읍의 진동ᄒᆞᄆᆡ, 타읍ᄇᆡᆨ셩과 니산(離散)ᄒᆞ엿던 ᄇᆡᆨ셩이 토쥬(土主)의 ᄀᆡ특다 ᄒᆞ믈【31】듯고, 집을 닐우혀고 ᄉᆡᆼ업을 일ᄉᆞᆷ아, 죄의 나아가미 흔치 아니ᄒᆞ니, 도임ᄒᆞ연지 ᄉᆞ오 삭에 관졍(官庭)이 고요ᄒᆞ여 어지러온 일이 업고, 니민(里民)이 칭덕(稱德)ᄒᆞ니, 몽슉의 어진 ᄉᆞᄅᆞᆷ 됨과 살 ᄯᆞ흘 드ᄃᆡ미 젼혀 뎡쥭청의 덕홰러라.

ᄎᆞ시 뎡부 문양공쥐 ᄐᆡ신지경(胎身之慶)이 잇산지 십 삭이 챠ᄆᆡ, 일ᄀᆡ 옥동을 ᄉᆡᆼᄒᆞ니, 존당 슌태부인과 금평휘 부뷔 ᄃᆡ열ᄒᆞ고, 졔왕이 ᄯᅩᄒᆞᆫ 깃거 삼일이 지ᄂᆡᆫ 후, 신ᄋᆞ를 보고 비상ᄒᆞ믈 ᄋᆡ즁ᄒᆞ여 공쥬의 소ᄉᆡᆼ이 이ᄀᆞᆺ치 아ᄅᆞᆷ다오믄 오히려 ᄀᆡ약지 아닌 ᄇᆡ라. 졔왕을 젼쥬(專主) 품습(稟襲)ᄒᆞ여 모풍(母風)은 업ᄉᆞ믈 크게 깃거 ᄒᆞ더라. 상이 공쥬의 ᄉᆡᆼ남ᄒᆞ믈 드르시고 셩심이 ᄃᆡ열ᄒᆞ샤, 녀의(女醫)○[와] ᄐᆡ의원(太醫院)을 《일쥬‖쥬야》로 ᄃᆡ후(待候)【32】케 ᄒᆞ시고, 문후ᄒᆞᄂᆞᆫ 상궁과 보원(補元)779)ᄒᆞᆯ 약음(藥飮)이 도로의 니엇더라.

779)보원(補元) : =보기(補氣). 약을 먹어서 허약한 원기를 돕는 일.

산후 쾌활ᄒᆞ믈 인ᄒᆞ여 ᄀᆡᆼ반(羹飯)을 나오고, 긔운이 여상(如常)ᄒᆞ여 삼칠 후 즉시 니러나니, 상부와 졔궁이며 문양궁 쇼쇽이 아니 깃거ᄒᆞ리 업더라. 윤・양 등의 깃거ᄒᆞ믄 더옥 측냥업ᄉᆞ며, ᄋᆞᄌᆞ의 귀듕ᄒᆞ미 합문의 보ᄇᆡ 되엿더라. 공쥬의 ᄉᆡᆼ셰디락(生世之樂)이 이 밧긔 업고, 김귀비의 두굿기며 영ᄒᆡᆼᄒᆞ미 비ᄒᆞᆯ 곳이 업더라.

이러구러 ᄒᆡ 밧괴이고 신셰(新歲)를 만나니, 뎡부의 셰하(歲賀)ᄒᆞᄂᆞᆫ 빈ᄀᆡᆨ이 운집ᄒᆞ여, 져【50】마다 신셰만복(新歲萬福)을 니르며, 공쥬의 ᄉᆡᆼ남ᄒᆞ믈 하례ᄒᆞ니, 금평후 부부와 슌태부인이 공쥬의 ᄉᆡᆼᄋᆡ 슈려ᄒᆞᄆᆡ, 깃거 ᄒᆞ믈 니긔디 못ᄒᆞ더라.

션시의 동월ᄇᆡᆨ 경공의 부인 양시 윤부 근쳐의 가샤(家舍)를 어더, 동평후의 은혜를 바드며 조부인의 셩심을 므릅뼈, 모녜 계오 뇨ᄉᆡᆼ(聊生)ᄒᆞ여 동ᄇᆡᆨ(-伯)의 삼년(三年)을 맛고, 디통이 각골ᄒᆞ나 녀ᄋᆞ의 아ᄅᆞᆷ다오미 명쥬보벽(明珠寶璧) ᄀᆞᆺᄐᆞ니, 양부인이 일노뼈 잠간 위로ᄒᆞ여 슬픈 졍ᄉᆞ를 조부인긔 고ᄒᆞ여, 녀ᄋᆡ 임의 이팔츈광(二八春光)을 당ᄒᆞ여시니, 아모 곳의나 상뎍(相敵)ᄒᆞᆫ ᄇᆡ우를 남창후 형뎨긔 듯보아 쳔거【51】ᄒᆞ시믈 쳥ᄒᆞ니, 조부인이 답간(答簡)의 쾌히 허락ᄒᆞ고, 창후 형뎨를 ᄃᆡᄒᆞ여 양부인의 잔잉ᄒᆞᆫ 졍ᄉᆞ를 닐너 맛당ᄒᆞᆫ 가랑(佳郞)을 듯보아 경시와 혼녜를 일우게 ᄒᆞ라 ᄒᆞ니, 창휘 웃고 닐오ᄃᆡ,

“경쇼져의 용화긔딜이 범상치 아니타 ᄒᆞ니 용용쇽ᄌᆞ(庸庸俗子)는 그 ᄇᆡ필이 블가ᄒᆞᆫ디라. 쇼ᄌᆡ 그윽이 ᄉᆡᆼ각ᄒᆞ니 하ᄌᆞ의 긔상과 픔딜(稟質)이 여러 쳐쳡을 거나렴즉 ᄒᆞᆫ디라. 화가여ᄉᆡᆼ으로 쇼년 변고를 경녁ᄒᆞᄆᆡ, 만ᄉᆡ 무흥(無興)ᄒᆞ여 여러 쳐실을 모ᄒᆞᆯ 의ᄉᆡ 업셔 ᄒᆞ거니와, 연부인은 ᄒᆞᆫ낫 병인 ᄀᆞᆺᄐᆞ여 져져 동널의 《블가ᄒᆞ미 되ᄂᆞᆫ가‖불가ᄒᆞᆯ 듯》 시브니, 쇼ᄌᆡ 뎡국【52】공을 보고 경시를 쳔거ᄒᆞ여 혼녜를 일우게 ᄒᆞ샤이다.”

조부인이 잠쇼 왈,

“뎔녀의 어질미 여러 녀ᄌᆞ를 모화도 쾌히

ᄎᆞ시 양부인의 녀ᄋᆡ 장셩ᄒᆞᄆᆡ 아름다오미 명쥬보벽(明珠寶璧) ᄀᆞᆺᄒᆞ니, 양부인이 ᄆᆡ양 근심ᄒᆞ여 슬픈 졍ᄉᆞ를 조부인긔 고ᄒᆞ고, 녀ᄋᆡ 임의 이팔츈광(二八春光)이 되엿시니, 아모 곳이나 상젹ᄒᆞᆯ ᄇᆡ우를 졍ᄒᆞ믈 ᄇᆞ라{ᄂᆞ}니, 남창후 형뎨 듯보아 쳔거ᄒᆞ믈 쳥ᄒᆞ니, 조부인이 쾌히ᄒᆞ고 창후 형뎨를 ᄃᆡᄒᆞ여 양부인의 잔잉ᄒᆞᆫ 졍ᄉᆞ를 닐너 맛당ᄒᆞᆫ 가랑(佳郞)을 듯보아 경씨와 혼녜를 닐우게 ᄒᆞ라 ᄒᆞ니, 창휘 소이ᄃᆡ왈(笑而對曰),

“경소져의 용화긔질이 범상치 아니타 ᄒᆞ니, ○○○○○[용용쇽ᄌᆞ(庸庸俗子)는] 그 ᄇᆡ필이 가치 아닌지라. 소ᄌᆡ 그윽이 ᄉᆡᆼ각ᄒᆞ니 하ᄌᆞ의 긔상이 여러 쳐쳡을 거나렴즉 ᄒᆞᆫ지라. 화가여ᄉᆡᆼ으로 초년【33】의 변고를 경녁ᄒᆞᄆᆡ 만ᄉᆡ 무흥(無興)ᄒᆞ여, 여러 쳐쳡을 모ᄒᆞᆯ ᄉᆡᆼ각이 업ᄉᆞ나, 연부인은 한낫 병인 ᄀᆞᆺᄒᆞ여 져져 동녈이 불가ᄒᆞᆯ 듯 시부니, 소ᄌᆡ 뎡국공을 보고 경씨를 쳔거ᄒᆞ여, 혼녜를 닐우게 ᄒᆞ고져 ᄒᆞᄂᆞ이다.”

조부인이 함소 왈,

“현ᄋᆞ의 어질미 여러 쳐쳡을 모화도 편히

거나릴 위인이어니와, 녀ᄌᆞ의게 뎍인(敵人)이 맛참ᄂᆡ 번ᄉᆞ(繁事)ᄒᆞᆫ 근심이 되고 깃븐 일이 아니라. 너희 굿ᄐᆞ여 경시를 하복야와 의혼코져 ᄒᆞ믄 엇디오?"

동평휘 ᄃᆡ왈,

"ᄌᆞ괴 맛당ᄒᆞ시니 쇼ᄌᆞ 등이 널니 듯보아 만일 아름다온 낭ᄌᆡ(郎材)[985]를 만나면 굿ᄐᆞ여 하형과 의혼ᄒᆞ리잇가?"

이ᄯᆡ 초공 부인이 귀령ᄒᆞ고, 셕부인 경ᄋᆞᄂᆞᆫ 님산ᄒᆞ여시므로 본부의셔 분산ᄒᆞ려 ᄒᆞᄂᆞᆫ 고로 다 모닷더니, 경ᄋᆡ 탄왈,

"내 젼ᄌᆞ(前者)의 뎍인을 원【53】슈ᄀᆞᆺ치 넉이더니, 도금ᄒᆞ여 그 ᄯᆡ ᄒᆞ던 일이 뉘웃고, 오시 어딜미 친동긔나 다르디 아니ᄒᆞ니, 비로소 뎍인이 무ᄒᆡᄒᆞᄆᆞᆯ ᄭᆡᄃᆞᆺ괘라."

태뷔 왈,

"져제 ᄇᆞᆰ히 ᄭᆡᄃᆞ르시니 이ᄂᆞᆫ 덕을 닐넘ᄌᆞᆨᄒᆞᆫ디라. 실노 복녹을 바드시며 부귀를 누리실 증되(徵兆)라. 어이 깃브디 아니리잇가?"

셕부인이 탄식ᄒᆞᄆᆞᆯ 마디 아니ᄒᆞ고, 하부인이 날호여 ᄀᆞᆯ오ᄃᆡ,

"구가의 삼공ᄌᆡ 졈졈 ᄌᆞ라가니 오라디 아냐 입장(入丈)ᄒᆞ려니와, 내 실노 일신이 ᄒᆞᆫ ᄯᆡ도 한가치 못ᄒᆞ여, 봉친(奉親) 봉ᄉᆞ(奉祀)와 졉ᄀᆡᆨ슈응(接客酬應)의 몸이 갓브ᄆᆞᆯ 니긔디 못ᄒᆞᄂᆞ니, 뎍인이 만일 녜ᄉᆞ 사ᄅᆞᆷ일딘ᄃᆡ【54】슈고를 난호련마ᄂᆞᆫ, 연시ᄂᆞᆫ 나의게 무ᄒᆡ무익(無害無益)ᄒᆞ여 니른 바 유약뮈(有若無)[986]라. 능히 슈고를 난홀 길히 업ᄉᆞ니, 내 ᄯᅳᆺ의 ᄆᆡ양 가군이 신취ᄒᆞ여 ᄒᆞᆫ낫 뇨됴명염(窈窕名艶)의 슉녀 엇기를 원ᄒᆞᄂᆞᆫ ᄇᆡ로ᄃᆡ, 하군이 녀관(女關)의 ᄯᅳᆺ이 업셔 번화를 원슈ᄀᆞᆺ치 넉이니, 내 셔어ᄒᆞᆫ 말노 신취를 권ᄒᆞ미 투긔 업ᄉᆞᄆᆞᆯ ᄌᆞ랑ᄒᆞᆷ ᄀᆞᆺᄐᆞ니, 사ᄅᆞᆷ이 우이 넉일 ᄃᆞᆺᄒᆞ니 발셜치 못ᄒᆞ엿더니, 경시 딘실노 현슉ᄒᆞᆫ 녀질딘ᄃᆡ, 쇼고(小姑)의 입을 비러 ᄎᆞ혼을 셩젼케 ᄒᆞ리라."

동평휘 쇼왈,

"경시의 뇨됴유한(窈窕幽閑)ᄒᆞ믄 쇼뎨 닉

985)낭재(郎材) : 신랑감.

986)유약뮈(有若無) : 있지만 없는 것과 다름없음.

거ᄂᆞ릴 위인이어니와, 녀ᄌᆞ의게 젹국이 맛참ᄂᆡ 범ᄉᆞ의 근심이 되고 깃분 일이 아니라, 너희 굿ᄐᆞ여 경씨를 하복야와 의논코져 ᄒᆞ믄 엇지미뇨?"

평휘 ᄃᆡ왈,

"하괴 맛당ᄒᆞ시니 소ᄌᆞ 등이 널니 듯보아 만일 아름다온 남ᄌᆡ를 잇시면 굿ᄐᆞ여 ᄌᆞ의 형과 의혼ᄒᆞ리잇가?"

이ᄯᆡ 하부인이 현ᄋᆡ 귀령ᄒᆞ고, 셕부인 경ᄋᆞᄂᆞᆫ 임산ᄒᆞ엿ᄂᆞᆫ 고로 친정에 도라와 분산ᄒᆞ【34】려 모닷더니, 경ᄋᆡ 탄왈,

"ᄂᆡ 젼ᄌᆞ(前者)의 젹인을 원슈 ᄀᆞᆺ치 넉이더니, 도금ᄒᆞ여 그 ᄯᆡ ᄒᆞ던 일이 뉘웃부고, 오씨 어질미 친동긔나 ᄃᆞ르지 아니ᄒᆞ니, 비로소 젹인이 무ᄒᆡᄒᆞᄆᆞᆯ ᄭᆡ닷괘라."

ᄐᆡ뷔 왈,

"져져의 ᄲᆞᆯ니 ᄭᆡ다르시미 이 ᄀᆞᆺᄐᆞ시니 복녹을 바다 부귀를 누릴 징죄(徵兆)라 어이 깃부지 아니리잇고?"

경ᄋᆡ 탄식 무언이러라. 하부인 현ᄋᆡ 날호여 ᄀᆞᆯ오ᄃᆡ,

"구가의 원상 등 삼공ᄌᆡ ᄌᆞ라가니 오ᄅᆡ지 아냐 입장(入丈)ᄒᆞ려니와, 나의 일신이 ᄒᆞᆫ ᄯᆡ도 한가ᄒᆞᄆᆞᆯ 엇지 못ᄒᆞ여, 봉친(奉親) 봉ᄉᆞ(奉祀)와 졉빈ᄀᆡᆨ(接賓客) 슈응(酬應)의 몸이 닛부믈 니긔지 못ᄒᆞᄂᆞ니, 젹인이 만일 예ᄉᆞ ᄉᆞᄅᆞᆷ일진ᄃᆡ 슈고를 난호지 못ᄒᆞ리오마ᄂᆞᆫ, 할일업ᄉᆞ니, ᄂᆡ ᄯᅳᆺ의 ᄆᆡ양 가군이 신취ᄒᆞ여 한 낫 요조명염(窈窕名艶)의 슉녀 엇기를【35】 원ᄒᆞ되, 하군이 녀관의 ᄯᅳᆺ이 업셔 범ᄉᆞ를 원슈ᄀᆞᆺ치 넉이니, 나의 셔어ᄒᆞᆫ 말노 신취를 구ᄒᆞ미 투긔 업ᄉᆞᄆᆞᆯ ᄌᆞ랑ᄒᆞᆷ ᄀᆞᆺᄐᆞ니, ᄉᆞᄅᆞᆷ이 우이 넉일 ᄃᆞᆺ ᄒᆞ야 발셜치 아녓거니와, 경씨 진실노 현슉ᄒᆞᆫ 녀ᄌᆡ ᄀᆞᆺ흐면《소소 혐의로 ᄎᆞ혼을 셩젼케 아니리오‖쇼고(小姑)의 입을 비러 ᄎᆞ혼을 셩젼케 ᄒᆞ리라》."

동평휘 소 왈,

"경씨의 요조슉완(窈窕淑婉)ᄒᆞ믄 소뎨 친히 본 ᄇᆡ니, 다시 일을 일이 업거니와, 져제 번극(煩劇)ᄒᆞᆫ 가ᄉᆞ를 당ᄒᆞ여 능히 슈고를

이 본 ᄇᆡ니, 다시 므를 일이 업거니와, 져제 번극(煩劇)ᄒᆞᆫ 가【55】ᄉᆞ를 당ᄒᆞ여 슈고를 난홀 곳이 업고, 근노ᄒᆞ시미 극ᄒᆞ실딘ᄃᆡ 하형으로 ᄒᆞ여금 경시를 취ᄒᆞ미 맛당ᄒᆞ니, 쇼뎨 비록 언둔(言鈍)ᄒᆞ나 듕ᄆᆡ 될딘ᄃᆡ 엇디 하시만 못ᄒᆞ여, 하시로 하여금 월노(月老)987)를 소임케 ᄒᆞ리잇가?"

초공 부인이 쇼왈,

"군직 현뎨의 말을 듯디 아냐도 쇼고의 말은 아니 듯디 못ᄒᆞ리니, 듕ᄆᆡ 될딘ᄃᆡ 쇼괴 웃듬일가 ᄒᆞ노라."

동평휘 쇼왈,

"져져의 ᄯᅳᆺ이 하형으로 ᄒᆞ여금 경시를 취코져 ᄒᆞ실딘ᄃᆡ, 쇼뎨ᄂᆞᆫ 하형의 대인을 보고 혼인을 청ᄒᆞ여 일어(一語)의 허락을 밧고 말니니 엇디 하시의 입을 빌니잇고?"

창휘 쇼왈,

"현뎨 범【56】ᄉᆞ의 겸퇴ᄒᆞ기를 웃듬ᄒᆞ더니 엇디 ᄎᆞ혼 듕ᄆᆡ의 다ᄃᆞ라ᄂᆞᆫ 남의셔 몬져 ᄂᆡᄃᆞᆺ고져 ᄒᆞᄂᆞ뇨? ᄌᆞ의 형이 슈시 말인즉 아니 듯ᄂᆞᆫ 일이 업다 ᄒᆞ니, ᄎᆞ혼을 하슈로 ᄒᆞ여금 죵용이 ᄌᆞ의 형과 의논ᄒᆞ여 허락을 밧ᄂᆞᆫ 거시 올흘가 ᄒᆞ노라."

동평휘 잠쇼 ᄃᆡ왈,

"쇼뎨 굿ᄐᆞ여 ᄎᆞ혼의 듕ᄆᆡ 되고져 ᄒᆞᄂᆞᆫ 거시 아니라, 져제 쇼뎨로뼈 하시만 못ᄒᆞ게 넉이며, 하시로 ᄒᆞ여금 혼인을 청ᄒᆞ랴 ᄒᆞ시기, 하 가쇼로와 ᄇᆞᄃᆡ 월노를 ᄌᆞ임ᄒᆞ고 하쥬(賀酒)를 쁜더이988) 바다 먹으랴 ᄒᆞᄂᆞ이다."

초공 부인과 창휘 다 웃고 어셔 하공의 허락을 바다 오라 ᄌᆡ촉ᄒᆞ더라.

동평휘 일일은【57】하부의 니르러 국공 부부긔 뵈ᄋᆞᆸ고, 이의 웃고 ᄀᆞᆯ오ᄃᆡ,

난홀 곳이 업고 근노ᄒᆞ시미 극ᄒᆞ실진ᄃᆡ, 하형으로 ᄒᆞ야곰 경씨를 취케ᄒᆞ미 맛당ᄒᆞ니, 소뎨 비록 언둔(言鈍)ᄒᆞ나 즁ᄆᆡ 되ᄆᆡ 엇지 하씨만 ᄀᆞᆺ지 못ᄒᆞ여, 하씨로 더브러 월노(月老)780)를 소임케 ᄒᆞ리잇고?"

초공 부인이 소왈,

"하군이 현뎨의 말을 듯지 아냐도 소고의 말은 아니【36】듯지 못ᄒᆞ리니, 즁ᄆᆡ 될진ᄃᆡ 소괴 웃듬일가 ᄒᆞ노라."

동평휘 소왈,

"져제 구지 하형으로 ᄒᆞ야곰 경씨를 취코져 ᄒᆞ실진ᄃᆡ, 소뎨 악장을 보고 바로 혼인을 청ᄒᆞ여 일언을[의] 허락○[을] 밧고 말니니, 엇지 하씨의 입을 빌니○[리]오."

창휘 소왈,

"현뎨 범ᄉᆞ의 겸퇴ᄒᆞ기를 웃듬ᄒᆞ더니, 엇지 ᄎᆞ혼의 즁ᄆᆡ의 되기ᄂᆞᆫ 남의셔 몬져 ᄂᆡ닷고져 ᄒᆞᄂᆞ뇨? ᄌᆞ의 형이 그 ᄆᆡ씨의 말솜인즉 아니 듯ᄂᆞᆫ 일이 업다 ᄒᆞ니, ᄎᆞ혼은 하씨로 ᄒᆞ야곰 종용이 ᄌᆞ의 형과 의논ᄒᆞ여 허락을 밧ᄂᆞᆫ 거시 올흘가 ᄒᆞ노라."

동평휘 즘소 ᄃᆡ왈,

"소뎨 굿ᄐᆞ여 ᄎᆞ혼의 즁ᄆᆡ 되고져 ᄒᆞ미 아니라, 져제 소뎨로뼈 하씨만 못ᄒᆞ게 넉이샤, 하씨로 ᄒᆞ야곰 ᄎᆞ혼을 청코져 하시니, 하【37】가소로와 부ᄃᆡ 월노를 ᄌᆞ임ᄒᆞ고 하쥬(賀酒)를 《즛어더‖쁜더이781)》 바다 먹으랴 ᄒᆞᄂᆞ이다."

초공 부인과 창휘 다 웃고, 어셔 하공의 허락을 바다 ᄂᆡ라 ᄒᆞ니,

동평휘 이에 취운산에 나아가 몬져 뎡부의 니르니, 이날 맛춤 금후와 졔왕 형뎨 하부의 모다 담화ᄒᆞᄂᆞᆫ 고로, 청즁이 ᄇᆡ엿ᄂᆞᆫ지라. 동평휘 현긔를 다리고 ᄂᆡ루의 드러가 ᄐᆡ부인과 딘부인과 져져의게 ᄇᆡ현ᄒᆞ고, 십여 일

987)월노(月老) : 월하노인(月下老人). ①부부의 인연을 맺어 준다는 전설상의 늙은이. ②중매(中媒).
988)쁜덥다 : 찐덥다. 남을 대하기가 마음에 흐뭇하고 만족스럽다.

780)월노(月老) : 월하노인(月下老人). ①부부의 인연을 맺어 준다는 전설상의 늙은이. ②중매(中媒).
781)쁜덥다 : 찐덥다. 남을 대하기가 마음에 흐뭇하고 만족스럽다.

존후를 뭇즈온 후, 날호여 하직ᄒ고 바로 협문으로 조ᄎ 하부의 니르러, 하공 부즈와 금후 부즈를 보ᄆ, 면면이 반기믈 씌여 흔연이 근일 보지 못ᄒ던 졍을 펴ᄆ, 뎡녜뷔 소왈,

"ᄉ빈이 취운산으로 나오ᄆ ᄆ양 우리 집으로 몬져 오더니, 오날은 ᄃ인이 이에 오시고 아등이 다 뫼셔 왓ᄂ고로, 셔【38】헌이 븨엿시니 즉시 이리 오도다."

틱뷔 잠소 왈,

"금일 운산에 나오미 젼혀 하부를 위ᄒ여 왓거니와, 엇지 젼 규구(前規矩)를 바리고 몬져 현빈치 아니코 이에 왓시리오. ᄌ연이 져져긔 뵈오믈 인ᄒ여 존당과 악모긔 빈알ᄒ고, ᄂ루의 드러가 오ᄅ 머믄괘라. 월휘 틱부의 말을 듯고 우어 왈,

"윤형이 빙가의 왕ᄂ 더[드]물고 셔어ᄒᆫ 일이 업거ᄂᆯ 오날은 무삼 일노 나와셔 이리 졍다온 쳬ᄒᄂ뇨?"

틱뷔 월후의 비소ᄒ믈 듯고 미소 왈,

"여빅이 ᄂ 말을 변으로 알거니와, 어ᄂ 셔랑이 일삭의 ᄉᄉ 번식 구실 삼아 십니 졍에 나와 악부모를 비견ᄒ리오마ᄂᆫ, 하·뎡 냥뷔 범연ᄒᆫ 빙가간의 졀긴ᄒᆫ ᄉ괴 업ᄉᆫ 즉 부ᄃ 나아가니, 존당과 악부모긔 뵈오믄 실노 져져 뵈옵기를 위ᄒ【39】미라."

ᄒ더라.

◎[782]지셜 틱뷔 미소 왈,

"져졔 계시므로 가간이 졀긴ᄒᆫ ᄉ괴 업ᄉᆫ 즉 부ᄃ 나아가니, 존당과 악뫼게 ᄉᆫᄉᆫ이 빅현ᄒ믄 실노 져져의게 뵈옵기를 원ᄒ미라. 하·뎡 냥뷔 다 범연ᄒᆫ 빙가와 갓지 아냐 져져 계시므로, 가간의 졀긴ᄒᆫ ᄉ괴 업ᄉᆫ즉 부ᄃ 나가ᄂ니 빙악과 쳐모를 날쳐로 쟈로 왕ᄂᄒ여 빅견ᄒ리오."

월휘 소왈,

"소뎨 빙가의 무졍ᄒ나 형ᄀᆺ치 ᄆ믈치 아니니다."

하공긔 고왈,

---

782)◎ : 선행본의 분권 권두표점.

"쇼ᄉᆡᆼ이 ᄌᆞ의 형의게 ᄒᆞᆫ낫 슉녀를 쳔거ᄒᆞ여 악당의 티샤(致謝)ᄒᆞ시ᄂᆞᆫ 하쥬를 밧고져 ᄒᆞ므로, 실인(室人)이 월노를 ᄌᆞ임코져 ᄒᆞᄂᆞᆫ 거술, 쇼ᄉᆡᆼ이 실인의 오ᄂᆞᆫ 거술 막고 ᄉᆞᄉᆞ로 니르과이다."

하공이 놀나 니르ᄃᆡ,

"원광이 녕ᄆᆡ로 더브러 결발대륜(結髮大倫)을 일워 옥 ᄀᆞᄐᆞᆫ 긔린(騏驎)을 층층이 두고, 연시 비록 인뉴의 말ᄌᆡ[989]나 그 셩힝이 남을 우일[990] ᄯᆞ롬이오, 간음요ᄉᆞ(奸淫妖邪)ᄒᆞᆫ 일은 업ᄉᆞ니, 원광이 ᄯᅩᄒᆞᆫ 부부의 뉸의를 폐치 아냐 임의 ᄌᆞ녀를 나하시니, 오개(吾家) 본ᄃᆡ 즐겁디 아닌디라, 우리 부ᄌᆡ 실노 번ᄉᆞ(繁事)를 구치 아니ᄒᆞ노라."

태【58】뷔 쇼왈,

"쇼ᄉᆡᆼ이 ᄉᆞ리를 모로오나 ᄌᆞ의 형의 신취디ᄉᆞ(新娶之事)ᄂᆞᆫ 대단이 블가ᄒᆞᆯ딘ᄃᆡ, 어이 ᄌᆞ의 형과 악당의 깃거 아닛ᄂᆞᆫ 바를 권ᄒᆞ리잇고마ᄂᆞᆫ, 쇼ᄉᆡᆼ이 동뎍(東賊)을 토멸ᄒᆞ고 도라 올 ᄶᅴ의, 동월ᄇᆡᆨ 경공의 부인 양시 그 녀ᄋᆞ로 더브러 쇼ᄉᆡᆼ을 ᄯᆞ라 경샤의 니르러, 의디ᄒᆞᆯ 곳이 업ᄉᆞ므로 옥누항 근쳐의 가샤(家舍)를 어더 머므럿ᄂᆞᆫ디라. 경쇼져의 아름다오믄 쇼ᄉᆡᆼ이 본 ᄇᆡ오, 그 힝실이 긔특ᄒᆞ믄 차평셰 요뎍(妖賊)의게 잡혀 가ᄃᆡ, 능히 쥬표(朱標)를 완젼ᄒᆞ고 ᄌᆞ모를 븟드러 목숨을 슷디 아냐, 《경신이 위대ᄒᆞ믈 ᄉᆡᆼ각ᄒᆞ니‖당시의 경ᄉᆡᆨ(景色)이 위틔ᄒᆞ믈 ᄉᆡᆼ각ᄒᆞᄆᆡ》, 녀ᄌᆞ 가온ᄃᆡ 통달ᄒᆞᆫ 위인【59】이라. 쇼ᄉᆡᆼ이 그윽이 ᄉᆡᆼ각건ᄃᆡ 경시 ᄀᆞᄐᆞᆫ 인믈노ᄡᅧ 용용속ᄌᆞ(庸庸俗子)의 ᄇᆡ위 되면, 그 일ᄉᆡᆼ이 헛되이 맛ᄎᆞ미오. 샹부(相府) 후문(侯門)의 옥인군ᄌᆞ(玉人君子)를 갈희고져 ᄒᆞᆫ즉, 인심 셰되 권셰를 븟좃ᄎᆞ미 되여시니, 경ᄇᆡᆨ이 ᄉᆞ라신즉 부귀를 칭앙(稱仰)ᄒᆞ여 구혼ᄒᆞ리 나렬작벌(羅列作伐)[991]ᄒᆞᆯ 거시로ᄃᆡ, 당시ᄒᆞ여ᄂᆞᆫ 빈한ᄒᆞᆫ 과모(寡母)의 일 녀ᄋᆞ(女

989)-ᄌᆡ : -째. '차례'의 뜻을 더하는 접미사.
990)우이다 : 웃기다.
991)나렬작벌(羅列作伐) : 줄을 서서 중매(仲媒)를 세움. 작벌(作伐)하다 : 중매 서다.

"소ᄉᆡᆼ이 금일 오믄 ᄌᆞ의 형의게 《ᄒᆞᆫ곳‖ᄒᆞᆫ낫》 슉녀를 쳔거ᄒᆞ여 악장의 칭샤ᄒᆞ시ᄂᆞᆫ 하쥰(賀樽)을 밧ᄌᆞᆸ고져 니르과이다"

명국공이 놀나 왈,

"원광이 녕ᄆᆡ를[로] 더브러 《결박ᄃᆡ츈‖결발ᄃᆡ륜(結髮大倫)》을 닐워 옥 ᄀᆞᄐᆞᆫ 긔린(騏驎)을 층층이 두고, 연씨 비록 인뉴[783]의 말ᄌᆡ나 원ᄋᆡ ᄯᅩᄒᆞᆫ 부부 뉸의를 폐치 아냐 임【40】의 ᄌᆞ녀를 나하시니, ᄂᆡ집이 본ᄃᆡ 즐겁지 못ᄒᆞᆫ지라. 우리 부ᄌᆡ 실노 번ᄉᆞ를 구치 아닛ᄂᆞ니 ᄯᅩ 엇지 신취ᄒᆞ믈 ᄉᆡᆼ각ᄒᆞ리오."

ᄐᆡ뷔 소이ᄃᆡ왈,

"소ᄉᆡᆼ이 ᄉᆞ리를 모르오나 ᄌᆞ의 형의 신취지ᄌᆡ(新娶之事) ᄃᆡ단 블가ᄒᆞᆯ진ᄃᆡ, 어이 권ᄒᆞ리잇고마ᄂᆞᆫ, 소ᄉᆡᆼ이 동젹(東賊)을 탕멸ᄒᆞ고 도라 올 ᄶᅴ, 동월ᄇᆡᆨ 경공의 부인 양씨{의}○[그] 녀ᄌᆞ로 더브러 소ᄉᆡᆼ을 ᄯᆞ라 경ᄉᆞ의 니르러, 의지ᄒᆞᆯ 곳이 업ᄉᆞᆫ 고로 옥누항 근쳐 가샤(家舍)를 어더 머므ᄂᆞᆫ지라. 경소져의 아름다오믄 소ᄉᆡᆼ이 복[본] ᄇᆡ오, 그 힝(行)이 긔특ᄒᆞ믄 챠평셰 소젹(小賊)의게 잡혀 가ᄃᆡ 능히 쥬표(朱標)를 완젼ᄒᆞ고, ᄌᆞ모를 붓드러 목숨을 슷치 아니미, 《격식이 위틔ᄒᆞ믈 ᄉᆡᆼ각ᄒᆞ니‖당시의 경ᄉᆡᆨ(景色)이 위틔ᄒᆞ믈 ᄉᆡᆼ각ᄒᆞᄆᆡ》 녀ᄌᆞ 즁 통달ᄒᆞᆫ 위인이라. 소ᄉᆡᆼ이 그윽이 ᄉᆡᆼ각건ᄃᆡ, 경씨 ᄀᆞᄐᆞᆫ 인믈노ᄡᅧ【41】용용슉[쇽]ᄌᆞ(庸庸俗者)를 만나면 그 일ᄉᆡᆼ이 헛되이 맛ᄎᆞ미오, 샹부 후문의 옥인군ᄌᆞ(玉人君子)를 갈히고져 ᄒᆞᆫ즉, 인심 셰되 권셰를 븟초ᄎᆞ니 경ᄇᆡᆨ이 ᄉᆞ라신즉 부귀를 칭앙ᄒᆞ여 구혼《ᄒᆞᄃᆡ‖ᄒᆞ리》《낙열‖낙역(絡繹)》ᄒᆞᆯ 거시로ᄃᆡ, 당시ᄒᆞ여ᄂᆞᆫ 빈한ᄒᆞᆫ 과모(寡母)의 일 녀ᄋᆞ로 호화키를 ᄇᆞ라지 못ᄒᆞᆯ지라. 《ᄌᆞ로‖ᄎᆞ고(此故)로》 벌열명족(閥閱名族)의 부귀가 공ᄌᆞᄂᆞᆫ 《경ᄉᆞ‖경시》를 취코져 아닐 거시오. 미문쳔가(微門賤家)의 결혼키ᄂᆞᆫ 실노 옥을 진토(塵

783)-ᄌᆡ : -째. '차례'의 뜻을 더하는 접미사.

兒)로 호화키를 바라디 못ᄒᆞᆯ디라. ᄎᆞ고(此故)로 벌열명족(閥閱名族)의 부귀가 공ᄌᆞᄂᆞᆫ 경시를 취코져 아닐 거시오, 미문쳔가(微門賤家)의 결혼키ᄂᆞᆫ 실노 옥을 딘토(塵土)의 더디며, 명쥐(明珠) ᄉᆞ셕(沙石)의 바림 ᄀᆞᆺ튼 고로, 특별이 ᄌᆞ의 형의 부빈(副嬪)을 쳔거ᄒᆞ여, '쥬【60】딘(朱陳)992)의 됴흐믈 ᄆᆡᆽ고져' ᄒᆞ미러니, 악댱이 이러틋 ᄆᆡᄆᆡ(浼浼)○[히]993) 거졀ᄒᆞ시니 쇼ᄉᆡᆼ이 말 ᄂᆡ오미 브졀업거니와, 텬여블취(天與不取)면 반슈기앙(反受其殃)994)이라. 문왕(文王)이 셩인이샤ᄃᆡ 태샤(太姒) ᄀᆞᆺ튼 슉녀를 두시고, 삼쳔후비(三千后妃)의[를] 유졍(有情)ᄒᆞ시니, ᄌᆞ의 형의 긔상으로뼈 규ᄂᆡ(閨內)의 셰 부인을 거나리디 못ᄒᆞᆯ가 근심ᄒᆞ며, ᄆᆡ져의 현슉ᄒᆞ므로 두어 덕인을 화우(和友)치 못ᄒᆞᆯ가 념녀ᄒᆞ리잇가?"

하공이 쳥파의 호호히 우어 왈,

"내 ᄆᆡ양 ᄉᆞ빈의 너모 녜듕ᄒᆞᆷ과 남 달니 단믁(端默)ᄒᆞ여, ᄒᆞᆫ 조각 번화ᄒᆞᆫ 뜻이 업ᄉᆞ믈 답답이 넉이고, 사ᄅᆞᆷ 권쟝ᄒᆞ미 힝혀도 호방ᄒᆞᆫ ᄃᆡ 니르디 아니터니, 오날【61】놀 경시의 현부(賢否)를 니르며, 원ᄋᆞ의 혼인을 권ᄒᆞ미 이 ᄀᆞᆺᄐᆞ니 실노 희귀ᄒᆞᆫ 일이로다. 내 엇디 ᄆᆡᄆᆡ히 거졀ᄒᆞ리오. 현셔의 말을 조ᄎᆞ 혼인을 쾌허ᄒᆞᄂᆞ니, 슈히{히} 길녜를 일우게 ᄒᆞ라."

동평휘 쇼이ᄉᆞ샤(笑而謝辭) 왈,

"악댱이 ᄎᆞ혼을 허ᄒᆞ시니, 쇼ᄉᆡᆼ이 듕ᄆᆡ되믈 ᄌᆞ원ᄒᆞ여 왓던 ᄇᆡ 헛되디 아냐, 무안ᄒᆞ믈 면ᄒᆞ고 하쥬(賀酒)를 취토록 먹으리로소이다."

992) 쥬딘(朱陳) : 주진(朱陳)은 중국 당(唐)나라 때에 주씨와 진씨 두 성씨가 함께 살아오던 마을 이름인데, 한 마을에 오직 주씨와 진씨만 대대로 살아오면서 서로 혼인을 하였다고 하여, 두 성씨간의 혼인을 일컬어 '주진(朱陳)의 호연(好緣)'이라고 한다.

993)ᄆᆡᄆᆡ히 : 창피를 줄 정도로 거절하는 태도가 쌀쌀맞게.

994)텬여블취(天與不取)면 반슈기앙(反受其殃)이라 : 하늘이 주는 것을 받지 않으면 도리어 앙화(殃禍)를 입게 된다.

土)의 더지며 명쥐(明珠) ᄉᆞ셕(沙石)의 바림 ᄀᆞᆺ튼 고로, 특별이 ᄌᆞ의 형의 부빈(副嬪)을 쳔거ᄒᆞ여 '쥬잔[진](朱陳)784)의 호연(好緣)'을 ᄆᆡᆽ고져 ᄒᆞ미어니와, 악장이 니러틋 ᄆᆡᄆᆡ(浼浼)○[히]785) 거졀ᄒᆞ시[나]니 소ᄉᆡᆼ이 말 ᄂᆡ오미 부졀업거니와, 텬여불취(天與不取)면 반슈기앙(反受其殃)786)이라. 문왕(文王)이 셩왕(聖王)이샤ᄃᆡ, ᄐᆡᄉᆞ(太姒) ᄀᆞᆺ튼 슉녀를 두시고 삼쳔후비(三千后妃)의【42】유졍(有情)ᄒᆞ시니, ᄌᆞ의 형의 긔상으로져[뼈] 규ᄂᆡ(閨內)의 셰 부인을 거ᄂᆞ리지 못ᄒᆞᆯ가 근심ᄒᆞ며, ᄆᆡ져의 현슉ᄒᆞ므로 두어 적인을 화우(和友)치 못ᄒᆞᆯ가 근심ᄒᆞ리잇가?"

하공이 쳥파의 호호히 우어 왈,

"내 ᄆᆡ양 ᄉᆞ빈의 너모 녜즁(禮重)ᄒᆞᆷ과 남 달니 단묵(端默)ᄒᆞ여, ᄒᆞᆫ 조각 번화ᄒᆞᆫ 뜻이 업ᄉᆞ믈 답답히 넉이고, ᄉᆞᄅᆞᆷ 권장ᄒᆞ미 힝혀도 호방ᄒᆞᆫ ᄃᆡ 니르지 아니터니, 오날날 경씨의 현부(賢否)를 니르며, 원ᄋᆞ의 혼인을 권ᄒᆞ미 이 ᄀᆞᆺᄐᆞ니 실노 희귀ᄒᆞᆫ 일이로다. ᄂᆡ 엇지 ᄆᆡᄆᆡ히 거졀ᄒᆞ리오. 현셔의 말을 조ᄎᆞ 혼인을 쾌허ᄒᆞᄂᆞ니, 슈히 길녜를 닐우게 ᄒᆞ라"

동평휘 웃고 샤샤(謝辭) 왈,

"악장이 ᄎᆞ혼을 허ᄒᆞ시니, 소ᄉᆡᆼ이 즁ᄆᆡ되믈 ᄌᆞ원ᄒᆞ여 왓던 ᄇᆡ 헛되지 아녀, 무안ᄒᆞ믈 면ᄒᆞ고 하쥬(賀酒)를 취토록【43】먹으리로소이다."

784) 쥬딘(朱陳) : 주진(朱陳)은 중국 당(唐)나라 때에 주씨와 진씨 두 성씨가 함께 살아오던 마을 이름인데, 한 마을에 오직 주씨와 진씨만 대대로 살아오면서 서로 혼인을 하였다고 하여, 두 성씨간의 혼인을 일컬어 '주진(朱陳)의 호연(好緣)'이라고 한다.

785)ᄆᆡᄆᆡ히 : 창피를 줄 정도로 거절하는 태도가 쌀쌀맞게.

786)텬여블취(天與不取)면 반슈기앙(反受其殃)이라 : 하늘이 주는 것을 받지 않으면 도리어 앙화(殃禍)를 입게 된다.

금평휘 쇼왈,
"ᄉᆞ빈이 평일 술을 즐기디 아니터니, 엇디 경쇼져 길녜의 하쥬 먹기를 그ᄃᆡ도록 즐기ᄂᆞ뇨? 아모커나 듕ᄆᆡᄒᆞᄂᆞᆫ 공으로 금일 취ᄒᆞ고 가라."
태뷔 잠쇼 ᄃᆡ왈,
"쇼ᄉᆡᆼ이 취【62】키를 그음ᄒᆞ고 먹어도 슈삼 ᄇᆡ의 더으디 못ᄒᆞ리로소이다."
하공이 쇼왈,
"슈삼 ᄇᆡ 바드려 슈고로이 듕ᄆᆡᄒᆞᄂᆞᆫ ᄠᅳᆺ을 실노 아디 못ᄒᆞ리로다."
태뷔 쇼이ᄃᆡ왈(笑而對曰),
"악당이 엇디 쇼ᄉᆡᆼ의 ᄆᆞᄋᆞᆷ을 아디 못ᄒᆞ시ᄂᆞ니잇가? 하쥬를 밧고져 ᄒᆞᄂᆞᆫ 줄이 아니라 경시의 일ᄉᆡᆼ이 영화롭기를 위ᄒᆞ미니, 비록 뎨삼 부빈이나 ᄌᆞ의 형의 ᄇᆡ필 되미 쇽ᄌᆞ의 원비 ᄃᆡᄂᆞ니도곤 쾌ᄒᆞ므로뼈, 브ᄃᆡ 듕ᄆᆡ의 쇼임을 ᄌᆞ당(自當)ᄒᆞ미로소이다."
하공이 비록 번ᄉᆞ를 구치 아니나, 만ᄉᆞ의 윤태부 말인죽 아니 드르미 업ᄉᆞᆫ 고로, 초공이 경시 일인을【63】더 취ᄒᆞᄂᆞᆫ 거시 무희ᄒᆞ믈 아라 즉시 쾌허ᄒᆞ고, 금평후 부ᄌᆡ 초공을 향ᄒᆞ여 치하ᄒᆞᄃᆡ, 초공이 부친의 허혼ᄒᆞ시믈 드를 ᄯᆞ롬이오 간예(干與)ᄒᆞᄂᆞᆫ 일이 업더니, 금평후 부ᄌᆞ의 티하ᄒᆞᄂᆞᆫ 말의 다ᄃᆞ라, 미쇼 ᄃᆡ왈,
"년딜(緣姪)이 본ᄃᆡ 번ᄉᆞ를 구ᄒᆞᆯ ᄠᅳᆺ이 업ᄉᆞ니, 신취ᄒᆞᄂᆞᆫ 거시 므어시 깃브리잇고? ᄒᆞ믈며 년딜이 신낭 쇼임ᄒᆞ기도 ᄀᆞ장 노창(老蒼)[995]ᄒᆞ여 아모라도 ᄉᆞ회 삼고져 ᄒᆞ리 업ᄉᆞᆯ 거시로ᄃᆡ, ᄉᆞ빈이 경시의 일ᄉᆡᆼ을 위ᄒᆞ여 편ᄒᆞᆯ 도리를 ᄉᆡᆼ각ᄒᆞᄆᆡ, 의ᄉᆡ 궁극ᄒᆞ여 년딜이 용우ᄒᆞ미 녀ᄌᆞ의게 ᄒᆞᆫ 일도 가찰(苛察)ᄒᆞ미 업ᄉᆞᄆᆡ, 경시를 브ᄃᆡ 쇼딜과 셩【64】친코져 ᄒᆞ미니이다."
금평휘 쇼왈,
ᄌᆞ의의 어질미 아모ᄃᆡ도 가찰은 업거니와, 규닉의 더옥 슌편ᄒᆞ여 쇼음[996]의 바

995)노창(老蒼) : ①노인(老人). ②나이가 들어 머리가 흼.
996)쇼음 : 솜. 목화씨에 달라붙은 털 모양의 흰 섬

금휘 소왈,
"ᄉᆞ빈이 평일 숄을 즐기지 아니터니, 엇지 경소져 길녜의 하쥬 먹기를 그ᄃᆡ도록 죄오ᄂᆞ뇨? 아모커나 즁ᄆᆡᄒᆞᄂᆞᆫ 공으로 금일 취ᄒᆞ고 가라."
ᄐᆡ뷔 즘소 ᄃᆡ왈,
"소ᄉᆡᆼ이 취긔[키]를 그음ᄒᆞ고 먹어도 슈삼 ᄇᆡ의 더으지 못ᄒᆞ리로소이다."
하공이 소 왈,
"슈삼 ᄇᆡ 바드려 슈고로이 즁ᄆᆡᄒᆞᄂᆞᆫ ᄠᅳᆺ슬 실노 아지 못ᄒᆞ리로다."
ᄐᆡ뷔 소이ᄃᆡ왈(笑而對曰),
"악장이 엇지 소ᄉᆡᆼ의 마음을 아지 못ᄒᆞ시ᄂᆞ니잇가? 하쥬를 밧고져 ᄒᆞᄂᆞᆫ 일이 아니라 경씨의 일ᄉᆡᆼ이 영화롭기를 위ᄒᆞ미니, 비록 졔슴 부빈이나 ᄌᆞ의 형의 ᄇᆡ필 되미 쇽ᄌᆞ의 원비 도곤 쾌ᄒᆞ온 고로, 부ᄃᆡ 즁ᄆᆡ의 소임을 ᄌᆞ당(自當)ᄒᆞ미로소이다"
하공이 비록 번ᄉᆞ를 구치 아니나, 만ᄉᆞ의 윤ᄐᆡ부 말인즉 아니【44】듯ᄂᆞᆫ 말이 업ᄂᆞᆫ 고로, 초공이 경씨 일인을 더 취ᄒᆞ므로 히치 아닐 쥴 아라, 즉시 쾌허ᄒᆞᄆᆡ, 금후 부ᄌᆡ 초공을 향ᄒᆞ여 치하ᄒᆞ니, 초공이 오직 부친의 허혼ᄒᆞ시믈 드를 ᄯᆞ름이오, 가여불가(可與不可)[787]를 간예치 아니터니 금후 부ᄌᆞ의 치하ᄒᆞᄂᆞᆫ 말을 듯고 미소 ᄃᆡ왈,
"연딜(緣姪)이 본ᄃᆡ 번ᄉᆞ를 구ᄒᆞᆯ ᄠᅳᆺ이 업ᄉᆞ니, 신취ᄒᆞᄂᆞᆫ 거죄 무엇이 깃브리잇고? ᄒᆞ믈며 연딜이 신낭 소임ᄒᆞ기 ᄀᆞ장 노창(老蒼)[788]ᄒᆞ여, 아모 ᄉᆞ름이 보아도 ᄉᆞ회 ᄉᆞᆷ고져 ᄒᆞ리 업ᄉᆞᆯ 거시로ᄃᆡ, ᄉᆞ빈이 경씨의 일ᄉᆡᆼ을 위ᄒᆞ야 편ᄒᆞᆫ 도리를 ᄉᆡᆼ각ᄒᆞᄆᆡ, 의ᄉᆡ 궁극ᄒᆞ여 연딜의 용우ᄒᆞ미 녀ᄌᆞ의게 ᄒᆞᆫ 조각 가찰(苛察)ᄒᆞ미 업ᄉᆞᆫ 쥴 아ᄂᆞᆫ 고로, 경씨를 부ᄃᆡ 소딜과 셩친코져 ᄒᆞ미어니다."
금휘 소왈,
"ᄌᆞ의의 어질미 아모ᄃᆡ도【45】가찰ᄒᆞ미

787)가여불가(可與不可) : 가불가(可不可). 가부(可否). 옳고 그름.
788)노창(老蒼) : ①노인(老人). ②나이가 들어 머리가 흼.

늘997)과 ᄆᆞ른 쎡 ᄀᆞᆺᄐᆞ므로, ᄉᆞ빈이 경시를 ᄌᆞ의의 뎨삼 부빈으로 도라보ᄂᆡ고져 ᄒᆞ미라. 윤부인으로브터 연부인을 엇디 ᄃᆡ졉ᄒᆞ관ᄃᆡ, 노창ᄒᆞᆫ 신낭이라도 구ᄒᆞ미 이 ᄀᆞᆺᄐᆞ뇨?“

초공이 함쇼(含笑) ᄃᆡ왈,

“년슉이 이럿틋 무르시니 쇼딜이 엇디 심ᄉᆞ를 은휘ᄒᆞ리잇고. 쇼딜이 용우ᄒᆞ오나 윤·연 등으로 비기ᄆᆡ 엇디 텬디 ᄀᆞᆺ디 아니리잇고마ᄂᆞᆫ, 쇼딜이 평ᄉᆡᆼ 염고ᄒᆞᄂᆞᆫ 빗출 낫토ᄂᆞᆫ ᄇᆡ 업ᄉᆞ니, 이러므로 ᄉᆞ빈이 졔 누의 ᄀᆞᆺ튼 인믈도 쇼딜노 부부【65】눈의를 폐치 아니믈 아라, 어ᄃᆡ 가 용녈코 못삼긴 녀ᄌᆞ를 두고 쇼딜의 ᄇᆡ우를 삼고져 ᄒᆞ미니이다.”

태뷔 미미히 우어 ᄀᆞᆯ오ᄃᆡ,

“녀ᄌᆞ 되미 실노 어려오믈 한ᄒᆞ염 ᄌᆞᆨᄒᆞ도다. 금일이야 ᄭᆡ돗ᄂᆞ니 우리 져져의 현슉ᄒᆞ시므로도 ○○○○○○[하형의 칙망이] 이 ᄀᆞᆺ도다.”

ᄒᆞ더라. 윤태뷔 이의 하딕고 도라와, 하공긔 경시 혼인을 쳥ᄒᆞ여 허락ᄒᆞ던 바를 젼ᄒᆞ니, 조부인이 쇼찰(小札)노 양부인긔 통ᄒᆞ여, 하복야의 긔특홈과 그 가풍의 슌화ᄒᆞ믈 ᄀᆞᆺ초 베플고, 비록 뎨삼 부실(副室)이나 딜녜 현슉ᄒᆞ여 뎍인을 동긔ᄀᆞᆺ치 화우ᄒᆞᄂᆞᆫ 바를 니르니, 양부인이 윤부 명인ᄌᆞᆨ【66】ᄉᆞ디라도 ᄉᆞ양ᄒᆞᆯ ᄯᅳᆺ이 업ᄂᆞᆫ 고로, 답간의 후의를 샤례ᄒᆞ고 초공의 ᄉᆡᆼ년월일을 므러 즉시 튁일ᄒᆞ니, 길긔 신쇽ᄒᆞ여 계오 일삭이 가렷더라.

하부인 현ᄋᆡ 경가 길일이 갓가오믈 인ᄒᆞ여 취운산으로 도라가고, 윤부의셔 경쇼져 혼녜의 범ᄇᆡᆨ만ᄉᆞ(凡百萬事)998)의 무심치 아냐 각별이 긔렴(記念)ᄒᆞ니, 양부인이 감은ᄒᆞ믈 니긔디 못ᄒᆞ더라.

셕부인 경ᄋᆡ 잉ᄐᆡᄒᆞ연 디 십일삭만의 옥으로 몌오고 ᄭᅩᆺ츠로 삭여 냥개 녀ᄋᆞ를 빵ᄉᆡᆼ

유질.
997)바늘 : 바늘.
998)범ᄇᆡᆨ만ᄉᆞ(凡百萬事) : 갖가지의 모든 것.

업거니와, 규ᄂᆡ의 더욱 슌편ᄒᆞ여 소음789)의 바날790)과 입의 무른 쎡 ᄀᆞᆺᄐᆞ므로, ᄉᆞ빈이 경씨를 ᄌᆞ의의 졔 숨 부빈으로 도라보ᄂᆡ고져 ᄒᆞ미라. 윤씨와 연씨를 엇지 ᄃᆡ졉ᄒᆞ관ᄃᆡ 노창ᄒᆞᆫ 신낭이라도 구ᄒᆞ미 이 ᄀᆞᆺᄐᆞ뇨?”

초공이 함소(含笑) ᄃᆡ 왈,

“연슉이 ○○○○○○○[이럿틋 무르시니] 엇지 심ᄉᆞ를 은휘ᄒᆞ리잇고? 소딜이 비록 용우ᄒᆞ나 윤·연 등으로 비기ᄆᆡ 엇이 텬디 ᄀᆞᆺ지 아니리잇고마ᄂᆞᆫ, 소딜이 평ᄉᆡᆼ 염고ᄒᆞᄂᆞᆫ 빗출 낫호지 아니니, 니러므로 ᄉᆞ빈이 졔 누의 ᄀᆞᆺ튼 인믈노[도] 연딜노 더브러 부부눈의를 폐치 아니믈 보고, 어ᄃᆡ 가 용녈코 못ᄉᆡᆼ긴 녀ᄌᆞ를 어더 두고, 소딜을 맛기고져 ᄒᆞ미니이다.”

윤ᄐᆡ뷔 소왈,

“녀ᄌᆞ 되오미 실노 어려오믈 금일이야 ᄭᆡ닷ᄂᆞ니, 우리【46】 져져의 현슉ᄒᆞ시므로도 하형의 칙망이 《니르도다‖이 ᄀᆞᆺ도다)》.”

ᄒᆞ더라. 윤ᄐᆡ뷔 이에 하직고 도라와, 하공긔 경씨의 혼인을 쳥ᄒᆞ여 허락ᄒᆞ던 말을 젼ᄒᆞ니, 조부인이 소찰(小札)노 양부인긔 통ᄒᆞ여, 하복야의 긔특홈과 문풍이 슌화ᄒᆞ믈 ᄀᆞᆺ초 베프고, 비록 졔숨비나 딜녜 현슉ᄒᆞ여 젹인을 동긔ᄀᆞᆺ치 화우ᄒᆞᄂᆞᆫ 바를 니르니, 양부인은 윤부 명인ᄌᆞᆨ ᄉᆞ디(死地)라도 ᄉᆞ양ᄒᆞᆯ ᄯᅳᆺ이 업ᄂᆞᆫ 고로, 답간(答簡)의 후의를 ᄉᆞ례ᄒᆞ고 초공의 ᄉᆡᆼ년월시를 무러, 즉시 ᄐᆡᆨ일ᄒᆞ니 길긔 신속ᄒᆞ여 겨유 일삭은 가렷ᄂᆞᆫ지라.

하부인 현ᄋᆡ 경가 길일이 갓가오믈 인ᄒᆞ여 운산으로 도라가고, 윤부의셔 경소져 혼녜의 범ᄇᆡᆨ만ᄉᆞ(凡百萬事)791)를 다 무심치 아냐 각별이 긔렴(記念)ᄒᆞ니, 양부인이 감은ᄒᆞ믈 니긔지 못ᄒᆞ더【47】라.

셕부인 경ᄋᆡ 잉ᄐᆡᄒᆞ연 지 십일 삭만의 옥

789)쇼음 : 솜. 목화씨에 달라붙은 털 모양의 흰 섬유질.
790)바날 : 바늘.
791)범ᄇᆡᆨ만ᄉᆞ(凡百萬事) : 갖가지의 모든 것.

ᄒᆞ니, 비록 남의 아니믈 셔운ᄒᆞ나 셩혼 십ᄉᆞ년의 쳐음으로 유치(幼稚)를 어드ᄆᆡ ᄉᆞ랑이 황홀ᄒᆞ고, 뉴부인의 깃브며 즐거오믈[믄] 더【67】옥 비ᄒᆞᆯ 곳이 업ᄂᆞᆫ디라. 녕능공이 삼칠일(三七日)[999] 후 즉시 와 보고, ○○[본ᄃᆡ] ᄌᆞ식 ᄉᆞ랑ᄒᆞ미 병 된 고로, 신ᄉᆡᆼ 빵녀(雙女)의 뇨염쇄락(妖艶灑落)ᄒᆞ믈 크게 ᄉᆞ랑ᄒᆞ며 귀듕ᄒᆞ기 ᄋᆞ들의 나리디 아니ᄒᆞᆫ디라. 일노조ᄎᆞ 합문이 흔열ᄒᆞ여 반졈 근심이 업더라.

일월이 여류(如流)ᄒᆞ여 경시 길일이 다ᄃᆞ르니, 초국공이 뉵녜(六禮)[1000]를 ᄀᆞᆺ초아 경쇼져를 마ᄌᆞ 오ᄆᆡ, 이 믄득 션원아딜(仙苑雅質)이오 당ᄃᆡ국ᄉᆡᆨ(當代國色)이라. 옥모셩안(玉貌星眼)과 뉴미월ᄋᆡᆨ(柳眉月額)이며, ᄋᆡᆼ슌화협(櫻脣花頰)이오, 초요봉익(楚腰鳳翼)[1001]이라. 신댱톄되(身長體度) 극단히 맛가ᄌᆞ니 고으며 ᄉᆡᆨ혀나믄 니르도 말고, 인ᄌᆞᄒᆞᆫ 셩심과 뇨뇨(窈窈)ᄒᆞᆫ 슉덕(淑德)이 외모의 현츌ᄒᆞ며, ᄎᆞᆼ민영혜(聰敏穎慧)【68】ᄒᆞ미 동디(動止)의 낫타나니, 진딧 ᄉᆡᆨ덕이 가ᄌᆞᆨᄒᆞ며, 남교(藍橋)[1002]의 옥 ᄀᆞᆺ튼 슉녜라.

뎡국공과 됴부인이 신부의 폐ᄇᆡᆨ(幣帛)을 밧고 그 아름다오미 이 ᄀᆞᆺᄐᆞ믈 보고, 만분대열(大悅)ᄒᆞ여 ᄋᆞᄌᆞ의 쳐궁이 유복ᄒᆞ믈 스ᄉᆞ로 일ᄏᆞᆺ고, 만좌빈ᄀᆡᆨ의 치하를 샤양치 아니ᄒᆞ여, 신부의 혈혈(孑孑)ᄒᆞᆫ 졍ᄉᆞ를 각별히 잔잉ᄒᆞ여 무ᄋᆡᄒᆞ믈 친녀와 달니 아닛ᄂᆞᆫ디라. 이의 윤·연 냥부인을 가ᄅᆞ쳐 셔로 보

999)삼칠일(三七日) : 세이레. 아이가 태어난 후 스무하루 동안. 또는 스무하루가 되는 날. 대개는 이날 금줄을 거둔다.

1000)뉵녜(六禮) : 우리나라에서 전통적으로 내려오는 혼인의 여섯 가지 예법. 납채(納采), 문명(問名), 납길(納吉), 납폐(納幣), 청기(請期), 친영(親迎)을 이른다.

1001)초요봉익(楚腰鳳翼) : 중국 초나라 미인의 가는 허리와 봉황의 날개처럼 아름다운 몸매.

1002)남교(藍橋) : 중국 섬서성(陝西省) 남전현(藍田縣)에 동남쪽 남계(藍溪)에 있는 다리 이름. 거기에는 선굴(仙窟)이 있는데, 당나라 때 배항(裵航)이 이곳을 지나다가 선녀인 운영(雲英)을 만나서 선인들이 마시는 음료인 경장(瓊漿)을 얻어 마셨다고 한다.

으로 모으고 쏫출 메워 냥ᄀᆡ 녀ᄋᆞ를 빵ᄉᆡᆼᄒᆞ니, 비록 남의 아니믈 셔운ᄒᆞ나, 셩혼 십ᄉᆞ년의 쳐음으로 어드ᄆᆡ ᄉᆞ랑이 황홀ᄒᆞ고, 뉴부인의 깃브고 즐기오믈 더욱 비ᄒᆞᆯ 곳이 업ᄂᆞᆫ지라. 녕능휘 ᄉᆞᆷ칠일(三七日)[792] 후 즉시 와 보고, 본ᄃᆡ ᄌᆞᄋᆡ(子愛)의 병이 된 고로, 신ᄉᆡᆼ 냥녀(兩女)의 요염쇄락(妖艶灑落)ᄒᆞ믈 크게 ᄉᆞ랑ᄒᆞ며, 귀즁ᄒᆞ미 ᄋᆞᄌᆞ의 나리지 아니 ᄒᆞᆫ지라. 일노조ᄎᆞ 합문이 흔열ᄒᆞ여 반졈 근심이 업더라.

일월이 여류(如流)ᄒᆞ여 경씨 길일이 ᄃᆞ다르니, 초국공이 하복야의 뉵녜(六禮)[793]를 ᄀᆞᆺ초아 경소져를 마ᄌᆞᄆᆡ, 믄득 셩[션]원아질(仙苑雅質)이오 당ᄃᆡ국ᄉᆡᆨ(當代國色)이라. 옥면셩안(玉面星眼)과 뉴미월ᄋᆡᆨ(柳眉月額)이며 《ᄒᆡᆼ슌화염 ‖ ᄋᆡᆼ슌화협(櫻脣花頰)》이오 봉익최요(鳳翼楚腰)[794]라. 신장 《졔긔 ‖ 쳬도(體度)》 극진이 맛가져 고흐【48】며 ᄉᆡᆨ여나문 니르도 말고, 인ᄌᆞᄒᆞᆫ 셩심과 요요ᄒᆞᆫ 슉덕이 외모의 현츌ᄒᆞ며, 남교(藍橋)[795]의 옥 ᄀᆞᆺ튼 슉녜라.

뎡국공과 조부인이 신부의 폐ᄇᆡᆨ(幣帛)을 밧고, 그 아름다오미 이 ᄀᆞᆺᄐᆞ믈 ᄃᆡ열(大悅)ᄒᆞ여 ᄋᆞᄌᆞ의 쳐궁이 유복ᄒᆞ믈 스ᄉᆞ로 일컷고, 만좌빈ᄀᆡᆨ이 치하를 ᄉᆞ양치 아니ᄒᆞ며, 무ᄋᆡᄒᆞ믈 친녀와 달니 아니ᄒᆞᄂᆞᆫ지라. 이에 윤·연 냥 부인을 가ᄅᆞ쳐 셔로 보ᄂᆞᆫ 녜를 니르[루]게 ᄒᆞᆯᄉᆡ

792)삼칠일(三七日) : 세이레. 아이가 태어난 후 스무하루 동안. 또는 스무하루가 되는 날. 대개는 이날 금줄을 거둔다.

793)뉵녜(六禮) : 우리나라에서 전통적으로 내려오는 혼인의 여섯 가지 예법. 납채(納采), 문명(問名), 납길(納吉), 납폐(納幣), 청기(請期), 친영(親迎)을 이른다.

794)봉익초요(鳳翼楚腰) : 봉황의 날개와 중국 초나라 미인의 가는 허리처럼 아름다운 몸매

795)남교(藍橋) : 중국 섬서성(陝西省) 남전현(藍田縣)에 동남쪽 남계(藍溪)에 있는 다리 이름. 거기에는 선굴(仙窟)이 있는데, 당나라 때 배항(裵航)이 이곳을 지나다가 선녀인 운영(雲英)을 만나서 선인들이 마시는 음료인 경장(瓊漿)을 얻어 마셨다고 한다.

ᄂᆞᆫ 녜를 일우게 ᄒᆞ더라【69】

명듀보월빙 권디구십이

어시의 뎡국공과 됴부인이 윤·연 냥부인을 가르쳐 셔로 보는 녜를 일울시, 연시 이 날 신부의 옥틱월광(玉態月光)을 보미, 가장 분분통히(忿憤痛駭)ᄒᆞ여, 횃블 ᄀᆞᆺ튼 냥목(兩目)을 뒤룩이며, 분연ᄒᆞᆫ 춤아[이] 가득ᄒᆞ여 니를 응승그리고, 냥구슉시(良久熟視) ᄒᆞ여 그 거동이 괴이ᄒᆞ니, 됴부인이 볼 젹마다 그 상모를 놀나나, 화평키를 위ᄒᆞ여 됴흔 낫빗ᄎᆞ로 연시를 향ᄒᆞ여,

"경시는 본디 벌열(閥閱)의 뇨됴현미(窈窕賢美)ᄒᆞᆫ 녀ᄌᆞ라. 명되 괴이ᄒᆞ여 부형을 참별(慘別)ᄒᆞ미, 무궁ᄒᆞᆫ 궁텬극통(窮天極痛)이오 슬프미 가득ᄒᆞ니, 인심 가딘 ᄌᆞ는 신부를 위ᄒᆞ여【1】 잔잉히 녁이디 아니리 업는디라. 그디는 팔ᄌᆞ 유복ᄒᆞ여 싱어부귀(生於富貴)ᄒᆞ고 댱어호치(長於豪侈)○○[ᄒᆞ여], 셰샹 괴로운 근심을 아디 못ᄒᆞ니, 사름의 슬픈 경ᄉᆞ를 ᄎᆞ 아디 못ᄒᆞ려니와, 윤현부의 현심슉덕이 하쳔(下賤) 삼쳑동(三尺童)의 밋쳐도 교오ᄌᆞ존(驕傲自尊)ᄒᆞᆫ 일이 업ᄂᆞ니, 그디는 범ᄉᆞ를 윤현부와 ᄒᆞᆫ가디로 ᄒᆞ여, 신부를 화우ᄒᆞ고 돈ᄋᆞ(豚兒)의 닉조를 빗닉여, 규문 안히 일향(一向) 고요 안정ᄒᆞ믈 바라노라."

연시 믄득 미우를 찡긔고 소리를 미이 ᄒᆞ여 왈,

"엄구와 존괴 쳡의 얼골이 박식이라 ᄒᆞ여 업슈히 녁이믈 쳔비ᄀᆞᆺ치 ᄒᆞ시거니와, 쳡이 당당한 승샹의 손녜오, 금(今) 황뎨의 싱딜이라. 그 존귀【2】ᄒᆞ미 이 집 노쇼 가온디 뉘 날만ᄒᆞ니 잇ᄂᆞ니잇고? 명되 괴이ᄒᆞ여 초공의 ᄌᆡ실이 되여 그 박디ᄒᆞ미 비쳡 ᄀᆞᆺ고, 윤부인이 상두(上頭)의 거ᄒᆞ여 구고로브터 초공의 알오미, 임샤(姙似[1003]) 번월(樊越)[1004] ᄀᆞᆺ튼 슉녀로 밀위니, 쳡이 ᄯᅳᆺ을 낫

1003)임샤(姙似) : 중국 주(周)나라 현모양처(賢母良妻)인 문왕의 어머니 태임(太姙)과 무왕(武王)의 어머니 태사(太姒)를 함께 이르는 말.

연씨 이 날 신부의 옥틱월광(玉態月光)을 보미, 가장 분분통히(忿憤痛駭) ᄒᆞ여 횃블 ᄀᆞᆺ튼 냥목을 《뒤죽이며‖뒤룩이며》, 분ᄒᆞᆫ 츔이 입의 가득ᄒᆞ여 니를 응승그리고, 냥구슉시(良久熟視)ᄒᆞ여 거동이 고이ᄒᆞ니, 조부인이 볼 젹마다 그 상모를 놀나이 넉이나, 《내가‖가내(家內)》 화평키를 위ᄒᆞ여 조흔 낫빗ᄎᆞ로 연씨를 향ᄒᆞ여 왈,【49】

"경씨의 가문은 벌녈(閥閱)의 현미(賢美)ᄒᆞᆫ 녀ᄌᆞ라. 명되 고이ᄒᆞ여 부형을 참별(慘別)ᄒᆞ고 궁텬극통(窮天極痛)이 오닉(五內)를 ᄢᅧ으는 슬프미 잇시니, 인심을 가진 ᄌᆞ는 신부를 위ᄒᆞ여 잔잉이 넉이지 아니리 업슨지라. 그디는 팔ᄌᆞ 유복ᄒᆞ여 싱어부귀(生於富貴)ᄒᆞ고, 장어호치(長於豪侈)ᄒᆞ여 셰상 괴로운 근심을 아지 못ᄒᆞ니, ᄉᆞ름의 슬픈 경ᄉᆞ를 ᄎᆞ 아지 못ᄒᆞ려니와, 윤 현부의 현심슉덕이 하쳔(下賤) 삼쳑동(三尺童)의 밋쳐 ○…결락282자…○[도 교오ᄌᆞ존(驕傲自尊)ᄒᆞᆫ 일이 업ᄂᆞ니, 그디는 범ᄉᆞ를 윤현부와 ᄒᆞᆫ가디로 ᄒᆞ여, 신부를 화우ᄒᆞ고 돈ᄋᆞ(豚兒)의 닉조를 빗닉여, 규문 안히 일향(一向) 고요 안졍ᄒᆞ믈 바라노라."

연시 믄득 미우를 찡긔고 소리를 미이 ᄒᆞ여 왈,

"엄구와 존괴 쳡의 얼골이 박식이라 ᄒᆞ여 업슈히 녁이믈 쳔비ᄀᆞᆺ치 ᄒᆞ시거니와, 쳡이 당당한 승샹의 손녜오, 금(今) 황뎨의 싱딜이라. 그 존귀 ᄒᆞ미 이 집 노쇼 가온디 뉘 날만ᄒᆞ 니 잇ᄂᆞ니잇고? 명되 괴이ᄒᆞ여 초공의 ᄌᆡ실이 되여 그 박디ᄒᆞ미 비쳡 ᄀᆞᆺ고, 윤부인이 상두(上頭)의 거ᄒᆞ여 구고로브터 초공의 알오미, 임샤(姙似[796]) 번월(樊越)[797]

796)임샤(姙似) : 중국 주(周)나라 현모양처(賢母良妻)인 문왕의 어머니 태임(太姙)과 무왕(武王)의 어머니 태사(太姒)를 함께 이르는 말.

797)번월(樊越) : 중국 초나라 장왕(莊王)의 비(妃)인 번희(樊姬)와 소왕(昭王)의 비 월희(越姬). 둘 다

초고 ᄆᆞ음을 슌히 ᄒᆞ여, 내 몸이 존귀ᄒᆞ믈 ᄉᆡᆼ각디 아니코 하풍(下風)의 시(視)1005)를 감심ᄒᆞ거ᄂᆞᆯ, 이졔 하군으로 ᄒᆞ여금 브졀 업ᄉᆞᆫ 번ᄉᆞ(繁事)를 ᄎᆔ케 ᄒᆞ여, 오날ᄂᆞᆯ의 경시를 마ᄌᆞ니, 얼골은 완ᄉᆞ(浣紗)ᄒᆞ던1006) 셔시(西施)1007)와 당나라 양태진(楊太眞)1008)의 일ᄂᆔ나, 그 심ᄉᆞ와 ᄒᆡᆼ디(行止)야 엇던동 알니잇가? 윤부인은 ᄉᆞ덕이 가ᄌᆞᆫ 사ᄅᆞᆷ이어니와, ᄌᆞ고로 녀ᄌᆡ 얼골 고은 거시 나라히 망ᄒᆞ고 집을 업치ᄂᆞ니, 일【3】시 눈의 고은 빗출 구고와 가군이 다 긔특이 넉이거니와, ᄆᆡ희(妹喜)1009) 하(夏)를 망ᄒᆞ며, 달긔(妲己)1010) 은(殷)을 망ᄒᆞ며, 양귀비(楊貴妃) 당을 난ᄒᆞ니, 이러므로 계집의 얼골 고은 거시 므어시 됴흐리잇고? 쳡이 ᄆᆡᆼ광(孟光)1011)의 상 밧들기와 황시(黃氏)1012)의 대량(大量)을 효측ᄒᆞ여, 쳔고박ᄉᆡᆨ(千古薄色)

ᄀᆞᄐᆞᆫ 숙녀로 밀위니, 쳡이 ᄯᅳᆺ을 낫초고 ᄆᆞ음을 슌히 ᄒᆞ여, 내 몸이 존귀ᄒᆞ믈 ᄉᆡᆼ각디 아니코 하풍(下風)의 시(視)798)를 감심ᄒᆞ거ᄂᆞᆯ, 이졔 하군으로 ᄒᆞ여금 브졀 업ᄉᆞᆫ 번ᄉᆞ(繁事)를 ᄎᆔ케 ᄒᆞ여 오날ᄂᆞᆯ의 경시를 마ᄌᆞ니, 얼골은 완ᄉᆞ(浣紗)ᄒᆞ던799) 셔시(西施)800)와] 당(唐) 나라 양ᄐᆡ진(楊太眞)801)의 일뉴로ᄃᆡ, 그 심ᄉᆞ와 ᄒᆡᆼ지야 엇던 동 알니 잇고? 윤부인은 ᄉᆞ덕이 가ᄌᆞᆫ ᄉᆞᄅᆞᆷ이어니와, 녀ᄌᆡ 얼골 고은 거시 나라히 망ᄒᆞ고 집을 업칠 장본이니 엇지 한 흡지 아니리잇고?"

1004)번월(樊越) : 중국 초나라 장왕(莊王)의 비(妃)인 번희(樊姬)와 소왕(昭王)의 비 월희(越姬). 둘 다 어진 마음으로 남편의 정사를 간(諫)해 덕행으로 유망하다.

1005)하풍(下風)의 시(視) : 사람이나 사물의 수준 또는 질을 일정 수준보다 낮게 여김.

1006)완ᄉᆞ(浣紗)ᄒᆞ다 : 마전이나 빨래를 함. *마전; 생피륙을 삶거나 빨아 볕에 바래는 일.

1007)셔시(西施) : 중국 춘추 시대 월나라의 미인. 오나라에 패한 월나라 왕 구천이 서시를 부차에게 보내어 부차가 그 용모에 빠져 있는 사이에 오나라를 멸망시켰다.

1008)양태진(楊太眞) : 양귀비(楊貴妃). 중국 당나라 현종(玄宗)의 비(妃)(719~756). 이름은 옥환(玉環). 도교에서는 태진(太眞)이라 부른다. 춤과 음악에 뛰어나고 총명하여 현종의 총애를 받았으나 안녹산의 난 때 죽었다.

1009)ᄆᆡ희(妹喜) : 중국 하(夏)나라 마지막 황제 걸(桀)의 비(妃). 절세미녀로 걸을 농락하여 주지육림(酒池肉林)을 만들어 쾌락에 빠지게 하고 이를 간하는 현신(賢臣)을 참형에 처하게 하는 등 난행(亂行)을 일삼아 하나라를 멸망에 이르게 했다.

1010)달긔(妲己) : 중국 은나라 주왕의 비(妃). 왕의 총애를 믿어 음탕하고 포악하게 행동하였는데, 뒤에 주나라 무왕에게 살해되었다. 하걸(夏桀)의 비 매희(妹喜)와 함께 망국의 악녀로 불린다.

1011)ᄆᆡᆼ광(孟光) : 후한 때 사람 양홍(梁鴻)의 처. 추녀였으나 남편의 뜻을 잘 섬겨 현처로 이름이 알려졌고, 고사 거안제미(擧案齊眉)로 유명하다.

1012)황시(黃氏) : 중국 삼국시대 촉의 정치가 제갈량의 처. 용모는 몹시 추(醜)녀였으나 재주가 뛰어났다고 한다.

어진 마음으로 남편의 정사를 간(諫)해 덕행으로 유망하다.

798)하풍(下風)의 시(視) : 사람이나 사물의 수준 또는 질을 일정 수준보다 낮게 여김.

799)완ᄉᆞ(浣紗)ᄒᆞ다 : 마전이나 빨래를 함. *마전; 생피륙을 삶거나 빨아 볕에 바래는 일.

800)셔시(西施) : 중국 춘추 시대 월나라의 미인. 오나라에 패한 월나라 왕 구천이 서시를 부차에게 보내어 부차가 그 용모에 빠져 있는 사이에 오나라를 멸망시켰다.

801)양태진(楊太眞) : 양귀비(楊貴妃). 중국 당나라 현종(玄宗)의 비(妃)(719~756). 이름은 옥환(玉環). 도교에서는 태진(太眞)이라 부른다. 춤과 음악에 뛰어나고 총명하여 현종의 총애를 받았으나 안녹산의 난 때 죽었다.

을 ᄯᆞᆯ올디언졍, 요악ᄒᆞᆫ 미인을 능히 ᄃᆡ치 못ᄒᆞᆯ소이다.”

언파의 ᄉᆞᄉᆡᆨ(辭色)의 흉악ᄒᆞ미 졔인을 놀ᄂᆡᄂᆞᆫ디라. 됴부인이 어히 업셔 말을 아니ᄒᆞ고 하공이 미미히 웃고 ᄀᆞᆯ오ᄃᆡ,

“연시 말도 괴이치 아니ᄒᆞ거니와 텬연이 이시면 이역(異域) 텬애(天涯)라도 면치 못ᄒᆞᆫ다 ᄒᆞ니, 신뷔 동월ᄇᆡᆨ의 귀ᄒᆞᆫ 녀ᄌᆞ로 돈ᄋᆞ의 뎨삼 부실이 되ᄂᆞᆫ 거시, 【4】 발셔 등한치 아닌 연분이니, 우리 비록 번ᄉᆞ를 구치 아닌들 텬연이 듕ᄒᆞᆫ 거슬 엇디 막으리오. 이졔 그ᄃᆡ 스ᄉᆞ로 존귀ᄒᆞᆷ와 ᄌᆞ랑ᄒᆞ니 니르디 아닌들 엇디 모로리오마ᄂᆞᆫ, 녀ᄌᆞᄂᆞᆫ 온슌화열(溫順和悅)ᄒᆞ며 비약겸손(卑弱謙遜)ᄒᆞᄂᆞᆫ 거시 웃듬이라. 초공쥬(楚公主) ᄇᆡᆨ졍(白丁)의게 하가(下嫁)ᄒᆞ미 이시나, 연쇼뷔 내 집의 드러오미 실노 구가라 ᄒᆞ미 욕되려니와, 내 집이 연군쥬로ᄡᅥ ᄋᆞᄃᆞᆯ의 ᄌᆡ실을 쳥ᄒᆞ미 업고, 셩은이 빗기 더으샤 샤혼ᄒᆞ시ᄂᆞᆫ 젼디 나리므로, 비록 외람ᄒᆞ고 블안ᄒᆞ나 발셔 연궁 쳥쵹(請囑)이 구듕(九重)[1013]의 ᄉᆞ못ᄎᆞ 셩샹이 샤혼ᄒᆞ시니, 우리 부ᄌᆡ 샤양ᄒᆞ여 면치 못ᄒᆞᆯ 거시므로, 원광이 년쇼브ᄌᆡ로 뉵녜(六禮) 【5】 로 마ᄌᆞᆫ 지 여러 셰월의, ᄋᆞᄃᆞᆯ과 ᄯᆞᆯ을 두고 하마 신인 두 ᄌᆞ를 면ᄒᆞᆯ ᄃᆞᆺᄒᆞ니, 어이 오날 신인을 보고 이런 블쾌디셜(不快之說)이 이실 줄 ᄠᅳᆺᄒᆞ여시리오. ᄒᆞᆫ갓 녀ᄌᆞ를 니르디 말고 남ᄌᆡ라도 ᄠᅳᆺ을 낫초고 공슌겸손(恭順謙遜)ᄒᆞᄂᆞᆫ 거시 복을 길우ᄂᆞᆫ 마ᄃᆡ라. 쇼뷔 고셔를 박남ᄒᆞ여 고ᄉᆞ를 아노라 ᄒᆞ니, ‘국군이교인즉실기국(國君而驕人則失其國)ᄒᆞ고, 태위교인즉실기가(大夫而驕人則失其家)’[1014]ᄒᆞ믈 듯디 못ᄒᆞ엿ᄂᆞ냐? 모로미 부귀를 ᄌᆞ랑치 말고 ᄆᆞ음을 안졍이 잡아, 내 집을[이] ᄉᆞᄅᆞᆷ으로 맛

1013)구듕(九重) : 구중궁궐(九重宮闕)의 줄임말.

1014)국군이교인즉실기국(國君而驕人則失其國)ᄒᆞ고, 태위교인즉실기가(大夫而驕人則失其家) : 임금이 사람을 교만하게 대하면 나라를 잃게 되고, 대부(大夫)가 사람을 교만하게 대하면 그 가문을 잃게 된다. 사마천(司馬遷), 『사기(史記)』 위세가(魏世家)조(條)에 나오는 글.

하공이 쳥미파(聽未罷)의 어히 업셔 미소왈,

“연씨의 언ᄉᆡ 그르지 아니ᄒᆞᄃᆡ, 인연이 잇시면 쳔니(千里)의셔도 면치 못ᄒᆞᄂᆞ니, 신뷔 동【50】월ᄇᆡᆨ의 귀ᄒᆞᆫ 녀ᄌᆞ로 돈아의 졔삼 부실이 되니, ᄯᅩᄒᆞᆫ 등한ᄒᆞᆫ 인연이 아니라. 우리 비록 번ᄉᆞ를 구치 아닌들 텬연이 즁ᄒᆞᆫ 거술 엇지 막으리오. 이졔 연씨 스ᄉᆞ로 존귀ᄒᆞ믈 ᄌᆞ랑ᄒᆞ니 그 부귀를 니르지 아닌ᄒᆞᆫ들 우리 《괴이‖어이》 모로리오마ᄂᆞᆫ, 다만 고금 이ᄅᆡ로 지어(至於)[802] 귀쳔이 업시, 녀ᄌᆞᄂᆞᆫ 온슌(溫順) ᄒᆞ며 비약(卑弱)ᄒᆞᄂᆞᆫ 거시 녜법의 웃듬이어ᄂᆞᆯ, 조나라 공쥬 동문밧 ᄇᆡᆨ셩(百姓)의게 하가ᄒᆞ미 잇시니, 이에 연 소뷔 ᄂᆡ 집에 드러 오미 실노 구ᄀᆡ라 ᄒᆞ미 욕 되려니와, {엇지} ᄂᆡ 집이 연궁 《부귀‖귀쥬(貴主)》로ᄡᅥ 《미리ᄒᆞᆫ‖미거ᄒᆞᆫ》 ᄋᆞᄃᆞᆯ의 ᄌᆡ실을 쳥ᄒᆞᆯ 일이 업고, ᄯᅩ 쳔만 ᄠᅳᆺ밧긔 빗ᄂᆞᆫ 셩은이 이ᄀᆞᆺ치 《미리ᄒᆞᆫ‖미거ᄒᆞᆫ》 신ᄌᆞ의게 빗기 더으샤, 연씨로ᄡᅥ 오가의 ᄉᆞ혼ᄒᆞ샤 광아의 ᄌᆡ실을 ᄉᆞᆷ으라 ᄒᆞ시ᄂᆞᆫ 셩지를 나리오시니, 이런 일을 당ᄒᆞ여 비록 외람【51】ᄒᆞ고 불안ᄒᆞ나, 임의 연궁 쳥촉(請囑)이 구즁(九重)[803]의 ᄉᆞ못ᄎᆞ 셩상이 ᄉᆞ혼ᄒᆞ시니, 우리 부ᄌᆡ ᄉᆞ양ᄒᆞ여 면치 못ᄒᆞᆯ 고로 원광이 연소부를 뉵녜(六禮)로 마ᄌᆞᆫ 지 여러 셰월의, ᄋᆞᄃᆞᆯ과 ᄯᆞᆯ을 두고 하마 《식인‖신인》 두 ᄌᆞ를 면ᄒᆞᆯ ᄃᆞᆺᄒᆞ니, 어이 오날날을 당ᄒᆞ여 신부를 보고 이런 블쾌(不快)ᄒᆞᆫ 말이 이ᄃᆡ도록 잇실 줄 엇지 ᄠᅳᆺᄒᆞ여시리오. ᄒᆞᆫ낫 녀ᄌᆞ를 니르도 말고, 남ᄌᆡ라도 ᄠᅳᆺ슬 낫초고 공근겸퇴(恭謹謙退) ᄒᆞ며 온슌비약(溫順卑弱)ᄒᆞᄂᆞᆫ 거시 복을 길우ᄂᆞᆫ 마ᄃᆡ니라.”

공이 ᄯᅩ ᄀᆞᆯᄋᆞᄃᆡ,

802)지어(至於) : 심지어. 더욱 심하다 못하여 나중에는.

803)구듕(九重) : 구중궁궐(九重宮闕)의 줄임말.

ᄂᆞᆫ[1015] 폐(弊)를 업게 ᄒᆞᆯ디어다."

언파(言罷)의 쇼안(笑顏)이 쥰졀ᄒᆞ고 위의 녈슉(烈肅)ᄒᆞ여, 사ᄅᆞᆷ으로 ᄒᆞ여금 블감앙시(不敢仰視)ᄒᆞᆯ ᄇᆡ니, 연시 비록 념치상딘(廉恥喪盡)ᄒᆞᆫ 인ᄉᆞ블셩(人事不省)이나, 일분【6】슈괴(羞愧)ᄒᆞ고 황공(惶恐)ᄒᆞᆫ 빗치 이셔, 낫출 븕히고 능히 말을 못ᄒᆞ니, 동평후 부인이 ᄀᆞᆯ오ᄃᆡ,

"져져의 친부 부귀를 니를딘ᄃᆡ 윤져(姐)와 경져(姐)긔 비기디 못ᄒᆞᆯ 거시로ᄃᆡ, 인연이 긔특ᄒᆞ여 다 ᄒᆞᆫ가디로 거거(哥哥)의 ᄇᆡ위 되시니, 져졔 ᄯᅳᆺ을 낫초시고 덕을 길우샤 거거의 ᄂᆡᄉᆞ(內事)를 빗ᄂᆡ고 화긔(和氣)를 일치 아니시면, 일가친쳑과 년혼(連婚) 닌니(隣里)의 드르며 보ᄂᆞ니 져마다 칭찬ᄒᆞ여, 금디옥엽(金枝玉葉)이 상녜(常例) 녀름[1016]과 다르○○[다 ᄒᆞ]고, 비록 용식이 졀셰치 못ᄒᆞ나 ᄆᆡᆼ덕요(孟德曜)[1017]의 상 밧드ᄂᆞᆫ 어딜기와 황시(黃氏)의 대량(大量)을 죡히 비길 거시니, 엇디 힝실을 삼가디 아니ᄒᆞ시【7】《리오‖고》, 존젼의 블평디식(不平之色)과 괴이ᄒᆞᆫ 말ᄉᆞᆷ을 만히 ᄒᆞ시ᄂᆞ뇨? 우리 거게 본ᄃᆡ 취식경덕(取色輕德)ᄒᆞᄂᆞᆫ 무리를 통한ᄒᆞ시ᄂᆞ니, 져져를 박멸(薄蔑)ᄒᆞ시며 일시 눈의 보기 됴흔 빗출 구ᄒᆞ시리잇가? 져져의 유복ᄒᆞ시미 츌가ᄒᆞ던 날브터 후ᄇᆡᆨ의 부인으로 호호(浩浩)ᄒᆞᆫ 부귀를 누리시며, 듕궤(中饋)의 다ᄉᆞ(多事)ᄒᆞᆷ과 범ᄉᆞ(凡事) ᄎᆡᆨ망(責望)의 어려오믄 다 윤져져긔 도라가고, 져져ᄂᆞᆫ 무ᄉᆞ안한(無事安閑)ᄒᆞ여 긴 셰월의 ᄒᆞᆫ 근심도 업시, 옥동화녀(玉童花女)

1015)맛다 : 마치다. 끝나다. 끝장나다.
1016)녀름 : 열매. 농사. 수확. 여기서는 '자녀'를 뜻함.
1017)ᄆᆡᆼ덕요(孟德曜) : 중국 후한 때 사람 양홍(梁鴻)의 아내. 이름은 맹광(孟光), 자(字)는 덕요(德曜).

"연소ᄇᆡ 고셔를 박남ᄒᆞ여 녯 일을 아ᄂᆞᆫ가 시브니, '국군(國君)이 교ᄌᆞ[인]驕人)ᄒᆞ면 실기국(失其國)ᄒᆞ고 태위교인(大夫驕人)이면 실기신[가]失其家)'[804] ᄒᆞ믈 아지 못ᄒᆞ엿ᄂᆞ냐? 모로미 부귀를 ᄌᆞ랑치 말고 마ᄋᆞᆷ을 안졍이 잡아 ᄂᆡ 집을 ᄉᆞ롬으로 맛ᄂᆞᆫ[805] 《녜‖폐(弊)》를 업게 ᄒᆞᆯ지어다"

하공이 소안(笑顏)이【52】쥰졀ᄒᆞ고 위의 녈슉(烈肅)ᄒᆞ여, ᄉᆞ롬으로 ᄒᆞ야곰 불감앙시(不敢仰視) ᄒᆞᆯ ᄇᆡ니, 연씨 비록 염치상진(廉恥喪盡)ᄒᆞᆫ 인ᄉᆞ블셩(人事不省)이나, 일분슈괴(羞愧)ᄒᆞ여 황공(惶恐)ᄒᆞ미 잇셔 낫출 븕히고 능히 말을 못ᄒᆞ니, 동평후 부인 영쥐 ᄀᆞᆯᄋᆞᄃᆡ,

"져져는 부귀를 닐을진ᄃᆡ 윤져와 경져긔 비기지 못ᄒᆞᆯ 거시로ᄃᆡ, 인연이 긔특ᄒᆞ여 다 ᄒᆞᆫ가○[지]로 거거(哥哥)의 ᄇᆡ위 되시니, 져졔 ᄯᅳᆺ슬 낫초시고 덕을 기르ᄉᆞ 거거의 ᄂᆡᄉᆞ(內事)를 빗ᄂᆡ고 화긔를 일치 아니면, 일가친쳑이 칭찬ᄒᆞ여 금지옥엽(金枝玉葉)이 《빵여의 들며‖상녜(常例) 녀름[806]과 다르다 ᄒᆞ며》, 긴 셰월에 ᄒᆞᆫ 근심도 업시 옥동화녀(玉童花女)를 슬하의 유희ᄒᆞ시○[리]니, ᄋᆞ시로븟터 호화소[ᄒᆞ]심과 이 쎄의 니르러[히] 셰상 괴로온 념녀를 모로시며[니], 져져 갓트니 어이 잇시리잇가? 냥가 친당이 《구돈‖구존(俱存)》 ᄒᆞ시고 동긔 번셩ᄒᆞ시고[며] ᄯᅩᄒᆞᆫ 가뷔(家夫) 조년【53】등과ᄒᆞ여 벼살이 국공(國公)의 거ᄒᆞ니, 그 존귀ᄒᆞ미 쳔승(千乘)의 일뉴(一類)라. 윤져져ᄂᆞᆫ ○…결락12자…○[아황(娥皇)[807]의 덕을 닷

804)국군교인즉실기국(國君驕人則失其國)ᄒᆞ고, 태위교인즉실기가(大夫驕人則失其家) : 임금이 사람을 교만하게 대하면 나라를 잃게 되고, 대부(大夫)가 사람을 교만하게 대하면 그 가문을 잃게 된다. 사마천(司馬遷), 『사기(史記)』 위세가(魏世家)조(條)에 나오는 글.
805)맛다 : 마치다. 끝나다. 끝장나다.
806)녀름 : 열매. 농사. 수확. 여기서는 '자녀'를 뜻함.
807)아황(娥皇) : 요임금의 딸로 동생 여영(女英)과 함께 순임금에게 시집가 서로 투기하지 않고 화목하게 잘 살았으며, 순임금이 창오(蒼梧)에서 죽자 함께 소상강(瀟湘江)에 빠져 죽었다.

를 슬하의 유희ᄒᆞ시니, ᄋᆞ시로브터 호화ᄒᆞ심과 이ᄣᅵ의 니르히 셰샹 괴로온 념녀를 모로시며[니], 져져 ᄀᆞᆺᄐᆞ니 어이 이시리잇가? 냥가 친당이【8】구존(俱存)ᄒᆞ시고, 동긔 번셩ᄒᆞ며, 가뷔 위고금다(位高金多)ᄒᆞ여 국공(國公)의 거ᄒᆞ니, 그 존귀ᄒᆞ미 쳔승(千乘)의 일ᄂᆔ(一類)라. 윤져져ᄂᆞᆫ 아황(娥皇)[1018]의 덕을 닷그시고 져져ᄂᆞᆫ 녀영(女英)[1019]의 졍결ᄒᆞ믈 효측ᄒᆞ시리니, 나히 져므시나 당당ᄒᆞᆫ ᄌᆡ상의 부인으로 범ᄉᆞ를 가ᄇᆡ야이 못ᄒᆞᆯ디라. 희로(喜怒)와 언어를 각별이 삼가샤, 거거의 슈신(修身)ᄒᆞ시ᄂᆞᆫ 덕을 도으시미, ᄌᆞ못 맛당ᄒᆞᆯ가 ᄒᆞᄂᆞ이다."

연시 본ᄃᆡ 인ᄉᆞ 모로고 념치 업ᄉᆞᆯ디언졍, 심디ᄂᆞᆫ 간교극악(奸巧極惡)디 아닌 고로, 쇼괴 ᄌᆞ긔를 유복다 ᄒᆞᄂᆞᆫ 말을 ᄀᆞ장 됴히 넉여, 쳥슌(靑脣)[1020]의 흑치(黑齒)[1021]를 드러ᄂᆡ고 얼골을 디긋거려 눈짓ᄒᆞ며, 고개를 그덕【9】여 ᄀᆞᆯ오ᄃᆡ,

"부인의 말ᄉᆞᆷ이 실노 올흐셔이다. 쳡이 언힝을 삼가며 윤부인의 화우ᄒᆞᄂᆞᆫ 덕을 조ᄎᆞ 졍의를 상히오디 아니ᄒᆞ더니, 오날 신부의 요ᄉᆡᆨ(妖色)을 만쾌 다 칭찬ᄒᆞᄂᆞᆫ 고로 우연이 심곡소회(心曲所懷)를 펴미어니와, 굿ᄐᆞ여 신인을 믜워 ᄒᆞᄂᆞᆫ ᄯᅳᆺ이 아니라. 졔 만일 윤부인ᄀᆞᆺ치 날을 공경ᄒᆞ며 디셩으로 ᄃᆡ졉ᄒᆞ면, 내 엇디 져를 ᄒᆡ코져 ᄒᆞ리잇고마ᄂᆞᆫ, 졔 혹(或) 요악ᄒᆞ여 쳡을 업슈히 넉이ᄂᆞᆫ 일이 이시면, 쳡이 ᄒᆞᆫ 쥬머괴로 즛마아 아조 분골쇄신(粉骨碎身)을 못ᄒᆞ리잇가?"

윤태부 부인이 밋쳐 말을 못ᄒᆞ여셔, 윤부인이 연시의 나상(羅裳)을 다리여 가마니 니르ᄃᆡ,

"존【10】젼의 이러ᄐᆞᆺ 다셜(多說)ᄒᆞᆯ 일이

1018)아황(娥皇) : 요임금의 딸로 동생 여영(女英)과 함께 순임금에게 시집가 서로 투기하지 않고 화목하게 잘 살았으며, 순임금이 창오(蒼梧)에서 죽자 함께 소상강(瀟湘江)에 빠져 죽었다.
1019)녀영(女英) : 순임금의 비(妃). 아황(娥皇)의 동생으로 자매가 함께 순임금을 섬겼다.
1020)쳥슌(靑脣) : 푸르스름하여 아름답지 못한 입술.
1021)흑치(黑齒) : 검게 변색된 아름답지 못한 이.

그시고 져져ᄂᆞᆫ]《녀염‖녀영(女英)[808]》의 《경결‖졍결(貞潔)》ᄒᆞ믈 지극히 효측ᄒᆞ여 기리 복록을 완젼이 ᄒᆞ○[시]리니, ᄉᆞᆷ가 거거의 슈신ᄒᆞ시ᄂᆞᆫ 덕을 도으시미 맛당ᄒᆞᆯ가 ᄒᆞᄂᆞ이다"

연씨 ᄌᆞ가를 다복(多福)다 ᄒᆞ믈 ᄀᆞ장 조히 넉여, 《쳔슌‖쳥슌(靑脣)[809]》의 흑치(黑齒)[810]를 드러ᄂᆡ고 얼골을 지긋거려 고ᄀᆡ를 ᄭᅳ덕여, 왈,

"부인의 말ᄉᆞᆷ이 심히 올흐니이다. 금일 신부의 요ᄉᆡᆨ을 《만쾌 타‖만쾌 다》 칭찬ᄒᆞᄂᆞᆫ 고로 우연이 심곡을 펴미어니와, 굿ᄐᆞ여 신인을 믜워 ᄒᆞᄂᆞᆫ ᄯᅳᆺ이 아니라. 졔 만일 윤부인갓치 나를 공경ᄒᆞ며 지셩으로 ᄃᆡ졉ᄒᆞ면 내 엇지 져를 ᄒᆡ코져 ᄒᆞ리잇고마ᄂᆞᆫ, 졔 혹 요악ᄒᆞ여 쳡을 업슈히 넉이ᄂᆞᆫ 일 곳 잇시면, 쳡이 ᄒᆞᆫ 쥬머괴로 즛마아 아조 분골쇄신(粉骨碎身)을【54】못ᄒᆞ리잇가?"

윤부인이 연씨의 나상을 다리며 가마니 니르ᄃᆡ,

"존젼의 니러ᄐᆞᆺ 과셜ᄒᆞᆯ 일이 아니오, 소실에 믈너 가 종용이 회포를 펴리니, 부인이 엇지 이런 일을 아지 못ᄒᆞᄂᆞ뇨?"

808)녀영(女英) : 순임금의 비(妃). 아황(娥皇)의 동생으로 자매가 함께 순임금을 섬겼다.
809)쳥슌(靑脣) : 푸르스름하여 아름답지 못한 입술.
810)흑치(黑齒) : 검게 변색된 아름답지 못한 이.

아니오, 소견을 니르려 ᄒᆞ여도 ᄉᆞ실의 믈너가 죵용ᄒᆞᆫ ᄯᅢ의 회포를 펴리니, 부인이 엇디 이런 일을 아디 못ᄒᆞᄂᆞ뇨?"

연시 위인이 긔괴ᄒᆞ나 윤부인 셩덕을 감골명심ᄒᆞ여, 쳐음ᄀᆞᆺ치 즐욕ᄒᆞᆯ 의ᄉᆞ를 ᄂᆡ디 아니ᄒᆞ고, 그 말ᄉᆞᆷ인즉 아니 올히 넉이ᄂᆞᆫ 일이 업ᄉᆞᆫ 고로, 비로소 어ᄌᆞ러온 말과 분분ᄒᆞᆫ ᄉᆞ식을 긋치고, 쇼고의 유복(有福)다 ᄒᆞᄂᆞᆫ 말을 블승희열(不勝喜悅)ᄒᆞ여, 죵일 ᄆᆞ장 규구(規矩) 잇ᄂᆞᆫ 쳬ᄒᆞ고, 게트림[1022]ᄒᆞ며 입즛[1023] 눈즛[1024]ᄒᆞ고, 스ᄉᆞ로 몸이 존듕ᄒᆞᆫ 쳬ᄒᆞ고, 그 힝동거디의 망측긔괴ᄒᆞ미 다 사ᄅᆞᆷ의 우음을 ᄎᆞᆷ디 못ᄒᆞᆯ 곳이라.

연시 견혀 눈츼를 아디 못ᄒᆞ【11】고, 쥬찬(酒饌) 가져오믈 인ᄒᆞ여 광복(廣腹)을 치오랴 ᄒᆞ여, ᄌᆞ긔 상과 윤태부 부인의 만반딘슈(滿盤珍羞)를 아오로 셔릇고, 몽셩 등의 가졋ᄂᆞᆫ 과실을 다 거두고, 딘육(珍肉)[1025] 가진[1026] 거ᄉᆞᆯ 다 아ᄉᆞ, 밋친 사ᄅᆞᆷᄀᆞᆺ치 휘그러[1027] 먹다가, 믄득 ᄇᆡ ᄭᅳᆯᄂᆞᆫ 소ᄅᆡ 산 믈이 급히 나림 ᄀᆞᆺᄐᆞ여, 큰 방긔[1028] 년ᄒᆞ여 년ᄒᆞ여 별학[1029]이 울히ᄂᆞᆫ 듯, ᄂᆞᆼ히 긋치디 아냐 형형식식(形形色色)[1030] 괴이ᄒᆞᆫ ᄂᆡ음ᄉᆡ 다 나다가, ᄒᆞᆫ 번 벌헉ᄒᆞᄂᆞᆫ 소ᄅᆡ 길게 나며 한업ᄉᆞᆫ ᄯᅩᆼ을 ᄡᆞ니, ᄯᅩᆼ믈이 ᄌᆞ리의 괴이며 ᄇᆡ를 급히 알흐니, ᄋᆡ고 소ᄅᆡ 산쳔이

1022)게트림 : 거만스럽게 거드름을 피우며 하는 트림.

1023)입즛 : 입짓. 어떤 뜻을 전하거나 무엇을 넌지시 알려 주기 위하여 입을 움직이는 짓.

1024)눈즛 : 눈짓. 눈을 움직여서 상대편에게 어떤 뜻을 전달하거나 암시하는 동작.

1025)딘육(珍肉) : 맛좋은 고기.

1026)가진 : 갖은. 골고루 다 갖춘. 여러 가지의. *갖다; 갖추다. 갖추어 있다. 구비(具備)되어 있다.

1027)휘글다 : '휘+글다'의 형태. 마구 끌어당기다. *휘; 일부 동사 앞에 붙어, '마구' 또는 '매우 심하게'의 뜻을 더하는 접두사. *글다; 끌다(바닥에 댄 채로 잡아당기다). 끌어당기다(끌어서 가까이 오게 하다).

1028)방긔 : 방귀. 방기(放氣).

1029)별학 : 벼락.

1030)형형식식(形形色色) : 형상과 빛깔 따위가 서로 다른 여러 가지.

연씨 위인이 긔괴ᄒᆞ나 윤부인 셩덕을 감골명심 ᄒᆞ여, 쳐음ᄀᆞᆺ치 질욕ᄒᆞᆯ 의ᄉᆞ를 ᄂᆡ지 아니ᄒᆞ고 그 말인즉 아니 올히 넉이ᄂᆞᆫ 일이 업ᄂᆞᆫ 고로, 비로소 어ᄌᆞ라온 말과 분분ᄒᆞᆫ ᄉᆞ식을 긋치고, 소고의 유복(有福)과[타] 기리ᄂᆞᆫ 말을 희열(喜悅)ᄒᆞ여, ○…결락34자…○[죵일 ᄆᆞ장 규구(規矩) 잇ᄂᆞᆫ 쳬ᄒᆞ고, 게트림[811]ᄒᆞ며 입즛[812] 눈즛[813]ᄒᆞ고, 스ᄉᆞ로 몸이 존듕ᄒᆞᆫ 쳬ᄒᆞ고, 그] 힝동 거지의 망측긔괴(罔測奇怪)ᄒᆞ미 다 ᄉᆞᄅᆞᆷ의 우음을 참지 못ᄒᆞᆯ 곳이라.

연씨 눈치를 견혀 아지 못ᄒᆞ고 쥬찬(酒饌)이 흔ᄒᆞ물 인ᄒᆞ여 광복(廣腹)을 ᄎᆡ오려 ᄒᆞᄆᆡ, ᄌᆞ긔 상과 윤태부 부인의 만반진슈(滿盤珍羞)를 아오로 셔릇고, 몽경[셩] 등의 가졋ᄂᆞᆫ 과실을 다 아샤, 밋【55】친 샤ᄅᆞᆷᄀᆞᆺ치 졔인의 눈치도 모로고 휘그러[814] 너흐되, 윤부인이 ᄌᆞ긔 상의 남은 거ᄉᆞᆯ 영영이 쥬지 아냐, 즉시 비ᄌᆞ 등을 난화 먹게 ᄒᆞ믄 연씨의 ᄇᆡ홈[815]이 무상ᄒᆞ믈 념녀ᄒᆞ미라.

하공이 연씨의 식냥이 남달니 너르믈 드러시ᄃᆡ 오히려 이ᄃᆡ도록 ᄒᆞ믄 쳐음이라. 그 인물을 족가(足枷)ᄒᆞᆯ[816] 거시 업ᄉᆞᄃᆡ, ᄋᆞ시로붓터 호화로히 ᄌᆞ란 바로 구가의 혹 쥬리미 잇셔, 아조 음삭[식]의 실셩지인(失性之人)이 되엿는가 불상히 녁여, 찬물(饌物) 가음아ᄂᆞᆫ 시녀로 ᄒᆞ야곰 각별이 큰 상의 진슈미찬(珍羞美饌)을 갓초 버려 연씨긔 드리라

811)게트림 : 거만스럽게 거드름을 피우며 하는 트림.

812)입즛 : 입짓. 어떤 뜻을 전하거나 무엇을 넌지시 알려 주기 위하여 입을 움직이는 짓.

813)눈즛 : 눈짓. 눈을 움직여서 상대편에게 어떤 뜻을 전달하거나 암시하는 동작.

814)휘글다 : '휘+글다'의 형태. 마구 끌어당기다. *휘; 일부 동사 앞에 붙어, '마구' 또는 '매우 심하게'의 뜻을 더하는 접두사. *글다; 끌다(바닥에 댄 채로 잡아당기다). 끌어당기다(끌어서 가까이 오게 하다).

815)ᄇᆡ홈 : 배부름. 또는 배부름을 탐(貪)함.

816)족가(足枷)하다 : 간섭하다. 다그치다. 따지다.

울히게 디르니, 하공 부부와 졔좌(諸座) 막블히참(莫不駭慘)[1031]ᄒᆞ여, 사ᄅᆞᆷ의 못 삼기미 져ᄃᆡ도록 ᄒᆞᆫ고 탄ᄒᆞ고, 윤부인【12】과 하부인이 연시의 시녀 유랑비를 블너 급히 부인을 뫼셔 가라 ᄒᆞ니, 유모와 시네 일시의 연시를 ᄡᅳ어가며 일변으로 ᄯᅩᆼ을 쳐 ᄂᆡ니, 악취 듕인의 코흘 거ᄉᆞ리니, 하공이 즉시 밧그로 나가고, 졔ᄀᆡᆨ이 날이 져믈기로 인ᄒᆞ여 흣터질ᄉᆡ, 신부 슉소를 취운각의 뎡ᄒᆞ여 보ᄂᆡ고, 됴부인이 촉을 니어 녀ᄋᆞ와 윤시로 더브러 죵용이 말ᄉᆞᆷᄒᆞ더니, 이윽고 하공이 드러 오니 윤부인이 하시로 잠간 뫼셧다가 각각 침소로 도라오다.

연시 침소의 도라와 샹토하셜(上吐下泄)을 무슈히 ᄒᆞ고, ᄒᆞᆫ 잠을 ᄌᆞᄆᆡ 복통이 져기 낫거ᄂᆞᆯ, 밤든 후 ᄭᆡ여 옷ᄉᆞᆯ 슈렴ᄒᆞ고 유모다려【13】 므르ᄃᆡ,

"상공이 안히 드러와 신방의 가려 ᄒᆞ시더냐?"

유뫼 ᄃᆡ왈,

"아딕 혼뎡도 못 되여시니 엇디 신방의 가시리잇고? 이런 말ᄉᆞᆷ은 부인이 므르실 ᄇᆡ 아니어니와, 셕샹(席上)[1032]의셔 뎡당 부인 말ᄉᆞᆷ을 쇼졔 블슌히 ᄃᆡ답ᄒᆞ시고, ᄯᅩ ᄇᆡ

1031)막블히참(莫不駭慘) : 매우 괴상하고 야릇하여 남부끄러워 하지 않음이 없음.

1032)셕샹(席上) : 누구와 마주한 자리. 또는 여러 사람이 모인 자리.

ᄒᆞ니, 연씨 존구의 명ᄒᆞ시므로 인ᄒᆞ여 각별ᄒᆞᆫ 큰 상을 밧으ᄆᆡ, 포복ᄒᆞᆯ 일이 즐겁기 극ᄒᆞ여, ᄌᆞ연 깃분 눈셥이 움즉이고 푸른 입시울이 실눅여 만면의 희긔를 감초지【56】 못ᄒᆞ니, 졔인이 히연 망측이 넉이ᄃᆡ 뉘 남의 시비를 ᄒᆞ리오. 본동만동 ᄒᆞ더니, 연씨 술을 크게 취ᄒᆞ여 그 형용이 망측ᄒᆞᄆᆡ, 연씨를 븟드러 침소로 도라보ᄂᆡ고져ᄒᆞᆯ 즈음의, 연씨 큰 상의 버련 거ᄉᆞᆯ 밋쳐 다 먹지 못ᄒᆞ여셔 문득 ᄇᆡ 셜ᄂᆞᆫ 소ᄅᆡ 산 물이 놉히 나림 ᄀᆞᆺᄒᆞ여, 방긔ᄂᆞᆫ 연ᄒᆞ여 벼락이 울니ᄂᆞᆫ ᄃᆞᆺᄒᆞ더니, 한업ᄉᆞᆫ ᄯᅩᆼ물이 ᄌᆞ리의 가득이 고이여, 연씨 복통이 급ᄒᆞ여 ᄋᆡ고 소ᄅᆡ를 산쳔이 울○[히]게 지르니, 하공 부부와 졔좌 히참(駭慚)ᄒᆞ여[817] 샤ᄅᆞᆷ의 못삼기미 져ᄃᆡ도록 고이ᄒᆞᆷ믈 탄ᄒᆞ고, 윤부인과 하부인이 《연ᄋᆞ‖연씨의》 시녀 유랑ᄇᆡ를 블너 급히 부인을 뫼셔 가라 ᄒᆞ니, 유모와 시네 일시의 연씨를 ᄡᅳ드러 가며, 일변으로 ᄯᅩᆼ을 쳐 ᄂᆡ니, 악취 즁인의 코흘 거ᄉᆞ리니, 하공이 즉시 밧그로【57】 나아가고, 졔ᄀᆡᆨ이 날이 져믈기로 인ᄒᆞ여 흣터질ᄉᆡ, 신부 슉소를 취운각에 졍ᄒᆞ여 보ᄂᆡ고, 조부인이 촉을 니어 녀ᄋᆞ와 윤씨로 더브러 종용이 말ᄉᆞᆷᄒᆞ더니, 이윽고 하공이 드러오니 윤부인과 하씨 잠간 뫼셧다가 각각 침소로 도라오니라.

연씨 이ᄯᆡ 침소의 도라와 ᄒᆞᆫ 즘을 겨유 ᄌᆞᄆᆡ 복통이 져기 낫거ᄂᆞᆯ, 밤 든 후 ᄭᆡ여 옷ᄉᆞᆯ 슈렴ᄒᆞ고, 유모다려 므르ᄃᆡ,

"상공이 안의 드러와 신방의 가려 ᄒᆞ시더냐?"

유뫼 ᄃᆡ왈,

"아직 혼졍 ᄯᆡ도 못 되엿시니 엇지 신방의 가시리잇고? 이런 말ᄉᆞᆷ은 소졔 모르실 ᄇᆡ 아니어니와, 셕상(席上)[818]의셔 뎡당 부인의 말ᄉᆞᆷ을 불슈[슌](不順)이 ᄃᆡ답ᄒᆞ시고,

817)해참(駭慚)하다 : 매우 괴상하고 야릇하여 남부끄럽다.

818)셕샹(席上) : 누구와 마주한 자리. 또는 여러 사람이 모인 자리.

홈[1033]을 싱각디 아니시고 쥬찬을 과히 ᄌᆞ신 고로, 만좌 듕 대변을 ᄡᆞ시니, 노쳡이 그런 ᄧᅴ의ᄂᆞᆫ 낫출 ᄡᅡᆨ고 보디 말고 시브더이다."

연시 탄왈,

"어미ᄂᆞᆫ 이리 니르디 말나, 인싱이 살미 손[1034] ᄀᆞᆺ고 죽으미 도라감 ᄀᆞᆺᄐᆞ니, 인싱 팔십을 다 ᄉᆞ라도 오히려 ᄂᆞᆺ겁거ᄂᆞᆯ[1035], 내 셰상이 언만 줄 아라, 먹고 시븐 음식을 만나 빅조ᄎᆞ 주리고, ᄒᆞ【14】고 시븐 말을 ᄆᆡ양 엇디 ᄎᆞᆷ으리오. 신인(新人)이 윤부인ᄀᆞᆺ치 어딜면 모로거니와, 그러치 아니면 ᄡᅥ져 죽이리라."

유뫼 연시의 인믈을 아ᄂᆞᆫ디라, 능히 말노 ᄀᆞᄅᆞ쳐 효험이 업ᄉᆞᆫ 고로, 역시 탄식ᄒᆞ고 쟝 밧긔 와 ᄡᅳ러디니라.

연시 평싱 초공을 귀듕ᄒᆞᄂᆞᆫ 졍을 슈유블니(須臾不離)코져 ᄒᆞᄂᆞᆫ ᄆᆞ음이 돌ᄀᆞᆺ치 뭉쳐, 능히 플닐 길히 업셔 고즉(固直)ᄒᆞᆯ[1036] ᄲᅮᆫ 아니라, 초공이 대단ᄒᆞᆫ ᄉᆞ괴 아니면 반일식 드러와 모친을 뫼셔 ᄆᆡ양 긔담(奇談)으로 됴부인의 우으시믈 요구ᄒᆞ더니, 이날은 ᄂᆡ당의 빈긱이 가득ᄒᆞ니, 경시로 합환디녜(合歡之禮)[1037]를 맛촌 후 즉시 외당으로 나가, 다시【15】드러오디 아닛ᄂᆞᆫ 고로, 날마다 존고 침뎐의 가 초공의 드러오기를 기다려 그 풍치신광을 바라보며, 그 쥬슌호치(朱脣皓齒) ᄉᆞ이의 샹쾌ᄒᆞᆫ 언쇼를 드러, 졍혼을 위로ᄒᆞ다가, 이 날은 경시와 교비(交拜)[1038]ᄒᆞᆯ ᄡᅴ의 얼프시 보고 다시 보디 못ᄒᆞ니, 그리온 졍을 니긔디 못ᄒᆞ여 유랑 시

1033)빅홈 : 배부름. 또는 바부름을 탐(貪)함.
1034)손 : 손님. 지나가다가 잠시 들른 사람.
1035)ᄂᆞᆺ겁다 : 느껍다. 서럽다.
1036)고즉(固直)ᄒᆞ다 : 고직(固直)하다. 성격이나 행동이 주변이 없이 외곬으로 굳고 곧다.
1037)합환디녜(合歡之禮) : =합근지례(合巹之禮). 전통 혼례식에서 신랑 신부가 혼인을 맹세하는 뜻으로 서로 술잔을 주고받아 마시는 의식. *합환주(合歡酒); 전통 혼례식에서 신랑 신부가 서로 잔을 주고받아 마시는 술. *합근(合巹); 전통 혼례에서, 신랑 신부가 잔을 주고받음. 또는 그런 절차.
1038)교비(交拜) : 교배례(交拜禮). 전통혼례에서 신랑신부가 서로에게 절을 하고 받는 의식.

ᄯᅩ 빅호믈 싱각지 아니시샤 쥬찬을 과히 ᄌᆞ시고, 만좌 즁 ᄃᆡ변을 ᄡᆞ시니, 소쳡이 그런 ᄧᅴ의【58】ᄂᆞᆫ 낫출 ᄡᅡᆨ고 보지 말기를 원ᄒᆞᄂᆞ이다"

연씨 탄왈,

"어미ᄂᆞᆫ 이리 니르지 말나. 인싱이 팔십을 샤라도 오히려 ᄂᆞᆺ겁거든[819], 먹고 십은 음식을 만나 빅조ᄎᆞ 쥬리고, ᄒᆞ고 십은 말을 ᄆᆡ양 엇지 ᄎᆞᆷ으리오. 신인이 윤부인ᄀᆞᆺ치 어질면 모로거니와, 그러치 아니면 ᄡᅥ져 죽이리라"

유뫼 연씨의 인물을 알고, 능히 말노 ᄀᆞᆯ오쳐 효험이 업ᄂᆞᆫ 고로, 역시 탄식ᄒᆞ여 장 밧긔 ᄡᅳ러지니라.

연씨 평싱 초공을 귀즁ᄒᆞᄂᆞᆫ 졍을 슈유블니(須臾不離)코져ᄒᆞᆯ 마음을 돌 뭉킈 ᄃᆞᆺᄒᆞ여, 능히 풀닐 길히 업시 가득ᄒᆞᆯ ᄲᅮᆫ 아니라, 초공이 ᄃᆡ단ᄒᆞᆫ ᄉᆞ괴 《잇시면‖아니면》 반일식 드러와, 모친을 뫼셔 ᄆᆡ양 조부인의 우으시믈 요구ᄒᆞ더니, 이 날은 ᄂᆡ당의 빈긱이 가득ᄒᆞ므로, 경씨로 ○○○○○[합환디녜(合歡之禮)[820]를] 맛촌 후 즉시 외당으로 나아가【59】 다시 드러오지 아닛ᄂᆞᆫ 고로, 연씨 날마다 존고 침젼의 가 초공의 드러오기를 기다려, 그 풍치신광의 마음○[을] 죄오믈[며] 암암히 바라보며[아], 그 쥬슌호치(朱脣皓齒) ᄉᆞ이의 화열 샹쾌ᄒᆞᆫ 언소를 드러 졍혼을 위로ᄒᆞ다가, 이 날은 경씨와 교비(交拜)[821]ᄒᆞᆯ ᄧᅥ 얼프시 보고 다시 보지 못ᄒᆞ니, 그리온 졍을 니긔지 못ᄒᆞ여 연씨 유랑 빅도 아지 못ᄒᆞ게, 가마니 후창으로 ᄂᆡ다라 여러 층계(層階) 곡난(曲欄)을 지나

819)ᄂᆞᆺ겁다 : 느껍다. 서럽다.
820)합환디녜(合歡之禮) : =합근지례(合巹之禮). 전통 혼례식에서 신랑 신부가 혼인을 맹세하는 뜻으로 서로 술잔을 주고받아 마시는 의식. *합환주(合歡酒); 전통 혼례식에서 신랑 신부가 서로 잔을 주고받아 마시는 술. *합근(合巹); 전통 혼례에서, 신랑 신부가 잔을 주고받음. 또는 그런 절차.
821)교비(交拜) : 교배례(交拜禮). 전통혼례에서 신랑 신부가 서로에게 절을 하고 받는 의식.

녀ᄇᆡ도 아디 못ᄒᆞ게 ᄀᆞ마니 후창으로 ᄂᆡ다라, 여러 층 곡난(曲欄)을 디나 셔너 듕문(中門)을 계오 ᄎᆞᄌᆞ 외당으로 나올ᄉᆡ, 연시 혜아림의ᄂᆞᆫ 삼공ᄌᆞ와 초공만 잇ᄂᆞᆫ 줄노 아라 잠간 그 얼골이나 보고 드러오려 ᄒᆞ여 나가ᄆᆡ, 이날 윤태뷔 연셕의 참예ᄒᆞ여 슈ᄇᆡ(數盃) 하쥬(賀酒)를 마시고, 하공 부ᄌᆞ와 금평【16】후 부ᄌᆞ의 쳥유(請留)ᄒᆞ믈 인ᄒᆞ여 옥누항의 도라가디 못ᄒᆞ고 이의셔 밤을 디닐ᄉᆡ, 졔왕의 오곤계와 딘평댱 등 군죵형데(群從兄弟) 다 하부의 모다 밤 드도록 초공을 보ᄎᆡ여 조로고, 경가의 신낭이 되여시니 동상네(東床禮)1039)를 출히ᄃᆡ 범연이 못ᄒᆞ리라 ᄒᆞ며, 셔로 담화ᄒᆞ여 즐기ᄂᆞᆫ 흥이 놉핫ᄂᆞᆫ디라. ᄊᆡ 바야흐로 하ᄉᆞ월(夏四月) 망간(望間)1040)이라. 일긔 훈화ᄒᆞ니 졔딘과 졔뎡이 초공으로 더브러 쳥샤의 녈좌ᄒᆞ고, 윤태부ᄂᆞᆫ 젹상(積傷)ᄒᆞᆫ 증이 복발ᄒᆞ여 졍신이 어득ᄒᆞ고 일신이 분쇄ᄒᆞᄂᆞᆫ ᄃᆞᆺᄒᆞ여, 난간을 비겨 말을 아니ᄒᆞ고, 고요히 눈을 ᄀᆞᆷ고 누엇더니, 연시 바로 외당을 쎄쳐 나온【17】즉 쳥샤의 깁히 안ᄌᆞ니ᄂᆞᆫ 밋쳐 보도 못ᄒᆞ고, 난간의 누엇ᄂᆞᆫ 지 면광(面光)의 찬난미려(燦爛美麗)ᄒᆞᆷ과 신댱의 늠늠ᄒᆞ미 얼프시 초공 ᄀᆞᆺᄐᆞᆫ 고로, 의심 업시 달녀 드리다라 태부의 ᄉᆞ매를 븟들고, 눈믈을 나리와 왈,

"금일 어인 연셕의 대ᄉᆞ롭디 아닌 빈ᄀᆡᆨ의 상공이 죵일토록 드러오디 아니시니, 쳡이 월풍션용(月風仙容)을 삼상(參商)1041)ᄒᆞᄆᆡ, 아마도 ᄆᆞᄋᆞᆷ이 밋칠 ᄃᆞᆺᄒᆞᆫ 고로 념치를 닛고 이의 왓ᄂᆞ니, 상공은 신방의도 가려니와 고인의 다경ᄒᆞ믈 ᄉᆡᆼ각ᄒᆞ라."

이리 니르며, 태부의 손을 잡으려 ᄒᆞᄂᆞᆫ디

1039)동상네(東床禮) : 혼례 후 신랑 신부의 친구들이나 친척들이 신랑을 짓궂게 다루는 풍속. 발바닥을 때리는 등의 장난을 치고 음식을 대접한다.
1040)망간(望間) : 음력 보름께.
1041)삼상(參商) : ①삼성(參星)과 상성(商星)을 아울러 이르는 말. ②삼성(參星)과 상성(商星)이 동서(東西)로 멀리 떨어져 있는 데서, 멀리 떨어져서 그리워함을 이르는 말. 여기서는 '그리워함'을 나타낸 말.

외당으로 나올ᄉᆡ, 연씨 혜아림의ᄂᆞᆫ ᄉᆞᆷ 공ᄌᆞ와 초공만 잇ᄂᆞᆫ ᄌᆞᆯ노 아라, ᄌᆞᆷ간 그 얼골이나 보고 드러오려 ᄒᆞ여, 이날 《태부인‖윤태뷔》 연셕의 참네ᄒᆞ여 슈ᄇᆡ(數盃)를 마시고, 하공 부ᄌᆞ와 금평후 부ᄌᆞ의 쳥ᄒᆞ믈 인ᄒᆞ여 옥누항의 다시 가지 못ᄒᆞ고, 이의 밤을 지닐ᄉᆡ, 졔왕의 오곤계와 딘평장 등 형데【60】 다 하부의 모다, 밤 드도록 초공을 보ᄎᆡ여 경가의 신낭이 되엿시니 동상네(東床禮)822)를 범연이 못ᄒᆞ리라 ᄒᆞ며, 셔로 담화ᄒᆞ여 즐기ᄂᆞᆫ 흥이 놉핫ᄂᆞᆫ지라. ᄊᆡ 바야흐로 하ᄉᆞ월(夏四月) 망간(望間)823)이라. 일긔 훈화ᄒᆞ니 《젼관‖졔딘》과 졔뎡이 초공으로 더브러 쳥ᄉᆞ의 녈좌ᄒᆞ고, 윤ᄐᆡ부ᄂᆞᆫ 젹상(積傷)ᄒᆞᆫ 징(症)이 복발ᄒᆞ여 졍신이 아득ᄒᆞ고 일신이 분쇄ᄒᆞᄂᆞᆫ ᄃᆞᆺᄒᆞ여, 난간을 의지ᄒᆞ여 말을 아니ᄒᆞ고 고요히 눈을 감고 누엇더니, 연씨 바로 외당을 쎄쳐 나온즉 쳥ᄉᆞ의 깁히 안졋ᄂᆞᆫ 니ᄂᆞᆫ 밋쳐 보도 못ᄒᆞ고, 난간의 누엇ᄂᆞᆫ 지 면광(面光)의 찬난미려(燦爛美麗)ᄒᆞᆷ과 신장의 늠늠ᄒᆞ미 얼프시 초공 ᄀᆞᆺᄐᆞᆫ 고로, 반다시 복야라 ᄒᆞ여 드리다라 윤 ᄐᆡ부의 ᄉᆞᄆᆡ를 븟들고 눈물을 나리와, ᄀᆞᆯᄋᆞᄃᆡ,

"금일 어인【61】연셕의 ᄃᆡᄉᆞ롭지 아닌 빈ᄀᆡᆨ으로 ᄒᆞ여, 상공이 종일토록 드러 오지 아니시니, 쳡이 《월즁션녀를‖월풍션용(月風仙容)을》 잠앙(暫仰)824)ᄒᆞᄆᆡ, 아마도 마ᄋᆞᆷ이 밋칠 ᄃᆞᆺ ᄒᆞᆫ 고로 념치를 잇고 이의 왓ᄂᆞ니, 상공은 신방에도 가려니와 고인의 가련ᄒᆞ믈 ᄉᆡᆼ각ᄒᆞ라."

이리 니르며 ᄐᆡ부의 손을 잡으려 ᄒᆞᄂᆞᆫ지라. ᄐᆡ뷔 경히ᄒᆞ믈 니긔지 못ᄒᆞ여 ᄲᆞᆯ니 몸을 니러, ᄀᆞᆯᄋᆞᄃᆡ,

822)동상네(東床禮) : 혼례 후 신랑 신부의 친구들이나 친척들이 신랑을 짓궂게 다루는 풍속. 발바닥을 때리는 등의 장난을 치고 음식을 대접한다.
823)망간(望間) : 음력 보름께.
824)잠앙(暫仰) : 잠시 우러러 보거나 생각함.

라, 태뷔 경히ᄒᆞ믈 니긔디 못ᄒᆞ여 ᄲᆞᆯ니 몸을 니러 왈,

"나ᄂᆞᆫ 윤희뎐이오, 하【18】학ᄉᆡᆼ이 아니로소이다."

연시 태부의 옷ᄉᆞᆯ 트러잡고 니르ᄃᆡ,

"샹공이 평ᄉᆡᆼ 희롱을 아니ᄒᆞ시더니, 금야ᄂᆞᆫ 엇디 윤니부의 셩명을 비러 쳡을 속여 보랴 ᄒᆞᄂᆞ뇨? 내 비록 남ᄀᆞᆺ치 긔특디 못ᄒᆞ나 냥목(兩目)은 병드디 아냐시니, 엇디 명월디하(明月之下)의 샹공을 몰나 볼 거시라 이런 우은 말○[을] ᄒᆞ시ᄂᆞ뇨?"

윤니뷔 ᄀᆞ장 난안ᄒᆞ고 졀박ᄒᆞᄃᆡ, 초공이 맛참 여측(如厠)ᄒᆞ라 간 ᄯᅢ오, 졔딘과 졔뎡은 이 경상을 보고 ᄒᆡ연망측(駭然罔測)ᄒᆞ믄 니르도 말고, 그 샹뫼 흉참ᄒᆞ여 월하의 바로 보기 무셔온 고로, 번신(翻身)ᄒᆞ여 방듕의 드도 못ᄒᆞ고 연시를 ᄭᅮ디져 믈니치도 못ᄒᆞᄆᆡ, ᄉᆞ셰 괴롭고 졀박ᄒᆞ여[ᄃᆡ], 이의 연시 옷ᄉᆞᆯ 읇잡앗【19】ᄂᆞᆫ 고로 급히 ᄢᅵ치고[1042] 몸을 ᄲᆡ혀 ᄯᅱ여 나려 셜 즈음의, 초공이 완완이 거러 셤 아ᄅᆡ 다ᄃᆞ르니, 연시 윤니부의 옷 ᄯᅥ힌 조각을 쥐고 져의 급히 피ᄒᆞ믈 이샹이 넉일 ᄲᅮᆫ 아니라, 쳐음은 쳥상 구셕디게 안즌 뉴ᄂᆞᆫ 보디 못ᄒᆞ엿다가, 여러 남ᄌᆡ 무리 디어 방듕으로 드러가믈 보고, ᄀᆞ장 놀나 그 념치의도 남이 졔 거동을 다 본 일이 잠간 참괴ᄒᆞ여 어린ᄃᆞ시 말을 못ᄒᆞ다가, 믄득 신 ᄭᅳᆺ으ᄂᆞᆫ 소ᄅᆡ 나거ᄂᆞᆯ 돌쳐보니 ᄒᆞᆫ 사ᄅᆞᆷ이 셤 아ᄅᆡ 다ᄃᆞ르ᄆᆡ 곳 초공이라. 연시 황홀 여취(如醉)ᄒᆞ여 둔골(鈍骨)이 밧비 나리다라 초공의 ᄉᆞ매를 븟들녀 ᄒᆞ다가, ᄆᆡᆺ그러온 셤돌의 것구러져 봉관(鳳冠)이 바아디며【20】옥패(玉佩) ᄭᅵ여디믄 니르도 말고, 비둔(肥鈍)코 용렬ᄒᆞᆫ 몸이 두로 샹ᄒᆞ여, 붓그럽고 무류ᄒᆞ믈 겸ᄒᆞ여 크게 소ᄅᆡ 질너 엉엉 쳐울기[1043]를 시작ᄒᆞ니, 그 소ᄅᆡ 긔괴망측 ᄒᆞ믈 어이 비ᄒᆞᆯ 곳이 이시리오.

1042)ᄢᅵ치다 : 세게 찢다.

1043)쳐울다 : 마구 울다. *쳐-; '처-'. 일부 동사 앞에 붙어 '마구', '많이'의 뜻을 더하는 접두사.

"나ᄂᆞᆫ 윤희뎐이오, 하혹ᄉᆞ 학졍[셩]이 아니로소이다."

연씨 ᄐᆡ부의 옷ᄉᆞᆯ 트러잡고 니르ᄃᆡ,

"샹공이 평ᄉᆡᆼ ○○[희롱]을 아니ᄒᆞ시더니, 금야ᄂᆞᆫ 엇지 윤니부의 셩명을 비러 쳡을 속여 보려 ᄒᆞᄂᆞ뇨? 내 비록 남ᄀᆞᆺ치 긔특지 못ᄒᆞ나 냥목(兩目)은 병드디 아녀시니, 엇지 명월지하(明月之下)의 샹공을 몰나 볼 거시라 이런 우은 말ᄉᆞᆷ○[을] ᄒᆞ시ᄂᆞ뇨?"

윤니뷔 ᄀᆞ장 졀박ᄒᆞ【62】ᄃᆡ, 초공이 맛참ᄂᆡ 측즁(厠中)의 간 ᄯᅢ오, 졔진과 졔뎡은 이 경상을 보고 ᄒᆡ연망측(駭然罔測) ᄒᆞ믄 니르도 말고, 그 샹뫼 흉참ᄒᆞ여 월하의 바로 보기 무셔온 고로, 번신(翻身)ᄒᆞ여 방즁으로 드러도 못 가고, 연씨를 ᄭᅮ지져 믈니치도 못ᄒᆞᄆᆡ, ᄉᆞ셰 괴롭고 졀박ᄒᆞ여[ᄃᆡ], 이의 연씨 옷ᄉᆞᆯ 잡앗ᄂᆞᆫ 고로 급히 ᄲᅦ쳐[825] ᄯᅱ여 나려 셜 즈음에, 초공이 완완이 거러 셤 아ᄅᆡ ᄃᆞ다르니, 연씨 윤니부의 옷ᄉᆞᆯ ○[ᄢᅵ]치고[826] 져의 급히 피ᄒᆞ믈 이상이 넉일 ᄲᅮᆫ 아니라, 쳐음은 청상 구셕지게 안잔 뉴ᄂᆞᆫ 보지 못ᄒᆞ엿다가, 여러 남ᄌᆡ 무리 지어 즁방으로 드러가믈 보고, ᄀᆞ장 놀나 그 념치의도 남이 져의 거동을 다 본 일을 참괴ᄒᆞ여 어린다시 말을 못ᄒᆞ다가, 믄득 신 ᄭᅳᆺ으ᄂᆞᆫ 소ᄅᆡ 나거ᄂᆞᆯ 돌쳐보니, ᄒᆞᆫ 샤ᄅᆞᆷ이【63】셤 아ᄅᆡ ᄃᆞ다르니 초공이라. 연씨 황홀여취(如醉)ᄒᆞ여 밧비 나리다라, 초공의 ᄉᆞᄆᆡ를 붓들녀 ᄒᆞ다가, 셤돌의 것구러져 봉관(鳳冠)이 바아지며 옥ᄑᆡ(玉佩) ᄭᅵ여지믄 니르도 말고, 비둔(肥鈍)코 용녈ᄒᆞᆫ 몸이 두로 상ᄒᆞ여 붓그럽고 무류ᄒᆞ믈 겸ᄒᆞ여 큰 소ᄅᆡ 질너 울기를 시작ᄒᆞ니, 그 소ᄅᆡ 긔괴망측 ᄒᆞ믈 어이 비ᄒᆞᆯ 곳이 잇시리오.

825)ᄲᅦ치다 : 빼치다. 뿌리치다. 억지로 빼내다. 붙잡힌 것을 홱 빼내어, 놓치게 하거나 붙잡지 못하게 하다.

826)ᄢᅵ치다 : 세게 찢다.

초공이 금옥군ᄌᆞ(金玉君子)며 듕산(重山)의 무거오믈 가져시ᄃᆡ, ᄎᆞ경을 당ᄒᆞ여ᄂᆞᆫ ᄒᆡ연코 가쇼로오믈 니긔디 못ᄒᆞ여, 일장을 웃고 셔동으로 ᄒᆞ여○[금] 연부인의 시녀와 유랑을 브르라 ᄒᆞᄆᆡ, 슈유의 시녀 칠팔인과 유랑이 외당의 나와 연시의 거동을 보고, 하류(下流)의 상(常)업ᄉᆞᆫ ᄆᆞᄋᆞᆷ의도, 참괴ᄒᆞ여 져마다 낫출 짝고져 시븐디라. 초공이 유랑과 시녀 등을 엄졍이 ᄭᅮ디져 왈,

"져런 실셩의 듀인을 다리고【21】 이시ᄆᆡ 일시도 방심치 못ᄒᆞ여, 외당의 나오ᄂᆞᆫ ᄒᆡ거(駭擧)나 업게 ᄒᆞ미 올커ᄂᆞᆯ, 엇디 혼ᄌᆞ ᄂᆡ여 노화 외헌의 나오ᄂᆞᆫ 버르시 잇게 ᄒᆞᄂᆞ뇨? 금번은 쳐음이니 샤(赦)ᄒᆞ거니와, 후일의 져 실셩디인으로 무심히 바려 두어, 다시 왕ᄂᆡ를 임의로 ᄒᆞᆫ 거죄 이시면 큰 죄를 주리라."

유랑 시네 ᄉᆞ죄(死罪)를 청ᄒᆞ고 연시를 븟드러 ᄂᆡ당으로 가시믈 청ᄒᆞ나, 발셔 우람(愚濫)[1044]을 ᄂᆡ엿거든 어이 드러 가리오. 못ᄡᅳᆯ 셩식(性息)[1045]을 발ᄒᆞ여 너른 ᄯᅳᆯ의 뒤구을며, 시녀 등을 움킈여 ᄯᅳᆺ고 발노 ᄎᆞ며 입으로 무러, 듕듕거리며 니르ᄃᆡ,

"어이 ᄒᆞᆫ 사름의 몸이 화ᄒᆞ여 두 사름이 될니 이시리오마ᄂᆞᆫ, 앗가 내 분명【22】이 초공의 옷슬 잡으ᄆᆡ 피ᄒᆞ여 갓더니, 이 초공은 어ᄃᆡ로셔 난고. 실노 측냥치 못ᄒᆞ리로다. 이 밤이 ᄉᆡ기를 그음ᄒᆞ여 초공을 다리고 드러가디, 그져ᄂᆞᆫ 못 갈노다."

ᄒᆞ니, 초공이 분한코 통히ᄒᆞ믈 어이 츰을 ᄇᆡ리오마ᄂᆞᆫ, 져 인ᄉᆞ블셩(人事不省)은 념치 업ᄉᆞ니 징힐(爭詰)홈도 괴롭고, 듕인 쳠시의 무류ᄒᆞ여, 이의 낫출 화평이 ᄒᆞ고, 니르ᄃᆡ,

"그ᄃᆡ ᄒᆞᆫ가디로 가ᄌᆞᆫ 말 아니ᄒᆞ여도 내 아딕 혼뎡을 아녀시니, 이졔 뎡당의 가려 ᄒᆞ거니와, 평졔왕과 딘평댱의 군죵 형뎨 다 각각 부듕의 혼뎡 밋쳐 가려 ᄒᆞ거ᄂᆞᆯ, 그ᄃᆡ ᄯᅳᆯ 가온ᄃᆡ 누어 이ᄀᆺ치 어ᄌᆞ러이 《희결∥

초공이 금옥군ᄌᆞ(金玉君子)며 즁산(重山)의 묵어오믈 가져시ᄃᆡ, ᄎᆞ경을 당ᄒᆞ여 일장을 웃고 셔동으로 ᄒᆞ야곰 연부인의 시녀 등과 유랑을 부르라 ᄒᆞᄆᆡ, 슈유의 시녀 칠팔인과 유랑이 외당의 나와 연씨의 거동을 보고, 《쳔녹∥쳔비(賤婢)》 하류(下流)의 상업산 마음의도, 참괴ᄒᆞ여 져마다 낫출 짝고져 ᄒᆞᄂᆞᆫ지라. 초공이 유랑과 시녀 등을 엄졀히 ᄭᅮ지져 니르ᄃᆡ,

"녀등이 져【64】런 실셩ᄒᆞᆫ 쥬인을 다리고 잇시ᄆᆡ, ᄒᆞᆫ ᄯᅢ도 방심치 못ᄒᆞ여 외당의 나오ᄂᆞᆫ ᄒᆡ거(駭擧)나 업게 ᄒᆞ미 올커ᄂᆞᆯ, 엇지 혼ᄌᆞ ᄂᆡ여 노화 외헌의 나이[아]오ᄂᆞᆫ 버릇시 잇게 ᄒᆞᄂᆞ뇨? 금번은 쳐음이니 샤ᄒᆞ거니와 후일의 져 실셩지인을 다시 외당의 나아오○○[게 ᄒᆞ]ᄂᆞᆫ 거죄 잇시면, 큰 죄를 쥬리라."

유랑과 시네 ᄉᆞ죄를 졍ᄒᆞ여 연씨를 븟드러 ᄂᆡ당으로 가시믈 청ᄒᆞ나, 발셔 《우름∥우람(愚濫)[827]》을 ᄂᆡ엿거ᄂᆞᆯ 어이 드러 가리오. 못된 셩식(性息)[828]을 발ᄒᆞ여 너른 ᄯᅳᆯ의 뒤구을며, 시녀 등을 두다려 ᄇᆞᆯ노 ᄎᆞ며 입으로 무러 �다며 니르ᄃᆡ,

"어이 ᄒᆞᆫ ᄉᆞ름의 몸이 화ᄒᆞ여 두 ᄉᆞ름이 될니 이시리오마ᄂᆞᆫ, 앗가 ᄂᆡ 분명이 초공의 옷슬 잡으ᄆᆡ 피ᄒᆞ여 닷더니, ○[이] 초공은 어ᄃᆡ로셔 난ᄂᆞᆫ고? 실노 측냥치 못ᄒᆞ리로다. 이 밤이 ᄉᆡ기【65】를 그음ᄒᆞ여 초공을 다리고 드러가지, 그져ᄂᆞᆫ 못 갈노라."

ᄒᆞ니, 초공이 통한코 분히ᄒᆞ믈 니긔지 못ᄒᆞ나, 져 념치 업ᄂᆞᆫ 것과 징힐홈도 괴롭고, 즁인 쳠시의 무류ᄒᆞ여, 이에 낫출 화평이 ᄒᆞ고, 니르ᄃᆡ,

"그ᄃᆡ ᄒᆞᆫ가지로 드려가ᄌᆞ 말 아니ᄒᆞ여도 ᄂᆡ 아직 혼졍을 아녀시니, 이졔 졍당의 가려 ᄒᆞ거니와, 평졔왕과 딘형이 다 각각 부즁의 혼졍 밋쳐 가려 ᄒᆞ거ᄂᆞᆯ, 그ᄃᆡ ᄯᅳᆯ 가온ᄃᆡ 누어 이ᄀᆺ치 어ᄌᆞ러이 굴ᄆᆡ, 방 밧글 나

1044)우람(愚濫) : 어리석어 분수를 모르고 외람됨
1045)셩식(性息) : 성정(性情). 성질과 심정. 또는 타고난 본성.

827)우람(愚濫) : 어리석어 분수를 모르고 외람됨
828)셩식(性息) : 성정(性情). 성질과 심정. 또는 타고난 본성.

ᄒᆡ거를》ᄒᆞ며 구을ᄆᆡ, 방 밧글 나디 못【23】ᄒᆞ여 뎡히 민울ᄒᆞ니, 그ᄃᆡ 일분 사ᄅᆞᆷ의 심통[1046]일딘ᄃᆡ, 엇디 이러틋 ᄒᆡ괴히 굴미 참괴치 아니리오. 실노 내 낫치 더오믈 ᄊᆡᆺ디 못ᄒᆞᄂᆞ니, 모로미 그만ᄒᆞ여 드러가라.”

연시 초공의 소ᄅᆡ를 드르ᄆᆡ 앗가 옷슬 쩨쳐 바리고 가던 ᄌᆞ와 ᄀᆞᆺ틀 ᄲᅮᆫ 아니라, 딘짓 초공은 ᄌᆞ긔다려 말ᄒᆞ기를 어려워 아니ᄃᆡ, 앗가 피ᄒᆞᆫ ᄌᆞᄂᆞᆫ 져를 만나 입을 여러 과연 말ᄒᆞ기를 졀박히 넉이던디라. 비로소 초공이 아니런 줄 ᄊᆡᄃᆞ라 잠간 우름을 긋치고, 초공을 향ᄒᆞ여,

“내 앗가 분명이 상공으로 알고 낭군의 옷슬 잡고 왓더니, 그 남ᄌᆡ 옷슬 ᄆᆡ치고[1047] 피ᄒᆞ니, 실노 상공이신가 넉여 분노ᄒᆞ엿더【24】니, 과연 상공이 아닐낫다. 내 이리로셔 뎡당의 드러 가 기다릴 거시니, 상공은 쳥컨ᄃᆡ 혼뎡의 블참치 마르쇼셔.”

초공이 쇼왈,

“혼뎡은 아모리 그ᄃᆡ 참예치 말나 ᄒᆞ여도 공연이 블참ᄒᆞ리오. 념녀 말고 드러가라.”

연시 시녀 등의게 븟들녀 안흐로 드러가니, 초공이 ᄒᆡ참(駭慚)ᄒᆞ여 당의 오로며, 스ᄉᆞ로 우어 니르ᄃᆡ,

“사ᄅᆞᆷ의 ᄀᆞᆺ초 못삼기고 념치상진(廉恥喪盡)ᄒᆞ미 져런 거ᄉᆞᆫ 고금의 둘히 업ᄉᆞ리라.”

졔딘과 졔뎡이 비로소 쳥ᄉᆞ의 나와 각각 부듕으로 도라가랴 홀ᄉᆡ, 윤태뷔 ᄯᅩᄒᆞᆫ 놀난 거ᄉᆞᆯ 딘뎡ᄒᆞ여 뒤 쳠하로 드러오니, ᄆᆡ여딘 옷시 괴이ᄒᆞᄆᆞ로, 초공의 여벌 의복을 가라 닙으니, 졔딘과【25】동월휘 춤디 못ᄒᆞ여 웃고, ᄀᆞᆯ오ᄃᆡ,

“형이 브졀 업시 난간을 비겨 누엇다가 우은 경상을 당ᄒᆞ니, 샹히[1048] 용녁이 업술 와 ᄒᆞ더니, 셩ᄒᆞᆫ 옷슬 ᄆᆡᆺ쳐 두 조각의 ᄂᆡ기

지 못ᄒᆞ여 정히 민울ᄒᆞ니, 그ᄃᆡ 일분 ᄉᆞᄅᆞᆷ의 심통[829]일진ᄃᆡ, 엇지 이러틋 ᄒᆡ고[괴](駭怪)히 굴미 참괴치 아니ᄒᆞ리오. 실노 ᄂᆡ 낫치 더오믈 니긔지 못ᄒᆞᄂᆞ니, 모로미 그만ᄒᆞ여 드러 가라.”

연씨 초공의 소ᄅᆡ를 드르ᄆᆡ 앗가 옷슬 쩨쳐 바리고 가던 ᄌᆞ와 ᄀᆞᆺᄒᆞᄃᆡ, 【66】진짓 초공은 ᄌᆞ긔다려 말ᄒᆞ기○[를] 어려워 아니ᄒᆞᄃᆡ, 앗가 피ᄒᆞ던 ᄌᆞᄂᆞᆫ 져를 만나 입을 여러 과연 말ᄒᆞ기를 졀박히 넉이던지라. 비로소 초공이 아니런 쥴 ᄊᆡᄃᆞ라, 잠간 우름을 긋치고 초공을 향ᄒᆞ여,

“ᄂᆡ 앗가 분명이 상공으로 알고 옷슬 잡앗{왓}더니, 그 남ᄌᆡ 옷슬 뮈치고[830] 피ᄒᆞ니 실노 상공이신가 너겨 분노ᄒᆞ엿더니, 과연 상공이 아니라. ᄂᆡ 이리로셔 정당의 드러 가 기다릴 거시니, 상공은 쳥컨ᄃᆡ 혼셩[정](昏定)의 불참치 마르쇼셔.”

초공이 소왈,

“혼정은 그ᄃᆡ 아모리 참녜치 말나 ᄒᆞ여도 공연이 일 업시 블참ᄒᆞ리오. 념녀 말고 드러 가라.”

연씨, 시녀 등의게 븟들녀 안흐로 드러 가니, 초공이 그 거동을 보고 ᄒᆡ참(駭慚)ᄒᆞ여, 당의 오로며 스ᄉᆞ로 우어 니르ᄃᆡ,

“ᄉᆞᄅᆞᆷ의 ᄀᆞᆺ초 못【67】삼기고 념치상진(廉恥喪盡)ᄒᆞ미 져런 위인은 고금의 ᄶᆞᆨ이 업ᄉᆞ리로다.”

졔딘과 졔뎡이 비로소 각각 부즁으로 가려 홀ᄉᆡ, 윤○[태]뷔 ᄯᅩᄒᆞᆫ 놀나온 마ᄋᆞᆷ을 진정ᄒᆞ여 뒤 청ᄉᆞ로 드러오나, 뮈여진 옷시 고이ᄒᆞ므로 초공의 여벌 의복을 가라 입으나[니], 졔딘과 동월휘 소왈,

“형이 부졀 업시 난간을 비겨 누엇다가 우은 경상을 당ᄒᆞ니, 샹히[831] 용녁이 업셰라 ᄒᆞ더니, 셩ᄒᆞᆫ 옷슬 뮈쳐 두 조각의 ᄂᆡ

1046)심통 : 마음. 마땅치 않게 여기는 나쁜 마음.
1047)ᄆᆡ치다 ; 미어뜨리다. 세게 잡아당겨 찢다. ᄆᆡ다; 찢다.
1048)샹히 : 늘. 항상.

829)심통 : 마음. 마땅치 않게 여기는 나쁜 마음.
830)뮈치다 ; 미어뜨리다. 세게 잡아당겨 찢다. 뮈다; 찢다.
831)샹히 : 늘. 항상.

ᄂᆞᆫ 셰출 ᄲᅳᆫ 아냐, 그 디예(遲曳)[1049]ᄒᆞ던 거름이 앗가ᄂᆞᆫ 발이 ᄯᆞᆨᄒᆡ 븟디 아니ᄒᆞ니 가쇼롭도다."

태뷔 미미히 웃고 ᄀᆞᆯ오ᄃᆡ,

"범ᄉᆡ 완급이 이시니, 앗가 그 거조의ᄂᆞᆫ 셩ᄒᆞᆫ 옷시라도 믜치고 나갈 밧 다른 계괴 업ᄉᆞ니, 마디 못ᄒᆞ여 그리 ᄒᆞ엿거니와 우을 일이 업도다."

초공이 쇼왈,

"내 잠간 우음을 ᄎᆞᆷ을 거시로ᄃᆡ, 우두나찰(牛頭羅刹)[1050]과 흑살텬신(黑煞天神)[1051]을 ᄃᆡᄒᆞ여 그 실셩디언(失性之言)을 드르면 실노 우음이 졀노 나니, 졔딘형과 여ᄇᆡᆨ이 엇디 웃【26】디 아니리오."

졔딘과 동월휘 쇼왈,

"우리 도리의 연부인을 드노흐미 블가ᄒᆞ거니와, ᄌᆞ의의 위인이 연부인과 상뎍ᄒᆞ므로 그러톳 듕대경복(重待敬服)ᄒᆞ여 본 젹마다 아름다이 넉이ᄆᆡᆫ가 ᄒᆞ노라."

초공이 쇼왈,

"너희도 각각 그런 안해 ᄒᆞ나식 어더 두면 나의 관인ᄒᆞᆷ을 알니라."

이리 니르며, 졔딘과 졔뎡은 각각 부듕으로 도라가고, 윤태부ᄂᆞᆫ 하부인 침소로 드러가고, 초공은 부모긔 혼뎡ᄒᆞᄆᆡ 연시 외헌셤 아ᄅᆡ 구을너 상ᄒᆞᆫ ᄃᆡᄂᆞᆫ 능히 알픈 줄 모로고, 뎡당의 와 초공을 기다리다가 드러오믈 보고 반기믈 니긔디 못ᄒᆞ니, 초공이 져의 이ᄃᆡ도록 ᄒᆞᆷ을 실노 변(變)져이[1052] 넉이며 괴로이 넉여, 부모긔 취【27】침ᄒᆞ시믈 쳥ᄒᆞ고 믈너 신방으로 향ᄒᆞᄃᆡ, 몬져 연시를 다려 히월각의 두고 경계ᄒᆞ여 왈,

"사ᄅᆞᆷ이 념치 업ᄉᆞ면 금슈와 다르미 업

1049)디예(遲曳) : 발을 땅에 끌며 느릿느릿 걸음.

1050)우두나찰(牛頭羅刹) : 쇠머리 모양을 한 악한 귀신.

1051)흑술텬신(黑煞天神) : 검은 살기를 띤 흉한 모습의 귀신.

1052)변(變)져이 ; 변(變)스럽게. 이상하게. *'변+접다'의 형태. *-접다; 일부 명사의 뒤에 붙어 '그런 것을 느끼게 하는 데가 있음'을 뜻하는 접미사.

기ᄂᆞᆫ 셰출 ᄲᅮᆫ 아니라, 그 《지혜 잇던 ‖ 디예(遲曳)[832]ᄒᆞ던》 《긔픔 ‖ 거름》이 앗가ᄂᆞᆫ 발이 ᄯᆞᆨᄒᆡ 븟지 아니니 《웃지 ‖ 엇지》 우읍지 아니리오."

니뷔 소왈,

"범ᄉᆡ 완급이 잇ᄂᆞ니 셩ᄒᆞᆫ 옷시라도 뮛치고 나갈 밧 다른 계괴 업도다. "

초공이 소왈,

"ᄂᆡ 우두나찰(牛頭羅刹)[833]과 흑술천신(黑煞天神)[834]을 ᄃᆡᄒᆞ면 실노 우음이 졀노 나ᄂᆞ니, 졔 형이 엇【68】지 우습지 아니ᄒᆞ리오."

졔딘과 동월휘 소왈,

"우리 도리의 연부인을 드노흐미 블가ᄒᆞ거니와, 쟈의의 위인이 연부인과 상젹ᄒᆞ므로, 그러톳 즁ᄃᆡ경복(重待敬服)ᄒᆞ여 본 젹마다 아름다이 넉이ᄆᆡᆫ가 ᄒᆞ노라."

초공이 소왈,

"너희도 각각 그런 안해 ᄒᆞ나식 두엇시면 나의 관인ᄒᆞᆷ을 알니라."

이리 니르며 졔진과 졔뎡은 각각 부즁으로 도라가고, 윤ᄐᆡ부ᄂᆞᆫ 하부인 침소로 드러가고, 초공은 부모긔 혼졍ᄒᆞ고,

832)디예(遲曳) : 발을 땅에 끌며 느릿느릿 걸음.

833)우두나찰(牛頭羅刹) : 쇠머리 모양을 한 악한 귀신.

834)흑술텬신(黑煞天神) : 검은 살기를 띤 흉한 모습의 귀신.

고, 녀ᄌᆡ 가부를 위ᄒᆞᆫ 졍이 범연ᄒᆞᆯ ᄇᆡ 아니로ᄃᆡ, 타인 소시(所視)나 디존지디(至尊之地)의 눈을 ᄭᅥ려 졍을 ᄀᆞᆷ초디 못ᄒᆞ여, 념치를 닛고 음일ᄒᆞᆫ 거동을 낫타ᄂᆡ여, 날노 ᄒᆞ여금 슈신ᄒᆞᄂᆞᆫ ᄆᆞᄋᆞᆷ을 츅(縮)ᄒᆞ게[1053] ᄒᆞ고 보ᄂᆞᆫ ᄌᆡ 날과 그ᄃᆡ를 더러이 넉이ᄂᆞ니, ᄎᆞ후란 경심계디(警心戒之)ᄒᆞ고 필경필찰(畢竟必察)[1054]ᄒᆞ여 괴이ᄒᆞᆫ 거조(擧措)나 말나."

인ᄒᆞ여, ᄌᆞ녀를 어로만져 ᄀᆞᆯ오ᄃᆡ,

"셰샹 명박(命薄)ᄒᆞᆫ 녀ᄌᆞ들이 ᄒᆞᆫ낫 유치(幼稚)를 두디 못ᄒᆞ고 쳥츈샹부(靑春喪夫)ᄒᆞ여, 시시 쳬읍ᄒᆞ고 뎍막공방(寂寞空房)의 명도를 셜워 ᄒᆞᄂᆞ니 ᄒᆞ나【28】둘히 아니로ᄃᆡ, 능히 ᄯᆞ라 죽디 못ᄒᆞ고, 눈믈노 벗을 삼고 한숨으로 셰월을 보ᄂᆡ나, ᄯᅩᄒᆞᆫ 밋치ᄂᆞᆫ 일은 업ᄂᆞ니, 그ᄃᆡᄂᆞᆫ 일ᄐᆡᆨ디상의 편히 잇ᄂᆞᆫ 가뷔 므어시 보고 시버, 그ᄃᆡ도록 밋친 거조를 ᄒᆞ여 남의 우음을 취ᄒᆞᄂᆞ뇨? 내 만일 그ᄃᆡ를 박ᄉᆡᆨ이라 ᄒᆞ여 일년의 ᄒᆞᆫ 번도 ᄎᆞᆺᄂᆞᆫ 일이 업ᄉᆞ면, 그ᄃᆡ 이런 ᄀᆡ특ᄒᆞᆫ ᄌᆞ녀를 어이 나하시리오. 모로미 ᄌᆞ녀를 무ᄋᆡ(撫愛)ᄒᆞ고, 가부의게 실셩ᄒᆞᆫ 음탕디인(淫蕩之人)이란 일홈을 엇디 말나."

연시 초공으로 좌를 갓가이 ᄒᆞ여 이런 말을 드를 ᄯᆡᄂᆞᆫ 더옥 골졀이 녹는 ᄃᆞᆺᄒᆞ며, 만셰 동낙을 ᄒᆞᆯ 뜻이 이시나, 윤·경 냥인이 이시니 ᄌᆞ가의게 은졍이 온젼ᄒᆞ리오. 텬션(天仙)【29】 ᄀᆞᄐᆞᆫ 가부를 타인의게 보닐 뜻이 업ᄉᆞ나, 초공이 이리 니르고 ᄎᆔ운각으로 가니, 연시 훌연코 결울ᄒᆞ미 므ᄉᆞᆫ 원별이나 맛ᄂᆞᆫ 것 ᄀᆞᄐᆞ여, ᄉᆡ도록 쳬읍ᄒᆞ믈 마디 아니ᄒᆞ니 이 ᄯᅩᄒᆞᆫ 병이러라.

초공이 신방의 드러가 경시를 ᄃᆡᄒᆞᄆᆡ, 그 슈려ᄒᆞᆫ 용ᄉᆡᆨ의 ᄌᆞᄐᆡ 찬난ᄒᆞ고 광ᄎᆡ 됴요ᄒᆞ여, 츄텬명월(秋天明月)과 금분모란(金盆牡丹) ᄀᆞᄐᆞᆫ 듕, 쳥아교결(淸雅皎潔)홈과 슉뇨완혜(淑窈婉慧)ᄒᆞ미 가득ᄒᆞ니, 연시를 보다

신방의 드러와 경씨를 ᄃᆡᄒᆞᄆᆡ, 그 슈려ᄒᆞᆫ 용ᄉᆡᆨ의 ᄌᆞᄐᆡ 찬난ᄒᆞ고 광ᄎᆡ 조요ᄒᆞ여, 츄텬명월(秋天明月)과 금분모란(金盆牡丹) ᄀᆞᄐᆞᆫ 가온ᄃᆡ, 쳥아고결(淸雅皎潔)홈과 슉요안[완]혜(淑窈婉慧)ᄒᆞ미 가득ᄒᆞ니, 연씨를 보다가 니를 ᄃᆡᄒᆞᄆᆡ, 싸히 더러온 버러지를 보다가 ᄎᆡ봉(彩鳳)을 만나며, 안【69】광이 상쾌ᄒᆞ여 일심이 아니 쇠온 거ᄉᆞᆯ 먹엇다가 옥ᄋᆡᆨ경

1053)츅(縮)ᄒᆞ다 : 축(縮)하다. 오그라들다. 생기가 없다.
1054)필경필찰(畢竟必察) : 끝까지 반드시 살핌.

가 단산(丹山)의 ᄎᆡ봉(彩鳳)을 만나며, 안광이 상쾌ᄒᆞ여 일심이 아닛ᄭᅩ은 거술 먹음다가 옥익경장(玉液瓊漿)[1055]을 맛봄 ᄀᆞᆺᄐᆞ니 ᄌᆞ연 은ᄋᆡ취듕(恩愛醉重)ᄒᆞ여 흔연이 말숨을 펴ᄆᆡ, 경시 머리를 숙여 드를 쓴이오, ᄒᆞᆫ 말 ᄃᆡ답이 업고, 부형【30】의 참망(慘亡)ᄒᆞ믈 인ᄒᆞ여 궁텬극통(窮天極痛)이 오ᄂᆡ(五內)[1056]의 일만 칼흘 ᄭᅩᄌᆞ심 ᄀᆞᆺᄐᆞ니, 초공이 그윽이 잔잉코 ᄎᆞᆨ은ᄒᆞ미 그음 업셔, 옥슈(玉手)를 닛그러 금니의 나아가ᄆᆡ, 은졍이 여산약ᄒᆡ(如山若海)ᄒᆞ여 윤부인 버금이러라.

명일의 초공이 밧그로 나와 삼뎨로 더브러 관소(盥梳)ᄒᆞ고 의ᄃᆡ를 뎡돈ᄒᆞ고, 부모긔 신셩ᄒᆞᄆᆡ 윤부인 하부인과 연·경 등이 다 문안의 드러오ᄆᆡ, 하공과 됴부인이 신부의 초월ᄒᆞ믈 볼ᄉᆞ록 ᄉᆞ랑ᄒᆞ고 간졀이 잔잉ᄒᆞ여, 이 날 초공이 부인과 의논ᄒᆞ고 취운산 하부 ᄃᆡ쳑의 ᄉᆞ던 명어ᄉᆡ 맛츰 집을 팔고 셩ᄂᆡ로 옴ᄂᆞᆫ 고로, 공이 명어ᄉᆞ 집을 ᄉᆞ고 하부로 협문을 통ᄒᆞᆫ 후, 양부인과 경빅의 샤묘【31】를 옴겨 운산으로 오니, 양부인이 셔랑의 ᄇᆡᆨ일디광(白日之光)과 태산졔월ᄃᆡ풍(泰山霽月之風)[1057]을 잠간 보고, 녀ᄋᆞ의 신셰 고단ᄒᆞ믈 념녀ᄒᆞ며 삼십니를 격ᄒᆞ여 ᄌᆞ로 보기 어려오믈 슬허ᄒᆞ다가, 쳔만의외 취운산으로 올므미 되어, 고루화각(高樓畵閣)의 경빅의 샤묘를 봉안ᄒᆞ고, 하부로 협문을 두어 녀ᄋᆞ로 《츄일‖츅일》상봉(逐日相逢)[1058]ᄒᆞᄆᆡ, 다리고 이심 ᄀᆞᆺᄐᆞ여 ᄒᆡᆼ열감샤(幸悅感謝)ᄒᆞ여 평안이 ᄃᆡᄂᆡ믈 텬신긔 샤례ᄒᆞ더라.

경시 인ᄒᆞ여 구가의 머믈ᄆᆡ 효셩이 동쵹(洞屬)ᄒᆞ고, 군ᄌᆞ를 셤기ᄆᆡ 승슌ᄒᆞᄂᆞᆫ 녜뫼

1055)옥익경장(玉液瓊漿) : 옥에서 나는 즙. 맑고 고운 빛깔과 좋은 향을 갖추어 신선들이 마신다고 하는 술로, 마시면 오래 산다고 하여 도가에서는 선약으로 친다. =옥액.

1056)오ᄂᆡ(五內) : 오장(五臟). 간장, 심장, 비장, 폐장, 신장의 다섯 가지 내장을 통틀어 이르는 말.

1057)태산졔월ᄃᆡ풍(泰山霽月之風) : 비가 갠 날 태산 위로 구름을 걷고 떠오른 달의 풍광.

1058)츅일상봉(逐日相逢) : 하루도 거르지 않고 날마다 서로 만남.

쟝(玉液瓊漿)[835]을 맛봄 ᄀᆞᆺᄒᆞ니, ᄌᆞ연 은ᄋᆡ 취동[듕](恩愛醉重)ᄒᆞ여 흔연이 말숨을 펴ᄆᆡ, 경씨 머리를 숙여 드를 ᄲᅳᆫ이오, ᄒᆞᆫ 말 ᄃᆡ답이 업고, 부형의 ᄎᆞᆷ망(慘亡)ᄒᆞ믈 인ᄒᆞ여 궁텬극통(窮天極痛)이 《옥안‖오ᄂᆡ(五內)[836]》의 일만 칼홀 ᄭᅩᆺ즘 ᄀᆞᆺᄒᆞ니, 초공이 그윽이 잔잉코 ᄎᆞᆨ은ᄒᆞ미 극ᄒᆞ여, 옥슈(玉手)를 잇그러 금니(禁裏)의 나아가ᄆᆡ, 은졍이 여산(如山)ᄒᆞ여 윤부인 버금일너라.

명일의 초공이 밧그로 나와 숨뎨로 더브러 관소(盥梳)ᄒᆞ고 의ᄃᆡ를 졍돈ᄒᆞ여, 부모긔 신셩ᄒᆞ고, 윤부인 하부인과 연·경 등과 문안의 드러오ᄆᆡ, 하공과 조부인이 신부의 초월ᄒᆞ믈 보ᄆᆡ ᄉᆞ랑ᄒᆞ고 간졀이 잔잉ᄒᆞ여, 이 날 초공이 부인과 의논ᄒᆞ고, 취운산 하부 지쳑의 샤던 명어ᄉᆡ 맛츰 집을 팔고【70】경ᄉᆞ로 옴ᄂᆞᆫ 고로, 공이 명어ᄉᆞ 집을 샤고 하부로 협문을 통ᄒᆞᆫ 후, 양부인과 경빅의 ᄉᆞ묘(祠廟)를 옴겨 운산으로 오니, 양부인이 셔랑의 일ᄇᆡᆨ덕광(日白德光)과 ᄐᆡ산혜[졔]월지풍(泰山霽月之風)[837]을 잠간 보고, 녀ᄋᆞ의 신셰 고단ᄒᆞ믈 념녀ᄒᆞ며, 삼십 니를 격ᄒᆞ여 ᄌᆞ로 보기 어려오믈 슬허 ᄒᆞ다가, 쳔만 의외의 취운산으로 올므미 되어, 고루화각(高樓畵閣)의 경빅의 ᄉᆞ묘를 봉안ᄒᆞ고, 하부로 협문을 두어 녀ᄋᆞ를 《츌입‖츅일》상봉(逐日相逢)[838]ᄒᆞᄆᆡ, 다리고 잇심 ᄀᆞᆺ치 ᄒᆡᆼ열ᄒᆞ여 평안히 지ᄂᆡ믈 텬신긔 ᄉᆞ례ᄒᆞ더라.

경씨 인ᄒᆞ여 구가의 머믈ᄆᆡ 효셩이 동쵹(洞屬)ᄒᆞ고, 군ᄌᆞ를 셤기ᄆᆡ 승슌ᄒᆞᄂᆞᆫ 녜뫼

835)옥익경장(玉液瓊漿) : 옥에서 나는 즙. 맑고 고운 빛깔과 좋은 향을 갖추어 신선들이 마신다고 하는 술로, 마시면 오래 산다고 하여 도가에서는 선약으로 친다. =옥액.

836)오ᄂᆡ(五內) : 오장(五臟). 간장, 심장, 비장, 폐장, 신장의 다섯 가지 내장을 통틀어 이르는 말.

837)태산졔월ᄃᆡ풍(泰山霽月之風) : 비가 갠 날 태산 위로 구름을 걷고 떠오른 달의 풍광.

838)츅일상봉(逐日相逢) : 하루도 거르지 않고 날마다 서로 만남.

빈빈ᄒᆞᆯ ᄲᅮᆫ 아니라, 텬셩이 온유 나죽ᄒᆞ여 윤·연 두 부인을 공경ᄒᆞ미 존고 버금일 ᄲᅮᆫ 아니라, 텬연온슌(天然溫順)ᄒᆞᆫ 셩졍이 모딘 소릐와 ᄉᆞ오나온 말【32】이 업셔, ᄉᆞ긔 안뎡ᄒᆞ여 단믁ᄒᆞ미 도닥ᄂᆞᆫ 군ᄌᆞ ᄀᆞᆺᄐᆞ니, 구고의 ᄉᆞ랑이 윤부인 버금이오, 초공의 ᄋᆡ듕ᄒᆞᄂᆞᆫ 졍이 여텬디무궁(如天地無窮)ᄒᆞ미 잇거ᄂᆞᆯ, 윤부인의 디셩으로 ᄉᆞ랑ᄒᆞ미 어린 아ᄋᆞ1059) ᄀᆞᆺᄐᆞᆫ디라. 경시 윤부인 바라ᄂᆞᆫ 졍이 ᄯᅩᄒᆞᆫ 모친 버금이라.

윤부인이 연시 ᄀᆞᆺᄐᆞᆫ 젹인(敵人)이 간험극악ᄒᆞᆫ 일은 업ᄉᆞ나, ᄒᆞᆫ 일도 ᄆᆞᄋᆞᆷ의 합당ᄒᆞᆫ ᄇᆡ 업셔, 눈의 뵈ᄂᆞᆫ 일인죽 발광ᄒᆞᆫ ᄉᆞ롬 ᄀᆞᆺ고, 그 더러온 용모긔딜이 쳥졍ᄒᆞᆫ ᄆᆞᄋᆞᆷ의 ᄢᅴᄢᅴ 눅눅ᄒᆞᆯ 젹도 이시ᄃᆡ, 맛ᄎᆞᆷᄂᆡ ᄉᆞ식디 아니ᄒᆞ고 디셩으로 화우ᄒᆞ여 동긔ᄀᆞᆺ치 ᄒᆞ던 ᄇᆡ라. 므ᄉᆞᆫ 디긔로 ᄃᆡ졉ᄒᆞ미 이시리오. 그 작인이 ᄀᆞᆺ초 흉괴ᄒᆞ여 ᄒᆡ괴(駭怪)【33】ᄒᆞ믈 탄ᄒᆞ다가 경시를 만나ᄆᆡ, ᄆᆞᄋᆞᆷ의 ᄎᆞ고 ᄯᅳᆺ의 족ᄒᆞ여 디긔상합(志氣相合)1060)ᄒᆞ미 되ᄂᆞᆫ디라. 번극ᄒᆞᆫ 가ᄉᆞ와 ᄃᆡᄀᆡᆨ디졀이며 봉ᄉᆞ봉친과 슬하 ᄋᆞ쇼(兒小) 무양(撫養)과 슈고를 난화 셔로 ᄆᆞᄋᆞᆷ을 빗최미, 그림지 얼골 좃ᄎᆞᆷ ᄀᆞᆺᄐᆞ니, 윤부인의 각별ᄒᆞᆫ ᄉᆞ랑이 날노 조ᄎᆞ 더으고, 그 잔잉ᄒᆞᆫ 졍ᄉᆞ를 츄연ᄒᆞ여 양부인 밧들기를 일가ᄀᆞᆺ치 ᄒᆞ여, 경시로 더브러 몸소 양부인 침뎐의 나아가 ᄇᆡ견(拜見)ᄒᆞ여, 그 고초뎍막(苦楚寂寞)ᄒᆞᆫ 신셰를 위ᄒᆞ여 슬피 넉이니, 텬셩의 디극ᄒᆞᆫ 졍셩과 남다른 덕ᄒᆡᆼ이 잔잉ᄒᆞᆫ 거술 보면 측은디심이 잇고, 양부인이 윤부인 감은ᄒᆞ미 골졀의 ᄉᆞ못고, 경시의 바라ᄂᆞᆫ 졍과 감샤ᄒᆞᆫ【34】ᄯᅳᆺ이 엇디 견즐 곳이 이시리오. 연시 쳐음은 경시를 어리게 호령ᄒᆞ며 긔괴히 ᄭᅮ딧더니, 윤부인이 ᄉᆞ리로 개유ᄒᆞ고 경시 가디록 공슌ᄒᆞᄆᆡ, 졈졈 연시 경시의 온공인ᄌᆞᄒᆞ믈 ᄉᆞ랑ᄒᆞ며, 《연시‖경시》 일흠이 초공의 뎨삼 부실이나 부귀안한(富貴安閒)ᄒᆞ

1059)아ᄋᆞ : 아우. 동생.

1060)디긔상합(志氣相合) : 두 사람 사이의 의지와 기개가 서로 잘 맞음. ≒지기투합.

빈빈ᄒᆞᆯ ᄲᅮᆫ 아니라, 텬셩이 온유ᄒᆞ여 윤·연 두 부인을 공경ᄒᆞ니[미], 《ᄎᆞᄎᆞ‖존고 》 버금일 ᄲᅮᆫ 아니라, 텬연온슌(天然溫順)ᄒᆞᆫ 셩졍【71】이 단묵(端默)ᄒᆞ미 도(道) 닥ᄂᆞᆫ 군ᄌᆞ ᄀᆞᆺᄐᆞ니, 구고의 ᄉᆞ랑이 윤부인 버금이오, 초공의 ᄋᆡ즁ᄒᆞᄂᆞᆫ 졍이 여텬디무궁(如天地無窮)ᄒᆞ미 잇거ᄂᆞᆯ, 윤부인의 ᄉᆞ랑ᄒᆞ미 어린 아오 ᄀᆞᆺᄐᆞᆫ지라. 경씨 윤부인 바라ᄂᆞᆫ 졍셩이 ᄯᅩᄒᆞᆫ 모친 버금이라.

윤부인이 연씨 ᄀᆞᆺᄐᆞᆫ 젹인이 비록 간험극악ᄒᆞᆫ 일은 업ᄉᆞ나, ᄒᆞᆫ 일도 마ᄋᆞᆷ의 합당ᄒᆞᆫ 일이 업셔, 눈의 뵈ᄂᆞᆫ 일인죽 발광ᄒᆞᆫ ᄉᆞ롬 ᄀᆞᆺ고, 그 더러온 긔질이 쳥졍ᄒᆞᆫ 마ᄋᆞᆷ의 《ᄆᆡᄆᆡ‖ᄢᅴᄢᅴ》 《숙숙‖눅눅》ᄒᆞᆯ 젹도 잇시ᄃᆡ, 맛ᄎᆞᆷᄂᆡ ᄉᆞ식지 아니ᄒᆞ고 지셩으로 화우ᄒᆞ여 동긔ᄀᆞᆺ치 ᄒᆞ던 ᄇᆡ라. 무숨 지긔로 ᄃᆡ졉ᄒᆞ미 잇시리오. 그 작인의[이] ᄀᆞᆺ초 흉괴ᄒᆞ여 ᄆᆡ양 탄ᄒᆞ다가, 경씨를 만나면 마ᄋᆞᆷ의 ᄎᆞ고 ᄯᅳᆺ의 족ᄒᆞ여 지긔상합(志氣相合)839) ᄒᆞ미 되ᄂᆞᆫ지라. 번극ᄒᆞᆫ 가ᄉᆞ와 ᄃᆡᄀᆡᆨ지졀이【72】며, 봉ᄉᆞ봉친과 슬하 ᄋᆞ소(兒小) 《낙양‖무양(撫養)》과 슈고를 난화, 셔로 마ᄋᆞᆷ을 빗최미 그림지 얼골 좃ᄎᆞᆷ ᄀᆞᆺᄒᆞ니, 윤부인의 각별ᄒᆞᆫ ᄉᆞ랑이 날노 더ᄒᆞ고, 그 잔잉ᄒᆞᆫ 졍ᄉᆞ를 츄연ᄒᆞ여 양부인 밧들기를 일가ᄀᆞᆺ치 ᄒᆞᄆᆡ, 경씨로 더브러 양부인 침젼의 나아가 ᄇᆡ현ᄒᆞ여, 젹막ᄒᆞᆫ 신셰를 슬피 넉이니, 남다른 졍셩이 잔잉ᄒᆞᆫ 거술 보면 측은지심이 잇고, 양부인이 윤부인 감은ᄒᆞ기를 ○[골]졀이[의] ᄉᆞ맛고, 경씨의 《ᄇᆞ란‖ᄇᆞ라ᄂᆞᆫ》 졍과 감ᄉᆞᄒᆞᄂᆞᆫ ᄯᅳᆺ이 엇지 일시를 이ᄌᆞ며, 연씨 쳐음은 경씨를 호령ᄒᆞ며 긔괴히 ᄭᅮ짓ᄂᆞᆫ지라. 윤부인이 ᄉᆞ리로 ᄀᆡ유ᄒᆞ고 경씨 가지록 공슌ᄒᆞᄆᆡ, 연씨 졈졈 경씨의 온공인ᄌᆞᄒᆞ믈 ᄉᆞ랑ᄒᆞ며, 더욱 연씨 윤부인 밧들기【73】를 극진히 ᄒᆞ니, 경씨 일홈이 초공의 졔숨 부인이나 부귀안한(富貴安閒)ᄒᆞ여 젹인으로 셔로 동긔 ᄀᆞᆺᄒᆞ니,

839)디긔상합(志氣相合) : 두 사람 사이의 의지와 기개가 서로 잘 맞음. ≒지기투합.

여 뎍인으로 셔로 동긔 ᄀᆞᆺᄐᆞ니, 안항(雁行)이 뎍막디 아냐 긴 셰월의 ᄒᆞᆫ낫 근심이 업더라.

양부인이 쥬야 윤효문의 복녹을 튝원ᄒᆞ여 은혜를 슈심명골(樹心銘骨)1061)ᄒᆞ나, 능히 갑흘 도리 업ᄉᆞ믈 탄ᄒᆞ여, 모녜 ᄃᆡᄒᆞᆫ즉 윤효문의 대은을 일ᄏᆞᆺ더라.

군ᄌᆞ의 덕홰 이 ᄀᆞᆺᄐᆞᆫ디라, 윤효문이 ᄒᆞᆫ갓 한희린 모ᄌᆞ와 양시 모녀를 구ᄒᆞᆫ 《썩‖덕》ᄲᆞᆫ 아니【35】라, 젼의 환쇄(還刷)ᄒᆞ여 경샤로 올나올 제, 양쥐셔 슈학ᄒᆞ던 ᄋᆞ동 혈혈(孑孑)ᄒᆞᆫ 뉴 십여인을 다려 왓더니, 다 교학ᄒᆞ여 문한(文翰)이 유여케 ᄒᆞ며, 각각 쳐실을 어더 살게 ᄒᆞ고, 일가친쳑의 빈궁ᄒᆞ니ᄂᆞᆫ 니르도 말고 {소ᄆᆡ} 평ᄉᆡᆼ 남이라도 참잔(慘殘)ᄒᆞᆫ 형셰의 다ᄃᆞ라ᄂᆞᆫ 구활ᄒᆞ기를 못 밋출 ᄃᆞᆺᄒᆞ니, 이러므로 그 덕화를 감열ᄒᆞ니 일노뼈 대셩인(大聖人)으로 니르더라.

ᄎᆞ시 하부의셔 원상 등이 졈졈 댱셩ᄒᆞ여 삼인이 일톄(一體)로 슈려ᄒᆞ니, 원상과 원챵은 동년빵ᄐᆡ(同年雙胎)로 십ᄉᆞ 츈광을 당ᄒᆞ엿고, 원필은 십이 셰라.

원상의 ᄌᆞᄂᆞᆫ ᄌᆞ슌이니 혹ᄉᆞ 원경의 원ᄉᆞ(寃死)한 녕ᄇᆡᆨ(令伯)이 냥뎨(兩弟)의 녕ᄇᆡᆨ으로 더브러 환도셰【36】계(還道世界)1062)ᄒᆞ여 다시 하공의 ᄋᆞᄃᆞᆯ이 되ᄆᆡ, 하날이 복녹을 각별이 타인1063) ᄇᆡ라. 표치풍광이 완연이 혹ᄉᆡ 도라오믈 알 ᄇᆡ로ᄃᆡ, 미우의 복덕화긔와 면모의 댱원ᄒᆞᆫ 긔틀이 혹ᄉᆞ 등의 젼시(前時)와 ᄂᆡ도ᄒᆞᆫ디라. 슈려ᄒᆞᆫ 얼골이 남젼ᄇᆡᆨ옥(藍田白玉)1064)이 ᄯᅳᆺ글을 ᄡᅵᄉᆞ며, 쇄락ᄒᆞᆫ 광ᄎᆡᄂᆞᆫ 구츄상텬의 계슈(桂樹) ᄉᆡᆨᄉᆡᆨᄒᆞ니, 놉흔 텬뎡(天庭)1065)의 문명(文明)이 녕녕

1061)슈심명골(樹心銘骨) : 은혜 따위를 마음에 심어 간직하고 뼈에 새겨 잊지 않음.
1062)환도세계(還道世界) : 인간세상으로 환생함.
1063)타이다 : '타다'의 사동사. 복이나 재주, 운명 따위를 선천적으로 지니고 태어나게 하다.
1064)남젼ᄇᆡᆨ옥(藍田白玉) : 남전산(藍田山)에서 난 백옥(白玉)이란 뜻으로 명문가에서 난 뛰어난 인물을 이르는 말. 남전은 중국(中國) 섬서성(陝西省)에 있는 산 이름으로 옥의 명산지.
1065)텬졍(天庭) : 관상에서, 두 눈썹의 사이 또는 이

안ᄒᆡᆼ(雁行)이 젹막지 아녀 긴 셰월의 ᄒᆞᆫ낫 근심이 업더라.

양부인이 쥬야의 윤효문의 복녹을 츅원ᄒᆞ여 은혜를 슈심명골(樹心銘骨)840) ᄒᆞ나, 능히 갑흘 도리 업셔, 모녜 ᄃᆡᄒᆞᆫ즉 탄ᄒᆞ여 윤효문의 의긔를 일컷더라.

윤효문이 ᄒᆞᆫ갓 한희린 모ᄌᆞ와 양씨 모녀를 니른 덕 ᄲᆞᆫ 아니라, 젼의 환쇄ᄒᆞ여 경ᄉᆞ로 올나올 제, 양쥐셔 슈혹ᄒᆞ던 ᄋᆞ동 혈혈(孑孑)ᄒᆞᆫ 뉴 십여인을 다려 왓더니, 다 가르쳐 문한(文翰)의 유여케 ᄒᆞ며, 각각 쳐실을 어더 살게 ᄒᆞ고, 일가친쳑의 빈궁ᄒᆞ니ᄂᆞᆫ 니르도 말고 {소ᄆᆡ} 평ᄉᆡᆼ 남이라도 참잔(慘殘)이 된 형셰면 구활ᄒᆞ기를 못 익[밋]출 ᄃᆞ시 ᄒᆞ니, 이러【74】므로 그 덕화를 감열ᄒᆞ니 일노뼈 ᄃᆡ셩인(大聖人)으로 니르더라.

ᄎᆞ시 하혹ᄉᆞ 원창 등이 졈졈 장셩ᄒᆞ여 삼인 일쳬(一體)로 슈려ᄒᆞ니 하공과 조부인이 두굿기며 즐기미 비길ᄃᆡ 업더라.

840)슈심명골(樹心銘骨) : 은혜 따위를 마음에 심어 간직하고 뼈에 새겨 잊지 않음.

(盈盈)ᄒᆞ고 봉안영ᄎᆡ(鳳眼靈彩)ᄂᆞᆫ 츄슈(秋水)의 효셩(曉星)이 빗최ᄃᆞᆺ, 년화(蓮花) ᄀᆞᆺ튼 냥협(兩頰)의 단ᄉᆞ(丹砂 ᄀᆞᆺ튼 쥬슌(朱脣)이며, 빙셜(氷雪) ᄀᆞᆺ튼 호치(皓齒) ᄉᆡᆨᄉᆡᆨ 찬연미려ᄒᆞ여, 연분(鉛粉)[1066] ᄡᅳᆫ 미인의 염틱(艷態)를 더러이 넉이거ᄂᆞᆯ, 신댱이 언건(偃蹇)ᄒᆞ여 칠쳑오촌(七尺五寸)이오, 긔되(氣度) 슈앙(秀昂)ᄒᆞ여 댱부 톄위를 일【37】웟ᄂᆞᆫ디라. 픔딜이 화열온듕ᄒᆞ고 셩힝이 침뎡(沈靜)ᄒᆞ여 ᄌᆡ조와 덕을 낫타ᄂᆡ디 아니ᄒᆞ고, 희로(喜怒)를 남과 아니ᄒᆞ며 언쇼를 경히 ᄒᆞ디 아냐, 쳔연이 도혹군ᄌᆞ의 풍이 이시니, ᄋᆞ시로브터 혹문을 시작ᄒᆞ여 일츄월쟝(日就月將)ᄒᆞᄂᆞᆫ ᄌᆡ죄 일셰의 희한ᄒᆞ여, 븟ᄉᆞᆯ 들ᄆᆡ 쳔언(千言)을 닙취(立就)[1067]ᄒᆞ고, 시를 디으ᄆᆡ 귀신을 울니며, 춍명이 긔이ᄒᆞ여 츄파를 흘니ᄆᆡ 사ᄅᆞᆷ의 폐부(肺腑)를 ᄉᆞ못ᄎᆞ며, 현우션악을 낫낫치 ᄡᅵᄃᆞ라, 디감(知鑑)의 신명ᄒᆞ미 초공의 나리디 아니ᄒᆞᄃᆡ, 일즉 현블초(賢不肖)를 시비ᄒᆞᄂᆞᆫ 빈 업고, 셩회 츌텬ᄒᆞ여 뎨슌(帝舜) 증삼(曾參)의 효(孝)【38】를 니으며, 우이 돗타와 형우뎨공(兄友弟恭)ᄒᆞᄂᆞᆫ 졍이 ᄌᆞ긔 몸의 더은디라. 뎡국공이 셩이 엄ᄒᆞ고 위의{의} 녈슉(烈肅)ᄒᆞ여 그 츄호를 관샤(寬赦)ᄒᆞᄂᆞᆫ 일이 업고, 범ᄉᆞ의 칙망이 쥰졀ᄒᆞᄃᆡ, 원상의게 다ᄃᆞ라ᄂᆞᆫ 본 젹마다 희이년디(喜而憐之)[1068]ᄒᆞ여, 두굿기ᄂᆞᆫ 졍이 무궁ᄒᆞ여 ᄌᆞ익 텬뉸 밧긔 특별ᄒᆞ니, ᄒᆞ믈며 초공의 삼뎨(三弟) ᄉᆞ랑ᄒᆞᄂᆞᆫ 졍이야 모양ᄒᆞ여 어ᄃᆡ 견조리오. 삼형이 참망ᄒᆞ고 디원극통이 흉장을 ᄉᆞᆺ던 바의, 삼형이 환도인셰(還道人世)ᄒᆞ믈 ᄡᅵᄃᆞ라, 근근쳬쳬(懃懃棣棣)[1069]ᄒᆞᆫ 졍이 ᄌᆞ못 과도ᄒᆞᆯ ᄲᅳᆫ 아니라, 당셩ᄒᆞ므로 빅힝을 경계ᄒᆞ고 황홀

마의 복판을 이르는 말.

1066)연분(鉛粉) : =분(粉). 얼굴빛을 곱게 하기 위하여 얼굴에 바르는 화장품의 하나. 주로 밝은 살색이나 흰색의 가루로 되어 있으나 고체나 액체 형태로 된 것도 있다.

1067)닙취(立就) : 즉시에 이뤄냄.

1068)희이년디(喜而憐之) :기뻐하며 사랑해 함.

1069)근근쳬쳬(懃懃棣棣) : 정성스럽고 은근함.

이 귀듕ᄒᆞ미【39】강보(襁褓)로브터 디금(至今) 일양(一樣)이라. ᄎᆞ고로 뎡국공이 원상 등 삼ᄋᆞ를 ᄒᆞᆨ문과 ᄇᆡᆨ힝을 념녀ᄒᆞ미 업셔, 다 초공을 미더 맛디미 되엿더라.

원창의 ᄌᆞ는 ᄌᆞ균이니, 작인을 각별 비상이 ᄒᆞ여, 쇄락ᄒᆞᆫ 얼골은 의의히 텬궁ᄇᆡᆨ월(天宮白月)ᄀᆞᆺ고, ᄉᆡᆨᄉᆡᆨᄒᆞᆫ 긔상은 호호히 츄텬ᄀᆞᆺᄐᆞ니, 농미봉안과 호치쥬슌이 금당(金塘)의 셩히 퓐 년쇄 남풍의 웃는 ᄃᆞᆺ, 쥰ᄆᆡ(俊邁)ᄒᆞ미 농이 닷토는 ᄃᆞᆺ, 봉이 나는 ᄃᆞᆺ, 긔이(奇異)ᄒᆞ미 츈츄난셰(春秋亂世)[1070]의 부ᄌᆞ(夫子)[1071]를 위ᄒᆞᆫ 닌(麟)이 우마듕(牛馬中)의 나린 ᄃᆞᆺ, 고운야ᄒᆞᆨ(孤雲野鶴)[1072] ᄀᆞᆺᄐᆞ니, 겸ᄒᆞ여 《만복∥만폭(萬幅)[1073]》능운(能云)[1074]ᄒᆞ는 문장이 강하(江河)를 거후로며[1075] 댱강(長江)을 터바림 ᄀᆞᆺ더라.

○○○[원상은] 임의 뎡혼ᄒᆞᆫ ᄃᆡ【40】이셔, 님공의 ᄉᆞ회로 칭ᄒᆞ여, ᄆᆡ양 님공이 하부의 온ᄌᆞᆨ 쏠의 환ᄉᆡᆼ(還生)ᄒᆞ미 분명ᄒᆞ믈 일ᄏᆞ라, 냥ᄋᆡ 졈졈 ᄌᆞ라 슉히 셩녜ᄒᆞ믈 청ᄒᆞ니, 공이 쏘ᄒᆞᆫ 원상 원창은 몬져 입쟝ᄒᆞ여 부뷔 빵유ᄒᆞ는 ᄌᆞ미를 보고져 ᄒᆞ여, 님공의 밧바 ᄒᆞ는 ᄆᆞ음이 간졀ᄒᆞ니 그 뜻을 조ᄎᆞ 튁일ᄒᆞ믈 지촉ᄒᆞ니, 님공이 즉시 길일을 튁ᄒᆞ미 츈(春) 이월(二月) 회간(晦間)[1076]이라. 계오 일삭이 ᄀᆞ려시니 하공과 됴부인의 두굿기미 비길 곳이 업더라.

원챵의 호구(好逑)를 튁ᄒᆞᆯᄉᆡ, 황친국쳑과 상문《호ᄇᆡᆨ∥후ᄇᆡᆨ(侯伯)》의 옥녀 둔 지, 하

1070)츈츄난셰(春秋亂世) : 중국 고대의 주나라가 동쪽으로 도읍을 옮긴 기원전 770년부터 기원전 403년까지 약 360년간의 전란 시대로, 난세로 일컬어진다..

1071)부ᄌᆞ(夫子) : 공부자(孔夫子). 공자를 높여 이르는 말.

1072)고운야ᄒᆞᆨ(孤雲野鶴) : 외로이 떠 있는 구름과 무리에서 벗어나 들에 있는 학이라는 뜻으로, 벼슬을 하지 아니하고 한가롭게 숨어 지내는 선비를 이르는 말.

1073)만폭(萬幅) : 만 장이나 되는 많은 글.

1074)능운(能云) : 운을 맞춰 시편(詩篇)을 이뤄냄.

1075)거후로다 : 거우르다. 속에 든 것이 쏟아지도록 기울이다.

1076)회간(晦間) : 그믐께.

원창의 호구(好逑)를 튁ᄒᆞᆯᄉᆡ, 황친 국쳑과 상문후ᄇᆡᆨ(相門侯伯)의 유녀지(有女者) 하공○[ᄌᆞ] 등의 긔특ᄒᆞ믈 칭앙ᄒᆞ여 닷토와 구혼ᄒᆞᄃᆡ, 공이 튁부ᄒᆞᄆᆡ[미] 심상치 아녀, 졍ᄒᆞᆫ ᄃᆡ 잇시므로 일너 다 물니치고, 삼ᄌᆞ를 깁히 두어 ᄒᆞᆨ공을 힘쓰게 ᄒᆞ고 ᄉᆞ름을 뵈지 아니ᄒᆞᄃᆡ, ᄌᆞ연 하원창의 긔특ᄒᆞᆫ 일홈을 드른 ᄌᆞ는 ᄒᆞᆫ 번 구경ᄒᆞ믈 갈구ᄒᆞ여, 취운산의 가득히 모혀 하공ᄌᆞ 등과 《곤계∥교계(交契)》를 ᄆᆡᄌᆞ믈 원ᄒᆞᄃᆡ, 공이 ᄆᆡ양 참화여ᄉᆡᆼ(慘禍餘生)으로 ᄆᆡ친 한이 풀니지 아녓는 고로, 졔 공ᄌᆞ 너모 츌뉴ᄒᆞ믈 도로혀 깃거 아녀, 뭇는 말은 ᄃᆡ【75】답ᄒᆞ여 보ᄂᆡ고 엄금ᄒᆞ여 문 밧글 나지 못ᄒᆞ게 ᄒᆞ니, 원상

공ᄌᆞ 등의 긔특ᄒᆞ믈 칭앙(稱仰)ᄒᆞ여 닷토아 구혼ᄒᆞ【41】ᄃᆡ, 공이 ᄐᆡ부ᄒᆞ미 심상치 아냐, 뎡혼ᄒᆞᆫ 곳이 이시믈 닐너 좌우로 믈니치고, 삼ᄌᆞ를 깁히 두어 ᄒᆡᆨ문을 힘ᄡᅳ게 ᄒᆞ고 널니 뵈디 아니ᄃᆡ, ᄌᆞ연 하원챵의 긔특ᄒᆞ미 일홈나, 드른 ᄌᆞ는 ᄒᆞᆫ 번 귀경ᄒᆞ믈 갈구ᄒᆞ여 취운산의 가득이 모다, 하공ᄌᆞ 등과 교계(交契)를 ᄆᆡᄌᆞ 후(厚)ᄒᆞ기를 쳔금의 비겨 원ᄒᆞᄃᆡ, 공이 ᄆᆡ양 참화여ᄉᆡᆼ(慘禍餘生)으로 계오 부견텬일(復見天日)1077)ᄒᆞ고 ᄃᆡ원극통을 신셜(伸雪)ᄒᆞ나, 셰월이 오랄ᄉᆞ록 흉격의 ᄆᆡᆺ친 한이 플니디 아녓는 고로, 원상 등 졔ᄌᆡ(諸子) 너모 츌뉴ᄒᆞ믈 도로혀 깃거 아냐, 옥인ᄌᆡᄌᆞ(玉人才子)의 뭇는 말은 ᄃᆡ답ᄒᆞ여 보ᄂᆡ고, 엄금ᄒᆞ【42】여 문 밧글 나디 못ᄒᆞ게 ᄒᆞ니, 원상·원필은 부명을 슌슈ᄒᆞᄃᆡ, 원창은 고요히 잇기를 울울ᄒᆞ여 뎡·딘 냥부로 간간 왕ᄂᆡᄒᆞ여, 닌니(隣里) 공후가(公侯家)의 ᄌᆞ긔 년치(年齒)와 상뎍ᄒᆞᆫ 공ᄌᆞ 등과 사괴여, 잇다감 취운산 샹샹봉(上上峰)의 올나 즐기기를 쾌히 ᄒᆞᄂᆞᆫ디라. 뎡국공은 원챵의 넘나믈 ᄌᆞ시 아디 못ᄒᆞᄃᆡ, 초공은 졔어키 어려올 바를 념녀ᄒᆞ여 방일(放逸)ᄒᆞᆫ 의ᄉᆞ를 ᄂᆡ디 못ᄒᆞ게 ᄒᆞᄃᆡ, 평ᄉᆡᆼ 츌○[발](出拔)ᄒᆞᆫ 긔운을 댱튝(藏縮)기 어렵더라.

이ᄯᅢ 참디졍ᄉᆞ 님광은 젼임 니부시랑이니, 그 ᄉᆞ이 작ᄃᆡᆨ이 놉하 참디졍ᄉᆞ의 오로고, 오ᄌᆞ삼녀 이시니 오ᄌᆞ와 이녀는 셩혼ᄒᆞ여 현【43】부쾌셔(賢婦快壻)를 엇고, 필녀 몽옥의 년이 십삼셰니, 님참경과 부인 강시 셕년의 하혹ᄉᆞ 부부를 참혹히 상(喪)ᄒᆞ고 쥬야의 칼흘 삼킬[킨] ᄃᆞᆺ 디향치 못ᄒᆞ더니, 님공이 소쥐 가 녀셔(女壻)1078)를 합쟝ᄒᆞ고 도라 온 삼ᄉᆞ 삭의, 부뷔 벼개를 년(連)ᄒᆞ여 일몽을 어드니 하혹ᄉᆞ 부인 《션옥‖셩옥》이 압히 와 절ᄒᆞ고, 쳬읍 왈,

"쇼녜 하군의 참ᄉᆞᄒᆞ믈 듯고 능히 궁텬디통을 ᄎᆞᆷ디 못ᄒᆞ여 ᄌᆞ문이ᄉᆞ(自刎而死)ᄒᆞ미, 냥가 부모의 쳡쳡ᄒᆞᆫ 블효를 슬허 ᄒᆞ더니,

1077)부견텬일(復見天日) : 다시 햇빛을 봄.
1078)여서(女壻) : 딸과 사위를 함께 이르는 말.

과 원필은 부명을 슌슈ᄒᆞᄃᆡ 원창은 고요히 잇기를 심히 울울ᄒᆞ여, 뎡·딘 냥부의 왕ᄂᆡᄒᆞ며, 닌니(隣里) 공후가(公侯家)의 ᄌᆞ긔 년치와 상젹ᄒᆞᆫ 공ᄌᆞ를 ᄉᆞ괴여, 잇다감 취운산 상상봉의 올나 즐기기를 쾌히 ᄒᆞᄂᆞᆫ지라. 초공은 졔어키 어려오므로 아라 방일ᄒᆞᆫ 의ᄉᆞ를 ᄂᆡ지 못ᄒᆞ게 ᄒᆞᄃᆡ, 평ᄉᆡᆼ 츌발(出拔)ᄒᆞᆫ 긔운을 장츅(藏縮)키 어렵더라.

이 ᄯᅢ 참지졍ᄉᆞ 임광은 젼임 니부 시랑이니, 그 ᄉᆞ이 벼슬이 놉하 참졍의 오르고, 오ᄌᆞ숨녀 잇시니 오ᄌᆞ와 이녀는 발셔 셩혼ᄒᆞ여시ᄃᆡ, 필녀 몽옥의 년이 십숨셰니 임참졍과 부인 강씨 셕년의 하혹ᄉᆞ 부인을 참혹히 상ᄒᆞ고 쥬야의 셜워 ᄒᆞ더니, 임공이 소쥐가 녀셔를 합【76】장ᄒᆞ고 도라온 ᄉᆞᆷᄉᆞ 삭의 일몽을 어드니, 하혹ᄉᆞ 부인 셩옥이 압히 와 절ᄒᆞ고, 쳬읍 왈,

"소녜 하군의 참ᄉᆞᄒᆞ믈 듯고 능히 궁텬지통을 참지 못ᄒᆞ와 ᄌᆞ문이ᄉᆞ(自刎而死)ᄒᆞ미, 냥가 부모의 쳡쳡 불효를 슬허 ᄒᆞ더니, 녕ᄇᆡᆨ이 바로 명ᄉᆞ계(冥司界)841)《로‖의셔》

841)명ᄉᆞ계(冥司界) : 명부(冥府) 곧 염라대왕이 관장

녕빅이 바로 명ᄉᆞ계(冥司界)[1079]의셔 옥경(玉京)[1080]의 됴회ᄒᆞ니, 샹뎨 하군의 삼형뎨와 쇼녀를 다시 환도인셰(還道人世)ᄒᆞ여 부모의 【44】 ᄌᆞ식이 되게 ᄒᆞ샤, 하군으로 늣거이 맛츤 한을 업게 ᄒᆞ시니, 일노 조ᄎᆞ 쇼녀를[는] 다시 모친 복듕(腹中)의 의디ᄒᆞ여 나고, 하군은 문챵셩(文昌星) 정긔(精氣)라 ᄯᅩ 하가 ᄌᆡ(子) 되여 복녹과 슈한을 댱원이 타 나오니, 부모ᄂᆞᆫ 쇼녀의 참ᄉᆞᄒᆞ믈 슬허 마르쇼셔.”

공과 부인이 녀ᄋᆞ를 븟들고 실셩통읍(失性慟泣)ᄒᆞ여 능히 말을 일우디 못ᄒᆞ여셔, 《션옥 ‖ 셩옥》이 변ᄒᆞ여 ᄒᆞᆫ낫 옥닌(玉麐)[1081]이 되여 부인 픔으로 드니, 공의 부뷔 ᄉᆡ로온 비회 더으고 놀나 ᄭᆡᄃᆞ르니 일몽이오, 녀ᄋᆞ의 옥용화ᄐᆡ(玉容花態)와 낭음봉셩(朗吟鳳聲)이 이변(耳邊)의 징징ᄒᆞ니, 참통ᄒᆞ믈 니긔디 못ᄒᆞ더니, 과연 이 ᄃᆞᆯ브터 강부인이 슈ᄐᆡᄒᆞ여 십 【45】 삭만의 일개 옥녀(玉女)를 ᄉᆡᆼᄒᆞ니, 의형미목(儀形眉目)이 완연이 셩옥 쇼졔라. 부뷔 ᄋᆡ듕ᄒᆞ미 ᄌᆞ녀듕 읏듬이라. ᄉᆞ랑이 여산(如山)ᄒᆞ고 보호ᄒᆞ여 ᄌᆞ라미 금달공쥬(禁闥公主)[1082]를 블워 아닐 거시로ᄃᆡ, 몽옥 쇼져의 사ᄅᆞᆷ 되오미 단듕ᄒᆞ여 일즉 희롱이 잇디 아니ᄒᆞ고, 픔딜이 활연침뎡(豁然沈靜)ᄒᆞ여 일양(一樣) 녜의를 심ᄉᆞᄒᆞ니, 청아교결(淸雅皎潔)ᄒᆞᆫ 의ᄉᆡ 녀듕군ᄌᆡ라. 용안의 슈려ᄒᆞᆷ과 ᄌᆡ졍(才情)[1083]의 츌인(出人)ᄒᆞ미 고인의 우히라. ᄭᅩᆺ다온 나이 이뉵(二六)이 디나ᄆᆡ, 만ᄉᆡ 슉셩ᄌᆞ혜(夙成慈慧)ᄒᆞ여 ᄀᆞᆺ초 특이ᄒᆞ니, 공의 부뷔 황홀ᄒᆞᆫ ᄉᆞ랑이 텬눈 밧긔 소ᄉᆞ난디라.

하공이 환쇄ᄒᆞ믈 인ᄒᆞ여, 님참 【46】 졍이 하부의 ᄌᆞ로 왕ᄂᆡᄒᆞ여 원상 등의 긔특ᄒᆞ믈

1079)명ᄉᆞ계(冥司界) : 명부(冥府) 곧 염라대왕이 관장하는 지옥을 이름.

1080)옥경(玉京) : =백옥경(白玉京). 옥황상제가 산다고 하는 가상적인 하늘 위의 서울.

1081)옥닌(玉麐) : 옥처럼 아름다운 암키린.

1082)금달공쥬(禁闥公主) : 대궐안의 공주. 금달(禁闥); 궐내에서 임금이 평소에 거처하는 궁전의 앞문.

1083)ᄌᆡ졍(才情) : 재사(才思). 재치 있는 생각.

옥계(玉階)[842]의 조회ᄒᆞᄆᆡ, 옥졔(玉帝)[843] 하군의 삼형뎨와 소녀를 다시 환조[도]인셰(還道人世)ᄒᆞ여 부모긔 다시 ᄌᆞ식이 되게 ᄒᆞ샤, 하군으로 더부러 늣거이 맛츤 한이 업게 ᄒᆞ시니, 일노 조ᄎᆞ 소녀를[는] 다시 모친 복즁(腹中)의 의지ᄒᆞ여 나고, 하군은 문창셩(文昌星) 졍긔라, ᄯᅩᄒᆞᆫ 하가 ᄌᆡ(子) 되여 복녹과 슈한을 장원이 타 나오니, 부모ᄂᆞᆫ 소녀의 ᄎᆞᆷᄉᆞᄒᆞ믈 슬허 마르소셔.
”

공과 부인이 녀ᄋᆞ를 븟들고 실셩통읍(失性慟泣)의 능히 말을 닐우지 못ᄒᆞ여셔, 셩옥 소졔 변 【77】 ᄒᆞ여 ᄒᆞᆫ낫 옥낭(玉娘)이 되여 부인의 픔에 드니, 공의 부뷔 ᄉᆡ로온 비회 더으고, 녀ᄋᆞ의 옥용화ᄐᆡ(玉容花態)와 낭음봉셩(朗吟鳳聲)이 이변(耳邊)의 징징ᄒᆞ니, 참통ᄒᆞ믈 니긔지 못ᄒᆞ더니, 과연 이 달브터 강부인이 슈ᄐᆡᄒᆞ여 십삭만의 일ᄀᆡ 옥녀(玉女)를 ᄉᆡᆼᄒᆞ니, 의형미목(儀形眉目)이 완연이 셩옥 소졔라. 부뷔 ᄋᆡ듕ᄒᆞ미 읏듬이라. 보호ᄒᆞ미 금달 공쥬(禁闥公主)[844]를 블워 아닐 거시로ᄃᆡ, 몽옥 소져의 위인이 단즁ᄒᆞ여 일즉 희롱이 잇지 아니ᄒᆞ고, 용화의 슈려ᄒᆞᆷ과 ᄌᆡ졍(才情)[845]의 츌인ᄒᆞ미 고인의 우히라. 방년(芳年) 이륙(二六)의 만ᄉᆡ 긔특ᄒᆞ니 공의 부뷔 황홀(恍惚) 긔ᄋᆡ(奇愛)ᄒᆞᄂᆞᆫ지라.

하공이 환쇄ᄒᆞ믈 인ᄒᆞ여, 임츔졍이 하부의 ᄌᆞ로 왕ᄂᆡᄒᆞ여 원상 등의 긔특ᄒᆞ믈 듯

하는 지옥을 이름.

842)옥계(玉階) : 옥제가 집무하는 궁궐인 천상 백옥루의 계단.

843)옥제(玉帝) : 옥황상제(玉皇上帝). 흔히 도가(道家)에서, ‘하느님’을 이르는 말

844)금달공쥬(禁闥公主) : 대궐안의 공주. 금달(禁闥); 궐내에서 임금이 평소에 거처하는 궁전의 앞문.

845)ᄌᆡ졍(才情) : 재사(才思). 재치 있는 생각.

보고, 녀ᄋᆞ로 뎡혼ᄒᆞ여 하·님 냥공이 ᄐᆡᆨ일ᄒᆞ여 빙녜를 힝ᄒᆞᄆᆡ, 공의 부뷔 두굿기믈 측냥치 못ᄒᆞ더니, 호ᄉᆡ다ᄆᆡ(好事多魔)[1084]라. 님참졍의 계모 목시 위인이 ᄉᆡ포험악(猜暴險惡)ᄒᆞ미 무궁ᄒᆞᄃᆡ, 참졍 부뷔 남달니 현효ᄒᆞ여, 봉양ᄒᆞᄂᆞᆫ 졍셩과 공슌ᄒᆞᆫ 뜻이 만ᄉᆞ의 목시 뜻을 밧ᄂᆞᆫ 고로, 목시ᄂᆞᆫ 대단한 변고ᄂᆞᆫ 뎟디 아녓더니, 목부인 쇼ᄉᆡᆼ 일녜 쥬혹ᄉᆞ 체(妻) 되엿더니, 블힝ᄒᆞ여 학ᄉᆞ 부쳬 두 낫 ᄌᆞ녀를 깃치고 조요(早夭)ᄒᆞ니, 목시 외손 남ᄆᆡ를 길너 손ᄌᆞᄂᆞᆫ 발셔 취쳐닙신(娶妻立身)ᄒᆞ여 계림 태쉬 되【47】엿고, 녀ᄂᆞᆫ 바야흐로 십삼셰니 명은 ᄋᆡ란이라. 작인이 각별 이상(異常){이}ᄒᆞ여, 신댱톄디(身長體肢) 남달나[리] 흉악ᄒᆞ여[고] 큰 킈와 퍼딘 허리며, 거믄 살빗치 두역(痘疫)[1085]을 험히 얽고 ᄡᅵ거[1086] 밋기[1087]ᄂᆞᆫ 니르도 말고, 일목(一目)이 폐ᄆᆡᆼ(廢盲)ᄒᆞ여 입이 기우러 왼편 귀밋출 향ᄒᆞ거ᄂᆞᆯ, 슈족(手足) 미목(眉目)이 녜ᄉᆞ롭디 아냐, 풍병(風病)으로 좌비(左臂)와 좌각(左脚)을 다 못 쓰니, 뒤틀니고 웅등그러져[1088] 능히 펴디 못ᄒᆞ거ᄂᆞᆯ, 두발이 셰여 은ᄉᆞ(銀絲)[1089]를 드리워시니, 머리를 볼작시면 ᄇᆡᆨ발노인이라도 이의셔 더으디 못ᄒᆞᆯ디라. 셩악(性惡)이 긔험ᄉᆡ포(崎險猜暴)ᄒᆞ여 목태부인의 ᄉᆞ오나오믈【48】달므며, 념치(廉恥) 상딘(喪盡)ᄒᆞ기ᄂᆞᆫ 만고의 업ᄂᆞᆫ디라.

ᄆᆡ양 몽옥의 슈츌특이(秀出特異)ᄒᆞ믈 ᄉᆡ긔ᄒᆞ여, 보면 므러 먹고져 ᄆᆡ워ᄒᆞ더니, 친ᄉᆞ(親事)를 하가의 뇌뎡(牢定)ᄒᆞ다 ᄒᆞ고 빙녜(聘禮)[1090]를 밧고 길긔를 ᄐᆡᆨᄒᆞ믈 보ᄆᆡ, 흉

1084)호ᄉᆡ다ᄆᆡ(好事多魔) : 좋은 일에는 흔히 방해되는 일이 많음. 또는 그런 일이 많이 생김.
1085)두역(痘疫) : 천연두'를 한방에서 이르는 말.
1086)ᄡᅵᆨ다 : 찍다. 바닥에 대고 눌러서 자국을 내다.
1087)밋다 : 맺다. 열매나 꽃망울 따위가 생겨나거나 그것을 이루다.
1088)웅등그러지다 : 마르거나 졸아지거나 굳어지면서 뒤틀리다. 오그라들다.
1089)은ᄉᆞ(銀絲) : 하얀 실. 여기서는 백발(白髮).
1090)빙녜(聘禮) : 납폐례(納幣禮). 전통혼례에서 정혼이 이루어진 증거로 신랑 집에서 신부 집으로

고, 녀ᄋᆞ로 쳥혼ᄒᆞ여 하·임 냥공이【78】ᄐᆡᆨ일ᄒᆞ여 빙녜(聘禮)를 힝ᄒᆞᄆᆡ, 공의 부뷔 두굿기미 측냥업ᄉᆞᄃᆡ 호ᄉᆡ다ᄆᆡ(好事多魔)[846]라. 임ᄎᆞᆷ졍의 계모 목씨 위인이 ᄉᆡ포험악(猜暴險惡)ᄒᆞ미 무궁ᄒᆞᄃᆡ, ᄎᆞᆷ졍 부뷔 효봉(孝奉)ᄒᆞᄂᆞᆫ 졍셩이 지극ᄒᆞᆫ 고로, 목씨 ᄃᆡ단한 변고ᄂᆞᆫ 잇지 아냣더니, 목태부인의 소ᄉᆡᆼ 일녀 쥬학ᄉᆞ 부인이 되엿더라.

◎[847]ᄌᆡ셜 목 태부인의 소ᄉᆡᆼ 일녜 쥬학ᄉᆞ의 쳬 되엿더니, 블힝ᄒᆞ여 학ᄉᆞ 부뷔 두 낫 ᄌᆞ녀를 《이치고‖깃치고》 조요(早夭)ᄒᆞ니, 태부인이 외손 남ᄆᆡ를 길너 손ᄌᆞᄂᆞᆫ 발셔 취쳐닙신(娶妻立身)ᄒᆞ여 계림ᄐᆡ쉬 되엿고, 소녀ᄂᆞᆫ 바야흐로 십삼셰니, 명은 의[ᄋᆡ]랑이라. 작인이 각별 이상(異常)ᄒᆞ여 신장이 흉악ᄒᆞ여[고], 큰 코와 퍼진 허리며 거믄 살빗치 두역(痘疫)[848]을 험히 ᄒᆞ엿고, 일목(一目)이 폐ᄆᆡᆼᄒᆞ여 풍병으로 좌비와 좌각【79】을 다 쓰지 못ᄒᆞ니, 뒤틀니고 웅승그러져[849] 능히 펴지 못ᄒᆞ거ᄂᆞᆯ, 두발(頭髮)이 호ᄇᆡᆨ(皓白)ᄒᆞ여 은ᄉᆞ(銀絲)[850]를 드리워시니, 머리를 볼족시면 ᄇᆡᆨ셰 노인이라도 이에셔 더으지 못ᄒᆞᆯ지라. 셩픔이 긔험(崎險)ᄒᆞ여 목태부인의 ᄉᆞ오나오믈 달무며 념치(廉恥) 상진(喪盡)ᄒᆞ기ᄂᆞᆫ 만고의 업ᄂᆞᆫ지라.

ᄆᆡ양 몽옥소져의 슈츌특이(秀出特異)ᄒᆞᆷ을 ᄉᆡ긔ᄒᆞ여 보면 무러 먹을다시 뮈워ᄒᆞ더니, 친ᄉᆞ를 하가의 뇌졍ᄒᆞ여 빙녜(聘禮)[851]를 밧고 길긔(吉期)를 ᄐᆡᆨᄒᆞ믈 보ᄆᆡ 흉ᄒᆞᆫ 욕심이 불 븟듯 ᄒᆞ여, 조모를 《유ᄅᆡ‖유세(有

846)호ᄉᆡ다ᄆᆡ(好事多魔) : 좋은 일에는 흔히 방해되는 일이 많음. 또는 그런 일이 많이 생김.
847)◎ : 선행본의 분권 권두표점.
848)두역(痘疫) : 천연두'를 한방에서 이르는 말.
849)웅승그리다 : 웅숭그리다. 춥거나 두려워 몸을 궁상맞게 몹시 웅그리다.
850)은ᄉᆞ(銀絲) : 하얀 실. 여기서는 백발(白髮).
851)빙녜(聘禮) : 납폐례(納幣禮). 전통혼례에서 정혼이 이루어진 증거로 신랑 집에서 신부 집으로 예물을 보내는 의례.

ᄒᆞᆫ 욕심이 블 니ᄃᆞᆺ ᄒᆞ여, 조모를 음쥐여 ᄠᅳᆺ고 보ᄎᆡ며 식음을 믈니쳐, 졔 혼인을 어셔 하가 《원상‖원챵》의게 디ᄂᆡ라 보ᄎᆡ니, 이ᄂᆞᆫ ᄋᆡ랑이 참혹ᄒᆞᆫ 병인이나 귀ᄂᆞᆫ 아니 먹은 고로, 공이 원상 등 칭찬ᄒᆞᆯ 졔 원챵은 형뎨 듕 더옥 츌듕ᄒᆞ믈 니르ᄂᆞᆫ 고로, 외람이 하원챵의 ᄇᆡ위 되기를 원ᄒᆞᄂᆞᆫ디라.

목시 ᄋᆡ랑의 흉참ᄒᆞ믈 모로ᄂᆞᆫ 거시 아【49】니로ᄃᆡ, ᄌᆞ긔 쇼ᄉᆡᆼ 골육이믈 크게 ᄉᆞ랑ᄒᆞ여 귀듕ᄒᆞ미 만금의 디나고, 가듕이 ᄋᆡ랑의 블미디ᄉᆞ(不美之事)를 아이의 니르디 못ᄒᆞ게 ᄒᆞ니, 비ᄌᆞ 등이 호령ᄒᆞ믈 두려ᄒᆞ며, 몽옥 쇼져와 ᄋᆡ랑과[이] 동년 죵형뎨간(從兄弟間)이로ᄃᆡ 감히 ᄋᆡ랑과 좌를 못ᄒᆞ게 ᄒᆞᄆᆡ, 달노ᄂᆞᆫ ᄋᆡ랑이 몽옥의게 아이라, 몽옥으로 ᄋᆡ랑 밧들기를 노쥬간(奴主間)ᄀᆞᆺ치 ᄒᆞ라 ᄒᆞ니, 쇼졔 심니의 긔괴히 녁이나 조모의 명을 슌슈ᄒᆞ여 등한이 녁이디 아니ᄒᆞ고, 님혹ᄉᆞ 희슈 오형뎨와 희슈 부인 셜시 금장(襟丈) 등이 역시 ᄋᆡ랑 밧들기를 태부인 버금으로 ᄒᆞ니, ᄋᆡ랑의 어린 긔운이 듕텬ᄒᆞ여【50】내 우히 뉘 오로리오 ᄒᆞ고, 날마다 패악(悖惡)만 기르니, 공이 ᄋᆡ랑을 위ᄒᆞ여 큰 근심으로 ○○[녁여] 미우를 펴디 못ᄒᆞ더니, 태부인이 참졍을 블너 뎡ᄉᆡᆨ고, 엄칙 왈,

"네 본ᄃᆡ ᄒᆞᆫ낫 망ᄆᆡ(亡妹)를 누의로 알니ᄂᆞᆫ 업거니와 네 부친의 골육이라. 내 임의 다려다가 길너ᄂᆡᄆᆡ, 남ᄋᆞᄂᆞᆫ ᄇᆡᆨ힝이 과인ᄒᆞ고 ᄌᆡ죄 특이ᄒᆞ여, 네 망ᄆᆡ를 일분 고렴ᄒᆞ여 ᄀᆞᄅᆞ친 일이 업시 인인의 칭션ᄒᆞᄂᆞᆫ ᄇᆡ라. 췌쳐닙신(娶妻立身)ᄒᆞ엿거니와, ᄋᆡ랑은 아ᄃᆡᆨ 미혼 젼 아ᄒᆡ라. 네 망ᄆᆡ를 향ᄒᆞᆫ 졍이 이신즉 ᄋᆡ랑의 친ᄉᆞ를 맛당이 일ᄉᆡᆼ이 편토록 ᄒᆞ여주미 올커ᄂᆞᆯ, 망ᄆᆡ를 ᄉᆡᆼ각디 아【51】니코 날을 홍모ᄀᆞᆺ치 녁여, 네 ᄯᆞᆯ의 혼인은 하가의 뎡ᄒᆞ고 나의 만금 농쥬(弄珠)ᄂᆞᆫ 아모ᄃᆡ도 혼ᄉᆞ를 일우려 아니ᄒᆞ니, 긔 므ᄉᆞᆷ 용심(用心)고? 내 ᄠᅳᆺ을 결ᄒᆞ여 ᄋᆡ랑의 혼ᄉᆞ를 몬져 디ᄂᆡ고, 버거 몽ᄋᆞ의 혼ᄉᆞ를 일우

예물을 보내는 의례.

勢))》ᄒᆞ여 ᄠᅳᆺ고 보ᄎᆡ며 식음을 물니쳐, 졔 혼인을 어셔 하원창에게 지ᄂᆡ라 보ᄎᆡ니, 이ᄂᆞᆫ ᄋᆡ랑이 참혹ᄒᆞᆫ 병인이나 귀ᄂᆞᆫ 먹지 아엿ᄂᆞᆫ 고로, 공이 원상 등 칭찬ᄒᆞᆯ 졔 원창은 형뎨 즁 더욱 진츌(進出)ᄒᆞ믈 니르【80】ᄂᆞᆫ 고로, ᄋᆡ랑이 하원창의 ᄇᆡ위 되기를 원ᄒᆞᄂᆞᆫ 지라.

목씨 ᄋᆡ랑의 흉참ᄒᆞ믈 모로미 아니로ᄃᆡ, ᄌᆞ긔 소ᄉᆡᆼ 골육이믈 크게 ᄉᆞ랑ᄒᆞ여 귀즁ᄒᆞ미 만금의 지ᄂᆞ고, 가즁의 ᄋᆡ랑의 불미지ᄉᆞ를 아이의 니르지 못ᄒᆞ게 ᄒᆞ니, 비ᄌᆞ 등이 호령ᄒᆞ믈 두려 몽옥소져와 ᄋᆡ랑과[이] 동년이오 종형뎨간(從兄弟間)니로ᄃᆡ, 몽옥으로 ᄋᆡ랑 밧들기를 노쥬(奴主)ᄀᆞᆺ치 ᄒᆞ라 ᄒᆞ니, 소져 심니의 긔괴히 녁이나 조모의 명을 슌슈ᄒᆞ여 등한히 아니 녁이니, ᄋᆡ랑의 어린 긔운이 츙텬ᄒᆞ여 'ᄂᆡ 우히 《위‖뉘》 오로리오' ᄒᆞ고, 날마다 ᄑᆡ악만 기르니, 공이 ᄋᆡ랑을 위ᄒᆞ여 큰 근심으로 ○○[녁여] 미우를 펴지 못ᄒᆞ더니, 태부인이 참졍을 블너 졍ᄉᆡᆨ고 엄칙 왈,

"네 ᄒᆞᆫ낫 망녀를 누의로 알니ᄂᆞᆫ 업거니【81】와 네 부친의 골육이라. 망녀의 두낫 골육을 ᄂᆡ임의 다려 다가 길너 ᄂᆡᄆᆡ 남ᄋᆞᄂᆞᆫ ᄇᆡᆨ힝이 과인ᄒᆞ고 ᄌᆡ죄 특이ᄒᆞ여, 네 갈ᄋᆞ친 일 업시 인인의 칭션ᄒᆞᄂᆞᆫ ᄇᆡ라. 췌쳐입신(娶妻立身)ᄒᆞ엿거니와, ᄋᆡ랑은 아직 미혼 젼 ᄋᆞᄒᆡ라. 네 만일 누의를 향ᄒᆞᆫ 졍이 잇실진ᄃᆡ, ᄋᆡ랑의 친ᄉᆞ를 맛당ᄒᆞᆫ ᄃᆡ 졍ᄒᆞ여 일ᄉᆡᆼ을 머물게 ᄒᆞ미 올커ᄂᆞᆯ, 망연이 망ᄆᆡ를 ᄉᆡᆼ각지 아니ᄒᆞ고 날을 홍모ᄀᆞᆺ치 녁여, 네 ᄯᆞᆯ의 혼인은 하가의 졍ᄒᆞ고 나의 만금 농쥬(弄珠)ᄂᆞᆫ 아모ᄃᆡ도 혼녜를 닐우려 아니ᄒᆞ니, 그 무삼 용심고? ᄠᅳᆺ슬 결ᄒᆞ여 ᄋᆡ랑의 혼ᄉᆞ를 몬져 지ᄂᆡ고 버거 몽ᄋᆞ의 혼ᄉᆞ를 닐우게 ᄒᆞ리라."

게 ᄒᆞ리라."

공이 우민(憂悶)ᄒᆞ믈 니긔디 못ᄒᆞ여, 미우를 찡긔여 왈,

"쇼ᄌᆡ 엇디 ᄌᆞ졍긔 심ᄉᆞ를 은닉ᄒᆞ리잇고? ᄋᆡ랑의 문벌가셰를 니를딘ᄃᆡ 몽ᄋᆞ만 못ᄒᆞ리잇가마ᄂᆞᆫ, 뎔ᄋᆡ 병이 등한치 아니코 쳐음으로 보ᄂᆞ니ᄂᆞᆫ 놀나기를 마디 아니ᄒᆞ올디라. 이러므로 ᄋᆡ랑의 혼쳐 근심ᄒᆞ기ᄂᆞᆫ 친녀의셔 십ᄇᆡ 더ᄒᆞ미 잇ᄉᆞ오니, 져의 유병ᄒᆞ믈 조금도 허믈【52】치 아닐 집을 엇디 못ᄒᆞ여, 념녜 일시도 한가치 못ᄒᆞ온디라. ᄌᆞ졍이 몽ᄋᆞ의 친ᄉᆞ를 늣추어 ᄋᆡ랑의 혼쳐를 듯본 후, 두 ᄋᆞ히 대ᄉᆞ를 ᄒᆞᆷ긔 디ᄂᆡᄉᆞ이다."

공의 뉵뎨와 뎨ᄆᆡ 다 가치 아니믈 일ᄏᆞ라, 옥ᄋᆞ의 친ᄉᆞᄂᆞᆫ 녜ᄉᆞ 혼ᄉᆡ 아니라, 하ᄌᆞ와 몽옥이 환도인셰(還道人世)ᄒᆞ여 젼셰의 늣거이 맛촌 바를 디원통절ᄒᆞ여, 다시 하·님 이부의 ᄌᆞ녀 되여 나ᄂᆞᆫ 거시 심상치 아닌 ᄇᆡ어ᄂᆞᆯ, 됴흔 인연을 늣추어 ᄋᆡ랑의 혼쳐 엇디 못ᄒᆞ므로, 셰월을 쳔연ᄒᆞ미 만만블가 ᄒᆞ시믈 년ᄒᆞ여 고ᄒᆞ니, 목시 대로ᄒᆞ여 셔안을 박ᄎᆞ 왈,

"여등이 일체로 무상ᄒᆞ여【53】ᄋᆡ랑의 만니 젼졍을 긔렴(記念)1091)치 아니니 엇디 통한치 아니리오. 노뫼 ᄋᆡ랑을 금보(金寶)ᄀᆞᆺ치 ᄉᆞ랑ᄒᆞᄂᆞᆫ디라. 여등 보ᄂᆞᆫ ᄃᆡ ᄌᆞ문(自刎)ᄒᆞ여 여등의 ᄆᆞᄋᆞᆷ을 쾌히 ᄒᆞ리라."

언파의 칼흘 드러 가ᄉᆞᆷ을 디르려 ᄒᆞ니 공의 형뎨 망극ᄒᆞ믈 니긔디 못ᄒᆞ여, 황망이 모친의 칼흘 앗고 참졍이 비읍(悲泣) 왈,

"쇼ᄌᆡ 무상ᄒᆞ와 ᄌᆞ의를 영합디 못ᄒᆞ옵고, ᄋᆡ랑을 친녀ᄀᆞᆺ치 혼쳐를 듯보디 못ᄒᆞ오믄 ᄌᆞ졍긔 죄를 밧ᄌᆞ왐즉 ᄒᆞᄋᆞᆸ거니와, 엇디 ᄌᆞ위 셩덕으로 이런 망극ᄒᆞᆫ 거조를 ᄒᆞ샤, 존듕ᄒᆞ신 톄도(體度)를 상히오시며, ᄋᆞ히 죄를 ᄡᅥ홀 곳이 업게 ᄒᆞ시ᄂᆞ니잇고? 바라건ᄃᆡ 태태ᄂᆞᆫ【54】 놀나온 거조를 마르시믈 바라ᄂᆞ이다."

목시 대로ᄒᆞ여 님공의 형뎨 남ᄆᆡ를 다 ᄧᅩᆺ

1091)긔렴(記念) : 기념(記念). 잊지 않고 생각함. 유의함.

공이 우민(憂悶)ᄒᆞ믈 니긔지 못ᄒᆞ여, 미우를 찡긔고 왈,

"소ᄌᆡ 엇지 ᄌᆞ졍긔 심ᄉᆞ를 은익ᄒᆞ리잇고? ᄋᆡ랑【82】의 문벌가셰를 닐을진ᄃᆡ 몽ᄋᆞ만 못ᄒᆞ리잇가마ᄂᆞᆫ, 뎔ᄋᆡ 병이 등한치 아니코 쳐음으로 보ᄂᆞᆫ 니ᄂᆞᆫ 놀나기를 마지 아니ᄒᆞ올지라. 이러므로 ᄋᆡ랑의 혼쳐 근심ᄒᆞ기ᄂᆞᆫ 친녀에셔 더ᄒᆞ미 잇ᄉᆞ오니, 져의 유병ᄒᆞ믈 조금도 허믈치 아닐 집을 엇지 못ᄒᆞᆯ가, 념녜 일시도 한가치 못ᄒᆞ온지라. ᄌᆞ졍이 몽ᄋᆞ의 친ᄉᆞ를 늣추어 ᄋᆡ랑의 혼쳐를 듯본 후, 두 ᄋᆞ히 ᄃᆡᄉᆞ를 ᄒᆞᆷ긔 지ᄂᆡᄉᆞ이다."

○…결락16자…○[공의 뉵뎨와 뎨ᄆᆡ 다 가치 아니믈 일ᄏᆞ라], 옥ᄋᆞ의 친ᄉᆞᄂᆞᆫ 예ᄉᆞ 혼ᄉᆡ 아니라, 하ᄉᆡᆼ과 몽옥이 환도인셰(還道人世)ᄒᆞ여 젼셰의 늣거이 맛촌 바를 지원통절ᄒᆞ여, 다시 하·임 이부의 ᄌᆞ녜 되엿시니 이ᄂᆞᆫ 심상치 아닌 ᄇᆡ어ᄂᆞᆯ, 조흔 인연을 늣츄어 ᄋᆡ랑의 혼쳐 엇지 못ᄒᆞ므로, 셰월을 쳔연ᄒᆞ미 만만블가 ᄒᆞ시믈 연ᄒᆞ여【83】고ᄒᆞ니, 목씨 ᄃᆡ로ᄒᆞ여 셔안을 박ᄎᆞ, 왈,

"녀등이 무상ᄒᆞ여 ᄋᆡ랑의 만니 젼졍을 긔렴(記念)852)치 아니니, 엇지 통한치 아니리오. 노뫼 ᄋᆡᄋᆞ로 부모ᄀᆞᆺ치 ᄉᆞ랑ᄒᆞ고 원녀ᄒᆞᄂᆞᆫ ᄇᆡ라. 내 ᄌᆞ문(自刎)ᄒᆞ여 녀등의 마ᄋᆞᆷ을 쾌히 ᄒᆞ리라"

언필에 칼흘 드러 가ᄉᆞᆷ을 지르려 ᄒᆞ니, 공의 형뎨 망극ᄒᆞ믈 니긔지 못ᄒᆞ여, 황망이 모친의 칼흘 앗고, 참졍이 비읍(悲泣) 왈,

"소ᄌᆡ 무상ᄒᆞ와 ᄌᆞ위를 영합지 못ᄒᆞᄋᆞᆸ고, ᄋᆡᄋᆞ을 친녀ᄀᆞᆺ치 혼쳐를 듯보지 못ᄒᆞ믄, ᄌᆞ졍긔 죄를 밧ᄌᆞ왐즉 ᄒᆞᄋᆞᆸ거니와, 엇지 ᄌᆞ위 셩덕으로 이런 망극ᄒᆞᆫ 거조를 ᄒᆞ샤 존즁ᄒᆞ신 쳬모를 상히오시며, ᄋᆞ히 죄를 ᄡᅥ홀 곳이 업게 ᄒᆞ시ᄂᆞ뇨? 바라건ᄃᆡ 태태ᄂᆞᆫ이런 거조를 마르시믈 ᄇᆞ라ᄂᆞ이다."

목씨 ᄃᆡ로ᄒᆞ여 임공【84】의 남ᄆᆡ를 다

852)긔렴(記念) : 기념(記念). 잊지 않고 생각함. 유의함.

ᄎᆞ ᄂᆡ치고, ᄋᆡ랑을 픔고 누어 ᄒᆞᆫ 술 믈도 먹디 아닛ᄂᆞᆫ 쳬ᄒᆞ고, 공의 ᄆᆞᄋᆞᆷ을 맛쳐 죽으렷노라 ᄒᆞ니, 공의 형뎨 황황ᄒᆞ여 ᄒᆞᄃᆡ, 목시 셩졍이 싀험포려(猜險暴戾)ᄒᆞ여, 의ᄌᆞ(義子)의 녀ᄋᆞ 셩혼은 몽니의도 ᄉᆡᆼ각디 아니ᄒᆞ고, 흉ᄒᆞᆫ 심술을 발ᄒᆞ여 혼ᄉᆞ를 희디을 ᄲᅳᆫ 아니라, 하원상의 긔특ᄒᆞ미 젼(前) 하흑ᄉᆞ ᄀᆞᆺ다○[는] 말을 듯고, 외람ᄒᆞᆫ 의ᄉᆞ를 ᄂᆡ여 쇼져를 믈니치고 ᄋᆡ랑으로 하원상과 셩친코져 ᄒᆞᄂᆞᆫ디라. 조손이 셔로 의논ᄒᆞ여 브ᄃᆡ 공의 ᄠᅳᆺ을 아ᄉᆞ, 쇼져를 공규폐인(空閨廢人)을 삼고, 하원상으로 ᄋᆡ랑과 부부【55】를 삼으려 ᄒᆞᆯᄉᆡ, ᄋᆡ랑 왈,

"쇼손이 드르니 원창의 긔특ᄒᆞ미 원상의셔 낫다 ᄒᆞ니, 쇼손의 ᄠᅳᆺ의ᄂᆞᆫ 원챵과 뎡혼코져 ᄒᆞᄂᆞ이다."

목시 요두 왈,

"가치 아니타. 원상은 하흑ᄉᆞ 죽은 녁시 도라 왓다 ᄒᆞ니, 원경의 비범ᄒᆞ믈 노뫼 본 ᄇᆡ라. 옥골션풍이 인뉴(人類)의 독보ᄒᆞ던 거시니, 원경의 오를 사ᄅᆞᆷ이 업ᄂᆞᆫ디라. 거ᄌᆞᆺ 원챵을 낫다 ᄒᆞᆫ들 엇디 알니오. 노뫼 죽기로ᄡᅧ 벼르고 식음을 긋쳐 널노 더브러 고요히 누어시면, 촘디 못ᄒᆞ여 나의 ᄒᆞᄌᆞᄂᆞᆫ 일을 거ᄉᆞ디 못ᄒᆞ리니, 몽옥을 져치고[1092] 널노ᄡᅧ 원상의게 도라 보ᄂᆡ리니, 너ᄂᆞᆫ 나의 ᄒᆞᄂᆞᆫ 양을 보라."

ᄋᆡ랑이 대열ᄒᆞ여 조모를 븟들고 누【56】어시니, 목시 안흐로 문을 걸고 삼일을 거ᄌᆞᆺ 굶ᄂᆞᆫ 쳬ᄒᆞ며, 조손이 ᄒᆞᆷᄀᆡ 죽어 참졍의 ᄆᆞᄋᆞᆷ을 쾌케 ᄒᆞ렷노라 ᄒᆞ니, 졔ᄌᆞ졔손(諸子諸孫)이 망극황민(罔極惶悶)ᄒᆞ여 가ᄂᆡ의 블을 솔오디 아니ᄒᆞ고, 쥬야 태부인 방 밧긔 고두(叩頭) ᄋᆡ걸ᄒᆞ여 문이나 여러 보기를 쳥ᄒᆞᄃᆡ, 목시 드른 쳬 아니터니, 여러 날만의 참졍이 문외의셔 실셩 톄읍 왈,

"쇼ᄌᆞ의 무상ᄒᆞᆫ 죄 쳔ᄉᆞ무셕(千死無惜)이어니와, ᄌᆞ졍이 여ᄎᆞ 괴이ᄒᆞᆫ 거조를 ᄒᆞ샤, 여러 날 폐식잠와(廢食潛臥)ᄒᆞ샤 셩톄 상ᄒᆞ시믈 도라보디 아니시고[니], 몽ᄋᆞ의 일ᄉᆡᆼ

1092)져치다 : 제치다. 거치적거리지 않게 처리하다.

조ᄎᆞ ᄂᆡ치고, ᄋᆡ랑을 픔고 누어 ᄒᆞᆫ 슐 물도 먹지 아닛ᄂᆞᆫ 쳬 ᄒᆞ고, 공의 마음을 맛쳐 쥭으려노라 ᄒᆞ니, 공의 형뎨 황황ᄒᆞ여 ᄒᆞᆫᄃᆡ 목씨 흉ᄒᆞᆫ 심슐을 발ᄒᆞ여 손ᄋᆞ의 혼ᄉᆞ를 히치올 ᄲᅳᆫ 아니라, 하원상의 긔특ᄒᆞ미 젼 하흑ᄉᆞ ᄀᆞᆺ다 말을 듯고, 외람ᄒᆞᆫ 의ᄉᆞ를 ᄂᆡ여 소져를 믈니치고 ᄋᆡ랑을 하원상과 셩친코져 ᄒᆞᄂᆞᆫ지라. 조손이 셔로 의논ᄒᆞ여 부ᄃᆡ 공의 ᄯᅳᆺ슬 아샤, 소져를 공규폐인(空閨廢人)을 삼고 원상을 ᄋᆡ랑의[과] 부부를 삼ᄌᆞ ᄒᆞᆯᄉᆡ, ᄋᆡ랑 왈,

"소손이 드르니 원창의 긔특ᄒᆞ미 원상에셔 낫다 ᄒᆞ니, 소손의 ᄯᅳᆺ의ᄂᆞᆫ 원창과 셩혼코져 ᄒᆞᄂᆞ이다."

목씨 요두 왈,

"가치 아니타. 원상은 하흑ᄉᆞ 쥭은 녁시 도라 왓다 ᄒᆞ니, ○○○○○○○[원경의 비범ᄒᆞ믈] 노뫼 본 ᄇᆡ라. 옥골션풍이 인【85】뉴(人類)의 독보ᄒᆞ던 거시니, 거ᄌᆞᆺ 원창으로 원상으셔 낫다 ᄒᆞᆫ들 엇지 알니오. 노뫼 쥭기로ᄡᅧ 식음을 긋쳐 널노 더브러 고요이 ᄒᆞᆫ 곳의 누엇시면, 져의 참지 못ᄒᆞ여 나의 ᄒᆞᄌᆞᄂᆞᆫ 일을 거ᄉᆞ리지 못하리니, 몽옥은 졋ᄎᆞ고[853] 널노ᄡᅧ 원상의게 도라 보ᄂᆡ리니 너ᄂᆞᆫ 나의 ᄒᆞᄂᆞᆫ 양을 보라"

ᄋᆡ랑이 ᄃᆡ열ᄒᆞ여 조모를 븟들고 누엇시니, 목씨 안흐로 방문을 걸고 삼일을 거ᄌᆞᆺ 굶ᄂᆞᆫ 쳬ᄒᆞ며, 조손이 ᄒᆞᆷᄭᅴ 쥭어 참졍의 마음을 쾌케 ᄒᆞ려노라 ᄒᆞ니, 졔ᄌᆞ졔손(諸子諸孫)이 망극황민(罔極惶悶)ᄒᆞ여 가ᄂᆡ의 블을 살오들 아니ᄒᆞ고, 쥬야로 태부인 방 밧긔 고두(叩頭) ᄋᆡ걸ᄒᆞ여 문이나 여러 보기를 쳥ᄒᆞᄃᆡ, 목씨 드른 쳬 아니터니, 여러 날만의 참졍이 문외의셔 실셩쳬 톄읍 왈,

"소ᄌᆞ의 무상【86】ᄒᆞᆫ 죄 쳔ᄉᆞ무셕(千死無惜)이어니와, ᄌᆞ졍이 여ᄎᆞ 고이ᄒᆞᆫ 거조를 ᄒᆞ샤 셩쳬 상ᄒᆞ시믈 도라보지 아니시고[니], 몽ᄋᆞ의 일ᄉᆡᆼ을 심규의 폐ᄒᆞ라 ᄒᆞ셔도

853)졋ᄎᆞ다 : 제치다. 거치적거리지 않게 처리하다.

을 심규의 폐ᄒᆞ라 ᄒᆞ셔도 ᄌᆞ의를 슌슈ᄒᆞ리이다."

목시 믄득 니르ᄃᆡ,

"네 만【57】일 내 말을 드르려 ᄒᆞ면 므ᄉᆞᆷ 일 죽으리오."

공이 모친의 ᄃᆡ답이 이시믈 만분희열 ᄒᆞ여, ᄃᆡ왈,

"ᄌᆞ졍이 쇼ᄌᆞ 등의 졍경(情景)을 살피샤 식ᄉᆞ를 녜ᄉᆞ로이 ᄒᆞ시면, 쇼ᄌᆡ ᄉᆞ디(死地)라도 존명을 밧들니이다."

목시 희열ᄒᆞ여 왈,

"내 비록 목강(穆姜)1093)의 인ᄌᆞᄒᆞ미 업ᄉᆞ나, 엇디 너를 죽고져 ᄠᅳᆺ이 이시리오마ᄂᆞᆫ, 너의 무상ᄒᆞ미 날노 더브러 명위모ᄌᆡ(名爲母子)나 실위구뎍(實爲仇敵)ᄒᆞ여, 날을 죽과져 ᄒᆞ미[여] 골돌ᄒᆞ기○[로], 내 도로혀 너를 ᄒᆡ코져 ᄒᆞ민가 ᄒᆞ미니, 엇디 한심치 아니리오. 다만 몽옥은 너의 ᄋᆡ녀(愛女)라. ᄒᆞ믈며 져의 용안긔딜(容顔氣質)이 인뉴의 초츌ᄒᆞ니, 아모 사ᄅᆞᆷ이 보아도 칭찬ᄒᆞ려니【58】와, ᄋᆡ랑은 만ᄉᆡ 남 ᄀᆞᆺ디 못ᄒᆞ여, 그 젼졍(前程)을 범연이 도모ᄒᆞ여ᄂᆞᆫ 아조 볼 거시 업ᄉᆞ니, 사ᄅᆞᆷ이 계교를 묘히 ᄒᆞ여도 되디 못ᄒᆞᄂᆞᆫ 일이 만흔디라. 몽ᄋᆞᄂᆞᆫ 타쳐의 셩혼ᄒᆞ여 보ᄂᆡ라. 그리 ᄒᆞᄃᆡ 셩시를 밧고아 쥬혹ᄉᆞ 녀ᄋᆞ로 ᄒᆞ고, ᄋᆡ랑은 네 ᄯᆞᆯ이라 ᄒᆞ여 몬져 하가의 녜를 일워 보ᄂᆡᆫ즉, 하개 ᄋᆡ랑의 얼골 곱디 못ᄒᆞ믈 탄ᄒᆞ나, 텬뎡연분(天定緣分)으로 아라 박ᄃᆡ치 못ᄒᆞᆯ ᄲᅮᆫ 아냐, 네 낫출 아니 보디 못ᄒᆞ리니, 너ᄂᆞᆫ 말을 ᄂᆡᄃᆡ ᄯᆞᆯ이 쳐음은 셩옥1094) ᄀᆞᆺ더니, 두역을 험히 ᄒᆞ여[고] 풍병(風病)이 듕ᄒᆞ여 참혹히 되엿다 ᄒᆞ면, 원상이라도 졔 팔ᄌᆞ로 아라 념고ᄒᆞᆯ 의ᄉᆞ를 아닐【59】거시오, 셩녜 후 일은 너의 ᄒᆞᆯ 타시니 ᄎᆞᄉᆞ를 다 좃ᄎᆞ면 므ᄉᆞᆷ 일 죽으리오."

공이 일쳥(一聽)의 ᄎᆞ악한심(嗟愕寒心)ᄒᆞ

1093)목강(穆姜) : 중국 진(晉)나라 정문구(程文矩)의 아내. 성은 이(李)씨, 자(字)는 목강(穆姜). 전처 소생의 네 아들을 자신이 낳은 두 아들보다 더 사랑하여 훌륭하게 키웠다.

1094)셩옥 : 임목옥의 전생 이름.

ᄌᆞ의를 슌슈ᄒᆞ리이다"

목씨 믄득 니르ᄃᆡ,

"네 만일 내 말을 드르려 ᄒᆞ면 무ᄉᆞᆷ 일노 쥭도록 ᄒᆞ리오"

공이 ᄃᆡ 왈,

"ᄌᆞ졍이 소ᄌᆞ 등의 졍셩을 ᄉᆞᆯ피샤 식취(食取)를 예ᄉᆞ이 ᄒᆞ시면, 소ᄌᆡ ᄉᆞ디(死地)라도 존명을 밧들니이다."

목씨 희열 왈,

"ᄂᆡ 엇지 너를 두고 죽고져 ᄒᆞ리오마ᄂᆞᆫ, 너희 무상ᄒᆞ미 날노 더브러 명위모ᄌᆡ(名爲母子)나 실위구젹(實爲仇敵)이라. 나를 쥭고져 ᄒᆞ미 골돌ᄒᆞ여 ᄒᆞ기로, 내 마음이 어이 한심치 아니리오. 다만 몽옥은 너희 ᄋᆡ녜라. ᄒᆞ믈며 져의 용안긔질(容顔氣質)이 인뉴의 초츌ᄒᆞ니 아모라도 칭찬ᄒᆞ려니와, ᄋᆡ랑은 만ᄉᆡ 남 ᄀᆞᆺ【87】지 못ᄒᆞ여, 그 젼졍(前程)을 범연이 도모ᄒᆞ여ᄂᆞᆫ 아조 볼 거시 업ᄉᆞ니, ᄉᆞᄅᆞᆷ이 계교를 묘히 힝ᄒᆞ면 혹ᄌᆞ되ᄂᆞᆫ 일이 만흔지라. 몽ᄋᆞᄂᆞᆫ 타쳐의 셩혼ᄒᆞ여 보ᄂᆡ라. 그리 ᄒᆞᄃᆡ 셩씨를 밧고와 쥬혹ᄉᆞ 녀로 ᄒᆞ고, ᄋᆡ랑은 네 ᄯᆞᆯ이라 ᄒᆞ여 몬져 하가의 녜를 일워 보ᄂᆡᆫ즉, 하셰[개] ᄋᆡ랑의 얼골 곱지 못ᄒᆞ믈 탄ᄒᆞ여 ᄒᆞ나, 텬졍연분으로 알아 박ᄃᆡ치 아니리니, 너ᄂᆞᆫ 말을 ᄂᆡᄃᆡ 'ᄯᆞᆯ이 쳐음은 《셕옥∥셩옥854)》 ᄀᆞᆺ더니 두역을 험히 ᄒᆞ고 풍병이 즁ᄒᆞ여 참혹히 되엿다' ᄒᆞ면, 원상이라도 졔 팔ᄌᆞ로 ○○[아라] 염염[고]ᄒᆞᆯ 의ᄉᆞ를 못ᄒᆞ리다. ᄎᆞᄉᆞ를 다 좃ᄎᆞ면 무ᄉᆞᆷ 일노 쥭으리오"

공이 일쳥(一聽)의 ᄎᆞ악한심(嗟愕寒心)ᄒᆞ여 졔졔를 도라보아 도로혀 우어 왈,

854)셩옥 : 임목옥의 전생 이름.

믄 니르도 말고 어히 업ᄉᆞ니, 도로혀 우음이 나ᄂᆞᆫ디라. 졔뎨를 도라보아 웃고 니르ᄃᆡ,

"우형이 셩옥을 죽이고 슬허 ᄒᆞ다가 몽ᄋᆞ를 어드니, 쳔금디보(千金之寶)로 귀듕ᄒᆞ미 비길 ᄃᆡ 업더니, 이런 난안(赧顔)ᄒᆞᆫ 경계를 당ᄒᆞ니, 츌하리 몽ᄋᆞ를 아니 나흠만 ᄀᆞᆺ디 못ᄒᆞᆫ디라. 하면목으로 하가의 이 말을 니르며, 그러나 ᄌᆞ의를 거역ᄒᆞᆫᄌᆞᆨ 대변이 나리니, 우형이 친옹을 져바리며 원상의 ᄇᆡ필을 어ᄌᆞ러이고, 몽ᄋᆞ를 심규의 폐인을 삼아 블쵸무상디인(不肖無狀之人)이 ○○[되미] 밋출 곳이 업셔도, 태태로【60】 ᄒᆞ여금 즈레 맛ᄎᆞ시ᄂᆞᆫ 변을 당치 아니리라."

뉵녜와 삼ᄆᆡ 면면이 눈섭을 펴디 못ᄒᆞᆯ ᄲᅳᆫ 아니라, 목시 공의 ᄃᆡ답을 ᄌᆡ촉ᄒᆞ니, 공이 마디 못ᄒᆞ여 ᄃᆡ왈,

"일이 이의 밋ᄎᆞ니, 쇼ᄌᆡ 친옹을 져바리며 ᄌᆞ식의 인눈을 희(戱)디어 블의디인이 될디언졍, ᄌᆞ교를 거ᄉᆞ디 아니ᄒᆞ오리니, 원(願) ᄐᆡᄐᆡᄂᆞᆫ 믈우(勿憂)ᄒᆞ시고 식음을 나오샤 거디를 평상이 ᄒᆞ쇼셔."

목시 대열ᄒᆞ여 비로소 문을 열고 공 등을 블너 드려 왈,

"몽옥을 믈니치고, ᄋᆡ랑을 뎡ᄒᆞᆫ 날의 뉵녜(六禮)를 구ᄒᆡᆼ(俱行)ᄒᆞ여 하가로 보ᄂᆡ라."

공이 한심ᄒᆞ믈 니긔디 못ᄒᆞ나, ᄒᆞᆯ일업셔 슌슌슈명(順順受命)ᄒᆞ고 식상(食床)을 나와 딘식(進食)【61】ᄒᆞ믈 청ᄒᆞ여, 디셩(至誠)이 아니 밋ᄎᆞᆫ 곳이 업ᄉᆞ니, 목시 거ᄌᆞᆺ ᄋᆡ랑으로 더브러 식음을 폐《ᄒᆞᄂᆞᆫ‖ᄒᆞᆫ》 쳬ᄒᆞ고, 딘육(珍肉)과 향긔로온 과실과 딘미(珍味)를 년쇽ᄒᆞ여 먹어 포복(飽腹)ᄒᆞ고, 니르ᄃᆡ,

"ᄋᆡ랑의 친ᄉᆞ를 일워 하가로 보ᄂᆡᆫ 후야 식음의 맛술 알가 시브다."

공의 곤계 ᄌᆡ삼 위로ᄒᆞ여 식반을 나오시믈 청ᄒᆞ고, 날호여 퇴ᄒᆞ여 셔헌의 나오ᄆᆡ, 참졍이 기리 탄왈,

"우형이 몽ᄋᆞ를 아니 나하도 오ᄌᆞ 이녀를 두어시니 브족ᄒᆞ미 업거ᄂᆞᆯ, 하날이 날노 ᄒᆞ여금 하퇴디 부ᄌᆞ를 져바려 블의디인을 ᄆᆡᆫ

"이런 난안(赧顔)ᄒᆞᆫ 일을 당ᄒᆞ니, 츌하리 몽ᄋᆞ를 아【88】니 나흠 ᄀᆞᆺ지 못ᄒᆞ도다. 하면목으로 하가의 이런 말을 니르며, 그러나 ᄌᆞ의를 거역ᄒᆞᆫᄌᆞᆨ 변이 나리니, 우형이 친옹을 져바리면[며], 원상의 ᄇᆡ필을 어ᄌᆞ러이고, 몽ᄋᆞ를 심규의 폐인을 삼아, 불의무상지인(不義無狀之人)이 되어도, ᄐᆡᄐᆡ로ᄒᆞ여 즈레 맛ᄎᆞ시ᄂᆞᆫ 변을 당치 아니리라."

뉵녜와 ᄉᆞᆷᄆᆡ 면면이 눈섭을 펴지 못ᄒᆞᆯ ᄲᅮᆫ 이라. 목씨 날호여 공의 ᄃᆡ답을 ᄌᆡ촉ᄒᆞ니, 공이 마지 못ᄒᆞ여 ᄃᆡ왈,

"일이 이에 밋ᄎᆞ니, 소ᄌᆡ 친옹을 져ᄇᆞ리며 ᄌᆞ식의 인눈을 희(戱)지어 블의지인이 될지언졍, ᄌᆞ교를 거ᄉᆞ리지 아니ᄒᆞ오리니, 원컨대 ᄐᆡᄐᆡᄂᆞᆫ 물우(勿憂)ᄒᆞ시고 식음을 나오샤 거지(擧止)를 평상이 ᄒᆞ소셔."

목씨 ᄃᆡ열ᄒᆞ여 비로소 문을 열고 공 등을 불너 드려 왈,

"몽옥을 물니치고, ᄋᆡ랑을 《졍ᄒᆞᄂᆞᆫ‖졍ᄒᆞᆫ》【89】날의 뉵녜(六禮)를 ᄌᆞᄒᆡᆼᄒᆞ여 하가로 보ᄂᆡ라."

공이 한심ᄒᆞ믈 니긔지 못ᄒᆞ여 ᄒᆞ나, ᄒᆞᆯ일업셔 슌슌슈명(順順受命)ᄒᆞ고 식상을 나와 권식ᄒᆞ시기를 청ᄒᆞ니, 지셩이 아니 밋출 곳이 업ᄂᆞᆫ지라. 목씨 거ᄌᆞᆺ ᄋᆡ랑으로 더브러 식음을 괴로이 폐ᄒᆞ고, 진육(珍肉과 향긔로온 실과를 연속ᄒᆞ여 《돈복‖포복(飽腹)》 ᄒᆞ고 닐ᄋᆞᄃᆡ,

"ᄋᆡ랑의 친ᄉᆞ를 일워 하가로 보ᄂᆡᆫ 후의야 음식의 맛술 알가 시부다."

공의 곤계 ᄌᆡᄉᆞᆷ 위로ᄒᆞ여 식반을 나오시믈 청ᄒᆞ고, 날호여 퇴ᄒᆞ여 셔헌의 나오ᄆᆡ 참졍이 기리 탄식 왈,

"우형이 몽ᄋᆞ를 아니 나하도 오ᄌᆞ 이녀를 두○[어]시니 부족ᄒᆞ미 업거ᄂᆞᆯ, 하ᄂᆞᆯ이 날노 ᄒᆞ야곰 하공의 부ᄌᆞ를 져바려○…결락

돌녀 ᄒᆞ여 몽ᄋᆞ를 ᄂᆡ시ᄆᆡ, 져의 신셰 더옥 니를 것 업ᄂᆞᆫ디라, 【62】 일ᄉᆡᆼ을 하가의 ᄇᆡᆫ 치례(采禮)[1095]를 딕희여 공규페인(空閨廢人)이 될 거시오, ᄋᆡ덜(-姪)은 하가의 보ᄂᆡ여 하ᄉᆡᆼ의 비위를 상히오고, 일것[1096] 하가의 가나 졔인의 치쇼(嗤笑)나 밧다가, 나죵은 가업ᄉᆞᆫ 히거(駭擧)와 인뉸을 난상(亂常)ᄒᆞᄂᆞᆫ 죄를 져즐고 츌화를 만날 거시니, 져히 신셰들 므어시 되며, 모친의 실덕인들 오죽 ᄒᆞ시리오. 우형이 이 마ᄃᆡ를 ᄉᆡᆼ각ᄒᆞᆫ 즉 간위(肝胃) 이울기를 면치 못ᄒᆞ리로다."

시랑 등이 형댱의 말숨을 드르ᄆᆡ ᄉᆞ셰 난쳐ᄒᆞ미 ᄒᆞᆫ두 가디○[가] 아니라. 이의 ᄃᆡᄒᆞ여 ᄀᆞᆯ오ᄃᆡ,

"셰상만ᄉᆡ 다 오로디 명(命)의 ᄆᆡ인 ᄇᆡ니, ᄉᆞ셰(事勢) 우리 등 임의로ᄂᆞᆫ 엇【63】디 ᄒᆞᆯ 길히 업ᄉᆞ오니, 모명을 슌슈ᄒᆞ여 뎡ᄒᆞᆫ 날의 ᄋᆡ랑을 보ᄂᆡ고, 일이 되여 가믈 보샤이다."

참졍 왈,

"우형인들 그런 줄 모로디 아니나, 나죵이 엇디 될고 념녀를 방하(放下)치 못ᄒᆞᄂᆞᆫ 듕, 맛춤ᄂᆡ 텬뉸ᄌᆞᄋᆡ로 인졍이 그음 업ᄂᆞᆫ 바의, 몽ᄋᆞ를 위ᄒᆞ여 잔잉[1097] 참졀ᄒᆞᆫ 밧ᄌᆞᄂᆞᆫ 맛춤ᄂᆡ ᄇᆡᆫ 치례(采禮)도 임의로 딕희디 못ᄒᆞᆯ가 ᄒᆞ노라."

ᄒᆞ더라,

ᄎᆞ시 됴졍의셔 왜국(倭國)이 딘공(進貢)을 여러 ᄒᆡ 폐ᄒᆞᄆᆡ, 디모(智謀) 가즌[1098] ᄌᆡ상으로 교유샤를 뎡ᄒᆞ여 보ᄂᆡ려 ᄒᆞ시니, 됴졍이 님참졍이 디혜와 ᄌᆡ뫼 족ᄒᆞ믈 일ᄏᆞ라 쳔거ᄒᆞ니, 참졍이 가ᄉᆞ(家舍)의 난【64】안디ᄉᆞ(赧顔之事)로 뎡히 울민(鬱悶)ᄒᆞ더니, 퍽 다ᄒᆡᆼᄒᆞ여 급급히 ᄒᆡᆼ쟝을 다ᄉᆞ려 왜국으로

1095)채례(采禮) : =납폐(納幣). 혼인할 때에, 사주단자의 교환이 끝난 후 정혼이 이루어진 증거로 신랑 집에서 신부 집으로 보낸 예물. 보통 밤에 푸른 비단과 붉은 비단을 혼서와 함께 함에 넣어 신부 집으로 보낸다

1096)일것 : 일껏. 모처럼 애써서.

1097)잔잉 : 자닝. 애처롭고 불쌍하여 차마 보기 어려움.

1098)가즉ᄒᆞ다 : 가지런하다. 갖추다. 구비하다.

13자…○[블의디인을 ᄆᆡᆫ돌녀 ᄒᆞ여 몽ᄋᆞ를] ᄂᆡᄆᆡ 져의 신셰ᄂᆞᆫ 더욱 닐을 것 업ᄂᆞᆫ지라. 일ᄉᆡᆼ을 하가의 ᄇᆡᆫ ᄎᆞ[치] 【90】 례(采禮)[855]를 직희여 공규폐인(空閨廢人)이 될 거시오. ᄋᆡ 딜(姪)은 하가의 보ᄂᆡ여 하ᄉᆡᆼ의 비위를 상히오리라."

ᄒᆞ더니,

ᄎᆞ시 임공이 황명으로 왜국(倭國)을 향ᄒᆞᆯ ᄉᆡ,

855)채례(采禮) : =납폐(納幣). 혼인할 때에, 사주단자의 교환이 끝난 후 정혼이 이루어진 증거로 신랑 집에서 신부 집으로 보낸 예물. 보통 밤에 푸른 비단과 붉은 비단을 혼서와 함께 함에 넣어 신부 집으로 보낸다

향ᄒᆞ샤, 몽옥을 나호여 니ᄅᆞ듸,

"내 너를 만닋(晩來)의 어더 일싱을 영화롭고져 ᄒᆞ엿더니, 만시 ᄯᅳᆺ ᄀᆞᆺ디 못ᄒᆞ나, 너는 만ᄉᆞ를 소졔(掃除)ᄒᆞ고 하가의 빈 치례를 딕희여시려니와, 혹ᄌᆞ 너의 졀개를 보젼치 못ᄒᆞᆯ 조각이 잇거든, 아모 곳의나 가 몸을 피ᄒᆞ여 상졀(常節)을 두려시 ᄒᆞ라."

쇼졔 일언을 블개(不改)ᄒᆞ고 슈명(受命) 빅별ᄒᆞ더라.

님공이 위의를 거나려 문을 나믹, 하공이 초공으로 더브러 쥬찬과 별장(別章)을 가져 원별ᄒᆞᄂᆞᆫ 회포를 위로ᄒᆞ실ᄉᆡ, 하공이 ᄀᆞᆯ오듸,

"형이 【65】 비록 황명을 거역디 못ᄒᆞ나 엇디 녕녀(令女)의 길녜(吉禮)를 보디 아니코, ᄌᆞ원ᄒᆞ여 급히 힝ᄒᆞ믄 엇디오?"

공이 홀연 미위(眉宇) 슈집(愁集)ᄒᆞ여 ᄀᆞᆯ오듸,

"쇼데 엇디 녀ᄋᆞ의 혼녜를 보고져 아니리오마ᄂᆞᆫ, 힝도의 일긔 졈졈 훈녈(薰熱)ᄒᆞᆫ듸 ○○○[힝ᄒᆞ기] 어려온 고로 극열의 왜국를 드듸고져 ᄒᆞ므로, 스ᄉᆞ로 원ᄒᆞ여 급히 힝ᄒᆞ미라. 길녜를 보디 못ᄒᆞ미 결연ᄒᆞ나, 집의 뉵뎨(六弟) 이시니 쇼뎨 이심과 다르미 업ᄉᆞᆫ디라. 오딕 녕낭의 긔특ᄒᆞ믄 본 빅어니와, 혹ᄌᆞ 녜를 일운 후 녀ᄋᆞ의 블미누딜(不美陋質)이 형의 고안과 존문의 블합ᄒᆞ미 이실디라도, 하날이 녕낭을 닋시믹 맛당 【66】 ᄒᆞᆫ 빅위 업디 아닐 바를 싱각ᄒᆞ고, 부운 ᄀᆞᆺᄐᆞᆫ 연분을 거리ᄶᅧ 과도히 념녀치 말나."

뎡국공 부ᄌᆞ 님공의 말이 슈상ᄒᆞ믈 괴이히 넉이나, 여러 빈긱이 이시므로 말을 못ᄒᆞ고, 날이 느ᄌᆞ믹 님공이 옥부졀월(玉斧節鉞)[1099]을 잡아 왜국으로 향ᄒᆞ니, 하공 부ᄌᆞ 부듕의 도라와 님공의 즐겨 아닛ᄂᆞᆫ 거동이 그윽이 의심이 업디 아니ᄒᆞ듸, 임의 뎡

1099)옥부졀월(玉斧節鉞) : 절(節)과 옥으로 만든 부월(斧鉞). 절부월(節斧鉞). 절월(節鉞). 조선 시대에, 관찰사・유수(留守)・병사(兵使)・수사(水使)・대장(大將)・통제사 들이 지방에 부임할 때에 임금이 내어 주던 물건. 절은 수기(手旗)와 같이 만들고 부월은 도끼와 같이 만든 것으로, 군령을 어긴 자에 대한 생살권(生殺權)을 상징하였다

허다 위의로 문의 나믹, 하공이 복야로 더브러 위의를 보고, 쥬찬으로 원별ᄒᆞᄂᆞᆫ 회포를 펼ᄉᆡ, 하공이 ᄀᆞᆯ오듸,

"형이 비록 황명을 거역지 못ᄒᆞ나, 엇지 녕녀(令女)의 길녜(吉禮)를 보지 아니코, ᄌᆞ원ᄒᆞ여 급히 힝ᄒᆞ믄 엇지미뇨?"

임공이 홀연 미위(眉宇) 슈습[집](愁集)ᄒᆞ여 왈,

"소뎨 엇지 녀ᄋᆞ의 혼녜를 보고져 아니리오마ᄂᆞᆫ, 힝도의 일긔 졈졈 훈열(薰熱)ᄒᆞᆫ듸, 극녈의 왜국를 드듸고져 ᄒᆞ믈 원ᄒᆞ여 급급히 힝ᄒᆞ미라. 길녜를 보지 못ᄒᆞ미 결연ᄒᆞ나, 집의 뉵뎨 (六弟)잇시니 소뎨 잇심과 다름이 업ᄉᆞᆫ지라. 녕낭의 긔특ᄒᆞ믄 본 빅어니와, 혹ᄌᆞ 녜를 닐운 【91】 후, 녀ᄋᆞ의 블미누질(不美陋質)이 형의 고안과 존문의 블합ᄒᆞ미 이실지라도, 하날이 녕낭을 닋믹 맛당ᄒᆞᆫ 빅위 업지 아닐 바를 ᄉᆡᆼ각ᄒᆞ고, 부운 ᄀᆞᆺᄐᆞᆫ 연분을 거리ᄭᅵ며 과도히 념녀치 말나."

뎡국공 부ᄌᆞ 임공의 말을 슈상히 넉이나 여러 빈긱이 잇시므로 말을 못ᄒᆞ고, 날이 느ᄌᆞ므로 급히 졀월(節鉞)[856]을 잡아 왜국으로 향ᄒᆞ니, 하공 부ᄌᆞ 부즁의 도라와 임공의 즐겨 아닛ᄂᆞᆫ 거동을 그윽이 의심ᄒᆞ듸, 임의 졍ᄒᆞ여 슌일이 가렷ᄂᆞᆫ 고로, 길일의 연셕을 ᄀᆡ장ᄒᆞ고 일가친쳑을 쳥ᄒᆞ여 신낭을

856)절월(節鉞) : 조선 시대에, 관찰사・유수(留守)・병사(兵使)・수사(水使)・대장(大將)・통제사 들이 지방에 부임할 때에 임금이 내어 주던 물건. 절은 수기(手旗)와 같이 만들고 부월은 도끼와 같이 만든 것으로, 군령을 어긴 자에 대한 생살권(生殺權)을 상징하였다

ᄒᆞ여 슌일(旬日)이 가렷ᄂᆞᆫ 고로 믈니치디 못ᄒᆞ여, 길일의 연셕을 개장ᄒᆞ고 일가친쳑을 다 청ᄒᆞ여, 신낭을 보ᄂᆡ며 신부를 마ᄌᆞᆯ ᄉᆡ, 공이 길일을 당ᄒᆞ여 두굿기ᄂᆞᆫ 듕 참연이 녯 일을 늣겨, 비희교집(悲喜交集)【67】ᄒᆞᄂᆞᆫ디라. 일ᄉᆡᆨ이 반오(半午)의 원상 공ᄌᆞ 길복을 ᄀᆞᆺ초고, 뎐안디녜(奠雁之禮)[1100]를 습의(習儀)ᄒᆞᄆᆡ, 공ᄌᆞ의 옥모영풍(玉貌英風)이 이날 더옥 긔이ᄒᆞ여, 하안(何晏)[1101] 반악(潘岳)[1102]이 다시 살고 두목디(杜牧之)[1103] 환ᄉᆡᆼ(還生)ᄒᆞ나, 원상의 슈려ᄒᆞᆫ 용화와 동탕ᄒᆞᆫ 풍신을 당키 어렵거ᄂᆞᆯ, 딘퇴녜졀(進退禮節)이 빈빈슉슉(彬彬肅肅)ᄒᆞ니, 부뫼 탐탐과ᄋᆡ(耽耽過愛)ᄒᆞ여 희열ᄒᆞ고 두굿기믈 결을치 못ᄒᆞ더라.

초공이 또ᄒᆞᆫ 깃브며 즐거오믈 씌여, 날이 느ᄌᆞᄆᆡ 공ᄌᆞ를 압셰오고 요ᄀᆡᆨ(繞客)을 거ᄂᆞ려 님부로 향ᄒᆞᆯᄉᆡ, 초공이 신낭을 ᄆᆞᆯ긔 올니고 ᄌᆞ긔 거륜의 안ᄌᆞ, 희긔 낫 우희 영ᄌᆞ(盈滋)[1104]ᄒᆞ여 ᄉᆡᆼ셰디낙(生世之樂)이 쳐음인 ᄃᆞᆺ ᄒᆞ더라.

ᄒᆡᆼᄒᆞ여, 님부의 니르러【68】 옥상(玉床)의 기러기를 젼ᄒᆞ고, 텬디(天地)긔 녜ᄇᆡ(禮拜)를 맛ᄎᆞᄆᆡ, 님혹ᄉᆞ 등이 팔 미러 좌의 나아가니, 님공의 ᄎᆞ뎨 님상셰 졔뎨를 거나

1100)뎐안디녜(奠雁之禮) : 혼인례에서, 신랑이 기러기를 가지고 신부 집에 가서 상 위에 놓고 절하는 의례(儀禮). 기러기는 한번 짝을 지으면 죽을 때까지 짝을 바꾸지 않는다 하여 신랑이 백년해로 하겠다는 서약의 징표로서 신부의 어머니에게 기러기를 드린다. 산 기러기를 쓰기도 하나, 대개는 나무로 만든 것을 쓴다.

1101)하안(何晏) : 중국 삼국 시대 위(魏)나라의 학자. 자는 평숙(平叔). 벼슬은 시중상서에 이르렀으며, 청담을 즐겨 그것이 유행하는 계기를 만들고 경학을 노장풍(老莊風)으로 해석하였다. 저서에 ≪논어집해≫가 있다. 얼굴에 분을 발라 멋을 부려, 미남자로도 이름이 높았다.

1102)반악(潘岳) : 247~300. 중국 서진(西晉)의 문인(文人). 자는 안인(安仁). 승상을 지냈고 미남자의 대명사로 쓰인다.

1103)두목지(杜牧之) : 803~852. 이름은 두목(杜牧). 당나라 만당(晩唐)때 시인. 미남자로, 두보(杜甫)에 상대하여 '소두(小杜)'라 칭하며, 두보와 함께 '이두(二杜)'로 일컬어지기도 한다.

1104)영자(盈滋) : 가득함. 가득 피어남.

보ᄂᆡ고 신부를 마ᄌᆞᆯᄉᆡ, 공이 부ᄃᆡ 원상 공ᄌᆞ의 길녜를 당ᄒᆞ여 각별이 두굿기며 참연이 녯 일을 늣겨 비희교집(悲喜交集) ᄒᆞᄂᆞᆫ지라. 일ᄉᆡᆨ이 반오의 원상 공【92】ᄌᆞ 길복을 갓초고 젼안지녜(奠雁之禮)[857]를 습의(習儀)ᄒᆞᄆᆡ, 공ᄌᆞ의 옥모영풍(玉貌英風)이 이날 더욱 긔이ᄒᆞ여, 하안(何晏)[858] 반악(潘岳)[859]이 다시 살고 두목지(杜牧之)[860] 환ᄉᆡᆼ(還生)ᄒᆞ나, 원상의 슈려ᄒᆞᆫ 용화와 동탁ᄒᆞᆫ 풍신은 당키 어렵거날, 진퇴졍슉ᄒᆞ여 유유존ᄌᆞ(悠悠尊者)의 풍(風)이 잇시니, 부뫼 탐탐과ᄋᆡ(耽耽過愛)ᄒᆞ여 ᄒᆡᆼ희ᄒᆞ미 하날의 오른 ᄃᆞᆺ, 두굿기믈 결을치 못ᄒᆞ더라.

초휘 또ᄒᆞᆫ 깃붐과 즐거오믈 씌여, 날이 느ᄌᆞ므로뼈 공ᄌᆞ를 압셰오고 하가 요ᄉᆡᆨ[ᄀᆡᆨ](繞客)을 거ᄂᆞ려 임부로 나아갈ᄉᆡ, 초공이 신낭을 말 우희 올니고 ᄌᆞ긔 슐위 우희 오르ᄆᆡ, 희긔 낫 우희 영ᄌᆞ(盈滋)[861]ᄒᆞ여 ᄉᆡᆼ셰지낙(生世之樂)이 쳐음인 ᄃᆞᆺ ᄒᆡᆼ희(幸喜)ᄒᆞ여, 임부의 니르러 옥상(玉床)의 기러기를 젼ᄒᆞ고, 텬디(天地)긔 ᄇᆡ례(拜禮)를 맛ᄎᆞᄆᆡ, 임혹ᄉᆞ 등이 팔 미러 좌의 나아가니,【93】 임공의 ᄎᆞ뎨 임상셰 졔졔를 거ᄂᆞ려 슈좌(首

857)뎐안디녜(奠雁之禮) : 혼인례에서, 신랑이 기러기를 가지고 신부 집에 가서 상 위에 놓고 절하는 의례(儀禮). 기러기는 한번 짝을 지으면 죽을 때까지 짝을 바꾸지 않는다 하여 신랑이 백년해로 하겠다는 서약의 징표로서 신부의 어머니에게 기러기를 드린다. 산 기러기를 쓰기도 하나, 대개는 나무로 만든 것을 쓴다.

858)하안(何晏) : 중국 삼국 시대 위(魏)나라의 학자. 자는 평숙(平叔). 벼슬은 시중상서에 이르렀으며, 청담을 즐겨 그것이 유행하는 계기를 만들고 경학을 노장풍(老莊風)으로 해석하였다. 저서에 ≪논어집해≫가 있다. 얼굴에 분을 발라 멋을 부려, 미남자로도 이름이 높았다.

859)반악(潘岳) : 247~300. 중국 서진(西晉)의 문인(文人). 자는 안인(安仁). 승상을 지냈고 미남자의 대명사로 쓰인다.

860)두목지(杜牧之) : 803~852. 이름은 두목(杜牧). 당나라 만당(晩唐)때 시인. 미남자로, 두보(杜甫)에 상대하여 '소두(小杜)'라 칭하며, 두보와 함께 '이두(二杜)'로 일컬어지기도 한다.

861)영자(盈滋) : 가득함. 가득 피어남.

려 슈좌(首座)의 거ᄒᆞ여 신낭을 마ᄌᆞ며 졔ᄀᆡᆨ을 졉ᄃᆡᄒᆞ여, 외면의 화긔를 밧고디 아니나, 신낭의 옥골션풍을 보ᄆᆡ, ᄋᆡ랑의 흉참누딜을 혜아려 낫출 짝고 시브기ᄂᆞᆫ 니르도 말고, 몽옥 쇼져의 혼ᄉᆡᆨ 그릇 되믈 분한ᄒᆞ여 ᄌᆞ연ᄒᆞᆫ 가온ᄃᆡ 탄셩이 ᄌᆞ로 니러나니, 초공의 신긔로온 춍명으로 님공의 쾌치 아녀 ᄒᆞ믈 괴이히 넉이더라.

ᄎᆞ일 목시 ᄋᆡ랑의 단장을 치례ᄒᆞ여 듕청(中廳)의 셰오고 대례(大禮)를 습의(習儀)코져 ᄒᆞ나, 뒤틀닌 비각(臂脚)의 므ᄉᆞᆫ 딘【69】퇴녜졀(進退禮節)이 이시리오.【70】

座)의 거ᄒᆞ여, 신낭을 마ᄌᆞ며 졔ᄀᆡᆨ을 졉봉(接奉)ᄒᆞ여 외연(外緣)[862]의 화긔를 밧고지 아니나, 신낭의 옥골션풍을 보ᄆᆡ ᄋᆡ랑의 흉참누질을 혜아려 낫출 짝고 시분 즁, 몽ᄋᆞ 소져의 혼ᄉᆡᆨ 그릇 되믈 분한ᄒᆞ여 ᄌᆞ연ᄒᆞᆫ 가온ᄃᆡ 탄식이 ᄌᆞ로 니러ᄂᆞ니, 초공의 신긔로온 총명으로 임공의 긔ᄉᆡᆨ이 쾌치 아니믈 고이히 넉이더라.

ᄎᆞ일 목태부인이 ᄋᆡ랑을 단장 치례ᄒᆞ여 즁청(中廳)의 셰오고, ᄃᆡ례(大禮)를 습의(習儀)코져 ᄒᆞ나, 뒤틀닌 비각(臂脚)의 진퇴례졀(進退禮節)이 잇시리오.

862)외연(外緣) : 가장자리나 둘레.

명듀보월빙 권디구십삼

화셜 초공의 신명ᄒᆞ므로 님공의 블쾌ᄒᆞ믈 괴이히 넉이더라. ᄎᆞ일 목시 ᄋᆡ랑의 단장을 치례ᄒᆞ여 듕쳥의 셰오고 대례(大禮)를 습의(習儀)코져 ᄒᆞ나, 뒤틀닌 비각의 ᄆᆞᄉᆞᆫ 딘퇴 녜졀이 이시리오.

칠보(七寶)[1105] 단장(丹粧)의 금슈보옥(錦繡寶玉)이 아니 가ᄌᆞᆫ[1106] 거시 업ᄉᆞᄃᆡ, 그럴ᄉᆞ록 보기 더옥 무셔오니, 목시 흉휼극악(凶譎極惡)ᄒᆞ므로 ᄂᆡᄀᆡᆨ(內客)은 ᄒᆞ나토 쳥(請)치 아냐, 다만 강부인과 샤·경 등 부인을 호령ᄒᆞ여 단장을 빗ᄂᆡ나, 님혹ᄉᆞ 부인은 년쇼디심이라. ᄋᆡ랑의 단장ᄒᆞ고 나셔믈 당ᄒᆞ여 그윽이 외면(外面)ᄒᆞ여 우음을 머금고, 【1】 강 부인과 상셔 부인 등은 녀ᄋᆞ의 친ᄉᆡ(親事) 헛일이 되고, 져 흑살텬신(黑煞天神)[1107]을 텬션(天仙) ᄀᆞᆺᄐᆞᆫ 하ᄉᆡᆼ의 ᄇᆡ우를 삼으미 참괴 ᄎᆞ악ᄒᆞ여 말이 막히고 ᄋᆡᄃᆞᆲ기 극ᄒᆞᄃᆡ, 목시 안젼(眼前)의 화긔를 일치 못ᄒᆞ여, 됴흔 낫ᄎᆞ로 ᄋᆡ랑을 븟드러 뎡의 올니ᄆᆡ, 목시 시녀 양낭 슈십인을 뎡ᄒᆞ여 ᄋᆡ랑을 셤기게 ᄒᆞ고, 범ᄉᆞ를 샤치히 ᄒᆞ여 혼슈나 극딘키를 위쥬ᄒᆞᄃᆡ, 쳐음 보면 놀나오믈 니긔디 못ᄒᆞᆯ ᄇᆡ라.

임의 ᄋᆡ랑을 뎡의 올니ᄆᆡ 하ᄉᆡᆼ이 봉교(封轎)ᄒᆞ여 부듕의 도라 올ᄉᆡ, ᄉᆡᆼ쇼고악(笙簫鼓樂)[1108]은 하날을 드레고, 허다 위의ᄂᆞᆫ 대로를 덥헛ᄂᆞᆫᄃᆡ, 신낭의 관옥디모(冠玉之貌)[1109]와 츄월디광(秋月之光)이 태양의 빗출 아【2】ᄉᆞ니, 노상(路上) 관광ᄌᆡ(觀光者)

칠보(七寶)[863] 단장(丹粧)의 금슈보옥(錦繡寶玉)이 아니 가ᄌᆞᆫ 거시 업ᄉᆞᄃᆡ, 그럴ᄉᆞ록 보기 더욱 무셔오니, 목씨 흉휼극악(凶譎極惡)ᄒᆞ므로 ᄂᆡᄀᆡᆨ은 ᄒᆞ나토 쳥(請)치 아녀, 다만 강부인과 샤·경 등 부인을 호【94】령ᄒᆞ여 단장을 빗ᄂᆡ나, 임혹ᄉᆞ 부인은 년쇼지심이라. ᄋᆡ랑의 단장ᄒᆞ고 나셔믈 당ᄒᆞ여 그윽이 낫출 두루혀 우음을 머금고, 강부인과 상셔 부인 등은 녀ᄋᆞ의 친ᄉᆞ(親事)ᄂᆞᆫ 헷 일이 되고, 져 《흑산신‖흑살텬신(黑煞天神)[864]》을 텬션(天仙) ᄀᆞᆺᄐᆞᆫ 하ᄉᆡᆼ의 ᄇᆡ우를 삼으미 참괴코 ᄎᆞ악ᄒᆞ여 말이 막히ᄃᆡ, 목씨 안젼(眼前)의 화긔를 일치 못ᄒᆞ여 조흔 낫ᄎᆞ로 ᄋᆡ랑을 븟드러 뎡의 올니ᄆᆡ, 목씨 또 양낭 슈십 인을 졍ᄒᆞ여 ᄋᆡ랑을 셤기게 ᄒᆞ고, 범ᄉᆞ를 샤치ᄒᆞ여 혼슈나 극진키를 위쥬ᄒᆞᄃᆡ, 쳐음 보면 놀납기를 니긔지 못ᄒᆞᆯ ᄇᆡ라.

임의 ᄋᆡ랑의 몸이 뎡의 들ᄆᆡ 하ᄉᆡᆼ이 봉교(封轎)ᄒᆞ여 부즁의 도라 올ᄉᆡ, ᄉᆡᆼ소고악(笙簫鼓樂)[865]은 하날을 드레고 허다 위의 ᄃᆡ로를 덥헛ᄂᆞᆫᄃᆡ, 신랑의 관옥지모(冠玉之貌)[866]와 츄월지광(秋月之光)이 【95】 ᄐᆡ양의 빗출 아ᄉᆞ니, 노상 관광ᄌᆡ(觀光者) ᄎᆡᆨᄎᆡᆨ칭션(嘖嘖稱善)ᄒᆞ더라.

1105)칠보(七寶) : 『불교』에서 말하는 일곱 가지 주요 보배. 무량수경에서는 금·은·유리·파리·마노·거거·산호를 이르며, 법화경에서는 금·은·마노·유리·거거·진주·매괴를 이른다.

1106)가ᄌᆞᆨᄒᆞ다 : 가지런하다. 갖추다. 구비하다.

1107)흑술텬신(黑煞天神) : 검은 살기를 띤 흉한 모습의 귀신.

1108)ᄉᆡᆼ소고악(笙簫鼓樂) : 생황(笙篁)과 통소, 북 등의 악기.

1109)관옥지모(冠玉之貌) : 관옥처럼 아름다운 모습. 관옥은 관(冠)을 꾸미는 옥.

863)칠보(七寶) : 『불교』에서 말하는 일곱 가지 주요 보배. 무량수경에서는 금·은·유리·파리·마노·거거·산호를 이르며, 법화경에서는 금·은·마노·유리·거거·진주·매괴를 이른다.

864)흑술텬신(黑煞天神) : 검은 살기를 띤 흉한 모습의 귀신.

865)ᄉᆡᆼ소고악(笙簫鼓樂) : 생황(笙篁)과 통소, 북 등의 악기.

866)관옥지모(冠玉之貌) : 관옥처럼 아름다운 모습. 관옥은 관(冠)을 꾸미는 옥.

칙칙칭션(嘖嘖稱善)ᄒᆞ더라.

힝ᄒᆞ여 취운산의 도라와 듕쳥(中廳)의 금년치셕(金蓮彩席)[1110]이 휘황ᄒᆞ고, 긔린쵹(麒麟燭)이 찬난ᄒᆞᆫ 가온ᄃᆡ, ᄎᆡ녀(彩女) 빵빵이 신부를 젼ᄎᆞ후옹(前遮後擁)ᄒᆞ여 녜셕(禮席)의 다ᄃᆞ르ᄆᆡ, 몬져 그 신댱이 녜ᄉᆞ롭디 못ᄒᆞ여, 좌우로 븟드럿ᄂᆞᆫ 시녀 우히 크게 《ᄂᆡᄃᆞ르니∥ᄂᆡ도ᄒᆞ니》 듕ᄀᆡᆨ이 괴이히 녁이더니, 이윽고 면ᄉᆞ를 벗기고 금쥬션(錦珠扇)을 반개(半開)ᄒᆞ여, 독좌(獨坐)의 녜(禮)[1111]를 다ᄒᆞᆯᄉᆡ, 그 상모의 험괴망측ᄒᆞ믄 니르도 말고, ᄇᆡᆨ발이 은ᄉᆞ(銀絲)를 드리오고, 퍼딘 허리 셰 아름이나 ᄒᆞ고, 흉ᄒᆞᆫ ᄏᆡᄂᆞᆫ 팔쳑(八尺)이나 ᄒᆞ고, 만고를 기우려도 둘 업ᄉᆞᆫ 흉상(凶狀)이니, 듕ᄀᆡᆨ(衆客)이 님시의 현슉긔이(賢淑奇異)ᄒᆞ믈 드럿다가, 이 거동을【3】보고 경악ᄒᆞ믈 니긔디 못ᄒᆞ여 낫빗출 변ᄒᆞ고, 신낭은 밧그로 나가고, 신뷔 여러 시녀 양낭의게 쪄드려 구고긔 폐ᄇᆡᆨ을 헌ᄒᆞ고, 팔ᄇᆡ대례(八拜大禮)를 일울ᄉᆡ, 그 나아 오ᄂᆞᆫ 바의 족용이 광잡(狂雜)ᄒᆞ여 뜻글이 니러나며, 난간이 움족이며, 괴이ᄒᆞᆫ 숨소ᄅᆡ '뉵월념텬(六月炎天)의 멍에 메온 쇠 소ᄅᆡ'[1112] ᄀᆞᆺ거ᄂᆞᆯ, 폐ᄆᆡᆼ(廢盲)ᄒᆞᆫ 일목의ᄂᆞᆫ 눈믈이 아모 졔도 긋칠 줄 모로니, ᄌᆞ연 시욹[1113]이 즛믈너 연디로 쓰ᄉᆞᆫ 듯, 거믄 얼골은 괴셕(怪石)이며 머리털은 ᄇᆡᆨ발이니, ᄇᆡᆨ셰노인이라도 이의셔 더으니 못ᄒᆞᆯ 듯, 기우러딘 입은 왼편 귀를 향ᄒᆞ고, 욹쥐인[1114]

1110)금년치셕(金蓮彩席) : 금빛 연꽃을 수놓아 아름답게 꾸민 자리.

1111)독좌(獨坐)의 녜(禮) : 혼인례에서 대례(大禮)를 달리 이른 말. 즉 신랑과 신부가 대례를 행할 때 각각의 앞에 음식을 차려 놓은 독좌상(獨坐床)을 놓고 교배(交拜)·합근(合巹) 등의 의례를 행하는 것을 이르는 말이다.

1112)뉵월념텬(六月炎天)의 멍에 메온 쇠 소ᄅᆡ : 한여름 뙤약볕 아래 무거운 짐을 끌고 가는 소가 헐떡거리며 내는 거친 숨소리.

1113)시욹 : 시울. 언저리. 흔히 눈이나 입의 언저리를 이를 때에 쓴다. *눈시울; 눈언저리의 속눈썹이 난 곳. *입시울; '입술'의 옛말.

1114)욹쥐이다 : 옥쥐다. 옥여 꽉 쥐다. *옥다; 안쪽으로 오그라져 있다.

힝ᄒᆞ여 취운산의 도라와 즁쳥(中廳)의 긔린쵹(麒麟燭)이 찬난ᄒᆞᆫ 가온ᄃᆡ ᄎᆡ의(彩衣) 시녀 빵빵히 신부를 젼ᄎᆞ후옹(前遮後擁)ᄒᆞ여 녜셕(禮席)의 다다다르ᄆᆡ, 몬져 그 신장이 예ᄉᆞ롭지 못ᄒᆞ여. 좌우로 븟드럿ᄂᆞᆫ 시녀 우히 크게 ᄂᆡ도ᄒᆞ니, 즁ᄀᆡᆨ이 고이히 녁이더니, 이윽고 면ᄉᆞ를 벗기고 금슈션(錦繡扇)을 반ᄀᆡ(半開)ᄒᆞ여 독좌(獨坐)의 녜(禮)[867]를 다ᄒᆞᆯᄉᆡ, 그 상모의 험괴망측ᄒᆞ믄 니르도 말고 ᄇᆡᆨ발이 은ᄉᆞ(銀絲)를 드리오고, 퍼진 허리 셰 아람이나 ᄒᆞ고, 흉장ᄒᆞᆫ ᄏᆡᄂᆞᆫ 팔쳑(八尺)이나 ᄒᆞ고, 만고를 상고ᄒᆞ여도 둘도 업슬 흉상(凶狀)이니, 즁ᄀᆡᆨ이 임씨의 《현슉지 아니믈∥현슉긔이(賢淑奇異)ᄒᆞ믈》 몬져 드럿다가, 이 거동을보고 경악ᄒᆞ믈 니긔지 못ᄒᆞ여 낫빗출 변ᄒᆞ고, 신랑은 즉시 밧그로 나가고,【96】식뷔 여러 시녀 양낭의게 쪄 븟들녀 구고긔 폐ᄇᆡᆨ을 헌ᄒᆞ고, 팔ᄇᆡᄃᆡ례(八拜大禮)를 닐울ᄉᆡ, 그 나아 오ᄂᆞᆫ 바의 족용이 광잡(狂雜)ᄒᆞ여 틔글이 이러나며, 난간이 움죽이고, 고이ᄒᆞᆫ 숨소ᄅᆡ '뉵월념텬(六月炎天)의 멍에 메인 쇠 소ᄅᆡ'[868] ᄀᆞᆺᄒᆞᆫ지라. 폐ᄆᆡᆼ(廢盲)ᄒᆞᆫ 일목의ᄂᆞᆫ 눈물이 긋칠 쥴을 모르니, ᄌᆞ연 눈시욹[869]이 짓물너 연지로 쓰ᄉᆞᆫ 듯, 거믄 얼골은 괴셕(怪石)이 ᄉᆞ라커ᄂᆞᆯ[870], 머리털은 ᄇᆡᆨ셰노인이라도 이에셔 더으지 못ᄒᆞᆯ 듯, 기우러진 입은 왼[871] 귀를 향ᄒᆞ고, 뒤틀닌 비각의 능히 진퇴를 못ᄒᆞ니, 그 모양의 흉괴코 더러오며 아니ᄭᅩ으믈 엇지 비ᄒᆞᆯ ᄃᆡ 잇시리오. 즛뭉그러진 코히 븕

867)독좌(獨坐)의 녜(禮) : 혼인례에서 대례(大禮)를 달리 이른 말. 즉 신랑과 신부가 대례를 행할 때 각각의 앞에 음식을 차려 놓은 독좌상(獨坐床)을 놓고 교배(交拜)·합근(合巹) 등의 의례를 행하는 것을 이르는 말이다.

868)뉵월념텬(六月炎天)의 멍에 메인 쇠 소ᄅᆡ : 한여름 뙤약볕 아래 무거운 짐을 끌고 가는 소가 헐떡거리며 내는 거친 숨소리.

869)눈시욹 : 눈시울. 눈언저리의 속눈썹이 난 곳. *시울; 언저리. 흔히 눈이나 입의 언저리를 이를 때에 쓴다. *입시울; '입술'의 옛말.

870)ᄉᆞ라커ᄂᆞᆯ : 살았거늘.

871)왼 : 왼편.

슈족(手足)과 뒤틀닌 비각(臂脚)의 능히 딘퇴(進退)를 못ᄒᆞ니, 그 모양의 흉괴코 더러【4】오미 눅눅고 아니ᄭᅩ으믈 어이 비ᄒᆞᆯ 곳이 이시리오. 즛뭉그러딘 코히 븕기도 각별ᄒᆞ여 쥬토(朱土)○[를] 칠ᄒᆞᆫ 듯, ᄂᆡ민 니마의 거두친1115) 톡1116)이 더옥 보기 슬희여믜오미 아모 ᄆᆞᄋᆞᆷ의도 극ᄒᆞᆫ디라.

하공의 강ᄆᆡᆼᄒᆞᆷ과 됴부인의 견고단슉(堅固端肅)ᄒᆞ므로도 신ᄉᆡᆨ이 변ᄒᆞ믈 ᄭᆡᄃᆞᆺ디 못ᄒᆞ여, 어린ᄃᆞ시 흉인을 바라보고 오ᄅᆡ도록 말을 못ᄒᆞ니, 좌우 빈ᄀᆡᆨ이 더러오믈 니긔디 못ᄒᆞ여, 비위 약ᄒᆞᆫ 니ᄂᆞᆫ 고개를 도로혀며, 초공 부인 윤시와 윤태부 부인 하시를 도라보아 흉금(胸襟)이 상연(爽然)ᄒᆞ고 냥목(兩目)이 ᄉᆡᆨ훤키를 구ᄒᆞ며, 신부를 다시 보디 아니니, 이 듕 초공【5】부인 연시ᄂᆞᆫ 도로혀 상뫼 녜ᄉᆞ로온 듯, 신인으로 비컨ᄃᆡ 십ᄇᆡ나 나으미 이시니, 공의 부뷔 ᄉᆡᆼᄂᆡ 쳐음으로 연시 ᄀᆞᆺ튼 박ᄉᆡᆨ을 보고, ᄆᆡ양 그 인믈 긔딜이 ᄌᆞ부 항의 써림ᄒᆞ미 되엿더니, ᄆᆡᆺ 신부를 ᄃᆡᄒᆞᄆᆡ, 텬션 ᄀᆞᆺ튼 ᄋᆞᄃᆞᆯ의 ᄇᆡ항이 그릇 되믈 ᄋᆡ둛고 분ᄒᆞ여, 됴부인은 눈믈이 거의 써러질 듯ᄒᆞ고, 윤니부 부인의 남다른 우ᄋᆡ로ᄲᅧ 원상의 ᄇᆡ필이 이 ᄀᆞᆺᄐᆞ믈 보고, 엇디 놀납고 ᄎᆞ악디 아니리오마ᄂᆞᆫ, ᄌᆞ긔 부모의 경ᄒᆡ(驚駭)ᄒᆞ시ᄂᆞᆫ 심ᄉᆞ를 위ᄒᆞ여 남ᄆᆡ ᄒᆞᆷ긔 좌를 써나, 이셩화긔(怡聲和氣)로 ᄀᆞᆯ오ᄃᆡ,

"녀ᄌᆞᄂᆞᆫ 덕이 웃듬이오, ᄉᆡᆨ【6】이 버금이라. ᄒᆞ믈며 홍안(紅顏)이 박명(薄命)이라. 신부의 용안이 블미(不美)ᄒᆞ나, ᄀᆞ장 유덕(有德)ᄒᆞ여 황시(黃氏)의 대량과 ᄆᆡᆼ광(孟光)의 어질미 이시니[며] 복덕이 가ᄌᆞᆯ딘ᄃᆡ, 이만 깃븐 일이 업ᄉᆞᆯ디라. 대인과 ᄌᆞ졍은 댱ᄂᆡ를 두고 보쇼셔."

공이 강인 답왈,

"여언(汝言)이 뎡합아심(正合我心)1117)이

1115)거두치다 : 걷다. 걷어 올리다. 아래로 늘어진 것을 말아 올리다.

1116)톡 : 턱. 사람의 입 아래에 있는 뾰족하게 나온 부분.

1117)여언(汝言) 뎡합아심(正合我心) : 네 말이 나의

기ᄂᆞᆫ 각별ᄒᆞ여 쥬토(朱土)○[를] 칠ᄒᆞᆫ 듯, ᄂᆡ민 이마의 거두친872) 턱이 더욱 보기【97】슬희여뮈믜오미 극ᄒᆞᆫ지라.

공의 강ᄆᆡᆼᄒᆞᆷ과 조부인의 단슉(端肅) 므로도 신ᄉᆡᆨ이 변ᄒᆞ믈 ᄭᆡ닷지 못ᄒᆞ여, 어린다시 흉인을 바라보고 오ᄅᆡ도록 말을 못ᄒᆞ니, 좌우 빈ᄀᆡᆨ이 더러오믈 니긔지 못ᄒᆞ여, 초공 부인 윤씨와 윤태부 부인 하씨를 도라보아 흉금(胸襟)이 상연(爽然)ᄒᆞ고 냥목(兩目)이 ᄉᆡᆨ훤키를 구ᄒᆞ며, 신부를 다시 보지 아니니, 이 즁 초공의 ᄌᆡ실 연씨ᄂᆞᆫ 도로혀 상뫼 예ᄉᆞ로온 듯, 신인으로 비컨ᄃᆡ 만히 나으미 잇ᄂᆞᆫ지라. 공의 부뷔 ᄉᆡᆼᄂᆡ 쳐음으로 연씨 ᄀᆞᆺ튼 박ᄉᆡᆨ을 보고, ᄆᆡ양 그 인믈이 ᄌᆞ부 항의 《나리미 되엿다가‖써림ᄒᆞ미 되엿더니》, 신부를 ᄃᆡᄒᆞᄆᆡ 텬션 ᄀᆞᆺ튼 ᄋᆞᄃᆞᆯ의 ᄇᆡ항이 그릇 되믈 ᄋᆡ둛고 분ᄒᆞ여, 조부인은 눈믈이 거의 써러질 듯ᄒᆞ며, 유[윤]니부 부인이 남【98】다른 우ᄋᆡ로ᄲᅧ ᄎᆞ악지 아니리오마ᄂᆞᆫ, 부모의 심ᄉᆞ를 위ᄒᆞ여 남ᄆᆡ ᄒᆞᆷ긔 좌를 써나 이셩화긔로 ᄀᆞᆯ오ᄃᆡ,

"녀ᄌᆞᄂᆞᆫ 덕이 웃듬이오, ᄉᆡᆨ이 버금이라"

ᄒᆞ니, 공이 강잉 답 왈,

"녀언(汝言)이 졍합공심(正合公心)873)이

872)거두치다 : 걷다. 걷어 올리다. 아래로 늘어진 것을 말아 올리다.

873)여언(汝言) 뎡합공심(正合公心) : 네 말이 가장 공평한 말이다.

라. 녀ᄌᆞᄂᆞᆫ 덕이 읏듬이니 신뷔 비록 외모ᄂᆞᆫ 더러오나 그 덕힝이 슉뇨(淑窈)ᄒᆞᆫ즉 엇디 힝이 아니리오."

듕긱이 소ᄅᆡ를 응ᄒᆞ여 신뷔 유덕ᄒᆞ여 뵈믈 일ㅋ라, 셔어히 말을 디어 칭하ᄒᆞ니, 공이 견혀 모로ᄂᆞᆫ ᄃᆞᆺ 화긔를 작위ᄒᆞ고, 부인은 맛참ᄂᆡ 말이 업더니, 연시 신부의 흉상박【7】면(凶狀薄面)을 보고 징그라오미 가려온 ᄃᆡ를 긁ᄂᆞᆫ ᄃᆞᆺᄒᆞ여, 나상(羅裳)을 썰치고 홍슈(紅袖)를 디어[1118] 대쇼 왈,

"나ᄂᆞᆫ 승상의 손녀오, 공쥬의 만금 일녀며, 션(先) 황뎨의 손이오, 금(今) 황뎨 싱딜로, 부귀호치(富貴豪侈) 셰샹의 ᄲᅧ여나ᄃᆡ, 어인 얼골이 두역(痘疫)을 험히 디ᄂᆡ고 뎨디 민쳡디 못ᄒᆞᆫ 고로, 구고와 가군이 날 알기를 더러온 흉[1119]ᄀᆞᆺ치 아르시더니, 금일 신부를 보오니 일목이 폐밍ᄒᆞᆫ 가온ᄃᆡ 아니 ᄭᅩ은 믈을 즛흘니고[1120] 얽고 믯기를 날도곤 더ᄒᆞᆫ ᄃᆞᆺᄒᆞ며, 검고 프르고 흉참ᄒᆞᆫ 빗춘 와셕(瓦石)이라도 져러치 못ᄒᆞᆯ 거시오. 아모리 병과 풍증(風症)인들 비각과 슈족이 틀니인 져 신【8】부 ᄀᆞᆺ튼 병인을 나ᄂᆞᆫ 보디 못ᄒᆞ엿ᄂᆞ니, 사ᄅᆞᆷ이 못삼기다 ᄒᆞᆫ들 현마 져ᄃᆡ도록 ᄒᆞᆯ 길히 이시리오. 머리로 보아ᄂᆞᆫ ᄇᆡᆨ셰나 ᄒᆞ니, 져 ᄇᆡᆨ발을 븟치고 신뷔라 ᄒᆞ며 셔방 맛고 시븐 의ᄉᆡ 나던고. 나흔 ○[열]셰살이라도 두발은 거믄 털이 ᄒᆞ나토 업ᄉᆞ니, 우리 존괴 츈츄 오십의 다ᄃᆞ라 계시ᄃᆡ 비상참쳑(非常慘慽)[1121]ᄒᆞ샤 심장을 다 ᄉᆞᆯ와 계시ᄃᆡ, 반ᄇᆡᆨ(半白)도 못ᄒᆞ여 계시거ᄂᆞᆯ, 이 신부ᄂᆞᆫ 태듕노인(泰重老人)[1122]이로다."

좌긱이 연시의 우은 말을 듯고 박장대쇼

마음과 똑같다.
1118)디다 : 물건 따위를 등에 얹다. 뒷짐 지다.
1119)흉 : 흉터. 허물.
1120)즛흘니다 : 마구 흘리다. '즛+흘니다'의 형태. '즛'은 '마구', '함부로', '몹시'의 뜻을 더하는 접두사.
1121)비상참쳑(非常慘慽) : 자식을 잃는 슬픔을 비상(非常)히 겪음.
1122)태듕노인(泰重老人) : 노인 가운데서도 나이가 아주 많은 노인.

라. 녀ᄌᆞᄂᆞᆫ 덕이 읏듬이니 신뷔 비록 외모ᄂᆞᆫ 념미치 못ᄒᆞ나, 그 덕힝이 슉요(淑窈)ᄒᆞᆫ즉 엇지 다 힝치 아니리오"

즁긱이 소ᄅᆡ를 응ᄒᆞ여 신뷔 유덕ᄒᆞ여 뵈믈 닐커러, 셔어이 말을 지어 칭하ᄒᆞ니, 공이 견혀 모로ᄂᆞᆫ ᄃᆞᆺᄒᆞ고, 부인은 맛참 말이 업더니, 연씨 신부의 흉상(凶狀)을 보고 직[징]그러오미 가려온 ᄃᆡ를 긁ᄂᆞᆫ ᄃᆞᆺᄒᆞ며[여], 나상(羅裳)을 썰치고 홍슈(紅袖)를 지어[874] ᄃᆡ소 왈,

"나ᄂᆞᆫ 승상의 손녀오, 공쥬의 만금 일녀며 《젼‖션(先)》 황뎨의 손이오, 금 황뎨 싱질노, 부귀호치(富貴豪侈) 셰상의 ᄲᅧ여나ᄃᆡ,【99】이의 얼골이 남과 ᄀᆞᆺ지 못ᄒᆞᄂᆞᆫ 고로, 구고와 가군이 나를 알기를 더러온 짐싱ᄀᆞᆺ치 아르시더니, 금일 신부를 보오니 일목이 폐밍ᄒᆞᆫ 가온ᄃᆡ 얽기ᄂᆞᆫ 나보다 더ᄒᆞᆫ ᄃᆞᆺᄒᆞᆫ지라. 아모리 병인인들 져 신부 ᄀᆞᆺ튼 병인을 보지 못ᄒᆞ엿ᄂᆞ니, ᄉᆞᄅᆞᆷ이 못 삼기다 ᄒᆞᆫ들 져ᄃᆡ도록 ᄒᆞ리오. 나흔 ○[열]셰살이라도 녹발은 거믄 털이 ᄒᆞ나토 업ᄉᆞ니, 우리 존괴 츈츄 오십의 다다라 비상참쳑(非常慘慽)[875]ᄒᆞ샤 심장을 살왓노라 ᄒᆞ셔도, 오히려 《반박‖반ᄇᆡᆨ(半白)》도 못 되여 계시거ᄂᆞᆯ, 이 신부ᄂᆞᆫ ᄐᆡ즁노인(泰重老人)[876]이로다."

좌긱이 연씨의 말을 듯고 ᄃᆡ소ᄒᆞ고, 공과 부인이 ᄯᅩᄒᆞᆫ 우음을 참지 못ᄒᆞ며, 공이 이의 탄 왈,

874)디다 : 물건 따위를 등에 얹다. 뒷짐 지다.
875)비상참쳑(非常慘慽) : 자식을 잃는 슬픔을 비상(非常)히 겪음.
876)태듕노인(泰重老人) : 노인 가운데서도 나이가 아주 많은 노인.

ᄒᆞ고, 공과 부인이 ᄯᅩᄒᆞᆫ 우음을 ᄎᆞᆷ디 못ᄒᆞ고, 공이 이의 탄왈,

"녀ᄋᆞᄂᆞᆫ 윤ᄉᆞ빈 ᄀᆞᆺ튼 군ᄌᆞ의 ᄇᆡ필노 부부의 상뎍ᄒᆞ미 뇽닌(龍麟)【9】과 난봉(鸞鳳) ᄀᆞᆺ거ᄂᆞᆯ, 뉴부인 악착ᄒᆞ므로 영ᄎᆔ 만상ᄉᆞ변(萬狀事變)《으로∥을 격고》 윤니뷔 십ᄉᆡᆼ구ᄉᆞ(十生九死)ᄒᆞᆫ 사ᄅᆞᆷ이 되여시니, 져의 팔ᄌᆞ ᄉᆞ경을 버셔나 오날ᄂᆞᆯ이 이시리라 ᄒᆞ여시리오. 원상의 ᄎᆔᄒᆞᆫ ᄇᆡ 만고츄믈박ᄉᆡᆨ(萬古醜物薄色)의 병인(病人)이니, 우리 명되(命途) 남 ᄀᆞᆺ디 못ᄒᆞ고, 쳐치 난안(赧顔)ᄒᆞ니 ᄉᆞᄉᆞ(事事)의 블ᄒᆡᆼ이로다."

초공이 낫빗ᄎᆞᆯ 화히 ᄒᆞ고, 위로ᄒᆞ여 ᄀᆞᆯ오ᄃᆡ,

"금일 신부를 원상의 ᄇᆡ우라 ᄒᆞ미 측ᄒᆞ[1123]ᄋᆞᆸ거니와, 쇼ᄌᆞᄂᆞᆫ 그ᄋᆞᆨ이 의심이 업디 아니ᄒᆞ오믄 다른 연괴 아니라, 님참졍은 뎡ᄃᆡᆨ○[ᄒᆞᆫ] 군ᄌᆡ라. 그 녀ᄋᆡ 져럴딘ᄃᆡ, 결단ᄒᆞ여 ᄉᆞ심(私心)의 닛글녀 원상을 ᄉᆞ회 삼디 아닐 거시오, 대인을 속이디 아니ᄒᆞ오【10】리니, 왜국으로 향ᄒᆞᆯ 졔 그 말이 슈상ᄒᆞ고 긔ᄉᆡᆨ이 심히 괴이ᄒᆞᄋᆞᆸ거ᄂᆞᆯ, 쇼ᄌᆡ 듕심의 므슴 ᄉᆞ괴 이시믈 아라ᄉᆞᆸᄂᆞ니, 쇼ᄌᆞ의 쇼견의ᄂᆞᆫ 져 병인이 님시 아닌가 ᄒᆞᄂᆞ이다."

공이 침음냥구(沈吟良久)의 왈,

"여언이 올커니와 님개 므슴 일노 내 집을 속여, 져 병인이[을] 졔 ᄯᆞᆯ 아닌 거ᄉᆞᆯ 혼인ᄒᆞ여 보ᄂᆡ리오. 아모리 ᄉᆡᆼ각ᄒᆞ여도 측냥치 못ᄒᆞᆯ 일이로ᄃᆡ, 님형이 ᄆᆡ양 녀ᄋᆞ의 아ᄅᆞᆷ다오믈 니르며 혼인을 심히 밧바 ᄒᆞ더니, 왜국으로 드러갈 적 긔ᄉᆡᆨ이 ᄀᆞ장 됴치 아니 ᄒᆞᆯ ᄲᅳᆫ 아니라, 날을 ᄃᆡᄒᆞ여 ᄒᆞ던 말이 실노 괴이ᄒᆞ도다."

윤태부 부인 왈,

"아모 ᄆᆞᄋᆞᆷ【11】인들 ᄯᆞᆯ이 이런 병인 ᄀᆞᆺᄐᆞ면, 미혼ᄒᆞᆫ 규슈의 병은 일ᄏᆞᆺ디 아닌들 긔특다 ᄌᆞ랑ᄒᆞᆯ 니ᄂᆞᆫ 업ᄉᆞ니, 그ᄃᆡ도록 속이며, 원상의 ᄇᆡ필을 그 ᄀᆞᆺ튼 병신을 맛딜 일

1123)측하다 : 추악(醜惡)하다. 언짢다. 보기 싫다. 원망스럽다. 정도에서 벗어나다.

"《영부∥영쥬》ᄂᆞᆫ 윤니부 갓○[튼] 군ᄌᆞ로ᄡᅧ ᄇᆡ필을 졍ᄒᆞᄃᆡ 유부인의 악착ᄒᆞ믈 인ᄒᆞ【100】여, 영ᄎᆔ 만상샤변(萬狀事變)《으로∥을 격고》 유[윤]니뷔 십ᄉᆡᆼ구ᄉᆞ(十生九死) ᄒᆞᆫ ᄉᆞᄅᆞᆷ이 되엿시니, 져의 팔ᄌᆞ ᄉᆞ경을 버셔나 오ᄂᆞᆯ날이 잇실쥴 엇지 《알니오∥알앗스리오》. 이졔 원상○[의] ᄎᆔᄒᆞᆫ ᄇᆡ 만고의 업ᄉᆞᆫ 츄물박ᄉᆡᆨ(醜物薄色)의 병인이니, 우리 명되 남 ᄀᆞᆺ지 못ᄒᆞ고 쳐치 난안(赧顔)ᄒᆞ니 ᄉᆞᄉᆞ의 불ᄒᆡᆼ이로다"

초공이 낫ᄎᆞᆯ 화히 ᄒᆞ여 왈,

"금일 신부를 원뎨의 ᄇᆡ위○[라] ᄒᆞ미 츄(醜)ᄒᆞᄋᆞᆸ거니와, 소ᄌᆞ의 의심이 업지 아니믄 다른 연괴 아니라, 임참졍은 졍직군ᄌᆡ니 그 ᄯᆞᆯ이 져럴진ᄃᆡ 결단ᄒᆞ여 원뎨를 ᄉᆞ회 숨지 아닐 거시오, ᄃᆡ인을 속이지 아니ᄒᆞ오리니, 왜국을 향ᄒᆞᆯ 졔 그 말이 심히 슈상ᄒᆞ고, 긔ᄉᆡᆨ이 고이ᄒᆞᄋᆞᆸ거ᄂᆞᆯ, 소ᄌᆡ 즁심의 무ᄉᆞᆷ ᄉᆞ괴 잇시믈 아랏ᄉᆞᆸᄂᆞ니, 소ᄌᆞ의 마음은 져 병인이 임씨 아닌가 ᄒᆞᄂᆞ이다."

공【101】이 냥구(良久)의 왈,

"녀언도 올커니와 임ᄀᆡ 무ᄉᆞᆷ 일노 ᄂᆡ 집의 져 병인을 혼인ᄒᆞ여 보ᄂᆡ리오. 아모리 ᄉᆡᆼ각ᄒᆞ여도 측냥치 못ᄒᆞᆯ 일이로다. 임형의 모양이 녀ᄋᆞ의 아름다오믈 니르며 혼인을 심히 밧버 ᄒᆞ더니, 왜국으로 드러갈 졔 긔ᄉᆡᆨ이 ᄀᆞ장 조치 아니 ᄒᆞᆯ ᄲᅮᆫ 아니라, 나를 ᄃᆡᄒᆞ여 ᄒᆞ던 말이 실노 고이ᄒᆞ도다."

윤니부 부인이 ᄀᆞᆯᄋᆞᄃᆡ,

"아모 마ᄋᆞᆷ인들 ᄯᆞᆯ이 져런 병인 ᄀᆞᆺᄒᆞ면 규슈의 병은 닐컨[컷]든 아니나, 긔특다 ᄌᆞ랑ᄒᆞᆯ 일은 업ᄉᆞ리니, 그ᄃᆡ도록 속이며, 원뎨의 ᄇᆡ우를 그 ᄀᆞᆺᄒᆞᆫ 병신을 맛길니 잇시리오. 두고 보면 알녀니와, 셰상ᄉᆡ 측냥치 못ᄒᆞ니, 그 가온ᄃᆡ 긔구지ᄉᆡ(崎嶇之事) 만흔

이 이시리잇가? 두고 보면 알녀니와 셰상시 측냥치 못ᄒᆞ니, 그 가온ᄃᆡ 긔괴디시(奇怪之事) 만흔가 ᄒᆞᄂᆞ이다.”

부인이 탄왈,

“님공이 비록 긔특ᄒᆞᆫ ᄯᆞᆯ을 두엇다 닐너도, 오날늘 그런 흉믈을 내 집의 보ᄂᆡ믈 통한ᄒᆞᄂᆞ니, 경긱의 그 ᄐᆞ고 온 덩의 도로 담아 보ᄂᆡ고 시븐 거ᄉᆞᆯ 잉분ᄒᆞ니[1124], 흉금이 터질 ᄃᆞᆺ 시브다.”

공이 도로혀 쇼왈,

“부인이 평ᄉᆡᆼ 과도ᄒᆞᆫ 말을 아니터니, 금일 신부의 흉참괴딜(凶慘怪疾)을 보고 여ᄎᆞᄒᆞ【12】니 가히 우읍도다.”

부인이 ᄯᅩᄒᆞᆫ 미쇼ᄒᆞ나, 부부 모ᄃᆡ며 모녜 분앙ᄒᆞ믈 니긔디 못ᄒᆞ더니, 촉을 붉히ᄆᆡ 공ᄌᆞ 등이 ᄂᆡ루의 와 혼뎡을 일울ᄉᆡ, ᄉᆞ형뎨 ᄎᆞ례로 엇게를 ᄀᆞᆯ와 드러오니, 초공의 풍치는 ᄉᆡ로이 니를 ᄇᆡ 업거니와, 원상 등의 ᄇᆡᆨ옥면모(白玉面貌)와 졔월풍광(霽月風光)은 이 날 더옥 긔이ᄒᆞ여, 태을군션(太乙君仙)이 하강ᄒᆞᆫ ᄃᆞᆺᄒᆞ거ᄂᆞᆯ, 원상 공ᄌᆡ 셕샹(席上)의 흑살○[텬]신(黑煞天神)과 우두나찰(牛頭羅刹) ᄀᆞᄐᆞᆫ 병인을 보ᄃᆡ, 조금도 블호ᄒᆞᆫ 빗치 업셔, 츈양화긔(春陽和氣)와 동일디ᄋᆡ(冬日之愛)를 변치 아냐, 동디(動止) ᄌᆞ약(自若)ᄒᆞ니, 초공과 윤니부 부인이 아름다오믈 니긔디 못ᄒᆞ여, 초공이 손을 잡고 윤태부 부인【13】이 웃고 므르ᄃᆡ,

“금일 신부를 보니 용화긔딜(容華氣質)이 우리 본 바 쳐음이라. 현뎨의 ᄆᆞᄋᆞᆷ은 엇더타 ᄒᆞᄂᆞ뇨?”

공ᄌᆡ 함쇼 ᄃᆡ왈,

“ᄌᆞ시 보도 못ᄒᆞ여시니 엇던동 능히 뎡치 못ᄒᆞᄂᆞ이다.”

초공이 어로만져 탄왈,

“대인과 ᄌᆞ경이 너의 ᄇᆡ항(配行)이 상뎍(相敵)디 못ᄒᆞ믈 ᄋᆡ돏고 분ᄒᆞ여 ᄒᆞ시니, 이런 졀박ᄒᆞᆫ 일이 업도다.”

공ᄌᆡ ᄃᆡ왈,

“대인과 형댱이 명셩(明聖)ᄒᆞ시므로 엇디

1124)잉분ᄒᆞ다 : 인분(忍憤)하다. 분을 참다.

가 ᄒᆞᄂᆞ이다.”

부인이 탄 왈,

“임공이 비록 긔특ᄒᆞᆫ ᄯᆞᆯ을 두엇다 닐너도, 오ᄂᆞᆯ날 그【102】런 흉상 박면을 ᄂᆡ 집의 보ᄂᆡ믈 통한ᄒᆞᄂᆞ니, 경각의 그 타○[고] 온 덩의 도로 담아 보ᄂᆡ고져 시부다.”

공이 소왈,

“부인이 평ᄉᆡᆼ 과도ᄒᆞᆫ 말을 아니터니, 금일 신부의 흉참괴질(凶慘怪疾)을 보고 여ᄎᆞᄒᆞ니 가히 우읍도다.”

부인이 ᄯᅩᄒᆞᆫ 미소ᄒᆞ나, 부부 모ᄌᆡ 분앙ᄒᆞ믈 니긔지 못ᄒᆞ더니, 촉을 붉히ᄆᆡ 공ᄌᆞ 등이 ᄂᆡ루의 와 혼셩[졍](昏定)을 닐울ᄉᆡ, ᄉᆞ형뎨 ᄎᆞ례로 엇기를 갓초ᄆᆡ, 초공의 풍치는 ᄉᆡ로이 닐을 ᄇᆡ 업거니와, 원상 등의 ᄇᆡᆨ옥면모(白玉面貌)와 폐[졔]월풍광(霽月風光)은 이 날 더욱 긔이ᄒᆞ더라. 원상 공ᄌᆡ 셕상(席上)의 《흑산신 ‖ 흑살텬신(黑煞天神)》과 우두나출(牛頭羅刹) ᄀᆞᄐᆞᆫ 병인을 보ᄃᆡ, 조금도 블호ᄒᆞᆫ 일이 업셔, 츈양화긔(春陽和氣)와 동일지의[ᄋᆡ](冬日之愛)를 변치 아녀 동지ᄌᆞ약ᄒᆞ니, 초공과 니부【103】부인이 웃고 무르ᄃᆡ,

“너의 신부를 보ᄆᆡ, 용화긔질(容華氣質)이 본 바 쳐음이라. 현뎨의 마음은 엇더타 ᄒᆞᄂᆞ뇨?”

공ᄌᆡ 함소 ᄃᆡ왈,

“ᄌᆞ시 보도 못ᄒᆞ엿시니 엇던 동 알니잇고?”

초공이 어루만져 탄 왈,

“ᄃᆡ인과 ᄌᆞ경이 너의 ᄇᆡ항(配行)이 상젹지(相敵)지 못ᄒᆞ믈 ᄋᆡ답고 분ᄒᆞ여 ᄒᆞ시니, 이럴ᄉᆞ록 이런 졀박ᄒᆞᆫ 일이 업도다.”

공ᄌᆡ ᄃᆡ왈,

“형장이 명견(明見)ᄒᆞ시므로 임참정의 일을 모로시ᄂᆞ니잇고? 기심(其心)이 츄슈(秋

님 참정의 일을 모로시ᄂᆞ니잇고? 기심이 츄슈(秋水) ᄀᆞᆺ고, 바르미 살ᄃᆡ1125) ᄀᆞᆺᄐᆞ여, 반졈 브ᄃᆡᆨ(不直)ᄒᆞ미 잇디 아닌 바로, 엇디 병녀(病女)를 두고 ᄂᆡ외를 달니 ᄒᆞ여 간ᄉᆞ히 말을 ᄭᆞ미리잇고? 일월이 오ᄅᆡ면 ᄌᆞ연 알녀니와, 금일 온 거ᄉᆞᆫ 님공의 ᄯᆞᆯ이 아닌가 ᄒᆞᄂᆞ이다.”【14】

초공이 그 등을 어로만져 탄디칭션(歎之稱善) 왈,

“어디다 오뎨(吾弟)야. 원대ᄒᆞᆫ 디식이 여ᄎᆞᄒᆞ니 엇디 아름답디 아니리오. 만ᄉᆡ 이러ᄐᆞᆺ 츌인ᄒᆞ여 노셩댱ᄌᆞ(老成長子)의 밋디 못ᄒᆞᆯ 곳이 만흐니, 우형이 너를 밋디 못ᄒᆞᆷ을 ᄭᆡᄃᆞᆺ괘라.”

공지 년망이 ᄇᆡ샤ᄒᆞ여 블감ᄒᆞᆷ을 일ᄏᆞᆺᄂᆞᆫ디라. 공의 부뷔 원ᄋᆞ의 디각과 녁냥을 두굿겨 웃고, 니르ᄃᆡ,

“네 만일 신부로 님공의 ᄯᆞᆯ이 아니라 ᄒᆞᆫ죽, 님가의셔 그 ᄯᆞᆯ을 엇디 ᄒᆞ랴 ᄒᆞ여 병인을 보ᄂᆡ다 ᄒᆞᄂᆞ뇨?”

ᄉᆡᆼ이 복슈(伏首) ᄃᆡ왈,

“쇼ᄌᆡᆫ들 엇디 알니잇고마ᄂᆞᆫ, 셰ᄉᆞ를 측냥치 못ᄒᆞᆯ 일이 만흐니, 금일은 병인의 근본을 아디 못ᄒᆞ오ᄃᆡ, 결단코 님공의 ᄯᆞᆯ은 아닌가 ᄒᆞᄂᆞ이다.”

공【15】이 탄왈,

“세ᄉᆡ 여ᄎᆞᄒᆞᆯ 줄 엇디 알니오. 연이나 신방은 븨오디 못ᄒᆞ리니 드러가라.”

ᄉᆡᆼ이 탄식 ᄃᆡ왈,

“하괴 맛당ᄒᆞ시나 쇼ᄌᆡ 고인의 유취디년(有娶之年)이 아니오니, 신○[인]이 그런 병인이 아니라도 동방(洞房)의 쳐ᄒᆞ미 가치 아닌디라. 나히 ᄎᆞ기를 기다려 ᄒᆞᆫ가디로 잇고져 ᄒᆞᄋᆞᆸᄂᆞ니, 복원(伏願) 대인은 쇼ᄌᆞ의 유미(幼微)ᄒᆞᆷ을 ᄉᆡᆼ각ᄒᆞ샤, 약ᄒᆞᆫ 비위 굿디 못ᄒᆞᆷ을 ᄉᆡᆼ각ᄒᆞ쇼셔.”

명국공의 강엄ᄒᆞ므로도 ᄎᆞ언의 다ᄃᆞ라 동방의 가라 권ᄒᆞᆯ ᄯᅳᆺ이 업셔, 미우을 ᄧᅵᆼ긔고 ᄀᆞᆯ오ᄃᆡ,

“여언이 비록 그러나 져 집이 아라도, 신

1125)살대 : 화살대.

水) ᄀᆞᆺᄒᆞᆫ 바로, 엇지 병녀(病女)를 두고 ᄂᆡ외를 달니 ᄒᆞ여 간ᄉᆞ이 말을 ᄭᆞ미리잇가? 일월이 오ᄅᆡ면 ᄌᆞ연 알녀니와, 금일 온 거ᄉᆞᆫ 임공의 ᄯᆞᆯ이 아닌가 ᄒᆞᄂᆞ이다”

초공이 그 등을 어루만져 탄지칭션(歎之稱善) 왈,

“어지다, 오뎨(吾弟)의 원ᄃᆡᄒᆞᆫ 지식이 여ᄎᆞᄒᆞ니, 엇지 아름답지【104】 아니리오 우형이 너를 밋지 못ᄒᆞᆷ을 ᄭᆡᄃᆞᆺ괘라.”

공지 연망이 ᄇᆡ샤ᄒᆞ여 블감ᄒᆞᆷ을 닐ᄏᆞ르니, 공의 부뷔 두굿겨 웃고 왈,

“네 만일 신부로 임공의 ᄯᆞᆯ이 아니라 ᄒᆞ면, 《일가‖임가》의셔 그 ᄯᆞᆯ을 《업시‖엇지》 ᄒᆞ려 ᄒᆞ여 병인을 보ᄂᆡ다 ᄒᆞᄂᆞ뇨?”

ᄉᆡᆼ이 복슈(伏首) ᄃᆡ 왈,

“소ᄌᆡᆫ들 엇지 ᄌᆞ시 알니잇고마ᄂᆞᆫ, 셰ᄉᆞ를 측냥치 못ᄒᆞᆯ 일이 만흐니, 금일은 병인의 근본을 아지 못ᄒᆞᄃᆡ, 결단코 임공의 ᄯᆞᆯ은 아닌가 ᄒᆞᄂᆞ이다.”

공이 탄 왈,

“세ᄉᆡ 여ᄎᆞᄒᆞᆯ 줄 엇지 알니오. 연이나 신방은 븨오지 못ᄒᆞ리니 드러가라.“

ᄉᆡᆼ이 탄식 ᄃᆡ왈,

“하괴 맛당ᄒᆞ시나 소ᄌᆡ 고인의 유취(有娶)ᄒᆞ든 나히 아니오니, 나히 ᄎᆞ기를 기ᄃᆞ려 ᄒᆞᆫ 가지로 잇기를 ᄇᆞ라옵ᄂᆞ니, 복원(伏願) ᄃᆡ인은 소ᄌᆞ의 유미(幼微)ᄒᆞᆷ을 【105】 ᄉᆡᆼ각ᄒᆞ샤 약ᄒᆞᆫ 비위 굿지 못ᄒᆞᆷ을 통촉(洞燭)ᄒᆞ소셔.”

공이 미우을 ᄧᅵᆼ긔여 왈,

“녀언이 비록 그러ᄒᆞ나 져 집이 아라도, 신방 븨우미 신부의 박용(薄容)○[을] 측

방 ᄇᆡ오미 신부의 박용을 측히 넉이ᄂᆞᆫ 줄 알미 블힝치 아니리오."

ᄉᆡᆼ이 온화히 고왈,

"쇼ᄌᆞᄂᆞᆫ 박용누딜이【16】라도 님공의 ᄯᆞᆯ인 줄 안 후ᄂᆞᆫ, 나히 ᄎᆞ기를 기다려 부부의 뉸의를 폐치 아니랴 ᄒᆞ오ᄃᆡ, 결단ᄒᆞ여 님시 아닌 줄은 아ᄋᆞᆸᄂᆞ니, 비록 뎐안(奠雁)1126) 독좌(獨坐)의 녜(禮)1127)를 일워시나, 납폐(納幣)1128) 문명(問名)1129)은 님공 디녀의게 힝ᄒᆞ여시니, ᄎᆞ인은 아모란 줄 모로ᄂᆞ니, 일월(日月)을 쳔연ᄒᆞ여 근본을 ᄌᆞ시 알고져 ᄒᆞᄋᆞᆸᄂᆞ니, 대인이 신방 ᄇᆡ오믈 깃거 아니실진ᄃᆡ, 일야를 ᄌᆞ고 나오미 므어시 어려오리잇가."

공이 그 효슌ᄒᆞ믈 두굿겨 왈,

"흉상누딜(凶狀陋質)의 근본은 날호여 알녀○[니]와, 신방 ᄇᆡ오믄 우리 집 허믈이 아니냐?"

공ᄌᆡ ᄇᆡ이슈명(拜而受命)ᄒᆞ고, 혼뎡(昏定)을 파ᄒᆞᄆᆡ 게얼니 신을 ᄭᅳ어 신방의 나아가니, 초공과 이 공ᄌᆡ 위ᄒᆞ여 ᄎᆞ셕ᄒᆞ믈 마디 아니ᄒᆞ더라.

공ᄌᆡ 신방【17】의 드러와 흉상을 ᄃᆡᄒᆞ니, 눅눅○[코] 아닛ᄭᅩ으미 비ᄒᆞᆯ 곳이 업ᄂᆞᆫ디라. ᄋᆡ랑이 나히 십삼셰나 ᄒᆞᆫ 일도 ᄇᆡᄒᆞᆫ ᄇᆡ 업고, 음욕은 흉참ᄒᆞ여 하ᄉᆡᆼ의 옥골션풍을 보ᄆᆡ, 블 ᄀᆞᆺᄐᆞᆫ 졍욕이 ᄉᆡᆷ솟 ᄃᆞᆺᄒᆞ여 니러마ᄌᆞ니, 신인의 ᄐᆡ도를 ᄃᆡ희디 못ᄒᆞ여 일목을 놉히 ᄯᅳ고, 《만목∥만면(滿面)》을 디긋거려1130) ᄉᆡᆼ을 바라보ᄂᆞᆫ 거동이 더옥 참혹

1126)뎐안(奠雁) : 전안례(奠雁禮).

1127)독좌(獨坐)의 녜(禮) : 혼인례에서 대례(大禮)를 달리 이른 말. 즉 신랑과 신부가 대례를 행할 때 각각의 앞에 음식을 차려 놓은 독좌상(獨坐床)을 놓고 교배(交拜)·합근(合巹) 등의 의례를 행하는 것을 이르는 말이다.

1128)납폐(納幣) : 혼인할 때에, 사주단자의 교환이 끝난 후 정혼이 이루어진 증거로 신랑 집에서 신부 집으로 예물을 보냄. 또는 그 예물. 보통 밤에 푸른 비단과 붉은 비단을 혼서와 함께 함에 넣어 신부 집으로 보낸다

1129)문명(問名) : 혼인을 정한 여자의 장래 운수를 점칠 때에 그 어머니의 성씨를 물음. 또는 그런 절차.

{은}히 넉이ᄂᆞᆫ 줄 알미 블힝치 아니리오"

ᄉᆡᆼ이 온화이 고왈,

"소ᄌᆞᄂᆞᆫ 박용누질이라도 임공의 ᄯᆞᆯ인 쥴 안 후ᄂᆞᆫ, 나히 ᄎᆞ기를 가ᄃᆞ려 부부의 뉸의를 폐치 아니려 ᄒᆞ오ᄃᆡ, 결단ᄒᆞ여 임씨 아닌 쥴을 아ᄋᆞᆸᄂᆞ니, 일월을 쳔연(遷延)ᄒᆞ여 그 근본을 알고져 ᄒᆞ엿ᄉᆞᆸ더니, ᄃᆡ인이 신방 ᄇᆡ우믈 깃거 아니실진ᄃᆡ, 일야를 지ᄂᆡ고 나오미 무엇시 어렵ᄉᆞ오리잇고?"

공이 그 효슌ᄒᆞᆫ ᄯᅳᆺ슬 두굿겨 왈,

"흉상누질(凶狀陋質)의 근본은 날호여 알녀니와, 신방 ᄇᆡ우미 아니 우리 집 허믈이인가 ᄒᆞ노라."

공ᄌᆡ【106】 ᄇᆡ이슈명(拜而受命)ᄒᆞ고 혼졍지녜(昏定之禮)를 파ᄒᆞᆫ 후에 게을니 신을 ᄭᅳ어 신방으로 나아가니, 초공과 이 공ᄌᆡ 위ᄒᆞ여 ᄎᆞ셕ᄒᆞ믈 마지 아니터라.

공ᄌᆡ 신방의 드러와 흉상누질을 ᄃᆡᄒᆞ니, 눅눅ᄒᆞ미 비ᄒᆞᆯ 곳이 업ᄂᆞᆫ지라. ᄋᆡ랑이 나히 십삼 셰로ᄃᆡ 《음용∥음욕》은 흉참ᄒᆞ여 하ᄉᆡᆼ의 옥골션풍을 보ᄆᆡ, 불 ᄀᆞᆺᄐᆞᆫ 졍욕이 ᄉᆡ암 솟ᄃᆞᆺᄒᆞ여, 일목을 놉히 ᄯᅳ고 만면(滿面)을 ᄶᅵ긋거려877) ᄉᆡᆼ을 ᄇᆞ라보ᄂᆞᆫ 거동이 더욱 참혹 더러온지라. ᄉᆡᆼ이 져 흉인을 오ᄅᆡ ᄃᆡᄒᆞᄆᆡ 비위를 졍치 못ᄒᆞ여, 즉시 촉을 멸ᄒᆞ고 《침누∥침두(枕頭)878)》의 누어 괴로이 ᄉᆡ기를 기ᄃᆞ리더니, ᄋᆡ랑이 졍욕을 니긔지 못ᄒᆞ여 스ᄉᆞ로 하ᄉᆡᆼ의 누은 곳에 나아가, 금금(錦衾)을 들셕이며 그 손을 잡고져 ᄒᆞ나, ᄉᆡᆼ이 금니의【107】몸을 단단니 마라시니, 둔골이 능히 니블을 벗기지 못ᄒᆞ고 ᄒᆞᆫ갓 갓븐 슘을 헐헐일 ᄲᅮᆫ이러니, 옥쳠(屋簷)879)의 금계(金鷄)880) ᄉᆡ벽을 보ᄒᆞᄆᆡ, ᄉᆡ

877)디긋거리다 : 찡긋거리다.

878)침두(枕頭) : 베갯머리.

879)옥쳠(屋簷) : 집의 처마.

○[코] 더러온디라. ᄉᆡᆼ이 져 흉인을 오ᄅᆡ ᄃᆡᄒᆞ고 안ᄌᆞ시미 비위를 뎡치 못ᄒᆞ여, 즉시 쵹을 멸ᄒᆞ고 침두(枕頭)1131)의 누어 ᄌᆞᄂᆞᆫ 쳬ᄒᆞ나, 아닛ᄭᅩ은 병인이 겻ᄐᆡ 이시ᄆᆡ, ᄆᆞ음이 측ᄒᆞ여 잠이 오디 아냐 ᄉᆡᄇᆡ 오기를 기다리니, ᄋᆡ랑이 졍욕을 니긔디 못ᄒᆞ여, 스ᄉᆞ로 하ᄉᆡᆼ의 누은 곳의 나아와 금금(錦衾)을 들셕이며 【18】 그 손을 잡고○[져] ᄒᆞ나, ᄉᆡᆼ이 금니의 몸을 단단이 마라시니, 둔골이 능히 니블을 벗기디 못ᄒᆞ고, ᄒᆞᆫ갓 ᄀᆞᆺ븐 숨을 헐헐일 쌘이러니, 옥쳠(屋簷)1132)의 금계(金鷄)1133) ᄉᆡᄇᆡ를 보ᄒᆞ니, ᄉᆡ훤코 깃브믈 니긔디 못ᄒᆞ여, 계오 의건(衣巾)을 ᄎᆞᄌᆞ 몸의 걸고 총총이 나오니, ᄋᆡ랑이 드립ᄯᅥ 븟들고 말ᄒᆞ고져 ᄒᆞ나 못ᄒᆞ고, 무궁ᄒᆞᆫ 졍을 ᄒᆞᆫ 조각 펴디 못ᄒᆞ니 ᄋᆡ돏고 분ᄒᆞ믈 니긔디 못ᄒᆞ여, 실셩통읍(失性慟泣)ᄒᆞ믈 니긔디 못ᄒᆞ니, 님부로조ᄎᆞ 온 시녀 양낭ᄇᆡᄂᆞᆫ 참졍과 강부인의 덕화를 목욕 ᄀᆞᆷ앗ᄂᆞᆫ 고로, 목시 험악ᄒᆞ믈 그윽이 원망ᄒᆞᄂᆞᆫ디라. 져히 화월(花月) ᄀᆞᄐᆞᆫ 쇼져ᄂᆞᆫ 하문 뷘 ᄎᆡ례만 ᄃᆡ희여 심규(深閨) 폐륜(廢倫)이 되고, ᄋᆡ랑 흉녀ᄂᆞᆫ 뉵녜(六禮)로 하부의 도【19】라오믈 분히 ᄒᆞ여, ᄋᆡ랑의 슐허 ᄒᆞ믈 보나 ᄒᆞ나토 졍으로 위로치 아니코 셔로 눈주어 웃더라.

ᄋᆡ랑이 인ᄒᆞ여 하부의 머믈ᄆᆡ 힝동거디 패망긔괴(悖妄奇怪)ᄒᆞ기ᄂᆞᆫ 연시의 더으니, 공ᄌᆞ의게 밋친 사ᄅᆞᆷ이 되여 뒤틀닌 다리와 읆쥐1134)인 발의 힝뵈(行步) 구간(苟艱)키 극ᄒᆞ거ᄂᆞᆯ, ᄉᆡᆼ을 두로 ᄯᆞ라 단녀 일분 념치를 출히디 못ᄒᆞ니, 하ᄉᆡᆼ이 슈힝《셤심 ‖ 셥심》(修行攝心)1135) ᄒᆞᄂᆞᆫ ᄆᆞ음과 쳥졍개결(淸淨介潔) ᄒᆞᆫ 뜻의 측ᄒᆞ고 더러오미 졈졈 더ᄒᆞᄃᆡ, ᄎᆞᆷ고 견ᄃᆡ기를 위쥬ᄒᆞ여, 화열ᄒᆞᆫ ᄂᆞᆺ

1130)디긋거리다 : 찡긋거리다.
1131)침두(枕頭) : 베갯머리.
1132)옥쳠(屋簷) : 집의 처마.
1133)금계(金鷄) : '닭'의 미칭(美稱). 꿩과에 속한 새.
1134)읆쥐다 : 옮아쥐다. 안으로 단단히 오므려지게 하다. '옮+쥐+다'의 형태. 곧 '옮다'와 '쥐다'의 합성어. *옮다; 끈이나 줄 따위로 단단히 감다.
1135)슈힝셥심(修行攝心) : 행실을 닦고 마음을 가다듬음.

훤코 깃부물 니긔지 못ᄒᆞ여, 겨유 의건을 ᄎᆞᄌᆞ 몸의 걸치고 총총이 나오니, ᄋᆡ랑이 무궁ᄒᆞᆫ 졍을 ᄒᆞᆫ 조각도 펴지 못ᄒᆞᄆᆡ, ᄋᆡ답고 분ᄒᆞ믈 니긔지 못ᄒᆞ여 실셩통읍(失性慟泣)ᄒᆞ니, 임부로조ᄎᆞ 온 시녀 양낭이 셔로 눈 쥬어 그윽이 웃더라.

ᄋᆡ랑이 인ᄒᆞ여 하부의 머물ᄆᆡ, 힝동거지 ᄑᆡ망긔괴(悖妄奇怪)ᄒᆞ기ᄂᆞᆫ 연씨의 십ᄇᆡ 더으니, 공ᄌᆞ의게 미친 ᄉᆞᄅᆞᆷ이 되여 뒤틀닌 다리와 《옵쥬인 ‖ 읆쥐881)인》 발의 힝뵈(行步) 구간(苟艱)키 극ᄒᆞ거ᄂᆞᆯ, ᄉᆡᆼ을 두로 ᄯᆞ라 단여 ᄒᆞᆫ 조각 념치를 출히지 아니니, 하ᄉᆡᆼ이 슈힝셥심(修行攝心)882) ᄒᆞᄂᆞᆫ 마음과 쳥졍ᄀᆡ결(淸淨介潔)ᄒᆞᆫ 【108】
▌883) ④❬뜻의 비위를 ᄌᆞ로 졍치 못ᄒᆞ여

880)금계(金鷄) : '닭'의 미칭(美稱). 꿩과에 속한 새.
881)읆쥐다 : 옮아쥐다. 안으로 단단히 오므려지게 하다. '옮+쥐+다'의 형태. 곧 '옮다'와 '쥐다'의 합성어. *옮다; 끈이나 줄 따위로 단단히 감다.
882)슈힝셥심(修行攝心) : 행실을 닦고 마음을 가다듬음.
883)박순호본은 필사순서 혼란이 매우 심각하다. 원문은 ▌①❬【109】쪽 시작부분 '젹이나' ... 【110】쪽 끝부분 '금달공'❭ - ②❬'【111】쪽 시작

빗출 굿치디 아니ᄒᆞ고 됴흔ᄃᆞ시 일월을 보ᄂᆡ려 ᄒᆞᄃᆡ, 비위를 ᄌᆞ로 뎡치 못ᄒᆞ여, 명도(命途)의 긔구ᄒᆞ믈 탄ᄒᆞᆯ ᄯᆞᄅᆞᆷ이러라. 하공이 가(假)님시를 본 후로ᄂᆞᆫ 원챵【20】의 비위ᄎᆞ디[1136]ᄒᆞ믈 근심ᄒᆞ미 일시를 방하치 못ᄒᆞ더라.

일일은 원창 공ᄌᆡ 뎡부 현긔 등과 딘부졔 공ᄌᆡ 다 셔당의 모다, ᄯᆡ 뎡히 답청화시(踏靑花時)를 당ᄒᆞ여시니, ᄒᆞᆫ 번 원듕의 두로 노라 화류(花遊)ᄒᆞᆯᄉᆡ, 시를 챵화(唱和)ᄒᆞ여 디긔(志氣)를 소챵(消暢)ᄒᆞ믈 니르니, 원창이 쇼왈,

"나ᄂᆞᆫ 취운산 샹봉의 올나 놀고져 ᄒᆞ니, 틈을 타거든 산샹의 유완ᄒᆞ리라."

현긔 미쇼 왈,

"쇼뎨도 산경을 귀경코져 아닛ᄂᆞᆫ 거시 아니로ᄃᆡ, 가친이 ᄆᆡ양 방외의 놀기를 금ᄒᆞ시니, 쇼뎨ᄂᆞᆫ 산경을 귀경치 못ᄒᆞ리로다."

원챵 왈,

"졔왕이 비록 엄ᄒᆞ시나 산샹의 가 잠간 완유ᄒᆞᄂᆞᆫ 거술 므ᄉᆞᆫ 대죄를 삼으시리오."

뎡언 간의 금평휘 현긔와 운긔를 브르니, 냥 공ᄌᆞᄂᆞᆫ 즉【21】시 드러가고, 딘공ᄌᆞ 등이 은긔로 더브러 뎡부 원듕으로 화류ᄒᆞᆯᄉᆡ, 하공ᄌᆡ ᄒᆞᆫ가디로 뎡부 원듕의 흣거러 ᄭᅩᆺ출 ᄲᅥᆨ그며 버들을 휘오쳐 호흥을 니긔디 못ᄒᆞ니, 딘공ᄌᆞ 등은 본ᄃᆡ 뎡부 ᄂᆡ당이라도 무상이 츌입ᄒᆞ며, 입쟝(入丈) 젼 ᄋᆞ동은 슌태부인이 ᄂᆡ외ᄒᆞ미 업ᄂᆞᆫ 고로, 바로 ᄌᆞ연 화원가디 드러가니, 뎡・딘 등은 화류의 잠착(潛着)[1137]ᄒᆞ여 눈을 다른 ᄃᆡ 옴기디 아니ᄒᆞ고,

1136)ᄎᆞ디 : 차지. 이치나 행동 따위에 어긋남.
1137)잠착(潛着) : 참척의 원말. 한 가지 일에만 정신을 골똘하게 씀.

명도의 긔구ᄒᆞ믈 탄ᄒᆞᆯ ᄯᆞ름이러라.

삼공ᄌᆡ 하원창이 일일은 뎡부의 니르니 뎡・진 졔 공ᄌᆡ 한담ᄒᆞ거ᄂᆞᆯ, 이에 뎡・진 졔 소년을 다리고 후원의 올나 풍경을 완상ᄒᆞᆯᄉᆡ,

부분 '이 용속기를' ...【112】쪽 끝부분 '서칙을 뒤〉 - ③〈【113】쪽 시작부분 '의 밋쳐ᄂᆞᆫ' ...【114】끝부분 '용화긔질'〉 - ④〈【115】쪽 시작부분 '쯧의' ... 【116】쪽 끝부분 '의ᄉᆡ 이'〉❙의 순서로 필사가 되어있는데, 낙선재본과의 대교를 통해 그 서사순서를 바로잡은 결과는 ❙④-③-②-①❙의 순이다. 원문은 왼쪽의 낙선재본과 비교해 보면 알 수 있듯이 선행본을 약64%가까이 축약하여 필사하였거나, 아니면 축약된 선행본을 필사한 것이다. 즉 낙본은 ①-④의 해당내용을 5,095자로 서사해놓고 있는데, 박순호본은 이 내용을 낙선재본의 약36%에 해당하는 1,831자로 줄여놓고 있다.

원챵은 우연이 냥안을 드러 화원 아릭를 구버보믹, 일좌 표묘흔 누각의 빅옥 현판의 금즈(金字)로 션취정이라 삭엿는딕, 치의(彩衣) 시녜 빵빵이 뎡당으로 왕닉흐더니, 왕후 복식흔 부인과 명부 복식흔 부인이 년흐여 뎡당으로 나와, 【22】 졔왕궁으로 통흔 협문으로 향흐니, 그 부인닉 면모샹광(面貌祥光)이 만고를 기우려 독보흘 슉녜어늘, 최후의 흔 쇼졔 규슈의 모양으로 운환(雲鬟)을 쒸오디 아니흐고, 삼촌금년(三寸金蓮)을 즈약히 옴겨 졔궁으로 나아가니, 그 광치 찬난흐여 츄텬명월(秋天明月)이 만방의 묽은 광치를 흘니며, 츈하됴일(春夏照日)이 옥난(玉欄)의 바익는 듯, 일쳑 향신(香身)의 나요(羅腰)는 버들의 힘 업기와 방블흐고, 냥미아황(兩眉蛾黃)[1138]은 원산(遠山) 곳고, 효셩냥안(曉星兩眼)은 영긔(靈氣) 동인(動人)흐고, 고은 얼골은 츄슈향년(秋水香蓮)이 됴로(朝露)를 쎨쳐시며, 금분모란(金盆牡丹)이 동풍의 웃는 듯, 옷이 윤삐고 쏫치 말흐는 듯, 겸흐여 션연미딜(嬋娟美質)이 딘셰(塵世) 화식(火食)흐는 사람 곳디 아니흐여, 딕녜(織女)[1139] 오작교(烏鵲橋)[1140]를 디닉며, 월뎐쇼익(月殿素娥)[1141] 하강흔 듯, 영발(英發)흔 화긔(和氣) 만믈의 【23】 견줄 곳이 업소니, 염틱(艷態) 먼니 빗최더니 임의 졔궁으로 통흔 협문으로 들며, 낙포(洛浦)[1142]의 그림직 곰초이니 여향(餘香)이 묘연(杳然)흔디라. 하공직 눈을 옴기디 아니흐고 먼니 가도록 바라보더니, 얼픗흔 소이의 즈최를 곰초니 홀연흔 의식 므어슬 일흔

홀연 머리 드러 보니 한 협문 안히 션취정이란 정직 잇는딕,

맛춤 한 규쉬 협문으로 조측 드러가믈 보믹 그 옥용의형(玉容儀形)을 다시 보기 어려오니,

하공직 눈을 옴기지 못흐고 먼니 가도록 바라보다가, 얼픗○[흔] 스이 자취를 감초인 빅 되믹, 그 시아빅(侍兒輩)도 보지 못흐니, 홀연흔 의식 무어슬 닐흔 듯하여 운긔 다려 왈,

---

1138)냥미아황(兩眉蛾黃) : 화장한 두 눈썹. *아황은 얼굴에 바르는 분(粉).

1139)딕녜(織女) : 견우직녀 설화에 나오는 여자 주인공.

1140)오작교(烏鵲橋) : 까마귀와 까치가 은하수에 놓는다는 다리. 칠월 칠석날 저녁에, 견우와 직녀를 만나게 하기 위하여 이 다리를 놓는다고 한다.

1141)월뎐쇼익(月殿素娥) : ①달 속에 있다고 하는 흰옷을 입은 선녀. ②달의 이칭(異稱).

1142)낙포(洛浦) : 중국 하남성(河南省) 낙수(洛水) 가에 있는 지명. 복희씨(伏羲氏)의 딸 복비(宓妃)가 이곳에 빠져죽어 수신(水神)이 되었다고 함.

듯, 이윽이 초챵(怊悵)ᄒᆞ다가, 은긔다려 므러 왈,

"이 화원 아릭 션취졍이 뉘 거쳐뇨?"

답왈,

"이는 우리 슉모 쳐쇠어니와 므러 므엇ᄒᆞ려 ᄒᆞᄂᆞ뇨?"

싱 왈,

"내 굿ᄐᆞ여 알 일 업거니와, 너희 슉모 윤ᄉᆞ마 부인 침실이냐?"

은긔 왈,

ᄋᆞ(兒) 슉뫼로다.

하싱이 평싱 원ᄒᆞ던 바 슉녀를 친히 보고 취코져 ᄒᆞ던디라. 금일 뎡쇼져의 용화긔질과 ᄉᆡᆨ모염틱(色貌艶態) ᄌᆞ긔 바라던 바의 디나고, 슈슈(嫂嫂) 윤부인과 져져(姐姐)【24】윤태부 부인으로도 일층이나 오를 듯ᄒᆞ니, 황홀ᄒᆞᆫ 심신을 것잡디 못ᄒᆞ여, 그윽이 혜오ᄃᆡ,

"하날이 날을 ᄂᆡ고 여ᄎᆞ 슉녀를 ᄂᆡ여 내 눈의 친히 보게 ᄒᆞ시니, 이는 심상치 아닌 일이로ᄃᆡ, 인연을 일우기 어려오니, 장ᄎᆞᆺ 엇디 ᄒᆞ면 그 규슈로ᄡᅧ 긔믈(奇物)을 삼을고. 뎡연슉(緣叔) 필네 당혼(當婚)ᄒᆞ믈 드러시나, 그 틱셔ᄒᆞ미 이상ᄒᆞ여 날을 젼혀 유의 아닛는 거동이라. ᄒᆞ믈며 대인이 뎡공 필녀의 긔특ᄒᆞ믈 드르시ᄃᆡ, 져 집이 구혼치 아니므로 스ᄉᆞ로 쳥혼ᄒᆞ시는 의ᄉᆡ 아니 계시리니, 내 아모커나 져져를 보고 ᄎᆞ혼을 쳥ᄒᆞ여 보려니와, 내 뜻이 몸이 금달(禁闥)1143)의 츌입ᄒᆞ여 계화(桂花)를 ᄭᅩᆺᄌᆞ1144) 취쳐ᄒᆞ려 ᄒᆞ여시니,【25】금츄 과거의 참방ᄒᆞ믈 엇고 뎡시를 취ᄒᆞ리라."

의ᄉᆡ 이의 밋쳐는 타쳐(他處)의 취실홀 ᄆᆞ옴이 업고, 뎡시 취홀 뜻이 텰셕 ᄀᆞᆺᄐᆞ니, 만홰(萬花) 교발(交發)ᄒᆞ여 고은 빗출 셔로 ᄌᆞ랑ᄒᆞ여, 암향(暗香)이 응비(凝飛)ᄒᆞ나 유

1143)금달(禁闥) : 궐내에서 임금이 평소에 거처하는 궁전의 앞문.

1144)계화(桂花)를 꽂음 : 예전에 과거에 급제하면 임금이 급제자에게 종이로 만든 계화(桂花: 계수나무 꽃)를 하사한 데서 유래한 말로 '과거에 급제함'을 이르는 말.

"이화원 아릭 션취졍이란 집 뉘 쳐쇠뇨? "

운긔 답왈,

"이는 우리 슉모 침소이어니와 므르믄 엇지미【115】뇨"

싱 왈,

"ᄂᆡ 굿ᄐᆞ여 알 일이 업거니와 너의 슉모 윤ᄉᆞ○[마] 부인 침실이냐"

운긔 왈,

"아니라, 《오(吾)‖ᄋᆞ(兒)》 슉모 침쇠라."

하싱이 평싱 원ᄒᆞ는 ᄇᆡ 슉녀를 친○[히] 보고 ○○[취코]져 ᄒᆞ던 ᄇᆡ라. 금일 본 규슈의 용화긔질○[이] ᄌᆞ긔 고안(高眼)에도 넘치미 잇셔, 그 슈슈 윤씨와 ᄆᆡ져 윤틱부 부인게도 일층이나 올을 듯ᄒᆞᆫ 곳이 잇시니, 황홀ᄒᆞ여 혜오ᄃᆡ,

"장ᄎᆞᆺ 엇지 ᄒᆞ면 그 규슈를 ᄂᆡ 긔물을 삼을고. 금평후의 필네 당혼(當婚)ᄒᆞ믈 드럿시나, 그 틱셔ᄒᆞ미 비상ᄒᆞ여 나를 유의치 아닛는지라, ᄂᆡ 아모케나 ᄆᆡ져를 보고 ᄎᆞ혼을 쳥ᄒᆞ려니와, ᄂᆡ 뜻이 몸이 금달(禁闥)884)의 츌입ᄒᆞ여 계화(桂花)를 ᄭᅩ진885) 후 취쳐○○[ᄒᆞ려] ᄒᆞ엿시니, 금츄 과거의 참방ᄒᆞ믈 엇고 뎡씨를 취ᄒᆞ리라."

의ᄉᆡ 이【116】》 ③《의 밋쳐는, 뎡씨 취홀 뜻시 쳘셕 ᄀᆞᆺᄒᆞ여, 뎡·진 졔공ᄌᆞ를 다리고 외헌의 나오ᄆᆡ, 황ᄌᆞ 오왕이 맛춤 뎡부의 왓다가, 하원창 마조쳐 보고 칭찬 왈,

884)금달(禁闥) : 궐내에서 임금이 평소에 거처하는 궁전의 앞문.

885)계화(桂花)를 꽂음 : 예전에 과거에 급제하면 임금이 급제자에게 종이로 만든 계화(桂花: 계수나무 꽃)를 하사한 데서 유래한 말로 '과거에 급제함'을 이르는 말.

완(遊玩)ᄒᆞᆯ 의ᄉᆡ ᄉᆞ라져, 뎡·딘 졔 공ᄌᆞ를 다리고 외헌의 나오ᄆᆡ, 황ᄌᆞ 오왕이 맛촘 뎡부의 왓다가 하원챵을 마조쳐 보고 크게 칭찬 왈,

“괴(孤)1145) 귀부의 ᄌᆞ로 왕ᄂᆡᄒᆞ나, 일ᄌᆞᆨ 듁청의 졔ᄌᆞ 밧 다른 슈ᄌᆡ(豎子) 이시믈 보디 못ᄒᆞ엿더니, 금일 져 슈ᄌᆡ를 보니 긔특고 아름다오믈 니긔디 못ᄒᆞᄂᆞ니, 아디 못게라 형의 친쳑이 되ᄂᆞ냐?”

하공ᄌᆡ 딘공ᄌᆞ와 은긔로 더브러 쳥듁헌 쳥샹의 오른【26】후, 방듕의 졔왕이 오왕으로 더브러 ᄃᆡ좌ᄒᆞ여시믈 알ᄆᆡ, 밋쳐 피치 못ᄒᆞ엿ᄂᆞᆫ디라. 졔왕이 웃고 하공ᄌᆞ를 블너 왈,

“현계(賢契)1146) 발셔 오왕 뎐하긔 뵈오미 되여시니, 굿ᄐᆞ여 피ᄒᆞᆯ 일 업ᄂᆞᆫ디라. 모로미 ᄒᆞᆫ 번 현알ᄒᆞ미 무방토다.”

인ᄒᆞ여, 뎡국공 뎨삼ᄌᆞ 하원챵이믈 ᄃᆡᄒᆞ니, 하공ᄌᆡ 오왕을 ᄃᆡᄒᆞ여 공경 ᄇᆡ알ᄒᆞᆯᄉᆡ, 왕이 쳐음 보ᄂᆞᆫ 셔의ᄒᆞ미1147) 업셔 그 손을 잡고 년치(年齒)를 므르며 고금을 논문ᄒᆞᆯᄉᆡ, 공ᄌᆡ ᄒᆞᆫ갓 황친국쳑을 니르디 말고 엄연ᄒᆞᆫ ᄌᆡ렬명환(宰列名宦)이라도 그 부공이 ᄌᆞ긔 등을 금ᄒᆞ여 보디 못ᄒᆞ게 ᄒᆞ던 바의, 오날늘 오왕을 보미 브졀업시 뎡부의 단니던 탓시라. ᄋᆡ둛고 뉘웃【27】브ᄃᆡ1148) 긔상이 타연ᄒᆞ고 샹쾌ᄒᆞ여 쇼졸(疏拙)ᄒᆞ미 업셔, 이의 오왕을 ᄃᆡᄒᆞ여 언어를 문답디 아니미 괴이ᄒᆞ여, 마디 못ᄒᆞ여 뭇ᄂᆞᆫ 나흘 고○○[ᄒᆞ고], 뭇ᄂᆞᆫ 바 혹문을 ᄃᆡᄒᆞᄆᆡ, 비록 ᄌᆡ조를 ᄌᆞ랑치 아니나 쇽의 픔은 ᄇᆡ1149) ᄌᆞ연 남과 다른 고로, 고금을 《담논∥담론(談論)》ᄒᆞᄂᆞᆫ 바의, 쥬슌호치(朱脣皓齒) ᄉᆞ이로 조ᄎᆞ

1145)괴(孤) : 예전에, 왕이나 제후가 자기를 낮추어 이르던 일인칭 대명사.

1146)현계(賢契) : 문인(門人), 제자, 친구 등을 존중해서 이르는 말.

1147)셔의ᄒᆞ다 : 서어(齟齬)하다. 서먹하다. 익숙하지 아니하여 서름서름하다.

1148)뉘웃브다 : 뉘우쁘다. 후회(後悔)스럽다. 뉘우치는 생각이 있다.

1149)ᄇᆡ : 의존명사. 앞에서 말한 내용 그 자체나 일 따위를 나타내는 말.

“ᄂᆡ 귀부의 ᄌᆞ로 왕ᄂᆡᄒᆞ나, 일ᄌᆞᆨ 쥭쳥의 뎨딜 밧 다른 슈ᄌᆡ(豎子) 잇시믈 보지 못하엿더니, 금일 져 슈ᄌᆞ를 보니 긔특고 아름다오믈 니긔지 못ᄒᆞᄂᆞ니, 아지 못게라, 형의 친쳑이 되ᄂᆞ냐?”

졔왕이 웃고 하공ᄌᆞ를 불너 왈,

“현계(賢契)886) 발셔 오왕 뎐하게 뵈오미 되엿시니, 굿ᄐᆞ여 피ᄒᆞᆯ 길이 업ᄂᆞᆫ지라. 모로미 ᄒᆞᆫ 번 현알ᄒᆞ미 무방토다.”

인ᄒᆞ여 뎡국공 졔 숨ᄌᆞ 하원창이믈 젼ᄒᆞ니, 왕이 밋쳐 답지 못ᄒᆞ여셔 하공ᄌᆡ 오왕을 향ᄒᆞ여 ᄇᆡ알ᄒᆞᆫ ᄃᆡ, 왕이 그 손을 잡고 년치를 므르【113】며 고금을 논문(論問)ᄒᆞᆯᄉᆡ, 공ᄌᆡ 마지못ᄒᆞ여 나흘 고ᄒᆞ고 뭇ᄂᆞᆫ 바 학문을 ᄃᆡᄒᆞᄆᆡ, ᄌᆡ조를 ᄌᆞ랑치 아니나 쇽의 픔은 바887)이, ᄌᆞ연 남다른 고로 도도ᄒᆞᆫ 말ᄉᆞᆷ이 ᄐᆡᄉᆞ쳔을 압두ᄒᆞᆯ지라.

886)현계(賢契) : 문인(門人), 제자, 친구 등을 존중해서 이르는 말.

887)바 : 의존명사. 앞에서 말한 내용 그 자체나 일 따위를 나타내는 말.

도도흔 말숨이 하슈(河水)를 드리오며 댱강(長江)을 헷치니, 문댱은 태ᄉ쳔(太史遷)[1150]을 압두ᄒ고, 긔량은 텬디로 방블(彷彿)ᄒ니, 옥면션풍(玉面仙風)의 하일디위(夏日之威)와 츈양화긔(春陽和氣)를 겸ᄒ여, 십삼 쇼년이로ᄃ 댱부의 톄위와 영쥰의 긔습(氣習)을 가져, 언ᄉ동용(言辭動容)이 댱ᄌ를 우을디라. 오왕이 만분 경찬(慶讚) 왈,

"하흑ᄉ의 긔특ᄒ믄 ᄉ셔(士庶)【28】의 흔가디로 칭복ᄒ믄 니르디[도] 말고, 우흐로 황야와 만되 다 긔ᄃ(期待)ᄒ미 되엿더니, 금일 슈ᄌ(秀才)를 보니 기빅(其伯)의 우히라. 하문 복경이 비상ᄒ믈 알니로다."

졔왕이 쇼왈,

"하ᄌ의는 대군ᄌ라. 만식 쇽뉴와 다르니, ᄎᄋ 긔특ᄒ나 학ᄉ의 우히 될 줄은 아디 못ᄒᄃ, 대개 풍도긔상(風度氣像)과 문댱ᄌ홰(文章才華)○[는] 흑ᄉ의 아릐 되든 아니리라."

오왕이 크게 경찬칭복(慶讚稱福)ᄒ여 그 읏이 동상(東床)을 유의ᄒ는 고로 죵용이 담화ᄒ다가 날호여 하부의 니르ᄆ, 하공이 공경치관(恭敬致款)[1151]ᄒ여 녜필 좌뎡의, 왕이 몬져 말숨을 펴, 골오ᄃ,

"과인이 문양궁 왕닉의 ᄌ로 션ᄉ긔 현알홀 거시로ᄃ, 명공이【29】듕헌의 계신 ᄶ만타 ᄒ시므로, 피ᄎ 상견이 ᄆ음과 ᄀ디 못ᄒ믈 탄ᄒ더니, 금일은 맛촘 뎡부의 왓다가 션ᄉ긔 브ᄃ 쳥홀 일이 이셔 왓ᄂ이다."

하공이 손샤(遜辭) 왈,

"대왕의 존개 누쳐의 님ᄒ시나 학ᄉ이 참화디후(慘禍之後)의 인ᄉ 되ᄎ디[1152] 못ᄒ여 경신이 모손흔 고로, 귀궁의 나아가 회샤(回謝)치 못ᄒ믈 우탄(憂歎)ᄒ는 ᄇ러니,

오왕이 크게 칭찬ᄒ고 그으이 동상을 삼고져 ᄒ여, 이에 가(駕)를 두루혀 하부의 니르니, 하공이 마ᄌ 례필의, 왕이 먼져 말숨을 펴, 왈,

"과인이 문양궁 왕닉의 ᄌ로 션ᄉ을 뵈옵지 못ᄒ엿더니, 금일은 맛춤 뎡부의 왓다가 션ᄉ긔 부ᄃ 쳥홀 일이 잇셔 왓ᄂ이다."

하공이 손ᄉ(遜辭) 왈,

"ᄃ왕이 쳥ᄒ시는 ᄇ 무숨 말숨이니잇고?"

1150)태ᄉ쳔(太史遷) : 사마천(司馬遷). BC.145-86. 중국 전한(前漢)의 역사가. 태사(太史)는 태사령(太史令)을 지낸 그의 관직명. 자는 자장(子長). 기원전 104년에 공손경(公孫卿)과 함께 태초력(太初曆)을 제정하여 후세 역법의 기초를 세웠으며, 역사책 ≪사기≫를 완성하였다.

1151)공경치관(恭敬致款) : 공경하고 정성을 다해 손님을 맞이함.

1152)되ᄎ다 : 되찾다. (정신 따위를) 다시 차리다.

금일 혹ᄉᆡᆼ을 ᄃᆡᄒᆞ샤 쳥ᄒᆞ시ᄂᆞᆫ ᄇᆡ 므슴 말ᄉᆞᆷ이니잇고?"

오왕이 흔흔히 웃고 왈,

"쇼죵(小宗)이 여러 ᄋᆞᄃᆞᆯ을 입쟝(入丈)ᄒᆞ믄 션ᄉᆡᆼ의 아르시ᄂᆞᆫ ᄇᆡ라. 이졔 일녀 이셔 져의 용화긔딜(容華氣質)이 용쇽(庸俗)기를 면ᄒᆞ여시나, 혹ᄌᆞ 명공이 더럽다 아니시면, 과인이 외람이 녕낭으로【30】뼈 동상을 맛고져 ᄒᆞᄂᆞ니, 션ᄉᆡᆼ 존의 하여(何如)시니잇고?"

하공이 쳥파의 ᄀᆞ장 블열ᄒᆞ여 허락ᄒᆞᆯ 뜻이 몽ᄆᆡ(夢寐)의도 업ᄉᆞᆯ 쌘 아니라, 본ᄃᆡ 황친국쳑과 결혼을 아니랴 ᄒᆞ던 ᄇᆡ라. 이의 몸을 굽혀 ᄉᆞ샤 왈,

"대왕이 쳔금(千金) 일군쥬(一郡主)[1153]를 두시고, 혹ᄉᆡᆼ의 나ᄌᆞᆫ 가문과 더러온 ᄌᆞ식을 유의ᄒᆞ샤 친히 구혼ᄒᆞ시미 여ᄎᆞᄒᆞ시니, 쇼ᄉᆡᆼ이 감은ᄒᆞ믈 니긔디 못ᄒᆞᆯ 거시로ᄃᆡ, 다만 만ᄉᆡᆼ의 어린 ᄌᆞ식이 년긔 십삼의 만ᄉᆡ(萬事) 미형(未瑩)ᄒᆞ여[1154], 혼취(婚娶)를 의논치 못ᄒᆞ게 되여시니, 대왕의 후의를 밧드디 못ᄒᆞ리로소이다. ᄒᆞ믈며 미돈(迷豚)[1155]의 년긔 이십을 그음ᄒᆞ여 입쟝코져 ᄒᆞᆸᄂᆞ니, 귀 군쥬ᄂᆞᆫ 당혼(當婚)ᄒᆞ여 계신가 시브온디라. ᄉᆞ셰(事勢) 미돈과 혼녜를 일우디【31】못ᄒᆞ실가 ᄒᆞᄂᆞ이다."

오왕이 웃고 다시 쳥왈,

"과인의 브ᄌᆡ무덕(不才無德)을 낫게 넉이샤 혼인을 블허코져 ᄒᆞ시나, 녕낭(令郎)의 당대슉셩ᄒᆞ믄 과인의 본 ᄇᆡ라. 십삼 쇼년의 팔쳑당부의 언건ᄒᆞᆫ 톄를 일워시니, 이십을 그음ᄒᆞ여 입장키를 니르시믄 깁히 칭탁(稱託)ᄒᆞ시ᄂᆞᆫ 말ᄉᆞᆷ이라. 과인이 비록 디식(知識)이 쳔단(淺短)ᄒᆞ고 셩졍이 소활(疎豁)ᄒᆞ나, 명공의 쳥덕(淸德)을 경앙(敬仰)ᄒᆞᄂᆞ니,

1153)군쥬(郡主) : 조선 시대에, 왕세자의 정실(正室)에서 태어난 딸에게 내리던 정이품 외명부의 품계.

1154)미형(未瑩)ᄒᆞ다 : 똑똑하지 못하고 어리석다.

1155)미돈(迷豚) : 아들. 가아(家兒). '어리석은 돼지'라는 뜻으로, 남에게 자신의 아들을 낮추어 이르는 말.

오왕이 흔흔히 우음을 머금고 왈,

"과인이 여려[러] 아ᄯᆞᆯ[ᄃᆞᆯ]을 닙장(入丈)ᄒᆞ믄 명공의 아르시ᄂᆞᆫ ᄇᆡ라. 이제 한 ᄯᆞᆯ이 잇시니 져의 용화긔질【114】》 ②《이 용속기를 면ᄒᆞ엿시니 더럽다 아니시면 과인이 외람이 녕ᄉᆞᆷ낭(令三郎)으로뼈 동상을 삼고져 ᄒᆞᄂᆞ니, 존의 웃더ᄒᆞ시니잇고?"

하공이 흠신(欠身) ᄉᆞᄉᆞ 왈,

"ᄃᆡ왕이 쳔금(千金) 일군쥬(一郡主)[888]를 두시고, 소ᄉᆡᆼ의 나ᄌᆞᆫ 가문과 더러온 ᄌᆞ식을 유의ᄒᆞ샤 이러틋 구혼ᄒᆞ시니, 소ᄉᆡᆼ이 감은ᄒᆞ믈 니긔지 못ᄒᆞᆯ 거시로ᄃᆡ, 다만 만ᄉᆡᆼ의 어린 ᄌᆞ식이 년긔 십삼의 만ᄉᆡ 미형(未瑩)ᄒᆞ니, ᄃᆡ왕의 후의를 밧드지 못ᄒᆞ리로소이다."

오왕이 웃고 다시 쳥왈,

888)군쥬(郡主) : 조선 시대에, 왕세자의 정실(正室)에서 태어난 딸에게 내리던 정이품 외명부의 품계.

녀ᄋᆡ 만일 황가디엽의 교오방ᄌᆞ(驕傲放恣)ᄒᆞ미 이시면, 엇디 녕낭의 ᄇᆡ우를 삼고져 ᄒᆞ리오마ᄂᆞᆫ, 딘실로 용쇽기를 면ᄒᆞ엿ᄂᆞ니, 원컨ᄃᆡ 명공은 녕낭 ᄉᆞ랑ᄒᆞᄂᆞᆫ 졍을 도라보아 혼인을 막디 마르쇼셔."

하공이 오왕의 말이 이 ᄀᆞᆺ기의 니르러ᄂᆞᆫ, ᄌᆞ긔 비록 영영 뇌거(牢拒)1156)ᄒᆞ나 반ᄃᆞ【32】시 텬위를 비러 샤혼셩디를 어더 위력으로 혼네를 일울 ᄲᆞᆫ 아니라, 왕이 발셔 원창을 보고 구혼ᄒᆞᄂᆞᆫᄃᆡ, 다시 미형ᄒᆞ므로 일ᄏᆞᆺ기도 딕(直)디 못ᄒᆞᆯ디라. ᄉᆞ셰 마디 못ᄒᆞ여 ᄌᆞ긔 말이 셰울 길히 업ᄉᆞ믈 ᄭᆡᄃᆞ라, 샤례 왈,

"대왕이 돈ᄋᆞ를 친히 보시고 그 용우ᄒᆞ믈 더러이 아니 넉이샤 구혼ᄒᆞ시미 이러ᄐᆞᆺ 간졀ᄒᆞ시니, 혹ᄉᆡᆼ이 엇디 두 번 샤양ᄒᆞ리잇고. 그러나 신당은 거의 ᄌᆞ라시나 만ᄉᆡ 미거ᄒᆞ고 무식소활ᄒᆞ여, 군ᄌᆞ의 도의 나아 갈 날이 머러시니, 대왕은 ᄒᆞᆫ갓 흰 얼골과 븕은 입이 누추키를 면ᄒᆞ여시믈 취치 마르시고, 귀 군쥬의 영화롭고 즐거오믈 ᄉᆡᆼ각ᄒᆞ샤 아딕 ᄐᆡᆨ셔를 《아라 ᄒᆞ시미‖마르시미》 맛당ᄒᆞ니, 돈ᄋᆞ【33】ᄂᆞᆫ 결단ᄒᆞ여 죵요로온 신낭 ᄌᆡ목이 되디 못ᄒᆞ리이다."

오왕이 쇼왈,

"과인이 ᄯᆞᆯ을 위ᄒᆞ여 텬하를 두로 노라 구ᄒᆞ여도, 녕낭 ᄀᆞᆺᄐᆞ 니를 만나기 쉽디 아니리니, 션ᄉᆡᆼ이 겸양ᄒᆞ시믈 이러ᄐᆞᆺ ᄒᆞ시ᄂᆞ니잇고? 일노조ᄎᆞ ᄃᆞᆺ 우히셔 친ᄉᆞ를 뇌뎡ᄒᆞ고 가ᄂᆞ니, 과인이 길월냥신(吉月良辰)1157)을 ᄀᆞᆯ히여 보ᄒᆞ리이다."

하공이 블힝ᄒᆞ믈 니긔디 못ᄒᆞ나 ᄒᆞᆯ 일 업셔, 날호여 ᄃᆡ왈,

"미돈이 나히 어리니 혼취 실노 밧븐 ᄆᆞᄋᆞᆷ이 업ᄉᆞᆫ디라. 그리 급히 ᄐᆡᆨ일ᄒᆞ여 므엇ᄒᆞ리잇고? 대왕이 밧바 ᄒᆞ시니 길일을 ᄐᆡᆨᄒᆞᄂᆞᆫ ᄃᆡ로 알게 ᄒᆞ○[시]려니와, 쇼ᄉᆡᆼ이 본ᄃᆡ 포의디문(布衣之門)이오 화가여ᄉᆡᆼ(禍家餘生)

1156)뇌거(牢拒) : 딱 잘라 거절함.
1157)길월냥신(吉月良辰) : 운이 좋거나 상서로운 달과 날.

"과인의 ᄯᆞᆯ을 위ᄒᆞ여 텬하를 두로 도라 구ᄒᆞ나, 녕냥 ᄀᆞᆺᄒᆞ니를 만나기 쉽지 아니니, 명공이 겸양(謙讓)ᄒᆞ시믈 이럿ᄐᆞᆺ ᄒᆞ시나잇가? 금일 ᄃᆞᆺ 우히셔 친ᄉᆞ를 뇌졍ᄒᆞ고 도라가 길월냥신(吉月良辰)889)을 갈희여 보ᄒᆞ리이다."

하공이 블힝ᄒᆞ【111】믈 니긔지 못ᄒᆞ나,

889)길월냥신(吉月良辰) : 운이 좋거나 상서로운 달과 날.

이라. 셩듀의 호텬대은(昊天大恩)으로 일명이 니이여시나, 부직(父子) 위거국【34】공(位居國公) ᄒᆞ고 부귀 인신의 과의(過矣)니, ᄆᆡ양 만영디환(滿盈之患)[1158]을 두려 ᄒᆞᄂᆞᆫ 근심이[의] 능히 잠ᄌᆞ디 못ᄒᆞ고 밥 먹디 못ᄒᆞ거ᄂᆞᆯ, 대왕과 결혼ᄒᆞᄂᆞᆫ 외람ᄒᆞ미 이시니 반ᄃᆞ시 열운 복이 손ᄒᆞᆯ가 황황ᄒᆞ믈 니긔디 못ᄒᆞᄂᆞ이다.”

오왕이 그 과겸(過謙)ᄒᆞ믈 도로혀 블안ᄒᆞ여 ᄀᆞᆯ오ᄃᆡ,

“과인이 녕낭으로 ᄉᆞ회 삼으미 외람ᄒᆞᆯ디언졍, 존부의셔 과겸ᄒᆞ실 니 업ᄉᆞ니, 션ᄉᆡᆼ은 괴이ᄒᆞᆫ 말솜을 마르시고 과인이 비록 외되(外朝)[1159] 아니나, 황가디엽(皇家枝葉)으로 샤치교만(奢侈驕慢)ᄒᆞ미 업ᄉᆞ니, 블안ᄒᆞ여 마르쇼셔.”

하공이 오왕의 쳥검인현(淸儉仁賢)ᄒᆞ믈 모르디 아니나, 황가와 결혼ᄒᆞ믈 괴롭고 블열ᄒᆞ여, 브득이 허혼ᄒᆞ나 조금도 쾌ᄒᆞᆫ 빗치 업더라.

날이 느ᄌᆞᄆᆡ 오왕이 도라 가고【35】초공이 관부의 갓다가 도라와 부모긔 뵈올ᄉᆡ, 하공이 셩되 강엄ᄒᆞ고 단믁(端默)ᄒᆞ여 깃브디 아닌 일을 입 밧긔 니르기를 괴로이 넉이므로, 오왕과 뎡혼ᄒᆞᆫ 말을 굿ᄐᆞ여 니르디 아니니, 초공도 망연이 아디 못ᄒᆞ고, 원쟝 공ᄌᆞᄂᆞᆫ 더옥 ᄭᆡᄃᆞᆺ디 못ᄒᆞ여, 오왕이 비록 ᄌᆞ긔를 보고 과도히 ᄉᆞ랑ᄒᆞ나 동상을 유의ᄒᆞᆫ ᄉᆡᆼ각디 못ᄒᆞ고, 츄과(秋科)[1160]를 응ᄒᆞ여 머리 우히 계화(桂花)를 솟고, 다시 뎡쇼져 취ᄒᆞ기를 계교ᄒᆞ더니, 그 ᄆᆡ져 윤태부 부인을 보고 ᄎᆞᄉᆞ를 의논코져 ᄒᆞᄃᆡ, 옥누항의 가 도라오디 못ᄒᆞ여시므로 심곡소회(心曲所懷)를 펴디 못ᄒᆞ고, 뎡부 화원의셔 ᄒᆞᆫ 번 뎡쇼져를 본 후ᄂᆞᆫ, 몸은 집의 이시나 뎡

1158)만영디환(滿盈之患) : 가득차서 넘침으로써 생기는 환란.

1159)외조(外朝) : ①재상의 관할하(管轄下)에 있는 행정기구를 뜻하는 것으로 임금의 직속 기구인 내조(內朝)와 대비한 칭호. ②조정의 관리. ③임금의 종족(宗族)이 아닌 사람.

1160)츄과(秋科) : 가을에 시행되는 과거시험.

하공이 오왕의 쳥검인현(淸儉仁賢)ᄒᆞ믈 모로지 아니ᄆᆡ 부득이 허혼ᄒᆞ나, 황가와 결혼ᄒᆞ미 괴롭고 불안ᄒᆞ여 조금도 쾌ᄒᆞᆫ 빗치 업더라.

날이 느ᄌᆞᄆᆡ 오왕이 도라 가고, 초공이 관부의 갓다가 도라와 부모긔 뵈올ᄉᆡ, 하공이 오왕과 결혼ᄒᆞᆫ 말을 굿ᄒᆞ여 니르지 아니ᄒᆞ니, 초공도 망연이 아지 못ᄒᆞ고, 원창 공ᄌᆞᄂᆞᆫ 더욱 ᄭᆡᄃᆞᆺ지 못ᄒᆞ여 오왕이 비록 ᄌᆞ긔를 보고 과도히 ᄉᆞ랑ᄒᆞ나, 동상을 유의ᄒᆞᆫ ᄉᆡᆼ각지 못ᄒᆞ고, 츄과(秋科)[890]를 응ᄒᆞ여 머리 우히 계화(桂花)를 솟고, 다시 뎡소져 ᄇᆡ(配)ᄒᆞ기를 계교ᄒᆞ니, 뎡부의셔 녕[뎡]소져를 ᄒᆞᆫ 번 본 후ᄂᆞᆫ, 몸은 집에 잇시나 졍혼은 뎡소져의게 잇셔,

890)츄과(秋科) : 가을에 시행되는 과거시험.

쇼져 위흔 ᄆ【36】옴이 흔 조각 쇠돌이 되여{시므로} 플닐 길히 업ᄂ디라. 이러므로 풍경을 유완키의도 념녀 도라가디 아냐, 이후ᄂ 집의 잇ᄂ 날은 ᄆ음의 업순 셔칙을 뒤져기나, 뎡쇼져 옥틱만광(玉態萬光)이 안져의 삼삼ᄒ여, 좌와슉식간(坐臥宿食間)[1161]의 니줄 길히 업ᄉ니, 원챵의 ᄆ음 쓴 아니라 하날이 식이미라.

오왕이 궁의 도라와 졔ᄌ를 딕ᄒ여 하원챵의 긔특ᄒ믈 일ᄏ르며, 셜빈의 친ᄉ를 뇌뎡(牢定)코 오믈 니르니, 비와 셰ᄌ 형뎨 다 깃거 ᄒ고, 여러 셰월이 될ᄉ록 '셩'녀 '난ᄋ'의 근본을 아디 못ᄒ고, 계양 태슈 됴젼의 ᄯᆞᆯ노 아라, 그 무부모(無父母)흔 졍ᄉ를 츄연흘 쓴 아냐, 셩녀의 ᄌ식이 졀셰ᄒ고 힝시 영오【37】총민ᄒ고, 말솜이 현하(懸河)[1162]를 드리워시니, 왕과 비의 ᄆ옴을 극딘히 맛치고, 거즛 졍셩 잇건 쳬ᄒ여, 왕의 부뷔 블평흠 곳 이시면 슉식을 다 폐ᄒ고 디셩으로 구호ᄒᄂ 형상을 디으며, 셰ᄌ 등을 공경ᄒ고 우익ᄒ미 친싱남미ᄀ치 ᄒ며, 말ᄌ 궁비의 니르히 웃ᄂ 얼골노 딕ᄒ여, ᄌ보를 앗기디 아니코 인심을 취합ᄒ니, 오왕궁 샹히 긔특이 넉이믈 마디 아니니, ᄎ고로 왕과 비의 ᄉ랑이 친싱이 아니믈 ᄭ돗디 못ᄒ여, 왕이 셩녀를 어든 슈년만의 샹긔 쳥ᄒ고 군쥬 작호를 어더, 임의 셜빈 군쥬를 봉ᄒ고 굿ᄐ여 양녀(養女) 어덧노라 말을 아냐, 탐혹흔 ᄉ랑이 장ᄎ 인ᄉ를 닛기의 갓가와시니, 이 ᄯᅩ 셩【38】시 요괴(妖怪)로와 묘화·츈교로 의논ᄒ고, 져를 과도히 ᄉ랑흘 약을 어더 쥬찬의 셕거 왕과 비를 먹여 아조 속게 ᄒ고, 년치ᄂ 오년을 주려 시금(時今)의 십구셰로딕 십ᄉ셴 쳬ᄒ여, 유튱(幼沖)흔 거동을 남이 보게 ᄒ고, 왕과 비 져의 혼ᄉ를 의논ᄒ면 ᄎ마 븟그려

집의 잇ᄂ 날은 마음의 업슨 셔칙을 뒤【112】》①《 젹이나, 뎡소져의 옥틱만광(玉態萬光)이 안져(眼底)의 삼삼ᄒ여, 좌와슉식간(坐臥宿食間)[891]의 니잘 길이 업ᄉ니, 원창의 마음 쑨니 아니라 하날이 식이미러라.

오왕이 궁의 도라와 졔ᄌ를 보고, 하원창의 긔특ᄒ믈 닐ᄏ르며, 셜빈의 친ᄉ를 뇌졍(牢定)ᄒ믈 니르니, 비와 셰ᄌ 형뎨 깃거ᄒ고, 여러 셰월이 될ᄉ록 '셩'씨 'ᄂ아'[892]의 근본을 아지 못ᄒ고, 계양 틱슈 조젼의 ᄯᆞᆯ노 아라,

상긔 쳥ᄒ고 군쥬 위호를 어더, 셜빈군쥬를 봉ᄒ고, 냥녀(養女)로라 말도 아냐 탐혹흔 ᄉ랑이 밋칠 ᄃᆺᄒ니, 이ᄂ 셩씨 가마니 ᄉ랑ᄒᄂ 약을 어더, 쥬찬(酒饌)의 셕거 왕의 부부를 먹여 아조 졍을 ᄲᆺ게 ᄒ고, 년치(年齒)를 오년을 쥬려 십ᄉ셰로라 ᄒ여 왕을 농낙ᄒ니, 왕의【109】ᄉ랑이 밋칠 ᄃᆺᄒ더라.

1161)좌와슉식간(坐臥宿食間) : 앉고 눕고 잠자고 밥 먹고 하는 모든 때.
1162)현하(懸河) : 급한 경사를 세게 흐르는 하천. 여기서는 세차게 흐르는 물처럼 언변이 매우 유창함을 비유적으로 표현한 말.

891)좌와슉식간(坐臥宿食間) : 앉고 눕고 잠자고 밥 먹고 하는 모든 때.
892)ᄂ아 : 설빈군주의 본래 이름. 성(姓)은 '성(成)'씨이고 이름은 'ᄂ아'다.

낫출 드디 못ᄒᆞᄂᆞᆫ 쳬ᄒᆞ여, 쳔교만악(千狡萬惡)이 블가형언(不可形言)이로ᄃᆡ, 오궁 샹히 아득히 모로미 된 ᄇᆡ로ᄃᆡ, 셰ᄌᆡ 남달니 명달ᄒᆞ므로 셜빈의 거동이 쳔연치 아니믈 의심ᄒᆞ나, 근본이 그ᄃᆡ도록 악착음흉디녀(齷齪陰凶之女) 줄이야 쑴의나 ᄉᆡᆼ각ᄒᆞ여시리오.

오왕이 즉시 길월냥신(吉月良辰)을 ᄐᆡᆨᄒᆞ니, 혼긔 아득ᄒᆞ여 츄 팔월 습슌(拾旬)이로ᄃᆡ, 납빙은 슈일이 격ᄒᆞ엿ᄂᆞᆫ디라. 이ᄃᆡ로 하부의 통ᄒᆞ니【39】하공이 비록 깃브디 아니나, 당면뇌약ᄒᆞᆫ 혼ᄉᆞ를 믈닐 길히 업ᄂᆞᆫ디라. 이의 부인을 ᄃᆡᄒᆞ여 오왕의 일 군쥬로 원창과 뎡혼ᄒᆞ믈 니르고 납빙을 출히라 ᄒᆞ니, 초공이 옥 두어 가디로 빙믈을 삼아시므로, 초공이 연・경 두 부인 취ᄒᆞᆯ 제ᄂᆞᆫ 월패를 ᄆᆡᆫᄃᆞ라 빙믈을 삼은디라, 원상 공ᄌᆞ도 월패로 님시를 취ᄒᆞᄃᆡ, 아모리 갑ᄉᆞᆯ 드려 월패를 극ᄐᆡᆨ(極擇)ᄒᆞᄃᆡ, 하공이 남강의 가어든 월패와 ᄀᆞᆺ디 못ᄒᆞ여, 텬하 보ᄇᆡ를 다 모화 견조와 보아도 윤・하・뎡 삼공의 각각 어든 바 명듀와 보월의 비길 ᄇᆡ 업ᄂᆞᆫ디라. ᄎᆞ고로 졔왕비 윤의렬 월패와, 초공 부인 윤시의 월패며, 뎡슉녈과 하부인의 명쥐 인간의 다시【40】잇디 아닌 보ᄇᆡ라. 텬궁의 당연ᄒᆞᆫ 보ᄇᆡ로 군ᄌᆞ슉녀의 빙믈을 삼으려, 윤・하・뎡 삼공긔 젼ᄒᆞ미러라.

됴부인이 원창의 혼ᄉᆞ를 오궁의 완뎡ᄒᆞ여시믈 ᄀᆞ장 셔운ᄒᆞ여 왈,

"오궁 부귀ᄂᆞᆫ 친황ᄌᆞ의 당당ᄒᆞᆫ 셰엄을 므러 알 ᄇᆡ 아니로ᄃᆡ, 군쥬의 현블초(郡主)를 알 길히 업거ᄂᆞᆯ, 부ᄌᆡ 엇디 쇼루히 뎡ᄒᆞ시니잇고?"

공이 탄왈,

"내 엇디 황가디엽의 결혼코져 ᄒᆞ리오마ᄂᆞᆫ, 그윽이 셰ᄉᆞ를 혜건ᄃᆡ 오왕이 날을 당면ᄒᆞ여 여ᄎᆞ여ᄎᆞ 청혼ᄒᆞ니, 내 쥰졀이 뇌거(牢拒)ᄒᆞ여 허치 아닌즉, 오왕이 그만ᄒᆞ여 긋칠 니 업고, 반ᄃᆞ시 텬경의 쥬ᄒᆞ여 샤혼셩디를 어더 위력으로 친ᄉᆞ를 일울 ᄃᆞᆺᄒᆞ니, 그리 ᄒᆞᄂᆞᆫ 즈음은 요란만 ᄒᆞ고 내 ᄯᅳᆺ은 셰

왕이 즉시 길월냥신(吉月良辰)을 ᄐᆡᆨᄒᆞ니, 혼긔 아득ᄒᆞ여 츄 팔월이로ᄃᆡ, 납빙은 슈삼일의 격ᄒᆞ엿더라. 이ᄃᆡ로 하부의 통ᄒᆞ니 하공이 불열ᄒᆞ나 임의 뇌졍ᄒᆞᆫ 혼ᄉᆞ를 물니칠 길이 업ᄂᆞᆫ지라.

오【41】디 못ᄒᆞ고, ᄌᆞ연이 황명을 밧ᄌᆞᆸᄂᆞᆫ 거시 될 거시므로, ᄉᆡᆼ각다가 못ᄒᆞ여 일이 쭁용키를 취ᄒᆞ여 스ᄉᆞ로 허혼ᄒᆞ엿ᄂᆞ니, 블힝ᄒᆞ나 현마 엇디 ᄒᆞ리오.”

부인이 ᄯᅩᄒᆞᆫ ᄒᆞᆯ일업셔 월패(月佩)를 ᄆᆡᆫᄃᆞ라 빙믈을 삼으니, 초공이 비로소 알고 블힝ᄒᆞ믈 마디 아니나, ᄌᆞ긔 집의셔 ᄎᆞ혼을 슬희여도 ᄉᆞ셰 면치 못ᄒᆞᆯ 거시므로, 말을 간예치 아니ᄒᆞ고 뎡일(定日)의 혼셔와 월패를 보ᄂᆡᄃᆡ, 오히려 원챵은 아디 못ᄒᆞ고 일념이 다 뎡쇼져긔 도라가, 쥬쥬야야(晝晝夜夜)의 못 닛ᄂᆞᆫ 회포를 견즐 곳이 업ᄉᆞᄃᆡ, ᄌᆞ긔 심ᄉᆞ를 향(向)ᄒᆞ여 니를 곳이 업셔, 스ᄉᆞ로 위로ᄒᆞ여 ᄌᆞ긔 인믈이 금평후 고안(高眼)의 합ᄒᆞ여 청혼ᄒᆞ기를 졀박히 바라ᄃᆡ, 금후의 ᄐᆡᆨ셔ᄒᆞ미 비상【42】ᄒᆞ여 원챵을 나모라미 아니로ᄃᆡ, 셩현군ᄌᆞ(聖賢君子)의 빈빈(彬彬)○[ᄒᆞᆫ] 도힝이 브족ᄒᆞ믈 잠간 미흡히 넉여, 동상(東床)을 유의치 아니코 타쳐의 옥인군ᄌᆞ를 ᄐᆡᆨᄒᆞ니, 공후의 만금(萬金) 필와(畢瓦)[1163]로 왕공직렬(王公宰列)의 ᄆᆡᄌᆞ(妹者)오 부귀호치 금달공쥬를 블워 아니ᄒᆞᆯ디라. 뎡쇼져의 장신(藏身)ᄒᆞ미 각별ᄒᆞᄃᆡ, 향을 ᄀᆞᆷ초나 ᄂᆡ[1164]를 ᄌᆞ연 ᄀᆞᆷ초디 못ᄒᆞ고, 나못ᄎᆡ[1165] 송곳치 ᄉᆞᆺ출 ᄀᆞᆷ초디 못 ᄒᆞᆷ ᄀᆞᆺᄐᆞ여, 뎡쇼져 셩홰(聲華) 년인디가(連姻之家)[1166]로조ᄎᆞ 만셩의 《픔등‖풍동(風動)[1167]》ᄒᆞ니, ᄒᆞ믈며 슉녈비 아이며 금평후 ᄌᆞ녀의 특이ᄒᆞ미 셰샹의 유명ᄒᆞᆫ디라. 황친국쳑과 명문벌열의 ᄋᆞᄃᆞᆯ 둔 지 결승(結繩)[1168]의 호연(好緣)을 일우고져 구혼ᄒᆞ

헐일업셔 월ᄑᆡ(月佩)를 만다라[893] 빙물을 삼으니, 초공이 비로소 알고 불힝ᄒᆞ믈 마지 아니되, 원창 공ᄌᆞᄂᆞᆫ 아지 못ᄒᆞ고 일념이 다 아쥬 소져의게 도라가, 못닛ᄂᆞᆫ 회포를 견듈 길이 업ᄉᆞᄃᆡ, 스ᄉᆞ로 위로ᄒᆞ고 ᄌᆞ긔 인물이 금평후의 고안에 합ᄒᆞ여 청혼키를 ᄇᆞ라되, 동상을 유의치 아니코 타쳐의 옥인 군ᄌᆞ를 ᄐᆡᆨᄒᆞ니,

공후의 만금(萬金) 필녀(畢女)오 왕공직렬(王公宰列)의 ᄆᆡ뎨(妹弟)로, 부귀호치 금달공【110】〉❙쥬를 불워 아닐 거시오, 뎡소져의 장신ᄒᆞ미 각별ᄒᆞᄃᆡ, 향을 감초나 ᄂᆡ를 ᄌᆞ연 감초지 못ᄒᆞ여, 뎡소져 셩홰 연인결친가(連姻結親家)[894]로 조ᄎᆞ 만셩(萬姓)의 픔[풍]동(風動)[895]ᄒᆞ니, ᄒᆞ믈며 슉녈비 뎡부인 아이며, 금평후 ᄌᆞ녀의 특이ᄒᆞᆷ이 셰상에 유명ᄒᆞᆫ 고로, 황친국쳑과 명문벌열의 아ᄃᆞᆯ 둔 지 구혼ᄒᆞ리 낙역부졀(絡繹不絶)[896]ᄒᆞᄃᆡ, ᄎᆞ녀의 혼ᄉᆞ의 다다라ᄂᆞᆫ 만ᄉᆡ 다 무심치 아냐, 몬져 친옹(親翁)의 션악현우(善惡賢愚)와 신낭의 외모풍신이며 문장직학을 친히 본 후 졍ᄒᆞ려 ᄒᆞᄂᆞᆫ 고로, 동셔(東西) 구친(求親)의 아직 녀식(女息)이 유츙(幼沖)ᄒᆞ믈 밀막아 ᄃᆡ답○○○[을 아니]ᄒᆞ더라.

1163)필와(畢瓦) : 막내 딸. ‘와(瓦)’는 실을 감는 ‘실패’를 뜻하는 것으로 딸을 비유한 말. ☞ 농와지경(弄瓦之慶).

1164)ᄂᆡ : 냄새.

1165) 나못ᄎᆡ : 주머니. 자루. 자루; 속에 물건을 담을 수 있도록 헝겊 따위로 길고 크게 만든 주머니.

1166)년인지가(連姻之家) : 인척(姻戚). 혼인에 의해 맺어진 친척.

1167)풍동(風動) : ‘바람이 일다’는 뜻으로 소문 따위가 널리 퍼져나감을 비유적으로 이르는 말.

1168)결승(結繩) : ①끈이나 새끼 따위로 매듭을 지음. ②월하노인이 청실홍실을 묶어 부부의 인연을

893)만달다 : 만들다.

894)년인지가(連姻之家) : 인척(姻戚). 혼인에 의해 맺어진 친척.

895)풍동(風動) : ‘바람이 일다’는 뜻으로 소문 따위가 널리 퍼져나감을 비유적으로 이르는 말.

896)낙역브졀(絡繹不絶) : 연락부절(連絡不絶). 왕래가 잦아 발길이나 소식이 끊이지 아니함

리 낙역브졀(絡繹不絶)[1169] ᄒᆞᄃᆡ, ᄎᆞ녀의 혼ᄉᆞ의 다ᄃᆞ라ᄂᆞᆫ 만ᄉᆡ 다 무심치 아냐, 몬져 【43】 친옹(親翁)의 션악현우(善惡賢愚)와 신낭의 외모풍신과 문쟝ᄌᆡ혹이며 ᄇᆡᆨ힝네의를 친히 본 후 뎡ᄒᆞ랴 ᄒᆞᄂᆞᆫ 고로, 동셔(東西) 구친(求親)의 아ᄃᆡᆨ 녀식(女息)이 유튱(幼沖)ᄒᆞ믈 밀막고[1170] ᄃᆡ답○○○[을 아니]ᄒᆞ더라.

원상이 가 님시를 취ᄒᆞ연 디 슈삼삭이 되도록 ᄎᆞᆨᄒᆞ고 아닛ᄭᅩ으미 비위를 것잡디 못ᄒᆞᆯ ᄲᆞᆫ 아니라, 근본을 ᄌᆞ시 몰나 우민ᄒᆞ믈 마디 아니ᄒᆞ더니, 일일은 원상 공ᄌᆡ 신셩을 파ᄒᆞ고 나오더니, 어두온 구셕으로조ᄎᆞ ᄋᆡ랑이 힝보도 남만 못ᄒᆞᆫ 거시 농힝호보(龍行虎步)를 ᄯᆞᆯ오려 ᄒᆞᄆᆡ, 무궁ᄒᆞᆫ 층계 곡난(曲欄)의 뒤구으러, 벽녁ᄀᆞᆺ치 소ᄅᆡ 딜너 ᄀᆞᆯ오ᄃᆡ,

"하가 괴믈은 나가디 말고 내 말을 드르라. 내 비록 얼골이 곱디 못ᄒᆞ나 부모의 만금 필와(畢瓦)로 젼신(前身)이 그ᄃᆡ로 부뷔라. 쳡이 그ᄃᆡ 【44】 로 ᄒᆞ여 ᄌᆞ문이ᄉᆞ(自刎而死)ᄒᆞᄆᆡ 녕ᄇᆡᆨ이 ᄯᆞᆯ오고져 ᄒᆞ다가, 텬뎨 명을 밧ᄌᆞ와 환도인셰(還道人世)ᄒᆞ여, 그ᄃᆡ도로 하가의 나고 쳡도 도로 우리 부모긔 의디ᄒᆞ니, 나의 용광긔딜(容光氣質)이 어이 남만 못ᄒᆞ리오마ᄂᆞᆫ, 원슈(怨讐)○[의] 두역을 험히 ᄒᆞ여[고] ᄯᅩ 풍병(風病)을 어더, 일신을 쓰디 못ᄒᆞ고 참혹ᄒᆞᆫ 병인이 되여시나, 셔로 연분이 즁ᄒᆞ고 져바리디 못ᄒᆞᆯ디라. 이졔 그ᄃᆡ 나의 용뫼 블미ᄒᆞ믈 나모라 ᄒᆞ여, ᄒᆞᆫ 번 마ᄌᆞ와 ᄒᆞᆫ 구셕의 드리치고 면목을 블상견(不相見)ᄒᆞ니, 무신박힝(無信百行)ᄒᆞ미 오긔(吳起)[1171]의 일뉘라. 우리 대인이 그ᄃᆡ의 미려ᄒᆞᆫ 풍광만 과ᄋᆡᄒᆞ시고 무상(無

맺어준다는 전설에서 유래한 말로, 혼인을 맺는다는 뜻으로 쓰인다.

1169)낙역브졀(絡繹不絶) : 연락부절(連絡不絶). 왕래가 잦아 발길이나 소식이 끊이지 아니함

1170)밀막다 : 핑계하고 거절하다

1171)오긔(吳起) : 중국 전국시대(戰國時代)의 병법가(B.C.440~B.C.381). '오기살처(吳起殺妻)'의 고사로 유명하다.

원상이 가 임씨를 취ᄒᆞ연 지 슈ᄉᆞᆷ 삭이 되도록, 츄(醜)ᄒᆞ고 아니ᄭᅩ으미 비위를 것ᄌᆞᆸ지 못ᄒᆞ더니, 일일은 원상 【117】 공ᄌᆡ 신셩(晨省)을 파ᄒᆞ고 나오더니, 어두운 구셕으로 조ᄎᆞ ᄋᆡ랑이 힝보도 남만 못ᄒᆞᆫ 거시 농힝호보(龍行虎步)를 ᄯᅡ르려 ᄒᆞᄆᆡ, 무궁ᄒᆞᆫ 층계 곡난(曲欄)의 뒤구으러 벽녁ᄀᆞᆺ치 소ᄅᆡ 질너 왈.

"하가 괴물은 나아가지 말고 ᄂᆡ말을 들으라. 쳡이 비록 얼골이 곱지 못ᄒᆞ나 부모의 만금 필와(畢瓦)[897]로 젼신(前身)이 그ᄃᆡ로 부뷔라. 쳡이 그ᄃᆡ로 ᄒᆞ여 ᄌᆞ문이ᄉᆞ(自刎而死)ᄒᆞᄆᆡ 녕ᄇᆡᆨ이 ᄯᅡ로고져 ᄒᆞ다가, 텬졔 명을 밧ᄌᆞ와 환도인셰(還道人世)ᄒᆞ여, 그ᄃᆡ도 하가의 나고 쳡도 다시 우리 부모긔 의지ᄒᆞ니, 나의 용광긔질(容光氣質)이 어이 남만 못ᄒᆞ리오마ᄂᆞᆫ, 원슈의 두역(怨讐)을 험히 지ᄂᆡ고 ᄯᅩ 풍병(風病)을 어더, 일신이 ᄎᆞᆷ혹ᄒᆞᆫ 병인이 되엿시나, 셔로 연분이 즁ᄒᆞ고 져ᄇᆞ리지 못ᄒᆞᆯ 형 【118】 셰어ᄂᆞᆯ, 나의 용ᄆᆡ 불미ᄒᆞ믈 나무라 한 구셕의 드리치고 면목을 불상견(不相見)ᄒᆞ니 무신박힝(無信百行)ᄒᆞ미 오긔(吳起)[898]의 일뉘라. 우리 ᄃᆡ인이 그ᄃᆡ의 무상(無狀)ᄒᆞ믈 모르시고 동상(東床)을 삼아 계시거니와, 왜국으로셔 도라오신 후 ᄌᆞ연 군의 취ᄉᆡᆨ경박(取色輕薄)ᄒᆞ믈 드르신 즉 반다시 잠잠치 아니시리라."

---

897)필와(畢瓦) : 막내 딸. '와(瓦)'는 실을 감는 '실패'를 뜻하는 것으로 딸을 비유한 말. 농와지경(弄瓦之慶; 딸을 낳은 경사)의 '와(瓦)'와 같은 의미.

898)오긔(吳起) : 중국 전국시대(戰國時代)의 병법가(B.C.440~B.C.381). '오기살처(吳起殺妻)'의 고사로 유명하다.

狀)ᄒᆞ믈 모로시나[고] 동상(東床)을 삼아 계시거니와, 왜국으로셔 도라오신즉 군의 취ᄉᆡᆨ경덕(取色輕德)ᄒᆞ믈 드ᄅᆞ시면 반ᄃᆞ시 잠잠치 아니시리라.”【45】

하ᄉᆡᆼ이 그 말을 드르ᄆᆡ 긔괴망측ᄒᆞ믈 니긔디 못ᄒᆞ나, 그것과 언어슈작이 욕되여 ᄃᆡ답디 아니코 텬텬이 거러 나오니, ᄋᆡ랑이 대로ᄒᆞ여 업드르며 졋드르며 헐헐이고[1172] ᄯᆞᆯ와 외당으로 나오니,

하ᄉᆡᆼ이 그 말을 드르ᄆᆡ 긔괴망측ᄒᆞ나, 그것과 언어 슈작이 욕되여 답지 아니코 편편이 거러 나오니, ᄋᆡ랑이 ᄃᆡ로ᄒᆞ여 헐헐이고[899] ᄯᅡᆯ와 외당으로 나오니, ᄎᆞ하 말이 엇지 된고 하회○[를] 분석ᄒᆞ라.

구십이 숌 사.【119】

1172)헐헐이다 : 헐떡이다. 숨을 가쁘고 거칠게 쉬는 소리를 내다.

899)헐헐이다 : 헐떡이다. 숨을 가쁘고 거칠게 쉬는 소리를 내다.

하ᄉᆡᆼ이 ᄆᆡ양 그 근본을 쾌히 아라ᄂᆡ고져 ᄒᆞᄃᆡ 핑계를 엇디 못ᄒᆞ여 ᄒᆞᆯ 즈음의, 이의 셔동(書童)으로 ᄒᆞ여금 님부 시녀(侍女) 양낭(養娘)을 블러 엄문 왈,

"내 임의 져 흉상병인(凶狀病人)이 님참졍 ᄯᆞᆯ이 아닌 줄 아ᄂᆞ니, 너희 은휘(隱諱)ᄒᆞᆯ딘ᄃᆡ 듕티ᄒᆞ리니, 모로미 형벌을 밧디 말고 젼후 간졍(奸情)을 일일이 알외라."

졔녜 밋쳐 ᄃᆡ답디 못ᄒᆞ여셔, ᄋᆡ랑이 ᄲᆡᆯ니 ᄃᆞ라드러 ᄉᆡᆼ의 관(冠)을 벗기고 어ᄌᆞ러이 두ᄃᆞ리ᄂᆞᆫ 거동이라. ᄉᆡᆼ이 히연(駭然) 대로(大怒)ᄒᆞ여 봉안을 놉히 ᄯᅳ고 잠미(蠶眉)를 거ᄉᆞ려 녀셩대즐(厲聲大叱)【46】 왈,

"여ᄎᆞ 흉참ᄒᆞᆫ 발뷔(潑婦) 어ᄃᆡ 이시리오. 님참졍이 이 박용누딜(薄容陋質)을 쳔만 브득이 보ᄂᆡ여시나, 그 ᄯᆞᆯ이 져럴 니 이시리오. 연이나 금일노브터 아조 부부눈의(夫婦倫義)를 ᄭᅳᆺᄂᆞ니, 날노뼈 가뷔라 말고 맛당이 ᄲᆡᆯ니 님부로 도라가고 머므디 말나."

ᄋᆡ랑이 ᄉᆡᆼ의 옷술 트러잡고 머리를 ᄉᆡᆼ의 가ᄉᆞᆷ의 브ᄃᆡ이져 고셩 왈,

"역뎍 하딘이 셰 ᄋᆞᄃᆞᆯ을 다 대역으로 쥭이고, 제 ᄯᅩ 쥬륙을 면치 못ᄒᆞᆯ 거시어ᄂᆞᆯ, 셩은이 관유(寬宥)ᄒᆞ샤 일명을 보젼ᄒᆞ여 셔쵹(西蜀) 슈졸(戍卒)이 되엿더니, 평졔왕의 구활ᄒᆞᆫ 덕으로 고토(故土)의 ᄉᆡᆼ환ᄒᆞ나, 대역부도(大逆不道)의 악ᄌᆞ(惡者)를 우리 대인이 녯 친옹의 졍을 ᄉᆡᆼ각ᄒᆞ샤, 만금 필와(畢瓦)를 개연이 허ᄒᆞ샤 너를 동상을 삼으시니, 네 만일 【47】 사ᄅᆞᆷ의 ᄆᆞ음이 이실딘ᄃᆡ, 대인의 디우(知遇)를 감격ᄒᆞ여 나의 박용(薄容)을 허믈치 아니미 올커ᄂᆞᆯ, 그 ᄶᅡᆫ[1173]의 안고(眼高)ᄒᆞᆫ 쳬 ᄒᆞ고 노쇠 다 나모라 ᄒᆞ여, 하딘의 교ᄌᆞᄒᆞᄂᆞᆫ 도리 무상ᄒᆞ여, 너 ᄀᆞᄐᆞᆫ 경박ᄌᆞ(輕薄子)를 계칙ᄒᆞ미 업ᄉᆞ니, 너의 방

1173)ᄶᅡᆫ : 일의 형편 따위를 속으로 헤아려 보는 생각이나 가늠.

명쥬보월빙 권지이십ᄉᆞ(삼십사)[900]

ᄎᆞ셜 ᄋᆡ랑이 업들며 졋들며 헐헐이고 ᄶᅡ라 외당으로 나아오니, ᄉᆡᆼ이 ᄆᆡ양 그 근본을 아라ᄂᆡ고져 ᄒᆞᄃᆡ 핑계를 엇지 못ᄒᆞᆯ 즈음이라, 이에 셔동(書童)으로 님부 시녀(侍女) 양냥(養娘)을 불너 엄문 왈,

"내 임의 져 흉인(凶人)이 님참졍의 ᄯᆞᆯ이 아닌 쥴 아ᄂᆞ니, 너희 은휘(隱諱)ᄒᆞᆯ진ᄃᆡ 형벌의 괴로오믈 밧으리니, 모로미 즁형을 밧지 말고 젼후 간졍(奸情)을 알외라."

졔녜 미급답(未及答)에 ᄋᆡ랑이 ᄲᆞᆯ니 다라드러 ᄉᆡᆼ의 관(冠)을 벗기고 어ᄌᆞ러이 두다릴 거동이라. ᄉᆡᆼ이 회연(駭然) ᄃᆡ로(大怒)ᄒᆞ여 봉안을 ᄶᅥ 녀셩ᄃᆡ줄(厲聲大叱) 왈,

"여ᄎᆞ 흉참ᄒᆞᆫ 발뷔(潑婦) 어ᄃᆡ 잇시리오. 금일노븟터 아쥬 부부눈의(夫婦倫義)를 ᄭᅳᆺᄂᆞ니, 날노뼈 가뷔라 말고【1】 ᄲᆡᆯ니 도라가라"

ᄋᆡ랑이 ᄉᆡᆼ의 손을 트러잡고 머리를 ᄉᆡᆼ의 가ᄉᆞᆷ에 부드이져 고셩 왈,

"녁젹 하딘니 셰 아달을 ᄃᆡ역으로 쥭이고, 제 ᄯᅩ 《양관쥬를 ‖ 쥬륙(誅戮)》 면치 못ᄒᆞᆯ 거시어ᄂᆞᆯ, 셩은이 관유(寬宥)ᄒᆞ샤 일명을 보젼ᄒᆞ여 셔촉(西蜀) 슈졸(戍卒)이 되엿더니, 평졔왕의 구활ᄒᆞᆫ 덕으로 ᄉᆡᆼ환ᄒᆞ나, ᄃᆡ역부도(大逆不道)의 악ᄌᆞ(惡者)를 우리 ᄃᆡ인이 친응[옹](親翁)의 졍을 ᄉᆡᆼ각ᄒᆞ샤, 만금 필녀(畢女)를 가연이 허ᄒᆞ샤 너로 동상을 삼으시니, 네 만일 ᄉᆞ람의 마음이 잇실진ᄃᆡ 고인의 지우(知遇)를 감격ᄒᆞ여 나의 박용(薄容)을 허물치 아니미 올커ᄂᆞᆯ, 그 ᄶᅡᆫ[901]의 안고(眼高)ᄒᆞᆫ 쳬ᄒᆞ여 쳐ᄌᆞ를 쳔ᄃᆡ 멸시

900)권차(劵次)를 '이십ᄉᆞ'로 하였다가 다시 괄호를 넣고 '삼십사'를 병기(倂記)하여 수정하였다.

901)ᄶᅡᆫ : 일의 형편 따위를 속으로 헤아려 보는 생각이나 가늠.

ᄌᆞᄒᆞ미 아비를 압두ᄒᆞ고 어미를 능경(凌輕)ᄒᆞ여, 쳐ᄌᆞ를 말ᄌᆡ 비복ᄀᆞᆺ치 녁여 쳔ᄃᆡ 멸시ᄒᆞ미 아니 밋ᄎᆞᆫ 곳이 업ᄉᆞ니, 어이 통완치 아니리오. 네 심디를 무상이 가디고 향복(享福)ᄒᆞ여 무ᄉᆞ(無事)ᄒᆞᆫ가 보리라. 네 집은 녀ᄌᆡ 개가(改嫁)ᄒᆞ기를 됴흔 일ᄀᆞᆺ치 ᄒᆞᄂᆞᆫ가 모로거니와, 우리ᄂᆞᆫ 녀ᄌᆡ ᄒᆞᆫ 번 죵부(從夫)1174)ᄒᆞ면 다시 도라 갈 ᄃᆡ 업ᄉᆞᆫ 줄노 아ᄂᆞ니, 네 아비다려 닐너 네 어미브터 ᄂᆡ치면 내 ᄯᅩ 도라 가리라."

싱이 비【48】록 침뎡(沈靜)ᄒᆞ여 과격쥰급ᄒᆞ미 업ᄉᆞ나, 흉녀의 참참ᄒᆞᆫ 욕셜을 드르미 노분(怒憤)이 녈화 ᄀᆞᄐᆞ여 엇디 요ᄃᆡ(饒貸)1175)ᄒᆞ리오. ᄒᆞᆫ 번 힘을 다ᄒᆞ여 두 발노 모도굴러 가님시를 ᄎᆞ 더디미, 놉흔 쳥샹의셔 층층ᄒᆞᆫ 셤 아ᄅᆡ 나려디미, 흉ᄒᆞᆫ 얼골이 웃쳐져 피 흐르기를 면치 못ᄒᆞ고, 갓득ᄒᆞᆫ1176) 비각(臂脚)이 듕히 상ᄒᆞᆫ디라. ᄋᆡ랑이 무심 듕 ᄎᆞ 더디ᄂᆞᆫ 환을 만나 이ᄀᆞᆺ치 상ᄒᆞ미, 알프믈 니긔디 못ᄒᆞ여 소ᄅᆡ를 벽녁ᄀᆞᆺ치 딜너 공의 부부를 참욕ᄒᆞ며, 골 안히 터질ᄃᆞ시 울기를 마디 아니니, 싱이 밋친 욕셜을[이] 이의 밋ᄎᆞ믈 당ᄒᆞ여 어이 ᄎᆞᆷ으리오. 노복을 명ᄒᆞ여 일승교ᄌᆞ(一乘轎子)를 가져오라 ᄒᆞ여 ᄯᅳᆯ의 노코, 님부 시녀 양낭을 호【49】령ᄒᆞ여 흉인을 위력으로 교ᄌᆞ의 올니라 ᄒᆞ니, 시녀 슈십인이 ᄋᆡ랑을 ᄡᅧ드러 교ᄌᆞ의 올니고져 ᄒᆞ나, ᄋᆡ랑이 공의 부부와 싱을 욕ᄒᆞ고 왼 몸을 뒤트러 슌히 오르디 아니니, 싱이 대로ᄒᆞ여 친히 텰삭을 가져 그 몸을 긴긴히 동혀 슈족을 놀니디 못ᄒᆞ게 ᄒᆞᆯᄉᆡ, ᄋᆡ랑의 욕셜의 노분이 측냥 업ᄉᆞ나, 싱이 강밍이 동히기를 다ᄒᆞ여시미 면ᄒᆞᆯ 길히 업ᄉᆞᆫ디라. 님부 시녀를 호령ᄒᆞ여 흉인을 동힌 ᄌᆡ1177) 교듕의 올니미 싱이 급급히 휘

1174)죵부(從夫) : 결혼하여 남편을 따름.
1175)요ᄃᆡ(饒貸) : 너그러이 용서함.
1176)갓득ᄒᆞ다 : 가뜩이나 그러하다. 그렇지 않아도 더욱 그러하다. 여기서 '갓득ᄒᆞᆫ'은 '비각(臂脚)'을 수식한 말로, 앞의 '흉한 얼골'의 '흉한'을 거듭해서 나타낸 말이다. 즉, '그렇지 않아도 더욱 흉하게 생긴'의 의미.

ᄒᆞ미 아니 밋ᄎᆞᆫ 곳이 업ᄉᆞ니, 어이 통한치 아니리오. 네 심지를 무상히 가지고 향복(享福)【2】ᄒᆞ고 무ᄉᆞ(無事)ᄒᆞᆫ 가 보리라. 네 집은 녀ᄌᆡ ᄀᆡ젹(改籍)ᄒᆞ기를 조흔 일ᄀᆞᆺ치 ᄒᆞᄂᆞᆫ가 모로거니와, 우리ᄂᆞᆫ 녀ᄌᆡ ᄒᆞᆫ 번 가부를 좃ᄎᆞ면 다시 도라갈 ᄃᆡ 업ᄉᆞᆫ 쥴노 아ᄂᆞ니, 네 아비다려 일너 네 어미브터 ᄂᆡ치면 내 ᄯᅩᄒᆞᆫ 도라가리라."

싱이 비록 단묵침졍(端默沈靜)ᄒᆞ여 과격ᄒᆞᆫ 일이 업ᄉᆞ나, 흉녀의 참참ᄒᆞᆫ 욕셜을 드르ᄆᆡ 노분이 녈화 ᄀᆞᆺ흐니 엇지 요ᄃᆡ(饒貸)902)ᄒᆞ리오. 한 번 힘을 다ᄒᆞ여 두 발노 ᄎᆞ바리니, 놉흔 쳥샹에셔 층층ᄒᆞᆫ 셤 아ᄅᆡ 나려지며 흉ᄒᆞᆫ 얼골이 웃쳐져 피 흐르고, 갓득ᄒᆞᆫ903) 비각(臂脚)이 즁상ᄒᆞᆫ지라. ᄋᆡ랑이 알프믈 니긔지 못ᄒᆞ여 소ᄅᆡ를 벽녁 갓치 질너, 공의 부부를 참혹히 즐욕ᄒᆞ며 골 안히 터질ᄃᆞ시 우니, 싱이 노복을 명ᄒᆞ여 일【3】승교ᄌᆞ(一乘轎子)를 가져 오라 ᄒᆞ여 ᄯᅳᆯ의 노코, 님부 양낭을 호령ᄒᆞ여 흉인을 위력으로 교ᄌᆞ의 올니라 ᄒᆞ니, 시녀 슈십인이 ᄋᆡ랑을 ᄡᅳ드러 교ᄌᆞ의 올니고져 ᄒᆞ나, ᄋᆡ랑이 공의 부부와 싱을 욕ᄒᆞᆯ ᄲᅮᆫ이오, 왼 몸을 뒤트러 오르지 아니니, 싱이 대로ᄒᆞ여 친히 쳘삭을 가지고 그 몸을 긴긴히 동혀 슈족을 놀니지 못ᄒᆞ게 ᄒᆞ고, 님부 시녀를 호령ᄒᆞ여 흉인을 동힌 채904) 교즁의 올니미, 싱이 급급히 휘모라 ᄂᆡ치고, 님부 시아(侍兒) 일인을 머므러 젼후 간졍을 일일히 고ᄒᆞ라 ᄒᆞ니, 님부 시녀 등이 져히 소져 혼ᄉᆞ를 일우지 못ᄒᆞ고, 흉인을 하부로 다려오믈 각골통완(刻骨痛惋)ᄒᆞᄂᆞᆫ지라. 엇지 은

902)요ᄃᆡ(饒貸) : 너그러이 용서함.
903)갓득ᄒᆞ다 : 가뜩이나 그러하다. 그렇지 않아도 더욱 그러하다. 여기서 '갓득ᄒᆞᆫ'은 '비각(臂脚)'을 수식한 말로, 앞의 '흉한 얼골'의 '흉한'을 거듭해서 나타낸 말이다. 즉, '그렇지 않아도 더욱 흉하게 생긴'의 의미.
904)채 : 의존명사. '-은/는 채로', 또는 '-은/는 채'의 구성으로 쓰여, 이미 있는 상태 그대로 있다는 뜻을 나타내는 말.

모라 닉치니, 님부 시ᄋᆞ 일인을 머므르고 젼후 간졍을 일일히 고ᄒᆞ라 ᄒᆞ니, 님부 시녀 등이 져희 쇼져를 셩혼치 못ᄒᆞ고 흉인을 하부로 다려 오믈 각골분【50】완(刻骨憤惋)ᄒᆞᄂᆞᆫ디라. 스ᄉᆞ로 몬져 니르디 못ᄒᆞᆯ디언졍 뭇기를 당ᄒᆞ여 엇디 은닉ᄒᆞ리오. 이의 목부인과 ᄋᆡ랑의 젼후슈말과 님공의 민울(悶鬱)ᄒᆞ던 셜화를 일일히 고ᄒᆞ고, 져희 쇼져ᄂᆞᆫ 하문 뷘 취례를 딕희여 심규의 폐인되기를 결단ᄒᆞ고, 목부인 호령을 두려 님공의 ᄯᆞᆯ인ᄃᆞ시 ᄒᆞ여, 쳔만 브득이 혼네를 일워 도라와시믈 고ᄒᆞ니, ᄉᆡᆼ이 쳥파의 ᄒᆡ연코 분ᄒᆞ믈 니긔디 못ᄒᆞ여, 님부 시녀를 ᄯᅩ라가라 ᄒᆞ고 닉루의 드러 오니, 이 날 초공은 신셩 후 됴참(朝參)ᄒᆞ라 셩닉로 드러가고, 원창과 원필은 부모 좌하의 잇더니, 시녀 등이 님시의 닉쳐 가믈 셔로 닐너 우ᄉᆞᄃᆡ, 하공 부부ᄂᆞᆫ 아디 못ᄒᆞ고[니], 외당이 닉【51】루의셔 이윽ᄒᆞᆫ 고로 ᄋᆡ랑의 흉ᄒᆞᆫ 곡셩이 닉각의ᄂᆞᆫ 들니디 아니《ᄒᆞᄂᆞᆫ 고로‖ᄒᆞ므로》, 공의 부뷔 오왕 군쥬의 현부를 념녀ᄒᆞᆯ디언졍, 가님시ᄂᆞᆫ 족슈(足數)[1178]치 아녀, 긋ᄐᆞ여 급히 닉칠 의ᄉᆞᄂᆞᆫ 두디 아녓더니, ᄉᆡᆼ이 드러와 부모긔 면관쳥죄(免冠請罪) 왈,

"쇼지 블초ᄒᆞ와 대악흉녀를 엄히 구쇽디 못ᄒᆞ와, 금일 참욕(慘辱)이 디존의 아니 밋촌 곳이 업ᄉᆞ오니, 쇼ᄌᆞ의 욕 바드믄 오히려 젹은 일이어니와, ᄒᆡᄋᆡ 쥬가 흉녀를 츌ᄒᆞᄆᆡ 대인과 ᄌᆞ졍의 픔달(稟達)ᄒᆞᆯ 거시오ᄃᆡ, 그 흉인의 욕셜이 졈졈 더ᄒᆞ오니 인ᄌᆞ디심(人子之心)의 ᄒᆞᆫ 쎄를 디류치 못ᄒᆞ와 급히 도라 보닉엿ᄉᆞᆸᄂᆞ니, 원(願) 부모ᄂᆞᆫ 쇼ᄌᆞ의 ᄌᆞ젼(自專)ᄒᆞᆫ 죄를 다ᄉᆞ리쇼셔."

공과 부인이 놀나 ᄀᆞᆯ오ᄃᆡ,

"쥬가 흉네란 말【52】이 눌을 니르미며 눌을 츌거(黜去)ᄒᆞ단 말이뇨?"

1177)직 : 채. 의존명사. '-은/는 채로', 또는 '-은/는 채'의 구성으로 쓰여, 이미 있는 상태 그대로 있다는 뜻을 나타내는 말.

1178)족슈(足數)ᄒᆞ다 : 꾸짖다. 간섭하다.

닉ᄒᆞ리오. 이에 목태부인과 ᄋᆡ랑의 젼【4】후슈말을 고ᄒᆞ고, 님공의 민울ᄒᆞ던 젼후 슈말과 져의 소져ᄂᆞᆫ 하문 빈 취례(采禮)를 직히엿시믈 고ᄒᆞ니, ᄉᆡᆼ이 쳥파의 ᄒᆡ연(駭然)ᄒᆞ여 님부 시녀를 보닉고 닉루의 드러오니, 이 날 초공은 셩닉로 드러가고 원창과 원필은 부모 좌하의 잇더니, 시녀 등이 님시의 닉쳐 가믈 셔로 일너 우ᄉᆞᄃᆡ, 하공 부부ᄂᆞᆫ 아지 못ᄒᆞ더니 문득 ᄉᆡᆼ이 드러와 쳥죄 왈,

"소지 블초ᄒᆞ와 ᄃᆡ악흉녀를 엄히 구속지 못ᄒᆞ여, 금일 참욕이 부모긔 밋ᄎᆞ니, ᄒᆡᄋᆡ 쥬가 흉녀를 츌ᄒᆞᄆᆡ ᄃᆡ인긔 픔달ᄒᆞᆯ 거시로ᄃᆡ, 욕셜이 졈졈 더으[ᄒᆞ]ᄆᆡ 급히 도라 보닉엿ᄉᆞᆸᄂᆞ니, 원 부모ᄂᆞᆫ 소ᄌᆞ의 ᄌᆞ젼ᄒᆞᆫ 죄를 다ᄉᆞ리소셔."

공과 부인이 경왈(驚曰),

"쥬가 흉녀란 말이 누【5】를 니른 말이며, 누를 츌거ᄒᆞ단 말가?"

ᄉᆡᆼ이 젼후 곡졀을 알외고, 님부 시녀의 말을 일일일히 고ᄒᆞ여 왈,

"쇼ᄌᆡ 그 박면흉상(薄面凶相)이라도 님공의 ᄯᆞᆯ이면 부부뉸의를 온젼이 ᄒᆞ고져 ᄒᆞ엿습더니, 쥬합의 ᄯᆞᆯ이런가 시브오니, 셰상의 그런 긔괴ᄒᆞᆫ 일이 이시리잇고? 쇼ᄌᆡ 친히 동혀 교ᄌᆞ의 담아 구박(毆縛)ᄒᆞ여 보ᄂᆡ기 일이 급ᄒᆞᆫ 듯 ᄒᆞ오ᄃᆡ, 그윽이 ᄉᆡᆼ각건ᄃᆡ, 쇼ᄌᆡ 영영 ᄆᆡ몰ᄒᆞᆫ 빗ᄎᆞᆯ 뵈디 아녀ᄂᆞᆫ, 목시 노흉이 님공을 보ᄎᆡ여 그 흉인을 다시 보ᄂᆡ려 의ᄉᆞ를 ᄂᆡᆯ 거시므로, 짐ᄌᆞᆺ 구박ᄒᆞ여 보ᄂᆡ과이다."

공의 부뷔 ᄎᆞ언을 드르ᄆᆡ, 일변 놀납고 일변 깃브믈 니긔디 못ᄒᆞ니, 놀나믄 님공의 계모 목시의 블인흉패(不仁凶悖)ᄒᆞ미오, 깃브믄 님시의【53】 화월용광(花月容光)과 빙옥긔딜(氷玉氣質)이 딘짓 ᄋᆞᄌᆞ의 ᄇᆡ우(配偶)로 납페(納幣) 문명(問名)을 ᄃᆡᆨ희여 심규의 혼ᄌᆞ 늙으려 ᄒᆞ미라.

원상이 쥬시를 급급히 ᄂᆡ치미 과격ᄒᆞᆫ 듯 ᄒᆞ나 그 말이 ᄯᅩᄒᆞᆫ 올코, ᄌᆞ긔 집의셔 님시를 며ᄂᆞ리로 아라 납페 문명을 ᄒᆡᆼᄒᆞ엿고, 쥬가 흉녀ᄂᆞᆫ 몽니(夢裏)의도 몽니(夢裏)의도 ᄉᆡᆼ각디 아닌 ᄇᆡ라. 흉녀를 다시 마ᄌᆞ 와도 아ᄃᆡᆨ은 휘ᄶᅩᆺᄎᆞ ᄂᆡ칠 밧 계괴 업ᄂᆞᆫ디라. ᄋᆞᄌᆞ를 과급다 ᄎᆡᆨᄒᆞᆯ 말이 나디 아냐, 다만 ᄀᆞᆯ오ᄃᆡ,

"우리 집이 님공과 녯날 친옹이로ᄃᆡ 목태부인의 그 ᄀᆞᆺᄐᆞ믈 몰낫더니 비로소 알괘라. 님시의 ᄃᆡ신의 쥬녀를 보ᄂᆡ여시니, 쥬녀ᄂᆞᆫ 우리 알 ᄇᆡ 아니로ᄃᆡ, 발셔 뎐안(奠雁) 독좌(獨坐)의 녜(禮)를 일워시니, 비록 납페 문명이 업ᄉᆞ나 아조 바리기ᄂᆞᆫ 되디 못ᄒᆞᆯ 거【54】시오, 님시를 죵용이 취ᄒᆞ려니와, 일이 여러 가디로 어ᄌᆞ러오니 엇디 블힝치 아니며, 너의 쥬시를 ᄂᆡ치ᄂᆞᆫ 거죄 그리 과급ᄒᆞ뇨. 우리 너를 단듕ᄒᆞᆫ가 녁엿더니 져 님가의셔 드러도 무식다 ᄒᆞᆯ가 ᄒᆞ노라."

ᄉᆡᆼ이 ᄃᆡ왈,

"하괴 맛당ᄒᆞ시ᄃᆡ 져 흉녀를 그리 아녀ᄂᆞᆫ 휘ᄶᅩᆺᄎᆞ 보ᄂᆡ기 어려오므로, 비록 져 집이

ᄉᆡᆼ이 젼후 곡졀을 알외고 왈,

"소ᄌᆡ 그 흉상(凶相)을 의심 ᄒᆞ엿습더니, 금일 시녀의 말을 드르니 쥬합의 ᄯᆞᆯ이라. 이런 긔괴ᄒᆞᆫ 일이 어ᄃᆡ 잇시리잇고? 소ᄌᆡ 친히 동혀 교ᄌᆞ의 담아 구박(毆縛)ᄒᆞ여 보ᄂᆡ엿ᄂᆞ이다."

공의 부뷔 쳥파의, 일변 놀랍고 일변 깃부믈 니긔지 못ᄒᆞ니, 놀나오믄 님공의 계모 목씨의 불인흉ᄑᆡ(不仁凶悖)ᄒᆞ미오, 깃브믄 님씨의 화월용광이 짐짓 아ᄌᆞ의 ᄇᆡ우로, 납폐 문명을 직희여 《잇시믈∥잇시미라》. 깃거 왈,

"우리 집이 님공과 녯날 친응[옹]이로ᄃᆡ, 목태부인의 흉ᄑᆡ를 몰낫더니 비로소 알괘라. 님씨 ᄃᆡ신의 쥬녀를 보ᄂᆡ엿시니, 쥬녀ᄂᆞᆫ 우리 알 ᄇᆡ 아니로ᄃᆡ, 발셔 젼안(奠雁) 독좌(獨坐)의 례(禮)를 ᄂᆡᆯ【6】워시니, 아조 바리기ᄂᆞᆫ 못ᄒᆞᆯ 거시오, 님씨를 종용이 취ᄒᆞ려니와, 일이 여러 가지로 어ᄌᆞ러오니 엇지 블힝치 아니며, 너의 쥬씨를 ᄂᆡ치ᄂᆞᆫ 거죄 너무 과급ᄒᆞ여, 져 님가에셔 드러도 무식다 ᄒᆞᆯ가 ᄒᆞ노라."

ᄉᆡᆼ이 ᄃᆡ 왈,

"비록 소ᄌᆞ를 무식다 ᄒᆞᆯ지라도, 소ᄌᆞ의 ᄆᆞ음인즉 부모를 참욕ᄒᆞᄂᆞᆫ 흉인을 ᄎᆞ마 일

쇼ᄌᆞ를 무식다 ᄒᆞᆯ디라○[도], 쇼ᄌᆞ의 ᄆᆞ음 인죽, 내 부모를 {져 발부의게} 참욕ᄒᆞᄂᆞᆫ 흉인을 ᄎᆞ마 일ᄐᆡᆨ디샹의 됴흔ᄃᆞ시 머므르디 못ᄒᆞ여 급히 ᄂᆡ치과이다.”

공의 부뷔 다시 말을 아니ᄒᆞ고 흉인을 ᄶᅩᆺ ᄎᆞ ᄂᆡ치ᄆᆡ 거림ᄒᆞᆫ[1179] ᄆᆞ음이 업셔, 님시를 슈히 마ᄌᆞ 오고져 ᄒᆞᄃᆡ, 목시의 용심이 그런 디경은 반ᄃᆞ시 손녀의 친ᄉᆞ를 희디으미 이실가, 혹ᄌᆞ 녜를 슈히 일우디 못ᄒᆞᆯ가 의【55】려ᄒᆞ고, 부인은 오왕디녀의 현블초를 몰나 탄식 왈,

“녀ᄌᆞ의 위인이 윤현부ᄀᆞᆺ치 만ᄉᆡ 완젼ᄒᆞᆫ 슉녀는 쳔만인 듕 ᄒᆞ나히려니와, 심디 냥션ᄒᆞ고 외뫼 하 괴이치 아닌 녀ᄌᆞ도 어려온디라. ᄌᆞ녀의게 다ᄃᆞ라 팔ᄌᆡ 하 궁슈(窮數)[1180]ᄒᆞ니, 원창의 ᄇᆡ우ᄂᆞᆫ ᄯᅩ 엇덜고, 근심이 이졔브터 듕ᄒᆞ여 빙녜를 ᄒᆡᆼᄒᆞᆫ 후 더옥 슉식이 편치 아니토다.”

원창 공ᄌᆡ ᄌᆞ긔 친ᄉᆞ를 뎡ᄒᆞᆫ 줄도 아디 못ᄒᆞ엿다가, 발셔 납폐를 보ᄂᆡ여시믈 드르니 더옥 착급ᄒᆞᆫ디라. ᄌᆞ긔 바야흐로 뎡시를 취코져 ᄆᆞ음이 칠년대한(七年大旱)의 운예(雲霓)도곤 더ᄒᆞᆫ 바의, 납폐 문명을 어ᄂᆞ 곳 뉘 집의 보ᄂᆡ엿ᄂᆞᆫ고, 혹ᄌᆞ 뎡부의나 뎡혼ᄒᆞ미 잇ᄂᆞᆫ가, 이럴 작시면 ᄌᆞ가의 쇼원이 일게 되고, 뎡뷔 ᄉᆞ이 갓가와 금평【56】후 부ᄌᆞ와 ᄌᆞ긔 부형이 됴왕모ᄅᆡ(朝往暮來) ᄒᆞ니, 혼셔 빙믈을 보ᄂᆡ여도 쇼문이 업고 고요ᄒᆞ민가, 능히 측냥치 못ᄒᆞ여 경ᄀᆡᆨ의 의ᄉᆡᆨ 가디로 어ᄌᆞ러오니, 엇디 츔을 길히 이시리오. 이의 모친긔 나즉이 뭇ᄌᆞ와 ᄀᆞᆯ오ᄃᆡ,

“쇼ᄌᆞ의 친ᄉᆞ를 뇌뎡ᄒᆞ여 납폐를 ᄒᆡᆼᄒᆞᆫ 곳이 뉘 집이니잇고?”

부인이 미급답의 공이 뎡ᄉᆡᆨ 왈,

“내 여등을 경계ᄒᆞ여 일졀 외인을 보디 말나 ᄒᆞ니, 블초ᄌᆡ 아뷔 말을 홍모ᄀᆞᆺ치 녁여 날이 ᄉᆡ면 어둡기를 그음ᄒᆞ여 두로 어ᄌᆞ

1179)거림ᄒᆞ다 : 꺼림하다. 마음에 걸려 언짢은 느낌이 있다.

1180)궁슈(窮數) : 운수가 궁핍함.

시도 머므르지 못ᄒᆞ여 급히 ᄂᆡ친 ᄇᆡ로소이다.”

공의 부뷔 다시 말을 아니ᄒᆞ고 흉인을 ᄶᅩᆺᄎᆞ ᄂᆡ치ᄆᆡ 슈히 님씨를 마ᄌᆞ 오고져 ᄒᆞᄃᆡ, 목씨의 흉심이 다시 친ᄉᆞ를 희지을가 의려ᄒᆞ고, 부인은 오왕의 녀ᄋᆡ의 현블초를 몰나, 탄식 왈,

“녀ᄌᆞ의 위인이 윤현부 ᄀᆞᆺ흐면 ○[ᄒᆡᆼ(幸)]니어니와 원창의 ᄇᆡ우ᄂᆞᆫ ᄯᅩ 엇더ᄒᆞᆯ고? 근심이 이졔븟터【7】즁ᄒᆞ여 빙녜를 ᄒᆡᆼᄒᆞᆫ 후 더욱 슉식이 편치 아니토다.”

원창 공ᄌᆡ ᄌᆞ긔 친ᄉᆞ를 정ᄒᆞᆫ 쥴도 아지 못ᄒᆞ엿다가, 발셔 납폐ᄭᆞ지 ᄒᆞ엿시믈 드르ᄆᆡ 더욱 착급ᄒᆞᆫ지라. ᄌᆞ긔 바야흐로 뎡씨를 취코져 마음이 칠년ᄃᆡ한(七年大旱)의 운예(雲霓)도곤 더ᄒᆞᆫ 바의, 납폐 문명을 어ᄂᆡ 곳 뉘 집의 보ᄂᆡ엿ᄂᆞᆫ고. 혹쟈 뎡부의나 정혼ᄒᆞ미 잇ᄂᆞᆫ가 ᄒᆞ여, 나즉이 모친긔 뭇ᄌᆞ와 ᄀᆞᆯᄋᆞᄃᆡ,

“소ᄌᆞ의 친ᄉᆞ를 뇌정ᄒᆞᆫ 집이 뉘 집이니잇고?”

○○○○○○○[부인이 미급답의], 공이 정ᄉᆡᆨ 왈,

“내 여등을 경계ᄒᆞ여 일졀 잡 ᄉᆞ람을 보지 말나 ᄒᆞ엿더니, 블초ᄌᆡ 아비 말을 홍모ᄀᆞᆺ치 녁여, 날이 ᄉᆡ면 어둡기를 그음ᄒᆞ여 두로 단니다가 여러 ᄉᆞ람을 뵈인 ᄇᆡ 되니, 엇지 통【8】히치 아니리오. 네 부귀와 세권을 븟좃ᄎᆞ 스ᄉᆞ로 몸을 ᄂᆡ여 뵈이고, 그

러이 단니다가, 브ᄃᆡ 여러 사ᄅᆞᆷ을 뵌 ᄇᆡ 되니 엇디 통히(痛駭)치 아니리오. 내 비록 용우ᄒᆞ나 네 아비라. 위인부(爲人父)ᄒᆞ여 ᄌᆞ식의 혼취를 등한이 아니【57】ᄒᆞᆯ 거시로ᄃᆡ, 만ᄉᆡ 하날의 달녀시니, 네 힝신(行身)이 샹쾌(爽快)ᄒᆞ여[1181] 구상유취(口尙乳臭) 마르디 아닌 거시, 부귀와 셰권을 븟조ᄎᆞ 스ᄉᆞ로 몸을 ᄂᆡ여 뵈고, 그 ᄉᆞ회 되기를 영구(令求)[1182]ᄒᆞ니, 내 ᄆᆞ음이 깃브디 아니나 ᄉᆞ셰 능히 내 ᄯᅳᆺ을 셰오디 못ᄒᆞᆯ 거시ᄆᆡ 허혼ᄒᆞ고 힝빙(行聘)ᄒᆞ엿ᄂᆞ니, 혼쳐를 급히 아라 므엇 ᄒᆞ랴 ᄒᆞᄂᆞ뇨? 입을 닥치고 잇다가 길일(吉日)의 요긱(繞客)[1183]이 인도ᄒᆞ여 가면 알 거시니, 범ᄉᆞ의 온듕뎡대키를 쥬ᄒᆞ고 방ᄌᆞ우패(放恣愚悖)키를 먼니 ᄒᆞ라."

셜파의 미위(眉宇) 한상(寒霜) ᄀᆞᆺ고 ᄉᆞ긔(辭氣) 녈숙(烈肅)ᄒᆞ니, 원챵의 긔운으로도 ᄆᆡ양 부젼을 님ᄒᆞ면 공구ᄒᆞᄂᆞᆫ 고로 오딕 피셕 쳥죄ᄒᆞᆯ ᄯᆞᄅᆞᆷ이오, 다시 혼쳐를 뭇ᄌᆞᆸ디 못ᄒᆞ고, 부친의 말ᄉᆞᆷ이 ᄌᆞ긔 사ᄅᆞᆷ【58】을 흔히 보기로 깃브디 아닌 혼ᄉᆞ를 뎡ᄒᆞ시믈 드르ᄃᆡ, 오히려 오궁의 뎡ᄒᆞ믄 아디 못ᄒᆞ고 무궁ᄒᆞᆫ 념녀 층츌ᄒᆞ여, ᄌᆞ긔 만일 뎡시를 취치 못ᄒᆞ면, 스ᄉᆞ로 뎡시 향ᄒᆞᆫ 졍을 것잡디 못ᄒᆞ여 ᄉᆞ상일념(思相一念)이 셩괴(成塊)[1184]ᄒᆞᆯ ᄃᆞᆺ ᄒᆞᆫ디라. 미위 ᄌᆞ로 슈집(愁集)ᄒᆞ고 뇌락앙당(磊落昂壯)[1185]ᄒᆞᆫ 긔상이 셜셜(屑屑)ᄒᆞ기의 갓가오니, 공이 총명ᄒᆞ고 신셩(神性)ᄒᆞᆫ디라. ᄋᆞᄌᆞ의 거동이 괴이ᄒᆞ믈 의아ᄒᆞ여 혹ᄌᆞ 유의ᄒᆞᆫ 미인이 잇ᄂᆞᆫ가 념녀ᄒᆞ더라.

ᄎᆞ셜 가(假) 님시 츌화를 만나 님부로 도라오ᄆᆡ, 그 모양이 괴이ᄒᆞ여 갓득ᄒᆞᆫ 병인을 쳘삭으로 긴긴히 동혀시니, 그 흉ᄒᆞ미 비ᄒᆞᆯ

1181)샹쾌(爽快)ᄒᆞ다 : ①느낌이 시원하고 산뜻하다. ②거리끼거나 얽매임이 없다.

1182)영구(令求) : 남의 비위를 맞추거나 아첨하여 어떤 것을 구함.

1183)요긱(繞客) : 위요(圍繞). 상객(上客). 혼인 때에 가족 중에서 신랑이나 신부를 데리고 가는 사람.

1184)셩괴(成塊) : 덩어리가 됨. 응어리가 맺힘.

1185)뇌락앙당(磊落昂壯) : 작은 일에 얽매이지 않고 너그러우며 높고 씩씩함.

ᄉᆞ회 되기를 영구(令求)[905]ᄒᆞ니, 내 마음이 깃브지 아닌ᄃᆡ 허혼ᄒᆞ엿ᄂᆞ니니, 혼쳐를 급히 아라 무엇 ᄒᆞ려 ᄒᆞᄂᆞ뇨?"

셜파의 미위(眉宇) 한상(寒霜) ᄀᆞᆺᄒᆞ니, 공ᄌᆞ 황공ᄒᆞ여 다시 혼쳐를 뭇잡지 못ᄒᆞ더라.

ᄎᆞ셜 가(假) 님씨 츌화를 만나 님부로 도라오ᄆᆡ, 갓득ᄒᆞᆫ 병인을 쳘삭으로 긴긴히 동혓시니, 그 흉ᄒᆞ미 비ᄒᆞᆯ ᄃᆡ 잇시리오. 노상(路上)의 오며 흉독ᄒᆞᆫ 우름 소ᄅᆡ를 긋치지 아냐 부모상 만난ᄉᆞ람 갓더니, 님부의 다다르ᄆᆡ 목씨 ᄋᆡ랑의 소ᄅᆡ를 듯고, ᄃᆡ경ᄒᆞ여 마조 나와 그 참참ᄒᆞᆫ 거동을 보고 챠악비졀(嗟愕悲絶)ᄒᆞ여 밧비 동힌 거ᄉᆞᆯ 그르고, 쳬

905)영구(令求) : 남의 비위를 맞추거나 아첨하여 어떤 것을 구함.

ᄃᆡ 이시리오. 노샹(路上)의 가며 흉독ᄒᆞᆫ 우름을 긋치디 아냐 부듕의 다ᄃᆞ르니, 목시【59】ᄋᆡ랑의 소ᄅᆡ를 듯고 대경ᄒᆞ여 마조나와 그 거동을 보고, ᄎᆞ악비졀(嗟愕悲絶)ᄒᆞ여 밧비 동힌 거슬 그르고, 쳬읍 문왈,

"이 므슴 경상이며 엇딘 일이뇨?"

ᄋᆡ랑이 그ᄶᆞᆫ의 흉ᄒᆞᆫ 쇠ᄂᆞᆫ 업디 아녀 븟들고 실셩통곡 왈,

"쇼녀의 이리 ᄂᆡ쳐 오믄 젼혀 몽옥 요녀(妖女)의 탓시라. 하개 쇼녀의 박용누딜(薄容陋質)을 굿ᄐᆞ여 허믈치 아니코, 구고와 가뷔 녜ᄉᆞ로이 ᄃᆡ졉ᄒᆞ거ᄂᆞᆯ, 몽옥 요괴년이 하싱과 통신ᄒᆞᄂᆞᆫ 일이 이셔, 져의 혼녜ᄂᆞᆫ 못 디ᄂᆡ고 쇼손을 져의 ᄃᆡ신의 보ᄂᆡ믈 통한ᄒᆞ여 하싱을 격동ᄒᆞᆫ디, 블의예 휘쫓ᄎᆞ ᄂᆡ치며 욕셜이 참혹ᄒᆞ여, 조모의 젼후 ᄉᆞ오나오미[믈] {젼혀 목시의 연괴라 ᄒᆞ고} 크게 ᄭᅮ딧《더라‖더이다》."

ᄒᆞ니, 목시 ᄎᆞ언을 드르ᄆᆡ, 손녀의 젼【60】졍이 아조 볼 거시 업ᄉᆞ믈 헤아려, 잔잉코 슬프미 가ᄉᆞᆷ이 믜ᄂᆞᆫ ᄃᆞᆺᄒᆞ고, 분노ᄒᆞ미 부홰[1186] 넘노라 싀랑(豺狼)의 셩이 발ᄒᆞᄆᆡ, 어이 압뒤흘 헤아리리오. 발연이 팔흘 ᄡᅡᆸᄂᆡ며 니를 가라 분분졀치 왈,

"몽옥 요괴년을 일만 조각의 ᄡᅳ져 나의 만금 쇼교(小嬌)의 신셰를 어ᄌᆞ럽게 ᄒᆞᆫ 분을 플고 말니라."

이리 니르며 ᄒᆞᆫ 거름의 ᄯᅱ여 쇼져 침소의 드리다라, 죄의 경듕을 니르디 아니코 즛두다리며, 쳥운 ᄀᆞᆺᄐᆞᆫ 녹발을 ᄭᅳ드러 쥐며, 벽샹의 걸닌 쳘편을 드러 쇼져의 만신을 두다리며, 옥보[부]방신(玉膚芳身)을 ᄉᆞ이ᄉᆞ이 무러 ᄯᅳ더, 니를 갈며 고셩대ᄆᆡ(高聲大罵) 왈,

"이 요괴년아, 네 므슴 ᄯᅳᆺ으로 ᄋᆡ랑의 젼졍을 그릇 ᄆᆡᆫᄃᆞᄂᆞ뇨? 너를 괴이[1187] 하가의 보ᄂᆡ면, ○[ᄂᆡ] 용녈ᄒᆞᆫ【61】사ᄅᆞᆷ이 되리니, 맛당이 일만 조각의 나 뼈흐러 죽이리

1186)부홰 : 부아. 노엽거나 분한 마음.
1187)괴이 : 고이. 온전하게 고스란히.

읍 문왈,

"이 무슴 경상이며, 이 엇진【9】 일이뇨?"

ᄋᆡ랑이 그ᄶᆞᆫ의 흉ᄒᆞᆫ 쇠ᄂᆞᆫ 업지 아닌 고로, 븟들고 실셩통곡 왈,

"소녜 이러틋 츌화(黜禍)를 보믄 몽옥 요괴(妖怪)년의 탓시라. 하개 소녀의 박용누질(薄容陋質)을 굿ᄒᆞ여 허믈치 아니커ᄂᆞᆯ, 몽옥 요녜 하싱과 통신ᄒᆞᄂᆞᆫ 일이 잇셔, 져의 혼녜ᄂᆞᆫ 못 지ᄂᆡ고 소손을 져의 ᄃᆡ신으로 보ᄂᆡ믈 통한ᄒᆞᄆᆡ, 하싱이 ᄃᆡ로ᄒᆞ여 불의예 휘좇ᄎᆞ ᄂᆡ치며, 욕셜이 참참ᄒᆞ여 조모의 ᄉᆞ오나오믈 크게 ᄭᅮ짓더이다."

목씨 ᄎᆞ언을 드르ᄆᆡ, 손녀의 젼졍이 아조 볼 거시 업ᄉᆞ믈 헤아려, 분ᄒᆞ며 노ᄒᆞ오미 부홰[906] 넘노라, 싀랑의 셩과 독샤의 모질기를 함긔 발ᄒᆞᄆᆡ, 어이 압뒤흘 헤아리리오. 발연이 팔을 ᄡᅡᆷᄂᆡ며 니를 가라 분분【10】즐욕 왈,

"몽옥 요녀(妖女)를 일만 조각의 ᄡᅳ져 나의 만금 소교ᄋᆞ(小嬌兒)의 신셰를 어ᄌᆞ럽게 ᄒᆞᆫ 분을 풀고 말니라."

이리 니르며 ᄯᅱ여 소져 침소의 다다라, 죄의 경즁을 니르지 안코 즛두다리며, 쳥운 ᄀᆞᆺᄒᆞᆫ 녹발을 ᄭᅳ드러 쥐고 벽상의 걸닌 쳘편을 드러 소져의 만신을 두다리며, 옥보[부]빙신(玉膚氷身)을 무러ᄯᅳ더 니를 갈며 고셩ᄃᆡᄆᆡ(高聲大罵) 왈,

"이 요괴ᄒᆞᆫ 년아 네 무슴 ᄯᅳᆺ으로 ᄋᆡ랑의 젼졍을 그릇 ᄆᆡᆫᄃᆞᄂᆞ뇨? 너를 고이[907] 하가의 보ᄂᆡ면, ○[ᄂᆡ] 용녈ᄒᆞᆫ ᄉᆞ람이 되리니, 맛당이 일만 조각의나 뼈흐러 죽이리라."

906)부홰 : 부아. 노엽거나 분한 마음.
907)고이 : 온전하게 고스란히.

라.”

쇼졔 쳔만 ᄉᆡᆼ각 밧 이 변을 당ᄒᆞ여, 놀납고 알프미 니를 거시 업ᄂᆞᆫ디라. 조모의 거동이 흉괴코 무셔워 반ᄃᆞ시 ᄌᆞ긔를 죽이고 긋칠 모양이라. 슌셜(脣舌)1188)이 무익ᄒᆞᆫ 줄 모로디 아니ᄃᆡ, 낫빗출 화히 ᄒᆞ여 유셩(柔聲)으로 ᄀᆞᆯ오ᄃᆡ,

“쇼손이 블초ᄒᆞ오나 일즉 대모긔 대단이 작죄ᄒᆞᆫ 일이 업고, ᄒᆞ믈며 쥬 뎨(弟)의 젼졍을 희짓ᄂᆞᆫ다 ᄒᆞ시믄 더옥 몽외디언(夢外之言)이라. 일이란 거시 고요ᄒᆞ미 읏듬이니, 대뫼 비록 쇼손을 죽이고져 ᄒᆞ시나 졔슉부(諸叔父)와 거거(哥哥) 등을 블너, 쇼손의 죄상을 니르시고 죵용이 다ᄉᆞ리시ᄂᆞᆫ 거시 맛당ᄒᆞ거ᄂᆞᆯ, 엇디 하류쳔비를 형벌ᄒᆞ심ᄀᆞᆺ치 난타ᄒᆞ시나니잇가? 원컨【62】ᄃᆡ 조모ᄂᆞᆫ 분노를 ᄎᆞᆷ으시고, 일의 곡직을 살피샤 과도ᄒᆞᆫ 거조를 긋치쇼셔.”

목시 드른 쳬 아니코 다함 ᄌᆞᆺ두다려 긋치디 아니니, 쇼졔 셤셤약딜(纖纖弱質)노 쳘편으로 흉독히 치ᄂᆞᆫ 바를 당ᄒᆞ니, 만신과 두골이 아니 상ᄒᆞᆫ 곳이 업셔, 경ᄀᆡᆨ의 피빗치 되엿더니, 졔 님공과 혹ᄉᆞ 등이 드러와 이 경상을 보고, ᄎᆞ악(嗟愕) 상담(喪膽)1189)ᄒᆞ믈 니긔디 못ᄒᆞ여, 비러 왈,

“져의 죄과ᄂᆞᆫ 아디 못ᄒᆞ거니와, 젼일 효슌온공(孝順溫恭)ᄒᆞᄋᆞᆸ던 ᄋᆞᄒᆡ라. 결단코 작죄ᄒᆞ미 대단치 아니ᄒᆞ오리니, 원컨ᄃᆡ 노를 잠간 참으시고 죄의 경듕을 니르쇼셔.”

목시 대로ᄒᆞ여 왈,

“미혼 젼 규슈로셔 하원상의 풍ᄎᆡ를 과혹(過惑)ᄒᆞ여, 졔 ᄃᆡ신의 ᄋᆡ랑 보ᄂᆡ믈 앙앙분원(怏怏忿怨)ᄒᆞ여, 념치를 일코 하ᄉᆡᆼ으로 더브러 ᄉᆞ통(私通)【63】ᄒᆞ여, ᄋᆡ랑의 젼졍을 희디어 츌화를 보게 ᄒᆞ니, 엇디 통히치 아니리오. 이 요괴년을 죽이디 아니○[려]면 급급히 타쳐의 혼인ᄒᆞ여 보ᄂᆡ라.”

ᄒᆞ니, 졔 님공과 혹ᄉᆞ 등이 목시의 말이

1188)슌셜(脣舌) : 입술과 혀를 아울러 이르는 말로, ‘말’을 비유적으로 이르는 말.
1189)상담(喪膽) : 담이 떨어짐.

소졔 소ᄅᆡ를 화ᄒᆞ게 ᄒᆞ여 왈,

“소손이 불초ᄒᆞ오나 일즉 ᄃᆡ모긔 ᄃᆡ단이 작죄ᄒᆞ미 업고, 허믈며 쥬 제(弟)의 젼졍을 희짓다 ᄒᆞ시믄 더욱 몽외(夢外)【11】의 말ᄉᆞᆷ이외다. 엇지 하류쳔비를 형벌ᄒᆞ심 갓치 난타ᄒᆞ시ᄂᆞ잇고? 원컨ᄃᆡ 조모ᄂᆞᆫ 과도ᄒᆞᆫ 거조를 긋치소셔.”

목씨 드른 쳬 아니ᄒᆞ고 다함 ᄌᆞᆺ두다려 긋치지 아니니, 소졔 셤셤약질(纖纖弱質)노 쳘편의 즁독(重毒)히 치믈 당ᄒᆞ니, 만신과 두골이 아니 상ᄒᆞᆫ 곳이 업ᄉᆞ니, 님공의 졔뎨(諸弟)와 혹ᄉᆞ 드러와 이 경상을 보고 ᄎᆞ악(嗟愕) 상담(喪膽)908)ᄒᆞ여, 비러 왈,

“져의 죄과ᄂᆞᆫ 아지 못ᄒᆞ오나, 젼일 효슌ᄒᆞ던 ᄋᆞᄒᆡ 결단ᄒᆞ여 작죄ᄒᆞ미 ᄃᆡ단치 아니ᄒᆞ오리니, 원 ᄌᆞ졍은 노를 잠간 긋치시고 약ᄒᆞᆫ ᄋᆞᄒᆡ를 참혹히 상히오지 마르소셔.”

908)상담(喪膽) : 담이 떨어짐.

한심ᄒᆞ나, 감히 블평디ᄉᆡᆨ을 낫토디 못ᄒᆞ여, 다만 화열이 비러 ᄀᆞᆯ오ᄃᆡ,

“몽딜은 빙청옥결디심(氷淸玉潔之心)1190)이라. 스ᄉᆞ로 하가 뷘 문명을 ᄃᆡᆨ희여 공규의 늙을디언졍, 음비ᄒᆞᆫ ᄉᆞ졍을 남ᄌᆞ의게 통ᄒᆞᆯ ᄋᆞᄒᆡ 아니오, 나히 십삼 튱년이라 아ᄃᆡᆨ 셰ᄉᆞ를 아디 못ᄒᆞ니, 졔 엇디 음비ᄒᆞᆫ ᄯᅳᆺ을 두리잇고? ᄌᆞ졍은 괴이ᄒᆞᆫ 의심을 마르시고 그 연약ᄒᆞᆫ ᄋᆞᄒᆡ 참혹히 상ᄒᆞ믈 ᄉᆞᆯ피쇼셔.”

목시 쳘편으로 샹셔 오곤계와 혹ᄉᆞ 등을 ᄌᆞᆺ두다리며, 쇼져의 운발을 손의 감쥔직1191) 침 【64】 소로 드러 가니, ᄋᆡ랑 흉녜 승흥(乘興)1192)ᄒᆞ여 드리다라 흉ᄒᆞᆫ 힘을 다ᄒᆞ여 쇼져를 ᄌᆞᆺᄂᆡᆨ이니, 강 부인이 ᄎᆞ경을 당ᄒᆞ여 녀ᄋᆞ를 앗기ᄂᆞᆫ ○○○[ᄆᆞᄋᆞᆷ의] 심장이 경ᄀᆡᆨ의 녹을 ᄃᆞᆺᄒᆞ나, 목부인 흉ᄒᆞᆫ 셩을 거우ᄆᆡ 녀ᄋᆞ의 명이 위ᄐᆡᄒᆞᆯ 거시므로, 출하리 본 쳬를 아니랴 ᄒᆞ여 일언을 ᄒᆞ지 아니코, 믁연이 눈을 낫초고 고개를 두로혀 녀ᄋᆞ의 상ᄒᆞᆫ 곳을 보디 아니ᄒᆞ고, 상셔 등과 혹ᄉᆞ 등은 ᄌᆞ긔 몸의 알픈 거ᄉᆞᆯ 닛고, 쇼져의 상쳐를 어로만져 실셩비읍ᄒᆞ믈 마디 아니니, 목시 쇼져를 일ᄀᆡᆨ의 죽이디 못ᄒᆞᆯ 줄 아라, ᄌᆞ긔 협실의 ᄀᆞᆷ초고 님공의 형뎨 슉딜을 밧그로 ᄂᆡ여 보ᄂᆡ고, 그윽이 ᄒᆞᆫ ᄭᅬ를 ᄉᆡᆼ각ᄒᆞᆯᄉᆡ, 목시 딜ᄌᆞ 시듕 목퓌 년긔 ᄉᆞ십의 상실(喪失) 【65】 ᄒᆞ고, 바야흐로 후취(後娶)를 구ᄒᆞᄂᆞᆫ 즈음이라. 목시 쇼져로ᄡᅧ 시듕의 ᄌᆡ취를 삼으려 ᄒᆞᆯᄉᆡ, 쇼찰노 목표를 급히 브르니, 목시듕이 급히 니르러 슉모를 ᄇᆡ견ᄒᆞ니, 목시 니르ᄃᆡ,

“현딜이 상실ᄒᆞ여 긔복(朞服)1193)이 디나시ᄃᆡ 슉녀를 만나디 못ᄒᆞ니, 우슉이 위ᄒᆞ여 근심ᄒᆞ고 념녀ᄒᆞᄂᆞᆫ ᄇᆡ러니, 광ᄋᆞ의 필녀 몽옥이 년이 십삼의 용광긔딜이 고왕금ᄂᆡ의 희한ᄒᆞ고, 셩힝ᄉᆞ덕이 슉녀명염의 풍이 가ᄌᆞᆨᄒᆞᆫ디라. 텬하를 다 도라 구ᄒᆞ여도 광ᄋᆞ의

1190)빙청옥결디심(氷淸玉潔之心) : 얼음처럼 맑고 옥처럼 깨끗한 마음.
1191)감쥔직 : 감아 쥔 채. ‘감+쥐+ㄴ+직’의 형태.
1192)승흥(乘興) : 흥이 나는 기회를 이용함.
1193)긔복(朞服) : 일 년 동안 입는 상복.

목씨 쳘편을 드러 샹셔의 뉵곤계(六昆季)와 혹ᄉᆞ 등을 두다리며 소져의 두 발을 손의 감아쥬인909)치 침젼의 드러가 【12】 니, ᄋᆡ랑이 승흥(乘興)910)ᄒᆞ여 드리다라 소져를 ᄌᆞᆺ이기니, 참불인견(慘不忍見)이라.

목씨 소져를 일시의 죽이지 못ᄒᆞᆯ 줄을 아라, ᄌᆞ긔 협실의 감초고 님공의 형뎨 슉질을 ᄂᆡ여 보ᄂᆡᆫ 후, 그윽이 ᄒᆞᆫ ᄭᅬ를 ᄉᆡᆼ각ᄒᆞᆯᄉᆡ, 목씨의 족딜 시즁 목퓌 년긔 사십의 상ᄇᆡ(喪配)ᄒᆞ고, 바야흐로 후취를 구ᄒᆞᄂᆞᆫ 즈음이라. 목씨 소져로ᄡᅧ 시즁의 ᄌᆡ실을 삼으랴 ᄒᆞ여 소찰노 목표를 급히 부르니, 목시즁이 니르러 슉모를 ᄇᆡ견ᄒᆞᆫᄃᆡ, 목씨 왈,

“현딜이 상실ᄒᆞ여 긔복(朞服)911)이 지ᄂᆡ시되 지금 슉녀를 만나지 못ᄒᆞ니, 우슉이 위ᄒᆞ여 근심ᄒᆞᄂᆞᆫ ᄇᆡ러니, 광ᄋᆞ의 필녀 몽옥이 년이 십삼의 용광긔질이 고왕금ᄂᆡ의 희한ᄒᆞᆫ 숙녜라. 텬하를 【13】 다 도라도 광ᄋᆞ의 ᄯᆞᆯ ᄀᆞᆺ호 니를 ○○○[만나기] 쉽지 못ᄒᆞ

909)감아쥬다 : 감아쥐다. 손이나 팔로 감아서 움켜잡다.
910)승흥(乘興) : 흥이 나는 기회를 이용함.
911)긔복(朞服) : 일 년 동안 입는 상복.

ᄯᆞᆯ ᄀᆞᆺᄐᆞ 니ᄂᆞᆫ 쉽디 못ᄒᆞ리니, 아ᄃᆡᆨ 광이 왜국 교유ᄉᆞ로 나가 도라오디 못ᄒᆞ엿거니와, 위력으로 혼ᄉᆞ를 일우려 ᄒᆞᆫ즉 가듕의 아모도 말니리 업ᄉᆞ니 현덜의 ᄯᅳᆺ이 하여오?"

목시듕이 본【66】ᄃᆡ ᄉᆞ리 통달치 못ᄒᆞ고 녀ᄉᆡᆨ의 쥬린 귓거시라. 님참졍의 만금필녀오, 하가의 ᄎᆡ례 바다시믈 아디 못ᄒᆞ고, 당당이 져의 ᄌᆡ실이 될 줄노 아라, 흔흔이 웃고 칭샤 왈,

"슉뫼 쇼딜의 환거(鰥居)ᄒᆞ믈 념녀ᄒᆞ샤, 쳔금 손녀를 개연이 허코져 ᄒᆞ시니, 쇼딜이 감샤ᄒᆞ믈 니긔디 못ᄒᆞ리로소이다. 연이나 님참졍이 ᄐᆡᆨ셰(擇壻) 비상ᄒᆞ니, 쇼딜의 나○[히] 만흐믈 깃거 아닐가 ᄒᆞᄂᆞ이다."

목태 쇼왈,

"노뫼 일을 일우려 ᄒᆞᄆᆡ 광○[ᄋᆞ] 등의 깃거 아닛ᄂᆞᆫ ᄇᆡ라도 욱여 내 ᄆᆞ음을 셰오ᄂᆞ니, 광이 비록 너의 나 만흐믈 깃거 아닐디라도, 내 쥬혼(主婚)ᄒᆞ여 손ᄋᆞ를 너희게 보ᄂᆡ면 감히 ᄒᆞᆫ 말을 못ᄒᆞ리라. 노뫼 즉시 ᄐᆡᆨ일ᄒᆞ여 보닐 거시니, 너ᄂᆞᆫ 입쟝(入丈)ᄒᆞᆯ ᄀᆡ구(器具)를 출히라."

목픠【67】 대열ᄒᆞ여 도라가ᄆᆡ, 목시 스ᄉᆞ로 ᄐᆡᆨ일ᄒᆞ니 공교히 흉인의 원을 맛쳐 길긔(吉期) 슈슌(數旬)이 가렷더라. 목ᄐᆡ 제공과 강부인을 블너 엄히 니르ᄃᆡ,

"여등이 ᄆᆡ양 몽옥의 폐륜ᄒᆞ믈 슬허ᄒᆞ니, 노뫼 보고 듯기의 심히 블안ᄒᆞ기ᄂᆞᆫ 니르도 말고, 너희ᄂᆞᆫ ᄌᆞᄋᆡ(慈愛)의 계관(係關)[1194] ᄒᆞ여 ᄌᆞ식의 허믈을 젼혀 모로고, 그 계활(計活)이 남의셔 낫고져 ᄒᆞ나, 몽옥이 십삼 튱년이로ᄃᆡ 음악ᄒᆞ고 간교ᄒᆞ여, 남ᄌᆞ를 ᄉᆞ상ᄒᆞ미 하류쳔창의 힝실도곤 더ᄒᆞ여, 하원상으로 더브러 ᄀᆞ마니 ᄉᆞ통ᄒᆞᄂᆞᆫ 힝실이 무상코 더러온디라. 이러나 져러나 하가ᄂᆞᆫ ᄋᆡ랑의 구가로 몽옥의 도라 갈 곳이 아니라. 하ᄉᆡᆼ이 비록 몽옥과 ᄉᆞᄉᆞ로이 졍을 통ᄒᆞ나 졔 부형이 아디 못ᄒᆞ니, 이 즈음【68】의

1194)계관(係關) : 관계(關係). 서로 관련을 맺거나 관련이 있음.

리니, 아직 광ᄋᆡ 왜국 교유ᄉᆞ로 ○○[나가] 도라오지 못ᄒᆞ엿거니와, 위력으로 혼ᄉᆞ를 일우려 ᄒᆞᆫ즉 아모도 막으리 업ᄉᆞ리니 현딜의 ᄯᅳᆺ이 엇더ᄒᆞ뇨?"

목시즁이 본ᄃᆡ ᄉᆞ리 통달치 못ᄒᆞ고, 녀ᄉᆡᆨ의 ᄒᆞᆫ낫 쥬린 귀신이라. 슉모의 말ᄉᆞᆷ을 듯고 당당히 져의 ᄌᆡ실노 ᄎᆔᄒᆞᆯ 쥴 아라, 흔흔이 웃고 연망이 ᄇᆡᄉᆞ 왈,

"슉뫼 소딜의 환거(鰥居)ᄒᆞ믈 념녀ᄒᆞ샤 쳔금 소녀를 가연이 허코져 ᄒᆞ시니, 소딜이 황공감은 ᄒᆞ오나 참졍의 ᄐᆡᆨ셔(擇壻)ᄒᆞ미 비상ᄒᆞ오리니, 소딜의 나히 만흐믈 깃거 아닐가 ᄒᆞᄂᆞ이다."

목씨 소왈,

"노뫼 일을 니르[루]고져 ᄒᆞᄆᆡ, 비록 광ᄋᆞ 등의 깃거 아닛ᄂᆞᆫ ᄇᆡ라도 족히 고집ᄒᆞ여 내 마음을【14】셰우ᄂᆞ니, 이제ᄂᆞᆫ 더욱 집의 업ᄂᆞᆫᄯᆡ라. 노뫼 즉시 ᄐᆡᆨ일ᄒᆞ여 보ᄂᆡ리니 입장(入丈)ᄒᆞᆯ ᄀᆡ구(器具)를 출히라."

픠 ᄃᆡ열ᄒᆞ여 낙낙(樂樂)히 도라가니, 목씨 가ᄂᆡ 의논도 업시 ᄐᆡᆨ일을 속속히 ᄒᆞ니, 흉인의 ᄯᅳᆺ을 맛초아 길긔(吉期) 슈슌(數旬)을 격ᄒᆞ엿ᄂᆞᆫ지라. 목씨 상셔 등과 강부인을 블너 엄히 니르ᄃᆡ,

"너희 ᄆᆡ양 몽옥의 폐륜ᄒᆞ믈 슬허ᄒᆞ므로, 노모의 편치 아니믄 니르도 말고, 몽ᄋᆡ 십삼 쳥츈이로ᄃᆡ 음악ᄒᆞ고 간교ᄒᆞ여, 남ᄌᆞ를 ᄉᆞ상ᄒᆞ미 하류쳔창의 힝실도곤 더ᄒᆞ여, 하원상으로 더브러 가마니 통신ᄒᆞᄂᆞᆫ 힝실이 무상코 더러온지라. 이러나 져러나 하가ᄂᆞᆫ ᄋᆡ랑의 구가요, 몽옥의 도라 갈 곳이 아니라. 타쳐의 셩혼ᄒᆞ여냐 졔 몸이【15】편ᄒᆞ리니, 시즁 목픠 년긔 샤슌이나 외뫼 비속(非俗)ᄒᆞ고 긔상이 언건(偃蹇)ᄒᆞ믄 셰상이 다 칭찬ᄒᆞᄂᆞᆫ ᄇᆡ오, 가셰(家勢) 풍족ᄒᆞ여 ᄌᆡ산이 누거만(累巨萬)[912]이오, 노복이 슈쳔

912)누거만(累巨萬) : 매우 많음. 또는 매우 많은 액수.

몽으를 타쳐의 셩혼ᄒᆞ여 보ᄂᆡ면, 하싱도 몽옥의게 졍이 ᄉᆞ허디고 몽옥도 하싱을 바랄 거시 《업셧고‖업셔디니》, 목픠 년긔 ᄉᆞ슌이나 의퍼 비쇽ᄒᆞ고, 긔상이 언건ᄒᆞ믄 셰샹이 다 아ᄂᆞᆫ 빅오, 가계 풍죡ᄒᆞ여 직산이 누거만(累巨萬)[1195]이오, 노복이 슈쳔여귀(數千餘口)오, 가셰(家勢) 비록 미말낭관(末末郎官)이나, ᄉᆡᆼ업(生業)인즉 공후디가(公侯之家)의 감치 아니ᄒᆞ고, ᄒᆞ믈며 문벌가셰ᄂᆞᆫ ᄉᆡ로이 니를 거시 업ᄉᆞ니, 몽옥을 딜ᄌᆞ와 셩혼ᄒᆞᆫ즉 졔 신셰 일싱 편ᄒᆞ고 즐겁기 하가의 셰 번 더을 거시오, 노모의 뜻의 발셔 굿게 뎡ᄒᆞ○[엿]고 딜ᄌᆞ를 블너 발셔 면약(面約)ᄒᆞ여시니, 너희 광의{광의} 도라오디 못ᄒᆞ여시믈 셔운ᄒᆞ여 말고, 뎡혼 날의 길녜를 힝케 ᄒᆞ라."

강부인이 쳥파의 만심이 경히ᄒᆞ여 【69】 신식이 찬 직 ᄀᆞᆺᄐᆞ니, 능히 ᄒᆞᆫ 말을 못ᄒᆞ고, 상셔 등이 빅ᄉᆞ(百事)의 친의를 슌슈ᄒᆞ기를 쥬ᄒᆞ나, ᄎᆞᄉᆞ의 다ᄃᆞ라ᄂᆞᆫ 죽기를 그음ᄒᆞ여 쇼져를 표의게 보ᄂᆡ디 아니랴 ᄒᆞ므로, 일시의 뎡식ᄒᆞ고 년셩(連聲) 고왈,

"쇼ᄌᆞ 등이 블초ᄒᆞ여 ᄒᆞᆫ 일도 ᄌᆞ의를 영합디 못ᄒᆞ고, ᄆᆡ양 그릇 녁이시믈 당ᄒᆞ여, 간ᄒᆞᄂᆞᆫ 말솜이 효험이 업ᄉᆞ오나, ᄌᆞ위 셩덕으로뼈 거의 일을 ᄉᆡᆼ각ᄒᆞ실디라. 엇디 몽으 ᄀᆞᆺᄐᆞᆫ 쳥졍결초(淸淨潔楚)[1196]ᄒᆞᆫ ᄋᆞ히로뼈 더러온 일노 의심ᄒᆞ며, 우리 집이 그 엇던 명문이완ᄃᆡ 딜ᄋᆞ의 치례(采禮)[1197] 두 번 드ᄂᆞᆫ 거죄 이시리잇고. 이러므로 ᄋᆡ랑을 하가의 보ᄂᆡᄆᆡ 몽ᄋᆞᄂᆞᆫ 일싱을 공규의 폐륜ᄒᆞ여 하가 뵌 치례를 딕희게 ᄒᆞ엿ᄉᆞᆸᄂᆞ니, 목시듕 아냐 텬션이 하강ᄒᆞ여도 몽딜 【70】 의 혼ᄉᆞ다히ᄂᆞᆫ 다시 의논홀 일이 업고, ᄌᆞ졍이 아모리 딜ᄋᆞ를 목가의 보ᄂᆡ고져 ᄒᆞ셔도, 쇼ᄌᆞ 등이 져를 죽일디언졍 ᄎᆞ마 개덕

1195)누거만(累巨萬) : 매우 많음. 또는 매우 많은 액수.
1196)청정결초(淸淨潔楚) : 매우 맑고 깨끗함.
1197)치례(采禮) : 납폐(納幣). 혼인할 때에, 사주단자의 교환이 끝난 후 정혼이 이루어진 증거로 신랑 집에서 신부 집으로 예물을 보냄. 또는 그 예물.

여구(數千餘口)오, 문벌은 ᄉᆡ로 닐을 거시 업ᄂᆞ니, 몽옥을 딜ᄌᆞ와 셩친홀진ᄃᆡ, 졔 신셰 일싱 편ᄒᆞ고 즐겁기 하가의 셰 번 더을 거시오, 노뫼 발셔 뜻슬 굿게 졍ᄒᆞ여 딜ᄌᆞ를 불너 면약(面約)ᄒᆞ여시니, 너의 광희 도라오지 못ᄒᆞ믈 셥셥히 넉이지 말고, 정ᄒᆞᆫ 날의 길네(吉禮)를 힝케 ᄒᆞ라."

ᄒᆞ니, 강부인은 존고의 말솜을 드르ᄆᆡ 만신이 경히(驚駭)ᄒᆞ여 능히 한 말도 못ᄒᆞ고, 상셔 등은 빅ᄉᆞ의 친의를 슌슈ᄒᆞ나 이 일의 다ᄃᆞ라ᄂᆞᆫ, 일시의 부복 쥬왈,

"ᄌᆞ위 엇지 몽딜 ᄀᆞᆺᄐᆞᆫ 쳥 【16】 졀(淸節) ᄒᆞᆫ ᄋᆞ히를 더러온 일노 의심ᄒᆞ시며, 우리 집이 엇더ᄒᆞᆫ 명문이완ᄃᆡ, 딜ᄋᆞ의 치폐(采幣)[913] 두 번 드러오ᄂᆞᆫ 거죄 이시리잇가? 소ᄌᆞ 등이 딜녀를 목젼의 죽일지언졍 ᄎᆞ마 ᄀᆡ적ᄒᆞ여 더러온 녀지 되게 못ᄒᆞ오리로소이다."

913)채폐(采幣) : 채례(采禮). 납폐(納幣). 혼인할 때에, 사주단자의 교환이 끝난 후 정혼이 이루어진 증거로 신랑 집에서 신부 집으로 예물을 보냄. 또는 그 예물.

ᄒᆞ여 더러온 계집이 되게 못ᄒᆞ오리니, 빙ᄎᆡ(聘采) 바든 녀ᄌᆡ 등과 못ᄒᆞᆫ 션ᄇᆡ ᄀᆞᄐᆞ여, 비록 뎐안(奠雁) 독좌(獨坐)의 녜(禮)를 일우디 아냐시나 납폐 문명이 이시니 맛춤ᄂᆡ 그 집 사ᄅᆞᆷ이오, 션ᄇᆡ 님군의 은혜를 닙디 아니코 국녹을 먹디 아냐시나 그 나라 신하로 죵신토록 타국의 옴ᄂᆞᆫ 일이 업ᄉᆞᆸᄂᆞ니, 명문벌열(名門閥閱)의 녀ᄌᆡ 두 번 빙ᄎᆡ를 밧ᄂᆞᆫ 거ᄉᆞᆫ 개뎍ᄒᆞᄂᆞᆫ 것과 다르미 업ᄂᆞ니이다."

부인이 졔ᄌᆞ(諸子)의 이ᄀᆞᆺ치 닷토ᄂᆞᆫ 말을 드르니, 흉ᄒᆞᆫ 노분이 하날을 쎄칠 ᄃᆞᆺᄒᆞ여, 셔안을 박ᄎᆞ고 쥬머괴로 상셔의 낫출 즛울혀[1198] ᄀᆞᆯ오ᄃᆡ, 【71】

"나ᄂᆞᆫ 무식ᄒᆞᆫ 녀ᄌᆡ라. ᄉᆞ리를 아디 못ᄒᆞᄆᆡ 몽옥을 딜ᄋᆞ의게 가(嫁)ᄒᆞ면 졔 신셰 편키를 위ᄒᆞ미러니, 흉휼(凶譎)ᄒᆞᆫ 놈들이 몽옥이 하ᄉᆡᆼ과 ᄉᆞ통ᄒᆞᄂᆞᆫ 줄 아라, 뜻을 맛초아 거ᄌᆞᆺ 하가의 ᄎᆡ례를 ᄃᆡ희롓노라 ᄒᆞ니, 엇디 통히치 아니리오. 노뫼 죽기를 그음ᄒᆞ여 몽ᄋᆞ를 딜ᄋᆞ의게 도라 보ᄂᆡ리라."

상셔 등이 낫빗출 곳치디 아니코 말ᄉᆞᆷ을 ᄉᆡᆨᄉᆡᆨ이 ᄒᆞ여 ᄀᆞᆯ오ᄃᆡ,

"ᄌᆞ위 일시의 딜ᄋᆞ를 목가의 보ᄂᆡ고져 ᄒᆞ시나, 쇼ᄌᆞ 등이 ᄎᆞᄉᆞ의 다ᄃᆞ라ᄂᆞᆫ 딜녀를 죽여 업시 ᄒᆞ고, ᄌᆞ경긔 ᄉᆞ죄를 밧ᄌᆞ올디언졍, 딜ᄋᆞ로 ᄎᆞ마 더러온 계집을 삼디 못ᄒᆞ리로소이다."

ᄒᆞᆨᄉᆞ 희쉬 소ᄅᆡ를 ᄆᆡ이ᄒᆞ여 ᄀᆞᆯ오ᄃᆡ,

"대모의 이러ᄐᆞᆺ ᄒᆞ시믄 반ᄃᆞ시 표의 쳥촉을 드르시미라. 텬하의 흔ᄒᆞᆫ 거【72】시 녀ᄌᆡ라. 폐 어ᄃᆡ 가 ᄌᆡ실을 못 어들 거시라 우리 쳔금 일ᄆᆡ오, ᄒᆞ믈며 빙ᄎᆡ 바든 녀ᄌᆞ를 유의ᄒᆞ며, 오가를 업슈히 넉여 ᄆᆡᄌᆞ로뼈 져의 ᄌᆡ실을 주량으로[1199] 아ᄂᆞᆫ 거시 통히ᄒᆞᆫ디라. 쇼손이 ᄆᆡ뎨를 죽여 분을 플고, 표

목씨 졔ᄌᆞ(諸子)의 이ᄀᆞᆺ치 닷토ᄂᆞᆫ 말을 드르ᄆᆡ, 흉ᄒᆞᆫ 노분이 하ᄂᆞᆯ을 쎄칠 ᄃᆞᆺᄒᆞ여, 셔안을 박ᄎᆞ며 쥬머괴로 상셔의 만신을 즛두ᄃᆞ려 왈,

"나ᄂᆞᆫ 무식ᄒᆞᆫ 녀ᄌᆡ라. ᄉᆞ리를 아지 못ᄒᆞ고, 몽옥을 딜ᄋᆞ와 셩친코져 ᄒᆞ믄 졔 일신이 평ᄉᆡᆼ 편키를 위ᄒᆞ미더니, 흉ᄒᆞᆫ 놈들이 몽옥의 하ᄉᆡᆼ과 ᄉᆞ통ᄒᆞ믈 긔여히 이목을 갈이고져 ᄒᆞ니, 엇지 통히치 아니리오. 노뫼 죽기를 그음ᄒᆞ【17】여 몽ᄋᆞ를 딜ᄋᆞ의게 도라 보ᄂᆡ리라."

ᄒᆞ거ᄂᆞᆯ, ᄒᆞᆨᄉᆞ 희쉬 소ᄅᆡ질너 왈,

"ᄃᆡ모의 이러 ᄒᆞ시믄 반ᄃᆞ시 목표의 쳥촉을 드르시미라. 텬하의 즁다(衆多)ᄒᆞ온 것이 녀ᄌᆡ어ᄂᆞᆯ, ᄀᆞᆺᄒᆞ여 빙폐 밧은 녀ᄌᆞ를 뉴의ᄒᆞ니, 이ᄂᆞᆫ 우리 집을 업슈히 넉이미라. 소손이 ᄆᆡ뎨를 죽여 분을 플고, 표를 보아 낫치츰 빗고 눈의 ᄌᆡ를 너허 우리 집 업슈히 넉이ᄂᆞᆫ 분을 풀녀 ᄒᆞᄂᆞ이다."

1198)즛울히다 : '즛+우리다[후리다]'의 형태. 짓후리다. 마구 휘둘러서 때리거나 치다. 마구 휘둘러서 깎거나 베다.

1199)주량으로 : 줄 양으로. *양; 의존명사. 어미 '-을' 뒤에 '양으로', '양이면' 꼴로 쓰여, '의향'이나 '의도'의 뜻을 나타내는 말

를 보아 낫ᄎᆡ 춤 밧고 눈의 ᄌᆡ를 너허 우리 집을 업슈히 녁이ᄂᆞᆫ 분을 플녀 ᄒᆞᄂᆞ이다."

목시 분노ᄒᆞ여 혹ᄉᆞ의 운고(雲-)1200)를 플쳐 손의 ᄀᆞᆷ고, 머리를 벽의 브ᄃᆡ이져 ᄀᆞᆯ오ᄃᆡ,

"너의 슉딜이 결단ᄒᆞ여 노모를 죽이고 긋치려 ᄒᆞᄂᆞᆫ디라. 몽ᄋᆞ를 딜ᄋᆞ의게 보ᄂᆡ나 못 보ᄂᆡ나, 너를 죽여 난언(亂言)ᄒᆞᆫ 죄를 덜고 말니니, 나의 딜ᄌᆞᄂᆞᆫ 널노 더브러 통가디의(通家之義)1201) 잇거ᄂᆞᆯ, 감히 눈의 ᄌᆡ를 너코 낫ᄎᆡ 춤을 바틀가 시브냐? 이ᄂᆞᆫ 딜ᄌᆞ를 욕【73】ᄒᆞ미 아냐 날을 욕ᄒᆞᄂᆞᆫ 일이니, 노뫼 너의게 그런 욕을 보고 어이 살니오. 쾌히 너를 죽이고 내 ᄯᅩ 죽으리라."

이리 니르며 흉ᄒᆞᆫ 눈을 브르다이고1202), 혹ᄉᆞ를 므러 쓰드며 셔도니 그 거동이 무셔온디라. 상셔 등이 비록 혹ᄉᆞ를 구코져 ᄒᆞ나, 혹ᄉᆡ 발셔 모딘 범의게 ᄋᆞᆲ들닌1203) 사ᄅᆞᆷ ᄀᆞᆺᄐᆞ여, 상토를 노흉의 손의 ᄀᆞᆷ기이고, 니로 혹ᄉᆞ를 무러 ᄡᅳ더 쎄치ᄂᆞᆫ 곳마다 븕은 피 돌디어 흐르거ᄂᆞᆯ, 벽의 머리를 브ᄃᆡ이ᄂᆞᆫ1204) 화를 당ᄒᆞ여 두골이 ᄭᆡ여디고 얼골이 ᄎᆞᆫ 옥 ᄀᆞᆺᄐᆞ여 보기의 ᄎᆞ악ᄒᆞᆫ디라.

몽옥 쇼제 그윽이 ᄉᆡᆼ각건ᄃᆡ 조모의 흉ᄒᆞᆫ 용심이 ᄌᆞ긔 빙상절개(氷霜節槪)를 희디을 ᄲᆞᆫ 아니라, 졔슉과 졔거거를 못 견ᄃᆡ도록 보ᄎᆡ여 짐즛 핑계ᄒᆞ믈 혜아리ᄆᆡ, ᄌᆞ【74】긔 계교를 쓰디 아냐ᄂᆞᆫ 거거의 급ᄒᆞᆫ 거ᄉᆞᆯ 구ᄒᆞ기 어렵고, ᄌᆞ긔 몸을 ᄲᆡ혀 나디 못ᄒᆞᆯ디라. 브득이 알픈 졍신을 슈습ᄒᆞ여 협실 문을 열고, ᄲᆞᆯ니 태부인 알패 다ᄃᆞ라ᄂᆞᆫ 혹ᄉᆞ를 븟들고 실셩비읍(失性悲泣)ᄒᆞ여 ᄀᆞᆯ오

부인이 분분(紛紛) ᄃᆡ로(大怒)ᄒᆞ여, 혹ᄉᆞ의 두발(頭髮)을 플쳐 잡고 머리를 벽의 부ᄃᆡ이져, 무슈 난타ᄒᆞ니,

ᄎᆞ시 님소졔 협실의셔 ᄎᆞ경을 보고 알픈 졍신을 슈습(收拾)ᄒᆞ여, 협실 문을 열고 ᄲᆞᆯ니 ᄐᆡ부인 알ᄑᆡ 나아가, 혹ᄉᆞ를 븟들고 실셩비【18】읍(失性悲泣) 왈,

1200)운고(雲-) : 상투를 틀 때 머리털을 고리처럼 되도록 감아 넘긴 것. *운(雲)은 운발(雲髮)을 줄여 쓴 말로, 구름 같은 머리, 곧 숱이 많은 탐스러운 머리를 이르는 말.
1201)통가디의(通家之義) : 인척(姻戚)의 의리. *인척(姻戚); 혼인에 의하여 맺어진 친척. ≒통가(通家).
1202)브르다이다 : 부라리다. 눈을 크게 뜨고 눈망울을 사납게 굴리다.
1203)ᄋᆞᆲ들니다 : 옭혀들다. 옭히어 빠져들다.
1204)브ᄃᆡ이다 : 부딪다. 부딪치다. 다른 것에 맞닿거나 자꾸 부딪치며 충돌하다

되,

"거거의 말숨이 과격ᄒᆞ나 일시의 분을 측디 못ᄒᆞ미오, 대모긔 블슌ᄒᆞ미 아니니, 대뫼 엇디 과도히 ᄒᆞ시ᄂᆞ니잇고?"

ᄒᆞ더라.【75】

"거거의 말숨이 과격ᄒᆞ나 일시 분을 참지 못ᄒᆞ미오, 되모긔 불슌ᄒᆞ미 아니니, 되뫼 엇지 이ᄀᆞᆺ치 과도히 구시ᄂᆞ니잇고?"

명듀보월빙 권디구십ᄉᆞ

어시의 몽옥 쇼제 혹ᄉᆞ를 븟들고 실셩비읍(失性悲泣)ᄒᆞ여 ᄀᆞᆯ오ᄃᆡ,

"거거의 말ᄉᆞᆷ이 과격ᄒᆞ나 일시 분을 ᄎᆞᆷ지 못ᄒᆞ미오, 대모긔 블슌ᄒᆞ미 아니니 대뫼 엇디 과도히 ᄒᆞ시ᄂᆞ니잇고? 졔 슉부와 거게 쇼손으로 ᄒᆞ여금 하가 빈 문명(問名)1205)을 딕희여 일ᄉᆡᆼ을 공규(空閨)의 유발승(有髮僧)1206)이 되라 ᄒᆞ오나, 쇼녀ᄂᆞᆫ 가ᄂᆡ 화(和)ᄒᆞ고 대모의 명을 슌슈ᄒᆞ여 ᄉᆞ디라도 사양ᄒᆞᆯ ᄆᆞ음이 업ᄉᆞᆸᄂᆞ니, 대모ᄂᆞᆫ 거거의 죄를 믈시ᄒᆞ시고, 쇼손은 목가만 못ᄒᆞᆫ 곳이라도 명ᄃᆡ로 응슌(應順)ᄒᆞ오리니, 이 일은 우흐로 대모긔 달녓고 아ᄅᆡ로 쇼손의 ᄯᅳᆺ의 이시니, 엇디 거거와 졔 슉부로 의논ᄒᆞ시ᄂᆞ니잇고?"

목시 바야흐로 혹ᄉᆞ를 반만 죽여 노【1】하, 져의 호령을 셰워 쇼져를 표의게 보ᄂᆡ려 ᄒᆞᄃᆡ, 혹ᄌᆞ 쇼제 졀을 구디 딕희여 스ᄉᆞ로 인뉸낙ᄉᆞ(人倫樂事)를 ᄉᆞᆫ코 ᄉᆞᄉᆡᆼ을 결ᄒᆞᆯ가 념녀ᄒᆞ던 ᄇᆡ, 쳔만 긔약디 아닌 쇼져의 말이 이 ᄀᆞᆺᄐᆞ니, 다ᄒᆡᆼ코 즐거오믈 니긔디 못ᄒᆞ여 즉시 혹ᄉᆞ 치기를 긋치고, 쇼져를 어로만져 왈,

"너의 소통영오(疏通穎悟)ᄒᆞ미 니히를 ᄇᆞᆰ히 아라, 거ᄌᆞᆺ 졀을 일ᄏᆞ라 심규의 폐륜ᄒᆞ미 신샹의 유히무익(有害無益)ᄒᆞ믈 ᄭᆡᄃᆞ라, 딜ᄌᆞ와 셩혼ᄒᆞ믈 사양치 아니니, 희슈의 패악블공(悖惡不恭)ᄒᆞᆫ 죄를 샤치 못ᄒᆞᆯ 거시로ᄃᆡ, 너의 말이 ᄀᆞ장 유리ᄒᆞᄆᆡ, 마디 못ᄒᆞ여 슈를 샤ᄒᆞᄂᆞ니, 너ᄂᆞᆫ 내 말을 슌슈ᄒᆞ여, 딜ᄌᆞ로 뉵녜(六禮)1207)를 구ᄒᆡᆼ(俱行)ᄒᆞ여 됴히

1205)문명(問名) : 중국 주례(周禮)에 규정하고 있는 혼례의 여섯 가지 절차인 육례(六禮) 중 하나로, 신랑 측에서 신부 집에 납채(納采)를 행한 후, 다시 신부 집에 신부의 이름을 묻는 서간을 보내는데, 이를 문명(問名)이라 한다. 이때 신부 집에서는 당시 여자에게는 이름이 없기 때문에 신부의 어머니 성씨를 적어 보내 허혼의 뜻을 밝힌다. 따라서 문명은 양가가 정혼한 사이임을 뜻한다.

1206)유발승(有髮僧) : 머리를 깍지 않은 승려.

1207)육녜(六禮) : 혼인의 여섯 가지 절차. 납채(納

"졔 슉부와 거거 등이 소손으로 ᄒᆞ야금 하가 빈 문명(問名)914)을 직히라 ᄒᆞ오나, 소녀ᄂᆞᆫ 가ᄂᆡ 화평ᄒᆞ고, ᄃᆡ모의 명을 슌슈ᄒᆞ여 ᄉᆞ지(死地)라도 사양ᄒᆞᆯ 마음이 업ᄂᆞ니, ᄃᆡ모ᄂᆞᆫ 거거의 죄를 물시ᄒᆞ시고 소손으로 ᄒᆞ야곰 아모 곳이라도 보ᄂᆡ려 ᄒᆞ시면, 명ᄃᆡ로 응슌(應順)ᄒᆞ오리니, 이 일은 우흐로 ᄃᆡ모긔 달녓고 아ᄅᆡ로 소손의 ᄯᅳᆺ의 잇ᄉᆞ오니, 엇지 거거와 졔 슉부로 의논ᄒᆞ시리잇고?"

목씨 바야흐로 혹ᄉᆞ를 반만 죽여 져의 호령을 엄닙(嚴立)915)ᄒᆞ고, 소져로 목시즁의게 보ᄂᆡ려 ᄒᆞᄃᆡ,【19】혹쟈 소제 졀을 구지 직히여 ᄉᆞᄉᆡᆼ을 결ᄒᆞᆯ가 념녀ᄒᆞ엿더니, 소져의 말이 이 ᄀᆞᆺᄒᆞ니 불승ᄃᆡ희ᄒᆞ여 즉시 혹ᄉᆞ를 놋코, 소져를 어로만져 왈,

"너의 소통영오(疏通穎悟)ᄒᆞ미 니히를 ᄇᆞᆰ히 아라, 딜ᄌᆞ와 셩혼ᄒᆞ믈 ᄉᆞ양치 아니ᄒᆞ니, 희슈의 불공ᄒᆞᆫ 죄를 샤치 못ᄒᆞᆯ 거시로ᄃᆡ, 너의 말이 유리ᄒᆞᄆᆡ 마지 못ᄒᆞ여 슈를 샤ᄒᆞᄂᆞ니, 너ᄂᆞᆫ 내 말을 슌슈ᄒᆞ여 딜ᄌᆞ로 뉵녜(六禮)916)를 구ᄒᆡᆼ(俱行)ᄒᆞ여 조히 도라가

914)문명(問名) : 중국 주례(周禮)에 규정하고 있는 혼례의 여섯 가지 절차인 육례(六禮) 중 하나로, 신랑 측에서 신부 집에 납채(納采)를 행한 후, 다시 신부 집에 신부의 이름을 묻는 서간을 보내는데, 이를 문명(問名)이라 한다. 이때 신부 집에서는 당시 여자에게는 이름이 없기 때문에 신부의 어머니 성씨를 적어 보내 허혼의 뜻을 밝힌다. 따라서 문명은 양가가 정혼한 사이임을 뜻한다.

915)엄립(嚴立) : 엄히 세움.

916)육녜(六禮) : 혼인의 여섯 가지 절차. 납채(納采), 문명(問名), 납길(納吉), 납폐(納幣), 청기(請期), 친영(親迎)을 이른다.

도라 가 만복을 누리라."

쇼졔 ᄎᆞ언의 다ᄃᆞ라ᄂᆞᆫ 눅눅고 분ᄒᆞ믈 니긔디 못ᄒᆞ나, 임의 가ᄂᆡ 화평ᄒᆞ기를 위ᄒᆞ고 ᄌᆞ긔【2】긔 몸을 ᄉᆡᆨ혀나려 ᄒᆞᄂᆞᆫ 고로, ᄒᆞᆫ연이 ᄇᆡ샤ᄒᆞ니, 목시 흉패ᄒᆞᆯ디언졍 위인이 블명코 ᄉᆞ뭇갑디[1208] 못ᄒᆞᆫ 고로, 쇼져의 ᄆᆞ음이 딘실노 그런가 넉여, 가도기를 아냐 침실노 슌히 도라보ᄂᆡ고, 일변 ᄐᆡᆨ일을 표의게 통ᄒᆞ니 상셔 형뎨 슉딜이 죽기로ᄡᅧ 닷토코져 ᄒᆞ더니, 문득 쇼져의 ᄒᆞᄂᆞᆫ 말을 드르니 결단ᄒᆞ여 므ᄉᆞᆫ 계교를 뎡ᄒᆞ미오, 본 ᄯᅳᆺ이 그러치 아닌 줄 아는디라. 역시 부인 명을 슌슈ᄒᆞ고 믈너나, 상셰 쇼져를 다리고 그윽ᄒᆞᆫ ᄃᆡ 가 쥬의를 므르니, 쇼제 탄식 ᄃᆡ왈,

"일이 이의 밋쳐시니 몸이 일시 괴로온 거ᄉᆞᆯ 피치 못ᄒᆞᆯ 거시오, 조모의 ᄯᅳᆺ을 욱이다가ᄂᆞᆫ ᄒᆞᆫ갓 졔위 슉부와 거거 등의 신상이 크게 ᄒᆡ롭기ᄂᆞᆫ 니르디 말고, 조뫼 므ᄉᆞᆫ 변을 딧고 긋치실디라. 쇼딜이 출하리 슈명ᄒᆞᄂᆞᆫ 쳬【3】 ᄒᆞ고 믈러 나, 더러온 날이 다ᄃᆞᆺ거든 딜ᄌᆞ 한을 단장ᄒᆞ여 목가로 보ᄂᆡ고져 ᄒᆞᄋᆞᆸᄂᆞ니, 한이 나히 십일셰오 얼골이 쇼딜을 이상이 달맛다 ᄒᆞ니, 녀복ᄒᆞ여 목가로 보ᄂᆡ면 대뫼 의심치 아니시리니, 쇼딜은 한을 보ᄂᆡ고 잠간 피ᄒᆞ여 외가로 가고져 ᄒᆞᄂᆞ이다."

상셰 딜녀의 ᄌᆡ모를 탄복 왈,

"너의 계교ᄂᆞᆫ 긔특ᄒᆞ거니와 다만 한이 남ᄌᆡ오, 져 목가 튝ᄉᆡᆼ이 한의 ᄌᆡ모를 과혹ᄒᆞᆯᄉᆞ록 남녀를 분변ᄒᆞ기 쉬오니, 속이ᄂᆞᆫ 변이 쟝구치 못ᄒᆞ여, ᄯᅩ 므ᄉᆞᆷ 변이 날고 근심ᄒᆞ노라."

쇼제 탄왈,

"ᄎᆞᄉᆡ 아딕 무ᄉᆞ키를 바라미니 엇디 쟝구히 편ᄒᆞᆯ 도리를 ᄒᆞ리잇고? 연이나 한이 ᄎᆞᆼ명ᄒᆞ고 디혜 가ᄌᆞᆫ ᄋᆞᄒᆡ니, 음양이 밧괴임도 목가로 ᄒᆞ여금 급히 알게 아닐 거시오, 아

采), 문명(問名), 납길(納吉), 납폐(納幣), 청기(請期), 친영(親迎)을 이른다.

1208)ᄉᆞ뭇갑다 : 꿰뚫어 알 만하다. 환히 알 만하다.

만복을 누리라"

소졔 ᄎᆞ언의 다다라ᄂᆞᆫ 눅눅고 분ᄒᆞ믈 니긔지 못ᄒᆞ나, 임의 가ᄂᆡ 화평ᄒᆞ기를 쥬ᄒᆞ고 ᄌᆞ긔 몸을 ᄉᆡᆨ혀나려 ᄒᆞᄂᆞᆫ 고로 ᄒᆞᆫ연이 ᄇᆡᄉᆞᄒᆞ니, 목씨 흉ᄑᆡᄒᆞᆯ지언졍 위인이 불명ᄒᆞᆫ 고로 소져의 마음이 진실노 그러ᄒᆞᆫ【20】가 ᄒᆞ여, 가도지 아니코 침실로 도라가 편히 잇게 ᄒᆞ고, 일변 ᄐᆡᆨ일ᄒᆞ여 목표의게 통ᄒᆞ니, 상셔 형뎨 슉딜이 죽기로ᄡᅧ 닷토아 보고져 ᄒᆞ더니, 문득 소져의 ᄒᆞᄂᆞᆫ 말을 드르니 결단ᄒᆞ여 무ᄉᆞᆷ 계교를 졍ᄒᆞ미오, 본 ᄯᅳᆺ이 아닌 줄 아라, 역시 부인 명을 슌슈ᄒᆞ고 믈너나, 상셰 소져를 다리고 그윽ᄒᆞᆫ 곳의 가 쥬의를 므르니, 소제 탄식 ᄃᆡ왈,

"일이 이에 밋쳣ᄉᆞ오니 조모의 ᄯᅳᆺ슬 거ᄉᆞ리고져 ᄒᆞ다가ᄂᆞᆫ, ᄒᆞᆫᄀᆞᆺ 뉵위 슉부와 거거 등의 신상이 크게 ᄒᆡ롭기ᄂᆞᆫ 닐으도 말고, ᄃᆡ뫼 무ᄉᆞᆷ 변을 짓고 말니니, 소딜이 출ᄒᆞ리 슌종ᄒᆞᄂᆞᆫ 쳬ᄒᆞ고 믈러나 더러온 길일이 다다르거든 딜ᄌᆞ 한을 단장ᄒᆞ여 표의 집으로 보ᄂᆡ고져【21】ᄒᆞᄋᆞᆸᄂᆞ니, 한이 나히 십오셰오 얼골이 소딜과 다르미 업ᄉᆞ오니, 녀복을 ᄒᆞ여 목가로 보ᄂᆡ면 ᄃᆡ뫼 의심치 아니ᄒᆞ시리니, 소딜은 한을 보ᄂᆡ고 잠간 피ᄒᆞ여 외가로 가고져 ᄒᆞᄂᆞ이다."

상셰 딜녀의 ᄌᆡ조를 탄복ᄒᆞ여 왈,

"너의 계교ᄂᆞᆫ 긔특ᄒᆞ거니와 다만 한이 녀ᄌᆡ 아니오, 져 목ᄉᆡᆼ이 한의 ᄌᆡ모를 흠모ᄒᆞᆯᄉᆞ록 남녀를 분변키 쉬올 듯ᄒᆞ니, 속이ᄂᆞᆫ 변이 길치 못ᄒᆞ여 ᄯᅩ 무ᄉᆞᆷ 변이 잇실가 근심ᄒᆞ노라."

소제 탄왈,

"이 일이 아직 무ᄉᆞᄒᆞ기를 바라미니 엇지 쟝구히 편ᄒᆞᆯ 도리리잇고? 연이나 한이 ᄎᆞᆼ명ᄒᆞ고 지뫼가 ᄌᆞᆫ ᄋᆞᄒᆡ니, 음양이 밧고임도 표로 ᄒᆞ야곰 급히 알게 아니ᄒᆞᆯ 거시오, 아모리 속여도 목ᄉᆡᆼ【22】일인은 두렵지 아니ᄒᆞ온지라. 졔위 슉부ᄂᆞᆫ 조모 명을 승슌ᄒᆞ샤 변난이 업게 ᄒᆞ소셔. 한을 몬져 ᄎᆡ위 거

모리 속여도 목튝 일 【4】 인은 두럽디 아니 ᄒᆞ온디라. 졔위 슉부ᄂᆞᆫ 범ᄉᆞ를 조모 명을 승슌ᄒᆞ샤 변난이 업게 ᄒᆞ쇼셔. 한을 몬져 츼오샤 거즛 ᄉᆞ부(師父)를 ᄯᆞ라가, 여러 일월을 집의 도라오디 못ᄒᆞᆯ 바를 조모긔 고ᄒᆞ쇼셔."

상셔 등이 딜녀의 긔모(奇謀)를 두굿겨 어로만져 칭션 왈,

"십삼셰 쇼녜 노셩댱ᄌᆞ(老成長子)○[도] 밋디 못ᄒᆞᆯ 바를 ○[쇠]ᄒᆞ니 엇디 아름답디 아니리오마ᄂᆞᆫ, 우리 ᄆᆞ음은 표를 속이고져 시븐디라. 한이 비록 남ᄌᆞ나 얼골이 너와 다른 일이 업ᄉᆞ니, 져 목표 도뎍놈이 쳐음은 녀ᄌᆞ로 아라 그 ᄌᆞ싁을 황홀ᄒᆞᆯ ᄇᆡ 분히(憤恚)ᄒᆞ도다."

쇼졔 ᄃᆡ왈,

"쇼딜인들 목튝을 통완치 아니리잇고마ᄂᆞᆫ, 져 튝싱을 거웟다[1209]가ᄂᆞᆫ 대모의 노를 요동ᄒᆞ여 가간의 변괴를 니르혀리니, 출하리 한으로뼈 쇼 【5】 딜의 ᄃᆡ신의 보ᄂᆡ고, 대인이 도라오시믈 기다리시ᄂᆞᆫ 거시 올흘가 ᄒᆞᄂᆞ이다."

슉부 등과 졔쇼져와 뎡시랑 원흠의 부인과 태혹ᄉᆞ 남창딘의 부인이 다 웃고, 쇼져의 계괴 맛당ᄒᆞ믈 일ᄏᆞᄅᆞ니, 이런 일을 가듕 비복도 모로게 ᄒᆞ고, 한으로뼈 ᄉᆞ부를 좃ᄎᆞ 먼니 가믈 고ᄒᆞ여, 몬져 목시긔 하딕ᄒᆞᆯᄉᆡ, 한은 곳 님혹ᄉᆞ의 댱ᄌᆞ니 시년 십일(十一)의 곤산(崑山)[1210]의 미옥(美玉)과 츄공(秋空)의 명월 ᄀᆞᆺ고, 만ᄉᆡ 총명다ᄌᆡ(聰明多才)ᄒᆞ여, 단믁ᄒᆞ미 그 슉모 몽옥 쇼져와 ᄀᆞᄐᆞ니, 혹ᄉᆡ ᄆᆡ양 댱부의 긔상이 ○○[아니]라 ᄒᆞ더니, 쇼져의 ᄃᆡ신으로 표의게 보ᄂᆡᄂᆞᆫ 줄 알고, 개연이 말을 ᄉᆞ며 목시긔 ᄇᆡ샤 하딕ᄒᆞᄆᆡ, 목시 한이 종손(宗孫)이로ᄃᆡ, 원ᄂᆡ ᄒᆞᆫ 조각 ᄉᆞ랑이 업던 고로, 그 먼니 나가 오ᄅᆡ 도라오디 못ᄒᆞᆯ 바를 고ᄒᆞ 【6】

1209)거우다 : 집적거려 성나게 하다.

1210)곤산(崑山) : 곤륜산(崑崙山). 중국 전설상의 높은 산. 중국의 서쪽에 있으며, 옥(玉)이 난다고 한다. 전국(戰國) 시대 말기부터는 서왕모(西王母)가 살며 불사(不死)의 물이 흐른다고 믿어졌다.

짓 샤부를 ᄯᆞᆯ와 여러 일월을 집에 도라오지 못ᄒᆞᆯ 바를 조모긔 고ᄒᆞ소셔"

상셔 등이 칭션(稱善) 왈,

"십삼셰 소녜 노셩장ᄃᆡ(老成壯大)ᄒᆞᆫ ᄉᆞ람도 밋지 못ᄒᆞᆯ ᄇᆡ니, 엇지 아름답지 아니리오마ᄂᆞᆫ, 우리 마ᄋᆞᆷ은 표를 속이고져 시분지라. 한이 비록 남ᄌᆞ나 얼골이 너와 다른 일이 업ᄉᆞ니, 져 목표 ᄀᆞᄐᆞᆫ 도적놈이 쳐음은 녀ᄌᆞ로 아라 황홀ᄒᆞᆯ 일이 분히(憤恚)ᄒᆞ도다"

소졔 ᄃᆡ 왈,

"범ᄉᆞ를 종용이 ᄒᆞ엿다가 ᄃᆡ인이 도라오시믈 기ᄃᆞ리미 올흘가 ᄒᆞᄂᆞ이다."

졔인이 웃고 계괴 맛당ᄒᆞ믈 닐ᄏᆞ르며, 한으로뼈 샤부 【23】 를 좃ᄎᆞ 먼니 가믈 고ᄒᆞᆯᄉᆡ, 몬져 목씨긔 하직ᄒᆞ니, 한은 곳 님혹ᄉᆞ의 장ᄌᆞ라. 시년 십일(十一)의 용뫼 곤산미옥(崑山美玉)[917]과 츄공명월(秋空明月) 갓고, 만ᄉᆡ 총명다ᄌᆡ(聰明多才)ᄒᆞ여 단묵(端默)ᄒᆞ미 그 슉모 몽옥 소져와 ᄀᆞᆺᄒᆞ니, 혹ᄉᆡ ᄆᆡ양 장부의 긔상이 아니라 ᄒᆞ더니, 소져의 ᄃᆡ신으로 표의게 보ᄂᆡᄂᆞᆫ 쥴 알고, 가연이 말을 ᄉᆞ며 목씨긔 ᄇᆡᄉᆞ 하직ᄒᆞ고[니], 목씨 본ᄅᆡ ᄒᆞᆫ 조각 ᄉᆞ랑ᄒᆞ미 업던 고로 그 먼니 나아가 오ᄅᆡ 못 올 바를 고ᄒᆞᄃᆡ, 조곰도 결연(缺然)ᄒᆞ미 업더라.

917)곤산미옥(崑山美玉) : 중국 곤륜산(崑崙山)에서 난다고 하는 아름다운 옥(玉). *곤륜산(崑崙山); 중국 전설상의 높은 산. 중국의 서쪽에 있으며, 옥(玉)이 난다고 한다. 전국(戰國) 시대 말기부터는 서왕모(西王母)가 살며 불사(不死)의 물이 흐른다고 믿어졌다.

되, 조곰도 결연(缺然)이 넉이미 업더라.

공지 목시긔 하딕ᄒᆞ고 나와 협실의 ᄀᆞᆷ쵀엿더니, 길일이 다ᄃᆞ르니, 강부인이 즉시 셔헌의 나와 공ᄌᆞ의 아미(蛾眉)[1211]를 그리고, 녀복을 개착ᄒᆞ며 디분(脂粉)을 난만이 쉬ᄒᆞ믹, 공지 가쇼롭고 괴로오믈 니긔디 못ᄒᆞ나, 슉모의 졀개를 ᄎᆞ마 그릇 믿ᄃᆞ디 못ᄒᆞ여 ᄌᆞ개 딕신의 가고져 ᄒᆞ믹, 부인이 범ᄉᆞ를 낫낫치 ᄀᆞᄅᆞ치고 쇼져ᄂᆞᆫ ᄀᆞᄆᆞ니 쟝(帳) 쇽의 드러 표슉 강태우 집으로 옴고, 공지 녀복으로 쇼져 침소의 이시니, 가닉 비복도 무심히 보ᄂᆞ니ᄂᆞᆫ 모로더라.

길일의 폐 뉵녜를 ᄀᆞᆺ초와 님쇼져를 친영ᄒᆞᆯ식, 옥안화모(玉顔花貌)의 연분(鉛粉)을 난만이 칠ᄒᆞ고, 긴 단장을 ᄊᆞ어 대례를 필ᄒᆞ고 뎡의 오를식, 작약미딜(婥約美質)이 당딕의 독보졀염(獨步絶艶)이라. 튝싱이 공지믈 몽니의도 ᄉᆡᆼ 듯【7】디 못ᄒᆞ고 호숑ᄒᆞ여 부듕의 도라와, 합증[근]교비(合巹交拜)[1212]를 맛고 깃븐 눈을 밧비 드러 보니, 폐월슈화디틱(閉月羞花之態)[1213]오, 침어낙안디용(沈魚落雁之容)[1214]이니, 댱강(莊姜)[1215] 반비(班妃)[1216] ᄀᆞᆺᄐᆞ며, 셔시(西施)[1217] 옥딘

1211)아미(蛾眉) : 누에나방의 눈썹이라는 뜻으로, 가늘고 길게 굽어진 아름다운 눈썹을 이르는 말. 미인의 눈썹을 이른다.

1212)합근교배(合巹交拜) : 전통 혼례에서, 신랑 신부가 서로 잔을 주고받고[합근], 절을 주고받고[교배] 하는 의례.

1213)폐월슈화디틱(閉月羞花之態) : 꽃도 부끄러워하고 달도 숨을 만큼 여인의 얼굴과 맵시가 매우 아름답다는 것을 비유적으로 이르는 말.

1214)침어낙안디용(沈魚落雁之容) : 미인을 보고 물위에서 놀던 물고기가 부끄러워서 물속 깊이 숨고 하늘 높이 날던 기러기가 부끄러워서 땅으로 떨어질 만큼, 아름다운 여인의 용모를 비유적으로 이르는 말. ≪장자≫ 〈제물론(齊物論)〉에 나온다.

1215)댱강(莊姜) : 중국 춘추시대 위(衛)나라 장공(莊公)의 처. 아름답고 덕이 높았고 시를 잘하였다.

1216)반비(班妃) : 중국 한(漢)나라 성제(成帝)의 후궁. 시가(詩歌)를 잘하여 성제의 총애를 받았으나 조비연(趙飛燕)에게 참소를 당하여 장신궁(長信宮)에 있으면서 부(賦)를 지어 상심을 노래하였다.

1217)셔시(西施) : 중국 춘추 시대 월나라의 미인. 오나라에 패한 월나라 왕 구천이 서시를 부차에게 보내어 부차가 그 용모에 빠져 있는 사이에 오나라를 멸망시켰다.

공지 하직고 나와 협실의 감초엿더니, 길일이 다다르니, 강부인이 즉시 셔헌의 나와 공ᄌᆞ의 아미(蛾眉)[918]를 그리고, 녀복을 ᄀᆡ착ᄒᆞ여 지분을 난만이 쉬ᄒᆞ믹, 공지 가소롭【24】고 우읍기를 니긔지 못ᄒᆞ나, 슉모의 졀긔를 ᄎᆞ마 그릇 믿다지 못ᄒᆞ여 ᄌᆞ긔 딕신으로 가고져 ᄒᆞ믹, 부인이 범ᄉᆞ를 낫낫치 ᄀᆞᆯᄋᆞ치고 소져ᄂᆞᆫ 가마니 장(帳) 속의 드러그 표슉 강ᄐᆡ우 집으로 옴고, 공지 녀복으로 소져 침소의 잇시니, 가닉 비복도 모르더라.

길일의 목폐 뉵녜를 ᄀᆞᆺ초아 님소져를 친영ᄒᆞᆯ식, 공지 옥안화모(玉顔花貌)의 지분을 난만이 칠ᄒᆞ고, 긴 단장을 ᄊᆞ어 딕례를 필ᄒᆞ고 뎡의 올을식, ᄌᆞ[작]약미질(婥約美質)이 당딕의 독보졀염(獨步絶艶)이라. 져 튝싱 목폐 공지믈 몽니의도 ᄉᆡᆼ 듯지 못ᄒᆞ고, 호송ᄒᆞ여 부즁의 도라와 합증[근]교빅(合巹交拜)를 맛고, 깃분 눈을 밧비 들어 보니 폐월슈화지식(閉月羞花之色)[919]이오 침어낙안지용(沈魚落雁之容)[920]【25】이니 장강(莊姜)[921] 반비(班妃)[922]와 셔시(西施)[923] 옥진(玉眞)[924]을 곱다 못ᄒᆞᆯ지라. ᄉᆡᆼ혀ᄂᆞᆫ 신장

918)아미(蛾眉) : 누에나방의 눈썹이라는 뜻으로, 가늘고 길게 굽어진 아름다운 눈썹을 이르는 말. 미인의 눈썹을 이른다.

919)폐월슈화지식(閉月羞花之色) : 꽃도 부끄러워하고 달도 숨을 만큼 여인의 얼굴과 맵시가 매우 아름답다는 것을 비유적으로 이르는 말.

920)침어낙안디용(沈魚落雁之容) : 미인을 보고 물위에서 놀던 물고기가 부끄러워서 물속 깊이 숨고 하늘 높이 날던 기러기가 부끄러워서 땅으로 떨어질 만큼, 아름다운 여인의 용모를 비유적으로 이르는 말. ≪장자≫ 〈제물론(齊物論)〉에 나온다.

921)당강(莊姜) : 중국 춘추시대 위(衛)나라 장공(莊公)의 처. 아름답고 덕이 높았고 시를 잘하였다.

922)반비(班妃) : 중국 한(漢)나라 성제(成帝)의 후궁. 시가(詩歌)를 잘하여 성제의 총애를 받았으나 조비연(趙飛燕)에게 참소를 당하여 장신궁(長信宮)에 있으면서 부(賦)를 지어 상심을 노래하였다.

923)셔시(西施) : 중국 춘추 시대 월나라의 미인. 오나라에 패한 월나라 왕 구천이 서시를 부차에게 보내어 부차가 그 용모에 빠져 있는 사이에 오나라를 멸망시켰다.

924)옥딘(玉眞) : 옥진부인(玉眞夫人). 하늘에 있는

(玉眞)[1218]을 곱다 못ᄒᆞᆯ디라. 만고를 기우려도 다시 ᄀᆞᆺᄐᆞᆫ 졀염이 업슬 ᄃᆞᆺ, 져의 본 바 쳐음이니 황홀ᄒᆞᆫ 은졍과 무궁ᄒᆞᆫ 즐거오미 모양ᄒᆞ여 견즐 곳이 이시리오. 동방화쵹(洞房華燭)의 ᄃᆡᄒᆞᄆᆡ 긴 말ᄉᆞᆷ을 펴며 공ᄌᆞ의 손을 어로만져 금니(衾裏)의 나아가믈 쳥ᄒᆞ니, 공ᄌᆡ 발연대로(勃然大怒)ᄒᆞ여 아미를 거ᄉᆞ리고 츄패ᄆᆡᆼ녈(秋波猛烈)ᄒᆞ여 ᄎᆞᆺ던 옥장도(玉粧刀)를 글너 어로만져 ᄀᆞᆯ오ᄃᆡ,

"군이 날을 쇼쇼약네(小小弱女)라 ᄒᆞ여 이러틋 핍박ᄒᆞ거니와, 내 뎡ᄒᆞᆫ ᄠᅳᆺ은 돌이 되여시니, 군이 조모의 셰엄으로ᄡᅧ 나의 머리ᄂᆞᆫ 가히 버히려니와, 나의 일편단심은 가히 앗디 못ᄒᆞ리니, 하문 빙치(聘采)【8】를 ᄃᆡᆨ희여 공규의 늙으려 ᄒᆞ거ᄂᆞᆯ, 그ᄃᆡ 우리 조모 위엄을 비러 혼녜를 일웟거니와, 우리 대인이 아니 계시니 텬하의 아비 모로ᄂᆞᆫ 혼인이 어ᄃᆡ 이시리오. 내 존명을 거역디 못ᄒᆞ여 그ᄃᆡ 집의 와시나, 대인이 환가ᄒᆞ시믈 기다려 여ᄎᆞ 소유를 ᄌᆞ시 고ᄒᆞ고, 부부뉸의를 닛고져 ᄒᆞᄂᆞ니, 그ᄃᆡ 그 ᄉᆞ이를 참디 못ᄒᆞ여 핍박고져 ᄒᆞᆯ딘ᄃᆡ, 내 반ᄃᆞ시 이 칼노 ᄒᆞᆫ 번 질너 경혈노ᄡᅧ 그ᄃᆡ긔 ᄲᅳ려, 군으로 ᄒᆞ여금 살인ᄒᆞᆫ 죄를 당케 ᄒᆞ리라."

언파의 긔위(氣威) 한상녈일(寒霜烈日) ᄀᆞᆺ트니, 목ᄑᆡ ᄀᆞ장 두려 무류히 믈러 좌를 먼니 ᄒᆞ고, 비러 ᄀᆞᆯ오ᄃᆡ,

"ᄉᆡᆼ이 무식ᄒᆞ나 엇디 쇼져로ᄡᅧ ᄌᆡ실 삼을 ᄠᅳᆺ을 감히 ᄂᆡ리오마ᄂᆞᆫ, 과연 모일의 쇼ᄉᆡᆼ을 블너 여ᄎᆞ여ᄎᆞ 니르시니, 감히 쳥치 못ᄒᆞᆯ디언졍【9】쾌허ᄒᆞᄂᆞᆫ 혼인을 공연이 샤양ᄒᆞ리오. 인연이 긔특ᄒᆞ여 오날ᄂᆞᆯ 쇼져를 마ᄌᆞ오니, 이ᄂᆞᆫ 하날이 뎡ᄒᆞ신 연분이라. 쇼져ᄂᆞᆫ 노치 마르시고 녕엄(令嚴)의 도라오시기를 기다려 이셩디합(二姓之合)을 일우게 ᄒᆞ샤이다."

과 《시연‖선연(嬋娟)》ᄒᆞᆫ 긔질이 만고를 기우려도 다시 ᄀᆞᆺᄐᆞᆫ 졀염이 업슬 ᄃᆞᆺ, 져의 본 바 쳐음이라. 황홀ᄒᆞᆫ 졍과 무궁ᄒᆞᆫ 즐거오미 모양ᄒᆞ여 견줄 곳이 잇시리오. 동방화쵹(洞房華燭)의 상ᄃᆡᄒᆞ여 긴 말ᄉᆞᆷ을 펴고 공ᄌᆞ의 손을 어로만져 금니(衾裏)의 나아가믈 쳥ᄒᆞ니, 소제 발연ᄃᆡ로(勃然大怒) ᄒᆞ여 아미를 거ᄉᆞ리고 츄ᄑᆡᄆᆡᆼ녈(秋波猛烈)ᄒᆞ여 ᄎᆞᆺ던 옥장도(玉粧刀)를 글너 어로만져, ᄀᆞᆯ오ᄃᆡ,

"군이 나를 소소약녀(小小弱女)라 ᄒᆞ여 이러틋 협박ᄒᆞ거니와, ᄂᆡ 졍ᄒᆞᆫ ᄠᅳᆺ은 《두가지‖돌이》 되엿시니, 군이 조모의 셰엄으로ᄡᅧ 나의 머리ᄂᆞᆫ 버히기 쉬우려니와, 나의 단심은 가히 앗지 못ᄒᆞ리니, 하【26】문 빙치(聘采)를 직희여 공규의 늙으려 ᄒᆞ거ᄂᆞᆯ, 그ᄃᆡ 우리 조모 위엄을 비러 혼녜를 일웟거니와, 우리 ᄃᆡ인이 아니 계시니 텬하의 아비 모로ᄂᆞᆫ 혼인이 어ᄃᆡ 잇시리오. ᄂᆡ 존명을 거녁지 못ᄒᆞ여 그ᄃᆡ 집의 와시나, ᄃᆡ인이 환가ᄒᆞ시믈 기다려 여ᄎᆞ 소유를 ᄌᆞ시 고ᄒᆞ고 부부뉸의를 닐우고져 ᄒᆞᄂᆞ니, 그ᄃᆡᄂᆞᆫ 그 ᄉᆞ이를 참지 못ᄒᆞ여 핍박고져 ᄒᆞᆯ진ᄃᆡ, ᄂᆡ 반ᄃᆞ시 이 칼노 ᄒᆞᆫ 번 질너 경혈노ᄡᅧ 그ᄃᆡ긔 ᄲᅮ려, 군으로 ᄒᆞ야곰 살쳐(殺妻)ᄒᆞᆫ 《이명‖ᄆᆡ명(罵名)》을 당케 ᄒᆞ리라."

언파의 ᄉᆡᆨᄉᆡᆨᄒᆞᆫ 긔ᄉᆡᆨ이 츄상(秋霜) ᄀᆞᆺᄒᆞ여 박옥(珀玉)을 바ᄋᆞᄂᆞᆫ ᄃᆞᆺᄒᆞ니, ᄑᆡ ᄀᆞ장 두려 무류히 좌를 먼니 ᄒᆞ고 비러 ᄀᆞᆯ오ᄃᆡ,

"ᄉᆡᆼ이 무심ᄒᆞ나 엇지 감히 소져로ᄡᅧ ᄌᆡ【27】실 삼을 ᄠᅳᆺ슬 ᄂᆡ리오마ᄂᆞᆫ, 과연 모일의 슉뫼 소ᄉᆡᆼ을 쳥ᄒᆞ여 여ᄎᆞ여ᄎᆞ ᄒᆞ시니, 쾌허ᄒᆞ시ᄂᆞᆫ 혼인을 ᄉᆞ양키 우은 고로, 인연이 긔구ᄒᆞ여 오ᄂᆞᆯ날 소져를 만나니, 녁시 텬의오나 ᄉᆡᆼ의 허물이 아니니, 소져ᄂᆞᆫ 노ᄒᆞ시지 마르시고 영엄의 도라오시기를 기다려, 부부의 도를 ᄆᆡᆺ고 이셩지합을 폐치 마ᄉᆞ이다."

1218)옥딘(玉眞) : 옥진부인(玉眞夫人). 하늘에 있는 신선으로 옥진보황도군(玉眞保皇道君)이라 일컫는데, 옥청삼원궁(玉淸三元宮)에 산다고 한다.

신선으로 옥진보황도군(玉眞保皇道君)이라 일컫는데, 옥청삼원궁(玉淸三元宮)에 산다고 한다.

공ᄌᆞᄂᆞᆫ 남ᄌᆡ라 이런 말을 엇디 븟그려 ᄒᆞ리오. 가디록 ᄆᆡᆼ셩으로 목표를 갓가이 안도 못ᄒᆞ게 ᄒᆞ니, 야심 후 긴 단장을 벗고 단의홍군(單衣紅裙)으로 ᄉᆞᄉᆞ로 ᄌᆞ긔 ᄌᆞ리의 나아가 편히 ᄌᆞ니, 목표ᄂᆞᆫ ᄃᆡᆨ슉(直宿)ᄒᆞᄂᆞᆫ 비ᄌᆡ나 다르디 아냐, 제 침금을 먼니 포셜ᄒᆞ고 공ᄌᆡ 누은 후 드러 누으ᄃᆡ, 국궁(鞠躬)ᄒᆞ여 조심ᄒᆞ기를 극딘히 ᄒᆞ고, 님쇼져 화용월ᄐᆡ를 우러러 여산듕졍(如山重情)이 이시나, 감히 발뵈디 못ᄒᆞ고 ᄉᆡ도록 ᄆᆞ음이 경경(耿耿)ᄒᆞ여, 쇼제 ᄆᆡ양 져러 ᄒᆞᆯ가 념녀 깁더라.

공ᄌᆡ【10】 목가의 머므러 목표를 원거ᄒᆞ미 날로 더어, 면젼의 어른기디 못ᄒᆞ게 ᄒᆞ니, ᄑᆈ 그 뜻을 욱이다가 님시 혹 죽을가 겁ᄒᆞ여 졍을 발뵈디 못ᄒᆞ더니, 슈슌(數旬)이 디난 후 공ᄌᆡ 홀연 목표를 ᄃᆡᄒᆞ여,

“내 그ᄃᆡ와 졸연이 화락디 말고져 ᄒᆞ엿더니 그ᄃᆡ 날 향ᄒᆞᆫ 졍이 감샤ᄒᆞ니, 어이 의논치 아니리오. 나ᄂᆞᆫ 당당ᄒᆞᆫ 하가의 ᄎᆡ례를 바든 사ᄅᆞᆷ이라. 그ᄃᆡ게 도라오미 실노 참괴ᄒᆞ니, 경샤의셔 살 의ᄉᆡ 업ᄂᆞᆫ디라. 그ᄃᆡ 날노 더브러 하향ᄒᆞ여 ᄒᆞᆫ가디로 살미 엇더 ᄒᆞ뇨?”

목ᄑᆈ 블감쳥(不敢請)이언졍 고소원(固所願)애라. 즉시 본향 셔쥐(徐州)[1219]로 나려가려 ᄒᆞ니, 공ᄌᆡ ᄀᆞ마니 셔간을 닷가 부슉과 태태긔 셔쥐로 가ᄂᆞᆫ 뜻을 고ᄒᆞ고, 하향(下鄕)ᄒᆞ여 외【11】면으로 화평ᄒᆞ믈 짓고, 밤인즉 표를 외헌으로 뽓ᄎᆞ 븟치디 아니니, 목ᄑᆈ 님참졍의 환경ᄒᆞ기를 약약히[1220] 날로 바라더니,

시시의 님부의셔 님상셔 등이 쇼져를 강부

공ᄌᆡ 당당ᄒᆞᆫ 남ᄌᆡ니 엇지 이런 말을 븟그러 ᄒᆞ리오. 가지록 ᄆᆡᆼ녈ᄒᆞ여 표를 먼니ᄒᆞ고, 야심ᄒᆞᄆᆡ 긴 단장을 벗고 단의홍군(單衣紅裙)으로 ᄉᆞᄉᆞ로 금니(衾裏)의 나아가 쾌히 취침ᄒᆞ니, 표ᄂᆞᆫ 직슉(直宿) 비ᄌᆡ쳐로 금(衾)을 먼니 포셜ᄒᆞ고, 공ᄌᆡ 누은 후 ᄌᆞᄃᆡ 조심ᄒᆞ기를 극진히 ᄒᆞ고, 님소져의 화용화모(花容花貌)를 우러러 산히【28】즁졍(山海重情)을 니긔지 못ᄒᆞ나, 감히 발븨[뵈]지 못ᄒᆞ고 종야 경경(耿耿)ᄒᆞ여, 맛춤ᄂᆡ 념녜 무궁ᄒᆞ더라.

ᄎᆞ후 공ᄌᆡ 목가의 머무ᄃᆡ, 표를 먼니 ᄒᆞ믄 시일노브터 층가ᄒᆞ니, 감히 면젼의 얼풋지 못ᄒᆞ니, ᄑᆈ 그 뜻슬 어긔다가 혹쟈 님씨 죽을가 겁ᄒᆞ여, 져의 심회를 발뵈지 못ᄒᆞ더니, 슈슌(數旬)이 지ᄂᆞᆫ 후 공ᄌᆡ 홀연 표를 ᄃᆡᄒᆞ여 니르ᄃᆡ,

“ᄂᆡ 그ᄃᆡ로 더브러 ᄉᆡᆼᄂᆡ(生來) 화락지 말고져 ᄒᆞ엿더니, 그ᄃᆡ 나를 ᄃᆡ졉ᄒᆞ미 십분 감ᄉᆞᄒᆞᆯᄉᆡ ᄂᆡ 또ᄒᆞᆫ 그ᄃᆡ를 박히 아니리니, ᄉᆡᆼ각건ᄃᆡ 하가의 빙물을 밧은 ᄉᆞ람이 그ᄃᆡ ᄒᆞᆫᄐᆡ 도라오미 붓그러 온지라. 경ᄉᆞ의 잇시미 번거ᄒᆞ니 급히 하향(下鄕)ᄒᆞ여 슘고져 ᄒᆞ노라.”

목ᄑᆈ ᄃᆡ희ᄒᆞ여【29】진소위(眞所謂) 불감쳥(不敢請)이언졍 고소원(固所願)이라. 즉시 ᄒᆡᆼ니를 챠려 본향 셔쥐(徐州)[925]로 나려 갈ᄉᆡ, 님공ᄌᆡ 가마니 밤으로 부즁의 니르러 부슉과 ᄐᆡᄐᆡ긔 셔쥐로 나려가믈 고ᄒᆞᄃᆡ, 목씨긔ᄂᆞᆫ 하직지 아니ᄒᆞ고 이에 목표로 더브러 셔쥐로 가셔 지ᄂᆡ나, 낫이면 표로 더브러 언어 슈작과 식음지졀을 《니ᄉᆞ로이 ‖ 녜ᄉᆞ로이》 ᄒᆞ나, 밤인즉 외당으로 좃ᄎᆞ 바리고 시녀 등으로 ᄌᆞ며, 거잣 부친이 도라오신 후 이셩지합(二姓之合)을 닐우려노라 ᄒᆞ니, ᄑᆈ 님참졍의 도라오기를 졀박히 죄오더라.

션시의 님상셔 등이 소져를 강부로 옴기고 공ᄌᆞ를 목가로 보ᄂᆡ미, 가즁이 잠간 고

1219)셔쥐(徐州) : 중국 강소성(江蘇省)의 서북쪽에 있는 도시.

1220)약약하다 : 싫증이 나서 귀찮고 괴롭다.

925)셔쥐(徐州) : 중국 강소성(江蘇省)의 서북쪽에 있는 도시.

로 옴기고 공ᄌᆞ를 목가로 보ᄂᆡᄆᆡ, 가ᄂᆡ 잠간 고요ᄒᆞ여 목녀의 요란이 굴기 덜ᄒᆞᄃᆡ, ᄋᆡ랑을 다시 하가의 보ᄂᆡᆯ 계교를 ᄉᆡᆼ각ᄒᆞ여 상셔 등다려, 하공 부ᄌᆞ를 보고 ᄋᆡ랑을 무고히 박ᄃᆡᄒᆞ여 ᄂᆡ치디 못ᄒᆞᆯ 바를 니르라 ᄒᆞ니, 상셔 등이 쳐음의 ᄋᆡ랑을 하부로 보ᄂᆡ미 참괴난안(慙愧赧顔)ᄒᆞ여 낫ᄎᆞᆯ 싹고져 ᄒᆞ니, ᄯᅩ 므ᄉᆞᆫ 면목으로 하공 부ᄌᆞ를 보고 ᄋᆡ랑을 용납ᄒᆞᆷ믈 니르리오. 오ᄃᆡ 부인 ᄯᅳᆺ을 역ᄒᆞᆫ즉 ᄯᅩ 대란이 날디라, 낫빗ᄎᆞᆯ 화히 ᄒᆞ고 흔연 슈명ᄒᆞ여【12】하부의 가ᄂᆞᆫᄃᆞ시 믈너 갓다가, 이윽고 ᄂᆡ당의 드러와 목태를 보고 기리 탄식ᄒᆞ여 왈,

"쇼ᄌᆞ 등이 ᄌᆞ의를 밧드러 하퇴디를 가 보고, ᄋᆡ랑을 무고히 박ᄃᆡᄒᆞ여 ᄂᆡ치ᄂᆞᆫ 거시 덕이 아니라 ᄒᆞ오니, 머리를 흔들고 대언ᄒᆞᄃᆡ, 그 흉상츄면(凶狀醜面)으로 인ᄒᆞ여 셩ᄒᆞᆫ ᄋᆞᄃᆞᆯ이 병들게 되여 비위를 ᄎᆞ마 뎡치 못ᄒᆞᄂᆞ니, ᄌᆞ식의 인뉸을 온젼코져 아니미 아니로ᄃᆡ, 년긔 유튱ᄒᆞᆫ ᄋᆞ히 혈긔 미뎡ᄒᆞ여 심디 굿디 못ᄒᆞᆫ디라. 만고뎨일 츄악병인(醜惡病人)을 ᄃᆡᄒᆞ니, 부부 ᄉᆞ졍은 의논도 말고 먼니셔 그 형용을 ᄉᆡᆼ각ᄒᆞ여도 눅눅ᄒᆞ여 식음을 거ᄉᆞ리니, 아모리 친왕의 ᄯᆞᆯ이라도 다시 용납디 못ᄒᆞ리니 다시 일ᄏᆞᆺ디 말나 ᄒᆞ고, 원상은 쇼ᄌᆞ를 ᄇᆡᆨ안멸시(白眼蔑視)ᄒᆞ【13】여 념치업시 녁이니, 쇼ᄌᆞ 등이 무류ᄒᆞ고 참괴ᄒᆞ여 한 셜(說)을 못ᄒᆞ고, 하공의 분노ᄒᆞᆫ 상이 아모리 ᄂᆡᆯ러도 드를 길히 업ᄉᆞᆯ디라, 즉시 도라오이다."

목시 상셔 등을 호령ᄒᆞ여 가ᄂᆡ의 모딘 범ᄀᆞᆺ치 위엄이 금즉ᄒᆞ나, 엇지 하공 부ᄌᆞ조ᄎᆞ 호령ᄒᆞ며 즐칙ᄒᆞ여 졔 ᄆᆞᄋᆞᆷ을 셰올 길히 이시리오. 다만 싀포(猜暴)히 노를 먹음고 상셔 등을 ᄡᅮ디져 하공 부ᄌᆞ를 ᄃᆡᄒᆞ여 말을 잘 못ᄒᆞ기로 그러타 ᄒᆞ니, 상셰 ᄎᆞᄉᆞ의 다ᄃᆞ라ᄂᆞᆫ 모친을 긔망(欺罔)ᄒᆞ미러라.

일일은 뎡국공이 님쳐ᄉᆞ 부듕의 와 님상셔 등을 청ᄒᆞ니, 이 님쳐ᄉᆞᄂᆞᆫ 상셔 등의 슉뷔라. 일족 문달(聞達)을 구치 아니ᄒᆞ고 도혹이 고명ᄒᆞᆫ 대위(大儒)니, 일셰 츄앙ᄒᆞᄂᆞᆫ

요ᄒᆞ여 목씨의 요란이 굴미 젹으나, ᄋᆡ랑을 다시 하가로 보ᄂᆡᆯ 계교를 ᄉᆡᆼ【30】각ᄒᆞ여 상셔 등다려, 하공 부ᄌᆞ를 보고 ᄋᆡ랑을 무고히 박ᄃᆡᄒᆞ여 ᄂᆡ치지 못ᄒᆞᆯ 바를 니르라 ᄒᆞ니, 상셔 등이 쳐음의 ᄋᆡ랑을 하부로 보ᄂᆡ미 참괴난언[안](慙愧赧顔)ᄒᆞ여 낫ᄎᆞᆯ 싹고져 ᄒᆞ니 ᄯᅩ 무ᄉᆞᆫ 면목으로 하공 부ᄌᆞ를 보고 ᄋᆡ랑을 용납ᄒᆞᆷ믈 ᄂᆡᆯ오리오마ᄂᆞᆫ, 오직 부인 ᄯᅳᆺ슬 녁지 못ᄒᆞ여 낫빗ᄎᆞᆯ 화히ᄒᆞ고 흔연이 슈명ᄒᆞ고, 하부로 가ᄂᆞᆫᄃᆞ시 믈너 갓다가, 이윽고 ᄂᆡ당의 드러와 부인을 ○○[보고] 기리 탄식ᄒᆞ여 ᄀᆞᆯᄋᆞᄃᆡ,

"소ᄌᆞ 등이 ᄌᆞ의를 밧드러 하공을 가 보고, ᄋᆡ랑을 무고히 박ᄃᆡᄒᆞ여 ᄂᆡ치ᄂᆞᆫ 거시 덕이 아니라 ᄒᆞ오니, 머리를 흔들고 답ᄒᆞᄃᆡ, 그 흉상츄면(凶狀醜面)으로 인ᄒᆞ여 셩ᄒᆞᆫ ᄋᆞᄃᆞᆯ이 병들게 되여 비위를 참지 못【31】ᄒᆞᄂᆞ니, ᄌᆞ식의 인뉸을 온젼코져 아니미 아니로ᄃᆡ 년긔 유츙ᄒᆞᆫ ᄋᆞ히 혈긔 미졍ᄒᆞ여 심지 굿지 못ᄒᆞᆫ지라. 만고졔일 츄악병인(醜惡病人)을 ᄃᆡᄒᆞ니, 부부 ᄉᆞ졍은 의논도 말고 먼니셔 그 형용을 ᄉᆡᆼ각ᄒᆞ여도 눅눅ᄒᆞ여 식음이 거ᄉᆞᆯ니니, 아모리 친왕의 ᄯᆞᆯ이라도 다시 용납지ᄂᆞᆫ 못ᄒᆞ리니 다시 ᄂᆡᆯ컷지 말나 ᄒᆞ고, 원상은 소ᄌᆞ를 ᄇᆡᆨ안멸시(白眼蔑視)ᄒᆞ여 념치업시 녁이니, 소ᄌᆞ 등이 무류ᄒᆞ고 참괴ᄒᆞ여 한 셜(說)을 못ᄒᆞ고, 하공의 분노ᄒᆞᆫ 긔상이 아모리 일러도 들을 길히 업ᄉᆞ므로, 즉시 도라오니이다"

목녜 상셔 등을 호령ᄒᆞ여 가ᄂᆡ의 모진 범갓치 위엄이 금즉ᄒᆞ나, 엇지 하공 부ᄌᆞ조ᄎᆞ 호령ᄒᆞ며 즐칙ᄒᆞ여 졔 마【32】ᄋᆞᆷ을 셰올 길히 잇시리오. 다만 분노ᄒᆞᆷ믈 먹음고 상셔 등을 ᄡᅮ지져, 하공 부ᄌᆞ를 ᄃᆡᄒᆞ여 말을 잘 못ᄒᆞ기로 그럿타 ᄒᆞ니, 상셰 ᄎᆞᄉᆞ의 다다라ᄂᆞᆫ 모친을 긔망(欺罔)ᄒᆞ미러라.

일일은 뎡국공이 님쳐ᄉᆞ 부즁의 와 님상셔 등을 청ᄒᆞ니, 이 ᄯᅴ 님쳐ᄉᆞᄂᆞᆫ 상셔 등의 슉뷔라. 일작 문달(聞達)을 구치 아니ᄒᆞ고 도학이 고명ᄒᆞ니, 일셰의 츄앙ᄒᆞᄂᆞᆫ 비오

빅오, 명공거경이【14】주로 청알(請謁)ᄒᆞ여 그 도덕을 공경ᄒᆞᄂᆞ디라. 하공이 님쳐ᄉᆞ를 빅견ᄒᆞ고, 상셔 등을 쳥ᄒᆞ여 네필(禮畢) 한(寒)1221) 파(罷)의, 하공이 우음을 ᄯᅴ여 ᄀᆞᆯ오ᄃᆡ,

"쇼뎨 션싱긔 빅견ᄒᆞ고 형 등을 보기 실노 참괴ᄒᆞᄃᆡ, 년쇼미돈(年少迷豚)의 츄ᄉᆡᆨ경덕(取色輕德)ᄒᆞᄂᆞᆫ 도리를 다ᄒᆞ니 쇼뎨 그윽이 교ᄌᆞ블엄(敎子不嚴)ᄒᆞ믈 븟그리나, 션싱과 형 등이 거의 쇼뎨 부ᄌᆞ의 그르믈 샤ᄒᆞᆯ 곳이 이시믄, 져의 친영ᄒᆞ여 왓던 바 쥬시 비록 녕딜의 셩시(姓氏)를 비러 내 집의 와시나, 우리 부ᄌᆞᄂᆞᆫ 님시를 알고 쥬시ᄂᆞᆫ 몽니의도 ᄉᆡᆼ각디 아닌 빅라. 얼골이 염미(艶美)치 못ᄒᆞ나 글노 죄를 삼을딘ᄃᆡ 크게 그르거니와, 빅힝 쳐ᄉᆞ의 ᄒᆞᆫ 곳도 일ᄏᆞ롬즉 ᄒᆞᆫ 곳이 업ᄉᆞ니, 쇼뎨의 말이 ᄀᆞ장 셰쇄(細瑣)커니와, 쥬시 위【15】인이 댱부의 빅항이 아니오, 비위 약ᄒᆞᆫ ᄌᆞᄂᆞᆫ 견될 빅 아니라. 돈ᄋᆡ 촘기를 오히려 만히 ᄒᆞ고, 져도 발셔 쥬시를 마ᄌᆞ 오던 날 님형의 ᄯᆞᆯ이 아닌 줄 ᄭᆡᄃᆞ라, 날을 ᄃᆡᄒᆞ여 여ᄎᆞ여ᄎᆞ ᄒᆞ더니, ᄉᆞ족디녜(士族之女) ᄎᆞ마 힝치 못ᄒᆞᆯ 바를 다 몸소 힝ᄒᆞ여, 미돈을 당면ᄒᆞ여 우리 부ᄌᆞ를 참욕ᄒᆞ며, 가부의 관을 벗기며 난타ᄒᆞ믈 못 밋출ᄃᆞ시 ᄒᆞᄂᆞ디라. 돈ᄋᆡ 욕급부모(辱及父母)의 다ᄃᆞ라ᄂᆞᆫ 분을 능히 촘디 못ᄒᆞ여 급히 ᄧᅩᄎᆞ 보ᄂᆡ고, 임의 근본을 ᄌᆞ셔히 드럿ᄂᆞ니, 녕빅(令伯)이 비록 도라오디 못ᄒᆞ여시나, 납폐 문명을 힝ᄒᆞᆫ 바의 녕딜(令姪)이 ᄎᆡ례(采禮)를 딕흰다 ᄒᆞ니, 일이라 ᄒᆞᄂᆞᆫ 거시 뎡도도 잇고 권도도 잇ᄂᆞ니, 녕ᄌᆞ당 태부인긔 고치 못ᄒᆞᆯ디라도, 녕딜을 피ᄒᆞᆫ【16】곳의 셩네코져 ᄒᆞᄂᆞ니, 형은 닉이 ᄉᆡᆼ각ᄒᆞ라."

상셰 하공의 말을 드르ᄆᆡ 낫치 달호이고 말이 막혀, 그 모친의 실덕을 아라시믈 참괴ᄒᆞ여 슈히 ᄃᆡ답디 못ᄒᆞ니, 쳐ᄉᆡ 미쇼 왈,

1221)한(寒) : '한훤(寒暄)'를 줄여 쓴 말. *한훤(寒暄); 날씨의 춥고 더움을 말하는 인사.

명공거경이라도 ᄌᆞ로 쳥알(請謁)ᄒᆞ여 그 도덕을 공경ᄒᆞᄂᆞᆫ지라. 하공이 님쳐ᄉᆞ를 빅견ᄒᆞ고 상셔 등을 쳥ᄒᆞ여, 례필(禮畢)에 하공이 우음을 ᄯᅴ워 ᄀᆞᆯ오ᄃᆡ,

"소뎨 션싱긔 빅견ᄒᆞ고 형 등을 보기가 실노 무안 참괴ᄒᆞᄃᆡ, 년소 미돈의 츄ᄉᆡᆨ경덕(取色輕德)ᄒᆞᄂᆞᆫ 도【33】리를 다ᄒᆞ니, 소뎨의 교계[ᄌᆞ]블엄(敎子不嚴) ᄒᆞ믈 븟그리나, 션싱과 형 등이 거의 소뎨 부ᄌᆞ의 샤ᄒᆞᆯ 곳이 잇시믈 혜아리ᄂᆞ니, 피ᄎᆞ의 친영ᄒᆞ여 왓던 날, 그 쥬씨 비록 영딜의 셩시(姓氏)를 비러 ᄂᆡ 집의 왓시나, 우리 부ᄌᆞᄂᆞᆫ 님씨로 알고 쥬씨ᄂᆞᆫ 몽니의도 ᄉᆡᆼ각지 아닌 빅라. 얼골이 념미(艶美)치 못ᄒᆞ믈 죄로 삼을진ᄃᆡ 크게 그르거니와, 그 빅힝 쳐ᄉᆞ의 ᄒᆞᆫ 곳도 일ᄏᆞ름즉 ᄒᆞᆫ 일이 업ᄉᆞ니, 소뎨의 말이 가장 셰쇄(細瑣)커니와, 쥬씨 위인이 장부의 빅항이 아니오, 비위 약ᄒᆞᆫ ᄌᆞᄂᆞᆫ 견딜 슈 업ᄂᆞᆫ 빅라. 돈ᄋᆡ 참기를 오히려 만히 ᄒᆞ고 져도 발셔 쥬씨를 마져 오던 날, 님형의 ᄯᆞᆯ이 아닌 줄 ᄭᆡᄃᆞ라, 나를 ᄃᆡᄒᆞ여 여ᄎᆞ여ᄎᆞ ᄒᆞ더니, ᄉᆞ족지례[녜](士族之女) 참【34】아 힝치 못ᄒᆞᆯ 바를 다 몸소 힝ᄒᆞ여, 미돈을 당면ᄒᆞ여 우리 부ᄌᆞ를 참욕ᄒᆞ며, 지아비의 관을 벗기며 난타ᄒᆞ믈 마지 아니ᄒᆞᄂᆞᆫ지라. 돈ᄋᆡ 욕급부모(辱及父母)의 다다라ᄂᆞᆫ 분을 참지 못ᄒᆞ여 급히 좃ᄎᆞ 보ᄂᆡ고, 임의 근본을 ᄌᆞ셔이 드럿ᄂᆞ니, 영빅(令伯)이 비록 도라오지 아녓시나, 납폐 문명을 힝ᄒᆞᆫ 바의 영딜(令姪)이 ᄎᆡ례를 직히다 ᄒᆞ니, ᄆᆡ양 일이 졍도(正道)도 잇고 권도(權度)도 잇ᄂᆞ니, 영ᄌᆞ당 ᄐᆡ부인긔 고치 못ᄒᆞᆯ지라도, 영딜을 져 곳의셔 셩네코져 ᄒᆞ니, 형은 익이 ᄉᆡᆼ각ᄒᆞ라."

상셰 하공의 말을 드르ᄆᆡ 낫치 다로이고926) 말이 막혀 그 모친의 실덕ᄒᆞ믈 아라시믈 참괴ᄒᆞ여 슈히 ᄃᆡ답지 못ᄒᆞ니 쳐ᄉᆡ 미미히 우어 ᄀᆞᆯᄋᆞᄃᆡ,

926)달오이다 : 달호이다. 달구어지다. 빨개지다.

“딜ᄋᆞ의 집 일과 슈(嫂)의 노망(老妄)은 니르디 아냐 명공이 ᄇᆞᆰ히 아르시리니, 딜ᄋᆞ 등의 참괴ᄒᆞ미 깁디 아니리오. 이졔 명공이 광의 도라오기 젼이라도 셩혼ᄒᆞ려 ᄒᆞ니, 만ᄉᆡᆼ(晩生)이 우용(愚庸)ᄒᆞ나 광의 아ᄌᆞ비라. 샤ᄇᆡᆨ(舍伯)이 기셰ᄒᆞ션 디 오ᄅᆡ고, 져의 형뎨 일죵(一從)[1222] 내 말을 어긔오디 아닛ᄂᆞ니, 죵손녀 친ᄉᆞ를 내 엇디 모로리오. 쥬가 ᄋᆞ히 귀부의 갓다가 츌화를 밧고 ᄯᅩ 긔괴ᄒᆞᆫ 일이 이셔 죵손네 즉금 외가의 갓ᄂᆞ니, 과쉬(寡嫂)[1223] 아디 못ᄒᆞ시게 죵용이 ᄐᆡᆨ일ᄒᆞ여 보ᄂᆡᆯ 거시니, 명공은 ᄂᆞᆨ네를【17】 구ᄒᆡᆼ(俱行)ᄒᆞ라.”

하공이 ᄒᆡᆼ희(幸喜)ᄒᆞ여 년망(連忙)이 ᄎᆡᆼ샤ᄒᆞ고, 상셔 등이 날호여 왈,

“ᄉᆡᆼ녀(甥女)[1224]를 보ᄂᆡ여 존부 합문을 놀ᄂᆡ고 녕낭의 비위를 상히오믄, 날이 오ᄅᆡᆯ수록 용[욕]ᄉᆞ무디(欲死無地)라. 어ᄂᆞ 면목으로 형의게 뵈오리오. 딜녀ᄂᆞᆫ 감히 잇ᄂᆞᆫ 바를 셰샹의 들니디 못ᄒᆞ여, ᄎᆡ례를 ᄃᆡᆨ희여 외가의 ᄀᆞᆷ초엿더니, 형이 ᄇᆞᆰ히 아르샤 샤ᄇᆡᆨ의 환경 젼이라도 셩친코져 ᄒᆞ고, 계부(季父)의 존의(尊意)○[도] 슈히 ᄒᆡᆼ녜(行禮)코져 ᄒᆞ시니, 쇼데 등은 오ᄃᆡᆨ 존명을 봉ᄒᆡᆼᄒᆞ리이다.”

하공이 ᄀᆞ장 깃거 슈히 ᄐᆡᆨ일ᄒᆞ믈 일ᄏᆞᆺ고, 빈쥬(賓主) 죵용이 담화ᄒᆞ다가 이윽고 도라가ᄃᆡ, 목태 아득히 아디 못ᄒᆞ더라.

님쳐ᄉᆡ 길일을 ᄐᆡᆨᄒᆞ여 하부의 보ᄒᆞ니, 츄팔월 습슌(拾旬)[1225]이니 원챵 공ᄌᆞ의 길일과 ᄒᆞᆫ 날이오, 그 ᄉᆞ이 님공이 환【18】가ᄒᆞᆯ ᄃᆞᆺ ᄒᆞ더라.

어시의 하공ᄌᆞ 원챵이 ᄌᆞ긔 혼ᄉᆞ를 아모ᄃᆡ 뎡ᄒᆞ여시믈 아디 못ᄒᆞ고, 크게 울울ᄒᆞ나 감히 다시 부모긔 뭇ᄌᆞᆸ디 못ᄒᆞ고, ᄀᆞ마니 형을 ᄃᆡᄒᆞ여 ᄌᆞ긔 혼쳐를 ᄆᆞ르니, 대공ᄌᆡ

1222)일종(一從) : 하나같이 따름. 한결같이 따름.
1223)과쉬(寡嫂) : 과부(寡婦)가 된 형수(兄嫂)
1224)ᄉᆡᆼ녀(甥女) ; 생질녀(甥姪女).
1225)습슌(拾旬) : 십일. 초열흘.

“딜ᄋᆞ의 집【35】 일과 《과구‖과수(寡嫂)》의 노망(老妄)은 니르지 아녀 명공이 ᄇᆞᆰ히 아라시니, 딜ᄋᆞ 등의 참괴ᄒᆞ미 깁지 아니리오. 이졔 명공이 광의 도라오기 젼이라도 혼례를 닐우고져 ᄒᆞ니, 만ᄉᆡᆼ(晩生)이 우용(愚庸)ᄒᆞ나 광의 아ᄌᆞ비라. ᄉᆞ형(舍兄)이 기셰ᄒᆞ션 지 오ᄅᆡ고, 져의 형뎨 일동[죵](一從)[927] ᄂᆡ 말을 어긔지 아니ᄒᆞᄂᆞ니, 종손녀의 친ᄉᆞ를 ᄂᆡ 엇지 쥬장치 아니ᄒᆞ리오. 쥬가 ᄋᆞ히 군가의 갓다가 츌화를 밧고, ᄯᅩ 긔괴ᄒᆞᆫ 일이 잇셔 종손녀 지금 져의 외가의 갓ᄂᆞ니, 과쉬(寡嫂)[928] 아지 못ᄒᆞ시게 종용이 ᄐᆡᆨ일ᄒᆞ여 보ᄂᆡᆯ 거시니 명공은 ᄂᆞᆨ네를 구ᄒᆡᆼ(俱行)ᄒᆞ라”

하공이 ᄒᆡᆼ희(幸喜)ᄒᆞ여 연망(連忙)이 ᄎᆡᆼᄉᆞᄒᆞ고, 상셔 등이 날호여 ᄀᆞᆯᄋᆞᄃᆡ,

“ᄉᆡᆼ녀(甥女)[929]를 보ᄂᆡ여 존부 합문을 놀ᄂᆡ고 영낭의 비【36】위를 상히오믄, 날이 오ᄅᆡᆯᄉᆞ록 욕ᄉᆞ무지(欲死無地)라. 어나 면목으로 형의게 뵈오리오. 딜녀ᄂᆞᆫ 감히 잇ᄂᆞᆫ 바를 셰상의 들니지 못ᄒᆞ여, ᄎᆡ례를 직희여 외가의 감초엿습더니, 형이 발키 알으샤 사ᄇᆡᆨ의 환경 젼이라도 셩친코져 ᄒᆞ고, ᄉᆞ슉(舍叔)의 존의(尊意)도 슈히 셩례코져 ᄒᆞ시니, 소데 등은 오즉 존명을 봉ᄒᆡᆼᄒᆞ리로소이다.”

하공이 ᄀᆞ장 깃거 슈히 ᄐᆡᆨ일ᄒᆞ믈 일ᄏᆞᆺ고, 빈쥬 종용이 담화ᄒᆞ다가 이윽고 도라가ᄃᆡ, 목ᄑᆡ(-婆) 아득히 아지 못ᄒᆞ더라.

님쳐ᄉᆡ 길일을 ᄐᆡᆨᄒᆞ여 하부의 보ᄂᆡ니, 츄팔월 십슌(十旬)[930]이라. 원창 공ᄌᆞ의 길일과 ᄒᆞᆫ 날이오, 그 ᄉᆞ이 님공이 환가ᄒᆞᆯ ᄃᆞᆺᄒᆞ더라.

어시의 하 공ᄌᆞ【37】원창이 ᄌᆞ긔 혼ᄉᆞ를 아모 ᄃᆡ 경ᄒᆞ엿시믈 아지 못ᄒᆞ고, 크게 울울ᄒᆞ나 감히 다시 부모긔 뭇잡지 못ᄒᆞ고, 가마니 형을 ᄃᆡᄒᆞ여 ᄌᆞ긔 혼쳐를 무르니,

927)일종(一從) : 하나같이 따름. 한결같이 따름.
928)과쉬(寡嫂) : 과부(寡婦)가 된 형수(兄嫂)
929)ᄉᆡᆼ녀(甥女) ; 생질녀(甥姪女).
930)십슌(十旬) : 십일. 초열흘.

왈,

"다른 곳이 아니라 황ᄌᆞ 일 군쥬(郡主)니, 황가디엽과 결혼ᄒᆞ믈 깃거 아니시고, 현뎨 브졀업시 두로 단니다가 오왕을 뵌 ᄇᆡ 되니, 대인이 너를 통완이 넉이시ᄃᆡ 굿ᄐᆞ여 칙디 아니시믄, 시작기를 괴로와 아니신가 ᄒᆞ노라."

ᄎᆞ공ᄌᆡ 청파의 대경대히(大驚大駭)ᄒᆞ여 눈을 두려시 ᄯᅳ고 왈,

"오왕이 비록 간청ᄒᆞᆯ디라도, 대인이 실노 황가디엽(皇家枝葉)으로 결친(結親)ᄒᆞ믈 괴로와 ᄒᆞ실딘ᄃᆡ, 오왕이 셰엄(勢嚴)이 쟝ᄒᆞ나 위력으로 엇디 청혼ᄒᆞᆯ니 이시리잇가? 쇼뎨 평ᄉᆡᆼ 괴로와 ᄒᆞᄂᆞᆫ 밧지 【19】 황친국쳑이어ᄂᆞᆯ, 오왕의 동상이 되여 엇디 괴롭디 아니리잇고? ᄋᆡ둛고 통히토소이다."

원샹 왈,

"뎡왕과 오왕은 황ᄌᆡ라도 교오방ᄌᆞ(驕傲放恣)ᄒᆞᆫ 일은 업고, ᄀᆞ장 청검ᄒᆞᆯ ᄲᅮᆫ 아니라, 발셔 인연이 듕ᄒᆞ여 면약뇌뎡(面約牢定)ᄒᆞ고 빙치를 보ᄂᆡ여시니, 다시 요개(搖改)치 못ᄒᆞᆯ 혼ᄉᆡ라. 브졀업시 다언(多言)이 구디 말나."

공ᄌᆡ 심듕의 실망ᄒᆞ여 오왕디녀(吳王之女)를 취ᄒᆞᆫ 후ᄂᆞᆫ, 뎡쇼져 취ᄒᆞᆯ 길히 업ᄂᆞᆫ디라. 아모려나 오왕디녀를 취치 아닐 계교를 ᄉᆡᆼ각ᄒᆞᄃᆡ, 됴흔 ᄭᅬ를 엇디 못ᄒᆞ여 유유초챵(儒儒怊悵)ᄒᆞ다가 ᄆᆞ음을 디향치 못ᄒᆞ여, 날호여 뎡부의 니르ᄆᆡ, 졔왕 오곤계 다엿[1226] 댱 글을 가디고 등졔(等第)[1227]ᄒᆞ여 고하를 뎡ᄒᆞᆯᄉᆡ, 뎡공 왈,

"이 글 가온ᄃᆡ 조현챵의 댱ᄌᆡ 문필이 웃듬이라. ᄒᆞ믈며 【20】 그 위인을 여등이 본 ᄇᆡ오, 졔죄(諸曹) 다 남의셔 나은 ᄇᆡ니, ᄌᆞ연 문풍(門風)의 긔특홈과 부모의 여음(餘蔭)이 ○○○○[나타ᄂᆞᆫ ᄇᆡ]라. 내 친히 조

1226)다엿 : 대여섯. 다섯이나 여섯쯤 되는 수.
1227)등졔(等第) : 조선 시대에, 벼슬아치들의 근무 성적을 조사하여 등급을 매기던 일. 해마다 두 차례 왕에게 보고하였으며, 이를 근거로 승진이나 유임, 좌천, 파직 따위를 결정하였다. 여기서는 글의 등급을 매기는 일을 이르는 말.

ᄃᆡ공ᄌᆡ 왈,

"다른 곳이 아니라 황ᄌᆞ 일 군쥬(郡主)니, 황가지엽과 결혼ᄒᆞ믈 깃거 아니시ᄃᆡ, 현뎨 부졀업시 도라단이다[931]가 오왕을 뵌 ᄇᆡ 되니, ᄃᆡ인이 너를 통완이 넉이시ᄃᆡ 굿ᄒᆞ여 칙지 아니시믄, 시작기를 괴로와 아니ᄒᆞ시ᄂᆞᆫ가 ᄒᆞ노라"

ᄎᆞ공ᄌᆡ 청파의 ᄃᆡ경(大驚)ᄒᆞ여 낭안을 두렷이 ᄯᅳ고 ᄀᆞᆯᄋᆞᄃᆡ,

"오왕이 비록 간졀이 청ᄒᆞ나, ᄃᆡ인이 실노 황친(皇親)으로 결혼ᄒᆞ믈 깃거 아니실진ᄃᆡ, 오왕의 셰엄(勢嚴)이 장ᄒᆞ나 위력으로 엇지 청ᄒᆞ리잇고? 소뎨 평ᄉᆡᆼ의 괴로와 ᄒᆞᄂᆞᆫ 밧ᄌᆞᄂᆞᆫ 황친 【38】 국쳑이어ᄂᆞᆯ, 오왕의 동상이 되여 엇지 괴롭지 아니리잇고? 통히ᄒᆞ도소이다."

원상 왈,

"뎡왕과 오왕이 황ᄌᆡ로ᄃᆡ 교우[오]방ᄌᆞ(驕傲放恣)ᄒᆞ믄 업고, ᄀᆞ장 청념ᄒᆞᆯ ᄲᅮᆫ 아니라, 발셔 인연이 즁ᄒᆞ여 빙치를 보ᄂᆡ엿시니, 부졀업시 다언(多言)히 구지 말나"

공ᄌᆡ 실망ᄒᆞ여 오왕지녀(吳王之女)를 취ᄒᆞᆫ 후ᄂᆞᆫ, 뎡소져 취ᄒᆞᆯ 길히 업ᄂᆞᆫ지라. 아모려나 오왕지녀를 취치 아닐 계교를 ᄒᆞᄃᆡ, 조흔 모칙이 업ᄂᆞᆫ지라. 유유초창(儒儒怊悵)ᄒᆞ다가 마음을 지향치 못ᄒᆞ여 뎡부의 니르ᄆᆡ, 졔왕 오곤계 부젼의셔 다엿[932] 장 글을 가지고 등졔(等第)[933]ᄒᆞ여 고하를 졍ᄒᆞᆯᄉᆡ, 뎡공 왈,

"이 글 가온ᄃᆡ 조현창의 장ᄌᆞ 문필이 웃듬이라. 허믈며 그 위인을 녀등이 본 【39】 ᄇᆡ오, 졔죄(諸曹) 다 남의셔 나은 ᄉᆞ람이니,

931)도라단이다 : 돌아다니다. 여기저기 여러 곳으로 다니다.
932)다엿 : 대여섯. 다섯이나 여섯쯤 되는 수.
933)등졔(等第) : 조선 시대에, 벼슬아치들의 근무 성적을 조사하여 등급을 매기던 일. 해마다 두 차례 왕에게 보고하였으며, 이를 근거로 승진이나 유임, 좌천, 파직 따위를 결정하였다. 여기서는 글의 등급을 매기는 일을 이르는 말.

현창디ᄌᆞ(之子)를 ᄒᆞᆫ 번 보아 결단코져 ᄒᆞ노라.”

제왕이 쥬왈,

“조랑의 긔특ᄒᆞ믄 쳔만 듕 독보ᄒᆞᆯ 거시로ᄃᆡ, 쇼ᄌᆞ의 우견은 너모 딘틔(塵態) 업셔 슈한(壽限)이 칠십을 넘디 못ᄒᆞᆯ가 ᄒᆞᄂᆞ이다.”

뎡공 왈,

“인이 오십을 블칭외(不稱夭)1228)라 ᄒᆞ니, 조ᄌᆡ 만일 뉵십을 넘길 상뫼면, 엇디 브족히 넉이리오.”

왕이 ᄃᆡ왈,

“조ᄌᆞ의 상모거동이 윤ᄉᆞ빈과 방블ᄒᆞᄃᆡ, 일분 ᄉᆞ빈을 밋디 못ᄒᆞᆯ 곳이 강밍ᄒᆞᆫ 거ᄉᆞᆯ ᄯᆞ로디 못ᄒᆞᆯ가 ᄒᆞᄂᆞ이다.”

공이 답왈,

“버금 ᄉᆞ회ᄂᆞᆫ 브ᄃᆡ 도덕군ᄌᆞ를 엇고져 ᄒᆞ더니, 조ᄌᆞ의 필법(筆法)과 시ᄉᆡ(詩思) 명셩온듕(明聖穩重)ᄒᆞᆫ 거시 낫타나니, 이를 바리고 다시 셔랑【21】ᄌᆡ목이 쉽디 아니리니, ᄯᅳᆺ을 결ᄒᆞ여 조가의 뇌뎡(牢定)코져 ᄒᆞ노라.”

제왕과 녜뷔 다 맛당ᄒᆞ믈 쥬ᄒᆞ고, 동월휘 다시 고왈,

“ᄉᆞ귀신쇽(事貴迅速)이라 ᄒᆞ오니, 조ᄌᆞ의 긔특ᄒᆞ므로ᄡᅧ 딜족ᄌᆞ(疾足者)1229)의게 아이미 쉬올디라. 대인은 조승상 부ᄌᆞ를 보시고 친ᄉᆞ를 뇌뎡ᄒᆞ쇼셔.”

공이 졈두(點頭) 왈,

“여언(汝言)이 뎡합아심(正合我心)이라.”

ᄒᆞ거ᄂᆞᆯ, 원챵이 듯기○[를] 다ᄒᆞᄆᆡ, ᄌᆞ긔ᄂᆞᆫ 힘힘히 오왕디셰(吳王之壻) 되고, 뎡쇼져ᄂᆞᆫ 조가의 뎡혼ᄒᆞ여 다시 바랄 거시 업ᄂᆞᆫ디라. 화원의셔 ᄒᆞᆫ 번 뎡쇼져의 빙ᄌᆞ옥딜(氷姿玉質)을 구경ᄒᆞ고, 졍신이 ᄆᆞ르녹아 만ᄉᆡ 부운 ᄀᆞᆺ고, 일념이 뎡쇼져를 위ᄒᆞ여 금셕(金石)이 되엿던 바로 인연이 망단(妄斷)ᄒᆞ니, ᄎᆞ악상심(嗟愕喪心)ᄒᆞ여 옥 ᄀᆞᆺᄐᆞᆫ 면뫼 ᄌᆞ로 변이ᄒᆞ믈 ᄊᆡᄃᆞᆺ디 못ᄒᆞ고, 와잠농미(臥

1228)블칭요(不稱夭) : 요절(夭折)이라고 하지 않음.
1229)딜족ᄌᆞ(疾足者) : 발 빠른 자.

ᄌᆞ연 문즁(文中)의 긔특홈이 ○○○○[나타ᄂᆞᆫ 빅]라. ᄂᆡ 친히 조현창지ᄌᆞ(之子)를 ᄒᆞᆫ 번 보아 결단코져 ᄒᆞ노라.”

제왕이 쥬왈,

“조랑의 긔특ᄒᆞ믄 쳔만인 즁 ᄲᅡ혀 날 거시로ᄃᆡ, 소ᄌᆞ의ᄂᆞᆫ 너모 진틔(塵態) 업셔 슈한(壽限)이 길치 못ᄒᆞᆯ가 ᄒᆞᄂᆞ이다.”

평휘 왈,

“조ᄌᆡ 만일 뉵십을 넘길 상뫼면 엇지 부족 ᄒᆞ리오.”

왕이 ᄃᆡ왈,

“조ᄌᆞ의 상모거동이 윤ᄉᆞ빈과 방불ᄒᆞᄃᆡ, 일분 ᄉᆞ빈을 밋지 못ᄒᆞᆯ 곳이 강밍ᄒᆞᆯ[ᄒᆞᆫ] 긔상을 ᄯᅡ르지 못ᄒᆞᆯ가 ᄒᆞᄂᆞ이다.”

공이 답 왈,

“나의 소원이 ᄎᆞ셔(次壻)ᄂᆞᆫ 부ᄃᆡ 도덕 군ᄌᆞ를 엇고져 ᄒᆞ더니, 조ᄌᆞ의 시ᄉᆞ(詩思)와 필법(筆法)이 명셩온즁(明聖穩重)ᄒᆞᆫ 것시 나타ᄂᆞ니, 이를 ᄇᆞ리고 다시 셔랑 ᄌᆡ목이 쉽지 아니리니,【40】ᄯᅳᆺ슬 결ᄒᆞ여 조가의 뇌뎡(牢定)코져 ᄒᆞ노라.”

제왕과 녜뷔 다 맛당ᄒᆞ믈 쥬ᄒᆞ고, 동월휘 ○○○○[다시 고왈]

“ᄉᆞ귀신속(事貴迅速)이 쾌ᄒᆞ오니, 조ᄌᆞ의 긔특ᄒᆞ므로ᄡᅧ 질족ᄌᆞ(疾足者)934)의 아이미 쉽ᄉᆞ온지라 ᄃᆡ인은 조승상 부ᄌᆞ를 보시고 친ᄉᆞ를 뇌졍ᄒᆞ소셔”

공이 졈두 왈,

“녀언(汝言)이 졍합오심(正合吾心)이라.”

ᄒᆞ거ᄂᆞᆯ, 하싱이 듯기를 다ᄒᆞᄆᆡ ᄌᆞ긔ᄂᆞᆫ 힘힘이 오왕의 동상(東床)이 되고, 뎡소져ᄂᆞᆫ 조가의 졍혼ᄒᆞ여 다시 ᄇᆞ랄 것시 업ᄂᆞᆫ지라. 화원에셔 ᄒᆞᆫ 번 뎡소져의 빙ᄌᆞ아질(氷姿雅質)과 쳔향국식(天香國色)을 구경ᄒᆞ고, 졍신이 무르녹아 만ᄉᆡ 부운 ᄀᆞᆺ고, 일념이 뎡소져를 위ᄒᆞ여 쇠돌이 되엿던 바로, 인연이 망단(妄斷)ᄒᆞ니, ᄎᆞ악상심(嗟愕喪心)ᄒᆞ여 옥 ᄀᆞᆺᄐᆞᆫ 면뫼 븕으며 푸르믈 ᄌᆞ로 면치 못ᄒᆞ【41】고, 와잠농미(臥蠶龍眉)의 슈운(愁雲)

934)딜족ᄌᆞ(疾足者) : 발 빠른 자.

鬉龍眉)의 슈운(愁雲)이 녕녕(盈盈)【22】ᄒᆞ여, 일쳔 가디 우싀(憂色)이 씌여시니, 졔왕이 도라보고 경문(驚問) 왈,

"현뎨 긔운이 블평ᄒᆞ냐?"

공지 유유 ᄃᆡ왈,

"신긔도 블안ᄒᆞᆯ ᄲᅮᆫ 아니라, 심ᄉᆡ 블쾌ᄒᆞ여 ᄌᆞ연 외모의 화긔를 일토소이다."

왕 왈,

"현뎨를 보면 ᄆᆡ양 흔흔쾌락 ᄒᆞ더니 금일은 별단 블쾌ᄒᆞ믄 엇디오?"

공지 ᄃᆡ왈,

"몸이 남ᄌᆡ 되여 셰샹의 나ᄆᆡ, 반ᄃᆞ시 ᄆᆞᄋᆞᆷ의 슬코 괴로온 일을 두디 아념즉 ᄒᆞ거ᄂᆞᆯ, 쇼ᄉᆡᆼ은 그러치 못ᄒᆞ여 ᄯᅳᆺ의 블합ᄒᆞᆫ 일을 당ᄒᆞ면, 우환 ᄀᆞᆺ기를 면치 못ᄒᆞ더니, 이졔 아득히 몰낫다가 갓 드르ᄆᆡ, 오왕이 일군쥬를 두고 어ᄃᆡ 가 옥인군ᄌᆞ를 못 ᄀᆞᆯᄒᆡ여, 쇼ᄉᆡᆼ의 브릉누딜과 혼ᄉᆞ를 뇌뎡(牢定)타 ᄒᆞ오니, 쇼ᄉᆡᆼ은 비록 ᄋᆞ쇼디심(兒小之心)이나 황친국쳑은 실노 깃거 아니커ᄂᆞᆯ, ᄒᆞ【23】믈며 친황ᄌᆞ(親皇子)니잇가? 시고로 오궁 녀셔 될 일이 뎡히 등의 가싀를 딘 ᄃᆞᆺ ᄒᆞ이다."

뎡공 부ᄌᆡ 다 웃고 위로 왈,

"오왕은 황가디엽이나 교오방ᄌᆞ(驕傲放恣)ᄒᆞ미 업고, 본ᄃᆡ 인ᄌᆞᄒᆞᆫ 위인이니 빙악이라 ᄒᆞ미 괴로오미 업ᄉᆞᆯ더라. 엇디 당치 아닌 근심을 과히 ᄒᆞ리오. 녕ᄇᆡᆨ(令伯)이 연군쥬 ᄀᆞᆺᄐᆞᆫ 니도 능히 후ᄃᆡᄒᆞ여 부부늰의를 폐치 아니니, 딘짓 관홍ᄒᆞᆫ 도량이라. 현뎨ᄂᆞᆫ 모로미 녕ᄇᆡᆨ의 《디량‖긔량(器量)》을 효측ᄒᆞ라."

공지 믁믁히 샤례ᄒᆞ나 ᄆᆞᄋᆞᆷ의 깁히 ᄉᆡᆼ각ᄂᆞᆫ 거시 잇ᄂᆞᆫ ᄃᆞᆺᄒᆞ여 은위(隱憂) 만복(滿腹)ᄒᆞ니, 졔왕 부ᄌᆡ 극히 의괴ᄒᆞᄃᆡ 아쥬 쇼져를 위ᄒᆞᆫ ᄯᅳᆺ이믈 몽니(夢裏)의도 ᄉᆡᆼ각디 못ᄒᆞ더라.

이날 원창이 본부의 도라와 ᄉᆞ식디념(食食之念)[1230]이 업고, 쳔ᄉᆞ만상(千思萬想)ᄒᆞ

1230)ᄉᆞ식디념(食食之念) : 밥을 먹고 싶은 생각.

이 영영(盈盈)ᄒᆞ여, 일쳔 가지 우ᄉᆡᆨ(憂色)을 씌엿시니, 졔왕이 도라보고 경문(驚問) 왈,

"현뎨 신상이 불평ᄒᆞ냐? 엇지 긔ᄉᆡᆨ이 불안ᄒᆞ뇨?"

공ᄌᆡ 유유 ᄃᆡ왈,

"신긔 불안ᄒᆞᆯ ᄲᅮᆫ 아니라, 심ᄉᆡ 불쾌ᄒᆞ여 ᄌᆞ연 외모의 화긔를 일헛도소이다"

왕 왈,

"현뎨를 보면 ᄆᆡ양 흔흔쾌활 ᄒᆞ더니, 금일에 별반 불쾌ᄒᆞ믄 엇지미뇨?"

공ᄌᆡ ᄃᆡ왈,

"몸이 남ᄌᆡ 되여 셰상의 나ᄆᆡ, 반ᄃᆞ시 마ᄋᆞᆷ의 슬코 괴로온 일을 두지 아니ᄒᆞᆷ즉 ᄒᆞ거ᄂᆞᆯ, 소ᄉᆡᆼ은 그럿치 못ᄒᆞ여 ᄯᅳᆺ의 불합ᄒᆞᆫ 일을 당ᄒᆞ면, 우환 ᄀᆞᆺ기를 면치 못ᄒᆞ더니, 이졔 아득히 몰낫다가 드르니, 오왕이 일 군쥬(郡主)를 두고 소ᄉᆡᆼ의 불용누질을 보고 경혼(定婚) 뇌약(牢約)ᄒᆞ다 ᄒᆞ니,【42】소ᄉᆡᆼ ᄯᅳᆺ슨 국쳑을 깃거 아니커ᄂᆞᆯ 오왕 녀셔 될 일이 등의 가싀를 진 ᄃᆞᆺᄒᆞ여이다."

뎡공 부ᄌᆡ 다 웃고 위로 왈,

"오왕은 황ᄌᆡ나 교만치 아니코 인ᄌᆞᄒᆞ니, 엇지 근심ᄒᆞᄂᆞ뇨? 녕ᄇᆡᆨ(令伯)이 연군쥬 ᄀᆞᆺᄒᆞ니도 후ᄃᆡᄒᆞ엿나니, 현졔ᄂᆞᆫ 모로미 녕ᄇᆡᆨ을 효측ᄒᆞ라."

공ᄌᆡ 유유ᄒᆞ나 마ᄋᆞᆷ의 ᄉᆡᆼ각ᄂᆞᆫ 거시 잇셔 은위(隱憂) 만복(滿腹)ᄒᆞ니, 졔왕 부ᄌᆡ 극히 고이히 넉이나, 아쥬 소져를 위ᄒᆞᆫ ᄯᅳᆺ인 쥴은 모로더라.

이 날 원창이 본부의 도라가 ᄉᆞ식지념(食食之念)[935]이 업고 쳔ᄉᆞ만상(千思萬想)ᄒᆞ나

935)ᄉᆞ식디념(食食之念) : 밥을 먹고 싶은 생각.

여도 뎡쇼져 ᄇᆡ위 되믈 엇디 못【24】ᄒᆞᆯ디라. 스ᄉᆞ로 넘난 뜻으로 혜오ᄃᆡ,

"내 비록 오왕 녀를 취ᄒᆞ여도 발셔 ᄆᆞᄋᆞᆷ이 도라디고, 경이 기운 곳은 뎡시 웃듬이니 뎡시를 취치 못ᄒᆞᆫ즉, 쳥츈의 원ᄉᆞᄒᆞᆫ 혼ᄇᆡᆨ이 유유탕탕(悠悠蕩蕩)ᄒᆞ여 슬픈 한이 쳔만년의 프디 못ᄒᆞᆯ디라. 장뷔 이의 밋쳐ᄂᆞᆫ 가히 더러온 일을 힝홈도 이시리니, 이 디경의 밋쳐시나 뎡시ᄂᆞᆫ 아득히 모로고, 내 ᄒᆞᆯ노 ᄋᆡ를 살오미 녹녹(碌碌)ᄒᆞᆫ디라. ᄎᆞᆯ하리 반야삼경(半夜三更)의 션취졍의 돌입ᄒᆞ여 나의 졍회를 쾌히 닐러, 졀노 ᄒᆞ여금 타문의 가디 못○○[ᄒᆞ게] ᄒᆞ고, 금후라도 ᄒᆞᆯ 일 업시 넉여, 그 ᄯᆞᆯ을 폐륜치 못ᄒᆞᆯ 디경은 ᄌᆞ연 내 긔믈(奇物)을 삼게 ᄒᆞ리라."

의ᄉᆡᆨ 이의 밋쳐ᄂᆞᆫ 뎡부의 와 ᄌᆞ기를 날마다 ᄒᆞᆯᄉᆡᆨ, 제뎡이 잠이 깁ᄒᆞᆫ 후 개연이 니러나 듕(重)【25】ᄒᆞᆫ 문호(門戶)와 쳡쳡ᄒᆞᆫ 장원(牆垣)을 너머, 화원 길노조ᄎᆞ 신고히 션취졍을 ᄎᆞᄌᆞ 드러간즉, ᄎᆞ시 하뉵월(夏六月) 망간(望間)이라. 명월은 교교(皎皎)ᄒᆞ여 원근의 ᄇᆡᆺ최고, 션취졍 ᄉᆞ문을 황연이 여러 쥬렴과 쟝(帳)을 드리온 일○[이] 업ᄂᆞᆫ디라. 공ᄌᆡ ᄀᆞ장 괴이히 넉여, 쳥ᄉᆞ의 올나 두로 살핀즉 뎡쇼져 그림ᄌᆞ도 업ᄂᆞᆫ디라. 시녀 양낭 등만 ᄃᆡᆨ희여 잠이 깁헛ᄂᆞᆫ디라. 공ᄌᆡ 낙막ᄒᆞ믈 니긔디 못ᄒᆞ여 오ᄅᆡ 안ᄌᆞᆺ다가 쇼져도 보디 못ᄒᆞ고, 혹ᄌᆞ 시녀의게 들닐가[1231] 도로 나오나 일념이 경경(耿耿)ᄒᆞ여 쥬쥬야야(晝晝夜夜)의 닛디 못ᄒᆞᄂᆞᆫ디라. 년야(連夜)ᄒᆞ여 션취졍의 왕ᄂᆡᄒᆞ여, 션ᄋᆞ(仙娥)의 ᄌᆞ최를 희망ᄒᆞ미 ᄆᆞᄋᆞᆷ이 초갈(焦渴)ᄒᆞ기의 밋쳐, 침식을 다 폐ᄒᆞ고 흐르ᄂᆞᆫ 술노 목을 적시며, 실업ᄉᆞᆫ 과실노 구【26】미(口味)를 딘뎡ᄒᆞᄆᆡ, 밤을 당ᄒᆞ면 신고히 션취졍의 드러오미 ᄉᆞ오 ᄎᆞ의 밋쳐도, 쇼져의 그림ᄌᆞ도 어더 보디 못ᄒᆞ니, ᄎᆞᄂᆞᆫ 뎡쇼져의 ᄆᆞᄋᆞᆷ이 녕신(靈神)ᄒᆞ여, ᄌᆞ긔 침쇠 화원 아ᄅᆡ○[라], 여름을 당ᄒᆞ여 창호를 열고 ᄌᆞ기ᄂᆞᆫ 허소(虛疎)ᄒᆞ고 굿게 닷기ᄂᆞᆫ 훈열(薰熱)ᄒᆞᆫ

1231)들니다 : 들키다.

뎡소져 취ᄒᆞᆯ 계괴 업셔, ᄉᆡᆼ각ᄒᆞᄃᆡ ,

"ᄂᆡ 비록 오왕의 녀를 취ᄒᆞ나 뎡씨를 취치 못ᄒᆞ면 쳥츈원ᄉᆞ(青春寃死)ᄒᆞᆫ 혼ᄇᆡᆨ이{라도} 되리라. {ᄒᆞ더라} 장뷔 이에 밋쳐ᄂᆞᆫ 가【43】히 더러온 일을 힝홈도 잇시려니, 이 지경에 밋쳐시나 뎡씨ᄂᆞᆫ 아득히 모로고, ᄂᆡ ᄒᆞᆯ노 ᄋᆡ를 살오미 녹녹ᄒᆞᆫ지라. ᄎᆞᆯ하리 반야삼경(半夜三更)에 션취졍에 《ᄎᆞᆯ입∥돌입》ᄒᆞ여 나의 졍회를 쾌히 닐너, 져로 ᄒᆞ야곰 타문의 가지 못○○[ᄒᆞ게] ᄒᆞ고, 금후라도 ᄒᆞᆯ일업시 넉여, 그 ᄯᆞᆯ을 폐륜치 못ᄒᆞᆯ 지경은 ᄌᆞ연 ᄂᆡ 긔믈(奇物)을 삼게 ᄒᆞ리라."

의ᄉᆡᆨ 이에 밋쳐ᄂᆞᆫ 뎡부의 와 ᄌᆞ기를 날마다 ᄒᆞᆯᄉᆡᆨ, 제뎡이 잠이 깁ᄒᆞᆫ 후 가연이 니러나 즁즁(重重)ᄒᆞᆫ 문호(門戶)와 쳡쳡ᄒᆞᆫ 장원(牆垣)을 너머, 화원 길노조ᄎᆞ 신고히 션취졍을 ᄎᆞᄌᆞ 드러간즉, ᄎᆞ시 하뉵월(夏六月) 망간(望間)이라. 명월은 교교(皎皎)ᄒᆞ여 원근의 ᄇᆡᆺ최고, 션취졍 ᄉᆞ문을 황연이 여러 쥬렴과 장을 드리온 일○[이] 업ᄂᆞᆫ지라. 【44】 공ᄌᆡ ᄀᆞ장 괴이히 넉여, 쳥ᄉᆞ의 올나 두로 살핀즉 뎡소져 그림ᄌᆞ도 업ᄂᆞᆫ지라. 시녀 양낭 등만 직희여 잠이 깁헛ᄂᆞᆫ지라. 공ᄌᆡ 낙막ᄒᆞ믈 니긔지 못ᄒᆞ여 오ᄅᆡ 안ᄌᆞᆺ다가 도로 나오나, 일념이 경경(耿耿)ᄒᆞ여 쥬쥬야야(晝晝夜夜)의 닛지 못ᄒᆞᄂᆞᆫ지라. 년야(連夜)ᄒᆞ여 션취졍의 왕ᄂᆡᄒᆞ여, 션ᄋᆞ(仙娥)의 ᄌᆞ최를 희망ᄒᆞ미 마ᄋᆞᆷ이 초갈(焦渴)ᄒᆞ기의 밋쳐, 침식을 다 폐ᄒᆞ고 흐르ᄂᆞᆫ 술노 목을 적시며, 실업ᄉᆞᆫ 과실노 구미(口味)를 진졍ᄒᆞᄆᆡ, 밤을 당ᄒᆞ면 신고히 션취졍의 드러오미 ᄉᆞ오 ᄎᆞ의 밋쳐도, 소져의 그림ᄌᆞ도 어더 보지 못ᄒᆞ니, ᄎᆞᄂᆞᆫ 뎡소져의 마ᄋᆞᆷ이 녕신(靈神)ᄒᆞ여, ᄌᆞ긔 침소 화원 아ᄅᆡ○[라], 여름을 당ᄒᆞ여 창호를 열고 ᄌᆞ기ᄂᆞᆫ 허수ᄒᆞ고[936] 굿게 닷기ᄂᆞᆫ 훈열(薰熱)ᄒᆞᆫ 고

936) 허수ᄒᆞ다 : 허수하다. 짜임새나 단정함이 없이 느슨하다.

고로, 졔시녀로 당을 딕희오고 ᄌᆞ긔ᄂᆞᆫ 태부인긔 시침ᄒᆞ고 낫이면 협실의 이시니, 가ᄂᆡ 비복도 쇼져의 얼골을 어더 보디 못ᄒᆞ고, 쇼졔 침당을 올믄 후ᄂᆞᆫ 실업시 나드디 아닛ᄂᆞᆫ 고로, {하}하ᄉᆡᆼ이 슌슌이 만나디 못ᄒᆞ여 헛되이 나오니, 결울코 답답ᄒᆞ믈 마디 아니ᄒᆞ더니, 일일은 윤니부 댱ᄌᆞ 챵닌이 취운산의 나와 ᄉᆡᆼ양외조부모(生養外祖父母)를 ᄇᆡ현ᄒᆞ고, ᄎᆡ듁헌의 현긔를 ᄯᆞ라 문ᄌᆞ를 ᄇᆡ호거ᄂᆞᆯ, 원창이 창닌을 어로만져 이윽【27】이 가ᄎᆞᄒᆞ다가, 현긔 등이 못 듯게 ᄀᆞ마니 니르ᄃᆡ,

"네 이의 와 슉모 뎡시를 본다?"

창ᄋᆡ ᄃᆡ왈,

"뵈왓거니와 슉시 ᄆᆞ러 ᄆᆞ엇 ᄒᆞ려 ᄒᆞᄂᆞ니잇가?"

원창 왈,

"쇼졔 어ᄃᆡ 잇더뇨?"

창닌이 뉵셰라. ᄎᆞᆼ명영오ᄒᆞ니, 슉부의 슈상이 ᄆᆞᄅᆞᄆᆞᆯ 괴이히 녁여, 웃고 왈,

"슉모를 대조모 침뎐의셔 뵈왓거니와 슉시의 이ᄀᆞᆺ치 ᄆᆞᄅᆞ시믄 의외로소이다."

공ᄌᆡ 쇼왈,

"알 일이 잇기 뭇거니와 뎡시 원간 어ᄃᆡ셔 ᄌᆞᆫ다 ᄒᆞ더뇨?"

창닌 왈,

"슉모 쳐쇼 화원 션취정이러니 근간 대모 침뎐의셔 ᄌᆞᆫ다 ᄒᆞ더이다."

원창이 우문 왈,

"뎡쇼져 친ᄉᆞ를 어ᄃᆡ 뎡ᄒᆞ다 ᄒᆞ더뇨?"

챵닌 왈,

"이런 일이야 엇디 ᄌᆞ시 알니잇가? 다만 우리 야야와 ᄇᆡᆨ뷔 쥬션ᄒᆞ샤 옥화산 조부의 뎡혼ᄒᆞ다 ᄒᆞ더이다."

하공ᄌᆡ 기리 탄식【28】고, 창닌의 등을 어로만져 왈,

"ᄒᆞᆫ 댱 셔간을 ᄡᅧ 줄 거시니 뎡쇼져를 주고 답간을 맛타 올가 시브냐?"

창닌이 ᄆᆡᄆᆡ히 ᄯᅦ쳐 왈,

"슉시(叔氏) ᄋᆞ(我) 슉모긔 셔ᄉᆞ 통신ᄒᆞᆯ

로, 졔 시【45】녀로 당을 직희오고 ᄌᆞ긔ᄂᆞᆫ 태부인긔 시침ᄒᆞ고, 낫이면 협실의 잇시니, 가ᄂᆡ 비복도 소져의 얼골을 어더 보지 못ᄒᆞ고, 소졔 침당을 올믄 후ᄂᆞᆫ 실업시 나드지 아닛ᄂᆞᆫ 고로, 하ᄉᆡᆼ이 슌슌이 만나지 못ᄒᆞ여 헛되이 나오니, 결울코 답답ᄒᆞ믈 마지 아니ᄒᆞ더니, 일일은 윤니부 장ᄌᆞ 창닌이 취운산의 나와 ᄉᆡᆼ양외조부모(生養外祖父母)를 ᄇᆡ현ᄒᆞ고, ᄎᆡ쥭헌의 현긔를 ᄯᆞ라 문ᄌᆞ를 ᄇᆡ호거ᄂᆞᆯ, 원창이 창닌을 어로만져 이윽이 가ᄎᆞᄒᆞ다가, 현긔 등이 못 듯게 가마니 니르ᄃᆡ,

"네 이의 와 슉모 뎡씨를 본다?"

창ᄋᆡ ᄃᆡ 왈,

"뵈왓거니와 슉씨 ᄆᆞ러 ᄆᆞ엇 ᄒᆞ려 ᄒᆞᄂᆞ니잇가?"

원창 왈,

"소졔 어ᄃᆡ 잇더뇨?"

창닌이 뉵셰라 ᄎᆞᆼ명영오(聰明穎悟)ᄒᆞ니, 슉부의 슈상이 ᄆᆞᄅᆞᄆᆞᆯ 괴이【46】히 녁여, 웃고 왈,

"슉모를 대조모 침뎐의셔 뵈왓거니와 슉시의 이ᄀᆞᆺ치 ᄆᆞᄅᆞ시믄 의외로소이다."

공ᄌᆡ 소왈,

"알 일이 잇기 뭇거니와 뎡씨 원간 어ᄃᆡ셔 잔다 ᄒᆞ더뇨?"

창닌 왈,

"슉모 쳐쇼 화원 션취정이러니 근간 대모 침뎐의셔 잔다 ᄒᆞ더이다"

원창이 우문 왈,

"뎡소져 친ᄉᆞ를 어ᄃᆡ 정ᄒᆞ다 ᄒᆞ더뇨?"

챵닌 왈,

"이런 일이야 엇지 ᄌᆞ시 알니잇가? 다만 우리 야야와 ᄇᆡᆨ뷔 쥬션ᄒᆞ샤 옥화산 조부의 졍혼ᄒᆞ다 ᄒᆞ더이다."

하공ᄌᆡ 기리 탄식고 창닌의 등을 어로만져 왈,

"ᄒᆞᆫ 장 셔간을 ᄡᅧ 줄 거시니 뎡소져를 주고 답간을 맛타 올가 시브냐?"

창닌이 ᄆᆡᄆᆡ히 ᄯᅦ쳐 왈,

"슉시(叔氏) 오(吾) 슉모긔 셔ᄉᆞ 통신ᄒᆞᆯ니

니 업고, 쇼뎌이 여러 이목 가온ᄃᆡ 괴이ᄒᆞᆫ 셔찰을 어이 왕ᄂᆡᄒᆞ리잇고?”

공ᄌᆞ 웃고 왈,

“내 만일 블ᄉᆞ(不似)ᄒᆞᆫ 셔간일딘ᄃᆡ 굿ᄐᆞ여 너다려 젼ᄒᆞ라 ᄒᆞ리오. 비록 뎡쇼져긔 젼치 못ᄒᆞᆯ디라도, 졔왕 부ᄌᆞ로 ᄒᆞ여금 셔간을 가져 왓던 줄만 알게 ᄒᆞ미 엇더ᄒᆞ뇨?

챵닌이 ᄃᆡ왈,

“슉시 아모리 쳥ᄒᆞ여도 못 가져 가리로소이다.”

공ᄌᆞ 챵닌의 어린 나ᄒᆡ 쥰졀 ᄉᆡᆨᄉᆡᆨᄒᆞ여 ᄌᆞ긔 말을 드를니 업ᄉᆞ믈 보고, ᄒᆞᆯ일업셔 웃고 왈,

“옥누항의 가거든 져져긔 내 말ᄉᆞᆷ을 고ᄒᆞ여, 금후 필녀로 ᄒᆞ여금 타쳐의 혼인ᄒᆞᄂᆞᆫ 날이면 나ᄂᆞᆫ 죽을 밧 ᄒᆞᆯ일 【29】 업ᄉᆞ믈 고ᄒᆞ라.”

챵닌이 답디 아니터라.

원챵이 뎡쇼져긔 셔간을 븟칠 길히 업셔 민민ᄒᆞ다가, ᄒᆞᆫ 의ᄉᆞ를 ᄉᆡᆼ각고 디필을 나와 만단회포(萬端懷抱)를 여러, ᄒᆞᆫ 장 셔간을 일워 긴긴히 봉ᄒᆞᆫ 후, 창닌의 도라 간 슈일의 졔왕의 삼ᄌᆞ 은긔 늑셰라. 옥누항 져○[져](姐姐)긔셔 너의 ᄋᆞ슉모긔 븟친 글월이라. 갓다가 젼ᄒᆞ라. 은긔 아모란 줄 모로고 ᄉᆞ매의 너커ᄂᆞᆯ, 공ᄌᆞ 직쵹 왈,

“이 셔간이 급ᄒᆞᆫ 거시니 어셔 갓다가 젼ᄒᆞ고 답간을 맛타 오라.”

은긔 즉시 니러 ᄂᆡ루로 드러가니, 하공ᄌᆞ ᄯᅩᄒᆞᆫ 집으로 오니라.

은긔 ᄂᆡ당의 드러와 ᄋᆞ쥬 쇼져를 향ᄒᆞ여 봉셔(封書)를 더져 왈,

“옥누항 하슉모긔셔 슉모긔 븟친 셔간이라 ᄒᆞ더이다.”

쇼졔 봉셔를 보디 아니코 므러 왈,

“이 셔간을 뉘 주더뇨?”

은긔 【30】 ᄃᆡ왈,

“하ᄉᆡᆼ이 여ᄎᆞ여ᄎᆞ 니르고 주더이다.”

쇼졔 의괴ᄒᆞ여 셔간을 ᄯᅧ혀 보디 아니커ᄂᆞᆯ, 월휘 겻ᄐᆡ 안ᄌᆞᆺ다가 웃고 왈,

“져졔 각별이 네게 셔간을 븟쳐시니 므ᄉᆞᆷ

업고, 소뎌이 여러 이목 ᄀᆞ온ᄃᆡ 괴 【47】 이ᄒᆞᆫ 셔찰을 어이 왕ᄂᆡᄒᆞ리잇고?”

공ᄌᆞ 웃고 왈,

“ᄂᆡ 만일 블ᄉᆞ(不似)ᄒᆞᆫ 셔간일진ᄃᆡ 굿ᄐᆞ여 너다려 젼ᄒᆞ라 ᄒᆞ리오. 비록 뎡소져긔 젼치 못ᄒᆞᆯ지라도, 졔왕 부ᄌᆞ로 ᄒᆞ야곰 셔간을 가져 왓던 줄만 알게 ᄒᆞ미 엇더ᄒᆞ뇨?”

챵닌이 ᄃᆡ왈,

“슉시 아모리 쳥ᄒᆞ여도 못 가져 가리로소이다.”

공ᄌᆞ 챵닌의 어린 나ᄒᆡ 쥰졀 ᄉᆡᆨᄉᆡᆨᄒᆞ여 ᄌᆞ긔 말을 드를니 업ᄉᆞ믈 보고, ᄒᆞᆯ일업셔 웃고 왈,

“옥누항의 가거든 져져긔 내 말ᄉᆞᆷ을 젼ᄒᆞ여, 금후 필녀로 ᄒᆞ야곰 타쳐의 혼인ᄒᆞᄂᆞᆫ 날이면, 나ᄂᆞᆫ 죽을 밧 ᄒᆞᆯ일업ᄉᆞ믈 고ᄒᆞ라”

챵닌이 답지 아니터라.

원챵이 뎡소져긔 셔간을 븟칠 길히 업셔 민민ᄒᆞ다가, ᄒᆞᆫ 의ᄉᆞ를 ᄉᆡᆼ각고 지필을 나와 만단회포(萬端懷抱)를 여러, 【48】 ᄒᆞᆫ 장 셔간을 일워 긴긴히 봉ᄒᆞᆫ 후, 창닌의 도라 간지 슈일에, 졔왕의 삼ᄌᆞ 은긔 늑셰라. 옥누항 져○[져](姐姐)긔셔 너의 ᄋᆞ슉모긔 븟친 글월이라. 갓다가 젼ᄒᆞ라. 은긔 아모란 줄 모로고 ᄉᆞᄆᆡ의 너커ᄂᆞᆯ, 공ᄌᆞ 직쵹 왈,

“이 셔간이 급ᄒᆞᆫ 거시니 어셔 갓다가 젼ᄒᆞ고 답간을 맛타 오라.”

은긔 즉시 니러 ᄂᆡ루로 드러가니, 하공ᄌᆞ ᄯᅩᄒᆞᆫ 집으로 오니라.

은긔 ᄂᆡ당의 드러와 ᄋᆞ쥬 소져를 향ᄒᆞ여 봉셔(封書)를 더져 왈,

“옥누항 하슉모긔셔 슉모긔 븟친 셔간이라 ᄒᆞ더이다.”

소졔 봉셔를 보지 아니코 무러 왈,

“이 셔간을 뉘 주더뇨?”

은긔 ᄃᆡ 왈,

“하ᄉᆡᆼ이 여ᄎᆞᄎᆞ 니르고 쥬더이다”

소졔 의괴ᄒᆞ여 셔간을 ᄯᅧ혀 보지 아니커ᄂᆞᆯ, 월휘 겻ᄐᆡ 안ᄌᆞᆺ다가 웃고 왈,

“져졔 각별이 네게 셔 【49】 간을 븟치

셜홴고 내 몬져 보리라.”

이의 봉셔(封書)를 ᄯᅥ혀 보니, 몬져 필획이 웅장쇄락(雄壯灑落)ᄒᆞ여 디상(紙上)의 창농(蒼龍)이 셔리며 난봉(鸞鳳)이 ᄯᅱ노ᄂᆞᆫ ᄃᆞᆺᄒᆞ니, 월휘 대경ᄒᆞ여 녀ᄌᆞ의 소작이 아니믈 ᄭᆡᄃᆞ라 나리보니, 이 문득 셔ᄉᆡᆨ 괴이ᄒᆞ여 하ᄉᆡᆼ이 ᄒᆞᆫ 번 화원의셔 뎡쇼져를 본 후로, 쥬야 닛디 못ᄒᆞᄂᆞᆫ 뎡이 간졀ᄒᆞ여 만일 인연을 일우디 못ᄒᆞ면, 쇽졀업시 십삼청츈의 원ᄉᆞᄒᆞᆫ 혼ᄇᆡᆨ이 구쳔야ᄃᆡ(九泉夜臺)[1232]의나 ᄯᆞ라 단니렷노라 ᄒᆞ여, 만편ᄉᆞ의(滿篇辭意) ᄒᆡ연ᄎᆞ악(駭然嗟愕)ᄒᆞᆫ디라. 월휘 견파의 대로ᄒᆞ여, 겻ᄐᆡ 노힌 슌금 셔징(書鎭)【31】을 드러 은긔를 ᄆᆡ이 쳐 왈,

“나히 늑셰만 ᄒᆞ여도 거의 눈츼를 알녀든, 그리 암녈(暗劣)ᄒᆞ여 하원창 탕ᄌᆞ의 휼듕(譎中)의 ᄉᆡᆼ젓ᄂᆞ뇨?”

은긔 쳔만 ᄉᆡᆼ각 밧 월후의 듕타ᄒᆞ믈 당ᄒᆞ여, 놀납고 알프믈 니긔디 못ᄒᆞ여 ᄒᆞᆫ갓 눈믈이 비ᄀᆞᆺ치 나리니, 태부인과 딘부인이 곡졀을 모로고 뎡ᄉᆡᆨ 왈,

“너ᄂᆞᆫ 친ᄌᆞ 딜ᄌᆞ를 의논치 아니ᄒᆞ고 쇼블여의즉(少不如意卽)[1233] 즛두다리기를 일삼으니, 그 상ᄒᆞ믈 ᄉᆡᆼ각디 아니미 엇디 괴이치 아니리오.”

월휘 ᄃᆡ왈,

“하괴 맛당ᄒᆞ시나 ᄋᆞᄒᆡ 눈츼를 모로고 음비ᄒᆞᆫ 셔간을 가져와, 쇼ᄆᆡ 빙쳥옥결(氷淸玉潔) ᄀᆞᆺ튼 신상의 욕이 밋게 ᄒᆞ미, 엇디 통한치 아니리잇고?”

냥 부인이 ᄎᆞ언을 듯고 크게 놀나고, 금휘 셔간을 보ᄆᆡ 한심경악(寒心驚愕)ᄒᆞ믈 니긔디 못ᄒᆞ여, 냥구무언(良久無言)이라가, 기리 탄왈,

“내 필【32】녀 위ᄒᆞᆫ 졍이 텬뉸 밧 ᄌᆞ별ᄒᆞ여, ᄐᆡᆨ셔ᄒᆞᄂᆞᆫ ᄯᅳᆺ이 과도ᄒᆞ기의 밋쳣더니, 믄득 ᄌᆡ앙이 니러 이런 변이 이시니, 만ᄉᆡᆨ

1232)구쳔야ᄃᆡ(九泉夜臺) : ‘땅 속 무덤’이라는 말로 죽은 뒤 넋 돌아가는 곳을 이르는 말.

1233)쇼블여의즉(小不如意卽) : 조금이라도 뜻에 맞지 아니하면.

시니 무ᄉᆞᆷ 셜홴고 내 몬져 보리라.”

이의 봉셔를 ᄯᅥ혀 보니, 몬져 필획이 웅장쇄락 ᄒᆞ여 지상(紙上)의 창농(蒼龍)이 셔리며 난봉(鸞鳳)이 ᄯᅱ노ᄂᆞᆫ ᄃᆞᆺᄒᆞ니, 월휘 ᄃᆡ격[경](大驚)ᄒᆞ여 녀ᄌᆞ의 소작이 아니믈 ᄭᆡᄃᆞ라 ᄂᆞ리보니, 이 문득 셔ᄉᆡᆨ 괴이ᄒᆞ여 하ᄉᆡᆼ이 ᄒᆞᆫ 번 화원의셔 뎡소져를 본 후로, 쥬야 잇지 못ᄒᆞᄂᆞᆫ 졍이 ᄀᆞᆫ졀ᄒᆞ여 만일 인연을 일우지 못ᄒᆞ면, 속졀업시 십삼 청츈의 원ᄉᆞᄒᆞᆫ 혼ᄇᆡᆨ이 구쳔야[지]ᄃᆡ(九泉夜臺)[937]의나 ᄯᆞ라 ᄃᆞᆫ니렷노라 ᄒᆞ여, 만편ᄉᆞ의(滿篇辭意) ᄒᆡ연ᄎᆞ악(駭然嗟愕) ᄒᆞᆫ지라. 월휘 견파의 ᄃᆡ로ᄒᆞ여 겻ᄒᆡ 노힌 슌금 셔징(書鎭)을 드러 은긔를 ᄆᆡ이 쳐 왈,

“나히 늑셰만 ᄒᆞ여도 거의 눈치를 알녀든, 그리 암녈(暗劣)ᄒᆞ여 하원창 탕ᄌᆞ의 휼즁(譎中)의 ᄉᆡᆼ젓ᄂᆞ뇨?”

은긔 쳔【50】만 ᄉᆡᆼ각 밧 월후의 즁타ᄒᆞ믈 당ᄒᆞ여, 놀납고 알프믈 니긔지 못ᄒᆞ여 ᄒᆞᆫ갓 눈믈이 비ᄀᆞᆺ치 나리니, 태부인과 진부인이 곡졀을 모로고 졍ᄉᆡᆨ 왈,

“너ᄂᆞᆫ 친ᄌᆞ 딜ᄌᆞ를 의논치 아니코, 소블여의(少不如意卽)[938]에 즛두ᄃᆞ리기를 일삼으니, 그 상ᄒᆞ믈 ᄉᆡᆼ각지 아니미 엇지 괴이치 아니리오”

월휘 ᄃᆡ왈,

“하괴 맛당ᄒᆞ시나 ᄋᆞᄒᆡ 눈츼를 모르고 음비ᄒᆞᆫ 셔간을 가져와, 소ᄆᆡ 빙쳥옥결(氷淸玉潔) ᄀᆞᆺ튼 신상의 욕이 밋게 ᄒᆞ미 엇지 통한치 아니리오”

냥 부인이 ᄎᆞ언을 듯고 크게 놀나고, 금휘 셔간을 보ᄆᆡ 한심경악(寒心驚愕)ᄒᆞ믈 니긔지 못ᄒᆞ여, 냥구(良久)토록 말이 업다가 기리 탄왈,

“ᄂᆡ 필녀 위ᄒᆞᆫ 졍이 텬뉸 밧 ᄌᆞ별ᄒᆞ여 ᄐᆡᆨ셔ᄒᆞᄂᆞᆫ ᄯᅳᆺ이 과도ᄒᆞ기의 밋쳣더니, 믄득 ᄌᆡ앙이 니러 이런【51】 변이 이시니 만ᄉᆡᆨ

937)구쳔야ᄃᆡ(九泉夜臺) : ‘땅 속 무덤’이라는 말로 죽은 뒤 넋 돌아가는 곳을 이르는 말.

938)쇼블여의즉(小不如意卽) : 조금이라도 뜻에 맞지 아니하면.

명애(命也)라. 현마 엇디 ᄒᆞ리오."

제왕과 녜부 등이 블승한심(不勝寒心) ᄒᆞ나 말을 아니ᄒᆞ고, 태부인 고식이 셔간을 보ᄆᆡ ᄎᆞ악경히ᄒᆞ믈 모양치 못ᄒᆞ여 왈,

"뎡국공의 교ᄌᆡ(教子) 뎡숙다 ᄒᆞ더니 엇디 이런 거조 잇ᄂᆞ뇨? 아디 못ᄒᆞ리로다."

뎡공이 탄왈,

"이 도시 아쥬의 명되니 인력으로 못ᄒᆞᆯ ᄇᆡ로소이다."

인ᄒᆞ여, 고위제왕(告謂帝王) 왈,

"내 뜻을 결ᄒᆞ여 조가의 친ᄉᆞ를 일우고 타쳐의 의논치 말고져 ᄒᆞ엿더니, 이런 변괴 이셔 녀ᄋᆞ의 혼ᄉᆞ를 타쳐의 의논치 못ᄒᆞ게 되여시니, 조현챵을 보거든 녀ᄋᆡ 아ᄃᆡᆨ 어려 혼례치 못ᄒᆞᆯ 바로 츄탁(推託)1234)ᄒᆞ라."

제왕이 ᄃᆡ왈,

"쇼지 조현챵디ᄌᆞ(之子)의 ᄀᆡ특ᄒᆞ【33】믈 유의ᄒᆞ여 ᄉᆞ원 형뎨와 의논ᄒᆞ엿ᄉᆞ오나, 조가의ᄂᆞᆫ 니르디 아녀시ᄆᆡ 현챵이 쇼ᄌᆞ를 보아도 쳥혼ᄒᆞᆯ 니 업ᄉᆞ리이다."

공 왈,

"연즉 일이 됴토다."

왕 등이 블힝이 넉이나, 공이 여러 말을 아니니, 굿ᄐᆞ여 깃브디 아닌 말을 일컷디 아니ᄃᆡ, 월휘 분을 니ᄀᆡ디 못ᄒᆞ여 그 셔간을 은ᄀᆡ를 주어 왈,

"네 이 셔간을 하원창의게 더디고 젼어ᄒᆞ라. 네 우리 집을 업슈히 넉여 인ᄉᆞ 모로ᄂᆞᆫ ᄋᆞ희를 이런 괴이ᄒᆞᆫ 말을 두어, 남의 규슈를 욕ᄒᆞ고져 ᄒᆞ나, 발셔 타쳐의 뎡혼ᄒᆞ여 빙폐를 힝ᄒᆞ여시니, 요개(搖改)ᄒᆞᆯ ᄇᆡ 아니라. 이런 밋친 글을 일시 머믈기 더러워 내 보고 즉시 보ᄂᆡ노라"

ᄒᆞᄃᆡ, 공이 굿ᄐᆞ여 말니디 아니ᄒᆞ더라. 은ᄀᆡ 밧ᄀᆡ 나와 하공ᄌᆞ를 ᄎᆞᄌᆞ니 발셔 도라 갓거ᄂᆞᆯ, 바로 하부의 나아가니, 뎡국공과【34】초공은 ᄂᆡ루의 잇고, 원상[챵]이 원챵[상] 원필노 더브러 좌를 일윗다가, 은ᄀᆡ를 보고 니러 뒤 쳥샤로 나아가니, 은ᄀᆡ ᄯᆞ라가 셔간을 주고 삼슉부 말솜을 젼ᄒᆞ니,

1234)츄탁(推託) : 다른 일을 핑계로 거절함.

명애(命也)라 현마 엇지 ᄒᆞ리오."

제왕과 녜부 등이 블승한심(不勝寒心)ᄒᆞ나 말을 아니ᄒᆞ고, ᄐᆡ부인 고식이 셔간을 보ᄆᆡ ᄎᆞ악경히 ᄒᆞ믈 모양치 못ᄒᆞ여 왈,

"뎡국공의 교ᄌᆡ(教子) 졍숙다 ᄒᆞ더니 엇지 이런 거조 잇ᄂᆞ뇨? 아지 못ᄒᆞ리로다."

뎡공이 탄 왈,

"이 도시 ᄋᆞ쥬의 명되니 인력으로 못ᄒᆞᆯ ᄇᆡ로소이다"

인ᄒᆞ여 제왕을 도라보아 왈,

"내 뜻술 결ᄒᆞ여 조가의 친ᄉᆞ를 일우고 타쳐의 의논치 말고져 ᄒᆞ엿더니, 이런 변괴 잇시니 녀ᄋᆞ의 혼ᄉᆞ를 타쳐의 의논치 못ᄒᆞ게 되엿시니, 조현챵을 보거든 녀ᄋᆡ 아즉 어려 혼례치 못ᄒᆞᆯ 바로 츄탁(推託)939)ᄒᆞ라"

제왕이 ᄃᆡ 왈,

"소지 조현챵지ᄌᆞ(之子)의 ᄀᆡ특ᄒᆞ믈 유의ᄒᆞ여 ᄉᆞ원 형뎨와 의논ᄒᆞ여【52】시나, 조가의ᄂᆞᆫ 니ᄅᆞ지 아녀시ᄆᆡ 현챵이 소ᄌᆞ를 보아도 쳥혼ᄒᆞᆯ 니 업ᄉᆞ리이다"

공 왈,

"연즉 일이 죳토다"

왕 등이 불힝이 넉이나, 공이 여러 말을 아니니 굿ᄐᆞ여 깃브지 아닌 말을 일컷지 아니ᄃᆡ, 월휘 분을 니ᄀᆡ지 못ᄒᆞ여 그 셔간을 은ᄀᆡ를 주어 왈,

"네 이 셔간을 하원창의게 더지고 젼어ᄒᆞ라. 네 우리 집을 업슈히 넉여 인ᄉᆞ 모로ᄂᆞᆫ ᄋᆞ희를 이런 괴이ᄒᆞᆫ 말을 두어 남의 규슈를 욕고져 ᄒᆞ나, 발셔 타쳐의 졍혼ᄒᆞ여 빙례를 힝ᄒᆞ엿시니 요ᄀᆡ(搖改)ᄒᆞᆯ ᄇᆡ 아니라. 이런 밋친 글을 일시 머믈기 더러워 ᄂᆡ 보고 즉시 보ᄂᆡ노라."

ᄒᆞᄃᆡ, 공이 굿ᄐᆞ여 말니지 아니ᄒᆞ더라.

은ᄀᆡ 밧ᄀᆡ 나와 하공ᄌᆞ를 ᄎᆞᄌᆞ니 발셔 도라 갓거ᄂᆞᆯ, 바로 하부의 나아가니,【53】뎡국공과 초공은 ᄂᆡ루의 잇고 원상[챵]이 원챵[상] 원필노 더브러 좌를 일윗다가, 은ᄀᆡ를 보고 니러 뒤 청ᄉᆞ로 나아가니, 은ᄀᆡ ᄯᆞ라가 셔간을 쥬고 숨슉부 말솜을 젼ᄒᆞ니,

939)츄탁(推託) : 다른 일을 핑계로 거절함.

공지 쳥파의 신식이 찬 옥 ᄀᆞᆺᄐᆞ여, 발셔{조가} 빙폐 바다시믈 ᄎᆞ악ᄒᆞ여, 셔간을 바다 ᄉᆞ매의 너코 은긔다려 왈,

"너의 슉모 빙치를 뉘 집의 바닷ᄂᆞ뇨?"

은긔 ᄃᆡ왈,

"빙치ᄂᆞᆫ 바다시나 아니 바다시나 아른 쳬 말나."

언파의 ᄉᆞ매를 ᄯᅥᆯ쳐 도라 가니, 공지 두어 소ᄅᆡ를 기리 탄식ᄒᆞ고, 심신이 어득ᄒᆞ여 ᄇᆡᆨ일경의 도라와 ᄉᆞ매로 낫ᄎᆞᆯ 덥고 누으니, 댱공지 그 거디 괴이ᄒᆞ믈 의아ᄒᆞ여 문기고(問其故) ᄒᆞᆫᄃᆡ, 공지 츄연 탄왈,

"쇼뎨 근간 신긔 블안ᄒᆞ고 심ᄉᆡ 어ᄌᆞ러워 스ᄉᆞ로 살 ᄯᅳᆺ이 업고 ᄆᆡ양 죽을가 시버이다."

대공지【35】 경문 왈,

"현뎨 하고로 이런 말을 ᄒᆞᄂᆞ뇨? 너의 골격과 긔상이 ᄇᆡᆨ셰를 그음ᄒᆞ리니, 일시 신긔(身氣) 블안ᄒᆞ므로 ᄉᆞᄉᆡᆼ을 념녀ᄒᆞᆯ ᄇᆡ 아니라. 현뎨ᄂᆞᆫ 모로미 의약을 닐위여 통쳐를 ᄎᆞ셩케 ᄒᆞ라."

공지 댱탄슈셩(長歎數聲)의 병셰 층가ᄒᆞ여, 식블감미(食不甘味)[1235]ᄒᆞ고 침블안셕(寢不安席)[1236]ᄒᆞ여 다만 먹난 거시 일죵(一鍾)[1237] 쳥쉬(淸水)라. ᄉᆞ오일이 넘디 못ᄒᆞ여 옥골이 슈뷔(瘦膚)[1238]ᄒᆞ고 화풍이 소삭(消索)[1239]ᄒᆞ여, 그 댱녈(壯烈)ᄒᆞ던 긔상이 셜셜나약(屑屑懦弱)[1240]ᄒᆞ여 옷슬 니긔디 못ᄒᆞ게 되여시니, 공이 비록 밧그로 엄ᄒᆞ믈 디으나 슬하(膝下) 상명(喪明)의 통(痛)[1241]을 남달니 겻거 상(傷)ᄒᆞᆫ 심ᄉᆡ(心

1235)식블감미(食不甘味) : 근심과 걱정으로 음식을 먹어도 맛이 없음.
1236)침블안셕(寢不安席) : 걱정이 많아서 잠을 편히 자지 못함.
1237)일죵(一鍾) : 한 종지. 종(鍾); 종자(鐘子). 종지. 간장·고추장 따위를 담아서 상에 놓는, 종발보다 작은 그릇.
1238)슈뷔(瘦膚) : 몸이 몹시 마르고 낯빛이나 살색이 핏기가 전혀 없음
1239)소삭(消索) : 다 사라져 없어짐.
1240)(屑屑懦弱) : 자잘하고 연약함.
1241)상명(喪明)의 통(痛) : 눈이 멀 정도로 슬프다는 뜻으로, 아들이 죽은 슬픔을 비유적으로 이르는

공지 쳥파의 신식이 찬 옥 ᄀᆞᆺᄐᆞ여, 발셔{조가} 빙폐 바다시믈 ᄎᆞ악ᄒᆞ여, 셔간○[을] 바다 ᄉᆞᄆᆡ의 너코 은긔다려 왈,

"너의 슉모 빙치를 뉘 집의 바닷ᄂᆞ뇨?"

은긔 ᄃᆡ왈,

"빙치ᄂᆞᆫ 바다시나 아니 바다시나 알은 쳬 말나."

언파의 ᄉᆞᄆᆡ를 ᄯᅥᆯ쳐 도라 가니, 공지 두어 소ᄅᆡ를 기리 탄식ᄒᆞ고 심신이 어득ᄒᆞ여, ᄇᆡᆨ일경의 도라와 ᄉᆞᄆᆡ로 낫ᄎᆞᆯ 덥고 누으니, 《냥‖댱》공지 그 거지 괴이ᄒᆞ믈 의아ᄒᆞ여 문기고(問其故) ᄒᆞᆫᄃᆡ, 공지 츄연 탄왈,

"소뎨 근간 신긔 블안ᄒᆞ고 심ᄉᆡ 어ᄌᆞ러워,【54】 스ᄉᆞ로 살 ᄯᅳᆺ이 업고 ᄆᆡ양 쥭을가 시버이다"

ᄃᆡ공지 경문 왈,

"현뎨 하고로 이런 말을 ᄒᆞᄂᆞ뇨? 너의 골격과 긔상이 ᄇᆡᆨ셰를 그음ᄒᆞ리니, 임시 신긔 블안ᄒᆞ므로 ᄉᆞᄉᆡᆼ을 념녀ᄒᆞᆯ ᄇᆡ 아니라. 현뎨ᄂᆞᆫ 모로미 의약을 니ᄅᆞ혀 통쳐를 ᄎᆞ셩케 ᄒᆞ라"

공지 장탄슈셩(長歎數聲)의 병셰 층가ᄒᆞ여, 식블감미(食不甘味)[940] ᄒᆞ고 침블안셕(寢不安席)[941]ᄒᆞ여 다만 먹ᄂᆞᆫ 거시 일죵(一鍾)[942] 쳥쉬(淸水)라. ᄉᆞ오일이 넘지 못ᄒᆞ여 옥골이 슈븨(瘦膚)[943]ᄒᆞ고 화풍이 소삭(消索)[944]ᄒᆞ여, 그 장녈(壯烈)ᄒᆞ던 긔상이 셜셜나약(屑屑懦弱)[945] ᄒᆞ여 옷슬 니긔지 못ᄒᆞ게 되엿시니, 공이 비록 밧그로 엄ᄒᆞ믈 지으나 슬하 상명(喪明)의 통(痛)[946]을 남달

940)식블감미(食不甘味) : 근심과 걱정으로 음식을 먹어도 맛이 없음.
941)침블안셕(寢不安席) : 걱정이 많아서 잠을 편히 자지 못함.
942)일죵(一鍾) : 한 종지. 종(鍾); 종자(鐘子). 종지. 간장·고추장 따위를 담아서 상에 놓는, 종발보다 작은 그릇.
943)슈뷔(瘦膚) : 몸이 몹시 마르고 낯빛이나 살색이 핏기가 전혀 없음
944)소삭(消索) : 다 사라져 없어짐.
945)(屑屑懦弱) : 자잘하고 연약함.
946)상명(喪明)의 통(痛) : 눈이 멀 정도로 슬프다는 뜻으로, 아들이 죽은 슬픔을 비유적으로 이르는 말. 옛날 중국의 자하(子夏)가 아들을 잃고 슬피

思), 이 ᄢᅵ ᄉᆞᄌᆞ(四子)를 두어시나, 혹ᄌᆞ 블평ᄒᆞᆫ 일 곳 이시면 념녜 아니 밋ᄎᆞᆫ 곳이 업ᄂᆞᆫ디라. 공ᄌᆞ의 안ᄉᆡᆨ이 초췌(憔悴)ᄒᆞ여【36】대병(大病)이 발ᄒᆞ믈 ᄌᆞ못 우려ᄒᆞ여, 공ᄌᆞ를 나호여 보긔(補氣)ᄒᆞᆯ 미듁(糜粥)을 가져 친히 먹기를 권ᄒᆞ니, 공ᄌᆡ 강인ᄒᆞ여 두어 번 마시ᄆᆡ 목의 넘으며 비위 상ᄒᆞ여 장부를 흔드ᄂᆞᆫ ᄃᆞᆺ, 후셜을 넘디 못ᄒᆞ여 경ᄀᆡᆨ의 거ᄉᆞ리니, 공의 경악ᄒᆞ믄 니르도 말고 부인의 황황ᄒᆞ믈 므어ᄉᆡ 비기리오. 눈믈을 먹음고 공ᄌᆞ를 어로만져 왈,

"너의 상모긔딜이 범범용쇽(凡凡庸俗)기를 면ᄒᆞ여 웅댱쥰슈(雄壯俊秀)ᄒᆞ니, 우리 깁히 밋ᄂᆞᆫ ᄇᆡ어ᄂᆞᆯ, 므ᄉᆞᆫ 병이 그ᄃᆡ도록 위악ᄒᆞ여 형용이 환탈ᄒᆞ고 너른 식냥(食量)의 일종 듁음을 나오디 못ᄒᆞ니, 아디 못게라 어나 ᄢᅵ브터 알하 이 디경의 밋쳣ᄂᆞ뇨?"

공ᄌᆡ 부모 우려를 민박(憫迫)ᄒᆞ여 화평이 ᄃᆡ왈,

"쇼ᄌᆡᆨ 우연이 셔열(暑熱)의 비위 상ᄒᆞᆫ ᄇᆡ라.【37】. 굿ᄐᆞ여 고황(膏肓)1242)의 깁흔 병이 아니오니, 복원 부모ᄂᆞᆫ 믈우(勿憂)ᄒᆞ쇼셔."

공이 미우를 �기여 왈,

"일시 셔열의 상ᄒᆞᆫ 바ᄂᆞᆫ 져러치 아니리니 엇디 근심이 젹으리오. 너의 형용이 괴이ᄒᆞ여 셕은 나모 ᄀᆞᆺᄐᆞ여시니 결단코 듕병이 발ᄒᆞ리로다."

공ᄌᆡ ᄌᆡ삼 관계치 아니믈 고ᄒᆞ고, 이윽이 뫼셧다가 외헌의 나와 누을ᄉᆡ, 이 날 초공은 맛참 나가고 원상과 원필은 협문으로 뎡부의 간 ᄢᅵ라. 공ᄌᆡ 고요히 므릅흘 안고 안ᄌᆞ 스ᄉᆞ로 혜오ᄃᆡ,

"사ᄅᆞᆷ이 셰샹의 나ᄆᆡ 부뫼 ᄉᆡᆼ이휵디(生而慉之)1243)ᄒᆞ시며 구로디은(劬勞之恩)1244)을

말. 옛날 중국의 자하(子夏)가 아들을 잃고 슬피운 끝에 눈이 멀었다는 데서 유래한다.

1242)고황(膏肓) : 심장과 횡격막의 사이. 고는 심장의 아랫부분이고, 황은 횡격막의 윗부분으로, 이 사이에 병이 생기면 낫기 어렵다고 한다.

1243)ᄉᆡᆼ이휵디(生而慉之) : 낳아주고 길러줌.

니 격거 상ᄒᆞᆫ 심ᄉᆡ, 이 ᄢᅵ ᄉᆞᄌᆞ(四子)를 두엇시나 혹ᄌᆞ 블평ᄒᆞᆫ 일 곳 이시면 념녜 아니 밋【55】ᄎᆞᆫ 곳이 업ᄂᆞᆫ지라. 공ᄌᆞ의 안ᄉᆡᆨ이 초췌ᄒᆞ여 ᄃᆡ병이 발ᄒᆞ믈 ᄌᆞ못 우려ᄒᆞ여, 공ᄌᆞ를 나호여 보긔(補氣)ᄒᆞᆯ 미쥭(糜粥)을 가져 친히 먹기를 권ᄒᆞ니, 공ᄌᆡ 강잉ᄒᆞ여 두어 번 마시ᄆᆡ, 목의 넘으며 비위 상ᄒᆞ여 장부를 흔드ᄂᆞᆫ ᄃᆞᆺ, 후셜을 넘지 못ᄒᆞ여 경ᄀᆡᆨ의 거ᄉᆞ리니, 공의 《셩악 ‖ 경악(驚愕)》ᄒᆞ믄 니르도 말고 부인의 황황ᄒᆞ믈 무어ᄉᆡ 비기리오. 눈믈을 먹음고 공ᄌᆞ를 어로만져 왈,

"너의 상모긔질이 범범용속(凡凡庸俗)기를 면ᄒᆞ여 웅쟝쥰슈(雄壯俊秀)ᄒᆞ니, 우리 깁히 밋ᄂᆞᆫ ᄇᆡ어ᄂᆞᆯ, 므ᄉᆞᆫ 병이 그ᄃᆡ도록 위악ᄒᆞ여 형용이 환탈ᄒᆞ고 너른 식냥의 일종 쥭음을 나오지 못ᄒᆞ니, 아지 못게라 어나 ᄢᅵ브터 알하 이 지경의 밋쳣ᄂᆞ뇨?"

공ᄌᆡ 부모의 우려를 민【56】박(憫迫)ᄒᆞ여 화평이 ᄃᆡ왈,

"소ᄌᆡᆨ 우연이 셔열(暑熱)의 비위 상ᄒᆞᆫ ᄇᆡ라. 굿ᄐᆞ여 고항(膏肓)947)의 깁흔 병이 아니오니, 복원 부모ᄂᆞᆫ 물우(勿憂)ᄒᆞ소셔."

공이 미우를 ᄢᅵᆼ긔여 왈,

"일시 셔열의 상ᄒᆞᆫ 바ᄂᆞᆫ 져러치 아니리니 엇지 근심이 젹으리오. 너의 형용이 괴이ᄒᆞ여 셕은 나모 ᄀᆞᆺᄐᆞ엿시니 결단코 즁병이 발ᄒᆞ리로다."

공ᄌᆡ ᄌᆡ삼 관계치 아니믈 고ᄒᆞ고, 이윽이 뫼셧다가 외헌의 나와 누을ᄉᆡ, 이 날 초공은 맛참 나아가고 원상과 원필은 협문으로 뎡부의 간 ᄢᅵ라. 공ᄌᆡ 고요히 므릅흘 안고 안ᄌᆞ 스ᄉᆞ로 혜오ᄃᆡ,

"사ᄅᆞᆷ이 셰샹의 나ᄆᆡ 부뫼 ᄉᆡᆼ이휵지(生而慉之)948) ᄒᆞ시며 구로지은(劬勞之恩)949)을

운 끝에 눈이 멀었다는 데서 유래한다.

947)고황(膏肓) : 심장과 횡격막의 사이. 고는 심장의 아랫부분이고, 황은 횡격막의 윗부분으로, 이 사이에 병이 생기면 낫기 어렵다고 한다.

948)ᄉᆡᆼ이휵디(生而慉之) : 낳아주고 길러줌.

949)구로디은(劬勞之恩) : 낳아주고 길러준 어버이의

싱각홀딘디 하날이 낫고 ᄯᅡ히 좁을디라. ᄒᆞ믈며 우리 부뫼 텬뉸ᄌᆞᄋᆡ와 상쳑(喪慽)의 상ᄒᆞ신 심ᄉᆞᄂᆞᆫ 타인으로 만히 다르미 이시니, 우리 형뎨 효를 다ᄒᆞ여 부모의 깃그시믈 닐위미 인ᄌᆞ【38】의 되어ᄂᆞᆯ, 내 이졔 음황(淫荒)ᄒᆞ므로 남의 규슈를 엿보고 ᄉᆞ상디심(思相之心)이 간졀ᄒᆞ여 ᄉᆞ병(死病)을 일위미 나의 힝실이 독경(篤敬)1245)치 못홀 ᄲᅮᆫ 아니라, 블회 쳔고를 기우려 희한ᄒᆞ리니, 내 엇디 ᄉᆞ라 ᄃᆡ인홀 안면이 이시며, 쳔양하(泉壤下)1246)의 도라간들 남과 ᄀᆞᆺ튼 녕빅이 되리오. 내 당당ᄒᆞᆫ 팔쳑댱부로 쳐실이라도 일 녀ᄌᆞ를 위ᄒᆞ여 구구치 아니려든, ᄒᆞ믈며 타쳐 빙치 바든 녀ᄌᆞ를 심셔(心緖)1247)의 둘 빅 아니라. 뎡시 아녀 텬샹션인(天上仙娥)들 발셔 나의게 인연이 업ᄂᆞᆫ 탓ᄉᆞ로 조가 사름이 되게 ᄒᆞ여시니, 내 이제ᄂᆞᆫ ᄆᆞ음을 프러 뎡시 닛기를 공부ᄒᆞ고, 식음을 착실이 나와 부모의 셩녀를 씻치디 아니코, 블효를 더으디 아니리라. 의ᄉᆡ 이의 밋쳐ᄂᆞᆫ 뎡쇼져를 영영 닛고져 ᄒᆞ디,【39】이 ᄯᅳᆺ은 잠간이오. 뎡쇼져 션풍아딜(仙風雅質)이 가슴의 박힌 돌이 되여, 능히 억졔홀 길히 업ᄂᆞᆫ디라. 힘음업시 손을 드러 셔안을 치며 일셩(一聲)을 기리 탄왈,

"이ᄃᆲ고 분ᄒᆞ다. 뎡부 화원의 내 블과 버들의 프른 빗과 만화(萬花)의 교발(交發)ᄒᆞ믈 구경코져 ᄒᆞᆫ 거시, 뎡시를 ᄒᆞᆫ 번 보고 ᄉᆞ상디념이 ᄒᆞᆫ 조각 쳘셕(鐵石)이 되여, 아모리 닛고져 ᄒᆞ나 용화긔질(容華氣質)이 눈압희 버러시니, 내 ᄆᆞ음이나 실노 아디 못홀디라. 이 반ᄃᆞ시 뎡시 날노 더브러 심상치 아닌 원슈로, 용안(容顔)을 날노 ᄒᆞ여곰 보게 ᄒᆞ여, 내 믄득 녀ᄌᆞ의 빌미로 ᄉᆞ상ᄒᆞ여 죽게 ᄒᆞ미라. 내 만일 ᄉᆞ디 못ᄒᆞ면 부모

1244)구로디은(劬勞之恩) : 낳아주고 길러준 어버이의 은혜.
1245)독경(篤敬) : 말과 행실이 착실하며 공손함.
1246)쳔양하(泉壤下) : 저승. 지하.
1247)심셔(心緖) : 심서(心緖). 심회(心懷). 마음속에 품고 있는 생각이나 느낌.

싱각홀진디, 하늘이 낫고 ᄯᅡ히 좁을지라. ᄒᆞ믈며 우리 부뫼 텬뉸ᄌᆞᄋᆡ와 상쳑(喪慽)【57】의 상ᄒᆞᆫ 심ᄉᆞᄂᆞᆫ 타인으로 만히 다르미 잇시니, 우리 형뎨 효를 다ᄒᆞ여 부모의 깃거○[ᄒᆞ]시믈 일위시미 인ᄌᆞ의 되어ᄂᆞᆯ, ᄂᆡ 이졔 음황ᄒᆞ믈 인ᄒᆞ여 남의 규슈를 엿보고, ᄉᆞᄉᆡᆼ[상]지심(思想之心)이 ᄀᆞᆫ졀ᄒᆞ여 ᄉᆞ병(死病)을 닐위미 나의 힝실이 쥬경(主敬)950)치 못홀 ᄲᅮᆫ 아니라, 《불ᄉᆡ‖불회》 천고를 기우려 희한ᄒᆞ리니, 내 엇지 ᄉᆞ라 ᄃᆡ인홀 안면이 잇시며 쳔양하(泉壤下)951)의 도라본[간]들 엇지 남과 ᄀᆞᆺ튼 녕빅이 되리오. 내 당당ᄒᆞᆫ 팔쳑쟝부로 쳐실(妻室)이라도 일 녀ᄌᆞ를 인ᄒᆞ여 구구치 아니려든, ᄒᆞ믈며 타쳐 빙치 바든 녀ᄌᆞ를 심니(心裏)의 둘 빅 아니라. 뎡씨 아녀 텬샹션인(天上仙娥)들 발셔 나의게 인연이 업ᄂᆞᆫ 탓ᄉᆞ로 조가 사름이 되게 ᄒᆞ엿시니, 내 이졔ᄂᆞᆫ 마ᄋᆞᆷ을 프러 뎡씨【58】닛기를 공부ᄒᆞ고, 식음을 착실이 나와 부모의 셩녀를 씻치지 아니코 블효를 더으지 아니리라. 의ᄉᆡ 이의 밋쳐ᄂᆞᆫ 뎡소져를 영영 닛고져 ᄒᆞ디, 이 ᄯᅳᆺ슨 잠간이오. 뎡소져 션풍아질(仙風雅質)이 가슴의 박힌 돌이 되여, 능히 억졔홀 길히 업ᄂᆞᆫ지라. 힘음업시 손을 드러 셔안을 치며 일셩(一聲)을 기리 탄 왈,

"이ᄃᆲ고 분ᄒᆞ다. 뎡부 화원의 내 불과 버들의 프른 빗과 만화(萬花)의 교발(交發)ᄒᆞ믈 구경코져 ᄒᆞᆫ 거시, 뎡씨를 ᄒᆞᆫ 번 보고 ᄉᆞᄉᆡᆼ[상]지념(思想之念)이 ᄒᆞᆫ 조각 쳘셕(鐵石)이 되어, 아모리 닛고져 ᄒᆞ나 용화긔질(容華氣質)이 눈 압희 버럿시니, 내 마음이나 실노 아지 못홀지라. 이 반ᄃᆞ시 뎡씨 날노 더브러 심샹치 아닌 원슈로, 용안을 날노 ᄒᆞ야곰 보게 ᄒᆞ여, 내 믄득 녀ᄌᆞ의 빌미로 ᄉᆞ【59】상ᄒᆞ여 죽게 ᄒᆞ미라. 내 만일 ᄉᆞ지 못ᄒᆞ면 부모긔 불효(不孝)ᄂᆞᆫ 니르지

은혜.
950)주경(主敬) : 마음을 한 곳으로 모아, 늘 한 가지를 주로 하고 다른 것으로 옮김이 없이 긴장되고 순수한 상태를 유지함으로써 덕성(德性)을 기름.
951)쳔양하(泉壤下) : 저승. 지하.

긔 《브효‖블효(不孝)》ᄂᆞᆫ 니르디 말고, 청츈원ᄉᆞᄒᆞᆫ 원빅(寃魄)이 블효죄인의 뒤흘 ᄯᆞ라, 됴흔 곳의 참예치 못ᄒᆞ리니, 유유(悠悠) 창텬(蒼天)아, 【40】 ᄎᆞ마 엇디 날노 ᄒᆞ여금 이의 밋게 ᄒᆞ시ᄂᆞᆫ고. 청텬의 벽녁화(霹靂火) ᄒᆞᆫ 덩이 엇디 내 몸을 분쇄ᄒᆞ여 죄를 속디 아닛ᄂᆞᆫ고."

언필의 하루(下淚)ᄒᆞ며 긔운이 엄ᄋᆡ(奄碍)ᄒᆞ여 ᄌᆞ리의 것구러져 인ᄉᆞ를 모로니, 모든 셔동이 대경ᄒᆞ여 븟드러 구호ᄒᆞ며, 시동 년복이 급히 하공긔 고ᄒᆞᆫᄃᆡ, 하공이 년망이 신을 벗고 나와 ᄋᆞᄌᆞ를 븟드러 쥐므르며 약을 년쇽ᄒᆞ나, 신식이 ᄎᆞᆫ 옥 ᄀᆞᆺ고 일신은 피육(皮肉)이 상년(相連)ᄒᆞ여시니, 공이 어로만져 항뉘(行淚) 삼연(森然)ᄒᆞ여 슈염(鬚髥)의 년낙(連落)ᄒᆞ니, 원상 형뎨 공ᄌᆞ의 엄홀ᄒᆞ믈 듯고 춍춍이 도라오고, 초공이 관부의 갓다가 도라오니, 빅일경이 소요ᄒᆞ여 부친과 졔뎨 모혀 공ᄌᆞ를 구호ᄒᆞ니, 막힌 거시 잠간 나으나 오히려 긔운을 슈습디 못ᄒᆞ니, 초공이 공ᄌᆞ의 슈패(瘦敗)ᄒᆞ믈 우려ᄒᆞ던 【41】 바의, 그 엄홀ᄒᆞ믈 경악ᄒᆞ나 부공의 비회를 돕디 못ᄒᆞ여, 다만 화셩유어로 히유(解諭) 왈,

"근간 챵뎨 ᄌᆞ못 슈패ᄒᆞ믈 인ᄒᆞ여 병을 어더시나, 져의 상모긔딜이 슈홰(水火)라도 위틱치 아니ᄒᆞ오리니, 복망 대인은 믈우ᄒᆞ시고, 쇼ᄌᆞ 등이 구호ᄒᆞ오리니 셩톄를 슈고롭게 마르쇼셔."

공이 희허 왈,

"창ᄋᆡ 셰샹 아란 지 십삼의 일ᄌᆞᆨ 쇼쇼 미양(微恙)도 디ᄂᆡ믈 보디 못ᄒᆞ엿더니, 근간 슈패(瘦敗)ᄒᆞ미 거의 당황ᄒᆞ여 실혼ᄒᆞᆫ 바 ᄀᆞᆺ더니, 이 병을 어드니 실노 ᄉᆞ디 못홀디라. 헛된 상모를 엇디 미드며, ᄒᆞ믈며 하날이 나의 블인을 벌홀ᄉᆡ 앗가온 ᄌᆞ식을 참혹히 맛게 ᄒᆞ엿ᄂᆞᆫ디라. 챵인들 무ᄉᆞ 댱셩키를 어이 바라리오."

초공이 야야의 【42】 과려ᄒᆞ시믈 민박ᄒᆞ여 지삼 관위ᄒᆞ더니, 부인이 ᄋᆞᄌᆞ의 엄식

말고, 청츈원ᄉᆞᄒᆞᆫ 원빅(寃魄)이 불효죄인의 뒤흘 ᄯᆞ라 조흔 곳의 참예치 못ᄒᆞ리니, 유유창텬(悠悠蒼天)아, ᄎᆞ마 엇지 날노 ᄒᆞ야곰 이의 밋게 ᄒᆞ시ᄂᆞᆫ고. 청텬의 벽녁화(霹靂火) ᄒᆞᆫ 덩이 엇지 내 몸을 분쇄ᄒᆞ여 죄를 속지 아닛ᄂᆞᆫ고."

언필의 하루(下淚)ᄒᆞ며 긔운이 엄ᄋᆡ(奄碍)ᄒᆞ여 ᄌᆞ리의 것구러져 인ᄉᆞ를 모로니, 모든 셔동이 ᄃᆡ경ᄒᆞ여 븟드러 구호ᄒᆞ며, 시동 년복이 급히 하공긔 고ᄒᆞᆫᄃᆡ, 하공이 년망이 신을 벗고 나와 ᄋᆞᄌᆞ를 븟드러 쥐므르며 약을 년쇽ᄒᆞ나, 신식이 ᄎᆞᆫ 옥 ᄀᆞᆺ고 일신은 피골이 상연(相連)ᄒᆞ엿시니, 공이 어로만져 항뉘(行淚) 삼연(森然)ᄒᆞ여 슈념[염](鬚髥)의 년낙(連落)ᄒᆞ니, 원상 형뎨 공ᄌᆞ의 엄홀ᄒᆞ【60】믈 듯고 춍춍이 도라오고, 초공이 관부의 갓다가 도라오니, 빅일경이 소요ᄒᆞ여 부친과 졔뎨 모혀 공ᄌᆞ를 구호ᄒᆞ니, 막힌 거시 잠간 나으나 오히려 긔운을 슈습지 못ᄒᆞ니, 초공이 공ᄌᆞ의 슈픠ᄒᆞ므로 우려ᄒᆞ던 바의 그 엄홀ᄒᆞ믈 경악ᄒᆞ나, 부공의 비회를 돕지 못ᄒᆞ여, 다만 화셩유어로 히유(解諭) 왈,

"근간 챵뎨 ᄌᆞ못 슈픠ᄒᆞ믈 인ᄒᆞ여 병을 어더시나, 져의 상모긔질이 슈홰(水火)라도 위틱치 아니ᄒᆞ오리니, 복망 ᄃᆡ인은 믈우ᄒᆞ시고, 소ᄌᆞ 등이 구호ᄒᆞ오리니 셩체를 슈고롭게 마르소셔."

공이 희허 왈,

"창ᄋᆡ 셰샹 《나탄‖ᄂᆞᆫ》 지 십삼의 일ᄌᆞᆨ 소소 미양(微恙)도 지ᄂᆡ믈 보지 못ᄒᆞ엿더니, 근간 슈픠(瘦敗)ᄒᆞ미 거의 당황ᄒᆞ여 실혼ᄒᆞᆫ 바 ᄀᆞᆺ더니, 이 병을 어드니 실노 ᄉᆞ【61】지 못홀지라. 헛 된 상모를 엇지 밋으며, ᄒᆞ믈며 하날이 나의 《죄인‖불인(不仁)》을 벌홀ᄉᆡ 앗가온 ᄌᆞ식을 춤혹히 맛게 ᄒᆞ엿ᄂᆞᆫ지라. 챵인들 무ᄉᆞ 쟝셩키를 어이 ᄇᆞ라리오."

초공이 야야의 과려ᄒᆞ시믈 민박ᄒᆞ여 지삼 관위ᄒᆞ더니, 부인이 ᄋᆞᄌᆞ의 엄식ᄒᆞ믈 듯고

(奄塞)ᄒᆞ믈 듯고 창황이 하리 노복을 믈니고, 시녀 등의게 븟들녀 나와 누쉬 년낙ᄒᆞ여 ᄋᆞᄌᆞ를 볼식, 공ᄌᆡ 이 ᄯᅢᄂᆞᆫ 잠간 인ᄉᆞ를 출히나 안줄 긔운이 업셔, ᄎᆞ형의 므릅흘 의디ᄒᆞ엿ᄂᆞᆫ디라. 부인이 공ᄌᆞ의 손을 잡고 초공을 도라보아 쳬읍 왈,

"우리 부뷔 뎍앙(積殃)이 미딘ᄒᆞ여 또 창ᄋᆞ 등을 무ᄉᆞ히 셩취치 못ᄒᆞᆯ가 두리더니, 또 다시 셔하디통(西河之痛)[1248]을 볼딘ᄃᆡ 내 어이 살 ᄆᆞ음이 이시리오."

초공이 모친의 이 ᄀᆞᆺ치 슬허 ᄒᆞ시믈 당ᄒᆞ여 심신이 비황참졀(悲遑慘切)ᄒᆞ나, ᄉᆞ식(辭色)을 낫초아 오딕 화셩유어로 부인을 관위(款慰)ᄒᆞ여, 외당이 번거ᄒᆞ믈 고ᄒᆞ여 드러가시【43】믈 쳥ᄒᆞ나, 부인 왈,

"여등이 비록 디셩구호ᄒᆞ나 여뫼 ᄌᆞ로 못 보면 더옥 못 견딀 둧ᄒᆞᆫ디라. 출하리 져를 ᄂᆡ당의 다려가 구호코져 ᄒᆞ노라."

초공이 마디못ᄒᆞ여 공ᄌᆞ를 듕셔헌으로 옴길ᄉᆡ, 이 날노브터 긔거ᄒᆞᆯ 긔력이 업셔 이형(二兄)과 일뎨(一弟)의게 븟들녀 듕셔당의 니르러, ᄒᆞᆫ 번 침금의 몸을 더디ᄆᆡ 아조 인ᄉᆞ를 바려 경긱의 딘ᄒᆞᆯ 둧, 형용이 ᄉᆡᆼ인의 모양 ᄀᆞᆺ디 아니니, 부인이[의] ᄐᆞᄂᆞᆫ ᄋᆡ 견즐 곳이 업고, 초공 삼곤계 초젼(焦煎)ᄒᆞᄂᆞᆫ 심ᄉᆞ를 또 어ᄃᆡ 비ᄒᆞ리오. 부모를 븟드러 친히 구호치 마르시믈 고ᄒᆞ며, 의약을 닐위여 위증(危症)을 곳치려 ᄒᆞᆯᄉᆡ, 초공이 딘ᄆᆡᆨᄒᆞᄆᆡ 그 병근을 거의 짐작ᄒᆞᆯ ᄇᆡ로ᄃᆡ, 오히려 뎡【44】쇼져를 ᄉᆞ상(思相)ᄒᆞ여 병을 일위여시믄 아디 못ᄒᆞ여, 의아ᄒᆞ믈 마디 아니ᄒᆞ더니, 하공이 또 친히 딘ᄆᆡᆨᄒᆞᄆᆡ 의심이 ᄆᆡᆼ동(萌動)ᄒᆞ여, 초공을 도라보아 왈,

"ᄆᆡᆨ후를 보건ᄃᆡ 젼혀 심녀(心慮)로 발ᄒᆞᆫ 병이라. 졔 텬셩이 쾌활ᄒᆞ여 근심이 이셔도 심셔(心緖)의 거리�ᄧᅵ디 아니코, 긔상이 광풍졔월(光風霽月)[1249] ᄀᆞᆺ더니, ᄆᆡᆨ후를 보아ᄂᆞᆫ

1248)셔하디통(西河之痛) : 자식을 잃은 슬픔을 이르는 말. 서하의 고통이라는 뜻으로, 공자(孔子)의 제자인 자하(子夏)가 서하(西河)에 있을 때 자식을 잃고 너무 슬픈 나머지 소경이 된 고사에서 유래하였다.

창황이 하리 노복을 믈니고, 시녀 등의게 븟들녀 나와 누쉬 년낙ᄒᆞ여 ᄋᆞᄌᆞ를 볼식, 공ᄌᆡ 이 ᄯᅢᄂᆞᆫ 잠간 인ᄉᆞ를 출히나 안줄 긔운이 업셔, ᄎᆞ형의게 므릅흘 의지ᄒᆞ엿ᄂᆞᆫ지라. 부인이 공ᄌᆞ의 손을 잡고 초공을 도라보아 쳬읍 왈,

"우리 부뷔 젹앙(積殃)이 미진ᄒᆞ여 또 창ᄋᆞ 등을 무ᄉᆞ히 셩취치 못ᄒᆞᆯ가 두리더니, 이 또 다시 셔하지통(西河之痛)[952]을 볼진ᄃᆡ 내 어이 ᄉᆞᆯ 마ᄋᆞᆷ이 잇시리오."

초공【62】이 모친의 이ᄀᆞᆺ치 슬허 ᄒᆞ시믈 당ᄒᆞ여 심신이 비황참졀(悲遑慘切)ᄒᆞ나, ᄉᆞ식(辭色)을 낫초아 오즉 화셩유어로 부인을 관위ᄒᆞ여, 외당이 번거ᄒᆞ믈 고ᄒᆞ여 드러가시믈 쳥ᄒᆞ나, 부인 왈,

"여등이 비록 지셩구호ᄒᆞ나 여뫼 ᄌᆞ로 못 보면 더욱 못 견딀 둧ᄒᆞᆫ지라. 출하리 져를 ᄂᆡ당의 다려 가 구호코져 ᄒᆞ노라."

초공이 마지못ᄒᆞ여 공ᄌᆞ를 즁셔헌으로 옴길ᄉᆡ, 이 날노브터 긔거ᄒᆞᆯ 긔력이 업셔 이형(二兄)과 일뎨(一弟)의게 븟들녀 즁셔당의 니르러, ᄒᆞᆫ 번 침금의 몸을 더지ᄆᆡ 아조 인ᄉᆞ를 ᄇᆞ려 경긱의 진ᄒᆞᆯ 둧, 형용이 ᄉᆡᆼ인의 모양 ᄀᆞᆺ지 아니니, 부인이 ᄐᆞᄂᆞᆫ ᄋᆡ 견즐 곳이 업고, 초공 삼곤계 초젼ᄒᆞᄂᆞᆫ 심ᄉᆞ를 또 어ᄃᆡ 비ᄒᆞ리오. 부모를 븟드러 친히 구호【63】치 마르시믈 고ᄒᆞ며, 의약을 일위여 위징[증](危症)을 곳치려 ᄒᆞᆯᄉᆡ, 초공이 진ᄆᆡᆨᄒᆞᄆᆡ 그 병근을 거의 짐작ᄒᆞᆯ ᄇᆡ로ᄃᆡ, 오히려 뎡소져를 ᄉᆞ상(思想)ᄒᆞ여 병을 일위엿시믄 아지 못ᄒᆞ여, 의아ᄒᆞ믈 마지 아니ᄒᆞ더니, 하공이 또 친히 진ᄆᆡᆨᄒᆞᄆᆡ 의심이 ᄆᆡᆼ동(萌動)ᄒᆞ여, 공을 도라보아 왈,

"ᄆᆡᆨ후를 보건ᄃᆡ 젼혀 심녀로 발ᄒᆞᆫ 병이라. 졔 텬셩이 쾌활ᄒᆞ여 근심이 잇셔도 심셔(心緖)의 거리ᄧᅵ지 아니코, 긔상이 광풍졔월(光風霽月)[953] ᄀᆞᆺ더니, ᄆᆡᆨ후를 보아ᄂᆞᆫ 마

952)셔하디통(西河之痛) : 자식을 잃은 슬픔을 이르는 말. 서하의 고통이라는 뜻으로, 공자(孔子)의 제자인 자하(子夏)가 서하(西河)에 있을 때 자식을 잃고 너무 슬픈 나머지 소경이 된 고사에서 유래하였다.

ᄆᆞᄋᆞᆷ의 ᄉᆡᆼ각ᄂᆞᆫ 일과 못 닛ᄂᆞᆫ ᄇᆡ 이셔 병이 난ᄃᆞᆺ 시브니, 엇디 놀납디 아니리오."

초공이 ᄯᅩᄒᆞᆫ 모로ᄂᆞᆫ 거시 아니로ᄃᆡ, ᄀᆞᆺᄐᆞ여 ᄌᆞ긔 쇼견을 고치 아냐 나ᄌᆞᆨ이 ᄃᆡ왈,

"ᄆᆡᆨ휘(脈候) 우연이 그러ᄒᆞᆫ ᄃᆞᆺᄒᆞ오나, 져의 위인이 사ᄅᆞᆷ을 ᄉᆞ상ᄒᆞ여 병드디 아니ᄒᆞ오리니, 이런 일의 의심치 마르쇼셔."

공이 왈,

"내 본ᄃᆡ 의슐【45】을 아디 못ᄒᆞ나, 오히려 드러난 병과 ᄆᆡᆨ후ᄂᆞᆫ 거의 아ᄂᆞ니, ᄎᆞᄋᆞ의 병이 심상치 아닌디라. 일등 명의를 블너 뵈라."

이의 태의 홍슈챵을 블너 공ᄌᆞ의 병을 뵈고 ᄆᆡᆨ후를 논문ᄒᆞ니, 홍슈챵은 의슐이 고명ᄒᆞᆫ디라. 이의 니르러 국공과 복야긔 ᄇᆡ알ᄒᆞ고 공ᄌᆞ를 ᄒᆞᆫ 번 간ᄆᆡᆨ(看脈)ᄒᆞᄆᆡ, 청샤(廳舍)의 나와 냥구침ᄉᆞ(良久沈思)ᄒᆞ니, 공이 문 왈,

"병셰 엇더ᄒᆞ관ᄃᆡ 증후(症候)를 니르디 아니코 믁믁ᄒᆞᄂᆞ뇨?"

태의 ᄃᆡ왈,

"공ᄌᆞ의 ᄆᆡᆨ후를 ᄉᆞᆯ피오니 근위비상(根爲非常)[1250]ᄒᆞᆫ디라. 바로 고ᄒᆞ온ᄌᆞᆨ 광망(狂妄)ᄒᆞᆫ 죄를 당ᄒᆞ오리니, 공ᄌᆞ의 환후를 곳칠 길 업ᄉᆞᆯ가 ᄒᆞᄂᆞ이다."

공이 왈,

"아모커나 그ᄃᆡ 쇼견을 다 니르라."

태의 피셕 ᄃᆡ왈,

"공ᄌᆞ 환휘 ᄀᆞᆺᄐᆞ여 셔열(暑熱)의 상ᄒᆞᆷ도 아니오, 우연이 어【46】ᄃᆞᆷ도 아니라. ᄆᆞᄋᆞᆷ의 누[1251]를 ᄉᆞ상(思相)ᄒᆞ미 간졀ᄒᆞ여, 아모리 닛고져 ᄒᆞ여도 능히 못 닛고 간담(肝膽)

1249)광풍제월(光風霽月) : 비가 갠 뒤의 맑게 부는 바람과 밝은 달이란 뜻으로, 마음이 넓고 쾌활하여 아무 거리낌이 없는 인품을 비유적으로 이르는 말. 황정견이 주돈이의 인품을 평한 데서 유래한다.

1250)근위비상(根爲非常) : (병의) 근본이 예사롭지 않음.

1251)누 : 누구.

ᄋᆞᆷ의 ᄉᆡᆼ각을 일우고 못 닛ᄂᆞᆫ ᄇᆡ 이셔, 병이 난 ᄃᆞᆺ 시브니, 엇지 놀납지 아니리오."

초공이 ᄯᅩᄒᆞᆫ 모로ᄂᆞᆫ 거시 아니로ᄃᆡ ᄀᆞᆺᄐᆞ여 ᄌᆞ긔 소견을 고치 아냐, 나ᄌᆞᆨ이 ᄃᆡ왈,

"ᄆᆡᆨ휘(脈候) 우연이 그러ᄒᆞᆫ ᄃᆞᆺᄒᆞ오나, 져【64】의 위인이 사ᄅᆞᆷ을 ᄉᆞ상ᄒᆞ여 병드지 아니ᄒᆞ오리니, 이런 일의 의심치 마르소셔."

공 왈,

"ᄂᆡ 본ᄃᆡ 의슐을 아지 못ᄒᆞ나, 오히려 드러난 병과 ᄆᆡᆨ후ᄂᆞᆫ 거의 아ᄂᆞ니, ᄎᆞᄋᆞ의 병이 심상치 아닌지라. 일등 명의를 불너 뵈이라."

이의 ᄐᆡ의 홍슈챵을 불너 공ᄌᆞ의 병을 뵈고 ᄆᆡᆨ후를 논문ᄒᆞ려 ᄒᆞ더라.

◎[954]어시에 하공이 홍슈창을 불너 공ᄌᆞ의 병을 뵈고 ᄆᆡᆨ후를 논문ᄒᆞ니, 홍슈챵은 의슐이 《ᄆᆡᆼ낭‖고명》ᄒᆞᆫ지라. 이의 니르러 국공과 복야긔 ᄇᆡ알ᄒᆞ고 공ᄌᆞ를 ᄒᆞᆫ 번 진ᄆᆡᆨᄒᆞᄆᆡ, 청ᄉᆞ의 나와 냥구침ᄉᆞ(良久沈思)ᄒᆞ니, 공이 문 왈,

"병셰 엇더 ᄒᆞ관ᄃᆡ 징후(徵候)를 니르지 아니ᄒᆞ고 묵묵ᄒᆞ뇨?"

ᄐᆡ의 ᄃᆡ왈,

"공ᄌᆞ의 ᄆᆡᆨ후를 ᄉᆞᆯ피오니 ᄌᆞ[근]【65】위비상(根爲非常)[955]ᄒᆞᆫ지라. 바로 고ᄒᆞ온ᄌᆞᆨ 광망ᄒᆞᆫ 죄를 당ᄒᆞ오리니, 공ᄌᆞ의 환후를 곳칠 길 업ᄉᆞᆯ가 ᄒᆞᄂᆞ이다. 그러ᄒᆞ나 셔열의 상ᄒᆞᆷ도 아니오, 우연이 어ᄃᆞᆷ도 아니라. 마ᄋᆞᆷ의 누[956]를 ᄉᆞ상(思想)ᄒᆞ시미 근졀ᄒᆞ야, 아모리 잇고져 ᄒᆞ여도 능히 못 닛고, 간담을 ᄉᆞᆯ오며 심ᄂᆡ를 허비ᄒᆞ시미 무궁ᄒᆞ여, ᄒᆞ고져 ᄒᆞᄂᆞᆫ 바를 못ᄒᆞ면 ᄌᆞ리의 니지 못ᄒᆞ리니, 그 소원을 일우면 명일이라도 완연이 셩ᄒᆞᆫ 사ᄅᆞᆷ이 되리니, 소회를 ᄌᆞ셔히 무르소

953)광풍제월(光風霽月) : 비가 갠 뒤의 맑게 부는 바람과 밝은 달이란 뜻으로, 마음이 넓고 쾌활하여 아무 거리낌이 없는 인품을 비유적으로 이르는 말. 황정견이 주돈이의 인품을 평한 데서 유래한다.

954)◎ : 선행본의 분권 권두표점.

955)근위비상(根爲非常) : (병의) 근본이 예사롭지 않음.

956)누 : 누구.

을 술오며 심녀를 허비ᄒᆞ미 무궁ᄒᆞ여, ᄒᆞ고져 ᄒᆞᄂᆞᆫ 바를 못ᄒᆞ면 ᄌᆞ리의 니디 못ᄒᆞ리니, 그 쇼원을 일우면 명일이라도 완연이 셩ᄒᆞᆫ 사ᄅᆞᆷ이 되리니, 쇼의(小醫)의 말을 망녕되이 넉이디 마르시고, 공ᄌᆞ의 딘졍소회를 ᄌᆞ셔 ᄆᆞ르쇼셔."

공이 청파의 ᄌᆞᄀᆡ 쇼견과 ᄀᆞᆺᄐᆞ믈 의괴ᄒᆞ나 이연(異然)이[1252] 니르ᄃᆡ,

"의관의 말이 이 ᄀᆞᆺᄐᆞ나, 돈ᄋᆡ 본ᄃᆡ 견고장ᄆᆡᆼ(堅固壯猛)[1253]ᄒᆞ여 허랑부박(虛浪浮薄)ᄒᆞᆫ 일이 업ᄉᆞ니, ᄉᆞ상ᄒᆞ여 병들 ᄋᆞ히 아니라. 그ᄃᆡ 그릇 ᄉᆡᆼ각ᄒᆞ도다."

태의 ᄌᆡ비 왈,

"하괴 디ᄎᆞ(至此)ᄒᆞ시니 쇼의 다시 알월 ᄇᆡ 업도소이다. 다만 쳔방ᄇᆡᆨ약(千方百藥)을 닐위여도 공ᄌᆞ의 ᄉᆞ상ᄒᆞᄂᆞᆫ ᄌᆞ를 닐위디 못ᄒᆞ여ᄂᆞᆫ, 회【47】두(回頭)[1254]ᄒᆞ믈 바라디 못ᄒᆞ시리니 잡약(雜藥)이 브졀 업도소이다."

공은 다시 말이 업ᄉᆞᄃᆡ 초공 왈,

"의관으로 ᄒᆡᆼ셰ᄒᆞ며 사ᄅᆞᆷ의 병을 보고 괴이ᄒᆞᆫ ᄃᆡ 쳐오고, ᄒᆞᆫ 쳡 약을 디어 주디 아니니, 젼일 고명ᄒᆞᆫ 의슐이 어ᄃᆡ 잇ᄂᆞ뇨?"

태의 황공 ᄃᆡ왈,

"이럴딘ᄃᆡ 다시 딘ᄆᆡᆨ(診脈)ᄒᆞ여 약뉴를 ᄉᆡᆼ각ᄒᆞ려니와, 쇼의 쇼견이 아득ᄒᆞ여 병의 당졔(當劑)를 쓰디 못ᄒᆞ리로소이다."

인ᄒᆞ여, 병소의 드러가 다시 딘ᄆᆡᆨᄒᆞ고, 마디 못ᄒᆞ여 ᄉᆞ오 쳡 약을 디어 주고 도라 가나, 약회 업슬 줄 소연(昭然)이 디긔ᄒᆞ더라.

공이 태의 도라 간 후 초공다려 왈,

"챵ᄋᆞ의 병이 내 뜻의 슈상ᄒᆞ더니, 홍의의 말이 고명ᄒᆞᆫ디라. ᄌᆞ식이 업슬디언정 챵ᄋᆞ ᄀᆞᆺᄐᆞᆫ 거ᄉᆞᆫ 유뮈블관(有無不關)[1255]ᄒᆞ니,

1252)이연(異然)이 : 달리. 다른 듯이.

1253)견고장ᄆᆡᆼ(堅固壯猛) : 굳고 씩씩함.

1254)회두(回頭) : 머리를 돌린다는 뜻으로, 악화된 상황이나 병세 따위가 호전되거나 회복의 길로 나감을 이르는 말

1255)유뮈블관(有無不關) : 있으나 없으나 관심을 두

셔"

공이 청파의 ᄌᆞᄀᆡ 소견과 ᄀᆞᆺᄐᆞ믈 의괴ᄒᆞ나, ○○○○○○[이연(異然)이[957] 니르ᄃᆡ],

"의과[관]의 말이 이 ᄀᆞᆺᄐᆞ나, 《존의‖돈ᄋᆡ》 본ᄃᆡ 견고낭[장]ᄆᆡᆼ(堅固壯猛)[958]ᄒᆞ여 허랑부박(虛浪浮薄)ᄒᆞᆫ 일이 업ᄉᆞ니, ᄉᆞ샹ᄒᆞ여 병들 ᄋᆞ히 아니라. 그ᄃᆡ 그릇 ᄉᆡᆼ각ᄒᆞ도다."

ᄐᆡ의 ᄌᆡ비 왈,

"하괴 지ᄎᆞ(至此)ᄒᆞ시니 소의 다시 알월 ᄇᆡ【66】업도소이다. 다만 쳔만[방]ᄇᆡᆨ약(千方百藥)을 닐위여도 공ᄌᆞ의 ᄉᆞ샹ᄒᆞᄂᆞᆫ ᄌᆞ를 일위지 못ᄒᆞ여ᄂᆞᆫ, 회두(回頭)[959]ᄒᆞ믈 ᄇᆞ라지 못ᄒᆞ시리니 잡약(雜藥)이 부졀 업도소이다"

공은 다시 말이 업ᄉᆞᄃᆡ, 초공 왈,

"의관으로 ᄒᆡᆼ셰ᄒᆞ며 사ᄅᆞᆷ의 병을 보고 괴이ᄒᆞᆫ ᄃᆡ 《픠오고‖쳐오고》 ᄒᆞᆫ 쳡 약을 지어 쥬지 아니니, 젼일 고명ᄒᆞᆫ 의슐이 어ᄃᆡ 잇ᄂᆞ뇨?"

ᄐᆡ의 황공 ᄃᆡ 왈,

"이럴진ᄃᆡ 다시 진ᄆᆡᆨ(診脈)ᄒᆞ여 약뉴를 ᄉᆡᆼ각ᄒᆞ려니와, 소의 소견이 아득ᄒᆞ여 병의 당졔(當劑)를 쓰지 못ᄒᆞ리로소이다."

인ᄒᆞ여, 병소의 드러가 다시 진ᄆᆡᆨᄒᆞ고 마지 못ᄒᆞ여 ᄉᆞ오 쳡 약을 지어 쥬고 도라 가나, 약회 업슬 줄 소연이 지긔ᄒᆞ더라.

공이 ᄐᆡ의 도라 간 후 초공다려 왈,

"챵ᄋᆞ의 병이 내 뜻의 슈상ᄒᆞ더니, 홍의의 말이【67】고명ᄒᆞᆫ지라. ᄌᆞ식이 업슬지언정 챵ᄋᆞ ᄀᆞᆺᄐᆞᆫ 거ᄉᆞᆫ 유뮈블관(有無不關)[960]

957)이연(異然)이 : 달리. 다른 듯이.

958)견고장ᄆᆡᆼ(堅固壯猛) : 굳고 씩씩함.

959)회두(回頭) : 머리를 돌린다는 뜻으로, 악화된 상황이나 병세 따위가 호전되거나 회복의 길로 나감을 이르는 말

960)유뮈블관(有無不關) : 있으나 없으나 관심을 두

졔 병을 쳐음의 아디【48】못ᄒᆞ고 우려ᄒᆞ던 줄이 가쇼로온디라. 너희 브졀 업시 의약을 닐위디 말고, ᄉᆞ싱 간 후리쳐1256) 두어 아른 체 말고, 다시 날다려 니르디 말나."

언파의 ᄂᆡ루의 드러오니, 초공이 죵후(從後)ᄒᆞ여 드러오ᄆᆡ, 부인이 초젼우황(焦煎憂惶)ᄒᆞ미 심장을 마ᄌᆞ1257) 술오ᄂᆞᆫ디라. 초공이 졀민ᄒᆞ여 ᄌᆡ삼 위로ᄒᆞ고, 공이 태의의 말을 젼ᄒᆞ고 분완 왈,

"창ᄋᆡ 본ᄃᆡ 단뎡치 못ᄒᆞ거니와 허랑부박ᄒᆞ기ᄂᆞᆫ 오히려 면ᄒᆞ여시니, 심장이 구든가 녁엿더니, 긔괴ᄒᆞᆫ 병을 어드니 통히키 극ᄒᆞ고, 누를 위ᄒᆞ여 그러틋 ᄉᆞ상ᄒᆞᄂᆞᆫ디 아디 못ᄒᆞ나, 블초무상ᄒᆞ미 엇디 부모의 념녀를 도라보디 아니ᄒᆞ고, 졔 ᄆᆞ옴을 스ᄉᆞ로 상히와 ᄉᆞ병(死病)을 닐위니, 그런 ᄌᆞ식은 죽어도 앗갑디 아닌디라. 우【49】리 셕년의 원경 등 삼ᄋᆞ를 참망(慘亡)ᄒᆞ고, 셔쵹 슈졸(戌卒)이 되여 ᄒᆞᆫ 일 위로ᄒᆞᆯ 거시 업ᄉᆞᄃᆡ, 광ᄋᆞ와 영쥬를 도라보ᄆᆡ 완명(頑命)이 셕목(石木) ᄀᆞᆺᄐᆞ여 일누(一縷)를 슺디 못ᄒᆞ엿ᄂᆞ니, 이졔 창ᄋᆡ 죽은들 현마 엇디 ᄒᆞ리오. 내 쳐음 그런 음황ᄒᆞᆫ 병인 줄 아디 못ᄒᆞ고, 혹ᄌᆞ 위연(偶然)ᄒᆞᆫ 병이 위ᄐᆡᄒᆞᆫ가 슬허 념녀ᄒᆞ엿더니, 상ᄉᆞ디딜(相思之疾)이라 ᄒᆞ니, 부ᄌᆞ디졍이 난안(難安)ᄒᆞ나 그 인믈이 죽다 ᄒᆞ여도 놀납디 아닌디라. 부인은 브졀업시 념녀치 말고 가 보디 마르쇼셔."

부인이 경악ᄒᆞ여 초공을 도라보아 왈,

"창ᄋᆡ 이런 병○[을] 어드미 쳔만녀외(千萬慮外)라. 여등은 창ᄋᆞ와 쥬야 ᄒᆞᆫ가디로 이시니 져의 병 근본을 모로디 아니리니, 누를 위ᄒᆞ여 그리 위ᄐᆡᄒᆞ미 밋쳣ᄂᆞ뇨?"

초공이 이셩(怡聲)【50】ᄃᆡ왈,

"홍의의 망녕된 말을 미들 거시 아니오

지 않음.

1256)후리다 : 후려치다. 처박다. 일정한 곳에만 있게 하고 다른 데로 나가지 못하게 하다. *후려쳐두다; 처박아두다.

1257)마ᄌᆞ : 마저. 남김없이 모두.

ᄒᆞ니, 졔 병을 쳐음의 아지 못ᄒᆞ고 우려ᄒᆞ던 줄이 가소롭도다. 너희 부졀업시 의약을 일위지 말고, 죽으나 ᄉᆞ나 후리쳐961) 두어 아른 체 말고, 다시 날ᄃᆞ려 니르지 말나."

언파의 ᄂᆡ루의 드러 오니, 초공이 죵후(從後)ᄒᆞ여 드러오ᄆᆡ, 부인이 초젼우황(焦煎憂惶)ᄒᆞ미 심장을 마ᄌᆞ962) 술오ᄂᆞᆫ지라. 초공이 졀민ᄒᆞ여 ᄌᆡ삼 위로ᄒᆞ고, 공이 ᄐᆡ의의 말을 젼ᄒᆞ고 분완 왈,

"창ᄋᆡ 본ᄃᆡ 단졍치 못ᄒᆞ거니와 허랑부박ᄒᆞ기ᄂᆞᆫ 오히려 면ᄒᆞ엿시니, 심장이 구든가 녁엿더니 긔괴ᄒᆞᆫ 병을 어드니 통히키 극ᄒᆞ고, 누를 위ᄒᆞ여 그릇틋 ᄉᆞ상ᄒᆞᄂᆞᆫ지 아지 못ᄒᆞ나, 불초무상ᄒᆞ미 엇지 부모의 념녀를 도라보【68】지 아니ᄒᆞ고, 졔 마옴을 스ᄉᆞ로 상히와 ᄉᆞ병을 닐위니, 그런 ᄌᆞ식은 죽어도 앗갑지 아닌지라. 우리 셕년의 원경 등 ᄉᆞᆷᄋᆞ를 참망(慘亡)ᄒᆞ고, 셔촉 슈졸이 되어 ᄒᆞᆫ 일 위로ᄒᆞᆯ 거시 업ᄉᆞᄃᆡ, 원광과 영쥬를 도라보ᄆᆡ 완명(頑命)이 셕목(石木) ᄀᆞᆺᄐᆞ여 일루(一縷)를 긋[슺]지 못ᄒᆞ엿ᄂᆞ니, 이졔 창ᄋᆡ 죽은들 현마 엇지 ᄒᆞ리오. 내 쳐음 그런 음황ᄒᆞᆫ 병인 줄 아지 못ᄒᆞ고, 혹ᄌᆞ 우연ᄒᆞᆫ 병이 위ᄐᆡᄒᆞᆫ가 슬허 념녀ᄒᆞ엿더니, 상ᄉᆞ질(想思疾)이라 ᄒᆞ니, 부ᄌᆞ지졍이 난안(難安)ᄒᆞ나 그 인물이 죽다 ᄒᆞ여도 놀납지 아닌지라. 부인은 부졀업시 념녀치 말고 가 보지 마르소셔."

부인이 경악ᄒᆞ여 초공을 도라보아 왈,

"창ᄋᆡ 이런 병○[을] 어드미 쳔만녀외(千萬慮外)라. 여등은 창ᄋᆞ와 쥬야 ᄒᆞᆫ가지【69】로 잇시니 져의 병 근본을 모로지 아니리니, 누를 위ᄒᆞ여 그리 위ᄐᆡᄒᆞ미 밋쳣ᄂᆞ뇨?"

초공이 이셩(怡聲) ᄃᆡ 왈,

"홍의의 망녕된 말을 미들 거시 아니오

지 않음.

961)후리다 : 후려치다. 처박다. 일정한 곳에만 있게 하고 다른 데로 나가지 못하게 하다. *후려쳐두다; 처박아두다.

962)마ᄌᆞ : 마저. 남김없이 모두.

니, 쇼ᄌᆞᄂᆞᆫ 실노 창데의 그런 일이 업슬가 ᄒᆞᄂᆞ이다."

공이 뎡ᄉᆡᆨ 왈,

"슈챵은 의슐이 고명ᄒᆞᆫ ᄌᆡ라. 헛말 ᄒᆞᆯ니 업고 내 발셔 의심이 만턴디라. 네 엇디 그러치 아니타 ᄒᆞᄂᆞ뇨? 창ᄋᆡ 이졔ᄂᆞᆫ 죽으나 ᄉᆞ나 다시 일ᄏᆞᆺ디 말나."

부인은 공의 박졀ᄒᆞ믈 더옥 슬허 눈믈을 흘니고, ○[초]공다려 왈,

"상공 말숨이 이 ᄀᆞᆺᄐᆞ시나 인명쳐로 듕ᄒᆞᆫ 거시 업ᄉᆞ니, 창ᄋᆞ의 병을 곳치량이면 ᄎᆞ마 그만ᄒᆞ여 바려 두디 못ᄒᆞ리니, 너ᄂᆞᆫ 그 정신 출히ᄂᆞᆫ ᄯᆡ 누를 ᄉᆞ상(思相)ᄒᆞ민가 ᄌᆞ시 므러 보라."

공이 슈명이퇴(受命而退)ᄒᆞ여, 형뎨 삼인이 공ᄌᆞ의 병을 구호ᄒᆞ여 디셩이 아니 밋ᄎᆞᆫ 곳이 업ᄉᆞ나, 공ᄌᆞ의 질양은 시시층가(時時層加)ᄒᆞ여 형용이 ᄎᆞ마 【51】 보디 못ᄒᆞ게 되여시니, 초공 형뎨 삼인이 셔로 ᄃᆡᄒᆞ여 심장이 ᄉᆞᆺ쳐디믈 면치 못ᄒᆞᄂᆞᆫ디라. 각각 몸으로ᄡᅧ 공ᄌᆞ의 알ᄂᆞᆫ 거ᄉᆞᆯ 난호디 못ᄒᆞ믈 ᄋᆡᄃᆞᆲ고 슬허, 역시 슉식을 긋치고 동동(洞洞)[1258]ᄒᆞᆫ 우ᄋᆡ 타인의 비치 못ᄒᆞᆯ디라.

공ᄌᆡ 혹ᄌᆞ 정신을 출히ᄂᆞᆫ ᄯᆡ면, 형뎨의 초고(楚苦)ᄒᆞᆷ과 모부인 과려ᄒᆞ시믈 슬허ᄒᆞᄆᆡ, 옥면셩안(玉面星眼)의 누쉬 여우(如雨)ᄒᆞ여 탄식기를 마디 아니니, 초공이 ᄋᆞ을 어로만져 홍의의 말을 니ᄅᆞ고, 쳬루비읍(涕淚悲泣)ᄒᆞ여, ᄀᆞᆯ오ᄃᆡ,

"아모리 어려온 일이라도 너의 목슘과 ᄀᆞᆺ디 아니리니, 우형이 너를 위ᄒᆞ여 정셩과 힘을 다ᄒᆞ리니, 회포를 긔이디 말고 다 니르라."

공ᄌᆡ 뎡쇼져 ᄉᆞ모ᄒᆞ믈 바로 고코져 ᄒᆞᄃᆡ, 뎡부의셔 발셔 조가의 ᄎᆡ례(采禮)를 바다시믈 니ᄅᆞᄂᆞᆫ 고로, 브졀【52】업시 구외(口外)의 ᄂᆡ미 음황무상(淫荒無狀)ᄒᆞ고, 그 형이 디셩을 다ᄒᆞ나 빙ᄎᆡ 바든 녀ᄌᆞ를 졔 긔믈을 삼을 길히 업ᄂᆞᆫ디라. 발셜이 무익ᄒᆞ여

1258)동동(洞洞) : ①질박하고 성실함. ②매우 효성스러움.

니, 소ᄌᆞᄂᆞᆫ 실노 창데의 그런 일이 업슬가 ᄒᆞᄂᆞ이다."

공이 정ᄉᆡᆨ 왈,

"슈챵은 의슐이 고명ᄒᆞᆫ ᄌᆡ라. 헛말 ᄒᆞᆯ니 업고, ᄂᆡ 발셔 의심이 만흔지라. 엇지 그러치 아니타 ᄒᆞᄂᆞ뇨? {창데의 실셥지질이라 ᄒᆞᄂᆞ뇨} 다시 일ᄏᆞᆺ지 말나."

부인은 공의 박졀ᄒᆞ믈 더욱 슬허 눈물을 흘니고, ○[초]공다려 왈,

"상공 말숨이 이 ᄀᆞᆺᄐᆞ시나 인명쳐로 즁ᄒᆞᆫ 거시 업ᄉᆞ니, 창ᄋᆞ의 병을 곳치량이면 ᄎᆞ마 그만ᄒᆞ여 ᄇᆞ려 두지 못ᄒᆞ리니, 너ᄂᆞᆫ 그 정신 출히ᄂᆞᆫ ᄯᆡ 누를 ᄉᆞ상ᄒᆞ민가 ᄌᆞ시 무러 보라."

휘 슈명이퇴(受命而退)ᄒᆞ여, 형뎨 삼【70】인이 공ᄌᆞ의 병을 조호(調護)ᄒᆞ여 지셩이 아니 밋ᄎᆞᆫ 곳이 업ᄉᆞ나, 공ᄌᆞ의 질양은 시시층가(時時層加)ᄒᆞ여 형용이 ᄎᆞ마보지 못ᄒᆞ게 되엿시니, 초공 형뎨 삼인이 셔로 ᄃᆡᄒᆞ여 심장이 ᄉᆞᆫ허지믈 면치 못ᄒᆞᄂᆞᆫ지라. 각각 몸으로ᄡᅧ 공ᄌᆞ의 알ᄂᆞᆫ 거ᄉᆞᆯ 난호지 못ᄒᆞ믈 ᄋᆡᄃᆞᆲ고 슬허, 역시 슉식을 긋치고 동동(洞洞)[963]ᄒᆞᆫ 우ᄋᆡ 타인의 비치 못ᄒᆞᆯ지라.

공ᄌᆡ 혹ᄌᆞ 정신을 출히ᄂᆞᆫ ᄯᆡ면, 형뎨의 초고(楚苦)ᄒᆞᆷ과 모부인 과려ᄒᆞ시믈 슬허ᄒᆞᄆᆡ 옥면셩안(玉面星眼)의 누쉬 여우(如雨)ᄒᆞ여 탄식기를 마지 아니ᄒᆞ니, 초공이 아ᄋᆞ를 어로만져 슈챵의 말을 니ᄅᆞ고, 쳬루비읍(涕淚悲泣)ᄒᆞ여 ᄀᆞᆯ오ᄃᆡ,

"아모리 어려온 일이라도 너의 목숨과 ᄀᆞᆺ지 아니리니, 우형이 너를 위ᄒᆞ여 정셩과 힘을 다ᄒᆞ【71】리니, 회포를 긔이지 말고 다 니르라."

공ᄌᆡ 뎡소져 ᄉᆞ모ᄒᆞ믈 바로 고코져 ᄒᆞᄃᆡ, 뎡부의셔 발셔 조가의 ᄎᆡ례(采禮)를 바다시믈 니ᄅᆞᄂᆞᆫ 고로, 부졀업시 구외(口外)의 ᄂᆡ미 음황무상(淫荒無狀)ᄒᆞ고, 그 형이 지셩을 다ᄒᆞ나 빙ᄎᆡ 바든 녀ᄌᆞ를 졔 긔믈을 삼을 길히 업ᄂᆞᆫ지라. 발셜이 무익ᄒᆞ여 심즁 회포

963)동동(洞洞) : ①질박하고 성실함. ②매우 효성스러움.

심듕 회포를 영영이 고치 아녀, 아모 사ᄅᆞᆷ도 ᄉᆞ상(思相)ᄒᆞ미 업ᄉᆞ믈 ᄃᆡ답ᄒᆞ더니, 병셰 졈졈 위악ᄒᆞ여 사ᄅᆞᆷ의 츌입을 아디 못ᄒᆞ고 ᄒᆞᆫ ᄉᆞᆯ 믈도 넘기디 못ᄒᆞ여, 아조 ᄉᆞ경(死境)의 니르러시ᄃᆡ 공이 다시 보ᄂᆞᆫ 일 업고, 초공을 ᄡᅮ디져 황황치 말나 ᄒᆞᄃᆡ, 부인과 초공 형뎨 날노 슉식을 니져 텬디신명긔 도툭(禱祝)ᄒᆞ여 명을 바라ᄃᆡ, 병셰 졈졈 바랄 거시 업ᄂᆞᆫ디라. 부인이 역시 곡긔를 긋치고 상요의 몸을 바려 쳬루비읍으로 날을 보ᄂᆡ니, 초공 삼 곤계 더옥 황황초젼(惶惶焦煎)ᄒᆞ여 모친긔 고왈,

"챵뎨 비록 병듕(病重)ᄒᆞ오나 져의 긔상이【53】 그만ᄒᆞ여 맛출 ᄋᆞ히 아니오니, ᄌᆞ경이 엇디 침식을 폐ᄒᆞ샤 이ᄃᆡ도록 통읍비결ᄒᆞ시ᄂᆞ니잇고? 원(願) ᄌᆞ위ᄂᆞᆫ 믈우(勿憂)ᄒᆞ샤 식반을 나오쇼셔."

부인이 읍읍(泣泣) 왈,

"내 셕년 참변의도 오히려 맛디 못ᄒᆞ엿ᄂᆞ니, ᄒᆞ믈며 내 이졔 챵의 병으로 음식을 폐ᄒᆞ여 죽고져 ᄒᆞᄂᆞᆫ 거시 아니라. 팔ᄌᆞ를 ᄉᆡᆼ각ᄒᆞ니 통완코 셜우미 오ᄂᆡ(五內)1259)를 ᄉᆞᆺᄂᆞᆫ 듯ᄒᆞᆫ디라. 원경 등 삼ᄋᆞ를 참망ᄒᆞᄆᆡ 남은 화ᄋᆡᆨ이 잇디 아닐 듯ᄒᆞᄃᆡ, 창ᄋᆡ ᄯᅩ 목젼의 마ᄌᆞ 죽어 참경을 볼 일이 아모리 혜아려도 측냥치 못ᄒᆞᆯ 셜우미라. 우리 ᄉᆞ라시ᄆᆡ 앙홰(殃禍) 여등의게 밋ᄎᆞ리니, 어셔 죽어 여등으로 댱슈(長壽)콰져 ᄒᆞ노라.

언파의 긔운이 막힐 듯ᄒᆞ니, 초공이 눈믈을 먹음고 모친 손을 밧드러 왈,

"삼뎨 일시 유딜ᄒᆞ오나 ᄌᆞ졍【54】이 이ᄃᆡ도록 과려ᄒᆞ실 줄은 실시녀외(實是慮外)1260)라. 태태 비록 창뎨 ᄋᆡ듕ᄒᆞ시미 텬뉸 밧 ᄌᆞ별ᄒᆞ시나, 히ᄋᆞ 등의 초민(焦悶)ᄒᆞᆫ 졍ᄉᆞ를 도라 보시ᄂᆞᆫ 거시 ᄌᆞᄋᆡᆨᄒᆞ시ᄂᆞᆫ 은혜라. 쇼ᄌᆞ 등이 ᄋᆞ의 병을 근심ᄒᆞᄂᆞᆫ 가온ᄃᆡ

1259)오ᄂᆡ(五內) : 오장(五臟). 간장, 심장, 비장, 폐장, 신장의 다섯 가지 내장을 통틀어 이르는 말.
1260)실시녀외(實是慮外) : 실로 생각 밖의 일임.

를 영영이 고치 아녀, 아모 샤ᄅᆞᆷ도 ᄉᆞ상ᄒᆞ-미 업ᄉᆞ믈 ᄃᆡ답ᄒᆞ나, 초공야[이] 《온아지‖온가지》로 므르ᄃᆡ ᄒᆞᆫ갈ᄀᆞᆺ치964) ᄃᆡ답ᄒᆞ더니, 병셰 졈졈 위악ᄒᆞ여 샤ᄅᆞᆷ의 츌입을 아지 못ᄒᆞ고, ᄒᆞᆫ ᄉᆞᆯ 물도 넘기지 못ᄒᆞ여 아조 ᄉᆞ경의 니르럿시되, 공이 다시 뭇ᄂᆞᆫ 일 업고 초공을 ᄡᅮ지져 황황치 말나 ᄒᆞᄃᆡ, 부인과 초공 형뎨 날노 슉식을 이져 텬지신명긔 도츅(禱祝)ᄒᆞ여 명을 ᄇᆞ라ᄃᆡ 병셰 졈졈 ᄇᆞ랄 거【72】시 업ᄂᆞᆫ지라. 부인이 역시 곡긔를 긋치고 상요의 몸을 바려 쳬루비읍을 마지아냐, 초공 삼 곤계 더욱 황황초젼(惶惶焦煎) ᄒᆞ여 모친긔 고 왈,

"챵뎨 비록 병즁(病重)ᄒᆞ오나 져의 긔상이 그만ᄒᆞ여 맛출 ᄋᆞ히 아니오니, ᄌᆞ졍이 엇지 침식을 폐ᄒᆞ샤 이ᄃᆡ도록 통읍비졀 ᄒᆞ시ᄂᆞ니잇고? 원(願) ᄌᆞ위ᄂᆞᆫ 믈우(勿憂)ᄒᆞ샤 식반을 나오소셔."

부인이 읍읍(泣泣) 왈,

"ᄂᆡ 셕년 참변의도 오히려 목숨을 맛지 못ᄒᆞ엿ᄂᆞ니, ᄒᆞ믈며 ᄂᆡ 이졔 챵ᄋᆞ의 병으로 음식을 폐ᄒᆞ여 죽고져 ᄒᆞᄂᆞᆫ 거시 아니라, 팔ᄌᆞ를 ᄉᆡᆼ각ᄒᆞ니 통완코 셜우미 오ᄂᆡ(五內)965)를 ᄉᆞᆺᄂᆞᆫ 듯 ᄒᆞᆫ지라. 원경 등 삼ᄋᆞ를 참망ᄒᆞᄆᆡ 남은 화ᄋᆡᆨ이 잇지 아닐 듯ᄒᆞᄃᆡ, 창ᄋᆡ ᄯᅩ 목젼의 마ᄌᆞ 죽어 참경을 볼 닐이 아모리 혜아려【73】도 측냥치 못ᄒᆞᆯ 셜우미라. 우리 ᄉᆞ라시ᄆᆡ 앙홰(殃禍) 여등의게 밋ᄎᆞ리니, 어셔 죽어 여등으로 쟝슈(長壽)콰져 ᄒᆞ노라."

언파의 긔운이 막힐 듯ᄒᆞ니, 초공이 눈물을 먹음고 모친 손을 밧드러 왈,

"삼뎨 일시 유질ᄒᆞ오나 ᄌᆞ졍이 이ᄃᆡ도록 과려ᄒᆞ실 줄은 실시녀외(實是慮外)966)라. 태태 비록 창뎨 ᄋᆡ즁ᄒᆞ시미 텬륜 밧 ᄌᆞ별ᄒᆞ시나, 히ᄋᆞ 등의 초민(焦悶)ᄒᆞᆫ 졍ᄉᆞ를 도라 보시ᄂᆞᆫ 거시 ᄌᆞᄋᆡᆨᄒᆞ시ᄂᆞᆫ 은혜라. 소ᄌᆞ 등이

964)ᄒᆞᆫ갈ᄀᆞᆺ치 : 한결같이.
965)오ᄂᆡ(五內) : 오장(五臟). 간장, 심장, 비장, 폐장, 신장의 다섯 가지 내장을 통틀어 이르는 말.
966)실시녀외(實是慮外) : 실로 생각 밖의 일임.

ᄌᆞ정의 이ᄀᆞᆺ치 과상(過傷)ᄒᆞ시믈 당ᄒᆞ오니, 쥬야 심장이 ᄐᆞ기를 면치 못ᄒᆞᄋᆞᆸᄂᆞᆫ ᄇᆡ라. ᄌᆞ위 만일 침식을 폐ᄒᆞ시면, 쇼ᄌᆞ 등이 엇디 혼ᄌᆞ 먹으며 잠ᄌᆞ, 편키를 바라리잇고?"

이의 그르ᄉᆞᆯ 드러 딘식ᄒᆞ시믈 청ᄒᆞ니, 부인이 마디 못ᄒᆞ여 두어 번 마시나, 가ᄉᆞᆷ이 막히고 슬프미 븍밧쳐 죽엄을 겻틔 노흠 ᄀᆞᆺ튼디라. 초공의 츄텬 ᄀᆞᆺ튼 긔상과 원상의 풍광으로도, 무슈○[ᄒᆞᆫ] 심녀를 허비ᄒᆞᄆᆡ, 긔뷔 소삭ᄒᆞ여 옷ᄉᆞᆯ 니긔디 못ᄒᆞᆯ 듯, 거름마다 업들기를[1261] 면치 못ᄒᆞ니, 역시 대병이 발ᄒᆞᆯ 듯ᄒᆞᆫ디라.【55】

공이 원챵의 병을 념(念)치 아닛ᄂᆞᆫ 듯ᄒᆞ나, 삼ᄌᆞ의 슈패ᄒᆞ믈 ᄌᆞ못 근심ᄒᆞ여 압ᄒᆡ 블너 됴셕(朝夕)[1262]을 권ᄒᆞ며 ᄎᆡᆨ왈,

"여뷔 셕년 여형(汝兄) 삼인의 참망디졀(慘亡之節)의 심장이 거의 ᄌᆡ 되엿거ᄂᆞᆯ, 창ᄋᆞ를 죽일딘ᄃᆡ 그 상명(喪明)[1263]이 엇더ᄒᆞ리오마ᄂᆞᆫ, 져의 무힝패려(無行悖戾)ᄒᆞᆫ 힝ᄉᆡ ᄉᆞ류의 용납디 못ᄒᆞ리니, 죽어 앗갑디 아닌디라. 괴이ᄒᆞᆫ 병을 일워 부모의 우려를 도라보디 아니ᄒᆞ니, 블회 쳔고의 ᄧᆡᆨ이 업고, 졔 임의 부모를 ᄉᆡᆼ각디 아니니, 내 임의 부ᄌᆞ의 뉸의를 ᄭᅳᆺ쳣ᄂᆞ니, 여등이 비록 동긔를 위ᄒᆞᆫ 졍이 간졀ᄒᆞ나, 여부의 근심을 ᄉᆡᆼ각ᄒᆞ여 너모 초젼ᄒᆞ여 몸의 딜이 일게 말디어다. 음식을 ᄣᆡ의 먹고 노부의 심녀를 쓰게 말나."

인ᄒᆞ여 삼ᄌᆞ를 압ᄒᆡ셔 밥 먹여 쓰다ᄃᆞᆷ아 ᄋᆡ휼ᄒᆞ니,【56】초공 곤계 황공블승ᄒᆞ여 명을 밧ᄌᆞ오니, 공ᄌᆞ의 병을 문후ᄒᆞ리 브디기쉬라. 공이 태연ᄒᆞ여 녜ᄉᆞ로오믈 니를 ᄲᆞᆫ이오, 아ᄅᆞᆷ답디 아닌 병을 사ᄅᆞᆷ으로 ᄒᆞ여금 알고져 아니니 졍히 아ᄂᆞ니 드믈고, 뎡·딘 등 졔인도 청ᄒᆞ여 뵈미 업ᄉᆞ니, 대개 평졔

1261)업들다 : 엎어지다. 엎드러지다.
1262)됴셕(朝夕) : 아침저녁의 식사.
1263)상명(喪明) : 상명지통(喪明之痛). 아들을 잃은 슬픔을 비유적으로 이르는 말.

아의 병을 근심ᄒᆞᄂᆞᆫ 가온ᄃᆡ ᄌᆞ졍의 이ᄀᆞᆺ치 과상(過傷)ᄒᆞ시믈 당ᄒᆞ오니, 쥬야 심장이 타기를 면치 못ᄒᆞᄋᆞᆸᄂᆞᆫ ᄇᆡ라. ᄌᆞ위 만일 침식을 폐ᄒᆞ시면, 소ᄌᆞ 등이 엇지 혼ᄌᆞ 먹으며 잠ᄌᆞ, 편키를 ᄇᆞ라리잇고?"

이의 그ᄅᆞᆺᄉᆞᆯ 드러 진식ᄒᆞ시믈 청ᄒᆞ니, 부인이 마지 못【74】ᄒᆞ여 두어 번 마시나, 가ᄉᆞᆷ이 막히고 슬프미 북밧쳐 죽엄을 겻ᄒᆡ 노흠 ᄀᆞᆺ튼지라. 초공의 츄텬 ᄀᆞᆺ튼 긔상과 원상의 풍광으로도 무슈○[ᄒᆞᆫ] 심녀를 허비ᄒᆞᄆᆡ, 긔뷔(肌膚) 소삭ᄒᆞ여 옷ᄉᆞᆯ 니긔지 못ᄒᆞᆯ 듯, 거름마다 업들기를[967] 면치 못ᄒᆞ니, 역시 ᄃᆡ병이 발ᄒᆞᆯ 듯ᄒᆞᆫ지라.

공이 원챵의 병을 념녀치 아닛ᄂᆞᆫ 듯ᄒᆞ나, 삼ᄌᆞ의 슈ᄑᆡᄒᆞ믈 ᄌᆞ못 근심ᄒᆞ여 압ᄒᆡ 불너 《초셕 ‖ 조셕(朝夕)[968]》을 권ᄒᆞ며 ᄎᆡᆨ왈,

"여뷔 셕년 여형(汝兄) 삼인의 참망지졀(慘亡之節)의 심장이 거의 ᄌᆡ 되엿거ᄂᆞᆯ, 이제 《원ᄋᆞ ‖ 창ᄋᆞ》를 죽일진ᄃᆡ 그 상명(喪明)[969]이 엇더 ᄒᆞ리오마ᄂᆞᆫ, 져의 무힝ᄑᆡ려(無行悖戾)ᄒᆞᆫ 힝ᄉᆡ ᄉᆞ류의 용납지 못ᄒᆞ리니, 죽어 앗갑지 아닌지라. 고이ᄒᆞᆫ 병을 일위여 부모의 념녀를 도라보지 아니ᄒᆞ니, 블【75】최(不肖) 쳔고의 쌍이 업고, 졔 임의 부모를 도라 보지 아니니 내 임의 부모의 뉸의를 ᄭᅳᆺ쳣ᄂᆞ니, 여등이 비록 동긔를 위ᄒᆞᆫ 졍이 ᄀᆞᆫ졀ᄒᆞ나, 여부의 근심을 ᄉᆡᆼ각ᄒᆞ여 너모 초젼ᄒᆞ여 몸의 질이 니르게 말지어다. 음식을 ᄣᆡ에 먹고 노부의 심녀를 쓰게 말나"

인ᄒᆞ여 삼인을 압ᄒᆡ셔 밥 먹여 쓰다듬어 ᄋᆡ휼ᄒᆞ니, 초후 곤계 황공블승ᄒᆞ여 명을 밧ᄌᆞ오니, 다 공ᄌᆞ의 병을 문후ᄒᆞ리 부지기슈라. 공이 타연ᄒᆞ여 예ᄉᆞ로오믈 니를 분이오, 아름답지 아닌 병을 샤ᄅᆞᆷ으로 ᄒᆞ야곰 알고져 아니니, 졍히 아는니 드믈고, 뎡·진 등 졔인도 청ᄒᆞ여 뵈미 업ᄉᆞ니, ᄃᆡ강 평졔왕과

967)업들다 : 엎어지다. 엎드러지다.
968)됴셕(朝夕) : 아침저녁의 식사.
969)상명(喪明) : 상명지통(喪明之痛). 아들을 잃은 슬픔을 비유적으로 이르는 말.

왕과 딘평댱의 의슐이 고명ᄒᆞᆫ 고로, 원창을 딘믹ᄒᆞᆫ즉 병근을 쾌히 알디라. 이러므로 공ᄌᆞ를 아모도 뵈디 아니ᄒᆞ더라.

일일은 윤 태뷔 니르러 딘믹ᄒᆞ고 ᄀᆞ장 경히ᄒᆞ여 초공을 도라보아 니르ᄃᆡ,

"이 병이 실노 곳치기 쉽거ᄂᆞᆯ 엇디 위듕ᄒᆞ기의 두엇ᄂᆞ뇨?"

초공이 탄식 왈,

"십여 일ᄌᆡ 발셔 인ᄉᆞ를 아디 못ᄒᆞᄂᆞ니, 십여 일 젼 졍신 이실 적, 온가지로 말을 므러도 그 소회를 니르디 아니니, ᄒᆞᆯ일업ᄉᆞᆫ디라. 오딕 하날을 바랄 ᄲᅮᆫ이라. 냥친【57】의 비고(悲苦)ᄒᆞ신 졍ᄉᆞ와 아등의 초젼ᄒᆞᄆᆞᆫ 만믈의 비ᄒᆞᆯ 거시 업도다."

윤태뷔 탄왈,

"ᄌᆞ슌이 쳘셕 ᄀᆞᆺ튼 댱뷔 될가 ᄒᆞ엿더니 이런 병을 닐위믄 실시녀외라. 형은 능히 그 향의ᄒᆞᆫ 곳을 알가 시브냐?"

초공 왈,

"알딘ᄃᆡ 엇디 그 위틱ᄒᆞᆫ 바를 ᄉᆡᆼ각디 아니ᄒᆞ리오."

태뷔 왈,

"이 병 근위(根位)를 악댱도 아르시ᄂᆞ냐?"

초공 왈,

"과연 아르시므로 그 ᄉᆞᄉᆡᆼ을 념녀치 아니시ᄂᆞ니라."

태뷔 이윽이 안ᄌᆞ 그 인ᄉᆞ 출히믈 보고져 ᄒᆞᄃᆡ, 공ᄌᆡ 혼혼ᄒᆞ여 아모란 줄 모로니, 태뷔 디인디덕(至仁至德)으로ᄡᅥ 원창의 쳥츈 요몰ᄒᆞᆯ ○○[바를] 잔잉히 녁여, ᄇᆞᄃᆡ 살올 도리를 ᄉᆡᆼ각ᄒᆞᄃᆡ, 그 ᄉᆞ상인(思相人)을 아디 못ᄒᆞ고 크게 민민ᄒᆞ여, ᄎᆞ일 느즌 후 옥누항의 도라와 하부인을 ᄃᆡᄒᆞ여, 원창의 병이 만분 위악ᄒᆞ믈 젼ᄒᆞ고, 샹ᄉᆞ디념(相思之念) ᄀᆞᆺᄐᆞ믈 젼ᄒᆞ니,【58】하부인이 챵닌의 젼언을 드르므로브터 념녜 비상ᄒᆞ더니, 태부의 말을 듯고 놀나 ᄀᆞᆯ오ᄃᆡ,

"챵뎨 힝실이 실노 남 들니기 붓그러온디라. 군휘 그 소회(所懷)를 아디 못ᄒᆞ시나 ᄆᆡᆨ후로조ᄎᆞ 병근○[을] 아라시니, 쳡이 엇디

진평쟝의 의슐이 고명ᄒᆞᆫ 고로, 원창을 진믹ᄒᆞᆫ즉 병근을 쾌히 알【76】지라. 이러므로 공ᄌᆞ를 아모도 뵈지 아니ᄒᆞ더라.

일일은 윤 ᄐᆡ뷔 니르러 진믹ᄒᆞ고 ᄀᆞ장 경히ᄒᆞ여 초공을 도라보아 닐오ᄃᆡ,

"이 병이 실노 곳치기 쉽거ᄂᆞᆯ ,엇지 위즁ᄒᆞ기의 두엇ᄂᆞ뇨?"

초공이 탄식 왈,

"십여 일ᄌᆡ 발셔 언ᄉᆞ(言事)를 아라보지 못ᄒᆞᄂᆞ니, 십여 일 젼 졍신 잇술 적, 은[온]가지로 말을 무러도 그 소회를 니르지 아니ᄒᆞ니, ᄒᆞᆯ 일이 업ᄉᆞᆫ지라. 오즉 하날을 ᄇᆞ랄 ᄲᅮᆫ이라. 냥친의 위름(危懍)ᄒᆞ신 졍ᄉᆞ와 아등의 초젼ᄒᆞᄆᆞᆫ 만물의 비ᄒᆞᆯ 거시 업도다."

윤ᄐᆡ뷔 탄 왈,

"ᄌᆞ슌으로 쳘셕 ᄀᆞᆺ튼 쟝뷔 될가 ᄒᆞ엿더니 일언 병을 일위믄 실시녀외라. 형은 능히 그 향의ᄒᆞᆫ 곳을 알가 시브냐?"

초공 왈,

"알진ᄃᆡ 엇지 그 위틱ᄒᆞᆫ 바를 ᄉᆡᆼ각지 아니【77】ᄒᆞ리오."

ᄐᆡ뷔 왈,

"이 병 근위(根位)를 악쟝도 아르시ᄂᆞ냐?"

초공 왈,

"과연 아르시므로ᄡᅥ 그 ᄉᆞᄉᆡᆼ을 념녀치 아니시ᄂᆞ니라"

태뷔 이윽이 안ᄌᆞ 그 인ᄉᆞ 출히믈 보고져 ᄒᆞᄃᆡ, 공ᄌᆡ 혼혼ᄒᆞ여 아모란 줄 모로니, 태뷔 지인지덕(至仁至德)으로ᄡᅥ 원챵의 쳥츈 요몰ᄒᆞᆯ 바를 잔잉히 녁여, 부ᄃᆡ 살올 도리를 ᄉᆡᆼ각ᄒᆞᄃᆡ, 《쥬∥그》 ᄉᆞ상인(思相人)을 아지 못ᄒᆞ고 크게 민민ᄒᆞ여, ᄎᆞ일 느즌 후 옥누항의 도라와 하부인을 ᄃᆡᄒᆞ여, 원창의 병이 만분 위악ᄒᆞ믈 젼ᄒᆞ고, 상ᄉᆞ지념(相思之念) ᄀᆞᆺᄐᆞ믈 젼ᄒᆞ니, 하부인이 챵닌의 젼어를 드르므로브터 념녜 비상ᄒᆞ더니, 태부의 말을 듯고, 놀나 ᄀᆞᆯᄋᆞᄃᆡ,

"챵뎨 힝실이 실노 남 들니기 붓그러온지라. 군휘 그 소ᄅᆡ(所來)[970]를 아지 못ᄒᆞ시

970)소래(所來) : 유래(由來). 내력(來歷). 사물이나

드른 바를 은닉ᄒᆞ리잇가. 져적 챵닌이 운산의 나아가ᄆᆡ 챵ᄋᆞ를 ᄃᆡᄒᆞ여 뭇ᄂᆞᆫ 말이 여ᄎᆞ여ᄎᆞ ᄒᆞ다가 나죵[1264] 니르ᄃᆡ, 내 뎡시를 취치 못ᄒᆞ면 내 능히 ᄉᆞ디 못ᄒᆞ리니, 이 소유를 쳡의게 젼ᄒᆞ라 ᄒᆞ고, 초창(怊悵)키를 마디 아니터라 ᄒᆞ오니, 쳡이 드르ᄆᆡ 어히 업셔 드른 쳬 아니ᄒᆞ엿더니, 그 병이 위ᄐᆡᄒᆞᆫ 디경의 니르니 엇디 놀납디 아니리잇가?"

태뷔 경왈(驚曰),

"이런 일이 이실딘ᄃᆡ 함구ᄒᆞ여 원챵의 병을 구치 아니ᄒᆞ리오. 병근이 가히 닐넘즉 ᄒᆞ디 아니나, 【59】 인명이 듕ᄒᆞ믈 ᄉᆡᆼ각ᄒᆞ여, ᄒᆞᆫ갓 원챵을 의논치 말고 디우하쳔(至愚下賤)이라도, 구ᄒᆞᆯ 도리 이시면 살나ᄂᆡ미 맛당ᄒᆞ니, 부인이 엇디 잠잠ᄒᆞ여 악부모 우려를 돕고, ᄌᆞ의 형뎨 초젼ᄒᆞᄂᆞᆫ 심장이 ᄉᆞ라디게 ᄒᆞᄂᆞ뇨?"

하부인이 츄연 왈,

"쳡이 엇디 챵뎨의 병을 념녀치 아니리잇가마ᄂᆞᆫ, 아름답디 아닌 병을 니르미 슬흐믄 니르도 말고, 양부모 은혜 하날이 낫고 ᄯᅡ히 좁은디라. 우리 남ᄆᆡ ᄒᆞᆫ 일도 대은을 갑디 못ᄒᆞ고, 챵뎨 무상ᄒᆞ여 양뎨(養弟)[1265]의 일ᄉᆡᆼ을 희디으니, ᄎᆞ마 고ᄒᆞᆯ 낫치 업셔 간예(干與)치 아니랴 ᄒᆞ엿더니, 아조 ᄉᆞ경의 니르니, 이런 블힝이 어ᄃᆡ 이시리잇고?"

태뷔 왈,

"ᄉᆞᄅᆞᆷ의 ᄉᆞᄉᆡᆼ이 위ᄐᆡᄒᆞ기의 니르면 쇼쇼 념치를 ᄉᆡᆼ각디 못ᄒᆞᆯ 쌘 아니라, 뎡부 듁쳥 형이 우리를 ᄃᆡᄒᆞ여 【60】 그 필ᄆᆡ(畢妹)로 표형디ᄌᆞ(表兄之子)와 셩친코져 니르더니, 일망 젼 다시 니르ᄃᆡ, 누의 나히 아딕 어리니 우리ᄂᆞᆫ 셩혼이 밧브디 아니코, 조부의셔ᄂᆞᆫ 심히 밧바 ᄒᆞ니, 아마 ᄎᆞ혼을 못 디ᄂᆡ게 ᄒᆞ[되]여시믈 졍녕(丁寧)이[1266] 니르거ᄂᆞᆯ,

1264)나죵 : 나중. 얼마의 시간이 지난 뒤. 다른 일을 먼저 한 뒤의 차례

1265)양뎨(養弟) : 양부모(養父母)가 낳은 자녀 중 동생뻘 되는 사람을 이르는 말.

1266)졍녕(丁寧)이 : 졍녕(丁寧)히. 충고하거나 알리

나, ᄆᆡᆨ후로조ᄎᆞ 병근 【78】 을 아라시니, 쳡이 엇지 드른 말을 은닉ᄒᆞ리잇가? 져적 챵닌이 운산의 나아가ᄆᆡ, 챵ᄋᆞ를 ᄃᆡᄒᆞ여 뭇ᄂᆞᆫ 말이 여ᄎᆞ여ᄎᆞ ᄒᆞ다가 나죵[971] 니르ᄃᆡ, ᄂᆡ 뎡씨를 취치 못ᄒᆞ면 ᄂᆡ 능히 ᄉᆞ지 못ᄒᆞ리니, 이 소유를 쳡의게 젼ᄒᆞ라 ᄒᆞ고, 초창(怊悵)키를 마지 아니터라 ᄒᆞ오니, 쳡이 드르ᄆᆡ 어이 업셔 드른 쳬 아니ᄒᆞ엿더니, 그 병이 위ᄐᆡᄒᆞᆫ 지경의 니르니 엇지 놀납지 아니리잇가?"

태뷔 놀나 왈,

"이런 일이 잇실진ᄃᆡ 함구ᄒᆞ여 원챵의 병을 구치 아니리오. 병근이 가히 닐넘즉 ᄒᆞ지 아니나, 인명이 즁ᄒᆞ믈 ᄉᆡᆼ각ᄒᆞ여 ᄒᆞᆫ갓 원챵을 의논치 말고, 지우하쳔(至愚下賤)이라도 구ᄒᆞᆯ 도리 잇시면 살나ᄂᆡ미 맛당ᄒᆞ니, 부인이 엇지 잠잠ᄒᆞ여 악부모 우려를 돕고, ᄌᆞ의 【79】 형뎨 초젼ᄒᆞᄂᆞᆫ 심장이 ᄉᆞ라지게 ᄒᆞᄂᆞ뇨?"

하부인이 츄연 왈,

"쳡이 엇지 챵뎨의 병을 념녀치 아니리잇가마ᄂᆞᆫ, 아름답지 아닌 병을 니를 길히 슬흐믄 니르도 말고, 양부모 은혜 하날이 낫고 ᄯᅡ히 좁은지라. 우리 남ᄆᆡ ᄒᆞᆫ 일도 대은을 갑지 못ᄒᆞ고, 냥ᄃᆡ인(養大人)긔 ○○[무궁]ᄒᆞᆫ 슬프오믈 씻치고 불효 막심ᄒᆞ오니, 원 《ᄃᆡ인은‖군자ᄂᆞᆫ》 물우셕녀(勿憂釋慮)ᄒᆞ{옵}소셔."

○○○[태뷔 왈],

"챵뎨 병은 실상이 샹ᄉᆞ로 나온 병이오 ᄯᅩᄒᆞᆫ 병이 골슈의 든 병이 되니, 챠도가 어려오나 만일 ᄒᆞᆫ마ᄃᆡ 말을 드르면, 병이 쾌ᄎᆞᄒᆞ고 운권쳥텬(雲捲靑天)[972] ᄒᆞ리니, 뎡부 쥭쳥 형이 우리를 ᄃᆡᄒᆞ여 그 필ᄆᆡ(畢妹)로 표형지ᄌᆞ(表兄之子)와 셩친코져 니르더니, 일망 젼 다시 니르ᄃᆡ, 누의 나히 아직 어려시니 우리ᄂᆞᆫ 셩혼이 밧부지 아니코

일이 생겨난 바.

971)나죵 : 나중. 얼마의 시간이 지난 뒤. 다른 일을 먼저 한 뒤의 차례

972)운권쳥텬(雲捲靑天) : 구름을 걷어내고 맑은 하늘을 드러냄.

반ᄃᆞ시 표딜(表姪)을 미흡히 넉이ᄂᆞᆫ가 괴이
히 넉엿더니, 뎡부의셔 이 긔미를 ᄉᆞᆺ치미로
다. ᄉᆡᆼ이 명일 운산의 가 ᄌᆞ의 형을 보고
이 말을 닐너, 원챵의 딜양을 슈히 ᄎᆞ셩케
ᄒᆞ리라."

하부인이 기리 탄왈,
"군ᄌᆞ 챵뎨의 병을 브ᄃᆡ 살오고져 ᄒᆞ시
나, 쳡이 여러 가지로 블평ᄒᆞᆫ 일이 만흔디
라. 양대인(養大人)이 챵뎨의 인믈이 군ᄌᆞ도
덕이 브족ᄒᆞ믈 인ᄒᆞ여, 동상(東床)을 유의치
아냐 계시거ᄂᆞᆯ, 이졔 챵뎨 녜ᄉᆞ(例事) 동몽
(童蒙)과 ᄀᆞᆺ디 아냐, 발셔 오왕디녀(吳王之
女)와 ᄒᆡᆼ빙(行聘)ᄒᆞ여 길월(吉月)이 머디 아
닌 바의, 양뎨(養弟)를 ᄉᆞ상(思相)ᄒᆞ【61】
여 질을 일워니, 양대인이 아쥬로쎠 챵뎨의
초취(初娶)도 주고져 아니신 바의, 더옥 ᄌᆡ
실을 허ᄒᆞ시기 쉽디 아니ᄒᆞ고, 뎡 뎨(弟)로
쎠 초취ᄒᆞ고 오군쥬로 ᄌᆡ취ᄒᆞᄂᆞᆫ 일이 되디
아냐, 어ᄌᆞ러오미 만흘디라. ᄒᆞ믈며 양뎨(養
弟)1267) 위인이 챵뎨의 셰 번 나으미 잇거
ᄂᆞᆯ, ᄌᆡ실 삼으미 원통ᄒᆞᆫ 가온ᄃᆡ, 야야의 셩
이 디엄ᄒᆞ시니, 챵뎨의 아름답디 아닌 소ᄒᆡᆼ
을 아르실던ᄃᆡ, 치죄(治罪)ᄒᆞ시ᄂᆞᆫ 도리 녜ᄉᆞ
롭디 아니실 거시오, 오왕디녀의 현블초(賢
不肖)를 아디 못ᄒᆞ니, 혹ᄌᆞ 블인ᄒᆞᆯ던ᄃᆡ 뎡
뎨(弟) 신상의 대홰 되리니, ᄉᆞᄉᆞ(事事)의
블ᄒᆡᆼ이 뎍디 아니토소이다."
태뷔 미쇼 왈,
"뎡쇼졔 우리 슉녈 슈시(嫂氏) ᄀᆞᆺᄐᆞ신디
모로거니와, 작인셩ᄒᆡᆼ이 각별 초츌ᄒᆞ고 무
궁ᄒᆞᆫ 귀복을 가져실던ᄃᆡ, 오왕디녀 아냐 텬
샹귀쥬(天上貴主)라도 ᄒᆡ치 못ᄒᆞᄂᆞ【62】
니, 만ᄉᆡ 명얘(命也)라. 인력으로 ᄒᆞᆯ ᄇᆡ 아
니니, 즉금 뎡공이 ᄌᆞ슌을 브족히 넉여 가
셔(佳壻)를 유의치 아니시다가, 믄득 인연이
괴이ᄒᆞ여 뎡쇼졔 발셔 ᄌᆞ슌의 ᄉᆞ상ᄒᆞ미 되

는 태도가 매우 간곡하게.
1267)양제(養弟) : 양부모가 낳은 형제들 가운데 동생.

【80】 조부의셔ᄂᆞᆫ 밧바ᄒᆞ니, 아마 ᄎᆞ혼을
못 지ᄂᆡ게 ᄒᆞ[되]여시믈 졍녕(丁寧)이973)
니르거ᄂᆞᆯ, 반ᄃᆞ시 표딜(表姪)을 미흡히 넉이
ᄂᆞᆫ가 괴이히 넉엿더니, 뎡부의셔 이 긔미를
ᄉᆞᆺ치미로다. ᄉᆡᆼ이 명일 운산의 가 ᄌᆞ의 형
을 보고 이 말을 닐너 원챵의 질양을 슈히
ᄎᆞ셩케 ᄒᆞ리라"
하부인이 기리 탄 왈,
"군ᄌᆞ 챵뎨의 명[병]을 부ᄃᆡ 살오고져 ᄒᆞ
시나, 쳡이 여러 가지로 불평ᄒᆞᆫ 일이 만흔
지라. 양ᄃᆡ인(養大人)이 챵뎨의 인물이 군ᄌᆞ
도덕이 부족ᄒᆞ믈 인ᄒᆞ여, 동상(東床)을 유의
치 아냐 계시거ᄂᆞᆯ, 이졔 챵뎨 녜ᄉᆞ 《동문
‖동몽(童蒙)》과 ᄀᆞᆺ지 아냐, 발셔 오왕의
녀와 ᄒᆡᆼ빙(行聘)ᄒᆞ여 길월(吉月)이 머지 아
닌 바의, 양뎨(養弟)를 ᄉᆞ상ᄒᆞ여 질을 닐위
니, 양ᄃᆡ인이 아쥬로쎠 챵뎨의 초취(初娶)도
쥬고져 아닌 바의, 더욱 ᄌᆡ실을 허ᄒᆞ시기
쉽지 아니ᄒᆞ고, 뎡【81】소져로쎠 초취ᄒᆞ고
오군쥬로 ᄌᆡ취ᄒᆞᄂᆞᆫ 일이 되지 아냐 어ᄌᆞ러
오미 만흘지라. ᄒᆞ믈며 양뎨 위인이 챵뎨의
셰 번 나으미 잇거ᄂᆞᆯ, ᄌᆡ실 삼으미 원통ᄒᆞᆫ
가온ᄃᆡ, 야야의 셩이 지엄ᄒᆞ시니, 챵뎨의 아
름답지 아닌 소ᄒᆡᆼ을 아르실진ᄃᆡ 치죄ᄒᆞ시ᄂᆞᆫ
도리 녜ᄉᆞ롭지 아니실 거시오, 오왕지녀의
현불초를 아지 못ᄒᆞ니 혹ᄌᆞ 불인ᄒᆞᆯ진ᄃᆡ 뎡
뎨(弟) 신상의 대홰 되리니, ᄉᆞᄉᆞ의 불ᄒᆡᆼ이
젹지 아니토소이다."

태뷔 미소 왈,
"뎡소졔 우리 슉녈 슈시(嫂氏) ᄀᆞᆺᄐᆞ신지
모로거니와, 작인셩ᄒᆡᆼ이 각별 초츌ᄒᆞ고 무
궁ᄒᆞᆫ 귀복을 가졋실진ᄃᆡ, 오왕지○[녀] 아
녀 텬샹귀쥬(天上貴主)라도 ᄒᆡ치 못ᄒᆞᄂᆞ니,
만ᄉᆡ 명얘라. 인력으로 ᄒᆞᆯ ᄇᆡ 아니니, 즉금
금후 악쟝이 ᄌᆞ슌을 부족히 넉여 가셔(佳
壻)를 유의치【82】 아니시다가, 믄득 인연
이 괴이ᄒᆞ여 뎡소졔 발셔 ᄌᆞ슌의 ᄉᆞ상ᄒᆞ미
되엿ᄂᆞᆫ가 시브니, ᄎᆞ역텬의(此亦天意)라. 현

973)졍녕(丁寧)이 : 정녕(丁寧)히. 충고하거나 알리는 태도가 매우 간곡하게.

엿ᄂᆞᆫ가 시브니, ᄎᆞ역텬의(此亦天意)라. 현마 엇디 ᄒᆞ리오.”

하부인이 봉미(鳳眉)를 튝합(蹙合)[1268]ᄒᆞ여 다시 말이 업더라.

태뷔 명일 됴참 후 취운산의 나아가 몬져 뎡공긔 ᄇᆡ알ᄒᆞ고, 날호여 하부의 니르러 바로 병소의 드러가니, 됴부인이 나와 바야흐로 ᄋᆞᄌᆞ를 븟들고 실셩비읍ᄒᆞ며, 초공 등이 그 딘(盡)ᄒᆞᄂᆞᆫ 거동을 ᄎᆞ마 보디 못ᄒᆞ여, 모친을 븟드러 안흐로 드러가시믈 쳥ᄒᆞ니, 일방 졔인이 다 호읍ᄒᆞᄂᆞᆫ 빗치라. 태뷔 초공의 ᄉᆞ매를 잡아 왈,

“녕뎨 ᄉᆞ상인(思相人)을 쇼뎨 쾌히 아라 형다려 니르고져 ᄒᆞᄂᆞ니, 형은 능히 원창의 ᄆᆞᄋᆞᆷ을【63】 맛쳐, 그 ᄉᆞ상ᄒᆞᄂᆞᆫ 쇼져를 닐월가 시브냐?”

초공이 대희 왈,

“비록 귀쳔을 아디 못ᄒᆞ나 ᄉᆞ상디인(思相之人)을 알면 디셩으로 닐위고져 ᄒᆞᄂᆞ니, ᄉᆞ빈이 엇디 아ᄂᆞ뇨?”

윤니뷔 비로소 원챵의 뎡쇼져 ᄉᆞ모ᄒᆞᄂᆞᆫ 셜화를 일일히 젼ᄒᆞ니, 초공이 어히 업셔 기리 탄왈,

“아이 블명ᄒᆞ여 져의 힝디 히참(駭慚)ᄒᆞ믄 스ᄉᆞ로 모로고, 내 져를 ᄃᆡᄒᆞ여 젼후 므르미 간졀ᄒᆞᄃᆡ 맛ᄎᆞᆷᄂᆡ 니르디 아니터니, 원간 이런 일이랏다. 뎡공 대인의 ᄐᆡᆨ셔ᄒᆞ미 십분 비상ᄒᆞ믈 아ᄃᆡ, 이 ᄯᅢ를 당ᄒᆞ여 념치를 도라보디 못ᄒᆞ게 되여시니, 마디 못ᄒᆞ여 쳥혼ᄒᆞ려니와, 허ᄒᆞ시ᄂᆞᆫ 명을 어드나, 졔 병이 만무ᄉᆡᆼ긔(萬無生氣)ᄒᆞ니 살기를 바라디 못ᄒᆞᆯ디라.”

태뷔 쇼왈,

“원챵의 병이 다른 빌미 아니라. 뎡쇼져를 ᄉᆞ모ᄒᆞ여 침식을 다 폐ᄒᆞ여 ᄉᆞ경(死境)【64】의 이시나, 위악듕(危惡中)의도 뎡쇼져를 일ᄏᆞ라 혼인을 디닐 ᄃᆞᆺ시 ᄒᆞ면, 반ᄃᆞ시 반겨 ᄒᆞ리니, 그 심신을 프러 누월 ᄉᆞ상디심(思相之心)을 뎡(靜)ᄒᆞ여[면] ᄌᆞ연 회소디경(回蘇地境)을 보리니, 그 병의 당졔(當

1268)튝합(蹙合) : 찡그림.

마 엇지 ᄒᆞ리오.”

하부인이 봉미(鳳眉)를 츅합(蹙合)[974]ᄒᆞ여 다시 말이 업더라.

태뷔 명일 조참 후 취운산의 나아가 몬져 뎡공긔 ᄇᆡ알ᄒᆞ고, 날호여 하부의 니르러 바로 병소의 드러가니, 조부인이 나와 바야흐로 ᄋᆞᄌᆞ를 븟들고 실셩비읍ᄒᆞ며, 초공 등이 그 진ᄒᆞᄂᆞᆫ 거동을 ᄎᆞ마 보지 못ᄒᆞ여, 모친을 븟드러 안흐로 드러 가시믈 쳥ᄒᆞ니, 일방 졔인이 다 《후읍∥호읍(號泣)》ᄒᆞᄂᆞᆫ 빗치라. 태뷔 초후의 ᄉᆞᄆᆡ를 잡아 왈,

“녕뎨 ᄉᆞ상인(思相人)을 소뎨 쾌히 아라 형다려 니르고져 ᄒᆞᄂᆞ니, 형은 능히 원창의 마ᄋᆞᆷ을 맛쳐 그 ᄉᆞ상ᄒᆞᄂᆞᆫ 소져를 일월가 시브냐?”

초공이 ᄃᆡ희 왈,

“비록 귀쳔을 아지 못【83】ᄒᆞ나 ᄉᆞ상지인(思相之人)을 알면 지셩으로 닐위고져 ᄒᆞᄂᆞ니, ᄉᆞ빈이 엇지 아ᄂᆞ뇨?”

윤니뷔 비로소 원챵의 뎡소져 ᄉᆞ모ᄒᆞᄂᆞᆫ 셜화를 일일히 젼ᄒᆞ니, 초공이 어히 업셔 기리 탄왈,

“아이 불명ᄒᆞ여 져의 힝지 히참(駭慚)ᄒᆞ믄 스ᄉᆞ로 모로고, 내 져를 ᄃᆡᄒᆞ여 젼후 므르미 근졀ᄒᆞᄃᆡ 맛ᄎᆞᆷᄂᆡ 니르지 아니터니, 원간 이런 일이 잇도다. 뎡공 ᄃᆡ인의 ᄐᆡᆨ셔ᄒᆞ미 십분 비상ᄒᆞ믈 아ᄃᆡ, 이 ᄯᅢ를 당ᄒᆞ여 념치를 도라보지 못ᄒᆞ게 되엿시니, 마지 못ᄒᆞ여 쳥혼ᄒᆞ려니와, 허ᄒᆞ시ᄂᆞᆫ 명을 어드나 졔 병이 만무ᄉᆡᆼ긔(萬無生氣)ᄒᆞ니 살기를 ᄇᆞ라지 못ᄒᆞᆯ지라.”

태뷔 소왈,

“원상의 병이 다른 빌미 아니라. 뎡소져를 ᄉᆞ모ᄒᆞ여 침식을 다 폐ᄒᆞ여 ᄉᆞ경의 잇시나, 위악즁(危惡中)의도 뎡소져를 일ᄏᆞ라 혼인을 지닐 ᄃᆞᆺ시 ᄒᆞ면,【84】 반ᄃᆞ시 반겨 ᄒᆞ리니, 그 심신을 프러 누월 ᄉᆞ상지심(思相之心)을 졍(靜)ᄒᆞ여[면] ᄌᆞ연 회소지경(回蘇地境)을 보리니, 그 병○[의] 당졔(當

974)츅합(蹙合) : 찡그림.

劑)[1269]를 닐위여 웃듬을 ᄉᆡᆼ각ᄒᆞ면 뎡쇼져 밧긔 나디 아니리라.”

초공이 즉시 모친긔 이 말ᄉᆞᆷ을 고ᄒᆞ고, 공ᄌᆞ 벼개 가의 나아가 브르ᄃᆡ ᄃᆡ답이 업더니, ᄀᆞ장 오란 후 계오 눈을 써 ᄇᆡᆨ형을 보나 졍신이 황난(遑亂)ᄒᆞ여 아묀 줄 모로니, 초공이 귀예 다혀 왈,

“슈월 ᄉᆞ모ᄒᆞ던 뎡쇼져를 이졔ᄂᆞᆫ 내 집의 닐위여 너의 건긔(巾器)[1270]를 쇼임○[케] ᄒᆞ리니, 모로미 병을 조셥ᄒᆞ여 슈히 니러나게 ᄒᆞ라.”

공ᄌᆡ 비록 반ᄉᆡᆼ반ᄉᆞ듕(半生半死中)이나 뎡쇼져 ᄉᆡᆼ각ᄂᆞᆫ ᄆᆞ음은 가슴의 뭉쳐 플닐 길히 업ᄂᆞᆫ디라. 아모나 뎡쇼져 일ᄏᆞᆺᄂᆞᆫ 사ᄅᆞᆷ이 이시면, 딘(盡)ᄒᆞᄂᆞᆫ 졍【65】신의도 반가오미 황홀ᄒᆞᆯ 거시로ᄃᆡ, 상요의 누언[1271]이[지] 월여의 모친과 졔형뎨 약음과 음식을 권ᄒᆞ며 ᄉᆡᆼ각ᄒᆞᄂᆞ니를 므를디언졍, 뎡쇼져 ᄉᆞ모ᄒᆞᄂᆞᆫ ᄯᅳᆺ을 알니 업ᄉᆞ믈 《ᄉᆞ모‖초전(焦煎)》ᄒᆞ다가, 그 뉘 소ᄅᆡ믈 아디 못ᄒᆞᄃᆡ 뎡쇼져란 말을 반겨, 눈을 크게 써 보고 손을 드러 벽을 치고 기리 늣겨 왈,

“뎡시는 조가의 빙폐를 바든 사ᄅᆞᆷ이라. 어이 내 긔믈이 될니 이시리잇가? 브졀업시 딘ᄒᆞᄂᆞᆫ 졍신을 놀ᄂᆡ디 마르쇼셔.”

또 냥항누를 드리워 긋ᄎᆞ락 니으락 탄ᄒᆞᄂᆞᆫ 소ᄅᆡ로 ᄀᆞᆯ오ᄃᆡ,

“화원의셔 옥인(玉人)을 ᄒᆞᆫ 번 보고 인ᄒᆞ여 내 명이 맛게 되니, 내 뎡시와 삼ᄉᆡᆼ원슈(三生怨讐)로 여ᄎᆞᄒᆞ도다.”

ᄒᆞ고, 말을 맛ᄎᆞ며 긔운이 막혀 얼골이 ᄎᆞᆫ ᄌᆡ ᄀᆞᆺᄐᆞ여디거ᄂᆞᆯ, 부인이 븟들고 호읍(號泣)ᄒᆞ며, 초공 형뎨 삼인이 뎡쇼【66】져 ᄉᆞ모ᄒᆞᄂᆞᆫ 졍을 ᄇᆞᆰ히 아라, 병이 깁디 아

劑)[975]를 일위혀 웃듬을 ᄉᆡᆼ각ᄒᆞ면 뎡소져 밧긔 나지 아니리라.”

초공이 즉시 모친긔 이 말ᄉᆞᆷ을 고ᄒᆞ고, 공ᄌᆞ 벼ᄀᆡ 가의 나아가 브르ᄃᆡ ᄃᆡ답이 업더니, ᄀᆞ장 오란 후 계오 눈을 써 ᄇᆡᆨ형을 보나 졍신이 황난(遑亂)ᄒᆞ여 아묀 줄 모로니, 초공이 귀예 다혀 왈,

“슈월 ᄉᆞ모ᄒᆞ던 졍소져를 이졔ᄂᆞᆫ ᄂᆡ 집의 니르혀 너의 건긔(巾器)[976]를 소임○[케] ᄒᆞ리니, 모로미 병을 조셥ᄒᆞ여 슈히 니러나게 ᄒᆞ라.”

공ᄌᆡ 비록 반ᄉᆡᆼ반ᄉᆞ(半生半死)ᄒᆞ나 뎡소져 ᄉᆡᆼ각ᄂᆞᆫ 마음은 가슴의 뭉쳐 플닐 길히 업ᄂᆞᆫ지라. 아모나 뎡소져 일ᄏᆞᆺᄂᆞᆫ 사ᄅᆞᆷ이 잇시면, 진(盡)ᄒᆞᄂᆞᆫ 졍신의도 반가오미 황홀ᄒᆞᆯ 거시로ᄃᆡ, 상요의 누언 지[977]【85】월여의 모친과 졔 형뎨 약음과 음식을 권ᄒᆞ며, 《ᄉᆡᆼ각ᄉᆞ오니‖ᄉᆡᆼ각ᄒᆞᄂᆞ니》를 《모를‖므를》지언졍, 뎡소져 ᄉᆞ모ᄒᆞᄂᆞᆫ ᄯᅳᆺ슬 알 니 업ᄉᆞ믈 《ᄉᆞ모‖초전(焦煎)》ᄒᆞ다가, 그 뉘 소ᄅᆡ믈 아지 못ᄒᆞᄃᆡ 뎡소져란 말을 반겨, 눈을 크게 써 보고 손을 드러 벽을 치고 기리 늣겨 왈,

“뎡씨는 조가의 빙폐를 바든 샤ᄅᆞᆷ이라. 어이 내 긔믈이 될니 잇시리잇가? 부졀 업시 진ᄒᆞᄂᆞᆫ 졍신을 놀ᄂᆡ지 마르소셔.”

또 냥항누를 드리워 긋ᄎᆞ락 니으락 탄ᄒᆞᄂᆞᆫ 소ᄅᆡ로 ᄀᆞᆯ오ᄃᆡ,

“화원의셔 옥인을 ᄒᆞᆫ 번 보고 인ᄒᆞ여 ᄂᆡ 명이 맛게 되니, 내 뎡씨와 삼ᄉᆡᆼ원슈(三生怨讐)로 여ᄎᆞᄒᆞ도다.”

ᄒᆞ고, 말을 맛ᄎᆞ며 긔운이 막혀 얼골이 ᄎᆞᆫ ᄌᆡ ᄀᆞᆺᄐᆞ여지거ᄂᆞᆯ, 조부인이 븟들고 호읍(號泣)ᄒᆞ며, 초공 형뎨 삼인이 뎡소져 ᄉᆞ모ᄒᆞᄂᆞᆫ 졍을 ᄇᆞᆰ히 아라, 병이 깁지 아냐○

1269)당졔(當劑) : 어떤 병에 딱 들어맞는 약. ≒당약(當藥).

1270)건긔(巾器) : 수건, 빗 따위의 낯을 씻고 머리를 빗는 데 쓰는 물건.

1271)누언지 : 누어 있은 지. '누(눕)+어+ㄴ+지'의 형태. *눕다: 몸을 바닥 따위에 대고 수평 상태가 되게 하다.

975)당졔(當劑) : 어떤 병에 딱 들어맞는 약. ≒당약(當藥).

976)건긔(巾器) : 수건, 빗 따위의 낯을 씻고 머리를 빗는 데 쓰는 물건.

977)누언 지 : 누어 있은 지. '누(눕)+어+ㄴ+지'의 형태. *눕다 : 몸을 바닥 따위에 대고 수평 상태가 되게 하다.

냐○[셔] 곳치디 못ᄒᆞ믈 크게 ᄋᆡ돌나, 일시의 약믈을 흘니며 슈족을 쥐므르고, 부인은 원챵을 브르니, 오란 후 계오 정신을 출히거늘, 초공《왈∥이》 분명이 뎡공의 허락 어드믈 니르고 병을 조셥ᄒᆞ여 슈히 뎡시를 취ᄒᆞ라 ᄒᆞ니, 공ᄌᆡ 비로소 고디듯고 크게 힝열(幸悅)ᄒᆞ여 만면화긔(滿面和氣)로 므ᄉᆞᆫ 말을 ᄒᆞ고져 ᄒᆞ다가, 긔운이 븟디 못ᄒᆞ여 혼혼이 벼개를 의디ᄒᆞ여 정신을 슈습디 못ᄒᆞᄂᆞᆫ디라. 동평휘 겻ᄐᆡ 나아가 안ᄌᆞ 왈,

"너의 병이 실노 남들넘즉디 아니나, 금후 악댱이 기리 허믈치 아니시고 인명이 듕ᄒᆞ믈 도라보샤 허혼ᄒᆞ시니, 이졔ᄂᆞᆫ 네 쇼원이 일게 되엿ᄂᆞᆫ디라. 식음을 힘뼈 나오고 긔운을 됴호ᄒᆞ여 슈히 니러나ᄂᆞᆫ 거시 올흐니, ᄎᆞ후ᄂᆞᆫ【67】�ᅳᆺ 잡기를 광풍졔월(光風霽月)ᄀᆞᆺ치 ᄒᆞ여, 녀ᄌᆞ ᄉᆞ상(思相)ᄒᆞᄂᆞᆫ 치쇼(嗤笑)를 엇디 말나."

공ᄌᆡ 태부의 도덕셩힝을 ᄀᆞ장 긔탄ᄒᆞᄂᆞᆫ 고로, ᄌᆞ가 소힝을 아라시미 크게 참괴ᄒᆞᄃᆡ, 모다 져의 병을 디셩으로 념녀ᄒᆞ믈 감샤ᄒᆞ여 이의 탄왈,

"졍신이 현난ᄒᆞ니 ᄎᆞ병 후 만단회포(萬端懷抱)를 고ᄒᆞ리이다."

태뷔 미쇼 왈,

"회포를 닐너 므엇 ᄒᆞ리오. 내 본ᄃᆡ 그런 말을 듯고져 아닛ᄂᆞ니, 오딕 병심을 조셥ᄒᆞ여 슈히 낫기를 바라노라."

공ᄌᆡ 참안(慙顔)ᄒᆞ여 다시 말을 못ᄒᆞ고, 부인과 초공은 그 말ᄒᆞ믈 듯고 깃브믈 니긔디 못ᄒᆞ여, 보긔(補氣)ᄒᆞᆯ 듁음을 가져 먹이며, 년ᄋᆡ(憐愛)ᄒᆞ미 강보유ᄋᆞ(襁褓乳兒) ᄀᆞᆺᄐᆞ니[여], 평일 엄뎡(嚴整)턴 위의를 일허시니, 공ᄌᆡ 혼혼블셩듕(昏昏不醒中)이나 빅시의 우ᄋᆡ를 감격ᄒᆞ며, ᄌᆞ긔ᄂᆞᆫ 부모 형뎨의 념녀를 도라【68】보디 아니ᄒᆞ고, 남의 규슈를 ᄉᆞ상ᄒᆞ여 병이 ᄉᆞᄉᆡᆼ의 밋ᄎᆞ믈 크게 븟그리ᄃᆡ, 뎡시를 취치 못ᄒᆞ면 실노 살 길히 업ᄉᆞᆫ디라. ᄉᆞᄉᆞ로 ᄌᆞ긔디심이나 ᄎᆞᆨ냥치 못ᄒᆞ여 ᄒᆞ니, 이 ᄯᅩᄒᆞᆫ 하날이 식이미오, 하원챵의 본심이 아니러라.

[셔]【86】곳치지 못ᄒᆞ믈 크게 ᄋᆡ달나, 일시의 약물을 흘니며 슈족을 쥐므르고, 부인은 원챵을 브르니, 오ᄅᆡᆫ 후 계오 정신을 출히거늘, 초공《왈∥이》 분명이 뎡공의 허락 어드믈 니르고, '병을 조셥ᄒᆞ여 슈히 뎡씨를 취ᄒᆞ라.' ᄒᆞ니, 공ᄌᆡ 비로소 고지 듯고 크게 힝열ᄒᆞ여 만면화긔(滿面和氣)로 므ᄉᆞᆫ 말을 ᄒᆞ고져 ᄒᆞ다가, 긔운이 븟지 못ᄒᆞ여 흔흔이 벼ᄀᆡ를 의지ᄒᆞ여 정신을 슈습지 못ᄒᆞᄂᆞᆫ지라. 동평휘 겻ᄒᆡ 나가 안ᄌᆞ 왈,

"너의 병이 실노 남 들넘즉지 아니나, 금후 악쟝이 기리 허믈치 아니시고, 인명이 즁ᄒᆞ믈 도라보샤 허혼ᄒᆞ시니, 이졔ᄂᆞᆫ 네 소원이 일위게 되엿ᄂᆞᆫ지라. 식음을 힘뼈 나오고 긔운을 조호ᄒᆞ여 이러 나ᄂᆞᆫ 거시 올흐니, ᄎᆞ후ᄂᆞᆫ ᄯᅳᆺ잡기를 광풍졔월(光風霽月)【87】ᄀᆞᆺ치 ᄒᆞ여, 녀ᄌᆞ ᄉᆞ상(思想)ᄒᆞᄂᆞᆫ 치소(嗤笑)를 엇지 말나."

공ᄌᆡ 태부의 도덕션힝을 ᄀᆞ장 긔탄ᄒᆞᄂᆞᆫ 고로, ᄌᆞ가 소힝을 아랏시미 크게 참괴ᄒᆞᄃᆡ, 모다 져의 병을 지셩으로 념녀ᄒᆞ샤믈 감샤ᄒᆞ여, 이의 탄왈,

"졍신이 현난ᄒᆞ니 ᄎᆞ병 후 만간[단]회포(萬端懷抱)를 고ᄒᆞ리이다."

태뷔 미소 왈,

"회포를 닐너 무엇 ᄒᆞ리오. ᄂᆡ 본ᄃᆡ 그런 말을 듯고져 아닛ᄂᆞ니, 오즉 병심을 조셥ᄒᆞ여 슈이 낫기를 ᄇᆞ라노라."

공ᄌᆡ 참안(慙顔)ᄒᆞ여 다시 말을 못ᄒᆞ고, 부인과 초공은 그 말ᄒᆞ믈 듯고 깃부믈 니긔지 못ᄒᆞ여, 보긔(補氣)ᄒᆞᆯ 죽음을 가져 먹이며, 년ᄋᆡ(憐愛)ᄒᆞ미 강보유뎨(襁褓乳弟)ᄀᆞᆺᄐᆞ니[여], 평일 엄정(嚴整)턴 위의를 일허시니, 공ᄌᆡ 혼혼블셩즁(昏昏不醒中)이나 빅형의 우ᄋᆡ를 감격ᄒᆞ며, ᄌᆞ긔ᄂᆞᆫ 부모형뎨의 념녀를 도라 보지 아니【88】ᄒᆞ고, 남의 규슈를 ᄉᆞ상ᄒᆞ여 병이 ᄉᆞᄉᆡᆼ의 밋ᄎᆞ믈 크게 븟그리ᄃᆡ, 뎡씨를 취치 못ᄒᆞ면 실노 살 길히 업ᄉᆞᆫ지라. ᄉᆞᄉᆞ로 ᄌᆞ긔지심이나 ᄎᆞᆨ냥치 못ᄒᆞ여 ᄒᆞ니, 이 ᄯᅩᄒᆞᆫ 하날이 식이미오, 하원챵의 본 마음이 아니러라.

ᄎᆞ일노브터 공ᄌᆡ 듁음을 나오고 심규의 ᄲᅡ혓던 념녀를 술와바려, 뎡쇼져로 졔 긔믈 삼을 일이 즐겁고 다힝ᄒᆞ나, 오히려 오왕디녀 취ᄒᆞᆯ 일이 우환이 되더라.

이윽고 니뷔 도라 가고 초공이 모친을 뫼셔 ᄂᆡ루의 드러가신 후 뎡부의 잠간 니르ᄆᆡ, 뎡공 부ᄌᆞ 쳥듁헌의 고요히 잇고 빈ᄀᆡᆨ이 ᄒᆞ나토 업ᄂᆞᆫ디라. 초공이 드러와 졔왕 등과 ᄒᆞᆫ가디로 좌를 일우ᄆᆡ, 뎡공이 초공의 슈패ᄒᆞ미 듕병 디닌 사ᄅᆞᆷ ᄀᆞᄐᆞ믈 념녀ᄒᆞ여, 문왈,

“녕【69】뎨의 딜양이 위듕ᄒᆞ믈 드르니 아심이 경경(耿耿)ᄒᆞ나, 원챵의 작인이 슈화(水火)의 드러도 위ᄐᆡᄒᆞᆯ가 근심은 업ᄉᆞ니, ᄌᆞ의 엇디 너모 초젼(焦煎)ᄒᆞ여 의형의 슈패ᄒᆞ미 이ᄃᆡ도록 ᄒᆞ기의 밋쳣ᄂᆞ뇨?”

초공이 믄득 피셕 ᄌᆡᄇᆡᄒᆞ여 츄연(惆然) 하루(下淚) ᄃᆡ왈,

“년딜(緣姪)의 집이 존문의 하날 ᄀᆞᄐᆞᆫ 대은을 므릅쓰ᄃᆡ ᄒᆞᆫ 조각 ᄆᆞ음을 갑습디 못ᄒᆞ고, 이제 ᄯᅩ 녜법의 블가ᄒᆞᆫ 말ᄉᆞᆷ을 가져 년슉긔 고ᄒᆞ미 참안황괴(慙顔惶愧)ᄒᆞ믄 니르도 말고, 사뎨(舍弟)의 무상ᄒᆞ미 젼혀 년딜의 뎡도로 ᄀᆞᄅᆞ치디 못ᄒᆞ오미라. 년딜의 블초무상ᄒᆞ오미 비길 ᄃᆡ 업ᄉᆞ오나, 참황ᄒᆞ믈 므릅ᄲᅧ 년슉긔 고ᄒᆞ믄, 혹ᄌᆞ 년슉의 디우(知遇)ᄒᆞ시ᄂᆞᆫ 셩덕(聖德)으로 원챵의 도라가ᄂᆞᆫ 목슘을 구ᄒᆞ실가 업ᄃᆡ여 바라ᄋᆞᆸᄂᆞ니, 창뎨의 병이 괴【70】이ᄒᆞ여 우연이 어든 딜양이 아니오, 녕ᄋᆞ(令兒) 쇼져의 션풍옥딜(仙風玉質)을 ᄉᆞ상ᄒᆞᄂᆞᆫ 뜻이 ᄒᆞᆫ 조각 돌이 되어, 능히 그르믈 아디 못ᄒᆞ고 장ᄎᆞᆺ ᄉᆞ경의 밋쳣습ᄂᆞᆫ디라, ᄇᆡᆨ약이 무효ᄒᆞ여 당졔(當劑)를 닐위려 ᄒᆞᄆᆡ 녕ᄋᆞ 쇼져 밧 나디 아니ᄒᆞ오니, 힝실이 부박(浮薄)ᄒᆞ믄 죽어 앗갑디 아니ᄒᆞ오나, 쇼딜의 졍ᄉᆞᄂᆞᆫ 타인과 ᄀᆞᆺ디 아냐 가엄과 ᄌᆞ뫼 슬하상쳑(膝下喪慽)[1272]의 상(傷)ᄒᆞ미 무궁ᄒᆞ시니, ᄎᆞ마 상쳑(喪慽)을 다시 보시게 ᄒᆞ미 못ᄒᆞᆯ 노르시오, 녕쇼져의 신상을 니르와도 발셔 블힝ᄒᆞ여 탕ᄌᆞ의 눈

1272)슬하상쳑(膝下喪慽) : 슬하의 자녀를 잃은 슬픔.

ᄎᆞ일노브터 공ᄌᆡ 쥭음을 나오고 심곡의 ᄲᅡ혓던 념녀를 술와바려, 뎡소져로 졔 긔믈 삼을 일이 질겁고 다힝ᄒᆞ나, 오히려 오왕지녀 취ᄒᆞᆯ 일이 우환이 되더라.

이윽고 니뷔 도라 가고 초공이 모친을 뫼셔 ᄂᆡ루의 드러가신 후, 뎡부의 잠간 니르ᄆᆡ, 뎡공 부ᄌᆞ 쳥쥭헌의 고요히 잇고 빈ᄀᆡᆨ이 ᄒᆞ나토 업ᄂᆞᆫ지라. 초공이 드러와 졔왕 등과 ᄒᆞᆫ 가지로 좌를 일우ᄆᆡ, 뎡공이 초공의 슈ᄑᆡᄒᆞ미 즁병 지닌 샤ᄅᆞᆷ ᄀᆞᄐᆞ믈 념녀ᄒᆞ여, 문왈,

“녕뎨의 질양이 위즁ᄒᆞ믈 드르니 【89】 아심이 경경(耿耿)ᄒᆞ나, 원챵의 작인이 슈화(水火)의 드러도 위ᄐᆡᄒᆞᆯ가 근심은 업ᄉᆞ니, ᄌᆞ의 엇지 너모 초젼(焦煎)ᄒᆞ여 의형의 슈ᄑᆡᄒᆞ미 이ᄃᆡ도록 ᄒᆞ기의 밋쳣ᄂᆞ뇨?”

초공이 믄득 피셕 ᄌᆡᄇᆡᄒᆞ여 츄연(惆然) 하루(下淚) ᄃᆡ왈,

“년딜(緣姪)의 집이 존문의 하날 ᄀᆞᄐᆞᆫ ᄃᆡ은을 므릅쓰ᄃᆡ ᄒᆞᆫ 조각 마음을 갑습지 못ᄒᆞ고, 이제 ᄯᅩ 녜법의 불가ᄒᆞᆫ 말ᄉᆞᆷ을 가져 년슉긔 고ᄒᆞ미 참안황괴(慙顔惶愧)ᄒᆞ믄 니르도 말고, 사뎨의 무상ᄒᆞ미 젼혀 년딜의 졍도로 가르치지 못ᄒᆞ오미라. 년딜의 블초무상ᄒᆞ오미 비길 ᄃᆡ 업ᄉᆞ오나, 참황ᄒᆞ믈 므릅셔 년슉긔 고ᄒᆞ믄, 혹ᄌᆞ 년슉의 지우ᄒᆞ시ᄂᆞᆫ 셩덕(聖德)으로 원챵의 도라가ᄂᆞᆫ 목슘을 구ᄒᆞ실가 업ᄃᆡ여 ᄇᆞ라ᄋᆞᆸᄂᆞ니, 창뎨의 병이 괴이ᄒᆞ여 우연이 어든 병이 아니오, 녕ᄋᆞ 소져의 션풍【90】옥질(仙風玉質)을 ᄉᆞ상ᄒᆞᄂᆞᆫ 뜻이 ᄒᆞᆫ 조각 돌이 되어, 능히 그르믈 아지 못ᄒᆞ고 장ᄎᆞᆺ ᄉᆞ경의 밋쳣습ᄂᆞᆫ지라. ᄇᆡᆨ약이 무효ᄒᆞ여 당졔(當劑)를 닐위려 ᄒᆞᄆᆡ 녕ᄋᆞ 소져 밧 낫지 아니ᄒᆞ오니, 힝실이 부박(浮薄)ᄒᆞ믄 죽어 앗갑지 아니ᄒᆞ오나, 소딜의 졍ᄉᆞᄂᆞᆫ 타인과 ᄀᆞᆺ지 아냐 가엄과 ᄌᆞ뫼 슬하상쳑(膝下喪慽)[978]의 상ᄒᆞ미 무궁ᄒᆞ시니, ᄎᆞ마 상쳑을 다시 보시게 ᄒᆞ미 못ᄒᆞᆯ 노릇시오, 녕소져의 신상을 니르와도 발셔 불힝ᄒᆞ여 탕ᄌᆡᆨ의 눈의 걸닌 ᄇᆡ 되와, 원창이 인ᄒᆞ

978)슬하상쳑(膝下喪慽) : 슬하의 자녀를 잃은 슬픔.

의 걸닌 빅 되와, 원창이 인ᄒᆞ여 상ᄉᆞ디질(相思之疾)노 죽을딘딕, 녕ᄋᆞ쇼져 신상의 일단 측흠도 업디 아니ᄒᆞ온디라. 시고로 븟그러온 낫출 드러 비례(非禮)의 말솜을 존하의 고ᄒᆞᄋᆸᄂᆞ니, 원 년슉은 쇼딜의 교뎨(教弟) 못흔 죄를 다【71】ᄉᆞ리시고, 사뎨의 위틱흔 목숨을 도라보샤믈 원ᄒᆞᄂᆞ이다."

말솜이 간졀ᄒᆞ고 안쉭의 슈괴ᄒᆞ믈 씌여시니, 뎡공이 하ᄌᆞ(河子)의 유질ᄒᆞ믈 드르믹 반ᄃᆞ시 녀ᄋᆞ를 ᄉᆞ상ᄒᆞᄂᆞᆫ 딜양이믈 짐작ᄒᆞ나, 블쾌흔 일의 몬져 아른 체 아니려, 오딕 하공을 날마다 보고 원챵의 병을 므를디언졍 언두의 그 힝ᄉᆞ를 니르디 아녓더니, 초공의 말이 이 ᄌᆞ기의 밋쳐ᄂᆞᆫ 조금도 블평흔 ᄉᆞ식을 낫토디 아니코, 이연(怡然)이 공의 손을 잡아 왈,

"ᄌᆞ의 우리 부ᄌᆞ의 ᄆᆞᄋᆞᆷ을 거의 알녀든, 엇디 믹양 디난 일을 닐너 날노 ᄒᆞ여금 블안케 ᄒᆞᄂᆞ뇨? 이제 원챵의 병이 쇼녀로 말미암으밀딘딕, 이 ᄀᆞ장 곳치기 쉬오니, 혼인은 냥가의 됴흔 일이오, 내 또 ᄉᆞ회를 어드믹 원챵의셔 낫기를 바라디 못홀디라. 녕【72】뎨 임의 오궁의 힝빙(行聘)ᄒᆞ미 이시나, 그 긔상이 흔 안히로 늙을 지 아니라. 병을 조셥ᄒᆞ여 군쥬를 몬져 취ᄒᆞ고, 유싱의 두 안히 괴이ᄒᆞ니 잠간 등양(登揚)ᄒᆞ기를 기다려 아녀(兒女)를 취홀디라. ᄌᆞ의ᄂᆞᆫ 도라가 녕뎨를 보아 이 말을 젼ᄒᆞ고, 범ᄉᆞ ᄎᆞ례 잇ᄂᆞ니, 오군쥬ᄂᆞᆫ 황가디엽의 존귀를 가져실 ᄲᅮᆫ 아니라, 녕엄이 오왕을 딕ᄒᆞ여 비록 깃븐 혼ᄉᆞ 아니나 임의 뎡약 힝빙흔 친ᄉᆞ(親事)니, 녕뎨 원비ᄂᆞᆫ 당당흔 오왕디녜라. ᄋᆞ녀ᄂᆞᆫ 위인이 혼암ᄒᆞ고 인ᄉᆞ 블민ᄒᆞ여 군ᄌᆞ의 듕궤ᄂᆞᆫ 감당치 못ᄒᆞ리니, 등과 후 취홀디라도 내 집의 머믈 ᄯᆞ롬이라. 이만 쉬온 일을 그리 초ᄉᆞᄒᆞ여 병나도록 ᄒᆞ리오."

초공이 복슈문교(伏首聞教)의 빅빅 ᄉᆞ샤 왈,

"사뎨【73】의 목숨은 년슉이 살오시ᄂᆞᆫ 작시니, 니른 바 '싱아ᄌᆞ(生我者)ᄂᆞᆫ 부뫼오

여 상ᄉᆞ질(相思疾)노 죽을진딕, 녕ᄋᆞ 소져 신상의 일단 측흠도 업지 아니ᄒᆞ온지라. 시고로 븟그러온 낫출 드러 비례의 말솜을 존하(尊下)의 고ᄒᆞᄋᆸᄂᆞ니, 원 년슉은 소딜의 교뎨(教弟) 못흔 죄를 다ᄉᆞ리시고, ᄉᆞ뎨의 위틱흔 목숨을 도라보시믈 원ᄒᆞ【91】ᄂᆞ이다."

말솜이 근졀ᄒᆞ고 안쉭의 슈괴(羞愧)ᄒᆞ믈 씌엿시니, 뎡공이 하ᄌᆞ의 유질ᄒᆞ믈 드르믹 반ᄃᆞ시 녀ᄋᆞ를 ᄉᆞ상ᄒᆞᄂᆞᆫ 질양이믈 짐작ᄒᆞ나, 불쾌흔 일의 몬져 아른 체 아니려, 오즉 하공을 날마다 보고 원챵의 병을 무를지언졍 언두의 그 힝ᄉᆞ를 니르지 아녓더니, 초공의 말이 이 ᄌᆞ기의 밋쳐ᄂᆞᆫ 조곰도 불평흔 ᄉᆞ식을 낫토지 아니코, 이연(怡然)이 공의 손을 잡아 왈,

"ᄌᆞ의 우리 부ᄌᆞ의 마ᄋᆞᆷ을 거의 알녀든, 엇지 믹양 지난 일을 닐너 날노 ᄒᆞ야곰 불안케 ᄒᆞᄂᆞ뇨? 이제 원챵의 병이 소녀로 말미암아[으]밀진딕, 이 ᄀᆞ장 곳치기 쉬오니, 혼인은 냥가의 조흔 일이오, 내 또 ᄉᆞ회를 어드믹 원챵의셔 낫기를 ᄇᆞ라지 못홀지라. 녕뎨 임의 오궁의 힝빙(行聘)ᄒᆞ미 잇시나, 그 긔상이 흔 안히【91】로 늙을 지 아니라, 병을 조셥ᄒᆞ여 군쥬를 몬져 취ᄒᆞ고, 유싱의 두 안히 괴이ᄒᆞ니 잠간 등양(登揚)ᄒᆞ기를 기ᄃᆞ려 ᄋᆞ녀를 취홀지라. ᄌᆞ의ᄂᆞᆫ 도라가 녕뎨를 보아 이 말을 젼ᄒᆞ고, 범ᄉᆞ ᄎᆞ례 잇ᄂᆞ니, 오군쥬ᄂᆞᆫ 황가지엽의 존귀를 가져실 ᄲᅮᆫ 아니라, 녕엄이 오왕을 딕ᄒᆞ여 비록 깃븐 혼ᄉᆞ 아니나 임의 졍약힝빙(定約行聘)흔 친ᄉᆞ(親事)니 녕뎨 원비ᄂᆞᆫ 당당흔 오왕지녜라. 오녀(吾女)ᄂᆞᆫ 위인이 혼암ᄒᆞ고 인ᄉᆞ 블민ᄒᆞ여 군ᄌᆞ의 즁궤ᄂᆞᆫ 감당치 못ᄒᆞ리니, 등과 후 취홀지라도 내 집의 머믈 ᄯᆞ름이라. 이만 쉬운 일을 그리 샹ᄉᆞᄒᆞ여 병나도록 ᄒᆞ리오."

초공이 복슈문교(伏首聞教)의 빅빅 ᄉᆞ샤 왈,

"사뎨의 목숨은 년슉이 ᄉᆞᆯ오시ᄂᆞᆫ 작시니 니른 바 '싱아ᄌᆞ(生我者)ᄂᆞᆫ 부모오 지싱ᄌᆞ

ᄌᆡᄉᆡᆼᄌᆞ(再生者)ᄂᆞᆫ 합ᄒᆡ(閤下)시니'[1273], 쇼딜의 집이 존부 대은을 쳡쳡히 므릅쓰ᄆᆡ, ᄎᆞᄉᆡᆼ의 갑ᄉᆞ올 도리 업ᄉᆞ니, 오ᄃᆡᆨ '화산(華山)의 결초(結草)'[1274]ᄒᆞ고, '슈호(守護)의 함쥬(含珠)'[1275]ᄒᆞ여 셰셰ᄉᆡᆼᄉᆡᆼ(世世生生)[1276]의 뫼시믈 바라오나, 오ᄃᆡᆨ 녕ᄋᆞ(令兒) 귀쇼져로 사뎨(舍弟)의 부실(副室) 삼기ᄂᆞᆫ 블가ᄒᆞ오니, 오왕과 죵용이 면의(面議)[1277]코져 ᄒᆞᄂᆞ이다."

뎡공 왈,

"블가ᄒᆞ다. ᄌᆞ의 엇디 이런 말을 ᄒᆞᄂᆞ뇨? 오왕이 녕뎨(令弟)의 츌뉴(出類)ᄒᆞ믈 과ᄋᆡ(過愛)ᄒᆞ여, 임의 면약뇌뎡(面約牢定)ᄒᆞ고 빙치(聘采)를 보ᄂᆡ여 길일(吉日)이 머디 아녓거늘, 이졔 ᄋᆞ녀로ᄡᅧ 녕뎨의 원비를 삼고져 말을 ᄂᆡ미 만만블ᄉᆞ(萬萬不似)[1278] ᄒᆞᆯ ᄲᆞᆫ 아니라, 내 본ᄃᆡ ᄌᆞ식으로ᄡᅧ 남【74】의 우히 오로고져 아니ᄒᆞᄂᆞ니, 엇디 오왕 군쥬의 우히 되고져 ᄒᆞ리오. 오왕이 드러도 내 일을 구ᄎᆞ히 넉일 거시오, 몬져 힝빙ᄒᆞᆫ 친

1273)ᄉᆡᆼ아ᄌᆞ(生我者)는 부뫼오 ᄌᆡᄉᆡᆼᄌᆞ(再生者)는 합ᄒᆡ(閤下)시니 : 나를 낳아주신 이는 부모시요, 죽을 위기에서 다시 살려주신 이는 합하시다.

1274)화산(華山)의 결초(結草) : '화산에 풀을 맺는다'는 뜻으로 죽어서도 은혜를 잊지 않고 갚는다는 말. *화산(華山); 중국의 오악(五嶽)가운데 서악(西岳). 음양학에서 동·남은 양계(陽界)이고 서·북은 음계(陰界)에 속하여 화산(華山)은 묘지 또는 묘지가 있는 산을 뜻한다. *결초(結草); 결초보은(結草報恩). 죽은 뒤에도 은혜를 잊지 않고 갚음을 이르는 말. 중국 춘추 시대에, 진나라의 위과(魏顆)가 아버지가 세상을 떠난 후에 서모를 개가시켜 순사(殉死)하지 않게 하였더니, 그 뒤 싸움터에서 그 서모 아버지의 혼이 적군의 앞길에 풀을 묶어 적을 넘어뜨려 위과가 공을 세울 수 있도록 하였다는 고사에서 유래한다.

1275)슈호(守護)의 함쥬(含珠) : '구슬을 입에 문 수호자(守護者)'라는 뜻으로 죽어서도 따르면서 지켜준다는 말. *함쥬(含珠); 상례(喪禮)에서 염습할 때에 죽은 이의 입에 쌀이나 구슬을 물리는 데 쌀을 물리는 것을 반함(飯含)이라 하고 구슬을 물리는 것을 함주(含珠)라고 한다. 따라서 함주는 '죽은 사람'을 뜻한다.

1276)셰셰ᄉᆡᆼᄉᆡᆼ(世世生生) : 몇 번이든지 다시 환생하는 일. 또는 그런 때. 중생이 나서 죽고 죽어서 다시 태어나는 윤회의 형태이다.

1277)면의(面議) : 서로 얼굴을 마주보고 의논함.

1278)만만블ᄉᆞ(萬萬不似) : 전혀 도리에 맞지 않음.

(再生者)ᄂᆞᆫ 합ᄒᆡ(閤下)시니'[979], 소딜의【93】 집이 존부 ᄃᆡ은을 쳡쳡히 무릅쓰ᄆᆡ, ᄎᆞᄉᆡᆼ의 갑ᄉᆞ올 도리 업ᄉᆞ니, 오즉 '화산(華山)의 결초(結草)'[980]ᄒᆞ고, '슈호(守護)의 함쥬(含珠)'[981]ᄒᆞ여 셰셰ᄉᆡᆼᄉᆡᆼ(世世生生)[982]의 뫼시믈 ᄇᆞ라오나, 오즉 녕ᄋᆞ 귀소져로 ᄉᆞ뎨의 부실 삼기ᄂᆞᆫ 불가ᄒᆞ오니, 오왕과 죵용이 면의(面議)[983]코져 ᄒᆞᄂᆞ이다"

뎡공 왈,

"불가ᄒᆞ다. ᄌᆞ의 엇지 이런 말을 ᄒᆞᄂᆞ뇨? 오왕이 녕뎨(令弟)의 츌뉴(出類)ᄒᆞ믈 과ᄋᆡᄒᆞ여, 임의 면약뇌졍(面約牢定)ᄒᆞ고 빙치를 보ᄂᆡ여 길일이 머지 아냣거늘, 이졔 ᄋᆞ녀로ᄡᅧ 녕뎨의 원비를 삼고져 말을 ᄂᆡ미 만만불ᄉᆞ(萬萬不似)[984]ᄒᆞᆯ ᄲᆞᆫ 아니라, 내 본ᄃᆡ ᄌᆞ식으로ᄡᅧ 남의 우히 오로고져 아니ᄒᆞᄂᆞ니, 엇지 오왕 군쥬의 우히 되고져 ᄒᆞ리오. 오왕이 드러도 내 일을 구ᄎᆞ히 넉일 거시오, 몬져 힝빙ᄒᆞᆫ 친ᄉᆞ를 ᄂᆞᆺ츄어 후의 지ᄂᆡᄌᆞ ᄒᆞ

979)ᄉᆡᆼ아ᄌᆞ(生我者)는 부뫼오 ᄌᆡᄉᆡᆼᄌᆞ(再生者)는 합ᄒᆡ(閤下)시니 : 나를 낳아주신 이는 부모시요, 죽을 위기에서 다시 살려주신 이는 합하시다.

980)화산(華山)의 결초(結草) : '화산에 풀을 맺는다'는 뜻으로 죽어서도 은혜를 잊지 않고 갚는다는 말. *화산(華山); 중국의 오악(五嶽)가운데 서악(西岳). 음양학에서 동·남은 양계(陽界)이고 서·북은 음계(陰界)에 속하여 화산(華山)은 묘지 또는 묘지가 있는 산을 뜻한다. *결초(結草); 결초보은(結草報恩). 죽은 뒤에도 은혜를 잊지 않고 갚음을 이르는 말. 중국 춘추 시대에, 진나라의 위과(魏顆)가 아버지가 세상을 떠난 후에 서모를 개가시켜 순사(殉死)하지 않게 하였더니, 그 뒤 싸움터에서 그 서모 아버지의 혼이 적군의 앞길에 풀을 묶어 적을 넘어뜨려 위과가 공을 세울 수 있도록 하였다는 고사에서 유래한다.

981)슈호(守護)의 함쥬(含珠) : '구슬을 입에 문 수호자(守護者)'라는 뜻으로 죽어서도 따르면서 지켜준다는 말. *함쥬(含珠); 상례(喪禮)에서 염습할 때에 죽은 이의 입에 쌀이나 구슬을 물리는 데 쌀을 물리는 것을 반함(飯含)이라 하고 구슬을 물리는 것을 함주(含珠)라고 한다. 따라서 함주는 '죽은 사람'을 뜻한다.

982)셰셰ᄉᆡᆼᄉᆡᆼ(世世生生) : 몇 번이든지 다시 환생하는 일. 또는 그런 때. 중생이 나서 죽고 죽어서 다시 태어나는 윤회의 형태이다.

983)면의(面議) : 서로 얼굴을 마주보고 의논함.

984)만만블ᄉᆞ(萬萬不似) : 전혀 도리에 맞지 않음.

ᄉᆞ를 늣추어 후의 디ᄂᆡᄌᆞ ᄒᆞ면, 오왕 아녀 한빈(寒貧)ᄒᆞᆫ 유ᄉᆡᆼ이라도 분(憤)히 넉이리니, ᄌᆞ의ᄂᆞᆫ ᄌᆡ삼 닉이 ᄉᆡᆼ각고 괴이ᄒᆞᆫ 말을 다시 말디어다."

초공이 공슈(拱手)[1279] ᄃᆡ왈,

"하괴 이 ᄀᆞᆺᄐᆞ시니 쇼딜이 다시 고ᄒᆞᆯ 말ᄉᆞᆷ이 업ᄉᆞ오나, 녕ᄋᆞ 귀쇼져로 원챵의 ᄌᆡ실의 굴ᄒᆞ미 욕되기 극ᄒᆞ고, 쇼딜의 ᄆᆞᄋᆞᆷ이 블안토소이다."

공이 쇼왈,

"피ᄎᆞ 문미(門楣)[1280]와 가셰(家勢) 상당ᄒᆞ고, 부부의 ᄀᆡ딜이 용우치 아니니, 니른바 텬뎡가연(天定佳緣)이라. 녹녹(碌碌)히 션후를 닷토리오. 녕뎨로ᄡᅧ 발셔 동상을 의논코져 ᄠᅳᆺ이 이시ᄃᆡ, ᄋᆞ녀ᄂᆞᆫ ᄒᆞᆫ낫 용우(庸愚)코 졸약(拙弱)【75】ᄒᆞ거ᄂᆞᆯ, 원창은 ᄀᆡ상이 광풍졔월(光風霽月) ᄀᆞᆺᄐᆞ여 위풍(威風)이 뇽호(龍虎)와 병칭(竝稱)ᄒᆞ니, 쳔고쥰걸(千古俊傑)의 ᄀᆡ습이라. 어린 녀식으로ᄡᅧ 셰츤 당부를 비ᄒᆞ믈 막능당(莫能當)[1281]이러니, 인연이 ᄀᆡ구ᄒᆞ여 쇼녜 브ᄃᆡ 녕뎨의 ᄀᆡ믈이 되니, 이 ᄯᅩ 텬의(天意)라. 인력으로 면ᄒᆞ리오."

초공이 뎡공의 화홍인ᄌᆞ(和弘仁慈)ᄒᆞᆫ ᄀᆡ량을 항복ᄒᆞ여 언언칭샤(言言稱謝)ᄒᆞ고 감격ᄒᆞ미 골졀의 ᄉᆞ못더라【76】

면, 오왕 《아네∥아녀》 한쳔(寒賤)ᄒᆞᆫ 유ᄉᆡᆼ【94】이라도 분히 넉이리니, ᄌᆞ의ᄂᆞᆫ ᄌᆡ삼 익이 ᄉᆡᆼ각고 괴이ᄒᆞᆫ 말을 다시 말지어다."

초공이 공슈(拱手)[985] ᄃᆡ왈,

"하괴 이 ᄀᆞᆺᄐᆞ시니 소딜이 다시 고ᄒᆞᆯ 말ᄉᆞᆷ이 업습ᄂᆞ이다. 그러나 녕ᄋᆞ 귀소져로 원챵의 ᄌᆡ실의 굴ᄒᆞ미 욕 되기 극ᄒᆞ고, 소딜의 마ᄋᆞᆷ이 불안토소이다."

공이 소왈

"피ᄎᆞ 문미(門楣)[986]와 가셰(家勢) 상당ᄒᆞ고, 부부의 ᄀᆡ질이 용우치 아니니, 니른바 텬졍가연(天定佳緣)이라. 녹녹(碌碌)히 션후를 닷토리오. 녕뎨로ᄡᅧ 발셔 동상을 의논코져 ᄠᅳᆺ이 이시ᄃᆡ, ᄋᆞ녀ᄂᆞᆫ ᄒᆞᆫ낫 용이[우](庸愚)코 졸약(拙弱)ᄒᆞ거ᄂᆞᆯ, 원창은 ᄀᆡ상이 광풍졔월(光風霽月) ᄀᆞᆺᄐᆞ여 위풍(威風)이 뇽호(龍虎)와 병칭(竝稱)ᄒᆞ니, 쳔고쥰걸(千古俊傑)의 ᄀᆡ습이라. 어린 녀식으로ᄡᅧ 셰츤 쟝부를 비ᄒᆞ믈 막능당(莫能當)[987]이러니, 인연이 ᄀᆡ구ᄒᆞ여 소네 브ᄃᆡ 년[녕]뎨(令弟)의 ᄀᆡ물이 되니, 이 ᄯᅩ 텬의(天意)라. 인력【95】으로 면ᄒᆞ리오."

초공이 뎡공의 화홍인ᄌᆞ(和弘仁慈)ᄒᆞᆫ ᄀᆡ량을 항복ᄒᆞ여 언언칭샤(言言稱謝)ᄒᆞ고 감격ᄒᆞ미 골졀의 ᄉᆞ못ᄂᆞᆫ지라.

1279)공슈(拱手) : 절을 하거나 웃어른을 모실 때, 두 손을 앞으로 모아 포개어 잡음. 또는 그런 자세. 남자는 왼손을 오른손 위에 놓고, 여자는 오른손을 왼손 위에 놓는다. 흉사(凶事)가 있을 때에는 반대로 한다

1280)문미(門楣) : ①문벌, 가문. ②창문 위에 가로 댄 나무. 그 윗부분 벽의 무게를 받쳐 준다.

1281)막능당(莫能當) : 능히 당할 수 없음.

985)공슈(拱手) : 절을 하거나 웃어른을 모실 때, 두 손을 앞으로 모아 포개어 잡음. 또는 그런 자세. 남자는 왼손을 오른손 위에 놓고, 여자는 오른손을 왼손 위에 놓는다. 흉사(凶事)가 있을 때에는 반대로 한다

986)문미(門楣) : ①문벌, 가문. ②창문 위에 가로 댄 나무. 그 윗부분 벽의 무게를 받쳐 준다.

987)막능당(莫能當) : 능히 당할 수 없음.

명듀보월빙 권디구십오

어시의 초공이 뎡공의 화홍인ᄌᆞ(和弘仁慈)ᄒᆞᆫ 긔량(器量)을 항복ᄒᆞ여 언언칭샤(言言稱謝)ᄒᆞ고 감격ᄒᆞ미 골졀(骨節)의 ᄉᆞ못ᄂᆞᆫ디라. 졔왕과 녜부 등이 화긔를 곳치디 아니ᄃᆡ, 월휘 가장 분분(忿憤)ᄒᆞ여 초공을 향ᄒᆞ여 므슴 말을 ᄒᆞ고져 ᄒᆞ거ᄂᆞᆯ, 공이 냥안을 흘니 ᄡᅥ 슉시(熟視)ᄒᆞᄆᆡ, 월휘 ᄒᆞᆫ 말을 못ᄒᆞ나 쳔금 필ᄆᆡ로ᄡᅧ 남의 부실 삼을 일이 통한코 분히ᄒᆞ믈 니긔디 못ᄒᆞ더라. 초공이 날호여 부듕의 도라가ᄆᆡ, 월휘 ᄎᆞᆷ디 못ᄒᆞ여 부젼의 고왈,

"대인 존의를 쇼ᄌᆞ 등이 감히 앙탁디 못ᄒᆞ오나, ○○[엇디] 쇼ᄆᆡ로ᄡᅧ 하원챵의 ᄌᆡ실을 삼으시ᄂᆞ니잇가?"

공이 위연(喟然)[1282] 탄왈,

"ᄋᆞ녀ᄂᆞᆫ 인듕셩인(人中聖人)이오 녀듕텰【1】뷔(女中哲婦)라. ᄇᆡᆨ힝ᄉᆞ덕(百行四德)이 초츌ᄒᆞ고 용화긔딜이 당녀의 만히 나리디 아니니, 내 실노 ᄌᆞᄋᆡ디졍(慈愛之情)이 텬뉸 밧 더으미 만터니, 져의 팔ᄌᆡ 히연(駭然)ᄒᆞᆫ ᄋᆡ회 업디 아니랴. 믄득 오왕디녀(吳王之女)의 뎍인(敵人)이 되여 그 하풍(下風)[1283]의 감심키의 니르니, 군쥐 만일 어딜딘ᄃᆡ 힝이어니와, 블연ᄌᆞᆨ 져의 신셰 편치 아니코 원챵의 가시 어ᄌᆞ러올디라. 신낭을 ᄀᆞᆯ히고져 ᄒᆞᆯ딘ᄃᆡ 원창의 외모풍신과 문벌ᄌᆡ화(門閥才華)를 나모라리오마ᄂᆞᆫ, 오히려 셩ᄌᆞ(聖者)의 빈빈(彬彬)○[ᄒᆞᆫ] 도ᄒᆞᆨ(道學)이 업ᄉᆞ므로 동상(東床)을 유의치 아녓더니, 텬연이 괴이ᄒᆞ여 녀ᄋᆞ의 쟝신(藏身)이 엄ᄒᆞᆫ 가온ᄃᆡ, 원챵이 믄득 그 얼골을 본 ᄇᆡ 되여 ᄉᆞ상지딜(思相之疾)을 일위니, 힝실이 뎡대치 못ᄒᆞ믄 니르도 말고 녀ᄋᆞ 신샹의 심히 측ᄒᆞ미[1284] 되ᄂᆞᆫ 고로,【2】그 ᄌᆡ실이라도 쾌허ᄒᆞ여 원

1282)위연(喟然) : 한숨을 쉬는 모양이 서글픔. 한숨을 쉬며 서글프게.
1283)하풍(下風) : 사람이나 사물의 질이 낮음.
1284)측ᄒᆞ다 : 추악(醜惡)하다. 언짢다. 원망스럽다. 정도에서 벗어나다.

졔왕과 녜부 등이 화긔를 곳치지 아니ᄃᆡ, 월휘 가장 분분(忿憤)ᄒᆞ여 하공을 향ᄒᆞ여 무슴 말을 ᄒᆞ고져 ᄒᆞ거ᄂᆞᆯ, 공이 냥안을 흘니 ᄡᅥ 슉시(熟視)ᄒᆞᄆᆡ, 월휘 ᄒᆞᆫ 말을 못ᄒᆞ나 쳔금 필ᄆᆡ로ᄡᅧ 남의 부실 삼을 일이 통한코 분히ᄒᆞ믈 니긔지 못ᄒᆞ더라. 초공이 날호여 부즁의 도라가ᄆᆡ 월휘 ᄎᆞᆷ지 못ᄒᆞ여 부젼의 고 왈,

"대인 존의를 소ᄌᆞ 등이 감히 예탁(豫託)지 못ᄒᆞ오나, ○○[엇지] 소ᄆᆡ로ᄡᅧ 하원챵의 ᄌᆡ실을 삼으시ᄂᆞ니잇가?"

공이 우연(憂然)[988] 탄왈,

"ᄋᆞ녀ᄂᆞᆫ 인즁셩인(人中聖人)이오 녀즁쳘뷔(女中哲婦)라 ᄇᆡᆨ힝ᄉᆞ덕(百行四德)이 초츌ᄒᆞ고 용화긔질이 쟝녀의 만히 나리지 아니니, 내 실노 ᄌᆞᄋᆡᄒᆞᄂᆞᆫ 졍이 텬륜【96】밧 더으미 만터니, 져의 팔ᄌᆡ 히연ᄒᆞᆫ ᄋᆡ회 업지 아니랴. 믄득 오왕지녀(吳王之女)의 젹인이 되여 그 하풍(下風)[989]의 감심키의 니르니, 군쥐 만일 어딜진ᄃᆡ 힝이어니와, 블연ᄌᆞᆨ 져의 신셰 편치 아니코 원챵의 ○○[가ᄉᆡ] 어ᄌᆞ러올지라. 신낭을 ᄀᆞᆯ희고져 ᄒᆞᆯ진ᄃᆡ 원창의 외모풍신과 문벌ᄌᆡ화(門閥才華)를 나모라리오마ᄂᆞᆫ, 오히려 셩ᄌᆞ의 빈빈(彬彬)○[ᄒᆞᆫ] 도학(道學)이 업ᄉᆞ므로 동상을 유의치 아낫더니, 텬연이 괴이ᄒᆞ여 녀ᄋᆞ의 쟝신이 엄ᄒᆞᆫ 가온ᄃᆡ, 원챵이 믄득 그 얼골을 본 ᄇᆡ 되여 ᄉᆞ상지질(思相之疾)을 닐위니, 힝실이 졍ᄃᆡ치 못ᄒᆞ믄 니르도 말고, 녀ᄋᆞ 신샹의 심히 측ᄒᆞ미[990] 되ᄂᆞᆫ 고로, 그 ᄌᆡ실이라도 쾌허ᄒᆞ여 원챵의 거리ᄭᅵᆫ ᄆᆞᄋᆞᆷ이 플니고져

988)우연(憂然) : 근심스러움. 근심스럽게.
989)하풍(下風) : 사람이나 사물의 질이 낮음.
990)측ᄒᆞ다 : 추악(醜惡)하다. 언짢다. 원망스럽다. 정도에서 벗어나다.

챵의 거리낀 ᄆᆞᄋᆞᆷ이 플니고져 ᄒᆞ미니, 굿ᄐᆞ여 아쥬의 젼졍을 그릇 민들녀 ᄒᆞ미 아니니, 너희 말을 만히 말디어다."

월휘 다시 ᄉᆞ식디 못ᄒᆞᄃᆡ, 오궁의 뎡혼젼 약혼치 못ᄒᆞ믈 심히 ᄋᆡ돌나 ᄒᆞ더라. 공이 ᄂᆡ루의 드러와 태부인긔 아쥬의 뎡혼ᄉᆞ를 고ᄒᆞ니, 태부인이 탄왈,

"원챵의 셔간을 보므로브터 아쥐 타문의 가디 못홀 줄은 아랏거니와, 네 퇴셔의 너모 비상ᄒᆞᆫ 고로 아쥬를 발셔 뎡혼치 못ᄒᆞ고, 도로혀 원챵의 부실을 삼게 되니 엇디 ᄋᆡ돏디 아니리오."

공이 화열이 고왈,

"ᄌᆞ괴 맛당ᄒᆞ시나 만ᄉᆡ 텬명이니 비인력디쇼애(非人力之所也)[1285]온디라. 쇼ᄌᆡ 아쥬를 위ᄒᆞ여 가랑(佳郎)을 유의ᄒᆞ미 동셔의 무심치 아니ᄒᆞ오ᄃᆡ, 맛ᄎᆞᆷᄂᆡ 눈의 ᄎᆞᆫ 옥인을 만나디 【3】 못ᄒᆞ고, 이제 도로혀 하원챵의 ᄌᆡ실을 삼게 되니, 젼의 놉히 바라던 ᄇᆡ 아니오나 이 ᄯᅩ 연분의 듕ᄒᆞ미라. 원챵의 용모ᄌᆡ화를 니를딘ᄃᆡ 반졈 하ᄌᆞ홀 곳이 업ᄉᆞ올 ᄲᅳᆫ 아니오라, 슈복완젼디상(壽福完全之相)이니, 원챵의 ᄌᆡ실이 용우ᄒᆞᆫ 쇽ᄌᆞ의 원비도곤 쾌홀가 ᄒᆞ옵ᄂᆞ니, ᄌᆞ졍은 념녀치 마르쇼셔."

태부인이 깃거 아니나, 능히 믈니치디 못홀 혼ᄉᆡ 고로 다시 말을 아니터라. 초공이 뎡공의 허락을 듯고 도라와 모부인긔 고ᄒᆞ나, 부공긔는 굿ᄐᆞ여 고치 아니니, 이는 공의 셩이 엄ᄒᆞᆫ 연괴라.

이러구러 여러 날이 되ᄆᆡ 원챵의 병이 나날 ᄎᆞ셩(差成)ᄒᆞ여, 음식을 스ᄉᆞ로 ᄎᆞᄌᆞ 먹으며, ᄉᆞ디ᄇᆡᆨ히(四肢百骸)를 분쇄ᄒᆞᄂᆞᆫ ᄃᆞ시 알턴 즁이 구름이 거드며 안개 스러디 ᄃᆞ시 나으ᄃᆡ, 부친이 【4】 일졀 뭇디 아니시며 힝혀도 보디 아니시믈 크게 황민(惶憫)ᄒᆞ여, 냥형과 원필을 향ᄒᆞ여 왈,

"대인이 쇼뎨의 병을 ᄒᆞᆫ 번도 뭇디 아니시니, 반ᄃᆞ시 병의 근위(根爲)를 아르신가

1285)비인력디쇼애(非人力之所也) : 사람의 힘으로 할 수 있는 일이 아님.

ᄒᆞ미니, 굿ᄐᆞ여 아쥬의 젼졍을 그릇 민들녀 ᄒᆞ미 아니니, 너희 말을 만히 말지어다" 【97】

월휘 다시 ᄉᆞ식지 못ᄒᆞᄃᆡ, 오궁의 졍혼젼 약혼치 못ᄒᆞ믈 심히 ᄋᆡ돌나 ᄒᆞ더라. 공이 ᄂᆡ루의 드러와 태부인긔 아쥬의 졍혼ᄉᆞ를 고ᄒᆞ니, 태부인이 탄왈,

"원챵의 셔간을 보므로브터 아쥐 타문의 가지 못홀 줄은 아랏거니와, 네 퇴셔의 너모 비상ᄒᆞᆫ 고로 아쥬를 발셔 졍혼치 못ᄒᆞ고 도로혀 원챵의 부실을 삼게 되니, 엇지 ᄋᆡ돏지 아니리오"

공이 화열이 고왈,

"ᄌᆞ괴 맛당ᄒᆞ시나 만ᄉᆡ 텬명이니 비인력지소애(非人力之所也)[991]온지라. 소ᄌᆡ 아쥬를 위ᄒᆞ여 가랑(佳郎)을 유의ᄒᆞ미 동셔의 무심치 아니ᄒᆞ오ᄃᆡ, 맛ᄎᆞᆷᄂᆡ 눈의 ᄎᆞᆫ 옥인을 만나지 못ᄒᆞ고, 이제 도로혀 하원챵의 ᄌᆡ실을 삼게 되오니 젼의 놉히 ᄇᆞ라던 ᄇᆡ 아니오나, 이 ᄯᅩ 연분의 즁ᄒᆞ미라. 원챵의 용모ᄌᆡ화를 【98】 니를진ᄃᆡ 반졈 하ᄌᆞ홀 곳이 업ᄉᆞ올 ᄲᅳᆫ 아니오라, 슈복완젼지상(壽福完全之相)이니 원챵의 ᄌᆡ실이 용우 쇽ᄌᆞ의 원비도곤 쾌홀가 ᄒᆞ옵ᄂᆞ니, ᄌᆞ졍은 념녀치 마르소셔."

태부인이 ᄀᆞ장 깃거 아니나, 능히 믈니치지 못홀 혼ᄉᆡ 고로 다시 말을 아니터라. 초공이 뎡공의 허락을 듯고 도라와 모부인긔 고ᄒᆞ나 부친긔는 굿ᄐᆞ여 고치 아니니, 이는 공의 셩이 엄ᄒᆞᆫ 연괴라.

이러구러 여러 날이 되ᄆᆡ 원챵의 병이 나날 ᄎᆞ셩(差成)ᄒᆞ여, 음식을 스ᄉᆞ로 ᄎᆞᄌᆞ 먹으며, ᄉᆞ지ᄇᆡᆨ히(四肢百骸)를 분쇄ᄒᆞᄂᆞᆫ ᄃᆞ시 알턴 즁이 구름이 거드며 안ᄀᆡ 스러지ᄃᆞ시 나으ᄃᆡ, 부친이 일졀 뭇지 아니시며 힝혀도 보지 아니시믈 크게 황민(惶憫)ᄒᆞ여, 냥형과 원필을 향ᄒᆞ여 왈,

"대인이 소뎨의 병을 ᄒᆞᆫ 번도 뭇지 아니시니, 반ᄃᆞ시 병의 【99】 근위(根爲)를 아

991)비인력디쇼애(非人力之所也) : 사람의 힘으로 할 수 있는 일이 아님.

ᄒᆞᄂᆞ이다. 야야 셩픔이 반졈 비의블법(非義不法)을 용납디 아니시던 ᄇᆡ라. 쇼데의 무상ᄒᆞᆫ 죄를 샤(赦)치 아니실가 ᄒᆞᄂᆞ이다."

초공 왈,

"야애 너의 ᄆᆡᆨ후를 보시고 크게 의심을 동ᄒᆞ시ᄂᆞᆫ 바의 홍슈창이 여ᄎᆞᄎᆞ ᄒᆞ니, 너의 ᄉᆞ상인(思相人)을 아디 못ᄒᆞ시ᄃᆡ, 힝ᄉᆞ를 통완이 넉이샤 기후 일졀 뭇디 아니시니, 만일 뎡쇼져를 ᄉᆞ상ᄒᆞ민 줄 아르실딘ᄃᆡ 엇디 티죄ᄒᆞ시미 등한ᄒᆞ리오마ᄂᆞᆫ, 아ᄃᆡᆨ 뎡년슉과 내, 구외의 ᄂᆡᆫ 일 업ᄉᆞ니 디금 모로시ᄂᆞᆫ ᄇᆡ라. 네 병을 됴호ᄒᆞ여 슈히 오왕 군쥬를 취ᄒᆞ면, 대인이 【5】 의심ᄒᆞ시던 바를 잠간 프르샤 우연ᄒᆞᆫ 질양으로 아르시리니, 힝디를 단듕(端重)이 ᄒᆞ라."

공ᄌᆡ 우연(憂然) 탄왈,

"쇼뎬들 엇디 힝ᄉᆡ 무상ᄒᆞ믈 모로리잇고마ᄂᆞᆫ, 뎡시를 ᄉᆞ상ᄒᆞ기의 밋쳐ᄂᆞᆫ 능히 ᄆᆞ옴을 것잡디 못ᄒᆞ여, ᄉᆡᆼ각디 말기를 공부ᄒᆞᄃᆡ 그 용화긔질이 눈 알패 의연ᄒᆞ여, 시러금 듕병을 일위ᄆᆡ 황양길(黃壤-)[1286]흘 바야던 ᄇᆡ라. 브졀업시 남의 규슈를 ᄉᆞ상ᄒᆞ여 내 몸이 십삼츈광(十三春光)의 늣거이 맛ᄂᆞᆫ 탄은 니르도 말고, 부모긔 브[블]효(不孝)ᄂᆞᆫ 죽어 뭇칠 ᄶᆞᆨ히 업고, 녕ᄇᆡᆨ이라도 블효패ᄌᆞ의 뒤흘 좃게 되믈 슬허 ᄒᆞ더니, 일병(一病)이 침면ᄒᆞᄆᆡ ᄉᆞ디ᄇᆡᆨ히(四肢百骸)와 일신골졀(一身骨節)이 아니 알픈 곳이 업고, 흉금(胸襟)의 블이 니러 쟝부를 살오니, 식음을 나오디 못ᄒᆞ더니, 금후의 허락이 이시믈 드【6】르므로브터 ᄉᆞ상디심이 져기 플니고 ᄇᆡᆨ병이 스ᄉᆞ로 나으니, 실노 남들니○[기] 참괴치 아니리잇가?"

휘 어로만져 위로ᄒᆞ고, 슈히 ᄎᆞ셩ᄒᆞ믈 ᄌᆡ삼 니르며, ᄎᆞ후나 힝실을 삼가라 경계ᄒᆞ여 디극ᄒᆞᆫ 말숨이 셕목도 녹을 ᄃᆞᆺᄒᆞ니, ᄒᆞ믈며 공ᄌᆞ의 총명샹쾌(聰明爽快)ᄒᆞ므로뼈 ᄇᆡᆨ시의 경계를 밧드디 아니리오. 눈믈을 드리워 블초경박(不肖輕薄)ᄒᆞᆫ 죄를 청ᄒᆞ고, 부친의 강엄ᄒᆞ시믈 아ᄂᆞᆫ 고로, 혹ᄌᆞ ᄌᆞ긔 힝디를 아

1286)황양길(黃壤-) : 황천길(皇天-). 저승길.

르신가 ᄒᆞᄂᆞ이다. 야야 셩픔이 반졈 비의블법을 용납지 아니시던 ᄇᆡ라. 소데의 무상ᄒᆞᆫ 죄를 샤(赦)치 아니실가 ᄒᆞᄂᆞ이다."

초공 왈,

"대인이 너의 ᄆᆡᆨ후를 보시고 크게 의심을 동ᄒᆞ시ᄂᆞᆫ 바의, 홍슈창이 여ᄎᆞ여ᄎᆞ ᄒᆞ니, 너의 ᄉᆞ상인(思相人)을 아지 못ᄒᆞ시ᄃᆡ, 힝ᄉᆞ를 통완이 넉이샤 기후 일졀 뭇지 아니시니, 만일 뎡소져를 ᄉᆞ상ᄒᆞ민 줄 아르실진ᄃᆡ 엇지 치죄ᄒᆞ시미 등한ᄒᆞ리오마ᄂᆞᆫ, 아직 뎡년슉과 ᄂᆡ, 구외의 ᄂᆡᆫ 일 업ᄉᆞ니 지금 모르실 ᄇᆡ라. 네 병을 조호ᄒᆞ여 슌히 오왕 녀(女)군쥬를 취ᄒᆞ면, ᄃᆡ인이 의심ᄒᆞ시던 바를 잠간 프르샤 우연ᄒᆞᆫ 질양으로 아르시리니, 힝지를 단즁(端重)이 ᄒᆞ라"

공ᄌᆡ 우연(憂然) 탄 왈,

"소뎬들 엇지 힝ᄉᆡ 무상ᄒᆞ믈 모로리잇고마ᄂᆞᆫ, 뎡씨를 ᄉᆞ상ᄒᆞ기【100】의 밋쳐ᄂᆞᆫ 능히 마음을 것잡지 못ᄒᆞ여, ᄉᆡᆼ각지 말기를 공부ᄒᆞᄃᆡ 그 용화긔질이 눈 알ᄑᆡ 의연ᄒᆞ여, 시러곰 즁병을 일위ᄆᆡ 황양길(黃壤-)[992]흘 ᄇᆞ야던 ᄇᆡ라. 부졀업시 남의 규슈를 ᄉᆞ상ᄒᆞ여 내 몸이 십삼츈광(十三春光)의 늣거이 맛ᄂᆞᆫ 탄은 니르도 말고, 부모긔 불효(不孝)ᄂᆞᆫ 죽어 뭇칠 ᄶᆞᆨ히 업고, 녕ᄇᆡᆨ이라도 블효죄ᄌᆞ(不孝罪者)의 뒤흘 좃게 되믈 슬허ᄒᆞ더니, 일병(一病)이 침면ᄒᆞᄆᆡ ᄉᆞ지ᄇᆡᆨ히(四肢百骸)와 일신골졀(一身骨節)이 아니 알픈 곳이 업고, 흉금의 불이 니러 쟝부를 ᄉᆞᆯ오니 식음을 나오지 못ᄒᆞ더니, 금후의 허락이 잇시믈 드르므로브터 ᄉᆞ상지심이 젹이 플니고 ᄇᆡᆨ병이 스ᄉᆞ로 나으니 실노 남들니기 참괴치 아니리잇가?"

휘 어로만져 위로ᄒᆞ고, 슈히 ᄎᆞ셩ᄒᆞ믈 ᄌᆡ삼 니르며; ᄎᆞ후나 힝실을【101】삼가라 경계ᄒᆞ여, 지극ᄒᆞᆫ 말숨이 셕목도 녹을 ᄃᆞᆺᄒᆞ니, ᄒᆞ믈며 공ᄌᆞ의 총명샹쾌(聰明爽快)ᄒᆞ므로뼈 경계를 밧드지 아니리오. 눈물을 드리워 불초경박(不肖輕薄)ᄒᆞᆫ 죄를 청ᄒᆞ고, 부친의 강엄ᄒᆞ시믈 아ᄂᆞᆫ 고로 혹ᄌᆞ ᄌᆞ긔 힝지를 알으

992)황양길(黃壤-) : 황천길(皇天-). 저승길.

르실가 념녀ᄒᆞᄃᆡ, 됴부인은 ᄋᆞᄌᆞ의 병이 졈졈 나으믈 만심환열ᄒᆞ여 됴셕으로 듕헌의 나와 보고, 보긔(補氣)ᄒᆞᆯ 미듁(糜粥)을 ᄌᆞ로 권ᄒᆞ며, 탄식 왈,

"너의 무ᄒᆡᆼ경박(無行輕薄)ᄒᆞᆫ 죄과를 니를딘ᄃᆡ, 비록 죽으나 엇디 앗가온 일이 이시리오마ᄂᆞᆫ, 나의 구구ᄒᆞᆫ ᄉᆞ졍은 발셔 남달니 상ᄒᆞᆫ 심졍이라. 너의 그르믈 모로디 아니【7】ᄃᆡ 또 다시 셔하(西河)의 탄(嘆)[1287]을 닐위디 아니려 ᄒᆞ므로, 내 역시 네 대인긔 영영 고치 아니ᄒᆞ고, 슈히 ᄎᆞ셩을 바라ᄂᆞᆫ ᄆᆞᄋᆞᆷ이 대한(大旱)의 운예(雲霓)라도 이러치 못ᄒᆞᆯ디라. 방일ᄒᆞᆫ ᄋᆞᄒᆡᄂᆞᆫ 어믜 연약ᄒᆞ믈 업슈히 넉이고, 엄부를 긔망ᄒᆞ여 ᄒᆡᆼ실을 삼가디 아니면 욕급조션(辱及祖先)ᄒᆞ고 화급문호(禍及門戶)ᄒᆞ리니, 엇디 근심 되고 념녀롭디 아니리오."

공ᄌᆡ 눈믈을 흘니며 고두쳥죄(叩頭請罪) 왈,

"블초ᄋᆞ의 무상ᄒᆞᆫ 죄ᄂᆞᆫ 쳔ᄉᆞ무셕(千死無惜)이ᄋᆞᆸ거니와, 금번 죄과ᄂᆞᆫ 소ᄌᆞ도 실노 임의치 못ᄒᆞ오미니, 복원 ᄌᆞ위ᄂᆞᆫ ᄉᆞ죄를 관샤(寬赦)ᄒᆞ쇼셔."

부인이 어로만져 후일을 경계ᄒᆞ더라.

ᄎᆞ년 듕츄의 텬ᄌᆡ 셩묘(聖廟)의 ᄇᆡ알ᄒᆞ시고 과갑을 여러 인ᄌᆡ를 ᄉᆡᆨ실ᄉᆡ, 하공이 딘실노 부귀를 구ᄒᆞᆯ 의ᄉᆡ 업셔, ᄋᆞᄌᆞ의 장옥을 허치 아니니, 초공이 원챵의 착급히【8】넉이ᄂᆞᆫ ᄆᆞᄋᆞᆷ을 ᄉᆡᆼ각ᄒᆞ여 부젼의 고왈,

"셩만(盛滿)이 깃브디 아니ᄒᆞ오나, ᄒᆞᆫ 번 과장의 참예ᄒᆞ므로 사ᄅᆞᆷ마다 등양ᄒᆞ기를 밋디 못ᄒᆞ오리니, 냥뎨 나히 이뉵(二六)을 디낫ᄉᆞ오니 잠간 허ᄒᆞ샤 픔은 ᄌᆡ조를 닉이미 됴흘가 ᄒᆞᄂᆞ이다."

공이 미우를 ᄧᅵᆼ긔여 왈,

"여언이 맛당ᄒᆞ나 내 집이 호화디개(豪華之家) 아니라. 셕년의 여형(汝兄) 삼인이 일

실가 념녀ᄒᆞ되, 조부인은 ᄋᆞᄌᆞ의 병이 졈졈 나으믈 만심환열ᄒᆞ여 조셕으로 즁헌의 나와 보고, 보긔(補氣)ᄒᆞᆯ 미쥭(糜粥)을 ᄌᆞ로 권ᄒᆞ며, 탄식 왈,

"너의 무ᄒᆡᆼ경박(無行輕薄)ᄒᆞᆫ 죄과를 니를진ᄃᆡ, 비록 죽으나 엇지 앗가온 일이 이시리오마ᄂᆞᆫ, 나의 구구ᄒᆞᆫ ᄉᆞ졍은 발셔 남달니 상ᄒᆞᆫ 심졍이라. 너의 그르믈 모로지 아니ᄃᆡ 또 다시 셔하(西河)의 탄(嘆)[993]을 일우지 아니려 ᄒᆞ므로, 내 역시 네 ᄃᆡ인긔 영영 고치 아니ᄒᆞ고, 슈히 ᄎᆞ셩을 ᄇᆞ라ᄂᆞᆫ 마ᄋᆞᆷ이 ᄃᆡ한(大旱)의 운예(雲霓)라【102】도 이러치 못ᄒᆞᆯ지라. 방일ᄒᆞᆫ ᄋᆞᄒᆡᄂᆞᆫ 어믜 연약ᄒᆞ믈 업슈히 넉이고, 엄부를 긔망ᄒᆞ여 ᄒᆡᆼ실을 삼가지 아니면, 욕급조션(辱及祖先)ᄒᆞ고 화급문호(禍及門戶)ᄒᆞ리니, 엇지 근심되고 념녀롭지 아니리오."

공ᄌᆡ 눈믈을 흘니며 고두쳥죄(叩頭請罪) 왈,

"불초ᄋᆞ의 무샹ᄒᆞᆫ 죄ᄂᆞᆫ 쳔ᄉᆞ무셕(千死無惜)이ᄋᆞᆸ거니와, 금번 죄과ᄂᆞᆫ 소ᄌᆞ도 실노 임의치 못ᄒᆞ오미니, 복원 ᄌᆞ위ᄂᆞᆫ ᄉᆞ죄를 관셔(寬恕)ᄒᆞ소셔."

부인이 어로만져 후일을 경계ᄒᆞ더라.

ᄎᆞ년 즁츄의 텬ᄌᆡ 셩묘(聖廟)의 ᄇᆡ알ᄒᆞ시고 과갑을 여러 인ᄌᆡ를 ᄉᆡᆨ실ᄉᆡ, 하공이 진실노 부귀를 구ᄒᆞᆯ 의ᄉᆡ 업셔 ᄋᆞᄌᆞ의 장옥을 허치 아니니, 초공이 원챵의 착급히 넉이ᄂᆞᆫ 마ᄋᆞᆷ을 ᄉᆡᆼ각ᄒᆞ여 부젼의 고왈,

"셩만(盛滿)이 깃부지 아니ᄒᆞ오나, ᄒᆞᆫ 번 과장의 참예ᄒᆞ믈【103】어드나 샤ᄅᆞᆷ마다 등양ᄒᆞ기를 밋지 못ᄒᆞ오리니, 냥뎨 나히 이륙(二六)을 지낫ᄉᆞ오니 잠간 허ᄒᆞ샤 픔은 ᄌᆡ조를 닉이미 조흘가 ᄒᆞᄂᆞ이다"

공이 미우를 ᄶᅵᆼ긔여 왈,

"여언이 맛당ᄒᆞ나 내 집이 호화지ᄀᆡ(豪華之家) 아니라. 셕년의 여형(汝兄) 삼인이

1287)셔하(西河)의 탄(嘆) : 자식을 잃은 탄식. '서하의 탄식'이라는 뜻으로, 공자(孔子)의 제자인 자하(子夏)가 서하(西河)에 있을 때 자식을 잃고 너무 슬퍼한 나머지 소경이 된 고사에서 온 말.

993)셔하(西河)의 탄(嘆) : 자식을 잃은 탄식. '서하의 탄식'이라는 뜻으로, 공자(孔子)의 제자인 자하(子夏)가 서하(西河)에 있을 때 자식을 잃고 너무 슬퍼한 나머지 소경이 된 고사에서 온 말.

ᄌᆞᆨ 등과ᄒᆞ므로 쳥츈의 참망ᄒᆞ니, 이 곳 셩만의 빌미라. 셕ᄉᆞ를 츄회ᄒᆞᄆᆡ 엇디 상ᄋᆞ등을 과옥의 보닐 ᄯᅳᆺ이 이시리오."

초공이 긔이ᄇᆡ쥬(起而拜奏) 왈,

"셕ᄉᆞᄂᆞᆫ 이의(已矣)라. 졔긔홀ᄉᆞ록 통상ᄒᆞ믄 층가ᄒᆞ오나, 삼형의 명되 긔이(奇異)ᄒᆞ와 그러톳 맛ᄎᆞᄉᆞ오니 각각 명되라. 이졔 냥뎨의게 비기미 블가ᄒᆞ오니 과려치 마르쇼셔."

공이 초공의 말인ᄌᆞᆨ 신쳥ᄒᆞᄂᆞᆫ디라. 미미히 허ᄒᆞ니, 대공【9】ᄌᆞᄂᆞᆫ 각별 즐겨 ᄒᆞ미 업ᄉᆞ나, ᄎᆞ공ᄌᆞᄂᆞᆫ 스ᄉᆞ로 머리의 계화(桂花)를 ᄭᅩᄌᆞ며 몸의 쳥삼을 닙은ᄃᆞ시 즐기더라. 밋 장옥의 드러가 글졔를 보ᄆᆡ 의ᄉᆡ 구름 못ᄃᆞᆺᄒᆞ여, 형뎨 ᄒᆞᆫ 가지로 됴희를 ᄡᅥᆯ치ᄆᆡ 둘히 ᄡᅳ기를 시작ᄒᆞ니, 필획이 찬난ᄒᆞ며 시ᄉᆡ 웅건ᄒᆞ여 경ᄀᆡᆨ의 작셔(作書)ᄒᆞᄆᆡ, 죵ᄌᆞ로 밧치라 ᄒᆞ고, 형뎨 두로 유완ᄒᆞ여 만인다ᄉᆞ(萬人多士)의 두로ᄂᆞᆫ 븟과, 눈섭을 ᄶᅵᆼ긔여 ᄉᆡᆼ각ᄒᆞ믈 그윽이 실쇼(失笑)ᄒᆞ고, ᄎᆞ공ᄌᆞᄂᆞᆫ 등과ᄒᆞ믈 손의 춤 밧타 긔약ᄒᆞ여, 등양ᄒᆞᄂᆞᆫ 날은 뎡쇼져 취홀 긔약이 갓가오믈 흔희ᄒᆞ더라.

이 날 텬ᄌᆡ 듕신으로 더브러 텬궐의 놉히 옥좌를 여르시ᄆᆡ, ᄎᆡ운은 ᄋᆡᄋᆡᄒᆞ여 봉궐의 둘너시며, 향긔로온 바ᄅᆞᆷ은 경필(警蹕)1288) 소ᄅᆡ를 ᄌᆞ로 젼ᄒᆞ니, 문무쳔관(文武千官)은 반항(班行)이 정정졔졔(整整齊齊)【10】ᄒᆞ여 샹셔의 긔운이 뇽각(龍閣)을 둘너시니, 시ᄀᆡᆨ이 느ᄌᆞᄆᆡ 모든 시권(詩券)을 ᄡᅢ 올닐ᄉᆡ, 형부 상셔 겸 동월후 뎡듁암이 시관의 참예ᄒᆞ엿더니, 하원챵 곤계의 글을 보ᄆᆡ 피봉을 ᄡᅥ히디 아냐셔 그 필뎍을 ᄇᆞᆰ히 아ᄂᆞᆫ 고로, 심니의 원챵이 과후(科後) ᄌᆞ긔 ᄆᆡ뎨를 취코져 ᄒᆞ믈 그윽이 믜이 넉여, 원챵의 글을 넌ᄌᆞ시 낙복(落幅)1289)의 나리치고 원상의 글만 ᄡᆡ 올리ᄆᆡ, 텬안이 ᄒᆞᆫ 번 살피시고 그 문한(文翰)이 셰ᄃᆡ의 희한ᄒᆞ여 챵농

1288)경필(警蹕) : 임금이 거둥할 때에 경호하기 위하여 통행을 금하던 일.

1289)낙복(落幅) : 시험에 떨어진 답안지. =낙복지(落幅紙).

일작 등과ᄒᆞ므로 쳥츈의 참망ᄒᆞ니, 이 곳 셩만의 빌미라. 셕ᄉᆞ를 츄회ᄒᆞᄆᆡ 엇지 상ᄋᆞ등을 과옥의 보닐 듯[ᄯᅳᆺ]이 잇시리오"

초공이 긔이ᄇᆡ쥬(起而拜奏) 왈,

"셕ᄉᆞᄂᆞᆫ 이의라. 졔긔홀ᄉᆞ록 통상ᄒᆞ믄 층가ᄒᆞ오나, 삼형의 명되 긔이ᄒᆞ와 그러톳 맛ᄎᆞᄉᆞ오니 각각 명되라. 이졔 냥뎨의게 비기미 불가ᄒᆞ오니 과려치 마르소셔"

공이 초공의 말인ᄌᆞᆨ 신쳥ᄒᆞᄂᆞᆫ지라. 미미히 허ᄒᆞ니, 대공ᄌᆞᄂᆞᆫ 각별 즐기미 업ᄉᆞ나, ᄎᆞ공ᄌᆞᄂᆞᆫ 스ᄉᆞ로 머리의 계화【104】를 ᄭᅩᄌᆞ며 몸의 쳥삼을 닙ᄂᆞᆫᄃᆞ시 즐기더라. 밋 장옥의 드러 가 글제를 보ᄆᆡ 의ᄉᆡ 구름 못ᄃᆞᆺᄒᆞ여, 형뎨 ᄒᆞᆫ 가지로 조희를 ᄡᅥᆯ치ᄆᆡ 둘히 ᄡᅳ기를 시작ᄒᆞ니, 필획이 찬난ᄒᆞ며 시ᄉᆡ 웅건ᄒᆞ여 경ᄀᆡᆨ의 작셔(作書)ᄒᆞᄆᆡ, 종ᄌᆞ로 밧치라 ᄒᆞ고 형뎨 두로 유완ᄒᆞ여 만인다ᄉᆞ(萬人多士)의 두로ᄂᆞᆫ 븟과, 눈셥을 ᄶᅵᆼ긔여 ᄉᆡᆼ각ᄒᆞ믈 그윽이 실소(失笑)ᄒᆞ고, ᄎᆞ공ᄌᆞᄂᆞᆫ 등과ᄒᆞ믈 손의 춤 밧타 긔약ᄒᆞ여, 등양ᄒᆞᄂᆞᆫ 날은 뎡소져 취홀 긔약이 갓가오믈 흔희ᄒᆞ더라.

이 날 텬ᄌᆡ 즁신으로 더브러 텬궐의 놉히 옥좌를 여르시ᄆᆡ, ᄎᆡ운은 ᄋᆡᄋᆡᄒᆞ여 봉궐의 둘너시며, 향긔로온 바ᄅᆞᆷ은 《경궐‖경필(警蹕)994)》 소ᄅᆡ를 ᄌᆞ로 젼ᄒᆞ니, 문무쳔관은 반항(班行)이 정정졔졔(整整齊齊) ᄒᆞ여 샹셔의 긔운이 뇽각(龍閣)을 둘【105】너시니, 시ᄀᆡᆨ이 느ᄌᆞᄆᆡ 모든 시권을 ᄡᆡ 올닐ᄉᆡ, 형부 상셔 겸 동월후 뎡쥭암이 시관의 참예ᄒᆞ엿더니, 하원챵 곤계의 글을 보ᄆᆡ 피봉을 ᄡᅥ히지 아냐셔 그 필젹을 ᄇᆞᆰ히 아ᄂᆞᆫ 고로, 심니의 원챵이 과후(科後) ᄌᆞ긔 ᄆᆡ뎨를 취코져 ᄒᆞ믈 그윽이 믜이 넉여, 원챵의 글을 넌ᄌᆞ시 낙복(落幅)995)의 나리치고 원상의 글만 ᄡᆡ 올리ᄆᆡ, 텬안이 ᄒᆞᆫ 번 ᄉᆞᆯ피시고 그 문한(文翰)이 셰ᄃᆡ의 희한ᄒᆞ니[여] 챵농

994)경필(警蹕) : 임금이 거둥할 때에 경호하기 위하여 통행을 금하던 일.

995)낙복(落幅) : 시험에 떨어진 답안지. =낙복지(落幅紙).

이 셔리고 《운영 ‖ 운연(雲煙)[1290]》이 취디(聚之)ᄒᆞ니, 셩명(聖明)[1291]이 남파(覽罷)의 대열(大悅)ᄒᆞ샤 스ᄉᆞ로 뎨일이라 ᄡᅳ시고, ᄎᆞ례로 ᄭᅩ노아 슈를 치오신 후, 뎐두관(殿頭官)이 소ᄅᆡ를 길게 ᄒᆞ여 쟝원을 호명ᄒᆞᄆᆡ, 하원상의 년이 십삼이오 부는 뎡국공 딘이라 ᄒᆞ니, 원챵 공ᄌᆡ 형을 향ᄒᆞ여 치하【11】 왈,

"형댱의 웅문대ᄌᆡ(雄文大才)로ᄡᅧ ᄒᆞᆫ 번 과옥(科屋)의 참예ᄒᆞ시ᄆᆡ, 쳔만인을 압두ᄒᆞ실 줄은 아랏거니와, 의의(猗猗)히 쟝원낭이 되시니 엇디 깃브디 아니리잇고?"

대공ᄌᆡ 미쇼 왈,

"우형의 글이 뎨일이 되믄 실시녀외(實是慮外)라. 놀납기 극ᄒᆞ나 현데 ᄯᅩ 놉히 ᄊᆡ히믈 바라노라."

이리 니르며, 브르는 소ᄅᆡ ᄌᆞᄌᆞ므로 만인 듕 몸을 ᄊᆡ혀 옥계하의 츄딘응명(趨進應命)ᄒᆞ여 산호만셰(山呼萬歲)ᄒᆞᄆᆡ, 우흐로 텬안(天顔)과 아ᄅᆡ로 시위 졔신이 일시의 눈을 드러 보건ᄃᆡ, 쟝원의 신댱이 칠쳑오촌(七尺五寸)이오, 풍치 쇄연(灑然)ᄒᆞ여 일만 버들이 휘드르며[1292], 일빅 화신(花神)[1293]이 츈양(春陽)의 므르녹은 ᄃᆞᆺ, 옥 ᄀᆞᆺᄐᆞᆫ 면모는 두렷ᄒᆞ여 남뎐미옥(藍田美玉)이오, 셩ᄌᆞ긔ᄆᆡᆨ(聖者氣脈)이라.

텬심이 대열ᄒᆞ샤 이의 쟝원을 뎐의 올녀 그 머리의 계화를 친히 ᄭᅩᄌᆞ시고, 금슈쳥【12】삼(錦繡靑衫)을 별틱(別擇)ᄒᆞ여 닙히시고, 일ᄏᆞᄅᆞ샤 왈,

"하경은 가히 ᄋᆞ돌을 두엇다 ᄒᆞ리로다. 원광의 대군ᄌᆞ디풍(大君子之風)의 영쥰의 긔습(氣習)을 겸ᄒᆞ여, 티셰경뉸디ᄌᆡ(治世經綸之才)와 안방뎡국(安邦定國)ᄒᆞᆯ 덕홰(德化) 가ᄌᆞᆨᄒᆞ고, 원상이 ᄯᅩ 이ᄀᆞᆺ치 셩현군ᄌᆞ디풍

1290)운연(雲煙) : ①구름과 연기를 아아울러 이르는 말. ②운치가 있는 필적.

1291)셩명(聖明) : ①덕이 거룩하고 슬기로움. ②임금을 달리 이르는 말.

1292)휘드르다 : 흐드러지다. 매우 탐스럽거나 한창 성하다.

1293)화신(花神) : 꽃의 정기(精氣).

이 셔리고 운연(雲煙)[996]이 취지(聚之)ᄒᆞ니, 셩명(聖明)[997]이 견파(見罷)의 ᄃᆡ열ᄒᆞ샤 스ᄉᆞ로 뎨일이라 ᄡᅳ시고, ᄎᆞ례로 ᄭᅩ노아 슈를 치오신 후, 뎐두관(殿頭官)이 소ᄅᆡ를 길게 ᄒᆞ여 쟝원을 호명ᄒᆞᄆᆡ, 하원상의 년이 십삼이오 부는 뎡국공 하진이라 ᄒᆞ니, 원챵 공ᄌᆡ 형을 향ᄒᆞ여 치하 왈,

"형쟝의 웅문ᄃᆡ【106】ᄌᆡ(雄文大才)로ᄡᅧ ᄒᆞᆫ 번 과옥의 참예ᄒᆞ시ᄆᆡ, 쳔만인을 압두ᄒᆞ실 줄은 아랏거니와, 의의(猗猗)히 쟝원낭이 되시니 엇지 깃브지 아니리잇고?"

대공ᄌᆡ 미소 왈,

"우형의 글이 뎨일이 되믄 실시녀외(實是慮外)라. 놀납기 극ᄒᆞ나 현데 ᄯᅩ 놉히 ᄊᆡ히믈 ᄇᆞ랏[라]노라"

이리 니르며, 브르는 소ᄅᆡ ᄎᆞᄎᆞ 놉흐ᄆᆡ 만인 즁 몸을 ᄊᆡ혀 옥계하의 츄진응명(趨進應命)ᄒᆞ여 산호만셰(山呼萬歲)ᄒᆞᄆᆡ, 우흐로 텬안과 아ᄅᆡ로 시위 졔신이 일시의 눈을 드러 보건ᄃᆡ, 쟝원의 신쟝이 칠쳑오촌(七尺五寸)이오, 풍치 쇄연(灑然)ᄒᆞ여 일만 버들이 휘드르며[998], 일빅 화신(花神)[999]이 츈양의 므르녹은 ᄃᆞᆺ, 옥 ᄀᆞᆺᄐᆞᆫ 면모는 두렷ᄒᆞ여 남젼미옥(藍田美玉)이오 셩ᄌᆞ긔질(聖者氣質)이라.

텬심이 ᄃᆡ열ᄒᆞ샤 이의 쟝원을 뎐의 올녀 그 머리를 어로만져 계화를 친【107】히 ᄭᅩᄌᆞ시고, 금슈쳥삼(錦繡靑衫)을 별틱(別擇)ᄒᆞ여 입히시고, 일ᄏᆞᄅᆞ샤 왈,

"하경은 가히 ᄋᆞ돌을 두엇다 ᄒᆞ리로다. 원광의 대군ᄌᆞ지풍(大君子之風)의 영쥰의 긔습(氣習)을 겸ᄒᆞ여, 치셰경뉸지ᄌᆡ(治世經綸之才)라[와] 안방졍국(安邦定國)ᄒᆞᆯ 덕홰 《ᄂᆞᄌᆞᆨ ‖ 가ᄌᆞᆨ》ᄒᆞ고, 원상이 ᄯᅩ 이ᄀᆞᆺ치 셩

996)운연(雲煙) : ①구름과 연기를 아아울러 이르는 말. ②운치가 있는 필적.

997)셩명(聖明) : ①덕이 거룩하고 슬기로움. ②임금을 달리 이르는 말.

998)휘드르다 : 흐드러지다. 매우 탐스럽거나 한창 성하다.

999)화신(花神) : 꽃의 정기(精氣).

(聖賢君子之風)이 이시니, 엇디 아ᄅᆞᆷ답디 아니리오. "

이의 초공을 뎐폐의 브르샤 원상을 크게 칭찬ᄒᆞ시고, ᄎᆞᄎᆞ 방하를 블너 청삼화ᄃᆡ(靑衫花帶)를 주시고, 어젼의셔 졔 신ᄂᆡ를 ᄇᆡᆨ단 유희ᄒᆞ시다가 날이 느ᄌᆞᄆᆡ 파됴ᄒᆞ실ᄉᆡ, 장원의 작ᄃᆡᆨ을 이날 뎡ᄒᆞ여 한님ᄒᆞᆨᄉᆞ(翰林學士)를 ᄒᆞ이시니, 장원이 뎐폐의 고두ᄒᆞ여 나히 어리고 ᄌᆡ죄 박ᄒᆞ여 샤군보국(事君輔國)ᄒᆞᆯ 바를 아디 못ᄒᆞ믈 쥬(奏)ᄒᆞ여, 샤ᄃᆡᆨ(辭職)ᄒᆞ니, 샹이 우으샤 왈,

"ᄌᆡ조ᄂᆞᆫ 년치다쇼(年齒多少)의 잇디 아니니, 경은 브졀업시 샤양 말나. 셕(昔)의 【13】 댱냥(張良)[1294]은 쇼년으로 범증(范增)[1295]의 칠십옹(七十翁)을 묘시(藐視)ᄒᆞ니, 녜로브터 ᄌᆡ덕이란 거ᄉᆞᆫ 텬딘(天眞)의 타 난 ᄇᆡ오, 년치의 잇디 아니ᄒᆞ니, 너의 신댱 거디 이러ᄐᆞᆺ 슉셩ᄒᆞ고 엇디 샤군찰임을 못ᄒᆞᆯ 니 이시리오."

쟝원이 ᄌᆡ삼 샤양ᄒᆞ나 텬의 맛ᄎᆞᆷᄂᆡ 블윤ᄒᆞ시니, ᄒᆞᆯ일업셔 방하를 거ᄂᆞ려 궐문을 날ᄉᆡ, 원챵 공ᄌᆡ 참방(參榜)키를 손의 춤 밧타 긔약ᄒᆞ다가, 헛되이 낙방ᄒᆞ고 도라오ᄂᆞᆫ ᄆᆞ음이 버히ᄂᆞᆫ ᄃᆞᆺ 크게 실망ᄒᆞ믄, ᄒᆞᆫ갓 과욕(科慾)의 잇ᄂᆞᆫ 거시 아니라, 유ᄉᆡᆼ의 ᄌᆡ취ᄂᆞᆫ 잇디 아니므로, ᄒᆡᆼ혀 등양(登揚)ᄒᆞ미 되면 오왕디녀를 취ᄒᆞᆫ 후 뎡시를 마ᄌᆞ랴 ᄒᆞ다가, 오날ᄂᆞᆯ 낙방의 쇼욕(所慾)이 그릇 되니, ᄋᆡ둛고 분ᄒᆞ믈 니긔디 못ᄒᆞ여 급급히 부듕의 도라오ᄆᆡ, 됴부인 왈,

"여등이 일시 관광(觀光)[1296]으로 장옥의 드【14】러가나 엇디 참방키를 바라리오.

1294)당냥(張良) : BC ?-189. 중국 한나라의 정치가, 건국공신. 자는 자방(子房). 유방의 책사로 홍문연에서 유방을 구하고 한신을 천거하는 등, 유방이 한나라를 세우고 천하를 통일할 수 있도록 도왔다. 소하·한신과 함께 한나라 건국 3걸로 불린다.

1295)범증(范增) : BC277-204. 중국 초나라의 책사·정치가. 항우와 초나라를 위해 유방을 죽이려 했지만 실패하고, 유방의 모사 진평의 반간계에 빠진 항우에게도 쫓겨나, 천하를 떠돌다가 객사했다.

1296)관광(觀光) : =과행(科行). 과거를 보러 감. 또는 그런 길이나 과정.

현군ᄌᆞ지풍(聖賢君子之風)이 잇시니, 엇지 아름답지 아니리오"

이의 《됴공‖초공》을 뎐폐의 브르샤 원상을 크게 칭찬ᄒᆞ시고, ᄎᆞᄎᆞ 방하를 불너 청삼화ᄃᆡ(靑衫花帶)를 쥬시고, 어젼의셔 졔 신ᄂᆡ를 ᄇᆡᆨ단 유희ᄒᆞ시다가 날이 느ᄌᆞᄆᆡ 파조ᄒᆞ실ᄉᆡ, 장원의 작직을 이날 졍ᄒᆞ여 한님학ᄉᆞ(翰林學士)를 ᄒᆞ이시니, 장원이 뎐폐의 고두ᄒᆞ여 나히 어리고 ᄌᆡ죄 박ᄒᆞ여 ᄉᆞ군보국(事君輔國)ᄒᆞᆯ 바를 아지 못ᄒᆞ믈 쥬ᄒᆞ여, 샤직ᄒᆞ니, 상이 우으샤 왈,

"ᄌᆡ조ᄂᆞᆫ 년긔다소(年紀多少)의 잇지 아니【108】니, 경은 브졀업시 ᄉᆞ양 말나. 셕의 장냥(張良)[1000]은 소년으로 범증(范增)[1001]의 칠십옹(七十翁)을 묘시ᄒᆞ니, 예로브터 ᄌᆡ덕이란 거ᄉᆞᆫ 텬진(天眞)의 타 난 ᄇᆡ오, 년치의 잇지 아니ᄒᆞᄂᆞ니, 너의 신쟝 거지 이러ᄐᆞᆺ 슉셩ᄒᆞ고 엇지 ᄉᆞ군찰임을 못ᄒᆞᆯ 니 잇시리오"

쟝원이 ᄌᆡ삼 샤양ᄒᆞ나 텬의 맛ᄎᆞᆷᄂᆡ 불윤ᄒᆞ시니, ᄒᆞᆯ일업셔 방하를 거ᄂᆞ려 궐문을 날ᄉᆡ, 원챵 공ᄌᆡ 참방(參榜)키를 손의 츔 밧타 긔약ᄒᆞ다가, 헛되이 낙방ᄒᆞ고 도라오ᄂᆞᆫ 마음이 버히ᄂᆞᆫ ᄃᆞᆺ 크게 실망ᄒᆞ믄, ᄒᆞᆫ갓 과욕의 잇ᄂᆞᆫ 거시 아니라, 유ᄉᆡᆼ의 ᄌᆡ취ᄂᆞᆫ 잇지 아니므로, ᄒᆡᆼ혀 등양(登揚)ᄒᆞ미 되면 오왕지녀를 취ᄒᆞᆫ 후 뎡씨를 마ᄌᆞ랴 ᄒᆞ다가, 오날날 낙방의 소욕이 그릇 되니, ᄋᆡ둛고 분ᄒᆞ믈 니긔지 못ᄒᆞ여 급급히 부즁의 도라오ᄆᆡ, 조【109】부인 왈,

"여등이 일시 관광(觀光)[1002]으로 장옥의 드러가나 엇지 참방키를 ᄇᆞ라리오. 아지 못

1000)당냥(張良) : BC ?-189. 중국 한나라의 정치가, 건국공신. 자는 자방(子房). 유방의 책사로 홍문연에서 유방을 구하고 한신을 천거하는 등, 유방이 한나라를 세우고 천하를 통일할 수 있도록 도왔다. 소하·한신과 함께 한나라 건국 3걸로 불린다.

1001)범증(范增) : BC277-204. 중국 초나라의 책사·정치가. 항우와 초나라를 위해 유방을 죽이려 했지만 실패하고, 유방의 모사 진평의 반간계에 빠진 항우에게도 쫓겨나, 천하를 떠돌다가 객사했다.

1002)관광(觀光) : =과행(科行). 과거를 보러 감. 또는 그런 길이나 과정.

아디 못게라, 형은 어이 오디 아니ᄒᆞᄂᆞ뇨?
공ᄌᆡ 눈믈이 거의 ᄡᅥ러질 ᄃᆞᆺᄒᆞ여 ᄃᆡ왈,

"쇼ᄌᆡ 비록 년긔 유츙ᄒᆞ오나 ᄒᆞᆨ문은 노ᄉᆞ슉유(老士宿儒)를 압두ᄒᆞᄋᆞᆸᄂᆞ니, 엇디 오날놀 댱옥의 헛되이 낙방ᄒᆞᆯ 줄 ᄯᅳᆺᄒᆞ여시리잇고? ᄎᆞ형은 의의(猗猗)히 장원(壯元)이 되여 계디청삼(桂枝青衫)으로 오ᄋᆞᆸᄂᆞ니, 쇼ᄌᆞ의 문필이 ᄎᆞ형(次兄)의셔 나으롸 ᄒᆞᄂᆞᆫ 거시 아니라, 아모리 ᄉᆡᆼ각ᄒᆞ여도 못ᄒᆞᆯ ㄴᆡ 업습거ᄂᆞᆯ, 쇼ᄌᆞᄂᆞᆫ 방말(榜末)의도 참예치 못ᄒᆞ니 ᄋᆡ돏기를 니긔디 못ᄒᆞ리로소이다."

듀부인이 밋쳐 답디 못ᄒᆞ여셔, 공이 뎡ᄉᆡᆨ즐왈,

"너의 문장 필법이 굿ᄐᆞ여 원상만 못ᄒᆞ디 아니나, 인ᄉᆡ 원상을 밋출 날이 머러시니, 네 문장이 아모리 긔특ᄒᆞ여도 금년의 참방치 못ᄒᆞᆯ 운쉬(運數) 고로, 원상은 쟝원이 되ᄃᆡ 【15】 너는 낙방ᄒᆞ니 명애(命也)어ᄂᆞᆯ, 엇디 과욕(科慾)이 그ᄃᆡ도록 괴이ᄒᆞ여, ᄒᆞᆫ 번 장옥의 나아가므로 당당이 등양ᄒᆞᆯ가 녁이다가, ᄯᅳᆺ과 ᄀᆞᆺ디 못ᄒᆞᄆᆡ 분ᄒᆞ미 울기의 밋쳣ᄂᆞ뇨?"

공ᄌᆡ ᄌᆞ긔 ᄆᆞᄋᆞᆷ을 능히 고치 못ᄒᆞ고 우우(憂虞)히 눈섭을 펴디 못ᄒᆞ더니, 초공이 쟝원을 압셰워 도라와 부모긔 ᄇᆡ알ᄒᆞᆯᄉᆡ, 쟝원의 션풍옥골(仙風玉骨)이 복ᄉᆡᆨ으로 조ᄎᆞ 더옥 쇄락ᄒᆞ여, 효셩봉안의 어쥬를 반취(半醉)ᄒᆞ여시니, 몽농ᄒᆞᆫ 고은 빗치 벽실(壁室)의 됴요ᄒᆞ며, 옥면셜빈(玉面雪鬢)의 윤ᄐᆡᆨᄒᆞᆫ 빗난 거ᄉᆞᆫ 미인의 염ᄐᆡ를 홀노 가져, 계화 그림ᄌᆞᄂᆞᆫ 월익(月額)의 어른기고, 금슈청삼(錦繡青衫)은 옥산(玉山)[1297]의 엄연ᄒᆞᆫᄃᆡ, 양뉴(楊柳) ᄀᆞᆺᄐᆞᆫ 허리의 금ᄃᆡ(錦帶)를 두로며, 옥슈(玉手)의 아홀(牙笏)을 잡아, 승당(昇堂) 젼셕(前席)의 지ᄇᆡ 현알ᄒᆞ고, 이셕낙ᄉᆡᆨ(怡聲樂色)으로 반일 존후를 뭇ᄌᆞ오니, 빈빈ᄒᆞᆫ 도덕은 은은이 공부ᄌᆞ(孔夫子) 좌상(座上)의 【16】 안증(顔曾)[1298]이 뫼신 ᄃᆞᆺ, 풍치용

1297)옥산(玉山) : 외모와 풍채가 뛰어난 사람을 비유적으로 이르는 말.
1298)안증(顔曾) : 공자(孔子)의 제자인 안회, 증삼을

게라 형은 어이 오지 아니ᄒᆞᄂᆞ뇨?"
공ᄌᆡ 눈물이 거의 ᄡᅥ러질 ᄃᆞᆺᄒᆞ여 ᄃᆡ왈,

"소ᄌᆡ 비록 년긔유츙ᄒᆞ오나 ᄒᆞᆨ문은 노ᄉᆞ슉유(老士宿儒)를 압두ᄒᆞᄋᆞᆸᄂᆞ니, 엇지 오날날 쟝옥의 헛되이 낙방ᄒᆞᆯ 줄 ᄯᅳᆺᄒᆞ여시리잇고? ᄎᆞ형은 의의히 장원(壯元)이 되여 계지청삼(桂枝青衫)으로 오ᄋᆞᆸᄂᆞ니, 소ᄌᆞ의 문필이 ᄎᆞ형의셔 나으다 ᄒᆞᄂᆞᆫ 거시 아니라, 아모리 ᄉᆡᆼ각ᄒᆞ여도 못ᄒᆞᆯ ㄴᆡ 업습거ᄂᆞᆯ, 소ᄌᆞᄂᆞᆫ 하말(下末)의도 참예치 못ᄒᆞ니, ᄋᆡ돏기를 니긔지 못ᄒᆞ리로소이다"

조부인이 밋쳐 답지 못ᄒᆞ여셔, 공이 정ᄉᆡᆨ질왈(叱曰),

"너의 문장 필법이 굿ᄐᆞ여 원상만 못ᄒᆞ지 아니나, 인ᄉᆡ 원상을 밋출 날이 머럿시니, 네 【110】 문장이 아모리 긔특ᄒᆞ여도 금년의 참방(參榜)치 못ᄒᆞᆯ 운쉬(運數) 고로, 원상은 쟝원이 되ᄃᆡ 너ᄂᆞᆫ 낙방ᄒᆞ니 명애(命也)어ᄂᆞᆯ, 엇지 과욕(科慾)이 그ᄃᆡ도록 과ᄒᆞ여, ᄒᆞᆫ 번 장옥의 나아가므로 당당이 등양ᄒᆞᆯ가 녁이다가, ᄯᅳᆺ과 ᄀᆞᆺ지 못ᄒᆞᄆᆡ 분ᄒᆞ미 울기의 밋쳣ᄂᆞ뇨?"

공ᄌᆡ ᄌᆞ긔 마ᄋᆞᆷ을 능히 고치 못ᄒᆞ고 우우(憂虞)히 눈섭을 펴지 못ᄒᆞ더니, 초공이 쟝원을 압셰워 도라와 부모긔 ᄇᆡ알ᄒᆞᆯᄉᆡ, 쟝원의 션풍옥골(仙風玉骨)이 복ᄉᆡᆨ으로 조ᄎᆞ 더욱 쇄락ᄒᆞ여, 효셩봉안의 어쥬를 반취(半醉)ᄒᆞ여시니, 몽농ᄒᆞᆫ 고은 빗치 벽실의 조요ᄒᆞ며 옥면셜빈(玉面雪鬢)의 윤ᄐᆡᆨᄒᆞ고 빗난 거ᄉᆞᆫ 미인의 념ᄐᆡ를 홀노 가져, 계화 그림ᄌᆞᄂᆞᆫ 월익의 어른기고, 금슈청삼(錦繡青衫)은 옥산(玉山)[1003]의 엄연ᄒᆞᆫᄃᆡ, 양뉴(楊柳) ᄀᆞᆺᄐᆞᆫ 허리 【111】 의 금ᄃᆡ(錦帶)를 두르며, 옥슈(玉手)의 아홀(牙笏)을 잡아, 승당(昇堂)○○[ᄒᆞ여] 젼셕(前席)의 지ᄇᆡ 현알ᄒᆞ고, 이셩난[낙]ᄉᆡᆨ(怡聲樂色)으로 반일 존후를 뭇ᄌᆞ오니, 빈빈ᄒᆞᆫ 도덕은 은은이 공부ᄌᆞ(孔夫子) 좌상의 안증(顔曾)[1004]이 뫼신 ᄃᆞᆺ, 풍치용광

1003)옥산(玉山) : 외모와 풍채가 뛰어난 사람을 비유적으로 이르는 말.
1004)안증(顔曾) : 공자(孔子)의 제자인 안회, 증삼을

광이 완연이 학ᄉᆞ 원경이 도라온 ᄃᆞᆺᄒᆞ믈 보ᄆᆡ, 하공의 침듕홈과 됴부인 단엄ᄒᆞ므로도, 금일 경ᄉᆞ를 당ᄒᆞᄆᆡ 일변 두굿기고 일변 셕ᄉᆞ를 상감(傷感)ᄒᆞ여, 부뷔 일시의 그 좌우슈를 어로만져 츄연 하루 왈,

"금일이 하일(何日)이완ᄃᆡ 죽은 ᄋᆞᄒᆡ ᄉᆞ라 도라와 등양ᄒᆞᄂᆞᆫ 경ᄉᆡ 잇ᄂᆞ뇨? 아디 못게라 이 거시 딘여(眞歟)아 몽야(夢耶)아. 셕년(昔年) 망ᄋᆞ(亡兒) 삼인이 일시의 계디로 도라와 우리 부부의게 졀ᄒᆞᄆᆡ, 인인이 복인(福人)으로 일ᄏᆞᆺ던 ᄇᆡ라. 믈극필반(物極必反)1299)으로 몽ᄆᆡ(夢寐)의 참화를 당ᄒᆞ여, 다시 텬일을 보디 못홀가 통원비졀(痛寃悲絶)ᄒᆞᄂᆞᆫ[던] ᄇᆡ러니, 오날놀이 이실 줄은 뜻ᄒᆞ디 못ᄒᆞᆫ ᄇᆡ로다."

언파의 부뷔 읍읍히 슬허ᄒᆞ믈 마디 아니니 초공이 화ᄒᆞᆫ 안ᄉᆡᆨ으로 위로ᄒᆞ고, ᄋᆞ을 닛그러 샤묘(祠廟)의 현셩(見成)ᄒᆞᄆᆡ, 하ᄀᆡᆨ이 가득ᄒᆞ여 신ᄂᆡ(新來) 브르ᄂᆞᆫ 소ᄅᆡ【17】분분ᄒᆞ니, 뎡국공이 장원을 다리고 외루의 나와 빈ᄀᆡᆨ을 졉응홀ᄉᆡ, 좌듕이 년셩ᄒᆞ여 댱원의 긔특ᄒᆞ믈 치하ᄒᆞ고, 신ᄂᆡ를 ᄇᆡᆨ단 유희ᄒᆞ여 희학이 낭ᄌᆞᄒᆞ나, 하공의 딘졍인즉 셩만을 두려 치하를 깃거 아냐, 공근겸퇴(恭謹謙退)ᄒᆞ미 셕년 화변을 ᄉᆡᆼ각ᄒᆞ여 조금도 깃거 아니ᄒᆞ더라.

날이 어두온 후 졔ᄀᆡᆨ이 각산귀가(各散歸家)ᄒᆞ고, 뎡국공 부ᄌᆡ 낙양후 곤계로 더브러 ᄇᆡᆨ일경의셔 담화○○[홀ᄉᆡ], 뎡공이 댱원을 향ᄒᆞ여 왈,

"ᄌᆞ슌의 길일이 계오 슈삼일이 가렷ᄂᆞᆫᄃᆡ, 믄득 뇽방쳔인(龍榜千人)을 묘시(藐視)ᄒᆞ여 의의히 장원낭이 되니, 복경이 뉴뉴ᄒᆞ믄 니르도 말고 님가 문난(門欄)의 광ᄎᆡ ᄇᆡ승ᄒᆞ리로다."

하공이 미쇼 왈,

"댱원낭은 깃브디 아니나 길일이 님박ᄒᆞ

아울러 이르는 말.

1299)믈극필반(物極必反) : 사물의 형세는 발전이 극에 다다르면 반드시 뒤집히게 마련이라는 뜻으로 사물이나 형세는 고정되어 있지 않고 흥성과 쇠망을 반복하게 마련이라는 말.

이 완연이 ᄒᆞᆨᄉᆞ 원경이 도라 온 ᄃᆞᆺᄒᆞ믈 보ᄆᆡ, 하공의 침즁홈과 조부인의 단엄ᄒᆞ므로도, 금일 경ᄉᆞ를 당ᄒᆞᄆᆡ 일변 두굿기고 일변 셕ᄉᆞ를 상감(傷感)ᄒᆞ여, 부뷔 일시의 그 좌우슈를 어로만져 츄연 하루 왈,

"금일이 하일이완ᄃᆡ 죽은 ᄋᆞᄒᆡ ᄉᆞ라 도라와 등양ᄒᆞᄂᆞᆫ 경ᄉᆡ 잇ᄂᆞ뇨? 아지 못게라 이 거시 진여(眞歟)아 몽야(夢耶)아. 셕년(昔年) 망ᄋᆞ(亡兒) 삼인이 일시의 계지(桂枝)로 도라와 우리 부부의게 졀ᄒᆞᄆᆡ, 인인이 복인으로 일ᄏᆞᆺ던 ᄇᆡ라. 믈극필반(物極必反)1005)으로 몽ᄆᆡ(夢寐)의 참화를 당ᄒᆞ여, 다시 텬일을 보지【112】 못홀가 통원비졀(痛寃悲絶)ᄒᆞᄂᆞᆫ[던] ᄇᆡ러니, 오날날이 잇실 줄은 뜻ᄒᆞ지 못ᄒᆞ미로다."

언파의 부뷔 읍읍히 슬허ᄒᆞ믈 마지 아니니, 초공이 화안이ᄉᆡᆨ(和顔怡色)으로 위로ᄒᆞ고, 아을 잇그러 ᄉᆞ묘의 현셩(見成)ᄒᆞᄆᆡ, 하ᄀᆡᆨ이 ᄀᆞ득ᄒᆞ여 신ᄂᆡ(新來) 브르ᄂᆞᆫ 소ᄅᆡ 분분ᄒᆞ니, 뎡국공이 장원을 ᄃᆞ리고 외루의 나와 빈ᄀᆡᆨ을 졉응홀ᄉᆡ, 좌즁이 년셩ᄒᆞ여 장원의 긔특ᄒᆞ믈 치하ᄒᆞ고, 신ᄂᆡ를 ᄇᆡᆨ단 유희ᄒᆞ여 희학이 낭ᄌᆞᄒᆞ나, 하공의 진졍인즉 셩만을 두려 치하를 깃거 아냐, 공근겸퇴(恭謹謙退)ᄒᆞ미 셕년 화변을 ᄉᆡᆼ각ᄒᆞ여 조금도 깃거 아니ᄒᆞ더라.

날이 어두온 후 졔ᄀᆡᆨ이 각산귀가(各散歸家)ᄒᆞ고, 뎡국공 부ᄌᆡ 낙○[양]후 곤계로 더브러 ᄇᆡᆨ일경의셔 담화홀ᄉᆡ, 뎡공이 장원을 향ᄒᆞ여 왈,

"ᄌᆞ슌의 길일이 계오【113】 슈삼일이 가렷ᄂᆞᆫᄃᆡ, 믄득 뇽방쳔인(龍榜千人)을 묘시(藐視)ᄒᆞ여 의의히 장원낭이 되니, 《복견∥복경(福慶)》이 뉴뉴ᄒᆞ믄 니르도 말고, 님가 문난(門欄)의 광ᄎᆡ ᄇᆡ승ᄒᆞ리로다."

하공이 미소 왈,

"장원낭은 깃브지 아니나 길일이 님박ᄒᆞ

아울러 이르는 말.

1005)믈극필반(物極必反) : 사물의 형세는 발전이 극에 다다르면 반드시 뒤집히게 마련이라는 뜻으로 사물이나 형세는 고정되어 있지 않고 흥성과 쇠망을 반복하게 마련이라는 말.

니 이 번이나 텬뎡긔연(天定奇緣)을 만날가 ᄒᆞ노라."
뎡공이 미【18】쇼 왈,
"이번조ᄎᆞ 텬연을 못 만날 거시라 념녀ᄒᆞ리오. 님참졍이 금명 간 샹경ᄒᆞ리니 셔랑의 과경을 깃거 ᄒᆞ리로다."
딘평댱이 원챵을 향ᄒᆞ여 웃고 왈,
"군의 문장필법이 녕형만 못ᄒᆞ디 아니ᄃᆡ, 엇디 낙방ᄒᆞ미 되엿ᄂᆞ뇨? 아디 못게라 디은 글을 듯고져 ᄒᆞ노라."
공ᄌᆞ 함쇼 ᄃᆡ왈,
"ᄒᆞᆫ 번 과옥의 사ᄅᆞᆷ마다 등양ᄒᆞᆯ 거시면 엇디 텬하의 노유(老儒) 이시리잇고? 쇼ᄉᆡᆼ의 문한이 용녈ᄒᆞ믄 존공의 ᄂᆡ이 아르시ᄂᆞᆫ 빈어ᄂᆞᆯ, ᄉᆡ로이 므르시ᄂᆞ니잇가?"
월휘 일시 희롱으로 원챵의 글을 디워, 그 낙막히 녁이믈 보고져 ᄒᆞᆫ ᄇᆡ나, 금번의 놉히 등양치 못ᄒᆞ믈 블상이 녁여, 웃고 왈,
"ᄌᆞ균이 오날 글을 반ᄃᆞ시 병집(病-)[1300] 잇게 디어시므로 낙방ᄒᆞ미라. 그러나 ᄌᆞ슌의 문장은 은하(銀河)의 근원이라. 힘뼈 공부ᄒᆞ여 명츈 과갑【19】을 응ᄒᆞ라."
하공ᄌᆞ 미쇼 왈,
"금번 글을 병집 잇게 디어시 량이면 엇디 등양키를 바리오. 연이나 내 글을 병집 잇게 보ᄂᆞᆫ 시관이 눈이 병드럿던가 ᄒᆞ노라."
월휘 쇼왈,
"네 쇼견의 극딘히 딧노라 ᄒᆞ여신들 사ᄅᆞᆷ마다 무흠(無欠)이 녁여시리오. 원간 엇디 디엇더뇨?"
공ᄌᆞ 월후의 거동을 슈상이 녁여 눈을 드러 월후를 ᄂᆡ이 보고 말이 업거ᄂᆞᆯ, 댱원이 그 ᄋᆞ의 글을 외와 니ᄅᆞ고 왈,
"사뎨의 글인즉 쇼뎨도곤 나으미 만커ᄂᆞᆯ 도로혀 낙방ᄒᆞ미 되니 엇디 괴이치 아니리잇고?"
일좨(一座) 원챵의 글을 듯고 모다 공ᄌᆞ를 위로 왈,

1300)병집(病-) : 흠집. 깊이 뿌리박힌 잘못이나 결점.

니, 이 번이나 텬졍긔연(天定奇緣)을 만날가 ᄒᆞ노라."
뎡공이 미소 왈,
"이번조ᄎᆞ 텬졍긔연(天定奇緣)을 못 만날 거시라 념녀ᄒᆞ리오. 님참졍이 금명 간 샹경ᄒᆞ리니, 셔랑의 과경을 깃거 ᄒᆞ리로다."
딘평장이 원챵을 향ᄒᆞ여 웃고 왈,
"현계(賢契) 문장필법이 녕형만 못ᄒᆞ지 아니ᄃᆡ, ○○[엇지] 낙방ᄒᆞ미 되엿ᄂᆞ뇨? 아지 못게라 지은 글을 듯고져 ᄒᆞ노라."
공ᄌᆞ 함소 ᄃᆡ왈,
"ᄒᆞᆫ 번 과옥의 샤ᄅᆞᆷ마다 등양ᄒᆞᆯ 거면, 엇지 텬하의 노유(老儒) 잇시리잇고? 소ᄉᆡᆼ의 문한이 용녈ᄒᆞ믄 존공의 ᄂᆡ이 아르시ᄂᆞᆫ 빈어ᄂᆞᆯ, ᄉᆡ로이 므르【114】시ᄂᆞ니잇가?"
월휘 일시 희롱으로 원챵의 글을 지워, 그 낙막히 녁이믈 보고져 ᄒᆞᆫ ᄇᆡ나, 금번의 놉히 등양치 못ᄒᆞ믈 불샹히 녁여 웃고 왈,
"ᄌᆞ슌이 오날 글을 반ᄃᆞ시 병집(病-)[1006] 잇게 지엇시므로 낙방ᄒᆞ미라. 그러나 ᄌᆞ슌의 문장은 은하의 근원이라. 힘뼈 공부ᄒᆞ여 명츈 과갑을 응ᄒᆞ라."
하공ᄌᆞ 미소 왈,
"금번 글을 병집 잇게 지엇시 량이면 등양키를 엇지 ᄇᆞ리오. 연이나 내 글을 병집 잇게 보ᄂᆞᆫ 시관은 눈이 병드럿던가 ᄒᆞ노라."
월휘 소왈,
"네 소견의 극진히 짓노라 ᄒᆞ여신들 샤ᄅᆞᆷ마다 무흠(無欠)이 녁엿시리오. 원간 엇지 지엇더뇨?"
공ᄌᆞ ○[월]후의 거동을 슈상히 녁여 눈을 드러 월후를 ᄂᆡ이 보고 말이 업거ᄂᆞᆯ, 장원이 그 ᄋᆞ의 글을 외와 니ᄅᆞ고 왈,
"ᄉᆞ뎨의 글인즉 소뎨【115】도곤 나으미 만커ᄂᆞᆯ, 도로혀 낙방ᄒᆞ미 되니 엇지 괴이치 아니리잇고?"
일좨(一座) 원챵의 글을 듯고 모다 공ᄌᆞ를 위로 왈,

1006)병집(病-) : 흠집. 깊이 뿌리박힌 잘못이나 결점.

“금번 낙방이 ᄋᆡᄃᆞᆯ오나 명츈 과갑을 응ᄒᆞ리니, 모로미 낙막히 넉이디 말나.”

공ᄌᆞ의 춍명이 홀연 월후를 의심ᄒᆞ여 ᄌᆞ약히 웃고 왈,

“엇디 낙방을 ᄋᆡᄃᆞᆯ와 ᄒᆞ리잇가마【20】ᄂᆞᆫ 시관이 무상ᄒᆞ여 글을 ᄭᅩ노디1301) 못ᄒᆞ믈 ᄋᆡᄃᆞᆯ와 ᄒᆞᄂᆞ이다.”

월휘 쇼왈,

“그ᄃᆡ 디은 글을 드르니 병집은 업ᄂᆞᆫ가 시브나 운쉬 치 트이디 못ᄒᆞᆫ 연괴라. 시관은 원망 말나. 우리 ᄀᆞᆺ튼 ᄂᆔ 시관의 참예ᄒᆞ엿다가 ᄀᆞ장 블안ᄒᆞ도다.”

공ᄌᆡ 잠쇼 왈,

“시관이 되여 ᄉᆞ혐(私嫌)을 먼니ᄒᆞ고 공도를 잡으면, 사ᄅᆞᆷ의게 원망 드를 니 업ᄉᆞ니 형을 원망ᄒᆞ리오. 아모 시관이라도 눈이 업ᄉᆞᆫ 놈이 내 글을 나리왓ᄂᆞ니라.”

졔왕과 졔딘이 대쇼 왈,

“ᄌᆞ균이 운쉬 못 틔여 농방의 오로디 못ᄒᆞ믈 ᄉᆡᆼ각디 못ᄒᆞ고, 도로혀 시관을 원망ᄒᆞ니 시관 되엿던 ᄌᆡ 듯기 블평ᄒᆞ리로다.”

초공이 쇼왈,

“블평ᄒᆞᆯ 일이 어이 이시리오. 상(常)업ᄉᆞᆫ1302) ○○[아이] 져의 소견과 ᄀᆞᆺ디 못ᄒᆞ믈 ᄋᆡᄃᆞᆯ나 ᄒᆞ나, 등양이란 거시 그 엇던 일이라 쳐음의 ᄒᆞ기 쉬○[ᄋᆞ]리오.”

월휘 쇼왈,

“형의 말이 올커니와【21】녕뎨 시관을 하 원망ᄒᆞ니, ᄎᆞ후란 소뎨 ᄀᆞᆺᄐᆞ니 ᄯᅩ 시관의 참예ᄒᆞ거든, 녕뎨의 슈필(手筆)을 골흠의 ᄎᆞ고 유의ᄒᆞ여 낙방ᄒᆞᄂᆞᆫ 일이 업게 ᄒᆞ리라.”

이러틋 담화ᄒᆞ여 밤이 깁흐ᄆᆡ, 졔뎡과 졔딘이 각각 부형을 뫼셔 환가ᄒᆞ고, 초공이 삼뎨로 더브러 부공긔 시침ᄒᆞᆯᄉᆡ, 원챵이 과욕이 남다른 거시 아니라 뎡쇼져 마ᄌᆞᆯ 긔약이 머러시므로 블승탄돌(不勝歎咄)ᄒᆞ니, 초공이 긔ᄉᆡᆨ을 ᄉᆞᆺ치고 병날가 념녀ᄒᆞ더라.

1301)ᄭᅩ노다 : 꼲다. 잘잘못을 따져서 평가하다.
1302)상(常)업ᄉᆞᆫ다 : 보통의 이치에서 벗어나 막되고 상스럽다.

“금번 낙방이 ᄋᆡᄃᆞᆲ으{오}나 명츈 과갑을 응ᄒᆞ리니, 모로미 낙막히 넉이지 말나”

공ᄌᆞ의 춍명이 홀연 월후를 의심ᄒᆞ여 ᄌᆞ약히 웃고 왈,

“엇지 낙방을 ᄋᆡᄃᆞᆯ와 ᄒᆞ리잇가마ᄂᆞᆫ 시관이 무상ᄒᆞ여 글을 ᄭᅩ노지1007) 못ᄒᆞ믈 ᄋᆡᄃᆞᆯ와 ᄒᆞᄂᆞ이다.”

월휘 소왈,

“그ᄃᆡ 지은 글을 드르니 병집은 업ᄂᆞᆫ가 시브나 운ᄉᆔ 치 트이지 못ᄒᆞᆫ 연괴라. 시관은 원망 말나. 우리 ᄀᆞᆺ튼 ᄂᆔ 시관의 참녜ᄒᆞ엿다가 ᄀᆞ장 불안ᄒᆞ도다.”

공ᄌᆡ 잠소 왈,

“시관이 되여 ᄉᆞ혐(私嫌)을 먼니ᄒᆞ고 공도를 잡으면, 샤ᄅᆞᆷ의게 원망 드를 니 업ᄉᆞ니 형을 원망ᄒᆞ리오. 아모 시관이라도 눈이 업ᄉᆞᆫ 놈이 내 글을 나【116】리왓ᄂᆞ니라.”

졔왕과 졔진이 ᄃᆡ소 왈,

“ᄌᆞ슌이 운ᄉᆔ 못 틔여 농방의 오로지 못ᄒᆞ믈 ᄉᆡᆼ각지 못ᄒᆞ고, 도로혀 시관을 원망ᄒᆞ니 시관 되엿던 ᄌᆡ 듯기 블평ᄒᆞ리로다”

초공이 소왈,

“불평ᄒᆞᆯ 일이 어이 잇시리오. 상(常)업ᄉᆞᆫ1008) ○○[아이] 져의 소견과 ᄀᆞᆺ지 못ᄒᆞ믈 ᄋᆡᄃᆞᆯ나 ᄒᆞ나, 등양이란 거시 그 엇던 일이라 쳐음의 ᄒᆞ기 ᄉᆔ오리오.”

월휘 소왈,

“형의 말이 올커니와 녕뎨 시관을 하 원망ᄒᆞ니, ᄎᆞ후란 소뎨 ᄀᆞᆺᄐᆞ니 ᄯᅩ 시관의 참녜ᄒᆞ거든, 녕뎨의 슈필(手筆)을 골흠의 ᄎᆞ고 유의ᄒᆞ여 낙방ᄒᆞᄂᆞᆫ 일이 업게 ᄒᆞ리라.”

이러틋 담화ᄒᆞ여 밤이 깁흐ᄆᆡ, 졔뎡과 졔진이 각각 부형을 뫼셔 환가ᄒᆞ고, 초공이 삼뎨로 더브러 부친긔 시침ᄒᆞᆯᄉᆡ, 원챵이 과욕이 남다른 거시 아니라 뎡소져 마ᄌᆞᆯ 긔약이 머러시므로【117】불승탄돌(不勝歎咄)ᄒᆞ니, 초공이 긔ᄉᆡᆨ을 ᄉᆞᆺ치고 병날가 념녀ᄒᆞ더

1007)ᄭᅩ노다 : 꼲다. 잘잘못을 따져서 평가하다.
1008)상(常)업ᄉᆞᆫ다 : 보통의 이치에서 벗어나 막되고 상스럽다.

명일 하댱원이 유과(遊街)ᄒᆞᆯᄉᆡ, 님쳐ᄉᆞ와 졔(諸) 님을 ᄇᆡ견ᄒᆞᄃᆡ, 님참졍 집의 가디 아니니, ᄎᆞᄂᆞᆫ 혹ᄌᆞ 그 흉상박면이 ᄂᆡᄃᆞ라 븟들가 ᄒᆞ미러라.

이ᄯᅢ 님참졍이 일본을 교유ᄒᆞ고 만니 힝도의 무ᄉᆞ히 득달ᄒᆞ여 경샤의 도라오ᄆᆡ, 샹이 인견ᄒᆞ샤 반년디ᄂᆡ의 무ᄉᆞ 득달ᄒᆞ믈 일ᄏᆞᄅᆞ샤, 특별이 【22】 샤쥬(賜酒)ᄒᆞ시며 표피치단(豹皮綵緞)으로 은영을 드리오시고 작딕을 도도시니, 님참졍이 샤은이퇴(謝恩而退)ᄒᆞ여 부듕의 도라오ᄆᆡ ᄌᆞ녀와 ᄌᆞᄆᆡ 반기ᄂᆞᆫ 졍이 샹하키 어려오나, 목시의 흉포ᄒᆞᆷ과 ᄋᆡ랑의 흉참ᄒᆞ믄 ᄡᅥ낫다가 볼ᄉᆞ록 더옥 ᄆᆞᄋᆞᆷ이 ᄎᆞᆫ디라. 목시 님공을 ᄃᆡᄒᆞ여 ᄋᆡ랑의 ᄂᆡ쳐 온 바를 탐탐이 니르며, 눈믈이 비 ᄀᆞᆺ트여 목이 메이고, 몽옥은 목표의 후취로 됴히 도라 보ᄂᆡ여시믈 니르니, 듯ᄂᆞᆫ 말마다 심긔 어득ᄒᆞᄃᆡ, ᄌᆞ긔 녀ᄋᆞ의 긔이ᄒᆞ믈 아ᄂᆞᆫ 고로 결단코 목가의 후○[취](後娶)로 가디 아녀실 바를 짐작고, 기리 탄왈,

“쇼ᄌᆡ 만니 타국의 무ᄉᆞ히 왕반ᄒᆞ여 ᄌᆞ안의 ᄇᆡ알ᄒᆞ믈 엇ᄉᆞᆸ고 ᄌᆞ휘(慈候) 안강ᄒᆞ시니, 영힝코 희열ᄒᆞ미 이 밧긔 업ᄉᆞ오나, ᄋᆡ【23】딜의 일ᄉᆡᆼ이 바랄 거시 업ᄉᆞ오니, 져의 쳥츈이 앗가온디라. 소ᄌᆡ 이러므로 쳐음브터 ᄋᆡ딜을 하가의 도라보ᄂᆡ미 가치 아닌 줄 아오ᄃᆡ, ᄌᆞ졍이 과려ᄒᆞ시니 쇼ᄌᆡ 능히 ᄉᆞ졍을 다 알외디 못ᄒᆞ이다.”

목시 참졍을 당부ᄒᆞ여 하공 부ᄌᆞ를 보고 ᄋᆡ랑의 일ᄉᆡᆼ을 졔도ᄒᆞ라 ᄒᆞ니, 공이 ᄆᆞᄋᆞᆷ의 불관이 넉이나 마디 못ᄒᆞ여 슈명이퇴(受命而退)ᄒᆞ여, 뉵뎨와 삼ᄆᆡ를 ᄃᆡᄒᆞ여 ᄋᆡ랑의 츌화 곡졀을 ᄌᆞ셔히 뭇고, 몽옥의 거쳐를 므르니 상셔 등과 강 부인이 한을 ᄃᆡ신으로 목가의 보ᄂᆡ고, 몽옥은 강부의 올마시믈 젼ᄒᆞ며, 계뷔 쥬혼ᄒᆞ여 쇼져의 혼녜를 비로소 일우게 되여시믈 일ᄏᆞ르니, 참졍이 놀나 길일을 므른ᄃᆡ 명일이라 ᄒᆞ 【24】 ᄂᆞᆫ디라. 참졍이 변ᄉᆡᆨ 왈,

라.

명일 하장원이 유과(遊街)ᄒᆞᆯᄉᆡ, 님쳐ᄉᆞ와 졔(諸) 님을 ᄇᆡ견ᄒᆞᄃᆡ, 님참졍 집의 가지 아니니, ᄎᆞᄂᆞᆫ 혹ᄌᆞ 그 흉상박면이 ᄂᆡᄃᆞ라 븟들가 ᄒᆞ미러라.

이ᄯᅢ 님참졍이 일본을 교유ᄒᆞ고 만니 힝도의 무ᄉᆞ히 득달ᄒᆞ여 경ᄉᆞ의 도라오ᄆᆡ, 상이 인견ᄒᆞ샤 반년지ᄂᆡ의 무ᄉᆞ 득달ᄒᆞ믈 일ᄏᆞ르샤, 특별이 샤쥬(賜酒)ᄒᆞ시며 표피치단(豹皮綵緞)으로 은영을 드리오시고 작직을 도도시니, 님 참졍이 샤은이퇴(謝恩而退)ᄒᆞ여 부즁의 도라오ᄆᆡ, ᄌᆞ녀와 ᄌᆞᄆᆡ 반기ᄂᆞᆫ 졍이 샹하키 어려오나, 목시의 흉포ᄒᆞᆷ과 ᄋᆡ랑의 흉참ᄒᆞ믄 ᄡᅥ낫다가 볼ᄉᆞ록 더욱 마음이 ᄎᆞᆫ지라. 목시 님공을 ᄃᆡᄒᆞ여 ᄋᆡ랑의 ᄂᆡ쳐 온 바를 《잠잠이‖탐탐이》 니르며 눈믈이 비 ᄀᆞᆺ트여 목【118】이 메이고, 몽옥은 목표의 후취(後娶)로 조히 도라 보ᄂᆡ엿시믈 니르니, 듯ᄂᆞᆫ 말마다 심긔 어득ᄒᆞᄃᆡ ᄌᆞ긔 녀ᄋᆞ의 긔이ᄒᆞ믈 아ᄂᆞᆫ 고로, 결단코 목가의 후취로 가지 아녀실 바를 짐작고, 기리 탄왈,

“소ᄌᆡ 만니 타국의 무ᄉᆞ히 왕반ᄒᆞ여 ᄌᆞ안의 ᄇᆡ알ᄒᆞ믈 엇ᄉᆞᆸ고 ᄌᆞ휘(慈候) 안강ᄒᆞ시니, 영힝코 희열ᄒᆞ미 이 밧 업ᄉᆞ오나, ᄋᆡ딜의 일ᄉᆡᆼ이 바랄 거시 업ᄉᆞ오니, 져의 쳥츈이 앗가온지라. 소ᄌᆡ 이러므로 쳐음브터 ᄋᆡ딜을 하가의 도라보ᄂᆡ미 가치 아닌 줄 아오ᄃᆡ, ᄌᆞ졍이 과려ᄒᆞ시니 소ᄌᆡ 능히 ᄉᆞ졍을 다 알외지 못ᄒᆞ이다.”

목시 참졍을 당부ᄒᆞ여 하공 부ᄌᆞ를 보고 ᄋᆡ랑의 일ᄉᆡᆼ을 졔도ᄒᆞ라 ᄒᆞ니, 공이 마음의 불관이 넉이나 마지 못ᄒᆞ여 슈명이퇴(受命而退)ᄒᆞ여, 뉵뎨와 셰 누의를 ᄃᆡᄒᆞ【119】여 ᄋᆡ랑의 츌화 곡졀을 ᄌᆞ셔히 뭇고, 몽옥의 거쳐를 므르니, 상셔 등과 강 부인이 한을 ᄃᆡ신으로 목가의 보ᄂᆡ고, 몽옥은 강부의 올마시믈 젼ᄒᆞ며, 쳐ᄉᆡ 쥬혼ᄒᆞ여 소져의 혼례를 비로소 일우게 되믈 니르니, 참졍이 놀나 길일을 므른ᄃᆡ 명일이라 ᄒᆞᄂᆞᆫ지라. 참졍이 변ᄉᆡᆨ 왈,

"ᄌᆞ경이 ᄋᆡ딜을 하가의 다시 보ᄂᆡ려 ᄒᆞ시거ᄂᆞᆯ, 몽ᄋᆞ의 혼녜를 너모 급히 디ᄂᆡ여 유익ᄒᆞ믄 업고, 오ᄋᆞ 신샹의 ᄯᅩ 화ᄋᆡᆨ이 일게 ᄒᆞ여시니, ᄎᆞ혼을 뎡ᄒᆞᆫ 날 못 디ᄂᆡ리라."

상셔 등이 ᄋᆡ랑을 다시 하부의셔 용납디 아닐 바를 고ᄒᆞ며, ᄇᆞ졀업시 친ᄉᆞ를 믈니쳐 《시월‖세월》을 쳔연ᄒᆞ여, 하개 증분이 넉일 바를 일ᄏᆞ라, 목시긔ᄂᆞᆫ 하공 부ᄌᆡ ᄋᆡ랑을 용납디 아닛ᄂᆞᆫ 바를 고ᄒᆞ고, 몽옥의 혼ᄉᆞ를 바로 강부로셔 일워 하가로 보ᄂᆡ미 맛당ᄒᆞ믈 고ᄒᆞ니, 참졍이 빈미(嚬眉) 믁연(默然)이러니, 밧긔 쳐ᄉᆡ 님ᄒᆞ시믈 고ᄒᆞ니, 참졍이 년망이 나와 마ᄌᆞ 당의 오로ᄆᆡ, 쳐ᄉᆡ 흔연이 반겨 무ᄉᆞ히 도라오믈 힝열ᄒᆞ고, 몽옥의 친ᄉᆡ 가만ᄒᆞᆫ 가온ᄃᆡ【25】슌히 되게 ᄒᆞ여시믈 니ᄅᆞᆫᄃᆡ, 참졍이 ᄃᆡ왈,

"ᄌᆞ경이 ᄋᆡ랑을 다시 하가의 보ᄂᆡ고져 ᄒᆞ시거ᄂᆞᆯ, 유ᄌᆡ(猶子) 옥ᄋᆞ의 혼인을 드리ᄡᅥ[1303] 디ᄂᆡ미 ᄋᆡ딜의 젼졍을 희디음 ᄀᆞᆺᄌᆞ온디라. 하퇴디를 ᄃᆡᄒᆞ여 계뷔 쥬혼ᄒᆞ시다 ᄒᆞᄃᆡ, 유ᄌᆞ의 인ᄉᆡ(人事) 편친(偏親)을 속이미 블가ᄒᆞᆯ가 ᄒᆞᄂᆞ이다."

쳐ᄉᆡ 왈,

"일이란 거시 권도(權度)도 잇고 뎡도(正道)도 이시니, 엇디 일도(一道)를 ᄃᆡᆨ희리오. ᄋᆡ랑이 몽옥의 혼ᄉᆞ를 희(戱)디을디언졍, 몽옥이 ᄋᆡ랑의 젼졍을 히ᄒᆞ미 업ᄉᆞ니, 괴이ᄒᆞᆫ 말 말고 혼ᄉᆞ의 잡(雜) 의논을 ᄂᆡ디 말디어다."

참졍이 깃거 아니나 계부의 말ᄉᆞᆷ이 이 ᄀᆞᆺ트시니, 하부의셔 혼녜 일일 격ᄒᆞ므로 범구를 셩비ᄒᆞ엿ᄂᆞᆫᄃᆡ, ᄯᅩ 믈니ᄌᆞ 말이 나디 아냐 오ᄃᆡᆨ 츄연 탄식고, 왈,

"유ᄌᆡ(猶子) 망【26】ᄆᆡ(亡妹)를 ᄉᆡᆼ각ᄒᆞ올딘ᄃᆡ ᄋᆡ랑을[이] 엇디 친녀와 다르리잇고마ᄂᆞᆫ, 작인이 남 ᄀᆞᆺ디 못ᄒᆞ여 이상이 못삼긴 연고로, 하가의 용납디 못ᄒᆞ여 셩혼 슈월의 그러ᄐᆞᆺ 참혹히 츌화를 만나 도라오니, ᄒᆞᆫ갓 졔 젼졍을 니ᄅᆞ디 말고 유ᄌᆞ의 ᄆᆞᄋᆞᆷ이

1303)드리ᄡᅥ : 들입다. 냅다. 세차게. 곧바로. 마구.

"ᄌᆞ경이 ᄋᆡ딜을 하가의 다시 보ᄂᆡ려 ᄒᆞ시거ᄂᆞᆯ, 몽ᄋᆞ의 혼례를 너모 급히 지ᄂᆡ여 유익ᄒᆞ믄 업고, 오ᄋᆞ 신상의 ᄯᅩ 화ᄋᆡᆨ이 일게 ᄒᆞ엿시니, ᄎᆞ혼을 졍ᄒᆞᆫ 날 못 지ᄂᆡ리라."

상셔 등이 ᄋᆡ랑을 다시 하부의셔 용납지 아닐 바를 고ᄒᆞ며, ᄇᆞ졀업시 친ᄉᆞ를 믈니쳐 《시월‖세월》을 쳔연ᄒᆞ여, 하개 증분이 넉일 바를 일ᄏᆞ라, 목시긔ᄂᆞᆫ 하공 부ᄌᆡ ᄋᆡ랑을 용납지 아닛ᄂᆞᆫ 말을 고ᄒᆞ고, 【120】 몽옥의 혼ᄉᆞ를 바로 강부로셔 일워 하가로 보ᄂᆡ미 맛당ᄒᆞ믈 고ᄒᆞ니, 참졍이 빈미(嚬眉) 믁연(默然)이러니, 밧긔 쳐ᄉᆡ 님ᄒᆞ시믈 고ᄒᆞ니, 참졍이 연망이 나와 마ᄌᆞ 당의 오로ᄆᆡ, 쳐ᄉᆡ 흔연이 반겨 무ᄉᆞ히 도라오믈 힝열ᄒᆞ고, 몽옥의 친ᄉᆡ ᄀᆞ장 가만ᄒᆞᆫ 가온ᄃᆡ 슌히 되게 ᄒᆞ엿시믈 니ᄅᆞᆫᄃᆡ, 참졍이 ᄃᆡ왈,

"ᄌᆞ경이 ᄋᆡ랑을 다시 하가의 보ᄂᆡ고져 ᄒᆞ시거ᄂᆞᆯ, 유ᄌᆡ(猶子) 《유ᄋᆞ‖옥ᄋᆞ》의 혼인을 드리ᄡᅥ[1009] 지ᄂᆡ미 ᄋᆡ딜의 젼졍을 희지음 ᄀᆞᆺ튼지라. 하퇴지를 ᄃᆡᄒᆞ여 계뷔 쥬혼ᄒᆞ시다 ᄒᆞᄃᆡ, 유ᄌᆞ의 인ᄉᆡ 편친(偏親)을 속이미 블가ᄒᆞᆯ가 ᄒᆞᄂᆞ이다."

쳐ᄉᆡ 왈,

"일이란 거시 권도(權度)도 잇고 졍도(正道)도 잇시니, 엇지 일도(一道)를 직희리오. ᄋᆡ랑이 몽옥의 혼ᄉᆞ를 희지을지언졍 몽옥이 ᄋᆡ랑의 젼졍을 히ᄒᆞ미 업ᄉᆞ니, 괴이【121】ᄒᆞᆫ 말 말고 혼ᄉᆞ의 잡(雜) 의논을 ᄂᆡ지 말지어다."

참졍이 깃거 아니나 슉부의 말ᄉᆞᆷ이 이 ᄀᆞᆺ트시니, 유유(儒儒) 응명ᄒᆞ더라.

◎[1010]어시의 하부의셔 혼네 일일이 격ᄒᆞ므로 범구를 셩비ᄒᆞ엿ᄂᆞᆫᄃᆡ, ᄯᅩ 믈니ᄌᆞ 말이 나지 아냐 오ᄌᆞᆨ 츄연 탄식고, 왈,

"소딜이 망ᄆᆡ를 ᄉᆡᆼ각ᄒᆞᆯ진ᄃᆡ ᄋᆡ랑을[이] 엇지 친녀와 다르리잇고마ᄂᆞᆫ, 작인이 남 ᄀᆞᆺ지 못ᄒᆞ여 이상히 못삼긴 연고로, 하가의 용납지 못ᄒᆞ여 셩혼 슈월의 그러ᄐᆞᆺ 참혹히 츌화를 만나 도라오니, ᄒᆞᆫ갓 졔 젼졍이 이

1009)드리ᄡᅥ : 들입다. 냅다. 세차게. 곧바로. 마구.
1010)◎ : 선행본의 분권 권두표점.

븟그럽고 블평ᄒᆞ미, 몸이 스러져 그 거동을 보디 말고져 시븐디라. 이 ᄶᅧᆨ 옥ᄋᆞ를 하가의 보ᄂᆡᆫᄌᆞᆨ 그 화용ᄀᆡ질(花容氣質)이 ᄋᆡ랑으로 비컨ᄃᆡ 텬디현격(天地懸隔)ᄒᆞ미 이시리니, 하퇴디의 부부와 하원상이 본ᄌᆞᆨ 딘짓 텬뎡가연(天定佳緣)으로 알고, ᄋᆡ랑은 다시 ᄉᆡᆼ각도 아니리니, 유ᄌᆞ의 념치의ᄂᆞᆫ ᄋᆡ랑을 뉴렴(留念)ᄒᆞ라 쳥치 못ᄒᆞ오리니, 이런 난연(赧然)ᄒᆞᆫ 일이 이시리잇가?"

쳐ᄉᆡ 탄왈,

"너의 졀민(切憫)ᄒᆞ미 어이 괴이ᄒᆞ리오마ᄂᆞᆫ, 그러나 ᄋᆡ랑을 위ᄒᆞ여 인뉸을【27】폐륜치 못ᄒᆞ리니, 임의 뎡혼ᄒᆞᆫ 혼인이라 다시 믈니치디 못ᄒᆞᆯ 거시니, 너ᄂᆞᆫ 명일 강부의 가 신낭의 뎐안(奠雁)ᄒᆞᄂᆞᆫ 거동이나 잠간 보고 가라."

참졍이 마디 못ᄒᆞ여 슈명ᄒᆞ더라.

ᄎᆞ시 님공ᄌᆞ 한이 목튝을 ᄯᆞ라 향니의 나려가 ᄒᆞᆫ가디로 이션 디, 삼ᄉᆞ월의 목취 홀연 유딜ᄒᆞ여 십여 일을 듕통(重痛)ᄒᆞ거ᄂᆞᆯ, 님공ᄌᆡ 의약을 닐위여 힘ᄡᅧ 구호ᄒᆞ며, 두로 미인을 구ᄒᆞ여, 동닌(洞隣) 효렴(孝廉)1304) 황박의 셔녜 뇨라(姚娜)ᄒᆞᆫ 졀ᄉᆡᆨ이라. 시년이 십뉵의 오딕 댱부를 맛디 아냣다 ᄒᆞ거ᄂᆞᆯ, 님공ᄌᆡ 셔로 ᄉᆞ괴여 셔ᄉᆞ 통신이 빈빈ᄒᆞᆫ 후, 황효렴의 통희와 셔녀를 다 쳥ᄒᆞ여 셔로 보고, 효렴의 쳡 곽시를 ᄃᆡᄒᆞ여 뉴슈디언(流水之言)으로 목표의 호부ᄒᆞᆫ 형셰를 니르고, 기녀로 표의 통희를 삼으라 ᄒᆞ니, 곽시 괴이히 녁여 왈,

"부인【28】이 목가의 도라온 디 오ᄅᆡ디 아니타 ᄒᆞ거ᄂᆞᆯ, 엇디 노야긔 다른 사ᄅᆞᆷ을 쳔거ᄒᆞ랴 ᄒᆞ시ᄂᆞ니잇가?"

님공ᄌᆡ 쇼왈,

"내 일은 내 스ᄉᆞ로 아ᄂᆞ니 반ᄃᆞ시 셰연(世緣)이 오라디 아닐디라. 이러므로 녕녀를

1304)효렴(孝廉) : 중국 전한(前漢) 때의 관직명. 무제가 군국에서 매년 부모에 효도하고 형제간에 우애 있는 사람과 청렴한 사람을 각각 한 사람씩 천거하게 한 데서 비롯하였다.

러믈 니르지 말고, 소ᄃᆡᆯ의 ᄆᆞ음이 븟그럽고 불평ᄒᆞ미 몸이 스러져 그 거동을 보지 말고져 시븐지라. 이ᄶᅧᆨ 옥ᄋᆞ를 하가의 보ᄂᆡᆫᄌᆞᆨ 그 화용ᄀᆡ질(花容氣質)이 ᄋᆡ랑으로 비컨ᄃᆡ 텬지현격 (天地懸隔)ᄒᆞ미 잇시리니, 하퇴지의 부부와 하원상이 본【122】ᄌᆞᆨ 진짓 텬뎡가연(天定佳緣)으로 알고, ᄋᆡ랑은 다시 ᄉᆡᆼ각도 아니리니, 소ᄃᆡᆯ의 념치의ᄂᆞᆫ ᄋᆡ랑을 뉴렴(留念)ᄒᆞ라 쳥치 못ᄒᆞ오리니, 이런 난연(赧然)ᄒᆞᆫ 일이 어이 잇시리오."

쳐ᄉᆡ 탄왈,

"너의 졀민(切憫)ᄒᆞ미 어이 괴이ᄒᆞ리오마ᄂᆞᆫ, 그러나 ᄋᆡ랑을 위ᄒᆞ여 인뉸을 폐륜치 못ᄒᆞ리니, 임의 졍혼ᄒᆞᆫ 혼인이라 다시 믈니치지 못ᄒᆞᆯ 거시니, 현뎔은 명일 강부의 가 신낭의 젼안(奠雁)ᄒᆞᄂᆞᆫ 거동이나 잠간 보고 가라."

참졍이 마지 못ᄒᆞ여 슈명ᄒᆞ더라.

ᄎᆞ시 님공ᄌᆞ 한이 목 츄(醜)를 ᄯᆞ라 향니의 나려가 ᄒᆞᆫ가지로 잇션 지 삼ᄉᆞ 삭의 목취 홀연 유질ᄒᆞ여 십여 일을 즁통(重痛)ᄒᆞ거ᄂᆞᆯ, 님공ᄌᆡ 의약을 닐위여 힘ᄡᅧ 구호ᄒᆞ며, 두로 미인을 구ᄒᆞ여, 동닌(洞隣) 효렴(孝廉)1011) 황박의 셔녜 뇨라ᄒᆞᆫ 졀ᄉᆡᆨ이라. 시년이 십뉵의 오즉 장부를 만나지 아【123】냣다 ᄒᆞ거ᄂᆞᆯ, 님공ᄌᆡ 셔로 ᄉᆞ괴여 셔ᄉᆞ 통신이 빈빈ᄒᆞᆫ 후, 황효렴의 춍희와 셔녀를 다 쳥ᄒᆞ여 셔로 보고, 효렴의 쳡 곽시를 ᄃᆡᄒᆞ여 뉴슈지언(流水之言)으로 목표의 호부ᄒᆞᆫ 형셰를 니르고, 기녀로 표의 춍희를 삼으라 ᄒᆞ니, 곽시 괴이히 녁여 왈,

"부인이 목가의 도라온 지 오ᄅᆡ지 아니타 ᄒᆞ거ᄂᆞᆯ, 엇지 노야긔 다른 샤ᄅᆞᆷ을 쳔거ᄒᆞ랴 ᄒᆞ시ᄂᆞ니잇가?"

님 공ᄌᆡ 소왈,

"ᄂᆡ 일은 ᄂᆡ 스ᄉᆞ로 아ᄂᆞ니 반ᄃᆞ시 셰연(世緣)이 오라지 아닐지라. 이러므로 녕녀를

1011)효렴(孝廉) : 중국 전한(前漢) 때의 관직명. 무제가 군국에서 매년 부모에 효도하고 형제간에 우애 있는 사람과 청렴한 사람을 각각 한 사람씩 천거하게 한 데서 비롯하였다.

목ᄌᆞ의게 쳔거코져 ᄒᆞᄂᆞ니, 파파ᄂᆞᆫ 괴이히 녁이디 말고 녕녀의 부귀ᄒᆞᆯ 바를 ᄉᆡᆼ각ᄒᆞ여 쾌허ᄒᆞ라."

곽시 목표의 집이 당녀ᄒᆞᆫ 긔구와 무궁ᄒᆞᆫ 호부를 흠션(欽羨)ᄒᆞ여, 도라가 효렴과 의논ᄒᆞ고 즉시 허ᄒᆞ여, 그 ᄯᆞᆯ노ᄡᅧ 목표의 ○○○[총희를] 삼고져 ᄒᆞ거ᄂᆞᆯ, 님공ᄌᆡ 깃거 은ᄌᆞ 오ᄇᆡᆨ 냥과 촉단(蜀緞) 능나(綾羅)를 ᄀᆞᆺ초아 황가의 보ᄂᆡ여, 목표의 희쳡 삼을 긔구를 출히라 ᄒᆞ고, 일야ᄂᆞᆫ 죵용이 목표를 ᄃᆡᄒᆞ여 그 통쳐(痛處)를 뭇고 우어(于於) 왈,

"군이 우리 ○○[조모]로ᄡᅧ 엇던 사ᄅᆞᆷ으로 아ᄂᆞ뇨?"

목픠 미쇼 왈,

"슉모의 인믈을 감히 시비튼 못ᄒᆞ나 극딘이【29】어딘[딜]든 못ᄒᆞ신가 ᄒᆞᄂᆞ이다."

님공ᄌᆡ 우문 왈,

"대뫼 날노ᄡᅧ 그ᄃᆡ의게 도라 보ᄂᆡ시믄 엇딘 일이뇨?"

목픠 왈,

"이ᄂᆞᆫ 그ᄃᆡ 브졀업시 하가 빙치를 ᄃᆡᆨ희여 폐륜코져 ᄒᆞ믈 잔잉이 녁이실 ᄲᅳᆫ 아니라, 나의 환거(鰥居)ᄒᆞ믈 닛디 못ᄒᆞ샤, 됴히 인연을 일워 살고[과]져 ᄒᆞ시미니, 다른 ᄯᅳᆺ이 아니라 므ᄉᆞᆫ 원망된 일이 이시리오."

공ᄌᆡ 가연(慨然)[1305] 쇼왈,

"존공의 신상의 크게 유히ᄒᆞ믈 공이 가연(介然)이[1306] 아디 못ᄒᆞ미라. 우리 집이 비록 잔폐(殘廢)ᄒᆞ나, 빙폐(聘幣) 바든 ᄯᆞᆯ을 공연이 군을 ᄂᆡ여주고 ᄒᆞᆫ 말도 아닐가 녁이ᄂᆞ냐?"

목픠 왈,

"쇼졔 총명ᄒᆞᄃᆡ 오히려 ᄉᆞ리를 아디 못ᄒᆞᄂᆞᆫ도다. 님가의 셰엄이 아모리 당ᄒᆞ여도 슉뫼 허혼ᄒᆞ시고, 쇼졔 슌죵ᄒᆞ여 뉵녜로 마ᄌᆞ왓거ᄂᆞᆯ 이졔 다시 므ᄉᆞᆫ 말을 ᄒᆞ리오."

님공ᄌᆡ 믄득 닓ᄡᅥ나[1307], 과의(袴衣)[1308]

1305)가연(慨然) : 억울하고 원통하여 몹시 분해 함.
1306)가연(介然)이 : 개연(介然)히. 홀로. 변함없이.
1307)닓ᄡᅥ나다 : 벌떡 일어나다.
1308)과의(袴衣) : 남자의 홑바지. 여자의 고쟁이. * 고쟁이; 한복에 입는 여자 속옷의 하나. 속속곳

목ᄌᆞ의게 쳔거코져 ᄒᆞᄂᆞ니, 파파ᄂᆞᆫ 괴이히 녁이지 말고 녕녀의 부귀ᄒᆞᆯ 바를 ᄉᆡᆼ각ᄒᆞ여 쾌허ᄒᆞ라."

곽시 목시의 집이 장녀ᄒᆞᆫ 긔구와 무궁ᄒᆞᆫ 호부를 흠션(欽羨)ᄒᆞ여, 도라가 효렴과 의논ᄒᆞ고 즉시 허ᄒᆞ여, 그 ᄯᆞᆯ노ᄡᅧ 목표의 총희를 삼【124】고져 ᄒᆞ거ᄂᆞᆯ, 님공ᄌᆡ 깃거 은ᄌᆞ 오ᄇᆡᆨ 냥과 촉단(蜀緞) 능나(綾羅)를 ᄀᆞᆺ초아 황가의 보ᄂᆡ여, 목표의 희쳡 삼을 긔구를 출히라 ○○[ᄒᆞ고], 일야ᄂᆞᆫ 죵용이 목표를 ᄃᆡᄒᆞ여 그 통쳐(痛處)를 뭇고 우어 왈,

"군이 우리 ○○[조모]로ᄡᅧ 엇던 샤ᄅᆞᆷ이라 ᄒᆞᄂᆞ뇨"

목픠 미소 왈,

"슉모의 인물을 감히 시비튼 못ᄒᆞ나 극진이 어지든 못ᄒᆞ가 ᄒᆞᄂᆞ이다."

님공ᄌᆡ 우문 왈,

"ᄃᆡ뫼 날노ᄡᅧ 그ᄃᆡ의게 도라 보ᄂᆡ시믄 엇진 일이뇨?"

목픠 왈,

"이ᄂᆞᆫ 그ᄃᆡ 브졀업시 하가 빙치를 직희여 폐륜코져 ᄒᆞ믈 잔잉이 녁이실 ᄲᅳᆫ 아니라, 나의 형셰 환거(鰥居)ᄒᆞ믈 닛지 못ᄒᆞ샤 조히 인연을 일워 살고[과]져 ᄒᆞ시미니, 다른 ᄯᅳᆺ이 아니라 무ᄉᆞᆫ 원망된 일이 잇시리오."

공ᄌᆡ 가연(慨然)[1012] 소왈,

"존공의 신샹의 크게 유히ᄒᆞ믈 공이 가연(介然)이[1013] 아지 못ᄒᆞ미라. 우리 집이 비【125】록 잔폐(殘廢)ᄒᆞ나 빙폐(聘幣) 바든 ᄯᆞᆯ을 공연이 군을 ᄂᆡ여쥬고 ᄒᆞᆫ 말도 아닐가 녁이ᄂᆞ냐?"

목픠 왈,

"소졔 총명ᄒᆞᄃᆡ 오히려 ᄉᆞ리를 아지 못ᄒᆞᄂᆞᆫ도다. 님가의 셰엄이 아모리 장ᄒᆞ여도 슉뫼 허혼ᄒᆞ시고, 소졔 슌죵ᄒᆞ여 뉵녜로 마ᄌᆞ왓거ᄂᆞᆯ 이졔 다시 므ᄉᆞᆫ 말을 ᄒᆞ리오."

님공ᄌᆡ 믄득 닓ᄡᅥ나[1014], ○[과]의(袴衣)[1015]를 쾌히 버셔 ᄌᆞ긔 몸을 ᄂᆡ여 목표

1012)가연(慨然) : 억울하고 원통하여 몹시 분해 함.
1013)가연(介然)이 : 개연(介然)히. 홀로. 변함없이.
1014)닓ᄡᅥ나다 : 벌떡 일어나다.

를 쾌【30】히 버셔 ᄌᆞᄀᆡ 몸을 ᄂᆡ여 목표를 뵈며, 우어 왈,

"아모리 어두어도 건곤의 밧괴여시믈 거의 알디라. 쇼싱이 기리 존공의 안ᄒᆡ 소임을 ᄒᆞ리잇가?"

목픠 이 거동을 보고 대경ᄎᆞ악ᄒᆞ여, 두 눈이 멀거ᄒᆞ고 입이 뼈 오리도록 말을 아니니, 님공지 쾌히 웃고 목표를 븟드러 왈,

"존공이 엇디 쇼ᄋᆞ 님한을 몰나 보시ᄂᆞ뇨? 싱이 실노 변복ᄒᆞ고 존공을 속일 ᄇᆡ 업ᄉᆞᄃᆡ, 일이 위급ᄒᆞᄆᆡ 천만 브득이 이 거조를 ᄒᆞ미라. 증조뫼 샤슉모(舍叔母)를 존공의 후취로 보ᄂᆡ고져 ᄒᆞ시며[ᄆᆡ], 녀ᄌᆞ의 정절이란 거시 그 엇더ᄒᆞ관ᄃᆡ, 슉뫼 명문 녀ᄌᆞ로 하가 빙치를 밧고, 다시 목가의 오ᄂᆞᆫ 더러오미 이시리오. 이러므로 슉뫼 쇼싱을 불너 여ᄎᆞ여ᄎᆞ 가ᄅᆞ쳐 보ᄂᆡ고, 슉모ᄂᆞᆫ 인ᄒᆞ여 셰샹을 샤졀ᄒᆞ고 ᄉᆞ문(寺門)의 투입ᄒᆞ여 블가【31】 뎨ᄌᆞ 되여 계신디라. 쇼싱이 남ᄌᆞ의 몸으로ᄡᅧ 변복ᄒᆞ여 이의 니르ᄆᆡ, 엇디 괴롭고 구ᄎᆞ치 아니리오마ᄂᆞᆫ, 증조뫼 셩경이 과격ᄒᆞ샤 아모 일이라도 경듕곡딕(輕重曲直)을 뭇디 아니시고, 망극ᄒᆞᆫ 변고를 힝코져 ᄒᆞ시므로, 쇼싱이 마디 못하여 슉모 ᄃᆡ신으로 존부의 나아와, 존공을 뫼션 디여러 일월의 디극 ᄋᆡᄃᆡᄒᆞ시ᄂᆞᆫ 은혜를 바다시니, 심곡의 감격ᄒᆞ미 녀ᄌᆞ 되디 못ᄒᆞ여 존공의 뜻을 영합디 못ᄒᆞ믈 탄ᄒᆞ나, ᄒᆞᆫ 조각 보은ᄒᆞᆯ 도리 업ᄉᆞᆫ 고로 동닌의 황효렴의 셔녀 긔특ᄒᆞ믈 친히 보고, 힘ᄡᅧ 구혼ᄒᆞ여 존공의 빈희(嬪姬)를 허ᄒᆞᄆᆡ, 황시 다려 올 날이 디격슈일(至隔數日)이라. 황시의 절셰ᄒᆞᆫ 용모와 특이ᄒᆞᆫ 긔딜이 완연이 신션의 골격이라. 존공의 졀식 구ᄒᆞᄂᆞᆫ ᄆᆞᄋᆞᆷ을 맛칠 ᄲᅳᆫ 아니라, 녀공디ᄉᆞ(女功之事)와【32】 빅힝슉덕이 ᄀᆞᆺ초 아ᄅᆞᆷ답다 ᄒᆞ니, 존공의 년긔 ᄉᆞ슌(四旬)이오, 긔위노증(既爲老症)1309)ᄒᆞ

위, 단속곳 밑에 입는 아래 속곳으로, 통이 넓지만 발목 부분으로 내려가면서 좁아지고 밑을 여미도록 되어 있다. 여름에 많이 입으며 무명, 베, 모시 따위를 홑으로 박아 짓는다.

1309)긔위노증(既爲老症) : 이미 노쇠한 증상이 생겨

를 뵈며, 우어 왈,

"아모리 어두어도 건곤의 밧괴여시믈 거의 알지라. 소싱이 기리 존공의 안ᄒᆡ 소임을 ᄒᆞ리잇가?"

목픠 이 거동을 보고 ᄃᆡ경ᄎᆞ악ᄒᆞ여, 두 눈이 멀거ᄒᆞ고 입이 뼈 오라도록 말을 아니니, 님공지 쾌히 웃고 목표를 븟드러 왈,

"존공이 엇지 소ᄋᆞ 님한을 몰나 보시ᄂᆞ뇨? 싱이 실노 변복ᄒᆞ고 존공을 속일 ᄇᆡ 업ᄉᆞᄃᆡ, 일이 위급ᄒᆞᄆᆡ 천만 부【126】득이 이 거조를 ᄒᆞ미라. 증조뫼 샤슉모(舍叔母)를 존공의 후취로 보ᄂᆡ고져 ᄒᆞ시며[ᄆᆡ], 녀ᄌᆞ의 정졀이란 거시 그 엇더ᄒᆞ관ᄃᆡ, 슉뫼 명문 녀ᄌᆞ로 하가 빙치를 밧고, 다시 목가의 오ᄂᆞᆫ 더러오미 잇시리오. 이러므로 슉뫼 쇼싱을 불너 여ᄎᆞ여ᄎᆞ ᄀᆞ르쳐 보ᄂᆡ고, 슉모ᄂᆞᆫ 인ᄒᆞ여 셰샹을 ᄉᆞ졀ᄒᆞ고 ᄉᆞ문(寺門)의 투입ᄒᆞ여 블가 뎨ᄌᆞ 되여 계신지라. 소싱이 남ᄌᆞ의 몸으로ᄡᅧ 변복ᄒᆞ여 이의 니르ᄆᆡ, 엇지 괴롭고 구ᄎᆞ치 아니리오마ᄂᆞᆫ, 증조뫼 셩경이 과격ᄒᆞ샤 아모 일이라도 경즁곡직輕重曲直)을 뭇지 아니시고, 망극ᄒᆞᆫ 변고를 힝코져 ᄒᆞ시므로, 소싱이 마지 못하여 슉모 ᄃᆡ신으로 존부의 나아와, 존공을 뫼션 지 여러 일월의 지극 ᄋᆡᄃᆡᄒᆞ시ᄂᆞᆫ 은혜를 바다시니, 심곡의 감격ᄒᆞ미 녀ᄌᆞ 되지 못ᄒᆞ여 존공의 뜻을 영【127】합지 못ᄒᆞ믈 탄ᄒᆞ나, ᄒᆞᆫ 조각 보은ᄒᆞᆯ 도리 업ᄉᆞᆫ 고로 동닌의 황효렴의 셔녀 긔특ᄒᆞ믈 친히 보고, 힘ᄡᅧ 구혼ᄒᆞ여 존공의 빙쳡(聘妾)1016)를 허ᄒᆞᄆᆡ, 황시 다려올 날이 지격슈일(至隔數日)이라. 황시의 졀셰ᄒᆞᆫ 용모와 특이ᄒᆞᆫ 긔질이 완연이 신션의 골격이라. 존공의 졀식 구ᄒᆞᄂᆞᆫ 마음

1015)과의(袴衣) : 남자의 홑바지. 여자의 고쟁이. * 고쟁이; 한복에 입는 여자 속옷의 하나. 속속곳 위, 단속곳 밑에 입는 아래 속곳으로, 통이 넓지만 발목 부분으로 내려가면서 좁아지고 밑을 여미도록 되어 있다. 여름에 많이 입으며 무명, 베, 모시 따위를 홑으로 박아 짓는다.

1016)빙쳡(聘妾) : 예로 맞은 첩이라는 말로 '첩'을 이르는 말.

니, 아모리 보아도 입장(入丈)ᄒᆞ미 가치 아니니, 취쳡ᄒᆞᄂᆞᆫ 거시 웃듬이오, 일가의 아름다온 명녕(螟蛉)[1310]을 어더 조션혈식(祖先血食)[1311]을 닛고, 황시를 어더 쳔산(賤産)이라도 층층이 보ᄂᆞᆫ 거시 ᄌᆞ미라. 우리 죵대부(從大父) 뉵위와 가친이 존공을 통완ᄒᆞ여, 존공이 증조모 위셰를 쪄시나, 우리 가친 셩졍이 어려오신 줄 거의 알 비어ᄂᆞᆯ, 만일 분노를 발ᄒᆞ여 ᄒᆞᆫ 번 존공을 뭇디르고져 ᄒᆞ실딘ᄃᆡ, 므어시 어려오리오. 쇼ᄉᆡᆼ이 고요히 이셔 가친의 쳐치만 볼 거시로ᄃᆡ, 존공이 녀ᄉᆡᆨ의 념치를 일허 블상이 굿기시게 되니, 날을 ᄉᆞ랑ᄒᆞ여 귀히 넉이미, 니른 바 범을 길너 화를 취ᄒᆞᆯ가, 이 말을 니르노라."

목퇴 쳥파의 츄연하루(惆然下淚) 왈,

"나의 어둡고 용녈【33】ᄒᆞ미 남녀를 분변치 못ᄒᆞ여, 그ᄃᆡ로뼈 녀ᄌᆞ로 아라 기리 운우(雲雨)의 낙(樂)을 일울가 ᄒᆞ엿더니, 금일 그ᄃᆡ 몸을 보고 말을 드ᄅᆞ니 놀납고 ᄎᆞ악ᄒᆞ니[미], 병심을 더옥 단뎡치 못ᄒᆞᆯ 마ᄃᆡ라. 내 비록 용우ᄒᆞ나 엇디 감히 녕○[슉]모로뼈 직실을 삼고져 ᄒᆞ리오마ᄂᆞᆫ, 이 도시 슉모의 블인ᄒᆞᆫ 연괴라, 누를 한ᄒᆞ리오."

공ᄌᆞ 호언관위(好言款慰)ᄒᆞ고 이 밤을 식와 님공ᄌᆞᄂᆞᆫ 목표를 하딕고 경샤로 올나오고, 목표ᄂᆞᆫ 슈일 후 거교를 출혀 황시를 다려오니, 용안이 졀셰ᄒᆞ고 긔딜이 초츌ᄒᆞ여 당셰졀ᄉᆡᆨ(當世絶色)이라. 비록 님공ᄌᆞ의 슉연이 놉흐며 무궁히 ᄇᆞᆰ음과 ᄀᆞᆺ디 못ᄒᆞ나, ᄉᆡᆨ뫼(色貌) 본 바 쳐음이라. 대열(大悅)ᄒᆞ여 운우디낙(雲雨之樂)을 쾌히 일운 후, 집안

나 있음.

1310)명녕(螟蛉) : 나나니가 명령(螟蛉)을 업어 기른다는 뜻으로, 타성(他姓)에서 맞아들인 양자(養子)를 이르는 말.

1311)조선혈식(祖先血食) : 조상의 제사를 지내는 일. *혈식(血食): 혈족(血族)에게 밥을 올린다는 뜻으로 제사를 지내는 일을 말함.

을 맛칠 ᄲᅮᆫ 아니라, 녀공지ᄉᆞ(女功之事)와 빅ᄒᆡᆼ슉덕이 ᄀᆞᆺ초 아름답다 ᄒᆞ니, 존공의 년긔 ᄉᆞ슌(四旬)이오 긔위노증(旣爲老症)[1017] ᄒᆞ니, 아모리 보아도 입장(入丈)ᄒᆞ미 가치 아니니, 취쳡(娶妾)ᄒᆞᄂᆞᆫ 거시 웃듬이오, 일가의 아름다온 명녕(螟蛉)[1018]을 어더 조션혈식(祖先血食)[1019]을 닛고, 황시를 어더 쳔산(賤産)이라도 층층이 보ᄂᆞᆫ 거시 ᄌᆞ미라. 우리 종ᄃᆡ부(從大父) 뉵위와 가친이 존공을 통완ᄒᆞ여, 존공이 증조모 위셰를 쪄시나 우리 가친 셩졍이 어려오신 줄 거의 알 비【128】어ᄂᆞᆯ, 만일 분노를 발ᄒᆞ여 ᄒᆞᆫ 번 존공을 뭇지르고져 ᄒᆞ실딘ᄃᆡ, 므어시 어려오리오. 소ᄉᆡᆼ이 고요히 잇셔 가친의 쳐치만 볼 거시로ᄃᆡ, 존공이 녀ᄉᆡᆨ의 념치를 일허 불상이 굿기시게 되니, 날을 ᄉᆞ랑ᄒᆞ여 귀히 넉이미, 니른 바 범을 길너 화를 취ᄒᆞᆯ가, 이 말을 니르노라."

목퇴 쳥파의 츄연하루(惆然下淚) 왈,

"나의 어둡고 용녈ᄒᆞ미 남녀를 분변치 못ᄒᆞ여, 그ᄃᆡ로뼈 녀ᄌᆞ로 아라 기리 운우(雲雨)의 낙(樂)을 일울가 ᄒᆞ엿더니, 금일 그ᄃᆡ 몸을 보고 말을 드ᄅᆞ니 놀납고 ᄎᆞ악ᄒᆞ미, 병심을 더욱 진졍치 못ᄒᆞᆯ 마ᄃᆡ라. 내 비록 용우ᄒᆞ나 엇지 감히 녕슉모로뼈 직실을 삼고져 ᄒᆞ리오마ᄂᆞᆫ, 이 도시 슉모의 불인ᄒᆞᆫ 연괴라, 누를 한ᄒᆞ리오"

공ᄌᆞ 호언관위(好言款慰)ᄒᆞ고 이 밤을 식위 님공ᄌᆞᄂᆞᆫ 목표를【129】하직고 경ᄉᆞ로 올나오고, 목표ᄂᆞᆫ 슈일 후 거교를 출혀 황시를 ᄃᆞ려오니, 용안이 졀셰ᄒᆞ고 긔질이 초츌ᄒᆞ여 당셰졀ᄉᆡᆨ(當世絶色)이라. 비록 님공ᄌᆞ의 슉연이 놉기와 무궁이 ᄇᆞᆰ음과 ᄀᆞᆺ지 못ᄒᆞ나, ᄉᆡᆨ뫼 본 바 쳐음이라. ᄃᆡ열ᄒᆞ여 운우

1017)긔위노증(旣爲老症) : 이미 노쇠한 증상이 생겨나 있음.

1018)명녕(螟蛉) : 나나니가 명령(螟蛉)을 업어 기른다는 뜻으로, 타성(他姓)에서 맞아들인 양자(養子)를 이르는 말.

1019)조선혈식(祖先血食) : 조상의 제사를 지내는 일. *혈식(血食): 혈족(血族)에게 밥을 올린다는 뜻으로 제사를 지내는 일을 말함.

대쇼범ᄉᆞ(大小凡事)를 다 황시를 맛디니, 황시 온갓 일이 다 싀훤ᄒᆞ여 조션봉ᄉᆞ(祖先奉祀)를 극딘히 ᄒᆞ더【34】라.

시시(是時)의 님공ᄌᆡ ᄲᆞᆯ니 힝ᄒᆞ여 부듕의 니르니, 이날 몽옥 쇼졔 길일이라. 님참졍 부ᄌᆞ 형뎨 다 강부의 가시니, 공ᄌᆡ 부인긔 ᄇᆡ현ᄒᆞ고 총총이 강부의 나아가ᄆᆡ, 참졍 곤계와 학ᄉᆡ 한을 보고 대경ᄒᆞ여 ᄀᆞ마니 몸을 ᄲᆡ혀 도라 온 곡졀을 므르니, 공ᄌᆡ 대강을 고ᄒᆞ고 인ᄒᆞ여 연셕의 참예ᄒᆞ니, 님공 ᄉᆞ형뎨 그 쳐변을 아름다이 녁여 두굿겨 ᄒᆞ더라.

이ᄣᅢ 하부의셔 원상이 유과죵일(遊街終日)의 입장(入丈)ᄒᆞ게 ᄒᆞ니, 셰ᄃᆡ의 희한ᄒᆞᆫ 경ᄉᆡᆯ 쁜 아니라, 원챵 공ᄌᆞ의 길일이 ᄯᅩ ᄒᆞᆫ 날이라. 대연을 개장ᄒᆞ여 두 신낭을 보ᄂᆡ며 신부를 마즐ᄉᆡ, 일가친쳑이 대회(大會)ᄒᆞ여[고], ᄂᆡ외쳥샤(內外廳舍)의 빈ᄀᆡᆨ(賓客)이 만당(滿堂)ᄒᆞ여, 냥 신낭의 긔특ᄒᆞ믈 칭찬ᄒᆞ여 하부 놉흔 복경(福慶)을 하례치 아니 리 업ᄂᆞᆫ디라. 하공과 됴부인이 님쇼【35】져ᄂᆞᆫ 다시 념녀치 아니ᄃᆡ, 오왕 군쥬의 현블초를 아디 못ᄒᆞ여, 혹ᄌᆞ 원창과 상뎍디 못ᄒᆞᆯ가 근심ᄒᆞ더라.

날이 반오의 초공이 냥뎨로 더브러 ᄂᆡ루의 드러와 길복을 닙힐ᄉᆡ, 쟝원은 계디아홀(桂枝牙笏)[1312]노 입장케 되니, 부모의 두굿김과 듕ᄀᆡᆨ의 관경(觀景)ᄒᆞᄂᆞᆫ 눈이 황홀ᄒᆞ믈 면치 못ᄒᆞᄂᆞᆫ디라. 하공이 냥ᄌᆞ를 길의(吉衣)를 닙혀 뎐안디녜(奠雁之禮)를 습위(習爲)○…결락43자…○[ᄒᆞᆯᄉᆡ 원상은 표현ᄒᆞᆫ 신쟝의 길의를 가ᄒᆞᄆᆡ 가ᄂᆞᆫ 허리의 옥ᄃᆡ(玉帶)를 두르고 두상의 어화(御花)를 숙여 젼안지례를 습위]ᄒᆞᄂᆞᆫ 거동이 비상탈쇽(非常脫俗)ᄒᆞ여 옥쳥딘군(玉淸眞君)이 인간의 하강ᄒᆞᆷ ᄀᆞᆺ거ᄂᆞᆯ, 원챵은 팔쳑경뉸(八尺徑輪)[1313]의 쟝복(章服)[1314]을 ᄭᅳ을고, 두렷ᄒᆞᆫ

1312)계디아홀(桂枝牙笏) : 과거급제자의 복색. *계지(桂枝); 어사화(御賜花). 아홀(牙笏); 상아로 만든 홀(笏).

지낙(雲雨之樂)을 쾌히 일운 후, 집안 ᄃᆡ소범ᄉᆞ를 다 황시를 맛지니, 황시 온갓 일이 다 시훤ᄒᆞ여 조션봉ᄉᆞ(祖先奉祀)를 극진히 ᄒᆞ더라.

시시(是時)의 님공ᄌᆡ ᄲᆞᆯ니 힝ᄒᆞ여 부즁의 니르니, 이날 몽옥 소져의 길일이라. 님참졍 부ᄌᆞ 형뎨 다 강부의 갓시니, 공ᄌᆡ 부인긔 ᄇᆡ현ᄒᆞ고 총총이 강부의 나아가ᄆᆡ, 참졍 곤계와 ᄒᆞᆨᄉᆡ 한을 보고 대경ᄒᆞ여, ᄀᆞ마니 몸을 ᄲᆡ혀 도라 온 곡졀을 므르니, 공ᄌᆡ ᄃᆡ강을 고ᄒᆞ고 인ᄒᆞ여 연셕의 참녜ᄒᆞ니, 님공 ᄉᆞ형뎨 그 쳐변을【130】아름다이 녁여 두굿겨 ᄒᆞ더라.

이ᄣᅢ 하부의셔 원상이 유과종일(遊街終日)의 입장(入丈)ᄒᆞ게 ᄒᆞ니, 《운ᄃᆡ‖셰ᄃᆡ(世代)》의 희한ᄒᆞᆫ 경ᄉᆡᆯᄲᅮᆫ 아니라, 원챵 공ᄌᆞ의 길일이 ᄯᅩ ᄒᆞᆫ날이라. 대연을 ᄀᆡ장ᄒᆞ여 두 신낭을 보ᄂᆡ며 신부를 마ᄌᆞᄆᆡ, 일가 친쳑이 대회(大會)ᄒᆞ여 ᄂᆡ외쳥ᄉᆞ(內外廳舍)의 빈ᄀᆡᆨ이 만당ᄒᆞ여, 냥 신낭의 긔특ᄒᆞ믈 칭찬ᄒᆞ여, 하부 놉흔 복경을 하례치 아니 리 업ᄂᆞᆫ지라. 하공과 조부인이 님소져ᄂᆞᆫ 다시 념녀치 아니ᄃᆡ, 오왕 군쥬의 현불초를 아지 못ᄒᆞ여, 혹ᄌᆞ 원창과 상젹지 못ᄒᆞᆯ가 근심ᄒᆞ더라.

날이 반오의 초공이 냥뎨로 더브러 ᄂᆡ루의 드러와 길복을 입힐ᄉᆡ, 쟝원은 계지아홀(桂枝牙笏)[1020]노 입장케 되니, 부모의 두굿김과 즁ᄀᆡᆨ의 관경ᄒᆞᄂᆞᆫ 눈이 황홀ᄒᆞ믈 면치 못ᄒᆞᄂᆞᆫ지라. 하공이 냥【131】ᄌᆞ를 길의를 닙혀 젼안지녜(奠雁之禮)를 습위(習爲)ᄒᆞᆯᄉᆡ, 원상은 표연(飄然)ᄒᆞᆫ 신쟝의 길의를 가ᄒᆞᄆᆡ, 가ᄂᆞᆫ 허리의 옥ᄃᆡ(玉帶)를 두르고 두상의 어화(御花)를 숙여 젼안지례를 습위ᄒᆞᄂᆞᆫ 거동이 비상탈속(非常脫俗)ᄒᆞ여 옥쳥진군(玉淸眞君)이 인간의 하강ᄒᆞᆷ ᄀᆞᆺ거ᄂᆞᆯ, 원챵은 팔쳑경뉸(八尺徑輪)[1021]의 쟝복(章服)[1022]

1020)계디아홀(桂枝牙笏) : 과거급제자의 복색. *계지(桂枝); 어사화(御賜花). 아홀(牙笏); 상아로 만든 홀(笏).

1021)팔척경륜(八尺徑輪) : 팔척이나 되는 키와 그 몸둘레를 함께 이르는 말. 경륜(徑輪)은 사물의 지름

텬졍(天庭)[1315]의 오ᄉᆞ(烏紗)를 숙여 홍안(紅顔)을 안고 광슈(廣袖)를 ᄯᅥᆯ쳐시니, 공의 강녈ᄒᆞᆷ과 됴부인○[의] 단믁ᄒᆞ기로도, 냥ᄌᆞ의 용화긔딜을 보ᄆᆡ는 입이 자연 열니니, 즐기는 빗치 요동ᄒᆞ믈 면치 못ᄒᆞ여, 냥ᄌᆞ의 손을 잡고 우음을 먹음어 좌듕의 고왈,

"돈ᄋᆞ 등이 ᄡᅳᆯ ᄃᆡ 업ᄉᆞᆫ 풍【36】신이 남의셔 나은 고로, 금일 길복 가온ᄃᆡ 얼골이 보암즉 ᄒᆞ니, 부모의 무한ᄒᆞᆫ ᄉᆞ졍은 그 ᄇᆡ위 타인의셔 낫기를 바란 ᄇᆡ라. ᄒᆞ믈며 상ᄋᆞ는 쳐음 흉괴ᄒᆞᆫ 거슬 마ᄌᆞ 왓던 거시니 ᄉᆡᆼ각ᄒᆞᆯᄉᆞ록 놀나오믈 니긔디 못ᄒᆞᆯ소이다."

만좌 년셩(連聲) 왈,

"댱원의 풍ᄎᆡ용홰(風彩容華) 슉연미려(肅然美麗)ᄒᆞ믄 니르도 말고, 삼공ᄌᆞ의 호호탈쇽(晧晧脫俗)[1316]ᄒᆞ며 늠쥰쇄락(凜俊灑落)ᄒᆞᆫ 긔상이 완연이 대귀인(大貴人) 긔상(氣像)이라. 쳥텬ᄇᆡᆨ일(靑天白日)은 노예하쳔(奴隷下賤)도 역디기명(亦知其明)이라[1317]. 아등 졔인이 비록 디인ᄒᆞ는 안춍이{이} 붉디 못ᄒᆞ나, 녕윤 등의 대귀ᄒᆞᆯ 줄은 짐작ᄒᆞᄂᆞ니, 상공과 부인의 놉흔 복경을 칭희(稱喜)ᄒᆞ는 가○○[온ᄃᆡ], 다시 눈을 ᄡᅵ셔 신부 등의 긔특ᄒᆞ믈 귀경코져 ᄒᆞᄂᆞ니, 하날이 녕윤 등을 ᄂᆡ시ᄆᆡ ᄯᅩᄒᆞᆫ ᄇᆡ항이 상뎍(相敵)ᄒᆞᆯ디라. 젼일 흉상의 누악(陋惡) 병인(病人)은【37】 쟝원의 비ᄌᆞ(婢子)라 ᄒᆞ기도 측ᄒᆞ거ᄂᆞᆯ, ᄇᆡᆨ년부부를 의논ᄒᆞ리잇가? 일시 우은 녜를 일워 합문이 놀나 계시나, 금일은 딘짓 님쇼졔 도라오리니, 그 아름다오믈 보디 아냐 알

1313)팔쳑경륜(八尺徑輪) : 팔척이나 되는 키와 그 몸 둘레를 함께 이르는 말. 경륜(徑輪)은 사물의 지름과 둘레를 함께 이르는 말.

1314)쟝복(章服) : 관디. 옛날 벼슬아치들의 공복(公服). 지금은 전통 혼례 때에 신랑이 입는다.

1315)텬졍(天庭) : 관상(觀相)에서 양 눈썹의 사이, 또는 이마의 복판을 이르는 말.

1316)호호탈쇽(晧晧脫俗) : 밝고 깨끗하여 속세를 벗어나 있음.

1317)쳥텬ᄇᆡᆨ일(靑天白日)은 노예하쳔(奴隷下賤)도 역디기명(亦知其明)이라 : 맑은 하늘에 떠 있는 밝은 태양은 노예나 천민들도 또한 그 밝음을 안다

을 ᄡᅳ음고 두렷ᄒᆞᆫ 텬졍(天庭)[1023]의 오ᄉᆞ(烏紗)를 숙여 홍안(紅顔)을 안고 광슈(廣袖)를 ᄯᅥᆯ쳐시니, 공의 강녈ᄒᆞᆷ과 조부인○[의] 단믁ᄒᆞ기로도, 냥ᄌᆞ의 용화긔질을 보ᄆᆡ 스ᄉᆞ로 웃는 입이 ᄌᆞ연 열니니, 즐기는 빗치 요동ᄒᆞ믈 면치 못ᄒᆞ여, 냥ᄌᆞ의 손을 잡고 우음을 먹음어 좌즁의 고왈,

"돈ᄋᆞ 등이 ᄡᅳᆯ ᄃᆡ 업ᄉᆞᆫ 풍신이 남의셔 나은 고로, 금일 길복 가온ᄃᆡ 얼골이 보암즉 ᄒᆞ니, 부모의 무한ᄒᆞᆫ ᄉᆞ졍은 그 ᄇᆡ위 타인의셔【132】 낫기를 ᄇᆞ란 ᄇᆡ라. ᄒᆞ믈며 상ᄋᆞ는 쳐음 흉괴ᄒᆞᆫ 거슬 마ᄌᆞ 왓던 거시니 ᄉᆡᆼ각ᄒᆞᆯᄉᆞ록 놀나오믈 니긔지 못ᄒᆞᆯ소이다."

만좌 년셩(連聲) 왈,

"쟝원의 풍ᄎᆡ용홰(風彩容華) 슉연미려(肅然美麗)ᄒᆞ믄 니르도 말고, 삼공ᄌᆞ의 호호탈쇽(晧晧脫俗)[1024]ᄒᆞ며 능[늠]쥰쇄락(凜俊灑落)ᄒᆞᆫ 긔샹이 완연이 ᄃᆡ귀인지상(大貴人之相)이라 쳥텬ᄇᆡᆨ일(靑天白日)은 노예하쳔(奴隷下賤)도 역지기명(亦知其明)이라[1025]. 아등 졔인이 비록 지인ᄒᆞ는 안춍이 붉지 못ᄒᆞ나, 영윤 등의 ᄃᆡ귀ᄒᆞᆯ 줄은 짐작ᄒᆞᄂᆞ니, 상공과 부인의 놉흔 복경을 칭희(稱喜)ᄒᆞ는 가온ᄃᆡ, 다시 눈을 씨셔 신부 등의 거록ᄒᆞ믈 귀경코져 ᄒᆞᄂᆞ니, 하날이 영윤 등을 ᄂᆡ시ᄆᆡ ᄯᅩᄒᆞᆫ ᄇᆡ항이 상게(相繼)ᄒᆞᆯ지라. 젼일 흉상의 누악(陋惡) 병인(病人)은 쟝원의 비ᄌᆞ(婢子)라 ᄒᆞ기도 츄ᄒᆞ거ᄂᆞᆯ, ᄇᆡᆨ년부부를 의논ᄒᆞ리【133】잇가? 일시 우은 녜를 일워 합문이 놀나 계시나, 금일은 진짓 님소졔 도라오시리니, 그 아름다오믈 보지 아냐 알거시오, 오왕 군쥬는 황가지엽(皇家枝葉)으로 쳔승지궁(千乘之宮)의셔 ᄉᆡᆼ쟝ᄒᆞ시니, 그

과 둘레를 함께 이르는 말.

1022)쟝복(章服) : 관디. 옛날 벼슬아치들의 공복(公服). 지금은 전통 혼례 때에 신랑이 입는다.

1023)텬졍(天庭) : 관상(觀相)에서 양 눈썹의 사이, 또는 이마의 복판을 이르는 말.

1024)호호탈쇽(晧晧脫俗) : 밝고 깨끗하여 속세를 벗어나 있음.

1025)쳥텬ᄇᆡᆨ일(靑天白日)은 노예하쳔(奴隷下賤)도 역디기명(亦知其明)이라 : 맑은 하늘에 떠 있는 밝은 태양은 노예나 천민들도 또한 그 밝음을 안다

거시오, 오왕 군쥬ᄂᆞᆫ 황가디엽(皇家枝葉)으로 쳔승디궁(千乘之宮)의셔 ᄉᆡᆼ댱ᄒᆞ시니, 그 ᄇᆡ혼 바 녜법이 뎨왕가 녜의오, ᄒᆞ믈며 오왕과 비의 어딘 교훈을 밧드러 만ᄉᆡ 범뉴와 ᄂᆡ도ᄒᆞ리니, 엇디 공ᄌᆞ의 ᄇᆡ위 쾌치 아니리잇가?"

하공 부뷔 깃븐 우음이 만면의 ᄆᆞ로녹아 느ᄌᆞ믈 ᄭᆡ돗디 못ᄒᆞ니, 윤태뷔 드러와 웃고 왈,

"ᄌᆞ슌 형뎨를 신낭의 복ᄉᆡᆨᄒᆞ여 안치시고 ᄒᆞᆫ갓 두굿기실 ᄲᅮᆫ이오, 신부를 마ᄌᆞ 올 줄 니져 계시니 심히 답답ᄒᆞᆫ디라. 그만ᄒᆞ여 ᄂᆡ여 보ᄂᆡ쇼셔."

공과 부인이 웃고 비로소 냥ᄌᆞ를 ᄌᆡ쵹ᄒᆞ여 강부와 오왕궁으로【38】난화 가게 ᄒᆞ니, 쟝원과 공ᄌᆡ 부모긔 하딕고 밧긔 나와, 허다(許多) 위의(威儀)를 거나려 노샹(路上)의 오로ᄆᆡ, 요ᄀᆡᆨ츄죵(繞客追從)이 십니(十里)의 다핫더라.

님참졍의 곤계 ᄌᆞ딜을 거ᄂᆞ리며 쳐ᄉᆞ를 뫼셔 강부의 와, 몽옥 쇼져의 혼녜를 디닐ᄉᆡ, 님공이 딘졍으로 목ᄐᆡ의 모로ᄂᆞᆫ 거술 깃거 아니나, 발셔 계부의 쥬혼ᄒᆞ믈 인ᄒᆞ여 믈니치디 못ᄒᆞ여 신낭을 마줄ᄉᆡ, 쟝원이 금안ᄇᆡᆨᄆᆞ(金鞍白馬)[1318]의 청동ᄡᅡᆼ개(青童雙個)[1319]와 금의ᄌᆡ인(錦衣才人)을 압셰오고, 풍악을 대창(大唱)ᄒᆞ며, 허다 요ᄀᆡᆨ을 거나려 강부의 다ᄃᆞ라, 옥상(玉床)의 홍안(鴻雁)을 젼ᄒᆞ고 텬디긔 비례를 맛ᄎᆞᄆᆡ, 님학ᄉᆡ 팔미러 좌의 드니, 쟝원의 풍신용홰 더옥 슉연쇄락(肅然灑落)ᄒᆞ여 옥면션골(玉面仙骨)이 반악(潘岳)의 흰 거술 능만ᄒᆞ고, 송옥(宋玉)[1320]의 ᄇᆞᆰ은 거술 더러이 넉이ᄂᆞᆫ디라.

1318)금안ᄇᆡᆨᄆᆞ(金鞍白馬) : 금으로 꾸민 안장(鞍裝)을 두른 흰말.

1319)청동ᄡᅡᆼ개(青童雙個) : 푸른 옷을 입은 두 명의 화동(花童).

1320)송옥(宋玉) : B.C.290?-B.C.222?. 중국 춘추 전국 시대 초나라의 문인. 반악(潘岳)과 함께 중국의 대표적인 미남자로 일컬어짐. <구변(九辯)>, <초혼(招魂)>, <고당부(高唐賦)> 등의 작품이 전하고 있고 굴원(屈原)의 제자로 알려져 있다.

ᄇᆡ혼 바 녜법이 뎨왕가 녜의오, ᄒᆞ믈며 오왕과 비의 어진 교훈을 밧드러 만ᄉᆡ 범뉴와 ᄂᆡ도ᄒᆞ리니, 엇지 공ᄌᆞ의 ᄇᆡ위 쾌치 아니리잇가?"

하공 부뷔 깃븐 우음이 만면의 무로녹아 날이 늦ᄂᆞᆫ 쥴 ᄭᆡ돗지 못ᄒᆞ니, 윤태뷔 드러와 웃고 왈,

"ᄌᆞ슌 형뎨를 신낭의 복ᄉᆡᆨᄒᆞ여 안치시고 ᄒᆞᆫ갓 두굿길 ᄲᅮᆫ이오, 신부를 마ᄌᆞ 올 줄 니져 계시니 심히 답답ᄒᆞᆫ지라. 그만ᄒᆞ여 ᄂᆡ여 보ᄂᆡ소셔."

공과 부인이 웃고 비로소 냥ᄌᆞ를 ᄌᆡ촉ᄒᆞ여 강부와 오왕궁으로 난화 가게 ᄒᆞ니, 쟝원과 공ᄌᆡ【134】부모긔 하직고 밧긔 나와, 허다 위의(威儀)를 거ᄂᆞ려 노샹의 오로ᄆᆡ, 요ᄀᆡᆨ츄종(繞客追從)이 십니(十里)의 다핫더라.

님참졍의 곤계 ᄌᆞ딜을 거ᄂᆞ리며 쳐ᄉᆞ를 뫼셔 강부의 와, 몽옥 소져의 혼녜를 지닐ᄉᆡ, 님공이 진졍으로 목태의 모로ᄂᆞᆫ 거술 깃거 아니나, 발셔 슉부의 쥬혼ᄒᆞ믈 인ᄒᆞ여 믈니치지 못ᄒᆞ여 신낭을 마줄ᄉᆡ, 쟝원이 금안ᄇᆡᆨᄆᆞ(金鞍白馬)[1026]의 청동ᄡᅡᆼᄀᆡ(青童雙個)[1027]와 금의ᄌᆡ인(錦衣才人)을 압셰오고, 풍악을 대창(大唱)ᄒᆞ며, 허다 요ᄀᆡᆨ을 거ᄂᆞ려 강부의 다다라, 옥상(玉床)의 홍안(鴻雁)을 젼ᄒᆞ고 텬지긔 비례를 맛ᄎᆞᄆᆡ, 님혹ᄉᆡ 팔미러 좌의 드니, 쟝원의 풍신용홰 금일 더욱 슉연쇄락(肅然灑落)ᄒᆞ여 옥면션골(玉面仙骨)이 반악(潘岳)의 흰 거술 능만ᄒᆞ고, 송옥(宋玉)[1028]의 ᄇᆞᆰ은 거술 더러이 넉이ᄂᆞᆫ【135】지라.

1026)금안ᄇᆡᆨᄆᆞ(金鞍白馬) : 금으로 꾸민 안장(鞍裝)을 두른 흰말.

1027)청동ᄡᅡᆼ개(青童雙個) : 푸른 옷을 입은 두 명의 화동(花童).

1028)송옥(宋玉) : B.C.290?-B.C.222?. 중국 춘추 전국 시대 초나라의 문인. 반악(潘岳)과 함께 중국의 대표적인 미남자로 일컬어짐. <구변(九辯)>, <초혼(招魂)>, <고당부(高唐賦)> 등의 작품이 전하고 있고 굴원(屈原)의 제자로 알려져 있다.

님참졍이 그 모친을 긔이고 몽옥을【39】 하가의 보ᄂᆡ믈 결민ᄒᆞ나, 신낭의 이 ᄀᆞᆺᄐᆞᆫ 표치풍광을 보ᄆᆡ, 두굿겁고 아름다오믈 니긔디 못ᄒᆞ여, 흔연이 집슈년비(執手聯臂)ᄒᆞ여 옹셔의 졍이 부ᄌᆞ의 감치 아닌디라. 만쇄 일시의 소ᄅᆡ를 년ᄒᆞ여 치하ᄒᆞ고 쥬ᄇᆡ를 날닐ᄉᆡ, 님공이 깃브미 극ᄒᆞᄆᆡ 도로혀 셕ᄉᆞ를 상감(傷感)ᄒᆞ여 츄연 탄식고 왈,

"네 친옹의 ᄋᆞᄃᆞᆯ노ᄡᅧ 다시 동상을 삼으니, 그 의형미목(儀形眉目)이 완연이 ᄌᆞ안1321)이 도라왓ᄂᆞᆫ디라. 젼일 늣거온 옹셔디졍(翁壻之情)을 이 ᄣᆡ의 완젼ᄒᆞ니, 세샹의 어나 사ᄅᆞᆷ이 ᄯᆞᆯ을 츌가치 아니며 셔랑을 엇디 아니리오마ᄂᆞᆫ, 실노 댱셔(長壻) ᄌᆞ안이 다시 환ᄉᆡᆼᄒᆞ여 필셔(畢壻) 되ᄂᆞᆫ 긔특ᄒᆞᆫ 만ᄃᆡ의 희한ᄒᆞᆫ 일인가 ᄒᆞᄂᆞ이다."

만쇄 년셩 칭디 왈,

"셕ᄌᆞ 하 학ᄉᆞ 등이 디원극통을 픔어 참혹히 맛ᄎᆞᄆᆡ, 녕녀 님부인이 ᄯᅩᄒᆞᆫ ᄌᆞ문이ᄉᆞ(自刎而死)ᄒᆞ여 뒤【40】ᄒᆞᆯ 좃ᄎᆞ니, 그 부부의 원통ᄒᆞᆫ 녕ᄇᆡᆨ(靈魄)이 다시 환ᄉᆡᆼᄒᆞ여 이졔나 만복을 누리랴 ᄒᆞ미라. 합히 비록 셕ᄉᆞ를 상감ᄒᆞ시나, 이 ᄣᆡ 영화복경이 무흠ᄒᆞ니, 므어ᄉᆞᆯ 족히 슬허 ᄒᆞ리잇가? ᄒᆞ믈며 신낭이 의의히 농방쳔인(龍榜千人)을 묘시(藐視)ᄒᆞ여 쳥운을 더위잡아1322), 문장ᄌᆡᄒᆞᆨ과 풍뉴신광은 우흐로 텬심이 ᄋᆡ경ᄒᆞ신 ᄇᆡ오, 아ᄅᆡ로 만됴의 칭복디 아니리 업ᄉᆞᆫ디라. 유과죵일(遊街終日)의 계디아홀(桂枝牙笏)노 기러기를 안아 존부 문난(門欄)의 광ᄎᆡ를 닐위니, 만금을 주고 구ᄒᆞ나 엇디 못ᄒᆞᆯ 영쾌니 엇디 긔특디 아니리잇가?"

님공이 혹비혹희(或悲或喜)ᄒᆞ여 두굿기믈 측냥치 못ᄒᆞ고, 님상셔 등이 ᄒᆞᆫ갈ᄀᆞᆺ치 신낭을 ᄋᆡ경ᄒᆞ여 친셔(親壻)의 감치 아니ᄒᆞ더니, 요ᄀᆡᆨ이 도라갈 길히 갓갑디 아니믈 일ᄏᆞᄅᆞᄆᆡ, 님참졍이 잠간 ᄂᆡ루【41】의 드러 쇼져를 뎡의 올닐ᄉᆡ, 몽옥 쇼져의 ᄉᆡᆨ혀난 긔딜

1321)ᄌᆞ안 : 죽은 하원경의 자(字).
1322)더위잡다 : 붙잡다. 움켜잡다. 끌어 잡다.

님참졍이 그 모친을 긔이고 몽옥을 하가의 보ᄂᆡ믈 결민ᄒᆞ나, 신낭의 이 ᄀᆞᆺᄐᆞᆫ 표치풍광을 보ᄆᆡ 두굿겁고 아름다오믈 니긔지 못ᄒᆞ여, 흔연이 집슈연비(執手聯臂)ᄒᆞ여 옹셔의 졍이 부ᄌᆞ의 감치 아닌지라. 만쇄 일시의 소ᄅᆡ를 연ᄒᆞ여 치하ᄒᆞ고 쥬ᄇᆡ를 날닐ᄉᆡ, 님공이 깃부미 극ᄒᆞ여 도로혀 셕ᄉᆞ를 샹감(傷感)ᄒᆞ여 츄연 탄식고, 왈,

"네 친옹의 ᄋᆞᄃᆞᆯ노ᄡᅧ 다시 동상을 삼으니, 그 의형미목(儀形眉目)이 완연이 ᄌᆞ안1029)이 도라왓ᄂᆞᆫ지라. 젼일 늣거온 옹셔지졍(翁壻之情)을 이ᄣᆡ의 완젼ᄒᆞ니, 세샹의 어나 샤ᄅᆞᆷ이 ᄯᆞᆯ을 츌가치 아니며 셔랑을 엇지 아니리오마ᄂᆞᆫ, 실노 쟝셔(長壻) ᄌᆞ안이 다시 환ᄉᆡᆼᄒᆞ여 필세(畢壻) 되ᄂᆞᆫ 긔특ᄒᆞᆫ 만ᄃᆡ의 희한ᄒᆞᆫ 일인가 ᄒᆞᄂᆞ이다."

만쇄 연【136】셩 칭지 왈,

"셕ᄌᆞ 하 혹ᄉᆞ 등이 지원극통을 픔어 참혹히 맛ᄎᆞᄆᆡ, 녕녀 님부인이 ᄯᅩᄒᆞᆫ ᄌᆞ문이ᄉᆞ(自刎而死)ᄒᆞ여 뒤ᄒᆞᆯ 좃ᄎᆞ니, 그 부부의 원통ᄒᆞᆫ 녕ᄇᆡᆨ(靈魄)이 다시 환ᄉᆡᆼᄒᆞ여 이졔나 만복을 누리랴 ᄒᆞ미라. 합히 비록 셕ᄉᆞ를 상감ᄒᆞ시나, 이ᄣᆡ 영화복경이 무흠ᄒᆞ니 므어ᄉᆞᆯ 족히 슬허 ᄒᆞ리잇가? ᄒᆞ믈며 신낭이 의의히 농방쳔인(龍榜千人)을 묘시(藐視)ᄒᆞ여 쳥운을 더위잡아1030), 문장ᄌᆡᄒᆞᆨ이[과] ○○[풍뉴]신광(風流身光)은 우흐로 텬심이 ᄋᆡ경ᄒᆞ신 ᄇᆡ오, 아ᄅᆡ로 만조의 칭복지 아니리 업ᄉᆞᆫ지라. 유과종일(遊街終日)의 계지아홀(桂枝牙笏)노 기러기를 안아 존부 문난(門欄)의 광ᄎᆡ를 일위니, 만금을 주고 구ᄒᆞ여 엇지 못ᄒᆞᆯ 영쾌니 엇지 긔특지 아니리잇가?"

님공이 혹비혹희(或悲或喜)ᄒᆞ여 두굿기믈 측냥치 못ᄒᆞ고, 님상셔【137】등이 ᄒᆞᆫ갈ᄀᆞᆺ치 신낭을 ᄋᆡ경ᄒᆞ여 친셔(親壻)의 감치 아니ᄒᆞ더니, 요ᄀᆡᆨ이 도라갈 길히 갓갑지 아니믈 일ᄏᆞ르ᄆᆡ, 님참졍이 잠간 ᄂᆡ루의 드러와 소져를 뎡의 올닐ᄉᆡ, 몽옥 소져의 ᄉᆡᆨ혀난

1029)ᄌᆞ안 : 죽은 하원경의 자(字).
1030)더위잡다 : 붙잡다. 움켜잡다. 끌어 잡다.

의 칠보단장을 어ᄅᆡ게 ᄒᆞ고 디분(脂粉)을 베프ᄆᆡ, 쳔ᄐᆡ만광이 ᄀᆞᆺ초 보암ᄌᆞᆨ ᄒᆞ니, 우연ᄒᆞᆫ 남이라도 인심이 잇ᄂᆞᆫ ᄌᆞᄂᆞᆫ ᄉᆞ랑ᄒᆞ며 긔특ᄒᆞ믈 결을치 못ᄒᆞ려든, 그 부모 동긔의 ᄆᆞ음을 니르리오. 님공과 강부인이 두굿기ᄂᆞᆫ 입이 벌기를 면치 못ᄒᆞ고, 님학ᄉᆞ 등이 아름다오믈 측냥치 못ᄒᆞ여 ᄉᆡᆼ셰디후(生世之後) 즐거오미 쳐음인ᄃᆞᆺ ᄒᆞ더라.

이의 쇼져를 븟드러 뎡의 올니ᄆᆡ 하장원이 슌금쇄약(純金鎖鑰)을 가져 봉교(封轎)ᄒᆞ기를 맛고, 샹마ᄒᆞ여 부듕의 도라올ᄉᆡ, ᄉᆡᆼ소고악(笙簫鼓樂)은 훤텬(喧天)ᄒᆞ고 부려ᄒᆞᆫ 위의 노상을 덥헛ᄂᆞᆫ 가온ᄃᆡ, 신낭의 옥골션풍이 일광의 찬난ᄒᆞ니, 관시ᄌᆡ(觀視者) 칙칙(嘖嘖) 칭션(稱善)ᄒᆞ여 텬샹낭(天上郎)이라 ᄒᆞ더라.

원샹 공ᄌᆡ 쏘 오궁의 다ᄃᆞ라 뎐안디녜(奠雁之禮)를 파ᄒᆞ고 좌의 나아【42】갈ᄉᆡ, 오왕이 ᄃᆡ연을 딘셜(陳設)ᄒᆞ여 황친국쳑으로 더브러 외됴(外朝)를 ᄃᆡᄒᆞ여 ᄇᆡ작(杯酌)을 날니며 신낭을 마즐ᄉᆡ, 원샹 공ᄌᆞ의 늠늠ᄒᆞᆫ 영풍쥰골이 승난(乘鸞)[1323] 니ᄇᆡᆨ(李白)이오 태을군션(太乙君仙)이라. 듕빈이 오왕긔 쾌셔 어드믈 치하ᄒᆞᄆᆡ 소ᄅᆡ 분분ᄒᆞ여, 니로 응졉디 못홀너라. 오왕이 여러 ᄋᆞᄃᆞᆯ을 두어시나 일녀를 셩혼치 못ᄒᆞ여 죽이고, 참혹ᄒᆞ미 오ᄆᆡ(寤寐)의 ᄆᆡᆺ쳣다가, 셩가 요믈을 양녀로 뎡ᄒᆞᄆᆡ 샤광(師曠)[1324]의 춍명이 업거[으]니 셩녀의 간음대간(姦淫大奸)을 엇디 알니오. ᄒᆞᆫ갓 용모긔딜을 과ᄋᆡᆨᄒᆞ여 언어동디의 민쳡영오ᄒᆞ믈 긔특이 넉이다가, 하원샹 ᄀᆞᆺ튼 영쥰호걸노 ᄇᆡ우를 삼으ᄆᆡ 쾌ᄒᆞ고 즐거오미 무궁ᄒᆞ여, 듕ᄀᆡᆨ의 치하를 조금도 샤양치 아냐 범구를 각별 셩비ᄒᆞ여 가득ᄒᆞᆫ 경이 친녀의 조【43】금도 나리디 아니니, 셜빈군쥬를 단장ᄒᆞ여 뎡의 올니ᄆᆡ, 오왕과 비(妃) ᄒᆞᆫ가디로 경계ᄒᆞ여 효봉구고와 승슌

긔질의 칠보단장을 어ᄅᆡ게 ᄒᆞ고 지분(脂粉)을 베프ᄆᆡ, 쳔ᄐᆡ만광이 ᄀᆞᆺ초 보암ᄌᆞᆨ ᄒᆞ니, 우연ᄒᆞᆫ 남이라도 인심이 잇ᄂᆞᆫ ᄌᆞᄂᆞᆫ ᄉᆞ랑ᄒᆞ며 긔특ᄒᆞ믈 결을치 못ᄒᆞ려든, ᄒᆞ믈며 그 부모 동긔의 마음을 니르리오. 님공과 강부인이 두굿기ᄂᆞᆫ 입이 벌기를 면치 못ᄒᆞ고, 님ᄒᆞᆨᄉᆞ 등이 아름다오믈 측냥치 못ᄒᆞ여 ᄉᆡᆼ셰지후(生世之後) 질거오미 쳐음인ᄃᆞᆺᄒᆞ더라.

이에 소져를 븟드러 뎡의 올니ᄆᆡ, 하장원이 슌금쇄약(純金鎖鑰)을 가져 봉교(封轎)ᄒᆞ가[기]를 맛고, 샹마ᄒᆞ여 부즁의 도라오니라.【138】

이ᄯᆡ 원샹 공ᄌᆡ 위의를 출혀 오왕궁의 다다라 옥샹(玉床)의 젼안(奠雁)ᄒᆞ고, 날이 느ᄌᆞ믈 니르니, 이의 셜빈 군쥐를 단장ᄒᆞ여 뎡의 올니ᄆᆡ, 오왕과 비 ᄒᆞᆫ가지로 경계ᄒᆞ여, 효봉구고(孝奉舅姑)ᄒᆞ고 승슌군ᄌᆞ(承順君子)의 ᄇᆡᆨᄒᆡᆼᄉᆞ덕(百行四德)을 ᄀᆞᆺ다이 닥그믈 당부ᄒᆞ니, 군쥐 ᄌᆡᄇᆡ슈명ᄒᆞ고 뎡의 오르ᄆᆡ, 신낭이 슌금쇄약(純金鎖鑰)으로 봉교ᄒᆞ기를 맛고, 샹마ᄒᆞ여 취운산으로 도라올ᄉᆡ, 오왕이 비록 청검ᄒᆞ나 ᄌᆞ연 쳔승지군의 ᄯᆞᆯ이 츌가ᄒᆞᄆᆡ, 그 위의 부셩ᄒᆞ미 금달공쥐(禁闥公主) 하가(下嫁)ᄒᆞᄂᆞᆫ 버금이어ᄂᆞᆯ, 신낭의 쳔일 ᄀᆞᆺ튼 의표와 농봉 ᄀᆞᆺ튼 ᄌᆞ질이 셰ᄃᆡ의 독보ᄒᆞ니, 노상 관광ᄌᆡ 칙칙 칭션ᄒᆞ더라.

1323)승난(乘鸞) : 난(鸞)새를 타고 구름 속을 날아감.

1324)샤광(師曠) : 춘추시대 진나라 음악가로, 소리를 들으면 이를 잘 분별하여 길흉을 점쳤다. 따라서 소리를 잘 분별하는 것을 '사광의 총명'이라 함

군ᄌᆞ의 ᄇᆡᆨᄒᆡᆼᄉᆞ덕을 ᄀᆞᆺ다이 닷그믈 당부ᄒᆞ니, 군쥐 ᄌᆡ비슈명ᄒᆞ고 뎡의 오로ᄆᆡ, 신낭이 슌금쇄약으로 봉교ᄒᆞ기를 맛고, 샹마ᄒᆞ여 취운산으로 도라 올ᄉᆡ, 오왕이 비록 쳥검ᄒᆞ나 ᄌᆞ연 천승디군의 ᄯᆞᆯ이 츌가ᄒᆞᄆᆡ, 그 위의 부셩ᄒᆞ미 만승공쥐 하가ᄒᆞᄂᆞᆫ 버금이어ᄂᆞᆯ, 신낭의 텬일 ᄀᆞᄐᆞᆫ 의표와 뇽봉 ᄀᆞᄐᆞᆫ ᄌᆞ딜이 셰ᄃᆡ의 독보ᄒᆞ니, 노샹 관광ᄌᆡ ᄎᆡᆨᄎᆡᆨ 칭션ᄒᆞ더라.

ᄒᆡᆼᄒᆞ여 부듕의 니르ᄆᆡ 강부ᄂᆞᆫ 오궁도곤 갓가온 고로, 댱원이 님시를 마ᄌᆞ 도라와 듕쳥의셔 합환교ᄇᆡ(合歡交拜)ᄒᆞ고 금듀션(錦珠扇)을 반개(半開)ᄒᆞ니, 신부의 텬향국ᄉᆡᆨ(天香國色)이 만좌를 놀ᄂᆡ고, 신낭이 신부를 ᄃᆡᄒᆞᄆᆡ 황금ᄇᆡᆨ벽(黃金白璧)이 셔로 【44】 빗출 닷토며, 난봉(鸞鳳)과 봉학(鳳鶴)이 ᄡᅡᆼᄡᅡᆼ이 희롱ᄒᆞᄂᆞᆫ 듯, 딘짓 텬졍가위(天定佳偶)라. 댱원이 날호여 밧그로 나가고 신뷔 막ᄎᆞ(幕次)의 쉴 즈음의, 원챵 공ᄌᆡ 셜빈군쥬로 더브러 듕쳥의셔 독좌(獨坐)ᄒᆞᆯᄉᆡ, 공ᄌᆞ의 쳑탕ᄒᆞᆫ 풍뉴ᄂᆞᆫ 볼ᄉᆞ록 긔이커ᄂᆞᆯ, 셜빈의 ᄋᆡ용(愛容)이 니홰(梨花) 츈우(春雨)를 ᄯᅥᆯ치며 삼ᄉᆡᆨ되(三色桃)[1325] 니슬을 마신 듯, 홀난ᄒᆞᆫ ᄌᆞᄐᆡ와 현요ᄒᆞᆫ 단장이 사름의 졍신을 어리오나, 하공ᄌᆞ의 츌뉴ᄒᆞ므로 비컨ᄃᆡ 텬디현격(天地懸隔)ᄒᆞ니, 녜파(禮罷)의 신낭이 미우의 셜풍(雪風)이 은은ᄒᆞ여 즉시 외당으로 나가, 군쥐 막ᄎᆞ의 쉬ᄆᆡ, 님시 몬져 ᄇᆡ현(拜見)ᄒᆞ니, 님쇼졔 구고긔 폐ᄇᆡᆨ을 헌ᄒᆞ고 팔ᄇᆡ대례(八拜大禮)[1326]를 ᄒᆡᆼᄒᆞᆯᄉᆡ, 구괴 깃븐 눈을 들ᄆᆡ 신부의 옥모{화}화ᄐᆡ(玉貌花態) 빙졍쇄락(氷晶灑落)ᄒᆞ여 텬궁소월(天宮素月)[1327]이 만방의 바ᄋᆡᄂᆞᆫ듯, 됴【45】일(朝日)이 옥난(玉欄)의 됴요(照耀)ᄒᆞᆫ 듯, ᄇᆞᆰ은 안ᄎᆡ(眼彩) 츄슈의 ᄉᆡ별[1328]이 빗최고,

1325)삼ᄉᆡᆨ되(三色桃) : 한 나무에서 세 가지 빛깔의 꽃이 피는 복사나무.

1326)팔배대례(八拜大禮) : 혼례(婚禮)에서 신부가 신랑의 부모께 처음 뵙는 예(禮)인 현구고례(見舅姑禮)를 행할 때 여덟 번 큰절을 올렸다.

1327)텬궁소월(天宮素月) : 하늘에 떠 있는 밝은 달.

1328)ᄉᆡ별 : 샛별. 효성(曉星). '금성(金星)'을 일상적

ᄒᆡᆼᄒᆞ여 부즁의 니르ᄆᆡ, 강부ᄂᆞᆫ 오궁도곤 갓가온 고로, 쟝원이 님시를 마ᄌᆞ 도라 【139】와 즁쳥의셔 합환교ᄇᆡ(合歡交拜)ᄒᆞ고 금쥬션(錦珠扇)을 반ᄀᆡᄒᆞ니, 신부의 텬향국ᄉᆡᆨ(天香國色)이 만좌를 놀ᄂᆡ고, 신낭이 신부를 ᄃᆡᄒᆞᄆᆡ 황금ᄇᆡᆨ벽(黃金白璧)이 셔로 빗출 닷토며, 난봉과 공쟉이 ᄡᅡᆼᄡᅡᆼ이 희롱ᄒᆞᄂᆞᆫ 듯, 진짓 텬졍가위(天定佳偶)라. 쟝원이 날호여 밧그로 나가고 신뷔 막ᄎᆞ(幕次)의 쉴 즈음의, 원챵 공ᄌᆡ 셜빈 군쥬로 더브러 즁쳥의○[셔] 독좌(獨坐)ᄒᆞᆯᄉᆡ, 공ᄌᆞ의 쳑탕ᄒᆞᆫ 풍뉴ᄂᆞᆫ 볼ᄉᆞ록 긔이커ᄂᆞᆯ, 셜빈의 ᄋᆡ용(愛容)이 니홰(梨花) 츈우(春雨)를 ᄯᅥᆯ치며 삼ᄉᆡᆨ되(三色桃)[1031] 니슬을 마신 듯, 홀난ᄒᆞᆫ ᄌᆞᄐᆡ와 현요ᄒᆞᆫ 단장이 샤름의 졍신을 어리오나, 하공ᄌᆞ의 츌뉴ᄒᆞ므로 비컨ᄃᆡ 텬지현격(天地懸隔)ᄒᆞ니, 녜파(禮罷)의 신낭의 미우의 셜풍(雪風)이 은은ᄒᆞ여 즉시 외당으로 나가, 군쥐 막ᄎᆞ의 쉬ᄆᆡ, 님시 몬져 ᄇᆡ현ᄒᆞ니, 님소졔 구【140】고긔 폐ᄇᆡᆨ(幣帛)을 헌ᄒᆞ고 팔ᄇᆡᄃᆡ례(八拜大禮)[1032]를 ᄒᆡᆼᄒᆞᆯᄉᆡ, 구괴 깃븐 눈을 들ᄆᆡ 신부의 옥모화ᄐᆡ(玉貌花態) 빙졍쇄락(氷晶灑落)ᄒᆞ여 텬궁소월(天宮素月)[1033]이 만방의 바ᄋᆡᄂᆞᆫ듯, 조일(朝日)이 옥난(玉欄)의 조(照)ᄒᆞᆫ 듯, ᄇᆞᆰ은 안ᄎᆡ(眼彩) 츄슈의 ᄉᆡ별[1034]이 빗최고, 팔ᄎᆡ뉴미(八彩

1031)삼ᄉᆡᆨ되(三色桃) : 한 나무에서 세 가지 빛깔의 꽃이 피는 복사나무.

1032)팔배대례(八拜大禮) : 혼례(婚禮)에서 신부가 신랑의 부모께 처음 뵙는 예(禮)인 현구고례(見舅姑禮)를 행할 때 여덟 번 큰절을 올렸다.

1033)텬궁소월(天宮素月) : 하늘에 떠 있는 밝은 달.

1034)ᄉᆡ별 : 샛별. 효성(曉星). '금성(金星)'을 일상적

팔ᄎᆡ뉴미(八彩柳眉)ᄂᆞᆫ 샹셔의 긔운이 녕녕(盈盈)ᄒᆞ니, 셩젼운빈(盛全雲鬢)[1329]은 텬디졍ᄎᆡ(天地精彩)라. 도화향싀(桃花香顋)ᄂᆞᆫ 일쳔ᄌᆞᄐᆡ(一千姿態)를 먹음엇고, 단ᄉᆞ잉슌(丹砂櫻脣)은 고은 빗치 므로녹아, 일쳑셰요(一尺細腰)와 아아봉익(峨峨鳳翼)이며, 쥬션녜모(周旋禮貌)의 유법(有法)ᄒᆞ여, 슷다온 긔딜과 상연(爽然)ᄒᆞᆫ ○○○○[용홰(容華) 쳔고] 슉녀가인(淑女佳人)이라.

하공과 부인이 신부의 특이ᄒᆞ믈 영힝ᄒᆞ고 그 용화긔딜이 완연이 셕년 총부(冢婦)[1330] 님시 도라왓ᄂᆞᆫ디라. 셕ᄉᆞ를 감쳑(感慽)ᄒᆞ여 츄연이 냥항누(兩行淚)를 드리워 왈,

“오ᄋᆞ 삼인이 인셰환도(人世還道)ᄒᆞᆷ도 셰ᄃᆡ의 업ᄉᆞᆫ 일이어ᄂᆞᆯ, 현뷔 ᄯᅩ 다시 우리 슬하의 도라오니 일ᄒᆞᆷ이 신뷔나 녯 며나리라. 용모긔딜이 셕일 님현부와 ᄒᆞᆫ 곳 다르미 업ᄉᆞ니 엇디【46】긔특디 아니리오. 우리ᄂᆞᆫ 실노 반가오믈 니긔디 못ᄒᆞ노라.”

만좌빈긱이 년셩칭예(連聲稱譽)ᄒᆞ고, 윤태부 부인이 님시를 보ᄆᆡ 반갑고 비챵ᄒᆞ여 셕ᄉᆞ를 ᄉᆡᆼ각고 츄연이 탄식거ᄂᆞᆯ, 초공이 ᄆᆡ뎨를 도라보아 왈,

“신슈(新嫂)의 츌인비상ᄒᆞ시미 샤뎨의게 쾌ᄒᆞᆫ 빈○[우](配偶)오, 가ᄂᆡ의 대힝이어ᄂᆞᆯ, 현ᄆᆡ 엇디 무익ᄒᆞᆫ 셕ᄉᆞ를 비상ᄒᆞ여 존젼의 화긔를 일ᄂᆞ뇨?”

동후 부인이 개용(改容) ᄃᆡ왈,

“거거 말ᄉᆞᆷ이 맛당ᄒᆞ시나 쇼ᄆᆡ 화란의 상ᄒᆞᆫ 심졍이라, 고ᄉᆞ를 감쳑ᄒᆞᄆᆡ 능히 참연ᄒᆞᆫ 회포를 디향치 못ᄒᆞ미로소이다.”

공이 비ᄉᆡᆨ(悲色)을 거두고 우어 왈,

“사ᄅᆞᆷ이 ᄒᆞᆫ 번 죽으ᄆᆡ 다시 ᄉᆞ디 못ᄒᆞᄂᆞᆫ 비로ᄃᆡ, 내 집은 쳔ᄃᆡ(千代)의 희한ᄒᆞᆫ 일이 이셔, 죽엇던 ᄌᆞ뷔 다시 ᄉᆞ라 우리 슬히 되니, 블힝 듕 환열ᄒᆞ미 이 밧긔 업【47】ᄉᆞᆫ디라. 우리 므어ᄉᆞᆯ 슬허 ᄒᆞ리오.”

으로 이르는 말.

1329)셩젼운빈(盛全雲鬢) : 잘 꾸민 구름 같은 귀밑머리.

1330)총부(冢婦) : 종부(宗婦). 맏며느리.

柳眉)ᄂᆞᆫ 샹셔의 긔운이 녕녕(盈盈)ᄒᆞ니, 셩젼운빈(盛全雲鬢)[1035]은 텬지졍ᄎᆡ(天地精彩)라. 도화향싀(桃花香顋)ᄂᆞᆫ 일쳔ᄌᆞᄐᆡ(一千姿態)를 먹음고 단ᄉᆞ잉슌(丹砂櫻脣)은 고은 빗치 므르녹아, 일쳑셰요(一尺細腰)와 아아봉익(峨峨鳳翼)이며 쥬션녜모(周旋禮貌)의 유법ᄒᆞ여 슷다온 긔질과 상연(爽然)ᄒᆞᆫ ○○○○[용홰(容華) 쳔고] 슉녀가인(淑女佳人)이라.

하공과 부인이 신부의 특이ᄒᆞ믈 영힝ᄒᆞ고 그 용화긔질이 완연이 셕년 총부(冢婦)[1036] 님시 도라왓ᄂᆞᆫ지라. 셕ᄉᆞ를 감쳑(感慽)ᄒᆞ여 츄연이 냥항누(兩行淚)를 드리워 왈,

“오ᄋᆞ 삼인이 인셰환도(人世還道)ᄒᆞᆷ도 셰ᄃᆡ의 업ᄉᆞᆫ 일이어ᄂᆞᆯ, 현뷔 ᄯᅩ 다시 우【141】리 슬하의 도라오니 일ᄒᆞᆷ이 신뷔나 녯 며ᄂᆞ리라. 용모긔질이 셕일 님현부와 ᄒᆞᆫ 곳 다르미 업ᄉᆞ니 엇지 긔특지 아니리오. 우리ᄂᆞᆫ 실노 반가오믈 니긔지 못ᄒᆞ노라.”

만좌빈긱이 년셩칭예(連聲稱譽)ᄒᆞ고, ○[윤]태부 부인이 님시를 보ᄆᆡ 반갑고 비챵ᄒᆞ여 셕ᄉᆞ를 ᄉᆡᆼ각고 츄연이 탄식거ᄂᆞᆯ, 초공이 ᄆᆡ뎨를 도라보아 왈,

“신슈(新嫂)의 츌인비상 ᄒᆞ시미 샤뎨의게 쾌ᄒᆞᆫ 빈위(配偶)오, 가ᄂᆡ의 ᄃᆡ힝이어ᄂᆞᆯ, 현ᄆᆡ 엇지 무익ᄒᆞᆫ 녜일을 비상ᄒᆞ여 존젼의 화긔를 일ᄂᆞ뇨?”

동후 부인이 개용(改容) ᄃᆡ왈,

“거거 말ᄉᆞᆷ이 맛당ᄒᆞ시나 소ᄆᆡ 화란의 상ᄒᆞᆫ 심쟝이라, 고ᄉᆞ를 감쳑ᄒᆞᄆᆡ 능히 참연ᄒᆞᆫ 회포를 지향치 못ᄒᆞ미로소이다”

공이 비ᄉᆡᆨ(悲色)을 거두고 우어 왈,

“샤ᄅᆞᆷ이 ᄒᆞᆫ 번 죽으ᄆᆡ 다시 ᄉᆞ지 못ᄒᆞᄂᆞᆫ 비로ᄃᆡ, 내 집은 쳔ᄃᆡ(千代)의 희【142】한 일이 잇셔, 죽엇던 ᄌᆞ뷔 다시 ᄉᆞ라 우리 슬히 되니, 블힝 중 환열ᄒᆞ미 이 밧긔 업ᄉᆞᆫ지라. 우리 무어ᄉᆞᆯ 슬허 ᄒᆞ리오.”

으로 이르는 말.

1035)셩젼운빈(盛全雲鬢) : 잘 꾸민 구름 같은 귀밑머리.

1036)총부(冢婦) : 종부(宗婦). 맏며느리.

인ᄒᆞ여, 오왕 군쥬를 ᄇᆡ현ᄒᆞ라 ᄒᆞ니, 허다 궁인이 셩녀를 젼ᄎᆞ후옹(前遮後擁)ᄒᆞ여 하공 부부긔 폐ᄇᆡᆨ을 헌ᄒᆞ고 신부디녜를 ᄒᆡᆼᄒᆞᆯᄉᆡ, 옥안(玉顔)이 결ᄇᆡᆨ(潔白)ᄒᆞ고 빵목(雙目)이 별 ᄀᆞᆺᄐᆞ며, 프른 눈셥의 살긔 등등ᄒᆞ고, 면모의 독긔 은은ᄒᆞ여, ᄒᆞᆫ 조각 유열(愉悅)ᄒᆞᆫ 덕이 낫타나디 아니니, 범인은 아디 못ᄒᆞᄃᆡ 공의 명쾌ᄒᆞᆷ과 됴부인의 혜안(慧眼)이 그 어디디 못ᄒᆞᆷ을 어이 몰나 보리오. 폐ᄇᆡᆨ을 밧드러 ᄇᆡ례를 당ᄒᆞ여ᄂᆞᆫ 만심이 셔늘ᄒᆞ여 일흥(一興)이 ᄉᆞ연(辭然)ᄒᆞ니, 그 고은 얼골이 도로혀 근심 되고 어엿브미 낫가은[온]디라. 하공 부뷔 ᄌᆞ연 안ᄉᆡᆨ이 흔연치 못ᄒᆞ나, 강인ᄒᆞ여 궁비를 향ᄒᆞ여 왈,

“내 집은 포의디개(布衣之家)어ᄂᆞᆯ 외람이 군쥐 우리 슬하의 님ᄒᆞ니 영ᄒᆡᆼᄒᆞᆫ 가온【48】ᄃᆡ, 군쥬의 긔딜이 아름다오니 깃브믈 니긔디 못ᄒᆞ리로다.”

궁인들이 셜빈을 다리고 하부의 오ᄆᆡ, 교긔(嬌氣) 양양ᄒᆞ여 텬하의 셜빈 ᄀᆞᆺᄐᆞ니 업ᄉᆞᆯ가 넉엿더니, 하부의 다ᄃᆞ라 초공의 부인 윤·경과 윤태부 부인 하시의 텬향월ᄐᆡ(天香月態)와 신부 님시의 션월아딜(仙月雅質)을 보ᄆᆡ, 엇디 셜빈 ᄀᆞᆺᄐᆞᆫ 뉘 ᄎᆡ를 잡아 병구(竝驅)ᄒᆞ리오. 그윽이 무안ᄒᆞ고 셜빈이 비록 냥안을 가ᄂᆞ리 ᄯᅳ고 신부의 ᄐᆡ를 ᄒᆞ나, 텬셩이 간험딜독(姦險疾毒)ᄒᆞ고 요악암샤(妖惡暗邪)키로ᄡᅧ 엇디 남을 싀오ᄒᆞᄂᆞᆫ ᄯᅳᆺ이 업ᄉᆞ리오. 뎡가의 박툑ᄒᆞᆷ을 인ᄒᆞ여 졔 집의 도라 갓다가, 허다 간계로 죽기를 일홈ᄒᆞ고 몸을 ᄲᅢ혀 됴가의 개뎍ᄒᆞ엿다가, 졀되(節度) 죽으ᄆᆡ 공교로온 의ᄉᆞ를 ᄂᆡ여, 묘화 요리(妖尼)의 디혜로 오궁의 오【49】년을 의디ᄒᆞ여 쳔승의 양녀 되ᄆᆡ, 오왕과 비의 ᄉᆞ랑이 여만금(如萬金)이라. 믄득 교앙(驕昂)ᄒᆞᆫ 의ᄉᆡ 니러나 졔 우히 오로리 업ᄉᆞᆯ가 ᄒᆞ다가, 오날ᄂᆞᆯ 하부의 도라와 윤니부 부인과 윤부인을 보ᄆᆡ 싀심이 만복ᄒᆞᆯ ᄲᅮᆫ 아니라, 하부인은 져의 면목을 닉이 알미, 동월후의 지실노 이실 쩍 동긔디의(同氣之義)로 안항

인ᄒᆞ여 오왕 군쥬를 ᄇᆡ현ᄒᆞ라 ᄒᆞ니, 허다 궁인이 셩녀를 젼ᄎᆞ후옹(前遮後擁)ᄒᆞ여 하공 부부긔 폐ᄇᆡᆨ을 헌ᄒᆞ고 신부긔[지]녜(新婦之禮)를 ᄒᆡᆼᄒᆞᆯᄉᆡ, 옥안(玉顔)이 결ᄇᆡᆨ(潔白)ᄒᆞ고 빵목(雙目)이 별 ᄀᆞᆺᄐᆞ며, 프른 눈셥의 살긔 등등ᄒᆞ고, 면모의 독긔 은은ᄒᆞ여, ᄒᆞᆫ 조각 유열(愉悅)ᄒᆞᆫ 덕이 낫타나지 아니니, 범인은 아지 못ᄒᆞᄃᆡ 공의 명쾌ᄒᆞᆷ과 조부인의 혜안(慧眼)이 그 어지지 못ᄒᆞᆷ을 어이 몰나 불 니 잇시리오. 폐ᄇᆡᆨ을 밧드러 ᄇᆡ례를 당ᄒᆞ여ᄂᆞᆫ 만심이 셔늘ᄒᆞ여 일흥(一興)이 ᄉᆞ연(辭然)ᄒᆞ니, 그 고흔 얼골이 도로혀 근심 되고 어엿브미 낫가온지라. 하공 부뷔 ᄌᆞ연 안ᄉᆡᆨ이 흔연치【143】못ᄒᆞ나, 강잉ᄒᆞ여 궁비를 향ᄒᆞ여 왈,

“ᄂᆡ 집은 포○[의]지긔(布衣之家)어ᄂᆞᆯ 외람이 군쥐 우리 슬하의 님ᄒᆞ니 영ᄒᆡᆼᄒᆞᆫ 가온ᄃᆡ, 군쥬의 긔질이 아름다오니 깃부믈 니긔지 못ᄒᆞ리로다.”

궁인들이 셜빈을 ᄃᆞ리고 하부의 오ᄆᆡ, 교긔(嬌氣) 양양ᄒᆞ여 텬하의 셜빈 ᄀᆞᆺᄐᆞ니 업ᄉᆞᆯ가 넉엿더니, 하부의 다다라 초공의 부인 윤·경과 윤니부 부인 하씨의 텬향월ᄐᆡ(天香月態)와 신부 님시의 션월아질(仙月雅質)을 보ᄆᆡ, 엇지 셜빈 ᄀᆞᆺᄐᆞᆫ 뉘 ᄎᆡ를 잡아 병구(竝驅)ᄒᆞ리오. 그윽이 무안ᄒᆞ고 셜빈이 비록 냥안을 가ᄂᆞ리 ᄯᅳ고 신부의 ᄐᆡ를 ᄒᆞ나, 텬셩이 간험질독(姦險疾毒)ᄒᆞ고 요악암ᄉᆞ(妖惡暗邪)키를 감최이므로ᄡᅧ 엇지 남을 싀오ᄒᆞᄂᆞᆫ ᄯᅳᆺ이 업ᄉᆞ리오. 뎡가의 박츅을 인ᄒᆞ여 졔 집의 도라 갓다가, 허다 간계로 죽기를 일홈ᄒᆞ고 몸【144】을 ᄲᅢ혀 조가의 긔젹ᄒᆞ엿다가, 졀되(節度) 죽으ᄆᆡ 공교로온 의ᄉᆞ를 ᄂᆡ여, 묘화 《의고‖요리(妖尼)》의 지혜로 오궁의 오년을 의지ᄒᆞ여 쳔승의 양녀 되ᄆᆡ, 오왕과 비의 ᄉᆞ랑이 여만금(如萬金)이라. 믄득 교앙(驕昂)ᄒᆞᆫ 의ᄉᆡ 니러나 졔 우히 오르리 업ᄉᆞᆯ가 ᄒᆞ다가, 오날날 하부의 도라와 윤니부 부인과 윤부인을 보ᄆᆡ 싀심이 만복ᄒᆞᆯ ᄲᅮᆫ 아니라, 하부인은 져의 면목을 닉이 알미, 동월후의 지실노 잇실 쩍 동거

을 츌혀 좌를 년ᄒᆞ며 언어를 슈작ᄒᆞ던 ᄇᆡ라. 하부인 혜안으로 져를 몰나보디 아닐 줄을 ᄀᆞ장 블평ᄒᆞᄃᆡ, 텬하 별믈 대악으로 도시(都是)[1331] 담(膽)이라. 져ᄂᆞᆫ 발셔 오왕 군쥬 되고, ○…결락8자…○[여람ᄇᆡᆨ의 ᄯᆞᆯ은 죽어] 여러 셰월이 밧괴여시므로 쳑우던 ᄇᆡ라. 졔 엇디 날을 셩시라 ᄒᆞ리오 ᄒᆞ여, ᄆᆞ음을 단단이 ᄒᆞ고 안ᄉᆡᆨ을 ᄌᆞ약히 ᄒᆞ여 힝혀도 본 쳬 아니니, 하부인이 윤・연 이부인으로 좌를 년(連)ᄒᆞ여 셜빈을 잠간 보ᄆᆡ,【50】만심이 ᄎᆞ악ᄒᆞ믈 니긔디 못ᄒᆞ니, 기간(其間) 요계(妖計)를 측냥치 못ᄒᆞ여 심니(心裏)의 혜오ᄃᆡ,

"이 반ᄃᆞ시 월후의 ᄌᆡ실 셩녜라. 우리ᄂᆞᆫ 죽으므로 아랏더니 엇딘 계교로 오궁의 드러가 오왕의 ᄯᆞᆯ이 되엿ᄂᆞᆫ고. 원챵의 명되 괴이ᄒᆞ여 져런 달긔(妲己) ᄀᆞᆺᄐᆞᆫ 독ᄉᆞ를 만나니, 일노조ᄎᆞ 가ᄂᆡ 크게 어ᄌᆞ러오믈 보디 아냐 알디라."

의ᄉᆡ 이의 밋쳐ᄂᆞᆫ 신ᄉᆡᆨ이 변ᄒᆞ믈 ᄭᆡᄃᆞᆺ디 못ᄒᆞ니, 윤부인이 젼일 협문으로조ᄎᆞ 뎡부의 가 셩시를 일ᄎᆞ 상견ᄒᆞ미 잇던디라. 신부의 용모거동이 호발도 다르디 아니니, 의아ᄒᆞᄂᆞᆫ 바의 쇼고(小姑)의 면ᄉᆡᆨ이 다르믈 보고 더옥 경히ᄒᆞᄃᆡ, 사ᄅᆞᆷ 되오미 남 달니 침뎡ᄒᆞᆫ 고로 쳔연이 모로ᄂᆞᆫ ᄃᆞᆺᄒᆞ여 블변안ᄉᆡᆨ고, ᄉᆞ좌빈ᄀᆡᆨ은 셜빈을 님시만 못 넉이나, 됴심경(照心鏡) 안(眼)이 아니어니, 져 셩녀【51】의 쇼힝이 간음대악이믈 어이 알니오. ᄒᆞᆫᄀᆞᆺ 낫치 희고 입이 븕으므로ᄡᅧ 미ᄉᆡᆨ이라 니르며, 그 딘퇴쥬션(進退周旋)이 영오민쳡ᄒᆞ믈 인ᄒᆞ여 하공ᄌᆞ의 쳐궁이 유복ᄒᆞ믈 일ᄏᆞᄅᆞ니, 하공 부부ᄂᆞᆫ 그윽이 듯고져 아니나, 강인ᄒᆞ여 좌슈우응(左酬右應)의 ᄉᆞ샤ᄒᆞᆯ ᄲᆞᆫ이라.

일모셔령(日暮西嶺)의 빈ᄀᆡᆨ이 각산귀가(各散歸家)ᄒᆞ고, 님쇼져 슉소를 모월각의 뎡ᄒᆞ여 보ᄂᆡ고, ○…결락18자…○[셜빈군쥬를 션월각의 쳐소를 졍ᄒᆞ여 보ᄂᆡᆫ 후], 하공부○[뷔] ᄎᆞᆨ을 니어 담쇼ᄒᆞᆯᄉᆡ, 됴부인이 빈미

1331)도시(都是) : 도무지. 모두 다.

[긔]지의(同氣之義)로 안항을 츌혀 좌를 년ᄒᆞ며 언어를 슈작ᄒᆞ던 ᄇᆡ라. 하부인 혜안으로ᄡᅧ 져를 몰나보지 아닐 줄을 ᄀᆞ장 불평ᄒᆞᄃᆡ, 텬하 별믈 ᄃᆡ악으로 도시(都是)[1037] 담(膽)이라. 져ᄂᆞᆫ 발셔 오왕 군쥬 되고, 여람ᄇᆡᆨ의 ᄯᆞᆯ은 죽어 여러 셰월이 밧괴여시므로 쳑우던 ᄇᆡ라. 졔 엇지 나를 셩씨라 ᄒᆞ리오【145】ᄒᆞ여, 마음을 ᄐᆞᆫᄐᆞᆫ히 ᄒᆞ고 안ᄉᆡᆨ을 ᄌᆞ약히 ᄒᆞ여 힝혀도 본 쳬 아니니, 하부인이 윤・연 이부인으로 좌를 연ᄒᆞ여 셜빈을 잠간 보ᄆᆡ, 만심이 ᄎᆞ악ᄒᆞ믈 니긔지 못ᄒᆞ니, 기간(其間) 요녜[계](妖計)를 측냥치 못ᄒᆞ여, 심니(心裏)의 혜오ᄃᆡ,

"이 반ᄃᆞ시 월후의 ᄌᆡ실 셩씨라. 우리ᄂᆞᆫ 죽으므로 아랏더니 엇진 계교로 오궁의 드러가 오왕의 ᄯᆞᆯ이 되엿ᄂᆞᆫ고. 원챵의 명되 괴이ᄒᆞ여 져런 달긔(妲己) ᄀᆞᆺᄐᆞᆫ 독ᄉᆞ를 만ᄂᆞ니, 일노조ᄎᆞ 가ᄂᆡ 크게 어ᄌᆞ러오믈 보지 아냐 알지라."

의ᄉᆡ 이의 밋쳐ᄂᆞᆫ 신ᄉᆡᆨ이 변ᄒᆞ믈 ᄭᆡᄃᆞᆺ지 못ᄒᆞ니, 윤부인이 젼일 협문으로조ᄎᆞ 뎡부의 가 셩시로 일ᄎᆞ 상견ᄒᆞ미 잇던지라. 신부의 용모거동이 호발도 다르지 아니니, 의아ᄒᆞᄂᆞᆫ 바의 소고(小姑)의 면ᄉᆡᆨ이 다르믈 보고 더욱 경히【146】ᄒᆞᄃᆡ, 사ᄅᆞᆷ 되오미 남달니 침졍ᄒᆞᆫ 고로, 쳔연이 모로ᄂᆞᆫ ᄃᆞᆺᄒᆞ여 블변안ᄉᆡᆨ고, ᄉᆞ좌빈ᄀᆡᆨ은 셜빈을 님씨만 못 넉이나, 조심경(照心鏡) 안(眼)이 아니어니, 져 셩녀의 소힝이 간음ᄃᆡ악이믈 어이 알니오. ᄒᆞᆫᄀᆞᆺ 낫치 희고 닙이 븕으므로ᄡᅧ 미ᄉᆡᆨ이라 니르며, 그 진퇴쥬션(進退周旋)이 영오민쳡ᄒᆞ믈 인ᄒᆞ여 하공ᄌᆞ의 쳐궁이 유복ᄒᆞ믈 일ᄏᆞ르니, 하공 부부ᄂᆞᆫ 그윽이 듯고져 아니나, 강잉ᄒᆞ여 좌슈우응(左酬右應)의 ᄉᆞ샤ᄒᆞᆯ ᄲᆞᆫ이라.

일모셔령(日暮西嶺)의 빈ᄀᆡᆨ이 각산기가(各散其)ᄒᆞ고, 님소져 슉소를 모월각의 졍ᄒᆞ여 보ᄂᆡ고, 셜빈군쥬를 션월각의 쳐소를 졍ᄒᆞ여 보ᄂᆡ고, 하 공 부뷔 ᄎᆞᆨ을 니어 담소ᄒᆞᆯᄉᆡ,조부인이 빈미(嚬眉) 왈,

1037)도시(都是) : 도무지. 모두 다.

(嚬眉) 왈,

"오왕 군쥬의 년긔 십ᄉᆡ라 ᄒᆞ더니 금일 보건ᄃᆡ 이십이나 된 ᄃᆞᆺᄒᆞ고, 거동이 규슈 ᄀᆞᆺ디 아냐 의연이 화류쳔창(花柳賤娼) ᄀᆞᆺᄐᆞ니, 내 ᄋᆞ히 농봉 ᄀᆞᆺᄐᆞᆫ 긔딜노 비컨ᄃᆡ, 소양블뫼(霄壤不侔)[1332]라. 그 ᄇᆡ항(配行)의 상뎍디 못ᄒᆞ미 엇디 ᄋᆡ돏디 아니리오."

하공이 탄 왈,

"사ᄅᆞᆷ을 디ᄂᆡ여 보디 아니코 쳐음으로 보ᄂᆞᆫ 날 그 단쳐(短處)를 니를 거시 아니【52】로ᄃᆡ, 셜빈은 ᄀᆞ장 심상치 아닌디라. 그 음악살ᄉᆞ(淫惡殺邪)[1333]ᄒᆞ여 므ᄉᆞᆫ 변을 ᄂᆡᆯ ᄃᆞᆺᄒᆞ니 이런 블힝이 어ᄃᆡ 이시리오."

뎡언간(停言間)의 졔ᄌᆡ 드러와 시좌ᄒᆞ니, 공이 왈,

"임의 취ᄒᆞ여 도라와 신방을 븨오믄 가치 아니니, 신방의 가 밤을 디ᄂᆡ라."

댱원은 ᄌᆡᄇᆡ 슈명ᄒᆞ고, 공ᄌᆞᄂᆞᆫ 궤고(跪告) 왈,

"쇼ᄌᆡ 엇디 엄훈을 거역ᄒᆞ리잇고마ᄂᆞᆫ, 셩녜시(成禮時) 셜빈이란 거ᄉᆞᆯ 보니, 심골이 경한(驚寒)ᄒᆞ여 다시 ᄃᆡ홀 ᄠᅳᆺ이 업ᄉᆞᆸᄂᆞᆫ디라. 쇼ᄌᆡ 만일 져 요괴로 더브러 됴히 화락ᄒᆞᆯ딘ᄃᆡ, 삼ᄉᆞ년이 못ᄒᆞ여 죽으리로소이다."

공이 그러히 넉이나, 위인부(爲人父)ᄒᆞ여 ᄋᆞ들의 금슬을 박ᄒᆞ라 못ᄒᆞᆯ디라. 뎡ᄉᆡᆨ 왈,

"네 비록 됴심경안광(照心鏡眼光)[1334]이라도, 사ᄅᆞᆷ을 ᄒᆞᆫ 번 보고 그 심디를 ᄉᆞ못기 어렵거ᄂᆞᆯ, 교ᄇᆡ시(交配時) 얼픗 본 신부를 이ᄃᆡ도록 하ᄌᆞ(瑕疵)ᄒᆞᄂᆞ뇨?【53】군쥬의 외뫼 염미(艶美)ᄒᆞ여 인심의 ᄉᆞ랑ᄒᆞᆯ ᄇᆡ라. 네 므ᄉᆞᆫ 의ᄉᆞ로 괴이ᄒᆞᆫ 말을 ᄒᆞᄂᆞ뇨?"

공ᄌᆡ 울울블낙(鬱鬱不樂)ᄒᆞᄂᆞ 감히 회포를 고치 못ᄒᆞ여 유유(儒儒) 슈명(受命)ᄒᆞᆯ ᄲᅳᆫ이오, 초공과 동후 부인이 셜빈 군쥬를 시

1332)소양불뫼(霄壤不侔) : 하늘과 땅처럼 큰 차이가 있음.

1333)음악살ᄉᆞ(淫惡殺邪) : 음란하고 흉악하며 살기(殺氣) 등등하고 사악함.

1334)됴심경안광(照心鏡眼光) : 속마음까지를 비춰보는 눈빛.

"오왕 군쥬의 년긔 십ᄉᆡ라 ᄒᆞ더니 금일 보건ᄃᆡ 이십이나 된 ᄃᆞᆺ【147】ᄒᆞ고, 거동이 규슈 ᄀᆞᆺ지 아냐 의연이 화류쳔창(花柳賤娼) ᄀᆞᆺᄐᆞ니, 내 ᄋᆞ히 농봉 ᄀᆞᆺᄐᆞᆫ 긔질노 비컨ᄃᆡ 소양블뫼(霄壤不侔)[1038]라. 그 ᄇᆡ항(配行)의 상젹지 못ᄒᆞ미 엇지 ᄋᆡ돏지 아니리오."

하공이 탄 왈,

"샤ᄅᆞᆷ을 지ᄂᆡ여 보지 아니코 쳐음으로 보ᄂᆞᆫ 날 그 단쳐(短處)를 니를 거시 아니로ᄃᆡ, 셜빈은 ᄀᆞ장 심상치 아닌지라. 그 음악살ᄉᆞ(淫惡殺邪)[1039]ᄒᆞ여 무ᄉᆞᆫ 변을 ᄂᆡᆯ ᄃᆞᆺᄒᆞ니, 이런 블힝이 어ᄃᆡ 잇시리오."

젼[졍]언간(停言間)의 졔ᄌᆡ 드러와 시좌ᄒᆞ니, 공 왈,

"임의 취ᄒᆞ여 도라와 신방을 븨오믄 가치 아니니, 신방의 가 밤을 지ᄂᆡ라"

장원은 ᄌᆡᄇᆡ슈명ᄒᆞ고, 공ᄌᆞᄂᆞᆫ 궤고(跪告) 왈,

"소ᄌᆡ 엇지 엄훈을 거역ᄒᆞ리잇고마ᄂᆞᆫ 셩녜시(成禮時) 셜빈이란 거ᄉᆞᆯ 보니, 심골이 경한(驚寒)ᄒᆞ여 다시 ᄃᆡ홀 ᄠᅳᆺ이 업ᄉᆞᆸᄂᆞᆫ지라. 소ᄌᆡ 만일 져 요괴로 더브러 조히 화락ᄒᆞᆯ진ᄃᆡ,【148】삼ᄉᆞ년이 못ᄒᆞ여 죽으리로소이다."

공이 그러히 넉이나, 위인부(爲人父)ᄒᆞ여 ᄋᆞ들의 금슬을 박ᄒᆞ라 못ᄒᆞᆯ지라. 졍ᄉᆡᆨ 왈,

"네 비록 조심경안광(照心鏡眼光)[1040]이라도, 샤ᄅᆞᆷ을 ᄒᆞᆫ 번 보고 그 심지를 ᄉᆞ못기 어렵거ᄂᆞᆯ, 교ᄇᆡ시(交配時) 얼픗 본 신부를 이ᄃᆡ도록 하ᄌᆞ(瑕疵)ᄒᆞᄂᆞ뇨? 군쥬의 외뫼 념미(艶美)ᄒᆞ여 인심의 ᄉᆞ랑ᄒᆞᆯ ᄇᆡ라. 네 무ᄉᆞᆫ 의ᄉᆞ로 괴이ᄒᆞᆫ 말을 ᄒᆞᄂᆞ뇨?"

공ᄌᆡ 울울블낙(鬱鬱不樂)ᄒᆞ나 감히 회포를 고치 못ᄒᆞ여 유유(儒儒) 슈명(受命)ᄒᆞᆯ ᄲᅳᆫ이오, 초공과 동후 부인이 셜빈 군쥬를 시

1038)소양불뫼(霄壤不侔) : 하늘과 땅처럼 큰 차이가 있음.

1039)음악살ᄉᆞ(淫惡殺邪) : 음란하고 흉악하며 살기(殺氣) 등등하고 사악함.

1040)됴심경안광(照心鏡眼光) : 속마음까지를 비춰보는 눈빛.

비치 아냐, ᄒᆞᆫ가디로 신방 븨오미 블가ᄒᆞ믈 니르니, 공ᄌᆡ 셜빈이 셩신 줄 아디 못ᄒᆞᄃᆡ 그 면모의 살긔(殺氣)를 보고, 심신이 셔늘ᄒᆞ여 죽이고 시브ᄃᆡ, 부친의 단엄ᄒᆞ믈 두리ᄂᆞᆫ 고로 말을 못ᄒᆞ고, 부뫼 취침ᄒᆞ시ᄆᆡ ᄌᆞ뷔 다 믈너나 원상과 원창이 각각 신방으로 향ᄒᆞ고, 초공과 원필은 외루로 나가ᄆᆡ, 윤니부 부인이 취월각의 나아가 윤부인으로 더브러 ᄒᆞᆫ가디로 밤을 디닐ᄉᆡ, 윤부인이 미쇼 왈,

"부인이 셜빈과 면목이 닉디 아니ᄒᆞ더니잇가?"

하부인이 탄왈,

"챵뎨의 익회 괴이ᄒᆞ여 ᄆᆡ달(妺妲)1335) 【54】 ᄀᆞᆺᄐᆞᆫ 위인을 만나니, 가ᄂᆡ 크게 어ᄌᆞ러오믈 알디라. 셜빈의 용뫼 완연이 월후의 ᄌᆡ실 셩시 ᄀᆞᆺᄐᆞ니, 발셔 죽언 디 여러 셰월의, 오왕디녀로ᄡᅧ 여람ᄇᆡᆨ 셩공의 ᄯᆞᆯ이라 ᄒᆞ미 괴이ᄒᆞ고, 우리 의심이 궁극ᄒᆞᄃᆡ 《쇼ᄆᆡ∥쇼뎨》 ᄆᆞ옴이 놀납고 ᄎᆞ악ᄒᆞ믈 니긔디 못ᄒᆞᄂᆞ니, 이 말ᄉᆞᆷ을 부모긔 고코져 ᄒᆞᄃᆡ, 부뫼 신부를 보시고 경악ᄒᆞ신 바의 ᄯᅩ 괴이ᄒᆞᆫ 말ᄉᆞᆷ을 고ᄒᆞ미 블가ᄒᆞ고, 셰샹의 의형이 남으로셔 ᄀᆞᆺᄐᆞᆫ 사ᄅᆞᆷ이 업디 아냐, 오왕디녜 셩시와 이상이 ᄀᆞᆺᄐᆞᆫ 연괴어니와, 그 톄디 일호 다르미 업ᄉᆞ니 엇디 놀납디 아니리오."

윤부인 왈,

"엇디 그리 ᄀᆞᆺᄐᆞ리 이시리오. 쳡은 ᄒᆞᆫ 번 셩시를 보아시ᄃᆡ 금일 셜빈으로ᄡᅧ 실노 셩시 아니라 못ᄒᆞ거니와, 삼슉슉(三叔叔)의 말ᄉᆞᆷ을 드르니, 금슬은 다시 니를 나의 업시 소흘디【55】라. ᄌᆞ연 ᄉᆞ단(事端)이 만흘 ᄃᆞᆺ ᄒᆞ니 쳡심이 그윽이 블평ᄒᆞᄃᆡ, 만ᄉᆡ 명(命)이라 인력으로 못ᄒᆞ리니, 브졀업ᄉᆞᆫ 말ᄉᆞᆷ을 구고긔 고치 마르쇼셔."

하부인 왈,

"부뫼 셜빈의 의형이 셩시와 다르디 아니

1335)ᄆᆡ달(妺妲) : 중국의 대표적인 악녀(惡女)인 하(夏)나라 걸(桀)의 비(妃)인 매희(妺喜)와 주(周)나라 주(紂)의 비(妃) 달기(妲己)를 함께 이르는 말.

비치 아냐, ᄒᆞᆫ 가지로 신방 븨오미 올치 아니믈 니르니, 공ᄌᆡ 셜빈이 셩씨 줄 아지 못ᄒᆞᄃᆡ, 그 면모의 살긔(殺氣)를 보고 심신이 셔늘ᄒᆞ여 죽이고 시브ᄃᆡ, 부친의 단엄ᄒᆞ믈 두리ᄂᆞᆫ 고로 말을 못ᄒᆞ고, 부뫼 취침ᄒᆞ시ᄆᆡ ᄌᆞ뷔 다 믈너나 원상과 【149】 원창이 각각 신방으로 향ᄒᆞ고, 초공과 원필은 외루로 나가ᄆᆡ, 윤니부 부인이 취월각의 나아가 윤부인으로 더브러 ᄒᆞᆫ 가지로 밤을 지닐ᄉᆡ, 윤부인이 미소 왈,

"부인이 셜빈과 면목이 닉지 아니ᄒᆞ더니잇가?"

하부인이 탄왈,

"챵뎨의 익회 괴이ᄒᆞ여 ᄆᆡ달(妺妲)1041) ᄀᆞᆺᄐᆞᆫ 위인을 만나니, 가ᄂᆡ 크게 어ᄌᆞ러오믈 알지라. 셜빈의 용뫼 완연이 월후의 ᄌᆡ실 셩씨 ᄀᆞᆺᄐᆞ니, 발셔 죽언 지 여러 셰월의, 오왕지녀로ᄡᅧ 여람ᄇᆡᆨ 셩공의 ᄯᆞᆯ이라 ᄒᆞ미 괴이ᄒᆞ고, 우리 의심이 궁극ᄒᆞᄃᆡ 소뎨 마음이 놀납고 ᄎᆞ악ᄒᆞ믈 니긔지 못ᄒᆞᄂᆞ니, 이 말ᄉᆞᆷ을 부모긔 고코져 ᄒᆞᄃᆡ, 부뫼 신부를 보시고 경악ᄒᆞ신 바의 ᄯᅩ 괴이ᄒᆞᆫ 말ᄉᆞᆷ을 고ᄒᆞ미 블가ᄒᆞ고, 셰샹의 의형이 남으로ᄡᅧ ᄀᆞᆺᄐᆞᆫ 샤ᄅᆞᆷ이 업지 아냐,【150】 오왕지녜 셩씨와 이상이 ᄀᆞᆺᄐᆞᆫ 연괴어니와, 그 《쳐지∥체지(體肢)》 일호 다르미 업ᄉᆞ니 엇지 놀납지 아니리오."

윤부인 왈,

"엇지 그리 ᄀᆞᆺᄐᆞ리 잇시리오. 쳡은 ᄒᆞᆫ 번 셩씨를 보아시ᄃᆡ 금일 셜빈으로ᄡᅧ 실노 셩씨 아니라 못ᄒᆞ거니와, 삼슉슉(三叔叔)의 말ᄉᆞᆷ을 드르니 금슬은 다시 니를 나위 업시 소흘지라. ᄌᆞ연 ᄉᆞ단(事端)이 만흘 ᄃᆞᆺᄒᆞ니 쳡심이 그윽이 불평ᄒᆞᄃᆡ, 만ᄉᆡ 명이라 인력으로 못ᄒᆞ리니, 브졀 업ᄉᆞᆫ 말ᄉᆞᆷ을 구고긔 고치 마르소셔."

"하부인 왈,

"부뫼 셜빈의 의형이 셩씨와 다르지 아니

1041)ᄆᆡ달(妺妲) : 중국의 대표적인 악녀(惡女)인 하(夏)나라 걸(桀)의 비(妃)인 매희(妺喜)와 주(周)나라 주(紂)의 비(妃) 달기(妲己)를 함께 이르는 말.

믈 드르시면 더옥 념녀ᄒᆞ시리니, 엇디 깃브디 아닌 말을 급고(急告)ᄒᆞ리잇가? 오딕 놀나올 ᄯᅳᆫ이로소이다."

이ᄀᆞᆺ치 셔로 탄식ᄒᆞ믈 마디 아니ᄒᆞ더라.

댱원이 모월각의 드러가 님쇼져를 ᄃᆡᄒᆞᄆᆡ, 그 셩모아ᄐᆡ(聖貌雅態)ᄂᆞᆫ 실듕의 됴요ᄒᆞ고, 션원아딜(仙媛雅質)은 셰쇽의 무드디 아니니, ᄇᆡᆨ미쳔광(百美千光)이 연화(煙火)[1336] 밧 사ᄅᆞᆷ이라. 한님이 그 용식을 과ᄋᆡᆨᄒᆞᄂᆞᆫ 거시 아니라, 슉덕현ᄒᆡᆼ(淑德賢行)이 츌어외모(出於外貌)ᄒᆞ니, 크게 흠복ᄒᆞ여 이의 말을 펴, 왈,

"ᄉᆡᆼ과 ᄌᆞᄂᆞᆫ 범연ᄒᆞᆫ 부뷔 아니라. 젼ᄉᆡᆼ슉연(前生宿緣)으로 오문의 도라와시니, 엇디 ᄒᆡᆼ희(幸喜)치 아니리오. ᄉᆡᆼ이 ᄒᆞᆨ박블식(學薄不識)ᄒᆞ여 슉녀【56】의 일ᄉᆡᆼ을 편히 못ᄒᆞᆯ가 그윽이 두리ᄂᆞ이다."

님쇼졔 슈용(羞容)ᄒᆞ여 믁연브답(默然不答)ᄒᆞ니, 단엄ᄒᆞᆫ 가온ᄃᆡ 온화ᄒᆞ고 유열ᄒᆞ여 옥ᄐᆡ월광(玉態月光)이 볼ᄉᆞ록 ᄉᆡ로오니, 한님이 흔연 ᄋᆡ경ᄒᆞ여 쵹을 멸ᄒᆞ고 쇼져를 븟드러 편히 누이고, ᄯᅩᄒᆞᆫ 금니(衾裏)의 나아가ᄃᆡ 부뷔 다 십삼 튱년이라. 고인(古人)의 유취디년(有娶之年)이 아닌 고로, 이셩디합(二姓之合)을 일우디 아니ᄒᆞ더라.

원챵 공ᄌᆞᄂᆞᆫ 션월각의 드러와 셜빈을 ᄃᆡᄒᆞᄆᆡ, 그 요악ᄒᆞᆫ 거동이 하ᄉᆡᆼ ᄀᆞᆺᄐᆞᆫ 결증 잇ᄂᆞᆫ ᄌᆞ로 ᄒᆞ여금 ᄒᆞᆫ 번 보ᄆᆡ 통완ᄒᆞ미 비위를 잡디 못ᄒᆞᆯ ᄇᆡ어ᄂᆞᆯ, 셜빈은 하ᄉᆡᆼ을 보니 그 풍뉴신쳬(風流身體) 늠늠탈쇽(凜凜脫俗)ᄒᆞ여 뎡듁암의 아ᄅᆡ 아니오, 오히려 나은 곳이 이시니, 황홀ᄒᆞᆫ 은졍이 심솟 ᄃᆞᆺᄒᆞ여 착급ᄒᆞᆫ 의ᄉᆡ 밧비 상요의 나아가고져 ᄒᆞ나, 하ᄉᆡᆼ이 늠연뎡좌(凜然正坐)ᄒᆞ여 믁믁블열【57】ᄒᆞ니, 엄녈한 거동이 븍풍한셜(北風寒雪) ᄀᆞᆺᄐᆞ여, 바라ᄆᆡ 두리온디라. 셜빈이 비록 간음대악이나 념치 업ᄉᆞᆫ 형상을 낫토디 못ᄒᆞ여, 아미를 낫초고 홍슈(紅袖)를 뎡

1336)연화(煙火) : =인연(人煙). 인가에서 불을 때어 나는 연기라는 뜻으로, 사람이 사는 기척 또는 인가, 인간세상을 이르는 말

믈 드르시면 더옥 념녀ᄒᆞ시리니, 엇지 깃부지 안닌 말을 급급히· ○[고(告)]ᄒᆞ리잇고? 오쥭 놀나올 ᄲᅮᆫ이로소이다.

이ᄀᆞᆺ치 셔로 탄식ᄒᆞ믈 마지 아니ᄒᆞ더라.

쟝원이 모월각의 드러가 님 소져를 ᄃᆡᄒᆞᄆᆡ, 그 셩모【151】아ᄐᆡ(聖貌雅態)ᄂᆞᆫ 실즁의 조요ᄒᆞ고, 션원아질(仙媛雅質)은 셰속의 무드지 아니니, ᄇᆡᆨ미쳔광(百美千光)이 년화(煙火)[1042] 밧 샤ᄅᆞᆷ이라. 한님이 그 용식을 과ᄋᆡᆨᄒᆞᄂᆞᆫ 거시 아니라, 슉덕현ᄒᆡᆼ(淑德賢行)이 츌어외모(出於外貌)ᄒᆞ니, 크게 흠복ᄒᆞ여 이의 말을 펴, 왈,

"ᄉᆡᆼ과 ᄌᆞᄂᆞᆫ 범연ᄒᆞᆫ 부뷔 아니라. 젼ᄉᆡᆼ슉연(前生宿緣)으로 오문의 도라와시니, 엇지 ᄒᆡᆼ희치 아니리오. ᄉᆡᆼ이 ᄒᆞᆨ박블신[식](學薄不識)ᄒᆞ여 슉녀의 일ᄉᆡᆼ을 편히 못ᄒᆞᆯ가 그윽이 두리ᄂᆞ이다."

님소졔 슈용(羞容)ᄒᆞ여 묵연부답(默然不答)ᄒᆞ니, 단엄ᄒᆞᆫ 가온ᄃᆡ 온화ᄒᆞ고 유열ᄒᆞ여 옥ᄐᆡ월광(玉態月光)이 볼ᄉᆞ록 ᄉᆡ로오니, 한님이 흔연 ᄋᆡ경ᄒᆞ여 쵹을 멸ᄒᆞ고 소져를 븟드러 편히 누이고, ᄯᅩᄒᆞᆫ 금니(衾裏)의 나아가ᄃᆡ 부뷔 다 십삼 츙년이라, 고인의 유취(有娶)ᄒᆞ던 나히 아닌 고로, 이셩지합(二姓之合)을 일우지【152】 아니ᄒᆞ더라.

원챵 공ᄌᆞᄂᆞᆫ 션월각의 드러와 셜빈을 ᄃᆡᄒᆞᄆᆡ, 그 요악ᄒᆞᆫ 거동이 하ᄉᆡᆼ ᄀᆞᆺᄐᆞᆫ 결증 잇ᄂᆞᆫ ᄌᆞ로 ᄒᆞ야곰 ᄒᆞᆫ 번 보ᄆᆡ 통완ᄒᆞ미 비위를 잡지 못ᄒᆞᆯ ᄇᆡ어ᄂᆞᆯ, 셜빈은 하ᄉᆡᆼ을 보니 그 풍뉴신치(風流身彩) 늠늠탈속(凜凜脫俗)ᄒᆞ여 뎡 쥭암의 아ᄅᆡ 아니오, 오히려 나은 곳이 잇시니, 황홀ᄒᆞᆫ 음졍(淫情)이 심솟 ᄃᆞᆺᄒᆞ여 착급ᄒᆞᆫ 의ᄉᆡ 밧비 상요의 나아가고져 ᄒᆞ나, 하ᄉᆡᆼ이 늠연졍좌(凜然正坐)ᄒᆞ여 믁믁블열ᄒᆞ니, 엄녈한 거동이 북풍한셜(北風寒雪) ᄀᆞᆺᄐᆞ여, ᄇᆞ라ᄆᆡ 두리온지라. 셜빈이 비록 간음ᄃᆡ악이나 념치 업ᄉᆞᆫ 형상을 낫토지 못ᄒᆞ여, 아미를 낫초고 홍슈(紅袖)를 뎡히

1042)연화(煙火) : =인연(人煙). 인가에서 불을 때어 나는 연기라는 뜻으로, 사람이 사는 기척 또는 인가, 인간세상을 이르는 말

히 ᄉᆞ기ᄌᆞ 신인의 틱(態)를 다ᄒᆞᄂᆞᆫ디라.

하싱이 요인(妖人)을 ᄃᆡᄒᆞ여시ᄆᆡ 더옥 심쇄 블 니ᄃᆞᆺᄒᆞ여 즉시 ᄎᆞᆨ을 믈니고 상요의 나아가ᄃᆡ, 셜빈을 ᄃᆡᄒᆞ여 일언을 허비ᄒᆞ미 업셔 못 보ᄂᆞᆫ 듯ᄒᆞ니, 셜빈이 안ᄌᆞ ᄉᆡᆨ와 명됴의 밋쳐ᄂᆞᆫ, 싱이 관소(盥梳)도 아니코 급히 니러 밧그로 나가니, 셜빈이 무궁ᄒᆞᆫ 음욕을 니긔디 못ᄒᆞ여, ᄎᆞᆨ냥업시 ᄋᆡ돌오며 무류ᄒᆞ믈 츔디 못ᄒᆞ여, 실셩(失性) 비분(悲憤)ᄒᆞ기를 마디 아니니, 궁인 연시 텬셩이 간음딜독(奸淫疾毒)ᄒᆞᆫ 고로 셜빈으로 더브러 디긔상합(志氣相合)ᄒᆞᆫ디라. 셔로 일시를 ᄡᅥ나디 아닛ᄂᆞᆫ 졍이 이셔 이의 ᄯᆞ라 오고, 츈교ᄂᆞᆫ 운산의 나아 간ᄌᆞᆨ 져의 얼골을 알 니만【58】흔 고로, 오궁의 머므르고 다려 오디 아닌디라. 연상궁이 셜빈을 븟드러 위로 왈,

"신혼 초야의 상공의 박졍ᄒᆞ시미 그러틋ᄒᆞ시니, 군쥐 엇디 분히치 아니리오마ᄂᆞᆫ, 쇼블인즉난대뫼(小不忍卽難大謀)[1337]라. 군쥬의 이러틋 슬허ᄒᆞᄂᆞᆫ 바로 상공을 그르다 아니코 군쥬를 하ᄌᆞᄒᆞ리 만흐리니, 군쥬ᄂᆞᆫ 분노를 참으시고 됴흔 모칙을 ᄉᆡᆼ각ᄒᆞ샤, 쥬군의 은졍을 낫고시고, 구고의 ᄉᆞ랑을 어드시ᄂᆞᆫ 거시 맛당ᄒᆞ니, 엇디 조급히 비쳑(悲慽)ᄒᆞ시ᄂᆞ니잇고? 초공 부인과 하부인을 보니, 실노 옥녀(玉女) 딘셰(塵世)의 이시믈 ᄭᆡ돗디 못ᄒᆞ여, 낭원(閬苑)[1338]의 션ᄋᆞ(仙娥)를 구경홈 ᄀᆞᆺ고, 신부 님시 ᄯᅩᄒᆞᆫ 당ᄃᆡ 일ᄉᆡᆨ이라. 군쥬긔 여러 층 나으니 뎡국공과 됴부인의 안고(眼高)ᄒᆞ시미 ᄌᆞ연 태악(泰岳) ᄀᆞᆺᄐᆞ여, 군쥬 ᄀᆞᆺᄐᆞᆫ 미ᄉᆡᆨ은 ᄀᆞ장 우이 넉이ᄂᆞᆫ 거동이니, 군쥬의 명예를 모호미 ᄀᆞ장 어려온디라.【59】오딕 흔ᄒᆞᆫ 금은을 흣터 인심을 취합ᄒᆞ고, 힝신만ᄉᆞ(行身萬事)의 긴 거슬 낫타ᄂᆡ고 져른 거슬 ᄀᆞᆷ초아 희미ᄒᆞᆫ 허믈도 낫타ᄂᆡ디 마르쇼셔."

1337)쇼블인즉난대뫼(小不忍卽難大謀) : 작은 것을 참지 못하면 큰 꾀를 이룰 수 없다.

1338)낭원(閬苑) : 곤륜산(崑崙山)의 꼭대기에 있다는 신선이 산다고 하는 선계(仙界). =낭풍요지(閬風瑤池).

ᄉᆞ기ᄌᆞ 신인의 틱를 다ᄒᆞᄂᆞᆫ지라.

하싱이 요인(妖人)을 ᄃᆡᄒᆞ여시ᄆᆡ 더욱 심쇄 블 니ᄃᆞᆺᄒᆞ여 즉시 ᄎᆞᆨ을 믈니고 쾌히 상요의 나아가ᄃᆡ, 셜빈을 ᄃᆡ【153】ᄒᆞ여 일언을 허비ᄒᆞ미 업셔 못 보ᄂᆞᆫ 듯ᄒᆞ니, 셜빈이 안ᄌᆞ ᄉᆡᆨ와 명조의 밋쳐ᄂᆞᆫ, 싱이 관세(盥洗)도 아니코 급히 니러 밧그로 나가니, 셜빈이 무궁ᄒᆞᆫ 음욕을 니긔지 못ᄒᆞ여 ᄎᆞᆨ냥업시 ᄋᆡ돌오며 무류ᄒᆞ믈 참지 못ᄒᆞ여, 실셩(失性) 비분(悲憤)ᄒᆞ기를 마지 아니니, 궁인 연씨 텬셩이 간음질독(奸淫疾毒)ᄒᆞᆫ 고로 셜빈으로 더브러 지긔상합(志氣相合) ᄒᆞᆫ지라. 셔로 일시를 ᄡᅥ나지 아닛ᄂᆞᆫ 졍이 잇셔 이에 ᄯᆞ라 오고, 츈교ᄂᆞᆫ 운산의 나아 간ᄌᆞᆨ 져의 얼골을 알 니 만흔 고로, 오궁의 머므르고 다려 오지 아닌지라. 연상궁이 셜빈을 븟드러 위로 왈,

"신혼 초야의 상공의 박졍ᄒᆞ시미 그러틋ᄒᆞ시니 군쥐 엇지 분히치 아니리오마ᄂᆞᆫ, 소블인즉난ᄃᆡ뫼(小不忍卽難大謀)[1043]라. 군쥬의 이러틋 슬허ᄒᆞᄂᆞᆫ 바로 상공을 그르다 아니코 군쥬를【154】하ᄌᆞᄒᆞ리 만흐리니, 군쥬ᄂᆞᆫ 분노를 참으시고 조흔 모칙을 ᄉᆡᆼ각ᄒᆞ샤, 쥬군의 은졍을 낫고시고, 구고의 ᄉᆞ랑을 어드시ᄂᆞᆫ 거시 맛당ᄒᆞ니, 엇지 조급히 비쳑(悲慽)ᄒᆞ시ᄂᆞ니잇고? 초공 부인과 하부인을 보니 실노 옥녀(玉女) 진셰(塵世)의 잇시믈 ᄭᆡ돗지 못ᄒᆞ여, 낭원(閬苑)[1044]의 션ᄋᆞ(仙娥)를 구경홈 ᄀᆞᆺ고, 신부 님시 ᄯᅩᄒᆞᆫ 당ᄃᆡ 일ᄉᆡᆨ이라. 군쥬긔 여러 층 나으니 뎡국공과 조부인의 안고(眼高)ᄒᆞ시미 ᄌᆞ연 틱악(泰岳) ᄀᆞᆺᄐᆞ여, 군쥬 ᄀᆞᆺᄐᆞᆫ 미ᄉᆡᆨ은 ᄀᆞ장 우이 넉이ᄂᆞᆫ 거동이니, 군쥬의 명예를 《모르미‖모호미》 ᄀᆞ장 어려온지라. 오즉 흔ᄒᆞᆫ 금은을 흣터 인심을 취합ᄒᆞ고 힝신만ᄉᆞ(行身萬事)의 긴 거슬 낫타ᄂᆡ고 져른 거슬 ᄀᆞᆷ초아 희미ᄒᆞᆫ 허믈도 낫타ᄂᆡ지 마르소셔."

1043)쇼블인즉난대뫼(小不忍卽難大謀) : 작은 것을 참지 못하면 큰 꾀를 이룰 수 없다.

1044)낭원(閬苑) : 곤륜산(崑崙山)의 꼭대기에 있다는 신선이 산다고 하는 선계(仙界). =낭풍요지(閬風瑤池).

셜빈이 비읍 왈,

"상궁의 ᄀᆞᄅᆞ치미 이 ᄀᆞᆺᄐᆞ니 내 엇디 밧드디 아니리오마ᄂᆞᆫ, 본궁의 이실 ᄊᆡ 부왕과 모비의 ᄌᆞᄋᆡ를 밧ᄌᆞ와 사ᄅᆞᆷ의 염박히 녁이ᄂᆞᆫ 긔ᄉᆡᆨ을 밧디 아녓더니, 명되 긔구ᄒᆞ여 하가의 속현ᄒᆞᄆᆡ 신혼 초야의 그 박졍염고(薄情厭苦)ᄒᆞᄂᆞᆫ 거동이 ᄒᆡᆼ노(行路) ᄀᆞᆺᄐᆞ니, 내 일ᄉᆡᆼ이 가부의게 달녓거ᄂᆞᆯ, 가부의 ᄃᆡ졉이 이 ᄀᆞᆺᄐᆞᆫ 후, 만니젼졍(萬里前程)의 즐거오미 어이 이시리오. 상궁은 내 심폐를 ᄇᆞᆰ히 빗최니, 내 실노 상궁을 미드미 모비 버금이라. 기리 나의 일ᄉᆡᆼ을 도모ᄒᆞ여 박명디인(薄命之人)이 되게 말나."

연상궁이 위로ᄒᆞ여 앗춤 문안의 참예ᄒᆞ고, 브ᄃᆡ 인심을 취합ᄒᆞ여 대ᄉᆞ를 도【60】모ᄒᆞ려 ᄒᆞ더라.

이ᄊᆡ 공ᄌᆡ 셜빈을 ᄎᆔᄒᆞᄆᆡ ᄃᆡᄒᆞ미 아닛ᄉᆞᆯ을 ᄲᅮᆫ 아니라, 뎡시를 ᄎᆔᄒᆞᆯ 긔약이 머러디고, 부공이 ᄌᆞ긔 심ᄉᆞ를 살피디 아니시니 감히 회포를 고ᄒᆞᆯ 길 업셔, 울울ᄒᆞᆫ ᄯᅳᆺ이 시시로 층가ᄒᆞᄂᆞᆫ디라. 슉식이 편치 못ᄒᆞ여 다시 셩딜(成疾)ᄒᆞ게 되니, 초공이 근심ᄒᆞ여 ᄉᆞ리로 ᄎᆡᆨᄒᆞ고 경계ᄒᆞ여, 명츈을 기다려 뎡시를 ᄎᆔᄒᆞ라 ᄒᆞ니, 공ᄌᆡ 미우를 ᄶᅵᆼ긔여 왈,

"쇼뎨 ᄒᆞᆫ갓 뎡시를 ᄎᆔ치 못ᄒᆞ여 울울ᄒᆞᄂᆞᆫ 거시 아니라, 셜빈의 얼골을 ᄒᆞᆫ 번 본 후로 의ᄉᆡ 찬 ᄌᆡ ᄀᆞᆺᄐᆞ여, 요믈을 집의 머므른 후ᄂᆞᆫ, 비록 뎡시를 ᄎᆔᄒᆞ여도 편히 화락기를 긔필치 못ᄒᆞ리니, 사ᄅᆞᆷ마다 셜빈의 얼골이 곱다 ᄒᆞ나, 쇼뎨ᄂᆞᆫ ᄆᆞ음의 박ᄉᆡᆨ만 못ᄒᆞ여 혹ᄌᆞ 신혼셩졍(晨昏省定)[1339]의 만날가 겁ᄒᆞᄂᆞᆫ ᄇᆡ라. 부부ᄉᆞ졍은 의【61】논치 말고 신혼 초일노브터 ᄆᆡ오미 극ᄒᆞ니, 딘실노 셜빈을 가ᄂᆡ의 둘딘ᄃᆡ, 쇼뎨ᄂᆞᆫ 블쵸ᄌᆞ(不肖子) 될디라도 집을 ᄯᅥ나 요녀를 ᄃᆡ치 아니랴 ᄒᆞᄂᆞ이다."

1339)신혼셩졍(晨昏省定) : 신성(晨省)과 혼정(昏定). 곧 밤에는 부모의 잠자리를 보아 드리고 이른 아침에는 부모의 밤새 안부를 묻는다는 뜻으로, 부모를 잘 섬기고 효성을 다함을 이르는 말.

셜빈이 비읍 왈,

"상궁의 가르치미 이 ᄀᆞᆺᄐᆞ니 내 엇지 밧드지 아니리【155】오마ᄂᆞᆫ, 본궁의 잇실 ᄊᆡ 부왕과 모비의 ᄌᆞᄋᆡ를 밧ᄌᆞ와 샤ᄅᆞᆷ의 념박히 녁이ᄂᆞᆫ 긔ᄉᆡᆨ을 밧지 아녓더니, 명되 긔구ᄒᆞ여 하가의 속현ᄒᆞᄆᆡ 신혼 초야의 그 박졍염고(薄情厭苦)ᄒᆞᄂᆞᆫ 거동이 ᄒᆡᆼ노(行路) ᄀᆞᆺᄐᆞ니, 내 일ᄉᆡᆼ이 가부의게 달녓거ᄂᆞᆯ, 가부의 ᄃᆡ졉이 이 ᄀᆞᆺᄐᆞᆫ 후, 만니젼졍(萬里前程)의 즐거오미 어이 잇시리오. 상궁운 ᄂᆡ 심폐를 ᄇᆞᆰ히 빗최니, ᄂᆡ 실노 상궁을 미드미 모비 버금이라. 기리 나의 일ᄉᆡᆼ을 도모ᄒᆞ여 박명지인(薄命之人)이 되게 말나."

연상궁이 위로ᄒᆞ여 앗춤 문안의 참녜ᄒᆞ고, 부ᄃᆡ 인심을 취합ᄒᆞ여 ᄃᆡᄉᆞ를 도모ᄒᆞ려 ᄒᆞ더라.

이 ᄊᆡ 공ᄌᆡ 셜빈을 ᄎᆔᄒᆞᄆᆡ ᄃᆡᄒᆞ미 아닛ᄉᆞᆯ을 ᄲᅮᆫ 아니라, 뎡씨를 ᄎᆔᄒᆞᆯ 긔약이 머러지고, 부친이 ᄌᆞ긔 심ᄉᆞ를 ᄉᆞᆯ피지 아니시니 감히 회포를 고【156】ᄒᆞᆯ 길 업셔, 울울ᄒᆞᆫ ᄯᅳᆺ이 시시로 층가ᄒᆞᄂᆞᆫ지라. 슉식이 편치 못ᄒᆞ여 다시 셩질(成疾)ᄒᆞ게 되니, 초공이 근심ᄒᆞ여 ᄉᆞ리로 ᄎᆡᆨᄒᆞ고 경계ᄒᆞ여, 명츈을 기다려 뎡씨를 ᄎᆔᄒᆞ라 ○○[ᄒᆞ니], 공ᄌᆡ 미우를 ᄶᅵᆼ긔고 왈,

"소뎨 ᄒᆞᆫ갓 뎡씨를 ᄎᆔ치 못ᄒᆞ여 울울ᄒᆞᄂᆞᆫ 거시 아니라, 셜빈의 얼골을 ᄒᆞᆫ 번 본 후로 의ᄉᆡ 찬 ᄌᆡ ᄀᆞᆺᄐᆞ여, 요믈을 집의 머므른 후ᄂᆞᆫ 비록 뎡씨를 ᄎᆔᄒᆞ여도 편히 화락기를 긔필치 못ᄒᆞ리니, 샤ᄅᆞᆷ마다 셜빈의 얼골이 곱다 ᄒᆞ나, 소뎨ᄂᆞᆫ 마음의 박ᄉᆡᆨ만 못ᄒᆞ여 혹ᄌᆞ 신혼셩졍(晨昏省定)[1045]의 만날가 겁ᄒᆞᄂᆞᆫ ᄇᆡ라. 부부ᄉᆞ졍은 의논치 말고 신혼 초일노브터 ᄆᆡ오미 극ᄒᆞ니, 진실노 셜빈을 가ᄂᆡ의 둘진ᄃᆡ, 소뎨ᄂᆞᆫ 블쵸ᄌᆞ(不肖子) 될지라도 집을 ᄯᅥ나 요녀를 ᄃᆡ치 아니랴 ᄒᆞᄂᆞ이다."【157】

1045)신혼셩졍(晨昏省定) : 신성(晨省)과 혼정(昏定). 곧 밤에는 부모의 잠자리를 보아 드리고 이른 아침에는 부모의 밤새 안부를 묻는다는 뜻으로, 부모를 잘 섬기고 효성을 다함을 이르는 말.

초공이 뎡ᄉᆡᆨ 왈,

"너의 언ᄒᆡᆼ이 ᄒᆞᆫ 일도 군ᄌᆞ의 덕이 업고, 광망패악(狂妄悖惡)기만 젼쥬(專主)ᄒᆞ니 엇디 통ᄒᆡ치 아니리오. 네 초의 뎡시를 ᄉᆞ모ᄒᆞ미 질을 일워, ᄒᆞᆫ갓 남 들니기 븟그러올 ᄲᅮᆫ 아니라, ᄉᆞ류의 ᄇᆞᆰ은 ᄒᆡᆼ실이 아니오, 무식ᄌᆞ(無識者)의 경덕취ᄉᆡᆨ(輕德取色)ᄒᆞᄂᆞᆫ ᄆᆞ음이니, 실노 너의 위인을 니를딘ᄃᆡ, 우리 부뫼 슬하참쳑(膝下慘慽)이 엇디 상ᄒᆞ신 심졍이며, 내 ᄯᅩ 동긔의 상변(喪變)의 놀나고 슬프미 엇더ᄒᆞ뇨? ᄎᆞ고(此故)로 네 죽은즉 셜샹가상(雪上加霜)이라. ○[내] 낫가족을 십분 ᄃᆞᆺ거이 ᄒᆞ고 금후 년슉긔 여ᄎᆞᄎᆞ 청혼ᄒᆞ여 허락을 엇고, 너의 등양ᄒᆞ믈 기다려 뎡시○[를] 취코져 ᄒᆞ거ᄂᆞᆯ, 그 ᄉᆞ이를 ᄎᆞᆷ디 못ᄒᆞ여, 【62】 셜빈 군쥐 비록 네 ᄆᆞ음의 블합ᄒᆞ나 아조 '요믈'노 ᄎᆡ워, '가ᄂᆡ의 머므른즉 {너ᄂᆞᆫ} 부모 슬하를 ᄠᅥ나렷노라' ᄒᆞ니, 긔 어인 말이뇨? 사ᄅᆞᆷ이 셰샹의 나 부모의 구로디은(劬勞之恩)을 ᄉᆡᆼ각ᄒᆞᆯ딘ᄃᆡ, 호텬(昊天)이 무애(无涯)ᄒᆞ여 갑ᄉᆞ올 바를 아디 못ᄒᆞ려든, 너ᄂᆞᆫ 대인과 태태 ᄌᆞᄋᆡ를 아디 못ᄒᆞ고 ᄆᆞ음의 듕히 넉이ᄂᆞᆫ 밧ᄌᆡ 뎡시 ᄯᆞᄅᆞᆷ이니, 아ᄃᆡᆨ 취토 아닌 녀ᄌᆞ를 위ᄒᆞ여 이ᄃᆡ도록 ᄒᆞᆯ 니 이시리오. 고인 왈, '쳐ᄌᆞᄂᆞᆫ 의복(衣服) ᄀᆞᆺ고 동긔ᄂᆞᆫ 슈족(手足) ᄀᆞᆺ다' ᄒᆞ여시니, 너ᄂᆞᆫ 다만 뎡시를 ᄉᆞ상ᄒᆞ기의 다ᄃᆞ라ᄂᆞᆫ 인ᄉᆞ를 니져 ᄉᆡᆼ을 도라보디 아니ᄒᆞ고, 셜빈을 ᄒᆞᆫ 허믈도 보디 못ᄒᆞ여셔 연고 업시 염박(厭薄)ᄒᆞ여, 부모긔 니측ᄒᆞ믈 조금도 어려이 넉이ᄂᆞᆫ ᄇᆡ 업고, 우형의 ᄆᆞ음을 아디 못ᄒᆞ니 엇디 블초무상(不肖無狀)ᄒᆞ미 이의 밋출 줄 알니오. 우○[리] 대인 【63】 의 명셩(明聖)ᄒᆞ신 교훈 ᄀᆞ온ᄃᆡ 너 ᄀᆞᆺᄐᆞᆫ 괴이ᄒᆞᆫ 거시 이시믈 ᄋᆡ돌나 ᄒᆞ나니, 모로미 ᄒᆡᆼ신을 가다듬아 블의패도(不義悖道)의 ᄲᆡ디디 말나."

원챵이 ᄌᆡᄇᆡ 샤죄ᄒᆞ고, 셜빈을 신혼 초야의 얼프시 본 후ᄂᆞᆫ 다시 면목(面目)을 상견ᄒᆞᄂᆞᆫ 일 업고, 쥬야 뎡쇼져를 ᄉᆞ샹ᄒᆞ미 낙방ᄒᆞ믈 ᄋᆡ돌나 ᄒᆞ미 무궁ᄒᆞ고, 심회를 둘

초공이 졍ᄉᆡᆨ 왈,

"너의 언ᄒᆡᆼ이 ᄒᆞᆫ 일도 군ᄌᆞ의 덕이 업고 광망ᄑᆡ악(狂妄悖惡)기만 젼쥬ᄒᆞ니 엇지 통ᄒᆡ치 아니리오. 네 초의 뎡씨를 ᄉᆞ모ᄒᆞ미 질을 닐위미 ᄒᆞᆫ갓 남 들니기 븟그러올 ᄲᅮᆫ 아니라, ᄉᆞ류의 ᄇᆞᆰ은 ᄒᆡᆼ실이 아니오, 무식ᄌᆞ(無識者)의 경덕취ᄉᆡᆨ(輕德取色)ᄒᆞᄂᆞᆫ 마음이니, 실노 너의 위인을 니를진ᄃᆡ 죽어도 앗가오미 업ᄉᆞᄃᆡ, 우리 부뫼 슬하참쳑(膝下慘慽)이 엇지 상ᄒᆞ신 심졍이며, 내 ᄯᅩ 동긔의 상변(喪變)의 놀나고 슬프미 엇더ᄒᆞ뇨? ᄎᆞ고로 네 죽은즉 셜샹가상(雪上加霜)이라. ○[내] 낫가족을 십분 ᄃᆞᆺ거이 ᄒᆞ고 금후 년슉긔 여ᄎᆞ여ᄎᆞ 청혼ᄒᆞ여 허락을 엇고, 너의 등양ᄒᆞ믈 기ᄃᆞ려 뎡씨를 취코져 ᄒᆞ거ᄂᆞᆯ, 그 ᄉᆞ이를 참지 못ᄒᆞ여, 셜빈 군쥐 비록 네 마음의 블합ᄒᆞ나 아조 '요물'노 ᄎᆡ워, 【158】 '가ᄂᆡ의 머므른즉 {너ᄂᆞᆫ} 부모 슬하를 ᄠᅥ나렷노라' ᄒᆞ니, 그 어인 말이뇨? 샤ᄅᆞᆷ이 셰샹의 나 부모의 구로지은(劬勞之恩)을 ᄉᆡᆼ각ᄒᆞᆯ진ᄃᆡ, 호텬(昊天)이 무ᄋᆡ(无涯)ᄒᆞ여 갑ᄒᆞᆯ 바를 아지 못ᄒᆞ려든, 너ᄂᆞᆫ ᄃᆡ인과 태태 ᄌᆞᄋᆡ를 아지 못ᄒᆞ고 마음의 즁히 넉이ᄂᆞᆫ 밧ᄌᆡ 뎡씨 ᄯᆞᄅᆞᆷ이니, 아ᄃᆡᆨ 취토 아닌 녀ᄌᆞ를 위ᄒᆞ여 이ᄃᆡ도록 ᄒᆞᆯ 니 잇시리오. 고인 왈, '쳐ᄌᆞᄂᆞᆫ 의복 ᄀᆞᆺ고 동긔ᄂᆞᆫ 슈족 ᄀᆞᆺ다' ᄒᆞ엿시니, 너ᄂᆞᆫ 다만 뎡씨를 ᄉᆞ상ᄒᆞ기의 다다라ᄂᆞᆫ 인ᄉᆞ를 니져 ᄉᆡᆼ을 도라보지 아니ᄒᆞ고, 셜빈을 ᄒᆞᆫ 허믈도 보지 못ᄒᆞ여셔 연고 업시 념박(厭薄)ᄒᆞ여, 부모긔 니측ᄒᆞ믈 조곰도 어려이 넉이ᄂᆞᆫ ᄇᆡ 업고, 우형의 마음을 아지 못ᄒᆞ니 엇지 불초무상(不肖無狀) ᄒᆞ미 이의 밋출 줄 알니오. 우리 ᄃᆡ인의 명셩ᄒᆞ【159】신 교훈 ᄀᆞ온ᄃᆡ 너 ᄀᆞᆺᄐᆞᆫ 괴이ᄒᆞᆫ 거시 잇시믈 ᄋᆡ돌나 ᄒᆞ나니, 모로미 ᄒᆡᆼ신을 가ᄃᆞ듬어 블의ᄑᆡ도(不義悖道)를 ᄒᆞ지 말나"

원챵이 ᄌᆡᄇᆡ 샤죄ᄒᆞ고, 셜빈을 신혼 초야의 얼프시 본 후ᄂᆞᆫ 다시 면목을 상견ᄒᆞᄂᆞᆫ 일 업고, 쥬야 뎡소져를 ᄉᆞ샹ᄒᆞ미 낙방ᄒᆞ믈 ᄋᆡ돌나 ᄒᆞ미 무궁ᄒᆞ고, 심회를 둘 곳이 업

곳이 업셔 잇다감 뎡부 ᄃᆡ월누의 나아가 졔창의 청가묘무(清歌妙舞)를 보아 년낙ᄒᆞᆯ ᄲᅮᆫ이오, ᄒᆞᆫᄌᆞ 셔칙을 보ᄂᆞᆫ 일 업시 일월을 보ᄂᆡ더니, 일일은 하공이 ᄇᆡᆨ일경의 나와 원필을 블너 디은 글○[을] ᄂᆡ라 ᄒᆞ여, 일일히 날슈를 혜여 ᄎᆞ례로 보며 시ᄉᆞ(詩詞)의 청고(淸高)ᄒᆞ믈 두굿겨, 날호여 문왈,

"내 원창을 명ᄒᆞ여 널노 더브러 ᄒᆞᆫ가디로 글을 디으라 ᄒᆞ엿더니, 엇디 원챵의 글은 ᄂᆡ디 아닛ᄂᆞ뇨?"

원필이 근간 형이 ᄒᆞᆫ【64】ᄌᆞ 디은 일이 업ᄉᆞ므로 ᄃᆡ답ᄒᆞᆯ 말이 나디 아냐, 오딕 희미히 고ᄒᆞᄃᆡ,

"삼형이 근간 뎡·딘 냥부의 가 글을 짓노라 ᄒᆞ던 거시니, 쇼ᄌᆞᄂᆞᆫ 그 디은 글을 보디 아녓ᄂᆞ이다."

공이 셔동을 명ᄒᆞ여 원챵을 브르라 ᄒᆞ니, 이 날 원챵이 ᄃᆡ월누의셔 술의 대취ᄒᆞ고, 졔창으로 병좌(竝坐)ᄒᆞ여 친히 현금(玄琴)을 농(弄)ᄒᆞ며 가셩(歌聲)을 느리혀, ᄌᆞ긔 유정(有情)ᄒᆞᆫ 바 칠창(七娼) 듕, 연금·분ᄆᆡ 냥창(兩娼)을 명ᄒᆞ여 춤추라 ᄒᆞ더니, 셔동이 ᄃᆡ월누의 니르러 부명을 젼ᄒᆞᄂᆞᆫ디라. ᄉᆡᆼ이 비록 취듕이나 경동(驚動)ᄒᆞ여, ᄌᆞ긔○○○[를 보ᄆᆡ] 낫빗치 연디를 더은 거동이라. 핑계ᄒᆞ고 아니 감도 되디 못ᄒᆞ미오, 가기도 어려워 금현을 노코 이윽이 말 아니ᄒᆞ더니, 공의 셩되 강엄ᄒᆞᆫ 고로 공ᄌᆡ 더ᄃᆡ 오믈 통한ᄒᆞ여 ᄌᆡ촉이 셩화 ᄀᆞᄐᆞ니, 마디 못【65】ᄒᆞ여 의관을 슈렴ᄒᆞ며 취안(醉顔)을 뎡히 ᄒᆞ여 승명(承命) 츄딘(趨進)ᄒᆞᄆᆡ, 공이 눈을 드러 보니 그 취안이 더옥 긔특ᄒᆞ여, 홍년(紅蓮)이 남풍의 웃ᄂᆞᆫ ᄃᆞᆺ, 옥면의 쥬긔(酒氣) 져져, 비록 튝쳑젼뉼(蹙蹐戰慄)ᄒᆞ나 ᄌᆞ연 활발ᄒᆞ미 이셔, 풍뉴걸ᄉᆞ(風流傑士)의 호호방탕(浩浩放蕩)ᄒᆞ미 이시니, 공이 그 풍치를 두굿기나 이ᄀᆞᆺ치 대취ᄒᆞ믈 분노ᄒᆞ여, 이의 문왈,

"내 너를 명ᄒᆞ여 원필과 글을 디으라 ᄒᆞ엿더니, 원필은 슈삭 디은 글을 ᄂᆡᄃᆡ 네 글은 업ᄉᆞ니, 딘부의 가 디으미 잇ᄂᆞ냐?"

셔 잇다감 뎡부 ᄃᆡ월누의 나아가 졔창의 청가묘무(清歌妙舞)를 보아 년낙ᄒᆞᆯ ᄲᅮᆫ이오, ᄒᆞᆫᄌᆞ 셔칙을 보ᄂᆞᆫ 일 업시 일월을 보ᄂᆡ더니, 일일은 하공이 ᄇᆡᆨ일경의 나와 원필을 블너 지은 글○[을] ᄂᆡ라 ᄒᆞ여, 일일히 날슈를 혜여 ᄎᆞ례로 보며 시ᄉᆞ의 청고ᄒᆞ믈 두굿겨, 날호여 문왈,

"내 원창을 명ᄒᆞ여 너노 더브러 ᄒᆞᆫ 가지로 글을 지으라 ᄒᆞ엿더니, 엇지 원챵의 글【160】은 ᄂᆡ지 아닛ᄂᆞ뇨?"

원필이 형이 근간 ᄒᆞᆫ ᄌᆞ 지은 일이 업ᄉᆞ므로 ᄃᆡ답ᄒᆞᆯ 말이 나지 아냐, 오즉 희미히 《ᄒᆞ고∥고ᄒᆞᄃᆡ》,

"삼형이 근간 뎡·진 냥부의 가 글을 짓노라 ᄒᆞ던 거시니, 소ᄌᆞᄂᆞᆫ 그 지은 글을 보지 아낫ᄂᆞ이다."

공이 셔동을 명ᄒᆞ여 원챵을 브르라 ᄒᆞ니, 이 날 원챵이 ᄃᆡ월누의셔 술을 ᄃᆡ취ᄒᆞ고, 졔창으로 병좌ᄒᆞ여 친히 현금을 농ᄒᆞ며 가셩(歌聲)을 느리혀, ᄌᆞ긔 유정ᄒᆞᆫ 바 칠창 즁, 연금·분ᄆᆡ 냥창을 명ᄒᆞ여 춤추라 ᄒᆞ더니, 셔동이 ᄃᆡ월누의 니르러 부명을 젼ᄒᆞᄂᆞᆫ지라. ᄉᆡᆼ이 비록 취즁이나 경동(驚動)ᄒᆞ여, ᄌᆞ긔○○○[를 보ᄆᆡ] 낫빗치 연지를 더은 거동이라. 핑계ᄒᆞ고 아니 감도 되지 못ᄒᆞ미오, 가기도 어려워 금현을 노코 이윽이 말 아니ᄒᆞ더니, 공의 셩되 강【161】엄ᄒᆞᆫ 고로 공ᄌᆡ 더ᄃᆡ 오믈 통한ᄒᆞ여 ᄌᆡ촉이 셩화 ᄀᆞᄐᆞ니, 마지 못ᄒᆞ여 의관을 슈렴ᄒᆞ며 취안(醉顔)을 정히 ᄒᆞ여 승명(承命) 츄진(趨進)ᄒᆞᄆᆡ, 공이 눈을 드러 보니 그 취안이 더욱 긔특ᄒᆞ여, 홍년(紅蓮)이 남풍의 웃ᄂᆞᆫ ᄃᆞᆺ, 옥면의 쥬긔 져져 비록 츅쳑젼뉼(蹙蹐戰慄)ᄒᆞ나 ᄌᆞ연 활발ᄒᆞ미 잇셔, 풍뉴걸ᄉᆞ(風流傑士)의 호호방탕(浩浩放蕩)ᄒᆞ미 잇시니, 공이 그 풍치를 두굿기나 이ᄀᆞᆺ치 ᄃᆡ취ᄒᆞ믈 분노ᄒᆞ여 이의 문왈,

"내 너를 명ᄒᆞ여 원필과 글을 지으라 ᄒᆞ엿더니, 원필은 슈삭 지은 글을 ᄂᆡᄃᆡ 네 글은 업ᄉᆞ니, 진부의 가 지으미 잇ᄂᆞ냐?"

공ᄌᆡ 셜빈을 취ᄒᆞᆫ 후 집의 들면 심홰 셩ᄒᆞᆯ ᄲᆞᆫ이오 ᄒᆞᆨ문의 ᄯᅳᆺ이 업셔, ᄒᆞᆫ 장 디은 글이 업ᄂᆞᆫ디라. 부친이 블시의 ᄎᆞᄌᆞ시믈 당ᄒᆞ여 다힐 말이 업ᄉᆞ니, 관을 ᄉᆞᆨ이고 ᄃᆡ왈,

"쇼ᄌᆡ 슈삭 디은 글을 딘평댱이 보아디【66】라 ᄒᆞ거ᄂᆞᆯ, 작일의 가져 갓더니 금노(金爐) 블이 나려져 졔딘 등의 글과 홈긔《소화ᄒᆞ여시니‖소진(燒盡)ᄒᆞ엿다 ᄒᆞ니》, 이제 가져올 거시 업ᄂᆞᆫ디라. 출하리 면젼의셔 외와 ᄲᅧ 드리리이다."

공이 그 ᄌᆞ미믈 분(忿)히 ᄒᆞᄃᆡ, 뉵십여 장을 일시의 디으라 ᄒᆞ믈 어려이 넉여, 뎡ᄉᆡᆨ 왈,

"슈삭 디은 거ᄉᆞᆯ 다 가져가 소화ᄒᆞᆯ 니 업ᄉᆞ니, 아모커나 초(草) 잡은 거시나 가져 오라."

원창이 ᄒᆞᆫ ᄌᆞ 디은 거시 업ᄉᆞᄃᆡ 외와 ᄡᅳ기를 일홈ᄒᆞ고 디어 ᄂᆡ고져 ᄒᆞ엿더니, 부친이 초 잡은 거시라도 어더 ᄂᆡ라 ᄒᆞ시ᄆᆡ, 블승졀민(不勝切憫)ᄒᆞ다가, 홀연 뎡운긔 디은 글 십여 장이 ᄌᆞ긔 궤듕의 드러시믈 ᄉᆡᆼ각고, 즉시 궤를 열고 글을 ᄂᆡᆯᄉᆡ, 텬셩이 소활ᄒᆞᆫ 고로 ᄌᆞ긔 젼일 뎡쇼져긔 보ᄂᆡ엿던 셔간을 운긔 가져 왓거ᄂᆞᆯ, 업시치 아니코 궤【67】듕의 드리쳣더니1340), 살피디 아니코 모도 잡아 부젼의 드려 왈,

"뉵십여 장 디엇던 거시 슈십여 쟝이 남아시니, ᄉᆞ십여 장은 이제 외와 ᄲᅧ 드리리이다."

공이 말을 아니코 글을 바다 볼ᄉᆡ, 계오 뉵칠 장의 밋쳐 ᄒᆞᆫ 셔간이 이시ᄃᆡ, ᄉᆞ의(辭意) 십분 괴이ᄒᆞ고 필쳬 완연이 원창의 슈작(手作)이라. 블승경악(不勝驚愕)ᄒᆞ여 ᄌᆡ삼 ᄌᆞ셔히 보ᄆᆡ 엇디 모를 니 이시리오. 분명이 원챵이 뎡쇼져긔 븟친 셔간이라. 만심ᄎᆞ악(滿心嗟愕)ᄒᆞ여 면ᄉᆡᆨ이 ᄎᆞᆫ ᄌᆡ ᄀᆞᆺ고 냥안이 둥그러 말을 못ᄒᆞ더니, 원챵이 됴히 운긔 글노ᄲᅧ 부친긔 드리고, ᄉᆞ십여 장은 즉긱의 디으라 ᄒᆞ엿더니, 부친이 믄득 괴이ᄒᆞᆫ

1340)드리치다 : 들이치다. 아무렇게나 던져두다.

공ᄌᆡ 셜빈을 취ᄒᆞᆫ 후 집의 들면 심홰 셩ᄒᆞᆯ ᄲᆞᆫ이오 ᄒᆞᆨ문의 ᄯᅳᆺ이 업셔, ᄒᆞᆫ 장 지은 글이 업ᄂᆞᆫ지라. 부친이 불시○○○○[의 ᄎᆞᄌᆞ시]믈 당ᄒᆞ여 《다ᄒᆞᆯ‖다힐》 말이 업ᄉᆞ니,【162】 관을 ᄉᆞᆨ이고 ᄃᆡ 왈,

"소ᄌᆡ 슈삭 지은 글을 진평장이 보아지리[라] ᄒᆞ거ᄂᆞᆯ, 작일의 가져 갓더니 금노(金爐) 불이 나려져 졔진 등○[의] 글과 홈긔《소화ᄒᆞ엿시니‖소진(燒盡)ᄒᆞ엿다 ᄒᆞ니》, 이졔 가져올 거시 업ᄂᆞᆫ지라. 출하리 면젼의셔 외와 ᄲᅧ 드리리이다."

공이 그 ᄌᆞ미믈 분(憤)히ᄒᆞᄃᆡ, 뉵십여 장을 일시의 지으라 ᄒᆞ믈 어려이 넉여, 정ᄉᆡᆨ 왈,

"슈삭 지은 거ᄉᆞᆯ 다 가져 가 소화ᄒᆞᆯ 니 업ᄉᆞ니, 아모커나 초(草) 잡은 거시나 가져 오라"

원창이 ᄒᆞᆫ ᄌᆞ 지은 거시 업ᄉᆞᄃᆡ 외와 ᄡᅳ기를 일홈ᄒᆞ고 지어 ᄂᆡ고져 ᄒᆞ엿더니, 부친이 초 잡은 거시라도 어더 ᄂᆡ라 ᄒᆞ시ᄆᆡ, 불승졀민(不勝切憫)ᄒᆞ다가, 홀연 뎡운긔 지은 글 십여 장이 ᄌᆞ긔 궤즁의 드러시믈 ᄉᆡᆼ각고, 즉시 궤를 열고 글을 ᄂᆡᆯᄉᆡ, 텬셩이 소활ᄒᆞᆫ 고로 ᄌᆞ긔 젼일 뎡소져긔 보ᄂᆡ엿든 셔간○[을]【163】운긔 가져 왓거ᄂᆞᆯ, 업시치 아니코 궤즁의 드리쳣더니1046), ᄉᆞᆯ피지 아니코 모도 잡아 부젼의 드려 왈,

"뉵십여 장 지엇던 거시 슈십여 쟝이 남아시니, ᄉᆞ십여 장은 이졔 외와 ᄲᅧ 드리리이다."

공이 말을 아니코 글을 바다 볼ᄉᆡ, 계오 뉵칠 장의 밋쳐 ᄒᆞᆫ 셔간이 잇시ᄃᆡ, ᄉᆞ의 십분 긔이ᄒᆞ고 필쳬 완연이 원창의 슈작(手作)이라. 불승경악(不勝驚愕)ᄒᆞ여 ᄌᆡ삼 ᄌᆞ셔히 보ᄆᆡ 엇지 모를 니 이시리오. 분명이 원챵이 뎡소져긔 븟친 셔간이라. 만심ᄎᆞ악(滿心嗟愕)ᄒᆞ여 면ᄉᆡᆨ이 ᄎᆞᆫ ᄌᆡ ᄀᆞᆺ고 냥안이 둥그러 말을 못ᄒᆞ더니, 원챵이 조히 운긔 글노ᄲᅧ 부친긔 드리고, ᄉᆞ십여 장은 즉긱의 지으라 ᄒᆞ엿더니, 부친이 믄득 괴이ᄒᆞᆫ 셔간

1046)드리치다 : 들이치다. 아무렇게나 던져두다.

셔간을 드러 오ᄅᆡ도록 보시거ᄂᆞᆯ, 잠간 눈을 드러 보ᄆᆡ ᄌᆞ긔 젼일 뎡시긔 붓친 글월이라. 비로소 업시치 못ᄒᆞ믈 뉘웃ᄎᆞ나 엇디 밋ᄎᆞ【68】리오. 황황ᄒᆞ여 낫출 드디 못ᄒᆞ고 ᄯᆞ흘 파고 들고 시븐디라. 공이 날호여 원챵을 블너 슬하의 안치고 그 셔간을 가져 문 왈,

"나의 문견이 고루ᄒᆞ여 일즉 이런 비례의 셔찰을 본 일 업ᄉᆞ니, 필톄 완연이 너의 소작이라. 아득ᄒᆞ여 오히려 ᄊᆡᄃᆞᆺ디 못ᄒᆞᄂᆞ니, 네 눌을 향ᄒᆞ여 이런 흉참ᄒᆞᆫ 글을 붓쳣ᄂᆞ뇨? 모로미 {바로미} 바로 고ᄒᆞ라."

공ᄌᆡ 대취ᄒᆞᆫ 듕 부친의 강엄ᄒᆞᆫ 긔ᄉᆡᆨ을 당ᄒᆞ여 이ᄀᆞᆺ치 ᄆᆞ르시믈 당ᄒᆞ니, 한한(寒汗)이 쳠ᄇᆡ(沾背)ᄒᆞ고, 부친의 셩졍을 혜아리ᄆᆡ 유ᄉᆞ디심(有死之心)ᄒᆞ고 무ᄉᆡᆼ디긔(無生之氣)ᄒᆞᄃᆡ, 다시 ᄉᆞ밀 말이 나디 아냐, 면관청죄(免冠請罪) 왈,

"블초ᄋᆞ(不肖兒)의 무상ᄒᆞ믄 대인이 ᄇᆞᆰ히 아르시니, 쇼ᄌᆡ 엇디 긔망ᄒᆞ여 죄 우ᄒᆡ 죄를 더으리잇고?"

이의 젼후 소유를 셰셰히 고ᄒᆞ니, 하공이 ᄎᆞᄎᆞ 《드러오ᄆᆡ‖드러보ᄆᆡ》, 노발(怒髮)이 튱관(衝冠)【69】ᄒᆞ여 이윽이 말을 못ᄒᆞ다가, 녀셩즐왈(厲聲叱曰),

"너의 ᄒᆡᆼᄉᆞ를 드르ᄆᆡ 내 실노 부ᄌᆞ(父子) 되고져 ᄯᅳᆺ이 업ᄂᆞᆫᄃᆡ라. 블초ᄌᆡ 흉패음난(凶悖淫亂)ᄒᆞ나, 오히려 념치 이실딘ᄃᆡ 스ᄉᆞ로 죽어 다시 보디 말고져 시브리니, 오날 너의 목숨이 ᄉᆞᆺ출 줄노 알나."

언필의 ᄉᆞ예(司隸)를 호령ᄒᆞ여 큰 ᄆᆡ를 드리라 ᄒᆞ고, 공ᄌᆞ를 긴긴히 결박ᄒᆞ여 장칙을 더을ᄉᆡ, 이 날 초공과 한님은 됴당의 드러가 나오디 못ᄒᆞ엿고, 공의 좌하의 다만 원필만 뫼셧다가, 형의 슈쟝(受杖)ᄒᆞ믈 보고 심혼이 비월(飛越)ᄒᆞ여, 역시 형을 ᄯᆞ라 계하의 나려 형의 죄를 난화 바드믈 쳥ᄒᆞᄃᆡ, 공이 노분을 발ᄒᆞᄆᆡ 셩픔이 ᄒᆞᆫ 조각 비의(非意)를 용납디 아닛ᄂᆞᆫ디라. 오날ᄂᆞᆯ 피육(皮肉)이 후란(朽爛)ᄒᆞᄂᆞᆫ 바의 ᄉᆡᆼ셰 후 쳐음 듕쟝이라. 비록 튱텬댱긔로 신댱이 언건ᄒᆞ

을 드러 오ᄅᆡ도록 보시거ᄂᆞᆯ, 잠간 눈을 드러 보ᄆᆡ ᄌᆞ긔 젼일 뎡시긔【164】부친 글월이라. 비로소 업시치 못ᄒᆞ믈 뉘웃ᄎᆞ나 엇지 밋ᄎᆞ리오. 황황ᄒᆞ여 낫출 드지 못ᄒᆞ고 ᄯᆞ흘 파고 들고 시븐지라. 공이 날호여 원챵을 블너 슬하의 안치고 그 셔간을 가져 문 왈,

"나의 문견이 고루ᄒᆞ여 일즉 이런 비례의 셔찰을 본 일 업ᄉᆞ니, 필쳬 완연이 너의 글이라. 아득ᄒᆞ여 오히려 ᄊᆡᄃᆞᆺ지 못ᄒᆞᄂᆞ니, 네 누를 향ᄒᆞ여 이런 흉참ᄒᆞᆫ 글을 붓쳣ᄂᆞ뇨? 모로미 바로 고ᄒᆞ라."

공ᄌᆡ ᄃᆡ취ᄒᆞᆫ 즁 부친의 강엄ᄒᆞᆫ 긔ᄉᆡᆨ을 당ᄒᆞ여 이ᄀᆞᆺ치 ᄆᆞ르시믈 당ᄒᆞ니, 한한(寒汗)이 쳠ᄇᆡ(沾背)ᄒᆞ고 부친의 셩졍을 혜아리ᄆᆡ 무ᄉᆡᆼ지긔(無生之氣)ᄒᆞ고 유사지심(有死之心)ᄒᆞᄃᆡ, 다시 ᄉᆞ밀 말이 나지 아냐 면관청죄(免冠請罪) 왈,

"불초ᄋᆞ의 무상ᄒᆞ믄 대인이 ᄇᆞᆰ히 아르시니, 소ᄌᆡ 엇지 긔망ᄒᆞ여 죄【165】우ᄒᆡ 죄를 더으리잇고?"

이의 젼후 소유를 셰셰히 고ᄒᆞ니, 하공이 ᄎᆞᄎᆞ 《드러오ᄆᆡ‖드러보ᄆᆡ》, 노발(怒髮)이 츙관(衝冠)ᄒᆞ여 이윽이 말을 못ᄒᆞ다가, 녀셩즐왈(厲聲叱曰),

"너의 ᄒᆡᆼᄉᆞ를 드르ᄆᆡ 내 실노 부ᄌᆞ(父子) 되고져 ᄯᅳᆺ이 업ᄂᆞᆫ지라. 블초ᄌᆡ 흉ᄑᆡ음난(凶悖淫亂)ᄒᆞ나, 오히려 념치 잇실진ᄃᆡ 스ᄉᆞ로 죽어 다시 보지 말고져 시브리니, 오날 너의 목숨이 ᄉᆞᆺ출 ○[줄]노 알나."

언필의 ᄉᆞ예(司隸)를 호령ᄒᆞ여 큰 ᄆᆡ를 드리라 ᄒᆞ고, 공ᄌᆞ를 긴긴히 결박ᄒᆞ여 장칙을 더을ᄉᆡ, 이 날 초공과 한님은 조당의 드러가 나오지 못ᄒᆞ엿고, 공의 좌하의 다만 원필만 뫼셧다가, 형의 슈쟝(受杖)ᄒᆞ믈 보고 심혼이 비월(飛越)ᄒᆞ여, 녁시 원창을 ᄯᆞ라 계하의 나려 형의 죄를 난화 바드믈 쳥ᄒᆞᄃᆡ, 공이 노분을 발ᄒᆞ여[ᄆᆡ] 셩픔이 ᄒᆞᆫ 조【166】각 비의(非意)를 용납지 아닛ᄂᆞᆫ지라. 오날날 피육(皮肉)이 후란(朽爛)ᄒᆞᄂᆞᆫ 바의 ᄉᆡᆼ셰 후 쳐음 즁쟝이라. 비록 츙텬쟝긔

나 나힌ᄌᆞᆨ 십【70】삼 튱년(沖年)이라. 그 알픔과 놀나오믈 엇디 비ᄒᆞᆯ 곳이 이시리오. 일장의 골졀이 바아디ᄂᆞᆫ ᄃᆞᆺᄒᆞᄃᆡ, 부친의 셩경을 아ᄂᆞᆫ 고로 죽은 ᄃᆞ시 업ᄃᆡ여 듕장을 바드나, 조심ᄒᆞᆷ과 숑연(悚然)ᄒᆞ미 ᄌᆞ긔 죄를 졀졀이 ᄭᆡᄃᆞ라, ᄆᆞᄋᆞᆷ을 구디 잡아 일셩을 요동치 아니ᄒᆞ고, 졈누(點淚)를 먹음디 아니니, 공이 그 견고ᄒᆞᄆᆞᆯ 보ᄆᆡ 등한이 다ᄉᆞ리디 못ᄒᆞᆯ 줄 아라, ᄆᆡ마다 고찰ᄒᆞ여 일장의 셩혈(腥血)[1341]이 님니(淋漓)[1342]ᄒᆞ니, ᄉᆞ예 비록 공ᄌᆞ를 앗기나 공의 호령을 두려 힘을 다ᄒᆞ니, 미급십여장(未及十餘杖)[1343]의 셩혈이 낭ᄌᆞᄒᆞ고 둔육(臀肉)[1344]이 ᄋᆞᆺ쳐져 보기의 무셔온디라.

원필 공ᄌᆡ 황황망극ᄒᆞ여 계하의 업ᄃᆡ여 고두뉴톄(叩頭流涕)ᄒᆞ며 죄를 난호므로ᄡᅧ ᄋᆡ걸ᄒᆞᄃᆡ, 공의 노긔 졈졈 층가ᄒᆞ더니, 홀연 뎡·딘 이공이 협문으로조ᄎᆞ 바로 셔헌의 다ᄃᆞ르니, 거죄 장ᄎᆞᆺ 경참(驚慘)【71】ᄒᆞᆫ디라. 이 아모 연괸 줄 몰나 더옥 의아ᄒᆞᄃᆡ, 슈쟝(受杖)ᄒᆞᄂᆞᆫ ᄌᆡ 머리를 ᄯᆞᄒᆡ 박고 낫출 드ᄂᆞᆫ 일 업고 일셩을 브동ᄒᆞ니, 오히려 원챵인 줄 ᄭᆡᄃᆞᆺ디 못ᄒᆞ고 당의 올나, 하공을 향ᄒᆞ여 왈,

"다ᄉᆞ리ᄂᆞᆫ 죄쉬 뉘완ᄃᆡ 져러ᄐᆞᆺ 상ᄒᆞ기의 밋쳐도 샤(赦)치 아니ᄒᆞᄂᆞ뇨?"

하공이 빈미(嚬眉) 탄왈,

"형이 블초ᄌᆞ 원챵의 죄를 아디 못ᄒᆞ엿관ᄃᆡ 쇼뎨의 다ᄉᆞ리믈 과도타 ᄒᆞᄂᆞ냐? 쇼뎨 비상참쳑(非常慘慽) 후 흉화여ᄉᆡᆼ(凶禍餘生)으로 심긔 약ᄒᆞ여, ᄒᆞᆫ갓 ᄌᆞ식을 니르디 말고 노예라도 요란이 태벌(笞罰)ᄒᆞᄂᆞᆫ 일이 업ᄉᆞᄃᆡ, 원챵의게 다ᄃᆞ라ᄂᆞᆫ 텬뉸디졍을 도라 볼 ᄠᅳᆺ이 업ᄂᆞᆫ디라. ᄒᆞᆫ 일노 만ᄉᆞ를 츄이ᄒᆞᄂᆞ니, 십삼 쇼ᄋᆡ 그러ᄐᆞᆺ 무상ᄒᆞ여 탕음패

1341)셩혈(腥血) : 생혈(生血). 비린내가 나는 피.
1342)님니(淋漓) : 피, 땀, 물 따위의 액체가 방울방울 흘러 흥건한 모양.
1343)미급십여장(未及十餘杖) : 삼십여 장(杖)을 맞지 못하여서.
1344)둔육(臀肉) : 엉덩이 살.

로 신장이 언건ᄒᆞ나 나힌ᄌᆞᆨ 십삼 츙녕(沖齡)이라. 그 알픔과 놀나오믈 엇지 비ᄒᆞᆯ 곳이 이시리오. 일장의 골졀이 바아지ᄂᆞᆫ ᄃᆞᆺᄒᆞᄃᆡ, 부친의 셩경을 아ᄂᆞᆫ 고로 죽은 다시 업ᄃᆡ여 즁장을 바드나, 조심ᄒᆞᆷ과 숑연(悚然)ᄒᆞ미 ᄌᆞ긔 죄를 졀졀이 ᄭᆡᄃᆞ라 마음을 구지 잡아 일셩을 요동치 아니ᄒᆞ고, 졈누(點淚)를 먹음지 아니니, 공이 그 견고ᄒᆞᄆᆞᆯ 보ᄆᆡ 등한이 다ᄉᆞ리지 못ᄒᆞᆯ 줄 아라, ᄆᆡ마다 고찰ᄒᆞ여 일장의 셩혈(腥血)[1047]이 님니(淋漓)[1048]ᄒᆞ니, ᄉᆞ예 비록 공ᄌᆞ를 앗기나 공의 호령을 두려 힘을 다ᄒᆞ니, 미급십여장(未及十餘杖)[1049]의 셩혈이 낭ᄌᆞᄒᆞ고 둔육(臀肉)[1050]이 ᄋᆞᆺ쳐져 보기의 무【167】셔온지라.

원필 공ᄌᆡ 황황망극ᄒᆞ여 계하의 업ᄃᆡ여 고두뉴톄(叩頭流涕)ᄒᆞ며 죄를 난호므로ᄡᅧ ᄋᆡ걸ᄒᆞᄃᆡ, 공의 노긔 졈졈 층가ᄒᆞ더니, 홀연 뎡·진 이공이 협문으로조ᄎᆞ 바로 셔헌의 다다르니, 거죄 장ᄎᆞᆺ 경참(驚慘)ᄒᆞᆫ지라. 이 아모 연괸 줄 몰나 더욱 의아ᄒᆞᄃᆡ, 슈장(受杖)ᄒᆞᄂᆞᆫ ᄌᆡ 머리를 ᄯᆞᄒᆡ 박고 낫출 드ᄂᆞᆫ 일 업고 일셩을 부동ᄒᆞ니, 오히려 원챵인 줄 ᄭᆡᄃᆞᆺ지 못ᄒᆞ고 당의 올나, 하공을 향ᄒᆞ여 왈,

"다ᄉᆞ리ᄂᆞᆫ 죄쉬 뉘완ᄃᆡ 져러ᄐᆞᆺ 상ᄒᆞ기의 밋쳐도 ᄉᆞ(赦)치 아니ᄒᆞᄂᆞ뇨?"

하공이 빈미(嚬眉) 탄왈,

"형이 불초ᄌᆞ 원챵의 죄를 아지 못ᄒᆞ엿관ᄃᆡ 소뎨의 다ᄉᆞ리믈 과도타 ᄒᆞᄂᆞ뇨? 소뎨 비상참쳑(非常慘慽) 후 흉화여ᄉᆡᆼ(凶禍餘生)으로 심긔 약ᄒᆞ여, ᄒᆞᆫ갓 ᄌᆞ식을 니르지 말【168】고 노예라도 요란이 ᄐᆡ벌(笞罰)ᄒᆞᄂᆞᆫ 일이 업ᄉᆞᄃᆡ, 원챵의게 다다라ᄂᆞᆫ 텬뉸지졍을 도라 볼 ᄠᅳᆺ이 업ᄂᆞᆫ지라. ᄒᆞᆫ 일노 만ᄉᆞ를 츄이ᄒᆞᄂᆞ니, 십삼 소ᄋᆡ 그러ᄐᆞᆺ 방일 무상ᄒᆞ

1047)셩혈(腥血) : 생혈(生血). 비린내가 나는 피.
1048)님니(淋漓) : 피, 땀, 물 따위의 액체가 방울방울 흘러 흥건한 모양.
1049)미급십여장(未及十餘杖) : 삼십여 장(杖)을 맞지 못하여서.
1050)둔육(臀肉) : 엉덩이 살.

려(蕩淫悖戾)ᄒᆞ고, 어버이 이시믈 아디 못ᄒᆞᄂᆞᆫ ᄌᆞ식○[을] ᄉᆞᆯ와 둘딘ᄃᆡ 문호의 대홰 되리니, 【72】골육상잔(骨肉相殘)이 고금대변(古今大變)이나, 져를 아조 이 ᄣᅵ의 맛쳐 타일디화(他日之禍)를 당치 말고져 ᄒᆞᄂᆞ니, 형은 말니디 말디어다."

뎡·딘 이공이 대경ᄒᆞ여 ᄲᅢᆯ니 당하의 나려가, 그 ᄆᆡᆫ 거ᄉᆞᆯ 그르고 ᄉᆞ예를 ᄡᅮ디져 믈니치ᄆᆡ, 하공이 ᄋᆞᄌᆞ를 샤홀 ᄯᅳᆺ이 업ᄉᆞᄃᆡ, 뎡·딘 이공이 친히 그르ᄂᆞᆫ 바를 믈니치 못ᄒᆞ여 다시 말을 아니니, 뎡공이 한삼(汗衫)1345)을 ᄡᅧ혀 그 흐르ᄂᆞᆫ 피를 업시코져 ᄒᆞ나, 둔육이 웃쳐져 셩혈이 돌츌ᄒᆞ니, ᄉᆡᆼ의 얼골이 청옥(靑玉) ᄀᆞᆺᄐᆞ여 암암(暗暗)이 인ᄉᆞ를 바려시ᄆᆡ, 금휘 혀ᄎᆞ 왈,

"퇴디의 어딜므로ᄡᅧ ᄌᆞ식을 이ᄀᆞᆺ치 듕타 ᄒᆞ믄 실시녀외(實是慮外)라. ᄌᆞ균이 방탕ᄒᆞ여 삼가디 못ᄒᆞ미 이시나, 죵용이 경계ᄒᆞ여도 그 춍명ᄒᆞ미 족히 허믈을 곳치고, 부【73】형의 은혜를 감격ᄒᆞ여 뎡도의 나아가려든, 부ᄌᆞ의 디극ᄒᆞᆫ ᄌᆞᄋᆡ를 ᄉᆡᆼ각디 아니코, 그 ᄉᆞᄉᆡᆼ을 도라보디 아냐 이ᄃᆡ도록 엄치(嚴治)ᄒᆞ니, 엇디 모디디 아니리오."

이리 니르며, 원창을 붓드러 방듕의 누이ᄃᆡ, 공지 혼혼ᄒᆞ여 아모란 줄을 모로ᄂᆞᆫ디라. 하공이 분을 프디 못ᄒᆞ여 미우를 찡긔여 왈,

"형은 패ᄌᆞ(悖子)의 흉음(凶淫)ᄒᆞ믈 거의 알니니, 엇디 쇼뎨다려 닐너 다ᄉᆞ리게 아니코 모로ᄂᆞᆫ 쳬ᄒᆞᄂᆞ뇨?"

뎡공이 원챵의 듕장ᄒᆞ믈 앗겨 머리를 흔드러 왈,

"형으로 더브러 듁마붕우(竹馬朋友)로 셔로 심담이 빗최니, 말을 발치 아냐 ᄯᅳᆺ을 알디라. 딘실노 형이 이ᄃᆡ도록 강악(强惡)ᄒᆞ믈 아디 못ᄒᆞ엿더니, 오날ᄂᆞᆯ의 알미 놀납고 ᄎᆞ악ᄒᆞ믈 니긔디 못ᄒᆞ리로다."

1345)한삼(汗衫) : 손을 가리기 위하여서 두루마기, 소창옷, 여자의 저고리 따위의 윗옷 소매 끝에 흰 헝겊으로 길게 덧대는 소매. ≒백수(白袖).

여 탕음픽려(蕩淫悖戾)ᄒᆞ고, 어버이 잇시믈 아지 못ᄒᆞᄂᆞᆫ ᄌᆞ식을 살와 둘진ᄃᆡ 문호의 대홰 되리니, 골육상잔(骨肉相殘)이 고금대변(古今大變)이나, 져를 아조 이 ᄣᅵ의 맛쳐 타일지화(他日之禍)를 당치 말고져 ᄒᆞᄂᆞ니, 형은 말니지 말지어다."

뎡·진 이공이 ᄃᆡ경ᄒᆞ여 ᄲᅢᆯ니 당하의 나려가, 그 ᄆᆡᆫ 거ᄉᆞᆯ 그르고 ᄉᆞ예를 ᄡᅮ지져 믈니치ᄆᆡ, 하공이 ᄋᆞᄌᆞ를 샤홀 듯[ᄯᅳᆺ]이 업ᄉᆞᄃᆡ, 뎡·진 이공이 친히 그르ᄂᆞᆫ 바를 믈니치지 못ᄒᆞ여 다시 말을 아니니, 뎡공이 한삼(汗衫)1051)을 ᄡᅧ혀 그 흐르ᄂᆞᆫ 피를 업시코져 ᄒᆞ나, 둔육이 웃쳐져 셩혈이 【169】돌츌ᄒᆞ니, ᄉᆡᆼ의 얼골이 청옥(靑玉) ᄀᆞᆺᄐᆞ여 암암(暗暗)이 인ᄉᆞ를 바려시ᄆᆡ, 금휘 혀ᄎᆞ 왈,

"퇴지의 어질기로ᄡᅧ ᄌᆞ식을 이ᄀᆞᆺ치 즁타 ᄒᆞ믄 실시녀외(實是慮外)라. ᄌᆞ슌이 방탕ᄒᆞ여 삼가지 못ᄒᆞ미 잇시나, 죵용이 경계ᄒᆞ여도 그 총○[명]ᄒᆞ미 족히 허믈을 곳치고 부형의 은혜를 감격ᄒᆞ여 졍도의 나아가려든, 부ᄌᆞ의 지극ᄒᆞᆫ ᄌᆞᄋᆡ를 ᄉᆡᆼ각지 아니코, 그 ᄉᆞᄉᆡᆼ을 도라보지 아냐 이ᄃᆡ도록 엄치(嚴治)ᄒᆞ니, 엇지 모지지 아니리오."

이리 니르며 원창을 붓드러 방즁의 누이ᄃᆡ ,공지 혼혼ᄒᆞ여 아모란 줄을 모로ᄂᆞᆫ지라. 하공이 분을 프지 못ᄒᆞ여 미우를 찡긔여 왈,

"형은 픽ᄌᆞ(悖子)의 흉음(凶淫)ᄒᆞ믈 거의 알니니, 엇지 소제다려 닐너 다ᄉᆞ리게 아니코 모로ᄂᆞᆫ 쳬 ᄒᆞᄂᆞ뇨?"

뎡공이 원챵의 즁【170】장ᄒᆞ믈 앗겨 머리를 흔드러 왈,

"형으로 더브러 쥭마붕우(竹馬朋友)로 셔로 심담이 빗최니, 말을 발치 아냐 ᄯᅳᆺ슬 알지라. 진실노 형이 이ᄃᆡ도록 강악(强惡)ᄒᆞ믈 아지 못ᄒᆞ엿더니, 오날날의 알미 놀납고 ᄎᆞ악ᄒᆞ믈 니긔지 못ᄒᆞ리로다."

1051)한삼(汗衫) : 손을 가리기 위하여서 두루마기, 소창옷, 여자의 저고리 따위의 윗옷 소매 끝에 흰 헝겊으로 길게 덧대는 소매. ≒백수(白袖).

딘태상이 말을【74】니어 하공의 강악ᄒᆞ믈 니르니, 공이 도로혀 미쇼 왈,

"냥위 형이 이러ᄐᆞᆺ 쇼뎨의 모딜믈 니르니, 쇼뎨 딘실노 가쇼로오믈 니긔디 못ᄒᆞᆯ ᄇᆡ라. 윤보 형은 창ᄇᆡᆨ ᄀᆞᄐᆞᆫ ᄋᆞ들이라도 관샤ᄒᆞᄂᆞᆫ 일이 업고, 딘형은 ᄌᆞ딜의 유죄무죄를 살피디 아냐, 일분이나 그 ᄯᅳᆺ의 블합ᄒᆞ미 이시면 혈육이 상ᄒᆞ믈 혜디 아니니, 쇼뎨 ᄆᆡ양 과격히 넉이더니, 금일 블초패ᄌᆞ를 다ᄉᆞ리ᄆᆡ 조금도 모딘 일이 업거ᄂᆞᆯ, 뎡·딘 이형이 이ᄀᆞᆺ치 ᄉᆞ닷ᄂᆞ뇨?"

금후와 딘 태상이 원창을 구호ᄒᆞ여 입의 약을 드리오고 상쳐의 약을 바르니, 가장 오린 후 인ᄉᆞ를 출히더라【75】

진《평장∥ᄐᆡ상》이 말을 니어 하공의 강악ᄒᆞ믈 니르니, 공이 도로혀 미소 왈,

"냥위 형이 이러ᄐᆞᆺ 소뎨의 모질믈 니르니, 소뎨 진실노 가소로오믈 니긔지 못ᄒᆞᆯ ᄇᆡ라. 윤보 형은 창ᄇᆡᆨ ᄀᆞᄐᆞᆫ ᄋᆞ들이라도 관샤ᄒᆞᄂᆞᆫ 일이 업고, 진형은 ᄌᆞ딜의 유죄무죄를 ᄉᆞᆯ피지 아냐, 일분이나 그 ᄯᅳᆺ의 블합ᄒᆞ미 잇시면 혈육이 상ᄒᆞ믈 혜지 아니니, 소뎨 ᄆᆡ양 과격히 넉이더니, 금일 블초ᄑᆡᄌᆞ를 다ᄉᆞ리ᄆᆡ 조금도 모진 일이 업거ᄂᆞᆯ, 뎡·진 이형이 이ᄀᆞᆺ치【171】 ᄉᆞ짓ᄂᆞ뇨?"

금후와 진ᄐᆡ상이 원창을 구호ᄒᆞ여 입의 약을 드리오고 장쳐의 약을 바르ᄆᆡ, ᄀᆞ장 오란 후 인ᄉᆞ를 출혀,

명듀보월빙 권디구십뉵

익셜 뎡·딘 이공이 원창을 구호ᄒᆞ여 입의 약을 드리오고 상쳐의 약을 바르ᄆᆡ, 가장 오란 후 인ᄉᆞ를 출혀, 부친과 뎡·딘 이공을 보고 참황튝쳑(慙惶蹙蹐)ᄒᆞ여 아모리 ᄒᆞᆯ 줄 모르ᄂᆞᆫ 바의, 초공과 한님이 됴당으로셔 도라와 부젼의 뵈ᄋᆞᆸ고, 반일 존후를 뭇ᄌᆞᆸ다가, 원창을 보고 경악ᄒᆞ여 낫빗ᄎᆞᆯ 변ᄒᆞ니, 금후와 딘태상이 원창의 슈장ᄒᆞ믈 니르고, 그 ᄉᆞ싱이 위ᄐᆡᄒᆞ믈 일ᄏᆞ라 앗기믈 마디 아니니, 초공과 한님이 놀나오믈 니긔디 못ᄒᆞᄃᆡ 감히 일언을 못ᄒᆞ고, 금휘 원창의 손을 잡아 됴심 됴리ᄒᆞ믈 니르니, 원창이 대참ᄒᆞ여 능히 낫출 드디 못ᄒᆞ고, 죽은ᄃᆞ시 머리를 벼개의 더디ᄂᆞᆫ디【1】라. 하공이 엇디 부ᄌᆞ디졍으로 앗기디 아니리오마ᄂᆞᆫ, 그 위인이 호일(豪逸)ᄒᆞ믈 통히ᄒᆞ여 짐즛 금후를 향ᄒᆞ여 왈,

"쇼뎨 쳐소의 블초ᄌᆡ 누으니 ᄎᆞ마 패ᄌᆞ를 ᄃᆡ치 못ᄒᆞᆯ디라. 뎡형과 딘형은 날노 더브러 담화ᄒᆞ다가 도라가라."

뎡공이 하공의 ᄆᆡ몰 ᄂᆡᆼ박(冷薄)ᄒᆞ믈 니르며, 하공이 몸을 니러 듕헌(中軒)으로 나가니, 금후와 딘공이 ᄯᆞ라 드러가 죵일 담화ᄒᆞ다가 도라가니라.

이 ᄣᆡ 초공과 한님이 공ᄌᆞ를 븟드러 쥬야 구호ᄒᆞᄆᆡ 정셩이 아니 밋ᄎᆞᆫ 곳이 업ᄉᆞ니, 슈월이 디나ᄆᆡ 졈졈 ᄎᆞ도의 이셔 능히 긔거 ᄒᆡᆼ보를 일우ᄆᆡ, 비로소 소세(梳洗)를 일우고 부모긔 신셩ᄒᆞᄆᆡ, 하공이 엄히 경계ᄒᆞ여 능히 뎡도의 나아가게 ○○[ᄒᆞ니], 셜홰 무궁ᄒᆞᄃᆡ 대강만 긔록ᄒᆞ니라.

공ᄌᆡ【2】부친의 샤를 어더 병신(病身)이 의구ᄒᆞᄆᆡ, 초공이 ᄆᆡ양 셜빈의 침소의 가 숙소ᄒᆞ믈 니르면, 공ᄌᆡ ᄃᆡ왈,

"쇼뎨 비록 밤을 져 곳의 가 ᄌᆞ오나, 셜빈을 ᄃᆡᄒᆞ면 심졍이 상ᄒᆞ여 밋쳐 ᄂᆡ닷기 쉬올가 ᄒᆞᄂᆞ이다."

초공이 그러히 넉이나 ᄌᆡ삼 과도ᄒᆞ믈 칙

부친과 뎡·진 이공을 보고 참황츅쳑(慙惶蹙蹐)ᄒᆞ여 아모리 ᄒᆞᆯ 줄 모로ᄂᆞᆫ 바의, 초공과 한님이 조당으로셔 도라와 부젼의 뵈ᄋᆞᆸ고, 반일 존후를 뭇ᄌᆞᆸ다가, 원창을 보고 경악ᄒᆞ여 낫빗ᄎᆞᆯ 변ᄒᆞ니, 금후와 진ᄐᆡ상이 원창의 슈장ᄒᆞ믈 니르고 그 ᄉᆞ싱이 위ᄐᆡᄒᆞ믈 일ᄏᆞ라 앗기믈 마지 아니니, 초공과 한님이 놀나오믈 니긔지 못ᄒᆞᄃᆡ 감히 일언을 못ᄒᆞ고, 금휘 원창의 손을 잡아 조심 조리ᄒᆞ믈 니르니, 원창이 대참ᄒᆞ여 능히 낫출 드지 못ᄒᆞ고 죽은ᄃᆞ시 머리를 벼ᄀᆡ의 더지ᄂᆞᆫ지라. 하공이 엇지 부ᄌᆞ지졍으로 앗기지 아니리【172】오마ᄂᆞᆫ, 그 위인이 호일(豪逸)ᄒᆞ믈 통히ᄒᆞ여 짐즛 금후를 향ᄒᆞ여 왈,

"소뎨 쳐소의 블초ᄌᆡ 누으니 ᄎᆞ마 ᄑᆡᄌᆞ를 ᄃᆡ치 못ᄒᆞᆯ지라. 뎡형과 진형은 날노 더브러 담화ᄒᆞ다가 도라가라."

뎡공이 하공의 ᄆᆡ몰ᄂᆡᆼ박(埋沒冷薄) ᄒᆞ믈 니르며, 하공이 몸을 니러 즁헌(中軒)으로 나아가니, 금후와 진공이 ᄯᆞ라 드러가 종일 담화ᄒᆞ다가 도라가니라.

이 ᄣᆡ 초공과 한님이 공ᄌᆞ를 븟드러 쥬야 구호ᄒᆞᄆᆡ 정셩이 아니 밋ᄎᆞᆫ 곳이 업ᄉᆞ니, 슈월이 지나ᄆᆡ 졈졈 ᄎᆞ도의 잇셔 능히 ᄒᆡᆼ보를 일우ᄆᆡ, 비로소 소세(梳洗)를 일우고 부모긔 신셩ᄒᆞᄆᆡ, 하공이 엄히 경계ᄒᆞ여 능히 졍도의 나아가게 ○○[ᄒᆞ니], 셜홰 무궁ᄒᆞᄃᆡ 대강 긔록ᄒᆞ니라.

공ᄌᆡ 부친의 샤를 어더 병신(病身)이 의구ᄒᆞᄆᆡ, 초공이 ᄆᆡ양 셜빈의 침소의【173】가 숙소ᄒᆞ믈 니르면, 공ᄌᆡ ᄃᆡ왈,

"소뎨 비록 밤을 져 곳의 가 ᄌᆞ오나, 셜빈을 ᄃᆡᄒᆞ면 심졍이 상ᄒᆞ여 밋쳐 ᄂᆡ닷기 쉐올가 ᄒᆞᄂᆞ이다."

초공이 그러히 넉이나 ᄌᆡ삼 과도ᄒᆞ믈 칙

ᄒᆞ더라.

이 ᄯᅢ 됴경이 셜장(設場)ᄒᆞ여 인ᄌᆡ를 ᄲᆡ실ᄉᆡ, 하공ᄌᆞ 원창이 등양키를 죄오ᄂᆞᆫ ᄆᆞ음이 대한(大旱)의 운예(雲霓)1346) ᄀᆞᆺᄐᆞ여, 장옥졔구(場屋諸具)를 ᄀᆞᆺ초아 입장(入場)ᄒᆞᆯᄉᆡ, 동월후 뎡듁암이 ᄯᅩ 시관의 드ᄂᆞᆫ디라. 초공이 함쇼(含笑)ᄒᆞ고 월후다려 왈,

“여ᄇᆡᆨ이 금번 과장의나 공도(公道)를 힝ᄒᆞ고 ᄉᆞ혐(私嫌)을 두디 말나.”

월휘 대쇼 왈,

“쇼뎨 평ᄉᆡᆼ 공의를 두터이 ᄒᆞ고 ᄉᆞ혐을 먼니 ᄒᆞ거ᄂᆞᆯ, 엇디 ᄯᅳᆺ밧긔 말을 ᄒᆞ시ᄂᆞ뇨?”

초공이 쇼왈,

“여ᄇᆡᆨ이 만ᄉᆞ의 공의를 잡으【3】미 잇거니와 거츄(去秋) 과갑의ᄂᆞᆫ 용심1347)을 만히 부렷ᄂᆞ니, 다른 사ᄅᆞᆷ은 속여도 날은 속이디 못ᄒᆞ리라.”

월휘 쇼왈,

“발셔 짐작ᄒᆞ여시니 올흔ᄃᆡ로 니르리라. ᄌᆞ슌이 ᄒᆡᄂᆡ를 압두ᄒᆞᄂᆞᆫ 필법과 닙취쳔언(立就千言)1348)ᄒᆞᄂᆞᆫ ᄌᆡ죄라도, 그 운싊 트여시면 득의ᄒᆞ미 이실 거시어ᄂᆞᆯ, ᄌᆡ취의 ᄯᅳᆺ이 급ᄒᆞᆫ 고로 넘치 인ᄉᆞ를 일허 졀박히 죄오니, 그 낙막(落寞)히 녁이ᄂᆞᆫ 거동을 잠간 보고져 과연 글을 낙복(落幅)1349)의 나리오미 잇던 ᄇᆡ나, 쇼뎨를 용심 잇ᄂᆞᆫ 줄노 ᄎᆡᆨ오시니 우읍기를 니긔디 못ᄒᆞ리로소이다.”

초공이 쇼왈,

“아모리 ᄒᆞ여도 그ᄃᆡ 용심이 업다 못ᄒᆞ리니, 금번이나 용심을 부리디 말나 당부ᄒᆞ미니 괴이히 녁이디 말나.”

월휘 호호히 웃더라. 과일(科日)이 당ᄒᆞᄆᆡ 텬ᄌᆡ 졔 시관을 거나려, 허다 ᄉᆞ유(士儒)【4】의 시권(試券)을 살피샤 인ᄌᆡ 엇기를

1346)운예(雲霓) : ①구름과 무지개를 아울러 이르는 말. ②비가 올 징조.

1347)용심 : 남을 시기하는 심술궂은 마음.

1348)닙취쳔언(立就千言) : 선 자리에서 천언(千言)의 글을 지어냄.

1349)낙복(落幅) : =낙복지(落幅紙). =낙권(落券). 과거에 떨어진 사람의 답안지.

ᄒᆞ더라.

이 ᄯᅢ 조경이 셜장(設場)ᄒᆞ여 인ᄌᆡ를 ᄲᆡ실ᄉᆡ, 하공ᄌᆡ 등양키를 죄오ᄂᆞᆫ 마음이 대한(大旱)의 운예(雲霓)1052) ᄀᆞᆺᄐᆞ여, 장옥졔구(場屋諸具)를 ᄀᆞᆺ초아 입궐ᄒᆞᆯᄉᆡ, 동월후 뎡쥭암이 ᄯᅩ 시관의 드ᄂᆞᆫ지라. 초공이 함소(含笑)ᄒᆞ고 월후ᄃᆞ려 왈,

“여ᄇᆡᆨ이 금번 과장의나 공도(公道)를 힝ᄒᆞ고 ᄉᆞ혐(私嫌)을 두지 말나.”

월휘 ᄃᆡ소 왈,

“소뎨 평ᄉᆡᆼ 공의를 두터이 ᄒᆞ고 ᄉᆞ혐을 먼니 ᄒᆞ거ᄂᆞᆯ, 엇지 ᄯᅳᆺ밧긔 말을 ᄒᆞ시ᄂᆞ뇨?”

초공이 소왈,

“여ᄇᆡᆨ이 만ᄉᆞ의 공의를 잡으미 잇거니와 거츄(去秋) 과갑의ᄂᆞᆫ 용심1053)을 만히 부렷ᄂᆞ니, 다른【174】샤ᄅᆞᆷ은 속여도 나ᄂᆞᆫ 속이지 못ᄒᆞ리라.”

월휘 소왈,

“벌셔 짐작ᄒᆞ엿시니 올흔 ᄃᆡ로 니르리라. ᄌᆞ슌이 ᄒᆡᄂᆡ를 압두ᄒᆞᄂᆞᆫ 필법과 닙취쳔언(立就千言)1054) ᄒᆞᄂᆞᆫ ᄌᆡ죄라도 그 운싊 트엿시면 득의ᄒᆞ미 잇실 거시어ᄂᆞᆯ, ᄌᆡ취의 ᄯᅳᆺ이 급ᄒᆞᆫ 고로 념치 인ᄉᆞ를 일허 졀박히 《되오니∥죄오니》, 그 낙막(落寞)히 녁이ᄂᆞᆫ 거동을 잠간 보고져 과연 글을 낙복(落幅)1055)의 나리오미 잇던 ᄇᆡ나, 소뎨를 용심 《엇ᄂᆞᆫ∥잇ᄂᆞᆫ》 줄노 ᄎᆡᆨ오시니 우읍기를 니긔지 못ᄒᆞ리로소이다.”

초공이 소왈,

“아모리 ᄒᆞ여도 그ᄃᆡ 용심이 업다 못ᄒᆞ리니, 금번이나 용심을 부리지 말나 당부ᄒᆞ미니 괴이히 녁이지 말나.”

월휘 호호히 웃더라. 과일(科日)이 당ᄒᆞᄆᆡ 텬ᄌᆡ 졔 시관을 거ᄂᆞ려, 허다 ᄉᆞ유의 시권(試券)을 ᄉᆞᆯ피샤 인ᄌᆡ 엇기를 갈망ᄒᆞ【17

1052)운예(雲霓) : ①구름과 무지개를 아울러 이르는 말. ②비가 올 징조.

1053)용심 : 남을 시기하는 심술궂은 마음.

1054)닙취쳔언(立就千言) : 선 자리에서 천언(千言)의 글을 지어냄.

1055)낙복(落幅) : =낙복지(落幅紙). =낙권(落券). 과거에 떨어진 사람의 답안지.

갈망ᄒᆞ시더라. 이날 하원챵의 글을 어람ᄒᆞ시ᄆᆡ, 몬져 필획이 찬난ᄒᆞ여 만디(滿紙)의 창농이 셔리고, 시ᄉᆡ(詩思) 웅건ᄒᆞ여, 은하만니(銀河萬里)의 비월(飛越)ᄒᆞᆫ 문장이 ᄌᆞ건(子建)의 칠보시(七步詩)[1350]를 묘시(藐視)ᄒᆞ며 니ᄇᆡᆨ(李白)의 청평샤(淸平詞)[1351]를 우을디라. 텬안이 크게 깃그샤 뎨일(第一)이라 쓰시고, ᄎᆞᄎᆞ ᄭᅩ노와[1352] 슈를 치오신 후, 피봉을 ᄶᅧ혀[1353] 쟝원을 호명ᄒᆞᄆᆡ, 젼두관(殿頭官)이 소ᄅᆡ를 길게 ᄒᆞ여,

"호쥐인 하원챵의 년이 십ᄉᆞ(十四)니 부ᄂᆞᆫ 뎡국공 딘이라."

년(連)ᄒᆞ여 셰 번 브르ᄆᆡ, 일위 쇼년이 옥계의 츄딘ᄒᆞ니, 팔쳑신쟝의 풍광이 동탕(動蕩)ᄒᆞ여, 옥 ᄀᆞᆺ튼 면모ᄂᆞᆫ 츄월(秋月)이 ᄒᆡ곡(海谷)의 소ᄉᆞ며, ᄲᆡ혀난 눈셥은 장강녕긔(長江靈氣)를 거두엇고, 츄슈봉안(秋水鳳眼)은 오ᄎᆡ녕농(五彩玲瓏)ᄒᆞ고, 늠늠ᄒᆞᆫ 신ᄎᆡ(身彩)ᄂᆞᆫ 금당(金塘)의 【5】 일만 버들이 휘드름[1354] ᄀᆞᆺᄐᆞ여 형용키 어려오니, 인듕영걸(人中英傑)이오 어듕뇽(魚中龍)이라.

우흐로 텬심이 크게 ᄉᆞ랑ᄒᆞ시고, 아ᄅᆡ로 만되 어린 나히 져ᄀᆞᆺ치 슉셩댱대(夙成壯大)ᄒᆞ믈 ᄉᆞ랑ᄒᆞ여, 하문의 늉복(隆福)을 칭찬ᄒᆞ더라. 쟝원을 뎐의 올니샤 계화청삼(桂花靑衫)[1355]을 주시고, 일ᄏᆞᄅᆞ샤 왈,

"산고옥츌(山高玉出)이오, ᄒᆡ심츌쥐(海深出珠)라. 하경(卿)의 ᄋᆞ들이 개개이 슈츌(秀出)ᄒᆞ여 인뉴의 특이ᄒᆞ거니와,

1350)ᄌᆞ건(子建)의 칠보시(七步詩) : 위(魏)나라 조조(曹操)의 아들 조식(曹植 : 192~232)이 일곱 걸음 만에 시를 지어 죽음을 모면하였다는 고사가 담긴 시. 자건(子建)은 조식의 자(字).

1351)청평ᄉᆞ(淸平詞) : 중국 당(唐) 나라 시인 이백(李白 : 701-762)이 현종(玄宗)의 명을 받고 양귀비(楊貴妃)의 아름다움을 찬양하여 지은 시. 삼수(三首)로 되어 있다.

1352)ᄭᅩ노다 : 꼲다. 잘잘못을 따져서 평가하다.

1353)ᄶᅧ히다 : 떼다. 뜯다.

1354)휘드르다 : 흔들리다. 휘날리다.

1355)계화청삼(桂花靑衫) : 예전에 과거급제자에게 임금이 내리던 종이로 만든 계수나무 꽃과 남색 도포.

5】 시더라. 이날 하원챵의 글을 어람ᄒᆞ시ᄆᆡ 몬져 필획이 찬난ᄒᆞ여 만지(滿紙)의 창농이 셔리고, 시ᄉᆡ(詩思) 웅건ᄒᆞ여 은하만니(銀河萬里)의 비월(飛越)ᄒᆞᆫ 문장이 ᄌᆞ건(子建)의 칠보시(七步詩)[1056]를 묘시(藐視)ᄒᆞ며 니ᄇᆡᆨ(李白)의 청평ᄉᆞ(淸平詞)[1057]를 우을지라. 텬안이 크게 깃그샤 뎨일이라 쓰시고, ᄎᆞᄎᆞ ᄭᅩ노와[1058] 슈를 치오신 후, 피봉을 ᄶᅧ혀[1059] 쟝원을 호명ᄒᆞᄆᆡ, 젼두관(殿頭官)이 소ᄅᆡ를 길게 ᄒᆞ여,

"호쥐인 하원챵의 년이 십ᄉᆞ(十四)니 부ᄂᆞᆫ 뎡국공 진이라."

년(連)ᄒᆞ여 셰 번 부르ᄆᆡ 일위 소년이 옥계의 츄진ᄒᆞ니 팔쳑신쟝의 풍광이 동탕ᄒᆞ여 옥 ᄀᆞᆺ튼 면모ᄂᆞᆫ 츄월이 ᄒᆡ곡의 소ᄉᆞ며 ᄲᆡ혀난 눈셥은 장강영긔(長江靈氣)를 거두엇고 츄슈봉안(秋水鳳眼)은 오ᄎᆡ녕농(五彩玲瓏)ᄒᆞ고, 늠늠ᄒᆞᆫ 신ᄎᆡᄂᆞᆫ 금당(金塘)의 일만 버들이 휘드름[1060] ᄀᆞᆺᄐᆞ여 형용키 어려오니, 인【176】즁영걸(人中英傑)이오 어즁뇽(魚中龍)이라.

우흐로 텬심이 크게 ᄉᆞ랑ᄒᆞ시고 아ᄅᆡ로 만죄 어린 나히 져ᄀᆞᆺ치 슉셩쟝대(夙成壯大)ᄒᆞ믈 ᄉᆞ랑ᄒᆞ여 하문의 놉흔 복을 칭찬ᄒᆞ더라. 쟝원을 뎐의 올니샤 계화청삼(桂花靑衫)[1061]을 쥬시고 일ᄏᆞ르샤 왈,

"산고옥츌(山高玉出)이오, ᄒᆡ심츌쥐(海深出珠)라. 하진의 ᄋᆞ들이 개개히 슈츌(秀出)ᄒᆞ여 인뉴의 특이타."

ᄒᆞ시더라【177】

1056)ᄌᆞ건(子建)의 칠보시(七步詩) : 위(魏)나라 조조(曹操)의 아들 조식(曹植 : 192~232)이 일곱 걸음 만에 시를 지어 죽음을 모면하였다는 고사가 담긴 시. 자건(子建)은 조식의 자(字).

1057)청평ᄉᆞ(淸平詞) : 중국 당(唐) 나라 시인 이백(李白 : 701-762)이 현종(玄宗)의 명을 받고 양귀비(楊貴妃)의 아름다움을 찬양하여 지은 시. 삼수(三首)로 되어 있다.

1058)ᄭᅩ노다 : 꼲다. 잘잘못을 따져서 평가하다.

1059)ᄶᅧ히다 : 떼다. 뜯다.

1060)휘드르다 : 흔들리다. 휘날리다.

1061)계화청삼(桂花靑衫) : 예전에 과거급제자에게 임금이 내리던 종이로 만든 계수나무 꽃과 남색 도포.

원창의 ᄀᆡ특ᄒᆞ믄 오히려 부형의 디난 ᄃᆞᆺᄒᆞ니, 엇디 아름답디 아니리오."

ᄒᆞ시고, 신ᄂᆡ(新來)를 ᄎᆞ례로 블너 쟝원으로브터 방하(榜下)를 어젼(御前)의셔 ᄇᆡᆨ단(百端) 유희(遊戲)ᄒᆞ샤, 옥ᄇᆡ의 향온(香醞)을 쟝원을 먹이시고, 초국공 하원광을 탑젼의 브르샤 쟝원의 ᄀᆡ특ᄒᆞ믈 ᄌᆡ삼 일ᄏᆞᄅᆞ시고, 환시로 황봉어쥬(黃封御酒)[1356]를 각별이 뎡국공긔 보ᄂᆡ샤 ᄋᆞᄃᆞᆯ 잘 나흐【6】믈 칭하ᄒᆞ시고, 셕일 슬하디쳑(膝下之慽)[1357]을 츈몽(春夢)ᄀᆞᆺ치 닛고 ᄉᆡ로 경ᄉᆞ를 즐기라 ᄒᆞ시니, 초공이 고두(叩頭) 샤은ᄒᆞ여 셩은의 과도ᄒᆞ샤믈 쥬ᄒᆞ고, 원챵의 나히 어리오니 ᄉᆞ오년을 말ᄆᆡ를 주샤, 글을 더 닑고 샤군보국ᄒᆞᆯ ᄌᆡ덕을 닷근 후 작임(爵任)을 주시믈 청ᄒᆞ니, 샹이 블윤ᄒᆞ시고 장원을 듕셔샤인집현뎐{태}ᄒᆞᆨᄉᆞ(中書舍人集賢殿學士)를 ᄒᆞ이시니, 장원이 고집히 샤양ᄒᆞᆯ 쯧이 업ᄉᆞᄃᆡ 마디 못ᄒᆞ여 ᄌᆡ삼 샤양ᄒᆞ다가, 죵블윤(終不允)ᄒᆞ시니, 장원이 즉시 샤은 퇴됴(退朝)ᄒᆞᄆᆡ, 만되 ᄯᅩᄒᆞᆫ ᄆᆞᆯ너나 쟝원이 집으로 도라올ᄉᆡ, 계화쳥삼(桂花青衫)의 아홀(牙笏)을 빗기 쥐고, 금안ᄇᆡᆨᄆᆞ(金鞍白馬)의 쳥동쌍개(青童雙個)를 압셰오고 금의ᄌᆡ인(錦衣才人)을 거나려, 허다(許多) 하리츄죵(下吏追從)이 위의(威儀)를 잡아 ᄒᆡᆼᄒᆞᄂᆞᆫ 바의, 하쟝원이 향온을 반취(半醉)ᄒᆞ여시니, 홍년(紅蓮)이 미풍(微風)의 웃ᄂᆞᆫ【7】ᄃᆞᆺ, 니ᄇᆡᆨ(李

1356)황봉어쥬(黃封御酒) : 임금 하사하는 술. 황봉(黃封)은 임금이 하사한 술을 단지에 담고 황색 천으로 봉(封) 것으로 임금이 하사한 것임을 뜻한다.

1357)슬하디쳑(膝下之慽) : 슬하참척(膝下慘慽). 자식을 잃은 슬픔.

어시의 만셰황애 장원을 《화개 ‖ 화계(花桂)[1062]》 청삼(青衫)을 쥬시고 일ᄏᆞ르샤 왈,

"산고옥츌(山高玉出)이오 ᄒᆡ심츌쥐(海深出珠)라. 하진의 ᄋᆞᄃᆞᆯ이 개개이 슈츌(秀出)ᄒᆞ여 인뉴의 특이ᄒᆞ거니와, 원창의 ᄀᆡ특ᄒᆞ믄 오히려 부형의 지난 ᄃᆞᆺᄒᆞ니, 엇지 아름답지 아니리오"

ᄒᆞ시고, 신ᄂᆡ(新來)를 ᄎᆞ례로 블너 쟝원으로브터 방하(榜下)를 어젼의셔 ᄇᆡᆨ단 유희ᄒᆞ샤, 옥ᄇᆡ의 향온(香醞)을 쟝원을 먹이시고, 초국공 하원광을 탑젼의 브르샤 쟝원의 ᄀᆡ특ᄒᆞ믈 ᄌᆡ삼 일ᄏᆞ르시고, 환시로 황봉어쥬(黃封御酒)[1063]를 각별이 국공긔 보ᄂᆡ샤 ᄋᆞᄃᆞᆯ 쥴 나흐믈 치하ᄒᆞ시고, 셕일 슬하지쳑(膝下之慽)[1064]을 츈몽ᄀᆞᆺ치 닛고 ᄉᆡ로 경ᄉᆞ를 즐기라 ᄒᆞ시니, 초공이 ᄌᆡᄇᆡ샤은 ᄒᆞ【1】여 셩은의 과도ᄒᆞ시믈 일ᄏᆞᆺ고, 원챵의 나히 어리오니 ᄉᆞ오년을 말ᄆᆡ를 주샤, 글을 더 닑고 ᄉᆞ군보국ᄒᆞᆯ ᄌᆡ덕을 닥근 후 작임을 주시믈 청ᄒᆞ니, 샹이 블윤ᄒᆞ시고 장원을 즁셔ᄉᆞ인집현젼{태}ᄒᆞᆨᄉᆞ(中書舍人集賢殿學士)를 ᄒᆞ이시니, 쟝원이 고집히 ᄉᆞ양ᄒᆞᆯ 쯧이 업ᄉᆞᄃᆡ 마지 못○○[ᄒᆞ여] ᄌᆡ삼 ᄉᆞ양ᄒᆞ다가, 종블윤(終不允)ᄒᆞ시니 쟝원이 즉시 샤은 퇴조ᄒᆞᄆᆡ 만죄 ᄯᅩᄒᆞᆫ ᄆᆞᆯ너나 쟝원이 집으로 도라올ᄉᆡ, 계화청삼(桂花青衫)의 아홀(牙笏)을 빗기 쥐고, 금안ᄇᆡᆨ마(金鞍白馬)의 청동쌍개(青童雙個)를 압셰오고, 금의ᄌᆡ인(錦衣才人)을 거ᄂᆞ려, 허다 하리츄종(下吏追從)이 위의(威儀)를 잡아 ᄒᆡᆼᄒᆞᄂᆞᆫ 바의, 하쟝원이 향온을 반취(半醉)ᄒᆞ엿시니, 홍년(紅蓮)이 미풍(微風)의 웃고[ᄂᆞᆫ] ○[ᄃᆞᆺ], ·니ᄇᆡᆨ(李白)

1062)화계(花桂) : 계화(桂花). 계수나무의 꽃.

1063)황봉어쥬(黃封御酒) : 임금 하사하는 술. 황봉(黃封)은 임금이 하사한 술을 단지에 담고 황색 천으로 봉(封) 것으로 임금이 하사한 것임을 뜻한다.

1064)슬하디쳑(膝下之慽) : 슬하참척(膝下慘慽). 자식을 잃은 슬픔.

白)이 침향뎐(沈香殿)1358)의 취ᄒᆞᆫ 풍신이라도 이러치 못ᄒᆞᆯ디라. 노샹(路上) 관시ᄌᆡ 칙칙 칭션ᄒᆞ여 텬샹낭(天上郞)이라 ᄒᆞ더라.

아이(俄而)오, 부듕의 도라와 부모긔 ᄇᆡ알ᄒᆞᄆᆡ, 하공의 강엄키와 됴부인의 단목기로도, ᄋᆞᄌᆞ의 쇄락ᄒᆞᆫ 면모와 츌뉴ᄒᆞᆫ 신ᄎᆡ의 계화(桂花)를 기우리고 금슈청삼(錦繡青衫)을 가ᄒᆞ여, 황금(黃錦)을 횡ᄃᆡ(橫帶)ᄒᆞ고 아홀을 빗기잡아, 슬젼(膝前)의 ᄇᆡ례ᄒᆞ기를 당ᄒᆞ여ᄂᆞᆫ, 아름답고 긔이ᄒᆞ믈 결을치 못ᄒᆞ여 두굿기ᄂᆞᆫ 입을 주리디 못ᄒᆞ고, 공은 도로혀 셩만(盛滿)을 두려, 어션향온(御膳香醞)과 위유(慰諭)ᄒᆞ시믈 블승감은(不勝感恩)ᄒᆞ고, 셕ᄉᆞ를 ᄌᆞ연 비상(悲傷)ᄒᆞ믈 마디 아니ᄒᆞ더라.

밧긔 하ᄀᆡᆨ이 가득ᄒᆞ여 신ᄂᆡ를 브르ᄆᆡ, 하공 부ᄌᆡ 외헌의 나와 빈ᄀᆡᆨ를 졉ᄃᆡ홀ᄉᆡ, 듕빈이 년셩칭하(連聲稱賀)ᄒᆞ니 뎡국공이 좌슈우응(左酬右應)의 블감(不堪)ᄒᆞ믈 ᄉᆞ샤ᄒᆞ고, 【8】 모든 샤관四官)1359)이 신ᄂᆡ(新來)를 온 가디로 우은 거조(擧措)를 식이니, 쟝원이 평일 튱텬디긔(衝天之氣)를 ᄀᆞᆷ초디 못ᄒᆞ여, 역시 식이ᄂᆞᆫ ᄃᆡ로 졀도디ᄉᆞ(絶倒之事)를 샤양치 아니코, 호호발양(浩浩發揚)ᄒᆞᆫ 거동이 동셔의 것칠 거시 업ᄉᆞ니, 졔인이 날이 느ᄌᆞ믈 ᄭᆡᄃᆞᆺ디 못ᄒᆞ고 유희ᄒᆞ믈 마디 아니니, 하공이 ᄋᆞᄌᆞ의 호일ᄒᆞ믈 미흡ᄒᆞ여 냥안을 길게 ᄡᅥ 댱원을 보ᄆᆡ, 댱원이 부친의 미안(未安)이 넉이시믈 슷치고, 황공ᄒᆞ여 비로소 긔운을 주리잡아, 좌간(座間)의 고왈,

"쇼ᄉᆡᆼ이 죵일 이ᄀᆞᆺ치 유희ᄒᆞ시믈 당ᄒᆞ여 일신이 갓브니, 그만ᄒᆞ여 청샤의 오로믈 명ᄒᆞ쇼셔."

1358)침향뎐(沈香殿) : 중국 서안(西安)에 있는 당(唐) 현종(玄宗)의 별궁(別宮)인 화청궁(華清宮) 내의 한 전각.

1359)샤관(四官) : 조선 시대에, 과거에 관한 일을 맡아보던 사관(四館)의 관원(官員). 성균관, 예문관, 승문원, 교서관의 관원(官員)을 이른다. 당시 과거에 급제한 '신래(新來)'들은 이 네 관아(官衙)에 배속되어 관직생활을 시작하였는데 이때 통과의례로 선배관원들 곧 '선진(先進)'들에게 면신례(免新禮)를 행하던 관례가 있었다.

이 침향뎐(沈香殿)1065)의 취ᄒᆞᆫ 풍신이라도 이러치 못ᄒᆞᆯ지라. 노샹(路上) 관시ᄌᆡ 칙칙칭 【2】 션ᄒᆞ여 텬샹낭(天上郞)이라 ᄒᆞ더라.

아이(俄而)오. 부즁의 도라와 부모긔 ᄇᆡ알ᄒᆞᄆᆡ, 하공의 강엄키와 조부인의 단묵기로도, ᄋᆞᄌᆞ의 쇄락ᄒᆞᆫ 면모와 츌뉴ᄒᆞᆫ 신ᄎᆡ의 계화(桂花)를 기우리고 금슈청삼(錦繡青衫)을 가ᄒᆞ여, 황금(黃錦)을 횡ᄃᆡ(橫帶)ᄒᆞ고 아홀을 빗기잡아, 슬젼(膝前)의 ᄇᆡ례ᄒᆞ기를 당ᄒᆞ여ᄂᆞᆫ, 아름답고 긔이ᄒᆞ믈 결을치 못ᄒᆞ여 두굿기ᄂᆞᆫ 입을 쥬리지 못ᄒᆞ고, 공은 도로혀 셩만을 두려, 어션향온(御膳香醞)과 위유ᄒᆞ시믈 블승감은(不勝感恩)ᄒᆞ고, 셕ᄉᆞ를 ᄌᆞ연 비상ᄒᆞ믈 마지 아니ᄒᆞ더라.

밧게 하ᄀᆡᆨ이 가득ᄒᆞ여 신ᄂᆡ를 브르ᄆᆡ, 하공 부ᄌᆡ 외헌의 나와 빈ᄀᆡᆨ를 졉ᄃᆡ홀ᄉᆡ, 즁빈이 년셩칭하(連聲稱賀)ᄒᆞ니 국공이 좌슈우응(左酬右應)의 블감ᄒᆞ믈 ᄉᆞ샤ᄒᆞ고 모든 ᄉᆞ관四官)1066)이 신ᄂᆡ를 온 가지로 우은 【3】 거조를 식이니, 쟝원이 평일 츙텬지긔(衝天之氣)를 감초지 못ᄒᆞ여 역시 식이ᄂᆞᆫᄃᆡ로 졀도샤(絶倒事)를 ᄉᆞ양치 아니코, 호호발양(浩浩發揚) ᄒᆞᆫ 거동이 동셔의 것칠 거시 업ᄉᆞ니, 졔인이 날이 느ᄌᆞ믈 ᄭᆡᄃᆞᆺ지 못ᄒᆞ고 유희ᄒᆞ믈 마지 아니니, 하공이 ᄋᆞᄌᆞ의 호일ᄒᆞ믈 미흡ᄒᆞ여 냥안을 길게 ᄡᅥ 쟝원을 보ᄆᆡ, 쟝원이 부친의 미안이 넉이시믈 슷치고 황공ᄒᆞ고[여] 비로소 긔운을 《쥬리압아‖쥬리잡아》 좌간의 고왈,

"소ᄉᆡᆼ이 종일 이ᄀᆞᆺ치 유희ᄒᆞ시믈 당ᄒᆞ여 일신이 갓부니, 그만ᄒᆞ여 청ᄉᆞ의 올으믈 명ᄒᆞ소셔."

1065)침향뎐(沈香殿) : 중국 서안(西安)에 있는 당(唐) 현종(玄宗)의 별궁(別宮)인 화청궁(華清宮) 내의 한 전각.

1066)샤관(四官) : 조선 시대에, 과거에 관한 일을 맡아보던 사관(四館)의 관원(官員). 성균관, 예문관, 승문원, 교서관의 관원(官員)을 이른다. 당시 과거에 급제한 '신래(新來)'들은 이 네 관아(官衙)에 배속되어 관직생활을 시작하였는데 이때 통과의례로 선배관원들 곧 '선진(先進)'들에게 면신례(免新禮)를 행하던 관례가 있었다.

샤관(四官) 등이 대쇼 왈,

"신ᄂᆡ 보ᄎᆡᄂᆞᆫ 거ᄉᆞᆯ 염고ᄒᆞ여 스ᄉᆞ로 오로기를 쳥ᄒᆞ니 가장 ○○[거만]ᄒᆞ도다."

이리 니르며 보ᄎᆡ기를 긋치고 오로믈 쳥ᄒᆞ니, 댱원이 당의 올나 늠연뎡좌(凜然正坐)ᄒᆞ여 부젼의 경【9】근ᄒᆞᄂᆞᆫ 네를 잡아, 온슌ᄒᆞᆫ 낫빗과 조심ᄒᆞᄂᆞᆫ 모양이 초공의 효슌ᄒᆞᆷ과 한님의 온듕ᄒᆞ믈 거의 ᄯᆞᆯ올 ᄇᆡ로ᄃᆡ, 하공의 눈이 아니 간 곳과 ᄌᆞ최 아니 밋ᄎᆞᆫ 곳은 두리며 삼갈 일이 업ᄂᆞᆫ디라. 야심토록 빈ᄀᆡᆨ이 파치 아냐 좌듕의 날니ᄂᆞᆫ 잔이 분분ᄒᆞ고, 담쇠 ᄭᅳᆺ디 아니ᄒᆞ더니, 야심ᄒᆞᄆᆡ 뎡·딘 등 졔공과 동닌졔인(洞隣諸人)은 다 도라 가고, 셩ᄂᆡ(城內) 빈ᄀᆡᆨ은 하부의셔 밤을 디ᄂᆡ고 명일 흣터디니라. 하댱원이 등양ᄒᆞ믈 즐겨ᄒᆞᄂᆞᆫ 거시 아니라, 이졔ᄂᆞᆫ 뎡시를 취ᄒᆞᆯ 긔약이 갓가오므로 만심환열ᄒᆞᄃᆡ, 셜빈이 가ᄂᆡ의 이시믈 분완ᄒᆞ여 부부의 은근위곡ᄒᆞᆫ 졍은 힝혀도 업고, ᄆᆡ온 ᄠᅳᆺ이 날로 심ᄒᆞ고 시로 층가ᄒᆞ여 능히 강인(強忍)치 못ᄒᆞ더라.

삼일유과(三日遊街)를 맛ᄎᆞᄆᆡ ᄃᆡᆨ임의 나아가 샤군찰임(事君察任)의 만ᄉᆡᆨ 슉연(肅然)ᄒᆞ여 ᄃᆡᆨ절언논(直節言論)○[이]【10】엄슉뎡대ᄒᆞ고 풍녁(風力)[1360]이 강개ᄒᆞ여 부형의 나리디 아니코, 호긔(豪氣) 츌뉴(出類)ᄒᆞ며 쾌활능녀(快活凌厲)ᄒᆞ여 오히○[려] 냥형의 디ᄂᆞᆫ디라. 그 위인을 샹이 심ᄋᆡ(甚愛)ᄒᆞ샤 툥우(寵遇)ᄒᆞ샤미 딘신명ᄉᆞ(縉紳名士)[1361] 듕 웃듬이오, 만되 긔ᄃᆡ(期待) 츄앙ᄒᆞ여, 나히 어리고 작위 나ᄌᆞ믈 ᄉᆡᆼ각디 못ᄒᆞ여, 져마다 하샤인을 큰 그릇ᄉᆞ로 밀위여 쳥망(淸望) ᄌᆡ예(才藝) 일셰를 기우리더라.

하샤인이 등과ᄒᆞ연 디 월여의 뎡부의셔 혼ᄉᆞ부치 말을 아니니, 샤인이 굼겹고 졀민ᄒᆞ믈 마디 아니나, 금평후 부ᄌᆞ를 ᄃᆡᄒᆞ여ᄂᆞᆫ 간ᄃᆡ로 쳥혼치 못ᄒᆞ여, 일일은 뎡부 셔헌의

1360)풍녁(風力) : ①바람의 세기. ②사람의 위력.
1361)딘신명ᄉᆞ(縉紳名士) : 홀을 큰 띠에 꽂은 이름난 선비라 뜻으로, 모든 벼슬아치들 가운데 이름난 선비를 이르는 말.

ᄉᆞ관(四官) 등이 ᄃᆡ소 왈,

"신ᄂᆡ 보ᄎᆡᄂᆞᆫ 거ᄉᆞᆯ 념고ᄒᆞ여 스ᄉᆞ로 오로기를 쳥ᄒᆞ니 ᄀᆞ장 거만ᄒᆞᆫ 일이로○[다]"

이리 니르며 보ᄎᆡ기를 긋치고 오로믈 쳥ᄒᆞ니, 쟝원이 당의 올나 늠연졍좌(凜然正坐)ᄒᆞ여 부젼의 경근ᄒᆞᄂᆞᆫ 례를 잡아【4】 온슌ᄒᆞᆫ 낫빗과 조심ᄒᆞᄂᆞᆫ 모양이 초공의 효슌ᄒᆞᆷ과 한님의 온즁ᄒᆞ믈 거의 ᄯᆞᆯ올 ᄇᆡ로ᄃᆡ, 하공의 눈이 아니 간 곳과 ᄌᆞ최 아니 밋ᄎᆞᆫ 곳은 두리미 업ᄂᆞᆫ지라. 졔ᄀᆡᆨ이 신ᄂᆡ를 온 가지로 보ᄎᆡ고 쳥상의 올니고 그 풍신 ᄌᆡ화를 져마다 흠탄ᄒᆞ믈 마지 아니ᄒᆞ더라. 밤이 깁도록 즁빈(衆賓)이 도라 가기를 닛고 날니ᄂᆞᆫ 잔이 분분ᄒᆞ고, 하셩(賀聲)이 요요(擾擾)ᄒᆞ더니, 즁ᄀᆡᆨ이 효ᄉᆡᆨ(曉色)을 ᄶᅴ여 도라가니, 쟝원이 등양ᄒᆞ믈 깃거ᄒᆞ미 아니라, 뎡소져 취ᄒᆞᆯ 긔약이 갓가오믈 만심환희ᄒᆞᄃᆡ, 셜빈이 가ᄂᆡ의 잇시믈 그윽이 불쾌ᄒᆞ여 부부의 은ᄋᆡᄂᆞᆫ 힝혀도 업셔, ᄆᆡ오미 날로 더으고 시로 층가ᄒᆞ여 능히 강잉치 못ᄒᆞ더라.

쟝원이 삼일유과(三日遊街)를 맛ᄎᆞᄆᆡ 직임의 나아가 ᄉᆞ군찰임(事君察任)의 만ᄉᆡᆨ 슉연(肅然)ᄒᆞ여【5】직절언논(直節言論)이 엄슉졍ᄃᆡᄒᆞ고, 풍녁(風力)[1067]이 강개ᄒᆞ여 부형의 나리지 아니코, 호긔 츌뉴ᄒᆞ며 쾌활능녀(快活凌厲) ᄒᆞ여 오히려 이형의 지ᄂᆞᆫ지라 그 위인을 샹이 심ᄋᆡ(甚愛)ᄒᆞ샤 춍우(寵遇)ᄒᆞ시미 신진명ᄉᆞ(新進名士)[1068] 즁 웃듬이오, 만죄 긔ᄃᆡ(期待) 츄앙ᄒᆞ여, 나히 어리고 작위 나ᄌᆞ믈 ᄉᆡᆼ각지 못ᄒᆞ여, 져마다 하ᄉᆞ인을 큰 그릇ᄉᆞ로 밀위여 쳥망(淸望) ᄌᆡ예(才藝) 일셰를 기우리더라.

하ᄉᆞ인이 등과ᄒᆞ연 지 월여의 뎡부의셔 혼ᄉᆞ부치 말을 아니니, ᄉᆞ인이 궁겹고 졀민ᄒᆞ믈 마지 못ᄒᆞ나, 금평후 부ᄌᆞ를 ᄃᆡᄒᆞ여ᄂᆞᆫ 간ᄃᆡ로 쳥혼치 못ᄒᆞ여, 일일은 뎡부 셔헌의 가니 다르 니ᄂᆞᆫ 업고 운긔만 잇거ᄂᆞᆯ, 웃고

1067)풍녁(風力) : ①바람의 세기. ②사람의 위력.
1068)신진명사(新進名士) : 새로 벼슬에 오른 사람들 가운데 이름난 선비.

가니 다르 니ᄂᆞᆫ 업고 운긔만 잇거ᄂᆞᆯ, 웃고 므러 왈,

"너희 ᄋᆞ숙모 친ᄉᆞ를 어ᄃᆡ 뎡ᄒᆞᆫ 곳이 잇ᄂᆞ냐?"

운긔 나히 십셰를 당ᄒᆞ여시나 언연이 대장부의 위풍과 노셩군ᄌᆞ(老成君子)의 틀을 겸ᄒᆞ엿ᄂᆞᆫ디라, 하샤인이 믄득 ᄋᆞ숙모의 친ᄉᆞ 【11】 다히1362)를 므러 말을 시작고져 ᄒᆞ믈 보고, 뎡ᄉᆡᆨ 답왈,

"숙모의 친ᄉᆞ 다히를 내 엇디 알 거시라 이러틋 므르시ᄂᆞ뇨? 우리 부숙긔 뭇ᄌᆞ오면 ᄌᆞ시 알니이다."

샤인이 쇼왈,

"너희 므ᄉᆞ 일노 본 젹마다 녕악(獰惡)히 ᄃᆡ답ᄒᆞᄂᆞ뇨? 네 비록 ᄋᆞ희나 귀·눈은 업디 아니리니 ᄋᆞ숙모의 혼쳐를 바히 아디 못ᄒᆞᆯ너냐?"

운긔 미쇼 왈,

"어이 아등이 샤인을 녕악히 ᄃᆡ졉ᄒᆞ리오마ᄂᆞᆫ, 숙모의 혼ᄉᆞ를 ᄌᆞ시 아도 못ᄒᆞ고, 어룬이 니르디 아니시더라."

샤인 왈,

"흉휼ᄒᆞᆫ 놈이 날을 조롱ᄒᆞ며 딘졍을 니르디 아니니 엇디 뮙디 아니리오. 네 조부긔 알외여 브졀 업시 일월을 쳔연치 말고, 밧비 딘딘(秦晉)1363)의 됴흐믈 밋게 ᄒᆞ쇼셔 쳥ᄒᆞ라."

운긔 뎡ᄉᆡᆨ 왈,

"샤인이 엇디 이런 말을 ᄒᆞᄂᆞ뇨? 혼인은 인뉸대ᄉᆡ(人倫大事)라. 냥가 부뫼 상의【12】ᄒᆞ여 쥬장(主掌)ᄒᆞ실 거시오, 또 듕ᄆᆡ란 거시 업디 아니니, 어나 밋친 ○[신]낭이 스ᄉᆞ로 쳥혼ᄒᆞᆯ 념치 이시리오. 샤인이 죵시 ᄆᆞ음을 잡디 아니면 녹발(綠髮)이 희여도 우리 숙모를 취치 못ᄒᆞᆯ가 ᄒᆞ노라."

샤인이 웃고 왈,

"네 말이 올커니와 남ᄌᆡ 녀인과 다르니,

1362)다히 : ①쪽, 편. ②대로. ③처럼. 같이.

1363)진진(秦晉) : 중국 진(秦)나라와 진(晉)나라 두 나라가 대대로 혼인을 하였다는 사실에서, 혼인이나 우의가 두터운 관계를 비유적으로 이르던 말

무러 왈,

"너희 아숙모(兒叔母) 친ᄉᆞ를 어ᄃᆡ 졍ᄒᆞᆫ 곳이 잇ᄂᆞ냐?"

운긔 공ᄌᆡ ᄎᆞ시 십셰를 당ᄒᆞ엿시나 언연이 대【6】장부의 위풍과 노셩군ᄌᆞ(老成君子)의 뜻술 겸ᄒᆞ엿ᄂᆞᆫ지라. 하ᄉᆞ인이 믄득 ᄋᆞ숙모의 친ᄉᆞ 졍ᄒᆞ믈 므러 말을 시작고져 ᄒᆞ믈 보고, 졍ᄉᆡᆨ 답왈,

"숙모의 친ᄉᆞ 졍ᄒᆞ믈 ᄂᆡ 엇지 알니라 이러틋 므르시ᄂᆞ뇨? 우리 부숙긔 뭇ᄌᆞ오면 ᄌᆞ시 알니이다."

ᄉᆞ인이 소왈,

"너희 무순 일노 본 젹마다 ᄂᆡᆼ박(冷薄)히 ᄃᆡ답ᄒᆞᄂᆞ뇨? 네 비록 ᄋᆞ희나 귀 눈은 업지 아니리니, ᄋᆞ숙모의 혼쳐를 바히 아지 못ᄒᆞᆯ소냐?"

운긔 미소 왈,

"어이 아등이 ᄉᆞ인을 ᄂᆡᆼ박히 ᄃᆡ졉ᄒᆞ리오마ᄂᆞᆫ, 숙모의 혼ᄉᆞ를 ᄌᆞ시 아지 못ᄒᆞ고, 어룬이 니르지 아니ᄒᆞ시더이다."

ᄉᆞ인 왈,

"흉휼ᄒᆞᆫ 놈이 날을 조롱ᄒᆞ며 진졍을 니르지 아니니 엇지 뮙지 아니리오. 네 조부긔 알외여 브졀업시 일월을 쳔연치 말고 밧비 진진(秦晉)1069) 【7】의 조흐믈 밋게 ᄒᆞ소셔 쳥ᄒᆞ라."

운긔 졍ᄉᆡᆨ 왈,

"ᄉᆞ인이 엇지 이런 말을 ᄒᆞᄂᆞ뇨? 혼인은 인뉸대ᄉᆡ(人倫大事)라. 냥가 부뫼 상시 상의ᄒᆞ여 쥬장(主掌)ᄒᆞ실 거시오, 또 즁ᄆᆡ란 거시 업지 아니니, 어ᄂᆡ 밋친 신낭이 스ᄉᆞ로 쳥혼ᄒᆞᆯ 념치 이시리오. ᄉᆞ인이 종시 마음을 잡지 아니면 녹발이 희여도 우리 숙모를 취치 못ᄒᆞᆯ가 ᄒᆞ노라."

ᄉᆞ인이 웃고 왈,

"네 말이 올커니와 남ᄌᆡ 녀인과 다르니, 내 임의 네 숙모를 위ᄒᆞᆫ 졍은 ᄉᆡᆼ젼의 플닐

1069)진진(秦晉) : 중국 진(秦)나라와 진(晉)나라 두 나라가 대대로 혼인을 하였다는 사실에서, 혼인이나 우의가 두터운 관계를 비유적으로 이르던 말

내 임의 네 슉모를 위ᄒᆞᆫ 졍은 ᄉᆡᆼ젼의 플닐 길 업ᄉᆞ니, 브졀 업시 시월(時月)을 쳔연치 말고 슈히 친ᄉᆞ를 디ᄂᆡ과져 ᄒᆞ미니, ᄀᆞᆺᄐᆞ여 밋친 일이 아니라. 너ᄂᆞᆫ 드른 말을 조부긔 고ᄒᆞᆯ ᄯᆞ름이니라.”

운긔 머리를 흔드러 왈,

“이런 말을 조부긔 고ᄒᆞ미 나의 소임이 아니오, 부슉긔 일장 대칙을 밧ᄌᆞ올 일이니, 브졀업ᄉᆞᆫ 말을 ᄒᆞ리오.”

샤인이 져의 ᄆᆡᄆᆡ히 ᄶᅦ치믈 보고 다시 혼ᄉᆞ 다히 말을 못ᄒᆞ여, 오딕 셔안의 녜긔를 살피다가 이윽ᄒᆞᆫ 후 도라가니, 운긔【13】날호여 ᄂᆡ루의 드러와 조부긔 뵈ᄋᆞᆸ고 하샤인의 ᄒᆞ던 말을 고ᄒᆞ니, 금휘 믁연이오, 딘부인이 탄왈,

“샹공이 ᄉᆞ회를 ᄀᆞᆯ희시다가 ᄯᅩᆯ노뼈 남의 ᄌᆡᆨ실 삼ᄂᆞᆫ 낫가오미[1364] 이시니, 엇디 ᄋᆡ돏디 아니리오.”

졔왕이 고왈,

“만ᄉᆡᆨ 텬애(天也)라. 쇼ᄆᆡ의 팔ᄌᆞ를 두고 보실 ᄯᆞ름이오, 원창의 ᄌᆡᆨ실 삼으믈 한치 마르쇼서. ᄌᆞ슌이 쇼ᄆᆡ를 ᄉᆞ상(思相)키ᄂᆞᆫ 인ᄉᆞ를 일허시니, 슈히 혼ᄉᆞ를 일우디 아냐셔ᄂᆞᆫ ᄯᅩ 괴이ᄒᆞᆫ 셔찰이 쇼ᄆᆡ의 청심고졀(淸心高節)의 측ᄒᆞ믈 닐월 거시니, 원챵으로 닐너도 ‘믈고 못 먹ᄂᆞᆫ 고기 ᄀᆞᆺᄐᆞ여’[1365] 쥬야의 민망ᄒᆞ니, 일월을 쳔연ᄒᆞᄂᆞᆫ 거시 유익디 아니ᄒᆞ온디라, 하공을 보오셔 슈히 셩녜ᄒᆞ믈 의논ᄒᆞ쇼셔.”

공이 탄왈,

“일월이 쳔연ᄒᆞ므로 유익ᄒᆞᆯ 거ᄉᆞᆫ 아니로ᄃᆡ, 셩녜ᄒᆞᆯ ᄆᆞ음은 업셔 원창이 등과○[후] 셩친ᄒᆞ믈 되디【14】와 의논ᄒᆞᆫ 일이 업더니, 네 말이 맛당ᄒᆞ니 죵용이 되디와 상의ᄒᆞ고 셩녜를 슈히 ᄒᆞ리라.”

1364)낫가오다 : 낮다. 품위, 능력, 품질 따위가 바라는 기준보다 못하거나 보통 정도에 미치지 못하는 상태에 있다.

1365)물고 못 먹는 고기 같다. : 굶주린 이가 고기를 입에 물었다가 차마 먹지 못하고 속이 달아서 애를 태운다는 뜻으로, 미련이 강해 단념을 못함을 비유적으로 이르는 말.

길 업ᄉᆞ니, 브졀업시 시월(時月)을 쳔연치 말고 슈이 친ᄉᆞ를 지ᄂᆡ과져 ᄒᆞ미니, ᄀᆞᆺᄐᆞ여 밋친 일이 아니라. 너ᄂᆞᆫ 드른 말을 조부긔 고ᄒᆞᆯ ᄯᆞ름이니라.”

운긔 머리를 흔드러 왈,

“이런 말을 조부긔 고ᄒᆞ미 나의 소임이 아니오, 부슉긔 일장 ᄃᆡ칙을【8】 밧ᄌᆞ올 일이니 브졀업ᄉᆞᆫ 말을 ᄒᆞ리오.”

ᄉᆞ인이 져의 ᄆᆡᄆᆡ히 ᄶᅦ치믈 보고 다시 혼ᄉᆞ 다히[1070] 말을 못ᄒᆞ여, 오즉 셔안의 녜긔를 ᄉᆞᆯ피다가 이윽ᄒᆞᆫ 후 도라가니, 운긔 날호여 ᄂᆡ루의 드러와 조부긔 뵈ᄋᆞᆸ고 원창의 ᄒᆞ던 말을 고ᄒᆞ니, 금휘 믁연이오, 진 부인이 탄왈,

“샹공이 ᄉᆞ회를 갈희시다가 ᄯᅩᆯ노뼈 남의 ᄌᆡᆨ실 삼ᄂᆞᆫ 낫가오미[1071] 잇시니, 엇지 ᄋᆡ돏지 아니리오”

졔왕이 고왈,

“만ᄉᆡᆨ 텬애(天也)라. 소ᄆᆡ의 팔ᄌᆞ를 두고 보실 ᄯᆞ름이오, 원창의 ᄌᆡᆨ실 삼으믈 한치 마르소셔. ᄌᆞ슌이 소ᄆᆡ를 ᄉᆞ상(思相)키의ᄂᆞᆫ 인ᄉᆞ를 일헛시니, 슈이 혼ᄉᆞ를 일우지 아냐셔ᄂᆞᆫ ᄯᅩ 괴이ᄒᆞᆫ 셔찰이 소ᄆᆡ의 청심고졀(淸心高節)의 츄(醜)ᄒᆞ믈 일월 거시니, 원챵으로 닐너도 ‘물고 못 먹ᄂᆞᆫ 고기 ᄀᆞᆺᄐᆞ여’[1072] 쥬야【9】의 민망ᄒᆞ니, 일월을 쳔연ᄒᆞᄂᆞᆫ 거시 유익지 아니ᄒᆞ온지라. 하공을 보오셔 슈히 셩녜ᄒᆞ믈 의논ᄒᆞ소셔.”

공이 탄왈,

“일월이 쳔연《ᄒᆞ믈‖ᄒᆞ므로》 유익ᄒᆞᆯ 거ᄉᆞᆫ 아니로ᄃᆡ, 셩녜ᄒᆞᆯ 마음은 업셔 원창이 등과○[후] 셩친ᄒᆞ믈 되지와 의논ᄒᆞᆯ[ᄒᆞᆫ] 일이 업더니, 네 말이 맛당ᄒᆞ니 종용이 되지

1070)다히 : ①쪽, 편. ②대로. ③처럼. 같이.

1071)낫가오다 : 낮다. 품위, 능력, 품질 따위가 바라는 기준보다 못하거나 보통 정도에 미치지 못하는 상태에 있다.

1072)물고 못 먹는 고기 같다. : 굶주린 이가 고기를 입에 물었다가 차마 먹지 못하고 속이 달아서 애를 태운다는 뜻으로, 미련이 강해 단념을 못함을 비유적으로 이르는 말.

태부인은 아쥬로 하ᄉᆡᆼ의 ᄌᆡ실 삼으믈 ᄋᆡ들와 ᄒᆞ나, 노인의 ᄆᆞ음이라, 그 부뷔 빵유ᄒᆞᄂᆞᆫ ᄌᆞ미를 보고져 ᄒᆞ여, 또ᄒᆞᆫ 슈히 셩혼케 ᄒᆞ라 ᄒᆞ니, 공이 ᄇᆡ샤슈명(拜謝受命)ᄒᆞ고, 슈일 후 하공을 청ᄒᆞ여 셔로 담화ᄒᆞᆯᄉᆡ, 뎡공 왈,

"쇼뎨 블초 녀식이 년긔 이칠이니 ᄌᆞ슌으로 ○○○○[동년이라]. 쇼뎨 ᄆᆡ양 ᄌᆞ슌의 호호걸츌(浩浩傑出)ᄒᆞ믈 ᄉᆞ랑ᄒᆞᄃᆡ, 녀ᄋᆡ 심히 암녈(暗劣)ᄒᆞ여 ᄌᆞ슌의 상뎍ᄒᆞᆫ ᄇᆡ위 되디 못ᄒᆞ니, 일노뼈 ᄌᆞ져(趑趄)ᄒᆞ여 혼인을 뎡치 못ᄒᆞ엿더니, 뎐연이 괴이ᄒᆞ여 ᄌᆞ슌이 오군쥬를 취ᄒᆞ나 오히려 번ᄉᆞ(繁事)를 ᄉᆡᆼ각ᄒᆞ여 쇼녀를 유의ᄒᆞ니, 일이 능히 타문을 ᄉᆡᆼ각디 못ᄒᆞ게 되엿ᄂᆞᆫ디라. 쇼뎨 ᄌᆞ슌의 등양ᄒᆞ믈 본 후 형과 의논ᄒᆞ여 즉시 친ᄉᆞ를 일우고【15】져 ᄒᆞᄃᆡ, 형이 딘졍으로 녕낭의 번화를 즐겨 아니니, 쇼뎨 또 냥ᄋᆞ(兩兒)의 년긔 더 ᄎᆞ기를 기다리고져 ᄒᆞ더니, 편친이 ᄀᆞ장 굼거워 ᄒᆞ시고, 다시 ᄒᆡ아리ᄆᆡ 일월을 쳔연ᄒᆞ므로 슈복(壽福)이 더 나을 거시 아니오, ᄌᆞ슌으로 ᄒᆞ여금 졈졈 ᄆᆞ음을 잡디 못ᄒᆞᆯ 증되라. 이러므로 특별이 형을 청ᄒᆞ여 셩녜ᄒᆞᆯ 일을 의논ᄒᆞᄂᆞ니 형의 뜻이 엇더ᄒᆞ뇨?"

하공이 믄득 빈미 왈,

"욕ᄌᆞ의 무상ᄒᆞ미 녕녀의 일ᄉᆡᆼ을 희디은 ᄇᆡ 되여, 이졔 형이 만금 농쥬(弄珠)로뼈 원창 패ᄌᆞ의 ᄌᆡ실을 삼고져 ᄒᆞ니, 비록 마디 못ᄒᆞᆯ 일이나 어이 ᄆᆞ음의 졀박디 아니리오. 쇼뎨 녕녀로뼈 식부를 삼을딘ᄃᆡ 영ᄒᆡᆼᄒᆞ미 이 밧긔 업ᄉᆞᆯ 거시로ᄃᆡ, 녕녀의 ᄀᆡ특ᄒᆞ미 능히 ᄀᆞᆺ튼 ᄇᆡ필을 만나디 못ᄒᆞ고 원창 ᄀᆞᆺ튼 탕ᄌᆞ를 맛게 ᄒᆞ【16】니, 니ᄅᆞᆫ 바 옥을 니토(泥土)의 더디며 명쥬를 ᄉᆞ셕(沙石)의 바림 ᄀᆞᆺᄐᆞ니, 엇디 앗갑디 아니리오."

금휘 화연히 웃고 왈,

"ᄌᆞ슌을 뉘 하ᄌᆞᄒᆞ리오. 년쇼호일(年少豪逸)ᄒᆞ미 흠ᄉᆡ나, 댱셩ᄒᆞ면 ᄌᆞ연 근심 업ᄉᆞ리니, 형은 다시 개회(介懷)치 말나."

를 보고 셩녜를 슈이 ᄒᆞ리라."

태부인은 아쥬로 하ᄉᆡᆼ의 ᄌᆡ실 삼으믈 ᄋᆡ들와 ᄒᆞ나, 노인의 마음이라, 그 부뷔 빵뉴ᄒᆞᄂᆞᆫ ᄌᆞ미를 보고져 ᄒᆞ여, 또ᄒᆞᆫ 슈히 셩혼케 ᄒᆞ라 ᄒᆞ니, 공이 ᄇᆡ샤슈명(拜謝受命)ᄒᆞ고, 슈일 후 하공을 청ᄒᆞ여 셔로 담화ᄒᆞᆯᄉᆡ 뎡공 왈,

"소뎨 블초 녀식이 년긔 이칠이니 ᄌᆞ슌으로 동년이라. 소뎨 ᄆᆡ양 ᄌᆞ슌의 호호걸츌(浩浩傑出)ᄒᆞ믈 ᄉᆞ랑ᄒᆞᄃᆡ, 녀ᄋᆡ 심히 암열(暗劣)ᄒᆞ여 ᄌᆞ슌의 상젹【10】ᄒᆞᆫ ᄇᆡ위 되지 못ᄒᆞ니, 일노뼈 ᄌᆞ져(趑趄)ᄒᆞ여 혼인을 졍치 못ᄒᆞ엿더니, 뎐연이 괴이ᄒᆞ여 ᄌᆞ슌이 오군쥬를 취ᄒᆞ나 오히려 번ᄉᆞ(繁事)를 ᄉᆡᆼ각ᄒᆞ여 소녀를 유의ᄒᆞ니, 일이 능히 타문을 ᄉᆡᆼ각지 못ᄒᆞ게 되엿ᄂᆞᆫ지라. 소뎨 ᄌᆞ슌의 등양ᄒᆞ믈 본 후 형과 의논ᄒᆞ여 즉시 친ᄉᆞ를 일우고져 ᄒᆞᄃᆡ, 형이 진졍으로 녕낭의 번화를 즐겨 아니니, 소뎨 또 냥ᄋᆞ(兩兒)의 년긔 더 ᄎᆞ기를 기다리고져 ᄒᆞ더니, 편친이 ᄀᆞ장 굼거워 ᄒᆞ시고, 다시 ᄒᆡ아리ᄆᆡ 일월을 쳔연ᄒᆞ믈 인ᄒᆞ여 슈복(壽福)이 더 나을 거시 아니오, ᄌᆞ슌으로 ᄒᆞ야곰 졈졈 마음을 잡지 못ᄒᆞᆯ 증죄라. 이러므로 특별이 형을 청ᄒᆞ여 셩녜ᄒᆞᆯ 일을 의논ᄒᆞᄂᆞ니, 형의 뜻이 엇더ᄒᆞ뇨?"

하공이 믄득 빈미 왈,

"욕ᄌᆞ의 무상【11】ᄒᆞ미 녕녀의 일ᄉᆡᆼ을 희지은 ᄇᆡ 되여, 이졔 형이 만금 농쥬로뼈 원창 ᄑᆡᄌᆞ의 ᄌᆡ실을 삼고져 ᄒᆞ니, 비록 마지 못ᄒᆞᆫ 일이나 어이 마음의 졀박지 아니리오. 소뎨 녕녀로뼈 식부를 삼을진ᄃᆡ 영ᄒᆡᆼᄒᆞ미 이 밧긔 업ᄉᆞᆯ 거시로ᄃᆡ, 녕녀의 ᄀᆡ특ᄒᆞ미 능히 ᄀᆞᆺ튼 ᄇᆡ필을 만나지 못ᄒᆞ고 원창 ᄀᆞᆺ튼 탕ᄌᆞ를 맛게 ᄒᆞ니, 니ᄅᆞᆫ 바 옥을 니토(泥土)의 더지며 명쥬를 ᄉᆞ셕(沙石)의 바림 ᄀᆞᆺᄐᆞ니, 엇지 앗갑지 아니리오."

금휘 화연히 웃고 왈,

"ᄌᆞ슌을 뉘 하ᄌᆞᄒᆞ리오. 년소호일(年少豪逸)ᄒᆞ미 흠ᄉᆡ나, 쟝셩ᄒᆞ면 ᄌᆞ연 근심 업ᄉᆞ리니, 형은 다시 ᄀᆡ회(介懷)치 말나."

하고, 돗 우히셔 틱일ᄒᆞ니, 혼긔 블과 슌이 격ᄒᆞ엿ᄂᆞᆫ디라. 냥공이 죵용이 담화ᄒᆞ다가 하공이 도라 가다.

이러구러 길일이 다ᄃᆞ르ᄆᆡ, 냥가의○[셔] 연셕을 여러 신인을 마즐ᄉᆡ, 이ᄢᅴ 셜빈이 시녀의 젼어(傳語)로 샤인의 ᄌᆡ취ᄒᆞ믈 드르니, 놀나오미 벽녁이 만신을 분쇄홈 ᄀᆞᆺᄐᆞ나, 아딕 명예를 낫토아[1366] 샤인의 은통을 낫고와 보려, 독ᄉᆞ의 심경과 ᄉᆡ호의 ᄉᆞ오납기를 셔리담아, 계오 발악디 아니나 ᄉᆞᄉᆡᆨ(辭色)이 분분(忿憤)ᄒᆞ여 뵈니, 하공이 셜빈의 거동을 보ᄆᆡ 념녜 비상ᄒᆞ고,【17】작홰 어나 디경의 니를디 근심이 뎍디 아니터라.

이날 일ᄉᆡᆨ이 반오의 초공과 한님이 샤인을 다리고 드러와 길복을 ᄎᆞᄌᆞ니, 됴부인이 셜빈으로ᄡᅧ 길복을 식이디 아니코 침션 비ᄌᆞ로 디엇던 ᄇᆡ라. 즉시 ᄂᆡ여 닙힐ᄉᆡ, 하공이 초공다려 왈,

“뎡뷔 너모 갓가와 요ᄀᆡᆨ(繞客)이 밀니일 ᄃᆞᆺᄒᆞ니, 길흘 잠간 도라 가게 ᄒᆞ라.”

초공이 슈명ᄒᆞ여 샤인으로 더브러 길흘 도라 뎡부로 향ᄒᆞᆯᄉᆡ, 하샤인의 풍광이 오날ᄂᆞᆯ 더옥 ᄉᆡ롭고, 만됴 명공거경이 다 요ᄀᆡᆨ이 되여 댱녀(壯麗)ᄒᆞᆫ 위의 노샹의 덥혓더라.

힝ᄒᆞ여 뎡부의 다ᄃᆞ라 옥상의 홍안을 젼ᄒᆞ고 ᄇᆡ례를 맛ᄎᆞᄆᆡ, 졔왕 오곤계 녜복을 ᄀᆞᆺ초고 우음을 ᄯᅴ여 팔흘 민ᄃᆡ, 하샤인이 즉시 좌의 드니, 그 풍ᄎᆡ신광이 쇄락ᄒᆞ여 츄텬의 졔월(霽月)이 두렷ᄒᆞ고,【18】 화(和)ᄒᆞᆫ 긔상은 삼츈의 만홰 흔득이ᄂᆞᆫ ᄃᆞᆺᄒᆞ더라.

금휘 비록 신낭의 호일방탕(豪逸放蕩)ᄒᆞ믈 깃거 아니턴 ᄇᆡ나, 오날 그 표치풍광을 ᄃᆡᄒᆞ여 두굿기고 년ᄋᆡᄒᆞᄂᆞᆫ 졍을 니긔디 못ᄒᆞ여, 흔연 집슈 왈,

“신낭이 이곳의 발이 셜고 면목이 셔어(齟齬)ᄒᆞ리니 ᄌᆞ연 슈습ᄒᆞ미 이시려니와, 너의 풍용이 금일 더옥 ᄉᆡ로온 ᄃᆞᆺᄒᆞ니, 엇디

1366)낫토다 : 나토다. 나타내다. 드러내다.

하고, 돗 우히셔 틱일ᄒᆞ니, 혼긔 블과 슌이 격ᄒᆞ엿ᄂᆞᆫ지라. 냥공이 죵용이 담화ᄒᆞ다가 하공이 도라 가니라.

이러구러 길일이 다다르ᄆᆡ, 냥가의 연셕을 여【12】러 신인을 마즐ᄉᆡ, 이 ᄢᅴ 셜빈이 시녀의 젼어(傳語)로 조ᄎᆞ ᄉᆞ인의 ᄌᆡ취ᄒᆞ믈 드르니, 놀나오미 벽녁이 만신을 분쇄홈 ᄀᆞᆺᄐᆞ나, 아직 명예를 《낫초아∥낫토아[1073]》 ᄉᆞ인의 은총을 낫고와 보려, 독ᄉᆞ의 심경과 ᄉᆡ호의 ᄉᆞ오납기를 셔리담아, 계오 발악지 아니나 ᄉᆞᄉᆡᆨ(辭色)이 분분(忿憤)ᄒᆞ여 뵈니, 하공이 셜빈의 거동을 보ᄆᆡ 념녜 비상ᄒᆞ고, 작홰 어나 지경의 니를지 근심이 젹지 아니터라.

이 날 일ᄉᆡᆨ이 반오의 초공과 한님이 ᄉᆞ인을 ᄃᆞ리고 드러와 길복을 ᄎᆞᄌᆞ니, 조부인이 셜빈으로ᄡᅧ 길복을 식이지 아니코, 침션 비ᄌᆞ로 지엇던 ᄇᆡ라. 즉시 ᄂᆡ여 닙힐ᄉᆡ, 하공이 초공다려 왈,

“뎡뷔 너모 갓가와 요ᄀᆡᆨ(繞客)이 밀니일 ᄃᆞᆺᄒᆞ니, 길흘 잠간 도라가게 ᄒᆞ라”

초공이 슈명ᄒᆞ여 ᄉᆞ인으로【13】 더브러 길흘 도라 뎡부로 향ᄒᆞᆯᄉᆡ, 하ᄉᆞ인의 풍광이 오날날 더욱 ᄉᆡ롭고 만조 명공거경이 다 요ᄀᆡᆨ이 되여 장녀(壯麗)ᄒᆞᆫ 위의 노샹의 덥혓더라.

힝ᄒᆞ여 뎡부의 다다라 옥상의 홍안을 젼ᄒᆞ고 ᄇᆡ례를 맛ᄎᆞᄆᆡ, 졔왕 오곤계 녜복을 ᄀᆞᆺ초고 우음을 ᄯᅴ여 팔흘 민ᄃᆡ, 하ᄉᆞ인이 즉시 좌의 드니, 그 풍ᄎᆡ신광이 쇄락ᄒᆞ여 츄텬의 졔월(霽月)이 두렷ᄒᆞ고, 화ᄒᆞᆫ 긔상은 삼츈의 만홰 흔득이ᄂᆞᆫ ᄃᆞᆺᄒᆞ더라.

뎡휘 비록 신낭의 호일방탕(豪逸放蕩)ᄒᆞ믈 깃거 아니턴 ᄇᆡ나, 오날 그 표치풍광을 ᄃᆡᄒᆞ여 두굿기고 연ᄋᆡᄒᆞᄂᆞᆫ 졍을 니긔지 못ᄒᆞ여, 흔연 집슈 왈,

“신낭이 이곳의 발이 셜고 면목이 셔어(齟齬)ᄒᆞ리니 ᄌᆞ연 슈습ᄒᆞ미 잇시려니와, 너의 풍용이 금일 더욱 ᄉᆡ【14】로온 ᄃᆞᆺᄒᆞ니,

1073)낫토다 : 나토다. 나타내다. 드러내다.

아름답디 아니리오."

하샤인이 함쇼(含笑) 궤좌(跪坐)오. 졔긱이 소릐를 년ᄒᆞ여 쾌셔 어드믈 치하ᄒᆞ니, 금휘 좌슈우응의 조금도 샤양치 아니터라.

슌태부인이 젼어 왈,

"신낭이 비록 독좌(獨坐)의 녜(禮)[1367]를 힝치 아녀시나, 뎐안디녜(奠雁之禮)를 일워시니 잠간 보미 히롭디 아닐디라. 인도ᄒᆞ여 드러와 노모의 구구ᄒᆞᆫ 졍을 펴게 ᄒᆞ라."

공이 모친 말솜을 듯ᄌᆞᆸ고 샤인을 도라보아 웃고 왈,

"편친이 너를 밧비 보고져 ᄒᆞ【19】시니 날과 ᄂᆡ루의 잠간 드러 가미 엇더 ᄒᆞ뇨?"

샤인이 ᄇᆡ샤슈명 ᄒᆞᆫᄃᆡ, 금휘 졔왕 등 오ᄌᆞ를 거ᄂᆞ려 창후와 동후를 향ᄒᆞ여 왈,

"ᄉᆡ 셔랑(壻郞)이 드러가니 녯 셔랑을 홀노 두리오. ᄒᆞᆫ가디로 드러가 존당긔 뵈오미 엇더 ᄒᆞ뇨?"

창휘 쇼이ᄃᆡ왈(笑而對曰),

"하ᄌᆞ슌은 존당이 보고져 ᄒᆞ시미오, 쇼ᄉᆡᆼ은 보고져 ᄒᆞ시미 업ᄉᆞᆯ ᄲᅳᆫ 아니라, 쇼ᄉᆡᆼ 형뎨는 귀부 동상(東床)이 되연 디 셰월이 오ᄅᆡ여, 보시나 신신(新新)치 아니코, 하ᄌᆞ슌은 ᄉᆡ로 졍을 뽀다 계시니, 쇼ᄉᆡᆼ 등은 가장 앙앙(怏怏)토소이다.

공이 쇼왈,

"ᄉᆡ 셔랑이라고 ᄉᆞ랑이 더ᄒᆞᆯ 것 아니오, 내 집이 ᄉᆞ원 형뎨 귀듕ᄒᆞ믄 친ᄌᆞ의 감치 아니니, 하ᄌᆞ슌 아녀 텬샹낭(天上郞)인들 ᄉᆞ원 형뎨의셔 더 ᄉᆞ랑ᄒᆞ랴?"

창휘 함쇼 왈,

"쇼ᄉᆡᆼ은 본ᄃᆡ 빙가의 죵요로온 셔랑이 되디 못ᄒᆞ고, 샤뎨는 본ᄃᆡ 셩졍이 직긔【20】롭디 못ᄒᆞ여 무미ᄒᆞᆫ 위인이라. 일즉 악부모의 ᄉᆞ랑ᄒᆞ시는 졍을 아디 못ᄒᆞᆯ ᄲᅳᆫ 아니라, 쇼ᄉᆡᆼ의 너른 쥬량도 빙가의 와 ᄎᆡ와 본 ᄇᆡ 업ᄉᆞ니, ᄉᆞ회를 ᄃᆡ졉ᄒᆞᆫ다 ᄒᆞ리잇가?"

1367)독좌(獨坐)의 녜(禮) : 독좌례(獨坐禮). 혼인례에서 대례(大禮)를 달리 이른 말. 즉 신랑과 신부가 대례를 행할 때 각각의 앞에 음식을 차려 놓은 독좌상(獨坐床)을 놓고 교배(交拜)·합근(合巹) 등의 의례를 행하는 것을 비유하여 쓴 말이다.

엇지 아름답지 아니리오."

하ᄉᆞ인이 함소(含笑) 궤좌(跪坐)ᄒᆞ고, 졔긱이 소릐를 연ᄒᆞ여 쾌셔 어드믈 치하ᄒᆞ니, 뎡휘 좌슈우응의 조곰도 샤양치 아니터라.

슌태부인이 젼어 왈,

"신낭이 비록 독좌(獨坐)의 녜(禮)[1074]를 힝치 아녀시나, 뎐안지녜(奠雁之禮)를 일워시니 잠간 보미 히롭지 아닐지라. 인도ᄒᆞ여 드러와 노모의 구구ᄒᆞᆫ 졍을 펴게 ᄒᆞ라."

공이 친교(親教)를 듯고 ᄉᆞ인을 도라보아 웃고 왈,

"편친이 너를 밧비 보고져 ᄒᆞ시니, 날과 ᄂᆡ루의 잠간 드러 가미 엇더 ᄒᆞ뇨?"

ᄉᆞ인이 ᄇᆡ샤슈명 ᄒᆞᆫᄃᆡ, 금휘 졔왕 등 오ᄌᆞ를 거ᄂᆞ려 남후와 동후를 향ᄒᆞ여 왈.

"ᄉᆡ 셔랑(壻郞)이 드러가니 녯 셔랑을 홀노 두리오. ᄒᆞᆫ가지로 드러가 존당의 뵈오미 엇더ᄒᆞ뇨?"

남휘 소이【15】ᄃᆡ왈(笑而對曰),

"하ᄌᆞ슌은 존당이 보고져 ᄒᆞ시미오, 소ᄉᆡᆼ은 보고져 ᄒᆞ시미 업ᄉᆞᆯ ᄲᅳᆫ 아니라, 소ᄉᆡᆼ 형뎨는 귀부 동상(東床)이 되연 지 셰월이 오ᄅᆡ여, 보시나 신신(新新)치 아니코, 하ᄌᆞ슌은 ᄉᆡ로 졍을 뽀다 계시니, 소ᄉᆡᆼ 등은 가장 앙앙(怏怏)토소이다."

공이 소왈,

"ᄉᆡ 셔랑이라고 ᄉᆞ랑이 더ᄒᆞᆯ 것 아니오, 내 집이 ᄉᆞ원 형뎨 귀즁ᄒᆞ믄 친ᄌᆞ의 감치 아니니, 하ᄌᆞ슌 아녀 텬샹낭(天上郞)인들 ᄉᆞ원 형뎨의셔 더 ᄉᆞ랑ᄒᆞ랴?"

창휘 함소 왈,

"소ᄉᆡᆼ은 본ᄃᆡ 빙가의 죵요로온 셔랑이 되지 못ᄒᆞ고, 샤뎨는 본ᄃᆡ 셩졍이 직긔롭지 못ᄒᆞ여 무미ᄒᆞᆫ 위인이라. 일즉 악부모의 ᄉᆞ랑ᄒᆞ시는 졍을 아지 못ᄒᆞᆯ ᄲᅮᆫ 아니라, 소ᄉᆡᆼ의 너른 쥬량도 빙가의 와 ᄎᆡ와 본 ᄇᆡ 업ᄉᆞ니, ᄉᆞ회를 ᄃᆡ졉【16】ᄒᆞᆫ다 ᄒᆞ리잇가?"

1074)독좌(獨坐)의 녜(禮) : 독좌례(獨坐禮). 혼인례에서 대례(大禮)를 달리 이른 말. 즉 신랑과 신부가 대례를 행할 때 각각의 앞에 음식을 차려 놓은 독좌상(獨坐床)을 놓고 교배(交拜)·합근(合巹) 등의 의례를 행하는 것을 비유하여 쓴 말이다.

공이 딕쇼 왈,
"내 본딕 사룸을 권장ᄒᆞᄂᆞᆫ 도리 쥬식의 침닉디 말고져 ᄒᆞᄂᆞᆫ 고로, ᄉᆞ원을 쥬량이 ᄎᆞ도록 권치 못ᄒᆞ엿더니, ᄉᆞ회 딕졉 잘 못ᄒᆞ믈 니르니, 금일 연셕의 취토록 먹으라."
창휘 쇼이딕왈,
"금일은 악당이 쇼싱 등의 먹기를 위ᄒᆞ미 아니라○[도], ᄌᆞ연 쥬찬이 흔ᄒᆞ여 하리노ᄌᆞ빅(下吏奴子輩)라도 다 취ᄒᆞ오니, 쇼싱 ᄯᆞ녀 통음치 아니리잇가?"
뎡공이 웃고 ᄌᆞ셔(子壻)로 더브러 닉루의 드러오니, 태부인이 바야흐로 아쥬 쇼져를 단장ᄒᆞ여, 즁쳥의셔 습의(襲衣)ᄒᆞ믈 보고, 두【21】굿거운 우음이 만면이러니, 공의 부ᄌᆞ 신낭과 창후로 드러오믈 고ᄒᆞ니, 모든 닉긱이 장닉로 들고, 아쥬 쇼져를 방 듕의 드린 후, 태부인이 딘부인과 낙양후 부인 쥬시며, 딘태상 부인, 딘각노 부인으로 더브러 신낭을 볼ᄉᆡ, 샤인이 졔왕 등의 인도ᄒᆞ믈 조ᄎᆞ ᄎᆞ례로 빅례ᄒᆞ고 좌의 들고져 ᄒᆞ더니, 공이 웃고 왈,
"비록 독좌의 녜를 힝치 아닌 젼이나 임의 ᄌᆞ졍이 보시고, 내 집이 본딕 셔랑 딕졉을 외긱으로 ᄒᆞᄂᆞᆫ 일이 업슬 쁜 아니라, 내 셔랑 등은 동긔 ᄀᆞᆺ튼 친붕의 ᄋᆞᄃᆞᆯ이니 동상(東床)이 되디 아닌 젼이라도 통닉외(通內外)ᄒᆞᆯ ᄉᆞ이라. 녀ᄋᆞ와 식뷔 엇디 좌간의 나디 아닛ᄂᆞ뇨? 모로미 셔로 보라."
공의 녕이 ᄒᆞᆫ 번 나ᄆᆡ 금슈쟝(錦繡帳)을 드ᄂᆞᆫ 바의, 향풍이【22】니러나고 셔광(瑞光)이 ᄋᆡᄋᆡ(靄靄)ᄒᆞ며 졔왕비 오인과 니·양·한·쥬·소·두·화 등이며, 창후 부인 슉녈과 졔 부인이 금년(金蓮)을 ᄌᆞ약히 옴겨 나오니, 각각 픔슈(稟受)ᄒᆞᆫ 바 텬싱특용(天生特容)이 만고(萬古)를 기우려 엇기 어려온 ᄌᆞ식이오, 녜모힝동이 유법단일(有法端壹)ᄒᆞ여 유연이 혹니군ᄌᆞ(學理君子)의 풍이 잇ᄂᆞᆫ 듯, 졔왕 삼비 니시와 도찰(都察)의 원비 두시ᄂᆞᆫ 용상(庸常)ᄒᆞᆫ 위인이로딕, 기여ᄂᆞᆫ 다 션풍옥틱(仙風玉態)라. 윤의렬 뎡슉녈의 일월명광과 츄슈경신(秋水精神)이며 팔

공이 딕소 왈,
"내 본딕 샤룸을 권장ᄒᆞᄂᆞᆫ 도리 쥬식의 침익지 말고져 ᄒᆞᄂᆞᆫ 고로, ᄉᆞ원을 쥬량의 ᄎᆞ도록 권치 못ᄒᆞ엿더니, ᄉᆞ회 딕졉 잘 못ᄒᆞ믈 니르니, 금일 연셕의 취토록 먹으라."
창휘 소이딕왈,
"금일은 악쟝이 소싱 등의 먹기를 위ᄒᆞ미 아니라○[도], ᄌᆞ연 쥬찬이 흔ᄒᆞ여 하리노ᄌᆞ빅(下吏奴子輩)라도 다 취ᄒᆞ오니, 소싱 ᄯᆞ여 통음치 아니리잇가?"
뎡공이 웃고 ᄌᆞ셔(子壻)로 더브러 닉루의 드러오니, 태부인이 바야흐로 아쥬 소져를 단장ᄒᆞ여 즁쳥의셔 습의ᄒᆞ믈 보고, 두굿겨온 우음이 만면이러니, 공의 부ᄌᆞ 신낭과 창후로 드러오믈 고ᄒᆞ니, 모든 닉긱이 장닉로 들고 아쥬 소져를 방 즁의 드린 후, 태부인이 진부인과 낙○[양]후【17】 부인 쥬씨며 진태상 부인, 진각노 부인으로 더브러 신낭을 볼ᄉᆡ, ᄉᆞ인이 졔왕 등의 인도ᄒᆞ믈 조ᄎᆞ ᄎᆞ례로 빅례ᄒᆞ고, 좌의 들고져 ᄒᆞ더니, 공이 웃고 왈,
"비록 독좌의 례를 힝치 아닌 젼이나 임의 ᄌᆞ졍이 보시고, 내 집이 본딕 셔랑 딕졉을 외긱으로 ᄒᆞᄂᆞᆫ 일이 업슬 뿐 아니라, 내 셔랑 등은 동긔 ᄀᆞᆺ튼 친붕의 ᄋᆞᄃᆞᆯ이니 동상(東床)이 되지 아닌 젼이라도 통닉외(通內外)ᄒᆞᆯ ᄉᆞ이라. 녀ᄋᆞ와 식뷔 엇지 좌간의 나지 아닛ᄂᆞ뇨? 모로미 셔로 보라."
공의 녕이 ᄒᆞᆫ 번 나ᄆᆡ 금슈쟝(錦繡帳)을 드ᄂᆞᆫ 바의, 향풍이 니러 나고 셔광(瑞光)이 ᄋᆡᄋᆡ(靄靄)ᄒᆞ며 졔왕비 오인과 니·양·한·쥬·《샤∥소》·두·화 등이며, 남후 부인 슉녈과 졔 부인이 금년(金蓮)을 ᄌᆞ약히 옴겨 나오니, 각각 픔슈(稟受)ᄒᆞᆫ 바 텬【18】싱특용(天生特容)이 만고(萬古)를 기우려 엇기 어려온 ᄌᆞ식이오, 녜모힝동이 유법단일(有法端壹)ᄒᆞ여 유연이 ᄒᆞᆨ니군ᄌᆞ(學理君子)의 풍이 잇ᄂᆞᆫ 즁, 졔왕 삼비 니씨와 《조찰∥도찰(都察)》의 원비 두씨ᄂᆞᆫ 용상ᄒᆞᆫ 위인이로딕, 기여ᄂᆞᆫ 다 션풍옥틱(仙風玉態)라. 윤의렬 뎡슉녈의 일월명광과 츄슈경

ᄎᆡ염광(八彩艷光)이 태양이[의] 빗촐 아ᄉᆞ니, ᄒᆞᆫ 번 보ᄆᆡ 긔운이 상연(爽然)ᄒᆞ여 몸이 딘셰(塵世)의 이시나, 호호(皓皓)이[1368] 녕ᄇᆡᆨ(靈魄)이 월궁 항ᄋᆞ(姮娥)를 봄 ᄀᆞᆺ고, 그 밧 니·양과 경비며, 소·한·화 등과 문양공쥬의 ᄇᆡᆨᄐᆡ미질(百態美質)이 개개히 화옥(花玉)을 낫게 넉이며, 금슈(錦繡)【23】를 우이 넉이ᄂᆞᆫ디라. 하샤인이 슌태부인의 유법신듕홈과 현명화열(賢明和悅)ᄒᆞᆫ 거동을 일안(一眼)의 경복ᄒᆞ고, 그 악모 딘부인의 할연청고(豁然淸高)ᄒᆞ며 단아졍슉(端雅貞淑)ᄒᆞᆫ 위의를 또ᄒᆞᆫ 긔특이 넉이고, 졔 부인의 화용월ᄐᆡ를 비록 화원(花園)의셔 잠간 구경ᄒᆞᆫ ᄇᆡ나, 어이 ᄌᆞ셔히 보아시며, 뎡슉녈은 쳐음 보ᄂᆞᆫ ᄇᆡ라, 크게 경복ᄒᆞ여 숨을 길게 쉬고 혜오ᄃᆡ,

“우리 ᄇᆡᆨ슈(伯嫂)와 ᄆᆡ져(妹姐)를 독보(獨步)ᄒᆞᆯ가 ᄒᆞ엿더니, 엇디 뎡부의ᄂᆞᆫ 졀ᄉᆡᆨ슉완이 이ᄃᆡ도록 만흔고? 평졔왕과 위국공은 므ᄉᆞᆫ 복으로 져런 만고무비(萬古無比)ᄒᆞᆫ 셩녀 철부를 두엇ᄂᆞᆫ고? 쳐궁도 과연 남달니 유복ᄒᆞ도다.”

이갓치 흠탄(欽歎)ᄒᆞᄂᆞᆫ ᄆᆞ음이 형상치 못ᄒᆞ기의 밋쳐ᄂᆞᆫ, 금일 취ᄒᆞᆫ 뎡시 ᄀᆞᆺᄐᆞ여 윤·양 등 아ᄅᆡ 잇디 아닐 줄 아니,【24】쾌활ᄒᆞ믈 니긔디 못ᄒᆞ더라.

태부인과 딘부인이 아쥬 쇼져로 하싱의 ᄌᆡᆨ실 삼으미, 실노 ᄋᆡ둛고 분ᄒᆞᆫ 의ᄉᆞᄂᆞᆫ ᄒᆞᆫ 구셕의 밋쳣더니, 오날 신낭을 보건ᄃᆡ 반악(潘岳)이 ᄌᆡ셰(再世)ᄒᆞ고 두목디(杜牧之) 다시 ᄉᆞ라도 이의 디나디 못ᄒᆞᆯ디라. ᄉᆞ랑ᄒᆞᄂᆞᆫ 경이 가득ᄒᆞ여, 태부인이 이의 말을 펴, 왈,

“낭군이 칠셰의 쵹디로셔 도라오ᄆᆡ 집이 쟝원을 년ᄒᆞ고, ᄉᆞ이의 협문을 두어 셔로 됴왕모ᄅᆡ(朝往暮來)ᄒᆞ여, 녕엄과 ᄋᆞ지 명위붕위(名爲朋友)나 동긔의 다르미 업ᄉᆞ니, 노인이 엇디 군 등 곤계를 쳥ᄒᆞ여 ᄒᆞᆫ 번 보고져 ᄆᆞ음이 업ᄉᆞ리오마ᄂᆞᆫ, 오히려 남녜 별이(別離)[1369]ᄒᆞ미 잇ᄂᆞᆫ디라. 능히 쯧 ᄀᆞᆺ디 못

1368)호호(皓皓)이 : 호호(皓皓)히. 빛나고 맑게.

신(秋水精神)이며 팔ᄎᆡ념광(八彩艷光)이 ᄐᆡ양의 빗촐 아ᄉᆞ니, ᄒᆞᆫ 번 보ᄆᆡ 긔운이 상연(爽然)ᄒᆞ여 몸이 진셰(塵世)의 잇시나, 호호(皓皓)이[1075] 녕ᄇᆡᆨ이 월궁 항ᄋᆞ(姮娥)를 봄 ᄀᆞᆺ고, 그 밧 니·양과 경비며 소·한·화 등과 문양공쥬의 ᄇᆡᆨᄐᆡ미질(百態美質)이 개개히 화옥(花玉)을 낫게 넉이며, 금슈를 우이 넉이ᄂᆞᆫ지라. 하ᄉᆞ인이 슌태부인의 유법신즁홈과 현명화열(賢明和悅)ᄒᆞᆫ 거동을 일안(一眼)의 경복ᄒᆞ고, 그 악모 진 부인의 할연청고(豁然淸高)ᄒᆞ며 단아【19】청[졍]슉(端雅貞淑)ᄒᆞᆫ 위의를 또ᄒᆞᆫ 긔특이 넉이고, 졔 부인의 화용월ᄐᆡ를 비록 화원(花園)의셔 잠간 구경ᄒᆞᆫ ᄇᆡ나 엇지 ᄌᆞ셔이 보아시며, 뎡슉녈은 쳐음 보ᄂᆞᆫ ᄇᆡ라, 크게 경복ᄒᆞ여 숨을 길게 쉬고 혜오ᄃᆡ,

“우리 ᄇᆡᆨ슈(伯嫂)와 ᄆᆡ져(妹姐)를 독보(獨步)ᄒᆞᆯ가 ᄒᆞ엿더니, 엇지 뎡부의ᄂᆞᆫ 졀ᄉᆡᆨ슉완이 이ᄃᆡ도록 만흔고? 평졔왕과 남창후ᄂᆞᆫ 무ᄉᆞᆫ 복으로 져런 만고무비(萬古無比)ᄒᆞᆫ 셩녀 철부를 두엇ᄂᆞᆫ고? 쳐궁도 과연 남달니 유복ᄒᆞ도다.”

이갓치 흠탄(欽歎)ᄒᆞᄂᆞᆫ 마음이 형상치 못ᄒᆞ기의 밋쳐ᄂᆞᆫ, 금일 취ᄒᆞᆫ 뎡씨 ᄀᆞᆺᄐᆞ여 윤·양 등 아ᄅᆡ 잇지 아닐 줄 아{ᄂᆞ}니, 쾌활ᄒᆞ믈 니긔지 못ᄒᆞ더라.

태부인과 진부인이 아쥬 소져로 하싱의 ᄌᆡᆨ실 삼으미 실노 ᄋᆡ둛고 분ᄒᆞᆫ 의ᄉᆞ【20】ᄂᆞᆫ ᄒᆞᆫ 구셕의 밋쳣더니, 오날 신낭을 보건ᄃᆡ 반악(潘岳)이 ᄌᆡ셰ᄒᆞ고 두목지(杜牧之) 다시 ᄉᆞ라도 이의 지나지 못ᄒᆞᆯ지라. ᄉᆞ랑ᄒᆞᄂᆞᆫ 경이 ᄀᆞ득ᄒᆞ여, 태부인이 이의 말을 펴 왈,

“낭군이 칠셰의 쵹지로셔 도라오ᄆᆡ 집이 쟝원을 년ᄒᆞ고, ᄉᆞ이의 협문을 두어 셔로 조왕모ᄅᆡ(朝往暮來)ᄒᆞ여 녕엄과 ᄋᆞ지 명위붕위(名爲朋友)나 동긔의 다르미 업ᄉᆞ니, 노인이 엇지 군 등 곤계를 쳥ᄒᆞ여 ᄒᆞᆫ 번 보고져 마음이 업ᄉᆞ리오마ᄂᆞᆫ, 오히려 남녜 별이(別離)[1076]ᄒᆞ미 잇ᄂᆞᆫ지라. 능히 쯧 ᄀᆞᆺ지 못

1075)호호(皓皓)이 : 호호(皓皓)히. 빛나고 맑게.

ᄒᆞ더니, 이졔 미약ᄒᆞᆫ 손녀로ᄡᅧ 군ᄌᆞ의 부실을 삼으니, 오날ᄂᆞᆯ노브터 내 집 동상이 될디라. 군의 풍ᄎᆡ(風彩) 문한(文翰)은 비록 보디 아니나, 임【25】의 우레ᄀᆞᆺ치 드럿던 거시어니와, 노인의 구구ᄒᆞᆫ 졍이 독좌디네를 ᄒᆡᆼ치 아닌 젼이나, 착급히 보고져 ᄯᅳᆺ이 이시므로 쳥ᄒᆞ미 잇더니, 믄득 션풍옥골을 상견ᄒᆞ니, 노인이 깃븐 졍과 두굿기미 극ᄒᆞ나 도라 손녀의 잔미ᄒᆞ믈 ᄉᆡᆼ각건ᄃᆡ, 실노 군의 ᄇᆡ위 못 되리니, 듕궤 쇼임은 우히 원비 계시ᄆᆡ 져의 당홀 ᄇᆡ 아니어니와, 군ᄌᆞ의 화홍대량(和弘大量)으로ᄡᅧ, 녀ᄌᆞ의 쇼쇼 허믈을 ᄎᆡᆨ망치 말고 기리 화락ᄒᆞ여 블평디식 업술던ᄃᆡ, 노인이 블승감격 ᄒᆞ리로다."

딘부인이 ᄯᅩ 말ᄉᆞᆷ을 니어 왈,

"셕년으로브터 귀부와 뎡문의 교분이 ᄌᆞ별ᄒᆞ시니, 녀ᄌᆞ의 ᄆᆞ음의도 ᄯᅩᄒᆞᆫ 일가디친(一家至親)ᄀᆞᆺ치 아다가, 텬흥이 긔특이 영쥬를 어더 우리 부녀모녀디의(父女母女之義)를 뎡ᄒᆞ니, 져의 츌【26】인ᄒᆞᆫ 셩회 ᄉᆡᆼ양부모(生養父母)를 간격디 아니코, 존엄(尊嚴)이 은샤를 씌여 상경ᄒᆞ시ᄆᆡ, 옥누항 구튁을 바리시고 별원의 머므시니, 더옥 졍의 ᄌᆞ별ᄒᆞ여 ᄂᆡ외로 교도를 니으ᄆᆡ, 골육형뎨로 다르미 업ᄉᆞᄃᆡ, 쳡이 쇼졸(疏拙)ᄒᆞ고 가ᄂᆡ의 쇼년 녀ᄌᆡ 만흔 고로, 연고 업시 군 등을 청ᄒᆞ여 상견치 못ᄒᆞ엿더니, 금일 군ᄌᆡ 쇼녀를 부실노 취ᄒᆞ시니 문난의 광ᄎᆡ를 돗치고[1370], 군ᄌᆞ의 풍뉴문쟝을 모로던 ᄇᆡ 아니나 피ᄎᆞ 상견이 쳐음이라. 실노 과망(過望)ᄒᆞ니, 쳡이 구구ᄒᆞᆫ 졍으로ᄡᅧ 엇디 흔ᄒᆡᆼ(欣幸)치 아니리오마ᄂᆞᆫ, 다만 쇼녀의 누딜노 군ᄌᆞ의 쾌ᄒᆞᆫ ᄇᆡ위 아니라 ᄀᆞ장 외람ᄒᆞ니, 도로혀 블안ᄒᆞ믈 니긔디 못ᄒᆞ노라."

하샤인이 복슈궤좌(伏首跪坐)ᄒᆞ여 듯기를 맛ᄎᆞᄆᆡ, 니러 ᄌᆡᄇᆡ ᄉᆞ샤(謝辭) 왈,

"쇼ᄉᆡᆼ의 집이【27】존부 산은ᄒᆡ덕을 힘

1369)별이(別離) : 서로 나뉘어 섞여 있지 않음.
1370)돗치다 : 돋치다. 돋우다. 돋아서 내밀다. 정도나 수준을 더 높이다.

ᄒᆞ더니, 이졔 미약ᄒᆞᆫ 손녀로ᄡᅧ 군ᄌᆞ의 부실을 삼으니, 오날날노브터 내 집 동상이 된지라. 군의 풍ᄎᆡ(風彩) 문한(文翰)은 비록 보지 아니나 임의 우레ᄀᆞᆺ치 드럿던 거시어니와, 노인의 구구ᄒᆞᆫ 졍셩이 독좌【21】지네를 ᄒᆡᆼ치 아닌 젼이나, 착급히 보고져 ᄯᅳᆺ이 잇시므로 쳥ᄒᆞ미 잇더니, 믄득 션풍옥골을 상견ᄒᆞ니, 노인이 깃분 졍과 두굿기미 극ᄒᆞ나 도라 손녀의 잔미ᄒᆞ믈 ᄉᆡᆼ각건ᄃᆡ, 실노 군의 ᄇᆡ위 못 되리니, 즁궤 소임은 우히 원비 계시ᄆᆡ 져의 당홀 ᄇᆡ 아니어니와, 군ᄌᆞ의 화홍ᄃᆡ량(和弘大量)으로ᄡᅧ 녀ᄌᆞ의 소소 허믈을 ᄎᆡᆨ망치 말고, 기리 화락ᄒᆞ여 불평지식 업술진ᄃᆡ, 노인이 불승감격 ᄒᆞ리로소이다."

진부인이 ᄯᅩ 말ᄉᆞᆷ을 니어 왈,

"셕년으로브터 귀부와 뎡문의 교분이 ᄌᆞ별ᄒᆞ시니, 녀ᄌᆞ의 마음의도 ᄯᅩᄒᆞᆫ 일가지친(一家至親) ᄀᆞᆺ치 아다가, 텬흥이 긔특이 영쥬를 어더 우리 부녀모녀지의(父女母女之義)를 졍ᄒᆞ니, 져의 츌인ᄒᆞᆫ 셩회 ᄉᆡᆼ부모와 양부모【22】를 간격지 아니코, 존엄(尊嚴)이 은샤를 씌여 상경ᄒᆞ시ᄆᆡ, 옥누항 구튁을 ᄇᆞ리시고 별원의 머므시니, 더욱 졍의 ᄌᆞ별ᄒᆞ여 ᄂᆡ외로 교도를 니으ᄆᆡ, 골육형뎨로 다르미 업ᄉᆞᄃᆡ, 쳡이 《슈질‖쇼졸(疏拙)》ᄒᆞ고 가ᄂᆡ의 소년 녀ᄌᆡ 만흔 고로, 연고 업시 군 등을 청ᄒᆞ여 상견치 못ᄒᆞ엿더니, 금일 군ᄌᆡ 소녀를 부실노 취ᄒᆞ시니 문난의 광ᄎᆡ를 돗치고[1077], 군ᄌᆞ의 풍뉴문쟝을 모로던 ᄇᆡ 아니나 피ᄎᆞ 상견이 쳐음이라. 실노 과망(過望)ᄒᆞ니, 쳡이 구구ᄒᆞᆫ 졍으로ᄡᅧ 엇지 흔ᄒᆡᆼ(欣幸)치 아니리오마ᄂᆞᆫ, 다만 소녀의 누질노 군ᄌᆞ의 쾌ᄒᆞᆫ ᄇᆡ위 아니라 ᄀᆞ장 외람ᄒᆞ니, 도로혀 블안ᄒᆞ믈 니긔지 못ᄒᆞ노라."

하ᄉᆞ인이 복슈궤좌(伏首跪坐)ᄒᆞ여 듯기를 맛ᄎᆞᄆᆡ, 니러 ᄌᆡᄇᆡ ᄉᆞ샤(謝辭) 왈,

"소ᄉᆡᆼ의 집이 존부【23】산은ᄒᆡ덕을 힘

1076)별이(別離) : 서로 나뉘어 섞여 있지 않음.
1077)돗치다 : 돋치다. 돋우다. 돋아서 내밀다. 정도나 수준을 더 높이다.

닙ᄉᆞ와 부형이 고토(故土)의 ᄉᆡᆼ환ᄒᆞ믈 엇고, 삼 망형(亡兄)의 ᄒᆡ골을 ᄀᆞᆷ초샤, 일ᄆᆡ의 위ᄐᆡᄒᆞᆫ 명ᄆᆡᆨ을 구ᄒᆞ시미, 다 존부 대은이라. 쇼ᄉᆡᆼ ᄀᆞᄐᆞᆫ 후ᄉᆡᆼ(後生) ᄋᆞᄒᆡᄂᆞᆫ 구일대덕(舊日大德)을 듯ᄌᆞ올 젹마다, 슈심명골(樹心銘骨)ᄒᆞ와 함호결초(含琥結草)ᄒᆞᆯ 뜻이 잇던 ᄇᆡ라, 금일 동상의 모쳠(冒添)ᄒᆞ와 슬하의 ᄌᆞᄋᆡᄒᆞ시믈 밧ᄌᆞ오니 블승황감(不勝惶感)토소이다."

셩음이 쳥월유화(淸越柔和)ᄒᆞ여 단혈(丹穴)[1371]의 봉셩(鳳聲)이오, ᄀᆡ상이 굉위(宏偉)ᄒᆞ여 쳥텬ᄇᆡᆨ일디상(靑天白日之相)이라. 태부인 딘부인의 두굿기미 비ᄒᆞᆯ ᄃᆡ 업더라.

금휘 왈,

"하ᄋᆞᄂᆞᆫ 신낭을 ᄂᆡ외ᄒᆞ여 아니 나오ᄂᆞ냐? 엇디 좌의 업ᄂᆞ뇨."

하부인이 디게를 열고 비로소 웃고 왈,

"신낭을 ᄂᆡ외ᄒᆞ미 아니라, 필뎨(畢弟)의 특이ᄒᆞᆫ 위인으로 상뎍ᄒᆞᆫ ᄇᆡ우를 만나디 못ᄒᆞ고, 방탕취ᄀᆡᆨ의 【28】 ᄇᆡ위 되니 쇼네 동긔를 위ᄒᆞᆫ 졍이 헐ᄒᆞᆫ 거시 아니오나, 딘실노 챵뎨의 방일(放逸)ᄒᆞ믈 통한ᄒᆞ고, 필뎨의 일ᄉᆡᆼ이 편ᄒᆞ믈 엇디 못ᄒᆞᆯ가 울울ᄒᆞᆫ 념녀 비상ᄒᆞᆫ 고로, 원챵의 드러오믈 아오ᄃᆡ 즉시 나와 보고져 뜻이 업셧ᄂᆞ이다."

금후ᄂᆞᆫ 잠쇼ᄒᆞ고, 졔왕이 날호여 왈,

"현ᄆᆡ ᄌᆞ슌을 방탕취ᄀᆡᆨ으로 니르디 말나. 사름 되오미 단듕침믁(端重沈默)ᄒᆞ미야 ᄉᆞ빈 ᄀᆞᄐᆞ니 어이 이시리오마ᄂᆞᆫ, 쳔고의 희한ᄒᆞᆫ ᄋᆡᆨ경을 디ᄂᆡ고 현ᄆᆡ 졍인군ᄌᆞ를 만나시ᄆᆡ 화란이 비상ᄒᆞ니, 각각 팔ᄌᆞ의 ᄆᆡ인 ᄇᆡ오, 인력으로 못ᄒᆞᆯ 거시라."

부인이 웃고 다시 말을 ᄒᆞ려 ᄒᆞ더니, 창후 곤계 직좌ᄒᆞ여시믈 보고 긋치더라. 낙양휘 젼어 왈,

"ᄒᆞᆫ 번 신낭을 다려 드러가더니 오라도록 나오디 아니코, 뎔녀의 【29】 상교도 ᄉᆡᆼ각디 아니니, 아모리 ᄉᆞ이 갓가온들 독좌디네(獨

1371)단혈(丹穴) : 예전에, 중국에서 남쪽의 태양 바로 밑이라고 여기던 곳.

닙ᄉᆞ와 부형이 고토의 ᄉᆡᆼ환ᄒᆞ믈 엇고, 삼 망형(亡兄)의 ᄒᆡ골을 감초샤, 일ᄆᆡ의 위ᄐᆡᄒᆞᆫ 명ᄆᆡᆨ을 구ᄒᆞ시미, 다 존부 ᄃᆡ은이라. 소ᄉᆡᆼ ᄀᆞᄐᆞᆫ 후ᄉᆡᆼ(後生) ᄋᆞᄒᆡᄂᆞᆫ 구일ᄃᆡ덕(舊日大德)을 듯ᄌᆞ올 젹마다, 슈심명골(樹心銘骨)ᄒᆞ와 함호결초(含琥結草)ᄒᆞᆯ 뜻이 잇던 ᄇᆡ라. 금일 동상의 모쳠ᄒᆞ와 슬하의 ᄌᆞᄋᆡᄒᆞ시믈 밧ᄌᆞ오니 불승황감(不勝惶感)토소이다."

셩음이 쳥월유화(淸越柔和)ᄒᆞ여 단혈(丹穴)[1078]의 봉셩이오, ᄀᆡ상이 《굉궐‖굉걸(宏傑)》여 쳥텬ᄇᆡᆨ일지상(靑天白日之相)이라. 태부인, 진부인의 두굿기미 비ᄒᆞᆯ ᄃᆡ 업더라.

금휘 왈,

"하ᄋᆞᄂᆞᆫ 신낭을 각방 ᄂᆡ외ᄒᆞ여 아니 나오ᄂᆞ뇨[냐]? 엇지 좌의 업ᄂᆞ냐?"

하부인이 지게를 열고 비로소 웃고 왈,

"신낭을 ᄂᆡ외ᄒᆞ미 아니라, 필뎨(畢弟)의 특이ᄒᆞᆫ 위인으로 【24】 상젹ᄒᆞᆫ ᄇᆡ우를 만나지 못ᄒᆞ고, 방탕취ᄀᆡᆨ의 ᄇᆡ위 되니 소네 동긔를 위ᄒᆞᆫ 졍이 헐ᄒᆞᆫ 거시 아니오나, 진실노 챵뎨의 방일(放逸)ᄒᆞ믈 통한ᄒᆞ고, 필뎨의 일ᄉᆡᆼ이 편ᄒᆞ믈 엇지 못ᄒᆞᆯ가 울울ᄒᆞᆫ 념녀 비상ᄒᆞᆫ 고로, 원챵의 드러 오믈 알ᄃᆡ 즉시 나와 보고져 뜻이 업셧ᄂᆞ이다."

금후ᄂᆞᆫ 잠소ᄒᆞ고, 졔왕이 날호여 왈,

"현ᄆᆡ ᄌᆞ슌을 방탕취ᄀᆡᆨ으로 니르지 말나. 샤름 되오미 단즁침묵(端重沈默)ᄒᆞ기 ᄉᆞ원 ᄀᆞᄐᆞ니 어이 이시리오마ᄂᆞᆫ, 《쳔소‖쳔고》의 희한ᄒᆞᆫ ᄋᆡᆨ경을 지ᄂᆡ고 현ᄆᆡ 졍인군ᄌᆞ를 만나시ᄆᆡ 화락(禍樂)이 비상ᄒᆞ니, 각각 팔ᄌᆞ의 ᄆᆡ인 ᄇᆡ오, 초년 화ᄋᆡᆨ은 팔ᄌᆡᆫ가 ᄒᆞ노라"

부인이 웃고 다시 말을 ᄒᆞ려 ᄒᆞ더니, 창후 곤계 ᄃᆡ좌ᄒᆞ여시믈 보고 긋치더라. 【25】 낙양휘 젼어 왈,

"ᄒᆞᆫ 번 신낭을 다려 드러가더니 오라도록 나오지 아니코, 뎔녀의 상교도 ᄉᆡᆼ각지 아니며[니], 아모리 ᄉᆞ이 갓가온들 독좌지네(獨

1078)단혈(丹穴) : 예전에, 중국에서 남쪽의 태양 바로 밑이라고 여기던 곳.

坐之禮)와 현구고디네(見舅姑之禮) 느ᄌᆞ믈 아디 못ᄒᆞᄂᆞ냐?"

공이 비로소 챵후 곤계로 신낭을 다려 밧그로 나가게 ᄒᆞ고, ᄌᆞ긔 부ᄌᆞᄂᆞᆫ 잠간 이의 이셔 녀ᄋᆡ 덩[1372]의 오르믈 볼ᄉᆡ, 태부인과 딘부인이 안젼긔화(眼前奇花)로 아던 바로 오날ᄂᆞᆯ 하부의 보ᄂᆡ게 되ᄆᆡ, 비록 상게 갓갑고 협문이 이셔 됴왕모ᄅᆡ ᄒᆞᆯ ᄇᆡ나, 오히려 결연ᄒᆞ여 눈믈을 먹음으니, 쇼졔 ᄯᅩᄒᆞᆫ 쳑연ᄒᆞ믈 ᄢᅴ여 덩의 들ᄆᆡ, 공이 모친을 위로ᄒᆞ고, 하샤인이 금쇄를 가져 봉교ᄒᆞ기를 맛고, 샹마ᄒᆞ여 부듕의 도라올ᄉᆡ, 가취고악(歌吹鼓樂)[1373]이 훤텬(喧天)ᄒᆞ며, 홍분시ᄋᆡ(紅粉侍兒) 빵빵ᄒᆞ여 부문(府門)의 다ᄃᆞᄅᆞᄆᆡ, 냥 신인이 쳥듕의셔 합증[근]교ᄇᆡ(合졸交拜) ᄒᆞᆯᄉᆡ, 남풍 【30】 녀뫼(男風女貌) 셔로 바ᄋᆡ여 일월이 ᄒᆞᆷ긔 ᄇᆞᆰ아시며, 황금ᄇᆡᆨ벽(黃金帛璧)이 셔로 빗출 ᄃᆞᆺ토ᄂᆞᆫ ᄃᆞᆺᄒᆞᆫ디라. 니른 바 텬뎡일ᄃᆡ(天定一對)오 ᄇᆡᆨ셰가위(百歲佳偶)라. 만좨 ᄎᆡᆨᄎᆡᆨ(嘖嘖) 칭션(稱善)ᄒᆞ여 경동치 아니리 업ᄉᆞ니, ᄒᆞ믈며 구고디심(舅姑之心)이리오. 교ᄇᆡ(交拜)를 파ᄒᆞ고 금쥬션(錦珠扇)을 아ᄉᆞᆫ 후, 조뉼(棗栗)을 밧드러 팔ᄇᆡ대례를 ᄒᆡᆼᄒᆞᆯᄉᆡ, 구괴 깃븐 눈으로 신부를 살피ᄆᆡ 광염이 찬난ᄒᆞ여, 비컨ᄃᆡ 일늅홍일(一輪紅日)이 부상(扶桑)의 오로며, 청공신월(青空新月)이 운간의 바ᄋᆡᄂᆞᆫ ᄃᆞᆺ, 미우팔ᄎᆡ(眉宇八彩)ᄂᆞᆫ 청산(青山)의 슈이(秀異)ᄒᆞᆫ 졍ᄆᆡᆨ을 거두어, 셩ᄌᆞ긔ᄆᆡᆨ(聖者氣脈)이오, 셩젼운빈(盛全雲鬢)은 텬디정ᄎᆡ(天地精彩)를 아ᄉᆞ시니, 일ᄡᅣᆼ 안ᄎᆡ(眼彩)ᄂᆞᆫ 효셩(曉星)이 녕농ᄒᆞ고, 부용냥협(芙蓉兩頰)은 ᄌᆞᄐᆡ ᄆᆞ로녹고, 단ᄉᆞ잉슌(丹砂櫻脣)은 모란이 니술을 졈쳐[1374] 【31】 시며, 빙셜긔부(氷雪肌膚)ᄂᆞᆫ ᄇᆡᆨ옥이 무광(無光)ᄒᆞ고 명쥐(明珠) 빗치 업ᄉᆞ니, 년셩(連城)의 보벽(寶璧)[1375]이오, 디

1372)덩 : 공주나 옹주가 타던 가마.

1373)가취고악(歌吹鼓樂) : 관악기와 타악기의 연주 소리.

1374)졈(點)치다 : 점(點)을 찍다. 물감 따위를 칠하거나 묻히다.

1375)년셩(連城)의 보벽(寶璧) : 화씨지벽(和氏之璧)

坐之禮)와 현구괴(見舅姑) 느ᄌᆞ믈 아지 못ᄒᆞᄂᆞ냐?"

공이 비로소 챵후 곤계로 신낭을 ᄃᆞ려 밧그로 나가게 ᄒᆞ고, ᄌᆞ긔 부ᄌᆞᄂᆞᆫ 잠간 이의 잇셔 녀ᄋᆞ의 덩[1079]의 오르믈 볼ᄉᆡ, 태부인과 진부인이 안젼긔화(眼前奇花)로 아던 바로 오날날 하부의 보ᄂᆡ게 되ᄆᆡ, 비록 상게 갓갑고 협문이 잇셔 조왕모ᄅᆡ ᄒᆞᆯ ᄇᆡ나, 오히려 결연ᄒᆞ여 눈믈을 먹음으니, 소졔 ᄯᅩᄒᆞᆫ 쳑연ᄒᆞ믈 ᄢᅴ여 덩의 들ᄆᆡ, 공이 모친을 위로ᄒᆞ고, 하ᄉᆞ인이 금쇄를 가져 봉교ᄒᆞ기를 맛고 샹마ᄒᆞ여 부즁의 도라올ᄉᆡ, 가취고악(歌吹鼓樂)[1080]이 훤텬(喧天)ᄒᆞ며, 홍분시ᄋᆡ(紅粉侍兒) 빵빵 【26】 ᄒᆞ여 부문(府門)의 다다르ᄆᆡ, 냥 신인이 쳥즁의셔 합증[근]교ᄇᆡ(合졸交拜)ᄒᆞᆯᄉᆡ, 남풍녀뫼(男風女貌) 셔로 바ᄋᆡ여 일월이 ᄒᆞᆷ긔 ᄇᆞᆰ아시며, 황금ᄇᆡᆨ벽(黃金帛璧)이 빗출 ᄃᆞᆺ토ᄂᆞᆫ ᄃᆞᆺᄒᆞᆫ지라. 니른 바 텬졍일ᄃᆡ(天定一對)오 ᄇᆡᆨ셰가위(百歲佳偶)라. 만좨 ᄎᆡᆨᄎᆡᆨ칭션(嘖嘖稱善)ᄒᆞ여 경동치 아니 리 업ᄉᆞ니, ᄒᆞ믈며 구고지심(舅姑之心)이리오. 교ᄇᆡ(交拜)를 파ᄒᆞ고 금쥬션(錦珠扇)을 아ᄉᆞᆫ 후, 조률(棗栗)을 밧드러 팔ᄇᆡᄃᆡ례를 ᄒᆡᆼᄒᆞᆯᄉᆡ, 구괴 깃븐 눈으로 신부를 ᄌᆞ시 ᄉᆞᆯ필ᄉᆡ, 광념이 찬난ᄒᆞ여 비컨ᄃᆡ 일륜홍일(一輪紅日)이 부상의 오르며, 청공신월(青空新月)이 운간의 바ᄋᆡᄂᆞᆫ ᄃᆞᆺ, 미우팔ᄎᆡ(眉宇八彩)ᄂᆞᆫ 청산의 슈이ᄒᆞᆫ 졍ᄆᆡᆨ을 거두어 셩ᄌᆞ긔ᄆᆡᆨ(聖者氣脈)이오, 《셩졍운빙 ‖ 셩젼운빈(盛全雲鬢)》은 텬지정ᄎᆡ(天地精彩)를 아ᄉᆞ시니, 일ᄡᅣᆼ 안ᄎᆡ(眼彩)ᄂᆞᆫ 효셩(曉星)이 녕농ᄒᆞ고, 부용냥협(芙蓉兩頰)은 ᄌᆞᄐᆡ ᄆᆞ로녹고, 단ᄉᆞ잉슌(丹砂櫻脣)은 목단이 니슬 【27】 을 졈쳐시며[1081], 빙셜긔부(氷雪肌膚)ᄂᆞᆫ ᄇᆡᆨ옥이 무광(無光)ᄒᆞ고 명쥐(明珠) 빗치 업ᄉᆞ니, 년셩(連城)의 보벽(寶璧)[1082]이오, 지난(芝蘭)

1079)덩 : 공주나 옹주가 타던 가마.

1080)가취고악(歌吹鼓樂) : 관악기와 타악기의 연주 소리.

1081)졈(點)치다 : 점(點)을 찍다. 물감 따위를 칠하거나 묻히다.

1082)년셩(連城)의 보벽(寶璧) : 화씨지벽(和氏之璧)

란(芝蘭)의 향긔니, ᄌᆞ약히 나아오ᄆᆡ 말하(襪下)[1376]의 금년(金蓮)[1377]이 솟고, 믈너나ᄆᆡ 규귀(規矩) 참치(參差)[1378]ᄒᆞ여 ᄌᆞ유법도(自有法度)ᄒᆞ니, 공과 부인이 만심환열(滿心歡悅)ᄒᆞ여 즐기ᄂᆞᆫ 미위(眉宇) 운동(運動)ᄒᆞ니, 웃ᄂᆞᆫ 입이 졀노 열니ᄂᆞᆫ디라. ᄒᆞᆫ연이 신부를 나호여 집슈 ᄋᆡ련(愛憐) 왈,

"신부ᄂᆞᆫ 뎡형의 만금농쥬(萬金弄珠)라. 텬연이 긔특ᄒᆞ여 금일 은인의 귀네 나의 슬ᄒᆡ 되니, 용화긔딜이 고왕금ᄂᆡ의 희한ᄒᆞ니 엇디 영힝치 아니리오. 신부ᄂᆞᆫ 비록 ᄋᆞᄌᆞ의 ᄋᆞ시 뎡약(定約)이나, 창ᄋᆡ 몬져 셜빈 군쥬를 취ᄒᆞ여시니, 셔로 보고 화우ᄒᆞ여 '황영(皇英)의 셩ᄉᆞ(盛事)'[1379]를 효측ᄒᆞ라."

뎡쇼졔 【32】 구고의 말솜이 ᄌᆞ긔로ᄡᅧ 하샤인의 ᄋᆞ시 뎡약이라 ᄒᆞ니, ᄀᆞ장 의아ᄒᆞ여 오ᄃᆡᆨ ᄌᆡᄇᆡ ᄉᆞ샤ᄒᆞ니, 온슌ᄒᆞᆫ 녜뫼 외모의 낫타나니, 하공과 부인이 한업시 희열ᄒᆞ고, ᄉᆞ좌 졔빈이 칙칙 칭하ᄒᆞ여, 샤인의 쳐궁이 유복ᄒᆞ믈 기리니, 공과 부인이 좌슈우응ᄒᆞ여 즐기○[미] 무궁ᄒᆞ더라.

신뷔 셔연(徐然)이 셜빈을 향ᄒᆞ여 공슈(拱手) ᄌᆡᄇᆡ(再拜)ᄒᆞᄆᆡ, 공이 짐ᄌᆞᆺ ᄀᆞᆯ오ᄃᆡ,

"ᄒᆞ나ᄒᆞᆫ ᄋᆞ시 뎡약이오, ᄒᆞ나ᄒᆞᆫ 몬져 취ᄒᆞ여시니, 션후고하(先後高下)를 닷토디 말고 셔로 화우ᄒᆞ믈 동긔ᄀᆞᆺ치 ᄒᆞ라."

을 달리 이르는 말. 화씨지벽은 전국 때 변화씨(卞和氏)라는 사람이 형산(荊山)에서 돌 위에 봉황이 깃들이는 것을 보고 얻었다는 천하의 이름난 옥을 말하는데, 후대에 진(秦)나라 소양왕(昭襄王)이 이 옥을 탐내, 당시 이 옥을 가지고 있던 조(趙)나라 혜문왕(惠文王)에게 진나라 15개의 성(城)과 바꾸자는 제안을 했다는 데서, '연성지벽(連城之壁)'이라는 이름이 붙게 되었다고 한다.

1376)말하(襪下) : 버선 아래.

1377)금년(金蓮) : 금으로 만든 연꽃이라는 뜻으로, 미인의 예쁜 걸음걸이를 비유적으로 이르는 말. 중국 남조(南朝) 때 동혼후(東昏侯)가 금으로 만든 연꽃을 땅에 깔아 놓고 반비(潘妃)에게 그 위를 걷게 하였다는 고사에서 유래한다.

1378)참치(參差) : 참치부제(參差不齊). 길고 짧고 들쭉날쭉하여 가지런하지 아니함.

1379)황영(皇英)의 셩ᄉᆞ(盛事) : 중국 요(堯)임금의 두 딸인 아황(娥皇)과 여영(女英)이 함께 순(舜)에게 시집 가, 서로 화목하며 순임금을 섬겼던 일.

의 향긔니, ᄌᆞ약히 나아오ᄆᆡ 말하(襪下)[1083]의 금년(金蓮)[1084]이 솟고, 믈너나ᄆᆡ 규귀(規矩) 참치(參差)[1085]ᄒᆞ여 ᄌᆞ유법도(自有法度)ᄒᆞ니, 공과 부인이 만심환열(滿心歡悅)ᄒᆞ여 즐기ᄂᆞᆫ 미위 운동ᄒᆞ니, 웃ᄂᆞᆫ 입이 졀노 열니ᄂᆞᆫ지라. ᄒᆞᆫ연이 신부를 나호여 집슈 ᄋᆡ련(愛憐) 왈,

"신부ᄂᆞᆫ 뎡형의 만금농쥬(萬金弄珠)라. 텬연이 긔특ᄒᆞ여 금일 은인의 귀네 나의 슬ᄒᆡ 되니, 용화긔질이 고왕금ᄂᆡ의 희한ᄒᆞ니 엇지 영힝치 아니리오. 신부ᄂᆞᆫ 비록 ᄋᆞᄌᆞ의 ᄋᆞ시 정약(定約)이나, 창ᄋᆡ 몬져 셜빈 군쥬를 취ᄒᆞ여시니, 셔로 보고 화우ᄒᆞ여 '황영(皇英)의 셩ᄉᆞ(盛事)'[1086]를 효측ᄒᆞ라."

뎡소졔 구고의 말솜이 ᄌᆞ긔로ᄡᅧ 하ᄉᆞ인의 ᄋᆞ시 정약이라 ᄒᆞ니, 가【28】장 의아ᄒᆞ여 오즉 ᄌᆡᄇᆡ ᄉᆞ샤ᄒᆞ니, 온슌ᄒᆞᆫ 녜뫼 외모의 낫타나니 하공과 부인이 한업시 희열ᄒᆞ고, ᄉᆞ좌 졔빈이 칙칙 칭하ᄒᆞ여, ᄉᆞ인의 쳐궁이 유복ᄒᆞ믈 기리니, 공과 부인이 좌슈우응ᄒᆞ여 즐기미 무궁ᄒᆞ더라.

신뷔 셔연(徐然)이 셜빈을 향ᄒᆞ여 공슈(拱手) ᄌᆡᄇᆡ(再拜)ᄒᆞᄆᆡ, 공이 짐짓 ᄀᆞᆯ오ᄃᆡ,

"ᄒᆞ나ᄒᆞᆫ ᄋᆞ시 정약이오, ᄒᆞ나ᄒᆞᆫ 몬져 취ᄒᆞ엿시니, 션후고하(先後高下)를 닷토지 말고 셔로 화우ᄒᆞ믈 동긔ᄀᆞᆺ치 ᄒᆞ라."

을 달리 이르는 말. 화씨지벽은 전국 때 변화씨(卞和氏)라는 사람이 형산(荊山)에서 돌 위에 봉황이 깃들이는 것을 보고 얻었다는 천하의 이름난 옥을 말하는데, 후대에 진(秦)나라 소양왕(昭襄王)이 이 옥을 탐내, 당시 이 옥을 가지고 있던 조(趙)나라 혜문왕(惠文王)에게 진나라 15개의 성(城)과 바꾸자는 제안을 했다는 데서, '연성지벽(連城之壁)'이라는 이름이 붙게 되었다고 한다.

1083)말하(襪下) : 버선 아래.

1084)금년(金蓮) : 금으로 만든 연꽃이라는 뜻으로, 미인의 예쁜 걸음걸이를 비유적으로 이르는 말. 중국 남조(南朝) 때 동혼후(東昏侯)가 금으로 만든 연꽃을 땅에 깔아 놓고 반비(潘妃)에게 그 위를 걷게 하였다는 고사에서 유래한다.

1085)참치(參差) : 참치부제(參差不齊). 길고 짧고 들쭉날쭉하여 가지런하지 아니함.

1086)황영(皇英)의 셩ᄉᆞ(盛事) : 중국 요(堯)임금의 두 딸인 아황(娥皇)과 여영(女英)이 함께 순(舜)에게 시집 가, 서로 화목하며 순임금을 섬겼던 일.

셜빈이 존구의 명을 거ᄉᆞ디 못ᄒᆞ여, 뎡쇼져의 졀을 녜ᄉᆞ로이 바드며 ᄒᆞᆫ가디로 좌를 일우나, 흉장(胸臟)이 분분ᄒᆞ고 심골이 쒸노라, 녯날 쇼괴 이제 뎍인이 되【33】니, 본ᄃᆡ 뎡가를 원슈로 아던 ᄇᆡ라. 뮙고 분ᄒᆞ미 져의 ᄇᆡᆨᄐᆡ만염(百態萬艶)이 나히 ᄎᆞᄆᆡ 더옥 긔이ᄒᆞ믈 보ᄆᆡ, 분ᄒᆞ미 즉ᄀᆡᆨ의 칼흘 드러 만 조각의 �고져 ᄆᆞ음이오, 져의 일빵 혜안이 져를 아라볼가 념녀ᄒᆞᄂᆞᆫ 바도 업디 아냐, 낫빗치 ᄌᆞ로 밧괴이니, 뎡쇼져를 ᄒᆡ코져 ᄒᆞᄂᆞᆫ 의ᄉᆡ ᄇᆡᆨ츌이라.

공의 부뷔 셜빈의 긔ᄉᆡᆨ을 보ᄆᆡ 더옥 근심되믈 니긔디 못ᄒᆞ여 화긔 감ᄒᆞ나, 신부의 만면복덕디상(滿面福德之相)이 쇼쇼 ᄌᆡ앙을 근심치 아닐디라. 져기 심우를 덜고, 윤태부 부인이 협문으로조ᄎᆞ 니르러 연셕의 참예ᄒᆞ엿더니, 공과 부인이 녀ᄋᆞ를 도라보아 왈,

"너의 언ᄉᆡ 셔어(齟齬)ᄒᆞ믈 가히 알니로다. 우리 신부의 현부를 므르면 ᄆᆡ양 니르ᄃᆡ, 다만 만【35】ᄉᆡ 아름답다 ᄒᆞᆯ ᄲᅮᆫ이오 져ᄃᆡ도록 특이ᄒᆞ믈 니르디 아니니, 오히려 아디 못ᄒᆞ엿더니, 금일 보ᄆᆡ 만고무비(萬古無比)ᄒᆞ니, 창ᄋᆡ 복이 손ᄒᆞᆯ가 ᄒᆞ노라."

하시 젼일 셜빈의 거동을 볼ᄉᆞ록 의심ᄒᆞᄂᆞᆫ ᄇᆡ로ᄃᆡ, 오왕의 ᄯᆞᆯ이 된 곡졀을 아디 못ᄒᆞ니 발셜치 못ᄒᆞ고, 오날 뎡쇼져를 ᄃᆡᄒᆞ여 온갓 요악ᄒᆞᆫ 의ᄉᆡ ᄇᆡᆨ츌ᄒᆞ믈 ᄉᆡᆼ각ᄒᆞᄆᆡ, 념녜 깁고 졀박ᄒᆞ여 즐겨 아니ᄒᆞ더니, 부모의 말ᄉᆞᆷ을 듯ᄌᆞᆸ고 강인 쇼왈,

"쇼녜 본ᄃᆡ 사ᄅᆞᆷ을 과쟝(誇張)치 못《ᄒᆞᆯ‖ᄒᆞᄂᆞᆫ》 셩픔이라. ᄌᆞ셔히 고치 못ᄒᆞ엿ᄉᆞᆸ거니와, 원챵이 년긔 이칠의 옥당 명환이 되고, 셜빈 ᄀᆞᆺᄐᆞᆫ 졀염현쳐를 두며, 다시 양뎨(養弟)를 취ᄒᆞ니, 만ᄉᆡ 넘나믈 쇼녀ᄂᆞᆫ 그윽히 두리나이다."

공이 졈두(點頭) 왈,【34】

"여언(汝言)이 뎡합오심(正合吾心)이라[1380]."

ᄒᆞ더라. 죵일 딘환(盡歡)ᄒᆞ고 ᄂᆡ외빈ᄀᆡᆨ(內

1380)여언(汝言)이 뎡합오심(正合吾心)이라 : 네 말이 내 마음과 꼭 같다.

셜빈이 존구의 명을 거ᄉᆞ리지 못ᄒᆞ여, 뎡소져의 졀을 녜ᄉᆞ로이 바드며 ᄒᆞᆫ가지로 좌를 일우나, 흉장(胸臟)이 분분ᄒᆞ고 심골이 쒸노라, 녯날 소괴 이제 젹인이 되니, 본ᄃᆡ 뎡가를 원슈로 아ᄂᆞᆫ ᄇᆡ라. 뮙고 분ᄒᆞ미 져의 ᄇᆡᆨᄐᆡ만념(百態萬艶)이 나히 ᄎᆞᄆᆡ 더욱 긔이ᄒᆞ【29】믈 보ᄆᆡ, 분ᄒᆞ미 즉ᄀᆡᆨ의 살흘 드러 만 조각의 쓰고져 마음이오, 져의 일빵 혜안이 져를 아라볼가 념녀ᄒᆞᄂᆞᆫ 바도 업지 아냐, 낫빗치 ᄌᆞ로 밧고이니, 뎡소져를 ᄒᆡ코져 ᄒᆞᄂᆞᆫ 의ᄉᆡ ᄇᆡᆨ츌이라.

공의 부뷔 셜빈의 긔ᄉᆡᆨ을 보ᄆᆡ 더욱 근심되믈 니긔지 못ᄒᆞ여, 화긔 감ᄒᆞ나 신부의 만면복덕지상(滿面福德之相)이 소소 ᄌᆡ앙을 근심치 아닐지라. 젹이 심우를 덜고, 윤니부 부인이 협문으로조ᄎᆞ 니르러 연셕의 참녜ᄒᆞ엿더니, 공과 부인이 녀ᄋᆞ를 도라보아 왈,

"너의 언ᄉᆡ 셔어(齟齬)ᄒᆞ믈 가히 알니로다. 우리 신부의 현부를 ᄆᆡ양 무르면 다만 만ᄉᆡ 아름답다 ᄒᆞᆯ ᄲᅮᆫ이오, 져ᄃᆡ도록 특이ᄒᆞ믈 니르지 아니니 오히려 아지 못ᄒᆞ엿더니, 금일 보ᄆᆡ 만고무비(萬古無比)【30】ᄒᆞ니, 창의 복이 손ᄒᆞᆯ가 ᄒᆞ노라."

하씨 젼일 셜빈의 거동을 볼ᄉᆞ록 의심ᄒᆞᄂᆞᆫ ᄇᆡ로ᄃᆡ, 오왕의 ᄯᆞᆯ이 된 곡졀을 알 길이 업ᄉᆞ니 발셜치 못ᄒᆞ고, 오날 뎡소져를 ᄃᆡᄒᆞ여 온갓 요악ᄒᆞᆫ 의ᄉᆡ ᄇᆡᆨ츌ᄒᆞ믈 ᄉᆡᆼ각ᄒᆞᄆᆡ, 념네 깁고 졀박ᄒᆞ여 즐겨 아니ᄒᆞ더니, 부모의 말ᄉᆞᆷ을 듯ᄌᆞᆸ고 강잉 소왈,

"소녜 본ᄃᆡ 샤ᄅᆞᆷ을 과쟝치 못ᄒᆞᄂᆞᆫ 셩픔이라, ᄌᆞ셔히 고치 못ᄒᆞ엿거니와, 원챵이 년긔 이칠의 옥당 명환이 되고, 셜빈 ᄀᆞᆺᄐᆞᆫ 졀염현쳐를 두며, 다시 양뎨(養弟)를 취ᄒᆞ,니 만ᄉᆡ 넘나믈 소녀ᄂᆞᆫ 그윽이 두리ᄂᆞ이다"

공이 졈두(點頭) 왈,

"여언(汝言)이 졍합오심(正合吾心)이라[1087]."

ᄒᆞ더라. 죵일 진환(盡歡)ᄒᆞ고 ᄂᆡ외빈ᄀᆡᆨ(內

1087)여언(汝言)이 뎡합오심(正合吾心)이라 : 네 말이 내 마음과 꼭 같다.

外賓客)이 각산귀가(各散歸家)ᄒᆞᄆᆡ, 신부 숙소를 봉원각의 뎡ᄒᆞ여 보ᄂᆡ니, 하부인이 뎡쇼져를 다리고 봉원각의 니르러 긴 단장을 벗기고 편히 쉬게 ᄒᆞ더라. 샤인이 부모긔 혼뎡을 파ᄒᆞ고 긔린촉(麒麟燭)을 드러 총총이 봉원각의 니르니, 뎡쇼졔 단의홍군으로 셔연이 니러 마ᄌᆞ니, ᄉᆡᆼ이 팔흘 미러 좌를 청ᄒᆞ고, 져졔 이의 계시믈 보고 함쇼 왈,

"져져ᄂᆞᆫ 쇼뎨를 연고 업시 증통(憎痛)ᄒᆞ샤 뎡공이 쇼뎨로 동상(東床) 삼으믈 대단ᄒᆞᆫ 블쾌ᄉᆞ로 아라, 무슈히 모함ᄒᆞ시니, 그 어인 일이니잇가?"

부인이 탄왈,

"너ᄂᆞᆫ 양뎨(養弟) 취ᄒᆞᆫ 거시 하날의 오른 둧 즐기거니와, 나ᄂᆞᆫ 너의 부부를 위ᄒᆞ여 념네 비【35】경ᄒᆞ니, 너ᄂᆞᆫ ᄂᆡᄉᆞ(來事)를 ᄉᆡᆼ각디 못ᄒᆞᄂᆞ냐?"

ᄉᆡᆼ이 화히 웃고 왈,

"고인이 운(云)ᄒᆞᄃᆡ, 오날 술이 이시ᄆᆡ 취ᄒᆞ고 ᄂᆡ일 일이 잇거든 당ᄒᆞ라 ᄒᆞ여시니, 다둧디 아닌 근심을 그리ᄒᆞ여 ᄆᆞᄋᆞᆷ을 어ᄌᆞ러이ᄂᆞᆫ 거시 작히[1381] 녹녹ᄒᆞ리잇가?"

부인이 잠쇼 왈,

"너ᄂᆞᆫ 대댱뷔라. 긔상이 광풍졔월(光風霽月)굿고, 도량이 광원ᄒᆞ여 범ᄉᆞ를 괘렴치 아니커니와, 나ᄂᆞᆫ 녀ᄌᆡ라, 아마도 녹녹(碌碌)ᄒᆞ여 근심 된 일이 만토다."

ᄉᆡᆼ이 함쇼 왈,

"져져ᄂᆞᆫ 녀듕군ᄌᆡ시로ᄃᆡ 오히려 잔 근심을 만히 ᄒᆞ시니, 실노 용속(庸俗)ᄒᆞᆫ 일이로소이다."

하부인이 그 방일ᄒᆞ미 미흡ᄒᆞ나, 그 부뷔 일실의 ᄃᆡᄒᆞᄆᆡ 남풍녀뫼(男風女貌) 셔로 바ᄋᆡ여, 일월이 흠긔 붉아심 굿트믈 두굿겨, 【36】날호여 시녀로 촉을 잡히고 나오며, ᄉᆡᆼ다려 왈,

"양뎨 이의 니르ᄆᆡ ᄉᆞ좌의 친ᄒᆞ니 나밧긔 업다가, 내 마ᄌᆞ 숙소로 가ᄆᆡ 오딕 일면디분도 업ᄂᆞᆫ 너를 ᄃᆡᄒᆞ니, 모로미 듀인 노로

1381)작히 : '어찌 조금만큼만', '얼마나'의 뜻으로 희망이나 추측을 나타내는 말.

外賓客)이 각귀(各歸)ᄒᆞᄆᆡ, 신부 숙소를 봉원각의 졍ᄒᆞ여 보【31】ᄂᆡ니, 하부인이 뎡소져를 다리고 봉원각의 니르러, 긴 단장을 벗기고 편히 쉬게 ᄒᆞ더라. ᄉᆞ인이 부모긔 혼졍을 파ᄒᆞ고 긔린촉(麒麟燭)을 드러 총총히 봉원각의 니르니, 뎡소졔 단의홍군으로 셔연이 니러 마ᄌᆞ니, ᄉᆡᆼ이 팔흘 미러 좌를 청ᄒᆞ고, 져졔 이의 계시믈 보고 함소 왈,

"져져ᄂᆞᆫ 소뎨를 연고 업시 증통(憎痛)ᄒᆞ샤 뎡공이 소뎨로 동상(東床) 삼으믈 대단ᄒᆞᆫ 블쾌ᄉᆞ로 아라, 무슈히 모함ᄒᆞ시니, 그 어인 일이니잇가?"

부인이 탄 왈,

"너ᄂᆞᆫ 양뎨(養弟) 취ᄒᆞᆫ 거시 하늘의 오른 둧 즐기거니와, 나ᄂᆞᆫ 너의 부부를 위ᄒᆞ여 념네 비경ᄒᆞ니, 너ᄂᆞᆫ ᄂᆡᄉᆞ(來事)를 ᄉᆡᆼ각지 못ᄒᆞᄂᆞ냐?"

ᄉᆡᆼ이 화히 웃고 왈,

"고인이 운(云)ᄒᆞᄃᆡ 오날 술이 잇시ᄆᆡ 취ᄒᆞ고 ᄂᆡ일 일이 잇거든 당ᄒᆞ라 ᄒᆞ【32】엿시니, 다둧지 아닌 근심을 그리ᄒᆞ여 마음을 어ᄌᆞ러이ᄂᆞᆫ 거시 작히[1088] 녹녹ᄒᆞ리잇가?"

부인이 잠소 왈,

"너ᄂᆞᆫ ᄃᆡ장뷔라. 긔상이 광풍졔월(光風霽月)굿고, 도량이 광원ᄒᆞ여 범ᄉᆞ를 괘렴치 아니커니와, 나ᄂᆞᆫ 녀ᄌᆡ라 아마도 녹녹(碌碌)ᄒᆞ여 근심 된 일이 만토다."

ᄉᆡᆼ이 함소 왈,

"져져ᄂᆞᆫ 녀즁군ᄌᆡ시로ᄃᆡ 오히려 잔 근심을 만히 ᄒᆞ시니 잇고?"

ᄉᆡᆼ이 잠소 무언이라. 부인이 비록 ᄉᆡᆼ의 호방ᄒᆞ믈 미흡히 넉이나, 그 부부의 샹젹ᄒᆞ믈 두굿겨 시녀로 ᄒᆞ야곰 촉을 잡히고 나오며, ᄉᆡᆼ을 향ᄒᆞ여 갈ᄋᆞᄃᆡ,

"양뎨 이곳의 니르ᄆᆡ ᄉᆞ좌의 친ᄒᆞ니 업고 다만 친ᄒᆞ니ᄂᆞᆫ 오즉 날밧긔 업다가, 내 마ᄌᆞ 숙소로 가ᄆᆡ 오즉 일면지분도 업ᄂᆞᆫ 너를

1088)작히 : '어찌 조금만큼만', '얼마나'의 뜻으로 희망이나 추측을 나타내는 말.

술 잘ᄒᆞ여 갓 온 사ᄅᆞᆷ을 편케 ᄒᆞ라."

샤인이 쇼이ᄃᆡ왈(笑而對曰),

"어나 사ᄅᆞᆷ이 쳐음으로 오ᄆᆡ 면목이 닉으니를 다리고 단니리잇가? 져져ᄂᆞᆫ 당부치 마르쇼셔."

부인이 웃고 도라가니, 샤인과 뎡쇼졔 져져를 ᄀᆡ이송디(起而送之)[1382]ᄒᆞ고, 부뷔 다시 좌를 뎡ᄒᆞᄆᆡ, 샤인의 뎡쇼져 반기ᄂᆞᆫ 졍신이 황홀ᄒᆞ고, 그 용화월ᄐᆡ 눈의 바ᄋᆡ고 ᄆᆞ음이 ᄆᆞ로녹아, 약ᄉᆞ톄디무골(若似體肢無骨)[1383]ᄒᆞ니, 겻ᄐᆡ 나아가 집기슈년기슬(執其手連其膝)[1384]ᄒᆞ고 왈,

"향ᄌᆞ(向者) 우연이 무산(巫山)[1385]의 길흘 여러 ᄒᆞᆫ 번 션안(仙顔)을 구경ᄒᆞᄆᆡ, 션풍(仙風) 【37】 염모(艶貌)를 오ᄆᆡᄉᆞ복(寤寐思服)ᄒᆞ더니, 텬연이 디듕(至重)ᄒᆞ여 이의 도라오시니, 그 ᄯᆡ ᄉᆡᆼ이 쇼져를 위ᄒᆞ여 그ᄃᆡ도록 ᄒᆞ미 역시 텬연(天然)이런가 ᄒᆞᄂᆞ이다."

쇼뎨 청파의 옥면이 취홍(醉紅)ᄒᆞ고 미위(眉宇) ᄉᆡᆨᄉᆡᆨᄒᆞ여, 늠연(凜然)이 손을 ᄉᆡᆨ히고 좌를 곳치니, ᄉᆡᆼ이 더옥 ᄋᆡ련ᄒᆞ여 촉을 멸ᄒᆞ고 쇼져를 닛그러 원앙금니(鴛鴦衾裏)[1386]의 나아가니, 뎡시 비록 하ᄉᆡᆼ의 호일방탕ᄒᆞ믈 미안ᄒᆞ여 그 졍을 가랍(嘉納)ᄒᆞᆯ 뜻이 업ᄉᆞ나, ᄌᆞ못 녜의를 의장(倚仗)[1387]ᄒᆞ여 빅힝이 ᄒᆞᆨ니군ᄌᆞ(學理君子)의 틀이 잇ᄂᆞᆫ 고로, 그 ᄆᆞ음을 셰오디 아니니, 하샤인의 년ᄋᆡ(戀愛)ᄒᆞᄂᆞᆫ 졍은 산비히박(山卑海薄)ᄒᆞ여, 장부의 젹년(積年) ᄉᆞ상(思相)ᄒᆞ던 졍을

1382)ᄀᆡ이송디(起而送之) : 일어나서 보냄.
1383)약ᄉᆞ톄디무골(若似體肢無骨) : 마치 몸과 팔다리에 뼈가 없는 사람처럼 기운을 차리지 못함.
1384)집기슈년기슬(執其手連其膝) : 손을 잡고 무릎을 맞댐.
1385)무산(巫山) : 중국 중경시(重慶市) 동쪽에 있는 현. 무산십이봉(巫山十二峯)이 솟아 있는데 기암과 절벽으로 이루어져 경치가 아름답기로 유명하다. 소설 등에서 신선이나 선녀가 사는 선계(仙界)로 설정되는 경우가 많다.
1386)원앙금니(鴛鴦衾裏) : '원앙을 수놓은 이불 속'이란 뜻으로, '부부가 함께 덮는 이불 속'을 말함.
1387)의장(倚仗) : 의지(依支)함.

ᄃᆡᄒᆞ니 모로미 쥬 【33】 인 노로술 잘ᄒᆞ여 갓 온 샤ᄅᆞᆷ을 편케 ᄒᆞ라"

ᄉᆞ인이 소이ᄃᆡ왈(笑而對曰),

"어나 샤ᄅᆞᆷ이 쳐음으로 구가의 오ᄆᆡ 면목이 닉으니를 다리고 다리고 ᄃᆞ니리잇가? 져져ᄂᆞᆫ 당부치 마르소셔."

부인이 웃고 도라가니, ᄉᆞ인과 뎡소졔 져져를 ᄀᆡ이송지(起而送之)[1089]ᄒᆞ고 부뷔 다시 좌를 졍ᄒᆞᄆᆡ, ᄉᆞ인의 뎡소져 반기ᄂᆞᆫ 졍신이 황홀ᄒᆞ고, 그 용화월ᄐᆡ 눈의 바ᄋᆡ고 마음이 무르녹아, 약ᄉᆞ쳬지무골(若似體肢無骨)[1090]ᄒᆞ니, 겻히 나아가 집기슈년기슬(執其手連其膝)[1091]ᄒᆞ고 왈,

"향ᄌᆞ 우연이 무ᄉᆞᆫ(巫山)[1092]의 길흘 여러 ᄒᆞᆫ 번 구경ᄒᆞᄆᆡ, 션픔념모(仙稟艶貌)를 오ᄆᆡᄉᆞ복(寤寐思服)ᄒᆞ더니, 텬연(天緣)이 지즁ᄒᆞ여 이의 도라오시니, 그 ᄯᆡ ᄉᆡᆼ이 소져를 위ᄒᆞ여 그ᄃᆡ도록 ᄒᆞ미 역시 하날 ○○[인연]이던가 ᄒᆞᄂᆞ이다."

소졔 청파의 옥면이 취홍(醉紅)ᄒᆞ고 미위(眉宇) 【34】 ᄉᆡᆨᄉᆡᆨᄒᆞ여, 늠연이 손을 ᄉᆡᆨ히고 좌를 곳치니, ᄉᆡᆼ이 더욱 ᄋᆡ련ᄒᆞ여 촉을 멸ᄒᆞ고 소져를 닛그러 원앙금니(鴛鴦衾裏)[1093]의 나아가니, 뎡씨 비록 하ᄉᆡᆼ의 호일방탕 ᄒᆞ믈 미안ᄒᆞ여 그 졍을 가랍(嘉納) ᄒᆞᆯ 뜻이 업ᄉᆞ나, ᄌᆞ못 녜의를 의장(倚仗)[1094]ᄒᆞ여 빅힝이 ᄒᆞᆨ니군ᄌᆞ(學理君子)의 틀이 잇ᄂᆞᆫ 고로, 그 마음을 셰오지 아니니, 하ᄉᆞ인의 년ᄋᆡ(憐愛)ᄒᆞᄂᆞᆫ 졍은 산비히박(山卑海薄)ᄒᆞ여, 장부의 젹년(積年) ᄉᆞ상(思想)

1089)ᄀᆡ이송디(起而送之) : 일어나서 보냄.
1090)약ᄉᆞ톄디무골(若似體肢無骨) : 마치 몸과 팔다리에 뼈가 없는 사람처럼 기운을 차리지 못함.
1091)집기슈년기슬(執其手連其膝) : 손을 잡고 무릎을 맞댐.
1092)무산(巫山) : 중국 중경시(重慶市) 동쪽에 있는 현. 무산십이봉(巫山十二峯)이 솟아 있는데 기암과 절벽으로 이루어져 경치가 아름답기로 유명하다. 소설 등에서 신선이나 선녀가 사는 선계(仙界)로 설정되는 경우가 많다.
1093)원앙금니(鴛鴦衾裏) : '원앙을 수놓은 이불 속'이란 뜻으로, '부부가 함께 덮는 이불 속'을 말함.
1094)의장(倚仗) : 의지(依支)함.

펴ᄆᆡ, 쳔단은ᄋᆡ(千端恩愛)와 만죵풍뉴(萬種風流)를 블가형언(不可形言)이라. 【38】 상상(床上)의 빵옥(雙玉)이 완젼ᄒᆞ여 금슬디락(琴瑟之樂)이 무흠(無欠)ᄒᆞ니, 셜빈 아냐 월뎐쇼ᄋᆡ(月殿素娥)[1388]라도 하원창의 뎡쇼져 향ᄒᆞᆫ 졍은 앗기 어려올너라.

이 날 셜빈이 슉소의 도라와 가슴을 허위며 발을 굴너 왈,

"뎡가ᄂᆞᆫ 나의 삼ᄉᆡᆼ원쉬(三生怨讐)라. 뎡연이 날을 그룻 ᄆᆡᆮ든 한이 골졀의 ᄉᆞ못ᄎᆞ시니, 내 브ᄃᆡ 뎡연과 뎡시 아오로 업시ᄒᆞ여 분을 플고 말니라."

연상궁이 말녀 왈,

"군쥐 엇디 뎡공을 원망ᄒᆞ시ᄂᆞ뇨? 금휘 비록 ᄯᆞᆯ을 쥬군긔 보ᄂᆡ믄 잘못ᄒᆞ엿거니와, 귀쥬를 그룻 ᄆᆡᆮ든 일은 업ᄉᆞ니 이런 말솜을 엇디 ᄒᆞ시ᄂᆞ뇨? 쳡이 딘심갈녁(盡心竭力)ᄒᆞ여 군쥬의 일ᄉᆡᆼ이 영화롭기를 쥬션ᄒᆞᆯ 거시니, 너모 초조ᄒᆞ여 화용(花容)을 【39】 상ᄒᆡ오디 마르쇼셔."

셜빈이 져의 ᄂᆡ력을 져 연상궁이 아디 못ᄒᆞ므로 괴이히 넉이믈 보고, 도로혀 다ᄅᆡ여 왈,

"상궁은 져 뎡연을 감격다 ᄒᆞᄂᆞ냐? 만일 졔 ᄯᆞᆯ이 아니면 내 뎍인 볼 니 업고, 뎡녜 아니면 하샤인이 ᄆᆞ음의 밋출 니 업ᄉᆞ니, 두고 보면 알녀니와, 하ᄉᆡᆼ ᄀᆞᆺ튼 풍뉴랑이 뎡녀 요괴를 만낫거든 날을 더옥 ᄒᆡᆼ노(行路)ᄀᆞᆺ치 아디 아니리오."

이리 니르며 ᄉᆡ도록 잠을 일우디 못ᄒᆞ여, 봉원각을 규시코져 ᄒᆞ나, 삼츈 일긔 훈화ᄒᆞ므로 시녀 양낭의 무리 뎡부로셔 온 뉴ᄂᆞᆫ 밋쳐 잘 곳을 엇디 못ᄒᆞ엿ᄂᆞᆫ디라. 난간 아ᄅᆡ셔 슉딕(宿直)ᄒᆞ니, 가셔 어른기도 못ᄒᆞ고, ᄒᆞᆫ갓 가슴을 두다려 죽고 【40】 져 독ᄒᆞᆫ 셩을 니긔디 못ᄒᆞ니, 연상궁은 디족다모(知足多謀)ᄒᆞ며 흉휼능녀(凶譎凌厲)ᄒᆞᆫ디라. 셜빈을 극딘히 위로ᄒᆞ고, 뎡쇼져 ᄒᆡᄒᆞᆯ 쐬를

1388)월뎐쇼ᄋᆡ(月殿素娥) : ①달 속에 있다고 하는 흰옷을 입은 선녀. ②달의 이칭(異稱).

ᄒᆞ던 졍을 펴ᄆᆡ, 쳔단은ᄋᆡ(千端恩愛)와 만종풍뉴(萬種風流)를 불가형언(不可形言)이라. 상상(床上)의 빵옥(雙玉)이 완젼ᄒᆞ여 고슬지락(鼓瑟之樂)[1095]이 무흠(無欠)ᄒᆞ니, 셜빈 아냐 월뎐소ᄋᆡ(月殿素娥)[1096]라도 하원창의 뎡소져 향ᄒᆞᆫ 졍은 앗기 어려올너라.

이날 셜빈이 슉소의 도라와 가슴을 허위며 발을 굴너 왈,

"뎡가ᄂᆞᆫ 나의 삼ᄉᆡᆼ원쉬(三生怨讐)라. 【35】 뎡년이 날을 그룻 ᄆᆡᆮ든 한이 골졀의 ᄉᆞ못ᄎᆞ시니, 내 부ᄃᆡ 뎡년과 뎡씨 아오로 업시ᄒᆞ여 ○○○○[분을 플고] 말니라."

연상궁이 붓드러 말녀 왈,

"군쥐ᄂᆞᆫ 함분잉통(含憤忍痛)[1097]ᄒᆞ기를 못ᄒᆞᆯ소냐? 어이 뎡공조ᄎᆞ 원망ᄒᆞ시뇨? 금평휘 ᄯᆞᆯ을 쥬군긔 허ᄒᆞ시믄 잘못ᄒᆞ엿시나, 귀쥬를 그룻 ᄆᆡᆮ단 일은 업거ᄂᆞᆯ, 엇지 이런 말솜을 ᄉᆞ위로이[1098] ᄒᆞ시ᄂᆞ뇨? 쳡이 진심(盡心)ᄒᆞ여 군쥬 신셰 영화롭기를 위ᄒᆞ리니, 너모 초조ᄒᆞ여 화용(花容)을 상ᄒᆡ오지 마르시믈 바라ᄂᆞ이다."

셜빈이 져의 ᄂᆡ렴(內念)을 져 상궁이 모로무로, 금평후 원망ᄒᆞ믈 고이히 넉이믈 보고, 이의 도로 집어[1099] ᄀᆞᆯᄋᆞᄃᆡ,

"상궁은 뎡공을 감격다 ᄒᆞᄂᆞ냐? 졔 ᄯᆞᆯ이 아니믄 ᄂᆡ 《젹군‖젹국》 볼 닐이 업고, 뎡녜 아니면 하ᄉᆞ인을 아이지 아니리【36】니, 두고 보면 알녀니와 하ᄉᆡᆼ ᄀᆞᆺ튼 풍뉴랑이 뎡녀 ᄀᆞ튼 요인을 만나거든, 나ᄂᆞᆫ 더욱 ᄒᆡᆼ노(行路)나 달니 알니오."

ᄉᆡ도록 잠을 쟈지 못ᄒᆞ여, 신방을 규시코

1095)고슬지락(鼓瑟之樂) : 북과 거문고가 서로 어우러져 내는 음악이라는 뜻으로, 부부간의 사랑을 이르는 말. =금슬지락(琴瑟之樂).

1096)월뎐쇼ᄋᆡ(月殿素娥) : ①달 속에 있다고 하는 흰옷을 입은 선녀. ②달의 이칭(異稱).

1097)함분잉통(含憤忍痛) : 분을 품고 그 분한 마음을 참음.

1098)ᄉᆞ위롭다 : 꺼림칙하다. *사위하다 : 미신으로 좋지 아니한 일이 생길까 두려워 어떤 사물이나 언행을 꺼리다.

1099)집다 : 짚다. 여럿 중에 어떤 것을 꼭 집어 가리키다.

이 날브터 ᄉᆡᆼ각ᄒᆞ여 업시ᄒᆞᆯ 의ᄉᆡ 급ᄒᆞ니, 가히 뎡쇼져의 위ᄐᆡᄒᆞ미 흉인의 화를 면키 어렵더라.

명일 뎡쇼제 구고긔 신셩(晨省)ᄒᆞ고 인ᄒᆞ여 시립ᄒᆞ니, 공과 부인의 ᄉᆞ랑이 더옥 쳬쳬(逮逮)ᄒᆞ여[1389], 볼ᄉᆞ록 텬상월녀(天上月女)ᄀᆞᆺ치 넉이나, 셜빈의 흉독을 짐작고 뎡시 ᄋᆡ듕ᄒᆞᄂᆞᆫ 경을 십분 쥬리잡ᄂᆞᆫ디라. 이 날 뎡쇼제 츄파을 흘녀 셜빈을 보ᄆᆡ, 이 곳 완연이 삼거거(三哥哥)의 츌쳐(黜妻) 셩시라. 놀납고 흉패(凶悖)ᄒᆞ미 만심이 ᄎᆞ악ᄒᆞᄃᆡ, 본ᄃᆡ 하ᄒᆡ디량(河海之量)이 텬디의 너르믈 가져【41】시므로 조금도 경동(驚動)ᄒᆞᄂᆞᆫ 빗출 낫토디 아니코, 효셩빵안(曉星雙眼)이 ᄒᆞᆫ갈ᄀᆞᆺ치 가나라 못 보ᄂᆞᆫ ᄃᆞᆺ, 셕연(釋然)이 아디 못ᄒᆞᆷ ᄀᆞᆺᄐᆞ니, 셜빈은 혜오ᄃᆡ,

"내 뎡가의 츌화를 볼 시졀의 아쥐 구세러니, 그 ᄉᆞ이 셰월이 오ᄅᆡ고 나ᄂᆞᆫ 죽은 사ᄅᆞᆷ으로 아랏고, 내 오궁의 긔특이 의디ᄒᆞ여 부왕과 모비의 ᄉᆞ랑이 친ᄉᆡᆼ ᄀᆞᆺᄐᆞ여, 어더 길넛단 말도 업ᄉᆞ니, 뎡시 비록 샤광디춍(師曠之聰)[1390]과 니루디명(離婁之明)[1391]이라도 날을 아라 볼 길 업ᄉᆞ리니, 브졀 업시 근심치 말고 져를 ᄆᆡ이 잡죄여, 날을 경히 보디 못ᄒᆞ게 ᄒᆞ리라."

의ᄉᆡ 이의 밋쳐ᄂᆞᆫ 뎡쇼져를 고ᄃᆡ 삼키고

1389)쳬쳬ᄒᆞ다 : 마음에 잊지 못하여 연연해하다.

1390)샤광디춍(師曠之聰) : 사광(師曠)은 춘추시대 진나라 음악가로, 소리를 들으면 이를 분별하여 길흉을 정확히 점쳤다 하여, 소리를 잘 분별하는 것을 말함.

1391)니루디명(離婁之明) : 눈이 매우 밝음을 비유적으로 이르는 말. 중국 황제(黃帝) 때 사람인 이루가 눈이 밝았다는 데서 나온 말이다.

져 ᄒᆞ나, 삼츈 일긔 훈화ᄒᆞ므로 뎡부의셔 온 시녀 낭낭이 밋쳐 잘 곳을 졍치 못ᄒᆞ여, 난간 아ᄅᆡ의셔 슉직(宿直)ᄒᆞ니 감히 어른게[긔]도 못ᄒᆞ고, 초독ᄒᆞᆫ 셩을 참지 못ᄒᆞ거ᄂᆞᆯ, 상궁은 지독[족]다모(知足多謀)ᄒᆞ고 샤ᄅᆞᆷ의 ᄉᆡᆼ각지 못ᄒᆞᆯ 흉휼능녀(凶譎凌厲)ᄒᆞᆫ 거시라. 셜빈을 극진히 위로ᄒᆞ고, 뎡씨 ᄒᆡᄒᆞᆯ ᄭᅬ를 이날브터 ᄉᆡᆼ각ᄒᆞ여 업시ᄒᆞᆯ 의ᄉᆡ 급ᄒᆞ니, 가히 뎡소져의 위ᄐᆡᄒᆞ미 흉인의 화를 면키 어렵더라.

명일 뎡소제 구고긔 신셩(晨省)ᄒᆞ고 인ᄒᆞ여 시립ᄒᆞ니, 공과 부인의 ᄉᆞ랑이 더욱 쳬쳬(逮逮)ᄒᆞ여[1100], 볼ᄉᆞ록 텬상월녀(天上月女)ᄀᆞᆺ치 넉이나, 셜【37】빈의 흉독을 《작약‖자약(自若)》히 짐작고, 뎡씨 ᄋᆡ듕ᄒᆞᄂᆞᆫ 경을 십분 쥬리잡ᄂᆞᆫ지라. 이 날 뎡소제 츄파을 흘녀 셜빈을 보ᄆᆡ, 이 완연이 삼거거(三哥哥)의 츌쳡(黜妾) 셩씨라. 놀납고 흉ᄑᆡᄒᆞ미 만심이 ᄎᆞ악ᄒᆞᄃᆡ, 본ᄃᆡ 하ᄒᆡ지량(河海之量)이 텬지의 너르믈 가져시므로 조곰도 경동ᄒᆞᄂᆞᆫ 빗출 낫토지 아니코, 효셩빵안(曉星雙眼)이 ᄒᆞᆫ갈ᄀᆞᆺ치 가ᄂᆞ라 못 보ᄂᆞᆫ ᄃᆞᆺ, 젹연(寂然)이 아지 못ᄒᆞᆷ ᄀᆞᆺᄐᆞ니, 셜빈이 혜오ᄃᆡ,

"ᄂᆡ 뎡가의 츌화를 볼 시졀의 아쥐 구셰러니, 그 ᄉᆞ이 셰월이 오라고 나ᄂᆞᆫ 죽은 샤ᄅᆞᆷ으로 아랏고, ᄂᆡ 오궁의 긔특이 의지ᄒᆞ여, 부왕과 모비의 ᄉᆞ랑이 친ᄉᆡᆼ ᄀᆞᆺᄐᆞ여 어더 길넛단 말도 업ᄉᆞ니, 뎡씨 비록 ᄉᆞ광지춍(師曠之聰)[1101]과 니루지명(離婁之明)[1102]이라도 나를 아라 볼 길 업ᄉᆞ리니, 부졀업시 근심치【38】 말고 져를 ᄆᆡ이 잡죄여 날을 경히 보지 못ᄒᆞ게 ᄒᆞ리라."

의ᄉᆡ 이의 밋쳐ᄂᆞᆫ 뎡소져를 고ᄃᆡ 삼키고

1100)쳬쳬ᄒᆞ다 : 마음에 잊지 못하여 연연해하다.

1101)샤광디춍(師曠之聰) : 사광(師曠)은 춘추시대 진나라 음악가로, 소리를 들으면 이를 분별하여 길흉을 정확히 점쳤다 하여, 소리를 잘 분별하는 것을 말함.

1102)니루디명(離婁之明) : 눈이 매우 밝음을 비유적으로 이르는 말. 중국 황제(黃帝) 때 사람인 이루가 눈이 밝았다는 데서 나온 말이다.

져 ᄒᆞ나, 명예를 낫토고져 거즛 화긔를 작위ᄒᆞ여 흔연이 말ᄉᆞᆷ을【42】펴ᄆᆡ, 븕은 입시욹의 흰 니 빗최ᄂᆞᆫ 곳의 말이 공교ᄒᆞ니, 더옥 의심이 업ᄉᆞᆫ 셩시라. 뎡쇼졔 져의 말을 드를 ᄲᅮᆫ이오, ᄒᆞᆫ가디로 담화ᄒᆞ미 업ᄉᆞᄃᆡ, 놀납고 ᄎᆞ악ᄒᆞᆷ을 니긔디 못ᄒᆞ더라.

ᄎᆞ야의 하부인이 뎡쇼져를 닛그러 봉원각의 니르러, 좌위 고요ᄒᆞᄆᆡ 가마니 닐오ᄃᆡ,

"셜빈○[군]쥐라 ᄒᆞᄂᆞ니 의형미목(儀形眉目)이 완연히 삼뎨의 츌쳐(黜妻) 셩시와 ᄀᆞᄐᆞ니, 우형(愚兄)이 실노 히연(駭然)ᄒᆞ여 념녀ᄒᆞᄂᆞᆫ ᄇᆡ라. 현뎨ᄂᆞᆫ 만ᄉᆡ 신명ᄒᆞ니 져 셜빈의 힝디(行止)를 살펴 그 간계의 ᄲᅡ디디 말나."

쇼졔 빵미를 낫초고 무ᄉᆞ무려(無思無慮)히 안ᄌᆞ 오ᄅᆡ ᄃᆡ답디 아니커놀, 하부인 왈,

"현뎨의 쇼견이 엇더ᄒᆞ관ᄃᆡ ᄃᆡ답디 아【43】니ᄒᆞᄂᆞ뇨?"

쇼졔 날호여 ᄃᆡ왈,

"셩시ᄂᆞᆫ 발셔 죽언 디 오ᄅᆡ고, 비록 ᄉᆞ랏다 닐너도 오왕의 ᄯᆞᆯ이 될 니 업ᄉᆞ니, 셜빈을 셩시라 ᄒᆞ기 괴이ᄒᆞᄃᆡ, 형용인즉 완연ᄒᆞᆫ 셩시니, 쇼뎨 뎡히 난측(難測)ᄒᆞ여 ᄒᆞ거니와, 가장 듕대ᄒᆞ니 져져ᄂᆞᆫ 누셜치 마르쇼셔."

부인 왈,

"우형이 엇디 여러 사ᄅᆞᆷ 잇ᄂᆞᆫ ᄃᆡ 이 말을 ᄒᆞ리오마ᄂᆞᆫ, 다만 셜빈이 쳐음으로 오던 날 윤형과 가마니 의심 되믈 니르고, 금일 현뎨를 ᄃᆡᄒᆞ여 근심ᄒᆞᄂᆞᆫ ᄇᆡ라. 부모긔도 오히려 이 말ᄉᆞᆷ을 고치 못ᄒᆞᆷ은, 져의 근본을 ᄌᆞ셔히 아디 못ᄒᆞ고 과격ᄒᆞᆫ 창 뎨(弟)의 귀예 간즉, 일장 요란ᄒᆞᆫ 거죄 이실가 념녀ᄒᆞᄆᆞ로 발셜ᄒᆞ미 업노라."【44】

뎡쇼졔 왈,

"져져ᄂᆞᆫ 모로미 존당의 블미디언(不美之言)을 고치 마르쇼셔."

하부인이 희허탄식(唏噓歎息)ᄒᆞ더니, 뎡언간의 샤인이 드러오니, 하부인이 말을 긋치고 쇼졔 니러 마ᄌᆞ 동셔분좌(東西分坐)ᄒᆞ

져 ᄒᆞ나, 명예를 낫토고져 거즛 화긔를 작위ᄒᆞ여 흔연이 말ᄉᆞᆷ을 펴ᄆᆡ, 븕은 입시욹의 흰 니 빗최ᄂᆞᆫ 곳의 말이 공교ᄒᆞ니, 더욱 의심이 업ᄉᆞᆫ 셩씨라. 뎡소졔 져의 말을 드를 ᄲᅮᆫ이오, ᄒᆞᆫ가지로 담화ᄒᆞ미 업ᄉᆞᄃᆡ, 놀납고 ᄎᆞ악ᄒᆞᆷ을 니긔지 못ᄒᆞ더라.

ᄎᆞ야의 하부인이 뎡소져를 닛그러 봉원각의 니르러 좌위 고요ᄒᆞᄆᆡ, 가마니 니르ᄃᆡ,

"셜빈군쥐라 ᄒᆞᄂᆞ니 의형미목(儀形眉目)이 완연히 삼뎨의 츌쳐(黜妻) 셩씨와 ᄀᆞᄐᆞ니, 우형이 실노 히연ᄒᆞ여 념녀ᄒᆞᄂᆞᆫ ᄇᆡ라. 현뎨ᄂᆞᆫ 만ᄉᆡ 신명ᄒᆞ니 져 셜빈의 힝지(行止)를 ᄉᆞᆯ펴 그 간계의 ᄲᅡ지지 말나."

소졔 빵미를 낫초고 무ᄉᆞ무려(無思無慮)히 안ᄌᆞ 오【39】ᄅᆡ ᄃᆡ답지 아니커놀, 하부인 왈,

"너의 소견이 엇더 ᄒᆞ관ᄃᆡ ᄃᆡ답지 아닛ᄂᆞ뇨?"

소졔 날호여 ᄃᆡ 왈,

"셩씨ᄂᆞᆫ 발셔 죽언 지 오ᄅᆡ고, 비록 ᄉᆞ랏다 닐너도 오왕의 ᄯᆞᆯ이 될 니 업ᄉᆞ니, 셜빈을 셩씨라 ᄒᆞ기 괴이ᄒᆞᄃᆡ, 형용인즉 완연ᄒᆞᆫ 셩씨니, 소뎨 졍히 난측(難測)ᄒᆞ여 ᄒᆞ거니와, ᄀᆞ장 즁ᄃᆡᄒᆞ니 져져ᄂᆞᆫ 누셜치 마르소셔."

부인 왈,

"우형이 엇지 여러 샤ᄅᆞᆷ 잇ᄂᆞᆫ ᄃᆡ 이 말을 ᄒᆞ리오. 다만 셩씨 쳐음으로 오던 날 윤형과 ᄀᆞ마니 의심되믈 니르고, 금일 너를 ᄃᆡᄒᆞ여 근심ᄒᆞᄂᆞᆫ ᄇᆡ라. 부모긔도 오히려 이 말ᄉᆞᆷ을 고치 못ᄒᆞᆷ은, 져의 근본을 ᄌᆞ셔히 아지 못ᄒᆞ고 과격ᄒᆞᆫ 창 뎨(弟)의 귀예 간즉, 일장 요란ᄒᆞᆫ 거죄 잇실가 념녀ᄒᆞᄆᆞ로 발셜ᄒᆞ미 업노라."

뎡소졔 왈,

"져져ᄂᆞᆫ 모로미 존당【40】의 블미지언(不美之言)을 고치 마르소셔."

하부인이 희허탄식(唏噓歎息)ᄒᆞ더니, 졍언간의 ᄉᆞ인이 드러오니, 하부인이 말을 긋치고 소졔 니러 마ᄌᆞ 동셔분좌(東西分坐)ᄒᆞᄆᆡ,

ᄆᆡ, 샤인이 져져를 향ᄒᆞ여 웃고 왈,

"져졔 므슴 ○○[말슴]을 죵용이 ᄒᆞ시다가, 쇼뎨를 보시고 긋치시나니잇가?"

부인 왈,

"므슴 말이리오. 우형이 명일은 옥누항으로 도라가리니 결연(缺然)1392)ᄒᆞ믈 니르노라."

샤인이 웃고 왈,

"윤부의셔 져져만 ᄂᆡᄉᆞ를 가음 아시관ᄃᆡ, 태부 형의 부실 댱부인이 계시고, 또 뉴부인이 계시니, 므ᄉᆞ 일 급급히 도라가랴 ᄒᆞ시나니잇고?"

부인이 탄왈,

"우형인들 부모 슬하의 뫼시고져 아니리오마ᄂᆞᆫ, 귀령ᄒᆞ【45】ᄂᆞᆫ ᄯᆡ 슌슌(順順)이1393) 연괴 만하 오ᄅᆡ 잇디 못ᄒᆞ니, 내 또ᄒᆞᆫ 훌연(欻然)1394)ᄒᆞ믈 니긔디 못ᄒᆞ노라."

샤인이 져져의 ᄎᆞᆼᄎᆞᆼ(悤悤)1395)ᄒᆞ믈 심히 결연(缺然)ᄒᆞ여 이윽이 담화ᄒᆞ다가, 야심 후 하부인이 슉소로 도라가니, 샤인이 뎡쇼져를 볼ᄉᆞ록 태산 ᄀᆞᆺᄐᆞᆫ 은ᄋᆡ(恩愛)를 능히 억제치 못ᄒᆞ니, ᄌᆞ연 년슬집슈(連膝執手)ᄒᆞ여 은근ᄒᆞ니, 뎡쇼졔 가부의 이 ᄀᆞᆺᄐᆞᆫ 은졍을 깃거 아닐 ᄲᅮᆫ 아니라, ᄌᆞ긔 얼골을 미혼 젼의 보고 상ᄉᆞ디질(相思之疾)을 닐위기의 밋쳐, 규방 ᄋᆞ녀ᄌᆞ의게 괴이ᄒᆞᆫ 셔찰을 븟치고, 쳔방ᄇᆡᆨ계(千方百計)로 혼인을 구ᄒᆞ여 브ᄃᆡ 셩녜(成禮)ᄒᆞ믈 블복(不服)ᄒᆞ고, 텬셩이 단엄침듕ᄒᆞ여 탕ᄀᆡᆨ의 은ᄋᆡ를 조금도 가랍(嘉納)디【46】아니코, 손을 ᄲᅢ혀 믁믁단좌ᄒᆞᄆᆡ 은연이 ᄉᆞ군ᄌᆞ(士君子) ᄀᆞᆺᄐᆞ니, ᄉᆡᆼ이 더옥 흠복경탄(欽服敬歎)ᄒᆞ여 은ᄋᆡ 심솟 ᄃᆞᆺᄒᆞ더라.

명일 윤태부 부인이 옥누항으로 가고, 뎡

1392)결연(缺然) : 무엇인가 모자라거나 빠진 것이 있는 것 같아 서운하거나 불만족스러움.

1393)슌슌(順順)이 : ①성질이나 태도가 매우 고분고분하고 온순하게. ②번번(番番)이. 매 때마다.

1394)훌연(欻然) : ①갑작스러움. ②갑작스럽게 떠나거나 어떤 일이 일어나, 다하지 못한 일로, 마음속에 어딘지 섭섭하거나 허전한 구석이 있음.

1395)ᄎᆞᆼᄎᆞᆼ(悤悤) : 몹시 급하고 바쁜 모양.

ᄉᆞ인이 져져를 향ᄒᆞ여 웃고 왈,

"져졔 무슴 ○○[말슴]을 종용이 ᄒᆞ시다가 소뎨를 보시고 긋치시ᄂᆞ니잇가?"

부인 왈,

"무슴 말이리오. 우형이 명일은 옥누항으로 도라가리니 결연(缺然)1103)ᄒᆞ믈 니기지 못ᄒᆞ노라."

ᄉᆞ인이 웃고 왈,

"윤부의셔 져져만 ᄂᆡᄉᆞ를 가음아시관ᄃᆡ, 태부 형의 부실 장부인이 계시고 또 뉴부인이 계시니, 무ᄉᆞᆫ 일노 급급히 도라가랴 ᄒᆞ시ᄂᆞ니잇고?"

부인이 탄왈,

"우형인들 부모 슬하의 뫼시고져 아니리오마ᄂᆞᆫ, 귀령ᄒᆞᄂᆞᆫ ᄯᆡ 슌슌(順順)이1104) 연괴 만하 오ᄅᆡ 잇지 못ᄒᆞ니, 내 또ᄒᆞᆫ 훌연(欻然)1105)ᄒᆞ믈 니긔지 못ᄒᆞ노라."

ᄉᆞ인이【41】져져의 총총(悤悤)1106)ᄒᆞ믈 심히 결연(缺然)ᄒᆞ여 이윽이 담화ᄒᆞ다가, 야심 후 하부인이 슉소로 도라가니, ᄉᆞ인이 뎡소져를 볼ᄉᆞ록 태산 ᄀᆞᆺᄐᆞᆫ 은ᄋᆡ(恩愛)를 능히 억제치 못ᄒᆞ니, ᄌᆞ연 년슬집슈(連膝執手)ᄒᆞ여 은근ᄒᆞ니, 뎡소졔 가부의 이 ᄀᆞᆺᄐᆞᆫ 은정을 깃거 아닐 ᄲᅮᆫ 아니라, ᄌᆞ긔 얼골을 미혼 젼의 보고 상ᄉᆞ지질(相思之疾)을 일위기의 밋쳐, 규방 ᄋᆞ녀ᄌᆞ의게 괴이ᄒᆞᆫ 셔찰을 븟치고, 쳔방ᄇᆡᆨ계(千方百計)로 혼인을 구ᄒᆞ여 부ᄃᆡ 셩녜(成禮)ᄒᆞ믈 블복(不服)ᄒᆞ고, 텬셩이 단엄침즁ᄒᆞ여 탕ᄀᆡᆨ의 은ᄋᆡ를 조곰도 가랍(嘉納)지 아니코, 손을 ᄲᅢ혀 묵묵단좌ᄒᆞᄆᆡ 언연이 ᄉᆞ군ᄌᆞ(士君子)의 풍(風) ᄀᆞᆺᄐᆞ니, ᄉᆡᆼ이 더욱 흠복경탄(欽服敬歎)ᄒᆞ여 은ᄋᆡ 심솟 ᄃᆞᆺᄒᆞ더라.

명일 윤태부 부인이 옥누항으로 가고, 뎡

1103)결연(缺然) : 무엇인가 모자라거나 빠진 것이 있는 것 같아 서운하거나 불만족스러움.

1104)슌슌(順順)이 : ①성질이나 태도가 매우 고분고분하고 온순하게. ②번번(番番)이. 매 때마다.

1105)훌연(欻然) : ①갑작스러움. ②갑작스럽게 떠나거나 어떤 일이 일어나, 다하지 못한 일로, 마음속에 어딘지 섭섭하거나 허전한 구석이 있음.

1106)총총(悤悤) : 몹시 급하고 바쁜 모양.

쇼제 인ᄒᆞ여 구가의 머므러 효봉구고(孝奉舅姑)ᄒᆞ고 승슌군ᄌᆞ(承順君子)ᄒᆞ며 화우금장(和友襟丈)ᄒᆞ여 츈풍화긔 가ᄂᆡ의 가득ᄒᆞ니, 구고의 ᄉᆞ랑과 샤인의 듕ᄃᆡᄒᆞ미 비홀 ᄃᆡ 업고, 닌니(隣里) 친쳑(親戚)의 예셩(譽聲)이 윤ᄉᆞ마 부인 슉녈의 아ᄅᆡ 되디 아닛ᄂᆞᆫ다 ᄒᆞ니, 쥬야 칼흘 겨러[1396] 죽이랴 ᄒᆞᄂᆞᆫ ᄌᆞᄂᆞᆫ 셜빈이라.

가마니 연상궁으로 더브러 모의ᄒᆞ여 ᄒᆡ코져 홀ᄉᆡ, 몬져 변심ᄒᆞᄂᆞᆫ 약과 부부 은졍을 버히ᄂᆞᆫ 요약을 ᄀᆞ초 어더, 샤인의 나오【47】ᄂᆞᆫ 음식의 화(和)ᄒᆞ여 시험ᄒᆞᆫᄌᆞᆨ, 샤인이 요약 셧근 쥬식(酒食)을 먹은ᄌᆞᆨ 슌슌(順順) 구토(嘔吐)ᄒᆞ고, 맛ᄎᆞᆷᄂᆡ 심졍을 밧고디 아니니, 셜빈이 블승분노(不勝忿怒)ᄒᆞ여, 또 괴이ᄒᆞᆫ ᄆᆡ골(埋骨)[1397]과 공교로온 요예디믈(妖穢之物)[1398]을 만히 어더, 가마니 반야삼경(半夜三更)의 튝샤(祝辭)를 쓰고, 연상궁으로 봉원각 벽틈의 두로 ᄀᆞᆷ초고 뎡쇼져의 죽기를 졀박히 비ᄃᆡ, 뎡쇼제 발셔 요예디믈을 뭇던 날의 ᄌᆞ셔히 아라, 심복 시녀 벽옥·취란으로 튝샤와 요예디믈을 가마니 파ᄂᆡ여, 그윽ᄒᆞᆫ 곳의 가 소화ᄒᆞ니 므ᄉᆞᆷ ᄒᆡ로오미 이시리오. 셜빈과 연상궁이 져쥬(詛呪)의 효험이 업ᄉᆞ믈 착급ᄒᆞ여 그 무든【48】곳을 파본ᄌᆞᆨ, 셰셰히 업시 ᄒᆞ여시니, 셩녀와 연상궁이 분연(憤然)ᄒᆞᄂᆞᆫ 듕, 파 업시 ᄒᆞᆫ ᄌᆞ를 아디 못ᄒᆞ여, 혹ᄌᆞ 샤인의 안 ᄇᆡ 되엿ᄂᆞᆫ가 념녜 업디 아니코, 뎡쇼제 업시키 어려오믈 근심ᄒᆞ여 슉식이 편치 못ᄒᆞ고, 쥬샤야탁(晝思夜度)ᄒᆞ여 흉계를 의논ᄒᆞ더라.

ᄎᆞ시 텬히(天下) 승평(昇平)ᄒᆞ고 병혁(兵革)을 니르혀디 아녓더니, 평딘왕 울금셰 반ᄒᆞ여 대국 토디를 노략ᄒᆞ여 졀도ᄉᆞ○[를] 죽이고 형셰 크ᄆᆡ 참칭(僭稱) '대딘텬ᄌᆞ'로라 ᄒᆞ고, 웅병ᄆᆡᆼ댱(雄兵猛將)을 모화 황셩을

1396)겨르다 : 겨루다. 서로 버티어 승부를 다투다.
1397)ᄆᆡ골(埋骨) : 뼈를 땅에 묻음. 또는 땅에 묻힌 뼈.
1398)요예디물(妖穢之物) : 무속(巫俗)에서 방자를 할 때 쓰는 해골(骸骨)이나 인형(人形) 따위의 요사스럽고 흉측한 물건.

소제 인ᄒᆞ여 구가의 【42】머므러 효봉구고(孝奉舅姑)ᄒᆞ고 승슌군ᄌᆞ(承順君子)ᄒᆞ며 화우금장(和友襟丈)ᄒᆞ여 츈풍화긔 가ᄂᆡ의 ᄀᆞ득ᄒᆞ니, 구고○[의] ᄉᆞ랑과 ᄉᆞ인의 즁ᄃᆡᄒᆞ미 비홀 ᄃᆡ 업고, 닌니(隣里) 친쳑의 예셩이 윤ᄉᆞ마 부인 슉녈○[의] 아ᄅᆡ 되지 아닛ᄂᆞᆫ다 ᄒᆞ니, 쥬야 칼흘 결어[1107] 죽이랴 ᄒᆞᄂᆞᆫ ᄌᆞᄂᆞᆫ 셜빈이라.

ᄀᆞ마니 연상궁으로 더브러 모의ᄒᆞ여 ᄒᆡ코져 홀ᄉᆡ, 몬져 변심ᄒᆞᄂᆞᆫ 약과 부부 은졍을 버히ᄂᆞᆫ 요약을 ᄀᆞ초 어더, ᄉᆞ인의 나오ᄂᆞᆫ 음식의 화ᄒᆞ여 시험ᄒᆞᆫᄌᆞᆨ, ᄉᆞ인이 요약 셧근 쥬식을 먹은ᄌᆞᆨ, 슌슌(順順) 구토(嘔吐)ᄒᆞ고, 맛ᄎᆞᆷᄂᆡ 심졍을 밧고지 아니니, 셜빈이 불승분노(不勝忿怒)ᄒᆞ여 또 괴이ᄒᆞᆫ ᄆᆡ골(埋骨)[1108]과 공교로온 요예지믈(妖穢之物)[1109]을 만히 어더, ᄀᆞ마니 반야심[삼]경(半夜三更)의 츅ᄉᆞ(祝辭)를 쓰고, 연상궁으로 봉원각 벽틈의 두로 ᄀᆞᆷ초고 뎡【43】소져의 죽기를 졀박히 비ᄃᆡ, 뎡소제 발셔 요예지믈을 뭇던 날의 ᄌᆞ셔히 아라, 심복 시녀 벽옥·취란으로 츅ᄉᆞ와 요예지믈을 ᄀᆞ마니 파ᄂᆡ여, 그윽ᄒᆞᆫ 곳의 가 소화ᄒᆞ니 무ᄉᆞᆷ ᄒᆡ로오미 잇시리오. 셜빈과 연상궁이 져쥬(詛呪)의 효험이 업ᄉᆞ믈 착급ᄒᆞ여 그 무든 곳을 파 본ᄌᆞᆨ, 셰셰히 업시 ᄒᆞ엿시니, 셩녀와 연상궁이 분연(憤然)ᄒᆞᄂᆞᆫ 즁, 파 업시 ᄒᆞᆫ ᄌᆞ를 아지 못ᄒᆞ여, 혹ᄌᆞ ᄉᆞ인의 아ᄂᆞᆫ ᄇᆡ 되엿ᄂᆞᆫ가 념녜 업지 아니코, 뎡소져 업시키 어려오믈 근심ᄒᆞ여 슉식이 편치 못ᄒᆞ고, 쥬ᄉᆞ야탁(晝思夜度)ᄒᆞ여 흉계를 의논ᄒᆞ더라.

ᄎᆞ시 텬히(天下) 승평(昇平)ᄒᆞ고 병혁(兵革)을 니르혀지 아냣더니, 평진왕 울금셰 반ᄒᆞ여 대국 토지를 노략ᄒᆞ여 졀도ᄉᆞ【44】를 죽이고 형셰 크ᄆᆡ 참칭(僭稱) '대딘텬ᄌᆞ'로라 ᄒᆞ고, 웅병장ᄉᆞ(雄兵壯士)을 모라

1107)겨르다 : 겨루다. 서로 버티어 승부를 다투다.
1108)ᄆᆡ골(埋骨) : 뼈를 땅에 묻음. 또는 땅에 묻힌 뼈.
1109)요예디물(妖穢之物) : 무속(巫俗)에서 방자를 할 때 쓰는 해골(骸骨)이나 인형(人形) 따위의 요사스럽고 흉측한 물건.

향ᄒᆞ니, 변븨(變報) 눈 날니 ᄃᆞᆺᄒᆞᄂᆞᆫ디라. 상이 크게 근심ᄒᆞ샤 문화뎐의 됴회를 여르시고, 문무듕신을 모화 파뎍(破敵)ᄒᆞᆯ【49】일을 의논ᄒᆞ실ᄉᆡ, 졔신이 윤광텬을 쳔거ᄒᆞ거ᄂᆞᆯ, 텬ᄌᆡ 밋쳐 답디 못ᄒᆞ샤 믄득 반부듕(班部中)으로셔 형부 상셔 뎡셰홍이 윤ᄉᆞ마로 더브러 파뎍ᄒᆞ믈 ᄌᆞ원ᄒᆞ니, 샹이 대희ᄒᆞ샤 윤광텬으로 대원슈를 ᄒᆞ○[이]시고 뎡셰홍으로 부원슈를 ᄒᆞ이샤, 상방○[검](尙方劍)[1399]을 주시니, 냥원쉬 퇴됴ᄒᆞ여 년무졍(鍊武亭)의 좌ᄒᆞ고 졔로병마(諸路兵馬)를 삼일 년습ᄒᆞᄆᆡ, 각쳐 춍병(總兵)의게 하령ᄒᆞ고, 윤원쉬 옥누항 본부의 도라와 존당과 슉당과 모친긔 츌뎡ᄒᆞ믈 고ᄒᆞ니, 위태부인과 조부인이 경왈,

"병긔(兵器)ᄂᆞᆫ 흉디(凶地)라. 네 엇디 몸이 위ᄐᆡᄒᆞ믈 념녀치 아니코, 원노의 츌뎡코져【50】ᄒᆞᄂᆞ뇨?"

원쉬 쇼이고왈(笑而告曰),

"쇼ᄌᆡ 비록 ᄌᆡ죄 업ᄉᆞ오나 엇디 조고만 도뎍을 근심ᄒᆞ리잇고? 다만 슬하를 오ᄅᆡ 써날 바를 결연ᄒᆞ옵ᄂᆞ니, 복원 태모와 ᄌᆞ위ᄂᆞᆫ 믈우소려(勿憂掃慮)ᄒᆞ쇼셔."

윤공이 딜ᄌᆞ의 원뎡을 경녀ᄒᆞ나, 모친과 슈슈(嫂嫂)의 념녀를 돕ᄉᆞᆸ디 못ᄒᆞ여 호언관위(好言款慰)ᄒᆞ고, 조손·슉딜·모ᄌᆞ·형뎨 ᄒᆞᆫ 당의 모다 젼별(餞別)을 니르며, 빵빵ᄒᆞᆫ 옥동화녀(玉童花女)를 어로만져 가ᄎᆞ(假借)[1400]ᄒᆞᆯᄉᆡ, 원슈의 ᄎᆞᄌᆞ 웅닌이 구세라. 신댱긔위(身長氣威) 엄연(儼然)ᄒᆞ여 그 부친의 ᄋᆞ시 거동으로 호발(毫髮)○[도] 다르미 업ᄉᆞ니, 일개(一家) 이상이 넉이고 슉녈은 웅닌을 볼 젹마다 일흔 ᄋᆞᄃᆞᆯ을 ᄉᆡᆼ각ᄒᆞ여, 흐르ᄂᆞᆫ 셰월이 발셔【51】구년 츈취라. 실니(失離)ᄒᆞᆫ ᄋᆞᄒᆡ ᄉᆞ라실딘ᄃᆡ 웅닌과 ᄀᆞᆺ치

1399)상방검(尙方劍) : 임금이 출정 장수에게 하사하던 칼. 임금의 권위를 상징하는 역할을 하여 부하나 군졸 등이 명을 거역할 때 임금에게 보고하지 않고도 그들의 생사를 마음대로 할 수 있는 권위를 지니는 칼이다.

1400)가ᄎᆞ(假借) : 잠시 정을 나눔. 편하고 너그럽게 대함.

황셩을 향ᄒᆞ니, 변븨 눈 날니 ᄃᆞᆺᄒᆞᄂᆞᆫ지라. 상이 크게 근심ᄒᆞ샤 문화뎐의 조회를 여르시고, 문무즁신을 모화 파젹(破敵)ᄒᆞᆯ 일을 의논ᄒᆞ실ᄉᆡ, 졔신이 윤광텬을 쳔거ᄒᆞ거ᄂᆞᆯ, 텬ᄌᆡ 밋쳐 답지 못ᄒᆞ샤, 믄득 반부즁(班部中)으로셔 형부상셔 뎡셰홍이 윤ᄉᆞ마로 더브러 파젹ᄒᆞ믈 ᄌᆞ원ᄒᆞ니, 샹이 대희ᄒᆞ샤 윤광텬으로 대원슈를 ᄒᆞ이시고 뎡셰홍으로 부원슈를 ᄒᆞ이샤, 상방검(尙方劍)[1110]을 쥬시니, 냥원쉬 퇴조ᄒᆞ여 년무졍(鍊武亭)의 좌ᄒᆞ고 졔로병마(諸路兵馬)를 삼일 년습ᄒᆞᄆᆡ, 각쳐 춍병의게 하령ᄒᆞ고, 윤원쉬 옥누항의 도라와 존당과 슉당과 모친긔 츌졍ᄒᆞ【45】믈 고ᄒᆞ니, 위태부인과 조부인이 경왈,

"병긔(兵器)ᄂᆞᆫ 흉지(凶地)라. 네 엇지 몸이 위ᄐᆡᄒᆞ믈 념녀치 아니코, 원노의 츌졍코져 ᄒᆞᄂᆞ뇨?"

원쉬 소왈(笑曰),

"소ᄌᆡ 비록 ᄌᆡ죄 업ᄉᆞ오나 엇지 조고만 도적을 근심ᄒᆞ리잇고? 다만 슬하를 오ᄅᆡ 써날 바를 결연ᄒᆞ옵ᄂᆞ니, 복원 태모와 ᄌᆞ위ᄂᆞᆫ 믈우(勿憂)ᄒᆞ소셔."

윤공이 딜ᄌᆞ의 원졍ᄒᆞ믈 경녀ᄒᆞ나, 모친과 슈슈의 념녀를 돕ᄉᆞᆸ지 못ᄒᆞ여 호언관위(好言款慰)ᄒᆞ고, 조손·슉딜·모ᄌᆞ·형뎨 ᄒᆞᆫ 당의 모다 원별을 닐우며 빵빵ᄒᆞᆫ 옥동화녀(玉童花女)를 어로만져 가ᄎᆞ(假借)[1111]ᄒᆞᆯᄉᆡ, 원슈의 ᄎᆞᄌᆞ 웅닌이 구셰라. 신쟝긔위(身長氣威) 엄연(儼然)ᄒᆞ여 그 부친의 ᄋᆞ시 거동으로 호발(毫髮)○[도] 다르미 업ᄉᆞ니, 일개 이상이 넉이고, 슉녈은 웅닌을 볼 젹마다 일【46】흔 ᄋᆞᄃᆞᆯ을 ᄉᆡᆼ각ᄒᆞ여, 흐르ᄂᆞᆫ 셰월이 발셔 구년 츈추라. 실니(失離)ᄒᆞᆫ ᄋᆞᄒᆡ ᄉᆞ라실진ᄃᆡ 웅닌과 ᄀᆞᆺ치 장ᄃᆡᄒᆞ여실 바를 혜

1110)상방검(尙方劍) : 임금이 출정 장수에게 하사하던 칼. 임금의 권위를 상징하는 역할을 하여 부하나 군졸 등이 명을 거역할 때 임금에게 보고하지 않고도 그들의 생사를 마음대로 할 수 있는 권위를 지니는 칼이다.

1111)가ᄎᆞ(假借) : 잠시 정을 나눔. 편하고 너그럽게 대함.

당대ᄒᆞ여실 바를 혜아려, 거쳐를 아디 못ᄒᆞ고 쥬쥬야야(晝晝夜夜)의 참통ᄒᆞᆫ 심ᄉᆡ 비ᄒᆞᆯ 곳이 업ᄉᆞᄃᆡ, 조부인이 ᄆᆡ양 일흔 손ᄋᆞ를 ᄉᆡᆼ각ᄒᆞ고 비쳑(悲慽)ᄒᆞᄆᆡ, 원슈 부부ᄂᆞᆫ 밧그로 타연ᄒᆞ더라.

윤원쉬 삼군 댱졸을 졈검ᄒᆞ여 츌샤(出師)ᄒᆞᆯ 날이 다ᄃᆞ르ᄆᆡ, 조모와 모친긔 하딕ᄒᆞᆯᄉᆡ, 위 태부인과 구패 누쉬(淚水) 산산(潸潸)ᄒᆞ여[1401] 능히 말을 못ᄒᆞ여[고], 조부인은 결연(缺然)ᄒᆞ미 등한ᄒᆞᆫ 거시 아니로ᄃᆡ 존고의 슬허 ᄒᆞ시믈 돕디 못ᄒᆞ여, 도로혀 누슈를 거두고 원슈의 손을 잡아 승젼개가(勝戰凱歌)로 슈히 도라오믈 당부ᄒᆞ며, 뉴부인은 비쳑(悲慽)ᄒᆞ미 조【52】부인과 다르미 업ᄉᆞ니, 원쉬 위로ᄒᆞ여 기리 안강ᄒᆞ시믈 툭(祝)ᄒᆞ고, 도라 뎡·딘·남·화 ᄉᆞ부인이며 냥슈(兩嫂)를 작별ᄒᆞᆯᄉᆡ, ᄉᆞ부인을 당부ᄒᆞ여 존당을 효봉ᄒᆞ며 ᄌᆞ녀를 무휼ᄒᆞ여 그 ᄉᆞ이 합개(闔家) 무ᄉᆞᄒᆞ믈 니르고, ᄉᆞ부인은 슈히 닙공반샤(立功班師)ᄒᆞᆯ 바를 일ᄏᆞᆺ더라. 원쉬 결연ᄒᆞ믈 딘뎡(鎭靜)ᄒᆞ여 존당의 하딕ᄒᆞ고 궐졍으로 향ᄒᆞᆯᄉᆡ, 웅닌 등 제 ᄌᆞ딜은 문외의 ᄇᆡ별(拜別)ᄒᆞ니, 웅닌은 부친을 ᄯᆞ라 가디 못ᄒᆞᄂᆞᆫ 심ᄉᆡ 더옥 버히ᄂᆞᆫ ᄃᆞᆺ ᄒᆞ더라.

이 ᄯᅢ 부원슈 뎡듁암도 존당 부모긔 하딕ᄒᆞ고 위의를 뎡졔(整齊)ᄒᆞ여 궐하의 모닷더라.

이날 만셰 황애 난가(鸞駕)를 동ᄒᆞ샤 교외의【53】 나와 윤원슈를 뎐숑(餞送)ᄒᆞ실ᄉᆡ, 구름 장막(帳幕)은 반공(半空)의 소삿고, 긔치창검(旗幟槍劍)은 일ᄉᆡᆨ을 가리오며, 쳔군만마의 융쟝(戎裝)[1402]은 뎡졔ᄒᆞᆫᄃᆡ, 텬ᄌᆡ 어좌(御座)를 일우시니, 문무ᄇᆡᆨ관이 두 줄노 시위ᄒᆞᄆᆡ, 샹이 듕신을 도라보샤 왈,

"쥬우신욕(主憂臣辱)이오 쥬욕신ᄉᆞ(主辱臣死)[1403]라 ᄒᆞ나, 실노 뎡텬흥의 남뎡븍벌

1401)산산(潸潸)ᄒᆞ다 : 눈물 빗물 따위가 줄줄 흐르는 모양.

1402)융장(戎裝) : 싸움터로 나아갈 때의 차림.

1403)주우신욕(主憂臣辱) 주욕신사(主辱臣死) : 임금에게 근심이 있으면 신하는 마땅이 이를 치욕으로

아려 거쳐를 아지 못ᄒᆞ고, 쥬쥬야야(晝晝夜夜)의 참통ᄒᆞᆫ 심ᄉᆡ 비ᄒᆞᆯ 곳이 업ᄉᆞᄃᆡ, 조부인이 ᄆᆡ양 일흔 손ᄋᆞ를 ᄉᆡᆼ각ᄒᆞ고 비쳑ᄒᆞᄆᆡ 원슈 부부ᄂᆞᆫ 밧그로 타연ᄒᆞ더라.

윤원쉬 삼군 장졸을 졈검ᄒᆞ여 츌ᄉᆞ(出師)ᄒᆞᆯ 날이 다다르니, 조모와 모친긔 하직ᄒᆞᆯᄉᆡ, 위태부인과 구ᄑᆡ 누쉬(淚水) 산산(潸潸)ᄒᆞ여[1112] 능히 말을 못ᄒᆞ여[고], 조부인은 결연(缺然)ᄒᆞ미 《통한‖등한》ᄒᆞᆫ 거시 아니라[나], 존고의 슬허ᄒᆞ시믈 돕지 못ᄒᆞ여, 도로혀 누슈를 거두고 원슈의 손을 잡아 승젼개긔(勝戰凱歌)로 슈히 도라오믈 당부ᄒᆞ며, 뉴부인은 비쳑(悲慽)ᄒᆞ미 조부인과 다르미 업【47】ᄉᆞ니, 원쉬 위로ᄒᆞ여 기리 안강ᄒᆞ시믈 츅(祝)ᄒᆞ고, 도라 뎡·진·남·화 ᄉᆞ부인이며 냥슈(兩嫂)를 작별ᄒᆞᆯᄉᆡ, ᄉᆞ부인을 당부ᄒᆞ여 존당을 효봉ᄒᆞ며 ᄌᆞ녀를 무휼ᄒᆞ여 그 ᄉᆞ이 합개(闔家) 무ᄉᆞᄒᆞ믈 니르고, ᄉᆞ부인은 슈이 닙공반샤(立功班師)ᄒᆞᆯ 바를 일ᄏᆞᆺ더라. 원쉬 결연ᄒᆞ믈 진졍(鎭靜)ᄒᆞ여 존당의 하직ᄒᆞ고 궐졍으로 향ᄒᆞᆯᄉᆡ, 웅닌 등 제 ᄌᆞ딜은 문외의 ᄇᆡ별(拜別)ᄒᆞ니, 웅닌은 부친을 ᄯᆞ라 가지 못ᄒᆞᄂᆞᆫ 심ᄉᆡ 더옥 버히ᄂᆞᆫ ᄃᆞᆺᄒᆞ더라.

이 ᄯᅢ 부원슈 뎡쥭암도 존당 부모긔 하직ᄒᆞ고 위의를 졍졔(整齊)ᄒᆞ여 궐하의 모닷더라.

이날 만셰 황애 난가(鸞駕)를 동ᄒᆞ샤 교외의 나와 윤원슈를 젼송ᄒᆞ실ᄉᆡ, 구름 장막은 반공의 소ᄉᆞᆺ고 긔치창검(旗幟槍劍)은 일ᄉᆡᆨ을 가리오며, 쳔군만마【48】의 《웅쟝‖융쟝(戎裝)[1113]》은 졍졔ᄒᆞᄃᆡ, 텬ᄌᆡ 어좌(御座)를 일우시니, 문무ᄇᆡᆨ관이 두 줄노 시위ᄒᆞ엿더라. 샹이 즁신을 도라보샤 왈,

"쥬욕신ᄉᆞ(主辱臣死)[1114]라 ᄒᆞ나, 실노 뎡

1112)산산(潸潸)ᄒᆞ다 : 눈물 빗물 따위가 줄줄 흐르는 모양.

1113)융장(戎裝) : 싸움터로 나아갈 때의 차림.

1114)주욕신사(主辱臣死) : 임금에게 치욕이 있으면 신하는 마땅이 죽음으로써 그 치욕을 씻어야 한다.

(南征北伐)과 윤광텬의 동뎡셔벌(東征西伐)ᄒᆞ믄, 경(卿) 등이 아모리 근노ᄒᆞ여 딤의 근심을 난호나, 튱녈ᄌᆡ덕(忠烈才德)은 이 두 신하를 당ᄒᆞ리 업ᄂᆞ니, 뎡텬홍과 윤광텬을 두ᄆᆡ 딤이 족히 변방을 근심치 아닐 거시오, ᄯᅩ 윤희텬이 이시니 녜의를 ᄇᆞᆰ히고 듀공(周公)1404)의 덕을 니으리니, 딤이 비록 셰상을 바리나 근심이 업술가 ᄒᆞᄂᆞ니,【54】경 등은 윤·뎡 등을 효측ᄒᆞ라."

만되 ᄇᆡ복(拜伏)ᄒᆞ나 셩ᄀᆈ(聖教) 젼과 다르시믈 의아ᄒᆞ더라. 냥원슈를 어탑하(御榻下)의 갓가이 브르샤 옥ᄇᆡ(玉杯)의 향온(香醞)을 ᄎᆔ토록 주시고, 원슈의 손을 잡으샤 왈,

"경뷔(卿父) 국가를 위ᄒᆞ여 명을 늣거이1405) 바리니 딤이 ᄆᆡ양 통상ᄒᆞᄂᆞᆫ ᄇᆡ라. 경의 완비(完備)ᄒᆞᆫ 긔상이 경부의셔 나으니, 슈화(水火)의 드러도 위ᄐᆡᄒᆞ믈 버셔나려니와, 경을 금일 만니젼딘(萬里戰陣)의 보ᄂᆡᄆᆡ, 딤의 심ᄉᆡ 심히 편치 아냐 젼일과 회푀 다르니, 딤이 ᄆᆞᄋᆞᆷ이 견고치 못ᄒᆞ여 군신이 반기ᄂᆞᆫ 얼골노 다시 보기를 긔필(期必)치 못ᄒᆞᆯ가 ᄒᆞ노라."

윤원쉬 텬안의 슬허 ᄒᆞ심과 츄연ᄒᆞ신 텬어(天語)를 듯ᄌᆞ오ᄆᆡ, 디극ᄒᆞᆫ 튱녈디심으로 ᄡᅥ 의아【55】ᄒᆞᆯ ᄲᅮᆫ 아니라, 신명ᄒᆞᆫ 혜아리미 텬슈를 모로디 아니므로, 다시 황야(皇爺)긔 됴회ᄒᆞ기를 긔약기 어려오믈 ᄉᆡᆼ각ᄒᆞᄆᆡ, 심ᄉᆡ 황황ᄒᆞ여 와잠농미(臥蠶龍眉)의 슈운(愁雲)이 교집(交集)ᄒᆞ고, 단봉냥안(丹鳳兩眼)의 누쉬 흐르믈 ᄭᆡᄃᆞᆺ디 못ᄒᆞ나, 디쳑텬안(咫尺天顔)의 비ᄉᆡᆨ(悲色)을 낫토디 못ᄒᆞ

생각하여 근심을 없애야 하고, 또 임금에게 치욕이 있으면 신하는 마땅이 죽음으로써 그 치욕을 씻어야 한다.

1404)쥬공(周公) : 중국 주나라의 정치가. 문왕의 아들로 성은 희(姬). 이름은 단(旦). 형인 무왕을 도와 은나라를 멸하였고 어린 조카 성왕(成王)을 섭정하여 주나라의 기초를 튼튼히 하였다. 예악 제도(禮樂制度)를 정비하였으며, ≪주례(周禮)≫를 지었다고 알려져 있다

1405)늣겁다 : 느껍다. 어떤 느낌이 마음에 북받쳐서 벅차다.

텬홍의 남정북벌(南征北伐)과 윤광텬의 동정셔벌(東征西伐)ᄒᆞ믄, 경 등이 아모리 근노ᄒᆞ여 딤의 근심을 난호나 츙녈ᄌᆡ덕(忠烈才德)은 이 두 신하를 당ᄒᆞ리 업ᄉᆞ니, 뎡텬홍과 윤광텬을 두ᄆᆡ 딤이 족히 변방을 근심치 아닐 거시오, ᄯᅩ 윤희텬이 잇시니 녜의를 ᄇᆞᆰ히고 쥬공(周公)1115)의 덕을 니으리니, 딤이 비록 셰상을 바리나 근심이 업술가 ᄒᆞᄂᆞ니, 경 등은 윤·뎡 등을 효측ᄒᆞ라."

만죄 ᄇᆡ복(拜伏)ᄒᆞ나 셩ᄀᆈ(聖教) 젼과 다르시믈 의아ᄒᆞ더라. 냥원슈를 갓가히 브르샤 옥ᄇᆡ의 향온을 ᄎᆔ토록 쥬시고, 원슈의 손을 잡으샤【49】 왈,

"경뷔(卿父) 국가를 위ᄒᆞ여 명을 늣거이1116) ᄇᆞ리니 딤이 ᄆᆡ양 통상ᄒᆞᄂᆞᆫ ᄇᆡ라. 경의 완비(完備)ᄒᆞᆫ 긔상이 경부의셔 나으니, 슈화(水火)의 드러도 위ᄐᆡᄒᆞ믈 버셔나려니와, 경을 금일 만니젼진(萬里戰陣)의 보ᄂᆡᄆᆡ 딤의 심ᄉᆡ 심히 평(平)치 아냐 젼일과 회푀 다르니, 딤이 마ᄋᆞᆷ이 견고치 못ᄒᆞ여 군신이 반기ᄂᆞᆫ 얼골노 다시 보기를 긔필(期必)치 못ᄒᆞᆯ가 ᄒᆞ노라."

원쉬 텬안의 슬허ᄒᆞ심과 츄연ᄒᆞ신 텬어를 듯ᄌᆞ오ᄆᆡ, 지극ᄒᆞᆫ 츙의로ᄡᅥ 의아ᄒᆞᆯ ᄲᅮᆫ 아니라, 신명ᄒᆞᆫ 혜아림이 텬슈를 모로지 아니므로, 다시 황야(皇爺)긔 조회ᄒᆞ기를 긔약지 못ᄒᆞ믈 ᄉᆡᆼ각ᄒᆞ여, 심ᄉᆡ 황황ᄒᆞ여 와잠농미(臥蠶龍眉)의 슈운(愁雲)이 교집(交集)ᄒᆞ고, 단봉냥안(丹鳳兩眼)의 누ᄉᆔ 흐르믈 ᄭᆡᄃᆞᆺ지 못ᄒᆞ나, 지쳑텬안(咫尺天顔)의 비ᄉᆡᆨ(悲色)을 낫토지 못【50】ᄒᆞ여 이셩화긔(怡聲和氣)로 쥬왈,

1115)쥬공(周公) : 중국 주나라의 정치가. 문왕의 아들로 성은 희(姬). 이름은 단(旦). 형인 무왕을 도와 은나라를 멸하였고 어린 조카 성왕(成王)을 섭정하여 주나라의 기초를 튼튼히 하였다. 예악 제도(禮樂制度)를 정비하였으며, ≪주례(周禮)≫를 지었다고 알려져 있다

1116)늣겁다 : 느껍다. 어떤 느낌이 마음에 북받쳐서 벅차다.

여, 이셩화긔(怡聲和氣)로 쥬왈,

"신이 금일 탑하의 하ᄃᆡᆨᄒᆞᄋᆞᆸᄂᆞᆫ 심ᄉᆡ 비할(悲割)1406)ᄒᆞ온디라. 신슈브ᄌᆡ(臣雖不才)오나 딘뎍을 탕멸ᄒᆞᄋᆞᆸ고 개가로 반샤ᄒᆞ와, 금궐(禁闕)의 됴회ᄒᆞᄋᆞᆸᄂᆞᆫ 날 즐거오믄 금일 아니 가ᄂᆞ 니의셔 더을디라. 복원(伏願) 셩샹은 만셰무강ᄒᆞ쇼셔."

샹이 탄식ᄒᆞ샤 왈,

"블ᄉᆞ약(不死藥)이 업ᄉᆞ니 엇디 ᄒᆞ리오."

원슈 뎡벌이 일시 급ᄒᆞᆫ디라. 비감(悲感)ᄒᆞ믈 【56】 ᄎᆞᆷ고 부원슈 이하 졔댱으로 더브러 팔ᄇᆡ하ᄃᆡᆨ(八拜下直)ᄒᆞ고 나와, 녈후공경(列侯公卿)으로 더브러 작별ᄒᆞ고, 부원슈ᄂᆞᆫ 부젼의 하ᄃᆡᆨᄒᆞᄆᆡ 날이 느져가므로 총총이 힝군ᄒᆞᆯᄉᆡ, 장ᄉᆞ(將士)ᄂᆞᆫ 태산의 ᄆᆡᆼ호 ᄀᆞᆺ고 ᄆᆞᆯ은 창ᄒᆡ(蒼海)의 비룡(飛龍) ᄀᆞᆺ거ᄂᆞᆯ, 군용(軍容)이 뎡슉ᄒᆞ고 개갑(介甲)이 션명ᄒᆞᆫᄃᆡ, 윤원슈 황금쇄ᄌᆞ갑(黃錦鎖子甲)1407)의 봉시투고(鳳翅--)1408)를 쓰고, 손의 듁졀편(竹節鞭)1409)을 쥐고, 쳔니대완ᄆᆞ(千里大宛馬)1410)를 타시니, 니른 바 긔린디어쥬슈(麒麟之於走獸)1411)와 봉황디어비됴(鳳凰之於飛鳥)1412)라. 부원슈ᄂᆞᆫ 황금투고의 ᄇᆡᆨ은갑(白銀甲)1413)을 써 닙고, 옥슈(玉手)의 뇽ᄉᆞ보도(龍蛇寶刀)1414)를 쥐고, 좌하(座下)의

1406)비할(悲割) : 슬픔이 칼로 살을 도려내듯 함.

1407)황금쇄자갑(黃錦鎖子甲) : 갑옷의 일종. 황색 명주옷에 사방 두 치 정도 되는 돼지가죽으로 된 미늘들을 작은 고리로 꿰어 붙여서 만들었다.

1408)봉시(鳳翅)투고 : 봉시(鳳翅)투구. 봉(鳳)의 깃으로 꾸민 투구. 봉시(鳳翅)는 봉의 깃. 투구는 예전에, 군인이 전투할 때에 적의 화살이나 칼날로부터 머리를 보호하기 위하여 쓰던 쇠로 만든 모자.

1409)듁졀편(竹節鞭) : 자루가 대나무로 된 채찍.

1410)천리대완마(千里大宛馬) : 하루에 천리를 간다고 하는 명마. *대완마(大宛馬) : 일명 한혈마(汗血馬). 피땀을 흘릴 정도로 매우 빨리 달리는 말이라는 뜻으로, 한혈마(汗血馬)라 불리기도 하며, 아라비아 대완국(大宛國)에서 나는 말이라 하여 대완마(大宛馬)라 불리기도 한다.

1411)기린지어주수(麒麟之於走獸) : 달리는 짐승 가운데서 기린(麒麟)처럼 뛰어남.

1412)봉황지어비조(鳳凰之於飛鳥) : 나는 새 가운데서 봉황(鳳凰)처럼 특출(特出)함.

1413)백은갑(白銀甲) : 하얀 은빛 갑옷.

1414)용사보도(龍蛇寶刀) : 용과 뱀을 새긴 보검(寶

"신이 금일 탑하의 하직ᄒᆞᄋᆞᆸᄂᆞᆫ 심ᄉᆡ 비할(悲割)1117)ᄒᆞ온지라. 신슈브ᄌᆡ(臣雖不才)나 진적을 탕멸ᄒᆞᄋᆞᆸ고 개가로 반샤ᄒᆞ와, 금궐(禁闕)의 조회ᄒᆞᄋᆞᆸᄂᆞᆫ 날 즐거오믄 금일 아니 가ᄂᆞ 니의셔 더을지라. 복원(伏願) 셩샹은 만셰무강ᄒᆞ소셔."

샹이 탄식ᄒᆞ샤 왈,

"블ᄉᆞ약(不死藥)이 업ᄉᆞ니 엇지 ᄒᆞ리오."

원쉬 정벌이 일시 급ᄒᆞᆫ지라. 비감(悲感)ᄒᆞ믈 ᄎᆞᆷ고 부원슈 이하 졔장으로 더브러 팔ᄇᆡ하직(八拜下直)ᄒᆞ고 나와, 열후공경(列侯公卿)을 하직ᄒᆞ고, 부원슈ᄂᆞᆫ 부젼의 하직ᄒᆞᄆᆡ 날이 느져가《ᄆᆡ‖므로》 총총히 힝군ᄒᆞᆯᄉᆡ, 쟝ᄉᆞ(將士)ᄂᆞᆫ 태산의 ᄆᆡᆼ호 ᄀᆞᆺ고 말은 창ᄒᆡ(蒼海)의 비룡(飛龍) ᄀᆞᆺ거ᄂᆞᆯ, 군용(軍容)이 정슉ᄒᆞ고 개갑이 션명ᄒᆞᆫᄃᆡ 윤원쉬 황금쇄ᄌᆞ갑(黃錦鎖子甲)1118)의 봉시투고(鳳翅--)1119)를 쓰고, 손의 쥭졀편(竹節鞭)1120)을 쥐고 쳔니대완마(千里大宛馬)1121) 【51】 를 ᄐᆞ시니, 이 니른 바 긔린지쥬슈(麒麟之於走獸)1122)와 봉황지어비죄(鳳凰之於飛鳥)1123)라. 부원슈ᄂᆞᆫ 황금투고의 ᄇᆡᆨ은갑(白銀甲)1124)을 써 입고 옥슈의 뇽샤보도(龍蛇寶刀)1125)를 쥐고, 좌하의 오화마(五花馬)1126)

1117)비할(悲割) : 슬픔이 칼로 살을 도려내듯 함.

1118)황금쇄ᄌᆞ갑(黃錦鎖子甲) : 갑옷의 일종. 황색 명주옷에 사방 두 치 정도 되는 돼지가죽으로 된 미늘들을 작은 고리로 꿰어 붙여서 만들었다.

1119)봉시(鳳翅)투고 : 봉시(鳳翅)투구. 봉(鳳)의 깃으로 꾸민 투구. 봉시(鳳翅)는 봉의 깃. 투구는 예전에, 군인이 전투할 때에 적의 화살이나 칼날로부터 머리를 보호하기 위하여 쓰던 쇠로 만든 모자.

1120)듁졀편(竹節鞭) : 자루가 대나무로 된 채찍.

1121)쳔니대완ᄆᆞ(千里大宛馬) : 하루에 천리를 간다고 하는 명마. *대완마(大宛馬) : 일명 한혈마(汗血馬). 피땀을 흘릴 정도로 매우 빨리 달리는 말이라는 뜻으로, 한혈마(汗血馬)라 불리기도 하며, 아라비아 대완국(大宛國)에서 나는 말이라 하여 대완마(大宛馬)라 불리기도 한다.

1122)긔린디어쥬슈(麒麟之於走獸) : 달리는 짐승 가운데서 기린(麒麟)처럼 뛰어남.

1123)봉황디어비됴(鳳凰之於飛鳥) : 나는 새 가운데서 봉황(鳳凰)처럼 특출(特出)함.

1124)ᄇᆡᆨ은갑(白銀甲) : 하얀 은빛 갑옷.

1125)뇽ᄉᆞ보도(龍蛇寶刀) : 용과 뱀을 새긴 보검(寶

오화마(五花馬)1415)를 ᄐᆞ시니 남듕일ᄉᆡᆨ(男中一色)1416)이라. 호호탕탕이 나아 갈ᄉᆡ, 텬ᄌᆡ 먼니 바라보시니 그 군뉼이 엄슉ᄒᆞ여 쥬아부(周亞夫)1417)의 군문(軍門)1418)을 보시ᄂᆞᆫ 듯 ᄒᆞᆫ디라.【57】 뇽안이 블승희열ᄒᆞ시더라.

윤태○[부] 졔뎡과 초국공 곤계ᄂᆞᆫ 원슈의 힝거를 좃ᄎᆞ ᄉᆞ오 리를 더 나와 니별ᄒᆞᆯᄉᆡ, 졔왕이 윤원슈와 그 ᄋᆞ의 손을 잡고 왈,

"ᄉᆞ원의 ᄌᆡ략으로뼈 도뎍을 탕멸ᄒᆞ믄 근심 업거니와, 오뎨(吾弟)ᄂᆞᆫ 일죵(一終)1419) 샹댱(上將)의 녕을 쥰힝ᄒᆞᆯ ᄯᆞ롬이니, 더옥 만니 츌뎡의 셩괴 비쳑ᄒᆞ시니, 인신의 경황(驚惶)ᄒᆞ믈 니긔디 못ᄒᆞ리로다."

윤원쉬 츄연 하루 왈,

"쇼뎨ᄂᆞᆫ 텬디간 슬픈 인ᄉᆡᆼ이라. 외로오신 ᄌᆞ모를 뫼셔 존당을 밧드러 일시도 ᄡᅥ나디 못ᄒᆞᆯ 형셰로ᄃᆡ, 신ᄌᆡ 되여 이런 ᄡᆡ의 안연치 못ᄒᆞ여 츌뎡ᄒᆞ나, 셩교를 듯ᄌᆞ오ᄆᆡ 심ᄉᆡ 황난ᄒᆞ믈 니긔디 못ᄒᆞ리로다."

졔왕이 위로ᄒᆞ고【58】무궁ᄒᆞᆫ 회포를 다 각각 억졔ᄒᆞ여 분슈(分手)ᄒᆞ니, 원슈ᄂᆞᆫ 대군을 휘동ᄒᆞ여 딘을 향ᄒᆞ고, 졔왕 등은 어막으로 도라와 상을 뫼셔 환궁ᄒᆞ시다.

이ᄡᆡ 윤부의셔 태부인과 조부인이 원슈를 보ᄂᆡ고 훌연ᄒᆞ믈 니긔디 못ᄒᆞ니, 윤공과 태뷔 화셩유어로 ○○[위로]ᄒᆞ믈 마디 아니ᄒᆞ더라.

ᄎᆞ시 담양 태슈 구몽슉의 ᄋᆡ민션졍(愛民善政)이 졔읍쥬현(諸邑州縣)의 웃듬으로, 안찰ᄉᆞ 계문(啓聞)의 슌슌(順順)이 칭션ᄒᆞᄆᆡ 되엿더니, 평졔왕 뎡듁쳥이 윤태부로 더브러 텬문의 힘뼈 쥬ᄒᆞ여, 구몽슉이 발셔 담

剱).

1415)오화마(五花馬) : 말의 갈기를 다섯 갈래로 땋아 꾸민 말. *화마(花馬) : 얼룩말.

1416)남듕일ᄉᆡᆨ(男中一色) : 남자 가운데 제일가는 미남자.

1417)주아부(周亞夫) : 중국 전한(前漢) 전기의 무장, 오초칠국(吳楚七國)의 난을 평정해 공을 세웠고 승상에 올랐다.

1418)군문(軍門) : 군대를 비유적으로 이르는 말.

1419)일죵(一終) : 처음부터 끝까지. 한결같이.

를 ᄐᆞ시니, 남즁일ᄉᆡᆨ(男中一色)1127)이라. 호호탕탕이 나아 갈ᄉᆡ, 텬ᄌᆡ 먼니 ᄇᆞ라보시니 그 군률이 엄슉ᄒᆞ여 쥬아부(周亞夫)1128)의 군문(軍門)1129)을 보시ᄂᆞᆫ 듯ᄒᆞᆫ지라. 뇽안이 불승희열ᄒᆞ시더라.

윤태부 졔뎡과 초국공 곤계ᄂᆞᆫ 원슈의 힝거를 ᄉᆞ오 리를 더 나와 니별ᄒᆞᆯᄉᆡ, 졔왕이 윤원슈와 그 ᄋᆞ의 손을 잡고 왈,

"ᄉᆞ원의 ᄌᆡ략으로뼈 도젹은 근심 업거니와, 오뎨ᄂᆞᆫ 《일둥‖일죵(一終)1130)》 상쟝의 녕을 쥰힝ᄒᆞᆯ ᄯᆞ름이니, 더욱 만니 츌졍의 셩교 비쳑ᄒᆞ시니, 인신의 《셩황‖경황(驚惶)》 ○○[ᄒᆞ믈] 니긔지 못ᄒᆞ리로다."

윤원쉬 츄연 하루 왈,

"소뎨ᄂᆞᆫ 텬디간 슬픈【52】인ᄉᆡᆼ이라. 외로오신 ᄌᆞ모를 뫼셔 존당을 밧드러 일시도 ᄡᅥ나지 못ᄒᆞᆯ 형셰로ᄃᆡ, 신ᄌᆡ 되여 이런 ᄡᆡ의 안연치 못ᄒᆞ여 츌졍ᄒᆞ나, 셩교를 듯ᄌᆞ오ᄆᆡ 심ᄉᆡ 황난ᄒᆞ믈 니긔지 못ᄒᆞ리로다."

왕이 위로ᄒᆞ고 무궁ᄒᆞᆫ 회포를 다 각각 억졔ᄒᆞ여 분슈(分手)ᄒᆞ니, 원슈ᄂᆞᆫ ᄃᆡ군을 휘동ᄒᆞ여 진으로 향ᄒᆞ고, 졔왕 등은 어막으로 도라와 상을 뫼셔 환궁ᄒᆞ시다.

이ᄡᆡ 윤부에셔 태부인과 조부인이 원슈를 보ᄂᆡ고 훌연ᄒᆞ믈 니긔지 못ᄒᆞ니, 윤공과 태뷔 화셩유어로 위로ᄒᆞ믈 마지 아니ᄒᆞ더라.

ᄎᆞ시 담양 태슈 구몽슉의 ᄋᆡ민션졍(愛民善政)이 졔읍쥬현의 웃듬으로 안찰ᄉᆞ 계문(啓聞)의 슌슌(順順)이 칭션ᄒᆞᄆᆡ 되엿더니, 평졔왕 뎡쥭쳥이 윤태【53】부로 더브러 텬문의 힘뼈 쥬ᄒᆞ여, 구몽슉이 발셔 담양의

剱).

1126)오화마(五花馬) : 말의 갈기를 다섯 갈래로 땋아 꾸민 말. *화마(花馬) : 얼룩말.

1127)남듕일ᄉᆡᆨ(男中一色) : 남자 가운데 제일가는 미남자.

1128)쥬아부(周亞夫) : 중국 전한(前漢) 전기의 무장, 오초칠국(吳楚七國)의 난을 평정해 공을 세웠고 승상에 올랐다.

1129)군문(軍門) : 군대를 비유적으로 이르는 말.

1130)일죵(一終) : 처음부터 끝까지. 한결같이.

양의 이션 디 여러 셰월이 되엿고, 개과쳔션(改過遷善)ᄒᆞ여 젼후 다른 사ᄅᆞᆷ이 되여시니, 셩쥬의 관홍ᄒᆞ신 후덕(厚德)으로【59】뼈 몽슉의 젼죄(前罪)를 샤ᄒᆞ시고, 녯 벼살을 주샤 경샤의 블너 오시믈 쳥ᄒᆞ오니, 샹이 쳐음은 블허ᄒᆞ시더니 평졔왕의 ᄯᅳᆺ이 몽슉을 구ᄒᆞ여 브ᄃᆡ 녯 벼살의 닐위고져 ᄒᆞ게[미] 간졀ᄒᆞ믈 보시고, 어딜믈 긔특이 녁이샤 마디못ᄒᆞ여 몽슉을 공부상셔를 ᄒᆞ이샤 녁마로 브르시니, 졔왕이 깃거ᄒᆞ미 측냥업더라.

임의 은영이 더으ᄆᆡ, 몽슉이 슈월디ᄂᆡ(數月之內)○[의] 샹경ᄒᆞ여 궐하의 샤은슉ᄇᆡᄒᆞ고, 바로 뎡부의 와 금후 부ᄌᆞ를 보고 눈믈을 흘니며 고두(叩頭) 샤례ᄒᆞ니, 금후ᄂᆞᆫ 다만 니ᄅᆞᄃᆡ,

"당초로브터 우리 부ᄌᆞᄂᆞᆫ 너를 믜워 ᄒᆞᆫ 일 업시 네 그릇 되니 ᄆᆞ음의 ᄋᆡ돏더니, 금ᄎᆞ디【60】시 ᄒᆞ여ᄂᆞᆫ 젼과를 뉘웃고 ᄉᆡ로 어딘 ᄯᅳᆺ을 발ᄒᆞ니, ᄒᆞᆫ갓 우리 부ᄌᆡ ᄒᆡᆼ희(幸喜)ᄒᆞᆯ ᄲᅳᆫ 아니라, 네 몸의 뎍디 아닌 영홰라. 모로미 ᄒᆞᆫ갈ᄀᆞᆺ치 ᄒᆡᆼ신을 가다ᄃᆞᆷ아 다시 블의예 ᄲᅡ디디 말나."

몽슉이 톄읍슈명(涕泣受命)ᄒᆞ고 졔왕은 반기미 무궁ᄒᆞ나, 몽슉이 은혜 일ᄏᆞᆺ기의 다ᄃᆞ라ᄂᆞᆫ 번연이 깃거 아냐, 미우를 ᄶᅵᆼ긔여 왈,

"형의 ᄉᆞᄉᆡᆼ이 셩듀(聖主)긔 이시니, 소쥐의 찬ᄇᆡ와 담양의 태쉬며 경샤의 올나오미 다 셩듀의 명이시니, 쇼뎨를 보고 칭샤ᄒᆞᆯ 일이 아닌가 ᄒᆞ노라."

몽슉이 졔왕의 셩경을 아ᄂᆞᆫ 고로 다시 칭샤치 못ᄒᆞ고, 뎡부 영화 부귀 그 ᄉᆞ이 더옥 혁혁ᄒᆞ여 졔왕이 쳔승의 귀를 누리【61】며, 유흥과 필흥이 다 등과ᄒᆞ여 쳥현지렬(淸賢宰列)의 이시믈 보니, 져의 공교히 히코져 ᄒᆞ던 일이 ᄉᆡ로이 뉘웃브며 ᄋᆡ돌나, 맛츰ᄂᆡ 뎡·딘 냥부를 의디ᄒᆞ고 일ᄉᆡᆼ을 디ᄂᆡ고져 ᄒᆞ므로, 가샤를 취운산의 옴겨 졔뎡, 졔 딘을 보ᄆᆡ, 딘평댱 등은 결증(潔症)이 남 다른더라. 졔왕의 비위 됴흐믈 본밧

잇션 지 여러 셰월이 되엿고, ᄀᆡ과쳔션(改過遷善)ᄒᆞ여 젼후 다른 샤ᄅᆞᆷ이 되어시니, 셩쥬의 후덕으로뼈 몽슉의 젼죄를 샤ᄒᆞ시고, 녯 벼슬을 쥬샤 경ᄉᆞ의 블너 오시믈 쳥ᄒᆞ니, 샹이 쳐음은 블허ᄒᆞ시더니, 평졔왕의 ᄯᅳᆺ이 몽슉을 구ᄒᆞ여 브ᄃᆡ 녯 벼슬의 일위고져 ᄒᆞ미 긴졀ᄒᆞ믈 보시고, 어질믈 긔특이 녁이샤 마지못ᄒᆞ여 몽슉을 공부상셔를 ᄒᆞ이샤 녁마로 브르시니, 졔왕이 깃거ᄒᆞ미 측냥업더라.

임의 은영이 더으ᄆᆡ, 몽슉이 슈월지ᄂᆡ(數月之內)○[의] 샹경ᄒᆞ여 궐하의 ᄉᆞ은슉ᄇᆡᄒᆞ고, 바로 뎡부의 와 금후 부ᄌᆞ를 보고 눈믈을 흘니고 고두(叩頭) ᄉᆞ례ᄒᆞ니, 금후ᄂᆞᆫ 다만 니ᄅᆞᄃᆡ,【54】

"당초로브터 우리 부ᄌᆞᄂᆞᆫ 너를 믜워 ᄒᆞᆫ 일 업시 네 그릇 되니 마음의 ᄋᆡ돏더니, 금ᄎᆞ지시 ᄒᆞ여ᄂᆞᆫ 젼과를 뉘웃고 ᄉᆡ로 어진 ᄯᅳᆺ슬 발ᄒᆞ니, ᄒᆞᆫ갓 우리 부ᄌᆡ ᄒᆡᆼ희(幸喜)ᄒᆞᆯ 분 아니라, 네 몸의 젹지 아닌 영홰라. 모로미 ᄒᆞᆫ갈ᄀᆞᆺ치 ᄒᆡᆼ신을 가다ᄃᆞᆷ아 다시 블의지ᄉᆞ를 말나."

몽슉이 쳬읍슈명(涕泣受命)ᄒᆞ고 졔왕은 반기미 무궁ᄒᆞ나, 몽슉이 은혜 일ᄏᆞᆺ기의 다다라ᄂᆞᆫ 번연이 깃거 아냐, 미우를 ᄶᅵᆼ긔여 왈,

"형의 ᄉᆞᄉᆡᆼ이 셩쥬(聖主)긔 잇시니, 소쥐의 찬ᄇᆡ와 담양의 태쉬며 경ᄉᆞ의 올나오미 셩쥬의 명이니, 소뎨를 보고 칭샤ᄒᆞᆯ 닐이 아닌가 ᄒᆞ노라."

몽슉이 졔왕의 셩경을 아ᄂᆞᆫ 고로 다시 칭샤치 못ᄒᆞ고, 뎡부 영화 부귀 그 ᄉᆞ이 더욱 혁혁ᄒᆞ여 졔왕이【55】{왕이} 쳔승의 귀를 누리며, 유흥과 필흥이 다 등과ᄒᆞ여 쳥현지녈(淸賢宰列)의 잇시믈 보니, 져의 공교히 히코져 ᄒᆞ던 일이 ᄉᆡ로이 뉘웃부며 ᄋᆡ돌나, 마츰ᄂᆡ 뎡·진 냥부로[를] 의지ᄒᆞ고 일ᄉᆡᆼ을 지ᄂᆡ고져 ᄒᆞ므로, 가ᄉᆞ를 취운산의 옴겨 졔뎡, 졔 진을 보ᄆᆡ, 평쟝 등은 결증이 나 졔왕의 비위 조흐믈 본밧지 아냐 흔연 상졉지

디 아냐 흔연 상졉디 못ᄒᆞ나, 낙양휘 몽슉을 우ᄃᆡᄒᆞ미 친ᄌᆞ ᄀᆞᄐᆞ여 ᄋᆡᄌᆞ디원(睚眦之怨)을 조금도 픔디 아니니, 이러므로 졔 딘이 부슉의 ᄠᅳᆺ을 역디 못ᄒᆞ여 녜ᄉᆞ로이 ᄃᆡ졉ᄒᆞ더라.

어시의 셜빈이 하샤인의 뎡쇼져 듕ᄃᆡᄒᆞ믈 보ᄆᆡ ᄉᆡ심(猜心)이 날노 층가ᄒᆞ여, 뎡쇼져 히ᄒᆞᆯ 의ᄉᆡ 【62】 아니 밋ᄎᆞᆫ 곳이 업ᄉᆞᄃᆡ, 뎡쇼졔 사ᄅᆞᆷ 되오미 샤광(師曠)의 춍(聰)과 하ᄒᆡ(河海)의 깁희를 가져, 샤군ᄌᆞ(士君子) 녈댱부(烈丈夫)의 위○[의](威儀) 가ᄌᆞᆨᄒᆞ니, 가ᄇᆡ야이 히ᄒᆞᆯ 긔틀이 업셔 가마니 묘화 니고(尼姑)를 블너 뎡쇼져 업시키를 쐬ᄒᆞ니, 묘홰 응낙고 몸을 화ᄒᆞ여 나ᄂᆞᆫ ᄉᆡ 되여, 뎡쇼져 침소의 가 그 용화긔딜을 구경ᄒᆞᆫᄌᆞᆨ, ᄒᆞᆫ갓 미려ᄒᆞᆫ ᄌᆞᄐᆡ쁜 아니라 텬디강산의 슈츌(秀出)ᄒᆞᆫ 졍화를 오로디 타 나시니, 묘홰 ᄒᆞᆫ 번 보ᄆᆡ ᄌᆞ연 두리온 의ᄉᆡ 가득ᄒᆞ여, 스ᄉᆞ로 혜오ᄃᆡ,

"ᄎᆞ인은 녀듕셩지(女中聖者)라. 범연ᄒᆞᆫ 계교와 등한ᄒᆞᆫ 쐬로ᄂᆞᆫ 히ᄒᆞ기 어려오니, 셜빈 군쥬의 원을 일우기 【63】 쉽디 아닌디라. 각별ᄒᆞᆫ ᄌᆡ조를 베퍼 뎡시를 업시ᄒᆞᆯ 거시라."

ᄒᆞ고, 즉○[시] 셜원각의 드러가 셜빈을 ᄃᆡᄒᆞ여 왈,

"빈되(貧道)[1420] 뎡시를 ᄌᆞ시 본ᄌᆞᆨ 츄슈졍신(秋水精神)이며 일월명광(日月明光)으로, 상모(相貌)의 오ᄎᆡ팔광(五彩八光)[1421]이 어른기고 만복이 완젼ᄒᆞ여, 젹은 ᄌᆡ조와 범연ᄒᆞᆫ 쐬로ᄂᆞᆫ 히ᄒᆞᆯ 길 업ᄉᆞ니, 져의 모로ᄂᆞᆫ 가온ᄃᆡ 인ᄉᆞ블셩 되ᄂᆞᆫ 회화단(晦化丹)[1422]

1420)빈도(貧道) : 덕(德)이 적다는 뜻으로, 승려나 도사가 자기를 낮추어 이르는 일인칭 대명사. ≒빈승(貧僧).

1421)오채팔광(五彩八光) : 오채(五彩)와 팔광(八光)을 아울러 이르는 말. *오채(五彩); 파랑, 노랑, 빨강, 하양, 검정의 다섯 가지 색. *팔광(八光); 불교에서 말하는 여덟 가지 광명. 염(念)·의(意)·유(遊)·법(法)·지(智)·정(精)·신(神)·행(行)의 광명.

1422)회화단(晦化丹): 사람의 정신을 잃게 하는 요약(妖藥)

못ᄒᆞ나, 낙양휘 몽슉을 우ᄃᆡᄒᆞ미 친ᄌᆞ ᄀᆞᄐᆞ여 ᄋᆡᄌᆞ지원(睚眦之怨)을 조곰도 픔지 아니니, 이러므로 졔 진이 부슉의 ᄠᅳᆺ슬 역지 못ᄒᆞ여 녜ᄉᆞ로이 ᄃᆡ졉ᄒᆞ더라.

어시의 셜빈이 하ᄉᆞ인의 뎡소져 즁ᄃᆡᄒᆞ믈 보ᄆᆡ ᄉᆡ심(猜心)이 날노 층가ᄒᆞ여, 뎡소져 히ᄒᆞᆯ 의ᄉᆡ 아니 밋ᄎᆞᆫ 곳이 업ᄉᆞᄃᆡ, 뎡소졔 샤ᄅᆞᆷ 되오미 ᄉᆞ광(師曠)의 총명과 【56】 하ᄒᆡ(河海)의 깁희를 가져, ᄉᆞ군ᄌᆞ(士君子) 녈장부(烈丈夫)의 위의(威儀) 가ᄌᆞᆨᄒᆞ니, ᄀᆞ바야이 히ᄒᆞᆯ 긔틀이 업셔 ᄀᆞ마니 묘화 니고(尼姑)를 블너 뎡소져 업시키를 쐬ᄒᆞ니, 묘홰 응낙고 몸을 화ᄒᆞ여 나ᄂᆞᆫ ᄉᆡ 되여, 뎡소져 침소의 가 그 용화긔질을 구경ᄒᆞᆫᄌᆞᆨ, ᄒᆞᆫ갓 미려ᄒᆞᆫ ᄌᆞᄐᆡ쁜 아니라 텬디강산의 슈츌ᄒᆞᆫ 졍화를 오로지 타 낫시니, 묘홰 ᄒᆞᆫ 번 보ᄆᆡ ᄌᆞ연 두리온 의ᄉᆡ 가득ᄒᆞ여, 스ᄉᆞ로 혜오ᄃᆡ,

"《존인‖ᄎᆞ인》은 녀즁셩지(女中聖者)라. 범연ᄒᆞᆫ 계교와 등한ᄒᆞᆫ 쐬로ᄂᆞᆫ 히ᄒᆞ기 어려오니, 셜빈 군쥬의 원을 일우기 쉽지 아닌지라. 각별ᄒᆞᆫ ᄌᆡ조를 베퍼 뎡씨를 업시ᄒᆞᆯ 거시라."

ᄒᆞ고, 즉시 셜원각의 드러가 셜빈을 ᄃᆡᄒᆞ여 왈,

"빈되(貧道)[1131] 뎡씨를 ᄌᆞ시 본ᄌᆞᆨ 츄슈졍신이며 【57】 일월명광으로 샹모의 오ᄎᆡ팔광(五彩八光)[1132]이 어른기고 만복이 완젼ᄒᆞ여 젹은 ᄌᆡ조와 범연ᄒᆞᆫ 쐬로ᄂᆞᆫ 히ᄒᆞᆯ 길 업ᄉᆞ니, 져의 모로ᄂᆞᆫ 가온ᄃᆡ 인ᄉᆞ불셩 되ᄂᆞᆫ 회화단(晦化丹)[1133]이란 약을 먹여 졍신을

1131)빈도(貧道) : 덕(德)이 적다는 뜻으로, 승려나 도사가 자기를 낮추어 이르는 일인칭 대명사. ≒빈승(貧僧).

1132)오채팔광(五彩八光) : 오채(五彩)와 팔광(八光)을 아울러 이르는 말. *오채(五彩); 파랑, 노랑, 빨강, 하양, 검정의 다섯 가지 색. *팔광(八光); 불교에서 말하는 여덟 가지 광명. 염(念)·의(意)·유(遊)·법(法)·지(智)·정(精)·신(神)·행(行)의 광명.

1133)회화단(晦化丹) : 사람의 정신을 잃게 하는 요약(妖藥)

이란 약을 먹여 정신을 흐리온 후 져를 후려다가1423) 업시 ᄒᆞᄂᆞᆫ 거시 올흐리라."

ᄒᆞᆫᄃᆡ, 셜빈이 깃거 칭샤 왈,

"ᄉᆞ뷔 날을 위ᄒᆞ여 뎡녀를 업시ᄒᆞ여 줄딘ᄃᆡ 대은을 명골각심(銘骨刻心)1424)ᄒᆞ여 죽어도 갑기 어려【64】올가 ᄒᆞ노라."

묘홰 소ᄅᆡ를 낫초아 왈,

"빈되 군쥬의 당초 젼졍(前程)으로브터 이졔 니르히 영화롭기를 바라ᄂᆞᆫ 졍셩이 고독(固篤)1425)ᄒᆞ니, 군쥐 비록 쳥치 아니시며 당부치 아니신들, 어이 군쥬의 뎍인(敵人)을 눈 아ᄅᆡ 잇과져 ᄒᆞ리오마ᄂᆞᆫ, 군쥬의 만나신 바 뎍인○[이] 가장 심상치 아닌 사ᄅᆞᆷ이라, 쳔방ᄇᆡᆨ계로 ᄒᆡ코져 ᄒᆞ여도 가ᄇᆡ야이 죽이기 어려오니, 빈도의 궁극ᄒᆞᆫ 의ᄉᆞ로 ○[암]약(瘖藥)1426)을 먹여 졍신을 흐리오고, 잡아다가 업시코져 ᄒᆞ미라. 군쥬ᄂᆞᆫ 빈도를 미드시고 과도히 념녀ᄒᆞ샤 귀톄를 상히오디 마르쇼셔."

셜빈이 깃거 쳔만 샤례ᄒᆞ고, 또 눈믈 드리워 ᄀᆞᆯ오ᄃᆡ,【65】

"쳡의 근본○[을] 츈교와 ᄉᆞ부 밧 알니 업ᄉᆞᆫ디라. 쳡이 ᄉᆞ부를 바라ᄂᆞᆫ ᄆᆞ음이 ᄌᆞ모(慈母)의 감치 아니코, 이ᄯᅴ를 당ᄒᆞ여 친ᄌᆞ모(親慈母)ᄂᆞᆫ 쳡을 죽은 줄노 ᄒᆞ고, 양ᄌᆞ모(養慈母)ᄂᆞᆫ 쳡의 ᄒᆡᆼ디(行止)를 젼연 브디(不知)ᄒᆞ시니, 쳡의 신셰를 비ᄒᆞᆯ 곳이 업ᄂᆞᆫᄃᆡ, 오딕 ᄉᆞ뷔 쳡의 슬픈 졍ᄉᆞ를 극딘히 념녀ᄒᆞ니 엇디 감은각골(感恩刻骨)치 아니리오. 져 뎡녀의 얼골이 ᄒᆞᆫ갓 곱고 빗날 ᄲᅮᆫ 아니라, ᄒᆡᆼᄉᆡ 신셩특이(神聖特異)ᄒᆞ여 귀신의 슬긔와 텬디의 너른 냥(量)을 가져시니, 효봉구고와 승슌(承順)ᄒᆞᄂᆞᆫ 도리 범뉴(凡類)와 ᄂᆡ도ᄒᆞ고, 하샤인의 ᄋᆞ시 뎡약으로 비록 일홈이 직실이나 후ᄇᆡᆨ의 만금교ᄋᆡ오, 왕공의 누의【66】로 태산 ᄀᆞᄐᆞᆫ 셰권(勢權)이 잇고, 하문이 뎡가 대은을 닙어 깁흔 졍의(情誼)

1423)후리다 : 휘몰아 채다. 납치하다. 강제 수단을 써서 억지로 데려가다.
1424)명골각심(銘骨刻心) : 뼈에 새기고 마음에 새김.
1425)고독(固篤) : 매우 굳고 두터움.
1426)암약(瘖藥) : 말 못하는 벙어리가 되게 하는 약.

흐져[리]온 후 져를 후려다가1134) 업시 ᄒᆞᄂᆞᆫ 거시 올흘지라."

ᄒᆞᆫᄃᆡ, 셜빈이 깃거 칭ᄉᆞ 왈,

"ᄉᆞ뷔 나를 위ᄒᆞ여 뎡녀를 업시ᄒᆞ여 줄진ᄃᆡ 대은을 명골각심(銘骨刻心)1135)ᄒᆞ여 죽어 갑기 어려올가 ᄒᆞ노라."

묘홰 소ᄅᆡ를 낫초아 왈,

"빈되 군쥬의 당초 젼졍(前程)으로브터 이졔 니르히 영화롭기를 ᄇᆞ라ᄂᆞᆫ 졍셩이 고독(固篤)1136)ᄒᆞ니, 군쥐 비록 쳥치 아니시며 당부치 아니신들, 어이 군쥬의 젹인(敵人)을 눈 아ᄅᆡ 잇과져 ᄒᆞ리오마ᄂᆞᆫ, 군쥬의 만나신 바 젹인이 ᄀᆞ쟝 심샹치【58】아닌 샤ᄅᆞᆷ이라. 쳔방ᄇᆡᆨ계로 ᄒᆡ코져 ᄒᆞ여도 가바야이 쥭이기 어려오니, 빈도의 궁극ᄒᆞᆫ 의ᄉᆡ 져를 암약(瘖藥)1137)을 먹여 졍신을 흐린 후, 아모 곳으로나 잡아다가 업시코져 ᄒᆞ미라. 군쥬ᄂᆞᆫ 빈도를 밋으시고 과도히 념녀 마르소셔."

셜빈이 쳔만 ᄉᆞ례ᄒᆞ고, 눈믈 드리워 ᄀᆞᆯ오ᄃᆡ,

"쳡의 근본을 츈교와 ᄉᆞ부 밧 ○○[알니] 업ᄉᆞ니, 쳡이 ᄉᆞ부를 ᄇᆞ라ᄂᆞᆫ 마ᄋᆞᆷ이 ᄌᆞ모(慈母)의 감치 아니ᄒᆞ리소이다."

ᄒᆞ더라. ᄎᆞ쳥(次聽) 하문(下文) ᄒᆞ{리}라.

◎1138)어시의 셜난이 쳔만ᄉᆞ례ᄒᆞ고, 또 눈믈 드리워 왈,

"쳡의 근본은 츈교와 ᄉᆞ부 밧 알 니 업ᄉᆞᆫ지라. 쳡이 ᄉᆞ부를 ᄇᆞ라ᄂᆞᆫ 마ᄋᆞᆷ이 ᄌᆞ모(慈母)의 감치 아니코, 이ᄯᅴ를 당ᄒᆞ여 친ᄌᆞ모(親慈母)ᄂᆞᆫ 쳡을 쥭은 쥴노 ᄒᆞ고, 양ᄌᆞ모(養慈母)ᄂᆞᆫ 쳡의 ᄒᆡᆼ지(行止)를 젼연 부지(不知)ᄒᆞ시【59】니, 쳡의 신셰를 비ᄒᆞᆯ 곳이 업ᄂᆞᆫᄃᆡ, 오직 ᄉᆞ뷔 쳡의 슬픈 졍ᄉᆞ를 극진히 념녀ᄒᆞ니 감은각골(感恩刻骨)치 아니리오. 져 뎡녀의 얼골이 ᄒᆞᆫ갓 곱고 빗날 ᄲᅮᆫ 아니라,

1134)후리다 : 휘몰아 채다. 납치하다. 강제 수단을 써서 억지로 데려가다.
1135)명골각심(銘骨刻心) : 뼈에 새기고 마음에 새김.
1136)고독(固篤) : 매우 굳고 두터움.
1137)암약(瘖藥) : 말 못하는 벙어리가 되게 하는 약.
1138)◎ : 선행본의 분권 권두표점.

바다히 엿트며 태산이 나즐디라. 이러므로 구괴 뎡시를 ᄉᆞ랑ᄒᆞ며 듕ᄒᆞᆫ 은졍이 비ᄒᆞᆯ 거시 업ᄉᆞ니, 쳡이 비록 쳔승의 일 군쥐라 ᄒᆞ나, ᄌᆞ최 졈졈 셔어(齟齬)ᄒᆞ고 하가의 블관이 넉이미 힝노 ᄀᆞᆺᄐᆞ니, ᄋᆡ돌오며 분ᄒᆞ미 흉격이 터딜 듯ᄒᆞᆫ 가온ᄃᆡ, 다시 ᄉᆡᆼ각건ᄃᆡ 쳡이 초의 뎡셰홍의 듕ᄃᆡ를 바다 양시를 쇼졔ᄒᆞ고, 일ᄉᆡᆼ이 블안ᄒᆞ미 업술 거술, 뎡연 역지 원슈ᄀᆞᆺ치 믜워ᄒᆞ여 궁극히 쳡의 허믈을 드러ᄂᆡ여 영영 박츌(迫黜)[1427]ᄒᆞ니, 쥬야 뎡연을 통원ᄒᆞᄂᆞᆫ ᄆᆞ음이 여러 셰월【67】이 될ᄉᆞ록 더ᄒᆞᆫ디라. 뎡연을 촌참ᄒᆞ고 뎡녀를 일만 조각의 쓰즐딘ᄃᆡ 나의 분을 쾌히 플 거시로ᄃᆡ, 뎡연 히ᄒᆞᆯ 모칙이 업셔 우민ᄒᆞᄂᆞᆫ ᄇᆡ라. ᄉᆞ부ᄂᆞᆫ 됴ᄒᆞᆫ 계교를 가ᄅᆞ치라.”

묘쾌 머리를 흔드러 왈,

“군쥬의 사ᄅᆞᆷ 히코져 ᄒᆞ시미 너모 괴이ᄒᆞᆫ디라. 금휘 비록 군쥬를 박츌ᄒᆞ미 원앙(怨怏)ᄒᆞ나, 져 뎡가 셰권이 숑됴의 읏듬이오, 그 위인이 져마다 칭복ᄒᆞᄂᆞᆫ ᄇᆡ니, 하날이 뎡가를 망멸치 아닌 후ᄂᆞᆫ 인력으로 능히 히치 못ᄒᆞᆯ디라. 군쥬ᄂᆞᆫ 다만 뎡시를 업시ᄒᆞᆫ 후 하샤인의 ᄆᆞ음을 두로혀, ᄇᆡᆨ년디락의 은졍이 환흡(歡洽)기【68】를 취ᄒᆞ쇼셔.”

셜빈이 츄연 탄식 왈,

“ᄉᆞ부의 가ᄅᆞ치미 맛당ᄒᆞ나 뎡연 젹지 날 박튝ᄒᆞ던 바를 ᄉᆡᆼ각ᄒᆞ면, 믜오미 골졀의 ᄉᆞ못ᄎᆞ니, 궁극히 도모ᄒᆞᆯ디라도 뎡연의 흉ᄉᆞᄒᆞ믈 보고져 ᄒᆞᄃᆡ, ᄉᆞ부의 말ᄉᆞᆷ이 이러ᄒᆞ니 뎡녀나 몬져 업시 ᄒᆞ면 쾌ᄒᆞ렷마ᄂᆞᆫ, 그 위인이 심상치 아니ᄒᆞ고, 하샤인이 슈유블니(須臾不離)ᄒᆞᄂᆞᆫ 은졍이 이시니, 암약(瘖藥)

1427)박츌(迫黜) : 다그쳐 내침.

힝ᄉᆡ 신셩특이(神聖特異)ᄒᆞ여 귀신의 슬긔와 텬지의 너른 냥(量)을 가져시니, 효봉구고와 승슌군ᄌᆞ(承順君子)ᄒᆞᄂᆞᆫ 도리 범뉴(凡類)와 ᄂᆡ도ᄒᆞ고, 하ᄉᆞ인의 ᄋᆞ시 졍약으로 비록 직실이라 일홈ᄒᆞ나, 후ᄇᆡᆨ의 만금교아오 왕공의 누의로 ᄐᆡ산 ᄀᆞᆺᄐᆞᆫ 셰권(勢權)이 잇고, 하문이 뎡가 대은을 닙어 깁흔 졍의(情誼) 바다히 엿트며 뫼히 나즐지라. 이러므로 구괴 뎡씨를 ᄉᆞ랑ᄒᆞ며 즁ᄒᆞᆫ 은졍이 비ᄒᆞᆯ 거시 업ᄉᆞ니, 쳡이 비록 쳔승의 일 군쥐라 ᄒᆞ나, ᄌᆞ최 졈졈 셔어(齟齬)ᄒᆞ고 하가의 블관히 넉이미 힝노 ᄀᆞᆺ【60】ᄐᆞ니, ᄋᆡ돌오며 분ᄒᆞ미 흉격이 터질 듯ᄒᆞᆫ 가온ᄃᆡ, 다시 ᄉᆡᆼ각컨ᄃᆡ 쳡이 초의 뎡셰홍의 즁ᄃᆡ를 바다 양씨를 소제ᄒᆞ고, 일ᄉᆡᆼ이 블안ᄒᆞ미 업술 거술, 뎡연 역지(逆者) 원슈ᄀᆞᆺ치 믜워○○[ᄒᆞ여] 궁극히 쳡의 허물을 드러ᄂᆡ여 영영 박츌(迫黜)[1139]ᄒᆞ니, 쥬야 뎡연을 통원ᄒᆞᄂᆞᆫ 마음이 여러 셰월이 될ᄉᆞ록 더ᄒᆞᆫ지라. 뎡연을 촌참ᄒᆞ고 뎡녀를 일만 조각의 쓰즐진ᄃᆡ, 나의 분을 쾌히 플 거시로ᄃᆡ, 뎡년 히ᄒᆞᆯ 모칙이 업셔 우민ᄒᆞᄂᆞᆫ ᄇᆡ라. ᄉᆞ부ᄂᆞᆫ 조ᄒᆞᆫ 계교를 가르치라.”

묘쾌 머리를 흔드러 왈,

“군쥬의 샤ᄅᆞᆷ 히코져 ᄒᆞ미 너모 괴이ᄒᆞᆫ지라. 금휘 비록 군쥬를 박츌ᄒᆞ미 《원망‖원앙(怨怏)》ᄒᆞ나, 져 뎡가 셰권이 송조의 웃듬이오, 그 위인이 져【61】마다 칭복ᄒᆞᄂᆞᆫ ᄇᆡ니, 하날이 뎡가를 망멸치 아닌 후ᄂᆞᆫ 인력으로 능히 히치 못ᄒᆞᆯ지라. 군쥬ᄂᆞᆫ 다만 뎡씨를 업시ᄒᆞᆫ 후 하ᄉᆞ인의 마음을 두로혀, ᄇᆡᆨ년지낙의 은졍이 환흡기를 취ᄒᆞ소셔.”

셜빈이 츄연 탄식 왈,

“ᄉᆞ부의 ᄀᆞᄅᆞ치미 맛당ᄒᆞ나 뎡연 젹지(賊者) 나를 박츅ᄒᆞ던 바를 ᄉᆡᆼ각ᄒᆞ면, 믜오미 골졀의 ᄉᆞ못ᄎᆞ니, 궁극히 도모ᄒᆞᆯ지라도 뎡연의 흉ᄉᆞᄒᆞ믈 보고져 ᄒᆞᄃᆡ, ᄉᆞ부의 말ᄉᆞᆷ이 이러ᄒᆞ니 뎡녀나 몬져 업시ᄒᆞ며[면] 쾌ᄒᆞ련마ᄂᆞᆫ, 그 위인이 심상치 아니ᄒᆞ고, 하ᄉᆞ인이 슈유블니(須臾不離)ᄒᆞᄂᆞᆫ 은졍이 ○○[잇시]

1139)박츌(迫黜) : 다그쳐 내침.

도 먹일 틈이 업거니와, 궁극히 틈을 ᄐᆞ면 현마 뎡녀를 셔릇디1428) 못ᄒᆞ리오."

묘쾌 왈,

"빈되 군쥬를 위ᄒᆞ여 졍셩을 다ᄒᆞᆯ 거시오. 연상궁이 ᄯᅩ 군쥬를 돕ᄂᆞᆫ ᄆᆞᄋᆞᆷ이 죽을 일을 혜디 아니리니, 일월을 쳔【69】연ᄒᆞᆯ딘ᄃᆡ 뎡시를 업시치 못ᄒᆞᆯ가 근심ᄒᆞ리잇가? 군쥬ᄂᆞᆫ 만ᄉᆞ를 파락(擺落)1429)ᄒᆞ샤 브졀업시 심녀를 상히오디 마르쇼셔."

셜빈이 딘딘(津津)이1430) 늣겨 왈,

"ᄉᆞ부의 말이 올흐믈 모로디 아니ᄃᆡ, 가부(家夫)의 은통이 뎡녀의게 온젼ᄒᆞ믈 보면, 더옥 심장이 녹ᄂᆞᆫ ᄃᆞᆺᄒᆞ니 실노 ᄎᆞᆷ기 어렵도다."

ᄒᆞ더라.【70】

1428)셔릇다 : 거두어 치우다. 정리하다. 없애다. 죽이다.

1429)파락(擺落) : 털어 없앰.

1430)딘딘(津津)이 : 진진(津津)히. 재미나 슬픔 따위가 매우 있게. 매우 흥미 있게. 매우 서럽게.

니, 암약(瘖藥)도 먹일 틈이 업거니와, 궁극히 틈을 타면 현마 뎡녀를 셔릇지1140) 못ᄒᆞ리오."

묘쾌 왈,

"빈되 군【62】쥬를 위ᄒᆞ여 졍셩을 다ᄒᆞᆯ 거시오, 연상군[궁]이 ᄯᅩ 군쥬를 돕ᄂᆞᆫ 마음이 죽을 일을 혜지 아니리니, 일월을 쳔연ᄒᆞᆯ진ᄃᆡ 뎡씨를 업시치 못ᄒᆞᆯ가 근심ᄒᆞ리잇가? 군쥬ᄂᆞᆫ 만ᄉᆞ를 파락(擺落)1141)ᄒᆞ샤 브졀업시 심녀를 상히오지 마르소셔."

셜빈이 진진(津津)이1142) 늣겨 왈,

"ᄉᆞ부의 말이 올흐믈 모로지 아니ᄃᆡ, 가부(家夫)의 은총이 뎡녀의게 온젼ᄒᆞ믈 보면 더욱 심쟝이 녹ᄂᆞᆫ ᄃᆞᆺᄒᆞ니 실노 ᄎᆞᆷ기 어렵도다."

1140)셔릇다 : 거두어 치우다. 정리하다. 없애다. 죽이다.

1141)파락(擺落) : 털어 없앰.

1142)딘딘(津津)이 : 진진(津津)히. 재미나 슬픔 따위가 매우 있게. 매우 흥미 있게. 매우 서럽게.

명듀보월빙 권디구십칠

어시의 셜빈이 딘딘(津津)이 늣겨 왈,

"가부의 은툥이 뎡녀의게 온젼ᄒᆞ믈 보면 더옥 심장이 녹ᄂᆞᆫ 듯, 실노 ᄎᆞᆷ기 어렵도다."

묘홰 ᄌᆡ삼 위로ᄒᆞ고 암ᄌᆞ로 도라 가니라. 셜빈이 뎡쇼져로 일턱디상(一宅之上)의 이션 디 뉵칠삭의 밋쳐ᄂᆞᆫ, ᄆᆡ온 ᄆᆞᄋᆞᆷ을 ᄎᆞᆷ디 못ᄒᆞ여 여러 이목(耳目)이 업ᄂᆞᆫ 곳의ᄂᆞᆫ 뎡쇼져를 만나면 흉ᄒᆞᆫ 욕셜과 앙앙ᄒᆞᆫ 즐언(叱言)이 사ᄅᆞᆷ의 ᄎᆞ마 듯디 못ᄒᆞᆯ ᄇᆡ라.

뎡쇼졔 쳐음브터 찰녀(刹女)의 언어를 괴로이 징단(爭端)[1431]ᄒᆞ미 업ᄉᆞ니, 셜빈이 도로혀 무미(無味)ᄒᆞᄃᆡ 골돌이 ᄆᆡ오믈 ᄎᆞᆷ기 어려【1】워 ᄆᆡ양 혼ᄌᆞ 말노 욕ᄒᆞ니, 남 보기의 실셩ᄒᆞᆫ 사ᄅᆞᆷ ᄀᆞᆺ더라.

듕동(仲冬)의 니르러ᄂᆞᆫ 뎡쇼졔 회틱(懷胎)ᄒᆞ미 이셔 약딜(弱質)이 상요(床褥)의 침면(沈湎)[1432]ᄒᆞᄃᆡ, 하샤인으로브터 가듕이 다 그 잉틱ᄒᆞ믈 아디 못ᄒᆞ고 일시 풍한의 상ᄒᆞ므로 츼오ᄃᆡ, 셜빈은 묘화 요리(妖尼)를 ᄌᆞ로 블너 하샤인과 뎡시의 운슈를 츄졈(推占)ᄒᆞᄂᆞᆫ 고로, 묘홰 뎡쇼져의 슈틱(受胎)ᄒᆞ믈 붉히 아라, 뎡쇼져 복듕의 대귀ᄒᆞᆯ ᄋᆞ들이 드러시니 만일 무ᄉᆞ히 분만ᄒᆞᆫ죽, 더옥 범이 날개 돗치며 뇽이 여의듀(如意珠)를 어든 즐거오미 이실 거시니, 아모려나 분산젼의 뎡시를 업시ᄒᆞᆯ 거시라 ᄒᆞ고, 정신 흐리ᄂᆞᆫ【2】약을 셜빈을 주니, 군쥐 뎡시의 유틱(有胎)ᄒᆞ믈 듯고 더옥 ᄆᆡ오믈 형상치 못ᄒᆞ여, 묘화를 협실의 머므르고 암약(瘖藥)을 뎡쇼져 나오ᄂᆞᆫ 음식과 찬션(饌膳)의 두로 화(和)ᄒᆞ기를 신긔히 ᄒᆞ믄, 묘화의 변신법(變身法)으로 하부 시네 되여 됴셕 식반의 여러 번 셧그ᄃᆡ, 뎡쇼졔 샤광(師曠)의 총(聰)이 이시므로, ᄌᆞ긔 침쳐 져쥬디식(詛呪

1431)징단(爭端) : 다툼의 실마리. 또는 실마리를 삼아 다툼.

1432)침면(沈湎) : 병이 오래 낫지 않아 병석에 누워 있음.

묘홰 ᄌᆡ삼 위로ᄒᆞ고 암ᄌᆞ로 도라 가니라. 셜빈이 뎡소져로 일턱지상(一宅之上)의 잇션 지 뉵칠삭의 밋쳐ᄂᆞᆫ ᄆᆡ온 마음을 ᄎᆞᆷ지 못ᄒᆞ여 여러 이목(耳目)이 업ᄂᆞᆫ 곳의ᄂᆞᆫ 뎡소져를 만나면 흉ᄒᆞᆫ 욕셜과 앙앙ᄒᆞᆫ 즐언(叱言)이 샤ᄅᆞᆷ의 ᄎᆞ마 듯지 못ᄒᆞᆯ ᄇᆡ라.【63】

뎡소졔 쳐음브터 찰녀(刹女)의 언어를 괴로이 징단(爭端)[1143]ᄒᆞ미 업ᄉᆞ니, 셜빈이 도로혀 무미(無味)ᄒᆞᄃᆡ 골돌이 ᄆᆡ오믈 ᄎᆞᆷ기 어려워 ᄆᆡ양 혼ᄌᆞ 말노 욕ᄒᆞ니, 남 보기의 실셩ᄒᆞᆫ 샤ᄅᆞᆷ ᄀᆞᆺ더라.

즁동(仲冬)의 니르러ᄂᆞᆫ 뎡소졔 회틱ᄒᆞ미 잇셔 약질이 상요의 침면(沈湎)[1144]ᄒᆞᄃᆡ, 하ᄉᆞ인으로브터 가즁이 다 그 잉틱ᄒᆞ믈 아지 못ᄒᆞ고 《일신∥일시(一時)》 풍한의 상ᄒᆞ므로 츼오ᄃᆡ, 셜빈은 묘화 요괴(妖怪)를 ᄌᆞ로 블너 하ᄉᆞ인과 뎡씨의 운슈를 츄졈(推占)ᄒᆞᄂᆞᆫ 고로, 묘홰 뎡소져의 유틱(有胎)ᄒᆞ믈 붉히 아라, 뎡소져 복즁의 ᄃᆡ귀ᄒᆞᆯ ᄋᆞ들이 드러시니, 만일 무ᄉᆞ히 분만ᄒᆞᆫ죽, 더욱 범이 날기 돗치며 뇽이 여의쥬(如意珠)를 어든 즐거오미 잇실 거시니, 아모려나 분산젼의 뎡씨를 업시ᄒᆞᆯ【64】거시라 ᄒᆞ고, 정신 흐리ᄂᆞᆫ 약을 셜빈을 주니, 군쥐 뎡씨의 유틱(有胎)ᄒᆞ믈 듯고 더욱 ᄆᆡ오믈 형상치 못ᄒᆞ여, 묘화를 협실의 머므르고 암약(瘖藥)을 뎡소져 나오ᄂᆞᆫ 음식과 찬션(饌膳)의 두로 화(和)ᄒᆞ기를 신긔히 ᄒᆞ믄, 묘화의 변신법(變身法)으로 하부 시네 되여 조셕 식반의 여러 번 셕그ᄃᆡ, 뎡소졔 ᄉᆞ광(師曠)의 총(聰)이 잇시므로, ᄌᆞ긔 침쳐 져쥬지식(詛呪

1143)징단(爭端) : 다툼의 실마리. 또는 실마리를 삼아 다툼.

1144)침면(沈湎) : 병이 오래 낫지 않아 병석에 누워 있음.

之事) 셜빈의 작악(作惡)이믈 씌ᄃᆞ른 후ᄂᆞᆫ, 범ᄉᆞ를 살피기를 남달니 ᄒᆞᄂᆞᆫ 고로, 비록 됴셕 식반이나 요인의 간계를 혜아려 의심된 음식을 나오디 아니코, 벽옥·취란 냥비로 가마니 ᄡᅳ히 바려 일호(一毫) 먹ᄂᆞᆫ 빅 업ᄉᆞ니, 경신이 엇디 흐리리오. 셜빈이 묘화로 더【3】브러 여러슌(順)[1433] 요약을 시험ᄒᆞ나, 맛ᄎᆞᆷᄂᆡ 효험을 보디 못ᄒᆞ니 더옥 분분(忿憤)ᄒᆞ니[여], 가마니 묘화로 의논ᄒᆞ고 야반의 하부 원님 깁흔 곳의 졔젼을 베플고, 요슐을 다ᄒᆞ여 뎡시의 복ᄋᆞ를 ᄯᅥ러바리고, 급급히 풍도디옥으로 녕빅(靈魄)을 잡아 가라 ᄒᆞ미, 음풍(陰風)이 소슬ᄒᆞ고 슈운(愁雲)이 어릐여 허다 요귀(妖鬼) 현현(顯現)이 모히믈 보리러라.

믄득 동남간(東南間)으로조ᄎᆞ 오운(五雲)[1434]이 애애(靄靄)ᄒᆞᆫ 가온ᄃᆡ, 빅의관음(白衣觀音)[1435]이 녀셩 즐왈,

"묘화 요리(妖尼)ᄂᆞᆫ 드르라. 네 몸이 샤문(寺門)[1436]의 뎨ᄌᆡ 될딘ᄃᆡ, 도힝을 어디리닷가 영화롭기를 바랄 거시어놀, 셰샹 간음찰녀(姦淫刹女)의 요악흉ᄉᆞ를 도와 현인을 모【4】히ᄒᆞ며 슉녀를 업시코져 ᄒᆞ니, 너의 악ᄉᆞ를 사ᄅᆞᆷ은 아디 못ᄒᆞ나 텬디귀신(天地鬼神)은 소연(昭然)이 아ᄂᆞᆫ디라. 엇디 나죵이 무ᄉᆞᄒᆞ믈 바라리오."

언파의 너른 ᄉᆞ매로 요괴를 ᄶᅩᆺ고 청풍(淸風)을 니르혀미, 묘화의 ᄆᆞᄋᆞᆷ이 스ᄉᆞ로 황황(惶惶)ᄒᆞ고 경신이 어득ᄒᆞ여 다시 요슐을 힝홀 의싀 업ᄂᆞᆫ디라. 졔젼(祭奠) 버린 거술 거두어 앗디 못ᄒᆞ고, 보보젼경(步步顚傾)[1437]ᄒᆞ여 션월각의 도라와 셜빈을 보고, 관음대ᄉᆞ(觀音大師)[1438]의 현셩(顯聖)ᄒᆞ여

1433)-슌(順) : 일부 명사 뒤에 붙어, '차례'의 뜻을 더하는 접미사.
1434)오운(五雲) : 오색구름.
1435)빅의관음(白衣觀音) : 삼십삼 관음의 하나. 흰옷을 입고 흰 연꽃 가운데 앉아 있는 모습이다.
1436)샤문(寺門) : 절. 불가(佛家).
1437)보보젼경(步步顚傾) : 걸음마다 거꾸러지고 엎어지고 함.
1438)관음대ᄉᆞ(觀音大師) : 관세음보살(觀世音菩薩). 아미타불의 왼편에서 교화를 돕는 보살. 사보살의

之事) 셜빈의 작악(作惡)이믈 씌다른 후ᄂᆞᆫ, 범ᄉᆞ를 슬피기를 남달니 ᄒᆞᄂᆞᆫ 고로, 비록 조셕 식반이나 요인의 간계를 혜아려 의심된 음식을 나오지 아니코, 벽옥·취란 냥비로 가마니 ᄡᅳ히 바려 일호(一毫) 먹ᄂᆞᆫ 빅 업ᄉᆞ니, 경신이 엇지 흐리리오. 셜빈이 묘화로 더브러 여러슌(順)[1145] 요약을 시험ᄒᆞ나, 마ᄎᆞᆷᄂᆡ 효험을 보지 못ᄒᆞ니 더욱 분분(忿憤)ᄒᆞ여, 가마니【65】 묘화로 의논ᄒᆞ고 야반의 하부 원님 깁흔 곳의 졔젼을 베플고, 요슐을 다ᄒᆞ여 뎡씨의 복ᄋᆞ를 ᄯᅥ러ᄇᆞ리고 급급히 풍도지옥으로 잡아 가라 ᄒᆞᆫᄃᆡ, 음풍이 소슬ᄒᆞ고 슈운이 어릐여 허다 요귀(妖鬼) 현현(顯現)이 모히믈 보리러라.

믄득 동남간(東南間)으로 조ᄎᆞ 오운(五雲)[1146]이 ᄋᆡᄋᆡ(靄靄)ᄒᆞᆫ ᄀᆞ온ᄃᆡ 빅의관음(白衣觀音)[1147]이 녀셩 즐왈,

"묘화 요리(妖尼)ᄂᆞᆫ 드르라. 네 몸이 ᄉᆞ문(寺門)[1148]의 뎨ᄌᆡ 될진ᄃᆡ, 도힝을 어지리닷가 영화롭게 되믈 ᄇᆞ랄 거시어놀, 셰샹 간음찰녀(姦淫刹女)의 요악흉ᄉᆞ를 도와 현인을 모히ᄒᆞ며 슉녀를 업시코져 ᄒᆞ니, 너의 악ᄉᆞ를 샤ᄅᆞᆷ의 아지 못ᄒᆞᄂᆞᆫ 빈나, 텬지귀신(天地鬼神)은 소연(昭然)이 아ᄂᆞᆫ지라. 엇지 나죵이 무ᄉᆞᄒᆞ믈 ᄇᆞ라리오."

언파의 너른 ᄉᆞᄆᆡ로 요괴를 ᄶᅩᆺ고 청풍(淸風)을【66】 니르혀미, 묘화의 마ᄋᆞᆷ이 스ᄉᆞ로 황황(惶惶)ᄒᆞ고 경신이 어득ᄒᆞ여 다시 요슐을 힝홀 의싀 업ᄉᆞᆫ지라. 졔젼 버린 거술 거두어 앗지 못ᄒᆞ고, 보보젼셩[경](步步顚傾)[1149]ᄒᆞ여 션월각의 도라와 셜빈을 보고, 관음ᄃᆡᄉᆞ(觀音大師)[1150]의 현셩(顯聖)ᄒᆞ

1145)-슌(順) : 일부 명사 뒤에 붙어, '차례'의 뜻을 더하는 접미사.
1146)오운(五雲) : 오색구름.
1147)빅의관음(白衣觀音) : 삼십삼 관음의 하나. 흰옷을 입고 흰 연꽃 가운데 앉아 있는 모습이다.
1148)샤문(寺門) : 절. 불가(佛家).
1149)보보젼경(步步顚傾) : 걸음마다 거꾸러지고 엎어지고 함.
1150)관음대ᄉᆞ(觀音大師) : 관세음보살(觀世音菩薩). 아미타불의 왼편에서 교화를 돕는 보살. 사보살의

ᄒᆞ시던 말ᄉᆞᆷ을 니르고, 탄왈,

"빈도의 신ᄒᆡᆼ법슐(神行法術)노 시험ᄒᆞᆫ즉 소원을 일우디 못ᄒᆞᆯ ᄇᆡ 업고, 젼후의 사ᄅᆞᆷ을 죽이미 만터니, 금번ᄀᆞᆺ치 황황ᄒᆞᆫ 젹이 업ᄂᆞᆫ디라. 【5】 뎡시를 ᄒᆡᆨᄒᆞ기 이ᄃᆡ도록 어려오니 엇디 근심 되디 아니리오."

셜빈이 탄왈,

"ᄉᆞ부의 도슐법ᄒᆡᆼ이 만고의 희한ᄒᆞ니, 쳡이 실노 뎡시 업시키를 넘녀치 아녓더니, 여러 가디로 시험ᄒᆞᄂᆞᆫ 일이 다 그릇되니 엇디 ᄋᆡ돏디 아니리오. 관음대ᄉᆞᄂᆞᆫ 어ᄃᆡ로셔 ᄂᆡᄃᆞ라 ᄉᆞ부를 그ᄀᆞᆺ치 ᄭᅮ딧던고? 실노 측냥치 못ᄒᆞ리로다."

묘홰 탄왈,

"계교(計巧)ᄂᆞᆫ 사ᄅᆞᆷ의게 잇고 일우기ᄂᆞᆫ 하날의 달녀시니, 능히 인력으로 못ᄒᆞᆯ디라. 빈되 그윽이 혜{건}아리건ᄃᆡ, 명년 츈말(春末)의 뎡쇼졔 크게 블길ᄒᆞ니, 그 운싊 괴이ᄒᆞᆫ ᄯᅢ를 당ᄒᆞ면, 빈되 ᄌᆡ조를 베퍼 족히 【6】 그 쇼원을 일울 ᄃᆞᆺᄒᆞ니, 군쥬ᄂᆞᆫ 모로미 그 ᄉᆞ이 ᄎᆞᆷ고 됴흔ᄃᆞ시 기다리쇼셔."

군쥐 묘화를 신명(神明)[1439]ᄀᆞᆺ치 넉이나, 명츈 말이 오히려 여러 ᄃᆞᆯ이 가려시므로, 뎡쇼져 믜온 ᄆᆞᄋᆞᆷ을 능히 ᄎᆞᆷ디 못ᄒᆞ여, 이의 만단비회(萬端悲懷)를 베퍼 오왕 부부긔 샹셔를 올닐ᄉᆡ, '하공 부뷔 ᄌᆞ긔를 블ᄋᆡ(不愛)ᄒᆞ고, 샤인이 박ᄃᆡᄒᆞ믈 ᄒᆡᆼ노ᄀᆞᆺ치 ᄒᆞᆯ ᄲᅮᆫ 아니라, 언언이 황가지엽이라 일ᄏᆞᆺ고, ᄌᆞ긔 만니젼졍(萬里前程)은 볼 거시 업ᄉᆞᄃᆡ, 부모긔 욕이 밋ᄎᆞ믈 슬허ᄒᆞᄂᆞᆫ 셜화를 베프러, 하가의 머믈기 ᄌᆞ최 셔어ᄒᆞ고, 뎡시 몬져 슈ᄐᆡᄒᆞ여 형셰(形勢) 권툥(眷寵)이 태악(泰岳) ᄀᆞᆺᄐᆞ니, 져의 신셰ᄂᆞᆫ 아조 맛ᄎᆞ시 【7】 시믈' 고ᄒᆞ여시니, 잔잉코 슬프미 듯ᄂᆞᆫ ᄌᆞ로 ᄒᆞ여금 눈믈을 나리올 ᄇᆡ오, 하공 부부의 인ᄌᆞ치 못ᄒᆞᆷ과 샤인의 박졍무신(薄情無信)ᄒᆞ미 통ᄒᆡ(痛駭)ᄒᆞᆫ디라.

하나이다. 세상의 소리를 들어 알 수 있는 보살이므로 중생이 고통 가운데 열심히 이 이름을 외면 도움을 받게 된다.

1439)신명(神明) : 천지의 신령(神靈).

여 ᄒᆞ던 말ᄉᆞᆷ을 니르고 탄왈,

"빈도의 신ᄒᆡᆼ법슐(神行法術)노 시험ᄒᆞᆫ즉 소원을 못 일울 ᄇᆡ 업고, 젼후의 샤ᄅᆞᆷ을 죽이미 만터니, 금번ᄀᆞᆺ치 황황ᄒᆞᆫ 젹이 업ᄂᆞᆫ지라. 뎡씨를 ᄒᆡᆨᄒᆞ기 이ᄃᆡ도록 어려오니 엇지 근심 되지 아니리오."

셜빈이 탄 왈,

"ᄉᆞ부의 도슐법ᄒᆡᆼ이 만고의 희한ᄒᆞ니, 쳡이 실노 뎡씨 업시키를 넘녀치 아녓더니, 여러 가지로 시험ᄒᆞᄂᆞᆫ 일이 다 그릇되니 엇지 ᄋᆡ돏지 아니리오. 관음ᄃᆡᄉᆞᄂᆞᆫ 어ᄃᆡ로셔 ᄂᆡᄃᆞ라 ᄉᆞ부를 그ᄀᆞᆺ치 ᄭᅮ짓던고? 실노 측 【67】 냥치 못ᄒᆞᆯ 일이로다."

묘홰 탄왈,

"계교(計巧)ᄂᆞᆫ 샤ᄅᆞᆷ의게 잇고 일우기ᄂᆞᆫ 하날의 달녀시니, 능히 인력으로 못ᄒᆞᆯ지라. 빈되 그윽이 혜컨ᄃᆡ, 명년 츈말(春末)의 뎡소졔 크게 불길ᄒᆞ니, 그 운싊 불길ᄒᆞᆫ ᄯᅢ를 당ᄒᆞ면, 빈되 ᄌᆡ조를 베퍼 족히 그 원을 일울 ᄃᆞᆺᄒᆞ니, 군쥬ᄂᆞᆫ 모로미 그 ᄉᆞ이 ᄎᆞᆷ고 조흔다시 기다리소셔."

군쥐 묘화를 신명(神明)[1151]ᄀᆞᆺ치 넉이나, 명츈 말이 오히려 여러 달이 가려시므로, 뎡소져 믜온 마음을 능히 ᄎᆞᆷ지 못ᄒᆞ여 이의 만단비회(萬端悲懷)를 베퍼 오왕 부부긔 샹셔를 올닐ᄉᆡ, '하공 부뷔 ᄌᆞ긔를 불ᄋᆡ(不愛)ᄒᆞ고, ᄉᆞ인이 박ᄃᆡᄒᆞ믈 ᄒᆡᆼ노ᄀᆞᆺ치 ᄒᆞᆯ ᄲᅮᆫ 아니라, 언언이 황가지엽이믈 일ᄏᆞᆺᄂᆞᆫ 고로, ᄌᆞ긔 만니젼졍(萬里前程)은 볼 거시 업ᄉᆞᄃᆡ, 부모긔 욕이 밋ᄎᆞ믈 【68】 슬허ᄒᆞᄂᆞᆫ 셜화를 베퍼, 하가의 머믈기 ᄌᆞ최 셔어코, 뎡씨 몬져 슈ᄐᆡᄒᆞ여 형셰 권춍(權寵)이 ᄐᆡ악(泰岳) ᄀᆞᆺᄐᆞ니, 져의 신셰ᄂᆞᆫ 아조 맛ᄎᆞ시믈' 고ᄒᆞ여시니, 잔잉코 슬프미 듯ᄂᆞᆫ ᄌᆞ로 ᄒᆞ야곰 눈믈을 나릴 ᄇᆡ오, 하공 부부의 인ᄌᆞ치 못 ᄒᆞᆷ과 샤인의 박졍무신(薄情無信)ᄒᆞ미 통ᄒᆡ(痛駭)ᄒᆞᆫ지라.

하나이다. 세상의 소리를 들어 알 수 있는 보살이므로 중생이 고통 가운데 열심히 이 이름을 외면 도움을 받게 된다.

1151)신명(神明) : 천지의 신령(神靈).

군쥐 ᄡᅳ기를 맛ᄎᆞᄆᆡ, 연상궁을 주어 오궁의 보ᄂᆡ니, 오왕 부뷔 녀ᄋᆞ의 샹셔를 보ᄆᆡ 그 신셰 잔잉ᄒᆞ믈 위ᄒᆞ여 슬허 ᄒᆞᆯ 쌘 아니라, 연상궁이 밍낭디언(孟浪之言)1440)을 쥬츌(做出)ᄒᆞ여, 하공 부부의 군쥬를 블ᄋᆡ(不愛)ᄒᆞ미 하쳔·비복만 ᄀᆞᆺ디 못ᄒᆞ게 녁임과, 하샤인의 박ᄃᆡ 아니 밋ᄎᆞᆫ 곳이 업ᄉᆞ믄 니르디 말고, 언언이 오왕과 비를 즐욕ᄒᆞ여 업슈히 녁이믈 ᄀᆞᆺ초 고ᄒᆞ니, 오왕이 비록 인현ᄒᆞ나 잠간 너르디 못 ᄒᆞᆫ【8】디라.

이 말을 듯고 셜빈의 상셔를 보ᄆᆡ 하공 부ᄌᆞ를 깁히 노ᄒᆞ여, ᄎᆞ일 거륜(車輪)을 두로혀 취운산의 나아가 하공을 볼ᄉᆡ, 샤인은 입번ᄒᆞ엿고 하공은 초공과 한님으로 잇ᄂᆞᆫ디라. 오왕이 하공 부ᄌᆞ로 녜필 한훤 파의 문득 미우를 ᄧᅵᆼ그고, ᄉᆞ식이 됴치 아냐 분분(忿憤) 왈,

"과인의 녀식이 용우잔녈(庸愚孱劣)ᄒᆞ여 녕뉸(令尹)의 쾌ᄒᆞᆫ ᄇᆡ위 아니라. 고산 ᄀᆞᆺᄐᆞᆫ 안견(眼見)으로ᄡᅧ 블관(不關)이 녁이믄 괴이치 아니려니와, 오히려 드러난 대죄ᄂᆞᆫ 업ᄉᆞᆯ 딘ᄃᆡ, ᄌᆞ슌의 박ᄃᆡ 힝노(行路) ᄀᆞᆺᄐᆞ미 너모 심ᄒᆞᆫ 일이오, 명공이 쇼녀의 슬픈 신셰를 도라보디 아니시미 화홍관대(和弘寬大)ᄒᆞᆫ 덕이 아니라. 부부【9】ᄉᆞ정은 위력으로 못ᄒᆞ려니와 즐언(叱言) 참욕(僭辱)이야 엇디 금단(禁斷)치 못ᄒᆞ리오."

하공이 슈연(愁然)이 무릅흘 ᄭᅮᆯ고 ᄃᆡ왈,

"쇼ᄉᆡᆼ은 포의(布衣) 쳔ᄉᆡᆼ(賤生)의 무디무식디인(無知不識之人)이라. 녜의를 아디 못ᄒᆞ와 교ᄌᆞ어하(敎子御下)1441)의 엇디 법되이시리오. ᄒᆞ믈며 블초ᄌᆞ 원챵이 ᄋᆞ시로브터 광망패려(狂妄悖戾)ᄒᆞ여, 아비를 압두(壓頭)ᄒᆞ고 어미를 능경(凌輕)ᄒᆞ여 뉸상(倫常)을 아디 못ᄒᆞ니, 학ᄉᆡᆼ이 ᄇᆡᆨ 번 ᄭᅮ딋고 쳔 번 경계ᄒᆞ여도, 아비 교훈을 홍모(鴻毛)ᄀᆞᆺ치 녁이니, ᄒᆞᆫ 조각 효험이 업ᄉᆞᆯ 쌘 아니라, 귀

1440)밍낭디언(孟浪之言) : 아무런 근거도 없는 허망한 말.

1441)교ᄌᆞ어하(敎子御下) : 자식을 가르치고 아래 하인배들을 다스림.

군쥐 ᄡᅳ기를 맛ᄎᆞᄆᆡ, 연상궁을 쥬어 오궁의 보ᄂᆡ니, 오왕 부뷔 녀ᄋᆞ의 샹셔를 보ᄆᆡ 그 신셰 잔잉ᄒᆞ믈 위ᄒᆞ여 슬허 ᄒᆞᆯ ᄲᅮᆫ 아니라, 연상궁이 밍낭지언(孟浪之言)1152)을 쥬츌(做出)ᄒᆞ여, 하공 부부의 군쥬를 불ᄋᆡ(不愛)ᄒᆞ미 하쳔 비복만 ᄀᆞᆺ지 못ᄒᆞ게 녁임과, 하샤인의 박ᄃᆡ 아니 밋ᄎᆞᆫ 곳이 업ᄉᆞ믄 니르지 말고, 언언이 오왕과 비를 즐욕ᄒᆞ여 업슈히 녁이믈 ᄀᆞᆺ초 고ᄒᆞ니, 오왕이 비【69】록 인현ᄒᆞ나 잠간 너르지 못 ᄒᆞᆫ지라.

이 말을 듯고 셜빈의 상셔를 보ᄆᆡ 하공 부ᄌᆞ를 깁히 노ᄒᆞ여, ᄎᆞ일 거륜(車輪)을 두로혀 취운산의 나아가 하공을 《보고‖볼ᄉᆡ》, ᄉᆞ인은 입번ᄒᆞ엿고 하공은 초공과 한님으로 잇ᄂᆞᆫ지라. 오왕이 하공 부ᄌᆞ로 녜필 《한헌‖한훤》파의 문득 미우를 ᄧᅵᆼ그고, ᄉᆞ식이 조치 아냐 분분(忿憤) 왈,

"과인의 녀식이 용우잔열(庸愚孱劣)ᄒᆞ여 녕윤의 쾌ᄒᆞᆫ ᄇᆡ위 아니라. 고산 ᄀᆞᆺᄐᆞᆫ 안견으로ᄡᅧ 불관(不關)이 녁이믄 괴이치 아니ᄒᆞᄃᆡ, 오히려 작죄ᄒᆞ미[믄] 업ᄉᆞᆯ진ᄃᆡ, ᄉᆞ인의 박ᄃᆡᄒᆞ미 힝노 ᄀᆞᆺ탈 ᄲᅮᆫ 아니라, 명공이 ᄌᆞ부의 슬픈 신셰를 도라보지 아닛ᄂᆞᆫ 거시 화홍관ᄃᆡ(和弘寬大)ᄒᆞᆫ 도량이 아니라. 부부 ᄉᆞ정은 인력으로 못ᄒᆞ거니와 ᄑᆡ려ᄒᆞᆫ 참욕(僭辱)【70】이야 금치 못ᄒᆞ리오."

하공이 슈연(愁然)이 무릅흘 ᄭᅮᆯ고 ᄃᆡ왈,

"소ᄉᆡᆼ은 포의(布衣) 쳔ᄉᆡᆼ(賤生)의 무지무식지인(無知不識之人)이라. 녜의를 아지 못ᄒᆞ와 교ᄌᆞ어하(敎子御下)1153)의 엇지 법되잇시리오. ᄒᆞ믈며 블초ᄌᆞ 원챵이 ᄋᆞ시로브터 광망ᄑᆡ려(狂妄悖戾)ᄒᆞ여, 아비를 압두(壓頭)ᄒᆞ고 어미를 능경(凌輕)ᄒᆞ여 뉸상(倫常)을 아지 못ᄒᆞ니, ᄒᆞᆨᄉᆡᆼ이 ᄇᆡᆨ 번 ᄭᅮ짓고 쳔 번 경계ᄒᆞ여도 아비 교훈을 홍모(鴻毛)ᄀᆞᆺ치 녁이니, ᄒᆞᆫ 조각 효험이 업ᄉᆞᆯ ᄲᅮᆫ 아니라, 귀

1152)밍낭지언(孟浪之言) : 아무런 근거도 없는 허망한 말.

1153)교ᄌᆞ어하(敎子御下) : 자식을 가르치고 아래 하인배들을 다스림.

쥬로 금슬이 흡흡(洽洽)디 못ᄒᆞ믄 셩녜(成禮) 날브터 이졔 니르히 ᄒᆞᆫ가디니, 쇼싱이 ᄌᆞ식의 부뷔 화(和)치 못ᄒᆞ믈 엇디 미온(未穩)치 아니【10】리오마ᄂᆞᆫ, 젼후 니른 말이 다 헛되니 뎡히 통완(痛惋)ᄒᆞᄂᆞᆫ 비로ᄃᆡ, 오히려 원챵이 귀쥬를 즐욕ᄒᆞᆫ 줄은 아디 못ᄒᆞ엿더니, 대왕이 니르시니 쇼싱이 드르ᄆᆡ 일변 교ᄌᆞ(教子) 못ᄒᆞ미 참괴ᄒᆞᆫ디라. 감히 낫출 드러 대왕을 볼 ᄯᅳᆺ이 업도소이다."

언파의 《이연∥의연(依然)1442)》 뎡좌ᄒᆞ여 긔위(氣威) 강녈ᄒᆞ니, 오왕이 비록 황ᄌᆞ의 존ᄒᆞ미나 하공을 위력으로 ᄭᅮᄃᆞᆺ디 못ᄒᆞᆯ디라. 다만 ᄉᆞ싁(辭色)이 블열(不悅)ᄒᆞ여 왈,

"명공의 말ᄉᆞᆷ이 이 ᄀᆞᆺᄐᆞ니 과인이 다시 ᄒᆞᆯ 말이 업거니와, ᄌᆞ슌의 긔특ᄒᆞ미 인듕대현(人中大賢)이오, 어듕뇽(魚中龍)이라 엇디 광패ᄒᆞᆫ 일이 이시리잇고마ᄂᆞᆫ,【11】명공이 과인의 부녀를 역졍(逆情)ᄒᆞ여 ᄌᆞ슌을 블인ᄒᆞᆫ 편으로 최우시니, 과인이 도로혀 참괴(慙愧)토소이다."

셜파의 노긔 표연(飄然)ᄒᆞ니, 하공이 가장 통증(痛憎)ᄒᆞ나 ᄉᆞ싁(辭色)디 아니코, 잠간 우어 왈,

"쇼싱이 귀쥬를 역졍ᄒᆞ여 원창을 블인이라 ᄒᆞᄂᆞᆫ 거시 아니라, 미돈(迷豚)1443)이 귀궁 동상 되기 젼의 쇼싱의 증염(憎厭)ᄒᆞᄂᆞᆫ ᄌᆞ식이니, 패ᄌᆞ의 힝ᄉᆞ를 일ᄏᆞᄅᆞ미로소이다."

오왕이 다시 말 아니ᄒᆞ고 셜원각의 드러와 군쥬를 보고, 머리를 어로만져 왈,

"내 원챵의 풍신용치(風神容彩)1444)를 과혹ᄒᆞ여 널노뻐 비우를 삼앗더니, 하가의 박ᄃᆡᄒᆞ미 이ᄃᆡ도록 ᄒᆞ기의 밋【12】ᄎᆞ니, 부부 ᄉᆞ졍은 위셰로 가디 아니커니와, 너를 상님(桑林)의 쳔인(賤人)ᄀᆞᆺ치 넉이며, 우리를 연고 업시 즐욕ᄒᆞᆫ다 ᄒᆞ니 가쟝 통원ᄒᆞᆫ디라. 네 하가의 머믈기 셔어코 괴로올던ᄃᆡ

1442)의연(依然) : 전과 다름없음.
1443)미돈(迷豚) : 어리석은 돼지라는 뜻으로, '가아(家兒)'를 달리 이르는 말.
1444)풍신용치(風神容彩) : 풍채와 얼굴빛.

쥬로 금슬이 흡흡(洽洽)지 못ᄒᆞ믄 셩녜(成禮)날브터 이졔 니르히 ᄒᆞᆫ가지니, 소싱이 ᄌᆞ식의 부뷔 화치 못ᄒᆞ믈 엇지 미온치 아니리오마ᄂᆞᆫ, 젼후 니른 말이 다 헛되니 졍히 통완(痛惋)ᄒᆞᄂᆞᆫ 비로ᄃᆡ, 오히려 원챵이 귀쥬를 즐욕ᄒᆞᆫ 줄은 아지 못ᄒᆞ엿더니, 대왕이 니르시니 소싱이 드르ᄆᆡ 일변 교ᄌᆞ(教子) 못ᄒᆞ미【71】참괴ᄒᆞᆫ지라. 감히 낫출 드러 대왕을 볼 ᄯᅳᆺ이 업도소이다."

언파의 《이연∥의연(依然)1154)》 졍좌ᄒᆞ여 긔위(氣威) 강녈ᄒᆞ니, 오왕이 비록 황ᄌᆞ의 존ᄒᆞ미나 하공을 위력으로 ᄭᅮ짓지 못ᄒᆞᆯ지라. 다만 ᄉᆞ싁(辭色)이 불열(不悅)ᄒᆞ여 왈,

"명공의 말ᄉᆞᆷ이 이 ᄀᆞᆺᄐᆞ니 과인이 다시 ᄒᆞᆯ 말이 업거니와, ᄌᆞ슌의 긔특ᄒᆞ미 인즁대현(人中大賢)이오, 어즁뇽(魚中龍)이라. 엇지 광픽ᄒᆞᆫ 일이 잇시리오마ᄂᆞᆫ, 명공이 과인의 부녀를 녁졍(逆情)ᄒᆞ여 ᄌᆞ슌을 블인ᄒᆞᆫ 편으로 최오니, 과인이 도로혀 참괴(慙愧)토소이다."

셜파의 노긔 표연(飄然)ᄒᆞ니, 하공이 ᄀᆞ장 통증(痛憎)ᄒᆞ나 ᄉᆞ싁(辭色지 아니코, 잠간 우어 왈,

"소싱이 귀쥬를 역졍ᄒᆞ여 원창을 불인이라 ᄒᆞᄂᆞᆫ 거시 아니라, 미돈(迷豚)1155)이 귀궁 동상 되기 젼의 소싱의 증염(憎厭)ᄒᆞᄂᆞᆫ ᄌᆞ식이니, 픽ᄌᆞ의 힝ᄉᆞ를 일ᄏᆞ【72】르미로소이다"

오왕이 다시 말 아니ᄒᆞ고 셜원각의 드러와 군쥬를 보고 머리를 어로만져 왈,

"내 원챵의 풍신용치(風神容彩)1156)를 과혹ᄒᆞ여 너노뻐 비우를 삼앗더니, 하가의 박ᄃᆡᄒᆞ미 이ᄃᆡ도록 ᄒᆞ기의 밋ᄎᆞ니, 부부 ᄉᆞ졍은 위셰로 가치 아니커니와, 너를 상님(桑林)의 쳔인(賤人)ᄀᆞᆺ치 넉이며 우리를 연고 업시 즐욕ᄒᆞᆫ다 ᄒᆞ니 ᄀᆞ쟝 통완ᄒᆞᆫ지라. 네 하가의 머믈기 셔어코 괴로올진ᄃᆡ 구ᄎᆞ

1154)의연(依然) : 전과 다름없음.
1155)미돈(迷豚) : 어리석은 돼지라는 뜻으로, '가아(家兒)'를 달리 이르는 말.
1156)풍신용치(風神容彩) : 풍채와 얼굴빛.

구ᄎᆞ히 잇디 말고 본궁으로 도라오라."

군쥐 비읍 ᄃᆡ왈,

쇼녀의 명되 괴이ᄒᆞ여 사ᄅᆞᆷ의 박멸(薄蔑)[1445]ᄒᆞ믈 바드니 신셰를 슬허ᄒᆞᆯ디언졍, 엇디 구가를 한ᄒᆞᆯ 의ᄉᆡ 이시리잇고마ᄂᆞᆫ, 부모긔 ᄒᆞᆫ 일도 효를 일워디 못ᄒᆞ고 도로혀 참욕이 밋ᄎᆞ믈 골돌이 분히ᄒᆞᄂᆞ이다."

오왕이 더옥 잔잉이 녁여, ᄌᆡ삼 어로만져 왈,

"명얘(命也)라. 인력으로 밋출 ᄇᆡ 아니니, 녀ᄋᆞᄂᆞᆫ ᄉᆞ덕(四德)[1446]【13】을 어디리 닷가 박졍ᄒᆞᆫ 가부의 감동ᄒᆞᆯ 시졀을 기다리라. ᄇᆞ졀업시 심녀를 허비ᄒᆞ여 단명ᄒᆞᆯ 증됴(徵兆)를 딧디 말디어다."

셜빈이 쳑연타루(慽然墮淚)ᄒᆞ고 다시 말을 아니ᄒᆞ거ᄂᆞᆯ, 왕이 크게 쳑연(慽然)ᄒᆞ여 ᄉᆞ셰를 보아가며 본궁으로 도라오기를 당부ᄒᆞ고, 날이 져믈ᄆᆡ 도라 가니라.

하공이 오왕의 분분(忿憤)ᄒᆞᆫ ᄉᆞᄉᆡᆨ과 협ᄋᆡᆨ(狹額)ᄒᆞᆫ 말ᄉᆞᆷ을 드ᄅᆞᄆᆡ 심홰 됴치 아냐, 샤인이 군쥬를 너모 편벽되이 박ᄃᆡᄒᆞ여 가듕이 어ᄌᆞ러올 바를 디긔ᄒᆞᄆᆡ, 뎡쇼져를 위ᄒᆞᆫ 념녜 비상ᄒᆞ여, 초공을 도라보아 왈,

"오왕이 인현(仁賢)ᄒᆞ나 본ᄃᆡ 화홍(和弘)치 못ᄒᆞ여 부녀【14】디졍이 간졀ᄒᆞ기로, 금일 언ᄉᆡ 가장 블호ᄒᆞ니, 원창은 굿ᄐᆡ여 셜빈의 히를 밧디 아니려니와, 뎡현부ᄂᆞᆫ '고리 ᄡᅡ홈의 ᄉᆡ오 죽ᄂᆞᆫ 환(患)'[1447]을 만날가 두리노라."

초공이 ᄇᆞ복 ᄃᆡ왈,

"하괴 맛당ᄒᆞ시나 셜빈 군쥬의 위인이 결단ᄒᆞ여 가부를 히ᄒᆞ고 긋칠디라. 《ᄒᆞᆫ가‖ᄒᆞᆫ갓》 뎡슈를 히ᄒᆞ믄 니ᄅᆞ도 말고, 원챵이 군쥬의 독슈(毒手)를 면치 못ᄒᆞ오리니, 대인은 원챵으로 군쥬를 후ᄃᆡᄒᆞ믈 권치 마ᄅᆞ쇼

1445)박멸(薄蔑) : 박대와 멸시.

1446)ᄉᆞ덕(四德) : 부녀자가 갖추어야 할 네 가지 덕목. 마음씨[婦德], 말씨[婦言], 맵시[婦容], 솜씨[婦功]를 이른다.

1447)고리 ᄡᅡ홈의 ᄉᆡ오 죽ᄂᆞᆫ 환(患) : 강한 자들끼리 싸우는 통에 아무 상관도 없는 약한 자가 중간에 끼어 피해를 입게 됨을 비유적으로 이르는 말.

히 잇지 말고 본궁으로 도라오라."

군쥐 비읍 ᄃᆡ왈,

"소녀의 명되 괴이ᄒᆞ여 샤ᄅᆞᆷ의 박멸(薄蔑)[1157]ᄒᆞ믈 바드니 신셰를 슬허ᄒᆞᆯ지언졍, 엇지 구가를 한ᄒᆞᆯ 의ᄉᆡ 이시리잇고마ᄂᆞᆫ, 부모긔 한 일도 효를 일우지 못ᄒᆞ고 도로혀 참욕이 밋ᄎᆞ믈 골돌이 분히ᄒᆞᄂᆞ이다."

오왕이 더【73】옥 잔잉이 녁여 ᄌᆡ삼 어로만져 왈,

"명얘(命也)라, 인력으로 밋출 ᄇᆡ 아니니, 녀ᄋᆞᄂᆞᆫ ᄉᆞ덕(四德)[1158]을 어지리 닥가 박졍ᄒᆞᆫ 가부의 감동ᄒᆞᆯ 시졀을 기ᄃᆞ리고, ᄇᆞ졀업시 심녀를 허비ᄒᆞ여 단명ᄒᆞᆯ 증조(徵兆)를 짓지 말나."

셜빈이 쳑연타루(慽然墮淚)ᄒᆞ고 다시 말을 아니ᄒᆞ거ᄂᆞᆯ, 왕이 크게 쳑연(慽然)ᄒᆞ여 ᄉᆞ셰를 보아가며 본궁으로 도라오기를 당부ᄒᆞ고, 날이 져믈ᄆᆡ 도라 가니라.

하공이 오왕의 분분(忿憤)ᄒᆞᆫ ᄉᆞᄉᆡᆨ과 협ᄋᆡᆨ(狹額)ᄒᆞᆫ 말ᄉᆞᆷ을 드ᄅᆞᄆᆡ 심홰 조치 아냐, ᄉᆞ인이 군쥬를 너모 편벽도이 박ᄃᆡᄒᆞ여 가즁이 어ᄌᆞ러올 바를 지긔ᄒᆞᄆᆡ, 뎡소져를 위ᄒᆞᆫ 념녜 비상ᄒᆞ여, 초공을 도라보아 왈,

"오왕이 인현(仁賢)ᄒᆞ나 본ᄃᆡ 화홍(和弘)치 못ᄒᆞ여 부녀지졍이 근졀ᄒᆞ기로, 금일 언ᄉᆡ 가장 블호ᄒᆞ【74】니, 원창은 굿ᄐᆡ여 셜빈의 히를 밧지 아니려니와, 뎡현부ᄂᆞᆫ '고리 ᄡᅡ홈의 ᄉᆡ오 죽ᄂᆞᆫ 화(禍)'[1159]을 만날가 두리노라. "

초공이 부복 ᄃᆡ왈,

"하괴 맛당ᄒᆞ시나 셜빈 군쥬의 위인이 결단ᄒᆞ여 가부를 히ᄒᆞ고 긋칠지라. ᄒᆞᆫ갓 뎡슈를 히ᄒᆞ믄 니ᄅᆞ도 말고, 원챵이 군쥬의 독슈(毒手)를 면치 못ᄒᆞ오리니, 대인은 원챵으로 군쥬를 후ᄃᆡᄒᆞ믈 권치 마ᄅᆞ소셔."

1157)박멸(薄蔑) : 박대와 멸시.

1158)ᄉᆞ덕(四德) : 부녀자가 갖추어야 할 네 가지 덕목. 마음씨[婦德], 말씨[婦言], 맵시[婦容], 솜씨[婦功]를 이른다.

1159)고리 ᄡᅡ홈의 ᄉᆡ오 죽ᄂᆞᆫ 화(禍) : 강한 자들끼리 싸우는 통에 아무 상관도 없는 약한 자가 중간에 끼어 피해를 입게 됨을 비유적으로 이르는 말.

셔."

공이 뎡식 왈,

"군쥬의 상모는 복녹을 완젼이 누릴 사름은 아니로딕, 아딕 드러난 죄괘 업고 져를 이심(已甚)히 박딕후미, 허믈이 원챵의게 잇【15】고 군쥬의 탓시 아니니, 내 위인부(爲人父)후여 광망패려(狂妄悖戾)훈 즈식을 아니 계칙디 못훌 거시오, 뎡시 비록 긔특후나, 댱뷔 쳐실 거나리는 도리 후나흘 박후고 후나흘 너모 위후미 과훈디라. 블편훈 말이 내 귀의 오게 후니 엇디 통한(痛恨)치 아니리오."

초공이 부친이 원챵을 통한후여 후시믈 보고, 다시 셜빈의 간음요악(姦淫妖惡)후믈 일킷디 아니나, 심니의 념녀 무궁후여 셜빈의 작변후는 일이 이실가 우민후더라.

수오일 후, 샤인이 츌번후믹, 공이 면젼의 쑬니고 엄졀이 슈죄 왈,

"남지 셰샹의 나믹, 슈신졔가(修身齊家)는 티국평텬하디본(治國平天下之本)이라. 만일 가닉【16】의 두어 녀주를 편히 거나리디 못훌딘딕, 므숨 직덕으로 님군을 셤기리오. 이졔 네 안히 냥인(兩人)이 다 화월(花月)의 쉭이 잇고, 군쥬는 황가디엽(皇家枝葉)이오, 쳔승(千乘)의 일녀로, 셩힝(性行)이 교오(驕傲)치 아니코, 뎡시는 명염슉녀(名艶淑女)라. 다 네게 외람훈 쳐실이어늘, 네 군쥬를 공경듕딕후고 뎡시를 편히 딕졉후여, 규문의 화긔를 일위고 익증을 두디 말 거시어늘, 군쥬를 취후던 날브터 연고 업시 증염후여 박딕 틱심후고, 뎡시○[를] 과혹(過惑)후여 샤군찰딕(事君察職) 여가는 봉원각 듕의 머리를 닉왓디 아니니, 엇디 용널치 아니리오. 일쳐를 박딕(薄待)후고 일쳐를 침혹(沈惑)후여,【17】원망이 블니 돗후여, 아뷔 므음이 블평후믈 싱각디 아니니, 너를 인후여 즈식으로 칙망《훌‖후는》 거시 아니라, 네 아비라 인인의 수디람을 면치 못후니, 네 만일 군쥬를 훈갈굿치 박딕후고 뎡시를 일편되이 익중(愛重)훌딘딕, 아조 내 알플 써나 보디 말고, 일분이나 네 아비로

공이 졍식 왈,

"군쥬의 상모는 복녹을 완젼이 누릴 샤름은 아니로딕, 아직 드러난 죄괘 업고 져를 이심(已甚)히 박딕후미, 허믈이 원챵의게 잇고 군쥬의 탓시 아니니, 내 위인부(爲人父)후여 광망핏려(狂妄悖戾)훈 즈식을 아니 계칙지 못훌 거시오, 뎡씨 비록 긔특후나 쟝뷔 쳐실 거나리는 도리 후나흘 박후고 후나흘 너【75】모 위후미 과훈지라. 블편훈 말이 내 귀의 오게 후니 엇지 통완(痛惋)치 아니리오."

초공이 부친이 원챵을 통완후시믈 보고, 다시 셜빈의 간음요악(姦淫妖惡)후믈 일킷지 아니나, 심니의 념녀 무궁후여 셜빈의 작변후는 일이 잇실가 우민후더라.

수오일 후 수인이 츌번후믹, 공이 면젼의 쑬니고 엄졀이 슈죄 왈,

"남지 셰샹의 나믹 슈신졔가(修身齊家)는 치국평텬하지본(治國平天下之本)이라. 만일 가닉의 두어 녀주를 편히 거느리지 못훌진딕, 무숨 직덕으로 님군을 셤기리오. 이졔 네 안히 냥인(兩人)이 다 화월(花月)의 쉭이 잇고, 군쥬는 황가지엽(皇家枝葉)이오, 쳔승(千乘)의 일녀로, 셩힝(性行)이 교오(驕傲)치 아니코, 뎡씨는 명념슉녀(名艶淑女)라. 다 네게 외람훈 쳐실이어늘, 네 군쥬를 공경즁딕후고 뎡씨【76】를 편히 딕졉후여 규문의 화긔를 일위고 익증을 고르게 훌 거시어늘, 군쥬를 취후던 날브터 연고 업시 증염후여 박딕 틱심후고, 뎡씨를 과혹(過惑)후여 수군찰직(事君察職) 여가는 봉원각 즁의 머리를 닉지 아니니, 엇지 용녈치 아니리오. 일쳐를 박딕(薄待)후고 일쳐를 침혹(沈惑)후여, 원앙블니(怨怏不離)후여, 아비 마음이 블평후믈 싱각지 아니니, 너를 《인훈‖인후여》 즈식으로 칙망《훌‖후는》 거시 아니라,○…결락16자…○[네 아비라 인인의 수디람을 면치 못후니], 네 만일 종시 셜빈을 훈갈굿치 념증후며 박딕후여 나의 경계후는 말을 홍모(鴻毛)굿치 넉이려 후거든,

알단ᄃᆡ 군쥬를 후ᄃᆡᄒᆞ고 가졔(家齊)를 화평히 ᄒᆞ여, 어ᄌᆞ러온 변고를 니르혀디 말미 올흐니, 네 모로미 일언(一言)의 결단ᄒᆞ고, 날노ᄡᅧ 심녀(心慮) 블평케 말나."

엄녈(嚴烈)ᄒᆞᆫ 긔운이 상풍한월(霜風寒月) ᄀᆞᆺ고 위의 믁믁(默默)ᄒᆞ니, 샤인이 ᄆᆡ양 군쥬로 ᄒᆞ여금 숨은 근심이 되여, 그 부친이 군쥬를 후ᄃᆡᄒᆞ라【18】 ᄒᆞ시ᄂᆞᆫ 말ᄉᆞᆷ을 드를 젹마다 두통을 어든 ᄃᆞᆺᄒᆞ더니, 금일 엄명을 듯ᄌᆞ오ᄆᆡ 능히 ᄃᆡᄒᆞᆯ 바를 아디 못ᄒᆞ여, 다만 ᄌᆡᄇᆡ 청죄 왈,

"블초ᄋᆡ(不肖兒) 무상ᄒᆞ와 엄훈의 ᄃᆡ극ᄒᆞ시믈 져바리ᄋᆞᆸ고, 가간의 두어 녀ᄌᆞ를 거나리디 못ᄒᆞ여 어ᄌᆞ러온 원언(怨言)이 엄하의 ᄉᆞ못ᄎᆞ니1448), ᄒᆡᄋᆞ(孩兒)의 죄 경치 아니토소이다. 쇼ᄌᆡ 군쥬를 취ᄒᆞ던 날브터 염박ᄒᆞ믄 실노 괴이ᄒᆞ오ᄃᆡ, ᄆᆞᄋᆞᆷ을 곳치고 엄교를 밧ᄌᆞ와 군쥬를 녜ᄉᆞ로이 ᄃᆡ졉ᄒᆞ여 다시 원망이 업게 ᄒᆞ리이다."

공이 즐왈,

"욕ᄌᆞ(辱子) ᄒᆞᆫ낫 인면슈심(人面獸心)이라. 네 말을 엇디 미들 일이 이시리오. 그러나 내 네 ᄆᆞᄋᆞᆷ을 곳쳐 군쥬를 후ᄃᆡ【19】ᄒᆞᆯ딘ᄃᆡ 다시 셔로 보려니와, 만일 그러치 아니면 ᄠᅳᆺ을 결ᄒᆞ여 너를 일퇴디상의 머므르디 못ᄒᆞ리라."

샤인이 우우(憂憂) 민박(憫迫)ᄒᆞ나 슌슌(順順) 샤죄(謝罪)ᄒᆞᆯ ᄯᆞᄅᆞᆷ이라. 하공 왈,

1448)ᄉᆞ못ᄎᆞ다 : 사무치다. 깊이 스며들거나 멀리까지 미치다.

이졔브터 아조 부ᄌᆞ의 졍니를 긋쳐 면젼의 뵈지 말나"

언파의 ᄉᆞ긔 엄녈(嚴烈)ᄒᆞ여 상풍졔월(霜風霽月) ᄀᆞᆺ고 위의 묵묵ᄒᆞ여, ᄉᆞ람을 ᄒᆞ야곰 불감앙시(不敢仰視)라. 공이 ᄒᆞᆫ갈ᄀᆞᆺ치 ᄉᆞ인을 엄【77】히 경계ᄒᆞ여 마ᄋᆞᆷ을 한유히 단니지 못ᄒᆞ게 ᄒᆞ려 ᄒᆞ기로, 졈졈 ᄉᆞᄒᆞᆯ ᄠᅳᆺ이 업셔 안젼의 뵈지 못ᄒᆞ게 ᄒᆞ더라. ᄉᆞ인이 부공의 엄뇌(嚴怒) 진쳡(震疊)ᄒᆞ여 다시 안젼의 용납ᄒᆞ실 ᄠᅳᆺ이 업시믈 보ᄆᆡ, 효ᄌᆞ의 마ᄋᆞᆷ이 축축이 바아지믈 면치 못ᄒᆞ고, ᄉᆞ인이 ᄆᆡ양 군쥬로ᄡᅧ 숨은 근심이 되어, 부공이 군쥬를 후ᄃᆡᄒᆞ라 니를 젹마다 과두풍(過頭風)1160)이 니러나던 ᄇᆡ로, 금일 셜빈의 연고로 부공이[의] 칙ᄒᆞ시미 이 ᄀᆞᆺᄐᆞ니, 감히 소회를 고치 못ᄒᆞ고 능히 엇지ᄒᆞᆯ 바를 아지 못ᄒᆞ여, 다만 ᄌᆡᄇᆡ 청죄 왈,

"불초ᄋᆡ(不肖兒) 무상ᄒᆞ와 엄훈의 지극ᄒᆞ시믈 져바리고, 두어 녀ᄌᆞ를 거ᄂᆞ리지 못ᄒᆞ여 어ᄌᆞ러온 원언(怨言)이 엄하의 ᄉᆞ못ᄎᆞ니1161), 죄ᄉᆞ무셕(罪死無惜)이라. 실노 마ᄋᆞᆷ을 두로혀지 못ᄒᆞᄂᆞᆫ ᄇᆡ로ᄃᆡ, ᄒᆡᄋᆞ(孩兒)의【78】미셰ᄌᆡᄉᆞ를 감히 엄하의 고치 못ᄒᆞᄋᆞᆸᄂᆞ니, ᄎᆞ후ᄂᆞᆫ○…결락66자…○[ᄆᆞᄋᆞᆷ을 곳치고 엄교를 밧ᄌᆞ와 군쥬를 녜ᄉᆞ로이 ᄃᆡ졉ᄒᆞ여 다시 원망이 업게 ᄒᆞ리이다."

공이 즐왈,

"욕ᄌᆞ(辱子) ᄒᆞᆫ낫 인면슈심(人面獸心)이라. 네 말을 엇디 미들 일이 이시리오. 그러나 내 네] 마ᄋᆞᆷ을 곳쳐 군쥬를 후ᄃᆡᄒᆞᆯ진ᄃᆡ 다시 셔로 보려니와, 만일 그러치 아니면 ᄠᅳᆺ을 결ᄒᆞ여 너를 일퇴지샹의 머므르지 못ᄒᆞ리라"

ᄉᆞ인이 우우(憂憂) 민박(憫迫)ᄒᆞ나 슌슌(順順) 샤죄(謝罪)ᄒᆞᆯ ᄯᆞᄅᆞᆷ이라. 하공 왈,

1160)과두풍(過頭風) : 심한 두풍(頭風). 두풍(頭風) : 두통의 하나로 머리 아픈 것이 낫지 않고 오래 계속되면서 때에 따라 아팠다 멎었다 하는 증상.

1161)ᄉᆞ못ᄎᆞ다 : 사무치다. 깊이 스며들거나 멀리까지 미치다.

"ᄂᆡ당의 머믈 일슈를 뎡ᄒᆞ여 주ᄂᆞ니, 일삭의 오일은 셜원각의 머믈고, 오일은 봉월각의 밤을 디ᄂᆡ고, 습슌(拾旬)1449)은 외당의 쳐ᄒᆞ라."

샤인이 능히 ᄒᆞᆫ 말도 못ᄒᆞ고 ᄇᆡ샤슈명(拜謝受命)ᄒᆞ고 ᄎᆞ야(此夜)브터 셜원각의 갈ᄉᆡ, 길히 봉월각을 디나므로 능히 ᄎᆞᆷ디 못ᄒᆞ여 잠간 드러가 뎡쇼져를 볼ᄉᆡ, 이ᄣᅴ 뎡시 잉ᄐᆡ 오삭(五朔)이라. 옥뫼 슈약(瘦弱)ᄒᆞ고 화용이 초췌(憔悴)ᄒᆞ여 약딜이 괴로이 신음ᄒᆞᄂᆞᆫ 바ᄂᆞᆫ[의] ᄉᆞ디ᄇᆡᆨᄒᆡ(四肢百骸) 아【20】니 알픈 곳이 업ᄉᆞᄃᆡ, 사ᄅᆞᆷ 되오미 침뎡슉믁(沈靜肅默)ᄒᆞ여 통쳐(痛處)를 ᄀᆞᆺᄐᆞ여 니르디 아니ᄒᆞ고, 알픈 거ᄉᆞᆯ 견ᄃᆡ여 구고긔 신혼셩뎡(晨昏省定)을 폐치 아니코, 본부의도 ᄌᆞ긔 딜양을 고치 못ᄒᆞ여실 ᄲᆞᆫ 아니라, 셜빈이 쳔흉만악을 다ᄒᆞ여 ᄌᆞ긔를 ᄒᆡ코져 ᄒᆞᄂᆞᆫ 줄 아ᄂᆞᆫ디라. 그러나 조금도 념녀ᄒᆞ미 업셔 식음이 의심 되디 아니면, ᄌᆞ긔 냥(量)을 ᄎᆡ와 딘식(盡食)ᄒᆞ고, 밤이면 ᄌᆞ기를 임의로 ᄒᆞ여 일분도 심녀를 상ᄒᆡ오디 아냐, 화긔 일실의 가득ᄒᆞᄃᆡ, 하샤인의 일편 된 은졍을 블열ᄒᆞ여, 샤인을 ᄃᆡᄒᆞᆫ즉 츈양화긔 주려져 구츄상【21】월(九秋霜月) ᄀᆞᆺᄐᆞ며, 셩혼 십삭의 샤인으로 언어를 슈작ᄒᆞ미 업ᄉᆞ니, 샤인이 도로혀 그 인물의 너모 침위(沈威)1450)ᄒᆞ믈 답답이 넉여, 가부를 경멸ᄒᆞᆫ다 ᄒᆞ고 ᄎᆡᆨᄒᆞᄃᆡ, 쇼졔 오딕 공경ᄒᆞ여 드를 ᄲᆞᆫ이오, 입을 여ᄂᆞᆫ ᄇᆡ 업셔 ᄒᆞᆫ낫 벙어리로 다르미 업더니, 이 날 맛참 쇼져 유랑(乳娘)이 하공의 샤인 ᄎᆡᆨᄒᆞ믈 듯고, 샤인의 드러 오믄 의외라. 다만 쇼져를 ᄃᆡᄒᆞ여 탄식 왈,

"쇼져의 텬향아딜(天香雅質)이 만고의 희한ᄒᆞ시고, 겸ᄒᆞ여 본부 대노야 만금교와(萬金嬌瓦)1451)로 슈샹농듀(手上弄珠)1452)로

"ᄂᆡ당의 《머므른 슈‖머믈 일슈》를 졍ᄒᆞ여 쥬ᄂᆞ니, 일삭의 오일은 셜원각의 머믈고, 오일은 봉월각의 밤을 지ᄂᆡ고, 습슌(拾旬)1162)은 외당의 쳐ᄒᆞ라"

ᄉᆞ인이 능히 ᄒᆞᆫ 말도 못ᄒᆞ고 ᄇᆡ샤슈명(拜謝受命)ᄒᆞ고 ᄎᆞ야(此夜)브터 셜원각의 갈ᄉᆡ, 길이 봉월각을 지나므로 능히 ᄎᆞᆷ지 못ᄒᆞ여 잠간 드러가 뎡소져를 볼ᄉᆡ, 이ᄣᅴ 뎡씨 잉ᄐᆡ 오삭(五朔)이라. 옥뫼 슈약(瘦弱)ᄒᆞ고 화용이 초췌(憔悴)ᄒᆞ여 약질이 괴로이 신음ᄒᆞᄂᆞᆫ 바ᄂᆞᆫ[의] ᄉᆞ지ᄇᆡᆨᄒᆡ(四肢百骸) 아니 【79】 알픈 곳이 업ᄉᆞᄃᆡ, 샤ᄅᆞᆷ 되오미 침졍슉믁(沈靜肅默)ᄒᆞ여 통쳐(痛處)를 ᄀᆞᆺᄐᆞ여 니르지 아니ᄒᆞ고, 알픈 거ᄉᆞᆯ 견ᄃᆡ여 구고긔 신혼셩뎡(晨昏省定)을 폐치 아니코, 본부의도 ᄌᆞ긔 질양을 고치 아닐 ᄲᅮᆫ 아니라, 셜빈이 쳔흉만악을 다ᄒᆞ여 ᄌᆞ긔를 ᄒᆡ코져 ᄒᆞᄂᆞᆫ 줄 아ᄂᆞᆫ지라. 그러나 조곰도 념녀ᄒᆞ미 업셔 식음이 의심 되지 아니면 ᄌᆞ긔 량(量)을 ᄎᆡ와 진식(盡食)ᄒᆞ고, 밤이면 ᄌᆞ기를 임의로 ᄒᆞ여 일분도 심녀를 상ᄒᆡ오지 아냐, 화긔 일실의 ᄀᆞ득ᄒᆞᄃᆡ, 하ᄉᆞ인의 일편 된 은졍을 블열ᄒᆞ여 ᄉᆞ인을 ᄃᆡᄒᆞᆫ즉 츈양화긔 쥬려져 구츄상월(九秋霜月) ᄀᆞᆺᄐᆞ며, 셩혼 십샥의 ᄉᆞ인으로 언어를 슈작ᄒᆞ미 업ᄉᆞ니, ᄉᆞ인이 도로혀 그 인물의 너모 침위(沈威)1163)ᄒᆞ믈 답답이 넉여, 가부를 경멸ᄒᆞᆫ【80】다 ᄒᆞ고 ᄎᆡᆨᄒᆞᄃᆡ, 소졔 오직 공경ᄒᆞ여 드를 ᄲᅮᆫ이오, 입을 녀ᄂᆞᆫ ᄇᆡ 업셔, ᄒᆞᆫ낫 벙어리로 다르미 업더니, 이날 마촘 소져 유랑(乳娘)이 하공의 ᄉᆞ인 ᄎᆡᆨᄒᆞ믈 듯고, ᄉᆞ인의 드러 오믄 의외라. 다만 소져를 ᄃᆡᄒᆞ여 탄식 왈,

"소져의 쳔향아질(天香雅質)이 만고의 희한ᄒᆞ시고, 겸ᄒᆞ여 본부 대노야 만금교아(萬金嬌兒)1164)로 슈샹농쥬(手上弄珠)1165)로

1449)습슌(拾旬) : 10일.
1450)침위(沈威) : 침중(沈重)하고 위엄이 있음.
1451)만금교와(萬金嬌瓦) : 만금(萬金)에 비할 만큼 귀하고 예쁜 딸. '와(瓦)'는 딸을 비유한 말. ☞농와지경(弄瓦之慶).
1452)슈샹농듀(手上弄珠) : 손안에 가지고 있는 구슬이라는 말로, 늘 손으로 쓰다듬어 기르는 예쁜 딸

1162)습슌(拾旬) : 10일.
1163)침위(沈威) : 침중(沈重)하고 위엄이 있음.
1164)만금교와(萬金嬌瓦) : 만금(萬金)에 비할 만큼 귀하고 예쁜 아이.
1165)슈샹농듀(手上弄珠) : 손안에 가지고 있는 구슬이라는 말로, 늘 손으로 쓰다듬어 기르는 예쁜 딸을 이르는 말.

아르시니, 노쳡 등이 바라미 금궐공쥬(禁闕公主)[1453]를 블워 아니실가 ᄒᆞ엿ᄉᆞᆸ더니, 【22】 블힝이 하샤인 노야의 ᄌᆡ실(再室)이 되시ᄆᆡ, 셜빈 군쥬의 위인이 쳔연(天然)ᄒᆞᆫ 슉녜 아니라. 노야 은졍이 쇼져긔 온젼ᄒᆞ믈 싀투(猜妬)ᄒᆞ여 ᄆᆡ양 쇼져를 고요히 ᄃᆡᄒᆞᆯ ᄯᆡ면, 참욕이 아니 ᄆᆞᆺᄎᆞᆫ 곳이 업고, 샤인 노야를 원망ᄒᆞ미 블 ᄀᆞᆺᄐᆞ므로, 금일 대노애 샤인 상공을 여ᄎᆞ여ᄎᆞ ᄎᆡᆨᄒᆞ시고, 쇼져긔 탐혹ᄒᆞ시믈 크게 분원(憤怨)ᄒᆞ시니, 굿ᄐᆞ여 쇼져를 블ᄋᆡ(不愛)ᄒᆞ시믄 아니로ᄃᆡ, 쇼져의 신셰 ᄌᆞ연 블평ᄒᆞ여 어ᄌᆞ러온 일이 만흘가 ᄒᆞᄂᆞ니, 쇼져ᄂᆞᆫ 모로미 샤인 상공을 ᄃᆡᄒᆞ여 셜원각의 ᄌᆞ로 {ᄌᆞ로} 왕ᄂᆡᄒᆞ믈 권ᄒᆞ시고, 스ᄉᆞ로 화를 피ᄒᆞ여 본【23】부로 도라 가시미 만젼디계(萬全之計)오, 하부 일문(一門)○[의] 쇼제 가부의 은툥을 영구(佾求)[1454]치 아니믈 ᄇᆞᆰ히시미 올커ᄂᆞᆯ, 쇼져ᄂᆞᆫ 샹공의 왕ᄂᆡ를 깃븐 일ᄀᆞᆺ치 넉이샤, 엇디 군쥬를 후ᄃᆡᄒᆞ시믈 권치 아니시ᄂᆞ니잇고?"

뎡시 침금의 몸을 비겨 믁연브답(黙然不答)ᄒᆞ니, 유뫼 왈,

"쇼져ᄂᆞᆫ 엇디 ᄉᆡᆼ각ᄒᆞ시ᄂᆞᆫ디 모로거니와, 노쳡의 ᄯᅳᆺ인ᄌᆞᆨ, 본부로 도라가시ᄂᆞᆫ 거시 ᄋᆡᆨ화를 밧디 아닐 ○○○[도리일]가 ᄒᆞᄂᆞ이다."

쇼제 날호여 왈,

"어미 날을 위ᄒᆞ미 디극ᄒᆞ나. 오ᄂᆞᆫ ᄋᆡᆨ(厄)은 셩현도 면치 못ᄒᆞ시니, 내 므ᄉᆞᆷ ᄌᆡ덕으로 오ᄂᆞᆫ ᄋᆡᆨ화를 막ᄌᆞᄅᆞ리오. ᄒᆞ믈며 하군이 어린 ᄋᆞᄒᆡ 아니오, 그 몸이 【24】 팔쳑댱뷔 되여 녀ᄌᆞ의 디휘를 좃디 아닐 거시오, 이곳이 ᄯᅩ 하군의 집이라. ᄌᆞ긔 츌입ᄒᆞᄂᆞᆫ 바를 내 엇디 시비ᄒᆞ며, 셜원각의 왕ᄂᆡ 이시며 업ᄉᆞ믈 내 아디 못ᄒᆞᆯ ᄲᆞᆫ 아니라, 져의 쥬견이 업디 아니리니, 내 므어시 긔특ᄒᆞ여 남ᄌᆞ를 어디리 돕ᄂᆞᆫ 쳬ᄒᆞ며, 투긔 업ᄉᆞ믈

을 이르는 말.

1453)금궐공쥬(禁闕公主) : 대궐에 있는 공주. 곧 임금의 딸을 달리 이르는 말.

1454)영구(佾求) : 남의 비위를 맞추거나 아첨하여 어떤 것을 구함.

아르시니, 노쳡 등이 ᄇᆞ라미 금궐공쥬(禁闕公主)[1166]를 블워 아니실가 ᄒᆞ엿ᄉᆞᆸ더니, 불힝이 하ᄉᆞ인 노야의 ᄌᆡ실(再室)이 되시ᄆᆡ, 셜빈 군쥬의 위인이 쳔연(天然)ᄒᆞᆫ 슉녜 아니라. 노야 은졍이 소져긔 온젼ᄒᆞ믈 싀투(猜妬)ᄒᆞ여 ᄆᆡ양 소져를 고요히 ᄃᆡᄒᆞᆯ ᄯᆡ면, 참욕이 아니 ᄆᆞᆺᄎᆞᆫ 곳이 업고, ᄉᆞ인 노야를 원망ᄒᆞ미 불 ᄀᆞᆺᄐᆞ므로 금일 대노애 ᄉᆞ인 상공을 여ᄎᆞ여ᄎᆞ ᄎᆡᆨᄒᆞ시고, 소져긔 【81】 탐혹ᄒᆞ시믈 크게 분완(憤惋)ᄒᆞ시니, 굿ᄐᆞ여 소져를 블ᄋᆡ(不愛)ᄒᆞ시믄 아니로ᄃᆡ, 소져의 신셰 ᄌᆞ연 불평ᄒᆞ여 어ᄌᆞ러온 일이 만흘가 두려ᄒᆞᄂᆞ니, 소져ᄂᆞᆫ 모로미 ᄉᆞ인 상공을 ᄃᆡᄒᆞ여 셜원각의 ᄌᆞ로 왕ᄂᆡᄒᆞ믈 권ᄒᆞ시고, 스ᄉᆞ로 화를 피ᄒᆞ여 본부로 도라 가시미 만젼지계(萬全之計)오, 하부 일문(一門)○[의] 소제 가부의 은춍을 《영귀‖영구(佾求)[1167]》치 아니믈 ᄇᆞᆰ히시미 올커ᄂᆞᆯ, 소져ᄂᆞᆫ 샹공의 왕ᄂᆡ를 깃븐 일ᄀᆞᆺ치 넉이샤, 엇지 군쥬를 후ᄃᆡᄒᆞ시믈 권치 아니시ᄂᆞ니잇고?"

뎡씨 침금의 몸을 비겨 묵연부답(黙然不答)ᄒᆞ니, 유뫼 왈,

"소져ᄂᆞᆫ 엇지 ᄉᆡᆼ각ᄒᆞ시ᄂᆞᆫ지 모로거니와 노쳡의 ᄯᅳᆺ인ᄌᆞᆨ, 본부로 도라 가시ᄂᆞᆫ 거시 ᄋᆡᆨ화를 밧지 아닐 ○○○[도리일]가 ᄒᆞᄂᆞ이다."

소제 날호여 왈,

"어미 날을 위ᄒᆞ미 지극【82】ᄒᆞ나, 오ᄂᆞᆫ ᄋᆡᆨ(厄)은 셩현도 면치 못ᄒᆞ시니, 내 무ᄉᆞᆷ ᄌᆡ덕으로 오ᄂᆞᆫ ᄋᆡᆨ화를 막ᄌᆞ르리오. ᄒᆞ믈며 하군이 어린 ᄋᆞᄒᆡ 아니오, 그 몸이 팔쳑댱뷔 되여 녀ᄌᆞ의 지휘를 좃지 아닐 거시오, 이곳이 ᄯᅩ 하군의 집이라. ᄌᆞ긔 츌입ᄒᆞᄂᆞᆫ 바를 내 엇지 시비ᄒᆞ며, 셜원각의 왕ᄂᆡ 잇시며 업ᄉᆞ믈 내 아지 못ᄒᆞᆯ ᄲᅮᆫ 아니라, 져의 쥬견이 업지 아니리니, 내 무어시 긔특ᄒᆞ여 남ᄌᆞ를 어지리 돕ᄂᆞᆫ 쳬ᄒᆞ며, 투긔 업

1166)금궐공쥬(禁闕公主) : 대궐에 있는 공주. 곧 임금의 딸을 달리 이르는 말.

1167)영구(佾求) : 남의 비위를 맞추거나 아첨하여 어떤 것을 구함.

ᄌᆞ랑ᄒᆞ리오. 츌가디후(出嫁之後)로 심신이 안온치 못ᄒᆞ미, 친당의 이실 젹과 ᄀᆞᆺ디 못ᄒᆞ믈 내 모로디 아니ᄃᆡ, 몸이 녀ᄌᆡ 되여 구가를 슬희 넉이고, ᄆᆡ양 내 집 편ᄒᆞᆫ 거ᄉᆞᆯ ᄉᆡᆼ각ᄒᆞ미 가치 아니니, 구괴(舅姑) 도라가라 ᄒᆞ시기 젼, 내 즈레 귀령(歸寧)을 쳥치 못ᄒᆞᄂᆞ니, 어미ᄂᆞᆫ【25】 모로미 ᄉᆞ셰(事勢) 되여가믈 보고, 브졀업ᄉᆞᆫ 근심을 말나."

유랑이 탄왈,

"쇼져의 디식은 학니군ᄌᆞ(學理君子)의 디나시나, 하문이 쇼져의 ᄀᆡ특ᄒᆞ시믈 ᄎᆡ 모로시고, 혹ᄌᆞ 상공의 츌입ᄒᆞ시ᄂᆞᆫ 바를 막ᄌᆞ르디 못ᄒᆞ시ᄂᆞᆫ가 미안ᄒᆞ시미 될 ᄃᆞᆺᄒᆞᆫ 고로, 노쳡이 블승원민(不勝冤悶)ᄒᆞ여 도라가시믈 쳥ᄒᆞ미로소이다."

쇼제 미쇼 왈,

"구괴 명셩(明聖)ᄒᆞ시니, 혹ᄌᆞ 간샤ᄒᆞᆫ 사ᄅᆞᆷ이 이셔 날노ᄡᅧ 가부의 은툥을 영구(侖求)ᄒᆞ여, 쥬야 내 침쳐의 ᄡᅥ나디 아닛ᄂᆞᆫ 거ᄉᆞᆯ 깃거 ᄒᆞᆫ다 닐너도, 내 침쳐의 반졈 흐릿ᄒᆞᆫ 일이 업ᄉᆞ니 븟그럽디 아닌디라. 나의【26】본 ᄠᅳᆺ이 아모 근심이 이셔도 음식이 알패 니르면 냥이 ᄎᆞ기를 ᄀᆡ약ᄒᆞ고, 밤이 되면 안온이 ᄌᆞ기를 취ᄒᆞᄂᆞ니, 아딕 급ᄒᆞᆫ 변고를 당ᄒᆞᆫ 일 업시, 엇디 심녀를 상ᄒᆡ오리오. 죽으며 ᄉᆞᆯ기와 즐거오며 슬프미 다 팔ᄌᆡ라. 인슈팔십(人壽八十)을 다 ᄉᆞ라도 셰샹이 늣거오려든1455), 즈레 심장을 상ᄒᆡ와 단명ᄒᆞᆫ[ᄒᆞᆯ] 증됴를 닐위리오."

유뫼 ᄯᅩᄒᆞᆫ 웃고 왈,

"노쳡이 쇼져의 쥬의 이러ᄐᆞᆺ 쾌활ᄒᆞ시니 엇디 깃브디 아니리잇가?"

쇼제 홀연 탄왈,

"내 ᄉᆡᆼ셰 십ᄉᆞ년의 실노 아ᄂᆞᆫ 거시 업ᄉᆞ며 ᄇᆡ혼 거시 업ᄉᆞ므로, 일즉 소견이 부모 존당ᄭᅴ도 고ᄒᆞᆯ 길【27】히 업더니, 금일 어미 날을 위ᄒᆞ여 브졀업시 우려ᄒᆞᆯ식, 시러곰 당치 아닌 근심이 무익ᄒᆞ믈 니르○[미]니,

1455)늣거오다 : 느껍다. 어떤 느낌이 마음에 북받쳐서 벅차다.

ᄉᆞ믈 ᄌᆞ랑ᄒᆞ리오. 츌가지후(出嫁之後)로 심신이 안온치 못ᄒᆞ미, 친당의 잇실 젹과 ᄀᆞᆺ지 못ᄒᆞ믈 내 모로지 아니ᄃᆡ, 몸이 녀ᄌᆡ 되여 구가를 슬희 넉이고, ᄆᆡ양 ᄂᆡ 집 편ᄒᆞᆫ 거ᄉᆞᆯ ᄉᆡᆼ각ᄒᆞ미 가치 아니니, 구괴(舅姑) 도라가라 ᄒᆞ시기 젼, ᄂᆡ 몬져 귀령(歸寧)을 쳥치 못ᄒᆞᄂᆞ니, 어미【83】ᄂᆞᆫ 모로미 ᄉᆞ셰(事勢) 되여가믈 보고, 부졀 업ᄉᆞᆫ 근심을 말나."

유랑이 탄 왈,

"소져의 지식은 ᄒᆞᆨ니군ᄌᆞ(學理君子)의 지나시나, 하문이 소져의 ᄀᆡ특ᄒᆞ시믈 ᄎᆡ 모로시고, 혹ᄌᆞ 상공의 츌입ᄒᆞ시ᄂᆞᆫ 바를 막ᄌᆞ르지 못ᄒᆞ시ᄂᆞᆫ가 미안ᄒᆞ시미 될 ᄃᆞᆺ ᄒᆞᆫ 고로, 노쳡이 불승원민(不勝冤悶)ᄒᆞ여 도라가시믈 쳥ᄒᆞ미로소이다."

소제 미소 왈,

"구괴 명셩(明聖)ᄒᆞ시니, 혹ᄌᆞ 간ᄉᆞᄒᆞᆫ 샤ᄅᆞᆷ이 잇셔 날노ᄡᅧ 가부의 은춍을 영구(侖求)ᄒᆞ여, 쥬야 ᄂᆡ 침쳐의 ᄡᅥ나지 아닛ᄂᆞᆫ 거ᄉᆞᆯ 깃거 ᄒᆞᆫ다 일너도, ᄂᆡ 침쳐의 반졈 흐릿ᄒᆞᆫ 일이 업ᄉᆞ니 붓그럽지 아닌지라. 나의 본 ᄠᅳᆺ이 아모 근심이 잇셔도, 음식이 알ᄑᆡ 니르면 냥이 ᄎᆞ기를 ᄀᆡ약ᄒᆞ고, 밤이 되면 안온이 ᄌᆞ기를 취ᄒᆞᄂᆞ니, 아직 급ᄒᆞᆫ 변고를 당ᄒᆞᆫ 일 업시 엇지 심녀를 【84】상ᄒᆡ오리오. 죽으며 살기와 즐거오며 슬프미 다 팔ᄌᆡ라. 인슈팔십(人壽八十)을 다 ᄉᆞ라도 셰샹이 늣거오려든1168), 즈레 심장을 ○[상]ᄒᆡ와 단명ᄒᆞᆫ[ᄒᆞᆯ] 증조를 일위리오."

유뫼 ᄯᅩᄒᆞᆫ 《뉴쳬ᄒᆞ고 ᄃᆡ왈‖웃고 왈》, ○…결락32자…○["노쳡이 쇼져의 쥬의 이러ᄐᆞᆺ 쾌활ᄒᆞ시니 엇디 깃브디 아니리잇가?"

쇼제 홀연 탄왈,]

"간악ᄒᆞᆫ 비ᄌᆞ들이 착지 못ᄒᆞᆫ 쥬인을 도와 허다 간참이 날노 편힝하고, 흉독ᄒᆞᆫ 무리들이 ᄉᆞ괴여 샤ᄅᆞᆷ의 마음 변ᄒᆞᄂᆞᆫ 약뉴를 가져온가○[지]로 시험ᄒᆞ고, 무지ᄑᆡ악지셜(無知悖惡之說)이 연속불절(連續不絶)ᄒᆞ여 샤ᄅᆞᆷ

1168)늣거오다 : 느껍다. 어떤 느낌이 마음에 북받쳐서 벅차다.

어미ᄂᆞᆫ ᄀᆞᆺᄐᆞ여 이 말을 부모긔 고치 말고, 셜빈의 현블초를 언두의 일ᄏᆞᆺ디 말나.”

유모와 벽옥·취란 등이 쇼져의 침뎡슉믁(沈靜肅默)ᄒᆞ믈 더옥 탄복ᄒᆞ더니, 샤인이 창외의셔 그 노듀(奴主)의 문답을 듯고, 잠간 듕디(中止)ᄒᆞ여 말이 ᄀᆞᆺ친 후 디게[1456]를 열고 드러가니, 유모와 시녀 믈러 나고 뎡시 쳔연이 긔동ᄒᆞ여 마ᄌᆞ니, 찬난ᄒᆞᆫ 염광이 볼ᄉᆞ록 안듕(眼中)의 현요(眩耀)ᄒᆞ여 츄텬양일(秋天陽日)이 됴요ᄒᆞᆫ ᄃᆞᆺ, ᄇᆡᆨᄐᆡ만광(百態萬光)이 풍뉴걸ᄉᆞ(風流傑士)의 심간(心肝)[1457]을 어리오【28】ᄂᆞᆫ디라. 샤인이 밧비 나아가 그 옥슈를 잡으며 므롭흘 년ᄒᆞ여 좌를 일우고, 희연(喜然)이 우음을 씌여 왈,

“ᄉᆡᆼ이 ᄌᆞ로 더브러 결발대륜(結髮大倫)[1458]을 뎡ᄒᆞ연 디 일년이 거의라. 셔로 면목이 셔어치 아니니, 언어를 상졉ᄒᆞ여 부부의 친ᄒᆞᆫ 도리를 다ᄒᆞ미 올커ᄂᆞᆯ, 엇디 금

의 심쳔(心泉)을 취ᄆᆡᆨ(取脈)[1169]ᄒᆞᄂᆞᆫ지라. ᄂᆡ {엇지} ᄀᆞᆺᄐᆞ여 념녀ᄒᆞᆯ ᄇᆡ 아니로ᄃᆡ, ᄌᆞ연 마음이 송구ᄒᆞ여 여좌침샹(如坐針上)ᄒᆞ나 이 ᄯᅩᄒᆞᆫ 텬싊(天數)오, 비인력지소관(非人力之所關)[1170]이라. 어미ᄂᆞᆫ 맛당이 ᄉᆞ셰 되어가ᄂᆞᆫ ᄃᆡ로 획칙ᄒᆞ여 간인의 계교를 맛치지 말나.”

유뫼 ᄃᆡ왈,

“소져의 말ᄉᆞᆷ이 ᄉᆞ리의 당연ᄒᆞ나 구가의【85】입승ᄒᆞ와 허다 풍셜(風說)이 시시로 편ᄒᆡᆼ(遍行)ᄒᆞ고, 쥬군이 날노 니르러 《침취뇌즁 ‖ 침싊ᄂᆡ즁(寢睡內中)[1171]》ᄒᆞ시니, 졈졈 ᄉᆞ긔 조치 못ᄒᆞ여 소졔 신상의 허다ᄒᆞᆫ 누셜이 연속ᄒᆞ오니, 비ᄌᆞ의 소견의ᄂᆞᆫ 《복부 ‖ 본부》의 통{완}ᄒᆞ와 존당의 귀령을 청ᄒᆞ시고, 즉시 도라가샤 고요히 친측의 계시미 맛당ᄒᆞ실가 ᄒᆞᄂᆞ이다.”

소졔 경ᄉᆡᆨ ᄎᆡᆨ왈,

“어미ᄂᆞᆫ 슈다히 구지 말지어다”

유뫼 황공ᄒᆞ믈 니긔지 못 ᄒᆞ여 다시 말을 못ᄒᆞ더니, 믄득 쥬군이 니르러 소져의 손을 잡고 니르ᄃᆡ,

“슈일 지ᄂᆡ의 엇지 뭇ᄂᆞᆫ 말도 답지 아니니 ᄌᆞ의 ᄯᅳᆺ이 엇더ᄒᆞ여 가부를 불경ᄒᆞ미 이ᄀᆞᆺᄐᆞᆫ뇨?”

1456)디게 : 지게. 지게문. 옛날식 가옥에서, 마루와 방 사이의 문이나 부엌의 바깥문. 흔히 돌쩌귀를 달아 여닫는 문으로 안팎을 두꺼운 종이로 싸서 바른다.

1457)심간(心肝) : 심장과 간장을 아울러 이르는 말로 ‘깊은 마음속’을 뜻하기도 한다.

1458)결발대륜(結髮大倫) : 혼인(婚姻).

1169)취맥(取脈) : 남의 동정을 더듬어 살핌.

1170)비인력지소관(非人力之所關) : 사람의 임으로 어찌할 수 있는 일이 아님.

1171)침수내중(寢睡內中) : 안에서 잠을 잠.

일가디 일언을 답ᄒᆞ미 업ᄂᆞ뇨? 아디 못게라 ᄌᆞ의 ᄯᅳᆺ이 엇더ᄒᆞ여 가부를 블경(不敬)ᄒᆞ미 이 ᄀᆞᆺᄐᆞ뇨?"

뎡시 손을 ᄲᅢ히고 좌를 믈녀 ᄃᆡ답이 업ᄉᆞ니, 샤인이 풍뉴영쥰(風流英俊)으로 본ᄃᆡ 언식 쾌활ᄒᆞ며, 사ᄅᆞᆷ의 너모 침잠믁믁(沈潛默默)ᄒᆞᆫ 거ᄉᆞᆯ 답답이 녁이ᄂᆞᆫ디라. 뎡쇼졔 만식 괴이ᄒᆞ나 디금 언어를 슈작디【29】못ᄒᆞ믈 가장 굼거워, 믄득 뎡식 왈,

"ᄉᆡᆼ이 학박블민(學薄不敏)ᄒᆞ나 오히려 ᄌᆞ의게ᄂᆞᆫ 쇼텬(所天)이라. 녀ᄌᆡ 되여 가부 듕ᄒᆞ믈 아디 못ᄒᆞ고, ᄒᆞᆫ갓 침위(沈威) 함믁(含默)기를 쥬ᄒᆞ여, 가부의 니르ᄂᆞᆫ 말을 ᄂᆡᆼ연이 답디 아니며, 스ᄉᆞ로 듕청블언(重聽不言)1459)ᄒᆞᄂᆞᆫ 병인 ᄀᆞᆺ기를 달게 녁이니, 긔 므ᄉᆞᆷ ᄯᅳᆺ이오[뇨]?"

쇼졔 봉관(鳳冠)을 ᄉᆞᆨ이고 홍슈(紅袖)를 뎡히 ᄭᅩᄌᆞ, 팔ᄌᆞ아황(八字蛾黃)이 졔졔(齊齊)히 나ᄌᆞᆨᄒᆞ며, 츄파면목(秋波面目)이 미미히 가나라, 알플 볼 ᄯᆞ름이오, 단슌(丹脣)을 졉ᄒᆞ고 녀ᄂᆞᆫ 일이 업ᄉᆞ니, 샤인이 믄득 웃옷ᄉᆞᆯ 그르며, 쇼져의 손을 닛그러 왈,

"엄명이 셜원각의 가 ᄌᆞ라 ᄒᆞ시거ᄂᆞᆯ, ᄉᆡᆼ이 마디 못ᄒᆞ여 셜원각【30】으로 힝ᄒᆞ더니, ᄌᆞ의 거동을 보ᄆᆡ ᄉᆡᆼ으로 더브러 비록 언어를 아니ᄒᆞ나, 슈유블니(須臾不離)코져 ᄒᆞᄂᆞᆫ ᄆᆞ음이니, 내 엇디 옥인의 ᄯᅳᆺ을 맛치○[지] 아니ᄒᆞ고, 괴로이 셜원각의 가 보기 슬흔 사ᄅᆞᆷ을 보리오."

ᄒᆞ고, 언필의 쇼져를 븟드러 상요의 나아가고져 ᄒᆞ거ᄂᆞᆯ, 뎡시 비록 밧그로 타연ᄒᆞ나 져 셜빈의 요악간음ᄒᆞ미 녜ᄉᆞ 사ᄅᆞᆷ과 ᄀᆞᆺ디 아냐, 발셔 월후를 잠간 ᄉᆞ이라도 그릇 민ᄃᆞᆯ고, 양부인을 모히ᄒᆞ미 궁흉키의 니르럿던디라. 하샤인이 만일 져 요믈과 금슬이 화ᄒᆞᆯ던ᄃᆡ, 결단하여 아조 상셩광패디인(喪性狂悖之人)이 될 바를 혜아려, 하ᄉᆡᆼ의 복녹구비상(福祿具備相)으로, 일【31】시 셩녀의 히ᄒᆞ믈 당ᄒᆞ여도, 나죵이 위티롭던 아

1459)듕청블언(重聽不言) : 귀가 어두워서 소리를 잘 듣지 못ᄒᆞ고, 또 말을 하지 못하는 병.

뎡씨 묵연이 손을 ᄲᅢ히고 좌를 믈녀 답언이 업ᄉᆞ니, ᄉᆞ인이 풍뉴영쥰(風流英俊)으로 본ᄃᆡ 언식 쾌활ᄒᆞ며 샤ᄅᆞᆷ의 너모 침잠묵【86】묵ᄒᆞᆫ 거ᄉᆞᆯ 답답히 녁이ᄂᆞᆫ지라. 뎡소졔 만식 괴이ᄒᆞ나 지금 언어를 슈작지 못ᄒᆞ믈 ᄀᆞ장 굼거워, 믄득 졍식 왈,

"ᄉᆡᆼ이 ᄒᆞᆨ박블민(學薄不敏)ᄒᆞ나 오히려 ᄌᆞ의게ᄂᆞᆫ 소텬이라. 녀ᄌᆡ 되여 가부 즁ᄒᆞ믈 아지 못ᄒᆞ고, ᄒᆞᆫᄀᆞᆺ 침위(沈威) 함묵(含默)기를 쥬ᄒᆞ여, 가부의 니르ᄂᆞᆫ 말을 ᄂᆡᆼ연이 답지 아니며, 스ᄉᆞ로 즁청블언(重聽不言)1172)ᄒᆞᄂᆞᆫ 병인 ᄀᆞᆺ기를 달게 녁이니, 그 무ᄉᆞᆷ ᄯᅳᆺ이뇨?"

소졔 봉관(鳳冠)을 ᄉᆞᆨ이고 홍슈(紅袖)를 졍히 ᄭᅩᄌᆞ 팔ᄌᆞ아황(八字蛾黃)이 졔졔(齊齊)히 나ᄌᆞᆨᄒᆞ며 츄파면목(秋波面目)이 미미히 가ᄂᆞ라, 압흘 볼 ᄯᆞ름이오, 단슌(丹脣)을 졉ᄒᆞ고 녀ᄂᆞᆫ 일이 업ᄉᆞ니, ᄉᆞ인이 믄득 웃옷ᄉᆞᆯ 그르며, 져의 손을 닛그러 왈,

"엄명이 셜원각의 가 ᄌᆞ라 ᄒᆞ시거ᄂᆞᆯ, ᄉᆡᆼ이 마지 못ᄒᆞ여 셜원각으로 힝ᄒᆞ더니, ᄌᆞ의 거【87】동을 보ᄆᆡ ᄉᆡᆼ으로 더브러 비록 언어를 아니ᄒᆞ나, 슈유블니(須臾不離)코져 ᄒᆞᄂᆞᆫ 마음이니, 내 엇지 옥인의 ᄯᅳᆺᄉᆞᆯ 맛치지 아니ᄒᆞ고, 괴로이 셜원각의 가 보기 슬흔 샤ᄅᆞᆷ을 보리오."

ᄒᆞ고, 언필의 소져를 븟드러 상요의 나아가고져 ᄒᆞ거ᄂᆞᆯ, 뎡씨 비록 밧그로 타연ᄒᆞ나 져 셜빈의 요악간음ᄒᆞ미 녜ᄉᆞ 샤ᄅᆞᆷ과 ᄀᆞᆺ지 아냐, 발셔 월후를 잠간 ᄉᆞ이라도 그릇 민ᄃᆞᆯ고, 양부인을 모히ᄒᆞ미 궁흉키의 니르럿던지라. 하ᄉᆞ인이 만일 져 요물과 금슬이 화ᄒᆞᆯ진ᄃᆡ, 결단하여 아조 상셩광픽(喪性狂悖)키의 니를 바를 혜아려, 하ᄉᆡᆼ의 복녹구비지상(福祿具備之相)으로 일시 셩녀의 히ᄒᆞ믈 당ᄒᆞ여도, 나종의 위티롭지ᄂᆞᆫ 아닐 거

1172)즁청블언(重聽不言) : 귀가 어두워서 소리를 잘 듣지 못ᄒᆞ고, 또 말을 하지 못하는 병.

닐 거시므로, 출하리 샤인으로뼈 져 발부로 화락ᄒᆞᄂᆞᆫ 일이 업과져, {업과져} 일즉 셜빈다히 말을 구두의 올니디 아니ᄒᆞ더니, 금번은 공의 명으로 셜원각으로 가다가 능히 촘디 못ᄒᆞ여 ᄌᆞ긔 곳의 드러와, 이 ᄀᆞᄐᆞᆫ 거죄 이시믈 보ᄆᆡ, 가장 한심ᄒᆞ여 딘뎍히 몸을 ᄲᆡ히고져 ᄒᆞ나, 샤인의 큰 힘을 엇디 당ᄒᆞ리오. 이의 다ᄃᆞ라ᄂᆞᆫ 마디 못ᄒᆞ여 단슌을 여러 왈,

“군ᄌᆡ 엄명을 밧ᄌᆞ와 계실딘ᄃᆡ, 이의 ᄒᆞᆫ 씌를 디류ᄒᆞ시미 미안ᄒᆞ시거ᄂᆞᆯ, 우용ᄒᆞᆫ 녀ᄌᆡ 비록 군ᄌᆞ의 놉흔 뜻을 영합디 못【32】ᄒᆞ나, 군ᄌᆞᄂᆞᆫ 녀ᄌᆞ의 슈졸암약(守拙闇弱)[1460]ᄒᆞᆫ 허믈을 믈시(勿視)ᄒᆞ시고, 대인의 명을 슌슈ᄒᆞ시ᄂᆞᆫ 거시 인효디도(仁孝之道)의 당연ᄒᆞ시거ᄂᆞᆯ, 엇디 쳡의 블인ᄒᆞ믈 통완(痛惋)ᄒᆞ샤 엄명을 봉힝치 아니시ᄂᆞ니잇가?”

옥셩이 낭낭ᄒᆞ여 금반(金盤)의 명듀(明珠)를 구을니고, 봉음(鳳吟)이 화평ᄒᆞ여 텬디의 화긔를 닐위거ᄂᆞᆯ, 쳐음으로 샤인을 향ᄒᆞ여 말ᄉᆞᆷ을 열ᄆᆡ, 옥면셩모(玉面星眸)의 유연(幽然)ᄒᆞᆫ 슈ᄉᆡᆨ(羞色)을 씌여, 졀승ᄒᆞᆫ ᄐᆡ도와 긔려ᄒᆞᆫ 염광(艷光)이 더옥 비상ᄒᆞ니, 샤인이 황홀경ᄋᆡ○○[ᄒᆞ여] ᄎᆞ마 몸을 니러 날 뜻이 소삭(消索)ᄒᆞ나, 엄친의 강엄ᄒᆞ믈 두리ᄂᆞᆫ 고로 마디 못ᄒᆞ여 다시 옷ᄉᆞᆯ 걸치며, 게을니 니러【33】 왈,

“금야ᄂᆞᆫ 마디 못ᄒᆞ여 셜원각으로 향ᄒᆞ거니와, ᄌᆞᄂᆞᆫ 모로미 옥딜방용(玉質芳容)을 조심ᄒᆞ여 대단ᄒᆞᆫ 질양이나 일우디 말게 ᄒᆞ라.”

언필의 니러 나가며 뎡쇼져의 슈약(瘦弱)ᄒᆞ믈 념녀ᄒᆞ니, 유모 등이 블승감격ᄒᆞ더라. 샤인이 셜빈 군쥬 침소의 드러가 셔로 ᄃᆡᄒᆞᄆᆡ, 셜빈의 샤인을 반기ᄂᆞᆫ 모양을 셩언(成言)ᄒᆞᆯ 거시 업ᄉᆞ나, 샤인은 셜빈의 미우의 등등ᄒᆞᆫ 살긔(殺氣)와 안졍(眼睛)의 음독(陰毒)[1461]ᄒᆞᆫ 빗촐 보면, 심혼이 놀납고 두골

1460)슈졸암약(守拙闇弱) : 옹졸하고 어둡고 약함.
1461)음독(陰毒) : 성질이 음험하고 독함.

시므로, 출하리 ᄉᆞ인으로뼈 져 발부【88】로 화락ᄒᆞᄂᆞᆫ 일이 업과져, 일즉 셜빈의 말을 구두의 올니지 아니ᄒᆞ더니, 금번은 공의 명으로 셜빈각으로 가다가 능히 촘지 못ᄒᆞ여 ᄌᆞ긔 곳의 드러와, 이 ᄀᆞᄐᆞᆫ 거죄 잇시믈 보ᄆᆡ, 가장 한심ᄒᆞ여 진력히 몸을 ᄲᆡ히고져 ᄒᆞ나, ᄉᆞ인의 큰 힘을 엇지 당ᄒᆞ리오. 이의 다다라ᄂᆞᆫ 마지 못ᄒᆞ여 단슌을 녀러 왈,

“군ᄌᆡ 엄명을 밧ᄌᆞ와 계실진ᄃᆡ, 이의 ᄒᆞᆫ 씌를 지류ᄒᆞ시미 미안ᄒᆞ시거ᄂᆞᆯ, 우용ᄒᆞᆫ 녀ᄌᆡ 비록 군ᄌᆞ의 놉흔 뜻을 영합지 못ᄒᆞ나, 군ᄌᆞᄂᆞᆫ 녀ᄌᆞ의 슈졸암○[약](守拙闇弱)[1173]ᄒᆞᆫ 《ᄒᆞ믈‖허믈을》 믈시(勿視)ᄒᆞ시고, 대인의 명을 슌슈ᄒᆞ시ᄂᆞᆫ 거시 인효지도(仁孝之道)의 당연ᄒᆞ시거ᄂᆞᆯ, 엇지 쳡의 불인ᄒᆞ믈 통완(痛惋)ᄒᆞ샤 엄명을 봉힝치 아니시ᄂᆞ니잇가?”

옥셩이 낭낭【89】ᄒᆞ여 금반(金盤)의 명쥬(明珠)를 구을니고, 봉음(鳳吟)이 화평ᄒᆞ여 텬지의 화긔를 일위거ᄂᆞᆯ, 쳐음으로 ᄉᆞ인을 향ᄒᆞ여 말ᄉᆞᆷ을 녈ᄆᆡ, 옥면셩모(玉面星眸)의 유연(幽然)ᄒᆞᆫ 슈ᄉᆡᆨ(羞色)을 씌여, 졀승ᄒᆞᆫ ᄐᆡ도와 긔려ᄒᆞᆫ 념광(艷光)이 더옥 비상ᄒᆞ니, ᄉᆞ인이 황홀경ᄋᆡᄒᆞ여 ᄎᆞ마 몸을 니러 날 뜻이 소삭(消索)ᄒᆞ나, 엄친의 강엄ᄒᆞ믈 두리ᄂᆞᆫ 고로 마지 못ᄒᆞ여 다시 옷ᄉᆞᆯ 걸치며, 게얼니 니러 왈,

“금야ᄂᆞᆫ 마지 못ᄒᆞ여 셜원각으로 향ᄒᆞ거니와, ᄌᆞᄂᆞᆫ 모로미 옥질방용(玉質芳容)을 근심ᄒᆞ여 대단ᄒᆞᆫ 질양이나 일우지 말게 ᄒᆞ라.”

언필의 니러 나가며 뎡소져의 슈약(瘦弱)ᄒᆞ믈 념녀ᄒᆞ니, 유모 등이 불승감격ᄒᆞ더라. ᄉᆞ인이 셜빈 군쥬 침소의 드러가 셔로 ᄃᆡᄒᆞᄆᆡ, 셜빈의 ᄉᆞ【90】인을 반기ᄂᆞᆫ 모양을 셩언(成言)ᄒᆞᆯ 거시 업ᄉᆞ나, ᄉᆞ인은 셜빈의 미우의 등등ᄒᆞᆫ 살긔(殺氣)와 안졍(眼睛)의 음독(陰毒)[1174]ᄒᆞᆫ 빗촐 보면, 심혼이 놀납고

1173)슈졸암약(守拙闇弱) : 옹졸하고 어둡고 약함.
1174)음독(陰毒) : 성질이 음험하고 독함.

이 ᄯᆞᆯ히ᄂᆞᆫ ᄃᆞᆺᄒᆞ여 증분(憎憤)이 극ᄒᆞ니, 어ᄃᆡ로조ᄎᆞ 부부의 은근위곡(慇懃委曲)ᄒᆞᆫ 졍이 나리오. 믁믁히 말을 아니코 늠연뎡좌(凜然正坐)ᄒᆞ엿다가, 야심ᄒᆞᄆᆡ 인ᄒᆞ여 웃옷술 그르【34】고 상요의 나아가ᄃᆡ, 군쥬를 향ᄒᆞ여 힝혀도 누으믈 쳥치 아냐 슈힝ᄒᆞᄂᆞᆫ 군ᄌᆡ 남의 집 규슈를 ᄃᆡᄒᆞᆷ ᄀᆞᄐᆞ니, 군쥐 블 ᄀᆞᄐᆞᆫ 욕심이 측냥 업ᄉᆞᆫ 졍ᄋᆡ(情愛)를 능히 ᄎᆞᆷ디 못ᄒᆞ여, 이날은 샤인이 잠들기를 기다려 스ᄉᆞ로 그 겻ᄐᆡ 나아가, 샤인의 옥비(玉臂)를 어로만져 금니의 ᄒᆞᆫ가디로 누을 ᄯᅳᆺ이 급ᄒᆞ나, 샤인이 금니(衾裏)의 단단이 말니여 ○[시]니 능히 들혈[1462] 길히 업ᄉᆞᆫ디라. 착급초조(着急焦燥)ᄒᆞ믈 마디 아니니, 샤인이 비록 ᄌᆞᄂᆞᆫ ᄃᆞᆺᄒᆞ나 셜원각의 드러오며[면] ᄆᆡ양 계명(鷄鳴)을 졀박히 기다리니, 침슈(寢睡)도 편치 아니ᄆᆡ 다만 눈을 ᄀᆞᆷ아시나 잠든 ᄇᆡ 업ᄉᆞ므로, 군쥬의 간음투【35】악(姦淫妬惡)ᄒᆞᆫ 졍ᄐᆡ를 당ᄒᆞᄆᆡ 믜온 ᄆᆞ음이 블 ᄀᆞᄐᆞᆯ ᄲᅮᆫ 아니라, 본ᄃᆡ 비위 녀ᄌᆞ의 요악ᄒᆞᆫ 거술 ᄎᆞ마 듯디 못ᄒᆞ던디라, ᄎᆞ야의 이 거동을 당ᄒᆞ여 비록 오왕디녀 아냐 황녀라도 분을 ᄎᆞᆷ기 어려온 고로, 짐즛 눈을 ᄀᆞᆷ고 누어 기디개 혀다가, 음녜 ᄌᆞᄀᆡ 낫치 졔 낫출 다히며 ᄌᆞᄀᆡ 손을 단단이 잡아시믈, 잠결의 모로ᄂᆞᆫ 쳬ᄒᆞ고, 우슈(右手)를 ᄲᆡ혀 군쥬의 머리를 ᄲᅳᆯ쥐여 두세 번 벽의 브ᄃᆡ이ᄌᆞ며, 혼ᄌᆞ말로 니르ᄃᆡ,

"이거시 니ᄆᆡ망냥(魑魅魍魎)[1463]이어나[1464] 셔안 우히 므솜 그릇시어나 ᄒᆞᆫ가 시브ᄃᆡ, 엇디 내 낫출 브ᄃᆡ쳐 업ᄃᆡ엿ᄂᆞᆫ고? 가히 측냥치 못ᄒᆞ리로다."

셜빈이 쳔만【36】무심 듕 하샤인의 잡아 브ᄃᆡ잇ᄂᆞᆫ[1465] 환을 당ᄒᆞ여, 두골이 ᄊᆡ여디고 면뫼 상ᄒᆞ여, 혹ᄌᆞ 샤인이 잠결의 아

1462)들혀다 : 들치다. 물건의 한쪽 끝을 쳐들다.
1463)이ᄆᆡ망냥(魑魅魍魎) : 온갖 도깨비. 산천, 목석의 정령에서 생겨난다고 한다. ≒망량.
1464)이어나 : 이거나. '이+어나'의 형태. 즉 서술격 조사 '이다'의 어간 '이'에 선택의 의미를 나타내는 보조사 '어나'가 결합된 형태.
1465)브ᄃᆡ이다 : 부딪다. 부딪치다.

두골이 ᄯᆞᆯ히ᄂᆞᆫ ᄃᆞᆺᄒᆞ여 증분(憎憤)이 극ᄒᆞ니, 어ᄃᆡ로조ᄎᆞ 부부의 은근위곡(慇懃委曲)ᄒᆞᆫ 졍이 나리오. 묵묵히 말을 아니코 늠연졍좌(凜然正坐)ᄒᆞ엿다가, 야심ᄒᆞᄆᆡ 인ᄒᆞ여 웃옷술 그르고 상요의 나아가ᄃᆡ, 군쥬를 향ᄒᆞ여 힝혀도 누으믈 쳥치 아냐, 슈힝ᄒᆞᄂᆞᆫ 군ᄌᆡ 남의 집 규슈를 ᄃᆡᄒᆞᆷ ᄀᆞᄐᆞ니, 군쥐 블 ᄀᆞᄐᆞᆫ 욕심이 측냥 업ᄉᆞᆫ 졍ᄋᆡ(情愛)를 능히 ᄎᆞᆷ지 못ᄒᆞ여, 이날은 ᄉᆞ인이 잠들기를 기ᄃᆞ려 스ᄉᆞ로 그 겻히 나아가, ᄉᆞ인의 옥비를 어로만져 금니의 ᄒᆞᆫ가지로 누을 ᄯᅳᆺ이 급ᄒᆞ나, ᄉᆞ인이 금니의 단단이 말니엿시니, 능히 들【91】혈[1175] 길히 업ᄉᆞᆫ지라. 착급초조(着急焦燥)ᄒᆞ믈 마지 아니니, ᄉᆞ인이 비록 ᄌᆞᄂᆞᆫ ᄃᆞᆺᄒᆞ나 셜원각의 드러오면 ᄆᆡ양 계명(鷄鳴)을 졀박히 기ᄃᆞ리니, 침슈도 편치 아니ᄆᆡ 다만 눈을 감아시나 잠든 ᄇᆡ 업ᄉᆞ므로, 군쥬의 간음투악(姦淫妬惡)ᄒᆞᆫ 졍ᄐᆡ를 당ᄒᆞᄆᆡ, 믜온 마음이 블 ᄀᆞᄐᆞᆯ ᄲᅮᆫ 아니라, 본ᄃᆡ 비위 녀ᄌᆞ의 요악ᄒᆞᆫ 거술 ᄎᆞ마 듯지 못ᄒᆞ던지라. 죵야의 이 거동을 당ᄒᆞ여 비록 오왕의 녀ᄋᆞ 황녀라도 분을 ᄎᆞᆷ기 어려온 고로, 짐즛 눈을 ᄀᆞᆷ고 누어 기지게 혀다가, 음녜 ᄌᆞᄀᆡ 낫치 졔 낫출 다히며 ᄌᆞᄀᆡ 손을 단단이 잡아시믈, 잠결의 모로ᄂᆞᆫ 쳬ᄒᆞ고, 우슈(右手)를 ᄲᆡ혀 군쥬의 머리를 ᄲᅳᆯ쥐여 두세 번 벽의 브ᄃᆡ이ᄌᆞ며, 혼ᄌᆞ말로 니르ᄃᆡ,

"이거시 니ᄆᆡ망냥(魑魅魍魎)[1176]이어나[1177]【92】셔안 우히 므솜 그릇시어나 ᄒᆞᆫ가 시브ᄃᆡ, 엇지 내 낫출 브ᄃᆡ쳐 업ᄃᆡ엿ᄂᆞᆫ고? 가히 측냥치 못ᄒᆞ리로다."

셜빈이 쳔만 무심 즁 하ᄉᆞ인의 잡아 브ᄃᆡ잇ᄂᆞᆫ[1178] 환을 당ᄒᆞ여, 두골이 ᄊᆡ여지고 면뫼 상ᄒᆞ여, 혹ᄌᆞ ᄉᆞ인이 잠결의 아지 못

1175)들혀다 : 들치다. 물건의 한쪽 끝을 쳐들다.
1176)이ᄆᆡ망냥(魑魅魍魎) : 온갖 도깨비. 산천, 목석의 정령에서 생겨난다고 한다. ≒망량.
1177)이어나 : 이거나. '이+어나'의 형태. 즉 서술격 조사 '이다'의 어간 '이'에 선택의 의미를 나타내는 보조사 '어나'가 결합된 형태.
1178)브ᄃᆡ이다 : 부딪다. 부딪치다.

디 못ᄒᆞ고 이리 ᄒᆞ민가, 츰아 소ᄅᆡ도 못ᄒᆞ고, 알프미 간간(懇懇)1466)ᄒᆞ여 ᄋᆡ고 소ᄅᆡ도 ᄂᆡ쳐 못ᄒᆞ고 거의 혼졀ᄒᆞᆯ ᄃᆞᆺ 것구러졋더니, ᄀᆞ장 오란 후 계오 인ᄉᆞ를 출혀 딘딘(津津)이 ᄂᆞ기니, 샤인이 져 소ᄅᆡ를 못 드르미 아니로ᄃᆡ, 오딕 ᄌᆞᄂᆞᆫ 쳬ᄒᆞ다가 계명(鷄鳴)의 춍춍(悤悤)이 나올ᄉᆡ, 셜빈이 금침의 몸을 바려 혼혼이 알ᄂᆞᆫ 소ᄅᆡ 쟝ᄒᆞ나, 굿ᄐᆞ여 뭇디 아니코 나가니, 연상궁이 군듀의 알ᄂᆞᆫ 곳을 뭇다가, 면모와 두골의 상쳐를 보고 대경ᄒᆞ여 연고를 므르니, 셜【37】빈이 비록 졔 일이나 붓그려, 다만 울며 왈,

"작야의 하군의 침금(寢衾)이 버셔졋거ᄂᆞᆯ, 혹ᄌᆞ 바ᄅᆞᆷ이 드러 복통이 날가 근심ᄒᆞ여 침건(寢巾)1467)을 드러 ᄡᅴ오려 ᄒᆞ더니, 하군이 연고 업시 내 머리를 벽샹의 ᄇᆞᄃᆡ이ᄌᆞ며 여ᄎᆞ여ᄎᆞ 니르니, 실노 그 ᄯᅳᆺ을 아디 못ᄒᆞ리로다."

연상궁이 청파의 가ᄉᆞᆷ을 두다려 왈,

"노야의 군쥬 ᄆᆡ워ᄒᆞ시ᄂᆞᆫ ᄆᆞ음이 골돌ᄒᆞ여, 비록 잠 ᄀᆞ온ᄃᆡ라도 군쥬로 아르시고 짐즛 이러ᄐᆞᆺ 듕상케 ᄒᆞ미라. 만일 상쳐를 범연이 두어ᄂᆞᆫ 파상풍(破傷風)이 쉬오니, 약을 급급히 붓치고 이 소유를 본궁의 고ᄒᆞ쇼셔."

셜빈이 져의 듕상ᄒᆞ믈 오왕이 알면 결단ᄒᆞ여【38】잠잠치 아닐 거시오, 하싱이 말을 닷톨 디경은, 졔 낫출 하싱의게 다히고 팔흘 어로만져 손을 잡앗던 일이, 다 하싱의 입으로조ᄎᆞ 드러날 거시므로, 기리 늣겨 왈,

"하군이 날을 ᄆᆡ워ᄒᆞ기 원슈 ᄀᆞᆺᄐᆞ나, 나ᄂᆞᆫ 하군을 히ᄒᆞᆯ 의ᄉᆡ 업ᄉᆞᆯ ᄲᅮᆫ 아니라, 졀노ᄲᅧ 무식박ᄒᆡᆼ(無識薄行)ᄒᆞᄂᆞᆫ 남ᄌᆡ 되고져 아닛ᄂᆞ니, 이런 일을 다 본궁의 고ᄒᆞ여 므엇ᄒᆞ리오. 모로미 상궁은 함인(含忍)1468)ᄒᆞ고 나의 신셰 타일이나 남 ᄀᆞᆺ기를 도모ᄒᆞ라."

1466)간간(懇懇)ᄒᆞ다 : 매우 간절하다.
1467)침건(寢巾) : 남자들이 잠잘 때에 머리가 헝클어지는 것을 막기 위해 머리에 쓰는 모자 따위의 물건.
1468)함인(含忍) : 마음속에 넣어 두고 참음.

ᄒᆞ고 이리 ᄒᆞᆷ인가, 츰아 소ᄅᆡ도 못ᄒᆞ고, 알프미 간간(懇懇)1179)ᄒᆞ여 ᄋᆡ고 소ᄅᆡ도 ᄂᆡ치 못ᄒᆞ고, 거의 혼졀ᄒᆞᆯ ᄃᆞᆺ 것구러졋더니, ᄀᆞ장 오란 후 계오 인ᄉᆞ를 출혀 진진(津津)이 ᄂᆞ기니, ᄉᆞ인이 져 소ᄅᆡ를 못 드르미 아니로ᄃᆡ, 오족 쟈ᄂᆞᆫ 쳬ᄒᆞ다가 계명(鷄鳴)의 총총(悤悤)히 나올ᄉᆡ, 셜빈이 금침의 몸을 ᄇᆞ려 혼혼이 알ᄂᆞᆫ 소ᄅᆡ 쟝ᄒᆞ나, 굿ᄐᆞ여 뭇지 아니코 나가니, 연상궁이 군쥬의 알ᄂᆞᆫ 곳즐 뭇다가, 면모와 두골의 상쳐를 보고 ᄃᆡ경ᄒᆞ여 연고를 므르니, 셜빈【93】이 비록 졔 일이나 붓그려, 다만 울며 왈,

"작야의 하군의 침금(寢衾)이 버셔졋거ᄂᆞᆯ, 혹ᄌᆞ ᄇᆞᄅᆞᆷ이 드러 복통이 날가 근심ᄒᆞ여 침건(寢巾)1180)을 드러 ᄡᅴ오려 ᄒᆞ더니, 하군이 연고 업시 내 머리를 벽샹의 ᄇᆞᄃᆡ이ᄌᆞ며 여ᄎᆞ여ᄎᆞ 니르니, 실노 그 ᄯᅳᆺ슬 아지 못ᄒᆞ리로다."

연상궁이 청파의 가ᄉᆞᆷ을 두ᄃᆞ려 왈,

"노야의 군쥬 ᄆᆡ워ᄒᆞ시ᄂᆞᆫ 마음이 골돌ᄒᆞ여, 비록 잠 ᄀᆞ온ᄃᆡ라도 군쥬로 아르시고 짐즛 이러ᄐᆞᆺ 즁상케 ᄒᆞ미라. 만일 상쳐를 범연이 두어ᄂᆞᆫ 파상풍(破傷風)이 쉬오니, 약을 급급히 붓치고 이 소유를 본궁의 고ᄒᆞ소셔."

셜빈이 져의 즁상ᄒᆞ믈 오왕이 알면 결단ᄒᆞ여 잠잠치 아닐 거시오, 하싱이 말을 닷톨 지경은, 졔 낫출 하싱의게 다히고 팔흘 어로만져 손을 잡앗던 【94】일이, 다 하싱의 입으로조ᄎᆞ 드러날 거시므로, 기리 늣겨 왈,

"하군이 날을 ᄆᆡ워 ᄒᆞ기 원슈 ᄀᆞᆺᄐᆞ나, 나ᄂᆞᆫ 하군을 히ᄒᆞᆯ 의ᄉᆡ 업ᄉᆞᆯ ᄲᅮᆫ 아니라 져로ᄲᅧ 무식박ᄒᆡᆼ(無識薄行)ᄒᆞᄂᆞᆫ 남ᄌᆡ 되고져 아닛ᄂᆞ니, 이런 일을 다 본궁의 고ᄒᆞ여 무엇ᄒᆞ리오. 모로미 상궁은 함잉(含忍)1181)ᄒᆞ고 나의 신셰 타일이나 남 ᄀᆞᆺ기를 도모ᄒᆞ라."

1179)간간(懇懇)ᄒᆞ다 : 매우 간절하다.
1180)침건(寢巾) : 남자들이 잠잘 때에 머리가 헝클어지는 것을 막기 위해 머리에 쓰는 모자 따위의 물건.
1181)함인(含忍) : 마음속에 넣어 두고 참음.

연상궁이 간악ᄒᆞ나 오히려 셜빈의 간교ᄒᆞ믈 ᄌᆞ시 아디 못ᄒᆞᄂᆞᆫ디라. 샤인의 박ᄃᆡ 이심(已甚)ᄒᆞ믈 원한ᄒᆞ고, 군쥬의 상쳐를 근심ᄒᆞ여 즉시 녀의(女醫)를 블너 상쳐를 뵈【39】야 약을 ᄡᆞ미고 티료ᄒᆞ믈 극딘히 ᄒᆞ고, 하공 부부ᄂᆞᆫ 군쥬의 유병ᄒᆞ믈 드르ᄃᆡ 친히 와보디 아냐시므로 그 상쳐를 아디 못ᄒᆞ고, 하공이 샤인을 당부ᄒᆞ여 셜원각 왕ᄂᆡ를 ᄒᆞᆫ갈ᄀᆞᆺ치 ᄒᆞ니, 샤인이 셜빈을 졀박히 증염ᄒᆞ나 부명을 역디 못ᄒᆞ더라.

샤인이 셜빈의 상쳐를 ᄌᆞ로 보나 조금도 놀나디 아냐, ᄆᆡ양 ᄒᆡᆼ노(行路) 보 ᄃᆞᆺᄒᆞ니, 일야ᄂᆞᆫ 셜빈이 ᄡᅦ여딘 머리를 동히고 웃쳐딘 낫치 약을 바르고, 알픈 거ᄉᆞᆯ 강인ᄒᆞ여 니러 안ᄌᆞ, 샤인을 향ᄒᆞ여 눈을 독히 ᄯᅳ고 녀셩(厲聲) 왈.

“쳡슈블민(妾雖不敏)이나 황가디엽(皇家枝葉)으로 쳔승(千乘)의 일(一) 군쥐(郡主)라. ᄉᆡᆼ댱부귀호치(生長富貴豪侈)ᄒᆞ여 셰샹 괴로온 근심을 아디【40】못ᄒᆞ며, ᄉᆞ름의 염박(厭薄)ᄒᆞ믈 보디 아녓더니, 존문의 쇽현(續絃)ᄒᆞ므로브터, 샹하노쇼(上下老少)의 박졀ᄒᆞ믈 당ᄒᆞ고, 군ᄌᆞ의 블관이 녁이믄 ᄒᆡᆼ노의 더으니, 아디 못게라, 쳡이 므슴 죄 잇관ᄃᆡ 믜워ᄒᆞ미 원슈 ᄀᆞᆺᄐᆞ뇨? ᄒᆞ믈며 쳡의 두골과 면모를 상ᄒᆞ미 군ᄌᆞ의 모딘 슈단이라. 식니댱부(識理丈夫)로 ᄎᆞ마 엇디 조강디쳐(糟糠之妻)[1469]를 이ᄃᆡ도록 상히와 목젼(目前)의 죽으믈 보고져 ᄒᆞᄂᆞ뇨? 쳡이 발셔 함분잉통(含憤忍痛)ᄒᆞ연 디 일월이 오ᄅᆡ니, 군ᄌᆡ 출하리 ᄒᆞᆫ 말의 결단을 두어 뎡녀 요믈노뼈 원비를 삼아 쾌락ᄒᆞ고, 쳡으로 부부디의(夫婦之義)를 두디 말고 본궁으로 도라 보ᄂᆡ면, 부왕과 모비를 뫼셔 일ᄉᆡᆼ을 유발【41】승(有髮僧)[1470]이 되고져 ᄒᆞᄂᆞ니 일언의 결단ᄒᆞ라.”

하샤인이 부명으로 마디 못ᄒᆞ여 셜원각의

1469)조강디쳐(糟糠之妻) : 지게미와 쌀겨로 끼니를 이을 때의 아내라는 뜻으로, 몹시 가난하고 천할 때에 고생을 함께 겪어 온 아내를 이르는 말. ≪후한서≫의 <송홍전(宋弘傳)>에 나오는 말이다.

1470)유발승(有髮僧) : 머리를 깎지 않은 중.

연상궁이 간악ᄒᆞ나 오히려 셜빈의 간교ᄒᆞ믈 ᄌᆞ시 아지 못ᄒᆞᄂᆞᆫ지라. ᄉᆞ인의 박ᄃᆡ 이심(已甚)ᄒᆞ믈 원한ᄒᆞ고, 군쥬의 상쳐를 근심ᄒᆞ여 즉시 녀의(女醫)를 블너 상쳐를 뵈야 약을 ᄡᆞ미고 치료ᄒᆞ믈 극진히 ᄒᆞ고, 하공 부부ᄂᆞᆫ 군쥬의 유병ᄒᆞ믈 드르ᄃᆡ 친히 와 보지 아냐시므로 그 상쳐를 아지 못ᄒᆞ고, 하공이 ᄉᆞ인을 당부ᄒᆞ여 셜원각 왕ᄂᆡ를【95】 ᄒᆞᆫ갈ᄀᆞᆺ치 ᄒᆞ니, ᄉᆞ인이 셜빈을 박졀히 증염ᄒᆞ나 부명을 녁지 못ᄒᆞ더라.

ᄉᆞ인이 셜빈의 상쳐를 ᄌᆞ로 보나 조금도 놀나지 아냐 ᄆᆡ양 ᄒᆡᆼ노 보ᄃᆞᆺᄒᆞ니, 일야ᄂᆞᆫ 셜빈이 ᄡᅦ여진 머리를 동히고 웃쳐진 낫치 약을 바르고, 알픈 거ᄉᆞᆯ 강잉ᄒᆞ여 니러 안ᄌᆞ ᄉᆞ인을 향ᄒᆞ여 눈을 독히 ᄯᅳ고 녀셩(厲聲) 왈,

“쳡슈블민(妾雖不敏)이나 황가지엽(皇家枝葉)으로 쳔승(千乘)의 일 군쥐(郡主)라. ᄉᆡᆼ장부귀호치(生長富貴豪侈)ᄒᆞ여 셰샹 괴로온 근심을 아지 못ᄒᆞ며, 샤름의 념박(厭薄)ᄒᆞ믈 보지 아녓더니, 존문의 속현ᄒᆞ므로브터 샹하노소의 박졀ᄒᆞ믈 당ᄒᆞ고, 군ᄌᆞ의 불관이 녁이믄 ᄒᆡᆼ노의 더으니, 아지 못게라 쳡이 무슴 죄 잇관ᄃᆡ 나를 믜워ᄒᆞ미 원슈 ᄀᆞᆺᄐᆞ뇨? ᄒᆞ믈며 쳡의 두골과 면모를 샹ᄒᆞ【96】미 군ᄌᆞ의 모진 슈단이라. 식니장부(識理丈夫)로 ᄎᆞ마 엇지 조강지쳐(糟糠之妻)[1182]를 이ᄃᆡ도록 상히와 목젼의 죽으믈 보고져 ᄒᆞᄂᆞ뇨? 쳡이 발셔 ᄒᆞᆷ분잉통(含憤忍痛)ᄒᆞ연 지 일월이 오ᄅᆡ니, 군ᄌᆡ 출하리 ᄒᆞᆫ 말의 결단을 두어 뎡녀 요믈노뼈 원비를 삼아 쾌락ᄒᆞ고, 쳡으로 부부지의(夫婦之義)를 두지 말고 본궁으로 도라 보ᄂᆡ면, 부왕과 모비를 뫼셔 일ᄉᆡᆼ을 유발승(有髮僧)[1183]이 되고져 ᄒᆞᄂᆞ니 일언의 결단ᄒᆞ라.”

하ᄉᆞ인이 부명으로 마지 못ᄒᆞ여 셜원각의

1182)조강지쳐(糟糠之妻) : 지게미와 쌀겨로 끼니를 이을 때의 아내라는 뜻으로, 몹시 가난하고 천할 때에 고생을 함께 겪어 온 아내를 이르는 말. ≪후한서≫의 <송홍전(宋弘傳)>에 나오는 말이다.

1183)유발승(有髮僧) : 머리를 깎지 않은 중.

드러오나, 엇디 그 요악살셩(妖惡殺性)[1471] 을 몽니(夢裏)의나 보고져 ᄒᆞ리오마ᄂᆞᆫ, 념치상딘(廉恥喪盡)ᄒᆞᆫ 요악발뷔(妖惡潑婦) 오히려 샤인의 쳘셕 ᄀᆞᆺᄐᆞᆫ ᄆᆞᄋᆞᆷ을 치 아디 못ᄒᆞ고, 셰엄을 ᄌᆞ랑ᄒᆞ여 일분이나 가부를 후리잡고져 ᄒᆞᄂᆞᆫ디라. 샤인이 쳥미(聽未)의 심쾌블니 ᄃᆞᆺᄒᆞᄃᆡ, ᄯᅩᄒᆞᆫ ᄎᆞᆷ기를 만히 ᄒᆞ여, ᄂᆡᆼ쇼 왈,

"나 하ᄌᆞ슌의 셩졍이 본ᄃᆡ ᄋᆞ녀ᄌᆞ로 더브러 다셜(多說)ᄒᆞ기를 괴로이 녁이ᄂᆞᆫ 고로, 군쥬를 취ᄒᆞ연 디 슈년의 오히려 언어를 문답디 아녓더니, 금야ᄂᆞᆫ 군쥐 ᄉᆞᄉᆞ로 젼단ᄌᆡᆼ힐(戰端爭詰)[1472]ᄒᆞᆯ 긔틀을 ᄉᆡᆼ각ᄒᆞ여, 괴이ᄒᆞᆫ 말ᄉᆞᆷ을 만히 ᄒᆞ시니, 【42】 ᄉᆡᆼ의 ᄆᆞᄋᆞᆷ의 일변 긔괴(奇怪)ᄒᆞ고 일변 가쇼(可笑)로와 ᄒᆞᄂᆞ니, 군쥬ᄂᆞᆫ 존귀ᄒᆞ시거니와 ᄯᅩ 하ᄌᆞ슌의 말을 드러보라. ᄉᆡᆼ의 집이 본ᄃᆡ 화가여ᄉᆡᆼ(禍家餘生)으로 쥬야 긍긍업업(兢兢業業)ᄒᆞᄂᆞᆫ 의ᄉᆡᆨ 이시니, 엇디 부귀영화를 구ᄒᆞ리오마ᄂᆞᆫ, 녕엄 뎐ᄒᆡ ᄉᆡᆼ의 흰 낫과 븕은 입을 과ᄋᆡᄒᆞ여 동상(東床)을 갈구(渴求)ᄒᆞ시니, 가친이 즐겨 아니시ᄃᆡ 위셰로 구혼ᄒᆞᄆᆞᆯ 당ᄒᆞ여 능히 믈니칠 도리 업ᄉᆞᆫ 고로, 텬만 브득이 허혼ᄒᆞ고, ᄉᆡᆼ이 군쥬를 마ᄌᆞ 도라오ᄆᆡ 그 ᄢᆡ 내 나히 계오 이뉵이 디나시니, 고인(古人)의 유취(有娶)ᄒᆞᆯ 년긔 머러실 ᄲᅮᆫ 아니라, 뎡시 ᄋᆞ시뎡약(兒時定約)으로 냥개 각각 ᄌᆞ라기를 기다리니, 엇디 그 ᄉᆞ이의 군쥬를 몬져 취ᄒᆞᆯ 줄이야 ᄯᅳᆺᄒᆞ여시리 【43】 오. 이러므로 ᄉᆡᆼ이 군쥬를 원비(元妃)로 알미 업셔, ᄒᆞ나흔 몬져 뎡혼(定婚)ᄒᆞ고 ᄒᆞ나흔 몬져 취(娶)ᄒᆞ니, 그 존비(尊卑)를 의논ᄒᆞᆯ 거시 업거ᄂᆞᆯ, 굿ᄐᆡ여 염박ᄒᆞ미 업ᄉᆞᄃᆡ, 쟝뷔 공교히 말을 ᄭᅮ미디 아닛ᄂᆞ니, 뎡시의 용화긔딜이 군쥬의 십ᄇᆡ 나으미 잇ᄂᆞᆫ 고로, 은ᄋᆡ 닛글니믄 딘실노 금치 못ᄒᆞᄂᆞᆫ디라. 군쥐 이를 ᄉᆡ긔ᄒᆞ거든 금일이라도 본궁으로 도라

1471)요악살셩(妖惡殺性) : 요악하고 살기(殺氣)를 품은 성품.

1472)젼단ᄌᆡᆼ힐(戰端爭詰) : 싸움의 실마리를 만들어 다툼.

드러오나, 엇지 그 요악살셩(妖惡殺性)[1184] 을 몽니의나 보고져 ᄒᆞ리오마ᄂᆞᆫ, 념치상진(廉恥喪盡)ᄒᆞᆫ 요악발뷔(妖惡潑婦) 오히려 ᄉᆞ인의 쳘셕 ᄀᆞᆺᄐᆞᆫ 마음을 치 아지 못ᄒᆞ고, 셰엄을 ᄌᆞ랑ᄒᆞ여 일분이나 가부를 후리잡고져 ᄒᆞᄂᆞᆫ지라. ᄉᆞ인이 쳥미필의 심쾌 【97】 불니듯ᄒᆞᄃᆡ ᄯᅩᄒᆞᆫ ᄎᆞᆷ기를 만히 ᄒᆞ여 ᄂᆡᆼ소 왈,

"《하ᄌᆞ슌 나‖나 하ᄌᆞ슌》의 셩졍이 본ᄃᆡ ᄋᆞ녀ᄌᆞ로 더브러 다셜ᄒᆞ기를 괴로이 녁이ᄂᆞᆫ 고로, 군쥬를 취ᄒᆞ연 지 슈년의 오히려 언어를 문답지 아녓더니, 금야ᄂᆞᆫ 군쥐 ᄉᆞᄉᆞ로 젼단ᄌᆡᆼ힐(戰端爭詰)[1185]ᄒᆞᆯ 긔틀을 ᄉᆡᆼ각ᄒᆞ여, 괴이ᄒᆞᆫ 말ᄉᆞᆷ을 만히 ᄒᆞ시니, ᄉᆡᆼ의 마음의 일변 긔괴(奇怪)ᄒᆞ고 일변 가소(可笑)로와 ᄒᆞᄂᆞ니, 군쥬ᄂᆞᆫ 존귀ᄒᆞ시거니와 ᄯᅩ 하ᄌᆞ슌의 말을 드러보라. ᄉᆡᆼ의 집이 본ᄃᆡ 화가여ᄉᆡᆼ(禍家餘生)으로 쥬야 긍긍업업(兢兢業業)ᄒᆞᄂᆞᆫ 의ᄉᆡᆨ 잇시니, 엇지 부귀영화를 구ᄒᆞ리오마ᄂᆞᆫ, 녕엄 뎐ᄒᆡ ᄉᆡᆼ의 흰 낫과 븕은 닙을 과ᄋᆡᄒᆞ여 동상(東床)을 갈구(渴求)ᄒᆞ시니, 가친이 즐겨 아니시ᄃᆡ 위셰로 구혼ᄒᆞᄆᆞᆯ 당ᄒᆞ여 능히 믈니칠 도리 업ᄉᆞᆫ 고로, 【98】 쳔만 부득이 허혼ᄒᆞ고 ᄉᆡᆼ이 군쥬를 마ᄌᆞ 도라오ᄆᆡ, 그 ᄢᆡ 내 나히 계오 이륙이 지나시니, 고인(古人)의 유취(有娶)ᄒᆞᆯ 년긔 머러실 ᄲᅮᆫ 아니라, 뎡씨 ᄋᆞ시졍약(兒時定約으로 냥개 각각 ᄌᆞ라기를 기ᄃᆞ리니, 엇지 그 ᄉᆞ이의 군쥬를 몬져 취ᄒᆞᆯ 줄이야 ᄯᅳᆺᄒᆞ엿시리오. 이러므로 ᄉᆡᆼ이 군쥬를 원비로 알미 업셔 ᄒᆞ나흔 몬져 졍혼ᄒᆞ고, ᄒᆞ나흔 몬져 취ᄒᆞ니 그 존비를 의논ᄒᆞᆯ 거시 업거ᄂᆞᆯ, 굿ᄐᆡ여 념박ᄒᆞ미 업ᄉᆞᄃᆡ, 쟝뷔 공교히 말을 ᄭᅮ미지 아닛ᄂᆞ니, 뎡씨의 용화긔질이 군쥬와[의] 십ᄇᆡ 나으미 잇ᄂᆞᆫ 고로, 은ᄋᆡ 닛글니믄 진실노 금치 못ᄒᆞᄂᆞᆫ지라. 군쥐 이를 ᄉᆡ긔ᄒᆞ거든 금일이라도 본궁으로 도라가

1184)요악살셩(妖惡殺性) : 요악하고 살기(殺氣)를 품은 성품.

1185)젼단ᄌᆡᆼ힐(戰端爭詰) : 싸움의 실마리를 만들어 다툼.

가나 뉘 막ᄌᆞ르리오. 힝디거춰(行止去就)[1473]를 스ᄉᆞ로 혜아려 임의 ᄒᆞᆯ 빅니, 싱다려 결단ᄒᆞ라 ᄒᆞ미 괴이ᄒᆞ고, 군쥬의 두골과 면모를 날다려 상히오다 ᄒᆞ믄 더옥 의외라. 싱이 비록 무디블식(無知不識)ᄒᆞ나 뎡실을 구타치 못ᄒᆞᆯ 줄은 거의 아ᄂᆞ니, 군쥬를 므슴 연고로 져ᄀᆞ치 【44】 상히오리오. 이는 삼쳑동(三尺童)도 고디드를 니 업술가 ᄒᆞ노라."

언파의 믁믁ᄒᆞᆫ 미우의 셜풍이 늠늠ᄒᆞ여 참엄ᄒᆞᆫ 긔운이 한텬(寒天) ᄀᆞᄐᆞᆫ디라. 군쥐 독ᄒᆞᆫ 분을 춥디 못ᄒᆞ여 다시 소릐를 놉혀 왈,

"뎡가의 셰권이 당시 무빵이라. 텬ᄌᆞ를 업누로는 셰엄이 이시니, 군지 뎡시 알믈 만승공쥬(萬乘公主)[1474]와 다르미 업ᄉᆞ려니와, 권셰를 븟조ᄎᆞ 뎡가 요믈을 침혹ᄒᆞ고 조강을 박ᄃᆡ 틱심ᄒᆞ믄, 오라디 아냐 망신멸족디화(亡身滅族之禍)를 《브르시나 ‖ 브를 거시니》 녕션형(令先兄) 삼인은 오히려 머리를 보젼ᄒᆞ엿거니와, 군지 맛춤닉 뎡가를 우럴미 ᄒᆞᆫ갈 ᄀᆞᄐᆞᆯ딘ᄃᆡ 참측ᄒᆞᆫ 변을 당ᄒᆞ리니, 모로미 조심 근힝(謹行)ᄒᆞ라."

샤인이 ᄎᆞ언을 드르ᄆᆡ 노긔 빅 【45】 장이나 ᄒᆞᄃᆡ, 간ᄃᆡ로 사ᄅᆞᆷ을 죽이디 못ᄒᆞ여 즉시 외당의 나와, 연상궁과 시녀 십여 인을 엄형듕타(嚴刑重打)ᄒᆞ여 분을 플고, 이후는 다시 셜원각의 드러가디 아니ᄒᆞ더니, 신년이 다ᄃᆞᆺ는 고로, 초공 형데 ᄆᆡ양 돌녀가며 션능(先陵)의 빅알ᄒᆞ라 소쥐로 가더니, ○…결락11자…○[금년은 샤인이 나려가므로], 셜빈이 샤인으로 징젼(爭戰) ᄉᆞ오일이 못ᄒᆞ여 소쥐로 나려가, 슈월을 보디 못ᄒᆞ고, 상궁 등의 듕타ᄒᆞ믈 깁히 원한ᄒᆞ나, 셜분ᄒᆞᆯ 곳이 업셔 뎡쇼져 히ᄒᆞᆯ 의ᄉᆡ 일일층가ᄒᆞᄃᆡ, 묘홰 ᄆᆡ양 츈말을 기다리고 급히 셔도디 말나 ᄒᆞ는 고로, 셜빈이 츔기를 위쥬ᄒᆞ나, 뎡

나 뉘 막ᄌᆞ르리오. 힝지거춰(行止去就)[1186]를 스ᄉᆞ로 혜아려 임의로 ᄒᆞ실 빅니, 싱다려 결단ᄒᆞ라 ᄒᆞ 【99】 미 괴이ᄒᆞ고, 군쥬의 두골과 면모를 날ᄃᆞ려 상히오다 원망ᄒᆞ믄 더욱 의외라. 싱이 비록 무지블식(無知不識)ᄒᆞ나 졍실을 구타치 못ᄒᆞᆯ 줄은 거의 아ᄂᆞ니, 군쥬를 무슴 연고로 져ᄀᆞ치 상히오리오. 이는 삼쳑동(三尺童)도 고지드를 니 업술가 ᄒᆞ노라."

언파의 묵묵ᄒᆞᆫ 미우의 셜풍이 늠늠ᄒᆞ여 참엄ᄒᆞᆫ 긔운이 한텬(寒天) ᄀᆞᄐᆞᆫ지라. 군쥐 독ᄒᆞᆫ 분을 참지 못ᄒᆞ여 다시 소릐를 놉혀 왈,

"뎡가의 셰권이 당시무빵이라. 텬ᄌᆞ를 업누르는 셰엄이 잇시니 군지 뎡씨 알믈 만승공쥬(萬乘公主)[1187]와 다르미 업ᄉᆞ려니와, 권셰를 븟조ᄎᆞ 뎡가 요믈을 침혹ᄒᆞ고 조강을 박ᄃᆡ 틱심ᄒᆞ믄, 오릐지 아냐 망신멸족지화(亡身滅族之禍)를 《부르시나 ‖ 부를 거시니》, 녕션형(令先兄) 삼인은 오히려 머 【100】 리를 보젼ᄒᆞ엿거니와, 군지 맛춤닉 뎡가를 우럴미 ᄒᆞᆫ갈 ᄀᆞᄐᆞᆯ진ᄃᆡ 참측ᄒᆞᆫ 변을 당ᄒᆞ리니, 모로미 조심 근힝(謹行) ᄒᆞ라."

ᄉᆞ인이 ᄎᆞ언을 드르ᄆᆡ 노긔 빅장이나 ᄒᆞᄃᆡ, 간ᄃᆡ로 샤ᄅᆞᆷ을 죽이지 못ᄒᆞ여 즉시 외당의 나와, 연상궁과 시녀 십여 인을 엄형즁타(嚴刑重打)ᄒᆞ여 분을 풀고, 이후는 다시 셜원각의 드러가지 아니ᄒᆞ더니, 신년이 다ᄃᆞᆺ는 고로, 초공 형데 ᄆᆡ양 돌녀가며 션능의 빅알ᄒᆞ라 소쥐로 가더니, ○…결락11자…○[금년은 ᄉᆞ인이 나려가므로], 셜빈이 ᄉᆞ인으로 징젼 ᄉᆞ오 일이 못ᄒᆞ여 소쥐로 나려 가, 슈월을 보지 못ᄒᆞ고, 상궁 등의 즁트ᄒᆞ믈 깁히 원한ᄒᆞ나 셜분ᄒᆞᆯ 곳이 업셔, 뎡소져 히ᄒᆞᆯ 의ᄉᆡ 일일 층가ᄒᆞᄃᆡ, 묘홰 ᄆᆡ양 츈말을 기다리고 급히 셔드지 말나 ᄒᆞ는 고로, 셜빈이 【101】 츔기를 위쥬ᄒᆞ나, 뎡

1473)힝디거취(行止去就) : 행하고 머물며 가고 다니고 하는 모든 움직임.

1474)만승공쥬(萬乘公主) : 황제의 딸. 만승(萬乘)은 황제를 뜻한다.

1186)힝디거취(行止去就) : 행하고 머물며 가고 다니고 하는 모든 움직임.

1187)만승공쥬(萬乘公主) : 황제의 딸. 만승(萬乘)은 황제를 뜻한다.

시 잉틱 분명ᄒᆞ믈 ᄆᆡ이 넉여 날마다 악언이 비홀 ᄃᆡ 업더라.

어시의 뎡쇼졔 병셰 날노 더ᄒᆞ여【46】 상요의 ᄯᅥ나디 못ᄒᆞ니, ᄎᆞ시 잉틱 칠삭이라. 냥가 부뫼 비로소 알고 두굿기미 비홀 ᄃᆡ 업고 일변 근심ᄒᆞ더니, 샤인이 도라와 부모긔 ᄇᆡ알ᄒᆞ고 동긔로 반기며, 뎡시의 질양(疾恙)을 근심ᄒᆞ고, 샤군찰임(事君察任)과 봉친ᄃᆡᄀᆡᆨ(奉親待客) 여가의ᄂᆞᆫ 쥬야 틈을 어더 봉월각의 드러가 쇼져의 병을 구호ᄒᆞ며, 그 아ᄐᆡ(雅態)를 황홀ᄒᆞ여 여텬디무궁(如天地無窮)[1475]ᄒᆞᆫ 졍이 ᄇᆡᆨ년(百年)[1476]이 브족ᄒᆞᆫ디라. 하공 부뷔 그 ᄋᆞᄃᆞᆯ의 부뷔 상뎍ᄒᆞ믈 두굿기ᄃᆡ, 그 ᄋᆡ증이 편벽ᄒᆞ여 셜빈을 박ᄃᆡᄒᆞ미 졈졈 더ᄒᆞ고, 셜빈의 원망이 블 니 ᄃᆞᆺᄒᆞ거ᄂᆞᆯ, 오왕의 너르디 못ᄒᆞ미 셜빈의 간험ᄒᆞ믄 ᄎᆡ 아디 못ᄒᆞ고, ᄆᆡ양 하공 부ᄌᆞ를 미온ᄒᆞ여, 오왕비 됴부【47】인긔 만단 셜화로 셔간을 붓쳐, ᄯᆞᆯ을 하부 일문이 연고 업시 즐욕ᄒᆞ고, 샤인의 박ᄃᆡ능경이 상님쳔인(桑林賤人)[1477] ᄀᆞᆺᄐᆞ믈 분완(憤惋)ᄒᆞᄂᆞᆫ 말ᄉᆞᆷ이, 드르며 보ᄂᆞᆫ ᄌᆞ로 ᄒᆞ여금 ᄀᆞ장 편치 아닐디라. 됴부인이 ᄎᆞᄉᆞ를 공긔 젼ᄒᆞ고 기리 탄왈,

"원챵의 군쥬 박ᄃᆡᄒᆞ미 이심(已甚)커니와, 오궁의셔 궁녀의 와젼(訛傳)을 고디듯고 이리 ᄒᆞ니, 녜ᄉᆞ 인친과 달나 황가의 위셰를 가져시니, 엇디 블힝코 졀박디 아니리오."

하공 왈,

"근간 원창이 괴이ᄒᆞ여 내 아모리 엄칙(嚴責)ᄒᆞ여도, 내 알패셔ᄂᆞᆫ 승슌ᄒᆞᄂᆞᆫ ᄃᆞᆺᄒᆞ다가도 거름을 두로혀면 바로 봉월각으로 가니, 경계ᄒᆞ미 거ᄌᆞᆺ 거시라. 마디못ᄒᆞ여 듕장을 더ᄒᆞ여 그 죄를 다ᄉᆞ릴 밧 다【48】른 모칙이 업도다."

부인이 빈미(嚬眉) ᄃᆡ왈,

1475)여텬디무궁(如天地無窮) : 하늘과 땅처럼 끝이 없이 넓고 큼.

1476)ᄇᆡᆨ년(百年) : 옛 사람들이 생각했던 인간의 한계수명(限界壽命).

1477)상님쳔인(桑林賤人) : 뽕밭에서 뽕잎을 따는 평민이나 천민 계층의 부녀자를 이름.

�

씨 잉틱 분명ᄒᆞ믈 ᄆᆡ이 넉여 날마다 악언이 비홀 ᄃᆡ 업더라.

어시의 뎡소졔 병셰 날노 더ᄒᆞ여 상요의 ᄯᅥᄂᆞ지 못ᄒᆞ니, ᄎᆞ시 잉틱 칠삭이라. 냥가 부뫼 비로소 알고 두굿기미 비홀 ᄃᆡ 업고, 일변 근심ᄒᆞ더니, ᄉᆞ인이 도라와 부모긔 ᄇᆡ알ᄒᆞ고 동긔로 반기며, 뎡씨의 질양(疾恙)을 근심ᄒᆞ고, ᄉᆞ군찰임(事君察任)과 봉친ᄃᆡᄀᆡᆨ(奉親待客) 여가의ᄂᆞᆫ 쥬야 틈을 어더 봉월각의 드러가 소져의 병을 구호ᄒᆞ며, 그 아ᄐᆡ(雅態)를 황홀ᄒᆞ여 여텬지무궁(如天地無窮)[1188]ᄒᆞᆫ 졍이 ᄇᆡᆨ년(百年)[1189]이 부족ᄒᆞᆫ지라. 하공 부뷔 그 ᄋᆞᄃᆞᆯ의 부뷔 상젹ᄒᆞ믈 두굿기ᄃᆡ, 그 ᄋᆡ증이 편벽ᄒᆞ여 셜빈을 박ᄃᆡᄒᆞ미 졈졈 더ᄒᆞ고, 셜빈의 원망이 블 니ᄃᆞᆺᄒᆞ거ᄂᆞᆯ, 오왕의 너르지 못ᄒᆞ미 셜빈의【102】간험ᄒᆞ믄 ᄎᆡ 아지 못ᄒᆞ고, ᄆᆡ양 하공 부ᄌᆞ를 미온ᄒᆞ여, 오왕비 조부인긔 만단 셜화로 셔간을 붓쳐, ᄯᆞᆯ을 하부 일문이 연고 업시 즐욕ᄒᆞ고, ᄉᆞ인의 박ᄃᆡ능경이 상님쳔인(桑林賤人)[1190] ᄀᆞᆺᄐᆞ믈 분완ᄒᆞᄂᆞᆫ 말ᄉᆞᆷ이, 드르며 보ᄂᆞᆫ ᄌᆞ로 ᄒᆞ야곰 ᄀᆞ장 편치 아닐지라. 조부인이 ᄎᆞᄉᆞ를 공긔 젼ᄒᆞ고, 기리 탄왈,

"원챵의 군쥬 박ᄃᆡᄒᆞ미 이심(已甚)커니와, 오궁의셔 궁녀의 와젼을 고지듯고 이리 ᄒᆞ니, 녜ᄉᆞ 닌친과 달나 황가의 위셰를 가졋시니, 엇지 블평코 졀박지 아니리오."

하공 왈,

"근간 원창이 괴이ᄒᆞ여 내 아모리 엄칙ᄒᆞ여도, 내 알ᄑᆡ셔ᄂᆞᆫ 승슌ᄒᆞᄂᆞᆫ ᄃᆞᆺᄒᆞ다가도, 거름을 두로혀면 바로 봉월각으로 가니, 경계ᄒᆞ미 거ᄌᆞᆺ 거시라. 마지못ᄒᆞ여 즁장을【103】 더ᄒᆞ여 그 죄를 다ᄉᆞ릴 밧 다른 모칙이 업도다"

부인이 빈미(嚬眉) ᄃᆡ왈,

1188)여텬디무궁(如天地無窮) : 하늘과 땅처럼 끝이 없이 넓고 큼.

1189)ᄇᆡᆨ년(百年) : 옛 사람들이 생각했던 인간의 한계수명(限界壽命).

1190)상님쳔인(桑林賤人) : 뽕밭에서 뽕잎을 따는 평민이나 천민 계층의 부녀자를 이름.

"명공은 ᄆᆡ양 ᄌᆞ식을 듕장을 더ᄒᆞᆯ딘ᄃᆡ 그 몸이 상치 아니리오. ᄒᆞ믈며 견일 듕쟝을 바다 누월 신고ᄒᆞ미 잇던 거시니, 이졔ᄂᆞᆫ 그 ᄀᆞᆺ튼 듕장을 더으디 마르쇼셔."

하공이 탄왈,

"ᄂᆡᆫ들 ᄌᆞ식을 엇디 혈육이 상ᄒᆞ믈 보고져 ᄒᆞ리오마ᄂᆞᆫ, 원광·원상·원필은 희미ᄒᆞᆫ ᄐᆡ벌도 더은 일이 업ᄉᆞᄃᆡ, 원챵의 다ᄃᆞ라ᄂᆞᆫ 내 말노 닐너 효험이 업ᄉᆞ니, 마디 못ᄒᆞ여 장칙을 더으고져 ᄒᆞ미로소이다."

ᄎᆞ야의 시녀를 명ᄒᆞ여 샤인 침구를 옴겨 셜원각으로 드러가라 ᄒᆞ니, 샤인이 비록 침구를 드려 보ᄂᆡ나, ᄌᆞ긔ᄂᆞᆫ 봉월각의 와 밤을 디ᄂᆡ니, 명됴【49】의 하공이 샤인의 셜각의 드러가디 아니믈 알고 대로ᄒᆞ여, ᄇᆡᆨ일경의 나와 샤인을 계하의 ᄭᅮᆯ니고 슈죄ᄒᆞᆫ 후 ᄉᆞ십 장을 듕타ᄒᆞᄆᆡ, 둔육(臀肉)이 후란(朽爛)ᄒᆞ고 셩혈(腥血)이 낭ᄌᆞᄒᆞ기의 밋ᄎᆞ니, 초공과 한님이 비러 계오 긋치나, 하공이 크게 하령ᄒᆞ여 쟝쳬 낫기 젼 셜원각의 드러가라 ᄒᆞᄃᆡ, 샤인이 ᄯᅩᄒᆞᆫ 고집을 발ᄒᆞ여 죽기를 그음ᄒᆞᆯ디언경 셜빈은 다시 ᄃᆡ치 아니려 뎡ᄒᆞ엿ᄂᆞᆫ디라. 슈일을 외루의셔 됴리ᄒᆞ다가, 뎡쇼져 ᄉᆞ상ᄒᆞᄂᆞᆫ 졍이 간졀ᄒᆞ여 발이 ᄌᆞ연 봉월각의 니르니, 뎡쇼졔 ᄯᅩᄒᆞᆫ 무ᄉᆞ무려히 일월을 보ᄂᆡ나, 가뷔 ᄌᆞ긔를 일편되이 침【50】혹ᄒᆞ고, 셜빈을 이심(已甚)히 박ᄃᆡᄒᆞ믈 인ᄒᆞ여 엄하의 듕쟝 바드믈 드르니, 엇디 안안(晏晏)ᄒᆞᆯ[1478] 니 이시리오. ᄒᆞ믈며 ᄌᆞ긔 얼골을 미혼 젼 하ᄉᆡᆼ의 본 ᄇᆡ 되여 상ᄉᆞ디딜(相思之疾)○[을] 닐위고, 괴이ᄒᆞᆫ 셔간이 잇던 바를 쥬야 신누(身累)를 삼아, 가부의 은통을 딘졍 블열ᄒᆞᄃᆡ ᄉᆞᄉᆡᆨᄒᆞ미 업더니, 이날 ᄯᅩ 샤인이 {ᄯᅩ} 드러오ᄆᆡ, 뎡시 블○[평]코 졀민ᄒᆞ여 ᄒᆞᄃᆡ, ᄌᆞ긔 슌셜이 무익ᄒᆞ믈 ᄉᆡᆼ각ᄒᆞ여 ᄒᆞᆫ 말을 아니ᄒᆞ더니, 밤을 당ᄒᆞ여 상요의 나아가기의 님ᄒᆞ여ᄂᆞᆫ, 뎡시 딜양이 비경(非輕)ᄒᆞ믈 일ᄏᆞ라 각침각와(各寢各臥)[1479]ᄒᆞ믈 간졀이 쳥ᄒᆞᄃᆡ, 샤인이 회

1478)안안(晏晏)ᄒᆞ다 : 안안(晏晏)하다. 즐겁고 화평하다.

"명공은 ᄆᆡ양 《근심∥즁쟝》을 더ᄒᆞᆯ진ᄃᆡ 그 몸이 상치 아니리오. ᄒᆞ믈며 젼일 즁장을 바다 누월 신고ᄒᆞ미 잇던 거시니, 이졔ᄂᆞᆫ 그 ᄀᆞᆺ튼 즁장을 더으지 마르소셔."

하공이 탄왈,

"ᄂᆡᆫ들 ᄌᆞ식을 엇지 혈육이 상ᄒᆞ믈 보고져 ᄒᆞ리오마ᄂᆞᆫ, 원광·원상·원필은 희미ᄒᆞᆫ ᄐᆡ벌도 더은 일이 업ᄉᆞᄃᆡ, 원챵의 다다라ᄂᆞᆫ 내 말노 닐너 효험이 업ᄉᆞ니, 마지 못ᄒᆞ여 장칙을 더으고져 ᄒᆞ미로소이다."

ᄎᆞ야의 시녀를 명ᄒᆞ여 ᄉᆞ인 침구를 옴겨 셜원각으로 드러가라 ᄒᆞ니, ᄉᆞ인이 비록 침구를 드러 보ᄂᆡ나, ᄌᆞ긔ᄂᆞᆫ 봉월각의 와 밤을 지ᄂᆡ니, 명조의 하공이 ᄉᆞ인의 셜각의 드러가지 아니믈 알고 대로ᄒᆞ여, 【104】ᄇᆡᆨ일경의 나와 ᄉᆞ인을 계하의 ᄭᅮᆯ니고 슈죄ᄒᆞᆫ 후 ᄉᆞ십 장을 즁타ᄒᆞᄆᆡ, 둔육(臀肉)이 후란(朽爛)ᄒᆞ고 셩혈(腥血)이 낭ᄌᆞᄒᆞ기의 밋ᄎᆞ니, 초공과 한님이 비러 계오 긋치나, 하공이 크게 하령ᄒᆞ여 쟝쳬 낫기 젼 셜원각의 드러가라 ᄒᆞᄃᆡ, ᄉᆞ인이 ᄯᅩᄒᆞᆫ 고집을 발ᄒᆞ여 죽기를 그음ᄒᆞᆯ지언졍, 셜빈은 다시 ᄃᆡ치 아니려 졍ᄒᆞ엿ᄂᆞᆫ지라. 슈일을 외루의셔 조리ᄒᆞ다가, 뎡소져 ᄉᆞ상ᄒᆞᄂᆞᆫ 졍이 근졀ᄒᆞ여 발이 ᄌᆞ연 봉월각의 니르니, 뎡소졔 ᄯᅩᄒᆞᆫ 무ᄉᆞ무려히 일월을 보ᄂᆡ나, 가뷔 ᄌᆞ긔를 일편되이 침혹ᄒᆞ고, 셜빈을 이심(已甚)히 박ᄃᆡᄒᆞ믈 인ᄒᆞ여 엄하의 즁쟝 바드믈 드르니, 엇지 안안(晏晏)ᄒᆞᆯ[1191] 니 잇시리오. ᄒᆞ믈며 ᄌᆞ긔 얼골을 미혼 젼 하ᄉᆡᆼ의 본 ᄇᆡ 되여 샹ᄉᆞ지질(相思之疾)을 일위고, 괴이ᄒᆞᆫ 셔【105】간이 잇던 바를 쥬야 신누(身累)를 삼아, 가부 은총을 진졍 불열ᄒᆞᄃᆡ ᄉᆞᄉᆡᆨᄒᆞ미 업더니, 이날 ᄯᅩ ᄉᆞ인이 드러오ᄆᆡ, 뎡씨 불평코 졀민ᄒᆞ여 ᄒᆞᄃᆡ, ᄌᆞ긔 슌셜이 무익ᄒᆞ믈 ᄉᆡᆼ각ᄒᆞ여 ᄒᆞᆫ 말을 아니ᄒᆞ더니, 밤을 당ᄒᆞ여 상요의 나아가기의 님ᄒᆞ여ᄂᆞᆫ, 뎡씨 질양이 비경ᄒᆞ믈 일ᄏᆞ라 각침각와(各寢各臥)[1192]ᄒᆞ

1191)안안(晏晏)ᄒᆞ다 : 안안(晏晏)하다. 즐겁고 화평하다.

1192)각침각와(各寢各臥) : 각각 자기의 잠자리에 들

연 쇼왈,

“ᄌᆞ의 신병(身柄)1480)도 블평(不平)타 ᄒᆞ거니와 나의 상쳐 ᄀᆞᆺ든【51】못ᄒᆞ리니, 므ᄉᆞᆷ 일 부부동침디락(夫婦同寢之樂)을 원거(遠居)ᄒᆞ리오.”

쇼졔 문득 츄연 탄왈,

“쳡이 무상ᄒᆞ여 결부(潔婦)1481)의 죽기를 효측디 못ᄒᆞ고, 군ᄌᆞ의 힝신을 졀졀이 그릇 믿ᄃᆞ니, 슉야(夙夜)의 참황슈괴(慘惶羞愧)ᄒᆞ여 ᄃᆡ인ᄒᆞᆯ 낫치 업ᄉᆞᄃᆡ, 쳔명(天命)이 무디(無知)ᄒᆞ여 됴흔 ᄃᆞ시 일월을 보ᄂᆡᄂᆞᆫ ᄇᆡ라. 이졔 군쥬를 후ᄃᆡ치 못ᄒᆞ므로 엄젼의 슈쟝ᄒᆞ믈 ᄌᆞ랑ᄀᆞᆺ치 니르시거니와, 스ᄉᆞ로 내 몸을 상ᄒᆞᄆᆡ 내 알플 ᄯᆞᄅᆞᆷ이오, 남이 근심ᄒᆞᆯ 니 업ᄉᆞᆯ가 녁이ᄂᆞ니잇가?”

언파의 쳑연ᄒᆞ여 ᄌᆞ긔 몸이 스러져 어ᄌᆞ러온 경계를 모로고져 ᄒᆞᄂᆞᆫ디라. 근심ᄒᆞᄂᆞᆫ 미우와 쳑쳑(慽慽)ᄒᆞᆫ 안뫼, 더옥 긔이ᄒᆞ여 계궁소월(桂宮素月)1482)이【52】 치운의 ᄡᆞ히고 녹파ᄡᅡᆼ연(綠波雙蓮)이 광풍을 당ᄒᆞᆫ ᄃᆞᆺ, 션연(嬋娟)ᄒᆞᆫ ᄐᆡ도와 작요(焯耀)ᄒᆞᆫ 염광(艷光)이 볼ᄉᆞ록 졍신이 취(醉)ᄒᆞ이고 눈이 어리ᄂᆞᆫ디라. 하ᄉᆡᆼ이 그 블평ᄒᆞᆫ 심ᄉᆞ를 그윽이 ᄋᆡ련ᄒᆞ여, 이의 각각 상요의 쉬기를 쳥ᄒᆞ며, 원비(猿臂)를 느리혀 그 옥슈(玉手)를 어로만져 위로 왈,

“부뫼 ᄌᆞ식을 장칙ᄒᆞ시ᄆᆡ 앗기ᄂᆞᆫ ᄯᅳᆺ이 비상ᄒᆞ믄 ᄌᆡ 니르디 아니나, ᄉᆡᆼ이 ᄯᅩᄒᆞᆫ 모로디 아니니, 스ᄉᆞ로 내 몸이 알플디언졍 실

1479)각침각와(各寢各臥) : 각각 자기의 잠자리에 들어가 누움.

1480)신병(身柄) : 사람의 몸.

1481)결부(潔婦) : 중국 춘추시대 노(魯)나라 사람 추호자(秋胡子)의 아내. 추호자는 결부와 결혼한 지 5일 만에 진(陳)나라의 관리가 되어 집을 떠났다. 5년 뒤 집으로 돌아오다가 집 근처 뽕밭에서 뽕을 따는 여인을 비례(非禮)로 유혹한 일이 있는데, 집에 돌아와 아내를 보니 조금 전 자신이 수작한 그 여인이었다. 크게 실망한 결부는 남편의 행동을 꾸짖은 뒤 강물에 몸을 던져 자결하였다. 『열녀전』에 나온다.

1482)계궁소월(桂宮素月) : 달. *계궁(桂宮)은 달 속에 있다고 하는 계수나무 궁전으로, 달을 달리 이른 말.

믈 간졀이 쳥ᄒᆞᄃᆡ, ᄉᆞ인이 희연 소 왈,

“ᄌᆞ의 신병(身柄)1193)도 블평(不平)타 ᄒᆞ거니와 나의 상쳐 ᄀᆞᆺ튼 못ᄒᆞ리니, 무ᄉᆞᆷ 일노 동침지락(同寢之樂)을 원거(遠居)ᄒᆞ리오.”

소졔 문득 츄연 탄왈,

“쳡이 무상ᄒᆞ여 《셜부∥결부(潔婦)1194)》의 죽기를 효측지 못ᄒᆞ고, 군ᄌᆞ의 힝신을 졀졀이 그릇 믿다니, 슉야의 참황슈괴(慘惶羞愧)ᄒᆞ여 ᄃᆡ인ᄒᆞᆯ 낫치 업ᄉᆞᄃᆡ, 쳔명이 무지ᄒᆞ여 조흔 다시 일월을 보ᄂᆡᄂᆞᆫ ᄇᆡ라. 이졔 군쥬를【106】후ᄃᆡ치 못ᄒᆞ므로 엄젼의 슈쟝ᄒᆞ믈 ᄌᆞ랑ᄀᆞᆺ치 니르시거니와, 스ᄉᆞ로 내 몸을 상ᄒᆞᄆᆡ 내 알플 ᄯᆞᄅᆞᆷ이오, 남이 근심ᄒᆞᆯ 니 업ᄉᆞᆯ가 녁이ᄂᆞ니잇가?”

언파의 쳑연ᄒᆞ여 ᄌᆞ긔 몸이 스러져 어ᄌᆞ러온 경계를 모로고져 ᄒᆞᄂᆞᆫ지라. 근심ᄒᆞᄂᆞᆫ 미우와 쳑쳑(慽慽)ᄒᆞᆫ 안뫼 더욱 긔이ᄒᆞ여, 계궁소월(桂宮素月)1195)이 치운의 ᄡᆞ히고 녹파ᄡᅡᆼ연(綠波雙蓮)이 광풍을 당ᄒᆞᆫ ᄃᆞᆺ, 션연(嬋娟)ᄒᆞᆫ ᄐᆡ도와 작요(焯耀)ᄒᆞᆫ 념광(艷光)이 볼ᄉᆞ록 졍신이 취(醉)ᄒᆞ이고 눈이 어리ᄂᆞᆫ지라. 하ᄉᆡᆼ이 그 블평ᄒᆞᆫ 심ᄉᆞ를 그윽이 ᄋᆡ련ᄒᆞ여, 이의 각각 상요의 쉬기를 쳥ᄒᆞ며, 원비(猿臂)를 느리워 그 옥슈(玉手)를 어로만져 위로 왈,

“《부뷔∥부뫼》 장칙으로 ᄌᆞ식을 치시ᄆᆡ, 앗기ᄂᆞᆫ ᄯᅳᆺ이 비상ᄒᆞ믄 ᄌᆡ 니르지 아니나, ᄉᆡᆼ이 ᄯᅩᄒᆞᆫ 모로지 아니니, 스ᄉᆞ로【107】내 몸이 알플지언졍 실노 나의 소원이

어가 누움.

1193)신병(身柄) : 사람의 몸.

1194)결부(潔婦) : 중국 춘추시대 노(魯)나라 사람 추호자(秋胡子)의 아내. 추호자는 결부와 결혼한 지 5일 만에 진(陳)나라의 관리가 되어 집을 떠났다. 5년 뒤 집으로 돌아오다가 집 근처 뽕밭에서 뽕을 따는 여인을 비례(非禮)로 유혹한 일이 있는데, 집에 돌아와 아내를 보니 조금 전 자신이 수작한 그 여인이었다. 크게 실망한 결부는 남편의 행동을 꾸짖은 뒤 강물에 몸을 던져 자결하였다. 『열녀전』에 나온다.

1195)계궁소월(桂宮素月) : 달. *계궁(桂宮)은 달 속에 있다고 하는 계수나무 궁전으로, 달을 달리 이른 말.

노 나의 쇼원이 다른 일이 아니라. 셜빈의 위인이 녜ᄉᆞ 사ᄅᆞᆷ ᄀᆞᆺᄐᆞ면 그ᄃᆡ도록 ᄒᆞ리오마ᄂᆞᆫ, 그 음독(陰毒)ᄒᆞ미 사ᄅᆞᆷ을 죽이고 집을 망ᄒᆞᆯ ᄲᅳᆫ 아니라, 그 상뫼 블길ᄒᆞ고 흉참ᄒᆞ여 와셕죵신(臥席終身)[1483] 【53】 치 못ᄒᆞ리니, ᄉᆡᆼ이 만일 요믈(妖物)노 됴히 화락ᄒᆞᆯ딘ᄃᆡ 망신(亡身)ᄒᆞ기를 면치 못ᄒᆞ리니, 시방 박ᄃᆡᄒᆞ여 그 독악ᄒᆞᆫ 히를 바드나 나죵은 무ᄉᆞᄒᆞᆯ디라. 만ᄉᆡ 나의 혬 밧긔 나디 아니리니, 부부ᄂᆞᆫ 일일디간(一日之間)의도 그 ᄆᆞᄋᆞᆷ을 빗췬다 ᄒᆞ거ᄂᆞᆯ, ᄒᆞ믈며 ᄌᆡ(子)[1484] ᄉᆡᆼ으로 더브러 결발대륜(結髮大倫)을 뎡ᄒᆞ연 디 냥셰(兩歲)라. ᄉᆡᆼ의 ᄆᆞᄋᆞᆷ을 모로디 아닐 거시오, ᄌᆞ(子)의 신명ᄒᆞ므로ᄡᅧ 사ᄅᆞᆷ의 상모를 짐작ᄒᆞ리니, 셜빈의 나죵을 두고 보라."

뎡쇼제 샤인의 말을 드르ᄆᆡ ᄌᆞ긔 뜻과 ᄀᆞᆺᄐᆞ믈 항복ᄒᆞ나, 믁믁히 말을 아니ᄒᆞ더라. 샤인이 봉월각의 거ᄒᆞ여 쟝쳐를 됴리ᄒᆞ며 슉녀를 ᄃᆡᄒᆞ여 졍혼이 므로녹을 ᄯᆞᄅᆞᆷ이오, 셜【54】 원각은 몽니의도 업ᄉᆞ니, 하공이 블승통완(不勝痛惋)ᄒᆞ나 그 ᄒᆞᄂᆞᆫ 거동을 보려 다시 말을 아니코, 샤인을 볼 ᄯᆡ면 ᄒᆞᆫ 번도 무심ᄒᆞ미 업셔, ᄆᆡᆼ녈ᄒᆞᆫ 긔운이 어ᄅᆡ여 강엄ᄒᆞᆫ 위의 날노 더ᄒᆞ니, 엇디 황공치 아니리오마ᄂᆞᆫ, 셜빈을 일실의 ᄃᆡᄒᆞᆯ ᄆᆞᄋᆞᆷ이 나디 아냐 죽기를 그음ᄒᆞ니, 이 ᄯᅩᄒᆞᆫ 그 고집이 남 다른 연괴러라.

이ᄯᆡ 뎡국공의 필ᄌᆞ 원필의 년이 십ᄉᆞ셰니, ᄌᆞᄂᆞᆫ ᄌᆞ명이라. 사ᄅᆞᆷ 되오미 튱신효뎨ᄒᆞ고 인공화홍(仁恭和弘)ᄒᆞ여, 군ᄌᆞ위풍이 가득ᄒᆞ며, 그 용뫼 슈려ᄒᆞᆫ디라. 신댱이 칠쳑을 다ᄒᆞ고 허리 삼ᄃᆡ[1485] ᄀᆞᆺᄐᆞ여, 두 엇게 봉됴(鳳鳥) ᄀᆞᆺ고, 쇄락ᄒᆞᆫ 골격이 신션의 풍이 잇고, 문댱ᄌᆡ홰(文章才華) 츌인(出人)ᄒᆞ여 ᄋᆞ시로브터 【55】 ᄉᆡᆼ이디디(生而知之)[1486]ᄒᆞ

다른 일이 아니라. 셜빈의 위인이 녜ᄉᆞ 샤ᄅᆞᆷ ᄀᆞᆺᄐᆞ면 그ᄃᆡ도록 ᄒᆞ리오마ᄂᆞᆫ, 그 음독(陰毒)ᄒᆞ미 샤ᄅᆞᆷ을 죽이고 집을 망ᄒᆞᆯ ᄲᅳᆫ 아니라, 그 상뫼 블길ᄒᆞ고 흉참ᄒᆞ여 와셕종신(臥席終身)[1196]치 못ᄒᆞ리니, ᄉᆡᆼ이 만일 요믈(妖物)노 조히 화락ᄒᆞᆯ진ᄃᆡ, 망신ᄒᆞ기를 면치 못ᄒᆞ리니, 시방 박ᄃᆡᄒᆞ여 그 독악ᄒᆞᆫ 히를 바드나 ᄂᆡ종은 무샤ᄒᆞᆯ지라. 만ᄉᆡ 나의 혬 밧긔 나지 아니리니, 부부ᄂᆞᆫ 일일지간(一日之間)의도 그 마ᄋᆞᆷ을 빗췬다 ᄒᆞ거ᄂᆞᆯ, ᄒᆞ믈며 ᄌᆞ(子)[1197]의 ᄉᆡᆼ으로 더브러 결발대륜(結髮大倫을 정ᄒᆞ연 지 냥년(兩年)이라. ᄉᆡᆼ의 마ᄋᆞᆷ을 모로지 아닐 거시오, ᄌᆞ의 신명ᄒᆞ기로ᄡᅧ 샤ᄅᆞᆷ의 샹모를 짐쟉ᄒᆞ리니, 셜빈의 나종을 두고 보라."

뎡소제 ᄉᆞ인의 말을 【108】 드르ᄆᆡ ᄌᆞ긔 뜻과 ᄀᆞᆺᄐᆞ믈 항복ᄒᆞ나, 묵묵히 말을 아니ᄒᆞ더라. ᄉᆞ인이 봉월각의 거ᄒᆞ여 상쳐를 조리ᄒᆞ며, 슉녀를 ᄃᆡᄒᆞ여 정혼이 므로녹을 ᄯᆞᄅᆞᆷ이오, 셜원각은 몽니의도 업ᄉᆞ니, 하공이 불승통완(不勝痛惋)ᄒᆞ나 그 ᄒᆞᄂᆞᆫ 거동을 보려 다시 말을 아니코, ᄉᆞ인을 볼 ᄯᆡ면 ᄒᆞᆫ 번도 무심ᄒᆞ미 업셔, ᄆᆡᆼ녈ᄒᆞᆫ 긔운이 어ᄅᆡ여 강엄ᄒᆞᆫ 위의 날노 더ᄒᆞ니, 엇지 황공치 아니리오마ᄂᆞᆫ, 셜빈을 일실의 ᄃᆡᄒᆞᆯ 마ᄋᆞᆷ이 나지 아냐 죽기를 그음ᄒᆞ니, 이 ᄯᅩᄒᆞᆫ 그 고집이 남 다른 연괴러라.

이ᄯᆡ 뎡국공의 필ᄌᆞ 원필의 년이 십ᄉᆞ셰니, ᄌᆞᄂᆞᆫ ᄌᆞ명이라. 샤ᄅᆞᆷ 되오미 츙신효뎨ᄒᆞ고 인공화홍(仁恭和弘)ᄒᆞ며[여], 군ᄌᆞ위풍이 ᄀᆞ득ᄒᆞ며, 그 용뫼 【109】 슈려ᄒᆞᆫ지라. 신장이 칠쳑을 다ᄒᆞ고 허리 삼ᄃᆡ[1198] ᄀᆞᆺᄐᆞ여 두 엇ᄀᆡ 봉조(鳳鳥) ᄀᆞᆺ고, 쇄락ᄒᆞᆫ 골격이 신션의 풍이 잇고 문댱ᄌᆡ홰(文章才華) 츌인ᄒᆞ여 ᄋᆞ시로브터 ᄉᆡᆼ이지지(生而知之)[1199]

1483)와셕죵신(臥席終身) : 평소 자신이 눕던 자리에서 편안히 죽음.

1484)ᄌᆡ(子) : 자(子). 문어체에서, '그대'를 이르는 말.

1485)삼ᄃᆡ : 삼(麻)의 줄기. *삼(麻); 뽕나뭇과에 속하는 긴 섬유가 채취되는 식물을 통틀어 이르는 말. 대마, 아마, 마닐라삼 따위가 있다.

1196)와셕종신(臥席終身) : 평소 자신이 눕던 자리에서 편안히 죽음.

1197)ᄌᆡ(子) : 자(子). 문어체에서, '그대'를 이르는 말.

1198)삼ᄃᆡ : 삼(麻)의 줄기. *삼(麻); 뽕나뭇과에 속하는 긴 섬유가 채취되는 식물을 통틀어 이르는 말. 대마, 아마, 마닐라삼 따위가 있다.

는 춍명이 이시니, 하공 부뷔 필즈의 이곳치 아름다오믈 익듕ᄒᆞ여 동셔로 현부를 틱홀ᄉᆡ, 황친국쳑과 명공후빅의 유녀지(有女者) 원필의 특이ᄒᆞ믈 흠앙ᄒᆞ여 구혼ᄒᆞ리 문졍(門庭)의 메여시ᄃᆡ, 공의 틱부ᄒᆞ미 심상치 아닌 고로 경(輕)이 허혼ᄒᆞᆫ 곳이 업더니, 긔쥐후 딘영연은 딘 각노의 댱지라. 위인이 강명뎡대ᄒᆞ고 툥현효우ᄒᆞ여 일셰명뉴로 밀위는 빅라. 샤듕(舍中)의 부인 화시로 동쥬(同住)ᄒᆞ여 오ᄌᆞ 삼녀를 두믹, 녀ᄋᆡ ᄋᆞ둘의 우히라. 댱녀 ᄋᆡ화의 년이 십삼의 빙ᄌᆞ옥딜(氷姿玉質)과 빅틱만염(百態萬艷)이 긔긔묘려(奇奇妙麗)ᄒᆞ여 경셩경국(傾城傾國)[1487]홀 빗치 잇고, 셩힝이 뇨됴유한(窈窕有閑)ᄒᆞ여 슉녀의 방【56】향을 심모(深慕)ᄒᆞ니, 부뫼 과ᄋᆡᄒᆞ고 조부뫼 ᄉᆞ랑ᄒᆞ믈 비상이 ᄒᆞ더니, 긔쥐휘 하원필의 츌인ᄒᆞ믈 과ᄋᆡᄒᆞ여 하공긔 혼인을 간쳥ᄒᆞ니, 하공이 본ᄃᆡ 딘쇼져의 셩화를 닉이 드럿는 고로 일언의 쾌허ᄒᆞ고, 냥개(兩家) 상의ᄒᆞ여 대례(大禮)를 일울ᄉᆡ, 길일의 원필 공ᄌᆡ 빅냥으로 딘쇼져를 마ᄌᆞ와 합증[근](合巹) 교빈(交配)를 파ᄒᆞ고, 빈샤당(拜祠堂) 현구고(見舅姑)홀ᄉᆡ, 신부의 옥틱화딜(玉態花質)이 빙졍슈려(氷晶秀麗)ᄒᆞ여 츄공명월(秋空明月)이 만방(萬方)의 광치를 도으니, 하공 부뷔 두굿기미 비길 곳 업고 만좌 빈긱이 칭찬ᄒᆞ는 소ᄅᆡ 낭ᄌᆞ(狼藉)ᄒᆞ니, 공의 부뷔 샤양치 아니ᄒᆞ더라.

딘쇼졔 인ᄒᆞ여 구가의 머므러 효봉구고ᄒᆞ며 승순군ᄌᆞᄒᆞ여 빅힝쳐ᄉᆞ(百行處事) ᄉᆞᆺ【57】다히 ᄉᆡᆼ혀나니, 구괴 ᄉᆞ랑ᄒᆞ고 하ᄉᆡᆼ이 공경듕대ᄒᆞ여 은졍이 환흡ᄒᆞᆫ디라. 부뫼 일마다 두굿기믈 마디 아니ᄒᆞ고, 초공으로브터 한님과 원필의 부부 ○[다]ᄀᆞᆺ치 상뎍

ᄒᆞ는 춍명이 잇시니, 하공 부뷔 필ᄌᆞ의 이ᄀᆞᆺ치 아름다오믈 ᄋᆡ즁ᄒᆞ여 동셔의 현부를 틱홀ᄉᆡ, 황친국쳑과 명공후빅의 유녀지(有女者) 원필의 특이ᄒᆞ믈 흠앙ᄒᆞ여 구혼ᄒᆞ리 문정(門庭)의 메엿시ᄃᆡ, 공의 틱부ᄒᆞ미 심상치 아닌 고로 경(輕)이 허혼ᄒᆞᆫ 곳이 업더니, 《긔쥐 진영녕후는 ‖ 긔쥐후 진영녕은》 진 각노의 쟝지라. 위인이 강명정대ᄒᆞ고 총현효우(聰賢孝友)ᄒᆞ여 일셰명뉴로 {치}밀위는 빅라. 샤즁(舍中)○[의] 부인 화씨로 《증쥬 ‖ 동쥬(同住)》ᄒᆞ여 오ᄌᆞ 삼녀를 두믹, 녀ᄋᆡ ᄋᆞ둘의 우히라. 쟝녀 ᄋᆡ화의 년【110】이 십삼의 빙ᄌᆞ옥질(氷姿玉質)과 빅틱만염(百態萬艷)이 긔긔묘려(奇奇妙麗)ᄒᆞ여 경셩경국(傾城傾國)[1200]홀 빗치 잇고, 셩힝이 뇨조유한(窈窕有閑)ᄒᆞ여 슉녀의 방향을 《험모 ‖ 흠모(欽慕)》ᄒᆞ니, 부뫼 과ᄋᆡᄒᆞ고 조부뫼 ᄉᆞ랑ᄒᆞ믈 비상이 ᄒᆞ더니, 긔쥐휘 하원필의 츌인ᄒᆞ믈 과ᄋᆡᄒᆞ여 하공긔 혼인을 근쳥ᄒᆞ니, 하공이 본ᄃᆡ 진소져의 셩화를 닉이 드럿는 고로 일언의 쾌허ᄒᆞ고, 냥ᄀᆡ(兩家) 상의ᄒᆞ여 대례(大禮)를 일울ᄉᆡ, 길일의 원필 공ᄌᆡ 빅냥으로 진소져를 마ᄌᆞ 와 합증[근](合巹) 교빈(交拜)를 파ᄒᆞ고, 빈ᄉᆞ당(拜祠堂) 현구고(見舅姑)홀ᄉᆡ, 신부의 옥틱화질(玉態花質)이 빙졍슈려(氷晶秀麗)ᄒᆞ여 츄공명월(秋空明月)이 만방의 광치를 도으니, 하공 부뷔 두굿기미 비길 곳 업고 만좌 빈긱이 칭찬ᄒᆞ는 소ᄅᆡ 낭ᄌᆞ(狼藉)ᄒᆞ니, 공의 부뷔【111】 샤양치 아니ᄒᆞ더라.

진소졔 인ᄒᆞ여 구가의 머므러 효봉구고ᄒᆞ며 승순군ᄌᆞᄒᆞ여 빅힝쳐ᄉᆞ(百行處事) ᄉᆞᆺ드히 ᄉᆡᆼ혀나니, 구괴 ᄉᆞ랑ᄒᆞ고 하ᄉᆡᆼ이 공경즁ᄃᆡᄒᆞ여 은졍이 환흡ᄒᆞᆫ지라. 부뫼 일마다 두굿기믈 마지 아니ᄒᆞ고, 초공으로브터 한님과 원필의 부부 ○[다]ᄀᆞᆺ치 상적(相敵)

1486)ᄉᆡᆼ이디디(生而知之) : 삼지(三知)의 하나. 도(道)를 나면서부터 알거나, 스스로 깨달아 앎을 이른다.

1487)경셩경국(傾城傾國) : 성주(城主)나 임금이 여인의 미모에 반해 성이 기울어지고 나라가 기울어져도 모를 정도로 아름다운 미인을 이르는 말.

1199)ᄉᆡᆼ이디디(生而知之) : 삼지(三知)의 하나. 도(道)를 나면서부터 알거나, 스스로 깨달아 앎을 이른다.

1200)경셩경국(傾城傾國) : 성주(城主)나 임금이 여인의 미모에 반해 성이 기울어지고 나라가 기울어져도 모를 정도로 아름다운 미인을 이르는 말.

(相敵) 화합(和合)ᄒᆞ여 각별 근심이 《업셔‖업스ᄃᆡ》, 샤인의 다ᄃᆞ라ᄂᆞᆫ 셜빈이 '명위부뷔(名爲夫婦)나 실위원쉬(實爲怨讐)'1488)오, 뎡쇼져의 긔특ᄒᆞ믄 샤인의 너모 침혹ᄒᆞ미 병이 되여, 뎡쇼져의 유티 듕 딜양이 ᄡᅥ나디 아니믈 근심ᄒᆞᄆᆡ, 장ᄎᆞ 과도ᄒᆞ기의 밋ᄂᆞᆫ디라. 샤군찰임(事君察任) 여가(餘暇)와 부모긔 신혼셩뎡(晨昏省定) 밧근 아모 긴ᄒᆞᆫ ᄉᆞ괴 이셔도 봉월각 밧긔 발ᄌᆞ최 나디 아냐, 슈유블니(須臾不離)ᄒᆞᄂᆞᆫ 은졍이 산비히박(山卑海薄)ᄒᆞᆫ디라. 뎡쇼제 가부의 일편 된 은졍이 괴롭고 슬히 넉【58】이고 근심ᄒᆞᄃᆡ, 발셔 고집을 엄뷔 도로혀디 못ᄒᆞ니, ᄌᆞ긔 말이 효험이 업술 바를 ᄊᆡᄃᆞ라, 오딕 져의 은졍을 가랍(嘉納)디 아닐디언졍, 초강(超强)ᄒᆞᆫ ᄉᆞ식과 블공ᄒᆞᆫ 말노ᄡᅧ 댱부를 능경(凌輕)치 아냐, 일향(一向)1489) 녜의를 구디 잡으니, 샤인은 그 위인을 탄복ᄒᆞᄂᆞᆫ 의ᄉᆡᆨ 시시로 《더은디라‖더ᄒᆞ더라》.

하공이 샤인을 통한ᄒᆞ여 벼르기를 마디 아니ᄒᆞ더니, 일일은 하공이 황샹의 명초ᄒᆞ시믈 인ᄒᆞ여 궐졍의 드러가 군신이 죵용이 말ᄉᆞᆷᄒᆞᆯᄉᆡ, 샹이 ᄀᆞᆯ오샤ᄃᆡ,

"셕ᄌᆞ의 딤이 블명ᄒᆞ여 경의 삼ᄌᆞ를 참혹히 맛ᄎᆞ미 잇거니와, 하날이 경의 정튱딕졀을 살펴 복녹을 주시니, 원광의 긔특ᄒᆞ믄 니르도 말고 원상·원챵【59】의 츌인(出人) 특이(特異)ᄒᆞ미 당셰의 희한ᄒᆞ니, 경의 복이 실노 무흠ᄒᆞᆫ디라. 딤이 위ᄒᆞ여 깃거ᄒᆞᄂᆞ니, 경의 ᄌᆞ녜 몃 사ᄅᆞᆷ○[이] 이시며 셩혼ᄒᆞ미 되엿ᄂᆞ냐? 경은 ᄌᆞ시 고ᄒᆞ라."

하공이 브복 쥬왈,

"신의 명되 궁흉(窮凶)ᄒᆞ와 셕년의 원경 등 삼ᄌᆞ를 업시 ᄒᆞ엿ᄉᆞ오나, 오히려 ᄉᆞᄌᆞ 일녜 이셔 남취녀가(男娶女嫁)를 다 ᄒᆞ엿ᄂᆞ이다."

오왕이 맛춤 뎐폐의 잇더니, 분연이 낫빗

1488)명위부뷔(名爲夫婦)나 실위원쉬(實爲怨讐) : 이름은 부부이지만 실제로는 원수 사이이다.

1489)일향(一向) : 언제나 한결같이.

화합(和合)ᄒᆞ여 각별 근심이 《업셔‖업스ᄃᆡ》, ᄉᆞ인의 다다라ᄂᆞᆫ 셜빈이 '명위부뷔(名爲夫婦)나 실위원쉬(實爲怨讐)'1201)오, 뎡소져의 긔특ᄒᆞ믄 ᄉᆞ인의 너모 침혹ᄒᆞ미 병이 되여, 뎡소져의 유티 즁 질양이 ᄡᅥ나지 아니믈 근심ᄒᆞᄆᆡ, 장ᄎᆞᆺ 과도ᄒᆞ기의 밋ᄂᆞᆫ지라. ᄉᆞ군찰임(事君察任) 여가(餘暇)와 부모긔 신혼(晨昏)ᄒᆞᆫ 밧 아모리 긴ᄒᆞᆫ ᄉᆞ괴 잇셔도 봉월각 밧긔 발ᄌᆞ최 나지 아냐, 슈유블니(須臾不離)ᄒᆞᄂᆞᆫ 은졍이 산비히박(山卑海薄)ᄒᆞᆫ지라. 뎡【112】소졔 가부의 일편 된 은졍이 괴롭고 슬히 넉이고 근심ᄒᆞᄃᆡ, 발셔 고집을 엄뷔 두로혀지 못ᄒᆞ니, ᄌᆞ긔 말이 효험이 업술 바를 ᄊᆡᄃᆞ라, 오직 져의 은졍을 가랍지 아닐지언졍 초강ᄒᆞᆫ ᄉᆞ식과 블공ᄒᆞᆫ 말노ᄡᅧ 쟝부를 능경치 아냐, 일향(一向)1202) 녜의를 구지 잡으니, ᄉᆞ인은 그 위인을 탄복ᄒᆞᄂᆞᆫ 의ᄉᆡᆨ 시시로 《더은지라‖더ᄒᆞ더라》.

하공이 ᄉᆞ인을 통한ᄒᆞ여 벼르기를 마지 아니ᄒᆞ더니, 일일은 하공이 황샹의 명초ᄒᆞ시믈 인ᄒᆞ여 궐졍의 드러가 군신이 종용이 말ᄉᆞᆷᄒᆞᆯᄉᆡ, 샹이 ᄀᆞᆯ오샤ᄃᆡ,

"셕ᄌᆞ의 딤이 불명ᄒᆞ여 경의 삼ᄌᆞ를 참혹히 맛ᄎᆞ미 잇거니와, 하날이 경의 정츙직졀을 살펴 복녹을 주시니, 원광의 긔특ᄒᆞ믄 니르도 말고 원【113】광[상]·○○[원챵]의 츌인(出人) 특이(特異)ᄒᆞ미 당셰의 희한ᄒᆞ니, 경의 복이 실노 무흠ᄒᆞᆫ지라. 딤이 위ᄒᆞ여 깃거 ᄒᆞᄂᆞ니, 경의 ᄌᆞ녜 몃 샤ᄅᆞᆷ이 잇시며 셩혼ᄒᆞ미 되엿ᄂᆞ냐? 경은 ᄌᆞ시 고ᄒᆞ라."

하공이 부복 쥬 왈,

"신의 명되 궁흉(窮凶)ᄒᆞ와 셕년의 원경 등 삼ᄌᆞ를 업시 ᄒᆞ엿시나, 오히려 ᄉᆞᄌᆞ 일넷 잇셔 남취녀가(男娶女嫁)를 다 ᄒᆞ엿ᄂᆞ이다."

오왕이 맛춤 뎐폐의 잇더니, 분연이 낫빗

1201)명위부뷔(名爲夫婦)나 실위원쉬(實爲怨讐) : 이름은 부부이지만 실제로는 원수 사이이다.

1202)일향(一向) : 언제나 한결같이.

출 곳치고 쥬왈,

"신이 셜빈으로ᄡᅧ 원챵의 ᄇᆡ우를 삼앗더니, 셜빈의 블능잔딜(不能孱質)이 원챵의 염박ᄒᆞ믈 당ᄒᆞ여, 져의 신셰 볼 거시 업술 ᄲᅮᆫ 아니라, 참혹ᄒᆞᆫ 즐언이 신의 부부의게 밋ᄎᆞ니, 브졀 업ᄉᆞᆫ 인연을 일웟던 ᄇᆡ 통완토소이다."

샹이 원ᄂᆡ 하공을 명초【60】ᄒᆞ시미, 오왕의 청으로 원챵의 금슬을 권ᄒᆞ랴 ᄒᆞ시미라. 텬안(天顔)이 잠간 우으시고 왈,

"부부 ᄉᆞ졍은 위력으로 못ᄒᆞᆯ 거시어니와, 셜빈이 경가의 쇽현ᄒᆞᆫ 후 드러난 죄 업술딘ᄃᆡ, 원챵의 이심(已甚)히 박ᄃᆡᄒᆞ믄 가치 아니코, ᄒᆞ믈며 오왕은 딤의 ᄋᆞ지라 타인과 ᄀᆞᆺ디 아니니, 원챵이 비록 셜빈은 박ᄃᆡᄒᆞᆫ들, 오왕을 엇디 즐욕ᄒᆞ여 황ᄌᆞ 존ᄒᆞ믈 아디 못ᄒᆞ리오."

하공이 샹교를 듯ᄌᆞᆸ고 면관돈슈(免冠頓首) 왈,

"신이 무상ᄒᆞ여 원챵 패ᄌᆞ를 어디리 교훈치 못ᄒᆞ미 블민ᄒᆞ오나, 졔 무고히 즐욕ᄒᆞᄂᆞᆫ 죄ᄂᆞᆫ 딋디 아닐 ᄃᆞᆺᄒᆞ오ᄃᆡ, 오왕 뎐히 무근디셜(無根之說)을 신청ᄒᆞ여 이러ᄐᆞᆺ 분노ᄒᆞ니, 신이 우민ᄒᆞᅀᆞᆸᄂᆞᆫ ᄇᆡ라. 쳥컨ᄃᆡ 원챵의 군쥬 박ᄃᆡᄒᆞᄂᆞᆫ 죄와【61】신의 교ᄌᆞ 잘 못ᄒᆞᆫ 죄를 ᄒᆞᆫ가디로 다ᄉᆞ리쇼셔."

샹이 우으시고, ᄌᆡ삼 하공을 프러 니르샤 왈,

"원챵의 박쳐(薄妻)ᄒᆞ미 그르나, 셜빈의 명되(命途) 가부의 소ᄃᆡ(疏待)를 바들 익회(厄會)니, ᄒᆞᆫ갓 원챵을 ᄎᆡᆨ망치 못ᄒᆞᆯ디라. 경은 ᄋᆞᄃᆞᆯ을 요란이 즐ᄎᆡᆨ디 말고 죵용이 경계ᄒᆞ여, 그 부부 금슬을 화합게 ᄒᆞ고 오왕도 쇼쇼디ᄉᆞ(小小之事)를 노ᄒᆞ디 말나. 일졔히 원챵을 ᄉᆞ랑ᄒᆞ여 인친화긔(姻親和氣)를 상히오디 말나."

인ᄒᆞ여 하공의 관을 ᄡᅳ라 ᄒᆞ시고, 옥ᄇᆡ의 어은을 반샤ᄒᆞ샤 취토록 권ᄒᆞ시고, 년쇼ᄒᆞᆫ ᄋᆞᄒᆡ를 너모 ᄎᆡᆨ디 말나 ᄒᆞ시니, 하공이 샤은ᄒᆞ고 집으로 도라 갈ᄉᆡ, 길ᄒᆡ셔 친우 구참졍을 만나, 잠간 구부의 드러가 술을 과

출 곳치고 쥬왈,

"신이 셜빈으로ᄡᅧ 원챵의 ᄇᆡ우를 삼앗더니, 셜빈의 블능잔질(不能孱質)이 원챵의 념박ᄒᆞ믈 당ᄒᆞ여, 져의 신셰 볼 거시 업술 ᄲᅮᆫ 아니라, 참혹○[ᄒᆞᆫ] 질언이 신의 부부의게 밋ᄎᆞ니, 부졀업ᄉᆞᆫ 인연을 일웟던 ᄇᆡ 통완토소이다."

샹이 원ᄂᆡ 하공을 명초ᄒᆞ시미, 오왕의【114】청으로 원챵의 금슬을 권ᄒᆞ랴 ᄒᆞ시미라. 텬안(天顔)이 잠간 우으시고 왈,

"부부 ᄉᆞ졍은 위력으로 못ᄒᆞᆯ 거시어니와, 셜빈이 경가의 쇽현ᄒᆞᆫ 후 드러난 죄 업술진ᄃᆡ, 원챵의 이심(已甚)히 박ᄃᆡᄒᆞ믄 가치 아니코, ᄒᆞ믈며 오왕은 딤의 ᄋᆞ지라, 타인과 ᄀᆞᆺ지 아니니, 원챵이 비록 셜빈은 박ᄃᆡᄒᆞᆫ들 오왕을 엇지 질욕ᄒᆞ여 황ᄌᆞ 존ᄒᆞ믈 아지 못ᄒᆞ리오."

하공이 샹교를 듯ᄌᆞᆸ고 면관돈슈(免冠頓首) 왈,

"신이 무상ᄒᆞ여 원챵 픽ᄌᆞ를 어지리 교훈치 못ᄒᆞ미 블민ᄒᆞ오나, 졔 무고히 즐욕ᄒᆞᄂᆞᆫ 죄ᄂᆞᆫ 짓지 아닐 ᄃᆞᆺᄒᆞ오ᄃᆡ, 오왕 뎐히 무근지셜(無根之說)을 신청ᄒᆞ샤 이러ᄐᆞᆺ 분노ᄒᆞ시니, 신이 우민ᄒᆞᅀᆞᆸᄂᆞᆫ ᄇᆡ라. 쳥컨ᄃᆡ 원챵의 군쥬 박ᄃᆡᄒᆞᄂᆞᆫ 죄와 신의 교ᄌᆞ 잘 못ᄒᆞᆫ 죄를【115】ᄒᆞᆫ 가지로 다ᄉᆞ리소셔."

샹이 우으시고 ᄌᆡ삼 하공을 프러 니르샤 왈,

"원챵의 박쳐(薄妻)ᄒᆞ미 그르나, 셜빈의 명되(命途) 가부의 소ᄃᆡ(疏待)를 바들 익회(厄會)니, ᄒᆞᆫ갓 원챵을 ᄎᆡᆨ망치 못ᄒᆞᆯ지라. 경은 ᄋᆞᄃᆞᆯ을 요란이 즐ᄎᆡᆨ지 말고 죵용이 경계ᄒᆞ여, 그 부부 금슬을 화합게 ᄒᆞ고, 오왕도 소소지ᄉᆞ(小小之事)를 노ᄒᆞ지 말나. 일졔히 원챵을 ᄉᆞ랑ᄒᆞ여 닌친화어[긔](姻親和氣)를 상히오지 말나"

인ᄒᆞ여 하공의 관을 ᄡᅳ라 ᄒᆞ시고, 옥ᄇᆡ의 어은을 반샤ᄒᆞ샤 취토록 권ᄒᆞ시고, 년소ᄒᆞᆫ ᄋᆞᄒᆡ를 너모 ᄎᆡᆨ지 말나 ᄒᆞ시니, 하공이 샤은ᄒᆞ고 집으로 도라 갈ᄉᆡ, 길ᄒᆡ셔 친우 구참졍을 만나 잠간 구부의 드러가 술을 과취

취ᄒᆞ고, 횃블을 잡혀 부듕의 니【62】르러ᄂᆞᆫ, 초공과 한님이 원필노 더브러 문외의 나 부공을 마ᄌᆞ 빅일졍의 들ᄉᆡ, 공이 샤인의 업ᄉᆞ믈 보고 문왈,

"원창이 어ᄃᆡ 잇ᄂᆞ뇨?"

초공의 뎨 삼ᄌᆞ 몽징이 ᄃᆡ왈,

"삼슉부ᄂᆞᆫ 봉월각의 계셔 밋쳐 나오디 못ᄒᆞ엿ᄂᆞ이다."

공이 몽징으로 샤인긔 젼어(傳語) 왈,

"블초ᄌᆡ 아비를 아디 못ᄒᆞ고 일쳐를 침혹ᄒᆞ여 쥬야 봉월각 듕의 머리를 ᄂᆡ왓디 아니ᄒᆞ고, 아비 죵일 나갓다가 도라오ᄃᆡ 보디 아니니, 내 ᄯᅩᄒᆞᆫ 너를 볼 ᄆᆞᄋᆞᆷ이 업ᄂᆞᆫ디라. ᄌᆞ금 이후로 침구를 셜원각의 옴겨 머믈딘ᄃᆡ, 형뎨 뉴의 툥슈ᄒᆞ려니와, 그러치 아니면 다시 셔로 보디 아니리라."

몽징이 봉월각의 드러가 조부의 교어(敎語)를 젼ᄒᆞᄆᆡ, 샤인이 듯기【63】를 다 ᄒᆞ고 변ᄉᆡᆨ 왈,

"대인이 엄ᄒᆞ시나 ᄌᆞ식의 ᄎᆞ마 못 견ᄃᆡᆯ 바를 권ᄒᆞ샤, 도로혀 나의 죽기를 바야시니, 엇디 내 ᄆᆞᄋᆞᆷ을 이ᄃᆡ도록 살피디 못ᄒᆞ실 줄 알니오. 네 도라 가 대인긔 내 말을 알외라. 슉녀미인을 엇디 샤양ᄒᆞ리잇고마ᄂᆞᆫ 셜빈은 외뫼 염미(艶美)ᄒᆞ나 그 미우의 흉독음샤(凶毒陰邪)ᄒᆞᆫ 빗치 사ᄅᆞᆷ을 죽이고 긋칠 거시오, 그 톄디(體肢) 블길ᄒᆞ미 맛ᄎᆞᆷᄂᆡ 션죵(善終)ᄒᆞ기를 바라디 못ᄒᆞ리니, 내 만일 져를 후ᄃᆡᄒᆞᆯ딘ᄃᆡ 내 명(命)을 상히오고, 본심을 일허 광망디인(狂妄之人)이 될 ᄲᅮᆫ 아니라, 음녀의 위인이 댱부를 농낙ᄒᆞ여 슈삼 년을 못살게 ᄒᆞᆯ 거시오, 져 요믈을 ᄒᆞᆫ갈ᄀᆞᆺ치 박ᄃᆡᄒᆞ면, 일시 요샤(妖邪)ᄒᆞ믈 바다 잠간 놀나온 변을 당ᄒᆞ려니와, 내【64】몸은 맛든 아니리니, 인ᄉᆡᆼ이 죽디 아니키를 웃듬ᄒᆞᆫ 후 ᄆᆞ릇 근심과 념녀를 살피ᄂᆞ니, 대인의 명셩(明聖)ᄒᆞ샤므로 져의 상모를 ᄭᆡ돗디 못ᄒᆞ시니, 이ᄂᆞᆫ 날을 죽이실 익회라. 대댱뷔 ᄉᆞ신[ᄉᆡᆼ]디졔(死生之際)1490)의 ᄆᆞᄋᆞᆷ을 변치

1490)ᄉᆞᄉᆡᆼ지졔(死生之際) : 죽음과 삶을 선택해야 할 결정적인 때.

ᄒᆞ고 횃불을 잡혀 부즁의 니르러ᄂᆞᆫ, 초공과 한님이 원필노 더브러 문외【116】의 나와 부친○[을] 마ᄌᆞ 빅일졍의 들ᄉᆡ, 공이 ᄉᆞ인의 업ᄉᆞ믈 보고 문왈,

"원창이 어ᄃᆡ 잇ᄂᆞ뇨?"

초공의 뎨 삼ᄌᆞ 몽징이 ᄃᆡ왈,

"삼슉부ᄂᆞᆫ 봉월각의셔 밋쳐 나오지 못ᄒᆞ엿ᄂᆞ이다."

공이 몽징으로 ᄉᆞ인긔 젼어(傳語) 왈,

"블초ᄌᆡ 아비를 아지 못ᄒᆞ고 일쳐를 침혹ᄒᆞ여 쥬야 봉월각 즁의 머리를 ᄂᆡ왓지 아니ᄒᆞ고, 아비 종일 나갓다가 도라오ᄃᆡ 보지 아니니, 내 ᄯᅩᄒᆞᆫ 너를 볼 마ᄋᆞᆷ이 업ᄂᆞᆫ지라. ᄌᆞ금 이후로 침구를 셜원각의 옴겨 머믈진ᄃᆡ, 형뎨 뉴의 츙슈ᄒᆞ려니와, 그럿치 아니면 다시 셔로 보지 아니리라.

몽징이 봉월각의 드러 가 조부의 교어(敎語)를 젼ᄒᆞᄆᆡ, ᄉᆞ인이 듯기를 다 ᄒᆞ고 변ᄉᆡᆨ 왈,

"대인이 엄ᄒᆞ시나 ᄌᆞ식의 ᄎᆞ마 못 견ᄃᆡᆯ 바를 권ᄒᆞ샤, 도로혀 나【117】의 죽기를 바야시니 엇지 내 마ᄋᆞᆷ을 이ᄃᆡ도록 ᄉᆞᆯ피지 못ᄒᆞ실 줄 알니오. 네 도라 가 대인긔 내 말을 알외라. 슉녀미인을 엇지 ᄉᆞ양ᄒᆞ리잇고마ᄂᆞᆫ, 셜빈은 외뫼 염미(艶美)ᄒᆞ나 그 미우의 흉독음샤(凶毒陰邪)ᄒᆞᆫ 빗치 샤ᄅᆞᆷ을 죽이고 긋칠 거시오, 그 쳬지(體肢) 블길ᄒᆞ미 맛ᄎᆞᆷᄂᆡ 션종(善終)ᄒᆞ기를 ᄇᆞ라지 못ᄒᆞ리니, 내 만일 져를 후ᄃᆡᄒᆞᆯ진ᄃᆡ, 내 명(命)을 상히오고 본심을 일허 광망지인(狂妄之人)이 될 ᄲᅮᆫ 아니라, 음녀의 위인이 쟝부를 농낙ᄒᆞ여 슈삼 년을 못ᄉᆞᆯ게 ᄒᆞᆯ 거시오, 져 요믈을 ᄒᆞᆫ갈ᄀᆞᆺ치 박ᄃᆡᄒᆞ면 일시 요ᄉᆞ(妖邪)ᄒᆞ믈 바다 잠간 놀나온 변을 당ᄒᆞ려니와, 내 몸은 맛든 아니리니, 인ᄉᆡᆼ이 죽지 아니키를 웃듬ᄒᆞᆫ 후 무릇 근심과 념녀를 ᄉᆞᆯ피ᄂᆞ니, 대인의 명찰(明察)ᄒᆞ시므로 져의 상모를【118】ᄭᆡ돗지 못ᄒᆞ시니, 이ᄂᆞᆫ 날을 죽이실 익회라. 대쟝뷔 ᄉᆞ신[ᄉᆡᆼ]지졔(死生之際)1203)의 마음

1203)ᄉᆞᄉᆡᆼ지졔(死生之際) : 죽음과 삶을 선택해야 할 결정적인 때.

아니ᄒᆞᄂᆞ니, 내 셜빈을 취ᄒᆞ던 날브터 원슈ᄀᆞᆺ치 ᄒᆞ여 부부디락(夫婦之樂)을 일우디 아니키로 결단ᄒᆞ엿ᄂᆞ니, 요믈이 입을 닥치고 잇ᄂᆞᆫ 거시 올커ᄂᆞᆯ, 날을 ᄃᆡᄒᆞ면 요악ᄒᆞᆫ 즐욕이 아니 밋ᄎᆞᆫ 곳이 업ᄉᆞ니, 엇디 그 곳의 드러가 욕을 감심ᄒᆞ리오. 텬ᄌᆞ(天子)도 블탈필부디심(不奪匹夫之心)1491)이니, 오왕이 ᄆᆞᄉᆞᆫ 사ᄅᆞᆷ이완ᄃᆡ 하원챵의 ᄆᆞᄋᆞᆷ을 두로혀, 그 ᄯᆞᆯ을 위력으로 후ᄃᆡᄒᆞ라 ᄒᆞ리오. 내 실노 엄하의 역명ᄒᆞᆫ 죄를 밧ᄌᆞ와 죽을디언졍, 다시 져【65】를 ᄃᆡ치 못ᄒᆞ리로다.”

언파의 시녀를 명ᄒᆞ여 두어 쥰(樽) 술을 가져오라 ᄒᆞ여 취토록 거후로고, 침셕의 비겨 고셔를 살필디언졍 셜원각 향ᄒᆞᆯ 의ᄉᆡ 업ᄉᆞ니, 몽징이 ᄒᆞᆯ 일 업셔 외헌의 나와 슉부의 ᄒᆞ던 말을 고치 못ᄒᆞ여, 대강을 고ᄒᆞ니, 공이 비록 비상참쳑(悲傷慘慽)ᄒᆞ여 강엄ᄒᆞ미 업ᄉᆞ나, 오히려 블승통완 ᄒᆞ여 다시 몽셩·몽닌을 명ᄒᆞ여 샤인을 ᄭᅳ어다가 셜원각의 두고 오라 ᄒᆞ고, ᄯᅩ 젼어 왈,

“다시 눈의 뵈디 말나.”

ᄒᆞ니, 샤인이 술을 취ᄒᆞ여 움즉이디 아냐 말이 업다가, 날호여 왈,

“너희 간ᄃᆡ로 날을 ᄭᅳ어 셜원각으로 가디 못ᄒᆞ리니, ‘날을 요인의 곳의 보닐딘ᄃᆡ, ᄒᆞᆫ번 죽여 보ᄂᆡ쇼셔’ ᄒᆞ라.”

몽셩 등이 ᄒᆞᆯ일업【66】셔 즉졔(卽際)1492) 나와, 슉뷔 움즉이디 아니믈 고ᄒᆞ니, 하공이 대로ᄒᆞ여 년ᄒᆞ여 블너도 아니오니, 공이 노긔대발ᄒᆞ여 노복을 명ᄒᆞ여 샤인을 잡아오라 ᄒᆞᄃᆡ, 샤인이 탄연(坦然)1493)이 움즉이디 아니커ᄂᆞᆯ, 노복 등이 무류히 퇴ᄒᆞ니, 하공이 취긔미란(醉氣迷亂) 듕 샤인

1491)텬ᄌᆞ(天子) 블탈필부디심(不奪匹夫之心) : 천자라 할지라도 필부의 마음을 바꾸게 할 수는 없다.
1492)즉졔(卽際) : 즉시(卽時).
1493)탄연(坦然) : 태연(泰然). 마음이 안정되어 아무 걱정 없이 평온함.

을 변치 아니ᄒᆞᄂᆞ니, 내 셜빈을 취ᄒᆞ던 날브터 원슈ᄀᆞᆺ치 ᄒᆞ여 부부지락(夫婦之樂)을 일우지 아니키를 결단ᄒᆞ엿ᄂᆞ니, 요물이 입을 닥치고 잇ᄂᆞᆫ 거시 올커ᄂᆞᆯ, 날을 ᄃᆡᄒᆞ면 요악ᄒᆞᆫ 즐욕이 아니 밋ᄎᆞᆫ 곳이 업ᄉᆞ니, 엇지 그 곳의 드러가 욕을 감심ᄒᆞ리오. 텬ᄌᆞ(天子)도 《졀부 ‖ 필부(匹夫)》의 ᄯᅳᆺ슬 앗지 못ᄒᆞᄂᆞ니, 오왕이 무ᄉᆞᆷ 샤ᄅᆞᆷ이완ᄃᆡ 하원챵의 마ᄋᆞᆷ을 두로혀, 그 ᄯᆞᆯ을 위력으로 후ᄃᆡᄒᆞ라 ᄒᆞ리오. 내 실노 엄하의 역명ᄒᆞᆫ 죄를 밧ᄌᆞ와 죽을지언졍, 다시 져를 ᄃᆡ치 못ᄒᆞ리로다.”

언파의 시녀를 명ᄒᆞ여 두어 준(樽) 술을 가져 오라 ᄒᆞ여 취토록 거후르더라.

◎1204)어시의 하원챵이 시녀를 명ᄒᆞ여 두어 쥰(樽) 술【119】을 가져 오라 ᄒᆞ여 취토록 거후로고, 셜각으로 향ᄒᆞᆯ ᄯᅳᆺ이 ᄭᅮᆷ의도 업ᄉᆞ니, 몽징이 ᄒᆞᆯ 일 업셔 외헌의 나와 슉부의 ᄒᆞ던 말을 ᄎᆞ마 조부긔 다 고치 못ᄒᆞ여, 오직 ᄃᆡ강을 고ᄒᆞ고, 봉월ᄋᆞ셔 움즉이지 아니믈 고ᄒᆞ니, 공이 비록 참쳑(慘慽) 을 만히 격거 강엄ᄒᆞᆫ 쳔픔이 만히 쥬러지[시]나, 녈일(烈日) 츄상(秋霜) ᄀᆞᆺᄐᆞ미 오히려 업지 아닌 바의, ᄉᆞ인이 젼후 부명을 거역ᄒᆞ고 금일 언ᄉᆡ 완만 통완ᄒᆞ여, 다시 ᄉᆞ인을 셜각의 두라ᄒᆞ고, ᄯᅩ 젼어ᄒᆞ여 슈죄ᄒᆞ나, ᄉᆞ인이 요동치 아냐 오ᄅᆡ도록 말이 업더니,

“‘ᄃᆡ인이 부ᄃᆡ ᄯᅳᆺ슬 셰오고져 ᄒᆞ실진ᄃᆡ 죽여 시신을 셜각의 보내소셔’, ᄒᆞ라.”

몽징이 ᄒᆞᆯ일업셔 도라가 슉뷔 듯지 아니믈 고ᄒᆞ니, 공이 분긔 셔【120】리 ᄀᆞᆺᄐᆞ여 시노를 명ᄒᆞ여 ᄉᆞ인을 잡아오라 ᄒᆞ나, ᄉᆞ인이 조곰도 요동치 아닛ᄂᆞᆫ지라. 공이 잇ᄃᆡ 술이 취ᄒᆞᆫ 가온ᄃᆡ 노긔 열화 ᄀᆞᆺᄐᆞ여 셔안을 박ᄎᆞ고, 하 어히 업셔, 이의 한님으로 ᄒᆞ야곰 원챵을 잡아 오라 ᄒᆞ니, 한님이 슈명ᄒᆞ여 봉원각의 나아가니, ᄎᆞ시 ᄉᆞ인이 여러 번 부명을 녁ᄒᆞ미 즁죄 잇실 쥴 알고, 시녀로 쥬효를 연ᄒᆞ여 나와 슈십 ᄇᆡ를 거후르

1204)◎ : 선행본의 분권 권두표점.

의 여러 번 역명ᄒᆞ믈 대로ᄒᆞ여, 한님으로 원샹을 잡아 오라 ᄒᆞ니, 한님이 황황숑구(惶惶悚懼)ᄒᆞ여 시노(侍奴) ᄉᆞ오 인으로 더브러 봉원각의 니르니, 샤인이 발셔 여러 번 역명ᄒᆞ여시니, 듕죄 이실 줄 짐작고 술을 년ᄒᆞ여 거ᄒᆞᆯ너 대취ᄒᆞᄂᆞᆫ디라.

뎡쇼졔 가부의 고집을 도로혀기 어려온 줄 아나, 엄구의 셩뇌 딘쳡ᄒᆞ심과 샤인의 블초ᄒᆞ믈 십분 우려ᄒᆞ여, 셩안(星眼)을 낫초고 가월(佳月)[1494]을【67】ᄶᅵᆼ긔여 ᄆᆡᆨᄆᆡᆨ히 단좌ᄒᆞ여시니, 샤인이 취안이 몽농ᄒᆞ여 희허(唏噓) 탄왈,

"뎐되 우리 냥인을 ᄂᆡ시고 셜빈 ᄀᆞᆺ튼 음악발뷔(淫惡潑婦) 이셔 금슬의 마장을 닐월 줄 알니오. 엄교를 여러 슌(順) 역명ᄒᆞ미 블횐(不孝) 줄 모로리오마ᄂᆞᆫ, 죽을디언졍 셜빈은 ᄃᆡ치 못ᄒᆞᆯ디라. 부인의 현심슉덕으로 ᄉᆡᆼ의 광망(狂妄)ᄒᆞ믈 용샤ᄒᆞ쇼셔."

쇼졔 탄왈,

"군ᄌᆡ 그르셔이다. 사ᄅᆞᆷ이 그 허믈을 아디 못ᄒᆞ면 ᄒᆞᆯ일업거니와, 엇디 안 후 블통(不通) 고집(固執)ᄒᆞ리오. 쳡이 심규의 ᄉᆡᆼ댱ᄒᆞ여 ᄒᆞᆨ식이 암ᄆᆡ(暗昧)ᄒᆞ오나, 군ᄌᆞ의 쳐ᄉᆞ를 그윽이 취치 아니ᄒᆞᄂᆞ이다."

샤인이 기리 탄식고 믁연무어(默然無語)러니, 믄득 한님이 니르러 부명을 젼ᄒᆞ니, 샤인이 한님을 좃【68】ᄎᆞ 부젼의 니르러 청죄ᄒᆞ니, 공이 샤인을 보ᄆᆡ 분긔 ᄇᆡᆨ장(百丈)이나 ᄒᆞ여, 셔안을 박ᄎᆞ며 장목(長目) 대ᄌᆞᆯ(大叱) 왈,

1494)가월(佳月) : 아름다운 달. 또는 초승달처럼 아름다운 눈썹.

고, ᄃᆡ취 ᄒᆞ엿ᄂᆞᆫ지라.

뎡소졔 가부의 고집을 알ᄆᆡ 녀ᄌᆞ의 약셕 ᄀᆞᆺ튼 간언이 무익ᄒᆞᆫ 줄 모로지 아니ᄒᆞᄃᆡ, 엄구의 셩뇌(盛怒) 진쳡(震疊)ᄒᆞ심과 ᄉᆞ인의 역명ᄒᆞ믈 ᄀᆡ탄ᄒᆞ여, 셩안을 낫초고 가월ᄡᅡᆼ미(佳月雙眉)[1205]를 축합(蹙合)[1206]ᄒᆞ여 단슌(丹脣)이 ᄆᆡᆨᄆᆡᆨᄒᆞ고 슈안(愁顔) 쳑용(慽容)이 더욱 긔려절승(奇麗絶勝)ᄒᆞ여 유졍쟝부(有情丈夫)의 심장을【121】능[농]쥰(弄蠢)ᄒᆞᄂᆞᆫ지라. ᄉᆞ인이 더욱 취ᄌᆞᆼ 은졍이 유출(流出)ᄒᆞ여 집슈(執手) 연슬(連膝)ᄒᆞ고 츄연장탄 왈,

"뎐되 고로지 못ᄒᆞ샤 ᄉᆡᆼ과 부인을 ᄂᆡᄆᆡ 텬졍 슉연이어ᄂᆞᆯ, 셜빈 ᄀᆞᆺ튼 음악발뷔(淫惡潑婦) 우리 부부의 금슬의 마장이 될 줄 엇지 알니오. 엄교를 누ᄎᆞ 역ᄒᆞ미 블회 큰 줄 알오ᄃᆡ, 죽을지언졍 셜빈은 ᄃᆡ치 못ᄒᆞᆯ지라. 부인의 슉덕명혜ᄒᆞ므로ᄡᅧ 나의 불초(不肖) 광망(狂妄)ᄒᆞ믈 용ᄉᆞᄒᆞ소셔."

소졔 탄식ᄒᆞ고 ᄃᆡ왈,

"군ᄌᆡ 그르셔이다. 임의 허물을 모르시면 ᄒᆞᆯ일업거니와, 알고 스ᄉᆞ로 죄의 나아가믄 불통(不通) 무식(無識)ᄒᆞᆫ 고집이라. 쳡이 규중의 ᄉᆡᆼ장ᄒᆞ여 소학(所學)이 암열(暗劣)ᄒᆞ나, 군ᄌᆞ의 쳐ᄉᆞ를 엇지 감히 조당(阻擋)[1207]ᄒᆞ리잇고? 그윽이 의아ᄒᆞᄂᆞ이다"

ᄉᆞ인이 쳥파의 탄식ᄒᆞ고 다시 말을 ᄒᆞ고져 ᄒᆞ더니, 믄【122】득 부명을 밧ᄌᆞ와 ᄎᆞ형 한님과 ᄯᅩᄒᆞᆫ 원필이 니르러 부명을 젼ᄒᆞ니, ᄉᆞ인이 한님을 조ᄎᆞ 부젼의 니르러 청죄ᄒᆞ니, 공이 ᄉᆞ인을 보ᄆᆡ 분긔 ᄇᆡᆨ장(百丈)이나 ᄒᆞ여 셔안을 박ᄎᆞ며 장목(長目) ᄃᆡᄌᆞᆯ

1205)가월ᄡᅡᆼ미(佳月雙眉) : 초승달처럼 아름다운 두 눈썹.
1206)축합(蹙合) : 오그려 합함. 찡그림.
1207)조당(阻擋) : 나아가거나 다가오는 것을 막아서 가림. 남의 일에 부당하게 간섭함.

“패ᄌᆡ 다만 쳐ᄌᆡ 잇ᄂᆞᆫ 줄만 알고, 아비 잇ᄂᆞᆫ 줄은 아디 못ᄒᆞᄂᆞ냐?.”

샤인이 황공 브복 ᄃᆡ왈,

“ᄒᆡᄋᆡ 비록 블초무상 ᄒᆞ오나 엇디 부ᄌᆞ텬눈을 아디 못ᄒᆞ오며 엄명을 거역ᄒᆞ리잇고? 대인이 츄쳐악쳡(醜妻惡妾)을 화동ᄒᆞ라 ᄒᆞ셔도 쇼ᄌᆡ 샤양치 아니ᄒᆞ오려니와, 셜빈은 반ᄃᆞ시 사ᄅᆞᆷ의 집을 망ᄒᆞ고 남ᄌᆞ를 죽이고 말 거시오니, 엄젼의 ᄉᆞ죄를 당ᄒᆞ와도 ᄎᆞ마 ᄃᆡ치 못ᄒᆞᆯ소이다.”

공이 청파의 익노 왈,

“욕ᄌᆡ 가디록 무상ᄒᆞ여 여ᄎᆞ디언(如此之言)을 ᄒᆞᄂᆞ뇨? 고어의 왈, 군뷔(君父) 주시ᄂᆞᆫ 거ᄉᆞᆫ 견ᄆᆡ(犬馬)라도 공경ᄒᆞ라 ᄒᆞ니, 셜【69】빈이 황야의 친손이오, 너의 조강이라. 아딕 드러난 허믈이 업시 논죄(論罪)ᄒᆞ미 여ᄎᆞᄒᆞ니, 이 엇디 군ᄌᆞ의 관대ᄒᆞᆫ 힝ᄉᆡ리오. 여뷔 비록 용녈ᄒᆞ나 여러 번 니르ᄃᆡ 듯디 아니니, 이ᄂᆞᆫ 금슈와 일쳬라. 너 ᄀᆞᆺᄐᆞᆫ 패ᄌᆞ를 두고 하면목으로 ᄃᆡ인ᄒᆞ리오.”

셜파의 시노를 ᄡᅮ디져 샤인을 잡아 나리와 결장(決杖)[1495] ᄒᆞᆯᄉᆡ, ᄆᆡ마다 고찰ᄒᆞ여 셜원각의 가며 아니 가믈 므르니, 샤인이 도ᄎᆞ(到此)ᄒᆞ여ᄂᆞᆫ 앙앙블쾌(怏怏不快)[1496] ᄒᆞ여 왈,

“쇼ᄌᆡ 엄하(嚴下)의 슈장(受杖)ᄒᆞ여 죽을디라도 이 명은 봉승치 못ᄒᆞ오리니, 복원 야야ᄂᆞᆫ 시톄를 셜원각의 보ᄂᆡ쇼셔.”

샤인이 ᄌᆞ긔 언에(言語)라도 엄젼의 블공무식(不恭無識)ᄒᆞ믈 알오ᄃᆡ, 셜빈 음부(淫婦)의 가디록 챵궐ᄒᆞ여 군부 명으로【70】협졔(脅制)ᄒᆞ믈 졀치ᄒᆞ여, 엄명을 조금도 구쇽디 아니니, 공이 심홰 대발ᄒᆞ여 다시 뭇디 아니코, ᄉᆞᆼ싱을 념녀치 아냐 집장 노ᄌᆞ를 ᄡᅮ디져 ᄆᆡᄆᆡ히 고찰ᄒᆞ여, 오십여 장의

(大叱) 왈,

“픠ᄌᆡ 다만 쳐ᄌᆡ 잇ᄂᆞᆫ 줄만 알고 아비 잇ᄂᆞᆫ 줄은 아지 못ᄒᆞᄂᆞ냐?”

ᄉᆞ인이 황공 부복 ᄃᆡ왈,

“ᄒᆡᄋᆡ 비록 불초무상 ᄒᆞ오나 엇지 부ᄌᆞ텬눈을 아지 못ᄒᆞ오며 엄명을 거역ᄒᆞ리잇고? ᄃᆡ인이 취쳐악쳡(醜妻惡妾)을 화동ᄒᆞ라 ᄒᆞ셔도 소ᄌᆡ 사양치 아니ᄒᆞ오려니와, 셜빈은 반ᄃᆞ시 샤ᄅᆞᆷ의 집을 망ᄒᆞ고 남ᄌᆞ를 죽이고 말 거시니, 엄젼의 ᄉᆞ죄를 당ᄒᆞ와도 ᄎᆞ마 ᄃᆡ치 못ᄒᆞᆯ소이다.”

공이 청파의 익노 왈,

“욕ᄌᆡ 가지록 무상ᄒᆞ여 여ᄎᆞ지언(如此之言)을 ᄒᆞᄂᆞ뇨? 고어의 왈, 군뷔(君父) 주시ᄂᆞᆫ 거ᄉᆞᆫ 견ᄆᆡ(犬馬)【123】라도 공경ᄒᆞ라 ᄒᆞ니, 셜빈군쥬ᄂᆞᆫ 황야의 친손이오, 너의 조강(糟糠)이라. 아직 드러난 허물이 업시 논죄(論罪)ᄒᆞ미 여ᄎᆞᄒᆞ니, 이 엇지 군ᄌᆞ의 관ᄃᆡᄒᆞᆫ 힝ᄉᆡ리오. 여뷔 비록 《욕녈 ‖ 용녈》ᄒᆞ나 여러 번 니르ᄃᆡ 듯지 아니니, 이ᄂᆞᆫ 금슈와 일쳬라. 너 ᄀᆞᆺᄐᆞᆫ 픠ᄌᆞ를 두고 하면목으로 ᄃᆡ인ᄒᆞ리오.”

셜파의 시노를 ᄡᅮ지져 ᄉᆞ인을 잡아 나리와 결장(決杖)[1208] ᄒᆞᆯᄉᆡ, ᄆᆡ마다 고찰ᄒᆞ여 셜월각의 가며 아니 가믈 므르니, ᄉᆞ인이 도ᄎᆞ(到此)ᄒᆞ여ᄂᆞᆫ 단단블쾌(--不快)[1209] ᄒᆞ여 왈,

“소ᄌᆡ 엄하(嚴下)의 슈장(受杖)ᄒᆞ여 죽을지라도 이 명은 봉승치 못ᄒᆞ오리니, 복원 야야ᄂᆞᆫ 시쳬를 셜월각의 보ᄂᆡ소셔.”

ᄉᆞ인이 ᄌᆞ긔 언에(言語)라도 엄젼의 불공무식(不恭無識)ᄒᆞ믈 알오ᄃᆡ, 셜빈 음부(淫婦)의 가지록 챵궐ᄒᆞ여 군부 명으로 협졔(脅制)ᄒᆞ믈 졀치ᄒᆞ여, 엄명【124】을 조곰도 구속지 아니니, 공이 심홰 ᄃᆡ발ᄒᆞ여 다시 뭇지 아니코, ᄉᆞᆼ싱을 념녀치 아냐 집장 노ᄌᆞ를 ᄡᅮ지져 ᄆᆡᄆᆡ히 고찰ᄒᆞ여, 오십여 장

1495)결장(決杖) : 죄인에게 곤장을 치는 형벌을 집행하던 일.

1496)앙앙블쾌(怏怏不快) : 마음에 몹시 야속하게 여겨 불쾌해 함.

1208)결장(決杖) : 죄인에게 곤장을 치는 형벌을 집행하던 일.

1209)단단블쾌(--不快) : 흔들림 없이 강력하게 불쾌감을 드러냄.

밋쳐ᄂᆞᆫ, 피육(皮肉)이 후란(朽爛)ᄒᆞ고 홍혈(紅血)이 만디(滿地)ᄒᆞᄃᆡ, 공이 일분 측은ᄒᆞ미 업고, ᄉᆡᆼ이 일셩을 브동ᄒᆞ여 혼혼이 인ᄉᆞ를 아디 못ᄒᆞ니, 좌위 참블인견(慘不忍見)이오, 초공과 한님이 황황망극(惶惶罔極)ᄒᆞ여 ᄌᆞ긔 살흘 버히ᄂᆞᆫ ᄃᆞᆺᄒᆞ니, 이의 면관돈슈(免冠頓首)ᄒᆞ여 ᄌᆡ삼 ᄋᆡ걸ᄒᆞ나, 공이 드른 쳬 아니코 시노를 명ᄒᆞ여 등 미러 ᄂᆡ치고, 치기를 ᄌᆡ촉ᄒᆞ여 팔십 쟝의 밋쳐ᄂᆞᆫ 샤인이 아조 혼졀ᄒᆞ니, ᄎᆞ시 뎡쇼졔 샤인의 힝ᄉᆡ 한심ᄒᆞ고 엄뇌 어나 디경의 갈 줄 모로니, 쳐【71】신이 블안ᄒᆞ여 심녜(心慮) 만단(萬端)이러니, 시녜 젼언이 분분ᄒᆞ여 노애 상공을 아조 맛ᄂᆞᆫ다 ᄒᆞᄂᆞᆫ디라. 쇼졔 안연치 못ᄒᆞ여 관잠(冠簪)[1497]을 ᄉᆡᆨ히고 장복(章服)[1498]을 탈(脫)ᄒᆞ여, 두어 시녀로 더브러 바로 외당의 니르러 계하의 브복ᄒᆞ니, 하리 등이 분분이 믈너 나ᄂᆞᆫ디라. 공이 분노 듕이나 뎡쇼져의 텬향아ᄐᆡ(天香雅態)와 녜졀이 삼엄(森嚴)ᄒᆞᆫ 언ᄉᆞ를 드르ᄆᆡ 블승ᄋᆡ련(不勝哀憐)ᄒᆞ여 친히 당의 나려 왈,

"내 오날ᄂᆞᆯ 블초패ᄌᆞ를 아조 죽여 역명ᄒᆞᆫ 죄를 셜(雪)ᄒᆞ려 ᄒᆞ더니, 현뷔 이러틋 블안ᄒᆞ니 내 엇디 녀렴(慮念)치 아니리오. 이 곳이 외당이니 ᄲᆞᆯ니 드러가라."

쇼졔 ᄌᆡᄇᆡ 샤례ᄒᆞ고 ᄂᆡ당으로 드러가니, 공이 뎡시를 드려 보ᄂᆡ고 바야흐로 샤인을 샤ᄒᆞ니, 초공과 한님이【72】ᄉᆡᆼ을 븟드러 셔헌의 도라가 구호ᄒᆞ랴 ᄒᆞ더니, 공이 명ᄒᆞ여 셜원각의 두라 ᄒᆞ니, 초공이 부젼의 고왈,

"ᄋᆞ의 쟝쳬 듕난ᄒᆞ니 만일 셜각의 두온즉 쇼ᄌᆞ 등이 ᄌᆞ조 보ᄋᆞᆸ기도 편치 못ᄒᆞᄋᆞᆸ고, 졔 역시 심ᄉᆡ 편치 못ᄒᆞ오리니 외당의셔 구호ᄒᆞ여디이다."

공이 믁연이러니, 됴부인이 ᄯᅩᄒᆞᆫ 녁권(力勸)ᄒᆞ니 공이 브득이 허ᄒᆞᆫᄃᆡ, 초공이 깃거

1497)관잠(冠簪) : 봉관(鳳冠)과 비녀. *봉관(鳳冠); 봉황(鳳凰)을 장식한 여자의 예관(禮冠)

1498)장복(章服) : 옛날 벼슬아치들의 공복(公服). 여기서는 남편의 품계에 맞춰 입은 명부(命婦)의 정장(正裝)을 말함.

의 밋쳐ᄂᆞᆫ, 피육(皮肉)이 후란(朽爛)ᄒᆞ고 홍혈(紅血)이 만지(滿地)ᄒᆞᄃᆡ, 공이 일분 측은ᄒᆞ미 업고, ᄉᆡᆼ이 일셩을 부동ᄒᆞ여 혼혼이 인ᄉᆞ를 아지 못ᄒᆞ니, 좌위 참불인견(慘不忍見)이오, 초공과 한님이 황황망극(惶惶罔極)ᄒᆞ여 ᄌᆞ긔 ᄉᆞᆯ흘 버히ᄂᆞᆫ ᄃᆞᆺᄒᆞ니, 이의 면관돈슈(免冠頓首)ᄒᆞ여 ᄌᆡ삼 ᄋᆡ걸ᄒᆞ니, 공이 드른 체 아니코 시노를 명ᄒᆞ여 등 미러 ᄂᆡ치고, 치기를 ᄌᆡ촉ᄒᆞ여 팔십 쟝의 밋쳐ᄂᆞᆫ ᄉᆞ인이 아조 혼졀ᄒᆞ니, ᄎᆞ시 뎡소졔 사인의 힝ᄉᆡ 한심ᄒᆞ고 엄뇌 어나 지경의 갈 줄 모로니, 쳐신이 불안ᄒᆞ여 심녜 만단이러니, 시녜 젼언이 분분ᄒᆞ여 노애 상공을 아조 맛ᄂᆞᆫ다 ᄒᆞᄂᆞᆫ지라. 소졔【125】안안치 못ᄒᆞ여 관잠(冠簪)[1210]을 ᄉᆡᆨ히고 장복(章服)[1211]을 탈ᄒᆞ여, 두어 시녀로 더브러 바로 외당의 니르러 계하의 부복ᄒᆞ니, 하리 등이 분분이 믈너 나ᄂᆞᆫ지라. ○…결락16자…○[공이 분노 듕이나 뎡쇼져의 텬향아ᄐᆡ(天香雅態)와] 녜졀이 삼엄ᄒᆞᆫ 언ᄉᆞ를 드르ᄆᆡ, 블승ᄋᆡ련(不勝哀憐)ᄒᆞ여 친히 당의 나려 왈,

"내 오날날 불초ᄑᆡᄌᆞ를 아조 쥭여 역명ᄒᆞᆫ 죄를 셜ᄒᆞ려 ᄒᆞ더니, 현뷔 이러틋 불안ᄒᆞ니 내 엇지 여렴치 아니리오. 이곳이 외당이니 ᄲᆞᆯ니 드러가라."

소졔 ᄌᆡᄇᆡ 샤례ᄒᆞ고 ᄂᆡ당으로 드러가니, 공이 뎡씨를 드려 보ᄂᆡ고 바야흐로 ᄉᆞ인을 샤ᄒᆞ니, 초공과 한님이 ᄉᆡᆼ을 븟드러 셔헌의 도라가 구호ᄒᆞ랴 ᄒᆞ더니, 공이 명ᄒᆞ여 셜월각의 두라 ᄒᆞ니, 초공이 부젼의 고왈,

"ᄋᆞ의 쟝쳬 즁난ᄒᆞ니 만일 셜각의 두온즉 소ᄌᆞ 등이 ᄌᆞ조 보ᄋᆞᆸ기도 편치 못ᄒᆞᄋᆞᆸ고, 졔 역시【126】심ᄉᆡ 편치 못ᄒᆞ오리니, 외당의셔 구호ᄒᆞ여지이다."

공이 묵연이러니, 조부인이 ᄯᅩᄒᆞᆫ 역권(力勸)ᄒᆞ니 공이 부득이 허ᄒᆞᆫᄃᆡ, 초공이 깃거

1210)관잠(冠簪) : 봉관(鳳冠)과 비녀. *봉관(鳳冠); 봉황(鳳凰)을 장식한 여자의 예관(禮冠)

1211)장복(章服) : 옛날 벼슬아치들의 공복(公服). 여기서는 남편의 품계에 맞춰 입은 명부(命婦)의 정장(正裝)을 말함.

샤인을 븟드러 셔당의 누이고, 삼다(蔘茶)의 회싱단(回生丹)을 화ᄒᆞ여 입의 드리워 디셩구호(至誠救護)ᄒᆞ니, ᄀᆞ장 야심케야 바야흐로 졍신을 출혀, 교아졀치(咬牙切齒)[1499] 왈,

"원챵이 ᄉᆞ라 음악찰녀(淫惡刹女)를 죽이디 못ᄒᆞ면 댱뷔 아니라."

ᄒᆞ니, 초공이 졀칙경계(切責警戒)ᄒᆞ나, 딘실노 셜빈의 음악ᄒᆞᆫ 거동은 군ᄌᆞ의 뎡시홀【73】빅 아니라. 젼두의 므ᄉᆞᆫ 변괴 이실디, ᄉᆡᆼ각이 이의 밋ᄎᆞᄆᆡ ᄌᆞ못 우례 깁더라.

이날 셜빈이 이 소식을 드르ᄆᆡ 블승암희(不勝暗喜)ᄒᆞ나 뎡쇼져의 샤인 구ᄒᆞ믈 분ᄆᆡ(憤罵) 왈,

"아쥬 요괴로온 년이 용녈ᄒᆞᆫ 하가 부ᄌᆞ를 농낙ᄒᆞ미 여ᄎᆞᄒᆞ니, 내 됴만(早晩)[1500]의 뎡녀를 ᄡᅳ져 죽여 셜분ᄒᆞ리라."

ᄒᆞ고, 묘화로 밀밀(密密)○[히] 상의(相議)ᄒᆞ여, 샤인의 병이 듕ᄒᆞ여 봉각의 ᄌᆞ최 ᄭᅳᆫ힌 ᄉᆞ이를 인ᄒᆞ여 계교ᄒᆞ니, 아디 못게라 필경이 하여오?

샤인의 상쳬 슈일이 디나ᄃᆡ 일양(一樣) 대단ᄒᆞ니, 일개(一家) 우황ᄒᆞ더라.【74】

ᄉᆞ인을 븟드러 셔당의 누이고, 삼다(蔘茶)의 회싱단(回生丹)을 화ᄒᆞ여 입의 드리워 지셩구호(至誠救護)ᄒᆞ니, ᄀᆞ장 야심케야 바야흐로 졍신을 출혀 교아졀치(咬牙切齒)[1212] 왈,

"원챵이 ᄉᆞ라 음악찰녀(淫惡刹女)를 죽이지 못ᄒᆞ면 댱뷔 아니라."

ᄒᆞ니, 초공이 경계졀칙(警戒切責) ᄒᆞ나, 진실노 셜빈의 음악ᄒᆞᆫ 거동은 군ᄌᆞ의 《젼시∥졍시》홀 빅 아니라. 젼두의 무ᄉᆞᆫ 변괴 잇실지, ᄉᆡᆼ각이 이의 밋ᄎᆞᄆᆡ ᄌᆞ못 우례 깁더라.

이날 셜빈이 ○[이] 소식을 드르ᄆᆡ 불승암희(不勝暗喜)ᄒᆞ나, 뎡소져의 ᄉᆞ인 구ᄒᆞ믈 분ᄆᆡ(憤罵) 왈,

"아쥬 요괴로온 년이 용녈ᄒᆞᆫ 하가 부ᄌᆞ를 농낙ᄒᆞ미 여ᄎᆞᄒᆞ니, 내 조만(早晩)[1213]의 뎡녀를 ᄡᅳ져【127】죽여 셜분ᄒᆞ리라."

ᄒᆞ고, 묘화로 밀밀(密密)○[히] 상의(相議)ᄒᆞ여, ᄉᆞ인의 병이 즁ᄒᆞ여 봉각의 ᄌᆞ최 ᄭᅳᆫ힌 ᄉᆞ이를 인ᄒᆞ여 계교ᄒᆞ니, 아지 못게라 필경이 하여오?

ᄉᆞ인의 샹체 슈일이 지나ᄃᆡ 일양 ᄃᆡ단ᄒᆞ니 일기 우황 즁,

1499)교아졀치(咬牙切齒) : 몹시 분하여 이를 갊.
1500)됴만(早晩) : 조만간(早晩間)에. 앞으로 곧. 머잖아.

1212)교아졀치(咬牙切齒) : 몹시 분하여 이를 갊.
1213)조만(早晩) : 조만간(早晩間)에. 앞으로 곧. 머잖아.

명듀보월빙 권디구십팔

ᄎᆞ셜 샤인의 장체(杖處) 슈일이 디나ᄃᆡ 일양(一樣) 대단ᄒᆞ니 일개 우황 듕, 셜빈은 악악ᄒᆞᆫ1501) 즐언(叱言)이 샤인을 원망ᄒᆞ여, 엄젼의 슈장ᄒᆞ미 다 뎡녀의 연괴라 ᄒᆞ며 ᄒᆞᆫ 번 문병ᄒᆞ미 업ᄉᆞ니, 뎡쇼졔 심니의 샤인의 병을 크게 념녀ᄒᆞ나, 셜빈이 져러틋 ᄒᆞ니 ᄌᆞ긔 몬져 문병ᄒᆞ미 블안ᄒᆞᆫ 고로, 무심무려 ᄒᆞᆫ ᄃᆞᆺᄒᆞ나 남 모로ᄂᆞᆫ 근심이 간졀ᄒᆞᆯ디언졍 ᄒᆞᆫ 번도 문병을 못ᄒᆞ더라.

셜빈이 샤인이 봉각의 머믈 젹은 오히려 긔탄(忌憚)ᄒᆞ미 이셔, 뎡쇼져를 곤욕디 못ᄒᆞ더니, ᄎᆞ시를 당ᄒᆞ여ᄂᆞᆫ 두릴 거시 업ᄂᆞᆫ디라. 날마다 봉각의 니르러 무상(無常) 즐욕(叱辱)이 【1】 ᄆᆡ희(妹喜)·달긔(妲己)라 ᄒᆞ며, 온 가디로 욕ᄒᆞ나, 쇼졔 음녀발부와 결우미 욕된 고로 일언을 답디 아니코, 공연이 듕청(重聽)1502)이 되여 못 드르며 못 보ᄂᆞᆫ ᄃᆞᆺᄒᆞ니, 셜빈이 분코 무류ᄒᆞ나 감히 치디 못ᄒᆞ믄 남이 알가 두리미라.

셜빈이 더옥 통완ᄒᆞ여 쒸놀며 욕ᄒᆞᄃᆡ,

"뎡연과 뎐네 져런 별믈을 ᄉᆡᆼ흑(生慉)ᄒᆞ여, 하원챵 탕ᄌᆞ의 심졍을 농낙ᄒᆞ고, 나의 안듕졍(眼中釘)1503)이 되게 ᄒᆞ니, 져만 ᄌᆡ용(才容)으로 어ᄃᆡ 가 공도(公道)로온1504) 가부를 못 어더 남의 뎍국이 되리오. 욕심이 반ᄃᆞ시 쇼텬을 죽이고 사ᄅᆞᆷ의 집을 업치리로다."

1501)악악ᄒᆞ다 : 악악하다. 몹시 기를 쓰며 자꾸 소리를 내지르다.

1502)듕청(重聽) : 중청(重聽). 귀가 어두워서 소리를 잘 듣지 못하는 증상.

1503)안듕졍(眼中釘) : 눈엣가시. ①몹시 밉거나 싫어늘 눈에 거슬리는 사람. ②남편의 첩을 이르는 말.

1504)공도(公道)롭다 : 공도롭다. 공도(公道)에 맞다.

셜빈은 악악ᄒᆞᆫ1214) 즐언(叱言)이 ᄉᆞ인을 원망ᄒᆞ여 엄젼의 슈장ᄒᆞ미 다 뎡녀의 연괴라 ᄒᆞ며, ᄒᆞᆫ 번 문병ᄒᆞ미 업ᄉᆞ니, 뎡소졔 심니의 ᄉᆞ인의 병을 크게 념녀ᄒᆞ나, 셜빈이 져러틋 ᄒᆞ니 ᄌᆞ긔 몬져 문병ᄒᆞ미 불안ᄒᆞᆫ 고로, 무심무려 ᄒᆞᆫ ᄃᆞᆺᄒᆞ나 남 모로ᄂᆞᆫ 근심이 근졀ᄒᆞᆯ지언졍 ᄒᆞᆫ 번도 문병을 못ᄒᆞ더라.

셜빈이 ᄉᆞ인이 봉각의 머믈 젹은 오히려 긔탄ᄒᆞ미 잇셔, 뎡소져를 곤욕지 못ᄒᆞ더니, ᄎᆞ시를 당ᄒᆞ여ᄂᆞᆫ 두릴 거시 업ᄂᆞᆫ지라. 날마다 봉각의 니르러 무상(無常) 즐욕(叱辱)【128】이 ᄆᆡ희(妹喜)·달긔(妲己)라 ᄒᆞ며, 온 가지로 욕ᄒᆞ나, 소졔 음녀발부와 결우미 욕된 고로 일언을 답지 아니코, 공연이 즁청(重聽)1215)이 되여 못 드르며 못 보ᄂᆞᆫ ᄃᆞᆺᄒᆞ니, 셜빈이 분코 무류ᄒᆞ나, 감히 치지 못ᄒᆞ믄 남이 알가 두리미라.

흉즁의 분홰 ᄃᆡ발ᄒᆞ여 독ᄒᆞᆫ 노긔 《포동∥표동(漂動)1216)》ᄒᆞ여 고ᄃᆡ 죽이지 못ᄒᆞ믈 한ᄒᆞ여 무슈○[ᄒᆞᆫ] 즐욕이 아니 밋ᄎᆞᆫ 곳이 업ᄂᆞᆫ지라.

{이의 침소로 도라와 묘화 요리를 청ᄒᆞ여 니르ᄃᆡ,이졔 뎡녜 봉각의셔 병을 치료ᄒᆞᄆᆡ 가즁 샹하의 ᄌᆞ최 모다 뎡소져의 병으로 분요ᄒᆞ여 지ᄂᆡᄂᆞᆫ 가온ᄃᆡ 묘ᄒᆞᆫ 계교로뼈 힝케 ᄒᆞ라. 묘화로 졍당 시비의 형체를 비러 일긔 미죽의 암약을 셧거 가지고 봉각에 니르러 조부인 말ᄉᆞᆷ으로 병을 뭇고 미죽을 나온ᄃᆡ}1217)

1214)악악ᄒᆞ다 : 악악하다. 몹시 기를 쓰며 자꾸 소리를 내지르다.

1215)듕청(重聽) : 중청(重聽). 귀가 어두워서 소리를 잘 듣지 못하는 증상.

1216)표동(漂動) : ①물 위에 떠서 움직임. ②어떤 감정이 눈빛이나 얼굴 표정 등에 나타나 움직임.

1217){ }안의 내용은 131쪽 "더브러 도라가다"-"황혼 쯕의 묘홰" 사이에 있던 문장을 잘 못 필사한 것 같다. 그러나 내용이 뒷문장과 중복되는 표현

쇼졔 쳥파의 다른 능욕은 족가치 아니나, 부모를 거드러 참욕ᄒᆞ기의 다ᄃᆞ라는 분연대로(憤然大怒)ᄒᆞ여, 잠미(蠶眉)를 거ᄉᆞ리고 셩음이 ᄆᆡᆼ녈ᄒᆞ여 왈,

"오【2】슈블민(吾雖不敏)이나, 또ᄒᆞᆫ ᄉᆞ문일ᄆᆡᆨ(士門一脈)이라. 가부를 조ᄎᆞ미 상님(桑林)의 분구(奔求)[1505]ᄒᆞ미 아니오, 귀궁 노예 아니니, 군쥐 비록 쳔승디녀(千乘之女)로 금디옥엽(金枝玉葉)이나, 이ᄀᆞᆺ치 능경쳔답(凌輕賤諸)[1506] 홈도 가치 아니코, 거친 즐욕(叱辱)은 쳔만블가(千萬不可)ᄒᆞ니, 고어의 왈, '국군이교인즉실기국(國君而驕人則失其國)ᄒᆞ고, 태위교인즉실기가(大夫而驕人則失其家)'[1507]라 ᄒᆞ고, ᄆᆡᆼᄌᆞ 왈, '노오노(老吾老) ᄒᆞ여 이급인디뇌(以及人之老)'[1508]라 ᄒᆞ니, 쳡이 군쥬를 위ᄒᆞ여 그ᄋᆞᆨ이 취치 아니ᄒᆞ노라."

말ᄉᆞᆷ이 쥰녈ᄒᆞ고 분긔 엄식(奄塞)ᄒᆞ여 신ᄉᆡᆨ(身色)이 ᄎᆞᆫ 직 ᄀᆞᆺᄐᆞ여 혼졀ᄒᆞ니, 셜빈의 독ᄒᆞᆫ 넘치의도 무류디심(無聊之心)이 업디 아냐 침소로 도라가니, 원ᄂᆡ 뎡쇼졔 근간 감환(感患)[1509]으로 편치 못ᄒᆞᆫᄃᆡ, 년ᄒᆞ여 심녀도 만코 쵹상(觸傷)ᄒᆞ미 잇더니, 셜빈의 즐욕을 드르【3】ᄆᆡ 엄식ᄒᆞ니, 유랑 시ᄋᆞ 등이 황황망극ᄒᆞ여 죵일 구호ᄒᆞ나, 쇼졔 혼혼블셩(昏昏不省)[1510]ᄒᆞ니 시비 등이 ᄒᆞᆯ일업셔 뎡당의 고ᄒᆞ니, 공과 부인이 놀나 윤·님 냥부로 더브러 봉각의 니르러 문병ᄒᆞ

1505)분구(奔求) : 예를 갖추지 않고 배우자를 구함.

1506)능경천답(凌輕賤諸) : 남을 경멸하여 천하고 망령되게 잔말을 늘어놓음.

1507)국군이교인즉실기국(國君而驕人則失其國)ᄒᆞ고, 태위교인즉실기가(大夫而驕人則失其家)라 : 임금이 사람을 교만하게 대하면 나라를 잃게 되고, 대부(大夫)가 사람을 교만하게 대하면 그 가문을 잃게 된다. 사마천(司馬遷), 『사기(史記)』 위세가(魏世家)조(條)에 나오는 글.

1508)노오노(老吾老) 이급인디뇌(以及人之老) : 내 집 어른을 섬기 듯 남의 집 어른을 섬김. 『맹자(孟子)』 <양혜왕 장구상(梁惠王 章句上)>의 글.

1509)감환(感患) : 감기의 높임말.

1510)혼혼블셩(昏昏不省) : 정신이 가물가물한 상태에서 깨나지 못함.

셜빈이 소져를 쳔가지로 즐욕ᄒᆞ고[ᄃᆡ], ○…결락63자…○[쇼졔 다른 능욕은 족가(足枷)치[1218] 아니나, 부모를 거드러 참욕ᄒᆞ기의 다ᄃᆞ라는 분연대로(憤然大怒)ᄒᆞ여, 잠미(蠶眉)를 거ᄉᆞ리고 셩음이 ᄆᆡᆼ녈ᄒᆞ여 왈,

"오슈블민(吾雖不敏)이나, 또ᄒᆞᆫ ᄉᆞ문일ᄆᆡᆨ(士門一脈)이라]. 《하ᄉᆞ인‖가부(家夫)》를 조ᄎᆞ미 상님(桑林)의 분【129】구(奔求)[1219]ᄒᆞ미 아니오, 귀궁 노예 아니니, 군쥐 비록 쳔승지녀(千乘之女)로 금지옥엽(金枝玉葉)이나, 이ᄀᆞᆺ치 능경쳔답(凌輕賤諸)[1220]홈도 가치 아니코, 거츤 즐욕(叱辱)을 ᄒᆞ믄 쳔만불가(千萬不可)ᄒᆞ니, 고어의 왈, '국군이교인즉실기국(國君而驕人則失其國)ᄒᆞ고, 대뷔교인즉실기개(大夫驕人則失其家)'[1221]라" ᄒᆞ고, ᄆᆡᆼᄌᆞ 왈, '노오노(老吾老) ᄒᆞ여 이급인지뇌(以及人之老)'[1222]라 ᄒᆞ니, 쳡이 군쥬를 위ᄒᆞ여 그ᄋᆞᆨ이 취치 아니ᄒᆞ노라"

말ᄉᆞᆷ이 쥰열ᄒᆞ고 분긔 엄식(奄塞)ᄒᆞ여 신ᄉᆡᆨ이 ᄎᆞᆫ지 ᄀᆞᆺᄐᆞ며[여] 혼졀ᄒᆞ니, 셜빈의 독ᄒᆞᆫ 념치의도 무류지심(無聊之心)이 업지 아냐 침소로 도라가니, 원ᄂᆡ 뎡소졔 근간 감환(感患)[1223]으로 편치 못ᄒᆞᆫᄃᆡ, 연ᄒᆞ여 심녀도 만코 촉상(觸傷)ᄒᆞ미 잇더니, 셜빈의 즐욕을 드르ᄆᆡ 엄식ᄒᆞ니, 유랑 시ᄋᆞ 등이 황황망극 ᄒᆞ여 종일 구호ᄒᆞ나, 소졔 혼혼불셩(昏昏不省)[1224]ᄒᆞ니 시비 등이 ᄒᆞᆯ일업셔 졍

이 있고(밑줄 친 부분), 또 이곳으로 옮겨놓는다 해도 문장이 매끄럽게 연결되지 않아, 연문으로 처리한다.

1218)족가(足枷)ᄒᆞ다 :

1219)분구(奔求) : 예를 갖추지 않고 배우자를 구함.

1220)능경천답(凌輕賤諸) : 남을 경멸하여 천하고 망령되게 잔말을 늘어놓음.

1221)국군이교인즉실기국(國君而驕人則失其國)ᄒᆞ고, 태위교인즉실기가(大夫而驕人則失其家)라 : 임금이 사람을 교만하게 대하면 나라를 잃게 되고, 대부(大夫)가 사람을 교만하게 대하면 그 가문을 잃게 된다. 사마천(司馬遷), 『사기(史記)』 위세가(魏世家)조(條)에 나오는 글.

1222)노오노(老吾老) 이급인디뇌(以及人之老) : 내 집 어른을 섬기 듯 남의 집 어른을 섬김. 『맹자(孟子)』 <양혜왕 장구상(梁惠王 章句上)>의 글.

1223)감환(感患) : 감기의 높임말.

1224)혼혼블셩(昏昏不省) : 정신이 가물가물한 상태에서 깨나지 못함.

니, 쇼졔 구고의 경녀(驚慮)ᄒᆞ시믈 우려ᄒᆞ여 긔운을 강작ᄒᆞ여 관겨치 아니믈 ᄃᆡᄒᆞ나, 병셰 심상치 아니니 공이 미우를 찡긔고 쇼져의 옥슈를 ᄂᆡ라 ᄒᆞ여 딘ᄆᆡᆨᄒᆞ고, 도라 부인ᄃᆞ려 왈,

"우리 오ᄅᆡ 이시미 병심의 블안ᄒᆞ리니 도라 가샤이다."

부인이 조셥(調攝)ᄒᆞ믈 당부ᄒᆞ고 시녀비를 조심ᄒᆞ여 구호ᄒᆞ라 ᄒᆞ고, 냥부로 더브러 공을 뫼셔 뎡당으로 도라가다.

일식이 황혼의 요승 묘홰 변ᄒᆞ여 난향이 되여 봉각【4】의 니르러, 됴부인 명으로 쇼져 병을 뭇고 각듕(閣中) 긔식을 솔피니, 졔 시ᄋᆞᄂᆞᆫ 창외의셔 분분이 약음을 다ᄉᆞ리고, 유랑은 쇼져와 상 아ᄅᆡ 이셔 구호ᄒᆞᄂᆞᆫ디라. 묘홰 암약(暗藥)을 가져 시녀 등의 셕반의 셕고, 몸을 곰초아 동졍을 살피더니, 밤이 깁흔 후 졔 시ᄋᆡ 비로소 셕반을 먹더니, 상을 믈니디 못ᄒᆞ고 일시의 ᄡᅳ러져 비셩(鼻聲)이 여뢰(如雷)1511)ᄒᆞ거늘, 묘홰 깃거 다시 유랑 먹을 밥의 개용단(改容丹)을 화(和)ᄒᆞ고, 또 숨어 보니, 오ᄅᆡ디 아냐 유랑이 나와 쉬고[며] 다른 시ᄋᆞ(侍兒)로 쇼져를 뫼시라 ᄒᆞ여, 아모리 ᄭᆡ여○[도] ᄭᆡ디 아니니, 유랑이 홀일업셔 셕반을 ᄎᆞᄌᆞ 먹더니, 또 밋쳐 술1512)을 디디1513) 못ᄒᆞ여 업더져 ᄌᆞ거【5】늘, 묘홰 즉시 유랑을 향ᄒᆞ여 두어 말 딘언(眞言)1514)을 념ᄒᆞ니, 경긱의 노유랑(老乳娘)이 변ᄒᆞ여 셜부방신(雪膚芳身)이 완연이 뎡쇼졔라.

1511)여뢰(如雷) : 천둥소리와 같음. 우레와 같음
1512)술 : ①숟가락. 수저. ②술. 밥 따위의 음식물을 숟가락으로 떠 그 분량을 세는 단위.
1513)디다 : 지다. 수저 따위를 놓다.
1514)딘언(眞言) : ①느다라니. 범문을 번역하지 아니하고 음(音) 그대로 외는 일. ②신비하고 초월적인 능력을 가진다고 생각하는 신성한 말.

당의 고【130】ᄒᆞ니, 공과 부인이 놀나 윤·님 냥부(兩婦)로 더브러 봉각의 니르러 문병ᄒᆞ니, 소졔 구고의 경녀ᄒᆞ시믈 우려ᄒᆞ여 긔운을 강작ᄒᆞ여 관겨치 아니믈 ᄃᆡᄒᆞ나, 병셰 심상치 아니니, 공이 미우를 찡긔고 소져의 옥슈를 ᄂᆡ라 ᄒᆞ여 진ᄆᆡᆨᄒᆞ고 왈,

"식뷔 약질의 유틱ᄒᆞ니 신병이 잇ᄂᆞᆫ지라. ᄋᆞ등이 머물ᄆᆡ 병심의 불안ᄒᆞ여 실셥기 쉬오니 우리ᄂᆞᆫ 도라가《고‖리니》, 복쳡의 무리 지극 구호ᄒᆞ라"

유랑 등이 슈명ᄒᆞ니, 공이 부인과 니부(二婦)를[로] 더브러 도라가다.

황혼 ᄯᅢ의 묘홰 {또} 《난환‖난향》이 되어 밤들기를 기다려 봉각의 나아가, 조부인 말솜으로 병후를 뭇고 가마니 암약(暗藥)을 시녀의 먹ᄂᆞᆫ ᄎᆞ완의 드리치니, 유ᄋᆞ 복쳡 등이 엇지 알니오. 소져를 구호ᄒᆞ느라 셕식을 일작 먹지 아녓다가, 소졔【131】져기 잠드ᄂᆞᆫ 듯ᄒᆞᄆᆡ 유랑은 밋쳐 나오지 못ᄒᆞ고, 벽옥·취란 등이 먼져 나와 셕식을 먹느라 물을 몬져 마시ᄆᆡ, 문득 조롬이 몽농ᄒᆞ여 미쳐 상을 믈니지 못ᄒᆞ고 안ᄌᆞᆺ든 ᄌᆞ리의 구러져 비셩(鼻聲)이 여뢰(如雷)1225)ᄒᆞ니, 묘홰 ᄃᆡ희ᄒᆞ여 또 유랑의 셕반의 ᄀᆡ용단(改容丹)과 독약을 셧것더니, 유랑이 그졔야 나와 허핍(虛乏)ᄒᆞ믈 니긔지 못ᄒᆞ여 제녀를 ᄭᆡ와 소져를 구호ᄒᆞ라 ᄒᆞ고[ᄃᆡ], 아모리 흔드러도 ᄭᆡ지 아니니 홀일업셔 밥을 먹기를 맛고, 그릇슬 물니며 혼혼불셩(昏昏不醒)ᄒᆞ여 명(命)이 위위(危危)ᄒᆞ니, 이 믄득 《즁년‖즁년(中年)》 《냥낭‖양낭(養娘)1226)》 복쳡(僕妾)이 아니오, 셜부빙골(雪膚氷骨)이 교교작작(嬌嬌灼灼)1227)ᄒᆞᆫ 뎡소졔라.

1225)여뢰(如雷) : 천둥소리와 같음. 우레와 같음
1226) 양낭(養娘) : 시녀.
1227)교교작작(嬌嬌灼灼) : 매우 아름다운 모양.

묘홰 장ᄂᆡ(帳內)의 드러가니, 이ᄯᆡ 쇼졔 졍신이 혼혼(昏昏)ᄒᆞ여 고요히 침쉬(寢睡) 깁헛고, 쇼져의 여벌 의상(衣裳)이 가샹(架上)[1515]의 걸녓거늘, 나리와 유랑을 닙혀 쇼져 누엇던 상상(床上)의 누이고, 쇼져ᄂᆞᆫ 거두쳐 녑히 쪄 셜각으로 도라오니, 쇼졔 반ᄉᆡᆼ반ᄉᆞ(半生半死)ᄒᆞ여 졍신을 출히디 못ᄒᆞ고, 봉각 딕슉(直宿) 유랑·시녀 등은 졍신을 일헛고, 밤이 깁허 만뇌구뎍(萬籟俱寂)[1516]ᄒᆞ니, 뉘 능히 뎡쇼져의 큰 ᄋᆡᆨ을 만나 명ᄌᆡ경ᄀᆡᆨ(命在頃刻)[1517]이믈 알니오.

ᄎᆞ시 셩가 요녀와 악인 연상궁이 묘화를 보ᄂᆡᆫ 후, 쵹을 ᄇᆞᆰ혀 괴로이 기다리더니, 야심 후【6】 묘홰 뎡쇼져 잡아 오믈 보고, 급급히 ᄂᆡ다라 금편을 드러 박살ᄒᆞ려 ᄒᆞ니, 묘홰 말녀 왈,

"만일 뎡시를 이곳의셔 죽이면, 이목이 번다ᄒᆞ여 간졍(奸情)[1518]이 발각기 쉬오니 달니 쳐치ᄒᆞ쇼셔."

연상궁 왈,

"ᄉᆞ부의 말이 올흐니 뎡시를 농듕(籠中)의 너허 바로 오궁의 보ᄂᆡ여, 누옥(陋獄)의 가도와 음식을 주디 말고 ᄌᆞ딘(自盡)케 ᄒᆞ미 편당(便當)ᄒᆞ니이다."

셜빈 왈,

"부왕과 모휘(母后) 인ᄌᆞᄒᆞ시니 날을 그릇 녁이실가 ᄒᆞ노라."

연상궁 왈,

"ᄒᆞᆫ 뎡시 죽이기의 엇디 뎐하와 낭낭이 아르시게 ᄒᆞ리잇고? 오궁 옥듕의 ᄂᆡᆼ암졍이란 누옥(陋獄)이 이셔, 궁녀 《희셤‖틔셤》이 가음아라 딕희여시니, 이졔 뎡시를 《희셤‖틔셤》의게 보ᄂᆡ여 소원을 니르고, 죽여【7】 달나 ᄒᆞ면 초로잔명(草露殘命)이 ᄌᆞ딘치 아닐가 근심ᄒᆞ리잇고?"

셜빈이 올히 ○○[녁여] 즉시 뎡쇼져를

1515)가샹(架上) : 시렁 또는 횃대 따위의 위.
1516)만뇌구적(萬籟俱寂) : 밤이 깊어 아무런 소리도 없어 아주 고요함.
1517)명ᄌᆡ경ᄀᆡᆨ(命在頃刻) : 목숨이 경각에 달려 있음.
1518)간정(奸情) : 범행의 정황(情況).

묘홰 ᄃᆡ희ᄒᆞ여 장ᄂᆡ(帳內)의 드러가니, 이ᄯᆡ 소졔 졍신이 혼혼(昏昏)ᄒᆞ여 고요히 침쉬(寢睡) 깁헛고, 소져의 녀벌 의상이 가샹(架上)[1228]의 걸엿거늘, 나리와 유【132】랑을 입혀 소져 누엇던 상상(床上)의 누이고, 소져ᄂᆞᆫ 거두쳐 엽히 쪄 셜각으로 도라오니, 소졔 반ᄉᆡᆼ반ᄉᆞ(半生半死) ᄒᆞ여 졍신을 못 출히고, 봉각 직슉(直宿) 유랑·시녀 등은 졍신을 일헛고, 밤이 깁허 만뇌구젹(萬籟俱寂)[1229]ᄒᆞ니, 뉘 능히 뎡소져의 큰 ᄋᆡᆨ을 만나 명ᄌᆡ경각(命在頃刻)[1230]ᄒᆞ믈 알니오.

ᄎᆞ시 셩가 요녀와 악인 연상궁이 묘화를 보ᄂᆡᆫ 후, 쵹을 ᄇᆞᆰ혀 괴로이 기ᄃᆞ렷더니, 야심 후 묘홰 뎡소져 잡아 오믈 보고, 급급히 ᄂᆡ다라 금편을 드러 박살ᄒᆞ려 ᄒᆞ니, 묘홰 말녀 왈,

"만일 뎡씨를 이곳의셔 죽이면, 이목이 번다ᄒᆞ여 간졍(奸情)[1231]이 발각기 쉬오니 달니 쳐치ᄒᆞ소셔."

연상궁 왈,

"ᄉᆞ부의 말이 올흐니 뎡씨를 농즁(籠中)의 너허 바로 오궁의 보ᄂᆡ여, 누옥(陋獄)의 가도아 음식을 주지 말고 ᄌᆞ진(自盡)케 ᄒᆞ미 편당(便當)ᄒᆞ니이다."

셜빈【133】 왈,

"부왕과 모휘(母后) 인ᄌᆞᄒᆞ시니 나를 그릇 녁이실가 ᄒᆞ노라."

연상궁 왈,

"ᄒᆞᆫ 뎡씨 죽이기의 엇지 뎐하와 낭낭이 아르시게 ᄒᆞ리잇고? 오궁 옥즁의 ᄂᆡᆼ암졍이란 누옥(陋獄)이 잇셔 궁녀 《회념‖틔셤》이 가음아라 직희엿시니, 이졔 뎡씨를 《회셤‖틔셤》의게 보ᄂᆡ여 소원을 니르고 죽여 달나 ᄒᆞ면, 초로잔명(草露殘命)이 ᄌᆞ진○[치] 아닐가 근심ᄒᆞ리잇고?"

셜빈이 올히 녁여 즉시 뎡소져를 큰 농의

1228)가샹(架上) : 시렁 또는 횃대 따위의 위.
1229)만뇌구적(萬籟俱寂) : 밤이 깊어 아무런 소리도 없어 아주 고요함.
1230)명ᄌᆡ경ᄀᆡᆨ(命在頃刻) : 목숨이 경각에 달려 있음.
1231)간정(奸情) : 범행의 정황(情況).

큰 농의 너허 긴긴히 봉쇄ᄒᆞ고, 시녀로 압녕(押領)ᄒᆞ여 오궁으로 보ᄂᆡ니, 원ᄂᆡ 뎡쇼졔 일시 익운이 긔괴ᄒᆞ여, 묘쾌 봉원각의 드러가 요약을 시녀 등 셕반의 화(和)ᄒᆞᆯ 쎠, 쇼져의 나오ᄂᆞᆫ ᄎᆞ의도 화ᄒᆞ엿던디라, ᄒᆞᆫ 번 요약을 먹으ᄆᆡ 반ᄉᆡᆼ반ᄉᆞᄒᆞ여 힘힘히 농듕의 드러 오궁 ᄂᆡᆼ옥 죄슈 되나 알 니 업더라.

명됴의 됴부인이 식부의 병을 념녀ᄒᆞ여 난향으로 문병ᄒᆞ고 오라 ᄒᆞ니, 난향이 봉명(奉命)ᄒᆞ여 봉각의 니르니, 쟝외의 졔 시ᄋᆡ 오히려 잠이 깁헛고, 유랑이 난두(欄頭)의셔 창황(蒼黃)ᄒᆞ여 거디(擧止) 황당ᄒᆞ고 오열비읍(嗚咽悲泣)ᄒᆞ거ᄂᆞᆯ, 난향【8】이 놀나 문기고(問其故)1519)ᄒᆞᆫᄃᆡ, 유랑이 ᄃᆡ왈,

"쇼졔 죵야(終夜) 고통ᄒᆞ시다가 이졔야 계오 가ᄆᆡ(假寐)ᄒᆞ시니, 벽옥 등도 죵야블ᄆᆡ(終夜不寐)ᄒᆞᆫ 고로 이리 ᄌᆞ거니와, 쇼졔 병셰 위ᄐᆡᆨᄒᆞ시니 아마도 회츈(回春)키 어려올가 시브니, 노신이 출하리 몬져 죽어 보디 말고져 ᄒᆞ노라."

언파의 누쉬여우(淚水如雨)ᄒᆞ니, 난향이 져 묘화 요리(妖尼)의 슬허ᄒᆞᆷ를 보고 딘짓 유랑만 넉여, 쇼졔 병셰 비경ᄒᆞᆷ를 놀나 젼도히 뎡당의 고ᄒᆞ니, 쎠 신셩시(晨省時)라. 초공 곤계와 셜빈도 모닷더니 이 말을 듯고 모다 놀나, 됴부인이 봉각의 가 {식부의 가} 식부의 병을 보려 ᄒᆞ더니, 믄득 봉각 시ᄋᆡ 젼도히 니르러, 뎡쇼졔 명ᄌᆡ경긱(命在頃刻)ᄒᆞ여심를 고ᄒᆞᄂᆞᆫ디라, 일시의 모다 몸이 니ᄂᆞᆫ 줄【9】모로고 봉각의 니르러, 됴부인이 친히 금금(錦衾)을 여러 보니, 뎡쇼졔 임의 옥안(玉顔)이 변ᄒᆞ고 호흡이 긋쳐시니, 부인이 대경ᄒᆞ여 두로 만져 보니 ᄉᆞ말(四末)1520)이 궐ᄂᆡᆼ(厥冷)ᄒᆞ고 흉듕(胸中)의 일졈 온긔 업ᄉᆞ니, 부인이 이를 보ᄆᆡ ᄎᆞ악ᄒᆞ여 읍쳬여우(泣涕如雨)ᄒᆞ니, 초공이 모친의 뉴쳬(流涕)ᄒᆞ심를 보고, 상하의 나아가 유랑으로 쇼져 옥비(玉臂)를 ᄂᆡ라 ᄒᆞ여 공

1519)문기고(問其故) : 그 까닭을 물음.
1520)ᄉᆞ말(四末) : '사지 말단'을 줄여 이르는 말. * 사지(四肢); 사람의 두 팔과 두 다리.

너허 긴긴히 봉쇄ᄒᆞ고, 시녀로 압녕(押領)ᄒᆞ여 오궁으로 보ᄂᆡ니, 원ᄂᆡ 뎡소졔 일시 익운이 긔구ᄒᆞ여 묘쾌 봉월각의 드러가 요약을 시녀 등 셕반의 화(和)ᄒᆞᆯ 쎠, 소져의 나오ᄂᆞᆫ ᄎᆞ의도 화ᄒᆞ엿던지라, ᄒᆞᆫ 번 요약을 먹으ᄆᆡ 반ᄉᆡᆼ반ᄉᆞᄒᆞ여 힘힘히 농즁의 드러 오궁 ᄂᆡᆼ옥 죄슈 되나 알 니 업더라.

명조의 조부인이 식부【134】의 병을 념녀ᄒᆞ여 난향으로 문병ᄒᆞ고 오라 ᄒᆞ니, 난향이 봉명ᄒᆞ여 봉각의 니르니, 쟝외의 졔 시ᄋᆡ 오히려 잠이 깁헛고, 유랑이 난두의셔 창황ᄒᆞ여 거지 황당ᄒᆞ고 오열비읍(嗚咽悲泣)ᄒᆞ거ᄂᆞᆯ, 난향이 놀나 문기고(問其故)1232)ᄒᆞᆫᄃᆡ, 유랑이 ᄃᆡ왈,

"소졔 종야(終夜) 고통ᄒᆞ시다가 이졔야 계오 가ᄆᆡ(假寐)ᄒᆞ시니, 벽옥 등도 종야블ᄆᆡ(終夜不寐)ᄒᆞᆫ 고로 이리 ᄌᆞ거니와, 소졔 병셰 위ᄐᆡᆨᄒᆞ시니 아마도 회츈(回春)키 어려올가 시브니, 노신이 출하리 몬져 죽어 보지 말고져 ᄒᆞ노라."

언파의 누쉬여우(淚水如雨)ᄒᆞ니, 난향이 져 묘화 요리(妖尼)의 슬허ᄒᆞᆷ를 보고 진짓 유랑만 넉여, 소졔 병셰 비경ᄒᆞᆷ를 놀나 젼도히 졍당의 고ᄒᆞ니, 이쎠 신셩시(晨省時)라. 초공 곤계와 셜빈도 모닷더니 이 말을 듯고 모다 놀나, 조부인이 봉각의 가 식부의 병을 보려 ᄒᆞ【135】더니, 믄득 봉각 시ᄋᆡ 젼도히 니르러 뎡소졔 명ᄌᆡ경각(命在頃刻)ᄒᆞ엿심를 고ᄒᆞᄂᆞᆫ지라. 일시의 모다 몸이 니ᄂᆞᆫ 줄 모로고 봉각의 니르러 조부인이 친히 금금(錦衾)을 여러 보니, 뎡소졔 임의 옥안(玉顔)이 변ᄒᆞ고 호흡이 긋쳣시니, 부인이 ᄃᆡ경ᄒᆞ여 두로 만져 보니 ᄉᆞ말(四末)1233)이 궐ᄂᆡᆼ(厥冷ᄒᆞ고 흉즁(胸中)의 일졈 온긔 업ᄉᆞ니, 부인이 이를 보ᄆᆡ ᄎᆞ악ᄒᆞ여 읍쳬여우(泣涕如雨)ᄒᆞ니, 초공이 모친의 뉴쳬(流涕)ᄒᆞ심를 보고, 상하의 나아가 유랑으로 소져 옥비(玉臂)를 ᄂᆡ라 ᄒᆞ여 공경ᄒᆞ여 진ᄆᆡᆨᄒᆞ니,

1232)문기고(問其故) : 그 까닭을 물음.
1233)ᄉᆞ말(四末) : '사지 말단'을 줄여 이르는 말. * 사지(四肢); 사람의 두 팔과 두 다리.

경ᄒᆞ여 딘믹ᄒᆞ니, 뉵믹(六脈)[1521]○[이] 임의 ᄉᆞ쳐시니 다시 바랄 거시 업ᄉᆞᆫ디라. 역시 경악ᄒᆞ여 믈너 한님다려 왈,

“뎡슈의 복녹완젼디상(福祿完全之相)으로 금일 젹은 병을 인ᄒᆞ여 치상(致喪)[1522]ᄒᆞ시니, 우형이 ᄎᆞ후로 눈을 ᄀᆞᆷ아 블명(不明)ᄒᆞᆷ을 ᄌᆞ과(自過)[1523]ᄒᆞ리로다. 다시 ᄉᆡᆼ도를 바랄 거시 업ᄉᆞ니, ᄲᆞᆯ니【10】 뎡부의 통부(通訃)[1524]ᄒᆞ고, 대인긔 알외며, 챵뎨의게 통ᄒᆞ라.”

좌우 졔인과 뎡부 졔 시녀 초공의 일언으로조ᄎᆞ, 쇼져의 다시 바랄 것 업ᄉᆞᆷ을 알고 실셩통곡(失性痛哭)ᄒᆞ며, 일변(一便)[1525] 뎡부의 고ᄒᆞ니, 이ᄯᅢ 하공이 뎡히 빅일경의 잇더니, 한님이 뎡시의 운거(殞去)[1526]ᄒᆞᆷ을 고ᄒᆞ니, 공이 쳥파의 대경ᄒᆞ여 급히 봉각의 나아가니 임의 홀일업ᄂᆞᆫ디라. ᄎᆞ악비통(嗟愕悲痛)ᄒᆞᆷ을 니긔디 못ᄒᆞ고, 샤인이 ᄯᅩᄒᆞᆫ 신병이 미ᄎᆞ(未差)ᄒᆞ여 셔ᄌᆡ의 누엇더니, ᄎᆞ형의 젼어를 듯고 대경실ᄉᆡᆨ(大驚失色)ᄒᆞ여 젼도히 봉각의 니르니, 임의 슈쟝금병(繡帳錦屛)[1527]의 옥인(玉人)의 그림ᄌᆡ 묘연ᄒᆞ고, 당듕믈ᄉᆡᆨ(堂中物色)이 크게 다른디라. ᄒᆞᆫ 번 거름의 셰 번 업더져 바로 상하(床下)의 나아가 금금을 여러 보【11】니, 뎡시 빵안(雙眼)을 그린ᄃᆞ시 ᄀᆞᆷ아시니, 효셩(曉星)[1528]의 영ᄎᆡ(靈彩)를 다시 보기 어렵고, 부용냥협(芙蓉兩頰)의 뎍뎍(寂寂)ᄒᆞ여 웃ᄂᆞᆫ 용화(容華)를 볼 길 업고, 낭낭ᄒᆞᆫ 옥셩(玉聲)을 구ᄒᆞ여 다시 드를 길 업ᄂᆞᆫ디라. 샤인이 졀노 더브러 결발긔년(結髮朞年)의 그

1521)뉵믹(六脈) : 여섯 가지 맥박. 부(浮), 침(沈), 지(遲), 삭(數), 허(虛), 실(實)의 맥을 이른다.
1522)치상(致喪) : 죽기에 이름.
1523)ᄌᆞ과(自過) : 자기 스스로 저지른 잘못. 또는 자신의 허물을 삼음.
1524)통부(通訃) : 사람의 죽음을 알림. 또는 그런 글. =부고(訃告).
1525)일변(一便) : 한편. 두 가지 상황을 말할 때, 한 상황을 말한 다음, 다른 상황을 말할 때 쓰는 말.
1526)운거(殞去) : 죽음.
1527)슈쟝금병(繡帳錦屛) : 수놓은 휘장과 비단 병풍.
1528)효셩(曉星) : 새벽별. 여기서는 새벽별처럼 반짝이는 맑은 눈동자.

뉵믹(六脈)[1234]○[이] 임의 ᄉᆞ쳐시니 다시 바랄 거시 업ᄂᆞᆫ지라. 역시 경악ᄒᆞ여 믈너 한님ᄃᆞ려 왈,

“뎡슈의 복녹완젼지상(福祿完全之相)으로 금일 젹은 병을 인ᄒᆞ여 치상(致喪)[1235]ᄒᆞ시니, 우형이 ᄎᆞ후로 눈을 감아 불명ᄒᆞᆷ을 ᄌᆞ과(自過)[1236]ᄒᆞ리로다. 다시 ᄉᆡᆼ도를 바랄 거【136】시 업ᄉᆞ니, ᄲᆞᆯ니 뎡부의 통부(通訃)[1237]ᄒᆞ고, ᄃᆡ인긔 알외며 챵뎨의게 통ᄒᆞ라.”

좌우 졔인과 뎡부 졔 시녀 초공의 일언으로조ᄎᆞ, 소져의 다시 바랄 거시 업ᄉᆞᆷ을 알고 실셩통곡(失性痛哭)ᄒᆞ며, 일변(一便)[1238] 뎡부의 고ᄒᆞ니, 이ᄯᅢ 하공이 졍히 빅일경의 잇더니, 한님이 뎡씨의 운거(殞去)[1239]ᄒᆞᆷ을 고ᄒᆞ니, 공이 쳥파의 ᄃᆡ경ᄒᆞ여 급히 봉각의 나아가니 임의 홀일업ᄂᆞᆫ지라. ᄎᆞ악비통(嗟愕悲痛)ᄒᆞᆷ을 니긔지 못ᄒᆞ고, ᄉᆞ인이 ᄯᅩᄒᆞᆫ 신병이 미ᄎᆞ(未差)ᄒᆞ여 셔ᄌᆡ의 누엇더니, ᄎᆞ형의 젼어를 듯고 ᄃᆡ경실ᄉᆡᆨ(大驚失色)ᄒᆞ여 젼도히 봉각의 니르니, 임의 슈쟝금병(繡帳錦屛)[1240]의 옥인(玉人)의 그림ᄌᆡ 묘연ᄒᆞ고, 당즁물ᄉᆡᆨ(堂中物色)이 크게 다른지라. ᄒᆞᆫ 번 거름의 셰 번 업더져 바로 상하(床下)의 나아가 금금을 헷치고 급히 보니, ○○[뎡씨] 빵안(雙眼)을 그린다시 감아시니, 춍혜(聰慧)ᄒᆞᆫ 안ᄎᆡ(眼彩)를 다【137】시 보기 어렵고, 부용냥협(芙蓉兩頰)의 젹젹(寂寂)ᄒᆞ여 웃ᄂᆞᆫ 용화를 볼 길 업고, 낭낭ᄒᆞᆫ 옥셩을 구ᄒᆞ여 다시 드를 길 업ᄂᆞᆫ지라. ᄉᆞ인이 져로 더브러 결발긔년(結髮朞年)의 그 셩덕ᄌᆡ용(聖德才容)이 초셰(超世)ᄒᆞ여 뇨조슉녀(窈窕

1234)뉵믹(六脈) : 여섯 가지 맥박. 부(浮), 침(沈), 지(遲), 삭(數), 허(虛), 실(實)의 맥을 이른다.
1235)치상(致喪) : 죽기에 이름.
1236)ᄌᆞ과(自過) : 자기 스스로 저지른 잘못. 또는 자신의 허물을 삼음.
1237)통부(通訃) : 사람의 죽음을 알림. 또는 그런 글. =부고(訃告).
1238)일변(一便) : 한편. 두 가지 상황을 말할 때, 한 상황을 말한 다음, 다른 상황을 말할 때 쓰는 말.
1239)운거(殞去) : 죽음.
1240)슈쟝금병(繡帳錦屛) : 수놓은 휘장과 비단 병풍.

셩덕ᄌᆡ용(聖德才容)이 초셰(超世)ᄒᆞ여 뇨됴슉네(窈窕淑女)오 군ᄌᆞ호귀(君子好逑)라. 부부 은졍이 여산약히(如山若海)ᄒᆞ여 금슬죵괴(琴瑟鐘鼓) 흡흡(洽洽)히 ᄉᆡᆼ즉동쥬(生則同住)오 ᄉᆞ즉동혈(死則同穴)[1529]ᄒᆞ여, ᄇᆡᆨ년화락(百年和樂)도 낫블가 ᄒᆞ엿더니, 신졍(新情)이 미흡ᄒᆞ여셔 져의 병이 ᄉᆞᄉᆡᆼ간(死生間)○[의] 이시ᄃᆡ, ᄌᆞ긔 공연이 찰녀(刹女)의 연고로 엄하(嚴下)의 슈쟝(受杖)ᄒᆞ여 죄듕(罪中)의 이시ᄆᆡ, 망연브디(茫然不知)ᄒᆞ여 그 님죵 시 ᄒᆞᆫ 번 영결(永訣)도 업고 유명(幽明)이 격(隔)ᄒᆞ믈 보니, 댱부웅심(丈夫雄心)과 군ᄌᆞ의 쳘셕간장(鐵石肝腸)이나 엇디 견딜 ᄇᆡ리오. 일【12】셩댱탄(一聲長歎)의 비뤼쳔항(悲涙千行)이라.

이러 굴 졔 뎡부의셔 흉음(凶音)을 듯고 일개 대경ᄒᆞ여 졔왕 오곤계 금후를 뫼셔 하부의 니르러, 블승통도(不勝痛悼)ᄒᆞ여 즉시 초혼(招魂)[1530] 발상(發喪)[1531]ᄒᆞ여 거가(擧家)의 곡셩이 텬디딘동ᄒᆞ고, 샤인의 비쳑ᄒᆞᆷ과 졔뎡의 ᄋᆡ상(哀喪)ᄒᆞ믄 참블인견(慘不忍見)이오, 뎡부 슌태부인과 딘부인의 각골ᄋᆡ상(刻骨哀喪)ᄒᆞ미 ᄌᆞ하(子夏)[1532]의 상명(喪明)[1533]과 다르미 업ᄉᆞ니 식음을 능히 나오디 못ᄒᆞ고, 금후와 딘부인이 비록 여러 ᄌᆞ

1529)ᄉᆡᆼ즉동쥬(生則同住)오 ᄉᆞ즉동혈(死則同穴) : 살아서는 한 집에서 함께 살고 죽어서도 한 무덤에 함께 묻힌다.
1530)초혼(招魂) : 사람이 죽었을 때에, 그 혼을 소리쳐 부르는 일. 죽은 사람이 생시에 입던 저고리를 왼손에 들고 오른손은 허리에 대고는 지붕에 올라서거나 마당에 서서, 북쪽을 향하여 '아무 동네 아무개 복(復)'이라고 세 번 부른다.
1531)발상(發喪) : 사람이 죽었을 때, 상제가 머리를 풀고 슬피 울어 초상난 것을 알림. 또는 그런 절차
1532)ᄌᆞ하(子夏) : 중국 춘추 시대의 유학자(B.C.507~?B.C.420). 본명은 복상(卜商). 공자의 제자로서 십철(十哲)의 한 사람이다. 위나라 문후(文侯)의 스승으로 시와 예(禮)에 능통하였는데, 특히 예의 객관적 형식을 존중하였다.
1533)상명(喪明) : 아들의 죽음을 당함. 옛날 중국의 자하(子夏)가 아들을 잃고 슬피 운 끝에 눈이 멀었다는 데서 유래한 말.

淑女)오 군ᄌᆞ호귀(君子好逑)라. 부부 은졍이 여산약히(如山若海)ᄒᆞ여 금슬죵괴(琴瑟鐘鼓) 흡흡(洽洽)히 ᄉᆡᆼ즉동쥬(生則同住)오 ᄉᆞ즉동혈(死則同穴)[1241]ᄒᆞ여, ᄇᆡᆨ년화락(百年和樂)도 낫블가 ᄒᆞ엿더니, 신졍(新情)이 미흡ᄒᆞ여셔 져의 병이 ᄉᆞᄉᆡᆼ간(死生間)○[의] 잇시되, ᄌᆞ긔 공연이 찰녀(刹女)의 연고로 인ᄒᆞ여 이러ᄐᆞ시 고ᄉᆡᆼ을 격고 낙을 보지 못ᄒᆞ여, 필경 무쥬 고혼(無主孤魂)이 되게 ᄒᆞ니, 이 군쥬 찰녀ᄂᆞᆫ 일쳔지하(一天之下)[1242]의 ᄀᆞᆺ치 셔지 못ᄒᆞᆯ 원쉬라.

심즁의 가마니 ᄉᆡᆼ각ᄒᆞᄃᆡ 뎡씨가 필경(畢竟) 요ᄉᆞ(夭死)ᄒᆞᆯ 상(相)이 아니오. 만복이 구젼ᄒᆞᆯ 상이라. 좌ᄉᆞ우탁(左思右度) ᄒᆞ여 아모리 ᄒᆞ여도 즁간의 죽을 상(相)이 아니○[라].【138】

○…결락637자…○[이러 굴 졔 뎡부의셔 흉음(凶音)을 듯고 일개 대경ᄒᆞ여 졔왕 오곤계 금후를 뫼셔 하부의 니르러, 블승통도(不勝痛悼)ᄒᆞ여 즉시 초혼(招魂)[1243] 발상(發喪)[1244] ᄒᆞ여 거가(擧家)의 곡셩이 텬디딘동ᄒᆞ고, 샤인의 비쳑ᄒᆞᆷ과 졔뎡의 ᄋᆡ상(哀喪)ᄒᆞ믄 참블인견(慘不忍見)이라. 뎡부 슌태부인과 딘부인의 각골ᄋᆡ상(刻骨哀喪)ᄒᆞ미 ᄌᆞ하(子夏)[1245]의 상명(喪明)[1246]과 다르미 업ᄉᆞ니 식음을 능히 나오디 못ᄒᆞ고, 금후와 딘부인이 비록 여러 ᄌᆞ

1241)ᄉᆡᆼ즉동쥬(生則同住)오 ᄉᆞ즉동혈(死則同穴) : 살아서는 한 집에서 함께 살고 죽어서도 한 무덤에 함께 묻힌다.
1242)일쳔지하(一天之下) : 한 하늘 아래.
1243)초혼(招魂) : 사람이 죽었을 때에, 그 혼을 소리쳐 부르는 일. 죽은 사람이 생시에 입던 저고리를 왼손에 들고 오른손은 허리에 대고는 지붕에 올라서거나 마당에 서서, 북쪽을 향하여 '아무 동네 아무개 복(復)'이라고 세 번 부른다.
1244)발상(發喪) : 사람이 죽었을 때, 상제가 머리를 풀고 슬피 울어 초상난 것을 알림. 또는 그런 절차
1245)ᄌᆞ하(子夏) : 중국 춘추 시대의 유학자(B.C.507~?B.C.420). 본명은 복상(卜商). 공자의 제자로서 십철(十哲)의 한 사람이다. 위나라 문후(文侯)의 스승으로 시와 예(禮)에 능통하였는데, 특히 예의 객관적 형식을 존중하였다.
1246)상명(喪明) : 아들의 죽음을 당함. 옛날 중국의 자하(子夏)가 아들을 잃고 슬피 운 끝에 눈이 멀었다는 데서 유래한 말.

녀와 식부를 가득이 두어시나, 아쥬의 밋쳐ᄂᆞᆫ 그 ᄌᆡ용덕화를 귀듕 닉ᄋᆡ(溺愛)ᄒᆞ미 ᄌᆞ녀 듕 ᄌᆞ별ᄒᆞ던 바로, 평ᄉᆡᆼ 아름다온 ᄇᆡ필을 어더 죵요로이 화락ᄒᆞᄂᆞᆫ ᄌᆞ미를 보고져 ᄒᆞ므로, ᄐᆡᆨ셔ᄒᆞ미 ᄌᆞ못 과도ᄒᆞ여 쳐음브터 샤인의 풍신ᄌᆡ화【13】를 년장졉옥(連墻接屋)1534)ᄒᆞ여 결혼친친디의(結婚親親之義)로ᄡᅧ 모로미 아니로ᄃᆡ, 그 너모 호일방탕(豪逸放蕩)ᄒᆞ미 온듕ᄒᆞᆫ 군ᄌᆡ 아닌 줄 미흡ᄒᆞ여 의혼치 아녓다가, ᄉᆞ단(事端)이 괴이ᄒᆞ여 블평ᄒᆞᆫ 혼ᄉᆡ 되여, 부부의 금슬이 관져(關雎)1535)의 시(詩)를 화(和)ᄒᆞ다가 금일을 당ᄒᆞ니, 금휘 샤인의 과상(過傷)ᄒᆞ믈 도로혀 칙왈,

"너의 ᄋᆞ녀 향ᄒᆞᆫ 은졍은 다샤ᄒᆞ1536)거니와, ᄒᆡᆼᄉᆡ 만히 군ᄌᆞ의 독경(篤敬)ᄒᆞ미 어긔도다. 쳐ᄌᆡ 비록 ᄉᆞ졍이 듕ᄒᆞ나 부ᄌᆞ텬뉸대의(父子天倫大義)와 골육동긔(骨肉同氣)만 못 ᄒᆞᆫ디라. ᄋᆞ녀ᄂᆞᆫ 임의 죽어시니 네 일시 ᄉᆞ졍이 참졀ᄒᆞ나, 다른 쳐실(妻室)이 이시니 실우디탄(失偶之嘆)1537)이 과치 아닐디라. ᄒᆞ믈며 구경디하(具慶之下)1538)의 부모를 도라보디 아니코 녀ᄌᆞ를 위ᄒᆞ여 이러틋 구구ᄒᆞ뇨? ᄉᆞᄌᆞ(死者)ᄂᆞᆫ 이의(已矣)라. 무익디비(無益之悲)를【14】과히 말고, 인신ᄒᆡᆼᄉᆞ(人身行事)를 슈렴(收斂)ᄒᆞ여 군ᄌᆞ디덕(君子之德)을 상히오디 말나. 대댱뷔 쳐셰ᄋᆡ 반ᄉᆡᆼ쳐신(半生處身)1539)이 남 ᄀᆞᆺ디 못ᄒᆞᆯ가 근심ᄒᆞᆯ디언졍 쳐ᄌᆡ 업ᄉᆞᆯ가 근심ᄒᆞ리오. 너ᄂᆞᆫ 동셔(東西)로 취실(娶室)ᄒᆞ미 뇨됴슉녀(窈窕淑女) 그 몃몃치 모힐 줄 알니오. 노부(老

1534)년장졉옥(連墻接屋) : 집과 담장이 서로 이웃하여 잇닿아 있음.

1535)관져(關雎) : 『시경』 <주남(周南)>의 '관저(關雎)'장을 말함.

1536)다샤ᄒᆞ다 : 다사하다. 조금 따뜻하다.

1537)실우디탄(失偶之嘆) : 부부가 배우자를 잃은 탄식.

1538)구경디하(具慶之下) : 부모가 모두 살아 있음, 또는 그런 기쁨을 누리고 있음.

1539)반ᄉᆡᆼ쳐신(半生處身) : 성인(成人)이 되어 살아가는 동안의 몸가짐이나 행동. *반생(半生); 한 평생의 반. 곧 성인이 되어 노인이 되기 전까지의 기간.

녀와 식부를 가득이 두어시나, 아쥬의 밋쳐ᄂᆞᆫ 그 ᄌᆡ용덕화를 귀듕 닉ᄋᆡ(溺愛)ᄒᆞ미 ᄌᆞ녀 듕 ᄌᆞ별ᄒᆞ던 바로, 평ᄉᆡᆼ 아름다온 ᄇᆡ필을 어더 죵요로이 화락ᄒᆞᄂᆞᆫ ᄌᆞ미를 보고져 ᄒᆞ므로, ᄐᆡᆨ셔ᄒᆞ미 ᄌᆞ못 과도ᄒᆞ여 쳐음브터 샤인의 풍신ᄌᆡ화【13】를 년장졉옥(連墻接屋)1247)ᄒᆞ여 결혼친친디의(結婚親親之義)로ᄡᅧ 모로미 아니로ᄃᆡ, 그 너모 호일방탕(豪逸放蕩)ᄒᆞ미 온듕ᄒᆞᆫ 군ᄌᆡ 아닌 줄 미흡ᄒᆞ여 의혼치 아녓다가, ᄉᆞ단(事端)이 괴이ᄒᆞ여 블평ᄒᆞᆫ 혼ᄉᆡ 되여, 부부의 금슬이 관져(關雎)1248)의 시(詩)를 화(和)ᄒᆞ다가 금일을 당ᄒᆞ니, 금휘 샤인의 과상(過傷)ᄒᆞ믈 도로혀 칙왈,

"너의 ᄋᆞ녀 향ᄒᆞᆫ 은졍은 다샤ᄒᆞ1249)거니와, ᄒᆡᆼᄉᆡ 만히 군ᄌᆞ의 독경(篤敬)ᄒᆞ미 어긔도다. 쳐ᄌᆡ 비록 ᄉᆞ졍이 듕ᄒᆞ나 부ᄌᆞ텬뉸대의(父子天倫大義)와 골육동긔(骨肉同氣)만 못 ᄒᆞᆫ디라. ᄋᆞ녀ᄂᆞᆫ 임의 죽어시니 네 일시 ᄉᆞ졍이 참졀ᄒᆞ나, 다른 쳐실(妻室)이 이시니 실우디탄(失偶之嘆)1250)이 과치 아닐디라. ᄒᆞ믈며 구경디하(具慶之下)1251)의 부모를 도라보디 아니코 녀ᄌᆞ를 위ᄒᆞ여 이러틋 구구ᄒᆞ뇨? ᄉᆞᄌᆞ(死者)ᄂᆞᆫ 이의(已矣)라. 무익디비(無益之悲)를 과히 말고, 인신ᄒᆡᆼᄉᆞ(人身行事)를 슈렴(收斂)ᄒᆞ여 군ᄌᆞ디덕(君子之德)을 상히오디 말나. 대댱뷔 쳐셰ᄋᆡ 반ᄉᆡᆼ쳐신(半生處身)1252)이 남 ᄀᆞᆺ디 못ᄒᆞᆯ가 근심ᄒᆞᆯ디언졍 쳐ᄌᆡ 업ᄉᆞᆯ가 근심ᄒᆞ리오. 너ᄂᆞᆫ 동셔(東西)로 취실(娶室)ᄒᆞ미 뇨됴슉녀(窈窕淑女) 그 몃몃치 모힐 줄 알니오. 노부(老父)의 샹명(喪明)은 긴 날의 닛기 어렵도다."

언파의 누쉬 광슈(廣袖)를 뎍시니 샤인이 복슈(伏首) 문파(聞罷)의 믁연반향(默然半晑)

1247)년장졉옥(連墻接屋) : 집과 담장이 서로 이웃하여 잇닿아 있음.

1248)관져(關雎) : 『시경』 <주남(周南)>의 '관저(關雎)'장을 말함.

1249)다샤ᄒᆞ다 : 다사하다. 조금 따뜻하다.

1250)실우디탄(失偶之嘆) : 부부가 배우자를 잃은 탄식.

1251)구경디하(具慶之下) : 부모가 모두 살아 있음, 또는 그런 기쁨을 누리고 있음.

1252)반ᄉᆡᆼ쳐신(半生處身) : 성인(成人)이 되어 살아가는 동안의 몸가짐이나 행동. *반생(半生); 한 평생의 반. 곧 성인이 되어 노인이 되기 전까지의 기간.

父)의 샹명(喪明)은 긴 날의 닛기 어렵도다."

언파의 누쉬 광슈(廣袖)를 뎍시니 샤인이 복슈(伏首) 문파(聞罷)의 믁연반향(黙然半餉)이라가, 츄연(惆然) 딕왈,

"쇼셰(小壻) 용우ᄒᆞ오나 엇디 그런 줄 모로리잇고마는, 녕네(令女) 명슈지취(名雖再娶)나 결발조강(結髮糟糠)1540)이나 다르미 업ᄉᆞᆸ고, 셩혼쥬년(成婚週年)이 못 되오니 ᄉᆞ경도 구구(區區)ᄒᆞ온 듕, 난감디ᄉᆞ(難堪之事)는 분산(分産)치 못ᄒᆞ미라. 미ᄉᆞ디젼(未死之前)의 ᄎᆞ마 닛기 어렵ᄉᆞ오니, 비록 옥ᄀᆞᆺ튼 안히와 ᄭᆞᆺ ᄀᆞᆺ튼 쳡이 잇ᄉᆞ온들 므ᄉᆞᆷ 즐거오미 이시리잇【15】고? 만일 고당(高堂)1541)의 뫼시미 아니오면 댱야(長夜)의 취광(醉狂)ᄒᆞ여 늣기기를 면치 못ᄒᆞ리로소이다."

셜파(說罷)의 쳔항뉘(千行淚) 흉금(胸襟)을 뎍시니, 댱부의 만균디심(萬鈞之心)1542)으로도 셜셜(屑屑)ᄒᆞ믈 면치 못ᄒᆞ니, 좌위 쳑연(慽然) 타루(墮淚)ᄒᆞ고 졔뎡이 샤인의 이러ᄐᆞᆺ 과상ᄒᆞ믈 그윽이 감샤ᄒᆞ여 위로ᄒᆞ더라.

초죵졔구(初終諸具)1543)를 극딘히 다ᄉᆞ려 쟝일(葬日)을 퇵ᄒᆞ여 안장(安葬)ᄒᆞᆯᄉᆡ, ᄒᆞᆯ노 의심ᄒᆞᄂᆞ니는 평졔왕이○[니], 쇼ᄆᆡ의 빅복완젼디상(百福完全之相)으로 조ᄉᆞ(早死)ᄒᆞ믈 밋는 ᄃᆞᆺ 마는 ᄃᆞᆺᄒᆞ나, 쇼ᄆᆡ의 거쳐는 아디 못ᄒᆞ고 분명ᄒᆞᆫ 시톄를 보아시니, 보디 아닌 바를 말ᄒᆞ디 못ᄒᆞ고[나] 죵시 의심이 업디 아니코, 뎡슉녈이 ᄯᅩᄒᆞᆫ ᄋᆞ1544)의 향슈(享壽)

1540)결발조강(結髮糟糠) : 조강지처(糟糠之妻). 원비(元妃). 원비로 맞아 결혼함.
1541)고당(高堂) : ①남의 부모를 높여 이르는 말. ②남을 높여 그의 집을 이르는 말. ③높다랗게 지은 집.
1542)만균디심(萬鈞之心) : 무게가 만균(萬鈞)이나 될 만큼 무거워 쉽게 동요하지 않는 마음.
1543)초죵졔구(初終諸具) : 초상이 난 뒤부터 졸곡까지 치르는 온갖 일이나 예식에 쓰는 기구. *초종(初終); 초상이 난 뒤부터 졸곡까지의 모든 상례절차.
1544)ᄋᆞ : 아우. 동생.

이라가, 츄연(惆然) 딕왈,

"쇼셰(小壻) 용우ᄒᆞ오나 엇디 그런 줄 모로리잇고마는, 녕네(令女) 명슈지취(名雖再娶)나 결발조강(結髮糟糠)1253)이나 다르미 업ᄉᆞᆸ고, 셩혼쥬년(成婚週年)이 못 되오니 ᄉᆞ경도 구구(區區)ᄒᆞ온 듕],

난감(難堪){치못}ᄒᆞ온 일은 분산(分産)치 못ᄒᆞ미라. 미ᄉᆞ지젼(未死之前)의 ᄎᆞ마 닛기 어렵ᄉᆞ오니, 비록 옥ᄀᆞᆺ튼 안히와 ᄭᆞᆺᄀᆞᆺ튼 쳡이 잇ᄉᆞ온들 무ᄉᆞᆷ 즐거오미 잇시리오. 만일 고당(高堂)1254)의 뫼시오미 아니오면 산야(山野)의 취광(醉狂)ᄒᆞ여 장야(長夜)의 늣기기를 면치 못ᄒᆞ리로소이다"

셜파(說罷)의 쳔항뉘(千行淚) 흉금(胸襟)을 젹시니, 장부의 만균지심(萬鈞之心)1255)으로도 셜셜(屑屑)ᄒᆞ믈 면치 못ᄒᆞ니, 좌위 쳑연(慽然) 타루(墮淚)ᄒᆞ고 졔졍이 샤인○[이] 이러ᄐᆞᆺ 과상ᄒᆞ믈 그윽이 감샤ᄒᆞ여 위로ᄒᆞ더라.

초죵졔구(初終諸具)1256)를 극진히 다ᄉᆞ려 장일(葬日)을 퇵ᄒᆞ여 안장(安葬)ᄒᆞᆯᄉᆡ ᄒᆞᆯ노 의심ᄒᆞᄂᆞ니는 평졔왕이○[니], 소ᄆᆡ의 빅복완젼지상(百福完全之相)으로 조ᄉᆞ(早死)ᄒᆞ믈 밋는 ᄃᆞᆺ 마는 ᄃᆞᆺᄒᆞ나, 소ᄆᆡ의 거쳐는 아지 못ᄒᆞ고 분명ᄒᆞᆫ 시톄를 보아시니, 보지 아닌 바를 말ᄒᆞ지 못ᄒᆞ고[나] 죵시 의【139】심이 업지 아니코 뎡슉녈이 ᄯᅩᄒᆞᆫ ᄋᆞ1257)의 향슈(享壽), 다복(多福)ᄒᆞᆯ 긔질노 조셰ᄒᆞ믈 의

1253)결발조강(結髮糟糠) : 조강지처(糟糠之妻). 원비(元妃). 원비로 맞아 결혼함.
1254)고당(高堂) : ①남의 부모를 높여 이르는 말. ②남을 높여 그의 집을 이르는 말. ③높다랗게 지은 집.
1255)만균디심(萬鈞之心) : 무게가 만균(萬鈞)이나 될 만큼 무거워 쉽게 동요하지 않는 마음.
1256)초죵졔구(初終諸具) : 초상이 난 뒤부터 졸곡까지 치르는 온갖 일이나 예식에 쓰는 기구. *초종(初終); 초상이 난 뒤부터 졸곡까지의 모든 상례절차.
1257)ᄋᆞ : 아우. 동생.

다복(多福)ᄒᆞᆯ 긔딜노 조셰ᄒᆞ믈 의아ᄒᆞ더라.

댱일(葬日)의 님박(臨迫)ᄒᆞᄆᆡ, 녜ᄉᆞ 쟝ᄉᆞ와 달【16】나 잉부를 션산의 쟝치 못ᄒᆞ여, 명산디디(名山之地)를 신ᄐᆡᆨ(愼擇)ᄒᆞ여 쟝(葬)ᄒᆞ고 반혼(返魂)1545)ᄒᆞ여 도라오니, 뎡·하 냥부의셔 ᄉᆡ로이 비쳑(悲慽)ᄒᆞ고, 딘부인은 ᄉᆡᆨ음을 폐ᄒᆞ고 상셕(床席)의 위돈(委頓)ᄒᆞ니, 졔ᄌᆡ 우황ᄒᆞ며 태부인이 경녀ᄒᆞ더니, 일일은 금휘 졔ᄌᆞ를 거나려 태원뎐의 드러오니, 뎡히 낫 문안을 ᄒᆞ려 졔뷔(諸婦) 모다 안항(雁行)을 일윗ᄂᆞᆫᄃᆡ, 딘부인이 블참ᄒᆞ엿ᄂᆞᆫ디라. 태부인이 ᄉᆡᆨ뷔 좌의 업ᄉᆞ믈 깃거 아냐 시녀로 젼어 왈,

"현뷔 비록 심ᄉᆡ 비황ᄒᆞ나 노모의 비쳑ᄒᆞᆫ ᄆᆞᄋᆞᆷ을 ᄉᆡᆼ각디 아닛ᄂᆞᆫ뇨? 신혼셩뎡 시의 ᄌᆞ손이 다 모다시나 현뷔 좌의 업ᄉᆞ니, 노모의 심ᄉᆞ를 더옥 뎡ᄒᆞᆯ 길 업ᄉᆞ니, 현부의 디셩디효로뼈 ᄉᆡᆼ각디 못ᄒᆞᄂᆞᆫ뇨? 모로미 즉시 나아 와【17】노모의 회포를 위로ᄒᆞ라."

딘부인이 이ᄢᅵ ᄇᆡᆨᄉᆞ의 ᄯᅳᆺ이 업고, 아쥬의 화용월ᄐᆡ 안져의 버러시니, 흐르ᄂᆞᆫ 누쉬 침상의 괴일 ᄊᆡᆫ이러니, 태부인의 과려ᄒᆞ시믈 듯고 마디 못ᄒᆞ여 강딜ᄒᆞ여 뎡당의 니르니, 졔뷔 긔이영디(起而迎之)ᄒᆞ여 좌의 들ᄆᆡ, 딘부인이 나ᄌᆞᆨ이 ᄐᆡ부인 존후를 뭇ᄌᆞ온ᄃᆡ, 태부인이 ᄉᆡᆨ부(媳婦)의 슈안쳑용(愁顔慽容)을 보ᄆᆡ, ᄉᆡ로이 아쥬를 ᄉᆡᆼ각고 희허 탄식 왈,

"손ᄋᆞ의 그런 슉덕ᄌᆡ용으로 쳥년의 요몰ᄒᆞ믈 ᄯᅳᆺᄒᆞ여시리오. 그 뇨라(姚娜)ᄒᆞᆫ 얼골은 안져의 버럿고, 쇄락ᄒᆞᆫ 낭셩(朗聲)은 이변(耳邊)의 징징ᄒᆞ니, 아심(我心)이 비여셕(非如石)1546)이오 비여텰(非如鐵)1547)이라. 더옥 현부의 심회 엇더ᄒᆞ리오. 연이나 'ᄉᆞᄌᆞ(死者)는 이의(已矣)라'1548). 현뷔 ᄒᆞᆫ ᄌᆞ식을 위ᄒᆞ여【18】 과쳑ᄒᆞᄆᆡ, 텬흥 등의 미우

1545)반혼(返魂) : 반우(返虞). 장례 지낸 뒤에 신주(神主)를 집으로 모셔 오는 일.
1546)비여셕(非如石) : 돌이 아님.
1547)비여텰(非如鐵) : 쇠가 아님.
1548)사자(死者)는 이의(已矣)라 : 죽은 사람은 죽은 것으로 끝날 뿐 다시 어떻게 할 수 없다.

아ᄒᆞ더라.

장일(葬日)이 님박ᄒᆞᄆᆡ 녜ᄉᆞ 달나 잉부를 션산의 쟝치 못ᄒᆞ여 명산지지를 신ᄐᆡᆨ(愼擇)ᄒᆞ여 {쟝} 쟝ᄒᆞ고 반혼(返魂)1258)ᄒᆞ여 도라오니, 뎡·하 냥부의셔 ᄉᆡ로이 비쳑(悲慽)ᄒᆞ고, 진부인은 ᄉᆡᆨ음을 폐ᄒᆞ고 상셕(床席)의 위돈(委頓)ᄒᆞ니, 졔ᄌᆡ 우황ᄒᆞ며 태부인이 경녀ᄒᆞ더니, 일일은 금휘 졔ᄌᆞ를 거ᄂᆞ려 태원뎐의 드러오니, 졍히 낫 문안을 ᄒᆞ려 졔뷔(諸婦) 모다 안항(雁行)을 일윗ᄂᆞᆫᄃᆡ, 진부인이 불참ᄒᆞ엿ᄂᆞᆫ지라. 태부인이 ᄉᆡᆨ뷔 좌의 업ᄉᆞ믈 깃거 아냐 시녀로 젼어 왈,

"현뷔 비록 심ᄉᆡ 비황ᄒᆞ나 노모의 비쳑ᄒᆞᆫ 마ᄋᆞᆷ을 ᄉᆡᆼ각지 아닛ᄂᆞᆫ뇨? 신혼셩졍 시의 ᄌᆞ손이 다 모닷시나 현뷔 좌의 업ᄉᆞ니, 노모의 심ᄉᆞ를【140】 더옥 졍ᄒᆞᆯ 길 업ᄉᆞ니 현부의 지셩지효로뼈 ᄉᆡᆼ각지 못ᄒᆞᄂᆞᆫ뇨? 모로미 즉시 나아 와 노모의 회포를 위로ᄒᆞ라."

진부인이 이ᄢᅵ ᄇᆡᆨᄉᆞ의 ᄯᅳᆺ이 업고, 아쥬의 화용월ᄐᆡ 안져의 버러시니, 흐르ᄂᆞᆫ 누쉬 침상의 괴일 ᄊᆡᆫ이러니, 태부인의 과려ᄒᆞ시믈 듯고 마지 못ᄒᆞ여 강질ᄒᆞ여 졍당의 니르니, 졔뷔 긔이영지(起而迎之)ᄒᆞ여 좌의 들ᄆᆡ, 진부인이 나ᄌᆞᆨ이 태부인 존후를 뭇ᄌᆞ온ᄃᆡ, 태부인이 ᄉᆡᆨ부(媳婦)의 슈안쳑용(愁顔慽容)을 보ᄆᆡ ᄉᆡ로이 아쥬의 ᄉᆡᆼ각이 나셔 희허 탄식 왈,

"손ᄋᆞ의 그런 슉덕ᄌᆡ용으로 쳥년의 요몰ᄒᆞ믈 ᄯᅳᆺᄒᆞ여시리오. 그 요라(姚娜)ᄒᆞᆫ 얼골은 안져의 버럿고, 쇄락○[ᄒᆞᆫ] 낭셩은 이변(耳邊)의 징징ᄒᆞ니, 아심(我心)이 비여셕(非如石)1259)이오 비여쳘(非如鐵)1260)이라. 더옥 현부의 심회 엇더ᄒᆞ리오. 연이나 'ᄉᆞᄌᆞ(死者)【141】ᄂᆞᆫ 이의(已矣)라'1261). 현뷔 ᄒᆞᆫ ᄌᆞ식을 위ᄒᆞ여 과쳑ᄒᆞᄆᆡ, 텬흥 등의 미우

1258)반혼(返魂) : 반우(返虞). 장례 지낸 뒤에 신주(神主)를 집으로 모셔 오는 일.
1259)비여셕(非如石) : 돌이 아님.
1260)비여텰(非如鐵) : 쇠가 아님.
1261)사자(死者)는 이의(已矣)라 : 죽은 사람은 죽은 것으로 끝날 뿐 다시 어떻게 할 수 없다.

(眉憂)[1549]와 노모의 심녀(心慮)를 도라보디 아니며, 아쥬의 ᄉᆡᆼ시 셩효로뻐 명명디듕(冥冥之中)의 엇디 블효를 늣기디 아니리오. 현부ᄂᆞᆫ 쇼심관억(小心寬抑)[1550]ᄒᆞ라."

금휘 모교를 니어 뎡ᄉᆡᆨ 왈,

"부인이 비록 편협(偏狹)ᄒᆞ나 거의 셰ᄉᆞ(世事)를 알니니, 셰간의 셔하참경(西夏慘景)[1551]○[을] 보ᄂᆞ 니 홀노 우리ᄲᅳᆫ이리오. 왕왕 독ᄌᆞ(獨子)와 독녀(獨女)도 상망(喪亡)ᄒᆞ고 오히려 ᄯᆞ라 죽디 못ᄒᆞᄂᆞ니, 우리 ᄉᆞ졍이 일시 참담ᄒᆞ나 우흐로 ᄌᆞ위 계시고 버거 복과 졔ᄋᆡ 이시니, 셜ᄉᆞ 일네 죽어시나 시인(時人)이 일노뻐 우리를 박복다 아니리니, 엇디 슈쳑ᄒᆞᆫ 형용으로 존젼의 비ᄉᆡᆨ(悲色)을 낫토아 승안화긔(承顔和氣) 뎍으뇨?"

셜파의 긔위(氣威) 싁싁ᄒᆞ니, 딘부인 참연슈괴(羞愧)ᄒᆞ여 ᄉᆞ샤 왈,

"쳡슈【19】비박누딜(妾雖卑薄陋質)[1552]이나 엇디 존젼의 셜만ᄒᆞ믈 모로리잇고마ᄂᆞᆫ, ᄌᆞ연 쳑감(慼感)ᄒᆞ여 화긔를 일흐나 스ᄉᆞ로 ᄭᆡᄃᆞᆺ디 못ᄒᆞ더니, 존고의 경녀(驚慮)와 군후의 칙언(責言)을 듯ᄌᆞ오니 블회 크믈 샤죄ᄒᆞᄂᆞ이다."

언파의 비ᄉᆡᆨ을 곳치고 화긔ᄌᆞ약(和氣自若)ᄒᆞ니, 태부인이 ᄌᆞ부의 유열효슌(愉悅孝順)ᄒᆞ믈 깃거, ᄯᅩ 비ᄉᆡᆨ을 거두고 딘부인을 위로ᄒᆞ더라.

ᄎᆞ시 하샤인이 뎡쇼져를 장(葬)ᄒᆞᄆᆡ 비회 일일층가ᄒᆞ여, 신혼셩뎡과 샤군찰임 여가의ᄂᆞᆫ 봉각을 ᄯᅥ나디 아냐, 죵일달야(終日達夜)[1553]토록 쇼져의 션풍이질(仙風異質)을 ᄉᆡᆼ각ᄒᆞ니, 댱부디심이나 구회촌단(久懷寸斷)ᄒᆞ고, 영웅의 눈믈이 셜셜ᄒᆞ여 밤이면 광금댱침(廣衾長枕)을 젹시고, 낫이면 편편광슈

1549)미우(眉憂) : 눈썹 가에 띤 근심.
1550)쇼심관억(小心寬抑) : 소소한 근심・슬픔 따위를 너그럽게 억제함.
1551)셔하참경(西夏慘景) : 자식을 잃은 비참한 상황. *셔하(西夏) : 서하지탄(西河之嘆). 자식을 잃은 슬픔.
1552)쳡슈비박누딜(妾雖卑薄陋質) : 첩이 비록 격이 낮고 박하여 자질이 아름답지 못하지만,
1553)죵일달야(終日達夜) : 해가 지고 밤이 새도록.

(眉憂)[1262]와 노모의 심녀(心慮)를 도라보지 아니며, 아쥬의 ᄉᆡᆼ시 셩효로뻐 명명지즁(冥冥之中)의 엇지 불효를 늣기지 아니리오. 현부ᄂᆞᆫ 소심관억(小心寬抑)[1263] ᄒᆞ라"

금휘 모교를 니어 정ᄉᆡᆨ 왈,

"부인이 비록 편협(偏狹)ᄒᆞ나 거의 셰ᄉᆞ를 알니니, 셰간의 셔하참견[경](西夏慘景)[1264]○[을] 보ᄂᆞ 니 홀노 우리ᄲᅳᆫ이리오. 왕왕 독ᄌᆞ(獨子)와 독녀(獨女)도 상망(喪亡)ᄒᆞ고 오히려 ᄯᆞ라 죽지 못ᄒᆞᄂᆞ니, 우리 ᄉᆞ졍이 일시 참담ᄒᆞ나 우흐로 ᄌᆞ위 계시고 버거 복과 졔ᄋᆡ 잇시니, 셜ᄉᆞ 일네 죽엇시나 시인(時人)이 일노뻐 우리를 박복다 아니리니, 엇지 슈쳑ᄒᆞᆫ 형용으로 존젼의 비ᄉᆡᆨ을 낫토아 승안화긔(承顔和氣) 젹으뇨?"

셜파의 긔위(氣威) 싁싁ᄒᆞ니, 진부인 참연슈괴(羞愧)ᄒᆞ여 ᄉᆞ샤 왈,

"쳡슈비박누질(妾雖卑薄陋質)[1265]이【142】나 엇지 존젼의 셜만ᄒᆞ믈 모로리오마ᄂᆞᆫ, ᄌᆞ연 쳑감(慼感)ᄒᆞ여 화긔를 일흐나 스ᄉᆞ로 ᄭᆡᄃᆞᆺ지 못ᄒᆞ더니, 존고의 셩녀(聖慮)와 군후의 칙언을 듯ᄌᆞ오니 불회 크믈 샤죄ᄒᆞᄂᆞ이다"

언파의 비ᄉᆡᆨ을 곳치고 화긔ᄌᆞ약(和氣自若)ᄒᆞ니, 태부인이 ᄌᆞ부의 유열효슌(愉悅孝順)ᄒᆞ믈 깃거, ᄯᅩ 비ᄉᆡᆨ을 거두고 진부인을 위로ᄒᆞ더라.

ᄎᆞ시 하,ᄉᆞ인이 뎡소져를 장(葬)ᄒᆞᄆᆡ 비회 일일층가 ᄒᆞ여, 신혼셩정과 ᄉᆞ군찰임 여가의ᄂᆞᆫ 봉각을 ᄯᅥ나지 아냐 죵일달야(終日達夜)[1266]토록 소져의 션풍이질(仙風異質)을 ᄉᆡᆼ각ᄒᆞ니 장부지심이나 구회촌단(久懷寸斷)ᄒᆞ고, 영웅의 눈물이 셜셜ᄒᆞ여 밤이면 광금장침(廣衾長枕)을 젹시고, 낫이면 편편광슈

1262)미우(眉憂) : 눈썹 가에 띤 근심.
1263)쇼심관억(小心寬抑) : 소소한 근심・슬픔 따위를 너그럽게 억제함.
1264)셔하참경(西夏慘景) : 자식을 잃은 비참한 상황. *셔하(西夏) : 서하지탄(西河之嘆). 자식을 잃은 슬픔.
1265)쳡슈비박누딜(妾雖卑薄陋質) : 첩이 비록 격이 낮고 박하여 자질이 아름답지 못하지만,
1266)죵일달야(終日達夜) : 해가 지고 밤이 새도록.

(翩翩廣袖)를 젹시니, 공연이 독슈공방(獨守空房)【20】의 잔등(殘燈)을 ᄃᆡᄒᆞ여 허황실셩(虛荒失性)ᄒᆞ기의 갓가오니, 부모 형뎨 우려ᄒᆞ고, 공의 엄뎡(嚴正)ᄒᆞ미나 ᄒᆞᆯ일업셔 다시 셜원각 말을 드노치 아니터라.

뎡시의 유랑(乳娘)이 뎡쇼져의 양녜(襄禮)[1554]를 맛ᄎᆞᄆᆡ 스ᄉᆞ로 죵적이 업ᄉᆞ니, 가듕이 괴이히 녁여 뎡부의 고ᄒᆞ니, 뎡부의셔 의심ᄒᆞ여 두로 구ᄉᆡᆨ(求索)ᄒᆞ나 맛ᄎᆞᆷᄂᆡ ᄎᆞᆺ디 못ᄒᆞ니라.

셜빈이 뎡시를 쾌히 업시 ᄒᆞ나 샤인의 ᄂᆡᆼ낙증염(冷落憎厭)[1555]은 일톄니, 대로대분(大怒大憤)ᄒᆞ여 악악○[ᄒᆞᆫ] 즐언(叱言)이 긋디 아니ᄒᆞ더라.

시시의 연상궁이 셜빈의 문안 셔찰을 오왕 부부긔 드리고, 즉시 나와 뎡쇼져 너흔 농을 가디고 후원의 드러가 ᄂᆡᆼ암졍 ᄎᆞ디(次知)[1556] 《희셤‖티셤》을 보고 ᄀᆞ마니 젼후 일을 대강 니르고,

"뎡쇼【21】져를 옥듕의 가도와 ᄌᆞ딘(自盡)케 ᄒᆞᄃᆡ, 브ᄃᆡ 사ᄅᆞᆷ이 아디 못ᄒᆞ게 ᄒᆞ여, 힝혀도 뎐하와 낭낭이 아디 못ᄒᆞ게 ᄒᆞ여 ᄎᆞ인을 죽이면, 군쥬의 강뎍(強敵)을 업시 ᄒᆞ미라, 너의 공이 니후의 큰 상이 이시리라."

ᄒᆞ고, 위션(于先) 약간 금ᄇᆡᆨ을 주고, 옥문을 여러 농쇽의 뎡시를 옥듕의 드리치고, 《희셤‖티셤》을 당부ᄒᆞᆫ 후, 왕의 부부의게 하딕ᄒᆞ고 하부의 도라와 셜빈을 보고 소식을 젼ᄒᆞ니, 셜빈이 대희ᄒᆞ더라.

1554)양녜(襄禮) : 장례(葬禮).
1555)ᄂᆡᆼ낙증염(冷落憎厭) ; 쌀쌀맞고 미워함.
1556)ᄎᆞ디(次知) : 각 궁방(宮房)의 일을 맡아보던 사람.

(翩翩廣袖)를 젹시니, 공연이 독슈공방(獨守空房)의 잔등(殘燈)을 ᄃᆡᄒᆞ여 허황실셩(虛荒失性)ᄒᆞ기의 갓가오니, 부모 형뎨 우려ᄒᆞ고, 공의 엄졍ᄒᆞ【143】미나 ᄒᆞᆯ일업셔 다시 셜월각 말을 드놋치 아니터라.

뎡씨의 유랑(乳娘)이 뎡소져의 장녜(葬禮)를 맛ᄎᆞᄆᆡ 스ᄉᆞ로 종적이 업ᄉᆞ니, 가즁이 괴이히 녁여 뎡부의 고ᄒᆞ니, 뎡부의셔 의심ᄒᆞ여 두로 구ᄉᆡᆨ(求索)ᄒᆞ나 맛ᄎᆞᆷᄂᆡ ᄎᆞᆺ지 못ᄒᆞ니라.

셜빈이 뎡씨를 쾌히 업시 ᄒᆞ나, ᄉᆞ인의 ᄂᆡᆼ낙증념(冷落憎厭)[1267]은 일쳬니, ᄃᆡ로ᄃᆡ분(大怒大憤)ᄒᆞ여 악악○[ᄒᆞᆫ] 즐언(叱言)이 긋지 아니ᄒᆞ더라.

시시의 연상궁이 셜빈의 문안 셔찰을 오왕 부부긔 드리고, 즉시 나와 뎡소져 너흔 농을 가지고 후원의 드러가 ᄂᆡᆼ암졍 ᄎᆞ지(次知)[1268] 《희셤‖티셤》을 보고 ᄀᆞ마니 젼후 일을 ᄃᆡ강 니르고,

"뎡소져를 옥즁의 가도와 ᄌᆞ진(自盡)케 ᄒᆞᄃᆡ, 브ᄃᆡ 샤ᄅᆞᆷ이 아지 못ᄒᆞ게 ᄒᆞ여, 힝혀도 뎐하와 낭낭이 아지 못ᄒᆞ게 ᄒᆞ여 ᄎᆞ인을 죽이면, 군쥬의 강젹(強敵)을 업시 ᄒᆞ미라. 너【144】의 공이 이후의 큰 상이 잇시리라."

ᄒᆞ고, 위션(于先) 약간 금 ᄇᆡᆨ냥을 주고, 옥문을 여러 농 속의 뎡씨를 옥즁의 드리치고, 《희셤‖티셤》을 당부ᄒᆞᆫ 후 당의 니르러, 군쥬긔 뎡소져를 옥즁의 너허 ᄌᆞ진ᄒᆞ여 죽게ᄒᆞ믈 옥졸의게 당부ᄒᆞ고 오믈 알외니, 군쥐 희불ᄌᆞ승(喜不自勝)ᄒᆞ여 칭찬ᄒᆞ믈 마지 아니ᄒᆞ야 왈,

"한고조(漢高祖)[1269]의 장자방(張子

1267)ᄂᆡᆼ낙증염(冷落憎厭) ; 쌀쌀맞고 미워함.
1268)ᄎᆞ디(次知) : 각 궁방(宮房)의 일을 맡아보던 사람.
1269)한고조(漢高祖) : 중국 한(漢)나라의 제1대 황제(B.C.247~B.C.195). 성은 유(劉). 이름은 방(邦). 자는 계(季). 시호는 고황제(高皇帝). 고조는 묘호. 진시황이 죽은 다음해 항우와 합세하여 진(秦)나라를 멸망시켰다. 그 뒤 해하(垓下)의 싸움에서 항우를 대파하여 중국을 통일하고 제위에 올랐다. 재위 기간은 기원전 206~기원전 195년이다.

《희셤Ⅱ틱셤》이 연상궁을 보닉고 그 흉심을 극악히 넉여 싱각ᄒᆞ듸,

"아모리 뎍국(敵國)1557)인들 사ᄅᆞᆷ을 ᄎᆞ마 엇디 히ᄒᆞ리오. 내 일즉 드르니 하샤인이 부인 뎡시를 극히 후듸ᄒᆞ고 평졔왕의 누의라ᄒᆞ니, 내 맛당이 디셩으로 구ᄒᆞ여 타일 풍【22】운의 길시를 만나, 도라가 군ᄌᆞ슉녜 단취(團聚)케 ᄒᆞ리라."

ᄒᆞ고, 급히 히독홀 약과 ᄎᆞ와 보미1558)를 ᄀᆞ초와 가디고 옥듕의 드러가 뎡쇼져를 보니, 계오 목 우희 숨이 걸녀시나 혼혼블셩(昏昏不醒)ᄒᆞ니, 그 면모의 일쳔ᄌᆞ틱(一千姿態)와 일만광염(一萬光艶)이 셔로 바익여 찬난ᄒᆞᆫ 광치 암벽(岩壁)의 됴요(照耀)ᄒᆞ니, 쳔고졀염(千古絶艶)이오 만고무빵(萬古無雙)이라. 《희셤Ⅱ틱셤》이 일견의 황홀긔이(恍惚奇異)ᄒᆞ믈 니긔디 못ᄒᆞ여 혜오듸,

"뎡쇼져ᄂᆞᆫ 가히 니른 바 일쇼(一笑)의 경인국(傾人國)1559)이오, 텬하(天下) 무가뵈(無價寶)1560)라. 이 ᄀᆞᄐᆞᆫ 용화ᄌᆞ딜(容華資質)노 강뎍(强敵)의 손의 힘힘이 맛ᄎᆞ면, 엇디 앗갑디 아니리오."

눈믈을 흘녀 ᄌᆡ삼(再三) ᄎᆞ탄ᄒᆞ며, 약음으로 죵일 완호(完護)1561)ᄒᆞ니, 셕양의 비로소 숨을 닉쉬며 입의 독슈(毒水)를 무슈히 토ᄒᆞ고, 바야【23】흐로 눈을 드러 좌우를 살피니, 이 믄득 ᄌᆞ긔 쳐쇠 아니오, 본부 틱듕도 아니라. ᄒᆞᆫ 누츄ᄒᆞᆫ 곳의 몸을 바렷ᄂᆞᆫ듸, 유랑 시비 등도 업고 일개 궁환이 겻틱 이셔 ᄌᆞ긔를 구ᄒᆞᄂᆞᆫ디라. 쇼졔 아모란 줄 모

1557)뎍국(敵國) : 한 남자와 처 또는 첩의 관계에 있는 여자들이 서로 상대방을 일컫는 말.

1558)보미 : 미음(米飮). 입쌀이나 좁쌀에 물을 충분히 붓고 푹 끓여 체에 걸러 낸 걸쭉한 음식. 흔히 환자나 어린아이들이 먹는다.

1559)일쇼(一笑)의 경인국(傾人國) : 한 번 웃음으로 사람과 나라를 기울게 함.

1560)무가뵈(無價寶) : 값을 매길 수 없을 만큼 귀중한 보배. ≒무가지보(無價之寶).

1561)완호(完護) : 구호(救護)함.

房)1270)이오, 소열(昭烈)1271)의 공명(孔明)1272)이라."

ᄒᆞ더라.

《희셤Ⅱ틱셤》이 다시 옥즁의 드러 뎡소져를 보미 계오 목 우희 숨이 걸녀시나 혼도불셩(昏倒不醒)ᄒᆞ니, 그 면모의 일쳔ᄌᆞ틱(一千姿態)와 일만광염(一萬光艶)이 셔긔(瑞氣) 바익여 찬난ᄒᆞᆫ 광치 암벽(岩壁)의 조요(照耀)ᄒᆞ니 쳔고졀염(千古絶艶)이오, 만고무빵(萬古無雙)이라. 《희셤Ⅱ틱셤》이 일견의 황홀긔이(恍惚奇異)ᄒᆞ믈 니긔지 못ᄒᆞ여 혜오듸,

"뎡소져ᄂᆞᆫ 가히 니른 바 일소(一笑)의 경인국(傾人國)1273)이오,【145】 텬하(天下) 무가뵈(無價寶)라. 이 ᄀᆞᄐᆞᆫ 용화ᄌᆡ질(容華才質)노 강젹(强敵)의 손의 힘힘이 맛ᄎᆞ면 엇지 앗갑지 아니리오."

눈믈을 흘녀 ᄌᆡ삼 ᄎᆞ탄ᄒᆞ며 약음으로 종일 구호(救護)ᄒᆞ니, 《셩양Ⅱ셕양》의 비로소 숨을 닉쉬며 입의 독슈를 무슈히 토ᄒᆞ고, 바야흐로 눈을 드러 좌우를 술피니, 이 믄득 ᄌᆞ긔 쳐쇠 아니오, 본부 틱즁도 아니라. ᄒᆞᆫ 누츄ᄒᆞᆫ 곳의 몸을 바렷ᄂᆞᆫ듸, 유랑 시비 등도 업고 일긔 궁환(宮宦)이 겻히 잇셔 ᄌᆞ긔를 구ᄒᆞᄂᆞᆫ지라. 소졔 아모란 줄 모로고 경문(驚問) 왈,

1270)장자방(張子房) : 중국 한나라의 건국공신 장량(張良)의 자(字).

1271)소렬(昭烈) : 중국 삼국시대 촉한의 제1대 황제 유비(劉備 : 161~223)의 시호.

1272)공명(孔明) : 중국 삼국시대 촉한(蜀漢)의 정치가인 제갈량(諸葛亮; 181-234)의 자(字).

1273)일쇼(一笑)의 경인국(傾人國) : 한 번 웃음으로 사람과 나라를 기울게 함.

로고 경문(驚問) 왈,

"내 엇디 ᄎᆞ쳐(此處)의 이시며, 유랑과 벽옥·쥐란 등이 어ᄃᆡ 잇ᄂᆞ뇨?"

《희셤‖ᄐᆡ셤》이 뎡쇼져의 정신 출히믈 보고 깃거 년망(連忙)이 ᄃᆡ왈,

"쳡은 오궁 궁아(宮兒) ᄐᆡ셤이라. 쇼임이 쳔박ᄒᆞ여 ᄂᆡᆼ옥(冷獄)을 가음아ᄋᆸ더니, 이곳이 곳 ᄂᆡᆼ암졍이라. 셜빈 군쥬의 연상궁이 부인을 여ᄎᆞ여ᄎᆞ 요약(妖藥)을 먹여, 농듕의 ᄀᆞᆷ초아 이의 와 쳡을 맛디며 히ᄒᆞ기를 요구ᄒᆞᄂᆞᆫ디라. 쳡이 부인으로 일면디분(一面之分)이 업ᄉᆞ오나, 져 ᄀᆞᆺ튼 용ᄉᆡᆨ지덕(容色才德)으로 그릇 만나샤, 쳔금귀톄(千金貴體) 【24】 독슈(毒手)의 맛게 되시믈 ᄎᆞ마 보ᄋᆸ디 못ᄒᆞ여, 회ᄉᆡᆼ단(回生丹)을 어더 구호ᄒᆞᄋᆸᄂᆞ니, 쳔쳡이 고인의 의긔와 현심이 업ᄉᆞ오나, 부인긔 거의 무히ᄒᆞ오리니, 부인은 관심(寬心)ᄒᆞ샤, 쳔금디구(千金之軀)를 힘뼈 됴호(調護)ᄒᆞ샤, 타일 풍운의 길시를 기다리시고, 아딕 함분인통(含憤忍痛)ᄒᆞ여 월왕(越王) 구쳔(句踐)[1562]의 와신상담(臥薪嘗膽)[1563]을 본 바다 텬일(天日)을 기다리고, 힝혀 간인(奸人)의 탐쳥(探聽)이 오나든[1564] 여ᄎᆞ여ᄎᆞ 칭병ᄒᆞ쇼셔."

쇼졔 쳥파의 셜빈의 대간대악(大奸大惡)

1562)구천(句踐) : 중국 춘추 시대 월(越)나라의 왕(?~B.C.465). 오(吳)나라의 왕 합려와 싸워 이겼으나, 그의 아들 부차에게 대패하여 회계산(會稽山)에서 항복하였다. 그 뒤 기원전 473년에 범여의 도움으로 오(吳)나라를 멸망시켰다. 재위 기간은 기원전 496~기원전 465년이다.

1563)와신상담(臥薪嘗膽) : 불편한 섶에 몸을 눕히고 쓸개를 맛본다는 뜻으로, 원수를 갚거나 마음먹은 일을 이루기 위하여 온갖 어려움과 괴로움을 참고 견딤을 비유적으로 이르는 말. ≪사기≫의 <월세가(越世家)>와 ≪십팔사략≫ 등에 나오는 이야기로, 중국 춘추 시대 오나라의 왕 부차(夫差)가 아버지의 원수를 갚기 위하여 장작더미 위에서 잠을 자며 월나라의 왕 구천(句踐)에게 복수할 것을 맹세하였고, 그에게 패배한 월나라의 왕 구천이 쓸개를 핥으면서 복수를 다짐한 데서 유래한다.

1564)오나든 : 오거든. '오+나든'의 형태. *-나든; -거든. '어떤 일이 사실이면', '어떤 일이 사실로 실현되면'의 뜻을 나타내는 연결 어미. 고어에서 연결어미 '-나든'은 '오다'의 어간 '오'의 뒤에만 나타나는데, 현대어에는 이것이 나타나지 않는다.

"내 엇지 ᄎᆞ쳐(此處)의 잇시며 유랑과 벽옥 쥐란 등이 어ᄃᆡ 잇ᄂᆞ뇨?"

ᄐᆡ셤이 뎡소져의 정신 출히믈 보고 깃거 연망이 ᄃᆡ왈,

"쳡은 오궁 궁ᄋᆞ(宮兒) 《희셤‖ᄐᆡ셤》이라. 소임이 쳔박ᄒᆞ여 ᄂᆡᆼ옥(冷獄)을 가음아ᄋᆸ더니, 이 곳 ᄂᆡᆼ암졍이라. 셜빈 군쥬의 연상궁이 부인을【146】여ᄎᆞ여ᄎᆞ 요약(妖藥)을 먹여, 농즁의 ᄀᆞᆷ초아 이의 와 쳡을 맛지며 히ᄒᆞ기를 요구ᄒᆞᄂᆞᆫ지라. 쳡이 부인으로 일면지분이 업ᄉᆞ오나, 져 ᄀᆞᆺ튼 용ᄉᆡᆨ지덕(容色才德)으로 그릇 만나샤, 쳔금귀쳬(千金貴體) 독슈(毒手)의 맛게 되시믈 ᄎᆞ마 보ᄋᆸ지 못ᄒᆞ와, 회ᄉᆡᆼ단(回生丹)을 어더 구호ᄒᆞᄋᆸᄂᆞ니, 쳔쳡이 고인의 의긔와 현심이 업ᄉᆞ오나 부인긔 거의 무히ᄒᆞ오리니, 부인은 관심(寬心)ᄒᆞ샤, 쳔금지구(千金之軀)를 힘뼈 조호(調護)ᄒᆞ샤, 타일 풍운의 길시를 기ᄃᆞ리시고, 아직 함분잉통(含憤忍痛)ᄒᆞ여 월왕(越王) 구쳔(句踐)[1274]의 와신상담(臥薪嘗膽)[1275]을 본 바다 텬일(天日)을 기ᄃᆞ리고, 힝혀 간인(奸人)의 탐쳥(探聽)이 오거든 여ᄎᆞᄎᆞ 칭병ᄒᆞ소셔."

소졔 쳥파의 셜빈의 ᄃᆡ간ᄃᆡ악(大奸大惡)을 분완통히(憤惋痛駭)ᄒᆞ나, 임의 농즁(籠中)의 갓치인 봉황이오, 그물의 걸닌 홍곡(鴻鵠)[1276]이라. ᄐᆡ셤의 언어동지(言語動止)

1274)구천(句踐) : 중국 춘추 시대 월(越)나라의 왕(?~B.C.465). 오(吳)나라의 왕 합려와 싸워 이겼으나, 그의 아들 부차에게 대패하여 회계산(會稽山)에서 항복하였다. 그 뒤 기원전 473년에 범여의 도움으로 오(吳)나라를 멸망시켰다. 재위 기간은 기원전 496~기원전 465년이다.

1275)와신상담(臥薪嘗膽) : 불편한 섶에 몸을 눕히고 쓸개를 맛본다는 뜻으로, 원수를 갚거나 마음먹은 일을 이루기 위하여 온갖 어려움과 괴로움을 참고 견딤을 비유적으로 이르는 말. ≪사기≫의 <월세가(越世家)>와 ≪십팔사략≫ 등에 나오는 이야기로, 중국 춘추 시대 오나라의 왕 부차(夫差)가 아버지의 원수를 갚기 위하여 장작더미 위에서 잠을 자며 월나라의 왕 구천(句踐)에게 복수할 것을 맹세하였고, 그에게 패배한 월나라의 왕 구천이 쓸개를 핥으면서 복수를 다짐한 데서 유래한다.

1276)홍곡(鴻鵠) : 큰 기러기와 고니. *고니; 오릿과

을 분완통히(憤惋痛駭)ᄒᆞ나, 임의 농듕(籠中)의 갓치인 봉황이오, 그믈의 걸닌 홍곡(鴻鵠)1565)이라. 태셤의 언어동디(言語動止)를 보니 결단코 ᄌᆞ가를 위ᄒᆞ여 ᄉᆞ디(死地)라도 피(避)치 아닐 ᄃᆞᆺᄒᆞ니, 쇼졔 날호여 칭샤 왈,

"쳡은 본ᄃᆡ 심규의 ᄉᆡᆼ댱ᄒᆞ여 사ᄅᆞᆷ【25】의게 결원(結怨)이 업ᄉᆞᄃᆡ, 금일 이런 ᄋᆡᆨ을 당ᄒᆞ나 부모 동긔 아디 못ᄒᆞ고, 궁ᄋᆞ의 이 ᄀᆞᆺᄐᆞᆫ 의긔현심으로 ᄉᆞ디의 구활코져 ᄒᆞ니, 쳡이 다른 날 도라가미 이실딘ᄃᆡ 금일 구ᄉᆡᆼ디은(求生之恩)1566)을 갑흐미 뎍디 아닐디라. 그ᄃᆡ 니르디 아니나 쳡이 부모의 교ᄋᆡ(嬌愛)로 년셩디벽(連城之璧)1567)과 화시디보(和氏之寶)1568)로 ᄉᆡᆼ댱(生長)ᄒᆞ여, 이졔 요인의 독슈를 만나 일신이 함졍(陷穽)의 �려져, 오궁 누옥 듕의 드러시믈 부모 동긔 엇디 알니오. ᄒᆞᆫ갓 죽은 줄노 아르샤 비상참도(悲傷慘悼)1569)ᄒᆞ시리니, 쳡이 만일 일○[누]잔쳔(一縷殘喘)1570)을 브ᄉᆡᆼ(復生)치 못ᄒᆞᆯ딘ᄃᆡ 블회(不孝) 엇더ᄒᆞ며, 구로ᄉᆡᆼ휵(劬勞生慉)1571)ᄒᆞᆫ 몸이 어ᄂᆞ 곳의 바릴 줄 알니오. ᄎᆞ고로 일만 괴로오믈 견ᄃᆡ고 투ᄉᆡᆼ(偸生)ᄒᆞ여, 존당 부모와 동긔로 산 낫ᄎᆞ로 반기믈 긔약ᄒᆞ니, 엇디 부모유톄(父母遺體)

1565)홍곡(鴻鵠) : 큰 기러기와 고니. *고니; 오릿과의 물새. 몸이 크고 온몸은 순백색이며, 눈 앞쪽에는 노란 피부가 드러나 있고 다리는 검다.
1566)구싱디은(求生之恩) : 생명을 구해준 은혜.
1567)연성지벽(連城之璧) : 화씨지벽(和氏之璧)을 달리 이르는 말. 화씨지벽은 전국 때 변화씨(卞和氏)라는 사람이 형산(荊山)에서 돌 위에 봉황이 깃들이는 것을 보고 얻었다는 천하의 이름난 옥을 말하는데, 후대에 진(秦)나라 소양왕(昭襄王)이 이 옥을 탐내, 당시 이 옥을 가지고 있던 조(趙)나라 혜문왕(惠文王)에게 진나라 15개의 성(城)과 바꾸자는 제안을 했다는 데서, '연성지벽(連城之璧)'이라는 이름이 붙게 되었다고 한다.
1568)화씨지보(和氏之寶) : 화씨지벽(和氏之璧)을 말함. '연성지벽(連城之璧)'이라고도 한다.
1569)비상참도(悲傷慘悼) : 마음이 몹시 애처롭고 참혹하여 슬피 욺.
1570)일누잔천(一縷殘喘) : 실낱같이 약하게 겨우 붙어 있는 목숨.
1571)구로생휵(劬勞生慉) : 자식을 낳아서 기르느라고 힘을 들이고 애를 씀.

를 보니 결【147】단코 ᄌᆞ가를 위ᄒᆞ여 ᄉᆞ지(死地)라도 피(避)치 아닐 ᄃᆞᆺᄒᆞ니, 소졔 날호여 칭ᄉᆞ 왈,

"쳡은 본ᄃᆡ 심규의 ᄉᆡᆼ장ᄒᆞ여 샤ᄅᆞᆷ의게 결원(結怨)이 업ᄉᆞᄃᆡ, 금일 이런 ᄋᆡᆨ을 당ᄒᆞ나 부모 동긔 아지 못ᄒᆞ고, 궁ᄋᆞ의 이 ᄀᆞᆺᄐᆞᆫ 의긔현심으로 ᄉᆞ지의 구활코져 ᄒᆞ니, 쳡이 다른 날 도라가미 잇실진ᄃᆡ 금일 구ᄉᆡᆼ지은(求生之恩)1277)을 갑흐미 젹지 아닐지라. 그ᄃᆡ 니르지 아니나 쳡이 부모의 교녀(嬌女)로 연셩지벽(連城之璧)1278)과 화씨지보(和氏之寶)1279)ᄀᆞᆺ치 ᄉᆡᆼ장(生長)ᄒᆞ여, 이졔 요인의 독슈를 만나 일신이 함졍(陷穽)의 ᄯᅥ러져, 오궁 누옥 즁의 드럿시믈 부모 동긔 엇지 알니오. ᄒᆞᆫ갓 죽은 줄노 아르샤 비상참도(悲傷慘悼)1280) ᄒᆞ시리니, 쳡이 만일 일누잔명(一縷殘命)1281)이 부ᄉᆡᆼ(復生)치 못ᄒᆞᆯ진ᄃᆡ 불회(不孝) 읏더 ᄒᆞ며, 구로ᄉᆡᆼ휵(劬勞生慉)1282)ᄒᆞᆫ 몸이 어ᄂᆞ 곳의 ᄇᆞ릴 줄 알니오. ᄎᆞ고로 일만 괴【148】로오믈 견ᄃᆡ고 투ᄉᆡᆼ(偸生)ᄒᆞ여 존당 부모와 동긔로 산 낫ᄎᆞ로 반기믈 긔약ᄒᆞ니, 엇지 부모유체(父母遺體)를 가바야이 상히오리오. 궁인은 일노ᄡᅧ 의

의 물새. 몸이 크고 온몸은 순백색이며, 눈 앞쪽에는 노란 피부가 드러나 있고 다리는 검다.
1277)구싱디은(求生之恩) : 생명을 구해준 은혜.
1278)년셩지벽(連城之璧) : 화씨지벽(和氏之璧)을 달리 이르는 말. 화씨지벽은 전국 때 변화씨(卞和氏)라는 사람이 형산(荊山)에서 돌 위에 봉황이 깃들이는 것을 보고 얻었다는 천하의 이름난 옥을 말하는데, 후대에 진(秦)나라 소양왕(昭襄王)이 이 옥을 탐내, 당시 이 옥을 가지고 있던 조(趙)나라 혜문왕(惠文王)에게 진나라 15개의 성(城)과 바꾸자는 제안을 했다는 데서, '연성지벽(連城之璧)'이라는 이름이 붙었다고 한다.
1279)화시디보(和氏之寶) : 화씨지벽(和氏之璧)을 말함. '연성지벽(連城之璧)'이라고도 한다.
1280)비상참도(悲傷慘悼) : 마음이 몹시 애처롭고 참혹하여 슬피 욺.
1281)일누잔명(一縷殘命) : 실낱같이 약하게 겨우 붙어 있는 목숨.
1282)구로생휵(劬勞生慉) : 자식을 낳아서 기르느라고 힘을 들이고 애를 씀.

【26】를 가비야이 샹히오리오. 궁인은 일노뼈 의심치 말고, 젼후 의긔를 흔갈굿치 ᄒᆞ여 피ᄎᆞ 나죵이 잇게 ᄒᆞ라."

셤이 쇼져의 식견이 명달ᄒᆞ믈 항복ᄒᆞ여 심심(深深) 칭복(稱福) 왈,

"부인의 신명예텰(神明睿哲)ᄒᆞ시믄 계ᄎᆞ 군ᄌᆞ(笄叉君子)[1572]오 결군댱뷔(結裙丈夫)[1573]라. 쳔쳡이 그으이 빅년을 뫼시고져 ᄒᆞᄋᆞᆸᄂᆞ니, 엇디 젼후이심(前後二心)을 픔으리잇고? 삼가 딘심갈녁(盡心竭力)ᄒᆞ오리니 믈녀ᄒᆞ시고 귀톄를 보듕ᄒᆞ쇼셔."

뎡쇼졔 그 현심을 칭샤ᄒᆞ고 일노조ᄎᆞ 스ᄉᆞ로 몸을 보호키를 계교ᄒᆞ미, 쳔슈만녀(千愁萬慮)를 쳑탕(滌蕩)ᄒᆞ고, 셤의 디셩으로 밧들믈 힘닙어 오라디 아냐 병이 졈졈 ᄎᆞ경의 밋ᄎᆞ니, 셤이 《대경‖대희》ᄒᆞ나 힝혀 셜빈 노쥐 알가 두리고, 혹ᄌᆞ 연상궁 간찰(看察)이 니른【27】즉, 셤이 일양(一樣) 쇼져의 병이 ᄉᆞᄉᆡᆼ(死生)의 이셔, 귀먹고 말 못ᄒᆞ여 숨 잇ᄂᆞᆫ 시톄라 ᄒᆞ니, 셜빈과 연상궁이 고디드르나 그 슈히 죽이디 아니믈 민망ᄒᆞ딕, 셜빈이 혹 오궁의 귀령ᄒᆞ여 친히 나아가 죽이고져 뜻이 이시나, 오왕 부부를 긔이ᄂᆞᆫ[1574] 고로 그도 못ᄒᆞ고, 연상궁으로 더브러 쥬샤야탁(晝思夜度)ᄒᆞ여 샤인의 ᄆᆞ음이나 두로혀기를 ᄡᅬᄒᆞ더니, ᄎᆞ시의 텬히(天下) 블힝ᄒᆞ고 신민이 무복(無福)ᄒᆞ여, 딘종 황애 옥톄 미령(靡寧)ᄒᆞ샤 농탑(龍榻)의 위돈(委頓)ᄒᆞ시니, 텬히 딘동ᄒᆞ고 됴애 딘경ᄒᆞ여 쳔방빅계로 의약을 힘ᄡᅳ나, 일졈 신회(神效) 업ᄂᆞᆫ디라.

ᄶᅴ의 평딘대원슈 윤광텬의 쳡셰(捷書) 두 번 오로나, 황애 상벌을 나리오디 못ᄒᆞ시고 스ᄉᆞ로 회츈치 못ᄒᆞ실 줄 아【28】르샤, 금후와 평제왕과 하·딘 등 졔공을 탑하의 인견ᄒᆞ샤 군국대ᄉᆞ를 맛디시고, 태ᄌᆞ를 도라보샤 왈,

1572)계차군자(笄叉君子) : '비녀 꽂은 군자'라는 뜻으로 여성 가운데 군자라는 말.
1573)결군장부(結裙丈夫) ; 치마 두른 장부.
1574)긔이다 : 기이다. 어떤 일을 숨기고 바른대로 말하지 않다.

심치 말고, 젼후 의긔를 흔갈굿치 ᄒᆞ여 피ᄎᆞ 나죵이 잇게 ᄒᆞ라."

셤이 소져의 식견이 명달ᄒᆞ믈 항복ᄒᆞ여 심심(深深) 칭복(稱福) 왈,

"부인의 신명예쳘(神明睿哲)ᄒᆞ시믄 계ᄎᆞ 군ᄌᆞ(笄叉君子)[1283]오 결눈[군]장뷔(結裙丈夫)[1284]라. 쳔쳡이 그으이 빅년을 뫼시고져 ᄒᆞᄋᆞᆸᄂᆞ니, 엇지 젼후이심(前後二心)을 픔으리잇고? 삼가 진심갈녁(盡心竭力)ᄒᆞ오리니 믈녀ᄒᆞ시고 귀쳬를 보즁ᄒᆞ소셔"

뎡소졔 그 현심을 칭샤ᄒᆞ고 일노조ᄎᆞ 스ᄉᆞ로 몸을 보호키를 계교ᄒᆞ미, 쳔슈만녀(千愁萬慮)를 쳑탕(滌蕩)ᄒᆞ고, 셤의 지셩으로 밧들믈 힘닙어 오라지 아냐 병이 졈졈 ᄎᆞ경의 밋ᄎᆞ니, 셤이 딕희ᄒᆞ나 힝혀 셜빈 노쥐 알가 두리【149】고, 혹ᄌᆞ 연상궁 간찰(看察)이 니른즉, 셤이 일양(一樣) 소져의 병이 ᄉᆞᄉᆡᆼ(死生)의 잇셔 귀 먹고 말 못ᄒᆞ여 숨 잇ᄂᆞᆫ 시쳬라 ᄒᆞ니, 셜빈과 연상궁이 고지드르나 그 슈이 죽이지 아니믈 민망ᄒᆞ나, 셜빈이 혹 오궁의 귀령ᄒᆞ여 친히 나아가 죽이고져 뜻이 잇시딕, 오왕 부부를 긔이ᄂᆞᆫ[1285] 고로 그도 못ᄒᆞ고, 연상궁으로 더브러 쥬ᄉᆞ야탁(晝思夜度)ᄒᆞ여 ᄉᆞ인의 마음이나 두로혀기를 ᄡᅬᄒᆞ더니, ᄎᆞ시의 텬히(天下) 블힝ᄒᆞ고 신민이 무복(無福)ᄒᆞ여 만셰 황애 옥쳬 미령(靡寧)ᄒᆞ샤 농탑(龍榻)의 위돈(委頓)ᄒᆞ시니, 텬히 진동ᄒᆞ고 조애 진경ᄒᆞ여 쳔방빅계로 의약을 힘ᄡᅳ나, 일졈 신회(神效) 업ᄂᆞᆫ지라.

ᄶᅴ의 평진대원슈 윤광텬의 쳡셰(捷書) 두 번 오르나, 황애 상벌을 나리오지 못ᄒᆞ시고 스ᄉᆞ로 회츈【150】치 못ᄒᆞ실 줄 아르샤, 금후와 평제왕과 하·진 등 졔공을 탑하의 인견ᄒᆞ샤 군국대ᄉᆞ를 맛지시고, 태ᄌᆞ를 도라보샤 왈,

1283)계차군자(笄叉君子) : '비녀 꽂은 군자'라는 뜻으로 여성 가운데 군자라는 말.
1284)결군장부(結裙丈夫) ; 치마 두른 장부.
1285)긔이다 : 기이다. 어떤 일을 숨기고 바른대로 말하지 않다.

"윤·하·뎡·딘 졔신은 다 국가 쥬셕디신(柱石之臣)이라. 딤이 상히 크게 밋ᄂᆞᆫ ᄇᆡ오, 광텬 형뎨ᄂᆞᆫ 기부(其父)의 튱의대졀(忠義大節)을 니어 왕좌보필(王座輔弼)이오, 텬흥의 디용지략(智勇大略)은 국가동냥(國家棟樑)이라. 위명(威名)이 화이(華夷)의 딘동ᄒᆞ고, 또 겸ᄒᆞ여 문양으로 ᄒᆞ여 계익(桂掖)[1575]의 손[1576]이니, 범범ᄒᆞᆫ 외됴 신뇨와 다르니 범ᄉᆞ를 문의ᄒᆞ고, 또 윤광텬이 딘을 뎡벌ᄒᆞ여 쳡음이 두 번 니르럿다 ᄒᆞ니, 혜건ᄃᆡ 승젼환됴ᄒᆞ미 오라디 아닐 거시로ᄃᆡ, 딤이 텬명이 딘(盡)ᄒᆞ여 군신이 산 낫ᄎᆞ로 반기디 못ᄒᆞ니, 엇디 유한(幽閑)이 아니리오. 만일 광텬이 딘을 평뎡ᄒᆞ고 반샤(班師)ᄒᆞ거【29】든, 딘의 봉ᄒᆞ여 공을 갑고, 딤심을 져바리디 말나. 딤이 초의 혼암ᄒᆞ여 초왕과 김탁의 간모를 몰나, 하딘의 부ᄌᆞ를 져바리미 남은 ᄯᅳ히 업셔, 원경 삼형뎨 참ᄉᆞᄒᆞ미 셰월이 오랄ᄉᆞ록 뉘웃고 가셕(可惜)ᄒᆞᄂᆞ니, 이졔 원광의 형뎨 됴졍의 이시미 ᄒᆞᆫ갈ᄀᆞᆺ치 금옥군ᄌᆞ(金玉君子)라. 경이 또ᄒᆞᆫ 딤의 녯 허믈을 ᄉᆡᆼ각ᄒᆞ고 하딘 부ᄌᆞ를 각별 녜우ᄒᆞ여, 딤의 뉘웃ᄂᆞᆫ ᄯᅳᆺ을 져바리디 말나."

ᄒᆞ시고, 허다 됴졍대ᄉᆞ를 유탁(遺託)ᄒᆞ시고, 또 문양공쥬의 회과ᄒᆞ믈 일ᄏᆞᄅᆞ샤 고호(顧護)[1577]ᄒᆞ믈 니르신 후, 인ᄒᆞ여 붕(崩)ᄒᆞ시니, 직위 ᄉᆞ십년[1578]이오, 시위딘종황뎨(諡爲眞宗皇帝)[1579]시라. 문무ᄇᆡᆨ관이 태ᄌᆞ를 밧드러 발상거ᄋᆡ(發喪擧哀)ᄒᆞ니, 태ᄌᆞ의 과ᄋᆡ(過哀)ᄒᆞ샤미 좌우를 동ᄒᆞ더라.

ᄋᆡ됴(哀弔)【30】를 텬하의 반포ᄒᆞ니, ᄉᆞ민(四民)[1580]이 져ᄌᆡ를 파ᄒᆞ고 여상고비(如

1575)계익(桂掖) : '후비(后妃)의 처소'를 이르는 말.
1576)손 : '백년손님' 곧 '사위'를 말함.
1577)고호(顧護) : 마음을 써서 돌보아 줌.
1578)진종(眞宗)의 재위기간은 997-1022년까지로 26년이다.
1579)시위딘종황뎨(諡爲眞宗皇帝) : 시호(諡號)는 '진종(眞宗)' 황제이다.
1580)ᄉᆞ민(四民) : 온 백성. 사(士)·농(農)·공(工)·상(商) 네 가지 신분의 백성

"윤·하·뎡·진 졔신은 다 국가 쥬셕지신(柱石之臣)이라. 딤이 상히 크게 밋ᄂᆞᆫ ᄇᆡ오, 광텬 형뎨ᄂᆞᆫ 기부(其父)의 츙의ᄃᆡ졀(忠義大節)을 니어 왕좌보필(王座輔弼)이오, 텬흥의 지용지략(智勇大略)은 국가동량(國家棟樑)이라. 위명(威名)이 화이(華夷)의 진동ᄒᆞ고, 또 겸ᄒᆞ여 문양으로 ᄒᆞ여 계익(桂掖)[1286]의 손[1287]이니, 범범ᄒᆞᆫ 외조 신료와 다르니 범ᄉᆞ를 문의ᄒᆞ고, 또 윤광텬이 진을 평멸(平滅)ᄒᆞ여 쳡음이 두 번 니르럿다 ᄒᆞ니, 혜건ᄃᆡ 승젼환조ᄒᆞ미 오라지 아닐 거시로ᄃᆡ, 딤이 텬명이 진ᄒᆞ여 군신이 산 낫ᄎᆞ로 반기지 못ᄒᆞ니, 엇지 유한(幽閑)이 아니리오. 만일 광텬이 진을 평졍ᄒᆞ고 반샤(班師)ᄒᆞ거든, 진의 봉ᄒᆞ여 공을 갑고, 딤심【151】을 져바리지 말나. 딤이 셕일 혼암ᄒᆞ여 초왕과 김탁의 간모를 몰나, 하진의 부ᄌᆞ를 져바리미 남은 ᄯᅳ히 업셔, 원경 삼형뎨 참ᄉᆞᄒᆞ미 셰월이 오랄ᄉᆞ록 뉘웃고 가셕(可惜)ᄒᆞᄂᆞᆫᄇᆡ라. 이졔 원광의 형뎨 조졍의 잇시미 그 위인이 금옥군ᄌᆞ(金玉君子)라. 경이 또ᄒᆞᆫ 딤의 녯 허물을 ᄉᆡᆼ각ᄒᆞ고 하공 부ᄌᆞ를 각별 녜우ᄒᆞ여, 딤의 뉘웃ᄂᆞᆫ ᄯᅳᆺ슬 져ᄇᆞ리지 말나."

ᄒᆞ시고 허다 조졍ᄃᆡᄉᆞ를 유탁(遺託)ᄒᆞ시고, 또 문양공쥬의 회과ᄒᆞ믈 일ᄏᆞ르샤 《샤호‖고호(顧護)[1288]》ᄒᆞ믈 니르신 후, 인ᄒᆞ여 붕(崩)ᄒᆞ시니, 직위 ᄉᆞ십년[1289]이오, 시위진종황뎨(諡爲眞宗皇帝)[1290]시라. 문무ᄇᆡᆨ관이 태ᄌᆞ를 밧드러 발상거ᄋᆡ(發喪擧哀)ᄒᆞ니, 태ᄌᆞ의 과ᄋᆡ(過哀)ᄒᆞ시미 좌우를 동ᄒᆞ더라.

ᄋᆡ조(哀弔)를 텬하의 반포ᄒᆞ니, ᄉᆞ민(四民)[1291]이 져ᄌᆡ를 파ᄒᆞ고 【152】여상고비

1286)계익(桂掖) : '후비(后妃)의 처소'를 이르는 말.
1287)손 : '백년손님' 곧 '사위'를 말함.
1288)고호(顧護) : 마음을 써서 돌보아 줌.
1289)진종(眞宗)의 재위기간은 997-1022년까지로 26년이다.
1290)시위딘종황뎨(諡爲眞宗皇帝) : 시호(諡號)는 '진종(眞宗)' 황제이다.
1291)ᄉᆞ민(四民) : 온 백성. 사(士)·농(農)·공(工)·상(商) 네 가지 신분의 백성

喪考妣)[1581]ᄒᆞ며, 삼일을 텬디혼흑(天地昏黑)[1582]ᄒᆞ고 일월이 무광(無光)ᄒᆞ여, 산쳔(山川) 초목(草木) 금쉬(禽獸) 다 늣기ᄂᆞᆫ ᄃᆞᆺᄒᆞ더라.

션뎨(先帝) 입관(入棺) 셩복(成服) 후, 태ᄌᆞ를 밧드러 보위(寶位)의 오로시니, 이 인종황뎨(仁宗皇帝)[1583]시라. 대샤텬하(大赦天下)ᄒᆞ시고, 일반 대신을 관작을 도도시고, ᄉᆡ로이 션뎨를 츄모ᄒᆞ샤 ᄋᆡ쳑ᄒᆞ샤미 녜예 디나시더라. 윤·하·뎡·딘 졔공이 국휼(國恤)[1584]을 만나ᄆᆡ ᄋᆡ훼비상(哀毁悲傷)ᄒᆞ미 효ᄌᆡ 부모를 여희고 ᄋᆡ통ᄒᆞ미나 다르디 아냐, ᄇᆡᆨ의소ᄃᆡ(白衣素帶)[1585]로 외당(外堂)의 쳐ᄒᆞ여 부인 녀ᄌᆞ로 면목(面目)을 상견치 아니니, 셜빈 군쥬ᄂᆞᆫ 국상을 만나 유셰(有勢)ᄒᆞᆯ 곳이 업고, 샤인의 죵덕이 이제ᄂᆞᆫ 더옥 어더 볼 길 업【31】ᄉᆞ니, 악연 초조ᄒᆞ더라.

ᄎᆞ시 뎡쇼제 오궁 누옥 듕의 이션 디 슈월(數月)의 산졈(産漸)[1586]이 이셔, 옥듕의 향긔 응비(凝飛)ᄒᆞ고 셔광이 만실ᄒᆞ더니, 일개 긔린을 ᄉᆡᆼᄒᆞ니, ᄒᆡᄋᆡ(孩兒) 셩음이 웅댱ᄒᆞ고 톄형이 셕대ᄒᆞ여 옥안영풍(玉顔英風)이 강산슈긔(江山秀氣)를 타나시니, 쇼제 대희ᄒᆞ며 셤이 희ᄒᆡᆼ(喜幸)ᄒᆞ여 ᄀᆡᆼ반(羹飯)으로 구호ᄒᆞ고, 신ᄋᆞ(新兒)의 긔이ᄒᆞ믈 치하ᄒᆞ며 슈고를 니져 ᄀᆡᆼ반을 니으니, 비록 벽옥·취란이라도 정셩이 이의셔 더으디 못ᄒᆞᆯ디라.

1581)여상고비(如喪考妣) : 부모의 상(喪)처럼 상례를 극진히 함.
1582)텬디혼흑(天地昏黑) : 하늘과 땅이 다 어둡고 캄캄함.
1583)인종황제(仁宗皇帝) : 중국 송나라의 제4대 왕(1010~1063). 재위시에 평화롭고 국력이 충실하였으며, 문학과 예술을 장려하여 사대부의 독특한 문화가 크게 일어났다. 재위 기간은 1022~1063년이다
1584)국휼(國恤) : 국상(國喪). 왕이나 상왕·태상왕·왕세자·왕세손 및 그 비(妃)의 상사(喪事)를 이르는 말.
1585)ᄇᆡᆨ의소ᄃᆡ(白衣素帶) : 흰옷을 입고 흰 띠를 두름. 상복차림을 함.
1586)산졈(産漸) : 산기(産氣). 달이 찬 임신부가 아이를 낳으려는 기미.

(如喪考妣)[1292]ᄒᆞ며, 삼일을 텬지혼흑(天地昏黑)[1293]ᄒᆞ고 일월이 무광(無光)ᄒᆞ여, 산쳔(山川) 초목(草木) 금쉬(禽獸) 다 늣기ᄂᆞᆫ ᄃᆞᆺᄒᆞ더라.

션뎨(先帝) 입관(入棺) 셩복(成服) 후, 태ᄌᆞ를 밧드러 보위(寶位)의 오르시니, 이 인종황뎨(仁宗皇帝)[1294]시라. 대샤텬하(大赦天下)ᄒᆞ시고, 일반 ᄃᆡ신을 관작을 도도시고, ᄉᆡ로이 션뎨를 츄모ᄒᆞ샤 ᄋᆡ쳑ᄒᆞ시미 녜(禮)의 지나시더라. 윤·하·뎡·딘 졔공이 국상(國喪)[1295]을 만나ᄆᆡ ᄋᆡ훼비상(哀毁悲傷)ᄒᆞ미 효ᄌᆡ 부모를 여희고 ᄋᆡ통ᄒᆞ미나 다르지 아냐, ᄇᆡᆨ의소ᄃᆡ(白衣素帶)[1296]로 외당(外堂)의 쳐ᄒᆞ여 부인 녀ᄌᆞ로 면목(面目)을 상견치 아니니, 셜빈 군쥬ᄂᆞᆫ 국상을 만나 유셰(有勢)ᄒᆞᆯ 곳이 업고, ᄉᆞ인의 종젹이 이제ᄂᆞᆫ 더욱 어더 볼 길 업ᄉᆞ니, 악연 초조 ᄒᆞ더라.

ᄎᆞ시 뎡소제 오궁 누옥 즁의 잇션 지 슈월(數月)의 산졈(産漸)[1297]이 잇셔 옥즁의 향긔 응비(凝飛)ᄒᆞ고 셔【153】광이 만실ᄒᆞ더니, 일ᄀᆡ 긔린을 ᄉᆡᆼᄒᆞ니, ᄒᆡᄋᆡ(孩兒) 셩음이 웅장ᄒᆞ고 쳬형이 셕ᄃᆡᄒᆞ여 옥안영풍(玉顔英風)이 강산슈긔(江山秀氣)를 타 나시니, 소제 ᄃᆡ희ᄒᆞ며 셤이 희ᄒᆡᆼ(喜幸)ᄒᆞ여 ᄀᆡᆼ반(羹飯)으로 구호ᄒᆞ고, 신ᄋᆞ(新兒)의 긔이ᄒᆞ믈 치하ᄒᆞ며 슈고를 니져 ᄀᆡᆼ반을 니으니, 비록 벽옥·취란이라도 정셩이 이의셔 더으지 못ᄒᆞᆯ지라.

1292)여상고비(如喪考妣) : 부모의 상(喪)처럼 상례를 극진히 함.
1293)텬디혼흑(天地昏黑) : 하늘과 땅이 다 어둡고 캄캄함.
1294)인종황제(仁宗皇帝) : 중국 송나라의 제4대 왕(1010~1063). 재위시에 평화롭고 국력이 충실하였으며, 문학과 예술을 장려하여 사대부의 독특한 문화가 크게 일어났다. 재위 기간은 1022~1063년이다
1295)국상(國喪) : 왕이나 상왕·태상왕·왕세자·왕세손 및 그 비(妃)의 상사(喪事)를 이르는 말.
1296)ᄇᆡᆨ의소ᄃᆡ(白衣素帶) : 흰옷을 입고 흰 띠를 두름. 상복차림을 함.
1297)산졈(産漸) : 산기(産氣). 달이 찬 임신부가 아이를 낳으려는 기미.

뎡쇼졔 갈ᄉᆞ록 감샤ᄒᆞ여 ᄉᆡᆼ젼ᄉᆞ후의 닛디 아닐 ᄯᅳᆺ이 잇더라. 태셤이 영오총명ᄒᆞ고 디족다모(知足多謀)ᄒᆞ여 간인의 간찰(簡札)이 니른 ᄶᅥᆨ면 뎡쇼졔 ᄉᆞᄐᆡ(死胎)ᄒᆞ여 명이 됴모(朝暮)의 잇다 ᄒᆞ니, 일노조ᄎᆞ 간【32】인이 의심치 아니코, 뎡시 모ᄌᆞ 보젼ᄒᆞᆷ믈 어드니라.

시시(是時)의 평딘대원슈 윤청문이 십만 웅병을 거나려 딘국으로 향ᄒᆞ니, 디나는 바의 계견금싊(鷄犬禽獸) 놀나디 아니ᄒᆞ고, ᄇᆡᆨ셩이 향화등쵹(香火燈燭)으로 맛더라. 힝ᄒᆞᆫ 디 월여의 딘읍의 다ᄃᆞ르니, 본읍 ᄌᆞᄉᆞ(刺史)와 각읍 슈령 방ᄇᆡᆨ이 각각 본읍 군ᄉᆞ를 거나려 먼니 나와 마ᄌᆞ, 셩듕의 드러가 대군을 안둔ᄒᆞ고 뎍셰를 므르니, ᄌᆞᄉᆞ 유한싊 딘왕 울금셰의 상뫼 흉악ᄒᆞ며 만부브당디용(萬夫不當之勇)[1587]이 이셔, 젼당 두 고을이 져당치 못ᄒᆞ여 관군이 무슈히 죽고, 디용(智勇) 잇는 댱싊 다 ᄃᆡ뎍디 못ᄒᆞ니, 텬병이 만일 ᄉᆞ오일만 더ᄃᆡ 오던들, 이 셩○[이] ᄯᅩ 보젼키 어【33】려올 바를 ᄀᆞᆺ초 고왈, '원싊 님딘(臨陣)ᄒᆞ셔도 경뎍(輕敵)디 마르시믈' ᄌᆡ삼 당부ᄒᆞ니, 원싊 쇼왈,

"울금셰는 ᄒᆞᆫ낫 무뷔(武夫)라. 디뫼 업ᄉᆞ리니 므어시 두려오리오. 잔미(孱微)ᄒᆞᆫ 변댱(邊將)들이 병법을 몰나 패망ᄒᆞ여시나, ᄌᆞᄉᆞ는 념녀 말나."

셜파의 ᄉᆞᄀᆡ ᄌᆞ약ᄒᆞ여 조금도 경겁(驚怯)ᄒᆞ미 업셔, 즉시 하령ᄒᆞ여 셩샹(城上)의 윤·뎡 냥원슈의 긔호(旗號)[1588]를 셰워, 뎍군으로 ᄒᆞ여금 텬병이 와시믈 알게 ᄒᆞ고, 젼셔(戰書)[1589]를 보ᄂᆡ여 삼일 후 졉젼ᄒᆞ믈 언약ᄒᆞ니, 유ᄌᆞ사 이히 윤·뎡 냥원슈의 년이 삼십이 ᄎᆞ디 못ᄒᆞ고, 월면쥬슌(月面朱脣)이 보건ᄃᆡ 미앙궁(未央宮)[1590] 봄버들 ᄀᆞᆺ거

1587)만부브당디용(萬夫不當之勇) : 수많은 장부(丈夫)로도 능히 당할 수 없는 용맹.
1588)긔호(旗號) : ①깃발로 나타낸 부호나 휘장. ②깃발로 하는 신호.
1589)젼셔(戰書) : 전쟁의 시작을 알리는 통지서.
1590)미앙궁(未央宮) : 중국 한(漢)나라 때에 만든 궁전. 고조 원년(B.C.202)에 승상인 소하(蕭何)가 장

뎡소졔 갈ᄉᆞ록 감샤ᄒᆞ여 ᄉᆡᆼ젼ᄉᆞ후의 닛지 아닐 ᄯᅳᆺ이 잇더라. ᄐᆡ셤이 영오총명ᄒᆞ고 지족다모(知足多謀)ᄒᆞ여 간인의 간찰(簡札)이 니른 ᄶᅥᆨ면, 뎡소졔 ᄉᆞᄐᆡ(死胎)ᄒᆞ여 명이 조모(朝暮)의 잇다 ᄒᆞ니, 일노조ᄎᆞ 간인이 의심치 아니코, 뎡씨 모ᄌᆞ 보젼ᄒᆞ믈 어드니라.

시시(是時)의 평진대원슈 윤청문이 십만 웅병을 거ᄂᆞ려 진국으로 향ᄒᆞ니, 지나는 바의 계견금싊(鷄犬禽獸) 놀나지 아니ᄒᆞ고, ᄇᆡᆨ셩이 향화등쵹(香火燈燭)으【154】로 맛더라. 힝ᄒᆞᆫ 지 월여의 진읍의 다다르니, 본읍 ᄌᆞᄉᆞ와 각읍 슈령 방ᄇᆡᆨ이 각각 본읍 군ᄉᆞ를 거ᄂᆞ려 먼니 나와 마ᄌᆞ, 셩즁의 드러가 ᄃᆡ군을 안둔ᄒᆞ고 적셰를 므르니, ᄌᆞᄉᆞ 유한싊 진왕 울금셰의 상뫼 흉악ᄒᆞ며 만부부당지용(萬夫不當之勇)[1298]이 잇셔, 젼당 두 고을이 져당치 못ᄒᆞ여 관군이 무슈히 죽고, 지용(智勇) 잇는 장싊 다 ᄃᆡ적지 못ᄒᆞ니, 텬병이 만일 ᄉᆞ오일만 더ᄃᆡ 오던들, 이 셩이 ᄯᅩ 보젼키 어려올 바를 ᄀᆞᆺ초 고ᄒᆞ고 왈, '원싊 님진(臨陣)ᄒᆞ셔도 경적(輕敵)지 마르시믈' ᄌᆡ삼 당부ᄒᆞ니, 원싊 소왈,

"울금셰는 ᄒᆞᆫ낫 무뷔(武夫)라. 지뫼 업ᄉᆞ리니 무어시 두려오리오. 잔미(孱微)ᄒᆞᆫ 변장(邊將)이 병법을 몰나 ᄑᆡ망ᄒᆞ엿시나, ᄌᆞᄉᆞ는 념녀 말나."

셜파의 ᄉᆞᄀᆡ ᄌᆞ약ᄒᆞ여 조곰도 경겁(驚怯)ᄒᆞ미 업셔, 즉시 하령ᄒᆞ【155】여 셩샹(城上)의 윤·뎡 냥원슈의 긔호(旗號)[1299]를 셰워 적군으로 ᄒᆞ여곰 텬병이 왓시믈 알게 ᄒᆞ고, 젼셔(戰書)[1300]를 보ᄂᆡ여 삼일 후 졉젼ᄒᆞ믈 언약ᄒᆞ니, 유ᄌᆞ사 이히 윤·뎡 냥원슈의 년이 삼십이 ᄎᆞ지 못ᄒᆞ고, 월면쥬슌(月面朱脣)이 보건ᄃᆡ 미앙궁(未央宮)[1301] 봄

1298)만부브당디용(萬夫不當之勇) : 수많은 장부(丈夫)로도 능히 당할 수 없는 용맹.
1299)긔호(旗號) : ①깃발로 나타낸 부호나 휘장. ②깃발로 하는 신호.
1300)젼셔(戰書) : 전쟁의 시작을 알리는 통지서.
1301)미앙궁(未央宮) : 중국 한(漢)나라 때에 만든 궁전. 고조 원년(B.C.202)에 승상인 소하(蕭何)가 장

ᄂᆞᆯ, 이 ᄀᆞᆺᄐᆞᆫ 고담대언(高談大言)[1591]으로 져 흉녕ᄒᆞᆫ 울금셰를 두려 아【34】니믈 십분 의심ᄒᆞ여 방심치 못ᄒᆞ더라.

이젹의 딘왕 울금셰 승승댱구(乘勝長驅) ᄒᆞ여 대국 토디를 노략ᄒᆞ며 졀도ᄉᆞ를 죽이ᄆᆡ, ᄯᅳᆺ이 범남(汎濫)[1592]ᄒᆞ여 스ᄉᆞ로 호왈(號曰) 대딘텬ᄌᆞ(大晉天子)라 ᄒᆞ고, ᄆᆡᆼ댱(猛將) 쳔원(千員) 듕 울금덕은 울금셰의 아이니, 샹뫼 흉악ᄒᆞ며 팔십 근 텰퇴(鐵槌)를 ᄡᅳ고, 우션봉 아울강은 미목(眉目)이 슈려쳥슈(秀麗淸秀) ᄒᆞ고 디용(智勇)이 겸젼(兼全)ᄒᆞ며, 후군 구응ᄉᆞ(救應使) 독고졍은 울금셰의 ᄉᆞ회니 평딘 공쥬 양영의 가뷔(家夫)라. 면뫼 아ᄅᆞᆷ답고 ᄌᆡ략이 과인ᄒᆞ니, 이 셔너 사ᄅᆞᆷ은 디용이 겸젼ᄒᆞ여 만부브당디용(萬夫不當之勇)이 잇ᄂᆞᆫ디라. 울금셰 삼댱을 ᄆᆡᆺ고 댱안을 범보[1593] 듯ᄒᆞ더니, 믄득 텬병이 니르러 격셰(檄書) 니르니, 울금셰 문무 졔신으로【35】더브러 ᄲᅥ혀 보니 ᄒᆞ여시ᄃᆡ,

"대송됴(大宋朝) 평딘대원슈 윤모와 부원슈 뎡모ᄂᆞᆫ 역텬무도(逆天無道)○[ᄒᆞᆫ] 울금셰의게 격셔를 보ᄂᆡᄂᆞ니, 셩텬ᄌᆞ 인셩명화(仁聖明和)ᄒᆞ샤 텬히 승평(昇平)ᄒᆞ거ᄂᆞᆯ, 너희 시셰(時勢)를 아디 못ᄒᆞ고 변방을 소요ᄒᆞ니, 기죄(其罪) 블용쥬(不容誅)라. 아등이 텬명을 밧ᄌᆞ와 웅병 ᄇᆡᆨ만과 ᄆᆡᆼ댱 쳔원을 거나려 문죄ᄒᆞᄂᆞ니, 만일 셩명을 앗기거든 일죽이 항복ᄒᆞ면, 셩샹이 인현ᄒᆞ시니 관젼을 드리워 대죄를 용셔ᄒᆞ시고 오히려 왕작을 보젼ᄒᆞ려니와, 블연즉 옥셕이 구분ᄒᆞ리니, 삼일 후 승부를 결ᄒᆞ게 ᄒᆞ라."

ᄒᆞ엿더라, 울금셰 간필의 대로ᄒᆞ여, 격셔를 ᄯᅳᆺ고 샤ᄌᆞ(使者)를 블너 코흘 버혀 ᄂᆡ【36】치며 왈,

"너ᄂᆞᆫ 도라가 윤광텬 황구치ᄋᆞ(黃口稚兒)와 뎡셰흥 ᄒᆡ뎨(孩提)[1594]들다려 니르라.

안(長安)의 용수산(龍首山)에 지었다.

1591)고담대언(高談大言) : 거리낌 없이 큰소리쳐 하는 말.

1592)범남(汎濫) : ①제 분수에 넘침. ②큰물이 흘러 넘침.

1593)범보다 : 범이 먹잇감을 노려보다.

버들 ᄀᆞᆺ거ᄂᆞᆯ, 이 ᄀᆞᆺᄐᆞᆫ 고담ᄃᆡ언(高談大言)[1302]으로 져 흉녕ᄒᆞᆫ 울금셰를 두려 아니믈 십분 의심ᄒᆞ여 방심치 못ᄒᆞ더라.

이젹의 진왕 울금셰 승승댱구(乘勝長驅)ᄒᆞ여 ᄃᆡ국 토지를 노략ᄒᆞ며 졀도ᄉᆞ를 죽이ᄆᆡ, ᄯᅳᆺ이 범남(汎濫)[1303]ᄒᆞ여 스ᄉᆞ로 호왈(號曰), ᄃᆡ진텬ᄌᆞ(大晉天子)라 ᄒᆞ고, ᄆᆡᆼ쟝(猛將) 쳔원(千員) 즁 울금덕은 울금셰의 아이니, 샹뫼 흉악ᄒᆞ며 팔십 근 쳘퇴(鐵槌)를 ᄡᅳ고, 우션봉 아울강은 미목(眉目)이 슈려쳥슈(秀麗淸秀)ᄒᆞ고 지용(智勇)이 겸젼(兼全)ᄒᆞ고[며], 후군 구응ᄉᆞ(救應使) 독고졍은 울금셰의 ᄉᆞ회니, 평진 공【156】쥬 양영의 가뷔(家夫)라. 면뫼 아ᄅᆞᆷ답고 ᄌᆡ략이 과인ᄒᆞ니, 이 셔너 샤ᄅᆞᆷ은 지용이 겸젼ᄒᆞ여 만부부당지용(萬夫不當之勇)이 잇ᄂᆞᆫ지라. 울금셰 삼쟝을 ᄆᆡᆺ고 ᄃᆡ국을 규시(窺視)ᄒᆞ더니, 믄득 텬병이 니르러 격셰 니르니, 울금셰 문무 졔신으로 더브러 ᄲᅥ혀 보니 ᄒᆞ엿시되,

"대송조(大宋朝) 평진대원슈 윤모와 부원슈 뎡모ᄂᆞᆫ 역텬무도(逆天無道)○[ᄒᆞᆫ] 울금셰의게 격셔를 보ᄂᆡᄂᆞ니, 셩텬ᄌᆞ 인셩명화(仁聖明和)ᄒᆞ샤 텬히 승평(昇平)ᄒᆞ거ᄂᆞᆯ, 너희 시무(時務)를 아지 못ᄒᆞ고 변방을 소요ᄒᆞ니, 기죄(其罪) 불용쥬(不容誅)라. 아등이 텬명을 밧ᄌᆞ와 웅병 ᄇᆡᆨ만과 ᄆᆡᆼ쟝 쳔원을 거ᄂᆞ려 문죄ᄒᆞᄂᆞ니, 만일 셩명을 앗기거든 일죽이 항복ᄒᆞ면, 셩샹이 인현ᄒᆞ시니 관젼을 드리워 대죄를 용셔ᄒᆞ시고 오히려 왕작을 보젼ᄒᆞ려니와, 블연즉【157】옥셕이 구분ᄒᆞ리니, 삼일 후 승부를 결ᄒᆞ게 ᄒᆞ라."

ᄒᆞ엿더라. 울금셰 간필의 ᄃᆡ로ᄒᆞ여, 격셔를 ᄶᅵᆺ고 ᄉᆞᄌᆞ(使者)를 블너 코흘 버혀 ᄂᆡ치며 왈,

"너ᄂᆞᆫ 도라가 윤광텬 황구치ᄋᆞ(黃口稚兒)와 뎡셰흥 ᄒᆡ졔(孩提)[1304]들 ᄃᆞ려 니르라.

안(長安)의 용수산(龍首山)에 지었다.

1302)고담대언(高談大言) : 거리낌 없이 큰소리쳐 하는 말.

1303)범남(汎濫) : ①제 분수에 넘침. ②큰물이 흘러 넘침.

‘여등은 본ᄃᆡ 옥당명환(玉堂名宦)이라 궁마디ᄌᆡ(弓馬之才) 업ᄉᆞ리니, 우리 웅호걸ᄉᆞ(雄豪傑士)의 뎍ᄉᆔ 아니라 ᄲᆞᆯ니 도라가고, 다시 무당을 보ᄂᆡ여 ᄃᆡ뎍ᄒᆞ고, ᄭᅩᆺ다온 청츈으로 검하경혼(劍下驚魂)이 되디 말나.’ 니르라.”

ᄒᆞ고, ᄭᅳ어 ᄂᆡ치니, 샤ᄌᆡ(使者) 울며 도라와 고ᄒᆞᆫᄃᆡ, 원쉬 대로ᄒᆞ여 우명일의 교젼ᄒᆞᆯᄉᆡ, 셩문을 크게 열고 금괴졔명(金鼓齊鳴)ᄒᆞ여 함셩이 대딘ᄒᆞᄂᆞᆫ 곳의, 냥원ᄉᆔ 군장(軍裝)을 뎡졔ᄒᆞ고 딘젼의 나오니 개갑이 션명ᄒᆞ고 풍치 텬션 ᄀᆞᆺᄐᆞ며, 좌우 졔당은 공산(空山)의 ᄆᆡᆼ호 ᄀᆞᆺ고 군용이 뎡졔ᄒᆞ니, 뎍진 당졸이 냥원슈의 신ᄎᆡ 황홀ᄒᆞ여 텬신이 강님ᄒᆞᆫ가 의심ᄒᆞ고,【37】그 당졸의 웅위ᄒᆞ믈 대경ᄒᆞ더라.

뎍딘 문긔(門旗) 열니ᄂᆞᆫ 곳의 딘왕 울금셰 나와 숑딘 당슈의 쇼년영풍을 보ᄆᆡ, 업슈히 넉여 마샹의셔 ᄎᆡ를 드러 가ᄅᆞ쳐 왈,

“갑ᄌᆔ(甲冑) ᄌᆡ신(在身)ᄒᆞ여 녜를 힝치 못ᄒᆞᄂᆞ니 숑당(宋將)은 관셔ᄒᆞ라. 과인이 당군 등을 쳐음 보거니와, 숑ᄌᆔ 디혜 업셔 그ᄃᆡ 등 ᄀᆞᆺᄐᆞᆫ ᄇᆡᆨ면셔ᄉᆡᆼ(白面書生)을 보ᄂᆡ여 스ᄉᆞ로 패망키를 ᄌᆞ취ᄒᆞᄂᆞ뇨? 일죽 항복ᄒᆞ여 죽기를 면ᄒᆞ라.”

뎡 원ᄉᆔ ᄒᆡ연(駭然) 대로(大怒)ᄒᆞ여 왈,

“쇼방 역뎍이 감히 난언으로 군ᄌᆞ의 귀를 더러이ᄂᆞ뇨? 내 너를 죽여 만민의 ᄒᆡ를 덜니라.”

언필의 보검을 춤추어 울금셰를 ᄎᆔᄒᆞ니, 울금셰 ᄯᅩᄒᆞᆫ 칼을 드러 마ᄌᆞ ᄡᅡ화 이십여 합의, 뎡원쉬 ᄒᆞᆫ 소ᄅᆡ【38】를 크게 디르고 손을 드러 디르ᄂᆞᆫ 곳의 울금셰 마하의 나려디니, 윤원쉬 뎡원슈의 울금셰 죽이믈 보고 졔당을 디휘ᄒᆞ여 대군을 모라 뎍딘을 ᄉᆡ살(弑殺)ᄒᆞ니, 죽엄이 뫼 ᄀᆞᆺ고 피 흘너 ᄂᆡ히 되엿더라. 뎍딘 당졸이 쥬당이 업ᄉᆞ니 머리 업ᄉᆞᆫ ᄇᆡ얌 ᄀᆞᆺᄐᆞ여 ᄉᆞ산분쥬(四散奔走)ᄒᆞ니, 냥원쉬 승셰ᄒᆞ여 ᄌᆞᆺ딜너 울금덕 독고졍을 다 버히니, 여졸(餘卒)은 항복ᄒᆞ고 왕비ᄂᆞᆫ

1594)히뎨(孩提) : 어린아이.

‘여등은 본ᄃᆡ 옥당명환(玉堂名宦)이라. 궁마지ᄌᆡ(弓馬之才) 업ᄉᆞ리니, 우리 웅호걸ᄉᆞ(雄豪傑士)의 젹ᄉᆔ 아니라. ᄲᆞᆯ니 도라 가고 다시 무장을 보ᄂᆡ여 ᄃᆡ젹ᄒᆞ고, ᄭᅩᆺ다온 청츈으로 검하경혼(劍下驚魂)이 되지 말나.’ 니르라.”

ᄒᆞ고, ᄭᅳ어 ᄂᆡ치니, ᄉᆞᄌᆡ 울며 도라와 고ᄒᆞᆫᄃᆡ, 원ᄉᆔ ᄃᆡ로ᄒᆞ여 우명일의 교젼ᄒᆞᆯᄉᆡ, 셩문을 크게 열고 금괴졔명(金鼓齊鳴)ᄒᆞ여 함셩이 ᄃᆡ진ᄒᆞᄂᆞᆫ 곳의, 냥원ᄉᆔ 군장(軍裝)을 졍졔ᄒᆞ고 진젼의 나오니 의갑이 션명ᄒᆞ고 풍치 텬션 ᄀᆞᆺᄐᆞ며, 좌우 졔장이 공산(公山)의 ᄆᆡᆼ호 ᄀᆞᆺ타며 군용이【158】졍졔ᄒᆞ니, 젹진 장졸이 냥원슈의 신ᄎᆡ를 황홀히 텬신이 강님ᄒᆞᆫ가 의심ᄒᆞ고, 그 장졸의 웅위ᄒᆞ믈 ᄃᆡ경ᄒᆞ더라.

젹진 문긔(門旗) 열니ᄂᆞᆫ 곳의 진왕 울금셰 나와 송진 장슈의 소년녕풍을 보ᄆᆡ, 업슈히 넉여 마샹의셔 ᄎᆡ를 드러 가르쳐 왈,

“갑쥬(甲冑) ᄌᆡ신(在身)ᄒᆞ여 녜를 힝치 못ᄒᆞᄂᆞ니, 송쟝(宋將)은 관셔ᄒᆞ라. 과인이 장군 등을 쳐음 보거니와 송ᄌᆔ 지혜 업셔 그ᄃᆡ 등 ᄀᆞᆺᄐᆞᆫ ᄇᆡᆨ면셔ᄉᆡᆼ(白面書生)을 보ᄂᆡ여 스ᄉᆞ로 ᄑᆡ망키를 ᄌᆞ취ᄒᆞᄂᆞ뇨? 일죽 항복ᄒᆞ여 죽기를 면ᄒᆞ라.”

뎡 원ᄉᆔ ᄒᆡ연(駭然) 대로(大怒)ᄒᆞ여 왈,

“소방 역젹이 감히 난언으로 군ᄌᆞ의 귀를 더러이ᄂᆞ뇨? 내 너를 죽여 만민의 ᄒᆡ를 덜니라.”

언필의 보검을 츔츄어 울금셰를 ᄎᆔᄒᆞ니, 울금셰 ᄯᅩᄒᆞᆫ 칼을 드러 마ᄌᆞ ᄡᅡ화 이십여 합의, 뎡원ᄉᆔ【159】 ᄒᆞᆫ 소ᄅᆡ를 크게 지르고 손을 드러 지르ᄂᆞᆫ 곳의 울금셰 마하의 ᄂᆞ려지니, 윤원ᄉᆔ 뎡원슈의 울금셰 죽이믈 보고 졔장을 지휘ᄒᆞ여 ᄃᆡ군을 모라 젹진을 ᄉᆡ살(弑殺)ᄒᆞ니, 죽엄이 뫼 ᄀᆞᆺ고 피 흘너 ᄂᆡ히 되엿더라. 젹진 장졸이 쥬장이 업ᄉᆞ니 머리 업ᄉᆞᆫ ᄇᆡ암 ᄀᆞᆺᄐᆞ여 ᄉᆞ산분쥬(四散奔走)ᄒᆞ니, 냥원ᄉᆔ 승셰ᄒᆞ여 ᄌᆞᆺ질너 울금덕 독고졍을 다 버히니, 여졸(餘卒)은 항복ᄒᆞ고 왕

1304)히뎨(孩提) : 어린아이.

스ᄉᆞ로 목ᄆᆡ여 죽고, 딘국 승상 목원은 쳐음의 울금셰를 반(叛)치 말나 간ᄒᆞ니, 울금셰 듯디 아니ᄆᆡ 본국을 딕희엿더니, 울금셰 패망ᄒᆞ믈 듯고 국보(國寶)[1595]를 가디고 셩문을 여러 왕ᄉᆞ를 마ᄌᆞ니, 원쉬 딘국 도셩의 드러가 방 붓쳐 ᄇᆡᆨ셩을 안무ᄒᆞ고, 목원 등 졔【39】인을 위로ᄒᆞ며 그 궁실이 참남(僭濫) 샤치(奢侈)ᄒᆞ믈 보고, 냥원쉬 탄왈,

"이러ᄐᆞᆺ ᄒᆞ고 엇디 망치 아니리오."

ᄒᆞ더라. 인ᄒᆞ여 쳡셔를 올니고 슈십 일을 머므러 인심을 딘뎡ᄒᆞ며, 창늠(倉廩)을 봉ᄒᆞ고 국도를 승상 목원으로 딕희오고, 군ᄉᆞ를 거ᄂᆞ려 젼일 머므던 곳의 도라 ᄒᆡᆼ장을 졈검ᄒᆞ여 반샤(班師)ᄒᆞ더니, 경샤로셔 ᄋᆡ됴(哀詔) 니르니, 션뎨 승하ᄒᆞ시고 태ᄌᆞ 즉위ᄒᆞ셧ᄂᆞᆫ디라.

냥원쉬 젹심단튱으로 니국(離國) 팔구 삭의 군친을 ᄉᆞ모ᄒᆞ미 간졀ᄒᆞ다가, 흉음을 드르ᄆᆡ 참통비졀(慘痛悲絶)ᄒᆞ여 즉시 삼군 졔댱으로 더브러 븍향 발상(發喪)ᄒᆞ니, 곡셩이 텬디 딘동ᄒᆞ더라. 즉일 반샤(班師)ᄒᆞᆯᄉᆡ 냥원슈와 삼군 졔댱의 귀심이 살 ᄀᆞᄐᆞ여, 쥬야【40】ᄇᆡ도(倍道)[1596] ᄒᆞ여 황셩을 향ᄒᆞ여 오니, 션셩(先聲)이 경샤의 밋ᄎᆞᄆᆡ, 윤·뎡 냥부의셔 ᄋᆞᄌᆞ의 쳥슈미딜(淸秀微質)노 흉뎍을 슈히 소탕ᄒᆞ고 승젼환국(勝戰還國)ᄒᆞ믈 깃거 하셩(賀聲)이 분분ᄒᆞ고, 만셰 황얘 션뎨 유교(遺敎)를 ᄉᆡᆼ각ᄒᆞ샤, 난여(鸞輿)[1597]를 ᄀᆞ초와 만됴를 거ᄂᆞ려 냥원슈를

1595)국보(國寶) : 국새(國璽). 나라를 대표하는 도장.
1596)ᄇᆡ도(倍道) : 배도겸행(倍道兼行). 이틀에 갈 길을 하루에 걸음.
1597)난여(鸞輿) : =연(輦). 임금이 거둥할 때 타고 다니던 가마. 옥개(屋蓋)에 붉은 칠을 하고 황금으로 장식하였으며, 둥근기둥 네 개로 작은 집을 지

비ᄂᆞᆫ 스ᄉᆞ로 목ᄆᆡ여 죽고, 진국 승상 목원은 쳐음의 울금셰를 반(叛)치 말나 간ᄒᆞ니, 울금셰 듯지 아니ᄆᆡ 본국을 직희엿더니, 울금셰 ᄑᆡ망ᄒᆞ믈 듯고 국보(國寶)[1305]를 가지고 셩문을 여러 왕ᄉᆞ를 마ᄌᆞ니, 원쉬 진국 셩즁(城中)의 드러가 방 붓쳐 ᄇᆡᆨ셩을 안무ᄒᆞ고, 목원 등 졔인을 위로ᄒᆞ며 그 궁실을[의] 참남(僭濫) ᄉᆞ치(奢侈)ᄒᆞ【160】믈 보고, 냥원쉬 탄 왈,

"이러ᄐᆞᆺ 궁실을 화려히 ᄒᆞ여 졈졈 마ᄋᆞᆷ이 외람ᄒᆞ여, 변방을 직희여 왕낙을 누리지 아니ᄒᆞ고, 셔졀구투(鼠竊狗偸) ᄀᆞᄐᆞᆫ 군ᄉᆞ를 일우혀, 각쳐 관익(關阨)을 침범ᄒᆞ여 ᄇᆡᆨ셩이 니산ᄒᆞ고, 텬조 위엄을 항거ᄒᆞ여 필경은 국파신망(國破身亡)[1306]ᄒᆞ믈 ᄌᆞ취ᄒᆞ니, 엇지 통ᄒᆡ(痛駭)치 아니리오."

ᄒᆞ고, 도셩 ᄇᆡᆨ셩을 인의(仁義)로 무휼(撫恤)ᄒᆞ믈 맛고, 이의 머므런지 슌여(旬餘)의 밋쳐ᄂᆞᆫ, 홀연 텬조(天朝) 비보(飛報)[1307]를 어드니, 션뎨 임의 승하(昇遐)[1308]ᄒᆞ신지라.

원쉬 ᄃᆡ경(大驚) 망극(罔極)ᄒᆞ믈 니긔지 못ᄒᆞ여 고국을 바라 일장 통곡ᄒᆞ고, 졔군 장졸노 즉시 반샤(班師)ᄒᆞᆯᄉᆡ, 냥원슈와 삼군 졔장의 귀심이 살ᄀᆞᄐᆞ여 쥬야 ᄇᆡ도(倍道)[1309] ᄒᆞ여 황셩을 향ᄒᆞ여 오니, 션셩(先聲)이 경ᄉᆞ의 밋ᄎᆞᄆᆡ, 윤·뎡 냥부의셔 ᄋᆞᄌᆞ의 쳥슈미질(淸秀微質)노 흉젹을【161】슈히 소탕ᄒᆞ고 승젼환국(勝戰還國)ᄒᆞ믈 깃거 하셩(賀聲)이 분분ᄒᆞ고, 만셰 황얘 션뎨 유교(遺敎)를 ᄉᆡᆼ각ᄒᆞ샤, 난여(鸞輿)[1310]를

1305)국보(國寶) : 국새(國璽). 나라를 대표하는 도장.
1306)국파신망(國破身亡) : 나라와 몸이 다 망함.
1307)비보(飛報) : 아주 빨리 보고함. 또는 그런 보고.
1308)승하(昇遐) : 임금이나 존귀한 사람이 세상을 떠남을 높여 이르던 말.
1309)ᄇᆡ도(倍道) : 배도겸행(倍道兼行). 이틀에 갈 길을 하루에 걸음.
1310)난여(鸞輿) : =연(輦). 임금이 거둥할 때 타고 다니던 가마. 옥개(屋蓋)에 붉은 칠을 하고 황금으

문외의 마ᄌᆞ실ᄉᆡ, 이ᄯᆡ 냥원쉬 삼군을 ᄌᆡ촉ᄒᆞ여 힝ᄒᆞ여 경셩의 니르러ᄂᆞᆫ, 먼니 바라보니 어막이 나븟기거ᄂᆞᆯ, 셩개(聖駕) 친님ᄒᆞ시믈 짐작고 밧비 ᄆᆞᆯ긔 나려, 뇽탑하의 니르러 팔ᄇᆡ무도(八拜舞蹈)ᄒᆞ기를 맛ᄎᆞᄆᆡ, 뇽안을 우러 션뎨를 ᄉᆡᆼ각고 튱신의 누쉬(淚水) ᄌᆞ리의 괴이니, 샹이 ᄯᅩᄒᆞᆫ 비쳑ᄒᆞ시믈 마디 아니시고 반기시미 비홀 ᄃᆡ 업셔 위로ᄒᆞ시고, 일ᄉᆡᆨ이 느ᄌᆞᄆᆡ 환【41】궁ᄒᆞ시니, 윤원쉬 부듕의 도라와 계부를 뫼셔 존당{당}과 모친긔 ᄇᆡ현ᄒᆞ니, 위 태부인과 조부인이 손을 잡고 반기며 깃브믈 니긔디 못ᄒᆞ고, 뉴부인이 ᄯᅩ ᄒᆞᆫ가디라. 원쉬 가듕이 무ᄉᆞᄒᆞ믈 깃거ᄒᆞ나, 인ᄉᆡ 변ᄒᆞ여 션뎨 안가(晏駕)[1598] ᄒᆞ시믈 슬허ᄒᆞ니 좌위 참연(慘然)ᄒᆞ더라. 뎡·딘·남·화 ᄉᆞ부인과 하·댱 냥슈와 져져 등으로 별회를 베플고, 웅닌 등 졔ᄋᆡ 부친을 우러러 반기미 가득ᄒᆞ더라.

ᄎᆞ시 뎡원쉬 부듕의 도라와 부공을 뫼○[셔] 졔 형뎨로 ᄂᆡ당의 드러오니, 슌태부인과 딘부인이 졔부를 거ᄂᆞ려 반기며, 원쉬 존당과 모친긔 ᄇᆡ례를 맛고 졔 부인으로 반길ᄉᆡ, 가듕 졔인이 다 모다시ᄃᆡ 홀노 아쥬 쇼ᄆᆡ 업ᄉᆞ【42】니, 의아ᄒᆞ여 연고를 뭇ᄌᆞ온ᄃᆡ, 태부인이 탄식 뉴톄ᄒᆞ고 요졀ᄒᆞ믈 니르니, 원쉬 대경ᄎᆞ악ᄒᆞ여 비읍ᄒᆞ믈 마디 아니터라.

명일 텬ᄌᆡ 됴회를 여르샤 평딘 졔댱을 봉상(封賞)ᄒᆞ실ᄉᆡ, 대원슈 윤광텬으로 평딘왕을 봉ᄒᆞ샤 식읍 삼만 호를 더으시고, 기여 댱졸을 ᄎᆞᄎᆞ 봉작(封爵)ᄒᆞ시니 환셩이 딘동ᄒᆞ더라.

윤원쉬 대경ᄒᆞ여 왕작이 블감(不敢)ᄒᆞ믈 고샤(固辭)ᄒᆞ온ᄃᆡ, 샹이 션뎨 유교를 일ᄏᆞ르샤 블윤ᄒᆞ시니, 홀일업셔 샤은 퇴됴ᄒᆞ여 부듕의 도라오ᄆᆡ, 윤·뎡 냥부의셔 셩은이 늉셩ᄒᆞ시믈 놀나고 감은ᄒᆞ더라. 딘궁 역ᄉᆞ를

어 올려놓고 사방에 붉은 난간을 달았다.

1598)안가(晏駕) : =붕어(崩御). 임금이 세상을 떠남.

ᄀᆞᆺ초와 만조를 거ᄂᆞ려 냥원슈를 문외의 마ᄌᆞ실ᄉᆡ, 이ᄯᆡ 냥원쉬 삼군을 ᄌᆡ촉ᄒᆞ여 힝ᄒᆞ여 경셩의 니르러ᄂᆞᆫ 먼니 바라보니 어막이 나븟기거ᄂᆞᆯ, 셩개(聖駕) 친님ᄒᆞ시믈 짐작고 밧비 말의 나려 뇽탑 하의 니르러 팔ᄇᆡ무도(八拜舞蹈)ᄒᆞ기를 맛ᄎᆞᄆᆡ, 뇽안을 우러러 션뎨를 ᄉᆡᆼ각고 츙신의 누쉬(淚水) ᄌᆞ리의 괴이니, 샹이 ᄯᅩᄒᆞᆫ 비쳑ᄒᆞ시믈 마지 아니시고, 반기시미 비홀 ᄃᆡ 업셔 위로ᄒᆞ시고, 일ᄉᆡᆨ이 느ᄌᆞᄆᆡ 환궁ᄒᆞ시니, 윤원쉬 부즁의 도라와 계부를 뫼셔 존당과 모친긔 ᄇᆡ현ᄒᆞ니, 태부인과 조부인이 손을 잡고 깃부며 반기믈 니긔지 못ᄒᆞ고, 뉴부인이 ᄯᅩ ᄒᆞᆫ 가지라. 원쉬 가즁이 무ᄉᆞ【162】ᄒᆞ믈 깃거ᄒᆞ나, 인ᄉᆡ 변ᄒᆞ여 텬ᄌᆡ 승하(昇遐)ᄒᆞ시믈 슬허ᄒᆞ니, 좌위 참연(慘然)ᄒᆞ더라. 뎡·딘·남·화 ᄉᆞ부인과 하·장 냥슈와 의렬노 별회를 베플고, 웅닌 등 졔ᄋᆡ 부친을 우러러 반기미 가득ᄒᆞ더라.

ᄎᆞ시 뎡원쉬 부즁의 도라와 부공과 졔형을 뫼셔 ᄂᆡ당의 드러오니, 슌태부인과 진부인이 졔부인을 거ᄂᆞ려 반기며, 원쉬 존당과 모친긔 ᄇᆡ례를 맛고 졔부인으로 반길ᄉᆡ, 가즁 졔인이 다 모닷시ᄃᆡ, 홀노 아쥬 소졔 업ᄉᆞ니 의아ᄒᆞ여 연고를 뭇ᄌᆞ온ᄃᆡ, 태부인이 탄식 뉴톄ᄒᆞ고 요졸(夭卒)ᄒᆞ믈 니르니, 원쉬 ᄃᆡ경ᄎᆞ악ᄒᆞ여 비읍ᄒᆞ믈 마지 아니터라.

명일 텬ᄌᆡ 조회를 여르샤 평진 졔장을 봉상(封賞)ᄒᆞ실ᄉᆡ, 대원슈 윤광텬으로 평진왕을 봉ᄒᆞ샤 삼ᄃᆡ를 츄증ᄒᆞ게 ᄒᆞ시고, 셩외 취【163】운산의 진궁을 지으라 ᄒᆞ시고, 부원슈 뎡셰흥으로 평진후를 봉ᄒᆞ샤 식읍 삼쳔호를 더으시고, 기여 장졸을 ᄎᆞᄎᆞ 봉작ᄒᆞ시니 환셩이 진동ᄒᆞ더라.

윤 원쉬 ᄃᆡ경ᄒᆞ여 왕작이 불감(不堪)ᄒᆞ믈 고샤(固辭)ᄒᆞ온ᄃᆡ, 샹이 션뎨 유교를 일ᄏᆞ르샤 불윤ᄒᆞ시니, 홀일업셔 샤은 퇴조ᄒᆞ여 부즁의 도라오ᄆᆡ, 윤·뎡 냥부의셔 셩은이 융셩ᄒᆞ시믈 놀나고 감은ᄒᆞ더라. 진궁 역ᄉᆞ를

로 장식하였으며, 둥근기둥 네 개로 작은 집을 지어 올려놓고 사방에 붉은 난간을 달았다.

맛ᄎᆞᄆᆡ 일개 올므니 그 부귀영광이 혁혁ᄒᆞ더라.

ᄎᆞ시 뎡부의셔 슌태부인과 뎡공 부뷔 딘궁【43】을 디쳑의 두고, 슉녈비와 하부인이 층층ᄒᆞᆫ ᄌᆞ녀를 거ᄂᆞ려 됴왕모ᄅᆡ(朝往暮來)ᄒᆞ고, 평딘왕과 윤승상이 뎡공 부부와 슌태부인의[을] ᄋᆡ경(愛慶)ᄒᆞ믈 도으ᄃᆡ, 긔위 엄쥰ᄒᆞ고 셩졍이 쾌활ᄒᆞ여 일즉 부인 녀ᄌᆞ를 ᄃᆡᄒᆞ여 긴 셜화를 여디 아니코, 침뎡 단믁ᄒᆞ여 평싱 삼엄ᄒᆞᆫ 녜의를 잡으며, 사ᄅᆞᆷ으로 ᄒᆞ여금 송연(悚然) 경구(驚懼)케 ᄒᆞ더라.

딘부인○[이] 본ᄃᆡ 단믁ᄒᆞ므로 셔랑을 ᄃᆡᄒᆞ나 심곡 소회를 펴미 업셔, 다만 각각 화란을 딘뎡ᄒᆞ고 영화 복경이 졔미ᄒᆞ믈 두굿길 ᄯᆞᄅᆞᆷ이로ᄃᆡ, 쥬야 참통ᄋᆡ상ᄒᆞ미 흉장의 블이 닐고 골졀이 녹ᄂᆞᆫ 바ᄂᆞᆫ, 아쥬 쇼졔 오궁 누옥 듕의 죄쉬 되여시믄 아디 못ᄒᆞ고, 유랑의 죽엄으로ᄡᅧ 녀ᄋᆞ의 시신이라 ᄒᆞ여 ○○○[쟝(葬)ᄒᆞᆫ 후],【44】여러 셰월이 변ᄒᆞ고 ᄒᆡ 밧괴여 초긔(初忌)[1599] 다ᄃᆞᆺ도록 녀ᄋᆞ의 션연염ᄐᆡ(嬋娟艷態)와 텬향아딜(天香雅質)이 안듕의 삼삼ᄒᆞ고, 옥셩봉음(玉聲鳳吟)이 오히려 이변(耳邊)의 머므러 비록 닛기를 공부ᄒᆞ나 슉식 간 ᄉᆡᆼ각이 간졀ᄒᆞ고, 하샤인의 벼살이 ᄶᅥ로 올마 태듕태위(太重大夫) 되여시나, 뎡쇼져의 망ᄒᆞ므로브터 셰샹 흥황이 ᄉᆞ연(捨然)ᄒᆞ여 슬허ᄒᆞᆯ ᄲᅮᆫ이오, 벼슬의 ᄯᅳᆺ이 업ᄉᆞ나 마디못ᄒᆞ여 이형과 ᄀᆞᆺ치 됴항간의 참예ᄒᆞᄃᆡ, ᄯᅳᆺ을 결ᄒᆞ여 다시 인뉸셰ᄉᆞ를 뉴련치 아니려 ᄒᆞ엿ᄂᆞᆫ디라. 냥형과 일뎨로 상슈(相隨)치 아닛ᄂᆞᆫ 날이면 뎡부의 와 쇼일ᄒᆞ고, 딘부인긔 ᄇᆡ현(拜見)ᄒᆞ기를 브ᄌᆞ러니 ᄒᆞ여 악공 부부 밧들미 쇼져 ᄉᆡᆼ시의 더은디라. 딘부인이 누슈【45】를 ᄲᅳ려 왈,

"블초 녀식으로ᄡᅧ 현셔의 건즐(巾櫛)을 밧들미 비록 외람ᄒᆞ나, 져의 상뫼 ᄀᆞᆺᄐᆞ여 조요박복(早夭薄福)ᄒᆞ믈 아디 못ᄒᆞ엿더니, 우리 뎍악이 녀ᄋᆞ의게 밋쳐 ᄒᆞᆫ낫 골육을 ᄊᆞᆺ

1599)초긔(初忌) : 사람이 죽은 지 1년이 되는 날.

맛ᄎᆞᄆᆡ 일개 올므니 그 부귀영광이 혁혁ᄒᆞ더라.

ᄎᆞ시 뎡부의셔 슌태부인과 뎡공 부뷔 진궁을 지쳑의 두고, 슉녈비와 하부인이 층층ᄒᆞᆫ ᄌᆞ녀를 거ᄂᆞ려 조왕모ᄅᆡ(朝往暮來ᄒᆞ고, 평진왕과 윤승상이 뎡공 부부와 슌태부인의[을] ᄋᆡ경ᄒᆞ믈 도으ᄃᆡ, 긔위 엄쥰ᄒᆞ고 셩졍이 쾌활ᄒᆞ여 일즉 부인 녀ᄌᆞ를 ᄃᆡ【164】ᄒᆞ여 긴 셜화를 여지 아니코, 침졍 단묵ᄒᆞ여 평ᄉᆡᆼ 삼엄ᄒᆞᆫ 녜의를 잡으며, 샤ᄅᆞᆷ으로 ᄒᆞ야금 송연(悚然) 경구(驚懼)케 ᄒᆞ더라.

진부인이 본ᄃᆡ 단묵ᄒᆞ므로 셔랑을 ᄃᆡᄒᆞ나 심곡 소회를 펴미 업셔, 다만 각각 화란을 진정ᄒᆞ고 영화 복경이 진미ᄒᆞ믈 두굿길 ᄯᆞᄅᆞᆷ이로ᄃᆡ, 쥬야 참통ᄋᆡ상ᄒᆞ미 흉장의 블이 닐고 골졀이 녹ᄂᆞᆫ 바ᄂᆞᆫ, 아쥬 쇼졔 오궁 누옥 즁의 죄쉬 되여시믄 아지 못ᄒᆞ고, 유랑의 죽엄으로ᄡᅧ 녀ᄋᆞ의 시신이라 ᄒᆞ여 ○○○[쟝(葬)ᄒᆞᆫ 후], 여러 셰월이 변ᄒᆞ고 ᄒᆡ를 밧고와 초긔(初忌)[1311] 다ᄃᆞᆺ도록 녀ᄋᆞ의 션연염ᄐᆡ(嬋娟艷態)와 텬향아질(天香雅質)이 안즁의 삼삼ᄒᆞ고, 옥셩봉음(玉聲鳳吟)이 오히려 이변(耳邊)의 머므러 비록 잇기를 공부ᄒᆞ나 슉식 간 ᄉᆡᆼ각이 ᄀᆞᆫ졀ᄒᆞ고, 하ᄉᆞ인의 벼슬이 ᄶᅥ로 올마 태즁태위(太重大夫) 되엿【165】시나, 뎡소져의 망ᄒᆞ므로브터 셰샹 흥황이 ᄉᆞ연(捨然)ᄒᆞ여 슬허ᄒᆞᆯ ᄲᅮᆫ이오, 벼슬의 ᄯᅳᆺ이 업ᄉᆞ나 마지못ᄒᆞ여 이형과 ᄀᆞᆺ치 조항 간의 참녜ᄒᆞᄃᆡ, ᄯᅳᆺ을 결ᄒᆞ여 다시 인뉸셰ᄉᆞ를 뉴련치 아니려 ᄒᆞ엿ᄂᆞᆫ지라. 냥형과 일뎨로 상슈(相隨)치 아닌 날은 뎡부의 와 소일ᄒᆞ고, 진부인긔 ᄇᆡ견(拜見)ᄒᆞ기를 부ᄌᆞ러니 ᄒᆞ여 악공 부부 밧들미 소져 ᄉᆡᆼ시의 더은지라. 진부인이 누슈를 ᄲᅳ려 왈,

"블초 녀식으로ᄡᅧ 현셔의 건즐(巾櫛)을 밧들미 비록 외람ᄒᆞ나, 져의 상뫼 ᄀᆞᆺᄐᆞ여 조요박복(早夭薄福)ᄒᆞ믈 아지 못ᄒᆞ엿더니, 우리 젹악이 녀ᄋᆞ의게 밋쳐 ᄒᆞᆫ낫 골육을 ᄊᆞᆺ

1311)초긔(初忌) : 사람이 죽은 지 1년이 되는 날.

친 ᄇᆡ 업시 초로(草露)ᄀᆞᆺ치 스러디니, 부모 디심으로ᄡᅧ 엇디 참통치 아니리오마ᄂᆞᆫ, 인ᄉᆡᆼ이 무디(無知)ᄒᆞ여 능히 죽은 ᄌᆞ식을 ᄯᆞ로디 못ᄒᆞᄂᆞᆫ 디경은 닛ᄂᆞᆫ 거시 읏듬이라. 쳡이 시러곰1600) 모녀의 유유ᄒᆞᆫ 졍으로ᄡᅧ 텬홍 등의 졀민ᄒᆞᆫ 졍ᄉᆞ를 도라보아 니즌ᄃᆞ시 디ᄂᆡ니, 현셔의 유신ᄒᆞ미 빙가를 닛디 아니니 기리 감샤ᄒᆞ나, 남ᄌᆡ 녀ᄌᆞ와 다른디라. 일쳐를 위ᄒᆞ여 환거ᄒᆞᆯ 거시 아니니, 쳡이 감히 군ᄌᆞ의 뎡심을 곳치라 ᄒᆞᄂᆞᆫ 거시 아니라, 국휼 삼년 젼【46】ᄒᆞᆯ 말ᄉᆞᆷ이 아니어니와, 다른 부인ᄂᆡ라도 유ᄌᆞᄉᆡᆼ녀(有子生女)ᄒᆞ여 박명 쇼녀의게 졔향이나 ᄭᅳᆺ디 아니미 올흘가 ᄒᆞ노라.”

태위 상연 뉴쳬 왈,

“쇼ᄉᆡᆼ이 임의 다른 녀ᄌᆞ로 화락디 아니려 ᄒᆞᄋᆞᆸᄂᆞ니, ᄒᆞᆫ낫 실인을 딕히고져 ᄒᆞ미 아니라, 쇼ᄉᆡᆼ의 명되 긔괴ᄒᆞ여 몬져 취ᄒᆞᆫ 바 셜빈이라 ᄒᆞ리1601) 사ᄅᆞᆷ의 집을 업치고 가부를 죽이고 ᄀᆞᆺ칠 녀ᄌᆡ니, 쇼ᄉᆡᆼ은 셜빈의 장니(掌裏)의 잠기디 아니므로 ᄉᆞ화ᄂᆞᆫ 면ᄒᆞ오려니와, 쇼ᄉᆡᆼ이 셜ᄉᆞ 사ᄅᆞᆷ을 취ᄒᆞᆫ들 셜빈이 《잇거니 ‖ 잇시니》 엇디 됴히 화락게 ᄒᆞ리잇가? 쇼ᄉᆡᆼ이 실인으로 부부의 졍이 듕ᄒᆞ믄 니르도 말고, 존부 대은이 골졀의 ᄉᆞ못ᄎᆞ니, 악댱과 듁쳥을 감은ᄒᆞᆫ ᄯᅳᆺ을 실인의게 갑흘가 ᄒᆞ엿더니, 쇼ᄉᆡᆼ의【47】 박덕블인(薄德不仁)이 신명의 외오 넉이믈 닙어 실인을 참망ᄒᆞᆫ ᄇᆡ 되니, 셰월이 오랄ᄉᆞ록 참통ᄒᆞ미 비ᄒᆞᆯ 곳이 이시리잇가?”

던부인이 블승비읍ᄒᆞ여 다시 말을 못ᄒᆞ나, 태우의 이러ᄐᆞᆺ ᄒᆞ믈 감격ᄒᆞ여 일마다 녀ᄋᆞ의 됴요ᄒᆞ믈 통도ᄒᆞ더라.

1600)시러곰 : 능히. 하여금. 이에.
1601)ᄒᆞ리 : 할 이, 하는 이. ‘ᄒᆞ+ㄹ+이’의 형태.

친 ᄇᆡ 업시 초로(草露) ᄀᆞᆺ치 스러지니, 부모 지심으로ᄡᅧ 엇지 참통치 아니리오마ᄂᆞᆫ, 인ᄉᆡᆼ이 무지(無知)ᄒᆞ여 능히 죽은 ᄌᆞ식【166】을 ᄯᆞ로지 못ᄒᆞᄂᆞᆫ 지경이면 닛ᄂᆞᆫ 거시 읏듬이라. 쳡이 시러곰1312) 모녀의 유유ᄒᆞᆫ 정으로ᄡᅧ 텬홍 등의 졀민ᄒᆞᆫ 정ᄉᆞ를 도라보아 니즌ᄃᆞ시 지나니, 현셔의 유신ᄒᆞ미 빙가를 닛지 아니미 기리 감샤ᄒᆞ나, 남ᄌᆡ 녀ᄌᆞ와 다른지라. 일쳐를 위ᄒᆞ여 환거ᄒᆞᆯ 거시 아니니, 쳡이 감히 군ᄌᆞ의 정심을 곳치라 ᄒᆞᄂᆞᆫ 거시 아니라, 국휼 삼년 젼 ᄒᆞᆯ 말ᄉᆞᆷ이 아니어니와, 다른 부인ᄂᆡ라도 유ᄌᆞᄉᆡᆼ녀(有子生女)ᄒᆞ여 박명 소녀의게 졔향이나 ᄭᅳᆺ지 아니미 올흘가 ᄒᆞ노라.”

태위 상연 뉴쳬 왈,

“소ᄉᆡᆼ이 정심이 임의 다른 녀ᄌᆞ로 화락지 아니려 ᄒᆞᄋᆞᆸᄂᆞ니, ᄒᆞᆫ낫 실인을 직히고져 ᄒᆞ미 아니라, 소ᄉᆡᆼ의 명되 긔괴ᄒᆞ여 몬져 취ᄒᆞᆫ 바 셜빈이라 《ᄒᆞ믄 ‖ ᄒᆞ리1313)》 샤ᄅᆞᆷ의 집을 업치고 가부를 죽이고 ᄀᆞᆺ칠 녀ᄌᆡ니, 소ᄉᆡᆼ은 셜【167】빈의 장니(掌裏)의 잠기지 아니므로 ᄉᆞ화ᄂᆞᆫ 면ᄒᆞ오려니와, 소ᄉᆡᆼ이 셜ᄉᆞ 샤ᄅᆞᆷ을 취ᄒᆞᆫ들 셜빈이 잇시니 엇지 조히 화락게 ᄒᆞ리잇가? 소ᄉᆡᆼ이 실인으로 부부의 졍이 즁ᄒᆞ믄 니르도 말고, 존부 대은이 골졀의 ᄉᆞ못ᄎᆞ니, 악장과 죽쳥을 감은ᄒᆞᆫ ᄯᅳᆺ술 실인의게 갑흘가 ᄒᆞ엿더니, 소ᄉᆡᆼ의 박덕불인(薄德不仁)이 신명의 믜워 넉이믈 닙어 실인을 참망ᄒᆞᆫ ᄇᆡ 되니, 셰월이 오랄ᄉᆞ록 참통ᄒᆞ미 비ᄒᆞᆯ 곳이 잇시리잇가?”

진부인이 불승비읍 ᄒᆞ여 다시 말을 못ᄒᆞ나, 태우의 이러ᄐᆞᆺ ᄒᆞ믈 감격ᄒᆞ여 ○[왈],

“일마다 녀ᄋᆞ의 조요(早夭)ᄒᆞ믈 통도치 아니리오마ᄂᆞᆫ, 쳡이 시러곰 모녀의 유유ᄒᆞᆫ 정으로ᄡᅧ 텬홍 등의 졀민ᄒᆞ믈 도라보아, 완명이 무지ᄒᆞ여 모단1314) ᄌᆞ녀로 즐기나 현셔ᄂᆞᆫ 유신(有信)ᄒᆞ여 망쳐(亡妻)를 잇지 아니【168】코 빙가를 ᄎᆞᄌᆞ니, 감은ᄒᆞ믈 니긔

1312)시러곰 : 능히. 하여금. 이에.
1313)ᄒᆞ리 : 할 이, 하는 이. ‘ᄒᆞ+ㄹ+이’의 형태.
1314)모단 : 모든.

일월이 훌훌ᄒᆞ여 아쥬 쇼져의 초긔(初忌)를 디ᄂᆡ니, 냥가 부모의 참통ᄋᆡ상홈과 하태우의 ᄋᆡ통ᄒᆞ미 촌장(寸腸)을 ᄉᆞᆯ오더라.

시시의 셜빈 군쥐 묘화의 도으믈 인ᄒᆞ여 뎡쇼져를 후려다가 오궁 누옥의 가도고, 유랑의 시신으로뼈 뎡쇼져의 형용이 되게 ᄒᆞ여 져의 간모를 족히 곰초아○○[시나], 태우의 텰셕 ᄀᆞᆺ튼 ᄆᆞ음을 두로혀기 어려올 ᄲᅳᆫ 아니라, 국휼을 인ᄒᆞ여 하승상으【48】로브터 도어ᄉᆞ 원상과 원필 등이 다 ᄂᆡ루의 ᄌᆞ최를 ᄭᅳᆺ쳐, ᄉᆞ실의 부인으로 못고디ᄒᆞ는1602) ᄇᆡ 업고, 오딕 됴부인긔 ᄉᆞ시 문안을 총총이 ᄒᆞ고 나가니, ᄒᆞ믈며 태우는 젼일 졀노 더브러 금슬디졍과 운우디락을 ᄆᆡᄌᆞ미 업고, 면목을 보고져 아닛ᄂᆞᆫ디라. 엇디 셜원각의 어른기기나 ᄒᆞ리오. 셜빈이 태우를 ᄉᆞ상ᄒᆞᄂᆞᆫ 졍을 ᄎᆞᆷ디 못ᄒᆞ여, 묘화를 ᄃᆡᄒᆞ여 쳬읍 왈,

“ᄉᆞ부의 ᄌᆡ조와 법술노뼈 뎡녀를 급히 셔르졋거니와, 태우의 뜻을 도로혈 길 업ᄉᆞ니, ᄉᆞ부는 다시 긔특ᄒᆞᆫ 계교를 ᄉᆡᆼ각ᄒᆞ여 하군의 은ᄋᆡ 일신의 온젼케 ᄒᆞ라.”

묘홰 즉시 칠일을 목욕ᄌᆡ계(沐浴齋戒)ᄒᆞ고 졍셩을 다ᄒᆞ여 텬디신기(天地神祇)1603)의 큰 ᄌᆡ(齋)를 베퍼, 하태우의 ᄆᆞ음【49】을 곳쳐 셜빈의게 은졍이 온젼ᄒᆞ믈 빌ᄉᆡ, 공교ᄒᆞᆫ 진언과 요악ᄒᆞᆫ 작법이 졍인으로 ᄒᆞ여금 능히 바로 보디 못ᄒᆞᆯ디라. 군쥐 역시

1602)못고디ᄒᆞ다 : 모이다. 모임을 갖다.
1603)텬디신기(天地神祇) : 하늘과 땅의 귀신.

지 못ᄒᆞ리로소이다. 일쳬를 위ᄒᆞ여 독노(獨老)ᄒᆞᆯ ᄇᆡ 아니니, 셜빈군쥬로 더브러 화동(和同)ᄒᆞ여 지엽(枝葉)이 션션(詵詵)ᄒᆞ소셔.”

하ᄉᆞ인이 번연이 봉안(鳳眼)이 요동(搖動)ᄒᆞ여 탄식ᄒᆞ믈 마지 아니ᄒᆞ다가, 유발승(有髮僧) 되기를 마ᄋᆞᆷ의 졍ᄒᆞ여, 팔쳑 장부의 뜻으로도 뎡소져의 화용월ᄐᆡ(花容月態)와 ᄇᆡᆨᄒᆡᆼᄉᆞ덕(百行四德)의 ᄉᆞ군자(士君子)의 풍이 잇던 바와, 뇨조현슉(窈窕賢淑)ᄒᆞᆫ 《픔직∥품질(品質)》을 ᄉᆡᆼ각고, ᄋᆞ녀의 셜셜(屑屑)ᄒᆞ믈 면치 못ᄒᆞ더라.

일월이 훌훌ᄒᆞ여 아쥬의 초긔(初忌) 지ᄂᆡ니, 냥가 부모의 ᄋᆡ상홈과 ᄉᆞ인의 비통ᄒᆞ미 초상(初喪)으로 다르미 업더라.

시시의 셜빈이 묘화의 도으믈 인ᄒᆞ여 뎡소져를 후려다가 오궁 ᄂᆡᆼ옥의 가도고, 유랑의 시신으로뼈 뎡소져 형용이 되게 ᄒᆞ엿시나, 태우의 마ᄋᆞᆷ은 두로혀기 어려【169】올 ᄲᅮᆫ 아니라, 국휼을 인ᄒᆞ여 하공으로 더브러 원필 등이 다 ᄂᆡ당의 ᄌᆞ최를 ᄭᅳᆺ쳐시나, 오직 ᄉᆞ시 문안을 맛고 즉시 물러ᄂᆞ니, 셜빈이 태우를 ᄉᆞ상ᄒᆞ여 묘화를 ᄃᆡᄒᆞ여 왈,

“ᄉᆞ부의 ᄌᆡ조로 뎡녀를 셔르졋거니와, 하태우의 마ᄋᆞᆷ을 도로혈 길이 업ᄉᆞ니, ᄉᆞ부는 ᄐᆡ우의 은ᄋᆡ를 ᄂᆡ 마ᄋᆞᆷ의 온젼케 ᄒᆞ라”

묘홰 목욕ᄌᆡ계(沐浴齋戒)ᄒᆞ고 졍셩을 다ᄒᆞ여 텬지신지[기](天地神祇)1315)의 큰 ᄌᆡ(齋)를 베퍼, 하태우의 마ᄋᆞᆷ을 곳쳐 셜빈의게 은졍이 온젼ᄒᆞ믈 빌ᄉᆡ, 공교ᄒᆞᆫ 진언과 요악ᄒᆞᆫ 작법이 졍인으로 ᄒᆞ여금 능히 ᄇᆞ로 보지 못ᄒᆞᆯ지라. 군쥐 녁시 손을 부븨여 하날긔 치미러1316) 슈복을 츅(祝)ᄒᆞᆯ 지음의,

1315)텬디신기(天地神祇) : 하늘과 땅의 귀신.

손을 부븨여 하날긔 치미러[1604] 슈복을 튝(祝)ᄒᆞᆯ 즈음의, 홀연 광풍이 대작(大作)ᄒᆞ며 난ᄃᆡ업ᄉᆞᆫ 비ᄉᆞ쥬셕(飛沙走石)이 어ᄌᆞ러이 졔젼을 즛치고[1605], 묘홰 졍신이 아득ᄒᆞ여 잣바디며 졔 손으로 두 ᄲᅡᆷ을 즛울혀[1606] 왈,

"요괴로온 ᄉᆞ졍(邪精)이 셩난화 음악발부를 도와 블의디ᄉᆞ와 음악디계(淫惡之計) 아니 밋츤 곳이 업ᄉᆞ니, 사ᄅᆞᆷ은 아디 못ᄒᆞ나 신명은 겻틔셔 보ᄂᆞ니, 네 아디 못ᄒᆞᄂᆞ냐?"

연상궁이 겻틔 셧다가 셩난화란 말을 괴이히 넉이ᄃᆡ, 셜빈의 셩명인 줄 아디 못ᄒᆞ고, 셜빈이 져의 슈복을 튝ᄒᆞᆯ 적【50】마다 이러틋 어ᄌᆞ러온 일이 만흔 고로, 간특ᄒᆞᆫ 심졍의도 경황ᄒᆞ여 약믈을 드리워 묘화를 구ᄒᆞᄆᆡ, 이를 웅그리[1607] 믈고 엇게를 으슭으슭ᄒᆞ여[1608] 션하픠음[1609]을 ᄉᆞ이ᄉᆞ이 ᄒᆞ다가, 니르ᄃᆡ,

"빈되 군쥬를 돕고져 ᄒᆞᄃᆡ 뜻을 일우기 쉽디 아니니, 아딕 셰월을 쳔연ᄒᆞ여 군쥬의 길운이 틔이기를 기다려 ᄒᆞ미 맛당ᄒᆞᆫ디라. 빈되 금일 디댱보살(地藏菩薩)[1610]의 엄칙ᄒᆞᆷ을 당ᄒᆞ여 ᄒᆞ마 죽을 번 ᄒᆞ과이다."

인ᄒᆞ여 졔 눈의 보살이 현셩(顯聖)ᄒᆞ여 타협(打頰)[1611]ᄒᆞ던 바를 니르니, 셜빈이 악연 낙담ᄒᆞ여 눈믈을 흘니다가, 연상궁이 믈

1604)치밀다 : 치켜들다. 아래에서 위로 향하다.
1605)즛치다 : 짓치다. 함부로 마구 치다.
1606)즛울히다 : '즛(접두사)+울히다'의 형태. 마구 휘둘러서 때리거나 치다. '울히다'는 '우리다' '후리다'의 옛말로 '휘둘러서 때리거나 치다'의 뜻.
1607)웅그리다 ; ①웅그리다. 몸 따위를 옴츠러들이다. ②오므리다. 물체의 거죽을 안으로 오목하게 패어 들어가게 하다
1608)으슭으슭ᄒᆞ다 : 으슬으슬하다. 소름이 끼칠 정도로 매우 차가운 느낌이 들어 몸을 떨다.
1609)션하픠음 : 선하품. 몸에 이상이 있거나 흥미 없는 일을 할 때에 나오는 하품.
1610)디댱보살(地藏菩薩) : 무불세계(無佛世界)에서 육도 중생(六道衆生)을 교화하는 대비보살. 천관(天冠)을 쓰고 가사(袈裟)를 입었으며, 왼손에는 연꽃을, 오른손에는 보주(寶珠)를 들고 있는 모습이다.
1611)타협(打頰) : 빰을 침.

홀연 광풍이 ᄃᆡ작(大作)ᄒᆞ며 난ᄃᆡ업ᄉᆞᆫ 비ᄉᆞ쥬셕(飛沙走石)이 어ᄌᆞ러이 졔젼을 즛치고[1317], 묘홰 졍신【170】이 아득ᄒᆞ여 잣바지며 졔 손으로 두 ᄲᅡᆷ을 즛울혀[1318] 왈,

"요괴로온 ᄉᆞ졍(邪精)이 셩난화 음악발부를 도아 불의지ᄉᆞ와 음악지계(淫惡之計) 아니 밋츤 곳이 업ᄉᆞ니, 샤ᄅᆞᆷ은 아지 못ᄒᆞ나 신명은 겻히셔 보ᄂᆞ니 네 아지 못ᄒᆞᄂᆞ냐?"

연상궁이 겻히 셧다가 셩난화란 말을 괴이히 넉이ᄃᆡ, 셜빈의 셩명인 줄 아지 못ᄒᆞ고, 셜빈이 져의 슈복을 츅ᄒᆞᆯ 적마다 이러틋 어ᄌᆞ러온 일이 만흔 고로, 간특ᄒᆞᆫ 심졍의도 경황ᄒᆞ여 약물을 드리워 묘화를 구ᄒᆞᄆᆡ, 이를 웅그려[1319] 물고 엇게를 으슭으슭ᄒᆞ여[1320] 셔[션]하픠음[1321]을 ᄉᆞ이ᄉᆞ이 ᄒᆞ다가, 니르ᄃᆡ,

"빈되 군쥬를 돕고져 ᄒᆞᄃᆡ 뜻슬 일우기 쉽지 아니니, 아직 셰월을 쳔연ᄒᆞ여 군쥬의 길운이 틔이기를 기다려 ᄒᆞ미 맛당ᄒᆞᆫ지라. 빈되 금일 지장보【171】살(地藏菩薩)[1322]의 엄칙ᄒᆞᆷ을 당ᄒᆞ여 ᄒᆞ마 죽을 번 ᄒᆞ엿ᄂᆞ이다"

인ᄒᆞ여 졔 눈의 보살(顯聖)이 현셩ᄒᆞ여 타협(打頰)[1323]ᄒᆞ던 바를 니르니, 셜빈이 악연 낙담ᄒᆞ여 눈믈을 흘니다가, 연상궁이 믈

1316)치밀다 : 치켜들다. 아래에서 위로 향하다.
1317)즛치다 : 짓치다. 함부로 마구 치다.
1318)즛울히다 : '즛(접두사)+울히다'의 형태. 마구 휘둘러서 때리거나 치다. '울히다'는 '우리다' '후리다'의 옛말로 '휘둘러서 때리거나 치다'의 뜻.
1319)웅그리다 ; ①웅그리다. 몸 따위를 옴츠러들이다. ②오므리다. 물체의 거죽을 안으로 오목하게 패어 들어가게 하다
1320)으슭으슭ᄒᆞ다 : 으슬으슬하다. 소름이 끼칠 정도로 매우 차가운 느낌이 들어 몸을 떨다.
1321)션하픠음 : 선하품. 몸에 이상이 있거나 흥미 없는 일을 할 때에 나오는 하품.
1322)디댱보살(地藏菩薩) : 무불세계(無佛世界)에서 육도 중생(六道衆生)을 교화하는 대비보살. 천관(天冠)을 쓰고 가사(袈裟)를 입었으며, 왼손에는 연꽃을, 오른손에는 보주(寶珠)를 들고 있는 모습이다.
1323)타협(打頰) : 빰을 침.

너가고 좌위 고요ᄒᆞ믈 인ᄒᆞ여, 묘화의 귀예 다혀 가마니 니르ᄃᆡ,

“하태우의 ᄆᆞᄋᆞᆷ을 죵시 도로혀디 못ᄒᆞ량이면[1612], 【51】 쳡이 구ᄎᆞ히 하가를 딕흴 묘리(妙理) 업ᄂᆞᆫ디라. 군쥬 위호를 누리디 못ᄒᆞ나 일ᄉᆡᆼ 단쟝박명(斷腸薄命)을 면ᄒᆞᆯ딘ᄃᆡ, 어이 즐겁디 아니리오.”

묘홰 왈,

“간계를 쇼로히[1613] 결단ᄒᆞᆯ ᄇᆡ 아니니, 군쥬ᄂᆞᆫ 《잠고∥참고》 타일을 보쇼셔.”

셜빈이 음악흉심(淫惡凶心)을 견ᄃᆡ디 못ᄒᆞ여 거의 ᄆᆡᆺ출 ᄃᆞᆺᄒᆞ더니, ᄎᆞ일 됴부인이 셕후 긔운이 블평ᄒᆞ므로, 초공과 어ᄉᆞ며 원필 등이 드러와 약음을 맛보며 슈족을 쥐믈너 가즉이 구호ᄒᆞᆯᄉᆡ, 태우ᄂᆞᆫ 됴당의 드러갓다가 셩ᄂᆡ 친우의 집의셔 밤을 디ᄂᆡ므로 이의 업ᄂᆞᆫ디라. 셜빈이 존고 침뎐의셔 인ᄉᆞ의 마디 못ᄒᆞ여 ᄒᆞᆫ가디로 구호ᄒᆞ더니, 초공은 부친긔 슉딕ᄒᆞ고 부인의 긔운이 잠간 나으므로 어ᄉᆞ와 원필이 ᄯᅩᄒᆞᆫ 【52】 믈너 나고져 ᄒᆞ더니, 셜빈이 눈을 드러 어ᄉᆞ를 ᄌᆞ셔히 보건ᄃᆡ 시년 십뉵의 옥이 윤ᄢᅴ며[1614] 명월이 광치 잇ᄂᆞᆫᄃᆡ, 용뫼 슉연쇄락ᄒᆞ여 뉴셩봉안(流星鳳眼)의 영치 동인(動人)커ᄂᆞᆯ, 년화냥협(蓮花兩頰)과 단ᄉᆞ쥬슌(丹砂朱脣)의 고은 빗치 녕농ᄒᆞ여, 졀ᄃᆡ미인이라도 이러치 못ᄒᆞᆯ디라. 표연이 션풍옥골이오 남듕일ᄉᆡᆨ(男中一色)이라. 아름다온 거동이 눈을 옴기기 앗갑거ᄂᆞᆯ, ᄒᆡᆼ동쳐신이 온듕뎡대ᄒᆞ여 조심ᄒᆞᄂᆞᆫ 부녀 ᄀᆞᆺᄐᆞ니, 듕심의 흠모경찬(欽慕驚讚)ᄒᆞ믈 니긔디 못ᄒᆞ여, 스ᄉᆞ로 혜오ᄃᆡ,

“어ᄉᆞ를 쳐음 보미 아니로ᄃᆡ 졍을 드려 ᄌᆞ셔히 살피ᄆᆡ, 온유ᄒᆞ여 쳔연이 어엿브고

1612)못ᄒᆞ량이면 : 못할 것 같으면. ‘못ᄒᆞ+ㄹ+양(樣)+이면’의 형태.

1613)쇼로히 : 소루히. 생각이나 행동 따위가 꼼꼼하지 않고 거칠게.

1614)윤(潤)ᄢᅴ다 : 윤(潤)지다. 윤기(潤氣)가 많다. ‘윤(潤))+ᄢᅴ다’의 형태. *ᄢᅴ다: 지다. 그런 성질이 있음’ 또는 ‘그런 모양임’의 뜻을 더하고 형용사를 만드는 접미사.

너가고 좌위 고요ᄒᆞ믈 인ᄒᆞ여, 묘화의 귀의 다혀 가마니 니르ᄃᆡ,

“하 태우의 마음을 죵시 도로혀지 못ᄒᆞ량이면[1324], 쳡이 구ᄎᆞ히 하가를 직흴 묘리(妙理) 업ᄂᆞᆫ지라. 군쥬 위호를 누리지 못ᄒᆞ나 일ᄉᆡᆼ 단쟝박명(斷腸薄命)을 면ᄒᆞᆯ진ᄃᆡ, 어이 즐겁지 아니리오”

묘홰 왈,

“간계를 소로히[1325] 결단ᄒᆞᆯ ᄇᆡ 아니니, 군쥬ᄂᆞᆫ 잠간 참고 타일을 보소셔.”

셜빈이 음악흉심(淫惡凶心)을 견ᄃᆡ지 못ᄒᆞ여 거의 ᄆᆡᆺ출 ᄃᆞᆺᄒᆞ더니, ᄎᆞ일 조부인이 셕후 긔운이 불평ᄒᆞ므로, 초공과 어ᄉᆞ며 원필 등이 드러와 약음을 맛보며, 슈족을 쥐믈【172】너 가즉이 구호ᄒᆞᆯᄉᆡ, 태우ᄂᆞᆫ 조당의 드러 갓다가 셩ᄂᆡ 친우의 집의셔 밤을 지ᄂᆡ므로 이의 업ᄂᆞᆫ지라. 셜빈이 존고 침젼의셔 인ᄉᆞ의 마지 못ᄒᆞ여 ᄒᆞᆫ 가지로 구호ᄒᆞ더니, 초공은 부친긔 슉직ᄒᆞ고 부인의 긔운이 잠간 나으므로 어ᄉᆞ와 원필이 ᄯᅩᄒᆞᆫ 물너 나고져 ᄒᆞ더니, 셜빈이 눈을 드러 어ᄉᆞ를 ᄌᆞ셔히 보건ᄃᆡ, 시년 십뉵의 ᄇᆡᆨ옥이 윤(潤)지며[1326] 명월이 광치 잇ᄂᆞᆫᄃᆡ, 용뫼 슉연쇄락ᄒᆞ여 뉴셩봉안(流星鳳眼)의 영치 동인(動人)커ᄂᆞᆯ 년화냥협(蓮花兩頰)과 단ᄉᆞ쥬슌(丹砂朱脣)의 고은 빗치 영농ᄒᆞ여 졀ᄃᆡ미인이라도 이러치 못ᄒᆞᆯ지라. 표연이 션풍옥골이오 남즁일ᄉᆡᆨ(男中一色)이라. 아름다온 거동이 눈을 옴기기 앗갑거ᄂᆞᆯ, ᄒᆡᆼ동쳐신이 온즁정ᄃᆡᄒᆞ여 조심ᄒᆞᄂᆞᆫ 부녀 ᄀᆞᆺᄐᆞ니, 즁심【173】의 흠모경찬(欽慕驚讚)ᄒᆞ믈 니긔지 못ᄒᆞ여 스ᄉᆞ로 혜오ᄃᆡ,

“어ᄉᆞ를 쳐음 보미 아니로ᄃᆡ 졍을 드려 ᄌᆞ셔이 ᄉᆞᆯ피ᄆᆡ, 온유ᄒᆞ여 쳔연이 어엿브고 놉흔 거동이 태우의 엄즁ᄒᆞᆷ과 ᄀᆞᆺ지 아냐 지인군ᄌᆞ(至仁君子)라. 젼ᄌᆞ의 뎡셰홍으로 금슬죵고(琴瑟鐘鼓)의 ᄇᆡᆨ년지낙을 긔약ᄒᆞ엿더

1324)못ᄒᆞ량이면 : 못할 것 같으면. ‘못ᄒᆞ+ㄹ+양(樣)+이면’의 형태.

1325)쇼로히 : 소루히. 생각이나 행동 따위가 꼼꼼하지 않고 거칠게.

1326)윤(潤)지다 : 윤기(潤氣)가 많다.

놉흔 거동이 태우의 엄준ᄒᆞᆷ과 ᄀᆞᆺ디 아냐, 디인군ᄌᆞ(至仁君子)라. 젼ᄌᆞ의 뎡셰흥으로 금【53】슬종고(琴瑟鐘鼓)의 ᄇᆡᆨ년디락을 긔약ᄒᆞ엿던 ᄇᆡ나, 뎡셰흥의 위인이 침믁디 못ᄒᆞᆫ 고로, 나의게 너모 ᄋᆡ혹(愛惑)ᄒᆞ여 도로혀 유희ᄒᆞ여 덧업시 의를 졀ᄒᆞ고, 하원창은 날을 원슈ᄀᆞᆺ치 ᄆᆡ워 화락ᄒᆞᆯ ᄯᅳᆺ이 업ᄉᆞ니, ᄂᆡ ᄯᅩᄒᆞᆫ 원창으로 동노(同老)키를 바라디 못ᄒᆞᆯ디라. 출하리 긔특ᄒᆞᆫ 계교를 발ᄒᆞ여 님시를 업시ᄒᆞ고, 그 ᄌᆞ리를 웅거ᄒᆞ여 원상의 듕ᄃᆡ를 바드미 쾌ᄒᆞᆫ 복이라."

의ᄉᆡ 이의 밋쳐ᄂᆞᆫ 어ᄉᆞ를 보ᄂᆞᆫ 눈이 ᄯᅮ러질 ᄃᆞᆺᄒᆞᄃᆡ,

니, 뎡셰흥의 위인이 침묵지 못ᄒᆞᆫ 고로, 나의게 너모 침혹(沈惑)ᄒᆞ여 도로혀 유희ᄒᆞ여 덧업시 의를 졀ᄒᆞ고, 하원창은 날을 원슈ᄀᆞᆺ치 ᄆᆡ워 화락ᄒᆞᆯ ᄯᅳᆺ이 업ᄉᆞ니, ᄂᆡ ᄯᅩ 원창으로 동노(同老)키를 ᄇᆞ라지 못ᄒᆞᆯ지라. 출하리 긔특ᄒᆞᆫ 계교를 발ᄒᆞ여 님씨를 업시ᄒᆞ고, 그 ᄌᆞ리를 웅거ᄒᆞ여 원○[상]의 즁ᄃᆡ를 바드미 쾌ᄒᆞᆫ 복이라."

의ᄉᆡ 이의 밋쳐ᄂᆞᆫ 어ᄉᆞ를 보ᄂᆞᆫ 눈이 ᄯᅮ러질 ᄃᆞᆺᄒᆞ더라.【174】

어ᄉᆡ 본ᄃᆡ 압흘 볼 ᄲᅳᆫ이오, 눈 두루기를 아니ᄒᆞᄂᆞᆫ디라. 나가기를 당ᄒᆞ여 우연이 눈을 들ᄆᆡ 셜빈이 ᄌᆞ긔 보ᄂᆞᆫ 눈이 심히 괴이커놀, 어ᄉᆡ 히연(駭然) 경히(驚駭)ᄒᆞ여 ᄲᆞᆯ니 졔뎨로 더브러 나가니, 셜【54】빈이 블 ᄀᆞᆺ튼 음심과 흉참ᄒᆞᆫ 졍욕(情慾)을 억졔치 못ᄒᆞ여, 침소의 도라와 ᄌᆞᆼ야토록 ᄌᆞᆷ을 일우디 못ᄒᆞ니, 연상궁이 의괴ᄒᆞ여 문기고(問其故)ᄒᆞᆫᄃᆡ, ᄎᆞ마 바로 니르디 못ᄒᆞ여 하태우의 무신박힝을 원(怨)ᄒᆞ니, 연상궁도 오히려 셜빈의 ᄯᅳᆺ을 아디 못ᄒᆞ고 그 쳥츈 단장(斷腸)[1615]을 슬피 넉이더라.

셜빈이 어ᄉᆞ ᄉᆞ상(思相)ᄒᆞᄂᆞᆫ 졍을 ᄎᆞᆷ디 못ᄒᆞᄃᆡ, 어ᄉᆞ의 침뎡슉엄(沈靜肅嚴)ᄒᆞ미 님시를 과도히 ᄋᆡᄃᆡᄒᆞᄂᆞᆫ 빗출 나토디 아니ᄒᆞ니, 혹ᄌᆞ 금슬이 흡연치 못 ᄒᆞᆫ가 ○○[ᄒᆞ여], 일일은 모원각의 와 님쇼져로 담화ᄒᆞᆯᄉᆡ, 님쇼졔 쳥졍단엄(淸靜端嚴)ᄒᆞ미 셜빈으로 흔연 슈작ᄒᆞᆯ ᄯᅳᆺ이 나디 아냐, 셜빈이 어ᄉᆞ를 본 젹마다 황홀이 넉이ᄂᆞᆫ 긔ᄉᆡᆨ을 아ᄂᆞᆫ 고로 더옥 측ᄒᆞ여,【55】다만 져의 뭇ᄂᆞᆫ 말을 답ᄒᆞᆯ ᄯᆞᄅᆞᆷ이오, 흔연치 아니터니, 셜빈이 믄득 웃고 왈,

“져져와 쇼뎨ᄂᆞᆫ 명위금장(名爲襟丈)[1616]이나 졍의(情誼) 골육 ᄀᆞᆺ튼디라. 구가의 쇽현ᄒᆞ여 ᄒᆞᆫ가디로 구고의 ᄌᆞᄋᆡ를 밧ᄌᆞᆸ고, 년긔 쳥츈의 딜고(疾苦) 업ᄉᆞ니 ᄀᆞᆺ트여 근심

1615)단장(斷腸) : 애를 태워 창자가 끊어지는 듯함.
1616)명위금장(名爲襟丈) : 명분은 동서사이 임.

명쥬보월빙 권지삼십육

어시의 셜빈이 뎡셰흥의 위인이 침묵지 못ᄒᆞᆫ 고로, 나의게 너모 ᄋᆡ혹(愛惑)ᄒᆞ여 도로혀 유히ᄒᆞ여 덧업시 의결ᄒᆞ고, 하원창은 나를 원슈 ᄀᆞᆺ치 ᄆᆡ워 화락ᄒᆞᆯ ᄯᅳᆺ이 업ᄂᆞ니, 내 ᄯᅩ 원창으로도 동노(同老)키를 바라지 못ᄒᆞᆯ지라. ᄎᆞᆯ하리 긔특ᄒᆞᆫ 계교를 발ᄒᆞ여 님씨를 업시ᄒᆞ고, 그 ᄌᆞ리를 ᄋᆞᆼ거ᄒᆞ여 원상의 즁ᄃᆡ를 바드미 쾌ᄒᆞᆫ 복이라. 의ᄉᆡ 이의 밋쳐ᄂᆞᆫ 어ᄉᆞ 보ᄂᆞᆫ 눈이 ᄯᅮ러질 ᄃᆞᆺᄒᆞ더니, 어ᄉᆡ 눈결[1327]의 보고 경히(驚駭)ᄒᆞ여 밧그로 나아가니, 셜빈 음녜 침소의 도라와 잠을 일우지 못ᄒᆞ여 원상을 원(願)ᄒᆞ니, 연상궁도 오히려 셜빈의 ᄯᅳᆺ슬 아지 못ᄒᆞ고 그 쳥츈 단장(斷腸)[1328]을 슬피 넉이더라.

셜빈이 어ᄉᆞ를 ᄉᆞ샹(思相)ᄒᆞ【1】ᄂᆞᆫ 졍을 참지 못ᄒᆞᄃᆡ, 어ᄉᆞ의 침졍슉엄(沈靜肅嚴)ᄒᆞ미 님씨를 과도히 ᄋᆡᄃᆡᄒᆞᄂᆞᆫ 빗출 나토지 아니ᄒᆞ니, 혹ᄌᆞ 금슬이 흡연치 못ᄒᆞᆫ가 ○○[ᄒᆞ여], 일일은 모원각의 와 님소져로 담화ᄒᆞᆯᄉᆡ, 님소졔 쳥졍단엄(淸靜端嚴)ᄒᆞ미 셜빈으로 흔연 슈작ᄒᆞᆯ ᄯᅳᆺ이 나지 아냐, 셜빈이 어ᄉᆞ를 본 젹마다 황홀이 넉이ᄂᆞᆫ 긔ᄉᆡᆨ을 아ᄂᆞᆫ 고로 더욱 측ᄒᆞ여, 다만 져의 뭇ᄂᆞᆫ 말을 답ᄒᆞᆯ ᄯᆞᄅᆞᆷ이오, 흔연치 아니터니, 셜빈이 믄득 웃고 왈,

“져져와 소뎨ᄂᆞᆫ 명위금장(名爲襟丈)[1329]이나 졍의(情誼) 골육 ᄀᆞᆺ튼지라. 구가의 쇽현ᄒᆞ여 ᄒᆞᆫ가지로 구가의 ᄌᆞᄋᆡ를 밧ᄌᆞᆸ고, 년

1327)눈결 : 눈에 슬쩍 뜨이는 잠깐 동안.
1328)단장(斷腸) : 애를 태워 창자가 끊어지는 듯함.
1329)명위금장(名爲襟丈) : 명분은 동서사이 임.

되미 업ᄉᆞ듸, 녀ᄌᆞ의 일ᄉᆡᆼ이 가부의게 달녓거든, 쇼뎨의 브릉누딜(不能陋質)이 하군의 염박(厭薄)ᄒᆞ믈 닙어 블관이 넉이미 노예도 곤 심ᄒᆞ니, 신셰 명도의 괴로오미 어이 비ᄒᆞᆯ 곳이 이시리오. 쳡이 부부의 ᄉᆞ정을 모로ᄂᆞᆫ 고로 ᄆᆡ양 져져(姐姐)와 슉슉(叔叔)의 금슬이 위곡(委曲)1617)ᄒᆞ믈 위ᄒᆞ여 념녀ᄒᆞᄂᆞ니, 져져ᄂᆞᆫ 쇼뎨를 동긔 아닌가 외ᄃᆡ(外待)1618)치 마르쇼셔."

이리 니르며, 님쇼져 겻ᄐᆡ 나아가 그 팔흘 ᄲᅢ혀 쥬표(朱標) 유무를 알녀 ᄒᆞᆯᄉᆡ, 【56】 옥 ᄀᆞᆺ튼 팔 우히 잉혈이 규슈로 다르미 업ᄂᆞᆫ디라. 셜빈이 대경 왈,

"져져조ᄎᆞ 단장박명(斷腸薄命)이 이의 밋ᄎᆞ믄 아디 못ᄒᆞ엿더니, 져러ᄐᆞᆺ 박ᄃᆡᄒᆞ믄 하문 풍쇽이로소이다."

님쇼졔 셜빈의 이 ᄀᆞᆺᄐᆞ믈 더옥 아닛ᄭᅩ아, ᄌᆞ긔 팔흘 무심 듕 ᄲᅢ혀 쥬표를 보고 더러온 말이 긋디 아니믈 크게 블쾌ᄒᆞ여, 잠간 쌍미를 모흐고 안ᄉᆡᆨ이 셜상ᄒᆞᆫᄆᆡ(雪上寒梅) ᄀᆞᆺᄐᆞ여 왈,

"쳡은 만ᄉᆡ 유튱ᄒᆞ여 년긔 이팔의 오히려 ᄌᆞ모의 픔 ᄯᅥ나미 결연ᄒᆞ니, 어나 결을의 부부 ᄉᆞ정을 ᄉᆡᆼ각ᄒᆞ리오. 미약잔질이 ᄇᆡᆨᄉᆞ의 가취디ᄉᆡ(可取之事) 업거ᄂᆞᆯ, 구고의 관인셩덕이 양츈 ᄀᆞᆺᄐᆞ샤 슬하의 ᄌᆞᄋᆡᄒᆞ시미 친ᄉᆡᆼ ᄀᆞᆺᄐᆞ시니, 고당화루의 일신이 안한ᄒᆞ여 셰샹의 괴로온 근심을【57】아디 못ᄒᆞ고, 오딕 셰ᄉᆞ를 ᄭᆡ돗디 못ᄒᆞᆯ ᄲᅮᆫ이라. 군쥬의 쳡을 념녀ᄒᆞ시미 감샤ᄒᆞ나 쳡심인즉 무심무려 ᄒᆞ도소이다."

언파의 나슈(羅袖)를 다ᄅᆡ여 좌를 믈니니, 셜빈이 대참ᄒᆞ여 낫ᄎᆞᆯ 븕히고 왈,

"져져의 청졍ᄒᆞ시미 부부 ᄉᆞ정을 부운(浮雲)으로 아르시나, 쇼뎨ᄂᆞᆫ 져져로 더브러 디극ᄒᆞᆫ 정이 동긔 아니믈 ᄭᆡ돗디 못ᄒᆞ므로 쇼뎨의 회포를 펴미러니, 져제 쇼뎨를 츄음(醜淫)ᄒᆞᆫ 인믈노 아르시니, 쇼뎨 경셜ᄒᆞ믈

1617)위곡(委曲) : 자상함. 두터움.
1618)외ᄃᆡ(外待) : 푸대접. 냉대(冷待).

긔 청츈의 질고(疾苦) 업ᄉᆞ니 구ᄐᆞ여 근심되미 업ᄉᆞ듸, 녀ᄌᆞ의 일ᄉᆡᆼ이 가부의게 달녀거든 소뎨의 불능누질(不能陋質)이 하군의 염박(厭薄)ᄒᆞ믈 닙어 불【2】관이 넉이미 노예도 근심ᄒᆞ니, 신셰 명도의 괴로오미 어이 비ᄒᆞᆯ 곳이 잇시리오. 쳡이 부부의 ᄉᆞ정을 모로ᄂᆞᆫ 고로 ᄆᆡ양 져져(姐姐)와 슉슉(叔叔)의 금슬이 위곡(委曲)1330)ᄒᆞ믈 ᄆᆡ양 위ᄒᆞ여 념녀ᄒᆞᄂᆞ니, 져져ᄂᆞᆫ 소뎨를 동긔 아닌가 외ᄃᆡ(外待)1331)치 마르소셔"

이리 니르며 님소져 겻히 나아가 그 팔흘 ᄲᅢ혀 쥬표(朱標) 유무를 알녀 ᄒᆞᆯᄉᆡ, 옥 ᄀᆞᆺ튼 팔 우히 잉혈이 규슈로 다르미 업ᄉᆞᆫ지라. 셜빈이 대경 왈,

"져져조ᄎᆞ 단장박명(斷腸薄命)이 이의 밋ᄎᆞ믄 아지 못ᄒᆞ엿더니, 져러ᄐᆞᆺ 박ᄃᆡᄒᆞ믄 하문 풍쇽이로소이다."

님소졔 셜빈의 이 ᄀᆞᆺᄐᆞ믈 더욱 아닛ᄭᅩ아, ᄌᆞ긔 팔흘 무심 즁 ᄲᅢ혀 쥬표를 보고 더러온 말이 긋지 아니믈 크게 블쾌ᄒᆞ여, 잠간 쌍미를 모흐고 안ᄉᆡᆨ이 셜상ᄒᆞᆫᄆᆡ(雪上寒梅) ᄀᆞᆺᄐᆞ여 왈,

"쳡은 만【3】ᄉᆡ 유튱ᄒᆞ여 년긔 이팔의 오히려 ᄌᆞ모의 픔 ᄯᅥ나미 결연ᄒᆞ니, 어나 결을의 부부 ᄉᆞ정을 ᄉᆡᆼ각ᄒᆞ리오. 미약잔질이 ᄇᆡᆨᄉᆞ의 가취지ᄉᆡ(可取之事) 업거ᄂᆞᆯ, 구고의 관인셩덕이 양츈 ᄀᆞᆺᄐᆞ샤 슬하의 ᄌᆞᄋᆡᄒᆞ시미 친ᄉᆡᆼ ᄀᆞᆺᄐᆞ시니, 고당화루의 일신이 안한ᄒᆞ여 셰샹의 괴로온 《ᄌᆞ식‖근심》을 아지 못ᄒᆞ고, 오직 셰ᄉᆞ를 ᄭᆡ돗지 못ᄒᆞᆯ ᄲᅮᆫ이라. 군쥬의 쳡을 념녀ᄒᆞ시미 감샤ᄒᆞ나 쳡심인즉 무심무려 ᄒᆞ도소이다."

언파의 나슈(羅袖)를 다ᄅᆡ여 좌를 믈니니, 셜빈이 ᄃᆡ참ᄒᆞ여 낫ᄎᆞᆯ 븕히고 왈,

"져져의 청졍ᄒᆞ시미 부부 ᄉᆞ정을 부운(浮雲)으로 아르시나, 소뎨ᄂᆞᆫ 져져로 더브러 지극ᄒᆞᆫ 정이 동긔 아니믈 ᄭᆡ돗지 못ᄒᆞ므로 소뎨의 회포를 펴미러니, 져제 소뎨를 츄음(醜淫)ᄒᆞᆫ 인믈 아르시니, 소뎨【4】경셜ᄒᆞ

1330)위곡(委曲) : 자상함. 두터움.
1331)외ᄃᆡ(外待) : 푸대접. 냉대(冷待).

블승참괴토소이다."

님쇼졔 쳔연 왈,

"쳡이 엇디 군쥬를 츄음흔 인믈노 알니잇고? 쳡이 셰스를 몰나 군쥬의 니르시는 바를 잘 딕답디 못흐니, 블민흐믈 기리 샤례흐느이다."

셜빈이 다시 말 아니코 도라가니, 님시 【58】 그 위인의 브졍흐믈 측히 넉이딕 시녀 유우 등다려도 니르디 아니터라.

셜빈이 침소의 도라와 혜오딕,

"님시는 난심혜딜(蘭心惠質)이오 션연아틱(嬋姸雅態)라. 그 고으며 어엿브미 텰셕간장(鐵石肝腸)이라도 농츈(弄蠢)흘 빅어늘, 하원상이 디금 부부의 낙을 밋디 아냐 그 비홍이 완연흐니, 벅벅이 금슬이 브됴(不調)흐미라. 내 님시의 얼골노 어스의 닉실이 되고져 흐더니, 원상이 님시를 박딕흐니[미] 나의 단장박명(斷腸薄命)이[의] 심흔디라. 출하리 원상의 곳의 나아가 스졍을 니르면, 원상이 쇼년디심의 님시를 염박흐고 부부디졍을 모로다가, 혹 나의 슬픈 경을 감동흐여 두 뜻이 합흘딘딕 엇디 깃브디 아니리오. 만일 닉도히 쎄치미 잇거든 대계(大計)를 운동 【59】 흐여 원상·원창을 아오로 죽일 거시라."

의시 이의 밋츠믹, 슷치 누루디[1619] 못흐여 믹양 틈을 엿더니, 일야는 듕하(仲夏) 긔망(旣望)의 어시 홀노 듁셜누의셔 월식을 구경흐다가, 방듕의 녜긔(禮記)[1620]를 보거늘, 셜빈이 숨어 밤들기를 기다려 인뎍이 업거늘, 이의 담을 크게 흐고 디게를 열고 드러셔니, 어시 눈을 드러 셜빈을 보고 경히흐여 믄득 니러셔거늘, 셜빈이 소릭를 낫초아 왈,

1619)누루다 : 누르다. 억제하다.

1620)녜긔(禮記) : 유학 오경(五經)의 하나. 한나라 무제 때에 하간(河間)의 헌왕이 공자와 그 후학들이 지은 131편의 책을 모아 정리한 뒤에 선제 때 유향(劉向)이 214편으로 엮었다. 후에 대덕(戴德)이 85편으로 엮은 대대례(大戴禮)와 대성(戴聖)이 49편으로 줄인 소대례(小戴禮)가 있다. 의례의 해설 및 음악·정치·학문에 걸쳐 예의 근본정신에 대하여 서술하였다.

믈 불승참괴로[토]소이다"

님소졔 쳔연 왈,

"쳡이 엇지 군쥬를 츄음흔 인물노 알니잇고? 쳡이 셰스를 몰나 군쥬의 니르시는 바를 잘 딕답지 못흐니, 불민흐믈 기리 샤례흐느이다."

셜빈이 다시 말 아니코 도라가니, 님씨 그 위인의 부졍흐믈 측히 넉이딕 시녀 유우 등드려도 니르지 아니터라.

셜빈이 침소의 도라와 혜오딕,

"님씨는 난심혜질(蘭心惠質)이오 션연아틱(嬋姸雅態)라. 그 고으며 어엿브미 쳘셕간장(鐵石肝腸)이라도 능[농]츈(弄蠢)흘 빅어늘, 하원상이 지금 부부의 낙을 밋지 아냐 그 비홍이 완연흐니, 벅벅이 금슬이 부조(不調)흐미라. 내 님씨의 얼골노 어스의 닉실이 되고져 흐더니, 원상이 님씨를 박딕흐니[미] 나의 단장박명이[의] 심흔지라. 출하리 원상의 곳의 나아가 스졍을 니 【5】 르면, 원상이 소년지심의 님씨를 념박흐고 부부지졍을 모르다가, 혹 나의 슬픈 경을 감동흐여 두 뜻이 합흘진딕 엇지 깃브지 아니며, 만일 닝연(冷然)히 쎄치미 잇거든, 대계(大計)를 운동흐여 원상·원창을 아오로 죽일 거시라."

의시 이의 밋츠믹 믹양 틈을 엿보더니, 일야는 즁하(仲夏) 긔망(旣望)의 어시 홀노 쥭셜누의셔 월식을 구경흐다가, 방즁의 녜긔(禮記)[1332]를 보거늘, 셜빈이 숨어 밤들기를 기드려 인젹이 업거늘, 이의 담을 크게 흐고 지게를 열고 드러셔니, 어시 눈을 드러 셜빈을 보고 경히흐여 믄득 니러셔거늘, 셜빈이 소릭를 낫초아 왈,

1332)녜긔(禮記) : 유학 오경(五經)의 하나. 한나라 무제 때에 하간(河間)의 헌왕이 공자와 그 후학들이 지은 131편의 책을 모아 정리한 뒤에 선제 때 유향(劉向)이 214편으로 엮었다. 후에 대덕(戴德)이 85편으로 엮은 대대례(大戴禮)와 대성(戴聖)이 49편으로 줄인 소대례(小戴禮)가 있다. 의례의 해설 및 음악·정치·학문에 걸쳐 예의 근본정신에 대하여 서술하였다.

"쳡이 외당을 피치 아녀 이리 오믄 듕심의 간절ᄒᆞᆫ 소회 이시미라. 쳡이 비록 태우로 뎐안(奠雁)[1621] 독좌(獨坐)의 녜(禮)[1622]를 일워시나, 셩혼 ᄉᆞ직의 일침디낙(一寢之樂)을 일우미 업ᄉᆞ니, 명위부뷔(名爲夫婦)나 실은 남이라. 어ᄉᆡ 만일 도라보미 이시면 부귀를 측냥치 못ᄒᆞ리니, 어ᄉᆡ는 쇼쇼【60】녜졀을 거리끼디 마르시고 쳡의 디원을 일우게 ᄒᆞ쇼셔."

어ᄉᆡ 청파의 골경신히(骨驚身駭)ᄒᆞ믈 니긔디 못ᄒᆞ여 쐴니 독셔당으로 피ᄒᆞ고, 오라도록 ᄎᆞ악ᄒᆞ믈 니긔디 못ᄒᆞ더라.

셜빈이 어ᄉᆞ의 이러틋 단엄ᄒᆞ믈 보고 븟그러오며 분ᄒᆞ믈 니긔디 못ᄒᆞ여, 침소의 도라와 졔잉을 ᄃᆡᄒᆞ여 계교를 ᄀᆞᄅᆞ치고, 개용단(改容丹)을 ᄂᆡ여 먹이ᄆᆡ 졔잉은 군쥬의 얼골이 되고 군쥬는 하어ᄉᆡ 되여, 즉시 운환(雲鬟)[1623]을 프러 운고(雲-)[1624]를 ᄡᅳ고 경보(輕寶)를 슈습ᄒᆞ여 몸의 디니고, 도로 청샤의 나아와 월하의 흣건니다가[1625], 거즛 밧그로셔 드러오는 쳬ᄒᆞ고 바로 당듕을 향ᄒᆞ니, 이ᄯᅢ 연상궁 등이 쳣 즘이 깁흐ᄆᆡ 군쥬의 변형ᄒᆞ는 쇠를 모로는디라.【61】 셜빈이 졔잉을 겁박ᄒᆞ여 은졍을 ᄆᆡ즐ᄃᆞ시 ᄒᆞᄆᆡ, 졔잉은 군쥬의 져를 쥭이랴 ᄒᆞ믄 모로고, 그 가ᄅᆞ치믈 조ᄎᆞ 소ᄅᆡ를 골안히 터디도록 딜너 왈,

"텬하의 뎨슈(弟嫂) 통간(通姦)ᄒᆞ랴는 흉음악인(凶淫惡人)이 어ᄃᆡ 이시리오. 내 죽어도 결단ᄒᆞ여 네 말을 듣디 아니리라."

이리 니르며 ᄯᅩ 소ᄅᆡ 딜너 사ᄅᆞᆷ 죽인다 소ᄅᆡ 딘동ᄒᆞ니, 연상궁과 졔 시ᄋᆡ 다 ᄭᆡ여

1621)뎐안(奠雁) : 전안례(奠雁禮).

1622)독좌(獨坐)의 녜(禮) : 독좌례(獨坐禮). 혼인례에서 대례(大禮)를 달리 이른 말. 즉 신랑과 신부가 대례를 행할 때 각각의 앞에 음식을 차려 놓은 독좌상(獨坐床)을 놓고 교배(交拜)·합근(合巹) 등의 의례를 행하는 것을 이르는 말이다.

1623)운환(雲鬟) : 여자의 탐스러운 쪽 찐 머리. ≒운계02(雲髻).

1624)운고(雲-) : 고. 상투를 틀 때 머리털을 고리처럼 되도록 감아 넘긴 것. ≒상투.

1625)흣건니다 : 흣걷다. 산책하다. 천천히 거닐다.

"쳡이 외당을 피치 아녀 이리 오믄 즁심의 간절ᄒᆞᆫ 소회 잇시미라. 쳡이 비록 태우로 젼안(奠雁))[1333] 독좌(獨坐)의 녜(禮)[1334]를 일【6】웟시나 셩혼 ᄉᆞ직의 일침지낙(一寢之樂)을 일우미 업ᄉᆞ니, 명위부뷔(名爲夫婦)나 실은 남이라. 어ᄉᆡ 만일 도라보미 잇시면 부귀를 측냥치 못ᄒᆞ리니, 어ᄉᆡ는 소소 녜졀을 거리끼지 마르시고 쳡의 지원을 일우게 ᄒᆞ소셔"

어ᄉᆡ 청파의 골경신히(骨驚身駭)ᄒᆞ믈 니긔지 못ᄒᆞ여 쐴니 독셔당으로 피ᄒᆞ고, 오라도록 ᄎᆞ악ᄒᆞ믈 마지 아니ᄒᆞ더라.

셜빈이 어ᄉᆞ의 이러틋 단엄ᄒᆞ믈 보고 븟그러오며 분ᄒᆞ믈 니긔지 못ᄒᆞ여, 침소의 도라와 셰잉을 ᄃᆡᄒᆞ여 계교를 ᄀᆞ르치고, 개용단(改容丹)을 먹여 셰잉은 군쥬의 얼골이 되고 군쥬는 하어ᄉᆡ 되어, 즉시 운환(雲鬟)[1335]을 프러 《웅고‖운고(雲-)[1336]》를 ᄡᅳ고, 경보(輕寶)를 슈습ᄒᆞ여 몸의 지니고, 도로 청ᄉᆞ의 나아와 월하의 흣건니다가[1337], 거즛 밧그로셔 드러 오는 쳬ᄒᆞ고 바【7】로 당즁을 향ᄒᆞ니, 이ᄯᅢ 연상궁 등이 쳣 잠이 깁흐ᄆᆡ 군쥬의 변형ᄒᆞ는 쇠를 모로는지라. 셜빈이 셰잉을 겁박ᄒᆞ여 은졍을 ᄆᆡ즐ᄃᆞ시 ᄒᆞᄆᆡ, 셰잉은 군쥬의 져를 쥭이랴 ᄒᆞ믄 모로고, 그 ᄀᆞ르치믈 조ᄎᆞ 소ᄅᆡ를 골안이 터지도록 질너 왈,

"텬하의 뎨슈(弟嫂) 통간(通姦)ᄒᆞ라 ᄒᆞ는 흉음악인(凶淫惡人)이 어ᄃᆡ 잇시리오. 내 죽어도 결단ᄒᆞ여 네 말을 듣지 아니리라."

이리 니르며 ᄯᅩ 소ᄅᆡ 질너 사ᄅᆞᆷ 죽인다 소ᄅᆡ 진동ᄒᆞ니, 연상궁과 졔 시ᄋᆡ 다 ᄭᆡ여

1333)뎐안(奠雁) : 전안례(奠雁禮).

1334)독좌(獨坐)의 녜(禮) : 독좌례(獨坐禮). 혼인례에서 대례(大禮)를 달리 이른 말. 즉 신랑과 신부가 대례를 행할 때 각각의 앞에 음식을 차려 놓은 독좌상(獨坐床)을 놓고 교배(交拜)·합근(合巹) 등의 의례를 행하는 것을 이르는 말이다.

1335)운환(雲鬟) : 여자의 탐스러운 쪽 찐 머리. ≒운계02(雲髻).

1336)운고(雲-) : 고. 상투를 틀 때 머리털을 고리처럼 되도록 감아 넘긴 것. ≒상투.

1337)흣건니다 : 흣걷다. 산책하다. 천천히 거닐다.

쵹을 붉히고 방듕을 ᄉᆞᆯ피니, 어ᄉᆡ 군쥬로 동와(同臥)ᄒᆞ여 깁으로 군쥬의 입을 트러막고, 그 음밀ᄒᆞᆫ 졍ᄐᆡ와 참측ᄒᆞᆫ 거동이 블가형언이라.

연상궁 등이 역시 대경ᄒᆞ여 소ᄅᆡ 딜너,

"이 어인 변인고!"

ᄒᆞ니, 하어ᄉᆡ 분노를 참디 못ᄒᆞ여 허리 아ᄅᆡ로 칼흘 ᄲᅢ혀 군쥬를 디르니, 졔잉은 【62】 져를 어이 죽이랴 ᄒᆞ엿다가, 무심 듕 검하경혼(劍下驚魂)이 되니, 연상궁 등이 창황망극ᄒᆞ여 아모리 ᄒᆞᆯ 줄 모를 즈음의, 하어ᄉᆡ 몸을 ᄲᅢ혀 외당으로 나아가니, 연상궁 등이 그졔야 놀나믈 딘뎡ᄒᆞ여 군쥬의 시톄를 븟들고 통곡ᄒᆞ니, 반야(半夜) 곡셩(哭聲)이 합샤(闔舍)를 흔드ᄂᆞᆫ 듯 ᄒᆞ더라.

됴부인○○○[이 셜빈]의 죽음과 원상의게 참혹ᄒᆞᆫ 누얼이 도라디믈[1626] 니르고, ᄎᆞ악ᄒᆞ믈 니긔디 못ᄒᆞ니, 초공이 ᄯᅩᄒᆞᆫ 흉참ᄒᆞ믈 모양치 못ᄒᆞ나, 모친의 과쳑(過慽)ᄒᆞ시믈 민박ᄒᆞ여 화(和)ᄒᆞᆫ ᄉᆞ식(辭色)으로 왈,

"간인의 흉계 아니 밋춘 곳이 업ᄉᆞ오니, ᄎᆞ뎨를 참혹히 히코져 ᄒᆞ나 텬의 무심치 아니리니, 엇디 【63】 원상이 간인의 독슈의 힘힘히 맛ᄎᆞ리잇고? ᄌᆞ경은 과려치 마르시고 필경이 무ᄉᆞᄒᆞ믈 보쇼셔."

뎡언간(停言間)의 어ᄉᆡ 드러오니 부인이 밧비 븟들고 왈,

"네 몸의 흉음패되(凶淫悖道) 실녓거ᄂᆞᆯ 엇디 거디(擧止) 안상(安常)ᄒᆞ뇨?"

어ᄉᆡ 셜빈을 피ᄒᆞ여 독셔당의 왓다가, 시녜 모명으로 초공을 쳥ᄒᆞ믈 듯고, ᄂᆡ당의 므슴 변괴 이시믈 알고 드러오ᄆᆡ, 모부인 말ᄉᆞᆷ이 이러ᄒᆞ고 셜원각의셔 통곡소ᄅᆡ 딘동ᄒᆞ니, ᄎᆞ악ᄒᆞ나 나죽이 뭇ᄌᆞ와, 왈,

"가간의 므슴 변괴 잇관ᄃᆡ ᄌᆞ위 이ᄀᆞᆺ치 비ᄋᆡ(悲哀)ᄒᆞ시나니잇고?"

부인이 ᄋᆞᄌᆞ의 아도 못ᄒᆞ믈 보고 더옥 슬허, 드ᄃᆡ여 셜원각 변고를 니르니,

어ᄉᆡ 쳥파의 한가히 웃고 왈,

"쇼ᄌᆡ 일시 익【64】회 괴이ᄒᆞ와 참혹ᄒᆞᆫ

1626)도라디다 : 돌아가다.

쵹을 붉히고 방즁을 ᄉᆞᆯ피니, 어ᄉᆡ 군쥬로 동와(同臥)ᄒᆞ여 깁으로 군쥬의 입을 트러막고, 그 음밀ᄒᆞᆫ 졍ᄐᆡ와 참측ᄒᆞᆫ 거동이 블가형언이라.

연상궁 등이 녁시 대경ᄒᆞ여 소ᄅᆡ 질너,

"이 어인 변인고!"

ᄒᆞ니, 하어ᄉᆡ 분노를 참지 못【8】ᄒᆞ여 허리 아ᄅᆡ로 칼흘 ᄲᅢ혀 군쥬를 지르니, 셰잉은 져를 어이 죽이랴 ᄒᆞ엿다가, 무심 즁 검하경혼(劍下驚魂)이 되니, 연상궁 등이 창황망극ᄒᆞ여 아모리 ᄒᆞᆯ 줄 모를 즈음의, 하어ᄉᆡ 몸을 ᄲᅢ혀 외당으로 나아가니, 연상궁 등이 그졔야 놀나믈 진졍ᄒᆞ여 군쥬의 시톄를 븟들고 통곡ᄒᆞ니, 반야(半夜) 곡셩(哭聲)이 합ᄉᆞ(闔舍)를 흔드ᄂᆞᆫ 듯 ᄒᆞᆫ지라.

조부인이 셜빈의 죽음과 원상의게 참혹ᄒᆞᆫ 누얼이 도라지믈[1338] 니르고, ᄎᆞ악ᄒᆞ믈 니긔지 못ᄒᆞ니, 초공이 ᄯᅩᄒᆞᆫ 흉참ᄒᆞ믈 모양치 못ᄒᆞ나, 모친의 과쳑(過慽)ᄒᆞ시믈 민박ᄒᆞ여 화(和)ᄒᆞᆫ ᄉᆞ식(辭色)으로 위로 왈,

"간인의 흉계 아니 밋춘 곳이 업ᄉᆞ오니, ᄎᆞ뎨를 참혹히 히코져 ᄒᆞ나 텬의 무심치 아니리니, 엇지 원상이 간인의 독슈의 힘힘히 【9】 맛ᄎᆞ리오. ᄌᆞ경은 과려치 마르시고 필경이 무ᄉᆞᄒᆞ믈 보소셔"

뎡언간(停言間)의 어ᄉᆡ 드러오니 부인이 밧비 븟들고 왈,

"네 몸의 흉음ᄑᆡ되(凶淫悖道) 실녓거ᄂᆞᆯ 엇지 거지(擧止) 안상(安常)ᄒᆞ뇨?"

어ᄉᆡ 셜빈을 피ᄒᆞ여 독셔당의 왓다가, 시녜 모명으로 초공을 쳥ᄒᆞ믈 듯고, ᄂᆡ당의 무슴 변괴 이시믈 알고 드러오ᄆᆡ, 모부인 말ᄉᆞᆷ이 이러ᄒᆞ고 셜월각의셔 통곡소ᄅᆡ 진동ᄒᆞ니, 불승 ᄎᆞ악ᄒᆞ나 나죽이 뭇ᄌᆞ와, 왈,

"가간의 무슴 변괴 잇관ᄃᆡ ᄌᆞ졍이 이ᄀᆞᆺ치 비ᄋᆡ(悲哀)ᄒᆞ시ᄂᆞ니잇고?"

부인이 ᄋᆞᄌᆞ의 아지도 못ᄒᆞ믈 보고 더욱 셜허ᄒᆞ며, 드ᄃᆡ여 셜월각 변고를 니르니,

어ᄉᆡ 쳥파의 한가히 웃고 왈,

"소ᄌᆡ 일시 익회 괴이ᄒᆞ와 참혹ᄒᆞᆫ 누얼을

1338)도라디다 : 돌아가다.

누얼을 싯게 되여시나, 오히려 듁셜누 변고의 비치 못ᄒᆞ오리니, ᄌᆞ위는 허무ᄒᆞᆫ 변괴를 심녀치 마르시고, 음악발부의 간경이 발각기를 기다리쇼셔."

초공이 문기고(問其故) ᄒᆞᆫᄃᆡ, 어ᄉᆡ 빈미 왈,

"그 난음디셜(亂淫之說)은 옴기고져 ᄒᆞᄆᆡ, ᄆᆞ음이 쎨니고 비위 거ᄉᆞ리니 ᄎᆞ마 고치 못ᄒᆞ리로소이다."

초공이 발셔 셜빈이 외헌의 나갓던 줄을 짐작ᄒᆞ여 ᄀᆞᆯ오ᄃᆡ,

"너의 빙옥슈신(氷玉修身)으로 보는 지 하ᄌᆞ(瑕疵)ᄒᆞ리 업술 거시어늘, 이 변이 장ᄎᆞᆺ 아모리 될 줄 아디 못ᄒᆞ리로다."

어ᄉᆡ 왈,

"만ᄉᆡ 다 하날이니, 화복길흉이 뎡ᄒᆞᆫ 빈니, 념녀ᄒᆞ고 근심ᄒᆞ여 밋출 거시 아니니, ᄌᆞ졍은 믈녀ᄒᆞ쇼셔."

이러【65】틋 말숨ᄒᆞᆯ ᄉᆞ이의, 발셔 옥쳠(屋簷)의 금계(金鷄)1627) ㅅ]비를 보ᄒᆞ고, 태우와 원필이 ᄂᆡ루의 드러와 모친긔 야ᄅᆡ 존후를 뭇ᄌᆞ오려 ᄒᆞ다가, 부인의 우황(憂惶)ᄒᆞ심과 승상이 어ᄉᆞ로 더브러 ᄂᆡ루의 이시믈 보고, 경아ᄒᆞ여 ᄀᆞᆯ오ᄃᆡ,

"ᄌᆞ졍이 므숨 연고로 비쳑ᄒᆞ시며 냥위 형댱은 엇디 외루의 나가디 아니시나니잇가? 대인이 ᄇᆡᆨ형을 ᄌᆞ졍이 브르신 곡졀을 믈나ᄒᆞ시더이다."

됴부인이 셜원각 변을 니르고, 흉장이 분분ᄒᆞ여 아모리 될 줄을 아디 못ᄒᆞ고, 어ᄉᆞ의 몸의 참홰 밋츨가 슬허 ᄒᆞᄂᆞᆫ디라. 태위 이 말숨을 드르ᄆᆡ 놀나며 분ᄒᆞ믈 니긔디 못ᄒᆞ여, 냥안을 놉히 쓰고 ᄀᆞᆯ오ᄃᆡ,

"소ᄌᆡ 셜빈을 취【66】ᄒᆞ던 날브터 집을 어ᄌᆞ러일 흉인으로 아라시나, ᄎᆞ형의게 이런 변이 밋출 줄은 ᄉᆡᆼ각디 못ᄒᆞᆫ 빈라. 간음찰녀의 흉계 이 ᄀᆞᆺᄐᆞ니 엇디 통완치 아니리잇가?"

어ᄉᆡ 탄왈,

"우형의 ᄒᆡᆼ실이 '신명(神明)을 딜(叱)1628)

1627)금계(金鷄) : '닭'의 미칭(美稱). 꿩과에 속한 새.

싯게 되엿시나, 오히려 쥭셜누 변고의 비치 못ᄒᆞ오리니, ᄌᆞ위【10】는 허무ᄒᆞᆫ 변괴를 심녀치 마르시고, 음악발부의 간경이 발각기를 기ᄃᆞ리소셔"

초공이 문기고(問其故) ᄒᆞᆫᄃᆡ, 어ᄉᆡ 빈미 왈,

"그 난음지셜(亂淫之說)은 옴기고져 ᄒᆞᄆᆡ, 마음이 쎨니고 비위 거ᄉᆞ리니 ᄎᆞ마 고치 못ᄒᆞ리로소이다"

초공이 발셔 셜빈이 외헌의 나갓던 줄을 짐작ᄒᆞ여, ᄀᆞᆯ오ᄃᆡ,

"너의 빙옥슈신(氷玉修身)으로 보는 지 하ᄌᆞ(瑕疵)ᄒᆞ리 업술 거시로ᄃᆡ, 이 변이 장ᄎᆞᆺ 아모리 될 줄 아지 못ᄒᆞ리로다."

어ᄉᆡ 왈,

"만ᄉᆡ 다 하날이니, 화복길흉이 졍ᄒᆞᆫ 빈니, 념녀ᄒᆞ고 근심ᄒᆞ여 밋출 거시 아니니, ᄌᆞ졍은 믈념ᄒᆞ소셔."

이러틋 말숨ᄒᆞᆯ ᄉᆞ이의, 발셔 옥쳠(屋簷)의 금계(金鷄)1339) ㅅ]벽를 보ᄒᆞ고, 태우와 원필이 ᄂᆡ루의 드러와 모친긔 야ᄅᆡ 존후를 뭇ᄌᆞ오려 ᄒᆞ다가, 부인의 우황(憂惶)ᄒᆞ심과 승상【11】이 어ᄉᆞ로 더브러 ᄂᆡ루의 이시믈 보고 경아ᄒᆞ여 ᄀᆞᆯ오ᄃᆡ,

"ᄌᆞ졍이 무숨 연고로 비쳑ᄒᆞ시며 냥위 형장은 엇지 외루의 나가지 아니시ᄂᆞ니잇가? 대인이 ᄇᆡᆨ형을 ᄌᆞ졍이 브르신 곡졀을 믈나ᄒᆞ시더이다."

조부인이 셜월각 변을 니르고, 흉장이 분분ᄒᆞ여 아모리 될 줄을 아지 못ᄒᆞ고, 어ᄉᆞ의 몸의 참홰 밋츨가 슬허 ᄒᆞᄂᆞᆫ지라. 태위 이 말숨을 드르ᄆᆡ 놀나며 분ᄒᆞ믈 니긔지 못ᄒᆞ여, 냥안을 놉히 쓰고 ᄀᆞᆯ오ᄃᆡ,

"소ᄌᆡ 셜빈을 취ᄒᆞ던 날브터 집을 어ᄌᆞ러일 흉인으로 아라시나, ᄎᆞ형의게 이런 변이 밋출 줄은 ᄉᆡᆼ각지 못ᄒᆞᆯ[ᄒᆞᆫ] 빈라. 간음찰녀의 흉계 이 ᄀᆞᆺᄐᆞ니 엇지 통완치 아니리잇가?"

어ᄉᆡ 탄 왈,

"우형의 ᄒᆡᆼ실이 '신명(神明)을 질(叱)1340)

1339)금계(金鷄) : '닭'의 미칭(美稱). 꿩과에 속한 새.

치 못ᄒᆞ여'[1629] 이런 누얼을 싯고, 셜빈이 임의 죽어시니 무ᄉᆞ키를 어이 바라리오마ᄂᆞᆫ, 오히려 내 ᄋᆢᆲ히 굽디 아냐 져즌 일이 업ᄉᆞ믈 밋ᄂᆞ니, 셜빈이 굿ᄐᆞ여 우형을 ᄒᆡ코져 ᄒᆞᆫ 거시 아니라, 반ᄃᆞ시 우형을 ᄆᆡ워 ᄒᆞ리 이셔 셜빈을 죽이고 나의게 누얼을 도라보ᄂᆡ민가 ᄒᆞ노라."

태위 분분통완(忿憤痛惋)ᄒᆞ여 의심 업ᄉᆞᆫ 셜빈의 작용이라 ᄒᆞ고, ᄉᆡ로이 ᄆᆡ오믈 니긔디 못ᄒᆞ나, 셜빈이 죽어시니 장ᄎᆞᆺ 살인ᄌᆞ를 【67】 ᄎᆞᆺᄂᆞᆫ 디경의, 어ᄉᆡ 무ᄉᆞ치 못ᄒᆞᆯ ᄃᆞᆺᄒᆞᆫ 고로, 경황ᄎᆞ악ᄒᆞᆫ 심ᄉᆞ를 측냥치 못ᄒᆞ더니, 뎡국공이 초공을 블너 부인의 급히 브르던 곡졀을 므르니, 초공이 시러곰 ᄀᆡ이디 못ᄒᆞ여 셜변[빈]의 작변을 일일히 고ᄒᆞᆫᄃᆡ, 공이 청필의 하 어히 업ᄉᆞ니 말이 나디 아냐, 도로혀 어린 ᄃᆞ시 하날을 우러러 ᄌᆞ긔 팔ᄌᆡ ᄀᆡ험ᄒᆞ여 남의 업ᄉᆞᆫ 변고를 ᄀᆞᆺ초 당ᄒᆞ믈 ᄎᆞ악ᄒᆞᆯ ᄲᆞᆫ《아니라‖이러라》.

원필이 부젼의 고왈,

"셜빈이 망ᄒᆞ여시니 오개 복제를 ᄀᆞᆺ초미 맛당ᄒᆞ리잇가?"

하공이 탄왈,

"ᄉᆞ셰 이의 밋쳐 내 집의셔 비록 복제를 ᄀᆞᆺ초나 오왕이 반ᄃᆞ시 보슈(報讐)코 말니니, ᄋᆞ히 ᄇᆡᆨ옥무하(白玉無瑕)ᄒᆞᆫ ᄒᆡᆼᄉᆞ로ᄡᅧ 화를 바드미 쉬온【68】디라. 아딕 오궁의셔 ᄒᆞᄂᆞᆫ ᄃᆡ로 바려두어 아른 쳬 말나."

ᄒᆞ여, 오딕 부ᄌᆞ 형뎨 ᄒᆞᆫ 당의 모다 ᄎᆞ악경황ᄒᆞᆯ ᄲᆞᆫ이러니, 임의 군쥬의 부음(訃音)이 오궁의 니르러, 하어ᄉᆞ의 흉참이 구던 거동을 일일히 고ᄒᆞ니, 오왕 부뷔 ᄒᆞᆫ갓 군쥬의 참ᄉᆞᄒᆞ믈 슬허ᄒᆞᆯ ᄲᆞᆫ 아니라, 원상의 흉음패악ᄒᆞ믈 블승분완(不勝憤惋)ᄒᆞ여, 왕이 친히 가 시신을 다려오고 원상의 죄를 텬졍의 쥬달ᄒᆞ려 ᄒᆞᆫᄃᆡ, 세ᄌᆞᄂᆞᆫ 극히 화홍(和弘)ᄒᆞ고 명달(明達)ᄒᆞᆫ디라. ᄆᆡ양 셜빈의 위인을 브족히 {넉히} 넉이더니, 죽은 ᄇᆡ 망측ᄒᆞᆫ 일노

1628)딜(叱) : 꾸짖음.

1629)신명(神明)을 딜(叱)치 못ᄒᆞ여; 천지의 신령을 꾸짖을 수 있을 만큼 정대하지 못하다는 말.

치 못ᄒᆞ여'[1341] 이런 누얼을【12】싯고, 셜빈이 임의 죽엇시니 무ᄉᆞ키를 어이 ᄇᆞ라리오마ᄂᆞᆫ, 오히려 내 ᄋᆢᆲ히 굽지 아녀 져즌 일이 업ᄉᆞ믈 밋ᄂᆞ니, 셜빈이 굿ᄐᆞ여 우형을 ᄒᆡ코져 ᄒᆞᆫ 거시 아니라, 반ᄃᆞ시 우형을 ᄆᆡ워 ᄒᆞ리 잇셔 셜빈을 죽이고 나의게 누얼을 도라보ᄂᆡ민가 ᄒᆞ노라."

태위 분분통완(忿憤痛惋)ᄒᆞ여 의심 업ᄉᆞᆫ 셜빈의 작용이라 ᄒᆞ고, ᄉᆡ로이 ᄆᆡ오믈 니긔지 못ᄒᆞ나, 셜빈이 죽엇시니 장ᄎᆞᆺ 살인ᄌᆞ를 ᄎᆞᆺᄂᆞᆫ 지경의 어ᄉᆡ 무ᄉᆞ치 못ᄒᆞᆯ ᄃᆞᆺᄒᆞᆫ 고로, 경황ᄎᆞ악ᄒᆞᆫ 심ᄉᆞ를 측냥치 못ᄒᆞ더니, 뎡국공이 초공을 불너 부인의 급히 브르던 곡졀을 무르니, 초공이 시러곰 ᄀᆡ이지 못ᄒᆞ여 셜빈의 작변을 일일히 고ᄒᆞᆫᄃᆡ, 공이 청필의 하 어히 업ᄉᆞ니 말이 나지 아녀, 도로혀 어린 ᄃᆞ시 하날을 우러러 ᄌᆞ긔 팔ᄌᆡ ᄀᆡ험ᄒᆞ여 남의 업【13】ᄉᆞᆫ 변고를 ᄀᆞᆺ초 당ᄒᆞ믈 ᄎᆞ악ᄒᆞᆯ ᄲᅮᆫ《아니라‖이러라》.

원필이 부젼의 고왈,

"셜빈이 망ᄒᆞ여시니 오개 복제를 ᄀᆞᆺ초미 맛당ᄒᆞ리잇가?"

하공이 탄 왈,

"ᄉᆞ셰 이의 밋쳐 내 집의셔 비록 복제를 ᄀᆞᆺ초나 오왕이 반ᄃᆞ시 보슈(報讐)코 말니니, ᄋᆞ히 ᄇᆡᆨ옥무하(白玉無瑕)ᄒᆞᆫ ᄒᆡᆼᄉᆞ로ᄡᅧ 화를 바드미 쉬온지라. 아직 오궁의셔 ᄒᆞᄂᆞᆫ ᄃᆡ로 ᄇᆞ려두어 아른 쳬 말나."

ᄒᆞ여, 오직 부ᄌᆞ 형뎨 ᄒᆞᆫ 당의 모다 ᄎᆞ악경황ᄒᆞᆯ ᄲᅮᆫ이러니, 임의 군쥬의 부음(訃音)이 오궁의 니르러, 하어ᄉᆞ의 흉참이 구던 거동을 일일히 고ᄒᆞ니, 오왕 부뷔 ᄒᆞᆫ갓 군쥬의 참ᄉᆞᄒᆞ믈 슬허ᄒᆞᆯ ᄲᅮᆫ 아니라, 원상의 흉음ᄑᆡ악ᄒᆞ믈 불승분완(不勝憤惋)ᄒᆞ여, 왕이 친히 가 시신을 다려오고 원상의 죄를 텬졍의 쥬달ᄒᆞ려 ᄒᆞᆫᄃᆡ, 세ᄌᆞᄂᆞᆫ 극히 화홍(和弘)ᄒᆞ고 명달(明達)ᄒᆞᆫ지【14】라. ᄆᆡ양 셜빈의 위인을 부족히 넉이더니, 죽은 ᄇᆡ 망측ᄒᆞᆫ 일노

1340)딜(叱) : 꾸짖음.

1341)신명(神明)을 딜(叱)치 못ᄒᆞ여; 천지의 신령을 꾸짖을 수 있을 만큼 정대하지 못하다는 말.

뼈 죽고, 죄뤼(罪累) 하어스의게 도라가믈 추악ᄒᆞ여, 왕긔 고왈,

"셜빈의 죽으미 참통ᄒᆞ오나, 부왕이 텬상(天喪)[1630] 삼년의 하부를 왕ᄂᆡ【69】ᄒᆞ시미 블가ᄒᆞ오니, 쇼직 이졔 나아가 셜빈의 시신을 다려 오고, 하공과 하승상을 ᄃᆡᄒᆞ여 젼후 곡졀을 므러보오리니, 하원상은 금옥군ᄌᆡ(金玉君子)오, 뎡대명인(正大明人)이라. 결단ᄒᆞ여 그런 흉참ᄒᆞᆫ 일이 잇디 아니리이다."

왕이 올히 넉여 셰ᄌᆞ를 보ᄂᆡ여 셜빈의 시신을 다려 오라 ᄒᆞ니, ᄎᆞ회(嗟乎)라! 오셰ᄌᆞ의 디인화홍디덕(至仁和弘之德)[1631]으로뼈 헛되이 요인(妖人)의 독히를 닙으니, 엇디 ᄎᆞ홉디 아니리오.

셰ᄌᆡ 부왕의 명을 밧드러 하부의 니르러 군쥬의 시신의 통곡홀ᄉᆡ, 셜빈 요인이 하가를 아조 뭇딜너 원상 형뎨를 죽여 분을 플녀 ᄒᆞᄂᆞᆫ디라. 하어싄체ᄒᆞ고 급히 ᄂᆡ다라 원듕 슈목 ᄉᆞ이의 가, 다시 개용단을 삼켜 하태위 되기를【70】툑ᄒᆞ여 즉시 변용ᄒᆞᄆᆡ, 칼흘 픔고 나ᄂᆞᆫᄃᆞ시 셜원각의 드러와 셰ᄌᆞ를 ᄃᆡᄒᆞ여, 녀셩대ᄆᆡ 왈,

"내 본ᄃᆡ 황가디엽(皇家枝葉)을 ᄇᆡ쳑ᄒᆞ거늘, 오왕이 념치업시 쳥혼ᄒᆞ여 셜빈을 내 집의 보ᄂᆡ고, ᄆᆡ양 부부간을 숣펴 허언을 고디듯고, 나의 박ᄃᆡᄒᆞ믈 괴로이 넉이더니, 셜빈이 금슈의 힝실을 가져 샤형(舍兄)이 우연이 졔 방 알플 디나ᄂᆞᆫ 거ᄉᆞᆯ 쳥ᄒᆞ여 드리다가, 샤형이 증분을 니긔디 못ᄒᆞ여 칼노 딜너 죽엿거ᄂᆞᆯ, 셰ᄌᆞᄂᆞᆫ 그 힝실을 아디 못ᄒᆞ고 어리게 통곡ᄒᆞᄂᆞ뇨? 내 임의 분이 발ᄒᆞ여시니 엇디 너를 못 죽이리오. 셜빈의 죽으믈 샤형으로 ᄃᆡ살(代殺)코져 ᄒᆞᆫ다 ᄒᆞ니 내 또 너를 죽여 보리니, 우리 형뎨를 다 죽이【71】든 못ᄒᆞ리라."

1630)텬상(天喪) : 제왕이나 아버지의 상(喪). *천붕지통(天崩之痛); 하늘이 무너지는 것 같은 슬픔이라는 뜻으로, 제왕이나 아버지의 죽음을 당한 슬픔을 이르는 말

1631)디인화홍디덕(至仁和弘之德) : 지극히 어질고 온화한 덕행.

뼈 죽고, 죄뤼(罪累) 하어스의게 도라가믈 추악ᄒᆞ여 왕긔 고왈,

"셜빈의 죽으미 참통ᄒᆞ오나, 부왕이 텬상(天喪)[1342] 삼년의 하부를 왕ᄂᆡᄒᆞ시미 블가ᄒᆞ오니, 소직 이졔 나아가 셜빈의 시신을 다려 오고 하공과 하승상을 ᄃᆡᄒᆞ여 젼후 곡졀을 므러보오리니, 하원상은 금옥군ᄌᆡ(金玉君子)오, 졍ᄃᆡ명인(正大明人)이라. 결단ᄒᆞ여 그런 흉참ᄒᆞᆫ 일이 잇지 아니리이다."

왕이 올히 넉여 셰ᄌᆞ를 보ᄂᆡ여 셜빈의 시신을 다려오라 ᄒᆞ니, ᄎᆞ회(嗟乎)라! 오 셰ᄌᆞ의 지인화홍지덕(至仁和弘之德)[1343]으로뼈 헛도이 요인(妖人)의 독히를 닙으니, 엇지 ᄎᆞ홉지 아니리오.

셰ᄌᆡ 부왕의 명을 밧드러 하부의 니르러 군쥬의 시신의 통곡홀ᄉᆡ, 셜【15】빈 요인이 하가를 아조 뭇질너 원상 형뎨를 죽여 분을 플녀 ᄒᆞᄂᆞᆫ지라. 하어싄체ᄒᆞ고 급히 ᄂᆡ다라 원즁 슈목 ᄉᆞ이의 가, 다시 개용단을 삼켜 하태위 되기를 츅ᄒᆞ여 즉시 변용ᄒᆞᄆᆡ, 칼흘 픔고 나ᄂᆞᆫᄃᆞ시 셜원각의 드러와 셰ᄌᆞ를 ᄃᆡᄒᆞ여 녀셩대ᄆᆡ 왈,

"내 본ᄃᆡ 황가지엽(皇家枝葉)을 ᄇᆡ쳑ᄒᆞ거늘, 오왕이 념치업시 쳥혼ᄒᆞ여 셜빈을 ᄂᆡ 집의 보ᄂᆡ고, ᄆᆡ양 부부간을 숣펴 허언을 고지듯고, 나의 박ᄃᆡᄒᆞ믈 괴로이 넉이더니, 셜빈이 금슈의 힝실을 가져 샤형(舍兄)이 우연이 졔 방 알플 지나ᄂᆞᆫ 거ᄉᆞᆯ 쳥ᄒᆞ여 드리다가, 샤형이 증분을 니긔지 못ᄒᆞ여 칼노 질너 죽엿거ᄂᆞᆯ, 셰ᄌᆞᄂᆞᆫ 그 힝실을 아지 못ᄒᆞ고 어리게 통곡ᄒᆞᄂᆞ뇨? 내 임의 분을 발ᄒᆞ【16】엿시니 엇지 너를 못 죽이리오. 셜빈의 죽으믈 ᄉᆞ형으로 ᄃᆡ살(代殺)코져 ᄒᆞᆫ다 ᄒᆞ니, 내 또 너를 죽여 보리니, 우리 형뎨를 다 죽이든 못ᄒᆞ리라"

1342)텬상(天喪) : 제왕이나 아버지의 상(喪). *천붕지통(天崩之痛); 하늘이 무너지는 것 같은 슬픔이라는 뜻으로, 제왕이나 아버지의 죽음을 당한 슬픔을 이르는 말

1343)디인화홍디덕(至仁和弘之德) : 지극히 어질고 온화한 덕행.

이리 니르며 칼흘 ᄲᆡ혀 셰ᄌᆞ를 디르고 나ᄂᆞᆫ ᄃᆞ시 ᄂᆡ다르니, 궁인 등의 무리 가득ᄒᆞ엿던디라. 셰ᄌᆞ를 딜너 죽이믄 실시녀외(實是慮外)[1632]오, 져히ᄂᆞᆫ가 ᄒᆞ엿더니, 셰ᄌᆞ의 죽엄이 칼흘 ᄭᅩᄌᆞᆫ ᄌᆡ[1633] 방듕의 것구러디니, 궁인 등이 일시의 하날을 브르며 ᄯᆞ흘 두다려 통곡ᄒᆞ니, 이ᄣᅢ 하공 오부ᄌᆞᄂᆞᆫ 빅일졍의 잇고, 됴부인은 졔부를 거나려 침뎐의 잇다가, 시녀의 젼어로조ᄎᆞ ‘태위 오셰ᄌᆞ를 디르고 ᄂᆡᄃᆞᆺᄂᆞᆫ다’ ᄒᆞ니, {부인이 듯ᄂᆞᆫ다 ᄒᆞ니} 부인이 듯ᄂᆞᆫ 말마다 경ᄒᆡ상심(驚駭喪心)ᄒᆞ여 이 소식을 밧비 외루의 통ᄒᆞ니, 하공이 어히 업셔 태우를 도라보아 왈,

“너희 형뎨 이졔ᄂᆞᆫ ᄉᆞ화(死禍)를 면치 못ᄒᆞ리니, 유유ᄒᆞᆫ 텬디【72】간의 ○○○[엇디 다] 원억(冤抑)을 ᄲᆞ흐리오.”

말노조ᄎᆞ 상연(傷然) 쳬루ᄒᆞ믈 면치 못ᄒᆞ니, 초공이 화평히 위로ᄒᆞ고, 어ᄉᆞ와 태위 고왈,

“일이란 거시 ᄒᆞᆫ 조각 딘실ᄒᆞᆫ 거시 업시 이ᄀᆞᆺ치 허슈ᄒᆞᆫ[1634] 후ᄂᆞᆫ 발각기 쉬온디라. 엇디 쇼ᄌᆞ 형뎨의 ᄇᆡᆨ옥(白玉)이 무하(無瑕)ᄒᆞ므로ᄲᅧ, 힘힘히 ᄉᆞ화를 면치 못ᄒᆞ리잇가? 그러나 오셰ᄌᆞ의 쳥츈 원ᄉᆞ(寃死)ᄒᆞ미 잔잉ᄒᆞᆫ디라. 오궁의셔 쇼ᄌᆞ 등을 비록 죽인다 ᄒᆞ여도 쇼ᄌᆞ 등은 ᄒᆞᆫ 번 그 시신을 보아 통곡ᄒᆞ미 당연ᄒᆞᄋᆞᆸ고, 오왕의 슬하(膝下) 참쳑(慘慽)이 이러틋 ᄒᆞ오니 위ᄒᆞ여 슬허ᄒᆞᄂᆞ이다.”

하공이 드드여 ᄉᆞᄌᆞ(四子)로 더브러 일시의 셜원각의 드러가, 셰ᄌᆞ의 시신을 향ᄒᆞ여 크게 통곡ᄒᆞ니, 이ᄂᆞᆫ 셰ᄌᆞ의 위인을 앗기미라. 궁인 등【73】이 하태위 셰ᄌᆞ를 디르고 다시 통곡ᄒᆞ믈 믜이 넉이ᄃᆡ, 쳔인의 아득ᄒᆞᆫ 소견의 셜빈의 흉계ᄂᆞᆫ 아디 못ᄒᆞ고, 하태우의 모딜미 셰ᄌᆞ를 경긱의 죽이ᄂᆞᆫ 슈단이 이시니, 져히도 ᄒᆞᆫ 말이나 그릇 ᄒᆞ면 파리 목

1632)실시여외(實是慮外) : 실로 생각 밖의 일임.
1633)ᄌᆡ : 치. 채. 의존명사로, 이미 있는 상태 그대로 있다는 뜻을 나타내는 말.
1634)허슈ᄒᆞ다 : 허술하다. 치밀하지 못하고 엉성하여 빈틈이 있다.

이리 니르며 칼흘 ᄲᆡ혀 셰ᄌᆞ를 지르고 나ᄂᆞᆫ ᄃᆞ시 ᄂᆡ다르니, 궁인 등의 무리 ᄀᆞ득ᄒᆞ엿던지라 셰ᄌᆞ를 질너 죽이믄 실시녀외(實是慮外)[1344]오, ᄉᆡᆼ각ᄂᆞᆫ ᄇᆡ 아니라. 셰ᄌᆞ의 죽엄이 칼흘 ᄭᅩᄌᆞᆫ ᄎᆡ 방즁의 것구러지니, 궁인 등이 일시의 하날을 브르며 ᄯᆞ흘 두ᄃᆞ려 통곡ᄒᆞ니, 이ᄣᅢ 하공 오부ᄌᆞᄂᆞᆫ 빅일졍의 잇고, 조부인은 졔부를 거ᄂᆞ려 《친젼‖침젼》의 잇다가, 시녀의 젼어로조ᄎᆞ ‘태위 오셰ᄌᆞ를 지르고 ᄂᆡᄃᆞᆺᄂᆞᆫ다’ ᄒᆞ니, 부인이 듯ᄂᆞᆫ 말마다 경ᄒᆡ상심(驚駭喪心)ᄒᆞ여, 이 소식을 밧비 외루의 통ᄒᆞ니, 하공이 어히 업셔 태우를 도라보아 왈,

“너【17】의 형뎨 이졔ᄂᆞᆫ ᄉᆞ화(死禍)를 면치 못ᄒᆞ리니, 유유ᄒᆞᆫ 텬지간의 ○○○[엇디 다] 원억(冤抑)을 ᄲᆞ흐리오.”

말노조ᄎᆞ 상연(傷然) 쳬루ᄒᆞ믈 면치 못ᄒᆞ니, 초공이 위로ᄒᆞ고 어ᄉᆞ와 태위 고왈,

“일이란 거시 ᄒᆞᆫ 조각 진실ᄒᆞᆫ 거시 업시 이ᄀᆞᆺ치 허슈ᄒᆞᆫ[1345] 후ᄂᆞᆫ 발각이 쉬운지라. 엇지 소ᄌᆞ 형뎨의 ᄇᆡᆨ옥무하(白玉無瑕)ᄒᆞ므로ᄲᅧ 힘힘히 ᄉᆞ화를 면치 못ᄒᆞ리잇가? 그러나 오셰ᄌᆞ의 쳥츈 원ᄉᆞ(寃死)ᄒᆞ미 잔잉ᄒᆞ온지라. 오궁의셔 소ᄌᆞ 등을 비록 죽인다 ᄒᆞ여도 소ᄌᆞ 등은 ᄒᆞᆫ 번 그 시신을 보아 통곡ᄒᆞ미 당연ᄒᆞᄋᆞᆸ고, 오왕의 슬하(膝下) 참쳑(慘慽)이 이러틋 ᄒᆞ오니 위ᄒᆞ여 슬허ᄒᆞᄂᆞ이다.”

하공이 드ᄃᆡ여 ᄉᆞᄌᆞ(四子)로 더브러 일시의 셜월각의 드러가, 셰ᄌᆞ의 시신을 향ᄒᆞ여 크게 통곡ᄒᆞ니, 이ᄂᆞᆫ 셰ᄌᆞ의 위인을 앗기미라. 궁인【18】 등이 하태위 셰ᄌᆞ를 지르고 다시 통곡ᄒᆞ믈 믜이 넉이ᄃᆡ, 쳔인의 아득ᄒᆞᆫ 소견의 셜빈의 흉계ᄂᆞᆫ 아지 못ᄒᆞ고 하태우의 모질미 셰ᄌᆞ를 경긱의 죽이ᄂᆞᆫ 슈단이 잇시니, 져히도 ᄒᆞᆫ 말이나 그릇ᄒᆞ면 파리 목숨 죽이듯 ᄒᆞᆯ가 두려, 오직 이 소식을 오궁

1344)실시여외(實是慮外) : 실로 생각 밖의 일임.
1345)허슈ᄒᆞ다 : 허술하다. 치밀하지 못하고 엉성하여 빈틈이 있다.

슘 죽이ᄃᆞᆺ ᄒᆞᆯ가 두려, 오ᄃᆡ 이 소식을 오궁의 밧비 고ᄒᆞ고 ᄒᆞᆫ갓 통곡ᄒᆞᆯ ᄲᅮᆫ이러니, 하공이 ᄉᆞᄌᆞ로 더브러 일장 통곡을 다ᄒᆞ고, 국휼 후 쳐음으로 ᄂᆡ루의 드러오ᄆᆡ, 윤승상이 ᄯᅩ 이 변을 듯고 협문으로조ᄎᆞ 니르고 경참ᄒᆞ믈 니긔디 못ᄒᆞ거ᄂᆞᆯ, 부인은 어ᄉᆞ 등의 죽엄을 압히 노흔 ᄃᆞᆺ ᄌᆞ긔 몬져 죽고져 ᄒᆞ니 경식이 참담ᄒᆞᆫ디라. 공이 기리 탄식 왈,

"우리 팔ᄌᆞ 긔험ᄒᆞ여 슬하디쳑(膝下之慽)을 남 달니 격【74】고, ᄯᅩ 이런 경참ᄒᆞᆫ 변을 당ᄒᆞ니, 이 도시 나의 젹앙(積殃)이라. 슈원슈귀(誰怨誰咎)[1635]리오."

됴부인이 다만 가슴을 두다려 능히 ᄃᆡ치 못ᄒᆞ더니, 윤승상이 니르러 경참ᄒᆞᆫ 변을 티위ᄒᆞ고, 곡졀을 므러 알ᄆᆡ 일이 만만무거(萬萬無據)[1636]ᄒᆞ니, 필경이 무ᄉᆞᄒᆞᆯ 바를 일ᄏᆞ라 악부모를 위로ᄒᆞ더니, 밧긔 뎡공 부ᄌᆞ와 윤공 슉딜이 니르러시믈 고ᄒᆞ니, 즉시 외루의 나오ᄆᆡ 미위슈집(眉宇愁集)ᄒᆞ여 희허탄식(唏嘘歎息)이어ᄂᆞᆯ, 졔공이 호언으로 위로ᄒᆞ여, 비록 죄뤼 경참(驚慘)ᄒᆞ나, 각각 압히 굽디 아니ᄒᆞ고 일이 만만허무(萬萬虛無)ᄒᆞ니, 신빅(伸白)이 어렵디 아니믈 일ᄏᆞ른ᄃᆡ, 하공이 참연 탄왈,

"내 집 화란이 본ᄃᆡ 허무(虛無)ᄒᆞᆫ 일이 실(實)이 되여 참화를 니르혀ᄂᆞᆫ디라. 셕ᄌᆞ의 경ᄋᆞ 등 맛츨 쎤【75】들, 엇디 허무ᄒᆞ미 이 변과 다르미 이시리오."

윤공이 ᄀᆞᆯ오ᄃᆡ,

"형이 엇디 이런 블길ᄒᆞᆫ 말을 ᄒᆞᄂᆞ뇨? 그 쎠 ᄒᆞᆫ 번 궂김도[1637] 심골(心骨)이 경한(驚寒)ᄒᆞ니, ᄯᅩ 다시 그런 일이 이시리오."

뎡공 왈,

1635)슈원슈귀(誰怨誰咎) : 누구를 원망하고 누구를 탓하겠냐는 뜻으로, 남을 원망하거나 탓할 것이 없음을 이르는 말.
1636)만만무거(萬萬無據) ; 전혀 아무런 증거가 없음.
1637)궂기다 : 궂기다. ①궂은일을 당하다. ②일에 헤살이 들거나 장애가 생기어 잘되지 않다. ③사람이 죽다.

의 밧비 고ᄒᆞ고 ᄒᆞᆫ갓 통곡ᄒᆞᆯ ᄲᅮᆫ이러니, 하공이 ᄉᆞᄌᆞ로 더브러 일장 통곡을 다ᄒᆞ고, 국휼 후 쳐음으로 ᄂᆡ루의 드러오ᄆᆡ, 윤승상이 ᄯᅩ 이 변을 알고 협문으로조ᄎᆞ 니르고 《경창‖경참》ᄒᆞ믈 니긔지 못ᄒᆞ거ᄂᆞᆯ, 부인은 어ᄉᆞ 등의 죽엄을 앏히 노흔 ᄃᆞᆺ ᄌᆞ긔 몬져 죽고져 ᄒᆞ니 경식이 참담ᄒᆞᆫ지라. 공이 기리 탄식 왈,

"우리 팔ᄌᆞ 긔험ᄒᆞ여 슬하지쳑(膝下之慽)을 남 달니 격고, ᄯᅩ 이런 경참ᄒᆞᆫ 변을 당ᄒᆞ니, 이【19】 도시 나의 젹앙(積殃)이라. 슈원슈귀(誰怨誰咎)[1346]리오."

조부인이 다만 가슴을 두ᄃᆞ려 능히 ᄃᆡ치 못ᄒᆞ더니, 윤승상이 니르러 경참ᄒᆞᆫ 변을 치위ᄒᆞ고, 곡졀을 무러 알ᄆᆡ 일이 만만무거(萬萬無據)[1347]ᄒᆞ니, 필경이 무ᄉᆞᄒᆞᆯ 바를 일ᄏᆞ라 악부모를 위로ᄒᆞ더니, 밧긔 뎡공 부ᄌᆞ와 윤공 슉딜이 니르럿시믈 고ᄒᆞ니, 즉시 외루의 나오ᄆᆡ 미위슈집(眉宇愁集)ᄒᆞ여 희허탄식(唏嘘歎息)이어ᄂᆞᆯ, 졔공이 호언으로 위로ᄒᆞ여 비록 죄뤼 경참(驚慘)ᄒᆞ나, 각각 압피 굽지 아니ᄒᆞ고 일이 만만허무(萬萬虛無)ᄒᆞ니, 신빅이 어렵지 아니믈 일ᄏᆞ라ᄃᆡ, 하공이 참연 탄왈,

"내 집 화변이 본ᄃᆡ 허무(虛無)ᄒᆞᆫ 일이 실(實)이 되여 참화를 일위엿ᄂᆞᆫ지라. 셕ᄌᆞ의 경ᄋᆞ 등 맛츨 쎤들, 엇지 허무ᄒᆞ미 이 변과 다르미 잇시리오."

윤공이 ᄀᆞᆯᄋᆞᄃᆡ,

"형이 엇【20】지 이런 블길ᄒᆞᆫ 말을 ᄒᆞᄂᆞ뇨? 그 쎠 ᄒᆞᆫ 번 궂김도[1348] 심골(心骨)이 경한(驚寒)ᄒᆞ니, ᄯᅩ 다시 그런 일이 잇시리오."

뎡공 왈,

1346)슈원슈귀(誰怨誰咎) : 누구를 원망하고 누구를 탓하겠냐는 뜻으로, 남을 원망하거나 탓할 것이 없음을 이르는 말.
1347)만만무거(萬萬無據) ; 전혀 아무런 증거가 없음.
1348)궂기다 : 궂기다. ①궂은일을 당하다. ②일에 헤살이 들거나 장애가 생기어 잘되지 않다. ③사람이 죽다.

"퇴디ᄂᆞᆫ 조금도 슬허 말나. ᄌᆞ균과 ᄌᆞ슌의 상뫼 슈화듕(水火中)의도 위ᄐᆡ치 아니리라."

하공이 심ᄉᆡ(心思) 여할(如割)ᄒᆞ여 희허댱탄(唏噓長歎)ᄒᆞ믈 마디 아니니, 졔공이 위로ᄒᆞ더라.

ᄎᆞ시 오궁의셔 셰ᄌᆞ를 보ᄂᆡ고 셜빈의 시톄 다려오기를 ᄃᆡ령(待令)[1638]ᄒᆞ더라. 【76】

1638)ᄃᆡ령(待令) : ①윗사람의 지시나 명령을 기다림. 또는 그렇게 함. ②≒등대(等待). 미리 준비하고 기다림.

"퇴지ᄂᆞᆫ 조곰도 슬허 말나. ᄌᆞ균과 ᄌᆞ슌의 상뫼 슈화즁(水火中)의도 위ᄐᆡ치 아니리라."

하공이 심ᄉᆡ(心思) 여할(如割)ᄒᆞ여 희허장탄(唏噓長歎)ᄒᆞ믈 마지 아니니, 졔공이 위로ᄒᆞ더라."

이ᄣᆡ 오궁의셔 셰ᄌᆞ를 보ᄂᆡ고 셜빈의 시쳬 ᄃᆞ려오기를 ᄃᆡ령(待令)[1349]ᄒᆞ더니,

1349)ᄃᆡ령(待令) : ①윗사람의 지시나 명령을 기다림. 또는 그렇게 함. ②≒등대(等待). 미리 준비하고 기다림.

명듀보월빙 권디구십구

ᄌᆡ셜 오궁의셔 셰ᄌᆞ를 보ᄂᆡ고 셜빈의 시톄 다려 오기를 ᄃᆡ령(待令)ᄒᆞ더니, ᄯᅩ 궁인의 급보로조ᄎᆞ 오왕 부부의 심장을 ᄭᆞᆺᄎᆞ며 일신을 분쇄ᄒᆞ니, 쳐음은 셜빈의 흉음을 드르나 오히려 친ᄉᆡᆼ 골육이 아니오, 그 귀듕ᄒᆞ미 셰ᄌᆞ긔 비치 못ᄒᆞᆯ 고로 이ᄃᆡ도록디 아니타가, 오왕과 비 실셩운졀(失性殞絶)ᄒᆞ고, 셰ᄌᆞ빈이 칼과 노ᄒᆞᆯ 가져 목숨을 결코져 ᄒᆞ니, 좌위 일변 왕의 부부를 구호ᄒᆞ며 셰ᄌᆞ빈을 쥐믈너 ᄡᅵ오ᄆᆡ, 셰ᄌᆞ의 냥ᄌᆡ(兩子) 년이 십셰의 가장 슉셩ᄒᆞ더니, 기부의 원슈 갑흐믈 ᄉᆡᆼ각고 우름을 긋치고 왕긔 고왈,

“이 일을 ᄉᆞᄉᆞ로이 결단치 못【1】ᄒᆞ오리니 밧비 젼후 소유를 텬문의 쥬달ᄒᆞ여, 원상 형뎨의 간을 ᄉᆡᆨ혀 부친긔 졔ᄒᆞ게 ᄒᆞ쇼셔.”

왕이 ᄯᅩᄒᆞᆫ 대ᄉᆞ를 더ᄃᆡ디 못ᄒᆞᆯ디라. 궁관 궁인 등을 하부의 보ᄂᆡ여 셜빈과 셰ᄌᆞ의 시신을 다려오게 ᄒᆞᄃᆡ, 셰손 등을 보ᄂᆡ디 아니ᄒᆞ믄 밋쳐 보슈(報讐)치 아닌 젼의 ᄯᅩ 다시 히ᄒᆞ믈 바들가 두리미라.

임의 두 시톄를 다리라 보ᄂᆡᄆᆡ, 셜운 거술 금억(禁抑)ᄒᆞ여 바로 텬졍의 드러가 머리를 옥계의 두다려, 셰ᄌᆞ와 셜빈의 죽으믈 고ᄒᆞ고, 하원상 형뎨를 밧비 나ᄅᆡ(拿來)ᄒᆞ여 보슈(報讐)ᄒᆞ여 주시믈 고ᄒᆞᆯᄉᆡ, 참통비졀 ᄒᆞᆫ 형상은 니르도 말고, 오왕이 본ᄃᆡ 심약ᄒᆞ여 셰ᄌᆞ의 원슈를 갑흔 후, 뒤ᄒᆞᆯ ᄯᆞ올 ᄯᅳᆺ이라.

황샹이 우ᄋᆡ 돗타오샤【2】졔왕공쥬(諸王公主)를 극ᄋᆡᄒᆞ시며, 그 ᄌᆞ녀들을 친ᄉᆡᆼᄀᆞᆺ치 ᄉᆞ랑ᄒᆞ시던디라. 금일 오셰ᄌᆞ의 비명원사(非命寃死)ᄒᆞ믈 참통ᄒᆞ시고, 하원상 등의 죄괘 뎍실ᄒᆞᆯ딘ᄃᆡ 만ᄉᆡ(萬死)라도 속기 어려올디라. 셩듀의 춍명ᄒᆞ샤미 일월의 광휘 계신디라, 하원상 형뎨 호대ᄒᆞᆫ 죄명을 시러시나, 그 위인이 결단코 그런 ᄉᆞ죄를 범치 아닐 바를 니르시니, 오왕이 톄읍 쥬왈,

ᄯᅩ 궁인의 급보로조ᄎᆞ 오왕 부부의 심장을 ᄭᆞᆺᄎᆞ며 일신을 분쇄ᄒᆞ니, 쳐음은 셜빈의 흉음을 드르나 오히려 친ᄉᆡᆼ 골육이 아니오, 그 귀즁ᄒᆞ미 셰ᄌᆞ긔 비치 못ᄒᆞᆯ 고로 이ᄃᆡ도록 지 아니타가, 오왕과 비 실셩운졀(失性殞絶)ᄒᆞ고, 빈이 칼과 노ᄒᆞᆯ 가져 목숨을 결코져 ᄒᆞ니, 좌위 일변 왕의 부부를 구호ᄒᆞ며 셰ᄌᆞ빈을 쥐믈너 ᄡᅵ오ᄆᆡ, 셰ᄌᆞ의【21】냥ᄌᆡ(兩子) 년이 십셰의 ᄀᆞ장 슉셩ᄒᆞ더니, 기부의 원슈 갑흐믈 ᄉᆡᆼ각고 우름을 긋치고 왕긔 고 왈,

“이 일을 ᄉᆞᄉᆞ로이 결단치 못ᄒᆞ오리니 밧비 젼후 소유를 텬문의 쥬달ᄒᆞ여, 원상 형뎨의 간을 ᄉᆡᆨ혀 부친긔 졔ᄒᆞ게 ᄒᆞ소셔”

왕이 ᄯᅩᄒᆞᆫ 대ᄉᆞ를 더ᄃᆡ지 못ᄒᆞᆯ지라. 궁관 궁인 등을 하부의 보ᄂᆡ여 셜빈과 셰ᄌᆞ의 시신을 ᄃᆞ려오게 ᄒᆞᄃᆡ, 셰뎨 등을 보ᄂᆡ지 아니ᄒᆞ믄 밋쳐 보슈(報讐)치 아닌 젼의 ᄯᅩ 다시 히ᄒᆞ믈 바들가 두리미라.

임의 두 시쳬를 ᄃᆞ리라 보ᄂᆡᄆᆡ 셜운 거술 금억(禁抑)ᄒᆞ여 바로 텬졍의 드러가 머리를 옥계의 두ᄃᆞ려, 셰ᄌᆞ와 셜빈의 죽으믈 고ᄒᆞ고 하원상 형뎨를 밧비 나ᄅᆡ(拿來)ᄒᆞ여 보슈(報讐)ᄒᆞ여 주시믈 고ᄒᆞᆯᄉᆡ, 참통비졀ᄒᆞᆫ 형상은 니르도 말고, 오왕【22】이 본ᄃᆡ 심약ᄒᆞ여 셰ᄌᆞ의 원슈를 갑흔 후, 뒤ᄒᆞᆯ ᄯᆞ를 ᄯᅳᆺ이라.

황샹이 우ᄋᆡ 돗타오샤 졔왕공쥬(諸王公主)를 극ᄋᆡᄒᆞ시며, 그 ᄌᆞ녀들을 친ᄉᆡᆼᄀᆞᆺ치 ᄉᆞ랑ᄒᆞ시더라. 금일 오셰ᄌᆞ의 비명원ᄉᆞ(非命寃死)ᄒᆞ믈 참통ᄒᆞ시고, 하원상 등의 죄괘 젹실ᄒᆞᆯ진ᄃᆡ 만ᄉᆡ(萬死)라도 속기 어려올지라. 셩쥬의 총명ᄒᆞ시미 일월의 광휘 계신지라, 하원상 형뎨 호ᄃᆡᄒᆞᆫ 죄명을 시럿시나, 그 위인이 결단코 그런 ᄉᆞ죄를 범치 아닐 바를 니르시니, 오왕이 쳬읍 쥬 왈,

"원상 형뎨 우흐로 샹통을 ᄆᆡᆺ고 아ᄅᆡ로 신을 업슈히 녁일 ᄲᅧᆫ 아니라, 져의 당뉘 만흐믈 미더 원상은 셜빈을 죽이고, 신ᄌᆞ(臣子)를 원창이 죽엿ᄉᆞᆸ거ᄂᆞᆯ, 폐ᄒᆡ 신ᄌᆞ의 보슈를 아니ᄒᆞ여 주실딘ᄃᆡ, 신이 텬상 삼년의 거죄 괴이ᄒᆞ오나, 마디 못ᄒᆞ여 군관을 거나려 하가의【3】 나아가 하딘 부ᄌᆞ로 크게 ᄡᆞ화, 신의 용녁이 만일 원상 등을 쾌히 니긔여 죽일딘ᄃᆡ 원슈를 갑흘 거시오, 그러치 못ᄒᆞ여도 신이 ᄎᆞ마 됴흔 드시 잇디 못ᄒᆞ리로소이다."

샹이 답왈,

"딤이 원상 등을 죽여 셰ᄌᆞ의 원슈를 갑디 아니려 ᄒᆞ미 아니라, 그 죄범이 상시 인믈노 더브러 ᄂᆡ도ᄒᆞ믈 ᄎᆞ셕ᄒᆞ미라. 경은 너모 급히 셔도디 말나. 원상 등을 엄형츄문(嚴刑推問)ᄒᆞ여 만일 죄명이 헛되디 아니면, 촌참효슈(寸斬梟首)ᄒᆞ여 셰ᄌᆞ의 원슈를 갑흐리라."

ᄒᆞ시고, 위샤(衛士)를 발ᄒᆞ여 도어ᄉᆞ 하원상과 태듕태우 하원챵을 나ᄅᆡ(拿來)ᄒᆞ라 ᄒᆞ시니, 금의관(禁義官)[1639]이 쥬왈,

"원상 등의 죄 비록 듕ᄒᆞ오나 역뎍이 아냐 블과 살인디죄니 형부로 쳐결ᄒᆞ쇼셔."

샹이【4】 ᄀᆞᆯ오샤ᄃᆡ,

"비록 역뎍의 죄쉬 아니나 뎨슈(弟嫂)를 음간ᄒᆞ려다가 ᄆᆞᄋᆞᆷ을 일우디 못ᄒᆞᄆᆡ, 쳔승귀쥬(千乘貴主)믈 ᄉᆡᆼ각디 못ᄒᆞ고 딜너 죽이고, 황딜(皇姪)노 오국 셰ᄌᆞ를 연고 업시 딜너 죽이니, 녜ᄉᆞ 살인과 ᄀᆞᆺ디 아닌디라. 급히 나ᄅᆡ(拿來)ᄒᆞ여 ᄃᆡ리시(大理寺)[1640]의 가도고, 원졍(原情)을 바든 후 친국(親鞫)ᄒᆞ리라."

ᄒᆞ시니, 금의랑(禁義郞)이 슈명ᄒᆞ여 하어ᄉᆞ 냥인을 나ᄅᆡᄒᆞᆯᄉᆡ, 위ᄉᆡ 달녀 하부의 니르니 ᄇᆡᆨ일졍의 하공 오부ᄌᆞ와 윤·뎡·딘

1639)금의관(禁義官) : 의금부(義禁府)의 관원. *의금부; 조선 시대에, 임금의 명령을 받들어 중죄인을 신문하는 일을 맡아 하던 관아.

1640)대리시(大理寺) : 고려 시대에, 형옥(刑獄)을 맡아보던 관아. 성종 14년(995)에 전옥서를 고친 것으로, 문종 때에 다시 전옥서로 고쳤다.

"원상 형뎨 우흐로 샹춍을 ᄆᆡᆺ고 아ᄅᆡ로 신을 업슈히 녁일 ᄲᅮᆫ 아니라, 져의 당뉘 만흐믈 밋어 원상은 셜빈을 죽이고 원창은 신ᄌᆞ(臣子)를 죽엿ᄉᆞᆸ거ᄂᆞᆯ, 폐ᄒᆡ 신ᄌᆞ의 보슈를 아니ᄒᆞ여 주실진ᄃᆡ, 신이 텬상 삼년의 거죄 괴이ᄒᆞ오나, 마지 못ᄒᆞ여 군관을 거【23】ᄂᆞ려 하가의 나아가 하진 부ᄌᆞ로 크게 ᄡᆞ화, 신의 용녁이 만일 원상 등을 쾌히 니긔여 죽일진ᄃᆡ 원슈를 갑흐미오, 그러치 못ᄒᆞ여도 신이 ᄎᆞ마 조흔ᄃᆞ시 잇지 못ᄒᆞ리로소이다."

샹이 답 왈,

"딤이 원상 등을 죽여 셰ᄌᆞ의 원슈를 갑지 아니려 ᄒᆞ미 아니라, 그 죄범이 상시 인물노 더브러 ᄂᆡ도ᄒᆞ믈 ᄎᆞ셕ᄒᆞ미라. 경은 너모 급히 셔도지 말나. 원상 등을 엄형츄문(嚴刑推問)ᄒᆞ여 만일 죄명이 헛되지 아니면 촌참효시(寸斬梟示)ᄒᆞ여 셰ᄌᆞ의 원슈를 갑흐리라."

ᄒᆞ시고, 위ᄉᆞ(衛士)를 발ᄒᆞ여 도어ᄉᆞ 하원상과 태즁태우 하원챵을 나ᄅᆡ(拿來)ᄒᆞ라 ᄒᆞ시니 금의관(禁義官)[1350]이 쥬왈,

"원창 등의 죄 비록 즁ᄒᆞ오나 역젹이 아냐 불과 살인지죄니 형부로 쳐결ᄒᆞ쇼셔."

샹이 ᄀᆞᆯᄋᆞ샤ᄃᆡ,

"비록 역젹의 죄쉬 아니나 뎨【24】슈(弟嫂)를 음간ᄒᆞ려다가 마ᄋᆞᆷ을 닐우지 못ᄒᆞ여 쳔승귀쥬(千乘貴主)를[믈] ᄉᆡᆼ각지 못ᄒᆞ고 질너 죽이고, 황딜(皇姪)노 오국 셰ᄌᆞ를 연고 업시 질너 죽이니, 예ᄉᆞ 살인과 ᄀᆞᆺ지 아닌지라. 급히 나ᄅᆡ(拿來)ᄒᆞ여 대리시(大理寺)[1351]의 가도고 원졍(原情)을 바든 후 친국(親鞫)ᄒᆞ리라"

ᄒᆞ시니, 금의랑(禁義郞)이 슈명ᄒᆞ여 하어ᄉᆞ 냥인을 나ᄅᆡᄒᆞᆯᄉᆡ, 위ᄉᆡ 달녀 하부의 니르니 ᄇᆡᆨ일졍의 하공 오부ᄌᆞ와 윤·뎡·진

1350)금의관(禁義官) : 의금부(義禁府)의 관원. *의금부; 조선 시대에, 임금의 명령을 받들어 중죄인을 신문하는 일을 맡아 하던 관아.

1351)대리시(大理寺) : 고려 시대에, 형옥(刑獄)을 맡아보던 관아. 성종 14년(995)에 전옥서를 고친 것으로, 문종 때에 다시 전옥서로 고쳤다.

졔공이 만좌ᄒᆞ여, 어ᄉᆞ와 태우를 위ᄒᆞ여 근심ᄒᆞᄃᆡ, 어ᄉᆞ 냥인은 오딕 안ᄉᆡᆨ이 티연ᄒᆞ고 거디(擧止) ᄌᆞ약(自若)ᄒᆞ여, 부젼의 하딕 왈,

“일이 비록 경히(驚駭)ᄒᆞ오나 쇼ᄌᆞ 등의 무죄ᄒᆞ오믄 ᄇᆡᆨ옥(白玉)이 무하(無瑕)ᄒᆞ고 청빙(淸氷)이 틔 업ᄉᆞᆷ ᄀᆞᆺ튼디라.【5】 부월(斧鉞)의 쥬(誅)ᄒᆞ옵고 정확(鼎鑊)의 나아가도 놀납디 아니ᄒᆞ오니, 텬되(天道) 일편 되이 오문(吾門)의 혹벌(酷罰)을 나리오디 아니ᄒᆞ오리니, 복원 대인은 셩톄를 안보ᄒᆞ쇼셔.”

공이 냥ᄌᆞ의 하딕을 당ᄒᆞ여ᄂᆞᆫ 영웅의 긔운이 ○[최]절(摧折)ᄒᆞ고, 장부의 눈믈이 옷깃ᄉᆡ 져ᄌᆞ믈 ᄭᆡ닷디 못ᄒᆞ여, 좌우로 이ᄌᆞ의 손과 팔을 어로만져 왈,

“이 도시 여부의 젹앙(積殃)이니, 여형 삼인을 참망ᄒᆞ던 시졀의 죽엇던들 또 엇지 이런 경상을 보리오.”

이ᄯᅢ 공의 친붕졔위(親朋諸友) 다 필경이 무ᄉᆞᄒᆞᆯ 바를 일ᄏᆞ라 위로ᄒᆞ고, 초공과 원필이 부친을 븟드러 위로ᄒᆞ나, 공이 본ᄃᆡ 젹상ᄒᆞᆫ 심졍이라 ᄎᆞ마 딘뎡치 못ᄒᆞ니, 어ᄉᆞ와 태위 ᄌᆡ삼 과도ᄒᆞ시믈 간ᄒᆞ고, ᄂᆡ루의【6】 드러와 총총이 모부인긔 하딕을 고ᄒᆞ니, 됴부인이 가ᄉᆞᆷ이 막혀 ᄒᆞᆫ 말을 일우디 못ᄒᆞ니, 어ᄉᆞ 형뎨 나명(拿命)을 디완(遲緩)치 못ᄒᆞ여 져져와 슈시 등을 향ᄒᆞ여, 태태를 관위ᄒᆞ시믈 쳥ᄒᆞ고 두 번 절ᄒᆞ여 하딕고 밧그로 나가니, 됴부인이 상요(床褥)의 몸을 바려 우ᄂᆞᆫ 눈믈이 하슈(河水)를 보ᄐᆡ고, 슬ᄂᆞᆫ 심장이 셩홰(盛火) 일워심 ᄀᆞᆺᄐᆞ니, 윤승상 부인과 윤·연·경이 일시를 ᄯᅥ나디 아냐 위로ᄒᆞ믈 디극히 ᄒᆞ나, 부인이 ᄒᆞᆫ 술 믈도 마시디 아니ᄒᆞ고, 어ᄉᆞ 등의 맛기 젼의 몬져 죽고져 ᄒᆞ더라. 어ᄉᆞ 형뎨 부모긔 하딕고 위샤를 ᄯᆞᆯ와 대리시의 니르ᄆᆡ, 위관이 어ᄉᆞ 형뎨를 긴긴히 가놀시, 이 범연ᄒᆞᆫ 사ᄅᆞᆷ이 아니라, 국공의 귀ᄌᆞ(貴子)오, 상국의 뎨(弟)며,【7】 옥당한원(玉堂翰苑)1641)의 쳥현을 ᄌᆞ임ᄒᆞᄂᆞᆫ 현신녈ᄉᆞ(賢臣烈士)로 각

1641)옥당한원(玉堂翰苑) : 조선시대 홍문관(弘文館)과 예문관(藝文館)을 함께 이르는 말.

졔공이 만좌ᄒᆞ여, 어ᄉᆞ와 태우를 위ᄒᆞ여 근심ᄒᆞᄃᆡ, 어ᄉᆞ 냥인은 오직 안ᄉᆡᆨ이 타연ᄒᆞ고 거지(擧止) ᄌᆞ약(自若)ᄒᆞ여 부젼의 하직 왈,

“일이 비록 경히(驚駭)ᄒᆞ오나 소ᄌᆞ 등의 무죄ᄒᆞ오믄 ᄇᆡᆨ옥(白玉)이 무하(無瑕)ᄒᆞ고 청빙(淸氷)이 틔 업ᄉᆞᆷ ᄀᆞᆺ튼지라. 부월(斧鉞)의 쥬(誅)ᄒᆞ옵고 정확(鼎鑊)의 나아가도 놀납지 아니ᄒᆞ오니, 텬되(天道) 일편 도이1352) 오문(吾門)의 혹벌(酷罰)을 나리오지【25】아니ᄒᆞ오리니, 복원 대인은 셩쳬를 안보ᄒᆞ소셔.”

공이 냥ᄌᆞ의 하직을 당ᄒᆞ여ᄂᆞᆫ 영웅의 긔운이 ○[최]절(摧折)ᄒᆞ고 장부의 눈물이 옷깃ᄉᆡ 져ᄌᆞ믈 ᄭᆡ닷지 못ᄒᆞ여 좌우로 이ᄌᆞ의 손과 팔을 어로만져 왈,

“이 도시 여부의 젹악(積惡)이니 여형 삼인을 참망ᄒᆞ던 시졀의 죽던들 또 엇지 이런 경상을 보리오.”

이ᄯᅢ 공의 친붕졔위(親朋諸友) 다 필경이 무ᄉᆞᄒᆞᆯ 바를 일ᄏᆞ라 위로ᄒᆞ고, 초공과 원필이 부친을 븟드러 위로ᄒᆞ나, 공이 본ᄃᆡ 젹상ᄒᆞᆫ 심장이라 ᄎᆞ마 진정치 못ᄒᆞ니, 어ᄉᆞ와 태위 ᄌᆡ삼 과도ᄒᆞ시믈 간ᄒᆞ고 ᄂᆡ루의 드러와 총총이 모부인긔 하직을 고ᄒᆞ니, 조부인이 냥ᄌᆞ의 손을 잡고 오열ᄒᆞ여 능히 말을 못ᄒᆞᄂᆞᆫ지라. 냥ᄌᆡ 졀박ᄒᆞ믈 니긔지 못ᄒᆞ여 필경이 무ᄉᆞᄒᆞᆯ ᄇᆞ를 고ᄒᆞ여【26】ᄌᆡ삼 위로ᄒᆞ고, 위관을 ᄯᆞ라 궐ᄂᆡ로 향ᄒᆞ니 그 경상이 참불인견(慘不忍見)이러라. 밋 궐졍의 다다르ᄆᆡ 뎐폐(殿陛)의 ᄃᆡ죄ᄒᆞ온 ᄃᆡ, 상이 냥인의 죄를 ᄉᆡᆼ각ᄒᆞ시ᄆᆡ 텬안이 십분 불열ᄒᆞ샤, 다시 셰ᄌᆞ의 참ᄉᆞᄒᆞᆫ 곡졀을 ᄌᆞ시 탐문ᄒᆞ여 옥셕(玉石)이[을] 구분ᄒᆞ믈 면코져, 만조 졔신ᄃᆞ려 무르샤ᄃᆡ,

“하원상의 죄상이 쳔고의 듯지 못ᄒᆞᆯ 일이로ᄃᆡ, 일단 경솔이 쳐결ᄒᆞ여 신ᄌᆞ의 원억ᄒᆞ믈 도라 보지 아니ᄒᆞ리오. ᄲᆞᆯ리 위ᄉᆞ(衛士)를 명ᄒᆞ여, 하부 근쳐의 나아가 젹실ᄒᆞᆫ 소식을 듯보아 쥬ᄒᆞ라.”

ᄒᆞ시니, 위ᄉᆡ 봉지(奉旨)ᄒᆞ여 하부 근쳐의 니르러 탐문ᄒᆞᆫ 작, 샤룸마다 니르ᄃᆡ, 하가의

1352)도이 : 되게.

각 위인이 탁셰쇽말(濁世俗末)의 ᄡᅱ여난 ᄇᆡ라. 망측ᄒᆞᆫ 죄를 시러 대리시의 곤(困)ᄒᆞ니, 위관으로브터 옥졸이 경멸치 못ᄒᆞ여, 오딕 국가 법녜로 가도기를 엄히 ᄒᆞ나, 칼을 ᄡᅴ이디 아니ᄒᆞ니, 태위 옥졸을 명ᄒᆞ여 ᄉᆞᄉᆞ로 칼을 가져 오라 ᄒᆞ여, ᄀᆞᆯ오ᄃᆡ,

"샹명이 아등을 역뎍과 ᄀᆞᆺ치 다ᄉᆞ리라 ᄒᆞ신다 ᄒᆞ니, 아등이 신ᄇᆡᆨ(伸白) 젼의 녜ᄉᆞ 죄인ᄀᆞᆺ치 ᄒᆞ리오. 맛당이 항족(項足)[1642]을 봉쇄(封鎖)ᄒᆞ라."

옥졸이 ᄎᆞ○[마] 칼ᄒᆞᆯ 나오디 못ᄒᆞ더니, 이 말을 듯고 마디 못ᄒᆞ여 항족을 가쇄(枷鎖)[1643]ᄒᆞ나 위ᄒᆞ여 앗기믈 마디 아니ᄒᆞ더라.

이날 어둡기로ᄡᅧ 뭇디 아니시고, 그 원졍(原情)을 바드시니 찬난ᄒᆞᆫ 필톄와 댱강쳔니(長江千里)의 벗친[1644] 문한(文翰) 【8】이 비록 ᄋᆡᄆᆡᄒᆞ나 발명치 아니ᄒᆞ고, 구구이 베프디 아냐시나 ᄌᆞ연 원통이 무비(無比)ᄒᆞ믈 알디라. 텬ᄌᆡ 원상 등의 위인을 혜○[아]리샤 앗기믈 마디 아니시고, 그 ᄋᆡᄆᆡᄒᆞ믈 낫타닐 조각이 업셔, 즉시 셜빈의 시녀 뉴의 증인과 하부 ᄎᆞ환 뉴의 시죵(始終)을 본 ᄌᆞ를 다 잡히라 ᄒᆞ시니, 일노 조ᄎᆞ 하부 시녀와 연상궁이 잡혀 오니라.

오궁의셔 왕과 비 셰ᄌᆞ와 셜빈의 시신을 다려와, 목 우ᄒᆡ 검흔(劍痕)이 완연ᄒᆞ믈 보고 더옥 참상비ᄋᆡ(慘傷悲哀)ᄒᆞ니 ᄒᆞᆫ가디로 죽고져 ᄒᆞᄂᆞᆫ디라. 오왕이 비록 인현(仁賢)ᄒᆞ

1642)항족(項足) : 항쇄(項鎖)와 족쇄(足鎖)를 함께 이르는 말. *항쇄(項鎖); 죄인에게 씌우던 형틀. 두껍고 긴 널빤지의 한끝에 구멍을 뚫어 죄인의 목을 끼우고 비녀장을 질렀다. *족쇄(足鎖); 죄인의 발목에 채우던 쇠사슬

1643)가쇄(枷鎖) : 조선 시대에, 죄인의 목에 씌우던 나무 칼과 목이나 발목에 채우던 쇠사슬. 또는 그것을 써서 행하던 형벌.

1644)벗치다 : 벗티다. 뻗치다.

참변은 쳔만고(千萬古)의 쳐음 듯ᄂᆞᆫ ᄇᆡ라. 하공 부ᄌᆡ 청념 강직ᄒᆞ여 일즉 샤름의게 젹악ᄒᆞ미 업건마ᄂᆞᆫ, 간음ᄒᆞᆫ 흉녀 【27】 들이 모의ᄒᆞ여 오궁의 니르러 흉계로 샤롬을 히ᄒᆞ다 ᄒᆞ거ᄂᆞᆯ, 위ᄉᆡᆨ 듯기를 맛고 즉시 도라와 쥬ᄒᆞ니, 상이 냥인의 죄를 므르려 ᄒᆞ시나 날이 져믈ᄆᆡ○…결락8자…○[날회고, 옥졸 이 ᄎᆞ마] 죄인 등의 목의 칼ᄒᆞᆯ 나오지 못ᄒᆞ더니, ○…결락68자…○[태위 옥졸을 명ᄒᆞ여 ᄉᆞᄉᆞ로 칼을 가져 오라 ᄒᆞ여, ᄀᆞᆯ오ᄃᆡ,

"샹명이 아등을 역뎍과 ᄀᆞᆺ치 다ᄉᆞ리라 ᄒᆞ신다 ᄒᆞ니, 아등이 신ᄇᆡᆨ(伸白) 젼의 녜ᄉᆞ 죄인ᄀᆞᆺ치 ᄒᆞ리오. 맛당이 항족(項足)[1353]을 봉쇄(封鎖)ᄒᆞ라."

ᄒᆞ니], 이 말을 듯고 마지 못ᄒᆞ여 항족을 ᄀᆞᆽ초나 위ᄒᆞ여 앗기믈 마지 아니ᄒᆞ더라.

이날 어둡기로ᄡᅧ 뭇지 아니시고 그 원졍(原情)을 바드시니 찬난ᄒᆞᆫ 필톄와 장강쳔니(長江千里)의 벗친[1354] 문한(文翰)이 비록 ᄋᆡᄆᆡᄒᆞ나 발명치 아니ᄒᆞ고, 구구○[이] 베프지 아냐시나 ᄌᆞ연 원통ᄒᆞ미 무비(無比)ᄒᆞ믈 알지라. 텬ᄌᆡ 원상 등의 위인을 혜리샤 앗기믈 마지 아니시고, 그 ᄋᆡᄆᆡᄒᆞ믈 낫타닐 조각이 업셔, 즉시 셜빈의 시녀 뉴의 증인과 하부 ᄎᆞ환 뉴의 시종을 본 ᄌᆞ를 다 잡히라 ᄒᆞ시니, 일노 조ᄎᆞ 하부 시녀【28】와 연상궁이 잡혀 오니라.

오궁의셔 왕과 비 셰ᄌᆞ와 셜빈의 시신을 다려와, 목 우ᄒᆡ 검흔(劍痕)이 완연ᄒᆞ믈 보고 더욱 참상비ᄋᆡ(慘傷悲哀)ᄒᆞ니 ᄒᆞᆫ 가지로 죽고져 ᄒᆞᄂᆞᆫ지라. 오왕이 비록 인현ᄒᆞ나 셩난화의 음악지계(淫惡之計)를 ○○[엇디] ᄭᆡ치리오. ᄒᆞᆫ갓 하가를 분완(憤惋)ᄒᆞ여 원입

1353)항족(項足) : 항쇄(項鎖)와 족쇄(足鎖)를 함께 이르는 말. *항쇄(項鎖); 죄인에게 씌우던 형틀. 두껍고 긴 널빤지의 한끝에 구멍을 뚫어 죄인의 목을 끼우고 비녀장을 질렀다. *족쇄(足鎖); 죄인의 발목에 채우던 쇠사슬

1354)벗치다 : 벗티다. 뻗치다.

나 셩난화의 음악디계(淫惡之計)를 ○○[엇디] ᄡᅵ치리오. ᄒᆞᆫ갓 하가를 분완(憤惋)ᄒᆞ여 원입골슈(怨入骨髓)ᄒᆞ니, 원상 형뎨의 념통을 너흘기1645)를 계교ᄒᆞᄂᆞᆫ디라. 명일 궐【9】경의 드러가 ᄌᆞ녀의 원슈 갑하주시믈 혈읍간걸(血泣懇乞)ᄒᆞ니, 샹이 탄ᄒᆞ샤 왈,

"경이 이러ᄐᆞᆺ 쳥치 아닌들 딤이 엇디 무심ᄒᆞ리오. 이졔 죄인을 올녀 므러 만일 뎍실ᄒᆞᆯ딘ᄃᆡ 촌참(寸斬)ᄒᆞ리라."

ᄒᆞ시고, 형위를 베퍼 원상과 원창을 올니라 ᄒᆞ시니, 어ᄉᆞ 형뎨 칼 아ᄅᆡ 죄슈로 뎡하(庭下)의 니르니, 형은 츄슈빙옥(秋水氷玉)으로 ᄆᆞᆰ은 긔질이 명월(明月)의 ᄉᆞᆨ연ᄒᆞᆫ 졍화를 거두어 반졈 딘쇽(塵俗)의 므드디 아니커늘, 아은 태산졔월디풍(泰山霽月之風)1646)과 쳥텬ᄇᆡᆨ일디상(靑天白日之相)1647)으로 늠늠츌발(凜凜出拔)ᄒᆞ여, 뇽호(龍虎)의 픔(稟)과 닌봉ᄌᆞ딜(麟鳳資質)이라. 언건앙댱(偃蹇昂壯)1648)ᄒᆞ고 쥰일격앙(俊逸激昂)1649)ᄒᆞ여 텬하영걸(天下英傑)이라. 엇디 져 사ᄅᆞᆷ으로ᄡᅧ 살인흉ᄉᆡ(殺人凶事) 잇다 ᄒᆞ리오.

샹이 그 풍뉴신광(風流身光)1650)을 ᄃᆡᄒᆞ샤 더옥 앗기【10】시나, 임의 올닌 바의 그 죄를 샤힉(査覈)ᄒᆞᆯ디라. 옥음이 엄녀(嚴厲)ᄒᆞ샤 문왈,

"여등(汝等)이 옥당명환(玉堂名宦)으로 경악(經幄)의 근시ᄒᆞ여 슈신셥힝(修身攝行)ᄒᆞ미 올커늘, ᄎᆞ마 엇디 죄과(罪科) 뉸상(倫常)을 범ᄒᆞ며 음일디힝(淫佚之行)을 몸소 힝ᄒᆞᄂᆞ뇨? 디어(至於)1651) 원챵은 ᄒᆞᆫ 조각 결

1645)너흘다 : 물다. 물어뜯다. 씹다.
1646)태산졔월디풍(泰山霽月之風) : 비가 갠 날 태산 위에 떠 있는 밝은 달과 같은 풍채(風彩).
1647)쳥텬ᄇᆡᆨ일디상(靑天白日之相) : 맑은 하늘에 떠 있는 밝은 해와 같은 상모(相貌).
1648)언건앙댱(偃蹇昂壯) : 기상(氣像)이 거만스러워 보일만큼 높고 씩씩하다.
1649)쥰일격앙(俊逸激昂) : 외모가 헌걸차며 기운이 넘침.
1650)풍뉴신광(風流身光) : 진속(塵俗)에 물들지 않은 몸의 광채.
1651)디어(至於) : 심지어.

골슈(怨入骨髓)ᄒᆞ니, 원상 형뎨의 념통을 너흘기1355)를 계교ᄒᆞᄂᆞᆫ지라. 명일 궐졍의 드러가 셰ᄌᆞ의 원슈 갑하주시믈 혈읍근걸(血泣懇乞)ᄒᆞ니, 샹이 탄왈,

"경이 이러ᄐᆞᆺ 쳥치 아닌들 딤이 엇지 무심ᄒᆞ리오. 제(諸) 죄인을 올녀 무러 만일 젹실ᄒᆞᆯ진ᄃᆡ 촌참(寸斬)ᄒᆞ리라."

ᄒᆞ시고, 형위를 베퍼 원상과 원창을 올니라 ᄒᆞ시니, 어ᄉᆞ 형뎨 칼 아ᄅᆡ 죄슈로 정하(庭下)의 니르니, 형은 츄슈빙옥(秋水氷玉)으로 ᄆᆞᆰ은 긔질이 명월(明月)의 ᄉᆞᆨ연ᄒᆞᆫ 졍화를 거두어, 반졈【29】진쇽(塵俗)의 무드지 아니커늘, 아ᄋᆞᄂᆞᆫ ᄐᆡ산폐[졔]월지풍(泰山霽月之風)1356)과 쳥텬ᄇᆡᆨ일지상(靑天白日之相)1357)으로 늠늠츌발(凜凜出拔)ᄒᆞ여, 뇽호(龍虎)의 픔(稟)과 닌봉ᄌᆞ질(麟鳳資質)이라. 언건앙장(偃蹇昂壯)1358)ᄒᆞ고 쥰일셕[격]앙(俊逸激昂)1359)ᄒᆞ여 텬하영걸(天下英傑)이라. 엇지 져 사ᄅᆞᆷ으로ᄡᅧ 살인흉ᄉᆡ(殺人凶事) 잇다 ᄒᆞ리오.

샹이 그 풍뉴신광(風流身光)1360)을 ᄃᆡᄒᆞ샤 더욱 앗기시나, 임의 올닌 바의 그 죄를 ᄉᆞ힉(査覈)ᄒᆞᆯ지라. 옥음이 엄녀(嚴厲)ᄒᆞ샤 문 왈,

"여등(汝等)이 옥당명환(玉堂名宦)으로 경악(經幄)의 근시ᄒᆞ여 슈신셥힝(修身攝行)ᄒᆞ미 올커늘, ᄎᆞ마 엇지 죄ᄃᆡ[괘](罪科) 뉸상(倫常)을 범ᄒᆞ며 음일지힝(淫佚之行)을 몸소 힝ᄒᆞᄂᆞ뇨? 엇지 원챵은 ᄒᆞᆫ 조각 결원(結怨)이 업시 딤의 딜ᄌᆞ를 죽이니, 살인ᄌᆡᄉᆞ(殺人者

1355)너흘다 : 물다. 물어뜯다. 씹다.
1356)태산졔월디풍(泰山霽月之風) : 비가 갠 날 태산 위에 떠 있는 밝은 달과 같은 풍채(風彩).
1357)쳥텬ᄇᆡᆨ일디상(靑天白日之相) : 맑은 하늘에 떠 있는 밝은 해와 같은 상모(相貌).
1358)언건앙댱(偃蹇昂壯) : 기상(氣像)이 거만스러워 보일만큼 높고 씩씩하다.
1359)쥰일격앙(俊逸激昂) : 외모가 헌걸차며 기운이 넘침.
1360)풍뉴신광(風流身光) : 진속(塵俗)에 물들지 않은 몸의 광채.

원(結怨)이 업시 딤의 딜ᄌᆞ를 죽이니, 살인ᄌᆞᄉᆞ(殺人者死)[1652]ᄂᆞᆫ 한고조(漢高祖)[1653] 약법삼장(約法三章)[1654]의도 면치 못ᄒᆞᆫ ᄇᆡ라. 여등이 형벌의 괴로오믈 밧디 말고 죄상을 실딘무은(實陳無隱)ᄒᆞ라."

하어ᄉᆡ 돈슈샤죄(頓首謝罪) 왈,

"신이 ᄒᆡᆼ실이 미(微)ᄒᆞ고 위인이 밋브디 못ᄒᆞ와, 이졔 스ᄉᆞ로 무상ᄒᆞᆫ 죄루(罪累)를 무릅ᄡᅧ 텬위(天威)의 의심을 닐위오니, 골경신히(骨驚身駭)ᄒᆞ올디언졍 ᄎᆞ마 음예디셜(淫穢之說)을 치아(齒牙)의 다시 올니디 못ᄒᆞᄋᆞᆸᄂᆞ니, 폐히 신을 죽이고져 ᄒᆞ실딘ᄃᆡ 여ᄎᆞ【11】{ᄎᆞ}디ᄉᆞ(如此之事)를 니르디 마르시고, 오딕 ᄒᆡᆼ신이 밋브디 아냐 이런 죄루의 ᄉᆡᆨ디를 엄히 다ᄉᆞ리실디니, 신슈무상(臣雖無狀)이나 하날을 니고 ᄎᆞ마 못ᄒᆞ올 거시어늘, 엇디 그런 일을 셜빈의 좌우를 뵈며 칼노 딜너 ᄉᆞ화(死禍)를 ᄌᆞ취코져 ᄒᆞ리잇가? 삼셰쳑동(三歲尺童)이라도 아닐 바를 신이 ᄒᆡᆼᄒᆞ다 ᄒᆞ니, 죄루의 참혹ᄒᆞ믄 둘ᄌᆡ오, 이 일이 허무ᄒᆞ와 도로혀 실쇼ᄒᆞ믈 씨돗디 못ᄒᆞ리로소이다."

태위 말ᄉᆞᆷ을 니어 쥬왈,

"신이 셜빈을 췌ᄒᆞ던 날 망신디화(亡身之禍)를 혜아렷ᄉᆞᆸ더니, 금일디화(今日之禍)를 ᄉᆡ로이 놀날 ᄇᆡ 아니오ᄃᆡ, 신이 원민ᄒᆞ믈 니긔디 못ᄒᆞᄂᆞᆫ 바ᄂᆞᆫ, 신형의 ᄇᆡᆨ옥(白玉)이 무하(無瑕)ᄒᆞ며 청빙(淸氷)이 호호(皓皓)○[ᄒᆞᆫ] ᄒᆡᆼᄉᆞ(行事)로ᄡᅧ 참측(慘惻)ᄒᆞᆫ 죄루의

1652)살인ᄌᆞᄉᆞ(殺人者死) : 사람을 죽인 자는 사형에 처한다.

1653)한고조(漢高祖) : 중국 한(漢)나라의 제1대 황제(B.C.247~B.C.195). 성은 유(劉). 이름은 방(邦). 자는 계(季). 시호는 고황제(高皇帝). 고조는 묘호. 진시황이 죽은 다음해 항우와 합세하여 진(秦)나라를 멸망시켰다. 그 뒤 해하(垓下)의 싸움에서 항우를 대파하여 중국을 통일하고 제위에 올랐다. 재위 기간은 기원전 206~기원전 195년이다.

1654)약법삼장(約法三章) : 중국 한(漢)나라 고조가 진(秦)나라 군사를 격파하고 함양(咸陽)에 들어가서 지방의 유력자들과 약속한 세 조항의 법. 곧 ①사람을 살해한 자는 사형에 처하고, ②사람을 상해하거나 남의 물건을 훔친 자는 처벌하며, ③그 밖의 모든 진나라의 법은 폐지한다는 내용이다.

死)[1361]ᄂᆞᆫ 한고조(漢高祖)[1362] 약법삼장(約法三章)[1363]의도 면치 못ᄒᆞᆫ ᄇᆡ라. 여등이 형벌의 괴로오믈 밧지 말고 죄상을 실진무은(實陳無隱)ᄒᆞ라."

하어ᄉᆡ 돈슈샤죄(頓首謝罪) 왈,

"신이 ᄒᆡᆼ실이 미거(未擧)ᄒᆞ고[1364] 위【30】인이 밋부지 못ᄒᆞ와, 이졔 스ᄉᆞ로 무상ᄒᆞᆫ 죄루(罪累)를 무릅셔 텬위(天威)의 의심을 일위니, 골경신히(骨驚身駭)ᄒᆞ올지언졍 ᄎᆞ마 음예지셜(淫穢之說)을 치하[아](齒牙)의 다시 올니지 못ᄒᆞᄋᆞᆸᄂᆞ니, 폐히 신을 죽이고져 ᄒᆞ실진ᄃᆡ 여ᄎᆞ지ᄉᆞ(如此之事)를 니르지 마르시고, 오직 ᄒᆡᆼ신이 밋브지 아냐 이런 죄루의 ᄉᆡᆨ지를 엄히 다ᄉᆞ리실지니, 신슈무상(臣雖無狀)이나 하날을 니고 ᄎᆞ마 못ᄒᆞ올 거시어늘, 엇지 그런 일을 셜빈의 좌우를 뵈며, 칼노 질너 ᄉᆞ화(死禍)를 ᄌᆞ취(自取)코져 ᄒᆞ리잇고? 삼셰쳑동(三歲尺童)이라도 아닐 바를 신이 ᄒᆡᆼᄒᆞ다 ᄒᆞ니, 죄루의 참혹ᄒᆞ믄 둘ᄌᆡ오, 이 일이 허무ᄒᆞ믈 도로혀 실소ᄒᆞ믈 씨돗지 못ᄒᆞ리로소이다"

태위 말ᄉᆞᆷ을 니어 쥬 왈,

"신이 셜빈을 췌ᄒᆞ던 날 망신지화(亡身之禍)를 혜아렷ᄉᆞᆸ더니, 금일【31】지화(今日之禍)를 ᄉᆡ로이 놀날 ᄇᆡ 아니오ᄃᆡ, 신이 원민ᄒᆞ믈 니긔지 못ᄒᆞᄂᆞᆫ 바ᄂᆞᆫ, 신형의 ᄇᆡᆨ옥(白玉)이 무하(無瑕)ᄒᆞ며, 청빙(淸氷)이 호호

1361)살인ᄌᆞᄉᆞ(殺人者死) : 사람을 죽인 자는 사형에 처한다.

1362)한고조(漢高祖) : 중국 한(漢)나라의 제1대 황제(B.C.247~B.C.195). 성은 유(劉). 이름은 방(邦). 자는 계(季). 시호는 고황제(高皇帝). 고조는 묘호. 진시황이 죽은 다음해 항우와 합세하여 진(秦)나라를 멸망시켰다. 그 뒤 해하(垓下)의 싸움에서 항우를 대파하여 중국을 통일하고 제위에 올랐다. 재위 기간은 기원전 206~기원전 195년이다.

1363)약법삼장(約法三章) : 중국 한(漢)나라 고조가 진(秦)나라 군사를 격파하고 함양(咸陽)에 들어가서 지방의 유력자들과 약속한 세 조항의 법. 곧 ①사람을 살해한 자는 사형에 처하고, ②사람을 상해하거나 남의 물건을 훔친 자는 처벌하며, ③그 밖의 모든 진나라의 법은 폐지한다는 내용이다.

1364)미거(未擧)하다 : 철이 없고 사리에 어둡다.

ᄉᆡᆨ디믈 슬허【12】 ᄒᆞᄋᆞᆸᄂᆞ니, 신의 집이 국휼(國恤) 이후의 의법(依法)ᄒᆞᆫ 쳐실도 얼골을 ᄃᆡ치 아닐 ᄲᅳᆫ 아니오라, 신이 신형으로ᄡᅧ ᄇᆡᆨᄒᆡᆼ(百行)이 과인(過人)타 ᄒᆞᄋᆞᆸᄂᆞᆫ ᄇᆡ 공언(公言)이러니, 이졔 여ᄎᆞ ᄆᆡᆼ낭ᄒᆞᆫ 참얼(慘孼)[1655]이 셩듀의 의심을 낫토니 원통ᄒᆞ믈 니긔디 못ᄒᆞ리로소이다."

샹이 냥인의 언ᄉᆞ를 드르시고 결치 못ᄒᆞ시더니, 평딘왕 윤쳥문과 평졔왕 뎡듁쳥이 츌반 쥬왈,

"셩듀(聖主)의 일월디광(日月之光)이 혁연(赫然)이 어두온 곳을 ᄇᆞᆰ히시고, 신ᄌᆞ(臣者)의 션악을 살피시니, 신 등이 우견(愚見)을 알욀 ᄇᆡ 아니ᄋᆞᆸ거니와, 하원상의 슈신셥ᄒᆡᆼ(修身攝行)은 오히려 녯 군ᄌᆞ의 나리디 아니ᄒᆞᄋᆞᆸ거ᄂᆞᆯ, 녀관(女關)을 ᄉᆞᆷᄀᆞᆺ치 녁일 ᄲᅳᆫ 아니라, 일동일졍(一動一靜)의 녜 아니면 ᄒᆡᆼ치 아니ᄒᆞ고, 하딘이【13】 교ᄌᆞ어하(敎子御下)[1656]의 반졈(半點) 비법(非法)을 ᄒᆡᆼ치 아니ᄒᆞ오므로, 가ᄒᆡᆼ(家行)이 슉연ᄒᆞ와 원광으로브터 여러 ᄋᆞᄃᆞᆯ이 언필찰ᄒᆡᆼ필신(言必察行必愼)[1657]ᄒᆞ여 ᄒᆞᆫ 조각 브졍디ᄉᆡ 잇디 아니ᄒᆞ고, 튱의 늠연ᄒᆞ여 국휼디후(國恤之後)로 ᄋᆡ통ᄒᆞ미 효ᄌᆡ 친상(親喪)을 당ᄒᆞᆷ ᄀᆞᆺᄐᆞ여, 원광으로브터 졔○[ᄌᆡ](諸子) 다 ᄉᆞᄉᆞ(私私) 못거디 업고, 화미육션(華味肉饍)[1658]을 믈니쳐 은연이 집상(執喪)ᄒᆞᄂᆞᆫ 상인(喪人)의 모양이니, 신 등이 튱의를 감탄ᄒᆞᄂᆞᆫ ᄇᆡ라. 원상이 엇디 뉸긔를 난상(亂常)ᄒᆞ며 만고 흉음디ᄉᆞ(凶淫之事)를 몸소 ᄒᆡᆼᄒᆞ리잇고? 신 등이 하가로 더브러 연인졀친(連姻切親)[1659]ᄒᆞᆯ ᄲᅳᆫ 아니라, 집이 년장ᄃᆡ문(連墻大門)ᄒᆞ여 ᄌᆞ연 셰밀디ᄉᆞ(細密之事)라도 모롤

1655)참얼(慘孼) : 참혹한 재앙.
1656)교ᄌᆞ어하(敎子御下) : 자식을 가르치고 아랫사람을 다스리는 일.
1657)언필찰ᄒᆡᆼ필신(言必察行必愼) : 말은 반드시 잘 살펴서 하고 행동은 반드시 삼가 하여 신중히 함.
1658)화미육션(華味肉饍) : 사치하고 맛있는 음식과 고기반찬.
1659)연인졀친(連姻切親) : 겹겹이 혼인을 맺어 매우 친절한 사이임.

(皓皓)ᄒᆞᆫ ᄒᆡᆼᄉᆞ로ᄡᅧ 참측(慘惻)ᄒᆞᆫ 죄루의 ᄉᆡᆨ지믈 슬허ᄒᆞᄋᆞᆸᄂᆞ니, 신의 집이 국휼(國恤) 이후의 의법(依法)ᄒᆞᆫ 쳐실도 얼골을 ᄃᆡ치 아ᄒᆞ올 ᄲᅮᆫ 아니오라, 신이 신형(臣兄)으로ᄡᅧ ᄇᆡᆨᄒᆡᆼ이 과인(過人)타 ᄒᆞᄋᆞᆸᄂᆞᆫ ᄇᆡ 공언(公言)이러니, 이졔 여ᄎᆞ ᄆᆡᆼ낭ᄒᆞᆫ 참얼(慘孼)[1365]이 셩쥬의 의심을 낫토니, 원통ᄒᆞ믈 니긔지 못ᄒᆞ리로소이다."

샹이 냥인의 언ᄉᆞ를 드르시고 결치 못ᄒᆞ시더니, 평진왕 윤광텬과 평졔왕 뎡텬흥이 츌반 쥬왈,

"셩쥬(聖主)의 일월지광(日月之光)이 혁연(赫然)이 어두온 곳의 ᄇᆞᆰ히시고, 신ᄌᆞ(臣者)의 션악을 ᄉᆞᆯ피시니, 신등이 우견(愚見)을 알욀 ᄇᆡ 아니ᄋᆞᆸ거니와, 하원상의 슈신셥ᄒᆡᆼ(修身攝行)은 오히려 녯 군ᄌᆞ의【32】 나리지 아니ᄒᆞᄋᆞᆸ거ᄂᆞᆯ, 녀관(女關)을 ᄉᆞᆷᄀᆞᆺ치 녁일 ᄲᅮᆫ 아니라, 일동일졍(一動一靜)의 녜 아니면 ᄒᆡᆼ치 아니ᄒᆞ고, 하진이 교ᄌᆞ어하(敎子御下)[1366]의 반졈(半點) 비법(非法)을 ᄒᆡᆼ치 아니므로, 가ᄒᆡᆼ(家行)이 슉연ᄒᆞ와 원광으로브터 여러 ᄋᆞᄃᆞᆯ이 언필찰ᄒᆡᆼ필신(言必察行必愼)[1367]ᄒᆞ여 ᄒᆞᆫ 조각 부졍지ᄉᆡ(不正之事) 잇지 아니ᄒᆞ고, 츙의 늠연ᄒᆞ여 국휼지후(國恤之後)로 ᄋᆡ통ᄒᆞ미 효ᄌᆡ 친상(親喪)을 당ᄒᆞᆷ ᄀᆞᆺᄐᆞ니, 원광으로브터 졔ᄌᆡ(諸子) 다 ᄉᆞᄉᆞ(私私) 못거지 업고, 화미육션(華味肉饍)[1368]을 믈니쳐 은연이 집상(執喪)ᄒᆞᄂᆞᆫ 상인(喪人)의 모양이니, 신 등이 츙의를 감탄ᄒᆞᄂᆞᆫ ᄇᆡ라. 원상이 엇지 뉸긔를 난상(亂常)ᄒᆞ며 만고 흉음지ᄉᆞ(凶淫之事)를 몸소 ᄒᆡᆼᄒᆞ리잇고? 신 등이 하가로 더브러 년인졀친(連姻切親)[1369]ᄒᆞᆯ ᄲᅮᆫ 아니라, 집이 년장ᄃᆡ문(連墻大門) ᄒᆞ여 ᄌᆞ연 셰밀지ᄉᆞ(細密之事)

1365)참얼(慘孼) : 참혹한 재앙.
1366)교ᄌᆞ어하(敎子御下) : 자식을 가르치고 아랫사람을 다스리는 일.
1367)언필찰ᄒᆡᆼ필신(言必察行必愼) : 말은 반드시 잘 살펴서 하고 행동은 반드시 삼가 하여 신중히 함.
1368)화미육션(華味肉饍) : 사치하고 맛있는 음식과 고기반찬.
1369)연인졀친(連姻切親) : 겹겹이 혼인을 맺어 매우 친절한 사이임.

일이 업ᄂᆞᆫ디라. 원상이 참졍 님광의 녀를 취ᄒᆞ여 ᄉᆞ년이로ᄃᆡ, 고인의【14】 유취디년(有娶之年)[1660]이 아니믈 닐너, 디금 부부의 낙을 아디 못ᄒᆞᆫ다 ᄒᆞ오니, 궁인의 무리 원상이 셜빈을 간음(奸淫)ᄒᆞ다가 디르다 ᄒᆞ오니, 말이 심히 측ᄒᆞ고 원상이 비록 그럴 니 업ᄉᆞ나 신ᄇᆡᆨ(伸白)기 어렵고, 누얼을 벗기기 어려오니, ᄒᆞᆫ 번 비상잉혈(臂上鸚血)을 시험ᄒᆞ미 맛당ᄒᆞ고, 원간 셜빈군쥬와 오왕ᄌᆞ를 원상의 형뎨 죽이다 ᄒᆞ미, '증삼(曾參)의 살인(殺人)'[1661]과 ᄀᆞᆺᄐᆞ여 원앙(寃怏)ᄒᆞ미 무궁ᄒᆞ오니, 셕ᄌᆞ의 원경 등의 참ᄉᆞᄒᆞ믈 ᄉᆡᆼ각ᄒᆞ샤 셩ᄃᆡ디티(聖代之治)의 원앙ᄒᆞ미 업게 ᄒᆞ쇼셔."

샹 왈,

"경 등의 쥬ᄉᆞ(奏辭)를 드르니 원상 등의 죄루(罪累)를 더옥 ᄎᆞ셕(嗟惜)ᄒᆞᄂᆞ니, 경 등은 원상 등 죄명의 딘가를 쾌히 분변ᄒᆞ라."

졔왕이 딘국공 셰흥을 도【15】라본ᄃᆡ, 공이 잉혈을 가져 어ᄉᆞ의 팔 우ᄒᆡ 흐억히 졈(點)치니, 어ᄉᆡ 즉시 삐ᄉᆞ나 발셔 살의 박혀 ᄇᆡᆨ옥의 단ᄉᆞ를 졈친 둣, 능히 업시치 못ᄒᆞ니, 어ᄉᆡ 뎡ᄉᆡᆨ 왈,

"듁암이 엇디 사ᄅᆞᆷ을 이ᄀᆞᆺ치 업슈히 녁여 댱부 신샹의 두디 아닐 바를 시험ᄒᆞᄂᆞ뇨?"

공이 호호(浩浩)히 우어 왈,

"팔 우ᄒᆡ 잉혈이 이셔든 ᄒᆡᆼ신의 유ᄒᆡᄒᆞᆯ ᄇᆡ 업고, 누얼을 신ᄇᆡᆨ디 못ᄒᆞᆯ 젼은 맛ᄎᆞᆷᄂᆡ 거림ᄒᆞ니[1662] ᄌᆞ균은 노치 말나."

어ᄉᆞᄂᆞᆫ 뎡ᄉᆡᆨ 믁연 ᄒᆞ고 우흐로 뎐안과 아ᄅᆡ로 시위 졔신이 그 ᄋᆡᄆᆡᄒᆞ믈 더옥 ᄭᆡᄃᆞᆺ더라. 샹이 연샹궁을 극형츄문(極刑推問)ᄒᆞ라 ᄒᆞ샤 왈,

"원상의 ᄆᆞᆰ은 ᄒᆡᆼᄉᆡ 결단코 음비(淫鄙)치

1660)유취디년(有娶之年) : 장가들 나이.

1661)증삼(曾參) 살인(殺人) : 헛소문, 또는 잘못된 소문. 증자의 어머니가 증자가 사람을 죽였다는 헛된 소문을 듣고 베 짜던 북을 던지고 사건 현장으로 달려갔다는 고사 곧 '증모투저(曾母投杼)'에서 유래된 말.

1662)거림ᄒᆞ다 : 꺼림하다. 꺼림칙하다. 마음에 걸려 언짢은 느낌이 있다

라도 모롤 일이 업ᄂᆞᆫ지라. 원상이 참졍 님광의 녀를 취【33】ᄒᆞ여 ᄉᆞ년이로ᄃᆡ, 고인의 유취지년(有娶之年)[1370]이 아니므로, 지금 부부의 낙을 아지 못ᄒᆞ다 ᄒᆞ오나[니], 궁인의 무리 원상이 셜빈을 강음(强淫)ᄒᆞ다가 지르다 ᄒᆞ오니, 말이 심히 츄(醜)ᄒᆞ고, 원상이 비록 그럴니 업ᄉᆞ나 신ᄇᆡᆨ(伸白)ᄒᆞ기 어렵고, 누얼을 벗기기 어려오니, ᄒᆞᆫ 번 비상잉혈(臂上鸚血)을 시험ᄒᆞ미 맛당ᄒᆞ고, 원간 셜빈군쥬와 오왕ᄌᆞ를 원상의 형뎨 죽이다 ᄒᆞ미 '증삼(曾參)의 살인(殺人)'[1371]과 ᄀᆞᆺᄐᆞ여 원앙ᄒᆞ미 무궁ᄒᆞ오니, 셕ᄌᆞ의 원경 등의 참ᄉᆞᄒᆞ믈 ᄉᆡᆼ각ᄒᆞ샤 셩ᄃᆡ지치(聖代之治)의 원앙ᄒᆞ미 업게 ᄒᆞ소셔"

샹 왈,

"경 등의 쥬ᄉᆞ(奏辭)를 드르니 원상 등의 죄루(罪累)를 더욱 ᄎᆞ셕(嗟惜)ᄒᆞᄂᆞ니, 경 등은 원상 등 죄명을 쾌히 분변ᄒᆞ라."

졔왕이 진국공 셰흥을 도라본ᄃᆡ, 공이 잉혈을 가져 어ᄉᆞ의 팔 우ᄒᆡ 흐억히 졈(點)치【34】니, 어ᄉᆡ 즉시 씨ᄉᆞ나 발셔 살ᄒᆡ 박혀 ᄇᆡᆨ옥의 단ᄉᆞ를 졈친 둣, 능히 업시치 못ᄒᆞ니, 어ᄉᆡ 정ᄉᆡᆨ 왈,

"쥭암이 엇지 이ᄀᆞᆺ치 샤ᄅᆞᆷ을 업슈히 녁여 장부 신상의 두지 아닐 바로 시험ᄒᆞᄂᆞ뇨?"

공이 호호(浩浩)히 우어 왈,

"팔 우ᄒᆡ 잉혈이 잇셔든 ᄒᆡᆼ신의 유ᄒᆡᄒᆞᆯ ᄇᆡ 업고, 누얼을 신ᄇᆡᆨ지 못ᄒᆞᆯ 젼은 맛ᄎᆞᆷᄂᆡ 거림ᄒᆞ니[1372] ᄌᆞ균은 노치 말나."

어ᄉᆞᄂᆞᆫ 정ᄉᆡᆨ 묵연 ᄒᆞ고 우흐로 뎐안과 아ᄅᆡ로 시위 졔신이 그 ᄋᆡᄆᆡᄒᆞ믈 더옥 ᄭᆡᄃᆞᆺ더라. 상이 연샹궁을 극형츄문(極刑推問)ᄒᆞ라 ᄒᆞ샤 왈,

"원상의 ᄆᆞᆰ은 ᄒᆡᆼᄉᆡ 결단코 음비(淫鄙)치

1370)유취디년(有娶之年) : 장가들 나이.

1371)증삼(曾參) 살인(殺人) : 헛소문, 또는 잘못된 소문. 증자의 어머니가 증자가 사람을 죽였다는 헛된 소문을 듣고 베 짜던 북을 던지고 사건 현장으로 달려갔다는 고사 곧 '증모투저(曾母投杼)'에서 유래된 말.

1372)거림ᄒᆞ다 : 꺼림하다. 꺼림칙하다. 마음에 걸려 언짢은 느낌이 있다

아닐 거시어ᄂᆞᆯ, 요【16】악ᄒᆞᆫ 궁녜 옥당명환을 함디깅참(陷之坑塹)1663)ᄒᆞ니 기죄 흉패ᄒᆞᆫ디라. 엄형츄문ᄒᆞ여 실상을 알게 ᄒᆞ라."

위관이 샹명을 응ᄒᆞ여 형위(刑威)를 ᄀᆞᆺ초더니, 오왕이 뎐폐의 머리를 두다려 원상이 셜빈을 죽이믄 졍녕(丁寧)1664)ᄒᆞᆫ 일이어ᄂᆞᆯ, 원슈를 갑하 주디 아니시니 하가로 블공ᄃᆡ텬디쉬(不共戴天之讎)믈 쥬(奏)ᄒᆞ여 실셩오읍(失性嗚泣)ᄒᆞ니, 샹이 옥ᄉᆡᆨ을 변ᄒᆞ시고 츄연 왈,

"딤이 비록 우ᄋᆡ 돗탑디 못ᄒᆞ나 골육의 참망(慘亡)ᄒᆞ믈 엇디 슬허 아니리오마ᄂᆞᆫ, 딤이 유예미결(猶豫未決)1665)ᄒᆞᄂᆞᆫ 바ᄂᆞᆫ, 원상 형뎨의 위인과 팔 우히 잉혈이 박히믈 보니, 그 죄 원앙ᄒᆞ믈 거의 알디라. 또ᄒᆞᆫ 셰샹의 괴이ᄒᆞᆫ 약이 이셔【17】왕왕이 그런 변이 이시믈 의혹ᄒᆞᄂᆞ니, 경은 이러ᄐᆞᆺ 착급히 구디 말나. 엇디 ᄒᆞᆫ 번 츄문키를 면ᄒᆞ리오. 죄괘 디은 ᄌᆞ의게 도라가믈 보라."

ᄒᆞ시고, 연상궁 치기를 날회고 셜빈의 좌우를 올녀 ᄆᆡ라 ᄒᆞ시니, 이 ᄯᅢ 뎡국공이 초공으로 더브러 금오문(金吾門)1666) 밧긔 ᄃᆡ죄(待罪)ᄒᆞ니, 샹이 믈ᄃᆡ(勿待)ᄒᆞ믈 니르시고, 태우 원창을 국문ᄒᆞ시미 오왕의 원을 맛치시나, 앗기ᄂᆞᆫ 의ᄉᆡ 무궁ᄒᆞ시고, 하태위 형○[위](刑威)1667)의 나아가나 반졈 구겁(懼怯)ᄒᆞ미 업셔 ᄉᆞ긔 ᄌᆞ약ᄒᆞ고 안ᄉᆡᆨ이 슉연ᄒᆞᆫ디라. 만됴 문무와 나졸의 니르히 앗기ᄂᆞᆫ ᄆᆞᄋᆞᆷ이 가득ᄒᆞ여, 면면이 참담ᄒᆞ믈 니긔디 못ᄒᆞᄂᆞᆫ디라. 위관이 ᄎᆞ마 치기를 ᄌᆡ촉디【18】못ᄒᆞ고 나졸이 ᄆᆡ를 드디 못ᄒᆞ여셔, 법고(法鼓)1668) 울니ᄂᆞᆫ 소ᄅᆡ 급ᄒᆞ니, 샹이

1663)함디깅참(陷之坑塹) : 함정에 빠트림.
1664)졍녕(丁寧) : 조금도 틀림없이 꼭. 또는 더 이를 데 없이 정말로.
1665)유예미결(猶豫未決) : 망설여 결정을 짓지 못함.
1666)금오문(金吾門) : 의금부(義禁府)의 문.
1667)형위(刑威) : 죄인이 심문을 받는 자리. 죄인에게 위엄을 보여 협박하기 위해 여러 가지 형장기구들을 벌여 놓고 심문을 행하였다.
1668)법고(法鼓) : 신문고(申聞鼓). 조선 시대에, 백성이 억울한 일을 하소연할 때 치게 하던 북. 태종 때에 대궐의 문루(門樓)에 달았으며 등문고를 고

아닐 거시어ᄂᆞᆯ, 요악ᄒᆞᆫ 궁녜 옥당명환을 함지깅참(陷之坑塹)1373)ᄒᆞ니, 기죄 흉ᄑᆡᄒᆞᆫ지라. 엄형츄문 ᄒᆞ여 실상을 알게 ᄒᆞ라."

위관이 상명을 응ᄒᆞ여 형위(刑威)를 ᄀᆞᆺ초더니, 오왕이【35】뎐폐의 머리를 두ᄃᆞ려 원상이 셜빈을 죽이믄 졍녕(丁寧)1374)ᄒᆞᆫ 일이어ᄂᆞᆯ, 원슈를 갑하 쥬지 아니시니 하가로 블공ᄃᆡ텬지쉬(不共戴天之讎)믈 쥬(奏)ᄒᆞ여 실셩오읍(失性嗚泣)ᄒᆞ니, 상이 옥ᄉᆡᆨ을 변ᄒᆞ시고 츄연 왈,

"딤이 비록 우ᄋᆡ 듯텁지 못ᄒᆞ나 골육의 참망(慘亡)ᄒᆞ믈 엇지 슬허 아니리오마ᄂᆞᆫ, 딤이 유예미결(猶豫未決)1375)ᄒᆞᄂᆞᆫ 바ᄂᆞᆫ, 원상 형뎨의 위인과 팔 우히 잉혈이 박히믈 보니, 그 죄 원앙ᄒᆞ믈 거의 알지라. 또ᄂᆞᆫ[ᄒᆞᆫ] 셰샹의 괴이ᄒᆞᆫ 약이 잇셔 왕왕이 그런 변이 잇시믈 의혹ᄒᆞᄂᆞ니, 경은 이러ᄐᆞᆺ 착급히 구지 말나. 엇지 ᄒᆞᆫ 번 츄문키를 면ᄒᆞ리오. 죄괘 지은 ᄌᆞ의게 도라 가믈 보라."

ᄒᆞ시고, 연상궁 치기를 날회고 셜빈의 좌우를 올녀 ᄆᆡ라 ᄒᆞ시니, 이 ᄯᅢ 뎡국공이 초공으로 더브러 금오문(金吾門)1376) 밧긔 ᄃᆡ죄(待罪)【36】ᄒᆞ니, 샹이 믈ᄃᆡ(勿待)ᄒᆞ믈 니르시고, 태우 원창을 국문ᄒᆞ시미 오왕의 원을 맛치시나, 앗기ᄂᆞᆫ 의ᄉᆡ 무궁ᄒᆞ시고, 하태위 형위(刑威)1377)의 나아가나 반졈 구겁(懼怯)ᄒᆞ미 업셔 ᄉᆞ긔 ᄌᆞ약ᄒᆞ고 안ᄉᆡᆨ이 슉연ᄒᆞᆫ지라. 만조 문무와 나졸의 니르히 앗기ᄂᆞᆫ 마ᄋᆞᆷ이 ᄀᆞ득ᄒᆞ여, 면면이 참담ᄒᆞ믈 니긔지 못ᄒᆞᄂᆞᆫ지라. 위관이 ᄎᆞ마 치기를 ᄌᆡ촉지 못ᄒᆞ고 나졸이 ᄆᆡ를 드지 못ᄒᆞ여셔, 법고(法鼓)1378) 울니ᄂᆞᆫ 소ᄅᆡ 급ᄒᆞ니, 샹이 국문

1373)함디깅참(陷之坑塹) : 함정에 빠트림.
1374)졍녕(丁寧) : 조금도 틀림없이 꼭. 또는 더 이를 데 없이 정말로.
1375)유예미결(猶豫未決) : 망설여 결정을 짓지 못함.
1376)금오문(金吾門) : 의금부(義禁府)의 문.
1377)형위(刑威) : 죄인이 심문을 받는 자리. 죄인에게 위엄을 보여 협박하기 위해 여러 가지 형장기구들을 벌여 놓고 심문을 행하였다.
1378)법고(法鼓) : 신문고(申聞鼓). 조선 시대에, 백성이 억울한 일을 하소연할 때 치게 하던 북. 태종 때에 대궐의 문루(門樓)에 달았으며 등문고를 고

국문을 날회시고 유ᄉᆞ(有司)[1669]를 명ᄒᆞ여 원경을 므르라 ᄒᆞ시니 ᄎᆞ(此) 하인야(何人也)오?

ᄎᆞ셜, 뎡쇼졔 오궁 ᄂᆡ옥의 참참ᄒᆞᆫ 곤ᄋᆡᆨ을 겻근 ᄃᆡ 임의 긔년(朞年)이라. 복ᄋᆞ(腹兒)를 분산(分産)ᄒᆞ니, 이 ᄆᆞ득 산쳔슈긔(山川秀氣)와 일○[월]졍화(日月精華)를 타 나, 일쳑ᄇᆡᆨ옥(一隻白玉)의 광ᄎᆡ 녕농ᄒᆞ며 골격이 비상ᄒᆞ여 쳔ᄃᆡ의 희한ᄒᆞᆫ 긔동(奇童)이라. 이 ᄣᅢ 임의 거름을 옴기며 말을 일우나, 옥듕의 이셔 하날을 보디 못ᄒᆞ고, ᄉᆡᆼ디십이월(生之十二月)의 사룸을 ᄃᆡᄒᆞᆫ ᄇᆡ 《희셤‖ᄐᆡ셤》 일인 ᄲᅮᆫ이로ᄃᆡ, 가ᄅᆞ치디 아닌 언어동디(言語動止) 셩인의 픔딜이니, 뎡쇼졔 쳔금 귀골노 옥듕의셔 분산ᄒᆞ고, 여러【19】일월의 견ᄃᆡ디 못ᄒᆞᆯ ᄇᆡ로ᄃᆡ, 오히려 태셤의 졍셩이 시로 ᄉᆡ롭고 뎐되 도으미 이셔, 비록 모로ᄂᆞᆫ ᄀᆞ온ᄃᆡ나 신명(神明)이 각별 보호ᄒᆞ여, 산후 ᄇᆡᆨ병이 쾌소(快蘇)ᄒᆞ고 ᄋᆞᄌᆞ의 쥬리믈 면ᄒᆞ나, ᄌᆞ긔 이리 되여시믈 구가와 친당의 고치 못ᄒᆞ여 비분(悲憤)이 날노 더ᄒᆞ여[며], 츈교ᄂᆞᆫ 일삭의 반은 구실 삼아 드러와 보고 죽기를 졀박히 죄오나, 츈교의 작악을 간ᄃᆡ로 밧디 아닐 거시로ᄃᆡ 유ᄌᆞ를 히ᄒᆞᆯ가 두려, 츈괴 오ᄂᆞᆫ ᄣᅢ면 ᄋᆞᄌᆞ를 하간(下間)[1670]으로 츼워 보디 못ᄒᆞ게 ᄒᆞ고, 태셤으로 ᄒᆞ여금 말을 ᄂᆡᄃᆡ 뎡쇼졔 ᄂᆡ옥의셔 한 업ᄉᆞᆫ 고초를 겻그ᄆᆡ 능히 복ᄋᆞ를 보젼치 못ᄒᆞ엿다 ᄒᆞ니, 춘괴 그러히 녁여【20】셜빈의게 통ᄒᆞᆫ 고로, 옥 ᄀᆞᆺᄐᆞᆫ 긔린이 승어부(勝於父)ᄒᆞ믈 아디 못ᄒᆞ고, 《오리‖오ᄃᆡᆨ》 뎡시의 오ᄅᆡ 죽디 아니믈 한ᄒᆞᄃᆡ, 오왕 부뷔 이런 일을 알면 그릇 녁일 고로, 뎡시를 ᄂᆡ암졍의 가돈 후 오궁의 여러 번 왕ᄂᆡᄒᆞᄃᆡ, 몸소 ᄂᆡ옥의 나아가 뎡시를 죽이디 못ᄒᆞ엿더니, 셜빈이 임의 하가를 크게 어ᄌᆞ러여 태우와 어ᄉᆞ를 함졍의 모라너코, 다시 개용단을 삼켜 녜ᄉᆞ 상한(常漢) 녀인이 되

친 이름이다.
1669)유ᄉᆞ(有司) : 담당기관. 또는 담당자.
1670)하간(下間) : 아래 칸.

을 날회시고 유ᄉᆞ(有司)[1379]를 명ᄒᆞ여 원경을 므르라 ᄒᆞ시니, ᄎᆞ(此) 하인야(何人也)오.

ᄎᆞ셜, 뎡소졔 오궁 ᄂᆡ옥의 참참ᄒᆞᆫ 곤ᄋᆡᆨ을 겻건 지 임의 긔년(朞年)이라. 복ᄋᆞ(腹兒)를 분산(分産)ᄒᆞ니 이 ᄆᆞ득 산쳔슈긔(山川秀氣)와 일월졍화(日月精華)를 타 나, 일쳑ᄇᆡᆨ옥(一隻白玉)의 광ᄎᆡ 녕농ᄒᆞ며, 골격이 비상ᄒᆞ여 쳔ᄃᆡ의 희한ᄒᆞᆫ 《거동‖긔동(奇童)》이라. 이ᄣᅢ 임의 거름을【37】옴기며 말을 닐우나, 옥의 잇셔 하날을 보지 못ᄒᆞ고 ᄉᆡᆼ지십이월(生之十二月)의 샤룸을 ᄃᆡᄒᆞᆫ ᄇᆡ 《희셤‖ᄐᆡ셤》 일인 ᄲᅮᆫ이로ᄃᆡ, ᄀᆞ라치지 아닌 언어동지(言語動止) 셩인의 픔질이니, 뎡소졔 쳔금 귀골노 옥즁의셔 분산ᄒᆞ고, 여러 일월의 견ᄃᆡ지 못ᄒᆞᆯ ᄇᆡ로ᄃᆡ, 오히려 ᄐᆡ셤의 졍셩이 시시로 ᄉᆡ롭고 뎐되 도으미 잇셔, 비록 모르ᄂᆞᆫ 가온ᄃᆡ나 신명(神明)이 각별 보호ᄒᆞ여, 산후 ᄇᆡᆨ병이 쾌소(快蘇)ᄒᆞ고 ᄋᆞᄌᆞ의 쥬리믈 면ᄒᆞ나, ᄌᆞ긔 이리 되믈 구가와 친당의 고치 못ᄒᆞ여 비분(悲憤)이 날노 더ᄒᆞ여[며], 츈교ᄂᆞᆫ 일삭의 반은 구실 삼아 드러와 보고 죽기를 졀박ᄒᆞ게 죄오나, 《춘괴‖츈교의》 작악을 간ᄃᆡ로 밧지 아닐 거시로ᄃᆡ 유ᄌᆞ를 히ᄒᆞᆯ가 두려, 츈괴 오ᄂᆞᆫ ᄣᅢ면 ᄋᆞᄌᆞ를 하간(下間)[1380]으로 츼워 보지 못ᄒᆞ게 ᄒᆞ고, ᄐᆡ셤으로 ᄒᆞ야곰 말을 ᄂᆡᄃᆡ 뎡소졔 ᄂᆡ옥의【38】셔 한 업ᄉᆞᆫ 고초를 겻그ᄆᆡ 능히 복아를 보젼치 못ᄒᆞ엿다 ᄒᆞ니, 춘괴 그러히 녁여 셜빈의게 통ᄒᆞᆫ 고로 옥 ᄀᆞᆺᄐᆞᆫ 긔린이 승어부(勝於父)ᄒᆞ믈 아지 못ᄒᆞ고 오직 뎡씨의 오ᄅᆡ 죽지 아니믈 한ᄒᆞᄃᆡ, 오왕 부뷔 이런 일을 알면 그릇 녁일 고로, 뎡씨를 암졍의 가돈 후 오궁의 여러 번 왕ᄂᆡᄒᆞᄃᆡ, 몸소 ᄂᆡ옥의 나아가 뎡씨를 죽이지 못ᄒᆞ엿더니, 셜빈이 임의 하가를 크게 어ᄌᆞ러여 태우와 어ᄉᆞ를 함졍의 모라너코, 다시 ᄀᆡ용단을 삼켜 녜ᄉᆞ 상한(常漢) 녀인이 되

친 이름이다.
1379)유ᄉᆞ(有司) : 담당기관. 또는 담당자.
1380)하간(下間) : 아래 칸.

여, 대로 상의 완연이 거러 오궁의 와, 츈교를 ᄎᆞᄌᆞ 니르ᄃᆡ, '친쳑이 와 ᄎᆞᆺᄂᆞᆫ다' ᄒᆞ니, ᄎᆞ시 오궁의셔 셰ᄌᆞ의 시신과 셜빈의 시톄를 다려와 샹하의 곡셩이 텬디 딘동ᄒᆞ고, 왕비와 셰뎨(世弟)[1671] 등이 비졀ᄒᆞ여 만ᄉᆡ 무렴(無念)ᄒᆞ니, 비록【21】외인이 ᄂᆡ궁의 드러올디라도 금단(禁斷)ᄒᆞᆯ 길 업ᄂᆞᆫ디라. 츈괴 쳐음은 친쳑만 넉여 ᄀᆞ장 반겨 나가 졔 침소로 쳥ᄒᆞ여 셔로 ᄃᆡᄒᆞ나, 면목을 알 길히 업셔 츈괴 문왈,

"가가로 더브러 일죽 면분이 업ᄉᆞ니 엇디 되시ᄂᆞᆫ 친쳑이니잇고?"

셜빈이 좌우의 다른 사ᄅᆞᆷ이 업ᄉᆞ믈 보고 져의 작용을 니르고, 귀예 다혀 왈.

"내 임의 셰ᄌᆞ를 ᄒᆡᄒᆞ고 이 곳의 다시 올 일이 업ᄉᆞᄃᆡ, 일ᄌᆞᄂᆞᆫ 너를 ᄎᆞᄌᆞ 동셔남븍의 ᄒᆞᆫ 가지로 ○○○○○○○[ᄃᆞᆫ니고져 ᄒᆞ미오], 이ᄌᆞᄂᆞᆫ 뎡시를 싀훤이 딜너 죽이디 못ᄒᆞᆯ딘ᄃᆡ ᄂᆡᆼ암졍의 아조 업시코져 ᄒᆞ미니, 네 뜻이 엇더 ᄒᆞ뇨?"

츈괴 왈,

"쇼비ᄂᆞᆫ 오직 ᄉᆡᆼᄂᆡ(生來)의 부인을 써나디 말고져 ᄒᆞᆯ디언졍 별 의견【22】이 업ᄂᆞᆫ디라. 뎡쇼져를 딜너 죽이고 가려 ᄒᆞᆯ딘ᄃᆡ 어셔 ᄂᆡᆼ옥으로 향ᄒᆞ샤이다."

난화 발뷔 흔흔이 즐겨 ᄂᆡᆼ옥의 다ᄃᆞ라, 셕문(石門)을 열고○○○[져 ᄒᆞᆯᄉᆡ], ᄐᆡ셤이 몬져 드러 가 유ᄋᆞ를 츼오니, 뎡시 짐즛 인ᄉᆞ를 모로고 어음(語音)을 통치 못ᄒᆞᄂᆞᆫ 쳬ᄒᆞ여, 거젹ᄌᆞ리의 슙 잇는 시신이 되여 것구러져시니, 츈괴 뎡쇼져의 츄슈졍신(秋水精神)과 ᄉᆞ광디총(師曠之聰)이 나[1672], 요연(瞭然)[1673] 의구(依舊)ᄒᆞ믈 아디 못ᄒᆞ고, 볼 젹마다 됴셕의 위위(危危)ᄒᆞ므로 아던디라. 이날은 쇼졔 츈교의 드러오믈 알고 죽은 ᄃᆞ시 눈을 ᄀᆞᆷ고 누어시니, 츈괴 난화로 더브러 드러와 보고, 우셔 왈,

1671)셰뎨(世弟) : 세자의 동생.
1672)나다 : 나오다. 생겨나다. 변화가 생기거나 작용이 일어나다.
1673)요연(瞭然) : 분명하고 명백함.

여, ᄃᆡ로 상의 완연이 거러 오궁의 와 츈교를 ᄎᆞᄌᆞ 니르ᄃᆡ, '친쳑이 와 ᄎᆞᆺᄂᆞᆫ다' ᄒᆞ니, ᄎᆞ시 오궁의셔 셰ᄌᆞ의 시신과 셜빈의 신쳬를 ᄃᆞ려와 샹하의 곡셩이 텬지 진동ᄒᆞ고, 왕비와 셔[셰]뎨(世弟)[1381] 등이 비졀ᄒᆞ여 만ᄉᆡ 무렴(無念)ᄒᆞ니, 비록 외인이 ᄂᆡ궁의 드러올지라【39】도 금단(禁斷)ᄒᆞᆯ 길 업ᄂᆞᆫ지라. 츈괴 쳐음은 친쳑만 넉여 ᄀᆞ장 반겨 나가 졔 침소로 쳥ᄒᆞ여 셔로 ᄃᆡᄒᆞ나, 면목ᄒᆞᆯ 알 길히 업셔 츈괴 문왈,

"가가로 더브러 일죽 면분이 업ᄉᆞ니 엇지 되시ᄂᆞᆫ 친쳑이니잇고?"

셜빈이 좌우의 다른 샤ᄅᆞᆷ이 업ᄉᆞ믈 보고 져의 작용을 니르고, 귀예 다혀 왈,

"내 임의 셰ᄌᆞ를 ᄒᆡᄒᆞ고 이 곳의 다시 올 일이 업ᄉᆞᄃᆡ, 일ᄌᆞᄂᆞᆫ 너를 ᄎᆞᄌᆞ 동셔남북의 ᄒᆞᆫ 가지로 ᄃᆞᆫ니고져 ᄒᆞ미오, 이ᄌᆞᄂᆞᆫ 뎡씨를 싀훤이 질너 죽이지 못ᄒᆞᆯ진ᄃᆡ ᄂᆡᆼ암졍의 아조 업시코져 ᄒᆞ미니, 네 뜻이 엇더 ᄒᆞ뇨?"

츈괴 왈,

"소비ᄂᆞᆫ 오직 ᄉᆡᆼᄂᆡ(生來)의 부인을 써나지 말고져 ᄒᆞᆯ지언졍 특별ᄒᆞᆫ 의견이 업ᄂᆞᆫ지라. 뎡소져를 질너 죽이고져 ᄒᆞᆯ진ᄃᆡ 어셔 ᄂᆡᆼ옥으로 향ᄒᆞᄉᆞ이다."

난화 발뷔 흔흔이【40】즐겨 ᄂᆡᆼ옥의 다다라셔 문(門)을 열고져 ᄒᆞᆯᄉᆡ, ᄐᆡ셤이 몬져 드러가 유ᄋᆞ를 츼오니, 뎡씨 짐즛 인ᄉᆞ를 모로고 어음(語音)을 통치 못ᄒᆞᄂᆞᆫ 쳬ᄒᆞ여, 거젹ᄌᆞ리의 《숨엇ᄂᆞᆫ‖숨 잇ᄂᆞᆫ》 시신이 되여 것구러졋시니, 츈괴 뎡소져의 츄슈졍신(秋水精神)과 ᄉᆞ광지총(師曠之聰)이 나[1382], 요연(瞭然)[1383] 의구(依舊)ᄒᆞ믈 아지 못ᄒᆞ고, 볼 젹마다 조셕의 위위(危危)ᄒᆞ므로 아던지라. 이 날은 소졔 츈교의 드러오믈 알고 죽은 ᄃᆞ시 눈을 ᄀᆞᆷ고 누엇시니, 츈괴 난화로 더브러 드러와 보고, 우셔 왈,

1381)셰뎨(世弟) : 세자의 동생.
1382)나다 : 나오다. 생겨나다. 변화가 생기거나 작용이 일어나다.
1383)요연(瞭然) : 분명하고 명백함.

"명ᄆᆡᆨ(命脈)ᄀᆞᆺ치 디리ᄒᆞᆫ 거시 업도다. ᄎᆞ인이 거년 모츈의 【23】 이곳의 잡혀 들ᄆᆡ 그 ᄶᅵ 위ᄐᆡᄒᆞ미 이 ᄀᆞᆺ더니, 디금 명ᄆᆡᆨ이 걸녀시니 흉완치 아니리잇가?"

난홰 분연 왈,

"뎡가ᄂᆞᆫ 며나리를 구박ᄒᆞ여 ᄂᆡ치고 ᄋᆞ들의 금슬을 온 가디로 희딋더니, 제 ᄯᆞᆯ은 날만치도 못 되여 져런 듕청병인(重聽病人)[1674]이 되여시ᄃᆡ, 엇디 긔셰(氣勢)로 ᄎᆞᄌᆞ가디[1675] 못ᄒᆞᄂᆞᆫ고. 요악(妖惡)ᄒᆞᆫ 뎡연을 마ᄌᆞ 하원창쳐로 ᄒᆡᄒᆞᆯ딘ᄃᆡ 엇디 쾌치 아니리오."

쇼졔 고요히 누어 져 노듀의 문답을 다 드르ᄆᆡ, 심골이 경한ᄒᆞ여 ᄎᆞ악분한ᄒᆞ믈 ᄎᆞᆷ기 어려오나, 나죵을 다 알녀 ᄒᆞ여 모로ᄂᆞᆫ ᄃᆞ시 누엇더니, 츈괴 왈,

"부인이 뎡시를 죽이려 ᄒᆞ시거든, 어셔 결단을 【24】 ᄂᆡ쇼셔."

난홰 쇼왈,

"뎡녀도곤 댱셩ᄒᆞᆫ 셰ᄌᆞ와 제잉도 내 손의 맛ᄎᆞ거든, 뎡녀의 반죽엄은 어렵디 아니ᄒᆞᆫ디라. 내 죽이디 못ᄒᆞᆯ가 근심ᄒᆞ리오."

이리 니르며, 믄득 픔 ᄉᆞ이로조ᄎᆞ 져른 칼흘 ᄂᆡ여, 빗기 쥐고 바로 뎡시를 향ᄒᆞ여 다라드ᄂᆞᆫ디라. 쇼졔 ᄎᆞ시를 당ᄒᆞ여 위ᄐᆡᄒᆞ믈 겁ᄒᆞ미 아니라, 하ᄉᆡᆼ의 형뎨 ᄉᆞ화의 ᄉᆡᆺ져 죄루를 버슬 조각이, ᄎᆞ 냥인을 잡아 텬뎡의 쥬달ᄒᆞ여 그 간음흉악ᄒᆞᆫ 죄루를 일일히 ᄒᆡᆨ실(覈實)ᄒᆞ기의 이시리니, '가히 이 조각을 일치 못ᄒᆞ리라' ᄒᆞ고, 이의 몸을 ○○[넓더[1676]] 니러나며○…결락15자…○[팔흘 잡아 칼흘 앗고 노쥬를 결박ᄒᆞᆫ 후][1677], 태셤을 브르니, ᄎᆞ시 태셤이 하간(下間)의 잇다가 뎡쇼져의 브르믈 인ᄒᆞ【25】여 즉

1674)듕청병인(重聽病人) ; 귀가 어두워 듣지 못하는 병자(病者).

1675)ᄎᆞᄌᆞ가다 : 찾아가다. 잃거나 맡기거나 빌려 주었던 것을 돌려받아 가지고 가다.

1676)넓더 : 벌떡. *이 탈자 2자는 99권 41쪽에 나오는 춘교의 초사(招辭)에 의거하여 보충한 것임.

1677)이 결락부분은 교감자가 뒤의 99권 41쪽에 나오는 춘교의 초사(招辭)에 의거 상황을 재구성해 보완해 넣은 것임.

"명ᄆᆡᆨ(命脈)ᄀᆞᆺ치 지리ᄒᆞᆫ 거시 업도다. ᄎᆞ인이 거년 모츈의 이곳의 잡혀 들ᄆᆡ 그 ᄶᅵ 위ᄐᆡᄒᆞ미 이 ᄀᆞᆺ더니, 지금 명ᄆᆡᆨ이 걸녀시니 흉완치 아니리잇가?"

난홰 분연 왈,

"뎡가ᄂᆞᆫ 며ᄂᆞ리를 구박ᄒᆞ여 ᄂᆡ치고 ᄋᆞ들의 금슬을 온 가지로 희짓더니, 제 ᄯᆞᆯ은 날만치도 【41】 못 되여 져런 즁청병인(重聽病人)[1384]이 되엿시ᄃᆡ 엇지 긔셰(氣勢)로 ᄎᆞᄌᆞ가지[1385] 못ᄒᆞᄂᆞᆫ고. 요악(妖惡)ᄒᆞᆫ 뎡연을 마ᄌᆞ 하원창쳐로 ᄒᆡᄒᆞᆯ진ᄃᆡ 엇지 쾌치 아니리오."

소졔 고요히 누어 져 노쥬의 문답을 다 드르ᄆᆡ 심골이 경한ᄒᆞ여 ᄎᆞ악분탄ᄒᆞ믈 ᄎᆞᆷ기 어려오나, 나종을 다 알녀 ᄒᆞ여 모로ᄂᆞᆫ ᄃᆞᆺ시 누엇더니, 츈괴 왈,

"부인이 뎡씨를 죽이려 ᄒᆞ시거든 어셔 결단을 ᄂᆡ소셔."

난홰 소왈,

"뎡녀도곤 장셩ᄒᆞᆫ 셰ᄌᆞ와 셰잉도 내 손의 맛ᄎᆞ거든, 뎡녀의 반죽엄은 어렵지 아니 ᄒᆞᆫ지라. 내 죽이지 못ᄒᆞᆯ가 근심ᄒᆞ리오."

이리 니르며 믄득 픔 ᄉᆞ이로조ᄎᆞ 져른 칼흘 ᄂᆡ여 빗기 쥐고 바로 뎡씨를 향ᄒᆞ여 ᄃᆞ라드ᄂᆞᆫ지라. 소졔 ᄎᆞ시를 당ᄒᆞ여 위ᄐᆡᄒᆞ믈 겁ᄒᆞ미 아니라, 하ᄉᆡᆼ의 형뎨 ᄉᆞ화의 【42】 ᄉᆡᆺ져 죄루를 버슬 조각이 이 냥인을 잡아 텬졍의 쥬달ᄒᆞ여 그 간음흉악 ᄒᆞᆫ 죄루를 일일히 ᄒᆡᆨ실(覈實)ᄒᆞ기의 잇시리니, '가히 이 조각을 일치 못ᄒᆞ리라' ᄒᆞ고, 이의 몸을 ○○[넓더[1386]] 니러나며 ○…결락15자…○[팔흘 잡아 칼흘 앗고 노쥬를 결박ᄒᆞᆫ 후][1387], ᄐᆡ셤을 부르니, ᄎᆞ시 ᄐᆡ셤이 하간의 잇다가 뎡소져의 부르믈 인ᄒᆞ여 즉시 상

1384)듕청병인(重聽病人) ; 귀가 어두워 듣지 못하는 병자(病者).

1385)ᄎᆞᄌᆞ가다 : 찾아가다. 잃거나 맡기거나 빌려 주었던 것을 돌려받아 가지고 가다.

1386)넓더 : 벌떡. *이 탈자 2자는 36권 56쪽에 나오는 춘교의 초사(招辭)에 의거하여 보충한 것임.

1387)이 결락부분은 교감자가 뒤의 36권 56쪽에 나오는 춘교의 초사(招辭)에 의거 상황을 재구성해 보완해 넣은 것임.

시 샹간(上間)의 니르니, 쇼졔 문왈,
“궁ᄂᆡ의 대변이 낫거ᄂᆞᆯ 궁ᄋᆡ 엇디 날다려 니르지 아니ᄒᆞ뇨?”
셤 왈,
“변고ᄂᆞᆫ 므어ᄉᆞᆯ 니르시미니잇고?”
쇼졔 왈,
“오궁 셰ᄌᆡ 남의 손의 셰샹을 바리시미 괴변이 아닌가?”
셤 왈,
“이곳○[이] 뎐하와 {냥냥와} 냥냥의 계신 뎡침으로 ᄉᆞ이 아득ᄒᆞ고, 쇼비ᄂᆞᆫ 쇼임이 비쳔ᄒᆞ여 ᄂᆡᆼ암졍○[을] 가음알 ᄲᆞᆫ이니, 궁ᄂᆡ 소식을 ᄌᆞ셰히 모로오며, 셰ᄌᆞ의 졸ᄒᆞ시믈 작셕(昨夕)의 드르나 아모 곡졀이믄 아디 못ᄒᆞᄂᆞ이다.”
쇼졔 왈,
“ᄎᆞ 냥인을 ᄆᆡ여시니 셰ᄌᆞ의 원슈 갑기ᄂᆞᆫ 이 ᄀᆞ온ᄃᆡ 이실 거시오, ᄯᅩᄒᆞᆫ ᄊᆡ를 어긔온 즉 하부의 홰(禍) 젹디 아니리니, 원ᄂᆡ 그ᄃᆡ 날을 가도미 왕과 【26】 비의 녕이 아니오, 연상궁의 녕이라. 내 엇디 도라 갈 줄 모로리오마ᄂᆞᆫ, 셜빈의 죄괘 발각디 아닌 젼은, 날을 ᄂᆡ여노코 궁ᄋᆞ의○[게] 큰 홰 《이시믈‖이실가》 념녀ᄒᆞ미라. 금일은 내 가부(家夫)를 위ᄒᆞ여 텬졍(天廷)의 격고등문ᄒᆞᆯ 일이 이시니, 궁ᄋᆡ 나의게 은혜 씻치미 하날이 나ᄌᆞᆫ디라. 내 비록 이 곳을 ᄯᅥ나나 구당(舅堂)[1678]과 친가(親家)의 밋쳐 아디 못ᄒᆞᆫ 젼은, 유○[ᄋᆞ]ᄂᆞᆫ 그ᄃᆡ를 맛디고 가ᄂᆞ니, 날이 ᄎᆡ 져므디 아녀셔 져 두 녀ᄌᆞ를 잡으라 유ᄉᆡ 오리니 ᄃᆡᆨ희기를 등한이 말나.”
ᄒᆞ고, 쇼졔 춍춍이 니러셔니, 태셤이 그 챠급ᄒᆞ여 ᄒᆞ믈 보고 감히 곡졀을 뭇디 못ᄒᆞ고, 다만 유ᄋᆞ를 안고 명 【27】 을 밧더라.
뎡쇼졔 ᄲᆞᆯ리 대로(大路)의 나 됴보(朝報)[1679]를 본즉, 샹이 어ᄉᆞ 형뎨를 국문ᄒᆞ

1678)구당(舅堂) : 시아버지.
1679)됴보(朝報) : 조선 시대에, 승정원에서 재결 사항을 기록하고 서사(書寫)하여 반포하던 관보. 조칙, 장주(章奏), 조정의 결정 사항, 관리 임면, 지방관의 장계(狀啓)를 비롯하여 사회의 돌발 사건까지 실었다. ≒기별(奇別).

간(上間)의 니르니, 소졔 문왈,
“궁ᄂᆡ의 ᄃᆡ변이 낫거ᄂᆞᆯ 궁ᄋᆡ 엇지 날ᄃᆞ려 니르지 아니ᄒᆞ뇨?”
셤 왈,
“변고ᄂᆞᆫ 무어ᄉᆞᆯ 니르시미니잇고?”
소졔 왈,
“오궁 셰ᄌᆡ 남의 손의 셰샹을 ᄇᆞ리시미 괴변이 아닌가?”
셤 왈,
“이곳이 뎐하와 낭낭의 계신 졍침으로 ᄉᆞ이 아득ᄒᆞ고, 소비ᄂᆞᆫ 소임이 비쳔ᄒᆞ여 ᄂᆡᆼ암졍○[을] 가음알 ᄲᆞᆫ이니, 궁ᄂᆡ 소식을 ᄌᆞ셰히 모로오며 셰ᄌᆞ의 졸ᄒᆞ시믈 작셕의 드르나 아모 곡졀이믄 아지 못ᄒᆞᄂᆞ이다.” 【43】

소졔 왈,
“ᄎᆞ 냥인을 ᄆᆡ엿시니 셰ᄌᆞ의 원슈 갑기ᄂᆞᆫ 이 가온ᄃᆡ 잇실 거시오. ᄯᅩᄒᆞᆫ ᄊᆡ를 어긔온 즉 하부의 홰(禍) 젹지 아니리니, 원ᄂᆡ 그ᄃᆡ 날을 가도미 왕과 비의 녕이 아니오, 연상궁의 녕이라. 내 엇지 도라갈 줄 모로리오마ᄂᆞᆫ 셜빈의 죄과를 발각지 아닌 젼의 나를 ᄂᆡ여 노코 궁ᄋᆞ의○[게] 큰 홰 《잇시믈‖잇실가》 념녀ᄒᆞ미라. 금일은 내 가부를 위ᄒᆞ여 텬졍(天廷)의 격고등문ᄒᆞᆯ 일이 잇시니, 궁ᄋᆡ 나의게 은혜 씻치미 하날이 나ᄌᆞᆫ지라 내 비록 이 곳을 ᄯᅥ나나 구당(舅堂)[1388]과 친가(親家)의 밋쳐 아지 못ᄒᆞᆫ 젼은, 유ᄋᆞᄂᆞᆫ 그ᄃᆡ를 맛지고 가ᄂᆞ니, 날이 ᄎᆡ 져므지 아녀셔 져 두 녀ᄌᆞ를 잡으라 유ᄉᆡ 오리니 직희기를 등한이 말나.”
ᄒᆞ고, 소졔 총총히 니러셔니, ᄐᆡ셤이 그 챠급ᄒᆞ믈 보고 감 【44】 히 곡졀을 뭇지 못ᄒᆞ고, 다만 유ᄋᆞ를 안고 명을 밧더라.
뎡소졔 ᄲᆞᆯ리 대로(大路)의 나 조보(朝報)[1389]를 본즉, 상이 어ᄉᆞ 형뎨를 국문ᄒᆞ

1388)구당(舅堂) : 시아버지.
1389)됴보(朝報) : 조선 시대에, 승정원에서 재결 사항을 기록하고 서사(書寫)하여 반포하던 관보. 조칙, 장주(章奏), 조정의 결정 사항, 관리 임면, 지방관의 장계(狀啓)를 비롯하여 사회의 돌발 사건까지 실었다. ≒기별(奇別).

신다 ᄒᆞ며, 혹 어ᄉᆞ는 버셔나고 태위 듕형을 당ᄒᆞ다 ᄒᆞ여 알 길히 업더니, 호위대댱군이 궐문을 나 동뇨다려 ᄌᆞ셔ᄒᆞᆫ 쇼문을 젼ᄒᆞᄃᆡ, 어ᄉᆞ는 팔 우히 쥬졈을 ᄧᅵᆨ어 거의 신빅ᄒᆞ게 되여시ᄃᆡ, 태우는 장ᄎᆞᆺ 형위의 님ᄒᆞ엿다 ᄒᆞ는디라.

쇼제 ᄎᆞ언을 드르ᄆᆡ, 심신이 ᄯᅱ노라 급히 ᄒᆞᆫ 장 혈소(血疏)를 일워 손의 쥐고, 운발(雲髮)을 프러 낫출 덥고, 법고(法鼓)를 급히 울니니, 유ᄉᆡ(有司) 나와 원졍을 뭇는디라. 쇼제 쇼쇼(小小) 녜모(禮貌)를 도라보디 못ᄒᆞ여, 소ᄅᆡ를 놉혀 왈,

"텬디간(天地間) 디【28】원극통을 우리 셩텬ᄌᆞ 앏히 쥬달(奏達)ᄒᆞ리니, 유ᄉᆞ는 쳡을 옥폐(玉陛)의 인도ᄒᆞ라."

유ᄉᆡ 뎡쇼져를 인도ᄒᆞ여 옥계하(玉階下)의 니르니, 비록 쳥운 ᄀᆞᆺ튼 두발을 프러 낫출 덥허시나, 찬난현요(燦爛顯曜)ᄒᆞᆫ 광휘 벽공신월(碧空新月)이 슈운(岫雲)[1680]의 ᄡᅡ히고 츄텬낭일(秋天朗日)이 흑무(黑霧)의 ᄂᆡ왓는 듯, 긔이ᄒᆞᆫ 톄디(體肢)와 ᄲᆡ혀난 의픠(儀表) 졀ᄃᆡ명염(絶代名艶)이라.

이의 어좌를 우러○[러] 쳬읍 쥬왈,

"신쳡의 더러온 ᄉᆞ졍을 감히 텬위디하(天威之下)의 번득ᄒᆞ올 ᄇᆡ 아니오ᄃᆡ, 셩ᄃᆡ디티(聖代之治)의 원통ᄒᆞᆫ 죽엄이 이실딘ᄃᆡ, 우흐로 셩듀의 실덕이 되시고, 아ᄅᆡ로 원ᄉᆞ지(寃死者) 참원(慘怨)을 먹음어 후셰의 시【29】비를 닐윌디라. 셩듀의 일월디명으로ᄡᅧ 살피시믈 바라ᄂᆞ이다."

쥬파(奏罷)의 소댱을 올니니, 셩음이 낭낭ᄒᆞ여 쇄연이 텬디 화평ᄒᆞ며, 만믈이 티졍(治定)[1681]키를 구ᄒᆞᆯ디라. 샹이 한님 혹ᄉᆞ 딘영필노 닑으라 ᄒᆞ시니, 딘혹ᄉᆡ 소ᄅᆡ를 놉혀 닑을ᄉᆡ, 기소(其疏)의 왈,

"신쳡 뎡시는 금평후 뎡연디녀(--之女)오, 뎡국공 하딘의 뎨삼뷔(第三婦)니, 곳 죄슈(罪囚) 하원챵의 ᄌᆡ실이라. 가부(家夫)의 조강(糟糠)은 오왕 군쥬 셜빈이니, 신쳡은

1680)슈운(岫雲) : 산봉우리에서 피어나는 하얀 구름.
1681)티졍(治定) : 잘 다스려 안정시킴.

신다 ᄒᆞ며, 혹 어ᄉᆞ는 버셔나고 태위 즁형을 당ᄒᆞ다 ᄒᆞ여 알 길히 업더니, 호위ᄃᆡ장군이 궐문을 나와 동뉴다려 ᄌᆞ셔ᄒᆞᆫ 소문을 젼ᄒᆞᄃᆡ 어ᄉᆞ는 팔 우히 쥬졈을 ᄧᅵᆨ어 거의 신빅ᄒᆞ게 되엿시ᄃᆡ, 태우는 장ᄎᆞᆺ 형위의 님ᄒᆞ엿다 ᄒᆞ는지라.

소제 ᄎᆞ언을 드르ᄆᆡ, 심신이 ᄯᅱ노라 급히 ᄒᆞᆫ 장 혈소(血疏)를 일워 손의 쥐고, 운발(雲髮)을 플허 낫출 덥고, 법고(法鼓)를 급히 울니니, 유ᄉᆡ(有司) 나와 원졍을 뭇는지라. 소제 소소(小小) 녜모(禮貌)를 도라보지 못ᄒᆞ여 소ᄅᆡ를 놉혀 왈,

텬지간(天地間) 지원극통을 우리 셩텬ᄌᆞ 알ᄑᆡ 쥬달(奏達)ᄒᆞ리니, 유ᄉᆞ는 쳡을【45】옥폐(玉陛)의 인도ᄒᆞ라"

유ᄉᆡ 뎡소져를 인도ᄒᆞ여 옥계(玉階)의 니르니, 비록 쳥운 ᄀᆞᆺ튼 두발을 프러 낫출 덥펏시나 찬난현요(燦爛顯曜)ᄒᆞᆫ 광휘 벽공신월(碧空新月)이 슈운(岫雲)[1390]의 ᄡᅡ히고 츄텬낭일(秋天朗日)이 흑무(黑霧)의 나왓는 듯, 긔이ᄒᆞᆫ 체지(體肢)와 ᄲᆡ혀난 외픠(外表) 졀ᄃᆡ명염(絶代名艶)이라.

이의 어좌를 우러러 체읍 쥬왈,

"쳡의 더러온 ᄉᆞ졍을 감히 텬위지하(天威之下)의 번득ᄒᆞ올 ᄇᆡ 아니오ᄃᆡ, 셩ᄃᆡ지치의 원통ᄒᆞᆫ 죽엄이 잇실딘ᄃᆡ, 우흐로 셩쥬의 실덕이 되시고, 아ᄅᆡ로 원ᄉᆞ지(寃死者) 참원(慘怨)을 먹음어 후셰의 시비를 일윌지라. 셩쥬의 일월지명으로ᄡᅧ 숄피시믈 ᄇᆞ라ᄂᆞ이다."

쥬파(奏罷)의 소장을 올니니, 셩음이 낭낭ᄒᆞ여 쇄연이 텬지 화셩(和成)[1391]ᄒᆞ며, 만물이 치졍(治定)[1392]키를 구ᄒᆞᆯ지라. 상이 한님학【46】ᄉᆞ 진영필노 닑으라 ᄒᆞ시니, 진혹ᄉᆡ 소ᄅᆡ를 놉혀 닑을ᄉᆡ, 기소(其疏)의 왈,

"신쳡 뎡씨는 금평후 뎡연지녀(--之女)오, 뎡국공 하진의 뎨삼뷔(第三婦)니, 곳 죄슈(罪囚) 하원챵의 ᄌᆡ실이라. 가부(家夫)의

1390)슈운(岫雲) : 산봉우리에서 피어나는 하얀 구름.
1391)화셩(和成) : 화평케 됨.
1392)티졍(治定) : 잘 다스려 안정시킴.

‘하풍(下風)의 시(視)’1682)를 감심(甘心)ᄒᆞ여 기리 일ᄐᆡᆨ디샹(一宅之上)의 동녈디의(同列之義)를 온젼ᄒᆞᆯ가 바라오나, 가부의 셜빈을 박ᄃᆡᄒᆞ미 ᄌᆞ못 심ᄒᆞ【30】ᄃᆡ, 오히려 그 ᄋᆡ증이 편벽ᄒᆞ믈 블복ᄒᆞᆯ ᄯᆞᄅᆞᆷ이오, 셜빈의 위인이 그러틋 음악ᄒᆞᆫ 녀ᄌᆡ믈 ᄭᆡᄃᆞᆺ디 못ᄒᆞ엿ᄉᆞᆸ더니, 오날이야 비로소 알과이다. 희(噫)라. 사ᄅᆞᆷ이 셰샹의 나ᄆᆡ 남녀 업시 일신대절을 삼갈디니, 남ᄌᆞᄂᆞᆫ 튱효로 본을 삼고 녀ᄌᆞᄂᆞᆫ 효절이 읏듬이라. 신의 삼형 셰흥의 츌쳐 셩시ᄂᆞᆫ 녀람ᄇᆡᆨ 셩흠의 녜니, 신의 형남(兄男)을 그릇 ᄆᆡᆫ돌며 신의 집을 어ᄌᆞ러이던 바ᄂᆞᆫ ᄉᆡ로이 일ᄏᆞ라 텬졍의 번득ᄒᆞᆯ ᄇᆡ 아니오ᄃᆡ, 신의 아비 그 간졍을 발각ᄒᆞᆫ 후 일시를 머므디 아니코 셩가로 도라보ᄂᆡ엿ᄉᆞᆸ더니, 그 후 죽다 ᄒᆞ오니 과【31】연 그러히 넉엿ᄉᆞᆸ더니, 오왕 군쥬 셜빈을 보온ᄌᆞᆨ 의형미목(儀形眉目)이 ᄒᆞᆫ ᄂᆞᆺ도 다르미 업ᄉᆞ오ᄃᆡ, 셩녀ᄂᆞᆫ 임의 구쳔야ᄃᆡ(九泉夜臺)1683)의 도라가고, 셜빈은 황가디엽으로 오왕의 친ᄉᆡᆼ이오 군쥬로라 ᄒᆞ오니, 상(常)업ᄉᆞᆫ1684) 의심을 발ᄒᆞ여 괴이ᄒᆞᆫ 말을 ᄂᆡ엿다가, 도로혀 화를 브르미 쉬온 고로 감히 셩녜라 못ᄒᆞ엽ᄉᆞᆸ더니, 신쳡이 태신(胎身) 팔삭의 쳔질(賤疾)이 ᄡᅥ나디 아니ᄒᆞ고, 정신이 ᄌᆞ로 현황(眩恍)1685)ᄒᆞᄋᆞᆸ더니, 모일(某日)의 신쳡을 말 못ᄒᆞᄂᆞᆫ 약을 먹여 블의예 잡아다가 오궁 ᄂᆡᆼ암졍의 가도니, 죽으미 반ᄃᆞᆺᄒᆞᄋᆞᆸ거ᄂᆞᆯ, 궁인 태셤의 의ᄀᆡ로 금일가디 명ᄇᆡᆨ【32】이 ᄉᆞᆺ디 아니코 복ᄋᆞ(腹兒)를 무ᄉᆞ히 분산ᄒᆞ온 ᄇᆡ라. 신쳡이 ᄂᆡᆼ옥 가온ᄃᆡ 반ᄉᆡᆼ반ᄉᆞ(半生半死)ᄒᆞ여 정신을 되ᄎᆞ디1686) 못ᄒᆞ오나, 오히려 젼ᄌᆞ의 면목이 닉은 ᄌᆞᄂᆞᆫ ᄀᆡ억ᄒᆞᄋᆞᆸᄂᆞᆫ디라. 셜빈의 시녀 츈난이라 ᄒᆞᄂᆞᆫ 거시 젼일

1682) 사람이나 사물의 수준 또는 질을 일정 수준보다 낮게 여김.

1683)구쳔야ᄃᆡ(九泉夜臺) : 땅 속 무덤.

1684)상(常)업다 : 상(常)없다. 보통의 이치에서 벗어나 막되고 상스럽다.

1685)현황(眩恍) : 어지럽고 어릿어릿하여 정신을 차리지 못함.

1686)되ᄎᆞ다 : 되찾다. 되 차리다. 정신이나 기운 따위를 다시 가다듬어 되찾다.

조강(糟糠)은 곳 오왕 군쥬 셜빈이니, 신쳡은 ‘하풍(下風)의 시(視)’1393)를 감심ᄒᆞ여 기리 일ᄐᆡᆨ지샹(一宅之上)의 동녈지의(同列之義)를 온젼ᄒᆞᆯ가 바라나, 가부의 셜빈을 박ᄃᆡ○○[ᄒᆞ미] ᄌᆞ못 심ᄒᆞᄃᆡ, 오히려 그 ᄋᆡ증이 편벽ᄒᆞ믈 불복ᄒᆞᆯ ᄯᆞᄅᆞᆷ이오, 셜빈의 위인이 그러틋 음악ᄒᆞᆫ 녀ᄌᆡ믈 ᄭᆡᄃᆞᆺ지 못ᄒᆞ엿ᄉᆞᆸ더니, 오날이야 비로소 알과이다. 희(噫)라, 샤ᄅᆞᆷ이 셰샹의 나ᄆᆡ 남녀 업시 일신ᄃᆡ절을 삼갈지니, 남ᄌᆞᄂᆞᆫ 츙효로 본을 삼고 녀ᄌᆞᄂᆞᆫ 효절이 읏듬이라. 신의 삼형 셰흥의 츌쳐 셩○[씨]ᄂᆞᆫ 녀람ᄇᆡᆨ 셩흠의【47】녜니, 신의 형남(兄男)을 그릇 ᄆᆡᆫ돌며 신의 집을 어ᄌᆞ러이던 바ᄂᆞᆫ ᄉᆡ로이 일ᄏᆞ라 텬졍의 번득ᄒᆞᆯ ᄇᆡ 아니오ᄃᆡ, 신의 아비 그 간졍을 발각ᄒᆞᆫ 후 일시를 머므지 아니코 셩가로 도라 보ᄂᆡ엿ᄉᆞᆸ더니, 그 후 죽다 ᄒᆞ오니 과연 그러히 넉엿ᄉᆞᆸ더니, 오왕 군쥬 셜빈을 보온ᄌᆞᆨ 의형미목(儀形眉目)이 ᄒᆞᆫ 곳 도 다르미 업ᄉᆞ오ᄃᆡ, 셩녀ᄂᆞᆫ 임의 구쳔야ᄃᆡ(九泉夜臺)1394)의 도라가고, 셜빈은 황가지엽으로 오왕의 친ᄉᆡᆼ이오, 군쥬로라 ᄒᆞ오니, 상(常)업ᄉᆞᆫ1395) 의심을 발ᄒᆞ여 괴이ᄒᆞᆫ 말을 ᄂᆡ엿다가 도로혀 화를 브르미 쉬온 고로, 감히 셩녜라 못ᄒᆞ엿더니, 신쳡이 ᄐᆡ신(胎身) 팔삭의 쳔질(賤疾)이 ᄡᅥ나지 아니ᄒᆞ고, 졍신이 ᄌᆞ로 현황(眩恍)1396)ᄒᆞᄋᆞᆸ더니, 모일(某日)의 신쳡을 말 못ᄒᆞᄂᆞᆫ 약을 먹여 불의【48】에 잡아다가 오궁 ᄂᆡᆼ암졍의 가도니, 죽으미 반ᄃᆞᆺᄒᆞ거ᄂᆞᆯ, 궁인의 의ᄀᆡ로 금일 명ᄇᆡᆨ이 ᄉᆞᆺ지 아니코 복ᄋᆞ(腹兒)를 무ᄉᆞ히 분산ᄒᆞ온 ᄇᆡ라. 신쳡이 ᄂᆡᆼ옥 가온ᄃᆡ 반ᄉᆡᆼ반ᄉᆞ(半生半死)ᄒᆞ여 졍신을 되ᄎᆞ지 못ᄒᆞ나, 오히려 젼ᄌᆞ의 면목이 닉은 ᄌᆞᄂᆞᆫ ᄀᆡ역ᄒᆞᆯ지라. 셜빈의 시녀 츈낭이라 ᄒᆞᄂᆞᆫ 거시 젼일 신형(臣兄)의 츌

1393) 사람이나 사물의 수준 또는 질을 일정 수준보다 낮게 여김.

1394)구쳔야ᄃᆡ(九泉夜臺) : 땅 속 무덤.

1395)상(常)업다 : 상(常)없다. 보통의 이치에서 벗어나 막되고 상스럽다.

1396)현황(眩恍) : 어지럽고 어릿어릿하여 정신을 차리지 못함.

신형(臣兄)의 츌쳐(黜妻) 셩녀의 비ᄌᆞ 츈괴로ᄃᆡ, 신쳡이 일양 모로ᄂᆞᆫ 쳬ᄒᆞ오니, 일삭의 셰 번식 구실삼아 와 보고 죽기를 졀박히 죄오ᄃᆡ, 신이 간인의 흉모를 두려 벙어리 되여 슈작을 못ᄒᆞᄂᆞᆫ ᄃᆞ시 ᄒᆞ니, 신쳡을 ᄂᆡᆼ옥 듕의 가돈 후, 유랑을 죽여 시신으로ᄡᅧ 신쳡의 시신을 믿ᄃᆞ라, 구가(舅家) 합문(闔門)과 신의 부모를 속이고, 가부와 구슉(舅叔)[1687]【33】을 함졍의 모라너흐믄 니르도 말고, 졔 몸이 오왕 뎐하의 양녜(養女) 되여 은혜를 바드미 뫼 ᄀᆞᆺ거ᄂᆞᆯ, 셰ᄌᆞ를 졔 손으로 딜러 죽이고 죄ᄂᆞᆫ 원챵의게 밀위여, 오왕과 비의 은혜를 져바리니, 텬디간 간음찰녜(奸淫刹女) 셩녀 ᄀᆞᆺᄐᆞ니 이시리잇가? 신쳡이 오궁 누옥의 죄슈 되여 텬일을 블견(不見)ᄒᆞ니, 셩녀의 간계를 엇디 알니잇고마ᄂᆞᆫ, 흉심이 긋칠 줄을 아디 못ᄒᆞᄋᆞᆸ고 신을 마ᄌᆞ 죽이고져 ᄂᆡᆼ암졍의 드러와, 그 비ᄌᆞ 츈교로 더브러 져의 간졍을 일일히 ᄌᆞ랑ᄒᆞᆯᄉᆡ, 신은 듕청병인(重聽病人)으로○○○○[아라 아조] 죽이려 ᄒᆞᄂᆞᆫ 고로, 구슉 원상을 흉패ᄒᆞᆫ 죄루의 모라너코, 원창을 쾌히 죽【34】이게 되여시물 니를 ᄲᅳᆫ 아니라, 져의 부모를 속여 죽은 쳬ᄒᆞ고 도망ᄒᆞ여 두로 단니다가, 오왕의 양녜 된 바를 니르고, 신을 죽이고 가려, 여ᄎᆞ여ᄎᆞ 니르고 발검ᄒᆞ여 달녀들거ᄂᆞᆯ, 신이 계오 ᄐᆡ셤 궁인과 합녁ᄒᆞ여 그 노쥬를 잡아 ᄆᆡ여, ᄂᆡ암졍의 가도고, 지아뷔 형뎨 원억ᄒᆞᆫ 죄루를 신ᄇᆡᆨ(伸白)고져 ᄒᆞ와, 규문의 낫 가리오ᄂᆞᆫ 녜를 일코 더러온 ᄌᆞ최 금듕(禁中)을 ᄉᆞ못ᄎᆞ미로소이다. 신쳡의 당돌ᄒᆞᆫ 죄 만ᄉᆞ무셕(萬死無惜)이오니, 복원 텬디부모ᄂᆞᆫ 셩가 요녀와 츈교 간비를 나리(拿來)ᄒᆞ샤 죄를 ᄒᆡᆨ실(覈實)ᄒᆞ시고, 원상 등의 디원극통(至冤極痛)ᄒᆞᆫ 죄루(罪累)를 살피쇼셔."

ᄒᆞ엿더라.【35】샹이 뎡시의 소장(疏狀)을 보시고 하어ᄉᆞ 형뎨의 신ᄇᆡᆨ이 쾌ᄒᆞ믈 크게 깃그실 ᄲᅳᆫ 아니라, 뎐샹뎐하의 가득ᄒᆞᆫ 사ᄅᆞᆷ

1687)구슉(舅叔) : 시아주버니. 시숙(媤叔). 남편의 형.

쳐(黜妻)의 비ᄌᆞ 츈교로ᄃᆡ, 신이 일향 모로ᄂᆞᆫ 쳬ᄒᆞ오니, 일삭의 셰 번식 구실 삼아 와 보고 죽기를 졀박히 죄오ᄃᆡ, 신이 간인의 흉모를 두려 벙어리 되여 슈작을 못ᄒᆞᄂᆞᆫ ᄃᆞ시 ᄒᆞ니, 신쳡을 ᄂᆡᆼ옥 즁의 가돈 후, 유랑의 시신으로ᄡᅧ 신쳡의 시신을 믿ᄃᆞ라 구가(舅家) 합문(闔門)과 신의 부모를 속이고, 가부와 구슉(舅叔)[1397]을 함졍의 모라 너흐믄 니르도 말고, 졔 몸이【49】오왕《뎡하∥뎐하》의 냥녜 되여 은혜를 바드미 뫼 ᄀᆞᆺ거ᄂᆞᆯ, 셰ᄌᆞ를 졔 손으로 질러 죽이고 죄ᄂᆞᆫ 원챵의게 밀위여, 오왕과 비의 은혜를 져ᄇᆞ리니, 텬지간 간음찰녜(奸淫刹女) 셩녀 ᄀᆞᆺᄐᆞ니 잇시리잇가? 신쳡이 오궁 누옥의 죄슈 되여 텬일을 불견(不見)ᄒᆞ니, 셩녀의 간계를 엇지 알니잇고마ᄂᆞᆫ 흉심이 긋칠 줄을 아지 못ᄒᆞ여, 신을 마ᄌᆞ 죽이고져 ᄂᆡᆼ암졍의 드러와 그 비ᄌᆞ 츈교로 더브러 졔 간졍을 일일히 ᄌᆞ랑ᄒᆞᆯᄉᆡ, 신은 즁청병인(重聽病人)으로○○[아라] 아조 죽이려 ᄒᆞᄂᆞᆫ 고로, 구슉 원상을 흉ᄑᆡᄒᆞᆫ 죄루의 모라너코 원창을 쾌히 죽이게 되엿시물 니를 ᄲᅳᆫ 아니라, 졔 부모를 속여 죽은 쳬ᄒᆞ고 도망ᄒᆞ여 두로 단니다가 오왕의 양녜 된 바를 니르고, 신을 죽이고 가려 여ᄎᆞ여ᄎᆞ 니르고 발검【50】ᄒᆞ여 달녀들거ᄂᆞᆯ, 신쳡이 ᄐᆡ셤 궁인과 협녁ᄒᆞ여 그 노쥬를 잡아 ᄆᆡ여 ᄂᆡ암졍의 가도고, 지아뷔 형뎨 원억ᄒᆞᆫ 죄루를 신ᄇᆡᆨ(伸白)고져 ᄒᆞ와, 규문의 낫 가리오ᄂᆞᆫ 녜를 일코 더러온 ᄌᆞ최 금즁(禁中)을 ᄉᆞ못ᄎᆞ미로소이다. 신쳡의 당돌ᄒᆞᆫ 죄 만ᄉᆞ무셕(萬死無惜)이오니, 복원 텬지부모ᄂᆞᆫ 셩가 요녀와 츈교 간비를 나리(拿來)ᄒᆞ샤 죄를 무르시고, 원상 등의 지원(至冤)ᄒᆞᆫ 죄루(罪累)를 ᄉᆞᆯ피소셔."

ᄒᆞ엿더라. 샹이 뎡씨의 소장(疏狀)을 보시고 하어ᄉᆞ ○○[형뎨]의 신ᄇᆡᆨ이 쾌ᄒᆞ믈 크게 깃그실 ᄲᅳᆫ 아니라, 뎐샹뎐하의 ᄀᆞ득ᄒᆞᆫ

1397)구슉(舅叔) : 시아주버니. 시숙(媤叔). 남편의 형.

이 다 하어ᄉᆞ 형뎨를 위ᄒᆞ여 앗기믈 마디 아니ᄒᆞ다가, 뎡시의 소봉을 인ᄒᆞ여 명경(明鏡)을 닷그며 쳥텬의 부운을 쓰리친 ᄃᆞᆺᄒᆞ니, 평졔왕 곤계 다 이의 이셔 황야를 시위ᄒᆞ엿다가, ᄆᆡ데 완연이 ᄉᆡᆼ존ᄒᆞ여 잇다가 이러틋 ᄒᆞ믈 보ᄆᆡ 반기며 깃브믈 모양치 못ᄒᆞ고, 졔왕은 ᄌᆞ긔 혜아림과 ᄀᆞᆺᄐᆞ믈 더옥 희열ᄒᆞ여, 뎐폐의 브복 쥬왈,

"위샤(衛士)를 발ᄒᆞ여 셩녀 노듀를 잡히시고, 신ᄆᆡᄂᆞᆫ 이졔 믈너 가라 ᄒᆞ시미 셩덕【36】일가 ᄒᆞᄂᆞ이다."

샹이 즉시 어ᄉᆞ 형뎨를 프러 노하 평신케 ᄒᆞ시고, 위샤를 발ᄒᆞ여 오궁의 가 셩녀 노듀를 급히 잡아 오라 ᄒᆞ신 후, 탄디칭션(嘆之稱善)ᄒᆞ샤 왈,

"산고옥츌(山高玉出)이오 ᄒᆡ심츌쥐(海深出珠)라. 뎡션ᄉᆡᆼ의 녀ᄋᆡ 엇디 범연ᄒᆞ리오마ᄂᆞᆫ, 남녀 업시 개개히 특츌ᄒᆞ여 ᄒᆞ나토 ○○[범상]ᄒᆞᆫ ᄌᆡ 잇디 아닐 ᄲᅳᆫ 아니라, 남ᄌᆞᄂᆞᆫ 튱ᄒᆈ 가즉ᄒᆞ고 녀ᄌᆞᄂᆞᆫ 졀힝이 특츌ᄒᆞ니, 뎡션ᄉᆡᆼ의 ᄌᆞ녀 잘 나흠과 긔특이 가ᄅᆞ치믄 셰(世)의 무빵ᄒᆞᆫ디라. 뎡시 오궁 누옥의 갓치엿다가, 금일 디아비 원억ᄒᆞᆫ 죄루를 당ᄒᆞ여 격고등문(擊鼓登聞)ᄒᆞ여 신ᄇᆡᆨ이 쾌ᄒᆞ니, 가히 아름답디 아니랴.【37】공후의 녀부(女婦)로 명부의 존ᄒᆞ믈 가져, 변ᄋᆡᆨ(變厄)이 비상ᄒᆞ믈 위ᄒᆞ여 슬픈디라. 죄인을 다ᄉᆞ린 후 각별ᄒᆞᆫ 포장이 이시려니와, 이의 오ᄅᆡ 셰워두미 슉녀를 ᄃᆡ졉ᄒᆞᄂᆞᆫ 녜 아니라."

ᄒᆞ샤, 한님혹ᄉᆞ 딘영필노 ᄒᆞ여금 금거옥뉸(金車玉輪)의 운산가디 호숑(護送)ᄒᆞ라 ᄒᆞ시니, 딘혹ᄉᆡ 샹명을 밧드러 뎡쇼져를 금거옥뉸의 호숑ᄒᆞ여 운산으로 향ᄒᆞᆯᄉᆡ, 뎡쇼졔 궐졍의셔 황상의 이러틋 ᄒᆞ시ᄂᆞᆫ 은권(恩眷)을 밧드러 오ᄃᆡᆨ 뎐폐(殿陛)의 ᄇᆡᆨᄇᆡ샤은(百拜謝恩)ᄒᆞ고 믈너날ᄉᆡ, 녜모ᄒᆡᆼ동(禮貌行動)이 은연이 문인명ᄉᆞ(文人名士)의 픔(稟)이 이실 ᄲᅳᆫ 아니라, 뇽봉(龍鳳)의 픔딜(稟質)이 이시니, 우흐로 텬ᄌᆞ와 아ᄅᆡ로 문무 졔신이 홀홀(惚惚)【38】경찬(驚讚)ᄒᆞ더라.

유ᄉᆡ(有司) 셩난화와 츈교를 잡아 복명ᄒᆞ

샤룸이 다 하 어ᄉᆞ 형뎨를 위ᄒᆞ여 앗기믈 마지 아니ᄒᆞ다가, 뎡씨의 소봉을 인ᄒᆞ여 명경(明鏡)을 닷그며 쳥텬의 부운을 쓰리친 ᄃᆞᆺᄒᆞ니, 평졔왕 곤계 다 이의 잇셔 황야를 시위ᄒᆞ엿다가, ᄆᆡ데【51】완연이 ᄉᆞ라 잇다가 이러틋 ᄒᆞ믈 보ᄆᆡ 반기며 깃부믈 모양치 못ᄒᆞ고, 졔왕은 ᄌᆞ긔 혜아림과 ᄀᆞᆺᄐᆞ믈 더욱 희열ᄒᆞ여, 뎐폐의 부복 쥬왈,

"위ᄉᆞ(衛士)를 발ᄒᆞ여 셩녀 노쥬를 잡히시고, 신ᄆᆡᄂᆞᆫ 이졔 물너 가라 ᄒᆞ시미 셩덕일가 ᄒᆞᄂᆞ이다."

샹이 즉시 어ᄉᆞ 형뎨를 프러 노하 평신케 ᄒᆞ시고, 위ᄉᆞ를 발ᄒᆞ여 오궁의 가 셩녀 노쥬를 급히 잡아 오라 ᄒᆞ신 후, 탄지칭션(嘆之稱善) 왈,

"산고옥츌(山高玉出)이오 ᄒᆡ심츌쥐(海深出珠)라. 뎡션ᄉᆡᆼ의 녀ᄋᆡ 엇지 범연ᄒᆞ리오마ᄂᆞᆫ, 남녀 업시 개개히 특츌ᄒᆞ여 ᄒᆞ나토 범상치 아닐 ᄲᅮᆫ 아니라, 남ᄌᆞᄂᆞᆫ 츙ᄒᆈ ᄀᆞ즉ᄒᆞ고 녀ᄌᆞᄂᆞᆫ 졀힝이 특츌ᄒᆞ니, 뎡션ᄉᆡᆼ의 ᄌᆞ녀 잘 나흠과 긔특이 ᄀᆞ라치믄 셰(世)의 무빵ᄒᆞᆫ지라. 뎡씨 오궁 누옥의 갓치엿다가, 금일 지아븨 원억【52】ᄒᆞᆫ 죄루를 당ᄒᆞ여 격고등문(擊鼓登聞)ᄒᆞ여 신ᄇᆡᆨ이 쾌ᄒᆞ니, 가히 아름답지 아니랴. 공후의 녀부(女婦)로 명부의 존ᄒᆞ믈 가져, 변ᄋᆡᆨ(變厄)이 비상ᄒᆞ믈 위ᄒᆞ여 슬픈지라. 죄인을 다ᄉᆞ린 후 각별ᄒᆞᆫ 포장이 잇시려니와, 이의 오ᄅᆡ 셰오미 슉녀를 ᄃᆡ졉ᄒᆞᄂᆞᆫ 녜 아니라."

ᄒᆞ샤, 한님혹ᄉᆞ 진영필노 ᄒᆞ야곰 금거옥륜(金車玉輪)의 운산가지 호송(護送)ᄒᆞ라 ᄒᆞ시니, 진혹ᄉᆡ 샹명을 밧드러 뎡소져를 금거옥뉸의 호송ᄒᆞ여 운산으로 향ᄒᆞᆯᄉᆡ, 뎡소졔 궐졍의셔 황상의 이러틋 ᄒᆞ시ᄂᆞᆫ 은권(恩眷)을 밧드러 오직 뎐폐(殿陛)의 ᄇᆡᆨᄇᆡ샤은(百拜謝恩)ᄒᆞ고 믈너날ᄉᆡ, 녜모ᄒᆡᆼ동(禮貌行動)이 은연이 문인명ᄉᆞ(文人名士)의 풍(風)이 잇실 ᄲᅮᆫ 아니라, 뇽봉(龍鳳)의 픔질(稟質)이 잇시니, 우흐로 텬ᄌᆞ와 아ᄅᆡ로 문무 졔신이 홀홀(惚惚) 경찬(驚讚)ᄒᆞ더라.

유ᄉᆡ(有司) 셩난화와【53】츈교를 잡아

니, 샹이 명ᄒᆞ샤 츈교를 몬져 올녀 엄형츄문ᄒᆞ라 ᄒᆞ시니, 츈괴 비록 대간대악이나 텬위디쳑(天威咫尺)의 오형(五刑)이 가ᄌᆞ시니1688) 엇디 복툐(服招)1689)치 아니리오. 출하리 죽기나 슈히 ᄒᆞ려 미급일ᄎᆞ(未及一次)의 개개 복툐 왈,

'셩시 초의 츄운산 풍경을 구경ᄒᆞ라 갓다가, 뎡셰홍의 풍뉴신치(風流身彩)를 보고 황홀ᄒᆞ여 금녕(金鈴)을 더디고 도라와, 인ᄒᆞ여 상ᄉᆞ디딜(相思之疾)을 일위ᄆᆡ, 셩ᄇᆡᆨ(伯)의 부인 노시 ᄉᆞ졍을 춤디 못ᄒᆞ여, 귀비긔 쳥ᄒᆞ여 샤혼ᄒᆞ시ᄂᆞᆫ 은디(恩旨)를 어더 뎡부의 도라오ᄆᆡ, 조강 양시 댱강(莊姜)1690)·반비(班妃)1691)의 ᄉᆡᆨ(色)과 임【39】샤(姙似)1692) 번월(樊越)1693)의 덕힝이 가죽ᄒᆞ므로, 구고의 ᄉᆞ랑이 양시긔 온젼ᄒᆞ믈 ᄉᆡ긔ᄒᆞ여, 묘화 니고를 ᄉᆞ괴여 뎡셰홍을 변심ᄒᆞᄂᆞᆫ 약을 먹여 ᄆᆞ음을 변케 ᄒᆞ고, 양시를 참혹히 히흔 말이며, 소시가디 머리털을 무디리고1694) 죽이려 ᄒᆞ던' 말이며, 밋 '악시 발각ᄒᆞᄆᆡ 뎡부의셔 ᄂᆡ치니, 셩ᄇᆡᆨ이 부녀디졍(父女之情)을 버혀 죽이려 ᄒᆞ니, 부인이 과도히 슬허ᄒᆞ므로 심당의 가도ᄆᆡ, 묘화로 더브러 시신을 ○○[어더] 졔 형용이 되게 작법ᄒᆞ여 심당의 두고, 묘화를 ᄯᆞ라 암ᄌᆞ의 갓다가 묘화의 듕ᄆᆡᄒᆞ믈 인ᄒᆞ여 변쥐 졀도ᄉᆞ 조흠의 지실이 되엿더니, 흠이 죽으ᄆᆡ 또

1688)가ᄌᆞ다 : 갖추다. 가지런하다. 나란하다.

1689)복툐(服招) : 문초를 받고 순순히 죄상을 털어놓음.

1690)댱강(莊姜) : 중국 춘추시대 위(衛)나라 장공(莊公)의 처. 아름답고 덕이 높았고 시를 잘하였다.

1691)반비(班妃) : 중국 한(漢)나라 성제(成帝)의 후궁. 시가(詩歌)를 잘하여 성제의 총애를 받았으나 조비연(趙飛燕)에게 참소를 당하여 장신궁(長信宮)에 있으면서 부(賦)를 지어 상심을 노래하였다.

1692)임샤(姙似) : 중국 주(周)나라 현모양처(賢母良妻)인 문왕의 어머니 태임(太姙)과 무왕(武王)의 어머니 태사(太姒)를 함께 이르는 말.

1693)번월(樊越) : 중국 초나라 장왕(莊王)의 비(妃)인 번희(樊姬)와 소왕(昭王)의 비 월희(越姬). 둘 다 어진 마음으로 남편의 정사를 간(諫)해 덕행으로 유망하다.

1694)무디리다 : 무지르다. 닥치는 대로 막 깎거나 잘라버리다

봉[복]명(復命)ᄒᆞ니, 샹이 명ᄒᆞ샤 츈교를 몬져 올녀 엄형츄문ᄒᆞ라 ᄒᆞ시니, 츈괴 비록 ᄃᆡ간ᄃᆡ음이나 텬위지쳑의 오형(五刑)이 가ᄌᆞ시니1398) 엇지 복초(服招)1399)치 아니리오. 출하리 죽기나 슈히 ᄒᆞ려 미급일ᄎᆞ(未及一次)의 개개 복초 왈.

'셩씨 초의 츄운산 풍경을 구경ᄒᆞ라 갓다가, 뎡셰홍의 풍뉴신치(風流身彩)를 보고 황홀ᄒᆞ여 금녕(金鈴)을 더지고 도라와, 인ᄒᆞ여 상ᄉᆞ질(相思之疾)을 일위ᄆᆡ, 셩후(侯)의 부인 노씨 ᄉᆞ졍을 춤지 못ᄒᆞ여, 귀비긔 쳥ᄒᆞ여 ᄉᆞ혼ᄒᆞ시ᄂᆞᆫ 은지(恩旨)를 어더 뎡부의 도라오ᄆᆡ, 조강 양씨 장강(莊姜)1400)·반비(班妃)1401)의 ᄉᆡᆨ(色)과 임ᄉᆞ(姙似)1402) 번월(樊越)1403) 덕힝이 ᄀᆞ죽ᄒᆞ므로, 구고의 ᄉᆞ랑이 양씨긔 더ᄒᆞ믈 ᄉᆡ긔ᄒᆞ여, 묘화 니고를 ᄉᆞ괴여 뎡셰홍을 변심ᄒᆞᄂᆞᆫ 약을 먹여 마음을 변케 ᄒᆞ고, 양씨를 참혹히 히흔 말【54】이며, 소씨《아지∥까지》 머리털을 무쥬리고1404) 죽이려 ᄒᆞ던' 말이며, 밋 '악식 발각ᄒᆞᄆᆡ 뎡부의○[셔] ᄂᆡ치니, 셩휘 부녀지졍(父女之情)을 버혀 죽이려 ᄒᆞ니, 부인이 과도히 슬허ᄒᆞ므로 심당의 가도ᄆᆡ, 묘화로 더브러 시신을 어더 졔 형용이 되게 작법ᄒᆞ여 심당의 두고, 묘화를 ᄯᆞ라 암ᄌᆞ의 갓다가 묘화의 즁ᄆᆡᄒᆞ믈 인ᄒᆞ여 소쥐 졀도ᄉᆞ 조흠의 지실이 되엿더니, 흠이 죽으ᄆᆡ 또 거

1398)가ᄌᆞ다 : 갖추다. 가지런하다. 나란하다.

1399)복툐(服招) : 문초를 받고 순순히 죄상을 털어놓음.

1400)댱강(莊姜) : 중국 춘추시대 위(衛)나라 장공(莊公)의 처. 아름답고 덕이 높았고 시를 잘하였다.

1401)반비(班妃) : 중국 한(漢)나라 성제(成帝)의 후궁. 시가(詩歌)를 잘하여 성제의 총애를 받았으나 조비연(趙飛燕)에게 참소를 당하여 장신궁(長信宮)에 있으면서 부(賦)를 지어 상심을 노래하였다.

1402)임샤(姙似) : 중국 주(周)나라 현모양처(賢母良妻)인 문왕의 어머니 태임(太姙)과 무왕(武王)의 어머니 태사(太姒)를 함께 이르는 말.

1403)번월(樊越) : 중국 초나라 장왕(莊王)의 비(妃)인 번희(樊姬)와 소왕(昭王)의 비 월희(越姬). 둘 다 어진 마음으로 남편의 정사를 간(諫)해 덕행으로 유망하다.

1404)무쥬리다 : 무지르다. 닥치는 대로 막 깎거나 잘라버리다

거즛 닉슈(溺水)ᄒᆞᆫ 【40】 쳬ᄒᆞ고 묘화의 암ᄌᆞ의 감초엿다가, 오왕 부뷔 화빈 군쥬를 죽이고 슬허ᄒᆞ므로 그 양네 된' 바와, '셩을 곳쳐 계양 태슈 됴일의 녀ᄋᆡ로라 ᄒᆞ여, 나흘 쥬려 규쉰 쳬ᄒᆞ던' 바와, '하가의 결혼ᄒᆞᄆᆡ 뎡시 드러와 용모ᄉᆡ덕이 가ᄌᆞᆨᄒᆞ니, 젼일 쇼고로 뎍인이 되여 툥(寵)을 아이니, 졀치통한ᄒᆞ여 ᄐᆡ신 팔삭의 후려 ᄇᆡᆼ옥의 가도고, 졔잉을 죽여 죄를 하어ᄉᆞ긔 도라보ᄂᆡ고, 태우로 ᄒᆞ여금 살인 듕죄를 므릅ᄡᅳ오미 젼혀 개용단의 요괴로오미오, 뎡시를 죽이려 노쥐 ᄇᆡᆼ암졍의 드러 갓다가, 뎡시 문득 넓더나 져의 노듀를 결박ᄒᆞ던'

바를 셰셰히 복툐ᄒᆞ여, ᄒᆞᆫ 【41】 말도 희미치 아닌디라.

샹이 대로ᄒᆞ샤 셔안을 쳐 ᄀᆞᆯᄋᆞ샤ᄃᆡ,

"쳔살무셕(千殺無惜)이오 만ᄉᆞ유경(萬死猶輕)이라. 셰간의 엇디 이런 음악디녀(淫惡之女) 이시리오."

셩녀를 올녀 츄문ᄒᆞ시니, 셩네 비록 간음찰네나 후ᄇᆡᆨ의 귀녀로 ᄉᆡᆼ당ᄒᆞ여 엇디 희미ᄒᆞᆫ ᄐᆡ벌인들 알니오. 개개 복툐ᄒᆞ니 츈교의 툐ᄉᆞ(招辭)로 일반이라.

ᄯᅩ 궁흉극악이 이셔, 하어ᄉᆞ의 션풍옥골을 상ᄉᆞ(相思)ᄒᆞ여 야반(夜半)의 ○○○[외당의] 나가ᄆᆡ, 하어ᄉᆡ 골경신히(骨驚身駭)ᄒᆞ여 썰니 피ᄒᆞ던 말과, 져의 졍을 용납디 아니므로 어ᄉᆞ를 음흉대죄의 모라 너흔 바며, 뎡시를 ᄇᆡᆨ 가디로 보치며 흉예디믈(凶穢之物)을 ᄆᆡᆫᄃᆞ라 뭇던 바와, 향촉을 ᄀᆞ초와 【42】 텬디긔 도튝ᄒᆞ던 바를 셰셰히 베플고, 뎡시를 오궁으로 보ᄂᆡᆯ 젹 묘홰 약을 먹어 뎡당 시네 되엿던 바와, 젼후ᄉᆞ를 셰셰○[히] 복툐ᄒᆞ니, 듯ᄂᆞᆫ 말마다 셩녀의 요악이 만ᄉᆞ유경(萬死猶輕)이니, 황샹이 딘노ᄒᆞ시믄 니르도 말고, 오왕이 이의 이셔 툐샤를 드르ᄆᆡ, 분발(憤髮)이 관(冠)을 ᄀᆞᄅᆞ치고 노목(怒目)이 ᄢᅵ여딜 ᄃᆞᆺᄒᆞ여, 다시 회면단(回面丹)의 뉴(類) 남앗ᄂᆞᆫ가 므르니, 픔 ᄉᆞ이로셔 ᄂᆡ거ᄂᆞᆯ, 즉시 먹어 본형을 ᄂᆡ라 ᄒᆞ니, 셩네 회면단을 ᄒᆞᆫ 번 삼키ᄆᆡ 상한쳔뉴

ᄌᆞᆺ 닉슈(溺水)ᄒᆞᆫ 쳬ᄒᆞ고 묘화의 암ᄌᆞ의 감초엿다가, 오왕 부뷔 화빈 군쥬를 죽이고 슬허ᄒᆞ므로 그 양네 된' 바와, '셩을 곳쳐 계양 태슈 조일의 녀ᄋᆡ로라 ᄒᆞ여 나흘 쥬려 규쉰 쳬ᄒᆞ던' 바와, '하가의 결혼ᄒᆞᄆᆡ 뎡씨 드러와 용모ᄉᆡ덕이 가즉ᄒᆞ니 젼일 소고로 젹인이 되여 총(寵)을 아이니, 졀치통한 ᄒᆞ여 ᄐᆡ신 【55】 팔삭의 후려 ᄇᆡᆼ옥의 가도고, 셰잉을 죽여 죄를 하어ᄉᆞ긔 도라 보ᄂᆡ고, 태우로 ᄒᆞ야곰 살인 즁죄를 므릅ᄡᅳ오미 젼혀 ᄀᆡ용단의 요괴로오미오, 뎡씨를 죽이려 노쥐 ᄇᆡᆼ암졍의 드러 갓다가, 뎡씨 문득 넓더나 져의 노듀를 결박ᄒᆞ던,

바를 셰셰히 복초ᄒᆞ여 ᄒᆞᆫ 말도 희미치 아닌지라.

샹이 ᄃᆡ로ᄒᆞ샤 셔안을 쳐 ᄀᆞᆯᄋᆞ샤ᄃᆡ,

"쳔살무셕(千殺無惜)이오 만ᄉᆞ유경(萬死猶輕)이라. 셰간의 엇지 이런 음녀(淫女) 잇시리오."

셩녀를 올녀 츄문ᄒᆞ시니, 셩네 비록 간음찰네나 후ᄇᆡᆨ의 귀녀로 ᄉᆡᆼ장ᄒᆞ여 엇지 희미ᄒᆞᆫ ᄐᆡ벌인들 알니오. 개개 복초ᄒᆞ니 츈교로 일반이라.

ᄯᅩ 궁흉극악이 잇셔 하어ᄉᆞ의 션풍옥골을 샹ᄉᆞ(相思)ᄒᆞ여 야반(夜半)의 외당의 나가ᄆᆡ, 하어ᄉᆡ 골경신히(骨驚身駭)ᄒᆞ여 썰니 피ᄒᆞ던 말과, 져의 졍을 용납지 아 【56】 니므로 어ᄉᆞ를 음흉ᄃᆡ죄의 모라 너흔 바며, 뎡씨를 ᄇᆡᆨ가지로 보치며 흉예지믈(凶穢之物)을 ᄆᆡᆫᄃᆞ라 뭇던 바와, 향촉을 ᄀᆞ초와 텬디긔 도츅ᄒᆞ던 바를 셰셰히 베플고, 오궁으로 뎡씨를 보ᄂᆡᆯ 젹 묘홰 약을 먹어 졍당 시네 되엿던 바와, 젼후ᄉᆞ를 셰셰○[히] 복초ᄒᆞ니, 듯ᄂᆞᆫ 말마다 셩녀의 요악이 만ᄉᆞ유경(萬死猶輕)이니, 황샹이 진노ᄒᆞ시믄 니르도 말고, 오왕이 이의 이셔 초ᄉᆞ(招辭)를 드르ᄆᆡ, 분발(憤髮)이 관(冠)을 ᄀᆞ르치고 노목(怒目)이 ᄶᅵ여질 ᄃᆞᆺᄒᆞ여, 다시 회면단(回面丹)의 뉴 남앗ᄂᆞᆫ가 므르니, 픔 ᄉᆞ이로셔 ᄂᆡ거ᄂᆞᆯ, 즉시 먹어 본형을 ᄂᆡ라 ᄒᆞ니, 셩네 회면단을 ᄒᆞᆫ 번 삼키ᄆᆡ 상한쳔뉴(常漢賤流)의

(常漢賤流)의 용용(庸庸)흔 얼골이 변호여 졀식미인(絶色美人)이 되는디라.

오왕이 간음찰녀로뼈 부녀의 의를 미즈 이혹(愛惛)던 일을 싱각호미, 디【43】감(知鑑)의 블명홈과 식견의 상쾌치 못호믈 스스로 븟그릴 쁜이라. 음악찰녀로뼈 뚤이라 호여 하원창의 박디를 한호며, 허언을 신쳥(信聽)호여 하공 부즈를 디호여 블평디언(不平之言)을 무슈○[히] 호여시믈 싱각호니, 낫치 달호이고[1695] 무음이 취호니, 오디 범을 길너 환을 취호믈 추회막급(追悔莫及)이라.

이돏고 분호미 텰골(徹骨)호여 황상긔 톄읍 쥬왈,

"신의 혼암블명호미 셩녀의 간음요특(奸淫妖慝)호믈 모로고, 여러 셰월의 부녀의 의를 미즈 친싱이 아니믈 싱각디 아닌 비러니, 오날놀 비로소 젼젼죄악을 씨돗스오니, 통완분히(痛惋憤駭)호미 고디 그 빅골을 남기디 말고져 홀 쁜 아니라,【44】필경 신즈(臣子)를 질너 죽여 신으로뼈 역니디통(逆理之痛)[1696]을 픔게 호오니, 이 한을 장춧 어디 비호리잇고? 원 폐하는 발부음녀(潑婦淫女)를 능디쳐참호샤 후셰 찰녀음부를 징계호쇼셔."

샹이 오왕의 쥬스를 드르시고, 탄호샤 왈,

"셩녀의 극악호믈 아디 못호여 양녀(養女)호미 익회 비상호여 상명디통(喪明之痛)[1697]을 당홀 쒀라. 뉘웃촌들 밋추랴."

호시고, 하어스 형뎨를 뎐폐(殿陛)의 나아오라 호샤, 놀나믈 위로호시고,

1695)달호이다 : 달구어지다. 빨개지다.

1696)역니디통(逆理之痛) : 순리(順理)를 거스르는 일을 당한 슬픔이라는 말로, 자식을 잃은 부모의 슬픔을 말함.

1697)상명지통(喪明之痛) : 아들을 잃은 슬픔을 비유적으로 이르는 말.

용용(庸庸)흔 얼골이 변호여 졀식미인(絶色美人)이 되는지라.

오왕이 간음찰녀로뼈 부녀의 의를 미즈 이혹(愛惛)던 일을 싱각호미, 지감(知鑑)의 불명【57】홈과 식견의 상쾌치 못호믈 스스로 붓그릴 쑨이라. 음악찰녀로뼈 뚤이라 호여 하원창의 박디호믈 ○○○[한호며], 또 허언을 신쳥(信聽)호여 하공 부즈를 무슈히 칙망호엿시믈 히이(駭異)히 넉이고, 마음이 취흔 돗호여, 과인의 익회(厄會) 비상호여 상명지통(喪明之痛)[1405]을 당홀 쒀라 뉘웃친들 엇지 호리오.

○…결락219자…○[이돏고 분호미 텰골(徹骨)호여 황샹긔 톄읍 쥬왈,

"신의 혼암블명호미 셩녀의 간음요특(奸淫妖慝)호믈 모로고 여러 셰월의 부녀의 의를 미즈 친싱이 아니믈 싱각디 아닌 비러니, 오날놀 비로소 젼젼죄악을 씨돗스오니, 통완분히(痛惋憤駭)호미 고디 그 빅골을 남기디 말고져 홀 쁜 아니라, 필경 신즈(臣子)를 질너 죽여 신으로뼈 역니디통(逆理之痛)[1406]을 픔게 호오니, 이 한을 장춧 어디 비호리잇고? 원 폐하는 발부음녀(潑婦淫女)를 능디쳐참 호샤 후셰 찰녀음부를 징계호쇼셔."

샹이 오왕의 쥬스를 드르시고, 탄호샤 왈,

"셩녀의 극악호믈 아디 못호여 양녀(養女)호미 익회 비상호여 상명디통(喪明之痛)을 당홀 쒀라. 뉘웃촌들 밋추랴."]

호시고, 하어스 형뎨로 뎐젼(殿前)으로 나아오라 호여 놀라믈 위로호더라.

◎[1407]어시의 상이 오왕의 쥬스를 드르시고 탄 왈,

"셩녀의 극악호믈 아지 못호여 양녀호미

1405)상명지통(喪明之痛) : 아들을 잃은 슬픔을 비유적으로 이르는 말.

1406)역니디통(逆理之痛) : 순리(順理)를 거스르는 일을 당한 슬픔이라는 말로, 자식을 잃은 부모의 슬픔을 말함.

1407)◎ : 필사자가 선행본의 권 경계를 나타내기 위해 앞 권에 이어 필사하는 권의 시작부분에 첨가해놓은 표점.

셩녀의 간음대악(奸淫大惡)을 니르샤 블승통히 ᄒᆞ시니, 하어ᄉᆞ 형뎨 망극ᄒᆞᆫ 죄루를 거울ᄀᆞᆺ치 신ᄇᆡᆨᄒᆞᆫ 깃브믄 니르도 말고, 부모의 듀야 앗기고 슬허ᄒᆞ시미 ᄎᆞᆫ쟝을 살오실 바를 ᄉᆡᆼ각ᄒᆞ【45】니, 구회촌단(九回寸斷)[1698]이라. 만일 블힝ᄒᆞ미 이실딘ᄃᆡ 블회 ᄇᆞᆺ흘 곳이 업ᄉᆞᆯ ᄇᆡ러니, 이 ᄯᆡ를 당ᄒᆞ여 깃브고 쾌ᄒᆞ미 비ᄒᆞᆯ ᄃᆡ 업ᄂᆞᆫ디라. 오딕 형뎨 고두ᄇᆡᆨᄇᆡ(叩頭百拜)ᄒᆞ여 셩듀의 일월디광(日月之光)을 일ᄏᆞ를 ᄯᆞ름이라.

샹이 하승상을 브르시니 초공이 냥뎨의 신원이 거울 ᄀᆞᆺ틈과, 뎡쇼제 ᄉᆞ라시믈 환희ᄒᆞ여 텬은을 슉샤(肅謝)ᄒᆞ더라.

상이 연상궁을 형문삼ᄎᆞ(刑問三次)[1699]의 졀도(絶島)의 찬ᄇᆡ(竄配)ᄒᆞ시고, 셩녀ᄂᆞᆫ 형문삼ᄎᆞ(刑問三次)의 화형(火刑)[1700]을 더ᄒᆞ여 머리를 버혀 동시(東市)[1701]의 ᄃᆞᆯ고 슈족(手足)을 이(離)ᄒᆞ여 구쥬(九州)의 《효시(梟示)[1702] ‖ 회시(回示)[1703]》케 ᄒᆞ시고, 츈교ᄂᆞᆫ 장하(杖下)의 맛고, 급히 묘화 요괴를 나ᄅᆡ(拿來)ᄒᆞ라 ᄒᆞ시니, 위ᄉᆡ 달녀 암ᄌᆞ의 니르미, 요괴 몸을 화(化)ᄒᆞ【46】여 나ᄂᆞᆫ ᄉᆡ 되여 다라나니 엇디 잡으리오. 위ᄉᆡ 헛되이 도라와 잡디 못ᄒᆞ믈 쥬ᄒᆞ니, 샹이 구쥬의 됴셔(詔書)ᄒᆞ샤 잡으라 ᄒᆞ시다.

1698)구회촌단(九回寸斷) : 애간장이 토막토막으로 끊어짐. *구회(九回); =구회간장(九回肝腸). =구곡간장(九曲肝腸). 굽이굽이 서린 창자라는 뜻으로, 깊은 마음속 또는 시름이 쌓인 마음속[애]을 비유적으로 이르는 말.

1699)형문삼ᄎᆞ(刑問三次) : 형장(刑杖)으로 죄인의 정강이를 때리는 형벌을 세 차례를 가함.

1700)화형(火刑) : 사람을 불살라 죽이는 형벌.

1701)동시(東市) : 동쪽에 있는 시장. 옛날 중국의 수도 장안(長安)에서 죄인을 처형(處刑)하던 장소. 이 때문에 '형장(刑場)'의 뜻으로 쓰임

1702)효시(梟示) : 목을 베어 높은 곳에 매달아 놓아 뭇사람에게 보임

1703)회시(回示) : 죄인을 끌고 다니거나 죄인의 시신을 방방곡곡에 보내 뭇사람에게 보이던 일

ᄋᆡᆨ회(厄會) 비상ᄒᆞ여 상명지통을 당ᄒᆞᆯ ᄯᆡ라 뉘웃ᄎᆞᆫ들 밋ᄎᆞ랴"

ᄒᆞ시고, 셩녀의 간음ᄑᆡ악(奸淫悖惡)을 니르샤 불승통한ᄒᆞ시니, 하어ᄉᆞ 형뎨 망극ᄒᆞᆫ 죄루를 거울ᄀᆞᆺ치 신ᄇᆡᆨᄒᆞᆫ 깃부믄 니르도 말고, 부모의 쥬야 앗기고 슬허 ᄒᆞ시미【58】ᄎᆞᆫ쟝을 ᄉᆞᆯ오실 바를 ᄉᆡᆼ각ᄒᆞ니, 구회촌단(九回寸斷)[1408]이라. 만일 블힝ᄒᆞ미 잇실진ᄃᆡ 블회 ᄇᆞᆺ흘 곳이 업ᄉᆞᆯ ᄇᆡ러니, 이 ᄯᆡ를 당ᄒᆞ여 깃부고 쾌ᄒᆞ미 비ᄒᆞᆯ ᄃᆡ 업ᄂᆞᆫ지라. 오직 형뎨 고두ᄇᆡᆨᄇᆡ(叩頭百拜) ᄒᆞ여 셩쥬의 일월지광(日月之光)을 일ᄏᆞ를 ᄯᆞ름이라.

샹이 하승상을 브르시니 초공이 냥뎨의 신원이 거울 ᄀᆞᆺ틈과, 뎡소제 ᄉᆞ라시믈 환희ᄒᆞ여 텬은을 슉ᄉᆞ(肅謝)ᄒᆞ더라.

상이 연상궁을 형문삼ᄎᆞ(刑問三次)[1409]의 졀도(絶島)의 찬ᄇᆡ(竄配)ᄒᆞ시고, 셩녀ᄂᆞᆫ 형문삼ᄎᆞ(刑問三次)의 화형(火刑)[1410]을 더ᄒᆞ여 머리를 버혀 동시(東市)[1411]의 달고 슈족(手足)을 이(離)ᄒᆞ여 구쥬(九州)의 《효시(梟示)[1412] ‖ 회시(回示)[1413]》케 ᄒᆞ시고, 츈교ᄂᆞᆫ 장하(杖下)의 맛고, 급히 묘화 요괴를 나ᄅᆡ(拿來)ᄒᆞ라 ᄒᆞ시니, 위ᄉᆡ 달녀 암ᄌᆞ의 니르미[러], 요정을 《알고져 ‖ 잡고져》 ᄒᆞ여 외졀을 쳘통 ᄀᆞᆺ치 ᄡᆞ고 나졸을 분부ᄒᆞ여【59】방방곡곡의 《슈엄 ‖ 슈검(搜檢)[1414]》ᄒᆞᄃᆡ, ᄎᆞᄌᆞᆯ 길이 업ᄂᆞᆫ지라. 위ᄉᆡ 십분 망조(罔措)[1415]ᄒᆞ믈 니긔지 못ᄒᆞ여 헛도

1408)구회촌단(九回寸斷) : 애간장이 토막토막으로 끊어짐. *구회(九回); =구회간장(九回肝腸). =구곡간장(九曲肝腸). 굽이굽이 서린 창자라는 뜻으로, 깊은 마음속 또는 시름이 쌓인 마음속[애]을 비유적으로 이르는 말.

1409)형문삼ᄎᆞ(刑問三次) : 형장(刑杖)으로 죄인의 정강이를 때리는 형벌을 세 차례를 가함.

1410)화형(火刑) : 사람을 불살라 죽이는 형벌.

1411)동시(東市) : 동쪽에 있는 시장. 옛날 중국의 수도 장안(長安)에서 죄인을 처형(處刑)하던 장소. 이 때문에 '형장(刑場)'의 뜻으로 쓰임

1412)효시(梟示) : 목을 베어 높은 곳에 매달아 놓아 뭇사람에게 보임

1413)회시(回示) : 죄인을 끌고 다니거나 죄인의 시신을 방방곡곡에 보내 뭇사람에게 보이던 일

1414)슈검(搜檢) ; 수색하여 검사함.

1415)망조(罔措) : =망지소조(罔知所措). 너무 당황하

하공을 명툐ᄒᆞ샤 인견(引見)ᄒᆞ시고, 샹이 친히 잔을 잡으샤 놀나믈 위로ᄒᆞ시더니, 녀람ᄇᆡᆨ 셩흠의 부ᄌᆞ 난화의 변을 듯고 망극통완(罔極痛惋)ᄒᆞ여 뎡가의 츌화를 바다실 젹 죽이디 못ᄒᆞ믈 뉘웃고, ᄌᆡ딕(在職)ᄒᆞᆫ 졔ᄌᆞ(諸子)를 거나려 쳥죄ᄒᆞ니, 샹이 셩후 부ᄌᆞ의 어딜믈 아르시ᄂᆞᆫ디라. 난화의 죄를 부형의게 년누(連累)치 아니시고 위로ᄒᆞ샤 믈너가믈 명ᄒᆞ시다.

○[또] 오국 셰ᄌᆞ를 왕녜(王禮)로 쟝(葬)ᄒᆞ고 그 ᄋᆞ들 유를 칙봉ᄒᆞ여 셰ᄌᆞ를 삼으라 ᄒᆞ시니, 오왕이 눈믈을 드【47】리워 믈너나 난화의 머리 버히믈 보고, 즉시 ᄇᆡ를 타 오장을 ᄂᆡ여다가 셰ᄌᆞ긔 졔ᄒᆞ려 ᄒᆞ더라.

옥ᄉᆞ(獄事)를 맛촌 후, 샹이 뎡시의 녈졀 셩힝을 포장ᄒᆞ샤, 우흐로 님군의 실덕을 면케 ᄒᆞ고, 아ᄅᆡ로 디아뷔 급화를 구ᄒᆞ믈 칭찬ᄒᆞ샤, 문녀(門閭)의 정표(旌表)ᄒᆞ샤 '인녈슉셩비(仁烈淑聖妃)를 봉ᄒᆞ샤 금ᄌᆞ어필(金字御筆)노 녈의(烈義)를 표ᄒᆞ시니, 졔왕 등과 태위 가치 아니믈 쥬(奏)ᄒᆞᄃᆡ, 샹이 블윤(不允)ᄒᆞ시다.

날이 어두오믈 인ᄒᆞ여 일시의 퇴홀ᄉᆡ, 뎡국공○[이] {부뷔} ᄋᆞᄌᆞ(兒子)를 ᄉᆞ디의 드려보ᄂᆡ므로 아라, 심간이 촌촌이 바아디믈 면치 못ᄒᆞ고, 셕년 참화의 죽디 못ᄒᆞ믈 한ᄒᆞ여 ᄌᆞ긔 명도를【48】탄ᄒᆞᆯ ᄲᅮᆫ이러니, 죽은 줄노 아라 일념의 참통(慘痛)ᄒᆞ던 식뷔 ᄉᆞ라 텬졍의 격고등문(擊鼓登聞)ᄒᆞ믈 인ᄒᆞ여, 이ᄌᆞ(二子)의 죄뤼 쾌히 신ᄇᆡᆨᄒᆞ고, 화를 도로혀 복을 삼으니 깃브고 즐거오미 환텬희디(歡天喜地)[1704] ᄒᆞᆫ디라. 밧비 궐문을 나

1704)환텬희디(歡天喜地) : 하늘도 즐거워하고 땅도

이 도라와, 이ᄃᆡ로 봉[복]명(復命)ᄒᆞ여, 요리(妖尼)의 종젹을 모로므로 쥬ᄒᆞ온ᄃᆡ, 샹이 크게 의아ᄒᆞ샤 좌우 졔신다려 니르ᄃᆡ,

"당금의 텬히 ᄐᆡ평ᄒᆞ고 ᄉᆞ히 안락ᄒᆞ거놀, 산간의 변화ᄒᆞᄂᆞᆫ 요되 왕왕이 인간의 나와 가국(家國)의 작난ᄒᆞ고, 샤ᄅᆞᆷ을 속여 흉ᄉᆞ를 힝ᄒᆞ여 오궁의 허다ᄒᆞᆫ 변고를 닐우니, 요리의 거쳐를 각별 츄심ᄒᆞ라.

오궁 셰ᄌᆞᄂᆞᆫ 왕녜(王禮)로 쟝(葬)ᄒᆞ고 그 ᄋᆞ들 유를 칙봉ᄒᆞ여 셰ᄌᆞ를 삼으라"

ᄒᆞ시니, 오왕이 눈믈을 드리워 믈너나 난화의 머리 버히믈 보고, 즉시 ᄇᆡ를 갈라 오장을 ᄂᆡ여다가 셰ᄌᆞ긔 졔ᄒᆞ려 ᄒᆞ더라.

옥ᄉᆞ(獄事)를 맛촌 후 샹이 뎡씨의 녈졀 셩힝을 포【60】장ᄒᆞ샤, 우흐로 님군의 실덕을 면케 ᄒᆞ고, 아ᄅᆡ로 지아뷔 급화를 구ᄒᆞ믈 칭찬ᄒᆞ샤, 문려(門閭)의 정표(旌表)ᄒᆞ샤 인녈슉셩비(仁烈淑聖妃)를 봉ᄒᆞ샤, 금ᄌᆞ어필(金字御筆)노 녈의(烈義)를 표ᄒᆞ시니, 졔왕 등과 태위 가치 아니믈 쥬(奏)ᄒᆞᄃᆡ, 샹이 블윤(不允)ᄒᆞ시다.

날이 어두오믈 인ᄒᆞ여 일시의 퇴홀ᄉᆡ, 뎡국공○[이] {부뷔} ᄋᆞᄌᆞ(兒子)를 ᄉᆞ지의 드려보ᄂᆡ므로 아라, 심간이 촌촌이 바아지믈 면치 못ᄒᆞ고, 셕년 참화의 죽지 못ᄒᆞ믈 한ᄒᆞ며 ᄌᆞ긔 명도를 탄ᄒᆞᆯ ᄲᅮᆫ이러니, 죽은 줄노 아라 일념의 참통(慘痛)ᄒᆞ던 식뷔 ᄉᆞ라 텬졍의 격고등문(擊鼓登聞)ᄒᆞ믈 인ᄒᆞ여, 이ᄌᆞ(二子)의 죄뤼 쾌히 신ᄇᆡᆨᄒᆞ고, 화를 도로혀 복을 삼으니, 깃부고 즐거오미 환텬희지(歡天喜地)[1416]ᄒᆞᄂᆞᆫ지라. 밧비 궐문을 나며

거나 급하여 어찌할 줄을 모르고 갈팡질팡함.

며 이ᄌᆞ를 좌우로 집슈무비(執手撫臂)1705) ᄒᆞ여 웃ᄂᆞᆫ 용화(容華)를 여러 왈,

"작일(昨日) 너희를 대리시로 보ᄂᆡ고 여부의 심장이 ᄡᅥᆨ거디믈 면치 못ᄒᆞ리러니, 뎡현부의 긔특ᄒᆞᆫ 녈의셩힝(烈義聖行)이 오궁누옥 가온ᄃᆡ 복ᄋᆞ(腹兒)를 보젼ᄒᆞ여 무ᄉᆞ히 분산(分産)ᄒᆞ고, 내 집 대화를 도로혀 복을 삼으니 이 즐겁고 깃브믈 어ᄃᆡ 비ᄒᆞ리오."

어ᄉᆞᄂᆞᆫ 유화(柔和)히 뎡시의 녈힝【49】을 일ᄏᆞᄅᆞ나, 태우ᄂᆞᆫ 다만 뎡시의 덕을 일ᄏᆞᆺ디 아니ᄃᆡ, 만면화긔 혜화(蕙花)1706)를 닛그러 우희염1707)즉 ᄒᆞ더라. 하공과 승상의 환희ᄒᆞ미 비길 ᄃᆡ 업고, 졔왕 등의 즐거오믄 오날 쳐음인 ᄃᆞᆺᄒᆞ더라.

하・뎡・윤 졔공이 날이 어두오믈 ᄭᆡᄃᆞᆺ디 못ᄒᆞ여 취운산의 니르니, 뎡쇼졔 발셔 도라와 존고긔 빈현ᄒᆞ고 금쟝쇼고(襟丈小姑)로 반길ᄉᆡ, 됴부인이 냥ᄌᆞ를 ᄉᆞ디의 보ᄂᆡ고 흉장(胸臟)의 블이 일고 일신이 ᄉᆞ히니1708), 작슈(勺水)를 마시디 아냐 이ᄌᆞ의 맛기 젼 몬져 죽고져 ᄒᆞ니, 졔부와 녀ᄋᆡ 빅단관위(百端款慰)ᄒᆞ나 부인이 ᄯᅳᆺ을 결ᄒᆞ여 살 ᄆᆞ음이 업더니, 믄득 뎡쇼져의 빈현(拜見)ᄒᆞ기의 당ᄒᆞ여ᄂᆞᆫ 경【50】신이 황홀ᄒᆞ니, 슬프미 더옥 극ᄒᆞ여 밧비 뎡시를 븟들고 실셩오읍 왈,

"이 거시 ᄭᅮᆷ이냐, 상시냐? 엇디 죽어 초긔 디난 뎡현뷔 내 눈의 뵈ᄂᆞ뇨? 내 죽으랴 ᄒᆞᄆᆡ 몬져 디하인(地下人)을 보미냐?"

뎡쇼졔 창황비졀(愴怳悲絶)ᄒᆞ믈 딘뎡ᄒᆞ여 왈,

"블초 쇼쳡이 오궁 누옥의 곤ᄒᆞ연 디 긔년이로ᄃᆡ, 디금 일누를 보젼ᄒᆞ믄 구고의 뎍덕여음(積德餘蔭)이라. 디금 ᄉᆞᆼ을 고치 못

기뻐한다는 뜻으로, 아주 즐거워하고 기뻐함을 이르는 말.

1705)집슈무비(執手撫臂) : 손을 잡고 팔을 어루만짐.

1706)혜화(蕙花) : 혜초(蕙草)의 꽃. *혜초; 난초의 일종.

1707)우희다 : : 움키다. 손가락을 우그리어 물건 따위를 놓치지 않도록 힘 있게 잡다.

1708)ᄉᆞ히다 : 사위다. 다 타버리다. 불이 사그라져서 재가 되다.

이ᄌᆞ를 좌우로 집슈무비(執手撫臂)1417)ᄒᆞ【61】여 웃ᄂᆞᆫ 용화(容華)를 여러 왈,

"작일(昨日) 너희를 대리시로 보ᄂᆡ고 여부의 심장이 ᄡᅥᆺ거지믈 면치 못ᄒᆞ리러니, 뎡현부의 긔특ᄒᆞᆫ 녈의셩힝(烈義聖行)이 오궁누옥 가온ᄃᆡ 복ᄋᆞ(腹兒)를 보젼ᄒᆞ여 무ᄉᆞ히 분산ᄒᆞ고, 내 집 대화를 도로혀 복을 삼으니 이 즐겁고 깃부믈 어ᄃᆡ 비ᄒᆞ리오."

어ᄉᆞᄂᆞᆫ 유화(柔和)히 뎡씨의 녈힝을 일ᄏᆞ르나, 태우ᄂᆞᆫ 다만 뎡씨의 덕을 일캿지 아니ᄃᆡ, 만면화긔 혜화(蕙花)1418)를 닛그러 우희염1419)작 ᄒᆞ더라. 하공과 승상의 환희ᄒᆞ미 비길 ᄃᆡ 업고, 졔왕 등의 즐거오믄 오날 쳐음인 ᄃᆞᆺᄒᆞ더라.

하・뎡・윤 졔공이 날이 어두오믈 ᄭᆡᄃᆞᆺ디 못ᄒᆞ여 취운산의 니르니, 뎡씨 발셔 도라와 존고긔 빈현ᄒᆞ고 금쟝소고(襟丈小姑)로 반길ᄉᆡ, 조부인이 냥ᄌᆞ를 ᄉᆞ지의 보【62】ᄂᆡ고 흉장(胸臟)의 불이 닐고 일신이 ᄉᆞ히1420){ᄒᆞ}니, 작슈(勺水)를 마시지 아냐 이ᄌᆞ의 맛기 젼 몬져 죽고져 ᄒᆞ니, 졔부와 녀ᄋᆡ 빅단관위(百端款慰)ᄒᆞ나 부인이 ᄯᅳᆺ슬 결ᄒᆞ여 살 ᄯᅳᆺ이 업더니, 믄득 뎡소져의 빈현(拜見)ᄒᆞ기의 당ᄒᆞ여ᄂᆞᆫ 졍신이 황홀ᄒᆞ니, 슬프미 더욱 극ᄒᆞ여 밧비 뎡씨를 븟들고 실셩오읍 왈,

"이 거시 ᄭᅮᆷ이냐 상시냐? 엇지 죽어 초긔 지난 뎡현뷔 ᄂᆡ 눈의 뵈ᄂᆞ뇨? 내 죽으○○[랴 ᄒᆞ]ᄆᆡ 몬져 지하인(地下人)을 보ᄂᆞ냐?"

뎡소졔 창황비졀(愴怳悲絶)ᄒᆞ믈 진졍ᄒᆞ여 왈,

"불초 소쳡이 오궁 누옥의 곤ᄒᆞ연 지 긔년이로ᄃᆡ, 지금 일누를 보젼ᄒᆞ믄 구고의 젹

1416)환텬희디(歡天喜地) : 하늘도 즐거워하고 땅도 기뻐한다는 뜻으로, 아주 즐거워하고 기뻐함을 이르는 말.

1417)집슈무비(執手撫臂) : 손을 잡고 팔을 어루만짐.

1418)혜화(蕙花) : 혜초(蕙草)의 꽃. *혜초; 난초의 일종.

1419)우희다 : : 움키다. 손가락을 우그리어 물건 따위를 놓치지 않도록 힘 있게 잡다.

1420)ᄉᆞ히다 : 사위다. 다 타버리다. 불이 사그라져서 재가 되다.

ᄒᆞ엿ᄉᆞᆸ더니 이러ᄐᆞᆺ 놀나시믈 닐위니 이 더옥 블효디죄(不孝之罪) 크도소이다."

인ᄒᆞ여, 긔년(朞年) 존후를 뭇ᄌᆞᆸ고 어ᄉᆞ 등이 신ᄇᆡᆨ(伸白)게 되믈 고ᄒᆞ니, 졔 쇼졔 금거옥뉸(金車玉輪)이 문의 다ᄃᆞ르믈 보ᄆᆡ 뉘믈 아디 못ᄒᆞ다가, 뎡쇼져【51】의 얼골을 ᄃᆡᄒᆞᄆᆡ 죽디 아냐시믈 아나 기간 ᄉᆞ고를 몰나 ᄒᆞ더니, 뎡쇼져의 말을 드르ᄆᆡ 요인의 화를 바다 오궁의 가도엿던 줄 ᄭᆡᄃᆞᆺ고, 됴부인이 비로소 이ᄌᆞ의 누얼이 신ᄇᆡᆨ게 됨과 뎡쇼져의 ᄉᆞ라시믈 보ᄆᆡ, 깃븐 ᄃᆞᆺ 슬픈 ᄃᆞᆺ ᄒᆞ여 밧비 유랑 시녀를 블너 깃븐 말을 니르고 뎡부의 통ᄒᆞ니, 냥가 합문 샹하의 환텬희디(歡天喜地)ᄒᆞ믈 일필난긔(一筆難記)라.

딘혹ᄉᆡ 발셔 뎡쇼졔 ᄉᆞ랏던 바와 격고등문디ᄉᆞ(擊鼓登聞之事)를 뎡부의 고ᄒᆞ엿던 고로, 딘부인이 환희ᄒᆞ미 넘ᄢᅧ 도로혀 거디실조(擧止失調)ᄒᆞ고, 태부인이 몸이 스ᄉᆞ로 움죽여 친히 가고져 ᄒᆞ나, 뎡공이 븟드러 간ᄒᆞ니 도로 안【52】ᄌᆞ나, 힝희ᄒᆞ믈 형상치 못ᄒᆞ여 딘부인을 ᄌᆡ쵹ᄒᆞ여 가라 ᄒᆞ니, 딘부인이 윤·양·소·한 제부를 거나려 하부의 니르러 친옹(親翁)[1709]이 녜파의, 아쥬 쇼졔 ᄌᆞ위와 졔형의 친님ᄒᆞ믈 당ᄒᆞ여 반갑고 깃브믈 니긔디 못ᄒᆞ니, 슬하의 ᄇᆡ례ᄒᆞ고 졔형으로 녜파의 딘부인이 집슈무ᄇᆡ(執手撫臂)ᄒᆞ여 반김과 슬프믈 니긔디 못ᄒᆞ니, 탐탐ᄒᆞᆫ ᄉᆞ랑이 형상치 못ᄒᆞ고, 즉시 근신ᄒᆞᆫ 양낭 ᄉᆞ오인을 보ᄂᆡ여 ᄋᆞ공ᄌᆞ를 다려 오라 ᄒᆞ고, 됴부인긔 녀ᄋᆞ의 ᄉᆡᆼ환ᄒᆞᆷ과 격고등문디ᄉᆞ를 베퍼 혹비혹희(或悲或喜)ᄒᆞ니, 쇼졔 ᄯᅩᄒᆞᆫ 디난 바를 ᄌᆞ셔히 고ᄒᆞ여 탐탐ᄒᆞᆫ 별회를 ○○[이루] 긔록디 못ᄒᆞ【53】○[리]러니, 딘부○[인]이 날이 져믈믈 인ᄒᆞ여 제부를 거나려 도라가고, 됴부인이 공과 졔ᄌᆞ의 도라오기를 기다리더니, 야심 후 하공이 부듕의 도라와 ᄇᆡᆨ일경의 쵹을 ᄇᆞᆰ히고, 뎡공과

1709)친옹(親翁) : 혼인한 두 집안의 부모들을 함께 이르는 말.

덕여음(積德餘蔭)이라. 지금 ᄉᆞᄉᆡᆼ을 고치 못ᄒᆞ엿더니, 이러ᄐᆞᆺ 놀나시믈 일위니 이 더욱 블효지죄(不孝之罪) 크도소이다"

인ᄒᆞ여 긔년(朞年) 존후【63】를 뭇ᄌᆞᆸ고 어ᄉᆞ 등이 신ᄇᆡᆨ(伸白)게 되믈 고ᄒᆞ니, 졔 소졔 금거옥뉸(金車玉輪)이 문의 다다르믈 보ᄆᆡ 뉘믈 아지 못ᄒᆞ다가, 뎡소져의 얼골을 ᄃᆡᄒᆞᄆᆡ 죽지 아냐시믈 아나 기간 ᄉᆞ고를 몰나 ᄒᆞ더니, 뎡소져의 말을 드르ᄆᆡ 요인의 화를 바다 오궁 누옥의 가도엿던 줄 ᄭᆡᄃᆞᆺ고, 조부인이 비로소 이ᄌᆞ의 누얼이 신ᄇᆡᆨ게 됨과 뎡소져의 ᄉᆞ라시믈 보ᄆᆡ, 깃븐 ᄃᆞᆺ 슬픈 ᄃᆞᆺᄒᆞ여 밧비 유랑 시녀를 블너 깃븐 말을 니르고, 뎡부의 통ᄒᆞ니 냥가 합문 샹하의 환텬희지(歡天喜地)ᄒᆞ믈 일필난긔(一筆難記)라.

진혹ᄉᆡ 발셔 뎡소졔 ᄉᆞ랏던 바와 격고등문지ᄉᆞ(擊鼓登聞之事)를 뎡부의 고ᄒᆞ엿던 고로, 진부인이 환희ᄒᆞ믈 니긔지 못ᄒᆞ여 도로혀 거지실조(擧止失調)ᄒᆞ고, 태부인이 몸이 스ᄉᆞ로 움죽여 친히 가【64】고져 ᄒᆞ나, 뎡공이 븟드러 간ᄒᆞ니 도로 안ᄌᆞ나 힝희ᄒᆞ미 형상치 못ᄒᆞ여, 진부인을 ᄌᆡ촉ᄒᆞ여 가라 ᄒᆞ니, 진부인이 윤·양·소·한 제부를 거ᄂᆞ려 하부의 니르러 친옹(親翁)[1421]이 녜파의, ᄋᆞ쥬 소제 ᄌᆞ위와 졔형의 친님ᄒᆞ믈 당ᄒᆞ여 반갑고 깃부믈 니긔지 못ᄒᆞ니, 슬하○[의] ᄇᆡ례ᄒᆞ고 졔형으로 녜파의, 진부인이 집슈무ᄇᆡ(執手撫臂)ᄒᆞ여 반김과 슬프믈 니긔지 못ᄒᆞ니, 탐탐ᄒᆞᆫ ᄉᆞ랑이 형상치 못ᄒᆞ고 즉시 근신ᄒᆞᆫ 양낭 ᄉᆞ오인을 보ᄂᆡ여 ᄋᆞ공ᄌᆞ를 ᄃᆞ려 오라 ᄒᆞ고, 조부인긔 식부의 ᄉᆡᆼ환ᄒᆞᆷ과 격고등문지ᄉᆞ를 베퍼 혹비혹희(或悲或喜)ᄒᆞ니, 소졔 ᄯᅩᄒᆞᆫ 지난 바를 ᄌᆞ셔히 고ᄒᆞ여 탐탐ᄒᆞᆫ 별회○[를] ○○[이루] 긔록지 못ᄒᆞ리러니, 진부인이 날이 져믈믈 인ᄒᆞ여 제부를 거ᄂᆞ려 도라가고, 조부인【65】이 공과 졔ᄌᆞ의 도라오믈 기ᄃᆞ다리더니, 야심 후 하공이 부즁의 도라와 ᄇᆡᆨ일경의 촉을 ᄇᆞᆰ

1421)친옹(親翁) : 혼인한 두 집안의 부모들을 함께 이르는 말.

졔딘이 일시의 못고, 졔왕 곤계 바로 하부의 와 미ᄌᆞ를 보랴 홀식, 하공이 시녀로 뎡쇼져를 명소(命召)ᄒᆞ니, 쇼졔 승명ᄒᆞ여 외헌의 니르러 승함입실(昇檻入室)[1710]의 존구(尊舅)와 야야(爺爺)며 삼위 표숙(表叔)긔 빅알ᄒᆞ고, 표죵(表從) 등과 삼위 슉슉(叔叔)으로 녜파의, 하공이 슬하의 갓가이 좌를 주고 년익귀듕(憐愛貴重)ᄒᆞᄂᆞᆫ ᄆᆞᄋᆞᆷ이 측냥업셔, 기리 탄왈, '시운이 브졔(不齊)ᄒᆞ고 발부의 작악으로 인ᄒᆞ여 현부를 죽은 줄【54】노 아라, 참통비졀(慘痛悲絶)ᄒᆞ믈 니긔디 못ᄒᆞ더니, 이졔 싱존○[ᄒᆞ]여 도라 옴과 금일 급화를 도로혀 복을 삼으믈' 일ᄏᆞᆺ더니, 뎡언간(停言間)의 양낭이 신ᄋᆞ를 ᄎᆞᄌᆞ 도라오니, 공이 친히 바다 슬샹의 노코 모다 볼식, 니른 바 션풍옥골(仙風玉骨)이오 셩ᄌᆞ긔믹(聖者氣脈)이라. 일월면모(日月面貌)와 뉴셩봉안(流星鳳眼)의 긴 눈셥이 텬창(天窓)[1711]을 썰치고, 흉듕(胸中)의 슈이(秀異)한 졍화(精華)를 거두어 범ᄋᆞ의 ᄉᆞ오셰나 당흠 ᄀᆞᆺᄐᆞ니, 공의 환열흠과 뎡공의 탐혹ᄒᆞᆫ ᄉᆞ랑이 비길 ᄃᆡ 업더라.

쇼졔 브복ᄒᆞ여 셩언(盛言)을 블감승당(不敢承當)[1712]ᄒᆞ고, 국휼(國恤)의 망극ᄒᆞ시믈 베플식 튱의 유연(油然)[1713]ᄒᆞ여 딘짓 튱의 디가의 싱댱ᄒᆞ믈 알디라. ᄒᆞ【55】믈며 그 용모식덕은 오릭 보디 아니타가 볼ᄉᆞ록 윤삐니, 하공의 식로온 ᄉᆞ랑이 측냥 업고 일좌의 늉늉ᄒᆞᆫ 화긔 만믈을 부흡(扶慉)흠 ᄀᆞᆺ더라.

딘공이 우음을 먹음고 하어ᄉᆞ의 옥비를 ᄉᆡᆨ혀 왈,

"쥬표를 업시치 못ᄒᆞᆫ 규슈ᄂᆞᆫ 엇디 낫 가리오ᄂᆞᆫ 녜를 폐ᄒᆞ고, 명공직렬(名公宰列) 가온ᄃᆡ 안ᄌᆞᆺᄂᆞ뇨?"

어식 함쇼(含笑) ᄃᆡ왈,

1710)승함입실(昇檻入室) ; 난간을 올라 방에 들어감.
1711)텬창(天窓) : '눈'을 달리 표현한 말.
1712)블감승당(不敢承當) : 남의 말이나 대접 따위를 받아들이기가 어렵고 황송함.
1713)유연(油然) : 생각 따위가 저절로 일어나는 형세가 왕성함.

히고, 뎡공과 졔진이 일시의 못고, 졔왕 곤계 바로 하부의 와 미ᄌᆞ를 보랴 홀식, 하공이 시녀로 뎡소져를 명소(命召)ᄒᆞ니, 소졔 승명ᄒᆞ여 외헌의 니르러 승함입실(昇檻入室)[1422]의 존구(尊舅)와 야야(爺爺)며 삼위 표숙(表叔)긔 빅알ᄒᆞ고, 표죵(表從) 등과 삼위 슉슉(叔叔)으로 녜파의, 하공이 슬하의 갓가이 좌를 주고 연익귀즁(憐愛貴重)ᄒᆞᄂᆞᆫ 마ᄋᆞᆷ이 측냥 업셔 기리 탄왈, '시운이 부졔(不齊)ᄒᆞ고 발부의 작악으로 인ᄒᆞ여 현부를 죽은 줄노 아라, 참퐁[통]비졀(慘痛悲絶)ᄒᆞ믈 니긔지 못ᄒᆞ더니, 싱환ᄒᆞ여 도라옴과 금일 급화를 도로혀 복을 삼으믈' 일ᄏᆞᆺ더니, 졍언간(停言間)의 양낭이 신ᄋᆞ를 ᄎᆞᄌᆞ 도라오니,【66】 공이 친히 바다 슬샹의 노코 모다 볼식, 니른 바 션풍옥골(仙風玉骨)이오 셩ᄌᆞ긔믹(聖者氣脈)이라. 일월안고[모](日月面貌)와 뉴셩봉안(流星鳳眼)의 눈셥이 텬창(天窓)[1423]을 썰치고, 흉즁(胸中)의 슈이(秀異)한 졍화(精華)를 거두어 범ᄋᆞ의 ᄉᆞ오셰나 당흠 ᄀᆞᆺᄐᆞ니, 공의 《환연‖환열》흠과 뎡공의 탐혹ᄒᆞᆫ ᄉᆞ랑이 비길 ᄃᆡ 업더라.

소졔 부복ᄒᆞ여 셩언(盛言)을 불감당(不敢當)[1424]ᄒᆞ고, 국휼(國恤)의 망극ᄒᆞ믈 베플식, 츙의 유연(油然)[1425]ᄒᆞ여 진짓 츙의지가의 싱장ᄒᆞ믈 알지라. ᄒᆞ믈며 그 용모식덕은 오릭 못 보다가 볼ᄉᆞ록 윤삐니, 하공의 식로온 ᄉᆞ랑이 측냥 업고 일좌의 늉늉ᄒᆞᆫ 화긔 만믈을 부흡(扶慉)흠 ᄀᆞᆺ더라.

진공이 우음을 먹음고 하어ᄉᆞ의 옥비를 ᄉᆡᆨ혀 왈,

"쥬표를 업시치 못 ᄒᆞᆫ 규슈ᄂᆞᆫ 낫 가리오ᄂᆞᆫ 녜를 폐ᄒᆞ【67】고, 명공직렬(名公宰列) 가온ᄃᆡ 안ᄌᆞᆺᄂᆞ뇨?"

어식 함소(含笑) ᄃᆡ왈,

1422)승함입실(昇檻入室) ; 난간을 올라 방에 들어감.
1423)텬창(天窓) : '눈'을 달리 표현한 말.
1424)블감당(不敢當) : 남의 말이나 대접 따위를 받아들이기가 어렵고 황송함.
1425)유연(油然) : 생각 따위가 저절로 일어나는 형세가 왕성함.

"듁암이 괴이ᄒᆞ여 사ᄅᆞᆷ을 업슈히 넉여 남직 팔 우히 쥬졈을 시험ᄒᆞ나, 쇼ᄉᆡᆼ의 ᄒᆡᆼ신이 굿ᄐᆞ여 븟그러오미 업고, 듁암의 다ᄉᆞ(多事)ᄒᆞᆷ을 웃노라."

딘공이 쇼왈,

"잉혈을 ᄌᆞ균의 비샹의 시험ᄒᆞ믄, 뎡히 ᄌᆞ균의 심폐를 빗최여 규녀 ᄀᆞᆺᄐᆞᆷ을 알미【56】어늘, ᄌᆞ균이 날을 한ᄒᆞ여 사ᄅᆞᆷ을 업슈히 넉인다 ᄒᆞᄂᆞ뇨? 모로미 일ᄉᆡᆼ 쥬표를 딕희여 실졀치 아니면 족장(足杖)1714)을 면ᄒᆞ려니와, 블연즉 우리 모다 음ᄒᆡᆼ디죄(淫行之罪)를 마련ᄒᆞ여 쳐치ᄒᆞ리라."

어ᄉᆡ 함쇼 왈,

"쇼뎨 과연 고인의 유취(有娶)ᄒᆞ던 나흘 기다려 부뷔 《독낙‖동락(同樂)》고져 ᄒᆞ엿거니와, 원간 뎡문 풍쇽은 비샹의 쥬졈 곳 업ᄉᆞ면 음ᄒᆡᆼ디죄로 마련ᄒᆞᄂᆞ냐?"

딘공이 우으며 어ᄉᆞ를 ᄭᅮ딧고 졔딘이 다 긔롱ᄒᆞ여 쥬표디ᄉᆞ를 우으니, 어ᄉᆡ 좌슈우응의 ᄯᅩᄒᆞᆫ 말이 궁딘치 아니터라.

1714)족장(足杖) : 동상례(東床禮) 등에서 장난으로 발을 거꾸로 매달고 발바닥을 치던 일.

"쥭암이 괴이ᄒᆞ여 샤ᄅᆞᆷ을 업슈히 넉여 남직 팔 우히 쥬졈을 시험ᄒᆞ나, 소ᄉᆡᆼ의 ᄒᆡᆼ신이 굿ᄐᆞ여 븟그러오미 업고, 쥭암의 다ᄉᆞ(多事)ᄒᆞᆷ을 웃노라."

진공이 소왈,

"잉혈을 ᄌᆞ균의 비샹의 시험ᄒᆞ믄 졍히 ᄌᆞ균의 심폐를 빗최여 규녀 ᄀᆞᆺᄐᆞᆷ을 알미어늘, ᄌᆞ균이 날을 한ᄒᆞ여 샤ᄅᆞᆷ을 업슈히 넉인다 ᄒᆞᄂᆞ뇨? 모로미 일ᄉᆡᆼ 쥬표를 직희여 실졀치 아니면 족장(足杖)1426)을 면ᄒᆞ려니와, 블연즉 우리 모다 음ᄒᆡᆼ지죄(淫行之罪)를 마련ᄒᆞ여 쳐치ᄒᆞ리라"

어ᄉᆡ 함소 왈,

"소뎨 과연 고인의 유취(有娶)ᄒᆞ던 나흘 기다려 부뷔 동낙(同樂)고져 ᄒᆞ엿거니와, 원간 뎡문 풍속은 비샹의 쥬졈 곳 업ᄉᆞ면 음ᄒᆡᆼ죄로 마련ᄒᆞᄂᆞ냐?"

진공이 우으【68】며 어ᄉᆞ를 ᄭᅮ짓고 졔진이 다 긔롱ᄒᆞ여 쥬표지ᄉᆞ를 우으니, 어ᄉᆡ 좌슈우응의 ᄯᅩᄒᆞᆫ 말이 궁진치 아니터라.

{태우ᄂᆞᆫ 그런 화난을 다 지ᄂᆡ고 양씨와 소씨로 더브러 동쥬 화락ᄒᆞ여 아모 근심 업시 금실죵고지낙을 ᄒᆞ니, 셰ᄉᆞ의 아모 험ᄉᆡ 업고 쾌락ᄒᆞ니, 슌ᄐᆡ부인이 ᄐᆡ우를 두굿기고, 소·양 두 소졔로 화목ᄒᆞ여 형뎨 ᄀᆞᆺ치 지ᄂᆡᆷ을 기리 ᄎᆞ탄ᄒᆞ고, 진부인이 양소져의 손을 어로만져 ᄀᆞᆯ오ᄃᆡ,

"만일 양현부의 현슉ᄒᆞ미 아니런덜 태우의 ᄒᆡᆼᄉᆡ 픽망ᄒᆞᆷ을 엇지 당ᄒᆞ엿시리오."

ᄯᅩ 소현부를 닛그러 ᄀᆞᆯ오ᄃᆡ,

"소현부ᄂᆞᆫ 만고풍상을 다 지ᄂᆡ고 부뷔 동실ᄒᆞ여 죵고지낙으로 지ᄂᆡ니, 엇지 두 현부의 슉덕 션ᄒᆡᆼ이 아니리오."

칭찬ᄒᆞᆷ을 마지 아니ᄒᆞ시【69】니, 양·소 두 부인이 피셕 ᄃᆡ왈,

"다 부모의 셩덕으로 고락을 다 지ᄂᆡ고 지금 쾌락으로 지ᄂᆡ오니, 엇지 소쳡 등의 현슉ᄒᆞ미리잇고?"

ᄐᆡ위 이의 ᄌᆞ안을 우러러 탄왈,

1426)족장(足杖) : 동상례(東床禮) 등에서 장난으로 발을 거꾸로 매달고 발바닥을 치던 일.

하공이 좌우로 태우를 브르니, 태위 ᄂᆡ당의 드러가 모친긔 뵈ᄋᆞᆸ고, 비록 슈【57】일디간이나 과도히 초젼우황(焦煎憂惶)ᄒᆞ시미 ᄌᆞ긔 등의 블효로 말ᄆᆡ암아시믈 탄ᄒᆞ더니, 부명을 듯고 즉시 나오ᄆᆡ, 하공이 부뷔 셔로 보믈 니르고, 왈,

"네 뎡현부를 위ᄒᆞ여 통상(痛傷)ᄒᆞ미 실셩(失性)키의 밋쳣더니, 금일 ᄉᆞᄌᆡ(死者) ᄉᆡᆼ환ᄒᆞ고 복듕의 잇던 ᄌᆞ식이 셰샹의 나, 말을 젼ᄒᆞ며 거름이 실ᄒᆞ니. 이런 경ᄉᆡ 어ᄃᆡ 이시리오. ᄒᆞ믈며 너의 급화를 구ᄒᆞ여 형벌을 면케ᄒᆞ고, 참참ᄒᆞᆫ 죄루를 신ᄇᆡᆨᄒᆞ미 다 네 안ᄒᆡ 덕이라. 내 니르디 아냐도 네 모로디 아니려니와 ᄒᆞᆫ갓 안ᄒᆡ로 ᄃᆡ졉디 말고, 은인의 녀ᄋᆡ오 은덕의 안ᄒᆡ로 알나."

태위 ᄇᆡ이슈명(拜而受命)ᄒᆞ고 퇴ᄒᆞ【58】여, 도라[1715] 뎡시를 향ᄒᆞ여 팔흘 들ᄆᆡ, 뎡시 존젼의 슈괴ᄒᆞ믈 씌여 셔로 녜를 맛ᄎᆞᄆᆡ, 하공이 ᄋᆞ히를 안아 태우를 주어 왈,

"부ᄌᆡ 셔로 보라."

ᄒᆞ니, 태위 비록 존젼의 경근(敬謹)ᄒᆞᄂᆞᆫ 녜를 잡아 뎡시를 녜ᄉᆞ로이 보나, 그 옥안화뫼(玉顏花貌) 가득히 반가오믈 측냥치 못ᄒᆞ거ᄂᆞᆯ, 다시 긔린 ᄀᆞᄐᆞᆫ 옥동을 보ᄆᆡ 깃브미 망외(望外)라. 흔연이 웃ᄂᆞᆫ 입을 쥬리디 못ᄒᆞ여 ᄋᆞ히를 어로만져 귀듕ᄒᆞ다가, 부젼의 유ᄋᆞ의 명ᄌᆞ를 청ᄒᆞᆫᄃᆡ, 공이 손ᄋᆞ의 명을 몽현이라 ᄒᆞ고 ᄌᆞ를 셩의라 ᄒᆞ여, 밤이 깁흔 후 뎡시 모ᄌᆞ를 드려 보ᄂᆡ고, 졔딘 등이 다 도라 가ᄃᆡ 금평후ᄂᆞᆫ 하공으로 밤을 디ᄂᆡ고,【59】명됴(明朝)의 녀ᄋᆞ를 다리고 부듕으로 도라 갈ᄉᆡ, 됴부인이 뎡시와 몽현을 다리고 밤을 디ᄂᆡ나 졍을 펴디 못ᄒᆞ여셔 뎡부로 나아가니, 결연ᄒᆞ나 만ᄉᆡ 즐거워 일졈 흠ᄉᆡ 업고, 태우ᄂᆞᆫ 셜빈의 흉ᄒᆞ믈 아니 보니 쾌활ᄒᆞ믈 니긔디 못ᄒᆞ더라.

1715)도라 : 도로. 향하던 쪽에서 되돌아서.

"도시 소ᄌᆞ의 과악이ᄋᆞᆸ고 다른 허믈이 업ᄂᆞ이다"}[1427]

1427) { }안 282자의 내용은 28권52쪽부터 30권41쪽까지 성난화가 태우 정세흥과 결혼해서 원비 양소저와 소염난(뒤에 세흥과 혼인)을 제거하기 위해 파란만장한 화란을 일으키다 출거된 것을 회상하며, 이후 세흥의 가정이 안정을 회복해 세흥이 양·소부인과 화목한 생활을 누리고 있는 것을 회고하고 있는 대목이다. 그런데 이 대목은 전후문맥과 전혀 연결이 되지 않아, 전사과정에서 실수로 선행본의 다른 장면을 1쪽 가량 잘못 옮겨 적은 오류로 보인다. 따라서 일단 '연문'으로 처리해 둔다.

뎡쇼졔 친당의 도라와 존당의 뵈현ᄒᆞ고 남ᄆᆡ 형뎨 가득ᄒᆞᆫ 졍을 펼ᄉᆡ, 태부인이 아쥬 쇼져를 보ᄆᆡ 반갑고 흐뭇ᄒᆞ여 슬허ᄒᆞ믈 마디 아니니, 뎡공과 졔왕이 즐거온 일의 상회(傷懷)1716)ᄒᆞ시믈 간(諫)ᄒᆞ고, 쇼졔 또 화안이셩(和顔怡聲)으로 위로ᄒᆞ며, 몽현을 태부인 딘부인이 교무ᄒᆞ여 ᄉᆞ랑이 비길 ᄃᆡ 업더라.

슉녈【60】비 ᄋᆞ의 손을 잡고 ᄆᆡ양 죽디 아녓던가 의심턴 바를 베프니, 졔왕이 쇼왈,

“내 또 그리 아ᄃᆡ 하부의셔 분명 죽어시믈 니르고 ᄌᆞ슌이 과도히 슬허ᄒᆞ니, 실노 주을드러1717) 뵈던디라. 사ᄅᆞᆷ이 엇디 상모를 도망ᄒᆞ리오. 셩녀ᄂᆞᆫ 본ᄃᆡ 블길ᄒᆞ더니 맛춤ᄂᆡ 흉ᄉᆞ(凶死)ᄒᆞ고, 너ᄂᆞᆫ 다남ᄌᆞ(多男子) ᄀᆡ상이 부귀 댱원키를 뭇디 아녀 알니니, 내 ᄆᆡ양 의려ᄒᆞ던디라, 즐거이 모드니 여한이 업도다.”

태부인이 손ᄋᆞ 남ᄆᆡ의 션견디명을 일ᄏᆞᆺ더라.

쇼졔 삼ᄉᆞ일 머므러 하부의 도라오니 됴부인이 봉원각을 쇄소ᄒᆞ여 들게 ᄒᆞ고, 셩녜 업ᄉᆞ니 뎡시 원위를 당ᄒᆞ여 타일 여러 쳐【61】쳡을 모화도 쇼졔 샹두를 거ᄂᆞᆯ디라. 구고와 태우의 깃브미 극ᄒᆞ고 쇼져의 졀힝을 문녀(門閭)의 졍표(旌表)ᄒᆞ여 금ᄌᆞ어필(金字御筆)노 '인녈슉셩비문(仁烈淑聖妃門)'이라 ᄒᆞ여 놉히니, 뎡쇼졔 깃거 아냐 녀ᄌᆞ의 일홈이 고요치 못ᄒᆞ믈 한ᄒᆞ니, 됴부인 왈,

“녀ᄌᆡ 스ᄉᆞ로 덕을 ᄌᆞ랑ᄒᆞ믄 가치 아니커니와 아름다온 일노ᄡᅧ 문녀의 표ᄒᆞᄂᆞᆫ 거ᄉᆞᆯ 엇디 근심ᄒᆞ리오. 모르미 안심믈녀(安心勿慮)ᄒᆞ라.”

쇼졔 츄연 ᄃᆡ왈,

“쇼쳡이 브릉누딜(不能陋質)노 일ᄏᆞᄅᆞᆷ즉 ᄒᆞᆫ 일이 업ᄉᆞᆸ거ᄂᆞᆯ, 형셰 마디 못ᄒᆞ여 격고등문ᄒᆞ미 념치를 도라보디 못ᄒᆞ미오. 비록 셩녀의 죄악이 관영(貫盈)ᄒᆞ오나, 쇼쳡이 사

1716)상회(傷懷) : 마음속으로 애통히 여김.
1717)주을들다 : 주접들다. 초라하고 너절해지다.

뎡소졔 친가의 도라와 존당의 뵈현ᄒᆞ고 남ᄆᆡ 형뎨 ᄀᆞ득ᄒᆞᆫ 졍을 펼ᄉᆡ, ᄐᆡ부인이 ᄋᆞ쥬 소져를 보ᄆᆡ 반갑고 흐뭇ᄒᆞ여 슬허ᄒᆞ믈 마지 아니니, 뎡공과 졔왕이 즐거온 일의 상회(傷懷)1428)ᄒᆞ시믈 간(諫)ᄒᆞ고, 소졔 또 화셩이안(和聲怡顔)으로 위로ᄒᆞ며, 몽현을 태부인 진부인이 교무ᄒᆞ여 ᄉᆞ랑이 비길ᄃᆡ 업더라.

슉녈비 아쥬의 손을 잡고 ᄆᆡ양 죽지 아녓던가 의심턴 바를 베프니, 졔왕이 소왈,

“내 또 그리아ᄃᆡ 하부의셔 분명 죽어시믈 니르고, ᄌᆞ슌이 과도히 슬허ᄒᆞ【70】니[며], 실노 금금(錦衾)을 드러 뵈던지라. 샤ᄅᆞᆷ이 엇지 상모를 도망ᄒᆞ리오. 셩녀ᄂᆞᆫ 본ᄃᆡ 불길ᄒᆞ더니 마춤ᄂᆡ 흉ᄉᆞ(凶死)ᄒᆞ고, 너ᄂᆞᆫ 다남ᄌᆞ(多男子) ᄀᆡ상이 부귀 장원키를 뭇지 아녀 알니니, 내 ᄆᆡ양 의려ᄒᆞ던지라. 즐거이 모드니 여한이 업도다.”

태부인이 손ᄋᆞ 남ᄆᆡ의 션견지명을 일ᄏᆞᆺ더라.

소졔 삼ᄉᆞ일 머므러 하부의 도라오니 조부인이 봉원각을 쇄소ᄒᆞ여 들게 ᄒᆞ고, 셩녜 업ᄉᆞ니 뎡씨 원위를 당ᄒᆞ여 타일 여러 쳐쳡을 모화도 소졔 샹두를 거ᄂᆞᆯ지라. 구고와 태우의 깃부미 극ᄒᆞ고 소져의 졀힝을 문녀(門閭)의 졍표(旌表)ᄒᆞ여 금ᄌᆞ어필(金字御筆)노 '인녈슉셩비문(仁烈淑聖妃門)'이라 ᄒᆞ여 놉히니, 뎡소졔 깃거 아냐 녀ᄌᆞ의 일홈이 고요치 못ᄒᆞ믈 한ᄒᆞ니, 조부인 왈,

“녀ᄌᆡ 스ᄉᆞ로 덕을 ᄌᆞ랑ᄒᆞ믄 가치 아니【71】커니와 아름다온 일노ᄡᅧ 문녀의 표ᄒᆞᄂᆞᆫ 거ᄉᆞᆯ 엇지 근심ᄒᆞ리오 모르미 안심믈녀(安心勿慮)ᄒᆞ라.”

소졔 츄연 ᄃᆡ왈,

“소쳡이 블능누질(不能陋質)노 일ᄏᆞᄅᆞᆷ즉 ᄒᆞᆫ 일이 업거ᄂᆞᆯ, 형셰 마지 못ᄒᆞ여 격고등문ᄒᆞ미 념치를 도라보지 못ᄒᆞ미오. 비록 셩녀의 죄악이 관영(貫盈)ᄒᆞ오나, 소쳡이 샤ᄅᆞᆷ을 히ᄒᆞ여 부월지쥬(斧鉞之誅)를 밧게 ᄒᆞ고,

1428)상회(傷懷) : 마음속으로 애통히 여김.

룸을 히ᄒᆞ여 부월디【62】쥬(斧鉞之誅)를 밧게 ᄒᆞ고, 쳡은 금ᄌᆞ어필노 문을 놉히니 엇디 블안황공(不安惶恐)치 아니리잇고?"

부인이 ᄌᆡ삼 그러치 아니믈 니르더라.

하・뎡 냥부의셔 일가 친쳑과 졔우 붕당이 날마다 모다 치하ᄒᆞᄂᆞ니, 뎡부의ᄂᆞᆫ 죽은 녀ᄋᆡ ᄉᆞ라 도라옴과 하부의ᄂᆞᆫ 어ᄉᆞ 형뎨 죄루를 신ᄇᆡᆨᄒᆞ고 뎡슉셩의 셩힝이 희한ᄒᆞ믈 하례ᄒᆞ니, 뎡・하 냥부의 희환(喜歡)ᄒᆞ믄 비길 ᄃᆡ 업더라.

오궁의셔ᄂᆞᆫ 셰ᄌᆞ를 입념(入殮)1718)ᄒᆞ여 셩복(成服)1719)을 디ᄂᆡ고, 난화의 념통을 ᄌᆞᆺ너흘며 간을 회(膾) 먹어 원슈를 갑흐며, 셰ᄌᆞ 녕연(靈筵)1720)의 음녀의 장부(臟腑)1721)를 가져 졔(祭)ᄒᆞ나, ᄉᆞᄌᆡ(死者) ᄉᆡᆼ환ᄒᆞᆯ 길 업ᄉᆞ니, 오왕 부뷔 통상(痛傷)ᄒᆞᆫ 가온ᄃᆡ나,【63】ᄐᆡ셤의 어딜고 의긔로오믈 긔특이 녀여 웃듬 상궁을 삼고 궁듕ᄌᆡ보를 가음 알게 ᄒᆞ니, 셤이 ᄂᆡ암졍 쳔역으로 비컨ᄃᆡ '우믈 밋 개고리'1722) 셩뇽등텬(成龍登天)1723)ᄒᆞ미 아니리오.

뎡슉셩이 그 은혜를 감골ᄒᆞ여 오라도록 신(信)을 ᄭᅳᆺ디 아니코, 의상(衣裳)을 슉셩이 친히 디어 보ᄂᆡ니, 셤이 ᄯᅩᄒᆞᆫ 블승감은이러니, 후ᄅᆡ의 왕의 손녀 명슉 군쥬 하몽현의 부인이 되여 오ᄆᆡ, ᄐᆡ셤이 ᄌᆞ원ᄒᆞ여 군쥬를 조ᄎᆞ 오니 슉셩이 그 은혜를 갑흐니라.

1718)입념(入殮) : 상례에서 입관(入棺)과 염습(殮襲)을 아울러 이르는 말. *입관(入棺); 시신을 관 속에 넣음. 염습(殮襲); 시신을 씻긴 뒤 수의를 갈아입히고 염포로 묶는 일.

1719)셩복(成服) : 초상이 나서 상인(喪人)들이 처음으로 상복(喪服)을 입는 일. 보통 입관(入棺)을 마친 후 입는다.

1720)녕연(靈筵) : 혼백이나 신위(神位)를 모신 자리와 그에 딸린 물건들.

1721)장부(臟腑) : 오장과 육부, 곧 내장(內臟)을 통틀어 이르는 말. 곧 간장, 심장, 폐장, 신장, 비장의 오장과 대장, 소장, 위, 쓸개, 방광, 삼초(三焦)의 육부를 이른다.

1722)우믈 밋 개고리 : 세상형편을 모르는, 견문이 좁은 사람을 이르는 말.

1723)셩뇽등텬(成龍登天) : 물고기가 용이 되어 하늘을 오름. 아주 곤궁하던 사람이 부귀하게 됨을 이르는 말

쳡은 금ᄌᆞ어필노 문을 놉히니 엇지 블안황공(不安惶恐)치 아니리잇고?"

부인이 ᄌᆡ삼 그러치 아니믈 니르더라.

하・뎡 냥부의셔 일가 친쳑과 졔우 붕당이 날마다 모다 치하ᄒᆞᄂᆞ니, 뎡부의ᄂᆞᆫ 죽은 녀ᄋᆡ ᄉᆞ라 도라옴과 하부의ᄂᆞᆫ 어ᄉᆞ 형뎨 죄루를 신ᄇᆡᆨᄒᆞ고 뎡슉셩의 ○○○[셩힝이] 희한ᄒᆞ믈 하례ᄒᆞ니, 뎡・하 냥부의 《희한∥희환(喜歡)》ᄒᆞ믄 비길 ᄃᆡ 업더라.

오궁【72】의셔ᄂᆞᆫ 셰ᄌᆞ를 닙념(入殮)1429) ᄒᆞ여 셩복(成服)1430)을 지ᄂᆡ고, 난화의 념통을 ᄌᆞᆺ너흘며 간을 회(膾) 먹어 원슈를 갑흐며, 셰ᄌᆞ 녕연(靈筵)1431)의 음녀의 장부(臟腑)1432)를 가져 졔(祭)ᄒᆞ나, ᄉᆞᄌᆡ(死者) ᄉᆡᆼ환ᄒᆞᆯ 길 업ᄉᆞ니, 오왕 부뷔 통상(痛傷)ᄒᆞᆫ 가온ᄃᆡ○[나], ᄐᆡ셤의 어질고 의긔로오믈 긔특이 녀여 웃듬 상궁을 삼고 궁즁ᄌᆡ보를 가음 알게 ᄒᆞ니, 셤이 ᄂᆡ암졍 쳔역으로 비컨ᄃᆡ '우믈 밋 ᄀᆡ고리'1433) 셩뇽등텬(成龍登天)1434) ᄒᆞ미 아니리오.

뎡슉셩이 그 은혜를 감골ᄒᆞ여 오라도록 신(信)을 ᄭᅳᆺ지 아니코, 의상(衣裳)을 슉셩이 친히 지어 보ᄂᆡ니, 셤이 ᄯᅩᄒᆞᆫ 블승감은이러니, 후ᄅᆡ의 왕의 손녀 명슉 군쥬 하몽현의 부인이 되여 오ᄆᆡ, ᄐᆡ셤이 ᄌᆞ원ᄒᆞ여 군쥬를 조ᄎᆞ 오니 슉셩이 그 은혜를 갑흐니라.

1429)입념(入殮) : 상례에서 입관(入棺)과 염습(殮襲)을 아울러 이르는 말. *입관(入棺); 시신을 관 속에 넣음. 염습(殮襲); 시신을 씻긴 뒤 수의를 갈아입히고 염포로 묶는 일.

1430)셩복(成服) : 초상이 나서 상인(喪人)들이 처음으로 상복(喪服)을 입는 일. 보통 입관(入棺)을 마친 후 입는다.

1431)녕연(靈筵) : 혼백이나 신위(神位)를 모신 자리와 그에 딸린 물건들.

1432)장부(臟腑) : 오장과 육부, 곧 내장(內臟)을 통틀어 이르는 말. 곧 간장, 심장, 폐장, 신장, 비장의 오장과 대장, 소장, 위, 쓸개, 방광, 삼초(三焦)의 육부를 이른다.

1433)우믈 밋 개고리 : 세상형편을 모르는, 견문이 좁은 사람을 이르는 말.

1434)셩뇽등텬(成龍登天) : 물고기가 용이 되어 하늘을 오름. 아주 곤궁하던 사람이 부귀하게 됨을 이르는 말

태위 슉셩 향ᄒᆞᆫ 은졍이 여산약히(如山若海)ᄒᆞᄃᆡ, 오히려 국휼(國恤) 삼년이 맛디 못ᄒᆞ여시므로, ᄉᆞ실 츌입을 아니니, 공이【64】그 녜(禮) 잡으미 구드믈 희열ᄒᆞ더라.

ᄎᆞ년 셰말의 원필이 등양(登揚)1724)ᄒᆞ여 한님ᄒᆞᆨᄉᆞ(翰林學士)를 ᄒᆞ니, 명결이 부형여음(父兄餘蔭)으로 텬통이 늉늉(隆隆)ᄒᆞ시고 거셰 일ᄏᆞᆺᄂᆞᆫ ᄇᆡ니, 공이 셩만의 셰를 두려 갈ᄉᆞ록 공근겸퇴ᄒᆞ믈 쥬(主)ᄒᆞᆯ ᄲᅮᆫ 아니라, 하승상의 검소청현ᄒᆞᆫ 덕이 하쳔쳑동을 ᄃᆡᄒᆞ여도 ᄌᆞ존ᄒᆞ미 업ᄉᆞᄃᆡ, ᄌᆞ연ᄒᆞᆫ 위의 구츄상텬(九秋霜天) ᄀᆞᆺ고 늠연ᄒᆞᆫ 녜되 공ᄆᆡᆼ안증(孔孟顏曾)1725)을 니으니, 견시ᄌᆡ 칭복ᄒᆞ믈 결을치 못ᄒᆞᄂᆞᆫ디라. 됴당(朝堂)의 나면 관복졔구ᄂᆞᆫ 다르미 업ᄉᆞ나, 거가(擧家)의ᄂᆞᆫ 갈건포의(葛巾布衣)를 닙고, 윤부인이 그 ᄯᅳᆺ을 조ᄎᆞ 의복을 각별 굵은 깁을 ᄀᆞᆯ희여 일우니, 승상이【65】ᄆᆡ양 ᄀᆞᆯ오ᄃᆡ,

“연·경 냥인은 쵹디간고(蜀地艱苦)를 보디 아녓거니와, 부인은 ᄒᆞᆨᄉᆡᆼ으로 더브러 비상간고(悲傷艱苦)를 ᄒᆞᆫ가디로 ᄒᆞᆫ ᄇᆡ니, 녯일을 모로디 아닐디라. ᄉᆡᆼ이 비록 위거삼공(位居三公)이오 작ᄎᆞ국공(爵次國公)이나 ᄒᆞᆫ구셕 ᄆᆡᆺ친 근심은 플니디 아녓거니, 본ᄃᆡ 참화여ᄉᆡᆼ이라 므솜 호화ᄒᆞᆫ ᄯᅳᆺ의 음식 의복을 샤치ᄒᆞ리오. 군젼(君前)의ᄂᆞᆫ 누츄ᄒᆞᆫ 거동을 뵈옵디 못ᄒᆞ나, 거가(居家)의ᄂᆞᆫ 쵹디간고(蜀地艱苦)를 비컨ᄃᆡ 내 ᄆᆞ음이 편ᄒᆞ고, 찬션(饌膳) 의복(衣服)이 화려ᄒᆞ믈 본즉 블안ᄒᆞ고 두려오니, 디어 몽닌 ᄀᆞᆺᄐᆞᆫ 뉴ᄂᆞᆫ 가찰(苛察)ᄒᆞ고 가ᄅᆞ칠 ᄇᆡ 업ᄉᆞ나, 몽셩의 다ᄃᆞ라ᄂᆞᆫ 이졔브터 나의 심녀 무궁ᄒᆞᆫ디라. 만일【66】실슈ᄒᆞ면 졔어키 어려오리니, 내 몸이 종샤의 듕ᄒᆞ므로 작인이 심상치 아니믄 일가의 대경이라. 져의 ᄯᅳᆺ이 넘나고 고집되여 조금도 졸딕(拙直)ᄒᆞ미 업거ᄂᆞᆯ, 존당이 과ᄋᆡᄒᆞ샤 만ᄉᆞ를 졔 쇼원ᄃᆡ로·ᄒᆞ○[이]시니, ᄋᆞ히 등이 졈졈 방약무인(傍若無人)ᄒᆞ여

1724)등양(登揚) : 과거에 급제함.
1725)공ᄆᆡᆼ안증(孔孟顏曾) : 유학의 네 성현인 공자, 맹자, 안회, 증삼을 아울러 이르는 말.

태위 슉셩 향ᄒᆞᆫ 은졍이 여산약히(如山若海)【73】ᄒᆞᄃᆡ, 오히려 국휼(國恤) 삼년이 맛지 못ᄒᆞ여시므로 ᄉᆞ실 츌입을 아니니, 공이 그 녜(禮) 잡으미 구드믈 희열ᄒᆞ더라.

ᄎᆞ년 셰말의 원필이 등양(登揚)1435)ᄒᆞ여 한님ᄒᆞᆨᄉᆞ(翰林學士)를 ᄒᆞ니, 명결이 부형여음(父兄餘蔭)으로 텬총이 늉늉(隆隆)ᄒᆞ시고 거셰 일ᄏᆞᆺᄂᆞᆫ ᄇᆡ니, 공이 셩만의 셰를 두려 갈ᄉᆞ록 공근겸퇴ᄒᆞ믈 쥬(主)ᄒᆞᆯ ᄲᅮᆫ 아니라, 하승상의 검소청현ᄒᆞᆫ 덕이 하쳔쳑동을 ᄃᆡᄒᆞ여도 ᄌᆞ존ᄒᆞ미 업ᄉᆞᄃᆡ, ᄌᆞ연ᄒᆞᆫ 위의 구츄상텬(九秋霜天) ᄀᆞᆺ고 늠연ᄒᆞᆫ 녜되 공ᄆᆡᆼ안증(孔孟顏曾)1436)을 니으니, 견시ᄌᆡ 칭복ᄒᆞ믈 결을치 못ᄒᆞᄂᆞᆫ지라. 조당(朝堂)의 나면 관복졔구ᄂᆞᆫ 다르미 업ᄉᆞ나, 거가(擧家)의ᄂᆞᆫ 갈건포의(葛巾布衣)를 닙고, 윤부인이 그 ᄯᅳᆺ슬조ᄎᆞ 의복을 각별 굶은1437) 깁을 갈희여 일우니, 승상이 ᄆᆡ양 ᄀᆞᆯ오ᄃᆡ,

“연·경 냥인은 촉【74】지간고(蜀地艱苦)를 보지 아녓거니와, 부인은 ᄒᆞᆨᄉᆡᆼ으로 더브러 비상간고(悲傷艱苦)를 ᄒᆞᆫ 가지로 ᄒᆞᆫ ᄇᆡ라. 녯 일을 모로지 아닐지라. ᄉᆡᆼ이 비록 위거삼공(位居三公)이오 작ᄎᆞ국공(爵次國公)이나 ᄒᆞᆫ 구셕 ᄆᆡᆺ친 근심은 플니지 아녓거니, 본ᄃᆡ 참화여ᄉᆡᆼ이라 무솜 호화ᄒᆞᆫ ᄯᅳᆺ의 음식 ○○[의복]을 ᄉᆞ치ᄒᆞ리오. 군젼(君前)의ᄂᆞᆫ 누츄ᄒᆞᆫ 거동을 뵈옵지 못ᄒᆞ나 거가(居家)의ᄂᆞᆫ 촉지간고(蜀地艱苦)를 비컨ᄃᆡ 내 마음이 편코, 찬션(饌膳) 의복(衣服)이 화려ᄒᆞ믈 본즉 블안ᄒᆞ고 두려오니, 지어 몽닌 ᄀᆞᆺᄐᆞᆫ 뉴ᄂᆞᆫ 가찰(苛察)ᄒᆞ고 가르칠 ᄇᆡ 업ᄉᆞ나, 몽셩의 다다라ᄂᆞᆫ 이졔브터 나의 심녀 무궁ᄒᆞ지라. 만일 실슈ᄒᆞ면 졔어키 어려오리니, 내 몸이 종ᄉᆞ의 즁ᄒᆞ므로 작인이 심상치 아니믄 일가의 ᄃᆡ경이라. 져의 ᄯᅳᆺ이 넘나고 고집 되여 조곰【75】도 졸직(拙直)ᄒᆞ미 업거ᄂᆞᆯ, 존당이 과ᄋᆡᄒᆞ샤 만ᄉᆞ를 졔

1435)등양(登揚) : 과거에 급제함.
1436)공ᄆᆡᆼ안증(孔孟顏曾) : 유학의 네 성현인 공자, 맹자, 안회, 증삼을 아울러 이르는 말.
1437)굶다 : 굵다.

아비 이시믈 싱각디 못ᄒᆞᄂᆞ더라. 어이 근심되디 아니리오.”

부인이 승상의 뜻을 조ᄎᆞ 졔ᄌᆞ의 의복디 졀을 한ᄉᆞ곳치 ᄒᆞ니, 졔 공지 부모의 너모 졀검ᄒᆞ시믈 민망이 넉이더라.

ᄎᆞ공ᄌᆞ 몽닌의 일동일졍이 녜 아닌 일이 업고, 녜학(禮學)이 그 부공이라도 블급홀 빅로ᄃᆡ, 댱ᄌᆞ 몽셩은 긔운이 하날을 밧들고 태산을 ᄲᅢ힐 거【67】시로ᄃᆡ, 엄훈을 두리ᄂᆞᆫ 고로 단졍ᄒᆞ여 포의(布衣)를 염(厭)치 아니나, 음식의 다ᄃᆞ라ᄂᆞᆫ 화미딘찬(華味珍饌)을 포복(飽腹)ᄒᆞᄆᆡ, 모친긔 구치 아니코 눈의 뵈ᄂᆞᆫ 바ᄂᆞᆫ 냥을 ᄎᆡ오고 나니, 부인이 ᄆᆡ양 승상의 말ᄉᆞᆷ을 젼ᄒᆞ여 부형의 졀검ᄒᆞᆫ 뜻을 어긔오디 말나 ᄒᆞ니, 공지 화히 웃고 ᄃᆡ왈,

“사ᄅᆞᆷ의 화복길흉이 하날의 뎡ᄒᆞᆫ 빈라. 쳥검ᄒᆞ기로 댱슈(長壽)ᄒᆞ고 복(福)이 더ᄒᆞᆯ량이면, 안ᄌᆞ(顔子)[1726]ᄂᆞᆫ 빅셰나 살고 빅금(伯禽)[1727]은 열 ᄋᆞᄃᆞᆯ이나 두리로소이다.”

부인이 뎡식 왈,

“너ᄂᆞᆫ ᄆᆡ양 호화키를 ᄎᆔᄒᆞ여 이런 말을 ᄒᆞᄂᆞ뇨? 안연(顔淵)이 명되 궁ᄒᆞ샤 조강(糟糠)을 블염(不厭)ᄒᆞ시나 후셰의 그 도힝을 니르니, 져마다 ᄎᆞ【68】셕ᄒᆞᄂᆞᆫ ᄇᆡ 되여시니, 사ᄅᆞᆷ이 어딘 일홈 어드미 그 엇더ᄒᆞ며, ᄇᆡᆨ두(白頭)의 무흠(無欠)○○○[코 무복(無福)]ᄒᆞ믈 후셰인이 텬니를 ᄋᆡᄃᆞᆯ와 ᄒᆞᄂᆞᆫ ᄇᆡ오, ᄇᆡᆨ두의 젹앙(積殃)이 과(寡)ᄒᆞ니, 내 압히 디극히 올코 ᄆᆞᄋᆞᆷ을 어디리 잡으나, 팔ᄌᆡ 유복(有福)디 아닌 거시야 현마 엇디 ᄒᆞ리오마ᄂᆞᆫ, 방탕ᄎᆔᄀᆡᆨ(放蕩醉客)이 권문셰가(權門勢家)로조ᄎᆞ 싱댱ᄒᆞ여 ᄒᆞᆫ 일 근심이 업다가, 망측대화(罔測大禍)를 보ᄂᆞ 니도 이시니, 가히 두렵디 아니랴?”

공지 쇼이ᄃᆡ왈(笑而對曰),

1726)안자(顔子) : 안회(顔回). 자 연(淵). 공자의 제자. 십철(十哲) 가운데 한 사람. 단명하여 요절하였다.

1727)빅금(伯禽) : 중국 주(周)나라 주공(周公)의 장자. 노(魯)나라에 봉왕(封王)되었다.

소원ᄃᆡ로 ᄒᆞ○[이]시니, ᄋᆞ히 등이 졈졈 방약무인(傍若無人)ᄒᆞ여 아비 잇시믈 싱각지 못ᄒᆞᄂᆞᆫ지라. 어이 근심 되지 아니리오.”

부인이 승상의 뜻슬 조ᄎᆞ 졔ᄌᆞ의 의복지 졀을 한ᄉᆞ곳치 ᄒᆞ니, 졔 공지 부모의 너모 졀검ᄒᆞ시믈 민망히 넉이더라.

ᄎᆞ공ᄌᆞ 몽닌의 일동일졍이 녜 아닌 일이 업고, 녜ᄒᆞᆨ(禮學)이 그 부공이라도 블급홀 빅로ᄃᆡ, 장ᄌᆞ 몽셩은 긔운이 하날을 밧들고 ᄐᆡ산을 ᄲᅢ힐 거시로ᄃᆡ, 엄훈을 두리ᄂᆞᆫ 고로 단졍ᄒᆞ여 포의(布衣)를 염(厭)치 아니나, 음식의 다다라ᄂᆞᆫ 화미진찬(華味珍饌)을 포복(飽腹)ᄒᆞᄆᆡ, 모친긔 구치 아니코 눈의 뵈ᄂᆞᆫ 바ᄂᆞᆫ 냥을 ᄎᆡ오고 나니, 부인이 ᄆᆡ양 승상의 말ᄉᆞᆷ을 젼ᄒᆞ여 부모의 졀검ᄒᆞᆫ 뜻슬 어긔【76】오지 말나 ᄒᆞ니, 공지 화히 웃고 ᄃᆡ왈,

“샤ᄅᆞᆷ의 화복길흉이 하날의 뎡ᄒᆞᆫ 빈라. 쳥검ᄒᆞ기로 장슈(長壽)ᄒᆞ고 복(福)이 더ᄒᆞᆯ량이면, 안ᄌᆞ(顔子)[1438]ᄂᆞᆫ 빅셰나 ᄉᆞᆯ고 빅금(伯禽)[1439]은 열 ᄋᆞᄃᆞᆯ이나 두리로소이다.”

부인이 졍식 왈,

“너ᄂᆞᆫ ᄆᆡ양 호화키를 ᄎᆔᄒᆞ여 이런 말을 ᄒᆞᄂᆞ냐? 안연(顔淵)이 명되 궁ᄒᆞ여 조강(糟糠)을 블념(不厭)《ᄒᆞ다가‖하시나》 후셰의 그 도힝을 니르니, 져마다 ᄎᆞ셕ᄒᆞᄂᆞᆫ ᄇᆡ 되엿시니, 샤ᄅᆞᆷ이 어진 일홈 어드미 그 읏더ᄒᆞ며, ᄇᆡᆨ두(白頭)의 무흠(無欠)○○○[코 무복(無福)]ᄒᆞ믈 후셰인이 텬니를 ᄋᆡᄃᆞᆯ와 ᄒᆞᄂᆞᆫ ᄇᆡ오, ᄇᆡᆨ두의 젹앙(積殃)이 과(寡)ᄒᆞ니, 네 압히 지극히 올코 마ᄋᆞᆷ을 어지리 잡으나, 팔ᄌᆡ 유복지 아닌 거시야 현마 엇지 ᄒᆞ리오마ᄂᆞᆫ, 방탕ᄎᆔᄀᆡᆨ(放蕩醉客)이 권문셰가(權門勢家)로조ᄎᆞ 싱장ᄒᆞ여 ᄒᆞᆫ 일 근심이 업다가, 망측ᄃᆡ화(罔測大禍)를 보니도 잇시니, 가히 두립지 아니랴?”

공지 소이ᄃᆡ【77】왈(笑而對曰),

1438)안자(顔子) : 안회(顔回). 자 연(淵). 공자의 제자. 십철(十哲) 가운데 한 사람. 단명하여 요절하였다.

1439)빅금(伯禽) : 중국 주(周)나라 주공(周公)의 장자. 노(魯)나라에 봉왕(封王)되었다.

"ᄌᆞ괴 맛당ᄒᆞ시나 오히려 텬니를 모로시ᄂᆞ이다. 공ᄌᆡ 대셩(大聖)이샤ᄃᆡ 텰환텬하(轍環天下)[1728]ᄒᆞ샤 상가디구(喪家之狗)[1729]의 비기ᄂᆞᆫ 욕을 보시고, '딘ᄎᆡ(陳蔡)의 졀냥(絶糧)ᄒᆞ여 곡경'[1730]을 디ᄂᆡ시니, 덕으로ᄡᅧ 복【69】녹이 낫타날딘ᄃᆡ 엇디 측냥ᄒᆞ여 니르리잇고마ᄂᆞᆫ, 그 덕힝이 아모리 긔특ᄒᆞ여도 복녹을 누리디 못ᄒᆞ면 거ᄌᆞᆺ 거시니, 인ᄉᆡᆼ이 ᄇᆡᆨ년이 아니니, 쇼ᄌᆞᄂᆞᆫ 알기를, 오날 술이 이시면 딘췌(盡醉)ᄒᆞ고 ᄂᆡ○[일] 일이 이시면 당ᄒᆞ올디라. 부귀공명은 구ᄒᆞ여 엇기 어려온 노로시오. 다 남ᄌᆞ 영복(榮福)은 인인의 쉽디 아닌 ᄇᆡ니, 아이의[1731] 한박(寒薄)ᄒᆞᆫ 궁ᄉᆞ(窮士)로 창하(窓下)의 울젹히 한을 픔어 《듁침Ⅱ듁림》의 한가히 소유(逍遊)ᄒᆞ면 훌일업거니와, 하날이 ᄌᆡ덕(才德)을 빌니시고 슈복(壽福)을 틔와실딘ᄃᆡ, 조년닙됴(早年立朝)ᄒᆞ여 ᄒᆞᆫ갓 옥당금마(玉堂金馬)[1732]의 명환(名宦)이 될 ᄲᅮᆫ 아니라, 몸이 황각(黃閣)[1733]의 깃드려 츌댱입상(出將入相)ᄒᆞ여 공개텬하(功盖天下)의 위딘【70】히ᄂᆡ(威震海內)ᄒᆞ며, 화형닌각(畵形麟

1728)텰환텬하(轍環天下) : 수레를 타고 천하를 돌아다닌다는 뜻으로, 교화(敎化)를 위하여 세상을 돌아다님을 이르는 말. 공자가 교화를 위하여 중국 천하를 돌아다닌 데서 유래한다.

1729)상가디구(喪家之狗) : '상갓집 개'라는 뜻으로, 여기 가서도 천대를 받고 저기 가서도 천대를 받으면서도 비굴하게 얻어먹으러 기어드는 가련한 꼴을 비유적으로 이르는 말.

1730)진ᄎᆡ(陳蔡)의 곡경 : 공자(孔子)가 초(楚)나라 소왕(昭王)의 초빙을 받고 초나라로 가던 중 진(陳)나라와 채(蔡)나라의 접경지역에서 진・채의 군사들에게 포위된 채, 양식이 떨어져 7일 동안을 굶으며 고난을 겪었던 고사를 이른 것. 이를 진채지액(陳蔡之厄)이라 한다.

1731)아이의 : 아예. 일시적이거나 부분적이 아니라 전적으로. 또는 순전하게.

1732)옥당금마(玉堂金馬) : 중국 한(漢)나라 대궐의 옥당전(玉堂殿)과 금마문(金馬門)을 함께 이르는 말로, 한림원 또는 황제를 가까이서 받드는 한림원 벼슬아치를 뜻한다. 옥당전은 한림원이 있었던 전각의 이름이며 금마문은 전각의 문으로, 문 앞에 동마(銅馬)가 있어 붙여진 이름이다. 조선에서는 홍문관을 옥당이라 했다.

1733)황각(黃閣) : 행정부의 최고기관인 의정부(議政府)를 달리 이르는 말.

"ᄌᆞ괴 맛당ᄒᆞ시나 오히려 텬니를 모로시ᄂᆞ이다. 공ᄌᆡ 대셩(大聖)이로ᄃᆡ 쳘환텬하(轍環天下)[1440]ᄒᆞ샤 상가지구(喪家之狗)[1441]의 비기ᄂᆞᆫ 욕을 보시고, '진ᄎᆡ(陳蔡)의 졀냥(絶糧)ᄒᆞ여 곡경'[1442]을 지ᄂᆡ시니, 덕으로ᄡᅧ 복녹이 낫타날진ᄃᆡ 엇지 측냥ᄒᆞ여 니르리잇고마ᄂᆞᆫ, 그 덕힝이 아모리 긔특ᄒᆞ여도 복녹을 못 타면 거ᄌᆞᆺ 거시니, 인ᄉᆡᆼ이 ᄇᆡᆨ 년이 아니니, 소ᄌᆞᄂᆞᆫ 알기를 오날 술이 잇시면 진췌(盡醉)ᄒᆞ고 ᄂᆡ○[일] 일이 잇시면 근심ᄒᆞ올지라. 부귀공명은 구ᄒᆞ여 엇기 어려온 노르시오. 다 남ᄌᆞ 영복(榮福)은 인인의 쉽지 아닌 ᄇᆡ니, 아이의[1443] 한박(寒薄)ᄒᆞᆫ 궁ᄉᆞ(窮士)로 창하(窓下)의 울젹히 한을 픔어 《쥭침Ⅱ쥭림》의 한가히 소요(逍遙)ᄒᆞ면 훌일업거니와, 하날이 ᄌᆡ덕(才德)을 빌니시고 슈복(壽福)을 틔와실진ᄃᆡ, 조년닙조(早年立朝)ᄒᆞ여 ᄒᆞᆫ갓 옥【78】당금마(玉堂金馬)[1444]의 명환(名宦)이 될 ᄲᅮᆫ 아니라, 몸이 황각(黃閣)[1445]의 깃드려 츌장닙상(出將入相)ᄒᆞ여 공개텬하(功盖天下)의 위진히ᄂᆡ(威震海內)ᄒᆞ며, 화형닌각(畵形麟閣)[1446]ᄒᆞ고 명슈쥭ᄇᆡᆨ

1440)텰환텬하(轍環天下) : 수레를 타고 천하를 돌아다닌다는 뜻으로, 교화(敎化)를 위하여 세상을 돌아다님을 이르는 말. 공자가 교화를 위하여 중국 천하를 돌아다닌 데서 유래한다.

1441)상가디구(喪家之狗) : '상갓집 개'라는 뜻으로, 여기 가서도 천대를 받고 저기 가서도 천대를 받으면서도 비굴하게 얻어먹으러 기어드는 가련한 꼴을 비유적으로 이르는 말.

1442)진ᄎᆡ(陳蔡)의 곡경 : 공자(孔子)가 초(楚)나라 소왕(昭王)의 초빙을 받고 초나라로 가던 중 진(陳)나라와 채(蔡)나라의 접경지역에서 진・채의 군사들에게 포위된 채, 양식이 떨어져 7일 동안을 굶으며 고난을 겪었던 고사를 이른 것. 이를 진채지액(陳蔡之厄)이라 한다.

1443)아이의 : 아예. 일시적이거나 부분적이 아니라 전적으로. 또는 순전하게.

1444)옥당금마(玉堂金馬) : 중국 한(漢)나라 대궐의 옥당전(玉堂殿)과 금마문(金馬門)을 함께 이르는 말로, 한림원 또는 황제를 가까이서 받드는 한림원 벼슬아치를 뜻한다. 옥당전은 한림원이 있었던 전각의 이름이며 금마문은 전각의 문으로, 문 앞에 동마(銅馬)가 있어 붙여진 이름이다. 조선에서는 홍문관을 옥당이라 했다.

1445)황각(黃閣) : 행정부의 최고기관인 의정부(議政府)를 달리 이르는 말.

閣)[1734]ᄒᆞ고 명슈듁빅(名垂竹帛)[1735]ᄒᆞ여 텬녹(天祿)을 안향(安享)ᄒᆞ미 올커ᄂᆞᆯ, ᄌᆡ조를 픔고 덕을 ᄀᆞᆷ초와 나아갈 ᄃᆡ라도 것칠 ᄃᆞ시 ᄒᆞ며, ᄆᆡ양 공구(恐懼)ᄒᆞ여 잇ᄂᆞᆫ 것도 먹디 아냐, 스ᄉᆞ로 쥬리믈 면치 못ᄒᆞ고, 오날 무ᄉᆞᄒᆞ고 명일 일이 이시ᄆᆡ, 미리 근심ᄒᆞᄂᆞᆫ 거시 쇼졸(小拙)ᄒᆞ미라. 원간 대쟝부의 힝ᄉᆡ 뇌락(磊落)ᄒᆞ여 그 듕도를 어드미 올코, 비록 작위 놉흐나 사ᄅᆞᆷ을 능만(凌慢)치 말며, 의긔현심을 두터이 ᄒᆞ여 궁박ᄒᆞᆫ ᄌᆞ를 구활ᄒᆞ여 젹션(積善)을 힘쓰미 올흐니이다."

윤부인이 그 옥면셩모(玉面星眸)의 화류디풍(花柳之風)을 ᄃᆡᄒᆞ여 단슌호치(丹脣皓齒) ᄉᆞ이의 흐르ᄂᆞᆫ ○○○[말ᄉᆞᆷ을] 드르ᄆᆡ, 두굿기믈 마디 아니ᄒᆞ더라【71】

(名垂竹帛)[1447]ᄒᆞ여 텬녹(天祿)을 안향(安享)ᄒᆞ미 올커ᄂᆞᆯ, ᄌᆡ조를 픔고 덕을 감초와 나아 갈 ᄯᆡ라도 것칠 ᄃᆞ시 ᄒᆞ믈[며], ᄆᆡ양 공구(恐懼)ᄒᆞ여 잇ᄂᆞᆫ 것도 먹지 아녀 스ᄉᆞ로 쥬리믈 면치 못ᄒᆞ고, 오날 무ᄉᆞᄒᆞ고 명일 일이 잇시ᄆᆡ 미리 근심ᄒᆞᄂᆞᆫ 거시 소졸(小拙)ᄒᆞ미라. 원간 ᄃᆡ쟝부의 힝ᄉᆡ 뇌락(磊落)ᄒᆞ여 그 즁도를 어드미 올코, 비록 작위 놉흐므로써 샤ᄅᆞᆷ을 능만(凌慢)치 말며, 의긔현심을 두터이 ᄒᆞ여 궁박ᄒᆞᆫ ᄌᆞ를 구활ᄒᆞ여 젹션(積善)를 힘쓰미 올흐니이다."

윤부인이 그 옥면셩모(玉面星眸)의 화류지풍(花柳之風)을 ᄃᆡᄒᆞ여 단슌호치(丹脣皓齒) ᄉᆞ이의 흐르ᄂᆞᆫ 말ᄉᆞᆷ을 드르며, 비【79】록 방탕 ᄒᆞ믈 ᄎᆡᆨᄒᆞ나, ᄌᆞ연 두굿기ᄂᆞᆫ 미위 흔연ᄒᆞ고,

---

1734)화형닌각(畵形麟閣)˙ : 화상(畵像)을 공신(功臣)들을 배향(配享)하는 기린각(麒麟閣)에 걺. *기린각(麒麟閣); 중국 한나라의 무제가 장안의 궁중에 세운 전각. 선제 때 곽광 외 공신 11명의 초상을 그려 각상(閣上)에 걸었다고 한다.

1735)명슈듁빅(名垂竹帛) : 이름이 죽간(竹簡)과 비단에 드리운다는 뜻으로, 이름을 역사에 길이 남김을 이르는 말.

1446)화형닌각(畵形麟閣) : 화상(畵像)을 공신(功臣)들을 배향(配享)하는 기린각(麒麟閣)에 걺. *기린각(麒麟閣); 중국 한나라의 무제가 장안의 궁중에 세운 전각. 선제 때 곽광 외 공신 11명의 초상을 그려 각상(閣上)에 걸었다고 한다.

1447)명슈듁빅(名垂竹帛) : 이름이 죽간(竹簡)과 비단에 드리운다는 뜻으로, 이름을 역사에 길이 남김을 이르는 말.

명듀보월빙 권디일빅 죵

어시의 윤부인이 ᄋᆞᄌᆞ(兒子)의 옥면셩모(玉面星眸)의 화류디풍(花柳之風)을 ᄃᆡᄒᆞ여 단슌호치(丹脣皓齒) ᄉᆞ이의 흐르ᄂᆞᆫ 말ᄉᆞᆷ을 드르ᄆᆡ, 비록 호일방탕(豪逸放蕩)ᄒᆞ믈 칙ᄒᆞ나 ᄌᆞ연 두굿기ᄂᆞᆫ 미위 흔연ᄒᆞ고, 됴부인과 졔 슉뫼 몽셩의 말을 듯고 다 두굿겨, 됴부인이 그 등을 어로만져 우어 왈,

"여부(汝父)ᄂᆞᆫ 잔 근심이 만하 녹녹(碌碌)ᄒᆞ니, 너ᄂᆞᆫ 대댱부의 ᄯᅳᆺ을 활연 샹쾌케 ᄒᆞ라."

몽셩 공ᄌᆡ 년망이 ᄇᆡ샤 왈,

"쇼손이 블초무상ᄒᆞ오나 엇디 대인의 디셩대덕을 아디 못ᄒᆞ고 근심ᄒᆞ시믈 니르미리잇가? 우연히 소회를 알외미로소이다."

ᄒᆞ더라.

이러틋【1】 흐르ᄂᆞᆫ 셰월이 '빅구(白駒)의 틈 디남'1736) ᄀᆞᆺᄐᆞ여, 국휼 삼년이 홀홀이 디나오니, 텬ᄌᆡ ᄉᆡ로이 비통ᄒᆞ시고 윤·하·뎡 삼부의셔 부모 상을 맛춤ᄀᆞᆺ치 홀연통할(欻然痛割)ᄒᆞ믈 니긔디 못ᄒᆞ니, 그 셰독디튱(世篤之忠)1737)이 여ᄎᆞᄒᆞ더라.

하태위 비로소 봉원각의 왕ᄂᆡᄒᆞ며 뎡쇼져로 더브러 금슬디락을 일우ᄆᆡ, ᄉᆡ로온 은졍이 산비ᄒᆡ박(山卑海薄)ᄒᆞ여 빅년을 낫비 녁이ᄃᆡ, 태우의 풍치긔상이 일쳐를 딕휠 지 아니오, ᄌᆞ연 텬연이 뎡ᄒᆞᆫ 바를 면치 못ᄒᆞ여, 태혹ᄉᆞ 양유의 녀를 취ᄒᆞ고, 시듕 위박의 녀를 삼취ᄒᆞ니, 위·양 이인이 다 명문디녀(名門之女)로 ᄌᆡ용이 관졀(寬節)ᄒᆞ고 셩힝이 온슌(溫順)ᄒᆞ여 부도(婦道)의 극딘ᄒᆞ【2】니, 하공 부뷔 번ᄉᆞ(繁事)를 깃거 아니나 어든 녀ᄌᆡ 현슉ᄒᆞ니, 디극무ᄋᆡ(至極撫愛)ᄒᆞ고, 원창의 호신(豪身)ᄒᆞᄂᆞᆫ ᄆᆞᄋᆞᆷ으로ᄲᅧ 위·양의 용모셩힝과 ᄉᆞ덕(四德)이 가죽ᄒᆞ

1736)빅구(白駒)의 틈 디남 : 빅구과극(白駒過隙). 흰 망아지가 빨리 달리는 것을 문틈으로 본다는 뜻으로, 인생이나 세월이 덧없이 짧음을 이르는 말.
1737)셰독디튱(世篤之忠) : 세세(世世)토록 독실하게 지켜가는 충성.

조부인과 졔 슉뫼 몽셩의 말을 듯고 다 두굿겨, 조부인이 그 등을 어로만져 우어 왈,

"녀부(汝父)ᄂᆞᆫ 즌 근심이 만하 녹녹(碌碌)ᄒᆞ니, 너ᄂᆞᆫ ᄃᆡ장부의 ᄯᅳᆺ을 활연 상쾌케 ᄒᆞ라"

공ᄌᆡ 년망이 ᄇᆡ샤 왈,

"소손이 불초무상ᄒᆞ오나 엇지 ᄃᆡ인의 지셩ᄃᆡ덕을 아지 못ᄒᆞ고 근심ᄒᆞ시믈 일우리잇가? 우연이 소회를 알외미로소이다"

이러틋 흐르ᄂᆞᆫ 셰월이 '빅구(白駒)의 틈 지남'1448) ᄀᆞᆺᄐᆞ여, 국휼 삼년이 홀홀이 지나니 텬ᄌᆡ ᄉᆡ로이 비통ᄒᆞ시고 윤·뎡·하 삼부의셔 부모 상을 맛춤ᄀᆞᆺ치 홀연통할(欻然痛割)ᄒᆞ믈 니긔지 못ᄒᆞ니, 그 츙심(忠心)을 알니러라.

하ᄐᆡ위 비로소 봉원각의 왕ᄂᆡᄒᆞ며 뎡씨로 더브러 금슬지락을 일우ᄆᆡ, ᄉᆡ로온【80】은졍이 산비ᄒᆡ박(山卑海薄)ᄒᆞ여 빅년을 낫븨 녁이ᄃᆡ, 태우의 풍치긔상이 일쳐○[를] 직휠 지 아니오, ᄌᆞ연 텬연이 졍ᄒᆞᆫ 바를 면치 못ᄒᆞ여, 태혹ᄉᆞ 양유의 녀를 취ᄒᆞ고, 《시죵‖시즁》 위박의 녀를 삼취ᄒᆞ니, 위·양 이인이 다 명문지녀(名門之女)로 ᄌᆡ용이 관졀(寬節)ᄒᆞ고 셩힝이 온슌ᄒᆞ여 극진(極盡) 부도(婦道)ᄒᆞ니, 하공 부뷔 번ᄉᆞ(繁事)를 깃거 아니나 어든 녀ᄌᆡ 현슉ᄒᆞ니 지극무ᄋᆡ(至極撫愛)ᄒᆞ고, 원창의 호신(豪身)ᄒᆞᄂᆞᆫ 마음으로 ᄲᅧ 위·양의 농모셩힝과 ᄉᆞ덕(四德)이 가죽ᄒᆞ니, 흡흡ᄒᆞᆫ 금슬이 극진ᄒᆞᄃᆡ, 사름 되오미

1448)빅구(白駒)의 틈 지남 : 빅구과극(白駒過隙). 흰 망아지가 빨리 달리는 것을 문틈으로 본다는 뜻으로, 인생이나 세월이 덧없이 짧음을 이르는 말.

니, 흡흡ᄒᆞᆫ 금슬이 극딘ᄒᆞᄃᆡ, 사름 되오미 규ᄂᆡ(閨內)의 녹녹디 아냐 위풍이 규규(赳赳)ᄒᆞ고 호령이 엄슉ᄒᆞ여, 다만 뎡슉셩긔 다ᄃᆞ라ᄂᆞᆫ 쇼음[1738]의 바늘이오, 입 쇽의 ᄆᆞ른 썩 ᄀᆞᆺᄐᆞ여, 여산듕졍(如山重情)이 빅 미인을 모화도 변ᄒᆞᆯ 길 업ᄉᆞᆫ디라. 슉셩이 가부의 은ᄋᆡ 일편 되ᄆᆞ로뼈 방ᄌᆞ교만(放恣驕慢)ᄒᆞ미 업셔, ᄒᆞᆫ갈ᄀᆞᆺ치 공경조심ᄒᆞ니, 태위 본 젹마다 탄복ᄋᆡ경ᄒᆞ미 더으나, 닙장젼(入丈前) 유졍(有情)ᄒᆞᆫ 칠창(七娼)을 닛디 못ᄒᆞ여, 평졔왕긔 쳥ᄒᆞ고[여] 부공【3】을 권ᄒᆞ여 금ᄎᆞ디렬(金釵之列)[1739]의 용납케 ᄒᆞ니, 슈듕년·금분ᄆᆡ 등이 명슈창기(名雖娼妓)[1740]나 ᄉᆞ족(士族)의 쳥한(淸閑)ᄒᆞᆫ 쯧이 잇고, 녀군(女君)[1741]의 덕화를 감복ᄒᆞ여 뎍셔디분(嫡庶之分)이 텬디 ᄀᆞᆺᄐᆞ니, 일노 조ᄎᆞ 태우의 가ᄂᆡ 슉연ᄒᆞ고 화(和)ᄒᆞ미 츈풍 ᄀᆞᆺᄐᆞ니, 이 ᄒᆞᆫ갓 태우의 졔가위덕(齊家威德) ᄲᅮᆫ 아니라 뎡시의 ᄂᆡ조ᄒᆞᆫ 덕이 호대(浩大)ᄒᆞ여, 위·양과 칠창(七娼)을 거나리ᄆᆡ 도리의 디극ᄒᆞ믈 다ᄒᆞ니, 태위 ᄉᆞᄉᆞ로 쳐궁이 복 되믈 ᄌᆞ희(自喜)ᄒᆞ더라

시시의 인종 황애 윤부의 샤연샤악(賜宴賜樂)ᄒᆞ시고 연셕을 ᄌᆡ쵹ᄒᆞ샤 딘왕이 위·조 냥 태부인긔 영회(榮孝) 극딘코져 ᄒᆞ시ᄂᆞᆫ디라. 계츄(季秋) 긔망(旣望)은 위태부인 탄일이오, 구월 습슌(拾旬)[1742]은 윤【4】공의 탄일이니, 딘왕 형뎨 두 슈연을 겸ᄒᆞ여 대연을 개장ᄒᆞᆯᄉᆡ, 텬ᄌᆡ 윤공의 싱딘일(生辰日)인 줄 아르시고, 또 상부(相府)[1743]의 위친슈셕(爲親壽席)이라 ᄒᆞ샤, 각별 샤연

1738)쇼음 : 솜. 목화씨에 달라붙은 털 모양의 흰 섬유질. 부드럽고 가벼우며 탄력이 풍부하고 흡습성, 보온성이 있다. 가공하여 직물 따위로 널리 쓴다.
1739)금ᄎᆞ디렬(金釵之列) : 첩(妾)의 반열(班列). *금차(金釵); 금비녀를 뜻하는 말로 첩(妾)을 달리 이르는 말. 형포(荊布)나 조강(糟糠) 등으로 정실부인을 이르는 것과 비슷한 조어법이라 할 수 있다.
1740)명슈창기(名雖娼妓) : 이름은 비록 창기이지만.
1741)녀군(女君) : 일부다처제 가족에서 본처가 아닌 처나 첩이 본처를 달리 이르는 말.
1742)습슌(拾旬) : '10일'을 달리 이르는 말.
1743)상부(相府) : 재상(宰相)을 달리 이르는 말.

규녀(閨女)의 녹녹ᄒᆞ미 업고 위풍이 규규(赳赳)ᄒᆞ고 호령이 엄슉ᄒᆞ여 다만 뎡슉셩긔 다다라ᄂᆞᆫ 소음[1449]의 바늘이오, 닙 속의 ᄆᆞ른 썩 ᄀᆞᆺᄐᆞ여, 여산즁졍(如山重情)이 빅 미인을 모화도 변ᄒᆞᆯ 길 업ᄉᆞᆫ지라. 슉셩이 가부의 은【81】ᄋᆡ 일편 되므로뼈 방ᄌᆞ교만(放恣驕慢)ᄒᆞ미 업셔, ᄒᆞᆫ갈ᄀᆞᆺ치 공경조심ᄒᆞ니, 태위 본 젹마다 탄복ᄋᆡ경ᄒᆞ미 더으나, 닙장젼(入丈前) 유졍(有情)ᄒᆞᆫ 칠창(七娼)을 닛지 못ᄒᆞ여, 평졔왕긔 쳥ᄒᆞ고[여] 부공을 권ᄒᆞ여 금ᄎᆞ지렬(金釵之列)[1450]의 용납케 ᄒᆞ니, 슈즁년·금분ᄆᆡ 등이 명슈창기(名雖娼妓)[1451]나 ᄉᆞ족(士族)의 쳥한(淸閑)ᄒᆞᆫ 쯧이 잇고, 녀군(女君)[1452]의 덕화를 감복ᄒᆞ여 젹셔지분(嫡庶之分)이 텬지 ᄀᆞᆺᄐᆞ니, 일노 조ᄎᆞ 태우의 가ᄂᆡ 슉연ᄒᆞ고 화(和)ᄒᆞ미 츈풍 ᄀᆞᆺᄐᆞ니, 이 ᄒᆞᆫ갓 태우의 졔가위덕(齊家威德) ᄲᅮᆫ 아니라, 뎡씨의 ᄂᆡ조ᄒᆞᆫ 덕이 호ᄃᆡ(浩大)ᄒᆞ여, 양·위와 칠챵(七娼)을 거ᄂᆞ리ᄆᆡ 도리의 지극ᄒᆞ믈 다ᄒᆞ니, 태위 ᄉᆞᄉᆞ로 쳐궁이 복 되믈 ᄌᆞ희(自喜)ᄒᆞ더라.

시시의 인종 텬ᄌᆡ 윤부의 연셕을 ᄌᆡ촉ᄒᆞ샤, 진왕이 조태부인긔 영회(榮孝) 극진코져 ᄒᆞ시ᄂᆞᆫ지라. 계츄(季秋) 긔망(旣望)【82】은 위티부인 탄일이오, 구월 십슌(十旬)[1453]은 윤공의 탄일이니, 진왕 형뎨 두 슈연을 겸ᄒᆞ여 ᄃᆡ연을 개장ᄒᆞᆯᄉᆡ, 텬ᄌᆡ 윤공의 싱진일(生辰日)인 줄 아르시고, 또 상부(相府)[1454]의 위친슈셕(爲親壽席)이라 ᄒᆞ샤, 각별 ᄉᆞ연ᄉᆞ악(賜宴賜樂)ᄒᆞ실ᄉᆡ, 긔망의 십슌으로뼈

1449)소음 : 솜. 목화씨에 달라붙은 털 모양의 흰 섬유질. 부드럽고 가벼우며 탄력이 풍부하고 흡습성, 보온성이 있다. 가공하여 직물 따위로 널리 쓴다.
1450)금ᄎᆞ지렬(金釵之列) : 첩(妾)의 반열(班列). *금차(金釵); 금비녀를 뜻하는 말로 첩(妾)을 달리 이르는 말. 형포(荊布)나 조강(糟糠) 등으로 정실부인을 이르는 것과 비슷한 조어법이라 할 수 있다.
1451)명슈창기(名雖娼妓) : 이름은 비록 창기이지만.
1452)녀군(女君) : 일부다처제 가족에서 본처가 아닌 처나 첩이 본처를 달리 이르는 말.
1453)십순(十旬) : '10일'을 달리 이르는 말.
1454)상부(相府) : 재상(宰相)을 달리 이르는 말.

샤악(賜宴賜樂)ᄒᆞ실ᄉᆡ 긔망의 습슌으로ᄡᅧ 각각 삼일 대연을 주시니, 몬져 삼일은 딘왕의 공뇌로ᄡᅧ 그 조모와 모비긔 셜연(設宴) 헌작(獻爵)게 ᄒᆞ시고, 후 삼일은 승상의 위친디효(爲親之孝)를 빗ᄂᆡ시며, 윤공 부부긔 헌슈케 ᄒᆞ시니, 그 은영이 만고의 희한ᄒᆞ고 텬통이 일셰의 웃듬이라.

만됴거경과 황친국쳑과 연인부가(連姻府家)[1744] 부인ᄂᆡ 각각 녀부(女婦)를 거나려 셩연(盛宴)을 구경ᄒᆞᆯᄉᆡ, 딘궁 ᄂᆡ외 쳥ᄉᆞ를 쇄소ᄒᆞ고 부계[1745]를 널니 베펴, 금슈 【5】 포딘(錦繡鋪陳)[1746]과 뇽문ᄎᆡ화셕(龍紋彩畫席)[1747]을 셩(盛)히 ᄒᆞ여, ᄇᆡᆨ운ᄎᆞ일(白雲遮日)[1748]은 반공(半空)의 님니(淋漓)ᄒᆞ고, 운무병(雲霧屛)[1749]과 비취쟝(翡翠欌)[1750]은 일ᄉᆡᆨ(日色)을 ᄀᆞ리오며, 취운산 츄경(秋景)이 가려(佳麗)ᄒᆞ여 좌우 단풍이 홍나장(紅羅帳)[1751]을 가리온 ᄃᆞᆺ, 국화ᄂᆞᆫ 난만(爛漫)ᄒᆞ여 향긔를 토ᄒᆞ거ᄂᆞᆯ, 쳥텬은 파샤(破邪)[1752]ᄒᆞ여 일졈 부운(浮雲)이 업ᄉᆞ니, 믈ᄉᆡᆨ(物色)이 번화(繁華)를 돕ᄂᆞᆫ디라.

ᄎᆞ일 뎡·딘·남·화 ᄉᆞ비(四妃), 하·댱 냥인과 삼 쇼고며 우시로 더브러 조태비와 뉴부인을 뫼셔 원셩뎐의셔 빈ᄀᆡᆨ을 졉응ᄒᆞ고, 딘왕 곤계 윤공을 뫼셔 제빈을 졉ᄃᆡᄒᆞᆯᄉᆡ, ᄂᆡ외 빈ᄀᆡᆨ의 댱(壯)ᄒᆞᆫ[1753] 쉬(數) 쳔으

각각 삼일 ᄃᆡ연을 주시니, 몬져 삼일은 진왕의 공뇌로ᄡᅢ 그 조모와 모비긔 셜연(設宴) 헌작(獻爵)게 ᄒᆞ시고, 후 삼일은 승상의 위친지효(爲親之孝)를 빗ᄂᆡ시며, 윤공 부부긔 헌슈 ᄒᆞ시니, 그 《은연‖은영(恩榮)》이 만고의 희한ᄒᆞ고 텬춍이 일셰의 웃듬이라.

만조거경과 황친국쳑과 년인○[가](連姻家)[1455] 부인ᄂᆡ 각각 녀부(女婦)를 거나려 셩연(盛宴)을 구경ᄒᆞᆯᄉᆡ, 진궁 ᄂᆡ외 쳥ᄉᆞ를 쇄소ᄒᆞ고 부계[1456]를 널니 베펴, 금슈포진(錦繡鋪陳)[1457]과 뇽문ᄎᆡ화셕(龍紋彩畫席)[1458]을 셩(盛)히 ᄒᆞ여, ᄇᆡᆨ운ᄎᆞ【83】일(白雲遮日)[1459]은 반공(半空)의 소ᄉᆞ잇고, 금슈병풍(錦繡屛風)[1460]을[은] 만좌(滿座)의 녕농(玲瓏)ᄒᆞ더라. 가위(可謂) 진왕궁의 위일너라[1461].

1744)연인부가(連姻府家) : 서로 혼인을 맺은 집안.
1745)부계 : 비계(飛階). 높은 곳에서 일을 할 때에 딛고 다닐 수 있도록 긴 나무와 널판자로 다리나 난간처럼 매어 놓은 시설.
1746)금슈포딘(錦繡鋪陳) 수를 놓은 비단으로 만든 요나 방석 따위의 화려한 깔개.
1747)뇽문ᄎᆡ화셕(龍紋彩畫席) : 용문석(龍紋席)과 채화석(彩畵席)을 아울러 이르는 말. *용문석(龍紋席); 용의 무늬를 놓아 짠 돗자리. *채화석(彩畵席); 여러 가지 색깔로 꽃무늬를 놓아서 짠 돗자리.
1748)ᄇᆡᆨ운ᄎᆞ일(白雲遮日) : 구름처럼 하늘 높이 둘러친 해가림 천막.
1749)운무병(雲霧屛) : 안개처럼 둘러 있는 병풍.
1750)비취쟝(翡翠欌) : 비취(翡翠)로 장식한 장롱
1751)홍나장(紅羅帳) : 붉은 비단으로 만든 장막
1752)파샤(破邪) : 온갖 나쁘고 아름답지 못한 것들을 모두 깨뜨려 버림.
1753)댱(壯)ᄒᆞ다 : 성(盛)하다.

1455)연인가(連姻家) : 서로 혼인을 맺은 집안.
1456)부계 : 비계(飛階). 높은 곳에서 일을 할 때에 딛고 다닐 수 있도록 긴 나무와 널판자로 다리나 난간처럼 매어 놓은 시설.
1457)금슈포딘(錦繡鋪陳) 수를 놓은 비단으로 만든 요나 방석 따위의 화려한 깔개.
1458)뇽문ᄎᆡ화셕(龍紋彩畫席) : 용문석(龍紋席)과 채화석(彩畵席)을 아울러 이르는 말. *용문석(龍紋席); 용의 무늬를 놓아 짠 돗자리. *채화석(彩畵席); 여러 가지 색깔로 꽃무늬를 놓아서 짠 돗자리.
1459)ᄇᆡᆨ운ᄎᆞ일(白雲遮日) : 구름처럼 하늘 높이 둘러친 해가림 천막.
1460)금수병풍(錦繡屛風) : 수놓은 비단으로 꾸민 병풍.
1461)위월너라 : '위의+일러라'의 줄임말. 위의더라.

로 포집어[1754] 혤디라.

{이의 상이 뎡상셔로 윤부의 나아가 연셕의 부셩ᄒᆞ믈 도으라 ᄒᆞ시니, 샹셰 슈명ᄒᆞ고 즉시 윤부로 나아가 슈연의 황명을 젼ᄒᆞ니, 호람공과 진왕 형데 사관을 인도ᄒᆞ여 위틱부인긔 헌작ᄒᆞ니, 틱부인이 녜관을 딕ᄒᆞ여 ᄉᆞ샤 왈, 셩상의 은명으로 명공이 헌슈의 슈고로오믈 당ᄒᆞ시니 불승감샤로소이다. 조틱비 말숨을 니어 왈, 윤·뎡 냥문의 겸겸ᄒᆞᆫ 닌친과 셰교의 ᄌᆞ별ᄒᆞ미 일가족친으로 다르미 업ᄉᆞ딕, 남녀 쳐신이 다른 고로 일즉 면분이 업더니, 금일은 황명을 밧ᄌᆞ와 쳡의게 헌슈ᄒᆞ시ᄂᆞᆫ 슈고를 당ᄒᆞ시니, 셩쥬의 딕은과【84】 샹공의 노노ᄒᆞ시믈 황공블안 ᄒᆞ여이다. 뎡 상셰 흠신 문파의 공경 딕왈, 틱비긔 현알ᄒᆞ니 블승희힝ᄒᆞ도소이다.}[1462]

윤공이 슈좌(首座)의 거ᄒᆞ여 ᄌᆞ딜의【6】 영효를 두굿기며, 만됴공경(萬朝公卿)으로브터 황친국쳑(皇親國戚)의 셩히 모드믈 샤례ᄒᆞ며, 도라 셕ᄉᆞ(昔事)를 상감(傷感)ᄒᆞ여 빅시(伯氏)의 영화를 ᄒᆞᆫ가디로 두굿기디 못ᄒᆞ믈 슬허 기리 탄식고, 뎡·하 냥공을 딕ᄒᆞ여 톄루 왈,

호람휘 {니어}○…결락41자…○[셕ᄉᆞ(昔事)를 상감(傷感)ᄒᆞ여 빅시(伯氏)의 영화를 ᄒᆞᆫ가디로 두굿기디 못ᄒᆞ믈 슬허 기리 탄식고, 뎡·하 냥공을 딕ᄒᆞ여 톄루], 왈,

"셩은이 여텬(如天)ᄒᆞ오샤 금일 사연샤악(賜宴賜樂)ᄒᆞ시ᄂᆞᆫ 은영을 밧ᄌᆞ오니, 부ᄌᆞ 슉딜의 감튝(感祝)ᄒᆞ믄 니르디 말고, 만됴거경(萬朝巨卿)과 공경졔왕(公卿諸王)이 누쳐의 광님(光臨)ᄒᆞ샤 광치를 도으시니, 후의(厚意) 다감(多感)ᄒᆞ나 셕ᄉᆞ를 츄모ᄒᆞᄆᆡ, 샤곤(舍昆)[1755]의 디효디셩(至孝至誠)으로뼈 능히 슈를 엇디 못ᄒᆞ시며 복을 밧디 못ᄒᆞ샤, 두 낫 ᄌᆞ식으로 ᄒᆞ여금 부형의 면목을 아디 못ᄒᆞ여 눅아디통(蓼莪之痛)[1756]【7】과 궁

"가즁(家中)이 불힝ᄒᆞ여, ○…결락47자…○[샤곤(舍昆)[1463]의 디효디셩(至孝至誠)으로뼈 능히 슈를 엇디 못ᄒᆞ시며 복을 밧디 못ᄒᆞ샤, 두 낫 ᄌᆞ식으로 ᄒᆞ여금 부형의 면목을 아디 못ᄒᆞ여], 눅아지통(蓼莪之痛)[1464]과 궁텬지한(窮天之恨)을 씨치고 북당(北堂)[1465]의 셔하지탄(西河之嘆)을 닐위여, 불

1754)포집다 : 거듭 집다. 배(倍)로 헤아리다.
1755)샤곤(舍昆) : 사형(舍兄)
1756)눅아지통(蓼莪之痛) : 어버이가 죽어서 봉양하지 못하는 효자의 슬픔을 이르는 말. 중국 전국시대 진(晋)나라 사람 왕부(王裒)가 아버지가 비명(非命)에 죽은 것을 슬퍼하여 일생 묘 앞에 여막(廬幕)을 짓고 살며 추모하였는데, 『시경』 <육아편(蓼莪篇)>을 외우며, 그 때마다 아버지를 봉양치 못하는 자신의 처지를 슬퍼하여 눈물을 흘렸다는데

1462)'이의 상이' - '블승희힝 ᄒᆞ도소이다' 까지는 뒤 93쪽;10행 - 94쪽;11행의 일부를 잘못 이기(移記)한 연문(衍文)이다.
1463)샤곤(舍昆) : 사형(舍兄)
1464)눅아지통(蓼莪之痛) : 어버이가 죽어서 봉양하지 못하는 효자의 슬픔을 이르는 말. 중국 전국시대 진(晋)나라 사람 왕부(王裒)가 아버지가 비명(非命)에 죽은 것을 슬퍼하여 일생 묘 앞에 여막(廬幕)을 짓고 살며 추모하였는데, 『시경』 <육아편(蓼莪篇)>을 외우며, 그 때마다 아버지를 봉양치 못하는 자신의 처지를 슬퍼하여 눈물을 흘렸다는데서 유래한 말.
1465)북당(北堂) : 집안의 북쪽에 있는 당(堂)이란 뜻

텬디한(窮天之恨)을 ᄭᅵ치고, 븍당(北堂)[1757]의 셔하디탄(西河之嘆)을 닐위여 블회 막대ᄒᆞ거ᄂᆞᆯ, 당금의 ᄋᆞᄃᆞᆯ이 쳔승의 부귀를 누리며 ᄯᆞᆯ이 일국의 어미 되여 존귀ᄒᆞ미 일인디히(一人之下)[1758]로ᄃᆡ, 유명(幽明)이 즈음쳐[1759] 알오미 묘망(渺茫)ᄒᆞ고, 쇼뎨의 박덕블인은 쉬 오십을 넘고 ᄌᆞ딜의 영회 디극ᄒᆞ니, 셰샹 흥미를 안과(安過)ᄒᆞᆯ디라. 셕일 ᄇᆡᆨ화헌 가온ᄃᆡ 어린 ᄌᆞ녀를 가져 혼인을 뎡ᄒᆞ고, 각각 부인의 유신(有娠)ᄒᆞ믈 닐너 분만 후 남녀를 보아 혼인ᄒᆞ믈 언약던 ᄇᆡ 작셕 ᄀᆞᆺᄐᆞᄃᆡ, 어나 ᄉᆞ이 삼십년이 거의라. 광음의 훌훌ᄒᆞᆷ[1760]과 셕ᄉᆞ의 아득ᄒᆞ미 엇디 슬프디 아니리오."

뎡·하 냥공이 ᄯᅩᄒᆞᆫ 탄식【8】고, 위로 왈,

"명천 형의 슈를 누리디 못ᄒᆞ미 셰월이 오랄ᄉᆞ록 통한ᄒᆞ나, ᄉᆞ빈 형뎨를 두며 의렬 ᄀᆞᆺᄐᆞᆫ ᄯᆞᆯ을 두어 ᄂᆡ외손의 번셩ᄒᆞᆷ과, 영화복경의 무궁ᄒᆞ미 젼혀 명천 형의 튱의디덕으로 비로ᄉᆞ미라. 명쳔형의 조셰(早世)ᄒᆞ미 통할(痛割)ᄒᆞ나, 신후(身後)[1761]의 빗나미 후셰의 젼ᄒᆞ염즉 ᄒᆞ니, 형은 무익히 셕ᄉᆞ를 드노화 화긔(和氣)를 상히오디 말나."

윤공이 츄연 탄식고 듕빈(衆賓)으로 더브러 담화ᄒᆞᆯᄉᆡ, 누ᄃᆡ광실(樓臺廣室)의 ᄌᆞ포오ᄉᆞ(紫袍烏紗)와 금옥관면(金玉冠冕)이 나렬ᄒᆞ여 왕공후ᄇᆡᆨ(王公侯伯)이 아니면 옥당명ᄉᆡ(玉堂名士)라. 그 부셩(富盛)ᄒᆞ미 눈이 현황(眩恍)ᄒᆞ믈 ᄭᆡᄃᆞᆺ지 못ᄒᆞ거ᄂᆞᆯ. 이 가온ᄃᆡ 평딘왕이 텬일디표【9】와 뇽봉ᄌᆞ딜이 쳑탕(滌蕩)ᄒᆞ여, 태산의 위의와 댱강(長江)의 깁희를 가져시니, 풍뉴신광(風流身光)이 만고무뎍(萬古無敵)이어ᄂᆞᆯ, 윤상국의 옥골션풍과

서 유래한 말.

1757)븍당(北堂) : 집안의 북쪽에 있는 당(堂)이란 뜻으로, 집안의 주부가 이곳에 거처하였기 때문에 '어머니'를 지칭하는 말로 쓰였다. =자당(慈堂).

1758)일인디히(一人之下) : 한 사람의 아래, 곧 두 번째로 높은 지위[2인자의 지위]에 있음.

1759)즈음치다 : 가로막히다. 격(隔)하다.

1760)훌훌ᄒᆞ다 : 세월이 덧없이 빨리 흘러가다.

1761)신후(身後) : 사후(死後).

회 막ᄃᆡᄒᆞ거ᄂᆞᆯ, 당금의 ᄋᆞᄃᆞᆯ이 쳔승의 부귀를 누리며, ᄯᆞᆯ이 일국의 어미 되어 존귀ᄒᆞ미 일인지하(一人之下)[1466]로ᄃᆡ, 유명(幽明)이 즈음쳐[1467] 아름이 묘망(渺茫)ᄒᆞ고, 《소ᄌᆞ ‖ 소뎨(小弟)》의 박덕블인은 쉬 오십을 넘고, ᄌᆞ딜의 영회 지극ᄒᆞ니, 셰샹 흥미를 안과(安過)ᄒᆞᆯ지라. 셕일 ᄇᆡᆨ화헌 ᄀᆞ온ᄃᆡ 어린 자녀를 가져 혼인을 정ᄒᆞ고, 각각 부인의 유신(有娠)ᄒᆞ믈 닐너 분만 후 남녀를 보아 혼인ᄒᆞ믈 언약던 ᄇᆡ 쟉셕 ᄀᆞᄐᆞᄃᆡ, 어ᄂᆞ ᄉᆞ이 삼십년이 거의라. 광음의【85】훌훌ᄒᆞᆷ[1468]과 셕ᄉᆞ의 아득ᄒᆞ미 엇지 슬프지 아니리오."

뎡·하 냥공이 ᄯᅩᄒᆞᆫ 탄식고, 위로 왈,

"명쳔형의 슈를 누리지 못ᄒᆞ미 셰월이 깁흘수록 통한ᄒᆞ나, ᄉᆞ빈 형뎨를 두ᄆᆡ 의렬 ᄀᆞᆺᄐᆞᆫ ᄯᆞᆯ을 두어 ᄂᆡ외손의 번셩ᄒᆞᆷ과 영화 복경의 무궁ᄒᆞ미 젼혀 명쳔형의 츙의지덕을 비로ᄉᆞ미라. 명쳔형의 조셰(早世)ᄒᆞ미 통할(痛割)ᄒᆞ나, 신후(身後)[1469]의 빗나미 후셰의 젼ᄒᆞ염즉ᄒᆞ니 형은 무익히 셕ᄉᆞ를 노하 화긔(和氣)를 상히오지 말나"

윤공이 츄연 탄식고 즁빈(衆賓)으로 더브러 담화ᄒᆞᆯᄉᆡ, 누ᄃᆡ광실(樓臺廣室)의 ᄌᆞ포오ᄉᆞ(紫袍烏紗)와 금옥광[관]면(金玉冠冕)이 나렬ᄒᆞ여 왕공후ᄇᆡᆨ(王公侯伯)이 아니면 옥당명ᄉᆡ(玉堂名士)라. 그 부셩(富盛)ᄒᆞ미 눈이 현황(眩恍)믈 ᄭᆡᄃᆞᆺ지 못ᄒᆞ거ᄂᆞᆯ, 이 ᄀᆞ온ᄃᆡ 평진왕이 텬일지표와 뇽봉ᄌᆞ【86】질이 쳑탕(滌蕩)ᄒᆞ여, ᄐᆡ산의 위의와 장강(長江)의 깁희를 가져시니, 풍뉴신광(風流身光)이 만고무젹(萬古無敵)이어ᄂᆞᆯ, 윤상국의 옥골션풍과 삼엄ᄒᆞᆫ 녜모 셩ᄒᆡᆼ은 공ᄆᆡᆼ(孔孟)이

으로, 집안의 주부가 이곳에 거처하였기 때문에 '어머니'를 지칭하는 말로 쓰였다. =자당(慈堂).

1466)일인디히(一人之下) : 한 사람의 아래, 곧 두 번째로 높은 지위[2인자의 지위]에 있음.

1467)즈음치다 : 가로막히다. 격(隔)하다.

1468)훌훌ᄒᆞ다 : 세월이 덧없이 빨리 흘러가다.

1469)신후(身後) : 사후(死後).

삼엄ᄒᆞᆫ 녜모셩ᄒᆡᆼ은 공ᄆᆡᆼ(孔孟)이 부ᄉᆡᆼ(復生)ᄒᆞ시나 이의 더으디 못ᄒᆞᆯ디라.

듕좌(衆座) 만목(萬目)이 딘왕 곤계를 도라보아 탄복공경ᄒᆞ믈 니긔디 못ᄒᆞ고, 뎡·하 이공과 딘·댱 냥공이며, 남·화 졔공 등이 셔랑을 귀듕ᄒᆞ미 친ᄌᆞ의 감치 아냐, 어린ᄃᆞ시 딘왕 곤계를 우러러 웃ᄂᆞᆫ 입을 주리디 못ᄒᆞ더라.

일ᄉᆡᆨ이 반오(半午)의 텬ᄌᆡ 녜관을 보ᄂᆡ샤 위 태부인과 조 태비긔 헌슈ᄒᆞ여, 딘왕 형뎨 ᄀᆞᆺᄐᆞᆫ ᄌᆞ손 두믈 각별 일ᄏᆞᄅᆞ시고, 디극 녜우ᄒᆞ시니, 녜관은 상셔○[령]【10】뎡유홍이라. 윤공 부ᄌᆞ 슉딜이 셩은을 각골감은ᄒᆞ여 감뉘(感淚) 죵횡ᄒᆞ더라. 녜관을 마ᄌᆞ ᄂᆡ루의 드러 갈ᄉᆡ, ᄎᆞ시 ᄂᆡ연의 쟝ᄒᆞ미 외연으로 일반이라. 위태부인이 쥬벽(主壁)의 좌를 일워, 조·뉴 냥부와 손부·손녀 등을 거나려 빈ᄀᆡᆨ을 졉ᄃᆡᄒᆞᆯᄉᆡ, 부인이 년긔 희년(稀年)1762)이 거의로ᄃᆡ, 효ᄌᆞ 현손의 봉양을 인ᄒᆞ여 쇠로(衰老)ᄒᆞ미 업셔, 녹발혈ᄉᆡᆨ(綠髮血色)이 비ᄐᆡᆨ(肥澤)ᄒᆞ여 와셕(瓦石)의 쥬토(朱土)를 칠ᄒᆞᆫ ᄃᆞᆺ, ᄇᆡᆨ셰를 《넘어‖넘기기를》 긔약ᄒᆞᆯ디라. 셕일 ᄉᆡ포패악(猜暴悖惡)ᄒᆞ던 상뫼(相貌) 악ᄒᆡᆼ을 바리ᄆᆡ 변ᄒᆞ여, 유화ᄒᆞᆫ 안모(顔貌)의 언변이 넉넉ᄒᆞ믄 텬딘(天眞)의 타난 ᄇᆡ라. ᄉᆞ좌(四座)의 구름 ᄀᆞᆺᄐᆞᆫ 빈ᄀᆡᆨ을 ᄃᆡᄒᆞ여, 셕ᄉᆞ를 ᄂᆞᆺ【11】기고 효손의 영효를 두굿기ᄂᆞᆫ 말ᄉᆞᆷ이 축쳡무궁(蓄疊無窮)1763)ᄒᆞ여, ᄉᆡᆼ각이 명쳔공긔 밋ᄎᆞ면 목이 메고 눈믈이 쥬줄ᄒᆞ여1764) 셜우믈 ᄭᆡ ᄃᆞᆺ디 못ᄒᆞ여[고], 일가로 돈목ᄒᆞᄂᆞᆫ 뜻이 원근친쳑을 ᄒᆞᆫ가디로 관후히 ᄃᆡ졉ᄒᆞ니, 젼ᄌᆞ로 비컨ᄃᆡ 얼골이 다르디 아냐시나 심디(心志)ᄂᆞᆫ 대현이 되엿《거ᄂᆞᆯ‖고》, 뉴부인이 개과쳔션ᄒᆞ므로○○[브터] 덕을 길워 인ᄌᆞ온공ᄒᆞ며 낭졍소아(朗貞素雅)1765)ᄒᆞ여 좌우

1762)희년(稀年) : 일흔 살을 이르는 말. 인생칠십고래희(人生七十古來稀)에서 온 말.

1763)축쳡무궁(蓄疊無窮) : 첩첩(疊疊)히 쌓여 끝이 없음.

1764)쥬줄ᄒᆞ다 : 줄줄 흐르다. *줄줄; 눈물 따위가 굵은 줄기를 이루어 흐르는 모양.

부ᄉᆡᆼ(復生)ᄒᆞ시나 이의 더으지 못ᄒᆞᆯ지라.

즁좌(衆座) 만목(萬目)이 진왕 곤계를 도라보아 탄복 공경ᄒᆞ믈 니긔지 못ᄒᆞ고, 뎡·하 이공과 진·쟝 냥공이며 남·화 졔공 등이 셔랑을 귀즁ᄒᆞ미 친ᄌᆞ의 감치 아냐, 어린ᄃᆞ시 진왕 곤계를 우러러 웃ᄂᆞᆫ 닙을 쥬리지 못ᄒᆞ더라.

일ᄉᆡᆨ이 반오(半午)의 텬ᄌᆡ 녜단을 보ᄂᆞ샤 위ᄐᆡ부인과 조ᄐᆡ부인긔 헌슈ᄒᆞ여, 진왕 형뎨 ᄀᆞᆺᄐᆞᆫ ᄌᆞ손 두믈 각별 일ᄏᆞ르고, 지극 녜우ᄒᆞ시니 녜관은 상셔령 뎡유홍이라. 윤공 부ᄌᆞ슉딜이 셩은을 각골감은ᄒᆞ여 감뉘(感淚) 죵횡 ᄒᆞ더라. 녜관을【87】마자 ᄂᆡ루의 드러갈ᄉᆡ, ᄎᆞ시 ᄂᆡ연의 장ᄒᆞ미 외헌으로 일반이라. ᄐᆡ부인이 주벽(主壁)의 좌를 일워 조·뉴 냥부와 손부손녀 등을 거ᄂᆞ려 빈ᄀᆡᆨ을 졉ᄃᆡᄒᆞᆯᄉᆡ, 부인이 년긔 희년(稀年)1470)이 거의로ᄃᆡ, 효ᄌᆞ·현손의 봉양을 인ᄒᆞ여 쇠로(衰老)ᄒᆞ미 업셔, '일발(一髮)이 비ᄇᆡᆨ(非白)ᄒᆞ여'1471) 와셕(瓦石)의 쥬토(朱土)를 칠ᄒᆞᆫ듯, ᄇᆡᆨ셰 넘기기를 긔약ᄒᆞᆯ지라. 셕일 ᄑᆡ악(悖惡)ᄒᆞ던 상뫼(相貌) 악ᄒᆡᆼ을 바리며 변ᄒᆞ여, 유화ᄒᆞᆫ 안모(顔貌)의 언변이 넉넉ᄒᆞ믄 텬진(天眞)의 타난 ᄇᆡ라. ᄉᆞ좌(四座)의 여러 빈ᄀᆡᆨ을 ᄃᆡᄒᆞ여 셕ᄉᆞ를 ᄂᆞᆺ기고 효손의 영효를 두굿기ᄂᆞᆫ 말ᄉᆞᆷ이 즁쳡무궁(重疊無窮)1472)ᄒᆞ여 ᄉᆡᆼ각ᄉᆞ록 눈물이 흐르믈 ᄭᆡᄃᆞᆺ지 못ᄒᆞ고, 친쳑간 돈목ᄒᆞ미 원근을 물논ᄒᆞ고 관후히 ᄃᆡ졉ᄒᆞ니, 젼자로 비컨ᄃᆡ 얼골은 다르지 아【88】냐시나 심지(心志)ᄂᆞᆫ ᄃᆡ현이 되엿고, 뉴부인이 ᄀᆡ과쳔션ᄒᆞ여, 용모 ᄌᆞᄉᆡᆨ이 오슌(五旬)을 지ᄂᆡ시ᄃᆡ, 좌우의 가득ᄒᆞᆫ 홍옥초츈(紅玉初春)1473)을 둔탁(鈍濁)히 너

1470)희년(稀年) : 일흔 살을 이르는 말. 인생칠십고래희(人生七十古來稀)에서 온 말.

1471)일발(一髮)이 비ᄇᆡᆨ(非白)ᄒᆞ여 : 머리카락이 하나도 흰 색이 없음.

1472)중첩무궁(重疊無窮) : 첩첩(疊疊)히 쌓여 끝이 없음.

1473)홍옥초츈(紅玉初春) : 나이어린 미녀. *홍옥(紅玉); 피부색이나 안색 따위가 윤이 나고 아름다운 사람을 비유적으로 이르는 말.

의 가득ᄒᆞᆫ 홍옥초츈(紅玉初春)[1766]을 둔탁(鈍濁)히 넉이ᄂᆞᆫ 용모ᄌᆞᄉᆡᆨ(容貌姿色)이 오슌(五旬)을 디ᄂᆡ여시ᄃᆡ 찬연미묘(燦然美妙)ᄒᆞ며, 삼ᄉᆡᆨ되(三色桃)[1767] 이슬을 ᄯᅥᆯ치며 홍ᄆᆡ(紅梅) 납셜(臘雪)[1768]을 무릅ᄡᅳᆫ ᄃᆞᆺ 조금도 쇠로(衰老)ᄒᆞ미 업ᄉᆞ니, ᄉᆞ좌(四座) 위·뉴 두 부인의 개과쳔션ᄒᆞ믈 ᄀᆡ특이 넉여,【12】ᄉᆡ로이 딘왕 곤계(昆季)와 뎡·딘·하·댱 등의 셩효를 감탄ᄒᆞ미[며], 젼ᄌᆞ 샤갈(蛇蝎) ᄀᆞᆺ고 싀호(豺虎) ᄀᆞᆺ던 부인을 감화ᄒᆞ여 조손 모ᄌᆡ 졍의를 온젼ᄒᆞ믈 듕심의 흠탄ᄒᆞ고, 조태비의 쳔연ᄒᆞᆫ 셩덕과 졍슉ᄒᆞᆫ 녜모를 경복(敬服)ᄒᆞ여, 져마다 딘왕과 승상의 ᄀᆡ특ᄒᆞ미 윤명쳔과 조태비의 일월졍화와 츄슈졍신(秋水淨身)을 픔슈(稟受)ᄒᆞ미라 ᄒᆞ고, 뎡·딘·남·화·하·댱 등과 하 승상 부인 윤시와 평졔왕비 의렬 등 졔 부인 명모샹광(明眸祥光)의 찬난ᄒᆞ미, 부용(芙蓉)이 난만(爛漫)ᄒᆞᆷ ᄀᆞᆺ거ᄂᆞᆯ, 윤의렬 뎡슉녈의 슈츌디광(秀出之光)은 일좌(一座)의 됴요(照耀)ᄒᆞ니, 듕목(衆目)이 현황(炫煌)ᄒᆞ여 인셰화식디인(人世火食之人)[1769]이믈 ᄭᆡᄃᆞᆺ디 못ᄒᆞ더라.

윤공 부ᄌᆞ 슉딜이 녜관【13】으로 더브러 입ᄂᆡ(入內)ᄒᆞ믈 고ᄒᆞ니, 빈ᄀᆡᆨ이 쟝ᄂᆡ로 들고, 위태부인이 조태비로 더브러 딘·졔 냥왕비(兩王妃)와 하부인을 거나려 녜관을 마줄ᄉᆡ, 윤공이 모친과 슈슈(嫂嫂)ᄭᅴ 고왈,

"셩은이 여텬(如天)ᄒᆞ샤 샤연샤악 ᄒᆞ시고, 또 다시 녜관을 보ᄂᆡ샤 쇼ᄌᆞ 등의 공뇌를 일ᄏᆞᄅᆞ시고, 헌슈(獻壽)ᄒᆞ라 ᄒᆞ시니, 황공감

1765)낭졍소아(朗貞素雅) : 성품이 밝고 곧고 아름다움.

1766)홍옥초츈(紅玉初春) : 나이어린 미녀. *홍옥(紅玉); 피부색이나 안색 따위가 윤이 나고 아름다운 사람을 비유적으로 이르는 말.

1767)삼ᄉᆡᆨ되(三色桃) : 한 나무에서 세 가지 빛깔의 꽃이 피는 복숭아나무.

1768)납셜(臘雪) : 납일(臘日; 동지 뒤 셋째 未日)에 내리는 눈

1769)인셰화식디인(人世火食之人) : 인간세상에서 불에 익힌 음식을 먹는 사람이라는 뜻으로 '세상사람'임을 강조해서 드러낸 말.

기ᄂᆞᆫ ᄃᆞᆺ, 조곰도 쇠로(衰老)ᄒᆞ미 업ᄉᆞ니, ᄉᆞ좌(四座) 위·뉴 두부인의 ᄀᆡ과쳔션ᄒᆞ믈 ᄀᆡ특이 넉여, ᄉᆡ로이 진왕 곤계(昆季)와 뎡·진·하·장 등의 셩효를 감탄ᄒᆞ더라. 졔부인 면모샹광(面貌祥光)의 찬난ᄒᆞ미 부용(芙蓉)이 난만ᄒᆞᆷ ᄀᆞᆺ거ᄂᆞᆯ, 윤의렬 뎡슉녈의 슈츌지상(秀出之相)은 일좌(一座)의 조요ᄒᆞ니, 즁목(衆目)이 현황(炫煌)ᄒᆞ여 인셰화식지인(人世火食之人)[1474]이믈 ᄭᆡᄃᆞᆺ지 못ᄒᆞ더라.

윤공 부ᄌᆞ 슉딜이 녜관으로 ○○○[더브러] 닙ᄂᆡ(入內)ᄒᆞ믈 고ᄒᆞ니, 빈ᄀᆡᆨ이 장ᄂᆡ로 들고, 위ᄐᆡ부인이 조태비로 더브러 진·졔 냥왕비(兩王妃)와 하부인을 거ᄂᆞ려 녜관을 마줄ᄉᆡ, 윤공이 모친과 슈슈(嫂嫂)ᄭᅴ 고왈,

"셩은이 여텬(如天)ᄒᆞ샤 ᄉᆞ연【89】ᄉᆞ악ᄒᆞ시고, 또 다시 녜관을 보ᄂᆡ샤 소ᄌᆞ 등의 공뇌를 일ᄏᆞ르시고 헌슈(獻壽)ᄒᆞ라 ᄒᆞ시니, 황송감은ᄒᆞ믈 니ᄀᆡ지 못ᄒᆞ리로소이다."

1474)인셰화식디인(人世火食之人) : 인간세상에서 불에 익힌 음식을 먹는 사람이라는 뜻으로 '세상사람'임을 강조해서 드러낸 말.

은 ᄒᆞ믈 니긔디 못ᄒᆞ리로소이다.”

태부인과 조태비 눈믈을 드리워 텬은을 감튝ᄒᆞᄂᆞᆫ디라. 녜관이 샹교(上教)를 젼ᄒᆞ여 왈,

“딘왕 형뎨ᄂᆞᆫ 범연ᄒᆞᆫ 신하와 달나 위국샤절(爲國死節)ᄒᆞᆫ 안국공 명쳔션싱디ᄌᆡ니 ᄃᆡ졉ᄒᆞ미 녜ᄉᆞ 신하와 다른디라. ᄒᆞ믈며 딘왕이 여러 번 대공을 셰워 위덕(威德)【14】이 ᄉᆞ이(四夷)의 드레고, 튱회 고금의 희한커ᄂᆞᆯ, 상부ᄂᆞᆫ 딤의 스싱으로 튱효도덕이 듀공(周公)의 뒤흘 니을디라. 딤이 휴쳑(休戚)[1770]을 ᄒᆞᆫ가디로 ᄒᆞᆯ디니, 딘국태비 붕셩디통(崩城之痛)을 픔고 냥ᄌᆞ를 가ᄅᆞ치미 ᄆᆡᆼ모(孟母)의 삼쳔디교(三遷之教)를 귀(貴)타 못ᄒᆞᆯ디라. 상벌은 님군의 힝ᄒᆞᆯ ᄇᆡ니, 딤이 평딘왕과 상부(相府)를 통우ᄒᆞ미 문왕(文王)[1771]의 녀상(呂尙)[1772]과 고종(高宗)[1773]의 부열(傳說[1774] ᄀᆞᆺᄐᆞᄃᆡ, 쳥문 형뎨의 검박ᄒᆞᆫ 힝ᄉᆡ ᄌᆡ보를 딘토(塵土)ᄀᆞᆺ치 넉이니, 능히 상샤(賞賜)를 더으디 못ᄒᆞ고, 그 위친(爲親)ᄒᆞᄂᆞᆫ 셩효를 빗ᄂᆡ여 삼일 대연을 주며, 어젼풍악을 빌니고 녜관을 보ᄂᆡ여, 위태【15】부인 복녹을 칭하ᄒᆞ며 조태비의 긔ᄌᆞ 두믈 포댱ᄒᆞ여, 두 부인긔 삼ᄇᆡ를 헌슈(獻壽)ᄒᆞ라 ᄒᆞ시니, 냥위 태비ᄂᆞᆫ 기리 텬복

1770)휴쳑(休戚) : 편안함과 근심.

1771)문왕(文王) : 중국 주나라 무왕(武王)의 아버지. 이름은 창(昌). 기원전 12세기경에 활동한 사람으로 은나라 말기에 태공망 등 어진 선비들을 모아 국정을 바로잡고 융적(戎狄)을 토벌하여 아들 무왕이 주나라를 세울 수 있도록 기반을 닦아 주었다. 고대의 이상적인 성인 군주의 전형으로 꼽힌다.

1772)녀상(呂尙) : ‘태공망(太公望)’의 다른 이름. 여(呂)는 그에게 봉해진 영지(領地)이며, 상(尙)은 그의 이름이고 성은 강(姜)이다. 중국 주나라 초기의 정치가로 무왕을 도와 은나라를 멸하고 천하를 평정하였다. 저서에 ≪육도(六韜)≫가 있다.

1773)고종(高宗) : 중국 은(殷)나라 제22대 임금. 이름은 무정(武丁). 꿈에 나타난 현신(賢臣)의 초상화를 그려 부열(傅說)이라는 훌륭한 신하를 등용하고 정사를 바로잡아 은나라를 부흥시켰다.

1774)부열(傳說 : 중국 은(殷)나라 고종(高宗) 때의 재상(宰相), 토목(土木) 공사(工事)의 일꾼이었는데, 당시(當時)의 재상(宰相)으로 등용(登用)되어 중흥(中興)의 대업을 이루었음

태부인과 조태비 눈물을 드리워 텬은을 감츅ᄒᆞᄂᆞᆫ지라. 녜관이 상교(上教)를 젼ᄒᆞ여 왈,

“진왕 형뎨ᄂᆞᆫ 범연ᄒᆞᆫ 신하와 달나 위국ᄉᆞ절(爲國死節)ᄒᆞᆫ 명쳔공지ᄌᆞ(之子)니 ᄃᆡ졉ᄒᆞ미 녜ᄉᆞ 신하와 다른지라. ᄒᆞ믈며 진왕이 여러 번 공을 셰워 위덕(威德)이 ᄉᆞ이(四夷)의 드레고, 츙회 고금의 희한커ᄂᆞᆯ, 상부ᄂᆞᆫ 딤의 스승으로 츙효도덕이 쥬공(周公)의 뒤흘 니을지라. 딤이 휴쳑(休戚)[1475]을 ᄒᆞᆫ가지로 ᄒᆞᆯ지니, 진국태비 붕셩(崩城)의 통(痛)을 픔고 냥ᄌᆞ를 ᄀᆞᄅᆞ치미, ᄆᆡᆼ모(孟母)의 삼쳔지교(三遷之教)를 귀(貴)타 못ᄒᆞᆯ지라. 상벌은 인군(人君)의 힝ᄒᆞᆫ ᄇᆡ니, 딤이 평진왕과 상부(相府)를 총우ᄒᆞ미 문【90】왕(文王)[1476]의 여상(呂尙)[1477]과 고종(高宗)[1478]의 부열(傳說[1479] ᄀᆞᄐᆞ니, 쳥문 형뎨의 검박ᄒᆞᆫ 힝ᄉᆡ ᄌᆡ보를 진토(塵土)ᄀᆞᆺ치 넉이니, 능히 상ᄉᆞ(賞賜)를 더으지못ᄒᆞ고, 그 위친(爲親)ᄒᆞᄂᆞᆫ 셩효를 빗ᄂᆡ여 삼일ᄃᆡ연을 쥬며 어젼풍악을 빌니니, 녜관을 보ᄂᆡ여 위태부인 복녹을 칭하ᄒᆞ며 조ᄐᆡ비의 긔ᄌᆞ 두믈 포장ᄒᆞ여, 두 분긔 삼ᄇᆡ를 헌슈(獻壽)ᄒᆞ라 ᄒᆞ시니, 냥ᄐᆡ비ᄂᆞᆫ 기리 텬복을 안향(安享)ᄒᆞ여 무궁

1475)휴쳑(休戚) : 편안함과 근심.

1476)문왕(文王) : 중국 주나라 무왕(武王)의 아버지. 이름은 창(昌). 기원전 12세기경에 활동한 사람으로 은나라 말기에 태공망 등 어진 선비들을 모아 국정을 바로잡고 융적(戎狄)을 토벌하여 아들 무왕이 주나라를 세울 수 있도록 기반을 닦아 주었다. 고대의 이상적인 성인 군주의 전형으로 꼽힌다.

1477)녀상(呂尙) : ‘태공망(太公望)’의 다른 이름. 여(呂)는 그에게 봉해진 영지(領地)이며, 상(尙)은 그의 이름이고 성은 강(姜)이다. 중국 주나라 초기의 정치가로 무왕을 도와 은나라를 멸하고 천하를 평정하였다. 저서에 ≪육도(六韜)≫가 있다.

1478)고종(高宗) : 중국 은(殷)나라 제22대 임금. 이름은 무정(武丁). 꿈에 나타난 현신(賢臣)의 초상화를 그려 부열(傅說)이라는 훌륭한 신하를 등용하고 정사를 바로잡아 은나라를 부흥시켰다.

1479)부열(傳說 : 중국 은(殷)나라 고종(高宗) 때의 재상(宰相), 토목(土木) 공사(工事)의 일꾼이었는데, 당시(當時)의 재상(宰相)으로 등용(登用)되어 중흥(中興)의 대업을 이루었음

을 안향(安享)ᄒᆞ여 무궁ᄒᆞᆫ 셰월의 효ᄌᆞ 현손의 영효를 두굿기쇼셔."

위태부인과 조태비 브복ᄒᆞ여 듯기를 다ᄒᆞᄆᆡ, 상셔령(尙書令)[1775]이 잔을 드러 위태부인과 조태비긔 삼ᄇᆡ 헌슈를 다ᄒᆞ니, 냥태비 잔을 밧고 망궐ᄉᆞᄇᆡ(望闕四拜)ᄒᆞ여 셩은을 황공감튝ᄒᆞᆯ ᄯᆞᄅᆞᆷ이라. 이 ᄣᆡ를 당ᄒᆞ여 조태비의 통할(痛割)ᄒᆞᆫ 심ᄉᆞᄂᆞᆫ 더옥 니를 거시 업셔, 효ᄌᆞ의 영효와 셩듀의 은영으로 부뷔 ᄒᆞᆫ가디로 즐기디 못ᄒᆞ미【16】오ᄂᆡ분붕(五內分崩)[1776]ᄒᆞ믈 면치 못ᄒᆞ나, 존고 면젼이라 감히 비식을 낫토디 못ᄒᆞ나, 비뤼(悲淚) 죵횡(縱橫)ᄒᆞ여 옷깃슬 적시니 위태부인이 역시 상연(傷然) 뉴톄(流涕)러라. 공이 모친을 위로ᄒᆞ며, 슈슈를 향ᄒᆞ여 ᄀᆞᆯ오ᄃᆡ,

"셕ᄉᆞ를 ᄉᆡᆼ각ᄒᆞ오ᄆᆡ 심붕담녈(心崩膽裂)[1777] ᄒᆞ오나, 오날ᄂᆞᆯ을 당ᄒᆞ여ᄂᆞᆫ 쇼ᄉᆡᆼ과 광텬 등이 ᄌᆞ위의 희열ᄒᆞ시믈 갈망ᄒᆞᄋᆸᄂᆞᆫ ᄶᅵ라. 존슈ᄂᆞᆫ 슬프믈 관억ᄒᆞ샤 광텬 등의 졀민ᄒᆞᆫ 졍ᄉᆞ를 솔피쇼셔."

조태비 계오 눈믈을 거두고 탄식 ᄃᆡ왈,

"쳡이 명완무디(命頑無知)ᄒᆞ여 토목 ᄀᆞᆺ튼 고로 붕셩디통(崩城之痛)을 능히 ᄎᆞᆷ디 못ᄒᆞ고 견ᄃᆡ디 못ᄒᆞᆯ 셜우믈 당ᄒᆞᄃᆡ 능히【17】여러 셰월의 견ᄃᆡ여, 오날ᄂᆞᆯ 셩듀의 과도ᄒᆞ오신 은영을 당ᄒᆞ오니 블승황공ᄒᆞ온 듕, 쳡이 비여셕(非如石)이라. 셕ᄉᆞ를 도라 ᄉᆡᆼ각ᄒᆞ니, 쳡의 토목 ᄀᆞᆺ튼 심장이 능히 견ᄃᆡ고 ᄎᆞᆷ아, 구연시식(苟延視息)[1778]ᄒᆞ여 디우금일(至于今日)[1779]이러니, 셩은이 과도ᄒᆞ시니 쳡심이 엇디 비감(悲感)치 아니리잇고?"

딘왕 곤계 비황(悲況)ᄒᆞᆫ 심ᄉᆡ 흥황(興況)을 아디 못ᄒᆞᄃᆡ, 화긔를 작위ᄒᆞ여 유화히

1775)상셔령(尙書令) : 고려 시대에 둔 상서도성(尙書都省)의 으뜸 벼슬. 종일품이었다

1776)오ᄂᆡ분붕(五內分崩) : 오장(五臟)이 무너져 흩어짐.

1777)심붕담녈(心崩膽裂) : 마음이 무너지고 찢어지듯 아픔.

1778)구연시식(苟延視息) : 구차히 눈을 뜨고 숨을 쉬며 살고 있음.

1779)디우금일(至于今日) : 오늘날에 이름.

ᄒᆞᆫ 셰월의 효ᄌᆞ현손의 영효를 두굿기소셔"

위ᄐᆡ부인과 조ᄐᆡ비 부복ᄒᆞ여 듯기를 다ᄒᆞᄆᆡ, 상셔령(尙書令)[1480]이 잔을 드려 위ᄐᆡ부인과 조ᄐᆡ비긔 삼ᄇᆡ 헌슈를 다ᄒᆞ니, 냥ᄐᆡ비 잔을 밧고 망궐ᄉᆞᄇᆡ(望闕四拜)ᄒᆞ여 셩은을 황공감츅ᄒᆞᆯ ᄯᆞᄅᆞᆷ이라. 이 ᄣᆡ를 당ᄒᆞ여 조ᄐᆡ비의 통할(痛割)ᄒᆞᆫ 심ᄉᆞᄂᆞᆫ 더욱 니를 거시 업셔 효ᄌᆞ【91】의 영효와 셩쥬의 은영을 부뷔 ᄒᆞᆫ가지로 즐기지 못ᄒᆞ미 오ᄂᆡ분붕(五內分崩)[1481]ᄒᆞ믈 면치 못ᄒᆞ나, 존고면젼이라 감히 비식을 낫토지 못ᄒᆞ나, 비뤼(悲淚) 종횡(縱橫)ᄒᆞ여 옷깃슬 적시니 위ᄐᆡ부인이 역시 상연(傷然) 뉴쳬(流涕)러라. 공이 모친을 위로ᄒᆞ며 슈슈를 향ᄒᆞ여 ᄀᆞᆯᄋᆞᄃᆡ,

"셕ᄉᆞ를 ᄉᆡᆼ각ᄒᆞ오ᄆᆡ 심붕담열(心崩膽裂)[1482]ᄒᆞ오나, 오날날을 당ᄒᆞ여ᄂᆞᆫ 소ᄉᆡᆼ과 광텬 등이 ᄌᆞ위의 희열ᄒᆞ시믈 갈망ᄒᆞᄋᆸᄂᆞᆫ ᄶᅵ라. 존슈ᄂᆞᆫ 슬프믈 관억ᄒᆞ샤 광텬 등의 졀민ᄒᆞᆫ 졍ᄉᆞ를 솔피소셔."

조ᄐᆡ비 계오 눈물을 거두고 탄식 ᄃᆡ왈,

"쳡이 명완무지(命頑無知)ᄒᆞ여 토목 ᄀᆞᆺ튼 고로 붕셩지통(崩城之痛)을 능히 ᄎᆞᆷ지 못ᄒᆞ고, 견ᄃᆡ지 못ᄒᆞᆯ 셜음을 당ᄒᆞᄃᆡ 능히 여러 셰월의 견ᄃᆡ여, 오날날 셩쥬의 과도ᄒᆞ신 은영【92】을 당ᄒᆞ니 불승황공ᄒᆞ온 즁, 셕ᄉᆞ를 도라 ᄉᆡᆼ각ᄒᆞ니, 엇지 통할ᄒᆞ믈 ᄎᆞᆷ으리잇고마ᄂᆞᆫ, 쳡의 토목 ᄀᆞᆺ튼 심장이 능히 견ᄃᆡ고 ᄎᆞᆷ아 구연시식(苟延視息)[1483]ᄒᆞ여 지우금일(至于今日)[1484]이러니, 셩은이 과도ᄒᆞ시니 쳡심이 엇지 비감(悲感)치 아니리잇고?"

진왕 곤계 비황(悲況)ᄒᆞᆫ 심ᄉᆡ 흥황(興況)을 아지 못ᄒᆞᄃᆡ, 화긔를 작위ᄒᆞ여 유화히

1480)상셔령(尙書令) : 고려 시대에 둔 상서도성(尙書都省)의 으뜸 벼슬. 종일품이었다

1481)오ᄂᆡ분붕(五內分崩) : 오장(五臟)이 무너져 흩어짐.

1482)심붕담녈(心崩膽裂) : 마음이 무너지고 찢어지듯 아픔.

1483)구연시식(苟延視息) : 구차히 눈을 뜨고 숨을 쉬며 살고 있음.

1484)디우금일(至于今日) : 오늘날에 이름.

위로 왈,
"셕ᄉᆞᄂᆞᆫ 촘디 못ᄒᆞᆯ 디통이오나 금일이 왕모 탄일이라. 쇼ᄌᆞ 등의 어린 졍셩이 태모와 ᄌᆞ위의 즐기시믈 갈망ᄒᆞᄋᆞᆸᄂᆞ니, 왕모와 ᄌᆞ위ᄂᆞᆫ 믈비관억(勿悲寬抑)ᄒᆞ샤 ᄒᆡᄋᆞ 【18】 등의 졍ᄉᆞ를 살피쇼셔."
냥태비 기리 탄식고 쳑연(慽然)이 즐기디 아니터라. 태부인이 녜관을 ᄃᆡᄒᆞ여 ᄉᆞ샤 왈,
"노인의 ᄉᆡᆼ디일(生之日)을 일ᄏᆞᄅᆞ샤, 셩샹이 은영을 더ᄒᆞ샤 명공이 헌슈(獻壽)의 슈고로오믈 당ᄒᆞ시니 블승감샤 ᄒᆞ도소이다."

조태비 말솜을 니어 왈,
"윤·뎡 냥문의 겹겹 인친과 셰의(世誼)[1780]예 ᄌᆞ별ᄒᆞ미 일가 족친으로 다르미 업ᄉᆞᄃᆡ, 남녀 쳐신이 다른 고로 일즉 면분(面分)이 업더니, 금일은 황명을 밧ᄌᆞ와 쳡의게 헌슈ᄒᆞ시ᄂᆞᆫ 슈고를 당ᄒᆞ시니, 셩듀의 대은과 샹공의 슈고ᄒᆞ시믈 황공블안ᄒᆞ여이다."
뎡상셰 흠신(欠身)[1781] 문파(聞罷)의 념슬(斂膝) 공경 ᄃᆡ왈,【19】
"션(先) 년슉(緣叔)과 가친이 디심디긔(知心知己)시고 샤ᄇᆡᆨ(舍伯)이 존부 동상(東床)의 모쳠(冒添)ᄒᆞ고, 샤ᄆᆡ(舍妹) 존문의 쇽현(續絃)ᄒᆞ니, 셰의와 연인(連姻)의 각별ᄒᆞ미 디친으로 다르미 업ᄉᆞ오니, 통가슉질녜(通家叔姪禮)[1782]로 발셔 ᄇᆡ현ᄒᆞ염즉 ᄒᆞ오ᄃᆡ. ᄂᆡ외 격졀ᄒᆞ오므로 감히 쳥치 못ᄒᆞᄋᆞᆸ더니, 금일은 황명을 밧ᄌᆞ와 냥위 태비긔 현알ᄒᆞ믈 엇ᄌᆞ오니 블승희힝(不勝喜幸)토소이다."
조태비 ᄉᆞ샤ᄒᆞᄆᆡ, 유화ᄒᆞᆫ 덕힝과 옥골화뫼(玉骨花貌) 미망디인(未亡之人)으로 ᄇᆡᆨ의소상(白衣素裳)이 무ᄉᆡᆨ(無色)ᄒᆞᄃᆡ, 찬난ᄒᆞᆫ 용모ᄂᆞᆫ 명쥬(明珠)를 샤셕(沙石)의 더디나 더러온 뜻글이 무드디 아니코, 츄월(秋月)이

1780)셰의(世誼) : 대대로 사귀어 온 정(情).
1781)흠신(欠身) : 공경하는 뜻을 나타내기 위하여 몸을 굽힘.
1782)통가슉질녜(通家叔姪禮) : 인척(姻戚) 집안 간의 숙질사이에 지켜야 할 예절. *통가(通家); ①인척(姻戚) ②대대로 서로 친하게 사귀어 오는 집안.

위로 왈,
"셕ᄉᆞᄂᆞᆫ 참지 못ᄒᆞᆯ 지통이나 금일이 왕모 탄일이라. 소ᄌᆞ 등의 어린 졍셩이 태모와 ᄌᆞ위의 즐기시물 갈망ᄒᆞᄋᆞᆸᄂᆞ니, 대모와 ᄌᆞ위ᄂᆞᆫ 물비관억(勿悲寬抑)ᄒᆞ샤 ᄒᆡᄋᆞ 등의 정ᄉᆞ를 ᄉᆞᆯ피소셔.
냥태비 기리 탄식고 쳑연(慽然)이 즐기지 아니터라. 태부인이 녜관을 ᄃᆡᄒᆞ여 샤ᄉᆞ 왈,
"노인의 ᄉᆡᆼ지일(生之日)을 일ᄏᆞ르샤, 셩상이 은영을 더ᄒᆞ샤 명공이 헌슈(獻壽)의 슈고로오 【93】 물 당ᄒᆞ시니, 불승감샤ᄒᆞ도소이다"
조태비 말솜을 니어 왈,
"윤·뎡 냥문의 겹겹 인친(姻親)과 셰교(世交)[1485]의 ᄌᆞ별ᄒᆞ미 일가족친으로 다르미 업ᄉᆞᄃᆡ, 남녀 쳐신이 다른 고로 일즉 면분(面分)이 업더니, 금일은 황명을 밧ᄌᆞ와 쳡의게 헌슈ᄒᆞ시ᄂᆞᆫ 슈고○[를] 당ᄒᆞ시니, 셩쥬의 ᄃᆡ은과 상공의 슈고ᄒᆞ시믈 황공불안ᄒᆞ여이다."
뎡상셰 흠신(欠身)[1486] 문파(聞罷)의 념슬(斂膝) 공경 ᄃᆡ왈,
"션(先) 연슉(緣叔)과 가친이 지심지긔(知心知己)시고 샤ᄇᆡᆨ(舍伯)이 존부 동샹(東床)의 모쳠(冒添)ᄒᆞ고, 겹겹ᄒᆞᆫ 쳑연지친(戚緣之親)[1487]이니 통가슉딜녜(通家叔姪禮)[1488]로 발셔 ᄇᆡ현(拜見)ᄒᆞ염즉 ᄒᆞ오ᄃᆡ, ᄂᆡ외 격졀ᄒᆞ오므로 감히 쳥치 못ᄒᆞᄋᆞᆸ더니, 금일은 황명을 밧드러 냥ᄐᆡ비긔 현알 ᄒᆞ믈 어드니 불승희힝(不勝喜幸)토소이다."

조ᄐᆡ비 ᄉᆞ샤ᄒᆞᄆᆡ 유화ᄒᆞᆫ 덕힝과 옥【94】골화뫼(玉骨花貌) 미망지인(未亡之人)으로 ᄇᆡᆨ의소상(白衣素裳)이 무ᄉᆡᆨ(無色)ᄒᆞᄃᆡ,

1485)셰교(世交) : 대대로 맺어온 친분.
1486)흠신(欠身) : 공경하는 뜻을 나타내기 위하여 몸을 굽힘.
1487)척연지친(戚緣之親) : 인척(姻戚). 곧 혼인에 의하여 맺어진 친척.
1488)통가슉질녜(通家叔姪禮) : 인척(姻戚) 집안 간의 숙질사이에 지켜야 할 예절. *통가(通家); ①인척(姻戚) ②대대로 서로 친하게 사귀어 오는 집안.

부운의 ᄡᅵ히나 명광(明光)을 일치【20】아님 ᄀᆞᆺᄐᆞ여, 텬향미딜(天香美質)이 슉연쇄락ᄒᆞ미 청듕의 광ᄎᆡ 됴요ᄒᆞ니, 투목으로 잠간 보고 듕심의 탄복ᄒᆞ여, 태임(太姙)이 태교ᄒᆞᄆᆡ 문왕이 나시고, ᄆᆡᆼ뫼(孟母) 삼쳔디교(三遷之教)ᄒᆞ여 ᄆᆡᆼᄌᆡ(孟子) 아셩(亞聖)이 되심 ᄀᆞᆺᄐᆞ여, 조태비 아니면 딘왕 남ᄆᆡ를 산휵디 못ᄒᆞᆯ디라. 십삭 ᄐᆡ교의 범연치 아니믈 경복ᄒᆞ더라.

날호여 녜관이 나가ᄆᆡ 윤공이 조비긔 고왈,

"금일 연셕의 슈쇼(數小)ᄒᆞᆫ ᄌᆞ손이 모젼의 일ᄇᆡ 경쥬(慶酒)를 폐치 못ᄒᆞ오리니, 존쉬 비록 즐겁디 아니시나 일ᄇᆡ를 몬져 헌ᄒᆞ쇼셔."

조태비 ᄌᆞ긔 ○○[홀노] 헌슈ᄒᆞ미 심장이 여할(如割)ᄒᆞ나 계오 참고 옥ᄇᆡ를 밧드러【21】태부인긔 나오니, 부인이 잔을 밧고 집슈 비읍 왈,

"금일 연셕을 당ᄒᆞ여 현부의 잔을 바드니 아심이 비여철(非如鐵) 비여셕(非如石)이라, ᄇᆡᆨᄋᆞ(伯兒)의 ᄒᆞᆫ가디로 즐기디 못ᄒᆞ미 엇디 슬프디 아니리오. ᄒᆞ믈며 셕년 노모의 여산과악(如山過惡)[1783]을 혜아리ᄆᆡ, 고당화루(高堂華樓)의 부귀를 안향(安享)ᄒᆞ미 망외(望外)라. 현부와 광ᄋᆞ 등이 풍상곤익(風霜困厄)의 몸이 보젼ᄒᆞ여, 토목 ᄀᆞᆺᄐᆞᆫ 노모를 감화ᄒᆞ미 텬의 도으미라. 노뫼 만일 현부와 광텬 등의 디효 아니면 여ᄎᆞ 영광부귀를 당ᄒᆞ리오."

조비 블감ᄉᆞ샤이퇴(不堪謝辭而退)[1784]ᄒᆞᄆᆡ 윤공이 공후면복(公侯冕服)을 ᄀᆞᆺ초고 모젼의 헌슈ᄒᆞᄆᆡ, ᄇᆡᆨᄒᆡ(北海)의 슈(壽)[1785]를 ᄎᆞᆨ(祝)ᄒᆞ니, 셩음【22】이 댱공(長空)의 어ᄅᆡ고 긔위(氣威) 쳑탕(滌蕩)ᄒᆞ여 엄위ᄒᆞᆫ 긔

1783)여산과악(如山過惡) : 산처럼 크고 많은 악행.

1784)블감ᄉᆞ샤이퇴(不堪謝辭而退) : (말씀을) 감당치 못함을 사례하고 물러남.

1785)ᄇᆡᆨᄒᆡ(北海)의 슈(壽) : 바다처럼 한량없이 오랜 수명(壽命).

찬난ᄒᆞᆫ 용모ᄂᆞᆫ 명쥬(明珠)를 ᄉᆞ셕(沙石)의 더지나 더러온 ᄠᅵᆺ글이 무드지 아니코, 츄월(秋月)이 부운의 ᄡᅵ히나 명광(明光)을 일치 아님 ᄀᆞᆺᄐᆞ여, 텬향미질(天香美質)이 슉연쇄락ᄒᆞ미 청즁의 광ᄎᆡ 조요(照耀)ᄒᆞ니, 즁심의 탄복ᄒᆞ여 태임(太姙)이 태교ᄒᆞᄆᆡ 문왕이 나시고, ᄆᆡᆼ뫼(孟母) 삼쳔지교(三遷之教)ᄒᆞ여 ᄆᆡᆼᄌᆡ(孟子) 아셩(亞聖)이 되심 ᄀᆞᆺᄐᆞ여, 태비 아니면 진왕 남ᄆᆡ를 산○[휵](産慉)치 못ᄒᆞᆯ지라. 십삭 태교의 범연치 아니믈 경복ᄒᆞ더라.

날호여 녜관이 나가ᄆᆡ 윤공이 조비긔 고왈,

"금일 연셕의 슈소(數小)ᄒᆞᆫ ᄌᆞ손이 모젼의 일ᄇᆡ 경쥬(慶酒)를 폐치 못ᄒᆞ오리니, 존쉬 비록 즐겁지 아니시나 일ᄇᆡ를 몬져 헌ᄒᆞ소셔"

조태비 ᄌᆞ긔 홀노 헌슈ᄒᆞ미 심장이 여열(如裂)ᄒᆞ나 계오 참고【95】옥ᄇᆡ를 밧드러 ᄐᆡ부인긔 나오니, 부인이 잔을 밧고 집슈 비읍 왈,

"금일 연셕을 당ᄒᆞ여 현부의 잔을 바드니 아심이 비여철(非如鐵)이며 비여셕(非如石)이라, ᄇᆡᆨᄋᆞ(伯兒)의 ᄒᆞᆫ 가지로 즐기지 못ᄒᆞ미 엇지 슬프지 아니리오. ᄒᆞ믈며 셕년 노모의 여산과악(如山過惡)[1489]을 혜아리ᄆᆡ, 고당화루(高堂華樓)의 부귀를 안향(安享)ᄒᆞ미 망외(望外)라. 현부와 광ᄋᆞ 등이 풍상곤익(風霜困厄)의 몸이 보젼ᄒᆞ여, 토목 ᄀᆞᆺᄐᆞᆫ 노모를 감화ᄒᆞ미 텬의 도으미라. 노뫼 만일 현부와 광텬 등의 지회 아니면 여ᄎᆞ 영광부귀를 당ᄒᆞ리오."

조비 블감ᄉᆞ샤이퇴(不堪謝辭而退)[1490]ᄒᆞᄆᆡ 윤공이 공후면복(公侯冕服)을 ᄀᆞᆺ초고 모젼의 헌슈ᄒᆞᄆᆡ, 북ᄒᆡ(北海)의 슈(壽)[1491]를 츅(祝)ᄒᆞ니, 셩음이 장공(長空)의 어ᄅᆡ고 긔위(氣威) 쳑탕(滌蕩)ᄒᆞ여 엄위ᄒᆞᆫ 긔상이 늠

1489)여산과악(如山過惡) : 산처럼 크고 많은 악행.

1490)블감ᄉᆞ샤이퇴(不堪謝辭而退) : (말씀을) 감당치 못함을 사례하고 물러남.

1491)북ᄒᆡ(北海)의 슈(壽) : 바다처럼 한량없이 오랜 수명(壽命).

상이 늠늠쇄락ᄒᆞ여 쳔고영걸이라. 태부인이 ᄋᆞᄌᆞ의 잔을 밧고 희허(唏噓) 탄식 왈,

"노모의 셕년 포악이 너의 대효를 힘닙어 금일 연셕을 당ᄒᆞ니 셕ᄉᆡ(夕死)라도 무한(無恨)이라. 일즉은 션군의 보디 못ᄒᆞ시믈 비통ᄒᆞ고, 쏘 여형을 ᄉᆡᆼ각ᄒᆞᄆᆡ 각골통셕ᄒᆞᄂᆞᆫ 비라. 너의 그림ᄌᆡ 쳐량ᄒᆞ믈 더옥 슬허ᄒᆞ노라."

공이 슬프믈 계오 춤고 모친을 관위(款慰)ᄒᆞ고 퇴ᄒᆞ니, 뉴부인이 녜복을 ᄀᆞ초아 옥슈의 뉴리ᄇᆡ(琉璃杯)를 밧드러 나아 와 헌ᄒᆞᄆᆡ, 옥틱화딜(玉態花質)이 몬져 슈츌(秀出)ᄒᆞᆫ디라. 태부인이 년ᄋᆡ 왈,

"현부ᄂᆞᆫ 노모의 소ᄋᆡᄌᆞ(所愛子)【23】라. 개과쳔션ᄒᆞᆫ 덕이 솟다오니 노뫼 더옥 깃거ᄒᆞ노라."

뉴부인이 ᄇᆡ샤이퇴(拜謝而退)ᄒᆞᄆᆡ, ᄎᆞ례 딘왕의 밋쳐, 두샹(頭上)의 통텬면뉴관(通天冕旒冠)[1786]을 가ᄒᆞ며, 몸의 홍금망뇽포(紅錦蟒龍袍)[1787]를 닙고 허리의 냥디ᄇᆡᆨ옥ᄃᆡ(兩枝白玉帶)[1788]를 둘너시며, 아홉 줄 면뉴(冕旒)[1789]ᄂᆞᆫ 너른 텬뎡(天庭)[1790]의 어른기고 패옥(佩玉)은 장장ᄒᆞ여[1791] 면복(冕服)[1792] ᄉᆞ이의 울거ᄂᆞᆯ, 손의 ᄇᆡᆨ옥홀(白玉

1786)통텬면뉴관(通天冕旒冠) : 통천관(通天冠)과 면류관(冕旒冠)을 합한 말로 여기서는 면류관을 말하고 있다. 면류관은 제왕(帝王)의 정복(正服)에 갖추어 쓰던 관으로, 거죽은 검고 속은 붉으며, 위에는 긴 사각형의 판이 있고 판의 앞에는 오채(五彩)의 구슬꿰미를 늘어뜨린 것으로, 국가의 대제(大祭) 때나 왕의 즉위 때 썼다. *통천관(通天冠): 제왕이 정무(政務)를 보거나 조칙을 내릴 때 쓰던 관. 검은 깁으로 만들었는데 앞뒤에 각각 열두 솔기가 있고 옥잠과 옥영을 갖추었다.

1787)홍금망룡포(紅錦蟒龍袍) : 붉은 빛의 비단으로 지은 임금의 정복. 가슴과 등과 어깨에 용의 무늬를 수놓았다. 곤룡포(袞龍袍)를 망룡포(蟒龍袍)라고도 한다.

1788)냥디ᄇᆡᆨ옥ᄃᆡ(兩枝白玉帶) : 명주에 백옥(白玉)을 붙여 만든 허리띠.

1789)면뉴(冕旒) : 면류관의 앞뒤에 늘어뜨린 구슬꿰미.

1790)텬뎡(天庭) : 관상에서, 두 눈썹의 사이 또는 이마의 복판을 이르는 말.

1791)장장 : 옥이 서로 부딪쳐서 장장거리며 나는 소리.

늠쇄락ᄒᆞ여 쳔고영걸이라. 태부인이【96】 ᄋᆞᄌᆞ의 잔을 밧고 희허(唏噓) 탄식 왈,

"노모의 셕년 포악이 너의 대효를 힘닙어 금일 연셕을 당ᄒᆞ니 셕ᄉᆡ(夕死)라도 무한(無恨)이라. 일즉은 션군의 보지 못ᄒᆞ시믈 비통ᄒᆞ고 쏘 여형을 ᄉᆡᆼ각ᄒᆞᄆᆡ 각골통셕ᄒᆞᄂᆞᆫ 비라. 너의 그림ᄌᆡ 쳐량ᄒᆞ믈 더욱 슬허ᄒᆞ노라."

공이 슬프믈 계오 춤고 모친을 관위(款慰)ᄒᆞ고 퇴ᄒᆞ니, 뉴씨 녜복을 ᄀᆞ초아 옥슈의 뉴리ᄇᆡ(琉璃杯)를 밧드러 나아와 헌ᄒᆞᄆᆡ, 옥틱화질(玉態花質)이 몬져 슈츌(秀出)ᄒᆞᆫ지라. 태부인이 년ᄋᆡ 왈,

"현부ᄂᆞᆫ 노모의 소ᄋᆡᄌᆞ(所愛子)라. ᄀᆡ과쳔션ᄒᆞᆫ 덕이 솟 ᄀᆞᄐᆞ니 노뫼 더욱 깃거 ᄒᆞ노라"

뉴씨 ᄇᆡ샤이퇴(拜謝而退)ᄒᆞ니, ᄎᆞ례 진왕의 밋쳐 두샹(頭上)의 통텬면뉴관(通天冕旒冠)[1492]을 가ᄒᆞ며, 몸의 ᄌᆞ금망뇽포(紫錦蟒龍袍)[1493]를 닙고 허리의 냥지ᄇᆡᆨ옥ᄃᆡ(兩枝白玉帶)[1494]를 둘너시며, 아홉 줄 면뉴(冕旒)ᄂᆞᆫ 너른【97】텬졍(天庭)[1495]의 어른기고 픽옥(佩玉)은 징징[1496]ᄒᆞ여 《명복 ‖ 면복(冕服)[1497]》ᄉᆞ이의 울거ᄂᆞᆯ, 손의 옥홀(玉笏)[1498]을 쥐엿시니, 군왕의 긔상이 당당ᄒᆞ

1492)통텬면뉴관(通天冕旒冠) : 통천관(通天冠)과 면류관(冕旒冠)을 합한 말로 여기서는 면류관을 말하고 있다. 면류관은 제왕(帝王)의 정복(正服)에 갖추어 쓰던 관으로, 거죽은 검고 속은 붉으며, 위에는 긴 사각형의 판이 있고 판의 앞에는 오채(五彩)의 구슬꿰미를 늘어뜨린 것으로, 국가의 대제(大祭) 때나 왕의 즉위 때 썼다. *통천관(通天冠): 제왕이 정무(政務)를 보거나 조칙을 내릴 때 쓰던 관. 검은 깁으로 만들었는데 앞뒤에 각각 열두 솔기가 있고 옥잠과 옥영을 갖추었다.

1493)자금망룡포(紅錦蟒龍袍) : 붉은 빛의 비단으로 지은 임금의 정복. 가슴과 등과 어깨에 용의 무늬를 수놓았다. 곤룡포(袞龍袍)를 망룡포(蟒龍袍)라고도 한다.

1494)냥디ᄇᆡᆨ옥ᄃᆡ(兩枝白玉帶) : 명주에 백옥(白玉)을 붙여 만든 허리띠.

1495)텬졍(天庭) : 관상에서, 두 눈썹의 사이 또는 이마의 복판을 이르는 말.

1496)쟁쟁 : 옥이 맞부딪쳐 맑게 울리는 소리.

1497)면복(冕服) : 면류관과 곤룡포를 아울러 이르던 말.

笏)1793)을 쥐여시니, 군왕의 긔상이 당당ᄒᆞ여 텬고영걸이오 만고무뎍이라. 잔을 헌ᄒᆞ고 청음을 느리혀 븍두(北斗)1794)의 복(福)을 빌고 '강능(岡陵)의 슈(壽)'1795)를 튝(祝)ᄒᆞᆯᄉᆡ, 가셩(歌聲)이 청월(淸越)ᄒᆞ여 구만니댱텬(九萬里長天)의 ᄉᆞ못ᄎᆞᆫ ᄃᆞᆺ, 졍젼(庭前)의 ᄌᆞ던 학(鶴)이 춤추어 곡됴를 화(和)【24】ᄒᆞ니, 태부인이 잔을 바다 거후르고 왕의 손을 잡아 흔흔 쇼왈,

"대ᄌᆡ(大哉)라! 나의 손ᄋᆡ여 뎡튱대효로 공업(功業)이 청ᄉᆞ(靑史)의 빗나고, 덕망이 산두(山斗)1796)의 놉흐니, 셩듀(聖主)의 툥우ᄒᆞ시ᄂᆞᆫ 은영이 노모의게 밋ᄎᆞ니, 남ᄋᆡ '닙신양명(立身揚名)ᄒᆞ여 이현부모(以顯父母)'1797)ᄒᆞ며 문호를 흥긔(興起)ᄒᆞ미 뎡히 손ᄋᆞ를 니르미라. 노모의 쾌락ᄒᆞ미 만ᄉᆡ 무흠ᄒᆞᄃᆡ, 흉장의 밋친 바ᄂᆞᆫ 여뷔 조셰(早世)ᄒᆞ미라. 텬양디하(天壤之下)의 유명(幽明)이 격(隔)ᄒᆞ여 알오미 업ᄉᆞ니, 유유텬디(悠悠天地)의 이 셜음을 엇디ᄒᆞ며, 셕년 노모의 조현부와 여등 부부를 참혹히 보치던 ᄇᆡ 회장하급(悔將何及)1798)이리오. 만일 텬의(天意) 도으미 아니런들 엇【25】디 이런 영복(榮福)을 보리오."

왕이 연셕을 당ᄒᆞ여 오ᄂᆡ분븡(五內分崩)ᄒᆞ나, 강인(强忍) ᄇᆡ샤이퇴ᄒᆞ니, 승상이 일

1792)면복(冕服) : 면류관과 곤룡포를 아울러 이르던 말.

1793)ᄇᆡᆨ옥홀(白玉笏) : 흰 옥으로 만든 홀. *홀(笏); 조선 시대에, 벼슬아치가 임금을 만날 때에 손에 쥐던 물건. 조복(朝服), 제복(祭服), 공복(公服) 따위에 사용하였으며, 일품부터 사품까지는 상아홀, 오품 이하는 목홀(木笏)을 썼다. ≒수판(手板).

1794)븍두(北斗) : 북두칠성(北斗七星). 밀교에서, 이것을 섬기면 천재지변 따위를 미리 막을 수 있다고 함.

1795)강능(岡陵)의 슈(壽) : 산(山)처럼 오래 삶. *강릉(岡陵) : 산. 산등성이.

1796)산두(山斗) : 태산북두(泰山北斗). 태산(泰山)과 북두칠성을 아울러 이르는 말.

1797)입신양명 이현부모(立身揚名 以顯父母) : 『효경(孝經)』「개종명의장(開宗明義章)」에 나오는 말로, 출세하여 이름을 세상에 떨침으로써 부모님의 덕을 드러내는 것.

1798)회장하급(悔將何及) : 후회가 장차 어디까지 미칠 것인가.

여 텬고영걸이오 만고무젹이라. 잔을 헌ᄒᆞ고 청음을 느리혀 북두(北斗)1499)의 복(福)을 빌고 '강능(岡陵)의 슈(壽)'1500)를 츅(祝)ᄒᆞᆯᄉᆡ, 가셩(歌聲)이 청월(淸越)ᄒᆞ여 구만니댱텬九萬里長天)의 ᄉᆞ못ᄎᆞᆫ ᄃᆞᆺ, 정젼(庭前)의 ᄌᆞ던 학(鶴)이 츔츄어 곡조를 화(和)ᄒᆞ니, ᄐᆡ부인이 잔을 바다 거후르고 왕의 손을 잡아 흔흔 소왈,

"ᄃᆡᄌᆡ(大哉)라! 나의 손ᄋᆡ여, 정츙 대효로 공업(功業)이 청ᄉᆞ(靑史)의 빗나고 덕망이 산두(山斗)1501)의 놉흐니, 셩쥬(聖主)의 춍우ᄒᆞ시ᄂᆞᆫ 은영이 노모의게 밋ᄎᆞ니, 남ᄋᆡ '닙신양명(立身揚名)ᄒᆞ여 이현부모(以顯父母)'1502)ᄒᆞ며 문호를 흥긔(興起)ᄒᆞ미 만ᄉᆡ 무흠ᄒᆞᄃᆡ, 흉장의 밋친 바ᄂᆞᆫ 여뷔 조셰(早世)ᄒᆞ미라. 텬양지하(天壤之下)의 유명(幽明)이 격(隔)ᄒᆞ여 아【98】르미 업ᄉᆞ니, 유유텬지(悠悠天地)의 이 셜음을 엇지ᄒᆞ며, 셕년 노모의 조현부와 여등 부부를 참혹히 보치던 ᄇᆡ 회장하급(悔將何及)1503)ᄒᆞ리오. 만일 텬의(天意) 도으미 아니런들 엇지 이런 영복(榮福)을 보리오."

왕이 연셕을 당ᄒᆞ여 오ᄂᆡ분븡(五內分崩)ᄒᆞ나 참고 퇴ᄒᆞ니, 승상이 일픔 관복을 졍제ᄒᆞ여 헌작ᄒᆞ고 믈너나, 츅슈가(祝壽歌)를

1498)ᄇᆡᆨ옥홀(白玉笏) : 흰 옥으로 만든 홀. *홀(笏); 조선 시대에, 벼슬아치가 임금을 만날 때에 손에 쥐던 물건. 조복(朝服), 제복(祭服), 공복(公服) 따위에 사용하였으며, 일품부터 사품까지는 상아홀, 오품 이하는 목홀(木笏)을 썼다. ≒수판(手板).

1499)븍두(北斗) : 북두칠성(北斗七星). 밀교에서, 이것을 섬기면 천재지변 따위를 미리 막을 수 있다고 함.

1500)강능(岡陵)의 슈(壽) : 산(山)처럼 오래 삶. *강릉(岡陵) : 산. 산등성이.

1501)산두(山斗) : 태산북두(泰山北斗). 태산(泰山)과 북두칠성을 아울러 이르는 말.

1502)입신양명 이현부모(立身揚名 以顯父母) : 『효경(孝經)』「개종명의장(開宗明義章)」에 나오는 말로, 출세하여 이름을 세상에 떨침으로써 부모님의 덕을 드러내는 것.

1503)회장하급(悔將何及) : 후회가 장차 어디까지 미칠 것인가.

픔 관복을 뎡졔ᄒᆞ여 헌작ᄒᆞ고 믈너나, 튝슈가(祝壽歌)를 브르니, 셩음이 쳥검유화(淸儉柔和)ᄒᆞ여 텬디의 화긔를 일위며 만믈의 ᄉᆡᆼ긔를 동ᄒᆞ니, 일ᄉᆡᆼ의 닉이던 ᄌᆡ라도 밋디 못ᄒᆞᆯ디라. ᄇᆡᆨ옥용화(白玉容華)ᄂᆞᆫ 경운(慶雲)이 화(和)ᄒᆞ고 빈빈ᄒᆞᆫ 녜모와 슉슉ᄒᆞᆫ 도덕이 한(漢)·당(唐) 이후 일인이라. 그 표치용광(標致容光)[1799]이 ᄇᆞᆰ고 슈려ᄒᆞ미 년긔로 조ᄎᆞ 완연이 명쳔공의 풍녁(風力)[1800]과 모비(母妃)의 ᄉᆡᆨ광(色光)을 겸ᄒᆞ여 다시 댱원(長遠)ᄒᆞ믈 더어시니, 니른 바 일월명광(日月明光)이라.

태부인이 그 잔을【26】밧고 등을 두다려 두굿기믈 니긔디 못ᄒᆞᄃᆡ, 명쳔 공의 보디 못ᄒᆞ믈 통도ᄒᆞ여 집슈 타루 왈,

"너의 풍신용화ᄂᆞᆫ 의연이 여부 ᄀᆞᆺᄐᆞ니, 볼 적마다 반갑고 슬픈 심ᄉᆡ 더은디라. 셕일 노모의 과악을 ᄉᆡᆼ각ᄒᆞᄆᆡ 엇디 ᄎᆞ악디 아니리오마ᄂᆞᆫ, 여등이 노모의 힝악을 원(怨)치 아니코 셩회(誠孝) 가디록 더으니, 엇디 아름답디 아니리오. 금일 경ᄉᆞ를 당ᄒᆞ여 고ᄉᆞ를 츄상(追想)ᄒᆞᄆᆡ, 비회를 금억디 못ᄒᆞ여 도로혀 너히 화긔를 상히오니, ᄉᆞᄉᆞ의 노모의 박덕블인을 니긔여 니르랴."

승상이 계오 누슈를 가리와 ᄇᆡ샤이퇴 ᄒᆞ니, 윤공이 웃고【27】 녕능후다려 왈,

"ᄉᆞ회ᄂᆞᆫ 반ᄌᆞ(半子)[1801]라. 현셔 등이 슈고로오나 임의 이의 이시니, 일ᄇᆡ쥬(一杯酒)로ᄡᅧ 우리 ᄌᆞ당의 두굿기시믈 닐위라."

녕능공과 하승상이 크게 괴로이 넉이나 마디 못ᄒᆞ여 슈명ᄒᆞ고, 녕능공이 공후 복식으로 헌작ᄒᆞᄆᆡ 동탕ᄒᆞᆫ 신위와 쥰ᄆᆡᄒᆞᆫ 긔상이 영웅쥰걸이라. 태부인이 년망이 잔을 밧고 함쇼 왈,

"내 ᄌᆞ손은 녜ᄉᆡ어니와 현셔의 잔을 바드니 블승감샤 ᄒᆞ도다."

녕능공이 쇼이ᄃᆡ왈(笑而對曰),

1799)표치용광(標致容光) : 아름다운 얼굴빛.
1800)풍녁(風力) ; 풍채가 발산하는 위력(威力).
1801)반ᄌᆞ(半子) : 반자식. 아들이나 다름없이 여긴다는 뜻으로 사위를 이르는 말.

브르니, 셩음이 쳥건유화(淸健柔和)ᄒᆞ여 텬지의 화긔를 일위며 만물의 ᄉᆡᆼ긔를 동ᄒᆞ니, 일ᄉᆡᆼ의 닉이던 ᄌᆡ○○[라도] 밋지 못ᄒᆞᆯ지라. ᄇᆡᆨ옥용화(白玉容華)ᄂᆞᆫ 경운(慶雲)이 화(和)ᄒᆞ고, 빈빈ᄒᆞᆫ 녜모와 슉슉ᄒᆞᆫ 도덕이 한(漢)·당(唐) 후 일인이라. 그 표치용광(標致容光)[1504]의 ᄇᆞᆰ고【99】슈려ᄒᆞ미 년긔로 조ᄎᆞ 완연이 명쳔공의 풍녁(風力)[1505]과 모비(母妃)의 ᄉᆡᆨ광(色光)을 겸ᄒᆞ여 다시 장원(長遠)ᄒᆞ믈 더어시니, 니른 바 일월명광(日月明光)이라."

ᄐᆡ부인이 그 잔을 밧고 등을 두ᄃᆞ려 두굿기믈 니긔지 못ᄒᆞᄃᆡ, 명쳔 공의 보지 못ᄒᆞ믈 통도ᄒᆞ여 집슈 타루 왈,

"너의 풍신용화ᄂᆞᆫ 의연이 녀부 ᄀᆞᆺᄐᆞ니 볼 적마다 반갑고 슬픈 심ᄉᆡ 더은지라. 셕일 노모의 과악을 ᄉᆡᆼ각ᄒᆞᄆᆡ 엇지 ᄎᆞ악지 아니리오마ᄂᆞᆫ, 녀등이 노모의 힝악을 원(怨)치 아니코 셩회(誠孝) 가지록 더으니, 엇지 아름답지 아니리오. 금일 경ᄉᆞ를 당ᄒᆞ여 고ᄉᆞ를 츄상(追想)ᄒᆞᄆᆡ, 비회를 금억지 못ᄒᆞ여 도로【100】혀 너희 화긔를 상히오니, ᄉᆞᄉᆞ의 노모의 박덕블인을 니긔여 니르랴."

승상이 계오 누슈를 ᄂᆞ리와 ᄉᆞᄇᆡ이퇴(四拜以退)ᄒᆞ니, 윤공이 웃고 녕능후ᄃᆞ려 왈,

"ᄉᆞ회ᄂᆞᆫ 반ᄌᆞ(半子)[1506]라. 현셔 등이 슈고로오나 임의 이의 잇시니, 일ᄇᆡ쥬(一杯酒)로ᄡᅧ 우리 ᄌᆞ당의 두굿기시믈 일위라."

녕능공과 하승상이 크게 괴로오나 마지 못ᄒᆞ여 슈명ᄒᆞ고, 녕능공이 공후복식으로 헌작ᄒᆞᄆᆡ, 동탕ᄒᆞᆫ 신위와 쥰ᄆᆡᄒᆞᆫ 긔상이 영웅쥰걸이라. 태부인이 년망이 잔을 밧고 함소 왈,

"내 ᄌᆞ손을[은] 녜ᄉᆡ어니와 현셔의 잔을 바드니 블승감샤ᄒᆞ도다."

녕능공이 소이ᄃᆡ왈(笑而對曰),

1504)표치용광(標致容光) : 아름다운 얼굴빛.
1505)풍녁(風力) ; 풍채가 발산하는 위력(威力).
1506)반ᄌᆞ(半子) : 반자식. 아들이나 다름없이 여긴다는 뜻으로 사위를 이르는 말.

“쇼ᄉᆡᆼ이 존부 동상의 참예ᄒᆞ연 디 여러 셰월이니 ᄒᆞ마 고인이라. 금일 연셕의 일ᄇᆡ를 드려 하졍(下情)을 펴올 ᄲᅮᆫ 아니오라, 【28】 존부 화란을 딘뎡ᄒᆞ고 이ᄀᆞᆺ치 화열ᄒᆞ시니, 가히 하례ᄒᆞᄂᆞᆫ 잔을 밧드럼ᄌᆞᆨ ᄒᆞ온 고로 복경(福慶)을 하례ᄒᆞ미로소이다.”

태부인이 ᄎᆞ언을 드르ᄆᆡ ᄒᆞᆫ갓 젼과를 뉘웃출 ᄯᆞ름이라. 능휘 퇴ᄒᆞᄆᆡ 졔왕이 쳔승 위의와 군왕의 복ᄉᆡᆨ으로 뉴리ᄇᆡ(琉璃杯)의 경장(瓊漿)1802)을 가득 부어 헌(獻)ᄒᆞ니, 늠연ᄒᆞᆫ 풍뉴신광이 동탕슈려ᄒᆞ여 셰ᄃᆡ무뎍이어늘, 공개텬하(功盖天下)ᄒᆞ고 위딘ᄒᆡᄂᆡ(威震海內)ᄒᆞ여 산두듕망(山斗衆望)이 텬하의 읏듬이니, 견시ᄌᆞ(見視者) 늠연이 공경ᄒᆞ고 흠복갈ᄎᆡ(欽服喝采)ᄒᆞᄂᆞᆫ디라. 부인이 잔을 밧고 그ᄋᆞᆨ이 블안ᄒᆞ여 슈고로오믈 일ᄏᆞᆺ고, 괴치(愧恥)ᄒᆞ미 낫타나니, 왕이 념슬궤【29】고(斂膝跪告) 왈,

“쇼ᄉᆡᆼ이 존부 동상의 모쳠ᄒᆞ완 디 여러 셰월이라. 반ᄌᆞ디네(半子之禮)와 인친디의(姻親之義)가 녜ᄉᆞ 빙가(聘家)로 아디 못ᄒᆞ올 ᄇᆡ라. 금일 귀부 경화(慶華)를 당ᄒᆞ와 국개 샤연ᄒᆞ시니, 쇼ᄉᆡᆼ 등이 ᄯᅩᄒᆞᆫ 일ᄇᆡ로 하졍을 펴오미 당연ᄒᆞ온디라. 엇디 과도히 일ᄏᆞᄅᆞ샤 친ᄋᆡᄒᆞ시ᄂᆞᆫ 후의를 소(疏)히 ᄒᆞ시ᄂᆞ니잇가?”

부인이 더옥 감은칭샤(感恩稱謝)ᄒᆞ니,

1802)경장(瓊漿) : 옥액경장(玉液瓊漿)을 이르는 말로, 맑고 고운 빛깔과 좋은 향을 갖추어 신선들이 마신다고 하는 술.

“소ᄉᆡᆼ이【101】 존부 동상의 참녜ᄒᆞ연 지 여러 셰월이니 ᄒᆞ마 고인이라. 금일 연셕의 일ᄇᆡ를 드려 하졍(下情)을 펴올 ᄲᅮᆫ 아니오라, 존부 화난을 진졍ᄒᆞ고 이ᄀᆞᆺ치 화열ᄒᆞ시니, 가히 하례ᄒᆞᄂᆞᆫ 잔을 밧드럼ᄌᆞᆨ ᄒᆞ온 고로 복경(福慶)을 하례ᄒᆞ미로소이다.”

ᄐᆡ부인이 ᄎᆞ언을 드르ᄆᆡ ᄒᆞᆫ갓 젼과를 뉘웃칠 ᄯᅡ름이라. 녕능휘 퇴ᄒᆞᄆᆡ, 졔왕이 쳔승 위의와 군왕의 복ᄉᆡᆨ으로 뉴리ᄇᆡ(琉璃杯)의 경장(瓊漿)1507)을 가득 부어 헌(獻)ᄒᆞ니, 늠연ᄒᆞᆫ 풍뉴신광이 동탕슈려(動蕩秀麗)1508)ᄒᆞ여 셰ᄃᆡ무젹이어늘, 공ᄀᆡ텬하(功盖天下)ᄒᆞ고 위진ᄒᆡᄂᆡ(威震海內)ᄒᆞ여 산두즁망(山斗衆望)의 텬하 읏듬이니, 견시ᄌᆞ(見視者) 늠연이【102】 공경(恭敬) 갈ᄎᆡ(喝采)ᄒᆞᄂᆞᆫ지라. 부인이 잔을 밧고 그ᄋᆞᆨ이 블안ᄒᆞ여 슈고로오믈 일ᄏᆞᆺ고, 괴치(愧恥)ᄒᆞ미 낫타나니, 왕이 념슬궤고(斂膝跪告) 왈,

“소ᄉᆡᆼ이 존부 동상의 모쳠ᄒᆞ완 지 여러 셰월이라. 반ᄌᆞ지녜(半子之禮)와 인친지의(姻親之義), 가히 녜ᄉᆞ 빙가(聘家)로 아지 못ᄒᆞ올 ᄇᆡ라. 금일 귀부 경하(慶賀)를 당ᄒᆞ여 국개 ᄉᆞ연ᄒᆞ시니, 소ᄉᆡᆼ 등이 ᄯᅩᄒᆞᆫ 일ᄇᆡ로 하졍을 펴오미 당연ᄒᆞ온지라. 엇지 과도히 일ᄏᆞ르샤 친ᄋᆡᄒᆞ시ᄂᆞᆫ 후의를 소(疏)히 ᄒᆞ시ᄂᆞ니잇가?”

부인이 더욱 감은칭ᄉᆞ(感恩稱謝)ᄒᆞ며 두ᄀᆞᆺ기더라. {늠연ᄒᆞᆫ 신광이 동탕ᄒᆞ여 두렷ᄒᆞᆫ 면모의 찬난ᄒᆞᆫ 광휘ᄂᆞᆫ 부상의 오르ᄂᆞᆫ 홍일이오 츄텬졔월이라. 화형인각ᄒᆞ고 위거 졔왕ᄒᆞ여 텬하 병권을【103】 슈하의 송영ᄒᆞ여 산두즁망이 일신의 온젼ᄒᆞ니, ᄌᆞ연 샤ᄅᆞᆷ으로 하야곰 바라보ᄆᆡ 의의 ᄒᆞ여 구츄상텬 ᄀᆞᆺ고 갓가히 ᄃᆡᄒᆞᄆᆡ 늠늠히 공경ᄒᆞᆯ 의ᄉᆡᆨ 나ᄂᆞᆫ지라. ᄐᆡ부인이 잔을 잡고 슈고로히 헌작ᄒᆞ믈 칭하ᄒᆞ니 졔왕이 념슬 궤고 왈, 소ᄉᆡᆼ이 존부 동상지의를 일워}1509)

1507)경장(瓊漿) : 옥액경장(玉液瓊漿)을 이르는 말로, 맑고 고운 빛깔과 좋은 향을 갖추어 신선들이 마신다고 하는 술.

1508)동탕수려(動蕩秀麗) : 얼굴이 두툼하고 잘생겨 매우 아름다움.

하승상이 ᄌᆞ포금관(紫袍金冠)의 옥ᄃᆡ(玉帶)를 도도아 잔을 들고 나아오니, 션풍화뫼 늠늠쇄락 ᄒᆞ여 왕왕이 창ᄒᆡ(蒼海)의 교룡(蛟龍)이오 아아히 운니(雲裏)의 나는 학(鶴)이라. 태부인이 잔을 바드며 희연이 두굿겨 후졍(厚情)을 칭샤ᄒᆞ니【30】승상이 블감ᄉᆞ샤(不堪謝辭)ᄒᆞ고 좌의 나아가니, 샹셔 한희린이 ᄯᅩ 빅작(杯酌)을 헌홀ᄉᆡ, 슈앙ᄒᆞᆫ 격조와 쇄락ᄒᆞᆫ 용홰 태을군션(太乙君仙)이 하강홈 ᄀᆞᆺ거ᄂᆞᆯ, ᄌᆞ연ᄒᆞᆫ 귀격이 타일 당당이 쳔○[승](千乘)을 긔필홀더라. 부인이 잔을 밧고 두굿겨 왈,

"우ᄋᆞᄂᆞᆫ 광ᄋᆡ 긔특이 만나 결의남ᄆᆡᄒᆞ고 현셔ᄂᆞᆫ 희텬으로 샤뎨디도(師弟之道)를 일워 우리 동상이 되니, 실노 범연ᄒᆞᆫ 셔랑과 달나 친손○○[녀서](親孫女壻)의 다르미 업더니, 이졔 헌작의 슈고를 샤양치 아니니 더옥 감샤ᄒᆞ도다."

한샹셰 빅샤ᄒᆞ고 믈너 나ᄆᆡ, 윤공이 우음을 먹음고 경아 등을 도라보아 왈,

"여【31】등이 비록 나히 숙녈 딜부 등의 우히나, 헌작의 다ᄃᆞ라ᄂᆞᆫ 종부(宗婦)의 헌쉬(獻壽) 압셜디라. 여등은 졔부의 헌비(獻杯)를 기다려 뒤흘 조ᄎᆞ라."

하승상 부인이 웃고 왈,

"쇼녀 등이 헌작을 폐ᄒᆞ면 오히려 하졍이 결홀(缺欻)ᄒᆞ오려니와, 셔후ᄂᆞᆫ 구ᄐᆞ여 닷토디 아냐 최말(最末)의 ᄒᆞ라 ᄒᆞ셔도 명ᄃᆡ로 ᄒᆞ리이다."

윤공이 웃고 숙녈을 명ᄒᆞ여, 딘·남·화 삼비를 거나려 몬져 헌슈ᄒᆞ라 ᄒᆞ니, ᄉᆞ비 ᄎᆞ례로 헌슈ᄒᆞ나 구ᄐᆞ여 엇게를 ᄀᆞᆯ오디 아냐 잠간 션후 잇게 헌작ᄒᆞ니, 숙녈은 비컨ᄃᆡ 츄텬명월이 만방의 광치를 흘니ᄂᆞᆫ ᄃᆞᆺ, 창히ᄀᆞᆺ치【32】깁흠과 텬디ᄀᆞᆺ치 너르미 사ᄅᆞᆷ으로 그 속을 여어보디 못홀더라. 석석ᄒᆞ고 어위ᄎᆞ 녀듕군왕(女中君王)이로ᄃᆡ, 그 가온ᄃᆡ 온슌비약(溫順卑弱)ᄒᆞ여 딘션딘미(盡善盡美)ᄒᆞ니 빙ᄌᆞ아딜(氷姿雅質)이 ᄆᆡ양 보고 시븐디라. 남비의 숙뇨쇄락(淑窈灑落)홈

○…결락186자…○[하승상이 ᄌᆞ포금관(紫袍金冠)의 옥ᄃᆡ(玉帶)를 도도아 잔을 들고 나아오니, 션풍화뫼 늠늠쇄락 ᄒᆞ여 왕왕이 창ᄒᆡ(蒼海)의 교룡(蛟龍)이오 아아히 운니(雲裏)의 나ᄂᆞᆫ 학(鶴)이라. 태부인이 잔을 바드며 희연이 두굿겨 후졍(厚情)을 칭샤ᄒᆞ니, 승상이 블감ᄉᆞ샤(不堪謝辭)ᄒᆞ고 좌의 나아가니, 샹셔 한희린이 ᄯᅩ 빅작(杯酌)을 헌홀ᄉᆡ, 슈앙ᄒᆞᆫ 격조와 쇄락ᄒᆞᆫ 용홰 태을군션(太乙君仙)이 하강홈 ᄀᆞᆺ거ᄂᆞᆯ, ᄌᆞ연ᄒᆞᆫ 귀격이 타일 당당이 천승(千乘)을 긔필홀더라. 부인이 잔을 밧고 두굿겨 왈,

"우ᄋᆞᄂᆞᆫ 광ᄋᆡ 긔특이 만나 결의남ᄆᆡᄒᆞ고 현셔ᄂᆞᆫ 희텬으로 샤뎨디도(師弟之道)를 일워] 우리 동상이 되니, 실노 범연ᄒᆞᆫ 셔랑과 달나 친손녀셔(親孫女壻)의 다르미 업더니, 이졔 헌작의 슈고를 ᄉᆞ양치 아냐 반ᄌᆞ의 녜를 다ᄒᆞ니, 더욱 감ᄉᆞᄒᆞ도다."

《하Ⅱ한》샹셰 빅샤이퇴(拜謝而退)ᄒᆞᄆᆡ, 윤공이 우음을 머금고, 경ᄋᆞ를 보아 왈,

"녀등의 나히 비록 숙녈 딜부의 우히나, 헌작의 다다라ᄂᆞᆫ 총부(冢婦)의 슈헌(壽獻)이 압셜지라. 녀등은 뎡·【104】진·하·장의 헌비(獻杯)를 기ᄃᆞ려 뒤흘 조치라."

녕능후 부인은 슈명홀 ᄲᅮᆫ이오, 하상국 부인은 ᄀᆞᆯᄋᆞᄃᆡ,

"소녀 등이 굿ᄒᆞ여 션후를 닷토미 업ᄉᆞ오니, 최말(最末)의 힝ᄒᆞ라 ᄒᆞ셔도 명ᄃᆡ로 ᄒᆞ리이다"

윤공이 웃고 숙녈을 명ᄒᆞ여, 진·남·화 삼비를 거ᄂᆞ려 몬져 헌슈ᄒᆞ라 ᄒᆞ니, ᄉᆞ비 ᄎᆞ례로 헌슈ᄒᆞ나 구ᄐᆞ여 엇개를 ᄀᆞᆯ오지 아냐 잠간 션후 잇게 헌작ᄒᆞ니, 숙녈은 비컨ᄃᆡ 츄텬명월이 만방의 광치를 흘니ᄂᆞᆫ ᄃᆞᆺ, 창히ᄀᆞᆺ치 깁흠과 텬지ᄀᆞᆺ치 너르미 샤ᄅᆞᆷ으로 그 속을 여어보지 못홀지라. 석석ᄒᆞ여 녀즁군왕(女中君王)이로ᄃᆡ, 그 가온ᄃᆡ 온슌비약

1509) { }안의 '늠연ᄒᆞᆫ 신광이' – '동상지의를 일워'까지의 105자는 제왕 정천흥의 풍채와 헌수 장면을 중복 서사하고 있는 것으로 연문(衍文)이다.

과 화비의 셜부옥골(雪膚玉骨)이 각각 작교딕녀(鵲橋織女)[1803] ᄀᆞᆺᄐᆞ여, 인뉴의 특츌ᄒᆞᆯ ᄲᅳᆫ 아니라, 슉녀 ᄉᆞ덕(四德)이 임강(妊姜)[1804] 마등(馬鄧)[1805]의 샤양치 아닐디라. 태부인이 ᄉᆞ비의 잔을 바드ᄆᆡ, 뎡·딘 이비의 손을 잡고 각별이 젼과를 뉘웃쳐 녯 일을 탄ᄒᆞ고, 당금 영화를 깃거 ᄒᆞ나, 곳곳이 비회교집(悲懷交集)ᄒᆞ여, 명쳔공의 보디 못ᄒᆞ믈 슬허 비뤼 옷깃ᄉᆞᆯ 뎍시고, 뎡【33】비의 댱ᄌᆞ를 일허 ᄉᆡᆼ거쳐를 아디 못ᄒᆞ믈 참연ᄒᆞ니, 왕과 비 ᄋᆞᄌᆞ의 년긔를 혜아려 경ᄉᆞ를 당ᄒᆞᄆᆡ 심장이 더옥 촌단ᄒᆞ나, 존당의 비회를 관위ᄒᆞ고 ᄌᆡᄇᆡ퇴좌(再拜退坐)ᄒᆞ니, 하·댱 이부인이 옥ᄇᆡ를 밧드러 태부인긔 나올ᄉᆡ, 하부인의 텬향미딜은 볼ᄉᆞ록 긔려ᄒᆞ고 유한ᄒᆞᆫ ᄒᆡᆼ식 당금뎨일(當今第一)이니, 만일 뎡슉녈이 아니면 그 우ᄒᆡ 오로리 업ᄉᆞᆯ ᄇᆡ오, 댱부인의 명쾌상낭(明快爽朗)ᄒᆞ미 츄텬망월(秋天望月) ᄀᆞᆺᄐᆞ니, 태부인이 면면이 두굿기며 귀듕ᄒᆞ고, 한부인, 우시 일시의 엇게를 ᄀᆞᆯ와 ᄇᆡ작을 헌ᄒᆞᆯᄉᆡ, 셕부인의 교용미딜(嬌容美質)이 젼쥬모습(專主母習)[1806]【34】ᄒᆞ여, 아리ᄯᅡ오미 년긔 삼십이 넘어시ᄃᆡ 삼오(三五) 초츈(初春)[1807]을 묘시(藐視)ᄒᆞ고, 개과칙션ᄒᆞ여 션도(善道)의 드러시믈 알 거시오. 하부인의 션풍이딜과 화월디풍이 덕긔셩인(德期聖人)[1808]ᄒᆞ여 만고졀염이어ᄂᆞᆯ, 우시 년ᄋᆞᄂᆞᆫ 쳥아쇄락ᄒᆞ고 온슌ᄌᆞ혜(溫順慈惠)ᄒᆞ여 슉녀 뎨일좌를 졈득(占得)

1803)작교딕녀(鵲橋織女) : 칠월칠석날 저녁에, 견우와 직녀를 만나게 하기 위하여 까마귀와 까치가 은하수에 놓는다는 오작교(烏鵲橋) 위에 있는 직녀(織女).

1804)임강(妊姜) : 중국 주(周) 문왕(文王)의 모친 태임(太姙)과 주(周) 선왕(宣王)의 비(妃) 강후(姜后)를 함께 이르는 말. 모두 어진 덕으로 유명하다.

1805)마등(馬鄧) : 중국 동한(東漢) 명제(明帝)의 후비 마후(馬后)와 동한(東漢) 화제(和帝)의 후비(后妃) 등후(鄧后)를 함께 이르는 말. 둘 다 후궁 가운데 덕이 높았다.

1806)젼쥬모습(專主母襲) : 오로지 어머니의 모습만을 빼닮음.

1807)초츈(初春) : 초봄의 아름다운 풍경.

1808)덕긔셩인(德期聖人) : 덕(德)이 성인(聖人)의 경지에 이르기를 기약함.

(溫順卑弱)ᄒᆞ여 진션진미(盡善盡美)ᄒᆞ니 빙ᄌᆞ아질(氷姿雅質)이 ᄆᆡ양 보【105】고 시븐지라. 남비의 슉뇨쇄락(淑窈灑落)ᄒᆞᆷ과 화비의 셜부옥골(雪膚玉骨)이 각각 작교직녀(鵲橋織女)[1510] ᄀᆞᆺᄐᆞ여, 인뉴의 특츌ᄒᆞᆯ ᄲᅳᆫ 아니라, 슉녀 ᄉᆞ덕(四德)이 님강(妊姜)[1511] 마등(馬鄧)[1512]의 ᄉᆞ양치 아닐지라. 태부인이 ᄉᆞ비의 잔을 바드ᄆᆡ, 뎡·진 이비의 손을 잡고 각별이 젼과를 뉘웃쳐 녯 일을 탄ᄒᆞ고, 당금 영화를 깃그나 곳곳이 비회교집(悲懷交集)ᄒᆞ여, 명쳔공의 보지 못ᄒᆞ믈 슬허 비뤼 옷깃ᄉᆞᆯ 젹시고, 뎡비의 장ᄌᆞ를 일허 ᄉᆡᆼ거쳐를 아지 못ᄒᆞ믈 참연ᄒᆞ니, 왕과 비 ᄋᆞᄌᆞ의 년긔를 혜아려 경ᄉᆞ를 당ᄒᆞᄆᆡ 심장이 더욱 촌단ᄒᆞ나, 조모의 비희를 관위ᄒᆞ고 ᄌᆡ○[ᄇᆡ]퇴좌(再拜退坐)ᄒᆞ니, 하·장 이부인이 옥ᄇᆡ를 밧드러 태부인긔 나올ᄉᆡ, 하부인의 텬향미질은 볼ᄉᆞ록 긔려ᄒᆞ고 유한ᄒᆞᆫ ᄒᆡᆼ식 당【106】금제일(當今第一)이니, 만일 뎡슉녈, 윤의렬이 아니면 그 우ᄒᆡ 오로리 업ᄉᆞᆯ ᄇᆡ라. 장부인의 명쾌상낭(明快爽朗)ᄒᆞ미 츄텬망월(秋天望月 ᄀᆞᆺᄐᆞ니, ᄐᆡ부인이 면면이 두굿기며 귀즁ᄒᆞ고, 한부인, 우씨 일시의 엇게를 ᄀᆞᆯ와 ᄇᆡ작을 헌ᄒᆞᆯᄉᆡ, 셕부인의 교용미질(嬌容美質)이 젼쥬모습(專主母習)[1513]ᄒᆞ여, 아리ᄯᅡ오미 년긔 삼십이 넘어시ᄃᆡ 삼오(三五) 츄륜(推輪)[1514]을 묘시(藐視)ᄒᆞ고, ᄀᆡ과칙션ᄒᆞ여 션도(善道)의 드러시믈 알 거시오. 하부인의 션풍이질과 화월지

1510)작교딕녀(鵲橋織女) : 칠월칠석날 저녁에, 견우와 직녀를 만나게 하기 위하여 까마귀와 까치가 은하수에 놓는다는 오작교(烏鵲橋) 위에 있는 직녀(織女).

1511)임강(妊姜) : 중국 주(周) 문왕(文王)의 모친 태임(太姙)과 주(周) 선왕(宣王)의 비(妃) 강후(姜后)를 함께 이르는 말. 모두 어진 덕으로 유명하다.

1512)마등(馬鄧) : 중국 동한(東漢) 명제(明帝)의 후비 마후(馬后)와 동한(東漢) 화제(和帝)의 후비(后妃) 등후(鄧后)를 함께 이르는 말. 둘 다 후궁 가운데 덕이 높았다.

1513)젼쥬모습(專主母襲) : 오로지 어머니의 모습만을 빼닮음.

1514)추륜(推輪) : '바퀴를 밀다'라는 뜻으로, 갓 시작하여서 아직 완전히 갖추어지지 아니한 상태를 비유적으로 이르는 말

ᄒᆞ니, 쳔연ᄒᆞᆫ 법도와 슉슉ᄒᆞᆫ 네뫼 남ᄌᆞ로 니를딘ᄃᆡ 공ᄆᆡᆼ(孔孟)의 후를 니엄즉 ᄒᆞᄃᆡ, 텬셩이 단믁 나죡ᄒᆞ여 그 깁희를 탁냥(度量)치 못ᄒᆞ미, 상국 효문으로 더브러 일반이라. 의렬을 ᄃᆡ두ᄒᆞᆯ ᄌᆞ는 뎡슉녈이로ᄃᆡ, 의렬은 봄 하날의 아ᄌᆞ릐[1809] 씨인 ᄃᆞᆺ, 츈풍이 만물을 회ᄉᆡᆼᄒᆞ는 조홰(造化)【35】 잇고, 뎡비는 부상명월(扶桑明月)[1810]이 동졍(洞庭)[1811]의 소샤 만국의 광치를 홀니는 ᄃᆞᆺ, 일빵 슉녀로 막샹막하(莫上莫下)ᄒᆞ니, 태부인이 손녀의 잔을 잡고 경ᄋᆞ의 슉덕을 깃거ᄒᆞ며, 윤비의 졀효녈ᄒᆡᆼ을 칭찬ᄒᆞ고, 하부인 현ᄋᆞ의 효ᄒᆡᆼ네졀을 칭복ᄒᆞ며, 우시의 셩덕혜딜을 ᄋᆡ련ᄒᆞ여 친손녀의 감치 아닌디라. ᄉᆞ인이 ᄇᆡ샤이퇴(拜謝而退)ᄒᆞᄆᆡ, 윤공이 또 잔을 들고 구파 슬젼(膝前)의 나아가 잔을 드려 왈,

"ᄌᆡ 일비쥬로 셔모(庶母)긔 졍셩을 펴ᄂᆞ니 비록 긔출 ᄌᆞ녜 업ᄉᆞ나, ᄌᆞ의 잔을 바다 즐기시고 무익ᄒᆞᆫ 셕ᄉᆞ를 ᄉᆡᆼ각ᄒᆞ여 비상(悲傷)치 마르쇼셔."

구패 블승감은(不勝感恩)ᄒᆞ여【36】황망이 잔을 밧고, 눈믈을 흘녀 왈,

"상공의 ᄃᆡ졉ᄒᆞ시믈 볼 젹마다 셕ᄉᆞ를 츄모ᄒᆞ여 디통(至痛)이 ᄌᆡ심(再甚)ᄒᆞ고, 금일 영화부귀 젼ᄌᆞ로 비컨ᄃᆡ 긔약디 아닌 ᄇᆡ로ᄃᆡ, 인욕이 무상ᄒᆞ여 심ᄉᆡ 비황ᄒᆞ더니, 상공이 미신을 태부인 버금으로 ᄒᆞ시니, 쳡이 손복ᄒᆞᆯ가 두리ᄂᆞ이다."

공이 안ᄉᆡᆨ을 곳쳐 왈,

"셔모는 션군의 통ᄒᆡᆼᄒᆞ시던 바로, ᄌᆞ(子)등을 디극 무양(撫養)ᄒᆞ시니, 경듕이 비록

1809)아ᄌᆞ릐 : 아지랑이.

1810)부상명월(扶桑明月) : 해가 뜨는 동쪽 바다 위에 떠오른 달.

1811)동졍(洞庭) : 동정호(洞庭湖). 중국 호남성(湖南省) 북동부에 있는 호수. 상강(湘江), 자수(資水), 원강(沅江) 등이 흘러들어 가는 중국 최대의 호수이다.

풍이 덕긔셩인(德期聖人)[1515]ᄒᆞ여 만고졀염이어늘, 우씨 쳥아쇄락 ᄒᆞ고 온슌ᄌᆞ혜(溫順慈惠)ᄒᆞ여 슉녀뎨일좌를 졈득(占得)ᄒᆞ니, 쳔연ᄒᆞᆫ 법도와 슉슉ᄒᆞᆫ 네뫼 남ᄌᆞ로 니를진ᄃᆡ 공ᄆᆡᆼ(孔孟)의 후를 니엄즉 ᄒᆞᄃᆡ, 텬ᄉᆡᆼ이 단믁 나죡ᄒᆞ여 그 깁희를 탁냥(度量)치 못ᄒᆞ미 상국 희텬으로 더브러 일반이라. 의렬을 ᄃᆡ두ᄒᆞᆯ ᄌᆞ는 뎡슉【107】녈이로ᄃᆡ, 의렬은 봄 하날의 아ᄌᆞ릐[1516] 씨인 ᄃᆞᆺ, 츈풍이 만물을 회ᄉᆡᆼᄒᆞ는 ○[조]홰(造化) 잇고, 뎡비는 부상명월(扶桑明月)[1517]이 동졍(洞庭)[1518]의 소ᄉᆞ 만국의 광치를 홀니는 ᄃᆞᆺ, 일빵 슉녀로 막샹막하(莫上莫下)ᄒᆞ니, ᄐᆡ부인이 손녀의 잔을 잡고 경ᄋᆞ의 슉덕을 깃거ᄒᆞ며 《유‖윤》비의 졀효열ᄒᆡᆼ을 칭찬ᄒᆞ고, 하부인 현ᄋᆞ의 효ᄒᆡᆼ네졀을 칭복ᄒᆞ며, 우씨의 셩덕혜질을 ᄋᆡ련ᄒᆞ여 친ᄌᆞ녀의 감치 아닌지라. ᄉᆞ인이 ᄇᆡ샤이퇴(拜謝而退) ᄒᆞᄆᆡ, 윤공이 또 잔을 들고 구파 슬젼(膝前)의 나아가 잔을 드러[려] 왈,

"○[ᄌᆡ] 일비쥬로 셔모(庶母)긔 졍셩을 펴ᄂᆞ니, 비록 친ᄌᆞ녜(親子女) 업ᄉᆞ나, ᄌᆞ의 잔을 바다 즐기시고 무익ᄒᆞᆫ 셕ᄉᆞ를 ᄉᆡᆼ각ᄒᆞ여 비상(悲傷)치 마르소셔."

구픠 블승감은(不勝感恩)ᄒᆞ여 황망이 잔을 밧고 눈믈을 흘녀 왈,

"상공의 ᄃᆡ졉ᄒᆞ시믈 볼 젹마다 셕ᄉᆞ를 츄모【108】ᄒᆞ여 지통(至痛)이 ᄐᆡ심(太甚)ᄒᆞ고, 금일 영화부귀 젼ᄌᆞ로 비컨ᄃᆡ 긔약지 아닌 ᄇᆡ로ᄃᆡ, 인욕이 무궁ᄒᆞ여 심ᄉᆡ 비상ᄒᆞ더니, 상공이 미신을 ᄐᆡ부인 버금으로 ᄒᆞ시니, 쳡이 손복ᄒᆞᆯ가 두리ᄂᆞ이다."

공이 안ᄉᆡᆨ을 곳쳐 왈,

"셔모는 션군의 총ᄒᆡᆼᄒᆞ시던 바로, ᄌᆞ(子)

1515)덕긔셩인(德期聖人) : 덕(德)이 성인(聖人)의 경지에 이르기를 기약함.

1516)아ᄌᆞ릐 : 아지랑이.

1517)부상명월(扶桑明月) : 해가 뜨는 동쪽 바다 위에 떠오른 달.

1518)동졍(洞庭) : 동정호(洞庭湖). 중국 호남성(湖南省) 북동부에 있는 호수. 상강(湘江), 자수(資水), 원강(沅江) 등이 흘러들어 가는 중국 최대의 호수이다.

다르나 ᄌᆞ의 우러ᄋᆞᆸᄂᆞᆫ ᄆᆞ음이 엇디 범연ᄒᆞ리잇가? ᄇᆡᆨ시 ᄉᆡᆼ시의ᄂᆞᆫ ᄌᆞ위 봉양과 셔모를 ᄃᆡ접ᄒᆞ시미 굿ᄐᆞ여 ᄌᆞ의 념네 업셔, 샤곤(舍昆)긔 밋ᄌᆞ왓[1812]다가, 션형(先兄)이 기셰ᄒᆞ【37】시므로브터 ᄌᆞ의 소탈ᄒᆞ미 가ᄉᆞ를 살피노라 ᄒᆞ여도 능히 뜻 ᄀᆞᆺ디 못ᄒᆞ더니, 이졔 ᄂᆡ외ᄉᆞ를 다 ᄌᆞ딜을 맛져 봉ᄉᆞ봉친과 셔모 봉양을 다 념녀ᄒᆞ미 업ᄂᆞ이다."

구패 쳑연 손샤ᄒᆞ니, 공이 딘왕 형뎨 부부와 의렬 등 ᄉᆞ인으로 구파의게 헌작ᄒᆞᆫ 후, 비로소 조태비긔 헌슈ᄒᆞ믈 {청ᄒᆞ믈} 청ᄒᆞ니, 조비 본ᄃᆡ 일작블음(一勺不飮)으로 디통이 흉억(胸臆)의 밋쳐, ᄉᆡ로이 오ᄂᆡ분붕(五內分崩)ᄒᆞ니, 실노 ᄌᆞ녀의 잔을 바들 뜻이 업셔 구디 믈니치ᄃᆡ, 태부인이 권ᄒᆞ여 자녀의 졍을 펴게 ᄒᆞ라 ᄒᆞ니, 조비 브득이 냥ᄌᆞ뉵부(兩子六婦)와 녀셔(女壻)[1813]의 잔을 밧고, 냥 딜녀의 잔을 바드ᄃᆡ, 비 과도히 비통ᄒᆞ고, 위【38】태부인이 크게 즐기디 아니니, 윤공 부ᄌᆞ 슉딜이 슬프믈 셔리담고 이셩화긔(怡聲和氣)로 냥 태비를 위안ᄒᆞ고, 어악으로 즐기시믈 요구ᄒᆞᆯᄉᆡ, 청하(廳下)의 깁쟝을 두로고 부계를 널닌 후, 니원(梨園)[1814] 뎨ᄌᆞ[ᄌᆡ](諸才)[1815]를 드려 풍악을 쥬(奏)ᄒᆞᆯᄉᆡ, 농ᄉᆡᆼ봉관(龍笙鳳管)[1816]의 가셩(歌聲)이 녈녈(烈烈)ᄒᆞ여 구소(九霄)의 어ᄅᆡ고, 무슈(舞袖)ᄂᆞᆫ 편편(翩翩)ᄒᆞ여 츄풍의 나

1812)밋다 : 믿다. 어떤 사람이나 대상에 의지하며 그것이 기대를 저버리지 않을 것이라고 여기다.

1813)양자육부(兩子六婦)와 여서(女壻) : 윤광천・희천 두 아들과 광천의 4처와 희천의 2처 및 딸 명아와 사위 정천흥을 말함.

1814)니원(梨園) ; ①중국 당나라 때, 현종이 몸소 배우(俳優)의 기술을 가르치던 곳. ②장악원(掌樂院); 조선 시대에 음악에 관한 일을 맡아보던 관아로, 연산군 때 전악서를 고친 것이다.

1815)뎨ᄌᆡ(諸才) : 모든 재인(才人).

1816)농ᄉᆡᆼ봉관(龍笙鳳管) : 용(龍)을 장식한 생황(笙簧)과 봉황(鳳凰)을 장식한 피리. *생황(笙簧); 아악(雅樂)에 쓰는 관악기의 하나. 큰 대로 판 통에 많은 죽관(竹管)을 돌려 세우고, 주전자 귀때 비슷한 부리로 불게 되어 있다. *피리; 속이 빈 대에 구멍을 뚫고 불어서 소리를 내는 악기를 통틀어 이르는 말.

등을 지극 무양(撫養)ᄒᆞ시니, 경즁이 비록 다르나 ᄌᆞ의 우럿ᄂᆞᆫ 마음이 엇지 범연ᄒᆞ리잇가? ᄇᆡᆨ시 ᄉᆡᆼ시의ᄂᆞᆫ ᄌᆞ위 봉양과 셔모를 ᄃᆡ접ᄒᆞ시미 굿ᄐᆞ여 ᄌᆞ의 념네 업셔, ᄉᆞ곤(舍昆)긔 밋ᄌᆞ왓[1519]다가, 션형이 기셰ᄒᆞ시므로브터 ᄌᆞ의 소탈ᄒᆞ미 가ᄉᆞ를 ᄉᆞᆯ피노라 ᄒᆞ여도 능히 뜻 ᄀᆞᆺ지 못ᄒᆞ더니, 이졔 ᄂᆡ외ᄉᆞ를 다 ᄌᆞ딜을 맛져 봉ᄉᆞ봉친과 셔모 봉양을 다 념녀ᄒᆞ미 업ᄂᆞ이다."

구ᄑᆡ 쳑연 손샤ᄒᆞ니, 공이 진왕 형뎨 부부와 의렬 등 ᄉᆞ인【109】으로 구파의게 헌ᄌᆞᆨᄒᆞᆫ 후, 비로소 조ᄐᆡ비긔 헌슈ᄒᆞ믈 청ᄒᆞ니, 조비 본ᄃᆡ 일작불음(一勺不飮)으로 지통이 흉억(胸臆)의 밋쳐 ᄉᆡ로이 오ᄂᆡ분붕(五內分崩)ᄒᆞ니, 실노 ᄌᆞ녀의 잔을 바들 뜻이 업셔 구지 믈니치ᄃᆡ, ᄐᆡ부인이 권ᄒᆞ여 자녀의 졍을 펴라 ᄒᆞ니, 조비 브득이 냥ᄌᆞ 뉵부(兩子六婦)와 셔랑(壻郎)[1520]의 잔을 밧고, 냥 딜녀의 잔을 바드ᄃᆡ, 비 과도히 비통ᄒᆞ고, 위ᄐᆡ부인이 크게 즐기지 아니니, 윤공 부ᄌᆞ 슉딜이 슬프믈 셔리담고 이셩화긔(怡聲和氣)로 냥 ᄐᆡ비를 위안ᄒᆞ고, 어악으로 즐기시믈 구ᄒᆞᆯᄉᆡ, 청하(廳下)의 깁쟝을 두로고 부계를 널닌 후, 니원(梨園)[1521] 졔ᄌᆞ[ᄌᆡ](諸才)[1522]를 드려 풍악을 주(奏)ᄒᆞᆯᄉᆡ, 농ᄉᆡᆼ봉관(龍笙鳳管)[1523]의 가셩(歌聲)이 녈녈(烈烈)ᄒᆞ여 구소(九霄)[1524]에 어ᄅᆡ고 무슈

1519)밋다 : 믿다. 어떤 사람이나 대상에 의지하며 그것이 기대를 저버리지 않을 것이라고 여기다.

1520)양자육부(兩子六婦)와 서랑(壻郎) : 윤광천・희천 두 아들과 광천의 4처와 희천의 2처 및 딸 명아와 사위 정천흥을 말함.

1521)니원(梨園) ; ①중국 당나라 때, 현종이 몸소 배우(俳優)의 기술을 가르치던 곳. ②장악원(掌樂院); 조선 시대에 음악에 관한 일을 맡아보던 관아로, 연산군 때 전악서를 고친 것이다.

1522)뎨ᄌᆡ(諸才) : 모든 재인(才人).

1523)농ᄉᆡᆼ봉관(龍笙鳳管) : 용(龍)을 장식한 생황(笙簧)과 봉황(鳳凰)을 장식한 피리. *생황(笙簧); 아악(雅樂)에 쓰는 관악기의 하나. 큰 대로 판 통에 많은 죽관(竹管)을 돌려 세우고, 주전자 귀때 비슷한 부리로 불게 되어 있다. *피리; 속이 빈 대에 구멍을 뚫고 불어서 소리를 내는 악기를 통틀어 이르는 말.

1524)구소(九霄) : ≒층소(層霄). 높은 하늘.

붓기니, 초요월안(楚腰越顔)[1817]의 홍상미익(紅裳美兒) 교용묘딜(嬌容妙質)이 긔려묘묘(奇麗妙妙)커놀, 다 각각 지조를 비양(飛揚)ᄒᆞ여 치쉬(彩袖) 분분(紛紛)ᄒᆞ고 홍상(紅裳)이 날난ᄒᆞ니[1818], ᄎᆞ경이 더옥 보암즉 ᄒᆞ딕, 조비 만식 무렴(無念)ᄒᆞ여 영화복경을 볼ᄉᆞ록 셕ᄉᆞ(昔事)를 늣기니, 공이 딘왕 등을 도라보아 왈,

"내 현금(玄琴)[1819]을【39】 농(弄)ᄒᆞ리니 너희 ᄒᆞᆫ 번 춤추어 ᄌᆞ위(慈闈)와 슈슈(嫂嫂)의 우ᄋᆞ시믈 돕ᄉᆞ오라."

왕의 형뎨 무슈(舞袖)의 흥이 업ᄉᆞ나 조모와 모친 심회를 위로코져 빅샤슈명 ᄒᆞ믹, 공이 금현(琴絃)[1820]을 농ᄒᆞ여 음뉼을 맛출식, 딘왕 곤계 쳔승의 위의와 일픔 《대상‖지상(宰相)》의 복식으로 의표(儀表)의 휘황홈과 신당이 층등치 아냐, 용홰 셔로 방블ᄒᆞ니, 홍금망농포와 일픔관면(一品冠冕)이 셧도라 광쉬(廣袖) 편편(翩翩)ᄒᆞ여 츄풍의 나렬ᄒᆞ니, 뎡히 공곡(空谷)의 나는 학이라. 징쳥(澄淸)ᄒᆞᆫ 안광과 슈려ᄒᆞᆫ 용뫼 츄슈댱강(秋水長江)의 사양(斜陽)이 빗최는 ᄃᆞᆺ, 무슈의 신긔ᄒᆞ미 풍【40】뉴화ᄉᆞ(風流花士)의 노름을 다ᄒᆞ여, 졀치 규구(規矩)의 합ᄒᆞ여 딘션딘미(盡善盡美)ᄒᆞ니 졔긱이 졔셩갈치ᄒᆞ여 빅반(杯盤)을 니졋더라. 태부인은 웃는 입을 주리지 못ᄒᆞ고, 조비는 슬프미 가득ᄒᆞ나 냥ᄌᆞ의 디셩을 감동ᄒᆞ여, 눈믈을 거두고 무슈의 긔이ᄒᆞ믈 바라볼 ᄲᅡᆫ이러니, 가장 오란 후 무슈를 긋치고 좌의 드니, 태부인이 냥손의 닉인 빅 업시 무슈의 긔이ᄒᆞ믈 익듕ᄒᆞ더라.

윤공이 ᄌᆞ딜을 거나려 외헌의 나와 빈긱을 졉딕홀식, 딘왕이 상국으로 더브러 션인의 친우와 계부 붕빅는 공경ᄒᆞ믈 극딘히 ᄒᆞ

1817)초요월안(楚腰越顔) : 중국 초나라 미인의 가는 허리와 월나라 미인의 아름답게 화장한 얼굴.

1818)날난ᄒᆞ다 : 날래다. 날렵하다. *날나다; 날래다. 날렵하다.

1819)현금(玄琴) : 거문고.

1820)금현(琴絃) : 거문고의 줄.

(舞袖)는 편편(翩翩)ᄒᆞ여 츄풍의 나붓기니, 초요월안(楚腰越顔)[1525]의 홍상미익(紅裳美兒) 교【110】용묘질(嬌容妙質)이 긔려묘묘(奇麗妙妙)커놀, 다 각각 지조를 비양(飛揚)ᄒᆞ여 치쉬(彩袖) 분분(紛紛)ᄒᆞ고 홍상(紅裳)이 날난ᄒᆞ니[1526], ᄎᆞ경이 더옥 보암즉 ᄒᆞ딕, 조비 만식 무렴(無念)ᄒᆞ여 영화복경을 볼ᄉᆞ록 셕ᄉᆞ(昔事)를 늣기니, 공이 진왕 등을 도라보아 왈,

"내 현금(玄琴)[1527]을 농(弄)ᄒᆞ리니 너희 ᄒᆞᆫ 번 츔츄어 ᄌᆞ위(慈闈)와 슈슈(嫂嫂)의 우ᄋᆞ시믈 돕ᄉᆞ오라.

왕의 형뎨 무슈(舞袖)의 흥이 업ᄉᆞ나 조모와 모친 심회를 위로코져 빅샤슈명 ᄒᆞ믹, 공이 금현(琴絃)[1528]을 농ᄒᆞ여 음뉼을 맛출식, 진왕 곤계 쳔승(千乘)의 위와 일픔(一品) 관복으로, 복식의 휘황홈과 신장이 층등치 아냐, 용홰 셔로 방불ᄒᆞ니, 홍금망농포(紅錦蟒龍袍)와 일픔관면(一品冠冕)이 셧도라 광쉬(廣袖) 편편(翩翩)ᄒᆞ여 츈풍의 나렬ᄒᆞ니, 졍히 공곡(空谷)의 나는 학 ᄀᆞᆺ더라. 징쳥(澄淸)ᄒᆞᆫ 안광과 슈려ᄒᆞᆫ【111】용뫼 츄슈(秋水) 긴 강의 ᄉᆞ양(斜陽)이 빗최는 ᄃᆞᆺ, 무슈의 신긔ᄒᆞ미 풍뉴화ᄉᆞ(風流花士)의 노름을 다ᄒᆞ여, 졀죄(節操) 규○[구](規矩)의 합ᄒᆞ여 진션진미(盡善盡美)ᄒᆞ니, 졔긱이 졔셩갈치 ᄒᆞ여 빅반(杯盤)을 니졋더라. 태부인은 웃는 입을 쥬리지 못ᄒᆞ고, 조비는 슬프미 가득ᄒᆞ나 냥ᄌᆞ의 지셩을 감동ᄒᆞ여, 눈믈을 거두고 무슈의 긔이ᄒᆞ믈 바라볼 ᄲᅡᆫ이러니, ᄀᆞ장 오란 후 무슈를 긋치고 좌의 드니, 태부인이 냥손의 닉인 빅 업시 무슈의 긔이ᄒᆞ믈 익즁ᄒᆞ더라.

윤공이 ᄌᆞ딜을 거ᄂᆞ려 외헌의 나와 빈긱을 졉딕홀식, 진왕이 상국으로 더브러 션인의 친우와 계부 붕빅는 공경ᄒᆞ믈 극진히 ᄒᆞ여

1525)초요월안(楚腰越顔) : 중국 초나라 미인의 가는 허리와 월나라 미인의 아름답게 화장한 얼굴.

1526)날난ᄒᆞ다 : 날래다. 날렵하다. *날나다; 날래다. 날렵하다.

1527)현금(玄琴) : 거문고.

1528)금현(琴絃) : 거문고의 줄.

여 각각 잔을 드러 나오고, 기듕(其中) 작【41】ᄎᆡ(爵次) 나ᄌᆞ니ᄂᆞᆫ ᄀᆞ장 블안ᄒᆞ여 헌작의 슈고로오믈 닐너 샤양ᄒᆞᆫᄃᆡ, 딘왕이 잔을 들고 좌듕의 고왈,

"쇼ᄉᆡᆼ 형뎨ᄂᆞᆫ 텬디 간 궁민이라 친안을 모로ᄂᆞᆫ 디통이 오ᄂᆡ붕절(五內崩切)ᄒᆞ고, 가엄의 명훈(明訓)을 밧줍디 못ᄒᆞ고 오딕 샤슉의 은양(恩養)을 밧ᄌᆞ올 ᄲᅮᆫ이니, 무디블식(無知不識)ᄒᆞ여 무일가취(無一可取)어ᄂᆞᆯ, 셩은이 여텬(如天)ᄒᆞ샤 외람ᄒᆞᆫ 작ᄃᆡᆨ이 인신(人臣)의 과의(過矣)라. 박덕브ᄌᆡ(薄德不才)로뻐 형은 쳔승의 거ᄒᆞ고 ᄋᆞ은 묘당 듕임을 당ᄒᆞ니, 슉야우구(夙夜憂懼)ᄒᆞ여 여림박빙(如臨薄氷)이어ᄂᆞᆯ, 샤연ᄒᆞ시ᄂᆞᆫ 은영을 인ᄒᆞ여 황친국쳑과 만됴공경이 누쳐의 왕굴(枉屈)ᄒᆞ시니, 폐실(弊室)의 광ᄎᆡ ᄇᆡ증ᄒᆞ믈 블승감샤ᄒᆞ【42】ᄋᆞᆸᄂᆞ니, ᄒᆞ믈며 션친 붕우와 샤슉의 친우ᄂᆞᆫ 쇼ᄉᆡᆼ으로 더브러 슉딜디의로 다르미 업습거ᄂᆞᆯ, 이 블○[과] 샤친슈연(私親壽宴)[1821]의 위친(爲親)ᄒᆞᄂᆞᆫ 연셕(宴席)이오, 됴당공회(朝堂公會) 아니니 작ᄎᆞ를 의논ᄒᆞᆯ ᄇᆡ 아니오, 츈츄다쇼(春秋多少)를 조ᄎᆞ 쇼ᄉᆡᆼ 등을 년쇼ᄇᆡ로 ᄃᆡ졉ᄒᆞ시미 올커ᄂᆞᆯ, 엇디 부운 ᄀᆞᆺᄐᆞᆫ 작위를 일ᄏᆞ라 블안ᄒᆞ실 ᄇᆡ리잇고? 셕년의 션인긔 졍의(情誼) 블범(不凡)ᄒᆞ시던 바를 듯ᄌᆞ와 각별ᄒᆞᆫ 하졍(下情)이 무궁ᄒᆞ니, 인셰간(人世間) 가히 궁민이 아니리잇가?"

언파의 봉안의 누쉬여우(淚水如雨)ᄒᆞ여 농포를 뎍시거ᄂᆞᆯ, 승상이 금관(金冠)을 슉여 말숨을 아니나 항뉘(行淚) 삼삼ᄒᆞ니[1822], 만좌 빈【43】ᄀᆡᆨ이 츄연개용(惆然改容)ᄒᆞ여, 위ᄒᆞ여 슬허○○[ᄒᆞ니] 비풍(悲風)이 습습(濕濕)ᄒᆞ고[1823], 윤공이 츄연하루(惆然下淚) 왈,

"여등이 츔기를 만히 ᄒᆞ나, 엇디 이러틋 통상ᄒᆞ여 연셕의 화긔를 일코 나의 ᄆᆞ음을

1821)샤친슈연(私親壽宴) : 사삿사람의 어버이 수연.

1822)삼삼ᄒᆞ다 : 산산(潸潸)하다. 눈물 따위가 줄줄 흐르다.

1823)습습(濕濕)ᄒᆞ다 : 축축하다.

각각 잔을 드러 나오고, 기즁(其中) 《작치∥작ᄎᆡ(爵次)》 나ᄌᆞ니ᄂᆞᆫ ᄀᆞ장 블안ᄒᆞ여 헌작의 슈고로오믈 니른ᄃᆡ, 진왕【112】이 잔을 들고 좌즁의 고왈,

"소ᄉᆡᆼ 형뎨ᄂᆞᆫ 텬지 간 궁민이라 친안을 모로ᄂᆞᆫ 지통이 오ᄂᆡ붕녈(五內崩裂)ᄒᆞ고 가엄의 명훈(明訓)을 밧지 못ᄒᆞ고 오직 ᄉᆞ슉의 은양(恩養)을 밧ᄌᆞ올 ᄲᅮᆫ이니, 무지블식(無知不識)ᄒᆞ여 무일가취(無一可取)어ᄂᆞᆯ, 셩은이 여텬(如天)ᄒᆞ샤 외람ᄒᆞᆫ 작직이 인신(人臣)의 과의(過矣)라. 박덕브ᄌᆡ(薄德不才)로뻐 형은 쳔승의 거ᄒᆞ고 ᄋᆞ은 묘당 즁임을 당ᄒᆞ니, 슉야우구(夙夜憂懼)ᄒᆞ여 여림박빙(如臨薄氷)이어ᄂᆞᆯ, 샤연ᄒᆞ시ᄂᆞᆫ 은영을 인ᄒᆞ여 황친국쳑과 만조공경이 누쳐의 님(臨)ᄒᆞ시니, 폐실(弊室)의 광ᄎᆡ ᄇᆡ승ᄒᆞ믈 블승감샤ᄒᆞᄋᆞᆸᄂᆞ니, ᄒᆞ믈며 졀친 붕우와 ᄉᆞ슉의 친우ᄂᆞᆫ 소ᄉᆡᆼ으로 더브러 슉딜지의로 다르미 업습거ᄂᆞᆯ, 이 블과 ᄉᆞ친슈셕(私親壽席)[1529]의 위친(爲親)ᄒᆞᄂᆞᆫ 연셕(宴席)이오, 조당공회(朝堂公會) 아니니, 작ᄎᆞ를 의논ᄒᆞᆯ ᄇᆡ 아니오, 츈츄다소(春秋多少)를 조ᄎᆞ 소【113】ᄉᆡᆼ 등을 년쇼ᄇᆡ로 ᄃᆡ졉ᄒᆞ시미 올커ᄂᆞᆯ, 엇지 부운 ᄀᆞᆺᄐᆞᆫ 작위를 닐러 블안ᄒᆞ실 ᄇᆡ리잇고? 셕년의 션인긔 졍의(情誼) 블범(不凡)ᄒᆞ시던 바를 듯ᄌᆞ와 각별ᄒᆞᆫ 하졍(下情)이 무궁ᄒᆞ니, 인셰간(人世間) 가히 궁민이 아니리잇가?"

언파의 봉안의 누쉬여우(淚水如雨)ᄒᆞ여 농포를 젹시거ᄂᆞᆯ, 승상이 금관(金冠)을 슉여 말숨을 아니나 항뉘(行淚) 삼삼ᄒᆞ니[1530] 만좌 빈ᄀᆡᆨ이 츄연ᄀᆡ용(惆然改容)ᄒᆞ여 위ᄒᆞ야 슬허ᄒᆞ니, 비풍(悲風)이 습습(濕濕)ᄒᆞ고[1531], 윤공이 츄연하루(惆然下淚) 왈,

"녀등이 츔기를 만히 ᄒᆞ나, 엇지 이러틋 통상ᄒᆞ여 연셕이 화긔를 일코 나의 마음을

1529)사친수석(私親壽席) : 사삿사람의 어버이 장수를 기리는 자리.

1530)삼삼ᄒᆞ다 : 산산(潸潸)하다. 눈물 따위가 줄줄 흐르다.

1531)습습(濕濕)ᄒᆞ다 : 축축하다.

더옥 비황(悲況)케 ᄒᆞᄂᆞ뇨?"

딘왕 곤계 슬프믈 강인ᄒᆞ여 개용샤죄(改容謝罪)ᄒᆞ고, 인ᄒᆞ여 션군의 친우와 계부의 졀친 붕우의게 헌ᄇᆡᄒᆞᆫ 후, 딘왕이 뎡공긔 고왈,

"쇼ᄉᆡᆼ이 악댱긔 ᄒᆞᆫ갓 구ᄉᆡᆼ디의(舅甥之義)[1824] ᄲᅳᆫ 아니라, 션군과 관포(管鮑)의 디음(知音)[1825]이시런 줄○○[아라], 의앙디셩(依仰之誠)이 샤슉 버금으로 ᄒᆞᄋᆞᆸᄂᆞ니, 금일 연셕의 빈ᄀᆡᆨ이 다 부형을 뫼시니 만흐니, 쇼ᄉᆡᆼ은 그 복되믈 블워 ᄒᆞᄂᆞ이다."

또 하공을 향【44】ᄒᆞ여 우럿ᄂᆞᆫ 뜻이 뎡공긔 다르미 업ᄉᆞ믈 일ᄏᆞ라, 셕ᄉᆞ를 감상ᄒᆞ더라.

일모(日暮) 파연ᄒᆞᄆᆡ, ᄂᆡ외 빈ᄀᆡᆨ이 각귀기가ᄒᆞᆯᄉᆡ, 쵹농(燭籠)[1826]이 분분ᄒᆞ여 엇게 개야이고[1827] 인셩(人聲)이 훤괄(喧聒)ᄒᆞ여[1828] 소ᄅᆡ 십니의 니어시니, ᄎᆞ일 댱관(壯觀)은 쳔고의 쳐음이러라.

윤공이 쵹을 니어 뎡·딘·하·댱 졔공으로 즐기다가 상요의 나아가니, 딘왕 곤계 졔인으로 더브러 ᄒᆞᆫ가디로 밤을 디ᄂᆡ나 쳐연(悽然) 비상(悲傷)ᄒᆞ여 잠을 일우디 못ᄒᆞ더라.

명일 윤공 부ᄌᆞ 슉딜이 샹표ᄒᆞ여 셩은을 샤례ᄒᆞ니, 샹이 인견(引見) 샤쥬(賜酒)ᄒᆞ샤 은영이 호호(浩浩)ᄒᆞ시니, 공의 부ᄌᆞ 슉딜이 황은을 감골ᄒᆞ【45】여 셰셰ᄉᆡᆼᄉᆡᆼ(世世生生)의 텬은을 갑습고져 ᄒᆞ더라.

ᄎᆞ시 뎡부의셔 충충ᄒᆞᆫ 손ᄋᆡ ᄎᆞ례로 댱셩ᄒᆞ니, 졔왕의 댱ᄌᆞ 현긔 십셰의 금츄의 등양(登揚)ᄒᆞ고, ᄎᆞᄌᆞ 운긔 탐화(探花)의 참예ᄒᆞᆯ ᄲᅳᆫ 아니라, 슈쳔 군웅 가온ᄃᆡ 의의히 무

1824)구ᄉᆡᆼ디의(舅甥之義) : 장인과 사위 사이의 의리.
1825)관포(管鮑)의 디음(知音) : 관중(管仲)과 포숙(鮑叔)이 서로 마음이 통하는 친한 친구였음을 이르는 말. 관포지교(管鮑之交).
1826)촉롱(燭籠) : 촛불을 켜 드는, 긴 네모꼴의 채롱. 종이나 무명을 발라서 만든다.
1827)개야이다 : 붐비다. 부딪치다.
1828)훤괄(喧聒)ᄒᆞ다 : 떠들썩하다.

더옥 비황(悲況)케 ᄒᆞᄂᆞ뇨?"

진왕 곤계 슬프믈 강잉ᄒᆞ여 ᄀᆡ용샤죄(改容謝罪)ᄒᆞ고, 인ᄒᆞ여 션군의 친우와 계부의 졀친 붕우의게 헌ᄇᆡᄒᆞᆫ 후, 진공이 뎡공긔 고왈,

"소ᄉᆡᆼ이 악장긔 ᄒᆞᆫ갓 구ᄉᆡᆼ지의(舅甥之義)[1532] ᄲᅳᆫ 아니【114】라, 션군과 관포(管鮑)의 《키음 ‖ 지음(知音)[1533]》이시런 줄○○[아라], 의앙(依仰)ᄒᆞ미 ᄉᆞ슉 버금으로 ᄒᆞᄋᆞᆸᄂᆞ니, 금일 연셕의 빈ᄀᆡᆨ이 다 부형을 뫼시니 만흐니, 소ᄉᆡᆼ은 그 복 되믈 블워 ᄒᆞᄂᆞ이다."

또 하공을 향ᄒᆞ여 우럿ᄂᆞᆫ 뜻이 뎡공긔 다르미 업ᄉᆞ믈 일ᄏᆞ라, 셕ᄉᆞ를 감상ᄒᆞ더라.

일모(日暮) 파연ᄒᆞᄆᆡ, ᄂᆡ외 빈ᄀᆡᆨ이 귀가ᄒᆞᆯᄉᆡ, 촉농(燭籠)[1534]이 분분ᄒᆞ여 엇○[게] 개야이고[1535] 인셩(人聲)이 훤괄(喧聒)ᄒᆞ여[1536] 《소쥐 ‖ 소ᄅᆡ》 십니의 니어시니, ᄎᆞ일 장관은 쳔고의 쳐음이러라.

윤공이 촉을 니어 뎡·딘·하·장 ○○[졔공]으로 즐기다가 상요의 나아가니, 진왕 곤계 졔인으로 더브러 ᄒᆞᆫ 가지로 밤을 지ᄂᆡ나, 《쳔연 ‖ 쳐연(悽然)》 비상(悲傷)ᄒᆞ여 잠을 일우지 못ᄒᆞ더라.

명일 윤공 부ᄌᆞ 슉딜이 샹표ᄒᆞ여 셩은을 샤례ᄒᆞ니, 샹이 인견(引見) 샤쥬(賜酒)ᄒᆞ샤 은영이 호호(浩浩)ᄒᆞ시니, 공의 부ᄌᆞ 슉딜이 황은【115】을 감골ᄒᆞ여 셰셰ᄉᆡᆼᄉᆡᆼ(世世生生)의 텬은을 갑고져 ᄒᆞ더라.

ᄎᆞ시 뎡부의셔 충충ᄒᆞᆫ 손ᄋᆡ ᄎᆞ례로 장셩ᄒᆞ니, 졔왕의 장ᄌᆞᄂᆞᆫ 현긔니, 십ᄉᆞ 셰의 골격이 비범ᄒᆞ고, ᄎᆞᄌᆞᄂᆞᆫ 운긔니 용모ᄌᆡ덕이 특이ᄒᆞ여 졔왕 부뷔 환희ᄒᆞ믈 니긔지 못ᄒᆞ

1532)구ᄉᆡᆼ디의(舅甥之義) : 장인과 사위 사이의 의리.
1533)관포(管鮑)의 디음(知音) : 관중(管仲)과 포숙(鮑叔)이 서로 마음이 통하는 친한 친구였음을 이르는 말. 관포지교(管鮑之交).
1534)촉롱(燭籠) : 촛불을 켜 드는, 긴 네모꼴의 채롱. 종이나 무명을 발라서 만든다.
1535)개야이다 : 붐비다. 부딪치다.
1536)훤괄(喧聒)ᄒᆞ다 : 떠들썩하다.

과 당원이 되니, 형뎨 냥인이 구술 ᄢᅦ드시 등양ᄒᆞ여 풍ᄎᆡ긔딜이 셰ᄃᆡ의 츌인ᄒᆞ니, 샹통의 늡셩ᄒᆞ심과 ᄇᆡᆨ뇨의 ᄋᆡ경ᄒᆞ미 극ᄒᆞᄃᆡ, 졔왕이 조모의 명으로 냥ᄌᆞ를 응과(應科)ᄒᆞ나, 셩만을 두려 깃브믈 아디 못ᄒᆞᄂᆞᆫ디라.

현긔ᄂᆞᆫ 윤비 소ᄉᆡᆼ이오 운긔ᄂᆞᆫ 니비 소ᄉᆡᆼ이니, 모비의 명쾌ᄒᆞᆫ 픔도를 달므나 ᄒᆡᆼ여도 그 박면츄용(薄面醜容)을 【46】 담디 아냐, 젼습부왕(專襲父王)ᄒᆞ여 긔골의 동탕(動蕩)홈과 문쟝의 댱딘(長進)ᄒᆞ미 탈쇽(脫俗)ᄒᆞ니, 존당이 현・운 냥ᄋᆞ를 졔손 듕 더 ᄉᆞ랑ᄒᆞ고, 현긔ᄂᆞᆫ 종댱(宗長)의 듕ᄒᆞᆷ을 가져 위인이 셩현유풍으로 일가의 웃듬이라. 존당 부뫼 ᄐᆡᆨ부ᄒᆞᄂᆞᆫ 념녜 일시를 방심치 못ᄒᆞ여, 동셔로 슉녀를 구ᄒᆞ더니, 동평댱ᄉᆞ 딘양후 댱운의 녀를 취ᄒᆞ니, 댱시 용모덕ᄒᆡᆼ이 인뉴의 특이ᄒᆞ여 딘짓 텬뎡가위(天定佳偶)라. 존당 구괴 희츌망외(喜出望外)ᄒᆞ고, 졔왕 부뷔 환희블승(歡喜不勝)이러라.

운긔 니어 취실ᄒᆞ니 경조윤 조현슉의 녜니 윤비의 표죵딜(表從姪)이라. 조쇼져의 비상츌뉴(非常出類)ᄒᆞ미 댱쇼【47】져긔 나리미 업고, 춍명디식이 신명ᄒᆞ여 댱시긔 일비승이라. 운긔 쳐궁이 쏘ᄒᆞᆫ 부왕을 달므미러라.

졔왕이 ᄉᆞ비와 문양으로 화락ᄒᆞ여 《십뉵‖십칠》ᄌᆞ ○[육]녀를 ᄉᆡᆼᄒᆞ고, 상현 등이 칠ᄌᆞ 삼녀를 두니, 뎍셔 아오로 이십○[ᄉᆞ]ᄌᆞ 구녜라. 윤비 오ᄌᆞ 일녜오, 양비 삼ᄌᆞ 이녜오, 니비 ᄉᆞᄌᆡ오, 경비 ᄉᆞᄌᆞ 이녜오, 문양이 일ᄌᆞ 일녜오, 녀ᄋᆞ를 실니ᄒᆞ여 디금 ᄉᆞᄉᆡᆼ존망을 모로니, 공쥐 참연통졀ᄒᆞ나 하날이 졔왕의 덕화로ᄡᅧ 그 녀ᄋᆞ를 공쥬 죄과로 ᄎᆞ마 미쳔ᄒᆞᆫ 곳의 바리미 이시리오. 텬의 그 팔ᄌᆞ를 귀히 졔도ᄒᆞ신 고로, 하몽셩과 연분이 듕ᄒᆞᄆᆡ 긔특이 상【48】봉ᄒᆞ여 부모를 ᄎᆞᄌᆞ니, 이 셜홰 삼문ᄌᆞ녀별녹(三門子女別錄)의 잇ᄂᆞᆫ디라.

더라. ᄶᅵ의 운긔 니어 취실ᄒᆞ니 슉녀지풍과 ᄐᆡ임ᄐᆡᄉᆞ(太姙太姒)[1537]의 덕된 긔상이 비상 츌뉴ᄒᆞ고 총명지식이 신명ᄒᆞ니, 운긔 쳐궁이 또ᄒᆞᆫ 부왕을 달므미러라.

졔왕이 ᄉᆞ비와 문양으로 화락ᄒᆞ여 《십뉵ᄌᆞ녀‖십칠ᄌᆞ 육녀》를 ᄉᆡᆼᄒᆞ고, 《상쳔‖상현》 등이 칠ᄌᆞ 삼녀를 두니, 젹셔 아오로 이십○[ᄉᆞ]ᄌᆞ 구녜라. 윤비 오ᄌᆞ 일녜오, 양비 삼ᄌᆞ 이녜오, 니비 ᄉᆞᄌᆡ오, 경비 ᄉᆞᄌᆞ 이녜오, 문양이 일ᄌᆞ 일녜오, 녀ᄋᆞ를 실니ᄒᆞ여 지금 ᄉᆞᄉᆡᆼ존망을 모로니, 공쥐 ᄎᆞᆷ연통졀ᄒᆞ나, 하날이 졔왕【116】의 덕화로ᄡᅧ 그 녀ᄋᆞ를 공쥬 죄과로 ᄎᆞ마 미쳔ᄒᆞᆫ 곳의 ᄇᆞ리미 잇시리오. 텬의 그 팔ᄌᆞ를 귀히 졔도ᄒᆞ신 고로 하몽셩과 연분이 즁ᄒᆞᄆᆡ, 긔특이 상봉ᄒᆞ여 부모를 ᄎᆞᄌᆞ니, ᄎᆞ(此) 셜홰 삼문ᄌᆞ녀별녹(三門子女別錄)의 잇ᄂᆞᆫ지라.

1537)태임태사(姙似) : 중국 주(周)나라 현모양처(賢母良妻)인 문왕의 어머니 태임(太姙)과 무왕(武王)의 어머니 태사(太姒).

현긔로브터 졔왕의 ○○[ᄌᆞ녜] ᄒᆞ나토 용상(庸常)치 아냐 튱신효뎨디ᄒᆡᆼ(忠信孝悌之行)과 ᄉᆞ군봉친디ᄉᆞ(事君奉親之事) 민멸키 앗가온 고로, 시인(時人)이 다시 뎡문셰ᄃᆡ록(鄭門世代錄)을 일우ᄆᆡ, 임의 보월빙(寶月聘)이 윤·하·뎡 삼문 셜홴 고로, 윤시삼셰록(尹氏三世錄)과 하문난월빙(河門鸞月聘)을 아오라, 각각 슈제(首題)를 업시 ᄒᆞ여 다만 윤하뎡삼문취{의}록(尹河鄭三門聚錄)이라 ᄒᆞ여 후셰의 젼ᄒᆞ니라.

뎡운긔 여러 쳐쳡을 모호고 졔왕을 본 바드며, 현긔의 온듕침믁(穩重沈默)ᄒᆞ며 슈신셥ᄒᆡᆼ(修身攝行)은 공ᄆᆡᆼ(孔孟)의 후를 니으ᄃᆡ, 연분을 조ᄎᆞ 당시 ᄀᆞᆺᄐᆞᆫ 슉【49】녜 이시나, 연·화 이인을 취ᄒᆞ여 규ᄂᆡ 화평ᄒᆞ여 군ᄌᆞ디덕을 가히 보리러라.

복야(僕射)[1829] 태ᄌᆞ쇼부(太子少傅) 듁현션ᄉᆡᆼ 닌흥은 부인 니시긔 뉵ᄌᆞ 일녀를 ᄉᆡᆼᄒᆞ여 개개히 옥슈신월(玉樹新月) ᄀᆞᆺ고, 댱ᄌᆞ 쳔긔 더옥 긔특ᄒᆞ여 ᄇᆡᆨ부 졔왕을 만히 습(襲)[1830]ᄒᆞ여 셩취ᄒᆞ던 셜홰 별젼(別傳)의 잇고, 형부상셔 태ᄒᆞᆨᄉᆞ 동월후 딘국공 듁암션ᄉᆡᆼ 셰흥은 양부인긔 오ᄌᆞ 이녜오, 소부인긔 ᄉᆞᄌᆞ 일녜오, 한부인긔 이ᄌᆞ 삼녀를 ᄉᆡᆼᄒᆞ니, 뎡실의 《구‖십일》ᄌᆞ 뉵녜오, 월하션 등 ᄉᆞ창과 월ᄋᆡᆼ이 다 ᄌᆞ녀를 두니 뎍셔 아오로【50】십오ᄌᆞ 팔녜오, 상셔령(尙書令)[1831] 태ᄒᆞᆨᄉᆞ 듁은 션ᄉᆡᆼ 유흥은 부인 쥬시긔 삼녀를 ᄉᆡᆼᄒᆞ고 ᄋᆞᄃᆞᆯ이 업ᄉᆞ니 졔왕의 뎨십ᄉᆞᄌᆞ를 계후ᄒᆞ고, 참디정ᄉᆞ(參知政事) 샹태우 듁명 션ᄉᆡᆼ 필흥은 부인 두시긔 오ᄌᆞ 삼녜니, 개개히 곤산미옥(崑山美玉)[1832]과 녀슈겸금(麗水兼金)[1833]이니, 존당 구괴 고

1829)복야(僕射) : 고려 시대에, 상서성에 속한 정이품 벼슬. 좌우 두 사람이 있었으며, 조선 시대의 의정부 참찬에 해당한다.
1830)습(襲)하다 : 닮다. 모방하다.
1831)상셔령(尙書令) : 고려 시대에 둔 상서도성의 으뜸 벼슬. 종일품이었다.
1832)곤산미옥(崑山美玉) : 곤산에서 나는 아름다운 옥. 곤산은 곤륜산(崑崙山)으로 중국 전설상의 산. 중국 서쪽에 있으며, 옥(玉)이 난다고 한다.
1833)여수겸금(麗水兼金) : 여수에서 나는 품질이 뛰

현긔로브터 졔왕의 ᄌᆞ녜 ᄒᆞ나토 용상(庸常)치 아냐 츙신효졔지ᄒᆡᆼ(忠信孝悌之行)과 ᄉᆞ군봉친지ᄉᆞ(事君奉親之事) 민멸키 앗가온 고로, 시인(時人)이 다시 뎡문셰ᄃᆡ록(鄭門世代錄)을 일우ᄆᆡ, 임의 보월빙(寶月聘)이 윤·하·뎡 삼문 셜홴 고로, 윤씨삼셰록(尹氏三世錄)과 하문난월빙(河門鸞月聘)을 아오라, 각각 슈제(首題)를 업시ᄒᆞ여 다만 윤하뎡○[삼]문취록(尹河鄭三門聚錄)이라 ᄒᆞ여 후셰의 젼ᄒᆞ니라.

뎡운긔 여러 쳐쳡을 모흐고 졔왕을 본 밧고, 현긔의 온즁침묵(穩重沈默)ᄒᆞ며 슈신셥ᄒᆡᆼ(修身攝行)은 공ᄆᆡᆼ(孔孟)의 후를 니으ᄃᆡ, 연분을 조ᄎᆞ 장씨 ᄀᆞᆺᄐᆞᆫ 슉녜 잇시나, 연·화 이인을【117】취ᄒᆞ여 규ᄂᆡ 화평ᄒᆞ여 군ᄌᆞ지덕을 가히 보리러라.

복야(僕射)[1538] ᄐᆡᄌᆞ소부(太子少傅) 쥭현션ᄉᆡᆼ 닌흥은 부인 니씨긔 뉵ᄌᆞ 일녀를 ᄉᆡᆼᄒᆞ여 개개히 옥슈신월(玉樹新月) ᄀᆞᆺ고, 장ᄌᆞ 쳔긔 더욱 긔특ᄒᆞ여 졔왕을 만히 습(襲)[1539]ᄒᆞ여 셩취ᄒᆞ던 셜홰 별젼(別傳)의 잇고, 형부상셔 태ᄒᆞᆨᄉᆞ 동월후 진국공 쥭암션ᄉᆡᆼ 셰흥은 양부인긔 삼ᄌᆞ 이녀오, 소부인긔 ᄉᆞᄌᆞ 일녀오, 한부인긔 이ᄌᆞ 삼녀를 ᄉᆡᆼᄒᆞ니, 졍실의 구ᄌᆞ 뉵녀오, 월하션 등 ᄉᆞ창과 월ᄋᆡᆼ이 다 ᄌᆞ녀를 두니 젹셔 아오로 십오ᄌᆞ 팔녀오, 상셔령(尙書令)[1540] 태ᄒᆞᆨᄉᆞ 쥭은션ᄉᆡᆼ 유흥은 쥬부인긔 삼녀를 ᄉᆡᆼᄒᆞ고, ᄋᆞᄃᆞᆯ이 업ᄉᆞ니 졔왕의 뎨십ᄉᆞᄌᆞ를 계후ᄒᆞ고, 참지졍ᄉᆞ(參知政事) 샹태우 쥭명션ᄉᆡᆼ 필흥은 부인 두씨긔 오ᄌᆞ 삼녜니, ᄀᆡᄀᆡ【118】히 곤산미옥(崑山美玉)[1541]과 녀슈겸금(麗水兼金)[1542]이니, 존당 구괴 고당의 안거(安

1538)복야(僕射) : 고려 시대에, 상서성에 속한 정이품 벼슬. 좌우 두 사람이 있었으며, 조선 시대의 의정부 참찬에 해당한다.
1539)습(襲)하다 : 닮다. 모방하다.
1540)상셔령(尙書令) : 고려 시대에 둔 상서도성의 으뜸 벼슬. 종일품이었다.
1541)곤산미옥(崑山美玉) : 곤산에서 나는 아름다운 옥. 곤산은 곤륜산(崑崙山)으로 중국 전설상의 산. 중국 서쪽에 있으며, 옥(玉)이 난다고 한다.
1542)여수겸금(麗水兼金) : 여수에서 나는 품질이 뛰

당의 안거(安居)ᄒᆞ여 효ᄌᆞ의 무궁ᄒᆞᆫ 효양(孝養)을 밧고, 층층ᄒᆞᆫ 손ᄋᆞ를 무양(撫養)ᄒᆞ며, 졔왕 곤계(昆季) ᄒᆡ를 년ᄒᆞ여 ᄋᆞ들을 입장(入丈)ᄒᆞ며 ᄯᆞᆯ을 취가(娶嫁)ᄒᆞᆯᄉᆡ, 뎡문 복경이 당셰의 드믄 고로 슉녀명염의 며나리로 가도(家道)를 챵(昌)ᄒᆞ고, 풍뉴쥰걸(風流俊傑)과 명인군【51】ᄌᆞᄂᆞᆫ 문난(門欄)의 광ᄎᆡ를 닐위니, 식부(媳婦) 셔랑(壻郞)이 다 졔후ᄇᆡᆨᄌᆞ람(帝侯伯子男)의 ᄌᆞ녜 아니면 왕공후ᄇᆡᆨ(王公侯伯)의 ᄌᆞ녜라. 문미(門楣) 상당흠과 친옹의 아름다오미 실노 하ᄌᆞ(瑕疵)ᄒᆞᆯ 거시 업ᄉᆞᄃᆡ, 다만 딘공의 댱녀 슉염이 구몽슉의 며나리 되니, 듁암이 일노ᄡᅧ 통ᄒᆡ(痛駭)ᄒᆞᄃᆡ, ᄯᆞᆯ이 발셔 탕긱의 눈의 든 바로 타문을 ᄉᆡᆼ각디 못ᄒᆞ여 브득이 셩친ᄒᆞ나, 분만(憤懣)1834)ᄒᆞ미 흉격의 ᄡᅡ힌디라. 원ᄂᆡ 몽슉디직 뎡쇼져긔 칠년 댱(長)이로ᄃᆡ, 인연이 긔구ᄒᆞ여 월뇌(月老) 홍ᄉᆞ(紅絲)를 그릇 ᄆᆡᄌᆞᄆᆡ 능히 버셔나디 못ᄒᆞᄂᆞᆫ디라. 구챵윤이 뎡쇼져를【52】보고 규방의 돌입ᄒᆞ던 말과, 딘공이 쳐음은 녀ᄋᆞ를 죽여 셜분ᄒᆞ거나 일ᄉᆡᆼ을 심규의 늙히려 ᄒᆞ던 셜홰 별젼(別傳)의 이셔, 구챵윤의 특이ᄒᆞᆫ 위인과 츌뉴ᄒᆞᆫ 호긔, 그 암밀은샤(暗密隱邪)ᄒᆞᆫ 아비로 비컨ᄃᆡ 텬디간은 앙망이나 ᄒᆞ거니와 크게 ᄂᆡ도ᄒᆞ더라.

ᄎᆞ시 윤부의셔 딘왕이 일흔 ᄋᆞ들을 ᄎᆞᄌᆞ○[니], 발셔 십삼 셰 되고 그 표치풍광(標致風光)과 슈신셥ᄒᆡᆼ(修身攝行)이 만고의 독보ᄒᆞᆯ 위인이니, 위·조 냥 태비와 윤공 부부의 환희ᄒᆞ믄 니르디 말고, 딘왕이 부안을 모로ᄂᆞᆫ 디통의 ᄋᆞᄌᆞ를 실니(失離)ᄒᆞ여 심듕의 은통(隱痛)이 되여시ᄃᆡ, 존당 졀녀(絶慮)를【53】 돕ᄉᆞᆸ디 못ᄒᆞ여, 외뫼 화열ᄌᆞ약(和悅自若)ᄒᆞ나 심장은 ᄭᅳᆺᄂᆞᆫ ᄃᆞᆺᄒᆞ던 바로ᄡᅧ, ᄋᆞᄌᆞ의 츌텬대회 부뫼 져를 ᄎᆞᆺ기를 기다리

어난 금. *여수(麗水); 중국 양자강(揚子江) 상류인 운남성(雲南省)의 금사강(金砂江)을 이름. <천자문> '금생여수(金生麗水)'에서 말한 금(金)의 산지(産地)로 유명. *겸금(兼金); 품질이 뛰어나 값이 보통 금보다 갑절이 되는 좋은 황금.

1834)분만(憤懣) : 억울하고 원통한 마음이 가득함.

居)ᄒᆞ여 효ᄌᆞ 현부의 무궁ᄒᆞᆫ 효양(孝養)을 밧고, 층층ᄒᆞᆫ 손ᄋᆞ를 무양(撫養)ᄒᆞ며, 졔왕 곤계(昆季) ᄒᆡ를 연ᄒᆞ여 ᄋᆞ들을 입장(入丈)ᄒᆞ며 ᄯᆞᆯ을 취가(娶嫁)ᄒᆞᆯᄉᆡ, 뎡문 복경이 당셰의 드믄 고로 슉녀명념의 며ᄂᆞ리로 가도(家道)를 챵(昌)ᄒᆞ고, 풍뉴쥰걸(風流俊傑)과 명인군ᄌᆞᄂᆞᆫ 문난(門欄)의 광ᄎᆡ를 일위니, 식부(媳婦) 셔랑(壻郞)이 졔후ᄇᆡᆨᄌᆞ남(帝侯伯子男)의 ᄌᆞ녜 아니면 왕공후ᄇᆡᆨ(王公侯伯)의 ᄌᆞ녜라. 문미(門楣) 상당흠과 친옹의 아름다오미 실노 하ᄌᆞ(瑕疵)ᄒᆞᆯ 거시 업ᄉᆞᄃᆡ, 다만 진공의 장녀 슉염이 구몽슉의 며ᄂᆞ리 되니, 쥭암이 일노ᄡᅧ 통ᄒᆡ(痛駭)ᄒᆞᄃᆡ, ᄯᆞᆯ이 발셔 탕긱의 눈의 든 ᄇᆡ로 타문을 ᄉᆡᆼ각지 못ᄒᆞ여 브득이 셩친ᄒᆞ나, 분완(憤惋)ᄒᆞ미 흉격의 ᄡᅡ힌지라. 원ᄂᆡ 몽슉지직【119】뎡소져긔 칠년 장(長)이로ᄃᆡ 인연이 긔구ᄒᆞ여 월노(月老) 홍ᄉᆞ(紅絲)를 그릇 ᄆᆡᄌᆞᄆᆡ 능히 버셔나지 못ᄒᆞᄂᆞᆫ지라. 구챵윤이 뎡소져를 보고 규방의 돌입ᄒᆞ던 말과, 진공이 쳐음은 녀ᄋᆞ를 죽여 셜분ᄒᆞ거나 일ᄉᆡᆼ을 심규의 늙히려 ᄒᆞ던 셜홰 별젼(別傳)의 잇셔, 챵윤의 특이ᄒᆞᆫ 위인과 츌뉴ᄒᆞᆫ 호긔 그 암밀은ᄉᆞ(暗密隱邪)ᄒᆞᆫ 아비로 비컨ᄃᆡ 텬지 간은 앙망이나 ᄒᆞ거니와 크게 ᄂᆡ도ᄒᆞ더라.

ᄎᆞ시 윤부의셔 진왕이 일흔 ᄋᆞ들을 ᄎᆞᄌᆞ○[니], 발셔 십슴 셰 되고 그 표치풍광(標致風光)과 슈신셥ᄒᆡᆼ(修身攝行)이 만고 독보ᄒᆞᆯ 위인이니, 위·조 냥 ᄐᆡ비와 윤공 부부의 환희ᄒᆞ믄 니르지 말고 진왕이 부안을 모로ᄂᆞᆫ 지통의 ᄋᆞᄌᆞ를 실니(失離)ᄒᆞ여 심즁의 은통(隱痛)이 되어시ᄃᆡ, 존당 졀녀(絶慮)를 돕지【120】 못ᄒᆞ여, 외뫼ᄂᆞᆫ 화열ᄌᆞ약(和悅自若)ᄒᆞ나 심장은 ᄭᅳᆺᄂᆞᆫ ᄃᆞᆺᄒᆞ던 바로ᄡᅧ, ᄋᆞᄌᆞ의 츌텬ᄃᆡ회 부뫼 져를 ᄎᆞᆺ기를 기ᄃᆞ리지 아냐 졔 스ᄉᆞ로 ᄎᆞᄌᆞ 도라오ᄂᆞᆫ ᄒᆡᆼᄉᆞ(行事)

어난 금. *여수(麗水); 중국 양자강(揚子江) 상류인 운남성(雲南省)의 금사강(金砂江)을 이름. <천자문> '금생여수(金生麗水)'에서 말한 금(金)의 산지(産地)로 유명. *겸금(兼金); 품질이 뛰어나 값이 보통 금보다 갑절이 되는 좋은 황금.

디 아냐, 졔 스ᄉᆞ로 ᄎᆞᄌᆞ 도라오ᄂᆞᆫ 힝ᄉᆞ(行事)와 용화(容華) 문한(文翰)의 ᄀᆡ이ᄒᆞ믈 보ᄆᆡ, 텬눈(天倫)의 한(恨)이 업고, 종샤듕탁(宗嗣重託)이 근심 업ᄉᆞ믈 환힝ᄒᆞ여, 즉시 소가(蘇家)의셔 디은 몽농을 곳쳐 셩닌이라 ᄒᆞ고, 소공의 은덕을 각골감은ᄒᆞ여 구원(九原)의 결초(結草)를 ᄀᆡ약ᄒᆞ니, 셩닌이 만일 경샤의 이실딘ᄃᆡ 엇디 십삼 셰 니르도록 부모를 ᄎᆞᆺ디 못ᄒᆞ리오마ᄂᆞᆫ, 소공의 계모 녀시 대악별믈(大惡別物)노 젼츌(前出)[1835] 부부를 원슈ᄀᆞᆺ치 ᄆᆡ워○○[ᄒᆞ여] 죽이【54】기를 도모ᄒᆞ며, 셩닌을 소가의셔 어더 길넌디 일년이 못ᄒᆞ여, 녀시 소공을 망측ᄒᆞᆫ 죄루의 모라 너허 븍히 만니의 뉴찬(流竄)ᄒᆞ니, 소공이 계모의 ᄯᅳᆺ을 알므로 ᄌᆞ녀를 보젼치 못ᄒᆞᆯ가 두려, 삼ᄌᆞ와 녀ᄋᆞ 봉난과 셩닌을 다리고 븍ᄒᆡ의 뉵칠년을 머믈ᄆᆡ, 녀시 공의 ᄉᆞ라시믈 통한ᄒᆞ여, ᄯᆞ라 나려가 죽이고져 ᄒᆞ여 온 가디로 보ᄎᆡ며, 몽농의 비상ᄒᆞ믈 더옥 ᄆᆡ이 넉여 여러 번 죽이려 ᄒᆞᄃᆡ, 몽농이 그 화를 버셔나 십셰 ᄎᆞᆫ 후ᄂᆞᆫ, 부모를 ᄎᆞᄌᆞ려 ᄉᆞᄒᆡ구쥬(四海九州)[1836]○[를] 다 도라, 요힝(僥倖) 소공이 원억을 신셜ᄒᆞ여 니부샹셔(吏部尙書) 듕【55】임을 ᄡᅴ여 환경(還京)ᄒᆞ니, 몽농이 구쥬(九州)를 다 도라 황셩(皇城)의 가 부모를 ᄎᆞᆺ고져, 소공을 조ᄎᆞ 샹경ᄒᆞ여, 부ᄌᆡ ᄀᆡ특이 상봉ᄒᆞ여 셩명을 안 후, 즉시 과갑을 응ᄒᆞ여 의의히 댱원낭(壯元郞)이 되고, 소시 봉난을 취ᄒᆞ나 녀녀(呂女)의 간악으로 혼ᄉᆞ의 작폐ᄒᆞᄆᆡ, 셩녜 후 이상이 ᄒᆡ코져 ᄒᆞ던 말이 ᄯᅩ 별젼(別傳)의 이셔, 셩닌이 부모 ᄎᆞᆺ디 못ᄒᆞ여 셜워 ᄒᆞ던 말이며, 녀녀의 독악(毒惡)을 슌슌이 버셔나[난] 총명신ᄀᆡ와, 그 신셰 괴롭고 슬프던 ᄇᆡ 문견ᄌᆞ로 ᄒᆞ여금 슈루비상(垂淚悲傷)ᄒᆞᆯ 곳이 만턴 바와, 소공 부뷔 디극 ᄉᆞ랑ᄒᆞ미 친ᄌᆞ ᄀᆞᆺᄐᆞ여[나] 녀ᄋᆞ의 가ᄀᆡ(佳期)를

1835)젼츌(前出) : 전부인(前夫人)의 낳은 아들.
1836)ᄉᆞᄒᆡ구쥬(四海九州) : 온 세상 방방곡곡. *사해(四海); 사방(四方)의 바다로 둘러싸인 온 세상. *구주(九州); 중국 고대에 전국을 나눈 9개의 주.

와 용화(容華) 문한(文翰)의 ᄀᆡ이ᄒᆞ믈 보ᄆᆡ, 텬눈(天倫)의 한(恨)이 업고, 종ᄉᆞ즁탁(宗嗣重託)이 근심 업ᄉᆞ믈 환힝ᄒᆞ여, 즉시 소가(蘇家)의셔 지은 몽농을 곳쳐 셩닌이라 ᄒᆞ고 소공의 은덕을 각골감은ᄒᆞ여 구원(九原)의 결초(結草)를 ᄀᆡ약ᄒᆞ니, 셩닌이 만일 경ᄉᆞ의 이실진ᄃᆡ 엇지 십숨 셰의 니르도록 부모를 ᄎᆞᆺ지 못ᄒᆞ리오마ᄂᆞᆫ, 소공의 계모 녀씨 ᄃᆡ악별믈(大惡別物)노 젼츌(前出)[1543] 부부를 원슈ᄀᆞᆺ치 ᄆᆡ워○○[ᄒᆞ여] 죽이기를 도모ᄒᆞ며, 셩닌을 소가의셔 어더 길넌 지 일년이 못ᄒᆞ여, 녀씨 소공을 망측ᄒᆞᆫ 죄루의 모라 너허 북히 만니의 뉴찬(流竄)ᄒᆞ【121】니, 소공이 계모의 ᄯᅳᆺ슬 알므로 ᄌᆞ녀를 보젼치 못ᄒᆞᆯ가 두려, 삼ᄌᆞ와 녀ᄋᆞ 봉난과 셩닌을 ᄃᆞ리고 북히의 뉵칠 년을 머믈ᄆᆡ, 녀씨 공의 ᄉᆞ라시믈 통한ᄒᆞ여, ᄯᆞ라 나려가 죽이고져 ᄒᆞ여 온 가지로 보ᄎᆡ며, 몽농의 비상ᄒᆞ믈 더욱 ᄆᆡ이 넉여 여러 번 죽이랴 ᄒᆞᄃᆡ, 몽농이 그 화를 버셔ᄂᆞ 십셰 찬 후ᄂᆞᆫ, 부모를 ᄎᆞᄌᆞ려 ᄉᆞᄒᆡ구쥐(四海九州)[1544]를 다 도라, 요힝(僥倖) 소공이 원억을 신셜ᄒᆞ여 니부 샹셔(吏部尙書) 즁임을 ᄡᅴ여 환경(還京)ᄒᆞ니, 몽농이 구쥬(九州)를 다 도라 황셩(皇城)의 가 부모를 ᄎᆞᆺ고져, 소공을 조ᄎᆞ 샹경ᄒᆞ여, 부ᄌᆡ ᄀᆡ특이 상봉ᄒᆞ여 셩명을 안 후, 즉시 과갑을 응ᄒᆞ여 의의히 장원낭(壯元郞)이 되고, 소씨 봉난을 취ᄒᆞ나 여녀(呂女)의 간악으로 혼ᄉᆞ의 작폐ᄒᆞᄆᆡ, 셩녜 후 이【122】상이 ᄒᆡ코져 ᄒᆞ던 말이 ᄯᅩ 별젼(別傳)의 잇셔, 셩닌이 부모 ᄎᆞᆺ지 못ᄒᆞ여 셜워 ᄒᆞ던 말이며, 여녀의 독악(毒惡)을 슌슌히 버셔나[난] 총명신ᄀᆡ와, 그 신셰 괴롭고 슬프던 ᄇᆡ 문견ᄌᆞ로 ᄒᆞ야곰 슈루비상(垂淚悲傷)ᄒᆞᆯ 곳이 만턴 바와, 소공 부뷔 지극 ᄉᆞ랑ᄒᆞ미 친ᄌᆞ ᄀᆞᆺᄐᆞ여[나] 녀ᄋᆞ의 가ᄀᆡ(佳期)를 유의ᄒᆞᄆᆡ 맛ᄎᆞᆷᄂᆡ 부ᄌᆞ로 칭치 아니턴

1543)젼츌(前出) : 전부인(前夫人)의 낳은 아들.
1544)ᄉᆞᄒᆡ구쥬(四海九州) : 온 세상 방방곡곡. *사해(四海); 사방(四方)의 바다로 둘러싸인 온 세상. *구주(九州); 중국 고대에 전국을 나눈 9개의 주.

유【56】의ᄒᆞᄆᆡ 맛춤ᄂᆡ 부ᄌᆞ로 칭치 아니턴 셜홰 후록(後錄)의 이시므로 이의 ᄉᆡᆨ히니라.

딘왕이 ᄋᆞᄌᆞ를 ᄎᆞᄌᆞ 텬뉸이 완젼ᄒᆞ고, 웅닌 등의 옥슈디란(玉樹芝蘭) ᄀᆞᆺᄐᆞᆷ과 화월(花月) ᄀᆞᆺᄐᆞᆫ 녀ᄋᆡ 층층이 ᄌᆞ라, 남혼녀가(男婚女嫁)의 듕쳡ᄒᆞᆫ 경ᄉᆡ(慶事) 히를 년ᄒᆞ여[며], 승샹의 냥ᄌᆞ와 웅닌 등이 ᄯᅩ 등양ᄒᆞ니, 윤·하·뎡 삼문 공ᄌᆞ들이 ᄎᆡᆨ을 ᄡᅧ ᄇᆡ호기를 시작ᄒᆞᆫ즉 일취월장(日就月將)ᄒᆞᄂᆞᆫ디라. ᄒᆞᆫ 번 과쟝의 나아 간즉 계디쳥삼(桂枝靑衫)으로 환가(還家)ᄒᆞ니, 비록 그 ᄌᆡ조의 달닌 ᄇᆡ나 삼문 셩만(盛滿)이 극ᄒᆞ니, 각각 부형이 셩만을 두리더라.

딘왕이 뎡비긔 뉵ᄌᆞ 이녜오, 딘비긔 ᄉᆞᄌᆞ 일녜오, 남비긔 이ᄌᆞ【57】일녜오, 화비긔 ᄉᆞᄌᆡ니, 뎡실의 《십오‖십뉵》ᄌᆞ 《오‖ᄉᆞ》녜오 쳔산이 뉵ᄌᆞ ᄉᆞ녜니, 뎍셔(嫡庶)의 《이십일‖이십이》ᄌᆞ 《구‖팔》녜오, 승샹은 하부인긔 ᄉᆞᄌᆞ 일녜오 댱 부인긔 삼ᄌᆞ 이녜니, 명쳔공 ᄌᆞ손의 번셩ᄒᆞ미 공의 젹덕과 딘왕 곤계 뎡·딘, 하·댱의 츌텬대효를 텬의 감동ᄒᆞ샤 복녹을 우(祐)ᄒᆞ시미라.

왕의 곤계 슈다ᄒᆞᆫ ᄌᆞ녀 듕 일인도 블미ᄒᆞᆫ 위인이 업고, 부모여풍과 텬ᄉᆡᆼ특용(天生特容)으로 명셩군ᄌᆡ(明聖君子) 아니면 풍뉴영걸(風流英傑)이오, 쳘부셩녜(哲婦聖女) 아니면 뇨됴명염(窈窕名艶)이라. 용모긔딜이 개개히 비상ᄒᆞᄃᆡ 딘왕의 댱ᄌᆞ 셩닌과 ᄎᆞᄌᆞ 웅닌과 승샹의 댱ᄌᆞ 챵닌과 ᄎᆞᄌᆞ 셰린, ᄉᆞᄌᆞ은【58】닌과 댱녀 옥홰, 형뎨 듕 특츌ᄒᆞᆫ디라. 아름다온 ᄉᆞ젹이 쇼셜의 잇ᄂᆞ니라. 녕능후 부인은 ᄉᆞ녀를 나코 만ᄂᆡ(晩來)의 일ᄌᆞ를 나하 호일방탕ᄒᆞ여 기쥬호ᄉᆡᆨ(嗜酒好色)ᄒᆞ미 남달나, 졔왕디녀 경비 소ᄉᆡᆼ 뎡시를 취ᄒᆞ여 초년의 긔괴참난(奇怪慘難)을 격던 셜홰 ᄯᅩ 쇼셜(小說)의 잇ᄂᆞ니라.

하승샹은 십ᄌᆞ ᄉᆞ녜니, 윤부인긔 오ᄌᆞ 이녜오 연시긔 이ᄌᆞ 일녜오 경시 삼ᄌᆞ 일녜니, 개개히 션풍옥골(仙風玉骨)이며 셜부화용(雪膚花容)이 셰ᄃᆡ의 드므니, 기듕 댱ᄌᆞ

셜홰 후록(後錄)의 잇시므로 이의 ᄉᆡᆨ히니라.

진왕이 ᄋᆞᄌᆞ를 ᄎᆞᄌᆞ 텬뉸이 완젼ᄒᆞ여[고], 웅닌 등의 옥슈지란(玉樹芝蘭) ᄀᆞᆺᄐᆞᆷ과 화월(花月) ᄀᆞᆺᄐᆞᆫ 녀ᄋᆡ 층층히 ᄌᆞ라, 남혼녀가(男婚女嫁)의 즁쳡ᄒᆞᆫ 경ᄉᆡ(慶事) 히를 년ᄒᆞ여[며], 승상의 냥ᄌᆞ와 웅닌 등이 ᄯᅩ 등양ᄒᆞ니, 윤·하·뎡 삼문 공ᄌᆞ들이 ᄎᆡᆨ을 ᄡᅧ ᄇᆡ호기를 시작ᄒᆞᆫ즉 일취월장(日就月將)ᄒᆞᄂᆞᆫ지라. ᄒᆞᆫ 번 과쟝의 나아 간즉 계지쳥삼(桂枝靑衫)으로 환가(還家)【123】ᄒᆞ니, 비록 그 ᄌᆡ조의 달닌 ᄇᆡ나 삼문 셩만(盛滿)이 극ᄒᆞ니, 각각 부형이 셩만을 두리더라.

진왕이 뎡비긔 뉵ᄌᆞ 이녀오, 진비긔 ᄉᆞᄌᆞ 일녀오, 남비긔 이ᄌᆞ 일녀오, 화비긔 ᄉᆞᄌᆡ니, 졍실의 《십오‖십뉵》ᄌᆞ 《오‖ᄉᆞ》녀오, 쳔산이 뉵ᄌᆞ ᄉᆞ녜니, 젹셔의 《이십일‖이십이》ᄌᆞ 《구‖팔》녜오, 승상은 하부인긔 ᄉᆞᄌᆞ 일녀오, 장 부인긔 ᄉᆞᆷᄌᆞ 이녜니, 명쳔 공 ᄌᆞ손의 번셩ᄒᆞ미 공의 젹덕과 진왕 곤계 뎡·진, 하·쟝 등의 츌텬ᄃᆡ효를 텬의 감동ᄒᆞ여 복녹을 주시미라.

왕의 곤계 만은 ᄌᆞ녀 즁 일인도 블미ᄒᆞᆫ 위인이 업고, 부모여풍과 텬ᄉᆡᆼ특용(天生特容)으로 명셩군ᄌᆡ(明聖君子) 아니면 풍뉴영걸(風流英傑)이오, 쳘부슉녜(哲婦淑女) 아니면 뇨조명념(窈窕名艶)이라. 용모긔질이 ᄀᆡᄀᆡ히 비상ᄒᆞᄃᆡ 진왕의 장ᄌᆞ 셩닌과 ᄎᆞᄌᆞ 셰닌 ᄉᆞᄌᆞ【124】은닌과 장녀 옥홰 형뎨 즁 특츌ᄒᆞᆫ지라. 아름다온 ᄉᆞ젹이 소셜의 닛ᄂᆞ니라. 녕능후 부인은 ᄉᆞ녀를 낫코 만ᄂᆡ(晩來)의 일ᄌᆞ를 나하 호일방탕 ᄒᆞ여 기쥬호ᄉᆡᆨ(嗜酒好色)ᄒᆞ미 남달나, 졔왕지녀 경비 소ᄉᆡᆼ 뎡씨를 취ᄒᆞ여 초년의 거개참난(擧家慘難)을 격던 셜홰 ᄯᅩ 소셜(小說)의 잇ᄂᆞ니라.

하승샹은 십ᄌᆞ ᄉᆞ녜니 윤부인긔 오ᄌᆞ 이녀오, 연씨긔 이ᄌᆞ 일녀오, 경씨긔 삼ᄌᆞ 일녀니, 개개히 션풍옥골(仙風玉骨)이며 셜부화용(雪膚花容)이 셰ᄃᆡ의 드므니, 기즁 장ᄌᆞ

몽셩의 긔이츌범(奇異出凡)ᄒᆞ미 만ᄉᆡ 신긔ᄒᆞ여 텬일디표(天日之表)와 뇽봉ᄌᆞ딜(龍鳳資質)이 텬승(千乘)을 긔필ᄒᆞᆯ ᄇᆡ어ᄂᆞᆯ, 총명디식과 영걸디풍이 귀【59】신을 울니며, 하날을 밧들고 태산을 넘쓀 ᄃᆞᆺᄒᆞ더니, 연부인 딜녀 연시를 취ᄒᆞ여 상모(相貌)의 험괴(險怪)ᄒᆞᆷ과 인믈의 츄비(麤鄙)ᄒᆞ믄 그 슉모의 셰 번 더으거ᄂᆞᆯ, 셩힝의 패악ᄒᆞᆷ과 거동의 포려ᄒᆞ미 기슉(其叔)의 뉘 아니라,

공지 흉상박면(凶狀薄面)의 패악디인(悖惡之人)을 만나 심홰 대발ᄒᆞᆫ 바의, 연 군쥬ᄂᆞᆫ 공ᄌᆞ를 잡아 드려 슈죄난타(數罪亂打)ᄒᆞ고, 뎡실 박ᄃᆡᄒᆞ믈 쥰칙(峻責) 욕ᄆᆡ(辱罵)ᄒᆞ여 날마다 몽셩을 죽일드시 벼르거ᄂᆞᆯ, 념치 상딘ᄒᆞᆫ 흉상은 슉모의 셰를 ᄭᅵ고 가부를 즐욕ᄒᆞ니, ᄉᆡᆼ의 텬셩디효로 비록 연녀를 통한ᄒᆞ나, 흐르ᄂᆞᆫ ᄃᆞᆺ 공슌ᄒᆞ여 흉패히 두다【60】리믈 당ᄒᆞ여도 알프믈 닛고 온화히 샤죄ᄒᆞ니, 연시 노분을 발ᄒᆞᆫ ᄊᆡ 사름이 져를 거운[1837]즉, 노긔를 억졔치 못ᄒᆞ여 죽으려 셔돌며 무시 통곡을 어려워 아니므로, ᄉᆡᆼ이 이를 근심ᄒᆞ여 공슌ᄒᆞ나 ᄇᆡ우의 블미ᄒᆞ믈 탄ᄒᆞ여 심병이 날 ᄃᆞᆺᄒᆞ더니, 등과(登科) 후 셔경 일도를 안찰ᄒᆞ고 도라오다가, 졔왕디녀 문양공쥬 쇼ᄉᆡᆼ을 촌낙(村落)의셔 만나 잉쳡(媵妾)[1838]으로 다려와 부친이 알가 두려 감초앗다가, 연녀의 규찰(窺察)의 들쳐나 연네 친히 ᄂᆡ다라 투긔 작난이 망측ᄒᆞ더니, 뎡슉셩이 그 용화를 보고 ᄌᆞ연 골육슉딜(骨肉叔姪)의 혈ᄆᆡᆨ(血脈)이 뉴동(流動)【61】ᄒᆞ여 긔특이 근본을 아라ᄂᆡ니, 뎡시 ᄌᆞ긔 몸이 금디옥엽(金枝玉葉)이믈 몽니(夢裏)의나 ᄉᆡᆼ각ᄒᆞ여시리오. 초의 상한 ᄎᆡ빈이 최형의 집의 가 강보(襁褓) 쇼ᄋᆞ(小兒)를 ᄉᆞ다가 기쳐(其妻)를 주고 빈은 즉시 죽으니, 방시 졔 ᄯᆞᆯ노 칭ᄒᆞ여, 능히 근본을 알 길 업ᄉᆞ나 ᄆᆡ양 심ᄉᆡ 쳑연ᄒᆞ여, 날이 오랄ᄉᆞ록 즐기ᄂᆞᆫ

1837)거우다 : 거스르다.

1838)잉쳡(媵妾) : 예전에, 귀인에게 시집가는 여인이 데리고 가던 시첩(侍妾). 신부의 질녀와 여동생으로 충당하였다.

몽셩의 긔이츌범(奇異出凡)ᄒᆞ미 만ᄉᆡ 신긔ᄒᆞ여 텬일지표(天日之表)와 뇽봉ᄌᆞ질(龍鳳資質)이 쳔승(千乘)을 긔필ᄒᆞᆯ ᄇᆡ어ᄂᆞᆯ, 총명지식과 영걸지풍이 귀신을 울니며, 하날을 밧들고 ᄐᆡ산을 넘쓀 ᄃᆞᆺᄒᆞ더니, 연부인 딜녀 연씨를 취ᄒᆞ여 상모(相貌)의 험괴(險怪)【125】ᄒᆞᆷ과 인믈의 츄비(麤鄙)ᄒᆞ믄 그 슉모의 셰 번 더으거ᄂᆞᆯ, 셩힝의 쾌락ᄒᆞᆷ과 거동의 포려ᄒᆞ미 기슉(其叔)의 뉘 아니라.

공지 흉상박면(凶狀薄面)의 ᄑᆡ악지인(悖惡之人)을 만나 심홰 ᄃᆡ발ᄒᆞᆫ 바의, 연 군쥬ᄂᆞᆫ 공ᄌᆞ를 잡아 드려 슈죄난타(數罪亂打)ᄒᆞ고, 정실 박ᄃᆡᄒᆞ믈 쥰칙(峻責) 욕ᄆᆡ(辱罵)ᄒᆞ여 날마다 몽셩을 죽일ᄃᆞ시 벼르거ᄂᆞᆯ, 념치 상진ᄒᆞᆫ 흉상은 슉모의 셰를 ᄭᅵ고 가부를 즐욕ᄒᆞ니, ᄉᆡᆼ의 텬셩지효로 비록 연녀를 통한ᄒᆞ나, 흐르ᄂᆞᆫ ᄃᆞᆺ 공슌ᄒᆞ여 흉ᄑᆡ히 두ᄃᆞ리믈 당ᄒᆞ여도 알프믈 닛고 온화히 ᄉᆞ죄ᄒᆞ니, 연씨 노분을 발ᄒᆞᆫ ᄃᆡ[ᄊᆡ], 샤름이 져를 거은[1545]즉, 노긔를 억제치 못ᄒᆞ여 죽으려 셔들며 무시 통곡을 어려워 아니므로, ᄉᆡᆼ이 이를 근심ᄒᆞ여 공슌ᄒᆞ나 ᄇᆡ우의 블미ᄒᆞ믈【126】탄ᄒᆞ여 심병이 날 ᄃᆞᆺᄒᆞ더니, 등과(登科) 후 셔경 일도를 안찰ᄒᆞ고 도라오다가, 제왕지녀 문양 소ᄉᆡᆼ을 촌낙(村落)의셔 만나 잉쳡(媵妾)[1546]으로 다려와 부친이 알가 두려 감초앗다가, 연녀의 규찰(窺察)의 들쳐나 연네 친히 《ᄂᆡ조‖ᄂᆡ다》라 투긔 작난이 망측ᄒᆞ더니, 뎡슉셩이 그 용화를 보고 ᄌᆞ연 골육슉딜(骨肉叔姪)의 혈ᄆᆡᆨ(血脈)이 《뉴통‖뉴동(流動)》ᄒᆞ여 긔특이 근본을 아라ᄂᆡ니, 뎡씨 ᄌᆞ긔 몸이 금지옥엽(金枝玉葉)이믈 몽니(夢裏)의나 ᄉᆡᆼ각ᄒᆞ엿시리오. 초의 상한 쵀빈이 최형의 집의 가 강보(襁褓) 소ᄋᆞ(小兒)를 ᄉᆞ다가 기쳐(其妻)를 쥬고 빈은 즉시 죽으니, 방씨 제 ᄯᆞᆯ노 칭ᄒᆞ여 능히 근본을 알 길 업ᄉᆞ나, ᄆᆡ양 심ᄉᆡ 쳑연ᄒᆞ여

1545)거으다 : 거우다. 거스르다.

1546)잉쳡(媵妾) : 예전에, 귀인에게 시집가는 여인이 데리고 가던 시첩(侍妾). 신부의 질녀와 여동생으로 충당하였다.

일이 업더니, 그 좌비의 '낭셩' 두 ᄌᆞ와 우비 '월녀' 두 ᄌᆞ며, 가슴의 ᄉᆡᆼ년월일과 '뎡ᄋᆞ' 두 ᄌᆞ를 보고, 분명 공쥬의 녀ᄋᆡ믈 아라, 비로소 부녀 모녜 상봉ᄒᆞ고, 몽셩이 뉵녜(六禮)로 마ᄌᆞᆺ더니, 흉인의 작난이 무궁ᄒᆞ고 좌위 블인(不仁)ᄒᆞ여 뎡시 일장화란을 다시 디ᄂᆡᆫ 후, 【62】 비로소 몽셩의 원비 ᄃᆡᆨ쳡을 텬ᄌᆡ 주시고, 흉상이 조○[ᄉᆞ](早死)ᄒᆞᄆᆡ 뎡시 한 업ᄉᆞᆫ 부귀를 누리니라.

어ᄉᆞ 원상이 작위(爵位) 경상(卿相)의 니르고, 님시긔 ᄉᆞᄌᆞ 이녀를 두어 단산(丹山)1839)의 봉됴(鳳鳥)와 츄텬계슈(秋天桂樹) ᄀᆞᆺ치 아름다오ᄃᆡ, 하가를 ᄌᆞ로 요란케 ᄒᆞᆯ 우두나찰(牛頭羅刹)1840)과 흑살텬신(黑煞天神)1841)이 업디 아니므로, ᄋᆡ랑이 목태부인을 보ᄎᆡ여 하가의 다시 입승(入承)ᄒᆞ여 님시의 ᄌᆞ녀를 못 견ᄃᆡ게 보ᄎᆡ던 셜홰 후록(後錄)의 잇ᄂᆞ니라.

태듕태우 원챵이 번국 흉노를 쳐 대공을 일우고, 벼슬이 녕태ᄉᆞ(領太史) 븍ᄇᆡᆨ후(北伯侯)를 봉ᄒᆞ여 일픔(一品)의 거ᄒᆞ고, 뎡·양·위 삼부인긔 십이ᄌᆞ 오녀를 두고[니], 뎡부인 【63】 긔 오ᄌᆞ 일녜오, 양부인긔 삼ᄌᆞ 삼녜오, 위부인긔 ᄉᆞᄌᆞ 일녜니, 원챵의 츌댱입상 ᄒᆞ던 말과 ᄌᆞ녀의 아름다온 셜홰 별젼(別傳)의 ᄒᆡ비(賅備)1842)ᄒᆞ고, 칠창이 각각 골육을 씻쳐 셔ᄌᆞ 오인과 셔녀 삼인이 잇더라.

녜부 상셔 원필이 딘부인긔 이ᄌᆞ 일녀를 ᄉᆡᆼᄒᆞ니라.

오회(嗚呼)라1843)! ᄎᆞ젼(此傳)을 일우면[믄], 명천공 윤션ᄉᆡᆼ의 튱의디졀(忠義之節)

1839)단산(丹山) : 중국 복건성(福建省) 북부(北部) 무이산(武夷山) 안에 있는 산 이름. 벽수단산(碧水丹山)의 수려한 경치로 유명하다.

1840)우두나찰(牛頭羅刹) : 쇠머리 모양을 한 악한 귀신.

1841)흑살텬신(黑煞天神) : 검은 살기를 띤 흉한 모습의 귀신.

1842)ᄒᆡ비(賅備) : 갖추어진 것이 넉넉함. 자세함.

1843)오회(嗚呼)라 : 슬프다. 슬플 때나 탄식할 때 내는 소리.

날이 오랄ᄉᆞ록 즐기ᄂᆞᆫ 일이 업더니, 그 좌비의 '낭셩' 두 ᄌᆞ와 우비의 '월녀' 두 ᄌᆞ며, 가 【127】 슴의 ᄉᆡᆼ년월일과 '뎡ᄋᆞ' 두 ᄌᆞ를 보고, 분명 공쥬의 녀ᄋᆡ믈 아라, 비로소 부녀 모녜 상봉ᄒᆞ고, 몽셩이 뉵녜(六禮)로 마ᄌᆞᆺ더니, 흉인의 작난이 무궁ᄒᆞ고 극ᄒᆞ믈 인ᄒᆞ여 뎡씨 일장화란을 다시 디ᄂᆡᆫ 후, 비로소 몽셩의 원비 직쳡을 텬ᄌᆡ 주시고 《흉장‖흉상(凶相)》이 조ᄉᆞ(早死)ᄒᆞᄆᆡ, 뎡씨 한 업ᄉᆞᆫ 부귀를 누리니라.

어ᄉᆞ 원상이 작위(爵位) 경상(卿相)의 니르고, 님씨긔 ᄉᆞᄌᆞ 이녀를 두어 단산(丹山)1547)의 봉조(鳳鳥)와 츄텬계슈(秋天桂樹) ᄀᆞᆺ치 아름다오ᄃᆡ, 하가를 ᄌᆞ로 요란케 ᄒᆞᆯ 우두나찰(牛頭羅刹)1548)과 흑살텬신(黑煞天神)1549)이 업지 아니므로, ᄋᆡ랑이 목태부인을 보ᄎᆡ여 하가의 다시 입승(入承)ᄒᆞ여 님씨의 ᄌᆞ녀를 못 견ᄃᆡ게 보ᄎᆡᆫ 셜홰 후록(後錄)의 잇ᄂᆞ니라.

태즁태우 원챵이 번국 흉노를 쳐 ᄃᆡ공을 일우고, 벼슬이 영ᄐᆡᄉᆞ(領太史) 북ᄇᆡᆨ후(北伯侯) 【128】 를 봉ᄒᆞ여 일픔(一品)의 거ᄒᆞ고, 뎡·양·위 삼 부인긔 십이ᄌᆞ 오녀를 두고[니], 원챵의 츌장입상 ᄒᆞ던 말과 ᄌᆞ녀의 아름다온 말이 다 별(別傳)젼의 잇시며, **○…결락257자…○**[칠창이 각각 골육을 씻쳐 셔ᄌᆞ 오인과 셔녀 삼인이 잇더라.

녜부 상셔 원필이 딘부인긔 이ᄌᆞ 일녀를 ᄉᆡᆼᄒᆞ니라.

오회(嗚呼)라1550)! ᄎᆞ젼(此傳)을 일우면[믄], 명천공 윤션ᄉᆡᆼ의 튱의디졀(忠義之節)을 긔록ᄒᆞ며, 위국단튱(爲國丹忠)이 긴 명을 즈레 ᄉᆞᆺ쳐 당당ᄒᆞᆫ 튱널이 고금의 희한ᄒᆞᄃᆡ, 졀ᄎᆞ겸퇴(切磋謙退)ᄒᆞᆫ 뜻이 샤ᄎᆡᆨ(史冊)의 일홈 오로믈

1547)단산(丹山) : 중국 복건성(福建省) 북부(北部) 무이산(武夷山) 안에 있는 산 이름. 벽수단산(碧水丹山)의 수려한 경치로 유명하다.

1548)우두나찰(牛頭羅刹) : 쇠머리 모양을 한 악한 귀신.

1549)흑살텬신(黑煞天神) : 검은 살기를 띤 흉한 모습의 귀신.

1550)오회(嗚呼)라 : 슬프다. 슬플 때나 탄식할 때 내는 소리.

을 긔록ᄒᆞ며, 위국단튱(爲國丹忠)이 긴 명을 즈레 ᄉᆞᆺ쳐 당당ᄒᆞᆫ 튱녈이 고금의 희한ᄒᆞᄃᆡ, 졀ᄎᆞ겸퇴(切磋謙退)ᄒᆞᆫ ᄯᅳᆺ이 샤ᄎᆡᆨ(史冊)의 일홈 오로믈 원치 아냐, 유표의 ᄌᆞ긔 일홈 ᄉᆡᆼ히시믈 간쳥ᄒᆞ여시ᄆᆡ, 딘종 황뎨 죵기의(從其意)ᄒᆞ샤, 샤긔(史記)의【64】윤현을 올니디 아니시나, 그 튱녈(忠烈)과 슈신션ᄒᆡᆼ(修身善行)을 초목과 ᄀᆞᆺ치 스러져 업ᄉᆞᆯ 바를 개연ᄎᆞ셕(慨然嗟惜)ᄒᆞ여, 일ᄃᆡ문인(一代文人) 태혹사 포경과 ᄃᆡᆨ혹사 됴원으로 윤부일긔(尹府日記)를 살펴 윤명쳔의 ᄉᆞ덕[뎍]션ᄒᆡᆼ(事績善行)을 민멸치 말나 ᄒᆞ시므로, 포경은 포증(包拯)1844)의 ᄌᆡ오 됴원은 됴보(趙普)1845)의 손이라, 윤부 일긔를 보아 하·뎡 냥부로 졍의(情誼) 골육 ᄀᆞᆺᄐᆞ며, 명쳔공이 남강의 션유ᄒᆞ다가 명듀(明珠)를 엇고 뎡·하 냥공은 보월(寶月)을 어더 ᄋᆞᄃᆞᆯ의 빙믈을 삼아, 윤·하·뎡 삼문 ᄌᆞ녀를 밧고와 연친디의(連親之義)1846) ᄌᆞ별(自別)ᄒᆞ믄 니르디 말고, 뎡공이 금국의 가 안뉼도를 버혀 대국【65】위엄을 일치 아님과, 하공의 ᄃᆡᆨ언튱심(直言忠心)으로 초왕과 김탁의 히를 바다 삼ᄌᆞ(三子)를 참망(慘亡)ᄒᆞ니, 뎡·윤 냥공이 일가동긔(一家同氣)ᄀᆞᆺ치 구ᄒᆞ던 의긔현심(義氣賢心)으로, 윤부 셜화를 시작ᄒᆞᄆᆡ, 하·뎡 냥부 셜홰 ᄌᆞ연 ᄒᆞᆫ가디로 들 ᄉᆡᆫ 아니라, 평제왕 뎡듁쳥 곤계와 좌승상 하학셩 곤계 샤뎍(事績)을 ᄒᆞᆫ가디로 올

원치 아냐, 유표의 ᄌᆞ긔 일홈 ᄉᆡᆼ히시믈 간쳥ᄒᆞ여시ᄆᆡ, 딘종 황뎨 죵기의(從其意)ᄒᆞ샤, 샤긔(史記)의【64】윤현을 올니디 아니시나, 그 튱녈(忠烈)과 슈신션ᄒᆡᆼ(修身善行)을 초목과 ᄀᆞᆺ치 스러져 업ᄉᆞᆯ 바를 개연ᄎᆞ셕(慨然嗟惜)ᄒᆞ여, 일ᄃᆡ문인(一代文人) 태혹사 포경과 ᄃᆡᆨ혹사 됴원으로 윤부일긔(尹府日記)를 살펴 윤명쳔의 ᄉᆞ덕[뎍]션ᄒᆡᆼ(事績善行)을 민멸치 말나 ᄒᆞ시므로, 포경은 포증(包拯)1551)의 ᄌᆡ오 됴원은 됴보(趙普)1552)의 손이라, 윤부 일긔를 보아 하·뎡 냥부로 졍의(情誼) 골육 ᄀᆞᆺᄐᆞ며],

명쳔공이 남강의 션유ᄒᆞ다가 명쥬(明珠)를 엇고, 뎡·하 냥공은 보월(寶月)을 어더 ᄋᆞᄃᆞᆯ의 빙믈을 삼아, 윤·하·뎡 삼문 ᄌᆞ녀를 밧고와 연친지의(連親之義)1553) 각별ᄒᆞ믄 니르도 말고, 뎡공이 금국의 가 안률도를 버혀 ᄃᆡ국 위엄을 일치 아님과, 하공의 즉[직]언츙심(直言忠心)으로 김탁의 화를 밧아 삼ᄌᆞ(三子)를 참망(慘亡)ᄒᆞ니, 뎡·윤 냥공이 일가동긔(一家同氣)ᄀᆞᆺ치 구○[ᄒᆞ]던 의긔현심(義氣賢心)으로, 윤부 셜화를 시작ᄒᆞᄆᆡ, 하·뎡 냥부 셜홰 ᄌᆞ연 ᄒᆞᆫ 가지로 《둘‖들》 ᄉᆡᆫ 아냐, 평졔왕 뎡쥭쳥 형뎨와 《하학ᄉᆞ‖하학셩》 곤계의 ᄉᆞ젹(事績)을

1844)포증(包拯) : 999-1062. 중국 북송 인종(仁宗) 때의 정치가. 청백리(淸白吏). 자 희인(希仁). 호 청천(靑天). 시(諡) 효숙(孝肅). 개봉부지부(開封府知府)·추밀부사(樞密副使) 등을 역임했다, 관료로서 부패척결과 공평무사한 법집행에 힘썼고 명판결(名判決)과 청백리(淸白吏)로 칭송을 받았다. 저서에 『포증집(包拯集)』『포효숙주상의(包孝肅奏商議)』가 있다.

1845)됴보(趙普) : 922-992. 중국 북송 건국기의 정치가. 자 칙평(則平). 송 태조 조광윤(趙匡胤)의 막료가 되어 황제 추대에 중심인물로 활약했다. 그 공로로 우간의대부(右諫議大夫)가 되고 추밀사(樞密使) 등을 거쳐 재상(宰相)에 올랐다. 문치주의적인 지배체제 구축으로 건국 초 국가기틀을 세우는데 공헌하였다.

1846)연친디의(連親之義) : 연달아 겹겹이 맺은 인친(姻親)의 의리.

1551)포증(包拯) : 999-1062. 중국 북송 인종(仁宗) 때의 정치가. 청백리(淸白吏). 자 희인(希仁). 호 청천(靑天). 시(諡) 효숙(孝肅). 개봉부지부(開封府知府)·추밀부사(樞密副使) 등을 역임했다, 관료로서 부패척결과 공평무사한 법집행에 힘썼고 명판결(名判決)과 청백리(淸白吏)로 칭송을 받았다. 저서에 『포증집(包拯集)』『포효숙주상의(包孝肅奏商議)』가 있다.

1552)됴보(趙普) : 922-992. 중국 북송 건국기의 정치가. 자 칙평(則平). 송 태조 조광윤(趙匡胤)의 막료가 되어 황제 추대에 중심인물로 활약했다. 그 공로로 우간의대부(右諫議大夫)가 되고 추밀사(樞密使) 등을 거쳐 재상(宰相)에 올랐다. 문치주의적인 지배체제 구축으로 건국 초 국가기틀을 세우는데 공헌하였다.

1553)연친디의(連親之義) : 연달아 겹겹이 맺은 인친(姻親)의 의리.

니고, 슈졔(首題)를 명듀보월빙(明珠寶月聘)이라 ᄒᆞ시므로, 포·됴 냥혹ᄉᆡ 삼부 일긔를 살펴 공공디논(公公之論)으로 젼셔(全書)를 디으니, 일분 희미ᄒᆞᆫ ᄇᆡ 업ᄉᆞᄃᆡ, 오히려 윤쳥문 뎡듁쳥의 츌댱파뎍(出將破敵)ᄒᆞ던 셜화ᄂᆞᆫ 십분디일(十分之一)을 올니디 못ᄒᆞᆫ디라. 다만 쳥문 형뎨의 초년 궁ᄋᆡᆨ(窮厄)【66】변괴(變怪)며 츌텬디효(出天之孝)를 긔록ᄒᆞ고, 평졔왕의 ᄋᆞ시로브터 사ᄅᆞᆷ 구활ᄒᆞ던 의긔현심(義氣賢心)과 츌인디ᄒᆡᆼ(出人之行)을 베프며, 하승샹 위인을 셰샹 사ᄅᆞᆷ이 소연이 알게 ᄒᆞ미라.

○○○○○○○[혹농션ᄉᆡᆼ 원상과]1847) 후암션ᄉᆡᆼ 원챵과 디남션ᄉᆡᆼ 원필은 원경·원보·원상의 환셰ᄒᆞᆫ 바로, 그 부모긔 디효(至孝)ᄒᆞ미 되니, 쵸(初)의 그 비명원ᄉᆞ(非命寃死)ᄒᆞ믈 텬되 슬피 넉이샤 다시 셰샹의 환ᄉᆡᆼ(還生)케 ᄒᆞ시미라. 일노 볼딘ᄃᆡ 텬의(天意) 살피시미 엇디 명명치 아니리오.

부인 녀ᄌᆡ 뎡슉녈 윤의렬 ᄀᆞᆺᄐᆞ니ᄂᆞᆫ 쳔ᄃᆡ(千代)의 희한ᄒᆞ거니와, 양·니·경 등과 하부 윤·임·뎡이 ○…결락15자…○[일ᄃᆡ(一代)의 쳘부명염(哲婦名艶)이오, 윤부 하·장 등이] 임샤디덕(姙似之德)과 이비(二妃)1848)의 정결(貞潔)ᄒᆞ믈 겸ᄒᆞ여,○…결락14자…○[진효부(陳孝婦)1849)를 압두ᄒᆞᄂᆞᆫ 셩효 잇시ᄃᆡ, 다]【67】각각 초년 풍상변고를 경녁ᄒᆞ니[고], 위태부인과 뉴부인의 궁흉극악이 만고무빵ᄒᆞ여, 쳥문 형뎨 부부를 ᄒᆡᄒᆞᆯ ᄲᅮᆫ 아니라, ᄉᆞᄉᆞ로 ᄌᆞ긔를 ᄒᆡ(害)ᄒᆞ미○[되]니, 뉴부인○[의] 춍민(聰敏)ᄒᆞ므로ᄡᅧ 쳐음 회과칙션(悔過責善)치 못ᄒᆞ믄, 딘왕 형뎨○[의] 디효를 빗닐 시졀이라, 이 ᄯᅩ 텬슈(天數)의 뎡ᄒᆞ미니, 인력(人力)으로 면ᄒᆞ리오.

1847) 박순호 본을 근거로 탈자를 보완한 것임. 단 박본에는 하원상을 하원창의 다음에 열거하여 형제의 순서가 뒤바뀌어 있으므로 이를 바로잡았다.

1848)이비(二妃) : 중국 순(舜)임금의 두 왕비이자 요(堯)임금의 두 딸인 아황(娥皇)과 여영(女英).

1849)진효부(陳孝婦) : 한(漢)나라 때 진현(陳縣)의 효부. 남편이 변방에 수자리 살러 나가 죽자, 남편과의 약속을 지켜 일생 개가하지 않고 시어머니를 성효로 섬겼다. 『소학』 <제6 선행편>에 나온다.

ᄒᆞᆫ 가지로 올니고, 슈졔(首題)를 <보월빙(寶月聘)이【129】라 ᄒᆞ고, 삼부 일긔를 술펴 공공지논(公公之論)으로 지으니, 일분 희미ᄒᆞᆫ ᄇᆡ 업ᄉᆞᄃᆡ, 오히려 윤쳥문 뎡쥭쳥의 츌장파젹(出將破敵)ᄒᆞ던 셜화ᄂᆞᆫ 십분지일(十分之一)을 올니지 못ᄒᆞᆫ지라. 다만 쳥문 형뎨○[의] 초년 궁ᄋᆡᆨ(窮厄) 변괴(變怪)며 츌텬지효(出天之孝)를 긔록ᄒᆞ고, 평졔왕○[의] ᄋᆞ시로브터 샤ᄅᆞᆷ 구활ᄒᆞ던 의긔현심(義氣賢心)과 츌인지ᄒᆡᆼ(出人之行)을 베프며, 하승샹 위인을 셰샹인이 알게 ᄒᆞ미라.

후암 션ᄉᆡᆼ 원챵과 혹농션ᄉᆡᆼ 원상과 지남션ᄉᆡᆼ 원필은 그 부모긔 지효(至孝)ᄒᆞ미 되니, 초(初)의 그 비명원ᄉᆞ(非命寃死)ᄒᆞ믈 텬되 슬피 넉이샤 다시 셰샹의 ᄂᆡ미라. 일노 볼진ᄃᆡ 텬되(天道) 슬피시미 엇지 명명치 아니시리오.

뎡슉녈, 《유의렬 || 윤의렬》 ᄀᆞᆺᄐᆞ 니ᄂᆞᆫ 쳔지(天地)의 희한ᄒᆞ거니와, 양·니·경 등과 하부 윤·임·뎡이 일ᄃᆡ(一代)의 쳘부명염(哲婦名艶)이오, 윤【130】부 하·장 등이 임ᄉᆞ지덕(姙似之德)1554)과 이비(二妃)1555)의 졍결(貞潔)ᄒᆞ믈 겸ᄒᆞ여, 진효부(陳孝婦)1556)를 압두ᄒᆞᄂᆞᆫ 셩효 잇시ᄃᆡ, 다 각각 초년 풍상곤ᄋᆡᆨ이 비상ᄒᆞ고, 위태부인과 뉴씨 궁흉극악이 만고의 무빵ᄒᆞ여, 쳥문 형뎨 부부를 ᄒᆡᄒᆞᆯ ᄲᅮᆫ 아니라, ᄉᆞᄉᆞ로 졔 몸을 ᄒᆡᄒᆞᄂᆞᆫ 바《ᄂᆞᆫ || 되니》, 뉴씨의 춍명ᄒᆞ므로ᄡᅧ 쳐음의 회과칙션치 못ᄒᆞ믄 진왕 형뎨○[의] ᄃᆡ효를 바다 화(化)ᄒᆞ○○○[믈 위ᄒᆞ]미라, 인녁으로 면ᄒᆞᆯ 길히 업더라.

1554)임사(姙似) : 중국 주(周)나라 현모양처(賢母良妻)인 문왕의 어머니 태임(太姙)과 무왕(武王)의 어머니 태사(太姒)를 함께 이르는 말.

1555)이비(二妃) : 중국 순(舜)임금의 두 왕비이자 요(堯)임금의 두 딸인 아황(娥皇)과 여영(女英).

1556)진효부(陳孝婦) : 한(漢)나라 때 진현(陳縣)의 효부. 남편이 변방에 수자리 살러 나가 죽자, 남편과의 약속을 지켜 일생 개가하지 않고 시어머니를 성효로 섬겼다. 『소학』 <제6 선행편>에 나온다.

뎡부 슌태부인과 뎡공 부부며 하공 부부와 윤부 위태부인과 조태비며 호람후 부뷔 각각 영복을 누려, 효ᄌᆞ현부(孝子賢婦)의 영효를 밧고, 슈한(壽限)이 댱원(長遠)ᄒᆞ여 증현손(曾玄孫)[1850]의 입장(入丈) 등과(登科) 가디 보고 기셰ᄒᆞ던 셜홰 후록(後錄)의 잇ᄂᆞ니라.【68】

윤씨 집 놀난(論難)과 뎡씨 집 소셜(小說)과 하씨 집 ᄂᆡ력(來歷)과 삼문의 소셜(小說)이 별셜(別說)의 잇ᄂᆞ니라.【131】

1850)증현손(曾玄孫) : 증손(曾孫)과 현손(玄孫)을 아울러 이른 말.

최 길 용

문학박사
전북대학교 겸임교수
전북대학교 인문학연구소 전임연구원

● 논 문

〈연작형고소설연구〉외 50여편

● 저 서

『조선조연작소설연구』 등 12종

김 영 숙

문학박사
중국남경효장사범대학 전임강사
전북대학교 강사

● 논 문

〈제주도 일반 신본풀이의 신격화연구〉외 다수

校勘本 **明珠寶月聘 ❺**

초판 인쇄 2014년 2월 03일
초판 발행 2014년 2월 10일

교　　주 | 최길용 · 김영숙
펴 낸 이 | 하운근
펴 낸 곳 | 學古房

주　　소 | 서울시 은평구 대조동 213-5 우편번호 122-843
전　　화 | (02)353-9907 편집부(02)353-9908
팩　　스 | (02)386-8308
홈페이지 | http://hakgobang.co.kr/
전자우편 | hakgobang@naver.com, hakgobang@chol.com
등록번호 | 제311-1994-000001호

ISBN 978-89-6071-365-9 94810
978-89-6071-360-4 (세트)

값 : 350,000원

이 도서의 국립중앙도서관 출판시도서목록(CIP)은 서지정보유통지원시스템 홈페이지(http://seoji.nl.go.kr)와 국가자료공동목록시스템(http://www.nl.go.kr/kolisnet)에서 이용하실 수 있습니다.
(CIP제어번호: CIP2014003415)